2017 SICHUAN NONGCUN NIANJIAN

四川農村年鑒

四川省人民政府　主管主办

电子科技大学出版社

图书在版编目(CIP)数据

四川农村年鉴. 2017 年卷 / 四川省人民政府主管主办.
-- 成都 : 电子科技大学出版社, 2017.12
ISBN 978-7-5647-5291-0

Ⅰ. ①四… Ⅱ. ①四… Ⅲ. ①农村经济—四川—2017—年鉴 Ⅳ. ① F327.71-54

中国版本图书馆 CIP 数据核字(2017)第 274735 号

四川农村年鉴　2017 年卷

四川省人民政府　主管主办

策划编辑　谢应成
责任编辑　谢应成
出版发行　电子科技大学出版社
成都市一环路东一段 159 号电子信息产业大厦九楼　邮编 610051
主　　页　www.uestcp.com.cn
服务电话　028-83203399
邮购电话　028-86691186, 83201495

印　　刷　四川经纬印务有限公司
成品尺寸　210mm × 285mm
印　　张　51　　彩页 22.75
字　　数　1900 千字
版　　次　2017 年 12 月第一版
印　　次　2017 年 12 月第一次印刷
书　　号　ISBN 978-7-5647-5291-0
定　　价　400.00 元

在省委农村工作会议上的讲话

中共四川省委常委、省委农工委主任　曲木史哈

（2017 年 1 月 22 日）

同志们：

这次会议是在全省脱贫攻坚首战告捷、省第十一次党代会即将召开的关键时期召开的一次十分重要的会议，省委、省政府对开好这次会议高度重视。刚才，翟占一同志传达了东明书记在省委十届 216 次常委会上审议省委“一号文件”时的重要讲话和尹力省长对“三农”工作的批示。东明书记的重要讲话，指明了农业供给侧结构性改革的主要目标、主攻方向和根本途径，强调“三农”工作要以供给侧结构性改革为主线，围绕发展现代农业、深化农村改革、转变农业发展方式、推进脱贫攻坚等重点工作，加强组织领导，促进农业增效、农民增收、农村繁荣。尹力省长的批示充分肯定了“三农”工作取得的成绩，对下一步工作提出了明确要求。我们一定要深入学习领会，抓好贯彻落实。下面，我讲四点意见。

一、充分肯定成绩，客观分析形势，提高做好“三农”工作重要性和艰巨性的认识

2016 年是“十三五”开局之年。各级各部门在省委、省政府的坚强领导下，团结拼搏，埋头苦干，扎实工作，农业农村工作实现了“十三五”开门红。

一是脱贫攻坚首战告捷。把脱贫攻坚作为头等大事，举全省之力，集全民之智，采取超常规举措，付出超常规努力，扎实推进各项部署落地生根，实现 107.8 万贫困人口脱贫、2437 个贫困村退出、5 个贫困县“摘帽”。我省脱贫攻坚工作得到中央领导的充分肯定，在中央农村工作会议上作了经验交流发言。

二是农民收入持续较快增长。把农民增收作为“三农”工作核心，持续强化农民增收书记县长负责制，积极培育农民增收新产业新业态。全省农民人均可支配收入达 11203 元，增长 9.3%，增幅居全国前列，继续保持“三个高于”，城乡居民收入比缩小到 2. 53∶1。

三是现代农业转型升级加快。启动了新一轮 33 个现代农业、26 个现代畜牧业（水产业）、30 个现代林业重点县建设，农业基础地位更加牢固。全年粮食总产达到 3483. 5 万吨，增长 1. 2%；农林牧渔业增加值增长 4. 0%。成功举办川台农业合作论坛、四川农业博览会、国际茶业博览会、四川蔬菜博览会等农业展会。

四是绿色发展成效初显。以绿色发展为引领，大规模开展绿化全川行动，完成营造林 900 万亩以上，森林覆盖率提高 0. 86 个百分点。农田水利基础设施进一步完善，新增农业节水灌面 90 万亩。水土污染防治得到加强，化肥使用量增幅控制在 1% 以内，减少农药使用 1600 吨。实施新一轮草原生态奖补政策，禁牧补助 7000 万亩、草畜平衡奖励 1. 42 亿亩。

五是“四好”新村建设加快推进。把新村建设作为脱贫攻坚的重要载体，推进物质文明和精神文明建设相结合，全面启动“四好村”创建工作。完成幸福美丽新村建设 6700 个，惠及农民群众 215 万户；累计建成幸福美丽新村 16282 个，惠及农民群众 460 万户；成功创建首批省级“四好村”1481 个。

六是农村改革取得突破性进展。坚持农村改革主攻方向不动摇，土地流转率达 30. 6%，累计培育家庭农场 3. 1 万个、农民合作社 6. 8 万个、龙头企业 8873 家，适度规模经营步伐加快。农村集体产权制度改革全面推进，土地承包经营权、宅基地使用权等农村产权确权基本完成，覆盖全省的农村产权流转交易服务体系初步形成，农村集体经营性资产股份合作制改革试点全面开展。一半以上的县

(市、区)承担了农村改革综合试点试验任务。供销合作社综合改革深入推进,为农服务能力进一步增强。

过去一年,全省"三农"工作取得的显著成绩,为打赢脱贫攻坚战、实现全面小康赢得了主动。在经济形势较为严峻、下行压力较大的情况下,成绩来之不易。在此,我代表省委、省政府向各级党委政府、农口和涉农相关部门、"三农"战线广大干部群众以及关心支持"三农"工作的各界人士,表示崇高敬意和衷心感谢!

在肯定成绩的同时,也要看到所面临的严峻形势。一是农业供给结构性矛盾突出。一方面进口农产品种类和市场份额不断扩大,给国内农产品带来的冲击越来越大;另一方面,省内酿造、饲料用粮省外调入占一半,奶产品缺口达百万吨,农产品产地初加工不足60%。同时,消费者从过去吃饱吃好,向追求生态、绿色、有机转变,更加注重产品的安全、营养和个性化。二是农产品缺乏竞争优势。农业产业规模较小、经营分散、结构趋同,生产结构调整相对滞后。农产品加工层次低、产业链条短、精深加工增值产品少,新型经营主体示范带动能力有待提升。农业标准化、商品化、品牌化程度低,名优特产品不多,缺乏市场竞争力和影响力。三是农民持续增收压力较大。近5年全省农民人均可支配收入增速年均回落2.2个百分点,农民持续增收动力在减弱。经济结构调整加快,外出务工人数增速下滑,工资性收入增长放缓。农业成本"地板"抬升、农产品价格"天花板"下压,农民家庭经营增收乏力。转移性收入增长空间有限,财产性收入占比很小,持续增收的长效机制尚未形成。四是资源环境约束日益趋紧。全省人均耕地面积低于全国水平,耕地后备资源严重不足。农业供水用水"最后一公里"问题突出,提灌设施带病运行的超过50%。主要农作物耕种收综合机械化水平比全国低9个百分点。农业资源环境承载能力趋近极限,拼资源、拼投入的传统老路已难以为继。

在面对问题和挑战的同时,更要看到难得的发展机遇。一是中央、省委始终高度重视"三农"工作,农业农村发展政策环境更加优化。"三农"始终是全党工作的重中之重,近年来中央和省上优先保障"三农"投入,强农惠农富农政策体系不断完善,农业发展面临比以往任何时候都有利的政策环境,开创"三农"工作新局面的推动力更加强大。二是推进农业供给侧结构性改革,现代农业转型升级迎来难得机遇。推进农业供给侧结构性改革,是农业政策改革完善的主要方向。这为我们破解农业发展难题、促进农业转型升级、优化农产品供给带来了新机遇,必将极大地优化重构农业产业体系、生产体系、经营体系和服务体系。三是农村一二三产业加速融合,农业农村发展新的增长点正在形成。农村产业结构深入调整,农业与二三产业融合发展的程度越来越深,新产业新业态"异军突起",休闲农业、乡村旅游、农村电商呈井喷式发展,创意农业、民宿经济、森林康养蓬勃兴起,农民工、大学生甚至"海归"等返乡创业正逐步成为热潮,城乡劳动力互换成为新趋势,"两新、双创"正在成为农村发展新的增长点和动力源。四是工商资本加快向农村投入,农业农村日渐成为投资热土和洼地。去年,全省第一产业固定资产投资完成额累计增长32.7%,比全国高出11.6个百分点,比全省全社会固定资产投资增速高出20.6个百分点。农业农村正在成为投资的热点和洼地,将有效带动人才、技术、现代经营管理理念等进入农业农村。五是农村改革不断深化,农业农村发展内生动力增强。农村改革啃下了硬骨头,打通了关节点,体现了一定含金量,创造了一批可复制可推广的经验,成为全面深化改革的突破口。继续深化农村改革,加快释放改革红利,进一步促进农业生产力发展和生产关系调整,农业农村发展新动力正在加速集聚。

总的来看,机遇与挑战并存,希望与困难同在,但机遇大于挑战。要牢固树立发展新理念,准确把握经济发展速度变化、结构优化、动力转换新特点,认真研判新常态下"三农"发展新趋势,牢牢抓住供给侧结构性改革新机遇,注重农业结构稳与调的度、农业政策稳与改的度、农村改革稳与进的度,找准切入点,迎难而上、攻坚克难,奋力推动农业农村发展迈上新台阶。

二、把握总体要求,突出工作重点,把农业供给侧结构性改革作为"三农"工作主线

习近平总书记指出,新形势下农业主要矛盾已经由总量不足转变为结构性矛盾。推进农业供给侧结构性改革,提高农业综合效益和竞争力,是当前和今后一个时期我国农业政策改革和完善的主要方向。中央农村工作会议强调,要把农业供给侧结构性改革作为主线,培育农业农村发展新动能,实现农业提质增效、农民增收致富,让消费者吃上优质放心的农产品。

省委、省政府高度重视供给侧结构性改革,召开省委中心组学习会专题学习。东明书记强调,要把供给侧结构性改革作为经济发展和经济工作主线抓实抓好,持续用力、久久为功。自去年3月以来,省委、省政府先后印发《促进经济稳定增长和提质增效推进供给侧结构性改革政策措施》《四川省推进供给侧结构性改革总体方案》等文件,明确了目标要求,制定了17条政策措施。为落实好省委决策部署,省政府又下发了《推进农业供给侧结构性改革加快四川农业创新绿色发展行动方案》,对农业供给侧结构性改革再次部署。今年,省委"一号文件"连续第14次聚焦"三农"工作,出台了《关于以绿色发展理念引领农业供给侧结构性改革切实增强农业农村发展新动力的意见》。中央和省委一系列战略思想和决策部署,是当前和今后推进"三农"工作的总遵循、总方针,必须锲而不舍,一以贯之。2017年是实施"十三五"规划重要的一年,是供给侧结构性改革深入推进之年。全省"三农"工作要围绕农业增效、农民增收、农村增绿,以绿色发展理念引领农业供给侧结构性改革,优化结构、保障供给、强化支撑、深化改革、补齐短板,激发农村各类资源要素潜能,推动农业供给侧结构性改革取得新进展、农业农村发展迈上新台阶。全年实现农林牧渔增加值增长3.5%、农民人均可支配收入增长9%。

(一)推进农业产品结构调整,提高农业供给质量和效益

推进农业供给侧结构性改革,围绕有效提供安全、优质专用、特色个性、功能农产品,着力改造品种、提升品质、打造品牌,改变以增产为目标的导向,深入研究市场,加强农产品价格监测,提升消费信心,形成结构合理、保障有力的农产品供给体系。

要以粮食生产功能区建设为重点巩固提升产能。民以食为天。中央最关心的粮食、能源、金融三大经济安全,排在第一位的就是粮食安全。必须守住粮食安全的底线,四川在粮食生产上不是去产能,而是保产能优产能。坚持省内口粮基本自给,集中连片打造一批粮

食生产功能区、示范区，确保粮食种植面积稳定在9000万亩以上。粮食等大宗农产品要在优质专用上做文章，大力发展优质稻、加工专用马铃薯、酿酒专用粮、饲草饲料等。落实好藏粮于地、藏粮于技战略，继续实施粮食生产能力提升工程，实现粮食生产能力只升不降。

要以扩大有效和中高端供给为导向优化产品结构。不能片面地追求市场占有率，必须坚持效益优先，提升农产品附加值。积极发展川菜、川果、川茶、川药等特色个性农产品，探索发展薯类、菌类、柠檬、苦荞等具有健康改善功能的农产品，满足不同层次、多元化、差异化的市场需求。要把有效提供安全农产品作为农产品供给的基本要求，贯彻落实“四个最严”要求，坚持“产出来”和“管出来”两手抓、两手硬，有权必有责、有责必担当，既要确保生产安全，更要确保监管不出问题。要统筹规划农业区域品牌发展战略，扩大“天府龙芽”、“东坡泡菜”等优势区域公用品牌影响力，打响“川字号”农产品品牌，把四川优质农产品摆上国内外消费者餐桌。

要以现代农业园区建设为载体推进产业集群发展。现代农业园区要率先实现农业现代化，示范引领全省现代农业又好又快发展。要借鉴工业园区发展经验，采取政府引导、龙头带动、农民参与、股份合作等形式，以园区为核心带动周边生产基地，促进产业融合发展，推进现代农业园区增容、扩面、提质，年底建成现代农业产业融合示范园区200个。继续推进新一轮现代农(林、畜牧)业重点县和示范市县建设。积极推进优势特色农业“走出去、引进来”，加快川台、中法农业合作园区及境外农业园区建设。

要以治理修复生态环境为重点促进农业可持续发展。坚持绿色发展，农业必须率先实现绿色发展。要实施最严格的水资源、水环境监管制度和水污染防治行动计划，推进各类土壤污染治理与修复，严防工业“三废”和城市生活垃圾下乡。要推行农业绿色生产方式，大力发展生态农业、循环农业、有机农业，积极创建农业绿色生产试验示范区，启动耕地轮作休耕制度试点。按照“一控两减三基本”目标，开展化肥和农药使用量零增长行动，强化废旧农膜、秸秆、畜禽粪便综合利用，实现以最小的环境污染为代价，生产出优质安全农产品。

(二)大力推进农村一二三产业融合发展，全面拓展农业供给多种功能

四川地形多样，生态资源丰富，念好山水经、唱好林草戏、打好果蔬牌、奏好交响乐，开发农业多种功能，具有独特优势。要充分利用优势资源，加快培育新产业新业态，推进农村一二三产业深度融合。

推进“旅游+农业”，大力发展休闲农业和乡村旅游。四川是农家乐的发源地，发展乡村旅游还有很大空间和潜力。要深入实施乡村旅游提升行动计划，提升农业景观化水平，建设休闲农业和乡村旅游扶贫示范区、乡村旅游强县、精品村寨、乡村民宿，实现“以农带旅、以旅促农”良性循环。因地制宜引进现代物业管理理念，盘活农村存量资产。要大力发展乡村旅游合作社，实施乡村旅游富民工程和旅游富民计划，办好休闲农业和乡村旅游节会活动，持续扩大美丽四川影响力和知晓度，使乡村成为中等收入人群休闲度假目的地。

推进“生态+农业”，大力发展森林康养产业。四川拥有林地面积3.6亿亩，居全国第3位；森林覆盖率35.7%，高出全国14个百分点，发展康养产业得天独厚。要优化森林康养产业布局，深入研发康养产品，打造森林康养地域品牌，逐步形成环成都平原、秦巴山区、乌蒙山区、攀西地区森林康养集聚区，加快把我省建设成为森林康养目的地和森林康养产业大省。

推进“文化+农业”，大力发展创意农业。四川素有“民族走廊”之称，蜀绣、竹编、年画等传统民间手工艺遍布全省。要依托农业民族文化、自然遗产、传统村落和民居等资源，鼓励经营企业开展多种形式的创意设计，打造具有农耕文化、历史记忆、地域特点、民族风情的特色村镇。要推动科技、人文等元素融入农业，探索发展工厂化、立体化高科技农业和定制农业、会展农业等新业态。

推进“互联网+农业”，大力发展农村电子商务。农村电商是推进“工业品下乡、农产品进城”的重要途径。要围绕“互联网+”带动传统农业升级，推进农业信息化建设，打造“线上农业”，带动“线下农业”提质增效、转型升级。搭建省级农村电子商务服务平台，建立县、乡、村三级电商运营服务网络，加强乡镇分拨中心、仓储物流等配套基础设施建设。要研究加大对一线操作人员的补贴政策，确保让他们维持生计，坚守阵地。

要大力发展农产品加工业，拓展农业产业链和价值链。农产品加工业是推进农村三产融合发展的关键环节。要加快发展农产品产地标准化初加工，重点围绕特色优势农产品，开展原产地清洗、分选、烘干、保鲜、包装、贴牌、储藏等商品化处理和加工，推动农产品及加工副产物综合利用。要推进农产品初加工和精深加工协调发展，继续实施农业产业化龙头企业排头兵工程，加快培育农产品精深加工领军企业，支持茶叶、果蔬、马铃薯、薯类和生猪、牛羊、家禽等特色农产品深加工，注重地域品牌和知识产权的保护，提高加工转化率和附加值。要加快农产品冷链物流发展，推广“产地集配+销地分拨”等直销模式，实现生产、加工、流通、消费有效衔接。同时，结合乡村旅游、创意农业和农村电商，积极发展具有个性化手工特色的乡村作坊式加工业。

(三)加强农业农村基础设施建设，强化农业供给物质支撑

农业农村基础设施是农业供给侧结构性改革的物质支撑。必须把农业农村基础设施建设作为投入重点，突出抓好生态、水网、田网、路网等基础设施和公共服务设施建设。

要以农田水利建设为重点，推进农业基础设施建设。水利是农业的命脉。要围绕“再造一个都江堰灌区”核心目标，完善水利基础设施网络，加快武引二期灌区等72处大中型工程建设，推进升钟等5个大型灌区和16个中型灌区配套改造项目。缺水是农业发展的突出瓶颈，耗水过多是农业的突出问题。在抓好供水的同时，要更加注重加强节水，把农业节水作为方向性、战略性大事来抓，积极推广农业抗旱节水品种和喷灌、滴灌、微灌等节水技术，全面推进节水型社会建设。要深入推进土地整治，加大田型调整力度，加快建设高标准农田绿色示范区。同时，大规模实施绿化全川行动，全面实施造林增绿，巩固和改善农村生态环境，筑牢长江上游生态屏障。

要以道路电气建设为重点，切实改善农村生活条件。突出“四大片区”、88个贫困县，把通乡通村公路和入户路建设作为重点，加

快实现油路到乡、硬化路到村、连组入户路畅通。加快渡口改桥、溜索改桥工程建设，尽早结束一些偏僻山村"渡桥时代""溜索时代"。要推进农村电网改造升级工程，尽快结束民族地区"无电村"历史。推动天然气向农村覆盖，因地制宜发展规模化沼气和集中供气。大力实施农村饮水巩固提升工程，不断提高城乡居民生活用水保障水平。

要以推进农业机械化为重点，整体提升农业物质装备水平。推进农业机械化对实现农业规模经营、保障农产品有效供给非常关键。要研发推广受农民欢迎、生产效益好的先进适用农机具，强化农机关键零部件和重点产品研发，大力发展设施农业、畜牧水产养殖、病虫防治等机械设备，形成一批成熟适用的农产品加工技术、工艺和关键装备。要推进农业生产全程机械化试点示范，建设一批农业生产全程机械化示范县。落实支持农机化发展的税费优惠政策，鼓励种养大户、农机合作社购置大中型农机具。要以大数据、云计算和物联网等现代信息技术为支撑，加强物联网、智能装备的推广应用，推进农业信息进村入户工作。

要以社会保障为重点，推进公共社会事业建设。全面落实"两免一补"政策，继续实施民族地区"9+3"免费教育计划、农村贫困地区定向招生专项计划、农村义务教育学生营养改善计划。建立统一的城乡居民基本医疗保险制度，完善大病医疗保险和医疗救助制度。要推进农村基层综合性文化服务中心和文化院坝建设，加快实施广播电视户户通工程。推动"宽带中国"战略，改造农村现代通信基础设施，不断扩大覆盖范围，提升服务能力。

（四）坚持农村改革主攻方向不动摇，为农业供给侧结构性改革注入新动力

当前和今后一段时期，要继续坚持农村改革主攻方向不动摇，围绕"人、地、钱"三要素做文章，持续深化各领域改革，激发农业农村发展内在活力。

要激活农村三支队伍，大力培育新型农业经营主体。农业科技人员、返乡创业人员、职业农民是农业现代化进程中三支重要力量，也是未来农业发展的核心力量和关键要素，必将为农村发展注入新动力。要以激活农业科技人员为重点推进科技体制改革，深入落实我省激励科技人员创新创业的十六条政策，全面推广农业科技人员创新创业改革试点经验，鼓励科技人员带科研项目和成果、保留基本待遇开展创新创业，允许在省内兼职从事科研成果转化并取得合法股权或薪资，允许使用科研单位各种平台、资源提供有偿服务。要继续加强农业科技研发，强化原始创新，农业科研工作要以绿色发展为引领，重点围绕优质、安全、生态、节水、抗病的方向攻关。支持社会力量广泛参与农业科技推广，为农业提质增效作贡献。

同时，要激活返乡农民工队伍，支持设立农民工返乡创业扶持资金，实施农民创新创业行动、农村青年创业富民行动、农民工等人员返乡创业行动计划，支持返乡农民工发展新产业新业态。要激活新型职业农民队伍，探索建立职业农民制度，培养一批新型职业农民队伍，在现代农业发展中发挥"领军"作用。要继续把家庭农场、农民合作社、农业龙头企业等作为新型农业经营主体培育的重点，强化政策支持，完善利益联结机制，与农户结成更加紧密的利益共同体。

要深化土地产权制度改革，进一步放活土地经营权。近年来，全省各地积极探索，放活土地经营权形成了租赁、转包、入股、托管等多种形式。要实施好农村土地所有权承包权经营权"三权分置"办法，以放活土地经营权为重点，多种形式发展适度规模经营，探索家庭联产承包责任制向家庭联产承包股权制发展。要保障土地经营权的法律地位，反对转租，延长土地经营期限。大力发展农村土地股份合作社，降低经营成本，让农户分享规模化经营收益。要运用好农村集体产权确权颁证成果，加快农村集体资产清产核资，合理界定集体资产范围和成员资格。稳步推进农村集体经营性资产股份合作制改革，建立健全农村集体经济组织，发展新型集体经济，推广资源变资本、资金变股金、农民变股东的贵州"三变"改革模式，支持发展农业规模经营、农村服务业、物业经济、合作经营等集体经济业态。

要创新"三农"投入机制，优先保障农业支出。近年来，财政支农资金还存在投入不足、结构不合理、使用分散、撬动作用较弱等问题，影响了支农资金的政策支持效果。要优先保障"三农"投入只增不减，财政再困难也要优先保障农业支出，开支再压缩也不能减少"三农"投入。要建立支农投入稳定增长机制，今年全省"三农"投入的总量还要增加，尽可能多增一点。要创新平台，引导低成本信贷资金、社会资本进入"三农"，同时引导农业创业者自己增加投入，改善农业基础设施，降低农业生产成本，增加农业效益，逐步形成正向作用的良性循环。要总结推广财政资金"五补五改"模式（补助改股份，将财政资金无偿补助农民合作社，改为以农户的股份形式投资农民合作社；补助改基金，将财政资金直接补助业主，改为建立产业发展基金、贫困村产业扶持周转金；补助改购买服务，将传统财政资金直接用于项目建设，改为政府购买公共服务；补助改担保，将传统财政资金直接奖补业主，改变为注资政府性担保平台，撬动金融资本、社会资本投入；补助改贴息，将传统财政资金直接奖补业主，改为为新型农业经营主体贷款贴息贴费，降低融资成本），提高财政资金使用效率。鼓励各地以财政资金为引导，设立农业产业发展投资引导基金、股权投资基金、担保基金、投资平台公司等，主要采取贴息、建立风险补偿及 PPP 等多种方式，撬动金融和社会资金投入农业农村。

（五）推进以"四个好"为目标的幸福美丽新村建设，激发农民群众的内生动力

习总书记强调"农民的钱袋子鼓起来了没有，是检验农业供给侧结构性改革成效的重要尺度"。对我省来说，农民钱袋子鼓起来的具体体现，就是既要让农民住上好房子、过上好日子，更要养成好习惯、形成好风气，调动农民群众的积极性、主动性、创造性，激发建设美好家园的内生动力。

要扎实抓好"四好村"创建。以"四个好"为目标建设幸福美丽新村，是新一轮新农村建设的艰巨任务。要特别强调的是，"四个好"目标包含了"业兴、家富、人和、村美"的内容，住上好房子、过上好日子，要以"业兴、家富"为前提；养成好习惯、形成好风气，要以"人和、村美"为支撑。去年，全省创建了一批"四好村"，起了很好的示范带动作用。今年要继续对照创建标准和考评指标，以行政村

为单位，推进省、市、县三级“四好村”创建工作。要落实党委、政府主要负责同志第一责任人制度，构建整体联动的工作责任机制。要建立创建通报制度，推进“四好村”创建活动常态化、制度化，力争全省15%以上的村创建成省级“四好村”。

要深入推进扶贫新村建设。坚持优先在贫困村实施整村推进幸福美丽新村建设项目，与易地扶贫搬迁和农村危房改造等相结合，优先解决贫困户住房困难，坚决防止漏掉贫困村、贫困户，防止农民因建房而负债致贫。要注重规划引领，遵循城乡发展变化规律，充分考虑人口转移、产业发展、公共资源配置等因素，坚持城乡一体规划布局。要优先在贫困村开展一村一品村企对接，让龙头企业把贫困村、贫困户带动起来。同时，继续推进藏区新居、彝家新寨、巴山新居、乌蒙新村建设。

要着力让农民养成好习惯形成好风气。住上好房子、过上好日子是硬件，是近期目标；养成好习惯、形成好风气是软件，是远期目标，更是当前和今后的重点。要大力弘扬社会主义核心价值观，积极开展群众性文化活动，加强农村环境整治，引导农民群众养成文明礼貌、勤俭节约、安全生产、守时守信的好习惯。要引导农民群众自觉抵制好吃懒做、相互攀比、大操大办、低级媚俗、宗族派别等不良风气，形成爱党爱国、尊老爱幼、互相帮助、自力更生等文明风气。

要广泛开展感恩奋进主题教育。农民群众是幸福美丽新村的建设主体和受益主体，必须引导农民群众发挥主人翁精神。要改进动员方式，把办好农民夜校作为实现“四个好”目标的有效举措，广泛开展“感恩奋进”主题教育，加强扶贫政策、脱贫技能、道德法治、文明新风等专题培训。要充分尊重农民群众意愿和选择，发挥农村党员、乡土人才、返乡创业人才的“领头羊”作用，不搞强迫命令，想当然地替农民做主、代农民决策。要积极宣传幸福美丽新村建设的鲜活事迹，树立一批不观望、不等待、自立自强的先进典型，激励广大农民群众积极建设美好家园。

三、聚焦脱贫攻坚，深化精准扶贫，加快补齐农业农村发展短板

脱贫攻坚是事关全面小康的头等大事，也是“三农”工作的头号工程。2016年全省脱贫攻坚取得阶段性重大成果。目前，全省还有270多万农村贫困人口，脱贫攻坚的任务依然繁重。今年是脱贫攻坚承上启下、全面突破的关键一年，各级各部门要务必站在政治和全局的高度，贯彻落实全国扶贫开发工作会议和省脱贫攻坚领导小组第12次会议精神，要务必做到抓脱贫攻坚工作更主动、统筹更有力、脱贫成效更突出，全面完成16个贫困县摘帽、3700个贫困村退出、105万贫困人口脱贫的年度目标任务。

（一）深化巩固脱贫成果，完善特惠支持政策体系

全面实施精准扶贫、精准脱贫一年来，有很多好经验好做法需要总结推广，也有许多政策措施需要探索完善。要立足提升质效，健全完善特惠支持政策。

要抓好政策措施完善。按照推进供给侧结构性改革的思路，从贫困群众和贫困地区的实际需要入手，强化问题导向，开展一次摸底排查，认真查找脱贫攻坚的难点和薄弱环节，全面梳理住房、产业、金融、教育、卫生、低保和精准识别等各类政策的执行情况。要对执行中需要完善的抓紧进行调整、修订，形成科学系统的到村到户特惠支持政策体系，力戒扶贫领域中的形式主义，确保脱贫攻坚政策、资金、项目聚焦扶贫对象，把扶贫资金花在关键处，用到刀刃上。

要抓好脱贫成效巩固。中央强调，在脱贫攻坚期内，对已退出的贫困县、贫困村、贫困人口要持续予以适当扶持，确保达到2020年当年的减贫退出标准。国家每年考评抽查，重点抽查当年计划脱贫的贫困人口，同时也要抽查往年已脱贫的建档立卡贫困人口。省上明确提出，2013年底全省625万建档立卡贫困人口，到2020年享受的扶贫政策保持总体不变。要加强对脱贫对象的动态监测，继续给予适当的特惠支持，做到脱贫不脱帮扶、脱贫不脱政策、脱贫不脱项目。特别是要建立健全稳定脱贫长效机制，着力解决好脱贫户因病、因灾、因学、因智返贫等问题。

要抓好经验总结推广。面上要全面总结省委、省政府领导推动脱贫攻坚工作的做法。首批5个“摘帽”贫困县要深入总结经验，从先进经验和成功范例中发现规律。各级各部门要总结具有创造性和推广价值的经验做法，树标杆、立样板，让这些来之不易的宝贵经验继续在贫困地区“生根发芽、开花结果”。要把好做法、好经验上升固化为制度机制，在全省全面推广。

（二）突破重点难点，推动年度任务做实落地

着眼到2020年打赢脱贫攻坚决战，始终锁定最贫困的区域、最困难的群众，分阶段、分步骤、分类别推进。

要精心制定实施扶贫专项方案。今年，省委决定在去年17个专项方案的基础上，优化调整为22个专项计划。省级牵头部门和责任部门要加强与国家部委年度计划的密切对接，与专项规划有机衔接，与市县需求有效链接，充分挖掘扶贫资源，细化落实各类政策、资金和项目，务必于2月底前制定出台所有专项工作计划和具体实施方案，为基层尽快启动实施项目赢得时间和空间。

要统筹推进片区内外脱贫攻坚。制定实施全省片区区域发展与脱贫攻坚实施规划和年度计划。要坚持扶贫资金、项目、资源、力量“两聚焦”，重点向藏区、彝区民族地区聚焦倾斜，持续深入实施藏区“六大民生工程行动计划”、彝区“十大扶贫工程”及17条支持政策。要大力实施“携手奔小康”行动，深化东西部扶贫协作、省内对口帮扶藏区彝区贫困县机制，开展好对凉山188个极贫村的定点帮扶和彝区“一村一幼”建设。高度重视片区外小区域贫困和“插花”贫困问题，进一步增强片区外党委政府脱贫攻坚的责任感和紧迫感，落实好贫困村退出、建档立卡贫困户脱贫的主体责任。

要精准实施“五个一批”脱贫计划。要强化造血功能，着力推进产业就业扶贫，大力实施贫困村提升工程，发展合作经济，在发展增收产业、培育带动主体、加强培训就业上用实招、见实效，确保每个计划脱贫户有1项增收产业或实现1人就业。要抓实住房安全建设，把易地扶贫搬迁作为“一号工程”，及早安排、科学调度、加快进度，完成33万贫困人口的易地扶贫搬迁任务。要完善输血机制，全

面完成全省121万农村建档立卡低保兜底对象，低保线和扶贫线“两线合一”工作。要强化失血救助，抓好教育卫生扶贫政策落实，用好县级教育和卫生扶贫救助基金，解决好计划脱贫户因病因学致贫问题。

（三）加强资源调配，优化指挥作战工作平台

扶贫精准不精准，关键靠基层。要以强化要素保障、高效推动落实为落脚点，优化完善纵向到底、横向到边，上下衔接、层层贯通的脱贫攻坚责任体系和工作体系。

要强化一线指挥调度。坚持“3+10+N”组合拳分战线、分层级推动落实的工作机制，优化完善以市县为责任主体、部门为工作主体、驻村帮扶为落实主体的一线指挥体系和作战平台。要深化各级领导干部、机关单位联系指导精准扶贫制度，落实市县党委、政府一把手负责制，配强贫困县脱贫攻坚组织领导和工作力量。实行行业部门清单管理，选派专业力量到贫困地区一线开展技术指导。建强乡村基层党组织，规范和加强“五个一”驻村帮扶，解决好精准扶贫“最后一百米”的问题。

要强化扶贫投入保障。加大各级财政脱贫攻坚投入力度，进一步深化贫困县财政涉农资金整合试点，今年省级层面要扩展至88个贫困县。大力实施金融精准扶贫，充分调动金融机构、地方政府和贫困户积极性，鼓励引导各类金融机构加大金融支持，开发有效对路的金融扶贫产品，用好扶贫小额信贷分险基金，推广“扶贫再贷款+扶贫小额信贷”模式，提高贫困户扶贫小额信贷获贷率。有序引导社会资源投入，深入开展“扶贫日”“万企帮万村”“结对认亲、爱心扶贫”等活动。

（四）严格督导考核，把好脱贫成效考评关口

精准扶贫精准脱贫来不得半点虚假。要在加强源头监管的同时，严格督导检查和考核评估，特别是对搞形式主义、弄虚作假、数字脱贫的，必须严厉追责、严肃问责。

要实施全程监管。扶贫资金是否精准使用、帮扶措施是否到村到户，社会关注度很高。要完善“六有”平台在线监管功能，与国家子系统有机对接，定期汇总、分析、监测精准识别、资金使用、项目实施情况。全面推行痕迹管理，逐县、逐村、逐户建立精准扶贫纸质档案与电子档案，确保全程记录、账实相符。完善扶贫项目资金公告公示制度，加强审计、稽察，提高资金使用效益和透明度。

要加强督查巡查。今年，省级层面将开展3次全省性的大检查、大督导，动真碰硬倒逼各级各部门真抓实干。要坚持重心下移，定期或不定期对重点区域、重点工作开展专项督查巡查，推进扶贫暗访抽查常态化、暗访力量多元化，做到有报必查、有查必办，严厉问效问责。要继续加强预防和集中惩治扶贫领域职务犯罪工作，始终保持严管严查的态势。

要严格考核评估。4月份左右，要召开全省脱贫攻坚总结表彰大会，总结工作，表彰先进，部署下一步工作，最差的还要述职。要认真开展对市（州）、贫困县党委、政府脱贫攻坚工作的正式考核，强化考核评估结果运用，该表扬的表扬、该约谈的约谈、该问责的问责。建立省内定点扶贫、对口帮扶藏区彝区工作等考核办法，完善脱贫攻坚考核体系。继续强化第三方评估作用，严把扶贫对象退出关，确保高质量、高水平完成年度脱贫任务。

四、加强工作领导，压紧压实责任，坚决把“三农”责任扛在肩上，工作落到实处

推进农业供给侧结构性改革，培育农业农村发展新动能，是当前和今后一个时期“三农”工作的重要任务。各级党委和政府既要立足解决好当前实际问题，又要着眼于长远谋篇布局，切实担负起领导农业农村发展的政治责任，统筹协调各方力量，把“三农”各项工作落细落小落实。

（一）强化“三农”工作领导

各级党委、政府要始终坚持“三农”工作重中之重的地位，在工作部署、财政投入、干部配备等方面加强倾斜。特别是今年县、乡两级党委政府领导班子换届，很多新到岗的同志可能对当地的情况、对农业农村工作还不是很熟悉，要搞好培训抓紧补课。要把学习中央特别是习近平总书记关于“三农”工作的系列重要论述作为重点，认真学习农业基本知识，做到熟悉农业、了解农业、清楚农村。要加强换届后乡村领导班子建设特别是带头人队伍建设，提升做好群众工作能力、依法办事能力、带领群众发展致富的能力。各有关部门要把支持“三农”工作作为义不容辞的责任，全力支持，密切配合，确保中央、省委“三农”政策扎实推进。

（二）夯实基层组织建设

农村基层组织，最贴近群众，是党与农民群众紧密联系的桥梁与纽带。要强化农村基层党组织建设，牢固农村基层党组织领导核心地位，整顿软弱涣散基层党组织，推动基层党组织全面进步、全面过硬。要抓好农村基层党组织带头人队伍和党员队伍建设，实施好“千乡万村好书记选育计划”，选优配强村级组织带头人，把那些政治过硬、能力突出、真抓实干的优秀人才充实到农村基层领导范围，努力建成一支稳固的、充满战斗力的基层队伍。

（三）推进农村依法治理

乡村治理离不开法律保障。要健全农村依法治理体系，完善村民自治机制和村务公开监督机制，用好村规民约、院坝公约制度，提升乡村治理水平。要加强农村法治宣传教育，教育农民知法、懂法、用法，提高法律意识。要针对农民群众反映的突出问题，加大纪检监察力度，坚决纠正和查处损害农民群众切身利益的违纪违法行为，加强“三农”领域反腐制度设计，堵住机制制度漏洞，形成不敢腐、不能腐、不想腐的有效机制，切实保护农民合法权益，营造良好的农村社会环境。

同志们，推进新形势下农村改革发展，任务艰巨、责任重大。让我们紧密团结在以习近平同志为核心的党中央周围，奋发有为、扎实工作，以优异成绩迎接党的十九大和省第十一次党代会胜利召开！

编辑说明

《四川农村年鉴》是四川省人民政府主管主办的记录全省农村经济社会发展及工作经验、研究成果的大型综合性年刊；是省委、省政府决策“三农”工作、推进城乡统筹、建设社会主义新农村、构建和谐四川的重要参考书；是帮助国内外人士了解、认识、研究、投资四川的重要工具书，具有资政、存史的重要作用，自2005年创刊以来，截至2017年，已连续编纂出版13卷。

《四川农村年鉴》(2017年卷)以科学发展观为指导，深入贯彻落实党的十九大以及习近平总书记系列重要讲话精神，围绕“四个全面”战略布局，以深化农业供给侧结构性改革、扶贫攻坚、全面建成小康社会为主线，以大力夯实现代农业基础，厚植农业农村发展优势，加快转变农业发展方式，继续深化农村改革为出发点和立足点，汇集了2016年度四川“三农”各个方面发展状况的文献资料、图片、研究成果以及农村工作经验，如实反映了全省农村经济社会的新发展、新成果、新情况、新问题。为全省各级党委和政府进行“三农”工作决策提供科学依据，为广大科研和教学工作者、国内外各界人士研究四川“三农”提供最丰富、最翔实的资料，促进了四川农村经济社会发展，增进了各省、市、自治区及世界各国与四川农村进行经济、科技、文化及社会发展各个方面的交流合作。

《四川农村年鉴》(2017年卷)为大16开精装版本，入编资料主要由省委、省政府各部、委、办、厅、局、科研院所和各市(州)、县(市、区)政府及相关单位提供，图文并茂专题介绍全省农村经济社会发展，分篇目、章目、类分目及条目编辑。为保持相关篇章的完整性和连贯性，对部分内容作了适当回顾，对一些篇章涉及2017年的内容亦作了相应保留。所登载的数据以统计局的统计口径为准，辅以行业主管部门提供的数据，由于统计口径和使用方法的不同，个别数据稍有出入。

由于本年鉴的入编单位较多，涉及面较广，工作量较大，书中难免存在一些瑕疵，恳请读者尤其是供稿单位撰稿人批评指正，以便我们更好地改进工作，提高质量。

《四川农村年鉴》
专家评审指导委员会

（按姓氏拼音排列）

《四川农村年鉴》编辑部

名誉总编辑

张作哈

执行总编辑

刘　洁

副总编辑

文心田　王德才　廖亚兰

编　审

刘金明

编辑部主任

汤金丹

责任编辑

闵　慧　刘伏平　林　毅

美　编

平思远

编　辑

陈　静　谢秋燕

专栏负责人

王利主　吴小楼　车忠其　罗　斌　吴华忠　胡　鑫

樊晓东　尤绍良　赵　健　李祥发　赵建生　李兴贵

申江平　余　刚　徐天英　陈　琳　钟永富

发行部主任

梁　蓉

发行部副主任

贺易彬

《四川农村年鉴》协办单位

（排名不分先后）

四川省林业厅
四川省关心下一代工作委员会
自贡市人民政府
广元市人民政府
雅安市人民政府
阿坝藏族羌族自治州人民政府
金堂县人民政府
荣县人民政府
德阳市旌阳区人民政府
青川县人民政府
犍为县人民政府
蓬安县人民政府
渠县人民政府
巴中市恩阳区人民政府
通江县人民政府
雅安市名山区人民政府
壤塘县人民政府
木里藏族自治县人民政府
宜宾国家农业科技园管委会

中国人民银行成都分行
成都市人民政府
泸州市人民政府
达州市人民政府
眉山市人民政府
甘孜藏族自治州人民政府
自贡市沿滩区人民政府
泸县人民政府
中江县人民政府
苍溪县人民政府
西充县人民政府
宣汉县人民政府
巴中市巴州区人民政府
南江县人民政府
平昌县人民政府
洪雅县人民政府
西昌市人民政府
甘洛县人民政府

目 录

特 载

四川概况

农业发展概况

现代农业建设

农村基础设施建设与管理

农村环境保护与乡村旅游

农村社会事业与民主法制建设

农村财政、金融与市场监管

扶贫和移民工作

统筹城乡与新型城镇化

助农工作

市(州)、县(市、区)农村工作概况

大　事　记

调查与研究

附 录

彩色图片

Contents

Special Features

Overview of Sichuan

Overview of Agricultural Development

Modern Agriculture Construction

Construction and Management of Rural Infrastructures

Rural Environmental Protection and Rural Tourism

Construction Rural Social Undertakings and Democratic Legislative System

Rural Finance and Market Regulation

Poverty Alleviation and Immigration Work

Overall Urban-rural Development and New-style Urbanization

Farmer Assistance Work

Profile of Rural Works at Municipal (Prefectural) and County (District) Level

Memorabilia

Investigation and Research

Appendix

Colour Version

抓住供给侧结构性改革新机遇
推动农业农村发展迈上新台阶

2017年是实施“十三五”规划的重要一年，是农业供给侧结构性改革深入推进之年，要牢固树立发展新理念，牢牢抓住农业供给侧结构性改革新机遇，奋力推动农业农村发展迈上新台阶。

要把农业供给侧结构性改革作为“三农”工作主线，推进农业产品结构调整，集中连片打造一批粮食生产功能区、示范区；积极发展川菜、川果、川茶、川药等特色农产品，探索发展薯类、菌类等具有健康改善功能的农产品，打响“川字号”农产品品牌。大力推进农村一二三产业融合发展，推进“旅游＋农业”“生态＋农业”“文化＋农业”“互联网＋农业”发展，大力发展休闲农业和乡村旅游、森林康养业、创意农业、农村电商和农产品加工业。加强农业农村基础设施建设，把农业节水建设作为方向性、战略性大事来抓。继续坚持农村改革主攻方向不动摇，激活农业科技人员、返乡农民工、职业农民三支队伍；进一步放活土地经营权，发展多种形式适度规模经营，探索家庭联产承包责任制向家庭联产承包股权制发展；加快农村集体资产清产核资，合理界定集体资产范围和成员资格，建立健全农村集体经济组织，支持发展农业规模经营、农村服务业等集体经济业态；总结推广财政资金“五补五改”模式，鼓励各地设立农业产业发展投资引导基金、股权投资基金、担保基金等，撬动金融和社会资金投入。

要聚焦脱贫攻坚，深化精准扶贫，加快补齐农业农村发展短板。全面梳理各类政策执行情况，形成科学系统的到村到户特惠支持政策体系；加强对脱贫对象的动态监测，继续给予适当特惠支持，着力解决好脱贫户因病、因灾、因学、因智返贫等问题。制定实施扶贫专项计划，重点向藏区、彝区聚焦倾斜，高度重视片区外小区域和“插花”贫困问题；精准实施“五个一批”脱贫计划。优化指挥作战平台，落实市（县）党委、政府一把手负责制，实行行业部门清单管理，规范加强“五个一”驻村帮扶。严格督导考核，完善“六有”平台在线监管功能，全面推行痕迹管理；认真开展脱贫攻坚工作正式考核，强化结果运用。

2017年1月22日，省委农村工作会议在成都市召开。会议贯彻落实中央经济工作会议、中央农村工作会议、全国扶贫开发工作会议和省委经济工作会议精神，全面总结2016年全省“三农”工作，部署2017年农业农村和脱贫攻坚工作。会议传达了省委书记王东明在省委常委会上审议省委“一号文件”时的重要讲话和省委副书记、省长尹力关于做好“三农”工作的批示。省委常委、省委农工委主任曲木史哈出席会议并讲话，副省长王铭晖主持会议，省政协副主席翟占一出席会议。

2017年2月22日，省委书记、省人大常委会主任王东明（中）到建档立卡贫困村仪陇县日兴镇黎明村实地检查精准扶贫精准脱贫“两不愁三保障”和“四个好”目标落实情况。王东明要求全省各地各部门和广大党员干部必须念兹在兹、唯此为大，拿出打攻坚战的决心和架势，百倍用心、千倍用力，真刀真枪去做，一件一件去抓，坚决完成年度脱贫任务，确保实现首战必胜。

2017年11月14日—15日，省委副书记、省长尹力（中）在南江县正直镇七彩林业公司调研林业产业带动农户脱贫增收情况。他强调，学习宣传贯彻党的十九大精神要在理解到位、掌握到位和落实到位上下功夫，坚定以新时代中国特色社会主义思想统揽和指导工作，全面完成中央和省委确定的重点工作、目标任务，以扎实的工作和良好成效满足人民群众对美好生活的需求。

2017年9月20日—22日，省政协主席柯尊平（右一）率队到阆中市督导脱贫攻坚工作。他强调，要进一步突出精准施策，抓住重点工作和关键环节，在住房建设、发展扶贫产业、教育医疗保障、帮扶临界贫困户和非贫困村等方面下足“绣花”功夫，加大攻坚力度，确保高质量完成目标任务。要以钉钉子精神把各项决策部署落到实处，用务实、扎实、真实的脱贫攻坚成效来检验党委、政府和党员干部的政治站位、责任担当、为民情怀和能力水平。

2017年8月28日—30日，省委常委、省委农工委主任曲木史哈（前排左二）在金沙江（攀枝花段）开展长江（金沙江）巡河督导工作。他指出，要正确把握中央和省委省政府的大政方针，以问题为导向，坚持全面推行河长制与生态文明建设统筹谋划的理念思路，增强思想自觉、行动自觉，确保决策部署在长江（金沙江）流域落地落实，扎实做好管理治理和保护各项工作，力争在水资源保护、河湖水域岸线管理、水污染防治和水环境改善等方面取得实际成效。

2017年11月21日，副省长尧斯丹（中）率队到达州市通川区开展深入学习宣传党的十九大精神、推动当前重点工作调研督导。他强调，要按照中央和省委要求，在“学懂、弄通、做实”上下功夫，迅速构建起“领导带头学、层层深入讲、全域抓宣传”的学习贯彻格局，切实把党的十九大精神转化为指导实践、推动工作的强大动力。要全力以赴稳定经济增长，加力加压推进脱贫攻坚，突出抓好环境问题整治和环保基础设施建设，切实保障和改善民生。

第八届乡村文化旅游节

春

3月28日，以“乡约武胜·17(一起)看广安”为主题的四川省第八届乡村文化旅游节(春季)暨武胜第三届乡村旅游文化节开幕式在武胜县开幕。该届旅游节由四川省旅游发展委员会、中共四川省委农工委、四川省农业厅、广安市人民政府、四川省旅游协会主办，广安市旅游发展委员会、中共广安市委农工委、广安市农业局、武胜县人民政府、广安市旅游协会承办，共举办了三大展示活动、五大主题活动、十大配套活动。

秋

10月12日，四川省第八届乡村文化旅游节(秋季)暨乡城县首届白色灌礼节在乡城县开幕。该届乡村文化旅游节是乡城县承办的一次规格最高、最为隆重的旅游盛会，也是甘孜州首次举办省级乡村文化旅游节会。节会以“田园白藏房·净土香巴拉”为主题，策划了六大主题活动和四大配套活动。通过开展系列活动，撩开了乡城这座人间天堂的面纱，全方位展示了宁静原始的香巴拉部落。

7月28日，四川省第八届乡村文化旅游节(夏季)开幕式在沐川县湿地公园举行。该届旅游节由四川省旅游发展委员会、中共四川省委农工委、四川省农业厅、乐山市人民政府、四川省旅游协会主办，乐山市旅游和体育发展委员会、沐川县人民政府承办。该届乡村文化旅游节聚焦长远发展，紧扣脱贫攻坚，突出自然生态，彰显地方特色文化，亮点纷呈。

冬

12月20日—22日，四川省第八届乡村文化旅游节(冬季)暨首届平武冰瀑节在平武县开幕。该届旅游节以“秘境平武·南国冰恋”为主题，由四川省旅游发展委员会、中共四川省委农工委、四川省农业厅、四川省旅游协会、绵阳市人民政府共同主办。主题活动由平武乡村旅游成果展示、开幕式、主题晚会、高峰论坛、美食文化品鉴五大板块构成，在各个环节融入了平武民俗文化体验活动。

第五届四川农业博览会

The Fifth Sichuan Agricultural Exposition

11 月 17 日—20 日，以“全面开放合作，助推农业供给侧结构性改革”为主题的第五届四川农业博览会在成都市举行，30 个国家和地区、国内 14 个省（区、市）、省内 21 个市（州）的 1500 余家企业报名参展。展览面积 6 万平方米，设有新产业新业态、特色优质农产品、农业合作三大板块及四川农业序馆。该届农博会坚持展览与活动并举，除第五届四川农业合作发展大会暨开幕式外，还举行了四川农业投资与贸易洽谈暨眉山市农业招商推介大会、第七届国际农业保险论坛、第二届中国美丽乡村论坛暨第五届村政论坛等 4 项重大活动和首届中国国际安全食品提供商大会、采购对接洽谈会、锦城绿道项目推介会、葡萄酒品鉴会等 10 场专项活动。农博会期间，共达成农业投资促进项目 356 个，合同金额 1088.99 亿元。21 个市（州）新推介农业合作项目 1048 个，投资需求 4548.05 亿元。参加现场集中签约的农业投资促进项目 40 个，合同金额 223.81 亿元；农产品采购贸易项目 40 个，合同金额 40.1 亿元。

农博会主题国为马来西亚，主题省为黑龙江省，主题市为眉山市。通过举办系列活动、搭建交流平台、加强农业交流合作、展示农业农村新面貌、探索农业农村发展新途径、推动农村一二三产业融合发展，加快推进农业农村现代化，助推全省乡村振兴。

特 载

中共四川省委 四川省人民政府 关于牢固树立发展新理念加快推进农业现代化同步实现全面小康目标的意见

〔川委发(2016)1号〕

各市(州)党委和人民政府,省直各部门:

省委十届六次、七次全会对我省农业农村工作作出了重要部署,提出了新的要求。各地、各部门要牢固树立发展新理念,加快推进农业现代化,确保全省广大农民与全国同步迈入全面小康社会。

"十二五"时期是我省奋力推进"两个跨越"极不平凡的5年。面对严峻复杂的宏观经济形势和重大自然灾害等特殊考验,各地、各部门主动适应经济发展新常态,采取一系列强有力的强农惠农富农举措,全省农业农村经济总体上呈现出持续健康发展的良好局面。粮食连续稳定增产,现代农业加快发展,基础设施水平整体跃升,创新驱动能力显著提高,农村改革深入推进,扶贫开发取得重大成果,农村民生进一步改善,农民收入连续五年保持"两个高于",农村社会更加和谐稳定,全面实现了"十二五"农业农村规划目标,全省"三农"工作又上了一个大台阶。

"十三五"时期是实现第一个百年奋斗目标、全面建成小康社会的决胜阶段。当前,农业现代化仍然是"四化同步"的短腿,农村尤其贫困地区仍然是全面建成小康社会的短板。未来五年,我省农业农村工作要坚持以邓小平理论、"三个代表"重要思想、科学发展观为指导,深入贯彻习近平总书记系列重要讲话精神,围绕"四个全面"战略布局,牢固树立并切实贯彻"创新、协调、绿色、开放、共享"的发展理念,把坚持农民主体地位、增进农民福祉作为一切工作的出发点和落脚点,按照"强基础、促转型、抓改革、补短板、奔小康"的思路,大力夯实现代农业基础,厚植农业农村发展优势,加快转变农业发展方式,继续深化农村改革,扎实开展幸福美丽新村建设,集中力量推进脱贫攻坚,确保同步实现全面建成小康社会的宏伟目标。到2020年,全省现代农业建设取得突破性进展,农业增加值年均增长3%;稳定粮食产量,粮食综合生产能力明显提高;农村居民人均可支配收入比2010年翻一番以上,城乡居民收入差距进一步缩小;农村基础设施加快完善,城乡基本公共服务实现均等化,建成幸福美丽新村3.5万个,覆盖全省80%的行政村;88个贫困县全部"摘帽",11501个贫困村全部退出,380万名农村贫困人口全部脱贫;农民素质和农村社会文明程度显著提升。

2016年,要认真贯彻落实中央农村工作会议、中央"一号文件"和省委十届六次、七次全会精神,紧紧围绕脱贫攻坚和全面小康目标,以创新发展引领农业转型升级,以协调发展促进幸福美丽新村建设,以绿色发展推进生态文明建设,以开放发展提升农业质量效益,以共享发展实现贫困群众脱贫致富,为全面实施"十三五"发展规划开好局起好步。全省实现农村居民人均可支配收入增长9%,精准脱贫105万人。

一、促进农村一二三产业融合,实现农民收入持续较快增长

(一)加快转变农业发展方式。推动粮经饲统筹、农林牧渔结合、种养加一体、一二三产业融合发展,走出一条产出高效、产品安全、资源节约、环境友好的农业现代化路子。实施"藏粮于地、藏粮于技”战略,突出抓好粮食功能区、粮食核心区和90个粮食生产重点县生产能力建设,深化粮食丰产增效科技创新工程,确保2020年全省粮食生产能力达到800亿斤以上。推进农业供给侧结构性改革,注重去库存、降成本、补短板。树立大食物观,全方位、多途径开发食物资源,大力发展粮油、果蔬、生猪、茶叶等优势特色产业,加快发展牛羊等草食牲畜,满足多元化的食物消费需求。启动第三轮现代农业(林业、畜牧业)重点县和现代农业示范市、县建设,深入推进现代农业千亿示范工程、万亩亿元示范区、千斤粮万元钱粮经复合基地建设,逐步形成与市场需求相适应、与资源禀赋相匹配的现代农业生产结构和区域布局。落实农产品产地初加工补助政策,促进精深加工及综合利用加工协调发展,实施一批农业产业融合发展重点项目,支持农民合作社发展农产品加工流通和直供直销,培育一批农业产业化“排头兵”龙头企业,提高农产品加工转化率和附加值。

(二)培育壮大农村新产业新业态。引导和支持发展休闲农业、乡村旅游、农村电子商务、农村养老服务、农村文化创意等新兴产业,创建一批重点县或示范县。坚持农旅融合、文旅互动,实施乡村旅游提升行动计划和示范项目带动、精品建设等工程,加快发展创意农业、观光农业、休闲农业、体验农业,扶持培育一批休闲农庄、花果人家、民族风苑、国际驿站等乡村旅游特色业态经营点,积极开发乡村生活体验、特色民宿、森林康养、自驾露营、户外运动等乡村休闲度假产品,扶持发展一批乡村旅游合作社。落实将休闲农业和乡村旅游项目建设用地纳入土地利用总体规划和年度计划合理安排政策。推进农村电子商务综合示范县建设和农产品电子商务发展。鼓励培育本土电商企业有序进入现代农业,加快农村消费、农资供应、产品销售、农家服务等电子商务综合体系建设。鼓励社会资本兴办农村经营性养老服务和中介服务机构。支持开发农村特色工艺品,规范和鼓励农民文艺演出。

(三)大力改善农业生产条件。深入推进10个农业农村重大项目建设,加速提升农业综合生产能力。加快推进“再造一个都江堰灌区”工程,逐步提高大中型水利工程补助比例,全力推进武引二期灌区,开工建设土溪口水库、武引蓬船灌区、李家岩水库等国家重大水利工程。把农田水利作为农业基础设施建设的重点,加快已成灌区续建配套与节水改造、小农水重点县、“五小水利”工程、农建综合示范区建设。到2020年全省新增有效灌溉面积800万亩,农田灌溉水有效利用系数提高到0.5。实施农村饮水安全巩固提升工程,提高农村供水保障能力和水质达标率。整合国土、农业、水利、发展改革、财政等部门的高标准农田建设项目资金,大规模推进高标准农田建设,到2020年建成4430万亩集中连片、旱涝保收、稳产高产、生态友好的高标准农田。整合完善建设规划,统一建设标准、统一监管考核、统一上图入库。将高标准农田划为永久基本农田,实行特殊保护,建设情况纳入地方各级政府耕地保护责任目标考核内容。抓好烟区水源援建工程建设和管理。改善农业技术装备条件,促进农机装备升级换代,不断提高农机装备、作业和服务水平。到2020年农机装备总动力达到5000万千瓦,主要农作物综合机械化水平达到63%。加强农村自然灾害预警设施建设,实施农村电网改造升级工程,发展农村规模化沼气,推进行政村实现宽带全覆盖。

(四)强化现代农业科技支撑。大力实施农畜育种攻关工程、现代农业产业链科技示范工程、绿色安全农产品生产等重大科技专项,突破一批生物育种、智能农业、生态环保等重大共性关键技术。加强科技创新平台建设,提升现代农业产业体系四川创新团队建设水平。支持涉农科研机构、高等学校和科技人员面向生产研发、技术推广参与现代农业建设。鼓励农业龙头企业、农民合作社、专业技术协会联合科研机构开展技术集成研究和产业化示范。加强育繁推一体化体系建设,深入推进农作物现代种业提升工程和畜禽水产良种工程,加快国家级杂交水稻制种基地和种畜禽核心场建设。深入推进种业领域科研成果权益分配改革,探索成果权益分享、转移转化和科研人员分类管理机制。大力实施科普惠农兴村计划,开展新技术新品种的试验示范和推广。大力实施科技扶贫专项行动,加强“三区”人才队伍建设,开展科技扶贫示范县乡村户试点示范。加强信息技术在农业领域的应用,大力推进“互联网+”现代农业,应用物联网、云计算、大数据、移动互联等现代信息技术推动农业全产业链改造升级。大力发展智慧气象和农业遥感技术应用。到2020年全省农业科技进步贡献率达到59%以上。

(五)推进农产品市场和流通体系建设。加快农产品流通网络建设,推进区域性骨干农产品批发和零售市场建设,实施信息化改造,形成线上线下融合、农产品进城与农资和消费品下乡双向流通格局。推动公益性农产品市场建设,支持农产品营销公共服务平台、农产品产地中小型集散市场、集配中心、公益性批发市场建设,开展降低农产品物流成本行动。支持农产品烘干、仓储、分选设施建设,完善鲜活农产品一体化冷链物流体系,继续扶持“农批对接”“农超对接”等多种产销对接和直供直销。加强供销、邮政、商贸流通等系统物流服务网络和设施的建设与衔接,加快完善县、乡、村物流体系,有效破解“起初一公里”难题。协同推进快递下乡与电子商务进农村,统一纳入政策支持范围。

(六)完善农民增收利益联结和共享机制。探索农村资产入股增收模式,鼓励发展专业合作、股份合作经济,引导农户自愿以土地经营权等入股农民合作社和龙头企业,采取“保底分红+利润分红”等方式,让农户分享加工销售环节收益。创新发展订单农业,支持农业产业化龙头企业建设稳定的原料生产基地,为农户提供贷款担保,资助订单农户参加农业保险。鼓励依法利用撂荒土地、林场、水面、农房宅院等农村闲置资产发展农村集体经济。探索将财政资金投入农业农村形成的经营性资产,通过股权量化到户,让集体组织成员长期分享资产收益。深化“合同帮农”工作,为农民和涉农企业提供法律咨询、合同示范文本、纠纷调处等服务。

(七)提升农业对外开放合作水平。实施农业开放战略,积极融入“一带一路”建设,利用中俄“两河流域”合作、农业多双边对外援助项目等平台和“万企出国门”等活动,支持农业企业抱团开展跨国经营,建立境外农业开发园区。主动融入长江经济带建设,积极参与“川货全国行”活动,举办四川农业博览会和川台农业合作论坛,不断扩大四川农业影响力和农产品市场竞争力。持续加大农业投资促进力度,鼓励和引导社会资本采取PPP等多种方式投资农业农村。举办贫困地区“千企千村”“一村一品”对接活动,逐步实现贫困村特色产业、带动主体全覆盖。

二、深入推进农村改革创新,充分激发农村发展活力

(八)深化农村集体产权制度改革。加快推进农村集体产权“多权同确”,2016年基本完成农村土地承包经营权确权登记颁证,到2019年基本完成土地等农村集体资源性资产确权登记颁证、经营性资产折股量化,健全非经营性资产集体统一运营管理机制。规范统一全省农村产权确权颁证的文本格式。加快建立农村集体产权信息系统。加快推进房地一体的农村集体建设用地和宅基地使用权确权登记颁证,所需工作经费纳入地方财政预算。扩大农村集体资产股份合作制改革试点范围,扎实做好清产核资、农村集体经济组织成员资格界定、农村集体资产股份量化等农村产权改革的基础工作。落实促进农村集体产权制度改革的税收优惠政策。健全农村集体资产管理监督和收益分配制度。发展壮大农村新型集体经济,开展扶持村级集体经济发展试点。健全农村产权交易市场体系、农村资产评估体系。完善草原承包经营制度。深化水资源管理体制改革,推进城乡水务一体化。稳步推进农业水价综合改革,建立农业用水精准补贴和节水奖励机制。深化小型农田水利工程产权制度改革,加快水利工程建设管理和运行管理体制改革,鼓励社会资本参与水利工程建设与运营。在现有改革推进好、改革积极性高的地方建立农村改革综合试验区。

(九)积极发展农业适度规模经营。鼓励承包农户依法采取转包、出租、互换、转让及入股等方式规范有序流转承包地。建立健全以县、乡为主的农村土地经营权流转分级备案制度。引导土地等农村产权进入公开交易平台流转。创新适度规模经营形式,通过土地股份合作社、“大园区+小业主”、新型农业经营主体和社会化服务组织带动等多种方式实现规模经营,大力推广“农业共营制”模式。落实好工商资本租赁农地的准入制度,建立工商资本流转土地风险保障金制度,探索租地与农业保险、农业担保相结合的方式,提高风险保障能力,严防农地“非农化”。健全县、乡农村经营管理体系,加强对土地流转和规模经营的管理服务。允许将集中连片整治后新增加的部分耕地按规定用于完善农田配套设施。

(十)大力培育新型农业经营主体。坚持以农户家庭经营为基础,支持新型农业经营主体和服务主体成为建设现代农业的骨干力量。推进农民合作组织规范化和农民合作社示范社建设。鼓励农民合作社自愿联合组建联合社,支持农民合作社组织形式创新、产业业态创新、运行机制创新,大力推广农业职业经理人制度,提升合作社的经营管理水平和竞争能力。落实农民合作组织税收优惠政策和生产设施、附属设施用地按农用地管理政策。继续实施新型职业农民培训,鼓励和支持建立新型职业农民培育机制。优化财政支农资金使用,加大对培养新型职业农民的支持力度。开展新型农业经营主体带头人培育行动,经过5年努力使其基本都得到培训。鼓励有技能或经营能力的中高等学校毕业生、退役军人、返乡农民工创办家庭农场、领办农民合作社,创立农产品加工、营销企业和社会化服务组织。落实好扶持家庭农场的政策措施,开展示范性家庭农场创建活动。鼓励有条件的地方探索职业农民养老保险办法。

(十一)健全农业社会化服务体系。优化农业公益性服务机构,探索创新农业公益性服务供给机制和实现形式。落实财政、税费、信贷支持措施,培育农业经营性服务组织,大力发展专业服务公司、专业服务合作社、专业技术协会、商务联社等组织,支持开展代耕代种、联耕联种、土地托管、代销代购、农机作业、储藏保鲜等全程社会化服务。搭建区域性农业社会化服务平台。创新新型农业经营主体开展农业社会化服务运行机制。完善科技服务体系,开展全产业链科技服务。实施农业社会化服务支撑工程,扩大政府购买农业公益性服务机制创新试点。

(十二)全面深化供销合作社综合改革和推进农垦(场)改革发展。以密切与农民利益联结为核心,以提升为农服务能力为根本,以强化基层社和创新联合社治理机制为重点,以政事分开、社企分开为方向,因地制宜推进供销合作社体制改革和机制创新,使之成为服务农民生产生活的生力军和综合平台。支持供销合作社创新发展农业社会化服务、农产品流通服务、农村合作金融服务、农村电子商务和农村综合服务等。实施“基层社示范建设工程”,逐步实现基层社在县以下服务全覆盖。加快构建联合社机关主导的行业指导体系和社有企业支撑的经营服务体系,2017年前建立健全各级联合社理事会、监事会,成立社有资产管理委员会,做实供销合作发展基金。社有企业全面建立现代企业制度,支持培育一批为农服务大型企业集团。推动农垦企业股权多元化改革,构建符合农垦特点、以管资产为主的监管体制。强化农垦权益保护,严肃查处擅自改变农垦土地用途和非法侵占农垦土地的行为。推动农场转换经营体制机制。

(十三)深入推进林业改革。创新国有森林资源经营管理体制。研究制定《四川省国有林场林区改革实施方案和评估验收办法》。推进政企、政事、事企、管办分开,分类推进国有森工企业改制改革,逐步理顺国有林区管理体制。深化集体林权制度改革,抓好国家集体林权制度改革试验示范区建设。推进以“两证一社”为主的新型林权抵押贷款改革试点,加强林权流转交易平台建设并扩大交易范围,探索林地所有权、承包权、经营权“三权分置”改革。

(十四)深化农村金融服务改革。围绕现代农业发展需要开展金融产品和服务方式创新。发挥支农再贷款、扶贫再贷款、支小再贷款、再贴现等货币政策工具的导向作用。深入推进金融扶贫惠农工程。加快推进农村信用社改制组建农村商业银行。加快发展主要服务“三农”的金融租赁公司、贷款公司。创新村镇银行设立模式,扩大覆盖面。扩大在农民合作社内部开展信用合作试点的范围,健全风险防范化解机制,落实地方政府监管责任。用3年左右时间建立健全全省农业信贷担保体系,2016年省级农业信贷担保机构正式运营。扩大开发性金融、政策性金融和商业性金融协同支持水利工程建设的规模和范围。合理确定涉农贷款利率水平,降低担保费率、评估费用等涉农贷款融资成本。深化“银会合作”,推动担保体系涉及自然人。稳妥有序开展农村承包土地的经营权和农民住房财产权抵押贷款试点,积极推进土地流转收益保证贷款,依法拓宽农村产权抵押范围。加快农村信用体系和支付环境建设。探索基层党组织与涉农银行基层机构开展合作。支持成都市开展农村金融服务综合改革试点。完善农业政策保险体系,支持有条件的地方成立农业互助保险组织。继续开展重要农产品目标价格保险以及收入保险、天气指数保险试点。禁止将商业保险作为工作任务纳入乡村干部工作考核。

三、加快建设幸福美丽新村,推动城乡统筹协调发展

(十五)全面实施“五大行动”。坚持产村相融、成片推进,实施扶贫解困、产业提升、旧村改造、环境整治、文化传承五大行动。以幸福美丽新村建设为载体,加快建设彝家新寨、藏区新居、巴山新居、乌蒙新村,采取新建、改造、盘活农村闲置资源、租赁农民闲置住房等方式加大农村廉租房建设力度,优先解决无房户、危房户、住房困难户的基本住房。注重新建、改造、保护相结合,鼓励和支持旧村落改造和保护,积极推行“小规模、组团式、微田园、生态化”建设模式。启动幸福美丽新村示范县建设。编制“十三五”幸福美丽新村建设总体规划和专项、区域规划。

（十六）扎实推进农村人居环境治理。集中连片开展农村环境综合治理，实施农村生活垃圾长效治理工程，推进户分类、村收集、镇转运、市（县）统一处理。发挥好村级公益事业一事一议财政奖补资金作用，支持改善村内公共设施和人居环境。普遍建立村庄保洁制度。鼓励和支持有条件的市、县逐步把农村环境整治支出纳入地方财政预算。推进"三建四改"为主的院落整治。全面治理农村面源污染，组织好农膜、秸秆和农药包装废弃物回收。加大规模化畜禽养殖污染防治力度，强化禁养、限养、适养区划分及管理。实施农村污水处理专项整治工程，推进建制镇、村垃圾污水处理设施建设，集中开展清河清渠清沟行动。大力推进省级生态村镇创建工作，创建一批国家级和省级生态文明示范乡村。

（十七）大力培育乡风文明。加快基层综合性文化服务中心和幸福美丽新村（社区）文化院坝建设。加强农村非物质文化遗产保护传承。实施全民健身计划，扎实推进文化惠民工程，开展公共文化服务体系示范县建设试点。加大政府购买公共文化服务力度，丰富群众精神文化生活。深化农村精神文明建设，开展培育和践行社会主义核心价值观综合示范县乡村创建，组织实施"百村建设"行动，推进"新家园、新生活、新风尚"示范点和文明村镇创建活动，倡导文明新生活。

（十八）推动公共服务向农村延伸。把社会事业发展重点放在农村和接纳农业转移人口较多的城镇，加大对贫困地区基础设施的投入，不断扩大基本公共服务的覆盖深度和服务范围，推进形成城乡基本公共服务均等化的体制机制。加快通乡通村公路硬化、县乡道改善提升和配套设施完善工程建设，把农村公路建好、管好、护好、运营好，加快实现所有具备条件的乡镇和建制村通硬化路、通班车，促进城乡公共服务设施互联互通、共建共享。将农村邮政基础设施纳入新农村建设公共服务项目中统一规划实施。完善县域城乡义务教育资源均衡配置机制，建立城乡统一、重在农村的义务教育经费保障机制。加快普及高中阶段教育，逐步分类推进中等职业教育免除学杂费，率先从建档立卡的家庭经济困难学生实施普通高中免除学杂费。深入实施农村贫困地区定向招生等专项计划，对民族自治县实现全覆盖。建立覆盖城乡的基本医疗卫生制度，整合城乡居民基本医疗保险制度。引导城乡居民基本养老保险参保人员选择较高档次缴费，鼓励城乡居民参加更高保障水平的城镇企业职工基本养老保险。加强农村留守儿童、妇女、老人关爱服务体系建设。推进城乡统筹的最低生活保障制度。将农村公路养护资金逐步纳入地方财政预算。

（十九）推进农村劳动力转移就业创业和农业转移人口市民化。健全农村劳动力转移就业服务体系，实行城乡统一的就业失业登记制度。继续实施农民工住房保障行动，加快清理农民工就业歧视性规定，维护农民工劳动保障权益。支持农民工和农民企业家返乡创业，落实税收优惠和普遍性降费政策，推进农民工返乡创业示范县建设。全面实行居住证制度，除成都外全面放开落户限制，实施差别化落户政策。落实和完善农民工随迁子女在当地参加中考、高考政策。完善社会保障关系转移接续政策，维护进城落户农民的土地承包权、宅基地使用权、集体收益分配权，促进有能力的农业转移人口有序市民化，加快推进新型城镇化。建立健全财政转移支付与农业转移人口市民化、城镇建设用地增加规模与吸纳农业转移人口落户数量、基础设施建设投资安排与农业转移人口市民化挂钩机制，增强吸纳农业转移人口较多地区政府公共服务保障能力。

四、全面实施精准扶贫，集中力量脱贫攻坚

（二十）扎实推进"六个精准"。开展精准识别建档立卡"回头看"，挤干水分实现"零差错"，建成脱贫攻坚信息管理平台，做到"户有卡、村有册、乡有簿、县有档、市有卷、省有库"，确保扶持对象精准。科学编制"十三五"脱贫规划，全面完成贫困村脱贫发展规划和贫困户脱贫帮扶规划，深化落实贫困村"五个一"和贫困户干部帮扶措施，确保项目安排、资金使用、措施到户、因村派人精准。建立科学合理的脱贫目标确定机制、验收评估机制和动态统计监测机制，建立贫困户、贫困村、贫困县脱贫退出标准和程序，引入第三方力量评估，确保脱贫成效精准。

（二十一）抓实抓细"五个一批"。突出扶持生产和就业发展一批，大力发展特色产业增收，依靠教育就业增收，依托资源开发、产业园区增收，着力解决脱贫的核心问题。抓好移民搬迁安置一批，融入幸福美丽新村建设，结合新型城镇化建设，科学规划安排，确保完成年度贫困人口易地扶贫搬迁任务。加快低保政策兜底一批，力争两年内纳入低保的贫困户实现脱贫。做实医疗救助扶持一批，推进健康扶贫工程，提高卫生计生服务水平，健全医疗保险和医疗救助制度，缓解因病致贫。强化灾后重建帮扶一批，帮助受灾群众致富奔康。

（二十二）着力实现"两个聚焦"。聚焦当年要摘帽的贫困县、要退出的贫困村、要脱贫的贫困户，制定实施 10 个扶贫专项方案年度工作计划，分解制定农村土地整治、旅游扶贫等 N 个单项计划，明确年度任务、工作重点、进度安排，各级部门牵头负责、县级党政统筹落实。聚焦"四大片区"主战场，制定实施年度脱贫攻坚行动计划，深入推进藏区"六项民生工程计划"，继续落实彝区"十项扶贫工程"和 17 条特殊支持政策，编制和实施《片区区域发展与扶贫攻坚规划》，促进"四大片区"资源整合开发转化。统筹解决好片区外小区域贫困和插花贫困问题。

（二十三）构建完善攻坚格局。建立从省到乡党政主要领导"双组长"脱贫攻坚领导小组体系，落实各级领导和机关单位联系指导贫困县精准扶贫制度，完善"3+10+N"组合拳分战线、分层级负责制度，实行"四到县"，逐级签订责任书，严格考核、严密督查、严厉问责。加大财政扶贫投入，鼓励金融和社会资本投入，健全集中投入、有效对接、统筹平衡的整合机制，建立省级扶贫投融资平台、县级扶贫项目资金管理使用平台、基层扶贫工作平台。加强 23 个中央和国家机关、企事业单位与 249 个省级机关（单位）及市、县党政机关定点扶贫，扩大东西扶贫协作和省内对口支援。广泛开展扶贫日、"万企帮万村"、电商扶贫行动和"结对认亲、爱心扶贫"等活动，凝聚社会力量参与脱贫攻坚。

五、加强资源保护和生态建设，促进农业可持续发展

（二十四）抓好耕地保护和质量提升。落实最严格耕地保护制度，全面划定永久基本农田，推进建设占用耕地耕作层剥离再利用。大力实施农村土地整治，推进耕地数量、质量、生态"三位一体"保护。落实和完善耕地占补平衡制度，坚决防止占多补少、占优补劣、占水田补旱地，严禁毁林开垦。实行建设用地总量和强度双控行动，严格控制农村集体建设用地规模。完善耕地保护补偿机制。实施耕地质量保护与提升行动，积极探索实行耕地轮作休耕制度试点。开展化肥和农药使用量零增长行动，推广高效低毒低残留农药，推进病虫害专业化统防统治和绿色防控。加大土壤污染治理力度,推进各类土壤污染治理与修复。逐步扩大重金属污染耕地治理与种植结构调整试点。

(二十五)严格水资源管理。强化水资源管理“三条红线”刚性约束,实行水资源消耗总量和强度双控行动,落实最严格的水资源管理行政首长负责制度和考核制度。加强饮用水水源地保护,大力推进重点流域和区域水生态修复。全面开展节水型社会建设,大力推进水生态文明试点。加快发展节水农业,逐步建立农业灌溉用水总量控制和定额管理制度,积极推广抗旱节水品种和喷灌滴灌、循环水养殖等技术,全面实施区域规模化高效节水灌溉行动。分区开展节水农业示范,推动结构节水。继续实施江河防洪治理和山洪灾害防治。

(二十六)实施生态保护重点工程。继续实施长江上游生态屏障建设,开展大规模“绿化全川”行动,实施山水林田湖生态保护和修复工程。到2020年森林覆盖率提高到37%以上,湿地保有量达到2500万亩以上,草原植被综合盖度保持在86%以上。深入推进天然林资源保护,与国家级公益林同步同标准逐步提高省级公益林补偿标准,积极争取逐步将集体和个人所有的商品林纳入生态效益补偿范围。科学开展生态退化区恢复和治理,继续实施川西北防沙治沙、川西藏区生态保护与建设、水土流失及岩溶地区石漠化综合治理等重点工程。扩大新一轮退耕还林还草规模。实施新一轮草原生态保护补助奖励政策。保护和恢复湿地生态系统,逐步扩大省级湿地补偿试点范围,适度提高补偿标准。推进大熊猫国家公园建设,实施濒危野生动植物抢救性保护工程。全面推进地质灾害调查评价、监测预警、防治及应急体系建设,不断提升地质灾害综合防治能力和水平。

(二十七)大力发展高效生态循环农业。根据环境容量调整区域种植、养殖布局,推广“生态养殖+沼气+绿色种植”等发展模式,实施种养结合循环农业示范工程。推行粮经饲三元结构,加大对粮食作物改种饲草料作物的扶持力度,开展优质饲草料种植推广补贴试点。在石漠化地区减少玉米种植面积,增加青贮玉米、苜蓿等优质饲草料及人工种草面积。积极开展青贮饲料化养畜、秸秆固化气化、畜禽粪便转化为有机沼肥等技术示范,实施种养业废弃物资源化利用、无害化处理区域示范工程。

(二十八)强化农产品质量安全。调整优化品种品质结构,大力推广水稻、马铃薯、食用菌等优质专用品种,发展品牌农业、特色农业、绿色农业、有机农业和名特优新农产品。大力推进标准化生产,深入实施“区域品牌+企业品牌”双品牌战略,加强“三品一标”农产品认定登记和地理标志产品保护,持续推进农产品气候品质评估。加快制(修)订省级农业地方标准,配套制定农产品质量安全控制规范和技术规程。严格落实农产品质量安全监管责任,加快完善基层监管、检测和综合执法体系。抓好农产品产地环境监测,严格农业投入品管理,建立健全农产品产地准出和市场准入制度。加强农产品质量监测和追溯管理体系建设,深入开展农产品质量安全县创建,开展农村食品安全治理行动。加快推进病死畜禽无害化处理与养殖保险联运机制建设,强化动植物疫情疫病监测防范。实施动植物保护能力提升工程。

六、加强党对农村工作的领导,为“三农”工作提供坚强保障

(二十九)切实加强“三农”工作领导。坚持“三农”工作重中之重地位不动摇,切实增强做好“三农”工作的责任感、使命感、紧迫感。不断健全党委统一领导、党政齐抓共管、党委农村工作综合部门统筹协调、各部门各负其责的农村工作领导体制和工作机制。提高“三农”工作市(州)、县(市、区)领导班子考核评价比重,用好“三农”工作、农民增收和脱贫攻坚考核评价结果,注重选派熟悉“三农”工作的领导干部进市(州)、县(市、区)党委、政府领导班子。加强中长期重大事项研究,优先解决农业农村工作中的突出矛盾和问题,在规划制定、工作安排、财力分配和干部配备上向农业农村工作倾斜,切实解决好农民群众最关心最直接最现实的利益问题。强化涉农统计管理和农村统计基层基础工作,扎实做好第三次全国农业普查。

(三十)加大农业投入力度。财政支出把农业农村作为优先保障领域,符合农民的实际需求,尊重农民的主体地位,优先布局农民最急需的项目,确保投入只增不减。落实农业支持保护补贴政策,重点支持耕地地力保护和粮食适度规模经营。加大专项建设基金对扶贫、水利、农业科技、农村产业融合、农产品批发市场等“三农”领域重点项目和工程支持力度。开展省级涉农资金管理改革和市(县)涉农资金整合试点,从项目规划和预算编制环节入手,对目标接近、投入方向类同的涉农资金予以整合,建立涉农资金管理目标、任务、资金、权责“四到县”制度和涉农项目资金整合绩效考评体系,强化考评结果应用。发挥财政政策导向功能和财政资金杠杆作用,通过政府和社会资本合作、政府购买服务、担保贴息、以奖代补、民办公助、风险补偿等措施,带动金融和社会资本投向农业农村。出台完善《农民收入增长支持政策体系指导意见》。制定支持丘陵地区、人口大县和农业大县加快发展政策举措。

(三十一)提升乡村治理水平。从严从实抓好乡、村党组织换届,实施“千乡万村好书记选育计划”,选好用好管好带头人,加强乡、村两级党组织班子建设,充分发挥向软弱涣散村和贫困村选派的“第一书记”作用。持续用力整顿软弱涣散村党组织,强化县、乡、村三级便民服务网络建设,深化农村基层服务型党组织建设。创新完善农村基层党组织设置和活动方式,扩大组织覆盖和工作覆盖。始终坚持农村基层党组织的领导核心地位,深入推进农村基层事务、政务和党务全面公开,加强村务监督委员会建设,开展“和谐社区”“村民自治模范”创建活动,探索开展以村民小组或自然村为基本单元的村民自治试点,构建完善的村级治理体系。开展实行“政经分开”试验,探索剥离村“两委”对集体资产经营管理的职能。发挥村规民约和社会贤达的积极作用,推行法律顾问进乡村制度,健全乡村法律援助制度。深入开展农村平安建设,全面推行农村网格化服务管理,构建“十户联防”机制。依法打击涉农违法犯罪和邪教势力,消除封建迷信在农村的影响,维护农村社会和谐稳定。

(三十二)加强和改进干部作风。引导党员干部自觉践行“三严三实”要求,严格落实党风廉政建设主体责任和监督责任,建立市、县、乡党委书记抓农村基层党建责任清单、开展党建述职评议考核,发挥县级党委“一线指挥部”作用,强化抓乡促村工作力度。坚持党员干部“走基层”常态化,健全领导干部“三个走遍”、村干部“四必到四必访”以及结对认亲、驻村帮扶等制度,深入开展调查研究、访贫问苦,摸实情、说实话、办实事。持续开展涉农项目资金审计监督检查,坚决查处侵害农民群众合法权益的腐败行为。加强农民负担监管工作。严肃农村基层党内政治生活,加强党员日常教育管理,做好农村发展党员工作。保持农村基层党组织的纯洁性和凝聚力。

中共四川省委　四川省人民政府

2016年2月2日

农村经济和社会发展报告

中共四川省委农村工作委员会

2016年,四川省各地各部门认真贯彻落实中央、省委关于“三农”工作的安排部署,坚持把脱贫攻坚作为“三农”工作的头等大事,全面推进农业供给侧结构性改革,加快转变农业发展方式,以“四个好”为目标扎实推进幸福美丽新村建设,持续加大助农增收力度,全省农业农村经济继续保持稳步发展的良好态势。全年实现农林牧渔总产值6377.8亿元,比上年增长4%;农林牧渔服务业产值125.4亿元,比上年增长10.5%;农林牧渔增加值4000.2亿元,比上年增长4%,对经济增长的贡献率为6.4%。全省农民人均可支配收入达到11203元,比上年增长9.3%,增速比上年降低0.3个百分点,比全国平均水平高1.1个百分点,在全国排位居第21位,其中工资性收入3738元,比上年增加274元;家庭经营收入4525元,比上年增加328元;财产性收入269元,比上年增加45元;转移性收入2672元,比上年增加309元。农村居民恩格尔系数为38.1%。城乡居民收入比为2.55∶1。

一、农业生产稳步增产增收

(一)种植业

2016年,四川省农业产值3711亿元,比上年增长4.9%。全年粮食播种面积9680.9万亩,产量3483.5万吨(348亿千克),比上年增长1.2%,连续2年增产,创历史新高,其中,水稻播种面积2985万亩,产量1558.2万吨,比上年增长0.4%,单产522千克/亩;小麦播种面积1632万亩,产量413.4万吨,比上年减少3%,单产253千克/亩;玉米播种面积2098.5万亩,产量793.2万吨,比上年增长3.6%,单产378千克/亩;红薯播种面积715.2万亩,产量208.8万吨,与上年基本持平,单产290千克/亩;马铃薯播种面积1210.5万亩,产量322.3万吨,比上年增长4.8%,单产266千克/亩。

油料作物播种面积1959.8万亩,增长0.6%;产量307.6万吨,比上年增长6.1万吨,增长2%,其中油菜播种面积1551.4万亩,产量243.6万吨,比上年增长2.1%。

蔬菜播种面积2058.5万亩,增长1.7%;产量4365.7万吨,比上年增长2.9%。茶叶产量26.4万吨,比上年增长6.4%。水果产量845.4万吨,比上年增长4.8%。烟叶产量21.9万吨,比上年减少1.5%。棉花产量0.9万吨,比上年减少9.9%。麻类产量5.2万吨,比上年减少2.2%。甘蔗产量49.5万吨,比上年减少8.3%。药材播种面积174.9万亩,增长4%;产量45.9万吨,比上年增长4.7%。

(二)畜牧业

2016年,四川省畜牧业产值2511.7亿元,比上年增长2.1%;肉类(猪、牛、羊、禽)总产量660.3万吨,比上年减少2%,其中猪肉产量494.5万吨,比上年减少3.5%,猪肉产量占肉类总产量比重为74.9%。生猪出栏6925.4万头,比上年减少4.3%,生猪存栏量和出栏量均居全国第一位。全年出售和自宰的肉用牛、羊、禽产量分别为36.9万吨、26.9万吨、102万吨,分别比上年增长4.2%、2.2%、2.4%。牛出栏量增长3.3%,羊出栏量增长3.4%,家禽出栏量增长2.5%,兔出栏量增长9.5%。禽蛋产量148.1万吨,增长1%。牛奶产量62.8万吨,减少7%。蚕茧产量11.1万吨,减少0.96%。50头以上的生猪规模养殖面达到70%。

(三)林业和水产业

2016年,四川省林业产值219.1亿元,比上年增长5%,其中林业生态旅游产值769.8亿元,比上年增长16.9%。渔业产值223.9亿元,比上年增长4.9%。水产养殖面积322.3万亩,比上年增长1.6%;水产品产量145.4万吨,比上年增长4.9%。

(四)农产品加工业

2016年,四川省3943家规模以上农产品加工企业累计实现工业总产值11301.78亿元,同比增长10.76%;实现销售产值10924.06亿元,同比增长11.48%,产销率为96.66%。

饮料食品工业。2016年,全省2299家规模以上饮料食品企业累计实现工业总产值7628.98亿元,同比增长10.7%;实现销售产值7336.04亿元,同比增长11.81%,产销率为96.16%。从重点监测的产品产量上来看,1—12月增长幅度较大的有熟肉制品,产量7.65万吨,累计增长20.9%;速冻食品产量13万吨,累计增长21.5%;乳制品产量123.4万吨,累计增长21.8%。

(五)农村二、三产业

2016年,四川省转移输出农村劳动力2491.5万人,同比增长0.5%,其中,省内转移1354.7万人,同比增长1.1%;省外输出1133.9万人,同比减少0.3%;外派劳务2.9万人,同比减少3.4%。全年实现劳务净收入3833.4亿元,同比增长7.2%。全年培训农民工48.6万人,其中参加中、高级劳务品牌培训的农民工4.53万人。

全省实现乡村旅游总收入2015亿元,比上年增长22%,约占全年旅游总收入的25.96%。有全国休闲农业与乡村旅游示范县9个、示范点19个,全国农业旅游示范点28个,全国特色景观旅游名镇(村)11个,省级乡村旅游强县(市、区)30个、省级乡村旅游示范乡(镇)村748个、星级农家乐(乡村酒店)4621家。

全省农业系统举办各类农产品、畜产品展示展销交易会、洽谈会50场次,与省外签订农产品销售合同、投资协议总额共计400亿元。举办了第四届四川农业博览会,签约种养殖项目、农产品加工等农业投资促进项目314个,合同金额1022.9亿元,其中第四届农业合作发展大会现场签约21个,合同金额171亿元,共签订农产品采购贸易合同金额186.4亿元。在新津县举办了第三届川台农业合作论坛,番薯藤庄园项目、台湾牛奶草莓主题乐园项目、50兆瓦装机容量的太阳能光伏电站建设等5个农业合作项目现场集中成功签约,总投资额达11.9亿元。川台两地累计签订农业合作项目40余个,投资金额近40亿元。

（六）农资、农产品价格

2016年，四川省农业生产资料价格比上年增长3.7%，农产品生产价格比上年增长5.6%。种植业产品价格比上年增长1.3%，林产品价格比上年下降1%，畜牧产品价格比上年增长9.8%，渔业产品价格比上年增长1.4%，其中，粮食价格比上年下降1.3%，蔬菜价格比上年增长6.3%，禽蛋价格比上年下降2.8%，油料价格比上年增长1.4%，活猪价格比上年增长21.4%。

（七）粮食储备及流通

2016年，四川省粮食库存量803万吨。全年收购粮食654.4万吨，销售粮食1262.5万吨；外调入粮食1207.2万吨，调出省外15.77万吨。销售食用油180.5万吨。全年用于农产品加工（不含酿酒企业用粮数量）的稻谷305.7万吨、小麦317.6万吨、玉米568万吨、油菜籽86.7万吨、大豆186.9万吨（其中进口大豆40万吨）。

二、农业产业发展提档升级

（一）现代农业产业基地建设力度加大

2016年，四川省有国家级现代农业示范区13个（成都市、攀枝花市、南充市、泸州市、江油市、苍溪县、蓬溪县、犍为县、广安市广安区、大竹县、眉山市东坡区、安岳县、红原县）。建设现代农业万亩亿元示范区1100个，其中农业厅认定600个。新建和改造提升“千斤粮万元钱”“吨粮田五千元”粮经复合产业基地1000万亩。认定现代农业重点县59个，推进建设现代农业示范市（县）21个、现代农业重点县33个。新建现代林业产业基地233万亩，累计建成2528万亩。启动40个新一轮现代林业重点县建设，已认定59个现代林业重点县。建成面积千亩以上“万亩林亿元钱”示范片74个，总面积80万亩。建成现代畜牧业重点县82个，均得到省政府认定，加快推进建设26个。有畜禽标准化养殖小区25379个，其中新（改、扩）建2025个。

（二）新型农业经营主体蓬勃发展

2016年，四川省培育农民合作社7.4万个，其中省级示范社1650个、全国示范社460个；家庭农场3.4万家，其中省级示范农场500家。在175个县（市、区）实施新型职业农民培育工程，培训农民35万余人，其中新型职业农民10.17万人。全省有龙头企业8873家；县级以上龙头企业6510家，其中销售收入（交易额）在1亿~100亿元的有823家；企业固定资产达1921亿元，销售收入6113亿元、交易额1277亿元，实现销售（交易）利润563亿元，上缴税金231亿元，有从业人员223.6万人。新希望集团有限公司、泸州老窖集团有限责任公司、通威股份有限公司、四川特驱集团有限公司、凉山州烟草公司5家龙头企业销售收入达100亿元及以上，成都濛阳农副产品综合批发交易市场有限责任公司、成都白家批发市场交易额超过100亿元。

（三）农村电子商务建设日益兴起

2016年，四川省建成国家级电子商务进农村综合示范县37个、省级示范县20个。对88个贫困县（市、区）全面开展电子商务精准扶贫工作，建成县级电商综合服务中心157个，覆盖率达88.2%；乡（镇）电商服务站2384个，覆盖率达54.8%；村级服务点8670个，覆盖率达18.2%；实现农村网络零售总额456.8亿元。

（四）农产品现代流通体系加快建设

2016年，四川省逐步形成了以农产品批发市场为骨干，农贸（菜）市场、连锁超市、社区菜店为基础，电子商务为发展方向的生鲜农产品流通体系。全省共有127家农产品批发市场，实现交易额2494亿元，同比增长28%；建成3888家农贸市场，当年成交额1652亿元，比上年增长5%。成都农产品中心批发市场、四川国际农产品交易中心等8家农产品批发市场进入全国百强农产品批发市场。全省农村市场实现消费品零售额3066.5亿元，同比增长12.5%，增速快于城镇市场1个百分点。在盐亭、康定、会理等15个县开展第四批集配中心试点，总投入6225万元（其中中央财政补助1830万元），受益社员3709户，带动贫困户583户，累计建成产地集配中心53个，惠及48个县（市、区）、近百家合作社、1.1万户社员，实现了21个市（州）全覆盖。全省冷链库容量达8230立方米，储运能力达4.3万余吨，初级加工能力达2.15吨。

三、农业项目建设加快推进

2016年，四川省农业完成固定资产投资1115.06亿元，共争取农业农村发展项目中央投资58.29亿元，争取重大水利工程、江河治理和水资源保护、农村产业融合等专项建设基金170.88亿元，农网配网总投资42.3亿元。新开工蓬溪船山灌区、土溪口水库、李家岩水库、黄石盘水库4处大型工程以及西尔芦色、嘉绒等5处藏区中型工程，续建武引二期灌区、什邡八角水库等68处大中型工程。全年完成水利基本建设投资285亿元，建成水利工程15161处，新增蓄引提水能力1.6亿立方米，新增耕地灌溉面积（即有效灌溉面积）133万亩，耕地灌溉面积达4220万亩；发展节水灌溉面积116万亩。综合治理水土流失面积4856平方千米，累计治理水土流失面积8.9万平方千米。新建堤防232千米，综合治理河道166千米。有农民用水合作组织5096个，其中在民政或工商部门注册2687个；管理灌面1699万亩，占有效灌面的44%。新建成高标准农田581万亩，“十二五”期间累计建成2582万亩。新增农业机械总动力50万千瓦，年末农业机械化总动力达4450万千瓦，比上年增长1.14%；主要农作物耕播收综合机械化水平达55%。农村饮水安全巩固提升项目受益人口201.87万人，其中解决了55.78万名建卡贫困人口的饮水不安全问题。新建农村户用沼气池0.6万口，累计建设607.6万口。新（改）建农村公路2.3万千米（其中县乡道0.75万千米、村道1.55万千米），全省农村公路总里程达29.7万千米（含拟调整为省道的里程）。新增通硬化路的乡（镇）57个、通硬化路的建制村2880个，乡（镇）和建制村通硬化路率分别达97%和92%。5个脱贫“摘帽”县实现“乡乡通油路，村村通硬化路”，2437个退出贫困村实现100%通硬化路。贫困地区新增通硬化路的建制村2566个。全年治理沙化土地及巩固成果27.4万亩；治理岩溶区土地400平方千米，其中石漠化土地112平方千米。实施森林管护2.66亿亩，完成营造林1113.65万亩（其中人工造林面积636.06万亩），实施新一轮退耕还林50万亩。

四、幸福美丽新村建设扎实推进

2016年，按照“业兴、家富、人和、村美”的基本要求和“住上好房子、过上好日子、养成好习惯、形成好风气”的目标，四川省建成幸福美丽新村6700个，超过全年目标任务的11.67%，惠及农民群众215.07万户。累计建成幸福美丽新村16282个，占行政村总数的

35%左右;共惠及农民群众 460.29 万户,占农户总数的 22.12%左右。推进"四大板块"建设,建设巴山新居 1775 个,惠及农户 34.57 万户;建设彝家新寨 292 个,惠及农户 3.09 万户;建设藏区新居 542 个,惠及农户 3.4 万户;建设乌蒙新村 234 个,惠及农户 6.06 万户。扎实开展"四好村"创建,首批命名省级"四好村"1481 个。全面启动第三轮全省幸福美丽新村建设示范县建设工作,确定了自贡市大安区等 63 个县(市、区)为全省幸福美丽新村建设示范县,其中"四大片区"贫困县有 55 个,其余 8 个为片区外扶贫任务较重的县。

五、连片扶贫开发深入实施

2016 年,四川省投入中央、省级财政专项扶贫资金 70.22 亿元,比上年增加 18.55 亿元,增长 35.91%。全省"四大片区"88 个县有 36 个为国家扶贫开发工作重点县(以下简称"重点县")、60 个国家确定的连片特困地区片区县(含 30 个重点县),合计 66 个重点县和片区县。全省尚有贫困人口 272 万人(按全省贫困退出标准 3100 元/年/人统计)。全省实现减贫 107.8 万人,贫困发生率 4.3%,2350 个贫困村退出、5 个贫困县"摘帽";88 个扶贫县农民人均可支配收入达 10276.7 元,比上年增加 949.4 元,增长 10.2%。

"三州三县"民族地区全年实现生产总值 2031.7 亿元,比上年增长 6.2%;农牧民年人均可支配收入达 10201 元,比上年增加 951 元,比上年增长 10.3%。川东北革命老区(巴中、达州、广元)全年实现生产总值 2651.8 亿元,比上年增长 7.7%;农民年人均可支配收入达 10779 元,比上年增加 968 元,比上年增长 9.9%。

六、农村社会事业和公共服务持续发展

2016 年,四川省有已完成"两馆"建设的县 180 个,有县级公共图书馆 180 个、文化馆 185 个。村级文化活动室 38049 个,占行政村总数的 82.28%,全省共有村级活动室 45818 个,覆盖 45871 个村,覆盖率达 99.86%。建成"农民夜校"34071 个,覆盖全省所有贫困村,从各级领导干部、"第一书记"、技术专家、先进模范等人员中选聘专兼职教师 10.49 万人,制发图文教材 71.97 万册、音像教材 6.45 万部,分类开展扶贫政策、脱贫技能、感恩教育、道德法制、文明新风等专题培训 15.09 万场次,累计培训农牧民群众 459.88 万人次。下达义务教育"三免一补"中央和省级资金 78 亿元,对全省 795 万名义务教育阶段学生全部免除学杂费、免费提供教科书,对 125.89 万名义务教育贫困寄宿生发放生活补助。免除 83.77 万名中等职业学校学生学费,为 1.81 万名建档立卡贫困家庭中等职业学校学生提供生活补助,免除 49 万名家庭经济困难普通高中学生学杂费(约占在校生的 34%)和 10.6 万名民族自治地区普通高中学生教科书费。免除 51 个民族县在园幼儿和其余 132 个县建档立卡贫困家庭在园幼儿保教费,同时按每人 600 元的标准减免了民族待遇县在园幼儿保教费,按每人 1000 元的标准和 10%的比例(其中"四大片区"贫困县 20%)免除了非民族地区幼儿保教费。

全省新型农村合作医疗参合人数达 3592.72 万人,参合率为 99.69%,较上年提高 0.09 个百分点;筹资标准达 540 元,较上年提高 70 元,其中国家(中央)财政补助 300 元,较上年增加 32 元,地方财政补助 120 元,较上年增加 8 元;基金补偿支出达 184.2 亿元,当年基金结余 9.8 亿元,基金使用率达 94.95%。城乡居民养老保险参保人数中农村居民有 2990.09 万人,比上年增加 34.63 万人,其中 1140.62 万名农村居民按月领取基础养老金,比上年增加 27.7 万人。全省基本医疗保险农民工参保人数达 93.39 万人,比上年增加 3.59 万人。

全省有农村低保对象 360 万人,累计月人均补助标准为 160 元。农村低保和农村特困人员在定点医疗机构发生的政策范围内住院费用对经基本医疗保险、城乡居民大病保险及各类补充医疗保险、商业保险报销后的个人负担费用年度救助限额内救助比例达 70%。将 49 万名农村特困人员全部纳入供养范围,集中供养率达 52.6%。

七、农村改革进一步深化

(一)农村土地承包经营权持续放活

2016 年,四川省建立县级平台 104 个、乡(镇)服务站 1486 个,覆盖全省的农村产权流转交易服务体系初步形成。耕地流转总面积达 1785.8 万亩,流转率达 30.6%,比上年底提高近 3 个百分点。发展土地股份合作社 3417 家,入社土地 44.6 万亩,农业适度规模经营面积占土地流转总面积的比重达 63.3%。

(二)农村各类产权改革深入推进

2016 年,四川省 183 个县(市、区)开展了农村土地承包经营权确权登记颁证工作,截至 2016 年年底,已完成外业调绘指界、农户签字确认的面积为 9222.1 万亩,占应确权面积的 91.2%,其进度和质量均居全国前列。集体土地所有权、集体建设用地使用权、宅基地使用权确权颁证工作基本完成,农村小型水利工程确权颁证率近 94%。全面推进农村集体资产股份合作制改革,改革试点范围扩大到 21 个市(州)、42 个县(市、区),累计有 3700 个村启动了农村集体资产股份合作制改造试点。

全省集体林地累计确权 16395.97 万亩,占全省集体林地面积的 99.73%,累计颁发林权证面积 16328.03 万亩,颁证率达 99.59%;累计流转林权 348.9 万宗,涉及林地 1978.83 万亩,流转金额 39.4 亿元;累计实施林权抵押 562 万亩,贷款金额 109 亿元;"两证一社"抵押贷款 38.5 万亩,贷款金额 7.9 亿元。

全省承担国家级试点项目 8 个,涉及成都市和 31 个县(市、区),分别是农村土地承包经营权确权登记试点、国土资源部征地制度改革试点、全国第二批农村改革试验区、中央土地制度改革三项试点、农业部农村集体资产股份制改革试点、农业部农业生产全程社会化服务试点、全国农村金融服务综合改革试点、农村"两权"抵押贷款试点;承担省级试点项目有 11 个。启动 20 个省级农村改革综合试验区建设,改革力度在全国领先。

(三)农业社会化服务体系加快构建

四川省已建立 11746 个推广机构(含种植业、畜牧业、农机、水产,下同),其中县级 2105 个、乡(镇、区域)级别机构 9310 个(乡、镇站 8680 个,区域站 630 个),90%以上乡(镇)完成了农技推广体系条件建设,构建了覆盖全省的公益性农技推广体系。全省培育科技示范户 18.31 万户,其中传统农户 5 万户、新型农业经营主体 9.3 万个(专合社 6.5 万个、家庭农场 2.8 万个)、新型职业农民 4.01 万人。在 120 个县为 1.2 万名农技人员、11 万户农户普及应用"农技宝",为 400 户农户、6000 余名农技员普及应用"E 农通",全省参与的农技人员达 80%以上、加入的农户达 20%以上。选派 11955 名农技人员深入 88 个重点贫困县、11501 个重点贫困村实施技术帮扶。开展激励农业科技人员创新创业改革试点,62 个县和 21 个科研院所参加了试点。

全省供销系统综合改革加快推进。全年实现销售总额916.5亿元,同比增长0.1%,其中电子商务销售额14.3亿元,同比增长107.5%;农产品交易市场交易额109.8亿元,同比增长0.7%。土地服务85.6万亩,其中土地流转35.5万亩,土地托管50.1万亩,帮助农民人均增收21.2元。全省供销系统共发展企业990家、基层社2548个、社会组织1132个、农民合作社7159个、生产性为农服务中心22个、庄稼医院10828个、农村综合服务社14607个。基本完成供销系统首批7个单位(2个市、4个县、1个直属企业)的试点工作,全面启动第二批55个单位(10个市,43个县,2个直属企业)的试点工作。

(四)农业支持政策体系不断健全

2016年,全省落实中央财政农业补贴资金94.72亿元,其中农业支持保护补贴66.56亿元、农机购置补贴4.03亿元。纳入乡财县管改革试点的乡(镇)4204个,占全省乡(镇)总数的91%。省级财政安排下达村级公益事业建设"一事一议"财政奖补资金21.92亿元(含美丽乡村建设试点补助资金2.75亿元)。

(五)农村金融服务不断完善

2016年,四川省全方位激发金融支农助农活力。"两权"抵押融资达22亿元,其中与中国邮政储蓄银行试点的农村产权直接抵押融资达5亿元,中国人民银行向产业基地投放政策性融资4亿元以上。

截至2016年年底,全省银行业机构农业贷款余额达2244.78亿元,全年新增36.67亿元。全省县及县以下农村合作金融机构存款余额为8273.32亿元,比年初增加895.18亿元,增长12.13%;贷款余额为4461.37亿元,比年初增加475.26亿元,增长11.92%。全省银行业县域存贷比为47.09%。

农业发展银行四川省分行全年投放信贷支农资金775亿元,增加137亿元;全行贷款余额为1509亿元,比年初增加6亿元,投放贷款主要用于支持城乡一体化建设、棚户区改造、农村土地整治、农村交通、托市收购及改善农村人居环境建设等。

四川省农村信用社贷款余额为5115.6亿元,比年初增加612.7亿元,比年初增长13.56%,其中涉农贷款余额为4224.86亿元,比年初增加391.81亿元,比年初增长10.22%,占各项贷款总额的82.59%。增量与上年同比增加36.32亿元,增速比各项贷款低3.26个百分点,比年初下降2.53个百分点。农业贷款余额为1685.5亿元,比年初减少6.34亿元,下降0.37%。

全省新型农村金融机构达到56家,其中村镇银行53家(已开业50家,筹建3家)、贷款公司2家、资金互助社1家,已有36家村镇银行设置了支行。新型农村金融机构各项存款余额505.97亿元,比年初增加80.47亿元,增速18.91%;各项贷款余额349.73亿元,比年初增加38.51亿元,增长12.37%。

扩大农村资金互助试点,全省新增农村资金互助试点19家,落实省级财政补助718万元,新增社员4798户,新增股本6070.85万元,全省累计开业农村资金互助社30家,共发放贷款2000余笔、6.39亿元,带动社会资金投入2.94亿元。

(六)农业保险保费规模稳步增长

2016年,四川省实现农险保费收入31.2亿元,位居全国第四,比上年增长5.9%,其中财政补贴保费23.9亿元。种植业承保面积6.7亿亩,比上年增长4.5%;养殖业承保9700万头(只),比上年增长6.1%。全年共为2758.8万户次参保农户提供2232.2亿元的风险保障,约259.7万户次农户因灾获赔17.9亿元。

中央财政补贴农业保险品种增至12个,涵盖主要粮食作物和畜牧品种,分别为水稻、玉米、小麦、能繁母猪、育肥猪、奶牛、油菜、马铃薯、青稞、牦牛、藏系羊、森林保险。全省承保水稻2092.8万亩、玉米1780.1万亩、小麦660万亩、油菜1020.3万亩,覆盖率分别达70%、84.6%、39.3%、66.2%;承保育肥猪3625.3万头,占出栏总量的49.2%;承保林木2.9亿亩,占林地总面积的79.4%。全省已具有蔬菜、水果、制种、中药材、小家禽、牲畜、淡水养殖、花卉、草原、价格指数11个方面43种保险。

全省有13家省公司、99家中支(市)公司、309家县(区)支公司和564个营销服务部具备农业保险经营资格。建立乡(镇)服务站4929个、村级服务点43237个,实现农险服务机构覆盖了98%的乡(镇)。

(七)统筹城乡成效突显

2016年,四川省开展以"1+3+17"为架构的"分类实施""梯度推进"的统筹城乡综合配套改革试点,"1",即全国试验区——成都"试验区"建设;"3",即自贡、德阳、广元3个省级试点区;"17",即米易县、泸州市江阳区、绵阳市涪城区、遂宁市船山区、内江市市中区、乐山市市中区、南充市顺庆区、宜宾市翠屏区、广安市广安区、达州市通川区、巴中市巴州区、雅安市雨城区、眉山市东坡区、简阳市、马尔康市、康定市、西昌市17个市级试点。通过试点,试点城市城乡居民收入差距逐步缩小,其中成都市城镇居民人均可支配收入为35902元,农村居民人均可支配收入为18605元,城乡收入比为1.9∶1;德阳市城镇居民人均可支配收入为29159元,农村居民人均可支配收入为13951元,城乡收入比为2.1∶1;自贡市城镇居民人均可支配收入为28455元,农村居民人均可支配收入为13192元,城乡收入比为2.2∶1;广元市城镇居民人均可支配收入为25762元,农村居民人均可支配收入为9819元,城乡收入比为2.6∶1。

77个扩权试点县(市)全年实现地区生产总值11969.9亿元,比上年增长8.3%,增速比全省平均水平高0.6个百分点,其中第一产业增加值2254.6亿元,比上年增长3.8%,增幅与全省一致;农民人均可支配收入12154元,比上年增加1050元,比上年增长9.5%,增幅比全省高0.2个百分点;粮食总产量2240.7万吨,比上年减少1.1%,增幅比全省低0.1个百分点;肉类总产量406.8万吨,比上年减少2.2%,增幅比全省低0.3个百分点。

四川概况

基本情况

自然资源

【基本情况】 四川省地处中国西南腹地、长江上游,介于东经97°21′~108°33′、北纬26°03′~34°19′之间,南北跨度为916千米,东西跨度为1062千米,东连重庆市,南邻云南省、贵州省,西接西藏自治区,北接青海省、陕西省。四川自古以来就有"天府之国"的美誉,自然资源十分丰富。

【土地资源】 四川省辖区面积48.6万平方千米,占全国国土总面积的5.1%,居全国第5位,但由于人口众多,人均国土面积低于全国平均水平,人多地少的矛盾十分突出。四川地貌复杂多样,主要有山地、丘陵、平原和高原4种类型,分别占全省辖区总面积的77.1%、12.9%、5.3%和4.7%。土壤类型丰富,根据第二次土壤普查结果显示,全省土壤类型共有25个土类、66个亚类、137个土属、380个土种,土类和亚类数量分别占全国总数的43.48%和32.6%。

全省土地利用类型共分8个一级利用类型(如表1所示)、45个二级利用类型和62个三级利用类型。除橡胶园以外,其他省的一、二级土地利用类型四川省均有,在全国极富代表性。土地利用以林牧业为主,林牧地集中分布在盆周山地和西部高山高原,占全省土地总面积的68.9%;耕地集中分布在东部盆地和低山丘陵区,占全省耕地总面积的85%以上;园地集中分布在盆地丘陵和西南山地,占全省园地总面积的70%以上;交通用地和建设用地集中分布在经济较发达的平原区和丘陵区(如表1所示)。

表1 四川省土地资源利用现状

土地利用类型	辖区	耕地	园地	林地	草地	城镇村及工矿用地	交通运输用地	水域及水利设施用地	其他用地
面积(万公顷)	4861.16	673.54	72.98	2215.35	1221.43	155.74	35.71	103.28	383.12
比例(%)	100	13.86	1.5	45.57	25.13	3.2	0.73	2.12	7.88

【气候资源】 四川省气候复杂多样,且地带性和垂直变化十分明显。总体特点为季风气候明显,雨热同季;区域间气候差异显著,东部冬暖、春早、夏热、秋雨、多云雾、少日照、生长季长,西部寒冷、冬长、基本无夏、日照充足、降水集中、干雨季分明;气候垂直变化大,气候类型多;气象灾害种类多,发生频率高且范围大,主要为干旱,其次是暴雨、洪涝和低温等。根据水热条件和光照条件的差异,全省分为三大气候区。

四川盆地中亚热带湿润气候区。该区热量条件好,全年温暖湿润,年平均气温16℃~18℃,积温4000℃~6000℃,气温日较差小,年差较大,冬暖夏热,无霜期230~340天。盆地云量多,晴天少,全年日照时间较短,年日照时间仅为1000~1400小时,比同纬度的长江流域下游地区少600~800小时。雨量充沛,年降水量为1000~1200毫米,50%以上集中在夏季,多夜雨。

川西南山地亚热带半湿润气候区。该区全年气温较高,年均温12℃~20℃,气温日较差大,年较差小,早寒午暖,四季不明显。云量少,晴天多,日照时间长,年日照时间为2000~2600小时。降水量较少,干湿季分明,全年有7个月为旱季,年降水量为900~1200毫米,90%集中在5—10月。河谷地区受焚风影响形成典型的干热河谷气候,山地形成显著的立体气候。

川西北高山高原高寒气候区。该区海拔高差大,气候立体变化明显,从河谷到山脊依次出现亚热带、暖温带、中温带、寒温带、亚寒带、寒带和永冻带,总体上以寒温带气候为主,河谷干暖,山地冷湿,冬寒夏凉,水热不足,年均温4℃~12℃,年降水量500~900毫米。日照充足,年日照时数为1600~2600小时。

【水资源】 四川省水资源丰富,居全国前列。全省多年平均降水量约为4889.75亿立方米。水资源以河川径流最为丰富,境内共有大小河流近1400条,号称“千河之省”。全省水资源总量共计约为3489.7亿立方米,其中多年平均天然河川径流量为2547.5亿立方米,占水资源总量的73%;上游入境水942.2亿立方米,占水资源总量的27%;地下水资源量为546.9亿立方米,可开采量为115亿立方米。境内湖泊、冰川遍布,其中湖泊1000余个、冰川约200余条,在川西北和川西南地区还分布有一定面积的沼泽;湖泊总蓄水量约为15亿立方米,加上沼泽蓄水量,共计约35亿立方米。

四川省水资源总体特点:总量丰富,人均水资源占有量高于全国,但由于时空分布不均,形成区域性缺水和季节性缺水;水资源以河川径流最为丰富,但径流量的季节分布不均,大多集中在6—10月,洪水、干旱灾害时有发生;河道迂回曲折,利于农业灌溉;天然水质良好,但部分地区也有污染。

【生物资源】 四川省生物资源十分丰富,保存有许多珍稀、古老的动植物种类,是全国及世界重要的生物基因宝库。

四川野生植物资源种类繁多,有高等植物1万余种,约占全国总数的1/3,仅次于云南,居全国第二位,其中苔藓植物500余种;维管束植物230余科、1620余属;蕨类植物708种;裸子植物100余种(含变种);被子植物8500余种;松、杉、柏类植物87种,居全国之首。列入国家珍稀濒危保护植物的有84种,占全国的21.6%。有各类野生经济植物5500余种,其中药用植物4600余种,全省中药材产量占全国药材总产量的1/3,是全国最大的中药材基地;芳香及芳香类植物300余种,是全国最大的芳香油产地;野生果类植物100余种,其中以猕猴桃资源最为丰富,居全国之首,并在国际上享有一定声誉;菌类资源十分丰富,野生菌类资源达1291种,占全国野生菌资源总数的95%。截至2016年年底,全省森林覆盖率达36.88%,比上年提高0.86个百分点。

动物资源丰富,全省有脊椎动物近1300种,约占全国脊椎动物总数的45%以上;兽类和鸟类约占全国总数的53%,其中兽类217种、鸟类625种、爬行类84种、两栖类90种、鱼类230种。有国家重点保护野生动物145种,占全国野生动物总数的39.6%,居全国首位。据第四次全国大熊猫调查结果显示,四川省野生大熊猫数量达1387只,占全国野生大熊猫总数的74.4%,其中种群数量居全国首位。全省动物中可供经济利用的种类占50%以上,其中毛皮、革、羽用动物200余种;药用动物340余种。四川雉类资源极为丰富,雉科鸟类达20种,占全国雉科总数的40%,素有“雉类的乐园”之称,其中有许多珍稀濒危雉类,例如,国家一类保护动物雉鹑、四川山鹧鸪和绿尾虹雉等。

【能源资源】 四川省能源资源十分丰富,主要以水能、煤炭和天然气为主,水能资源约占全省能源总量的75%,煤炭资源约占全省能源总量的23.5%,天然气及石油资源约占能源总量的1.5%。

全省水能资源理论蕴藏量达1.43亿千瓦,占全国水能资源蕴藏总量的21.2%,仅次于西藏,其中技术可开发量为1.03亿千瓦,占全国水能资源蕴藏总量的27.2%;经济可开发量为7611.2万千瓦,占全国水能资源蕴藏总量的31.9%,均居全国首位,为全国最大的水电开发和西电东送基地。全省水能资源集中分布于川西南山地的大渡河、金沙江、雅砻江三大水系,约占全省水能资源蕴藏量的2/3,也是全国最大的水电“富矿区”,其技术可开发量占全省理论蕴藏量的79.2%以上,占全省技术开发量的80%。雅砻江上的二滩水电站总装机容量达330万千瓦,是全国已建成的最大水电工程,也是目前亚洲最大的水电站。

全省保有煤炭资源量122.7亿吨,主要分布在川南片区,位于泸州市和宜宾市的川南煤田赋存了全省70%以上的探明储量。四川省煤炭种类比较齐全,有无烟煤、贫煤、瘦煤、烟煤、褐煤、泥炭。

油、气资源以天然气为主,石油资源储量很小。四川盆地天然气资源十分丰富,是国内主要的含油气盆地之一,已发现天然气资源储量达7万余亿立方米,约占全国天然气资源总量的19%,主要分布在川南片区、川西北片区、川中片区、川东北片区。四川生物能源也比较丰富,每年有可开发利用的人畜粪便3148.53万吨、薪柴1189.03万吨、秸秆4212.24万吨、沼气约10亿立方米。此外,太阳能、风能、地热资源也较为丰富,有待开发利用。

【矿产资源】 四川省地质构造复杂,成矿条件有利,矿产资源丰富,矿产种类也比较齐全,矿产资源供应能力较强,是西部乃至全国的矿物原材料生产加工大省。2016年,全省有查明资源储量的矿种86种,有35种矿产排位进入全国同类矿产查明资源储量的前三位。天然气、钒、钛、锂、硫铁矿、芒硝、盐矿等15种矿产在全国查明资源储量中排名第一位,铁、石棉、天然沥青、页岩气等10种矿产在全国查明资源储量中排名第二位(如表2所示)。

表2 2016年四川省主要矿产查明资源储量

矿种	单位	查明资源储量	矿种	单位	查明资源储量
钛矿	TiO_2万吨	62290.2	煤炭	亿吨	125.7
钒矿	V_2O_5万吨	1748.36	铁矿	矿石亿吨	96.38
锂矿	Li_2O万吨	189.25	铜矿	铜万吨	259.45
芒硝	矿石亿吨	187.47	铅矿	铅万吨	372.87
盐矿	矿石亿吨	176.09	锌矿	锌万吨	633.43
天然气	亿立方米	9148.56	金矿	金千克	400464
硫铁矿	矿石万吨	95626.02	银矿	银吨	5285.79
磷矿	矿石万吨	278859.84	铂族金属	金属千克	50714.66

四川矿产资源特点:一是矿种齐全,资源总量丰富,但人均占有量低于全国水平;资源种类齐全,但多数矿种储量不足。除钒钛磁铁矿、岩盐、芒硝、铅锌、硫、铁矿、石棉、云母、金、磷、水泥灰岩等储量可满足开发需要外,多数矿产资源都存在资源数量不足、质量差、探明矿山不足的问题。二是大型或特大型矿床分布集中,区域特色明显,

有利于形成综合性的矿物原料基地。矿产集中分布在川西南(攀西)、川南、川西北3个区并各具特色,其中川西南以黑色、有色金属和稀土资源为优势矿产资源,其他矿产也很丰富且组合配套好,是全国冶金基地之一;川南以煤、硫、磷、岩盐、天然气为主的非金属矿产种类多且蕴藏量大,是全国化工工业基地之一;川西北稀贵金属(锂、铍、金、银)和能源矿产(铀、泥炭)资源丰富,是潜在的尖端技术产品的原料供应地。三是部分重要矿产以贫矿和低品质矿为主,富矿不足。除铅、锌、镉、银、岩盐、钙芒硝等品位稍高外,其他矿产多为中、贫矿。部分重要矿产富矿查明资源储量占总量的比例分别为富铁矿0.79%、富锰矿15.17%、富硫铁矿(S≥35%)0.08%、富磷矿(P_2O_5>30%)6.35%,低硫煤及炼焦用煤仅占煤查明资源储量的1/4。但四川成矿地质条件优越,对省内煤、天然气、铁、铜、铅锌、金等20种重要矿产的研究预测认为这些矿产具有良好的找矿前景。四是矿床的共生、伴生矿多,具有重要的综合利用价值,但增加了采矿和选冶工艺难度。如攀西的钒钛磁铁矿为铁、钒、钛共生,川南的煤矿为煤、硫共生,川西北的锂矿为锂、铍共生。

【旅游资源】 四川省是著名的旅游资源大省,旅游资源极其丰富,拥有美丽的自然风景、悠久的历史文化和独特的民族风情,具有数量多、类型全、分布广、品位高的特点,其旅游资源数量和品位均名列全国前茅。拥有世界遗产5处,其中世界自然遗产3处(九寨沟、黄龙、大熊猫栖息地)、世界文化与自然遗产1处(峨眉山—乐山大佛)、世界文化遗产1处(青城山—都江堰);列入《世界人与生物圈保护网络》保护区4处(九寨沟、黄龙、卧龙、稻城亚丁);有"中国旅游胜地40佳"5处(峨眉山、九寨沟—黄龙、蜀南竹海、乐山大佛、自贡恐龙博物馆)。全省拥有国家级风景名胜区14处、省级风景名胜75处,截至2016年年底,全省5A级景区数量排名全国第四位;有中国优秀旅游城市21座;有国家历史文化名城8座;有自然保护区169个,面积8.345万平方千米,占全省土地总面积的17.2%,其中国家级自然保护区30个;有湿地公园55个,其中国家级湿地公园29个、省级湿地公园26个;有森林公园127处,总面积120.06万公顷,占全省辖区总面积的2.47%,其中国家级森林公园38处,森林公园总数位列全国前十。四川省地质构造复杂,地质地貌景观丰富,地质遗迹类型多样,已发现地质遗迹220余处,其中世界级地质公园2处、国家级地质公园16处,其数量均居全国前列。四川省是一个文物大省,截至2016年年底,全省共有博物馆238个、全国重点文物保护单位230处、省级文物保护单位969处;有国家级非物质文化遗产名录139项、省级非物质文化遗产名录522项。四川省主要资源类型及其位次如表3所示。

表3 四川省主要资源类型及其位次

资源类型		位次
土地资源	国土面积	全国第5位,西部第4位
	耕地面积	全国第6位,西部第1位
	林地面积	全国第2位,西部第1位
	牧草面积	全国第5位,西部第4位
森林资源	森林面积	全国第4位
	森林蓄积	全国第3位
生物资源	高等植物种类	全国第2位
	蕨类植物种类	全国第2位
	裸子植物种类	全国第1位
	被子植物种类	全国第2位
	药用植物种类	全国第2位
	芳香油植物	全国第1位
	野生果类植物	全国第1位
	菌类资源	全国第1位
	国家重点保护野生动物种类	全国第1位
	陆生野生动物种类	全国第2位
	野生大熊猫种群数量	全国第1位
	鸟类	全国第2位
水能资源	理论蕴藏量	全国第2位
	技术可开发量	全国第1位
	经济可开发量	全国第1位
旅游资源	世界自然文化遗产数量	全国第2位
	5A级旅游景区数量	全国第4位
	地质公园数量	全国第1位
矿产资源	天然气等15种矿产查明资源储量	全国第1位
	铁、石棉等10种矿产查明资源储量	全国第2位

四川省国土资源厅编写组、四川省自然资源科学研究院编写组

气候状况

【基本情况】 2016年,四川省气候条件为偏好年景。年平均气温15.7℃,比常年偏高0.8℃,排历史第4高位,2006年、2013年和2015年并列历史第1高位;全省大部分地区偏高0.5℃以上,川西高原北部、盆西南和盆东北的部分地区偏高1℃~1.8℃。

平均降水量为982.1毫米,比常年偏多25.3毫米,偏多3%。全省大部分地区的年降水量在500毫米以上,盆地和攀西地区大部在800~1200毫米,其中盆南、盆西南、盆东北及攀西地区部分地方在1200毫米以上。峨眉山站全年降水量达1834.1毫米,为全省之冠,名山站、兴文站分别为1712.3毫米、1710毫米。与常年同期比较,盆南、盆西南以及攀西地区、甘孜州大部偏多1~4成,叙永站偏多5成;盆东北、盆西北及阿坝州大部偏少1~3成;珙县、泸县、合江、叙永、翠屏、隆昌等站降水量为历史最多。

年内暴雨偏少偏弱,多局部分散性暴雨,区域性暴雨少,属暴雨总体偏轻年份,但盆地南部暴雨偏多偏强。夏季高温天气范围广,部分地方高温极端性强,属高温偏重年份。秋雨期共42天,比常年短

22 天，属秋绵雨偏轻年份。年内雾、霾天气日数多，局地大风冰雹灾害重，地质灾害造成损失总体偏轻。1 月下旬的寒潮较强，影响了全省，共有 147 个县站日最低气温在 0℃以下，有 14 个县站日最低气温突破历史最小值记录，

【暴雨】 2016 年，四川省暴雨来得早去得晚，先后出现 3 次较大范围的暴雨天气过程，与常年相比，区域性暴雨次数明显偏少、强度偏弱。5 月 5 日—7 日迎来第一场大范围暴雨天气，暴雨区涉及 12 个市（州）20 个县（市、区），首现时间较常年提早近 20 天。最后一场大范围暴雨发生在 10 月 23 日—24 日，涉及盆地东北的 9 个县（市、区），结束时间较常年推迟近 1 个半月。

7 月 4 日—9 日，出现了入汛以来最为明显的较大范围强降雨天气过程，按全省 156 个县级站 08 时日雨量资料统计，全省共计有 10 个市（州）39 个站出现暴雨过程，其中大暴雨 9 站。洪雅县、雅安市名山区过程降水量均超过 200 毫米，分别为 253.5 毫米、213.7 毫米，分别列该阶段暴雨过程雨量的前 2 位。该次暴雨过程在各地的延续时间较长，但暴雨、大暴雨主要出现在 7 月 5 日的盆地西南部，其中雅安市名山区在 7 月 5 日最大日降雨量达 142 毫米，为该次暴雨过程的全省最大日降雨量。该次暴雨过程范围较大、强度较强，给当地生产生活造成了较大的经济损失。

7 月 17 日—19 日，出现首次区域性暴雨天气过程，全省共计有 13 个市（州）29 个站出现暴雨过程，其中大暴雨 8 站。暴雨落区主要在盆地大部及凉山州北部。南江县 7 月 18 日最大日降水量达 151.4 毫米，为该次过程日降水量的最大值。

7 月 21 日—23 日，盆地西部出现第二次区域性暴雨天气过程，成都、阿坝、甘孜、眉山、德阳、乐山、广元、绵阳、雅安、宜宾 10 个市（州）26 个县出现暴雨天气，其中成都、绵阳、雅安 3 市 4 站出现了大暴雨。江油市 7 月 22 日最大日降水量达 156.1 毫米，为该次过程日降水量的最大值。

【干旱】 2016 年，四川省气象干旱总体不明显，春旱弱、夏旱轻、伏旱略重于常年，其中阿坝州东南和西南部、南充南部等地有重度以上伏旱发生，部分地方人畜饮水发生困难。

春旱属异常偏轻年份。有 23 县（盆地 3 县）发生春旱，其中轻旱 11 县（盆地 2 县）、中旱 7 县（盆地 1 县）、重旱 2 县（盆地 0 县）、特旱 3 县（盆地 0 县）。主要出现在攀西地区西部和甘孜州西南部。春季降水丰沛，平均降水量较常年偏多 3 成以上，没有出现大范围干旱。与常年比较，春旱发生县数偏少 50 县，为 1961 年以来历史第 2 少年。

夏旱属偏轻年份。全省共有 85 县（盆地 61 县）发生了夏旱，其中轻旱 56 县（盆地 37 县）、中旱 13 县（盆地 12 县）、重旱 15 县（盆地 12 县）、特旱 1 县（盆地 0 县）。中度以上旱区主要分布在盆地西北部和东北部以及甘孜州西南部，广元、南充东北部，绵阳中部，甘孜州西南部出现重度以上干旱。与常年比较，夏旱发生县数少 4 县，其中中旱县和特旱县数明显少于常年，分别少 7 县和 11 县。

伏旱属偏重年份。全省共有 100 县（盆地 57 县）发生了伏旱，其中轻旱 50 县（盆地 31 县）、中旱 43 县（盆地 24 县）、重旱 5 县（盆地 1 县）、特旱 2 县（盆地 1 县）。中度以上旱区主要分布在川西高原、盆地东北部、盆地西北部和盆地中部，其中阿坝州东南和西南部、南充南部等地有重度以上伏旱发生。与常年相比，伏旱发生县数偏多 45 县，其中轻旱县和中旱县数明显多于常年，分别多 16 县和 32 县。

【高温】 2016 年为四川省夏季高温偏重年份。8 月 11 日—25 日，出现一段大范围的持续高温晴热天气，119 个站出现日最高气温≥35℃的高温天气，有 60 个县站持续高温天数在 10 天以上，宜宾县 8 月 9 日—25 日持续高温 17 天，为全省最长，多地持续高温天数突破历史极大值。全省日最高气温为 41.5℃，出现在达县（8 月 19 日）和渠县（8 月 25 日），开江、资阳、荣县、金川、青神、眉山、成都市龙泉驿区、成都市双流区、邛崃、新津、成都市温江区、都江堰 12 个站突破历史最高气温极大值记录，色达、金川、阿坝、茂县、黑水、中江、康定、南江、万源、阆中、巴中、开江 12 个站的平均气温突破历史极大值记录。

【秋绵雨】 2016 年为四川省秋绵雨偏轻年份。秋季（9—11 月）平均雨日数为 39.9 天，比常年多 0.4 天，其中盆地东北部、西北部和阿坝州东部偏多 3~10 天，盆地西南部、凉山州北部和甘孜州南部偏少 2~8 天；平均日照时数为 257.8 小时，比常年同期偏少 11%，盆地东北部、盆地中部、盆地西南部偏少 2~3 成，川西高原偏少 1 成左右，盆地西北部、盆地南部及攀西地区偏多近 1 成。

【大风冰雹】 2016 年，四川省春夏季共遭受 16 次局地强对流天气过程袭击，引发多起雷电、大风、冰雹灾害。

5 月 5 日—6 日，德阳市出现雷雨天气，并伴有短时阵性大风，个别地方降冰雹，局地强对流天气造成部分猕猴桃等果树、烟叶、蔬菜等被砸坏受损。

6 月 4 日，凉山州出现一次强对流雷雨天气过程，昭觉等 11 个县（市）遭受冰雹、大风灾害，因灾死亡 1 人，农作物不同程度受灾。

6 月 4 日下午，广元市由西北向东南出现 7 到 9 级阵性大风强对流天气，14 时 52 分金洞镇自动站测得瞬间极大风速为 17.5 米/秒（8 级）。14 时 40 分左右，“川广元客 1008 号”在白龙湖航行途中受风浪作用翻沉，造成 15 人死亡。同日下午，九寨沟景区遭遇大风袭击，多处树木折断、边坡岩石滚落、栈道损毁，一棵大树折断砸中多名游客，致 2 死 15 伤。

6 月 6 日，雷波县遭受冰雹灾害，农作物受灾面积 1600 公顷。同日，乐山市也出现暴雨、大风、冰雹等灾害性天气，全市 9 个县（区）87 个乡（镇）4.9 万人受灾，农作物受灾面积 2400 公顷。

【雾、霾】 2016 年，四川省雾、霾天气日数平均为 67.8 天，为近几年最多，其中盆地雾、霾天气日数平均为 86.8 天，主要分布在盆地南部、盆地西南部和盆地东北部；自贡站年内达 209 天，为全省最多；双流站、新都站、邻水站依次为 191 天、185 天、181 天，均在 180 天以上。1—3 月和 12 月雾或霾天气出现频繁，累计天数达 40.5 天，汛期雾或霾天气出现相对较少。

【寒潮】 2016 年 1 月 20 日—25 日，强冷空气自北向南影响四川省，共有 71 个县站的日平均气温降温幅度超过 8℃，其中布拖站下降 17.5℃；共有 147 个县站日最低气温在 0℃以下，有 14 个县站日最低气温突破历史最小值记录，分别为九寨沟县（-10.4℃）、泸定县（-6.2℃）、崇州市（-6.7℃）、成都市温江区（-6.5℃）、绵阳市安州区（-6.9℃）、北川县（-6.1℃）、什邡市（-6.1℃）、眉山市东坡区（-3.6℃）、蒲江县（-4.9℃）、邛崃市（-5.8℃）、广元市（-8.6℃）、梓潼县（-6.8℃）、通江县（-7.2℃）、平昌县（-5.8℃）。11 月 21 日—26 日，盆地自北向南出现区域性寒潮天气过程，全省平均气温最大降温幅度达 7.6℃，有 42 个站降温幅度超过 10℃，其中万源市下降 13.5℃，致使盆地大部在 11 月 22 日—23 日先后入冬，比上年提早 3~20 天。

四川省气象局编写组

行政区划及变更

【基本情况】 2016年,四川省辖21个市(州),其中地级市18个、自治州3个;183个县(市、区),其中市辖区52个、县级市16个、县111个、自治县4个;共有乡(镇)级行政区划单位4633个,其中乡2182个、镇2105个、街道346个。全年办理、实施符合条件的乡(镇)行政区划调整事项19件,设立镇和街道91个,其中撤销乡89个,设立镇80个;撤销镇7个,设立街道11个。全省镇和街道数量达乡(镇)级行政区划单位总数的52.9%,比上年提高1.9个百分点。安县、郫县撤县设区,变更简阳市代管关系已分别于2016年3月20日、11月24日、5月3日获国务院正式批准。

【县以上变更】 成都市:撤销郫县,设立成都市郫都区,以原郫县的行政区域为成都市郫都区的行政区域,郫都区人民政府驻郫筒街道望丛中路998号(2016年11月24日,国函〔2016〕186号;2016年12月5日,川府函〔2016〕238号)。

绵阳市:撤销安县,设立绵阳市安州区,以原安县的行政区域为绵阳市安州区的行政区域,安州区人民政府驻花荄镇银河大道8号(2016年3月20日,国函〔2016〕57号;2016年4月23日,川府函〔2016〕78号)。

资阳市:将资阳市代管的县级简阳市改由成都市代管(2016年5月3日,国函〔2016〕78号;2016年5月12日,川府函〔2016〕90号)。

【乡(镇)变更】 泸州市:古蔺县撤销鱼化乡,设立鱼化镇;撤销东新乡,设立东新镇;撤销马蹄乡,设立马蹄镇;撤销椒园乡,设立椒园镇(2016年12月8日,川府民政〔2016〕19号)。

绵阳市:涪城区撤销城郊乡,设立城郊街道;撤销石塘镇,设立石塘街道。游仙区撤销游仙镇,设立游仙街道;撤销东林乡,设立东林镇;撤销梓棉乡,设立梓棉镇;撤销东宣乡,设立东宣镇。江油市撤销中坝镇,设立中坝街道;撤销义新乡,设立义新镇;撤销东兴乡,设立东兴镇。梓潼县撤销双板乡,设立双板镇;撤销金龙场乡,设立金龙镇,辖原金龙场乡所属行政区域,镇人民政府驻兴隆街47号。北川羌族自治县撤销小坝乡,设立小坝镇;撤销陈家坝乡,设立陈家坝镇。盐亭县撤销麻秧乡、两岔河乡和新农乡,设立麻秧街道和凤灵街道,麻秧街道辖原麻秧乡、原两岔河乡石桥社区,云溪镇临江社区、月园社区、东一村、石坎村所属行政区域,麻秧街道办事处驻商业街33号;凤灵街道辖云溪镇东街、新西街、文同、红光、石龙、指南、滨江、南街、北街、城东路、石岭、梓江、弥江、云盘、万安、三义、先锋17个社区和复兴村、咸水村及巨龙镇梅花村所属行政区域,凤灵街道办事处驻桂花街72号;将原新农乡所属行政区域划归云溪镇管辖,云溪镇人民政府驻凤池街8号;将原两岔河乡的裕兴社区及青霞、双河、普香、水集、丰收5个村划归巨龙镇管辖,巨龙镇人民政府驻聚兴上街2号(2016年10月31日,川府民政〔2016〕15号)。

内江市:东兴区撤销高桥镇,设立高桥街道;撤销同福乡,设立同福镇;撤销永福乡,设立永福镇;撤销三烈乡,设立三烈镇(2016年3月10日,川府民政〔2016〕2号)。

宜宾市:长宁县撤销井江乡,设立井江镇;撤销铜鼓乡,设立铜鼓镇(2016年9月21日,川府民政〔2016〕12号)。

广安市:邻水县撤销两河乡,设立两河镇(2016年9月21日,川府民政〔2016〕11号)。

达州市:开江县撤销拔妙乡,设立八庙镇,辖原拔妙乡所属行政区域,八庙镇人民政府驻八庙社区;撤销宝石乡,设立宝石镇;撤销灵岩乡,设立灵岩镇(2016年5月27日,川府民政〔2016〕3号)。宣汉县撤销柳池乡,设立柳池镇;撤销马渡乡,设立马渡关镇,辖原马渡乡所属行政区域,镇人民政府驻下蒲街4号。大竹县撤销人和乡,设立人和镇;撤销二郎乡,设立二郎镇;撤销张家乡,设立张家镇;撤销四合乡,设立四合镇(2016年10月25日,川府民政〔2016〕14号)。渠县撤销李馥乡,设立李馥镇;撤销鹤林乡,设立鹤林镇;撤销流溪乡,设立流溪镇;撤销青龙乡,设立青龙镇;撤销水口乡,设立水口镇(2016年11月14日,川府民政〔2016〕16号)。

巴中市:南江县撤销坪河乡,设立坪河镇;撤销八庙乡,设立八庙镇;撤销赤溪乡,设立赤溪镇;撤销双流乡,设立双流镇(2016年7月7日,川府民政〔2016〕7号)。通江县撤销毛浴乡,设立毛浴镇;撤销两河口乡,设立两河口镇;撤销泥溪乡,设立泥溪镇;撤销板桥口乡,设立板桥口镇;撤销新场乡,设立新场镇。平昌县将粉壁乡火花村原1组和红花村原8组所属行政区域划归驷马镇管辖;撤销青云乡,设立青云镇;撤销大寨乡,设立大寨镇;撤销土垭乡,设立土垭镇;撤销澌岸乡,设立澌岸镇(2016年9月8日,川府民政〔2016〕8号)。将巴州区平梁镇大柏林村和光辉镇白鹤山村、三凤村、印盒垭村及恩阳区登科街道盘兴村所属行政区域划归巴州区回风街道管辖。恩阳区撤销兴隆场乡,设立兴隆镇;撤销关公乡,设立关公镇;撤销双胜乡,设立双胜镇;撤销群乐乡,设立群乐镇;撤销义兴乡,设立义兴镇(2016年11月10日,川府民政〔2016〕17号)。

眉山市:仁寿县撤销中岗乡,设立中岗镇;撤销向家乡,设立向家镇;撤销识经乡,设立识经镇;撤销曲江乡,设立曲江镇;撤销玉龙乡,设立玉龙镇(2016年2月5日,川府民政〔2016〕1号)。彭山区撤销凤鸣镇,设立凤鸣街道;撤销彭溪镇,设立彭溪街道(2016年9月21日,川府民政〔2016〕9号)。

资阳市:雁江区撤销清水乡,设立清水镇(2016年9月21日,川府民政〔2016〕13号)。

阿坝藏族羌族自治州:马尔康市撤销沙尔宗乡,设立沙尔宗镇;小金县撤销沃日乡,设立沃日镇;茂县撤销东兴乡,设立东兴镇(2016年11月28日,川府民政〔2016〕)。

甘孜藏族自治州:炉霍县撤销斯木乡,设立斯木镇。丹巴县撤销革什扎乡,设立革什扎镇。新龙县撤销大盖乡,设立大盖镇。泸定县撤销新兴乡,设立燕子沟镇;撤销得妥乡,设立得妥镇;撤销烹坝乡,设立烹坝镇(2016年5月27日,川府民政〔2016〕4号)。色达县撤销泥朵乡,设立泥朵镇。得荣县撤销白松乡,设立白松镇。道孚县撤销亚卓乡,设立亚卓镇;撤销甲宗乡,设立甲宗镇。德格县撤销错阿乡,设立错阿镇(2016年7月7日,川府民政〔2016〕5号)。康定市撤销炉城镇,设立炉城街道和榆林街道,炉城街道辖原炉城镇向阳、水井、子耳、光明4个社区和清泉一村、清泉二村、升航、大风湾、白土、鱼粪、大河沟、子耳、柳杨、菜园子10个村所属行政区域,街道办事处驻子耳路25号;榆林街道辖原炉城镇公主桥社区和驷马桥、大坪、老榆林、折多塘、两岔路、新榆林、道子坝、南无、金刚、公主10个村所属行政区域,街道办事处驻情歌路12号;撤销舍联乡、前溪乡,设立鱼通乡,辖原舍联乡和前溪乡的行政区域,乡人民政府驻野坝村。雅江县撤销红龙乡,设立红龙镇(2016年9月21日,川府民政〔2016〕10号)。

凉山彝族自治州:木里县撤销桃巴乡,设立瓦厂镇,辖原桃巴乡所属行政区域,镇人民政府驻君依村;撤销东子乡,设立茶布朗镇,辖原东子乡所属行政区域，镇人民政府驻然面村；撤销麦地龙乡，设立雅砻江镇，辖原麦地龙乡所属行政区域，镇人民政府驻中铺子村。越西县撤销大瑞乡，设立大瑞镇。冕宁县撤销惠安乡，设立惠安镇；撤销宏模乡，设立宏模镇；撤销泽远乡，设立泽远镇。盐源县撤销巴折乡、阿萨乡，设立官地镇，辖原巴折乡、阿萨乡所属行政区域，镇人民政府驻箴丝萝村；撤销德石乡，将原德石乡所属行政区域划归田湾乡管辖，田湾乡人民政府驻沿江村；撤销马鹿乡，将原马鹿乡所属行政区域划归藤桥乡管辖，藤桥乡人民政府驻荞地村；撤销干海乡，将原干海乡鱼脊、蔡家坪、盐河、拦河4个村所属行政区域划归盐井镇管辖，盐井镇人民政府驻太平村；将原干海乡龙塘、滑泥、十五股、马场、柳树5个村所属行政区域划归下海乡管辖，下海乡人民政府驻下海村（2016年7月7号，川府民政〔2016〕6号）。

四川省行政区划统计表

（单位：个）

序号	市（州）	县（市、区）					乡（镇、街道）						
		合计	市辖区	县级市	县	自治县	合计	乡（镇）				街道	镇和街道小计
								小计	乡		镇		
									小计	其中民族乡			
1	成都市	20	11	5	4	—	375	258	52	—	206	117	323
2	自贡市	6	4	—	2	—	108	96	21	—	75	12	87
3	攀枝花市	5	3	—	2	—	60	44	23	13	21	16	37
4	泸州市	7	3	—	4	—	144	123	15	8	108	21	129
5	德阳市	6	1	3	2	—	129	119	20	—	99	10	109
6	绵阳市	9	3	1	4	1	292	270	106	15	164	22	186
7	广元市	7	3	—	4	—	239	230	131	2	99	9	108
8	遂宁市	5	2	—	3	—	130	112	38	—	74	18	92
9	内江市	5	2	—	3	—	121	107	4	—	103	14	117
10	乐山市	11	4	1	4	2	218	211	112	2	99	7	106
11	南充市	9	3	1	5	—	424	393	216	1	177	31	208
12	宜宾市	10	2	—	8	—	185	172	52	13	120	13	133
13	广安市	6	2	1	3	—	182	171	80	—	91	11	102
14	达州市	7	2	1	4	—	315	307	164	4	143	8	151
15	巴中市	5	2	—	3	—	200	187	88	—	99	13	112
16	雅安市	8	2	—	6	—	143	138	93	18	45	5	50
17	眉山市	6	2	—	4	—	131	126	46	—	80	5	85
18	资阳市	3	1	—	2	—	120	116	52	—	64	4	68
19	阿坝藏族羌族自治州	13	—	1	12	—	219	219	165	2	54	—	54
20	甘孜藏族自治州	18	—	1	17	—	325	323	257	7	66	2	68
21	凉山彝族自治州	17	—	1	15	1	573	565	447	13	118	8	126
合计		183	52	16	111	4	4633	4287	2182	98	2105	346	2451

四川省民政厅编写组

人口情况

【全省户籍人口基本情况】 2016年，四川省共有户籍人口32351250户、91370295人，其中男性46962364人、女性44407931人；18岁以下16840642人，18～34岁20980191人，35～59岁35255675人，60岁以上18293787人。少数民族人口568.7万人，占总人口的6.22%，其中彝族310.4万人、藏族160.2万人、羌族33.8万人。有全国第二大藏族聚居区、最大的彝族聚居区和唯一的羌族聚居区。

全省年末总户数比上年减少0.14%，总人口比上年增长0.44%，其中城镇人口29974891人，比上年增长7.68%；农村人口61395404人，比上年减少2.35%；男女比例为1.06∶1，与上年基本持平；年内新出生人口男女比例为1.07∶1；人口出生率为1.16%，比上年上升0.18个百分点；人口死亡率为0.73%，比上年下降0.13个百分点。总人口最多的5个市分别为：成都市1398.93万人，南充市741.27万人，达州市683.65万人，宜宾市555.91万人，绵阳市545.18万人。

【全省户籍人口分布变动特征、趋势】 人口总数恢复自然增长。2016年，由于四川省范围内无户口人员登记户口工作深入开展以及

"全面放开二胎"计划生育政策的实施，全省户籍人口总数比上年净增长 39 万余人，恢复自然增长。

人口总数和户均人数均趋于稳定。2012—2016 年，全省年末总人口增长率分别为 0.43%、0.39%、0.67%、-0.68%、0.44%，人口总数趋于稳定。2012—2015 年全省户均人数呈稳定趋势，分别为 2.87 人、2.85 人、2.82 人、2.81 人、2.82 人。可以看出，全省社会中家庭各成员在户籍上的关联性相对稳定。

老龄化加剧，社会治理仍面临挑战。2012—2016 年，全省年末总人口中 60 岁以上的人口占比分别为 17.34%、18.1%，18.89%、19.63%、20.02%，呈逐年上升趋势，人口老龄化在不断加剧。与此同时，2012—2016 年，全省年末总人口中 18 岁以下的人口占比分别为 19.26%、18.94%、18.6%、18.43%、18.43%，呈逐年下降趋势并趋于平稳。这种老龄人口持续增长、年轻人口缓慢增长的趋势对全省经济社会发展带来的影响和冲击仍然值得关注。

人口迁移以省内为主，人口外流趋势放缓。在 2016 年度全省人口变动中，在外省与四川省之间迁移的为 37.63 万人，占比为 25.9%；在省内各地之间迁移的为 107.68 万人，占比为 74.1%，近四年均维持在 70%以上；在跨省迁移的人口中，迁入四川省的为 17.1 万人，迁出四川省的为 20.52 万人，迁出比迁入人口增长 20%，较上年有明显减少，人口外流趋势明显放缓。

新型城镇化深入推进，乡村人口转城镇人口成效显著。2016 年，全省乡村人口为转城镇人口总数为 174.27 万人，比上年增加 112.54 万人，增长 1365.36%，成效显著。2016 年以前，征地拆迁是乡村人口转城镇人口最主要的推动力。从 2016 年开始，以新型城镇化建设中"以城乡统筹、城乡一体"的政策为指引，全省多地进行了区划调整，重新确定了人口年报统计方式，仅"城乡属性调整"一项中乡村人口转城镇人口人数为 113.73 万人，占总数的 65.26%，全省在新型城镇化建设中迈出了一大步。

【农村户籍人口实际居住情况】 2016 年，四川省公安机关开展了户籍和实有人口信息清理登记专项行动，对 3300 万名未采集实际居住地址的户籍人口信息进行了全面清理核查，基本摸清了农村外出人员去向下落。其中，清理发现应销未销的农村户籍人口 7274 人、流出省外居住从业的农村户籍人口 95311 人。从全省农村户籍人口流出目的地来看，排名前 5 位的省(市)依次是广东省、浙江省、福建省、江苏省、重庆市。

四川省公安厅编写组

民族构成及分布

【基本情况】 四川省是一个多民族的省份，有 56 个民族，其中少数民族 55 个，世居的少数民族有彝、藏、羌、苗、回、蒙古、傈僳、满、纳西、土家、白、布依、傣、壮 14 个民族。全省民族自治地区有甘孜藏族自治州(辖 18 个县市)、阿坝藏族羌族自治州(辖 13 个县市)、凉山彝族自治州(辖 17 个县市，其中包括木里藏族自治县)、峨边彝族自治县、马边彝族自治县、北川羌族自治县，民族自治地区总人口 777.05 万人，约占全省总人口的 8.41%。全省民族地区总人口 933.4 万人，约占全省总人口的 11.5%；少数民族户籍总人口约 544.08 万人，其中彝族 306.37 万人、藏族 159.18 万人、羌族 33.13 万人、其他 45.4 万人，约占全省户籍总人口的 6%(为 2016 年 7 月统计数据)。另有米易、盐边、攀枝花市仁和区、平武、石棉、宝兴、汉源、荥经、乐山市金口河区、兴文、宣汉、古蔺、叙永、珙县、筠连、屏山 16 个民族待遇县(区)及 98 个民族乡。四川省是全国最大的彝族聚居区，第二大藏区和唯一的羌族聚居区。四川民族地区自古就是"民族走廊"，四川藏区居于"稳藏必先安康"的战略要地，是国家的"治藏依托"，更是全省乃至全国反分裂斗争的重点地区，肩负着维护民族团结和祖国统一的特殊任务。

【少数民族分布情况】 四川省彝族主要分布在凉山州、乐山市、攀枝花市；藏族主要分布在甘孜州、阿坝州和木里县；羌族主要分布在汶川县、理县、茂县、北川县、盐亭县、平武县及成都市；苗族主要分布在泸州市、宜宾市、凉山州；回族主要散居在青川县、苍溪县、武胜县、阆中市、成都市新都区、崇州市、宜宾市、西昌市、德昌县、会理县、松潘县、阿坝县以及绵阳、内江、泸州、自贡等市；蒙古族主要散居在盐源县、木里县及成都市等地；傈僳族主要散居在凉山州和攀枝花市；满族主要聚居在成都市；纳西族主要分布在盐源县、木里县和盐边县；土家族主要散居在全省各市(州)；白族主要分布在凉山州和攀枝花市；布依族主要分布在凉山州；傣族主要分布在会理县和攀枝花市；壮族主要分布在宁南县、木里县、会东县等地。

【地域与资源】 四川省民族地区辖区面积 32.8 万平方千米，占全省总面积的 67.7%。民族地区地域辽阔、资源丰富，有森林面积 930 余万亩，占全省森林总面积的 83.1%；木材蓄积量 10.22 亿立方米，占全省木材总蓄积量的 66%；甘孜州、阿坝州草原面积达 2 亿亩，是中国五大牧区之一；凉山州安宁河流域是四川省第二大平原，有可开发耕地 800 余万亩；有丰富的水能资源，蕴藏量超过 1.6 亿千瓦，可开发利用的约有 6000 万千瓦；有多种矿产资源，已探明的有 55 种，其中金、银、锌、钒、钛、稀土等矿种储量占全省 90%以上，攀西地区素有"中国的乌拉尔"之称；有中药材 2500 种以上，野生食用菌众多，尤以松茸最为著名；有开发前景广阔的旅游资源，四川省世界级、国家级旅游资源多数分布在民族地区。

四川省民族宗教事务委员会编写组

宗教情况

【基本情况】 四川省有佛教、道教、伊斯兰教、天主教、基督教五大宗教，有信教群众 1000 余万人、教职人员 82700 人、爱国宗教团体 340 个、宗教院校 6 所、宗教工作机构 212 个、批准开放的宗教活动场所 2771 个。全省各级宗教事务部门全面贯彻党的宗教信仰自由政策，依法管理宗教事务，坚持独立、自主、自办原则，扎实开展和谐寺观教堂创建，宗教工作"十三五"开局良好，宗教领域和睦和顺，为促进全省经济社会发展做出了积极贡献。

【宗教事务管理】 2016 年，四川省民族宗教事务委员会切实落实国家宗教事务局部署，研究制订了全省总体实施方案，依法加强对佛教、道教寺院宫观乱建大型露天宗教造像等突出问题的治理，积极推进宗教场所文物保护和危房维修、困难教职人员生活补助等工作。按照中央和省委的部署，组建了由委领导带队的工作组常驻色达县，全力做好色达喇荣寺五明佛学院外省籍人员清退劝返相关工作。同时，指导甘孜、阿坝两州开展其他重点寺庙整治工作。针对宗教教职人员存在的能力素质方面的问题，分别在成都、绵阳、攀枝花 3 市举办了天主教、基督教"培育和践行社会主义核心价值观"主题培训，培训两教教职人员 490 余人；持续举办 6 期藏传佛教界教职人员培训，培训 350 余人；举办佛道伊宗教界代表人士培训，培训 108 人。

创新建立藏传佛教寺庙依法管理省级部门联席会议机制，由省民族宗教委牵头，人力资源社会保障厅、文化厅、民政厅、建设厅等省级部门参加，深入阿坝州、甘孜州11个县、19座寺庙开展综合执法检查。完善宗教事务管理法规规章，出台了《四川省藏传佛教寺庙民主管理委员会考评办法》《甘孜州藏传佛教事务条例》及《实施细则》；会同财政厅制定下发了《四川省藏传佛教寺庙财务管理操作指南》《四川省藏传佛教寺庙会计核算应用指引》；组织开展高僧大德说法和汉藏"双语"联合宣讲，推进"法律进寺庙"向纵深发展。

【寺庙规范化管理工作】 2016年，四川省寺庙规范化管理工作不断加强，四川省民族宗教事务委员会建立了佛道伊场所1767处和4298名佛教、969名道教、175名伊斯兰教教职人员电子档案；完成21个市(州)2420处佛教、道教场所挂牌，完成783座藏传佛教寺庙场所登记证更换；有序推进寺庙办理组织机构代码证和土地使用证、开设银行结算账户、开展财务审计等工作，对甘孜州65座、阿坝州30座、凉山州5座寺庙2015年度财政性资金和其他资金管理使用情况进行财务监督审计。深入推进藏传佛教事务依法管理，扎实开展藏传佛教寺庙达标升级和和谐寺庙创建工作，新办、补办、更正教职人员证近3000份。

【和谐教堂创建活动】 2016年4月7日，四川省基督教两会以"规范"为主题的和谐教堂创建活动启动仪式在成都市基督教上翔街教堂举行，来自成都市、眉山市、乐山市基督教堂或聚会点负责人和教牧同工近200人参加。启动仪式由省基督教协会会长兼爱国会副主席张贤升牧师主持，省基督教三自爱国运动委员会主席兼协会副会长饶建华牧师宣读了省民族宗教委《关于转发〈国家宗教事务局关于2016年以"规范"为主题开展和谐寺观教堂创建活动的通知〉的通知》，省基督教两会副主席兼秘书长、副会长兼总干事张健牧师宣读了《四川省基督教两会关于2016年以"规范"为主题开展和谐教堂创建活动的实施方案》，明确了和谐教堂创建活动的重要意义与作用、活动范围、目标与要求。

四川省民族宗教事务委员会编写组

四川农业和农村经济主要统计数据

综　述

【基本情况】 2016年，四川省各地深入贯彻落实中央、省委"一号文件"精神，按照省委省政府"稳增长、调结构、促改革、惠民生、防风险"的宏观经济政策要求，以脱贫攻坚工作为核心，加大投入力度，创新举措，优化生产布局，大力推进农业供给侧结构性改革，全省农业农村经济发展良好，农民收入稳步增加，农村经济"十三五"开局良好。

【农业经济总量规模进一步扩大，增速逐季加快】 2016年，四川省在高标准农田建设力度进一步加大、农业科技投入进一步增加、农产品品种改良进一步加快及农业生产全面丰收、牛羊禽兔与渔业、林业生产稳步发展的促进下，全省农业经济总量规模进一步扩大，增速逐季加快。据国家统计局核定，全省农林牧渔业增加值为4000.2亿元，比上年增加254.9亿元，增长4%(按可比价计算，下同)，增速比上年快0.1个百分点，比1—3季度快0.2个百分点(如图1所示)，其中，第一产业增加值3924.1亿元，比上年增加246.8亿元，增长3.8%，加快0.1个百分点。分产业看，农业2390.7亿元，增长4.8%；林业139.7亿元，增长4.9%；畜牧业1258.8亿元，增长1.6%；渔业134.9亿元，增长4.8%；农林牧渔服务业76.1亿元，增长10.4%(如表1所示)。

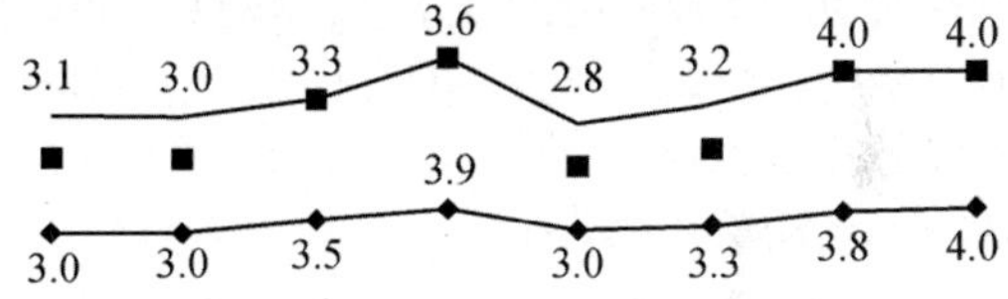

1季度 上半年 1-3季度 全年 1季度 上半年 1-3季度 全年
2015年 2016年
—◆—农林牧渔业增加值 —■—农林牧渔业总产值

图1 2015—2016年四川省分季度农林牧渔业总产值及增加值增幅图(%)

表1 2011—2016年四川省农林牧渔业增加值及增速情况表

	2011年		2013年		2014年		2015年		2016年	
	增加值(亿元)	增速(%)	增加值(亿元)	增速(%)	增加值(亿元)	增速(%)	增加值(亿元)	增速(%)	增加值(亿元)	增速(%)
合计	3004.5	4.5	3425.6	3.6	3594.2	3.9	3745.3	3.9	4000.2	4
农业	1700.8	5.6	2011.5	3.6	2130.4	3.7	2296.7	3.7	2390.7	4.8
林业	90.3	7.8	123.3	8.7	134.7	5.2	131.7	10.7	139.7	4.9
牧业	1074	0	1121.3	2.6	1144.3	3.7	1121.9	3.3	1258.8	1.6
渔业	93.6	5.6	112.5	6	121.6	5.4	127	1.9	134.9	4.8
服务业	45.8	9.4	56.9	8.9	63.1	9.4	68	15.3	76.1	10.4
第一产业	2958.7	4.4	3368.7	3.5	3531.1	3.8	3677.3	3.8	3924.1	3.8

【农村居民人均可支配收入继续保持平稳较快增长】 2016年，在多重因素影响下，四川省农村居民人均可支配收入增长呈现高开低走态势，但仍继续保持了平稳较快的增长态势，实现了“两个高于”（高于全国平均增速，高于城镇居民增速）。据国家统计局核定，2016年四川省农村居民人均可支配收入达11203元，比上年增加955.8元，增长9.3%，增速比全国增速高1.1个百分点，比全省GDP增速高1.6个百分点，比全省城镇居民收入增速高1.2个百分点。四川省农村居民年人均可支配收入总量在全国排名第21位，增速排名第7位。

从收入结构看，2016年四川省农村居民工资性收入、家庭经营净收入、财产净收入、转移净收入全面增长，增收呈现多元化趋势。其中，全省农村居民人均工资性收入3738元，增加275元，增长7.9%，对农村居民增收的贡献率为28.7%；家庭经营性净收入4525元，增加328元，增长7.8%，对农村居民增收的贡献率为34.3%；财产净收入269元，增加45元，增长20.1%，对农村居民增收的贡献率为4.7%；转移净收入2672元，增加309元，增长13.1%，对农村居民增收的贡献率为32.3%（如表2所示）。

表2 2016年四川省农村居民人均可支配收入及构成情况表

	收入变化				构成变化（%）			增收贡献率（%）
	2016年（元）	2015年（元）	2016年比2015年（+-）		2016年（元）	2015年（元）	变化	
			绝对数（元）	%				
人均可支配收入	11203	10247	956	9.3	100	100	0	—
1. 工资性收入	3738	3463	275	7.9	33.4	33.8	-0.4	28.7
2. 经营性净收入	4525	4197	328	7.8	40.4	41	-0.6	34.3
3. 财产性净收入	269	224	45	20.1	2.4	2.2	0.2	4.7
4. 转移性净收入	2672	2363	309	13.1	23.9	23.1	0.8	32.3

四川省统计局编写组

农林牧渔业生产情况

【基本情况】 2016年，四川省农业部门认真贯彻国家13部委联合下发的《关于开展2016年度粮食安全省长责任制考核工作的通知》等文件精神，大力实施粮食生产能力提升工程，着力农业供给侧结构性改革，加快农业基础设施建设。2016年，全省新增高标准农田536万亩，新增提水有效灌面30万亩，确保了全省粮食持续稳定增产，特色农业继续保持良好发展态势。

【粮食生产再获丰收】 2016年，四川省粮食播种面积6453900公顷（9680.9万亩），与上年持平；粮食单产较上年继续提高，推动了全年粮食产量再获丰收，每公顷粮食单产5398千克，比上年提高63千克，提高1.2%，比全国平均增速快1.8个百分点；粮食总产量3483.5万吨，排名由上年的全国第七位上升至第5位（如表1所示），较上年增产40.7万吨，增长1.2%，比全国快2个百分点，比西部12个省（市、区）合计快1.2个百分点，增速居西部12个省（市、区）首位。

表1 2016年全国排名前10位省（市、区）粮食产量对比表

全国/省（市、区）	单产（千克/公顷）				总产量（万吨）				粮食产量排位		
	2016年	2015年	2016年比2015年（+-）		2016年	2015年	2016年比2015年（+-）		2016年	2015年	增幅
			绝对数	%			绝对数	%			
全国	5452	5483	-31	-0.6	61623.9	62143.9	-520	-0.8	—	—	—
河北省	5469	5262	207	3.9	3460.2	3363.8	96.4	2.9	7	8	2
内蒙古自治区	4806	4937	-131	-2.6	2780.2	2827	-46.8	-1.7	10	10	25
吉林省	7402	7182	220	3.1	3717.2	3647	70.2	1.9	4	4	3
黑龙江省	5132	5375	-243	-4.5	6058.6	6324	-265.4	-4.2	1	1	31
江苏省	6380	6565	-185	-2.8	3466	3561.3	-95.3	-2.7	6	5	27
安徽省	5143	5334	-191	-3.6	3417.5	3538.1	-120.6	-3.4	8	6	29
山东省	6258	6290	-32	-0.5	4700.7	4712.7	-12	-0.3	3	3	22
河南省	5781	5909	-128	-2.2	5946.6	6067.1	-120.5	-2	2	2	28
湖南省	6038	6073	-35	-0.6	2953.1	3002.9	-49.8	-1.7	9	9	26
四川省	5398	5334	63	1.2	3483.5	3442.8	40.7	1.2	5	7	5

【特色效益农业继续发展】 2016年,四川省对88个贫困县大幅度投入产业发展扶持资金,各地对油料、蔬菜及水果、中草药材等特色效益农业的生产投入力度加大,发展速度加快。从主要经济作物生产看,全省油料作物种植面积1306500公顷,比上年增长0.6%;产量313.6万吨,增长2%。蔬菜种植面积1372400公顷,增长1.7%;产量4365.7万吨,增长2.9%。从水果生产情况看,由于2011—2013年各地大量种植了猕猴桃、葡萄、核桃等,2016年普遍进入盛果期,加之近年水果品种改良速度加快和全年气候条件整体较好,水果生产再获丰收。从茶叶生产情况看,四川省为全国第4大茶叶主产区,由于近年茶叶价格保持稳定,茶叶主产区进一步加大对茶叶产业的扶持力度,茶叶面积和产量都呈现稳步增长态势。从中草药材生产情况看,因大部分有脱贫任务县的气候、土壤条件适合种植中草药材,部分贫困县把扶持中草药材作为帮扶贫困户的重要措施,推动了中草药材面积和产量的较快增长。

【"绿化全川"行动开局良好】 2016年,四川省加大"绿化全川"模范创建力度,开展了大规模的低产林改造和植树造林活动,"绿化全川"行动开局良好。全省完成营造林900万亩,完成年度目标任务的150%;森林覆盖率达36.88%,较上年提高0.86个百分点;完成低产林改造132.5万亩;新增国家级林业产业龙头企业8家、省级现代林业示范园区6个,培育现代林业产业基地150万亩。同时,水土污染防治得到加强,全省化肥施用量249万吨,比上年下降1.2%;农药使用量5.8万吨,比上年下降1.4%。

【生猪生产继续下降,其他畜禽稳步发展】 2016年,四川省生猪价格持续保持稳定,但随着生猪禁养区和限养区范围的进一步扩大和消费者对猪肉消费需求的下降,全省生猪生产恢复仍需时日,生猪生产继续下滑。全省出栏肉猪6925.4万头,下降4.3%;出栏牛305.2万头,增长3.3%;出栏羊1755.8万只,增长3.4%。出栏家禽67776.9万只,增长2.5%;禽蛋产量148.1万吨,增长1%。

【渔业生产继续保持良好发展态势】 2016年,四川省各级政府加大对渔业生产的扶持力度,渔业生产继续保持良好的发展势头。全省水产养殖面积214900公顷,比上年增长1.6%;水产品总产量145.4万吨,增长4.9%。

四川省统计局编写组

农村经济稳步发展的主要推动力

【惠民政策力度加大,贫困户实惠增加】 2016年,四川省农村基本养老保险面扩大,保险金支付标准提高,农村特困人员供养标准提高(分散供养标准由上年的每月250元提高至每月300元,集中供养标准由上年的每月250元提高至每月400元),建档立卡贫困户大病医疗报销比例提高,推出了"两线合一"的新政策,农村贫困群众得到的实惠显著增加。同时,财力较好的地方还出台了耕地保护补偿金等地方性惠农政策。

【农村固定投资较大幅度增长】 2016年,随着四川省幸福美丽新村建设的进一步推进和"绿化全川"行动的实施及脱贫攻坚力度的加大,全省农村固定资产投资继续保持大幅度增长。全年完成农村第一产业固定资产投资1115.1亿元,比上年增长32.7%,加快0.9个百分点,比全国快11.6个百分点,比同期全省全社会固定资产投资增速快20.6个百分点。

【农副产品加工产业发展良好】 2016年,在调整产品结构、加快转型升级的政策指引下,四川省各地积极搭建平台,帮助扶持发展农副产品加工业,推动了以农产品为原料的精制茶、酿酒、粮食、肉食品加工等快速发展。2016年,全省生产、加工粮食583.6万吨,同比增长12.8%;熟肉制品7.65万吨,增长20.9%;果汁和蔬菜汁类饮料245.3万吨,增长17.4%;白酒402.7万千升,增长8.7%;精制茶13.6万吨,增长6.3%;饲料1568.5万吨,增长7.3%。

【农村居民后顾之忧减轻,农村市场消费潜力继续释放】 2016年,随着四川省农村居民收入的增加、农村居民养老保险及新型农村医疗保险的全覆盖,农村居民后顾之忧减轻,农村消费能力继续释放。全省乡村市场实现消费品零售总额3066.5亿元,比上年增长12.5%,比城镇快1个百分点,比全国农村市场消费额增速快1.6个百分点。

【主要农产品价格继续稳步上扬】 2016年,四川省部分农产品生产价格虽然波动明显,但整体价格仍呈继续上升态势。全省农产品均价同比上涨5.6%,加快2.3个百分点,其中种植业上涨1.3%,涨幅比上年略有回落;畜牧业上涨9.8%,比上年高4.5个百分点;林业下降1%;渔业上涨1.4%。特别是养猪业4项指标价格及价格比[育肥猪、仔猪、猪粮(料)比、肉—猪价差]均创2008年5月以来的历史最高,后备母猪和猪肉零售均价分别创下7年和5年的历史次高。

【脱贫攻坚促农发展,助农增收效果明显】 2016年,在四川省委省政府的高度重视和坚强领导下,全省集中力量打好脱贫攻坚硬仗,各地对照贫困户脱贫的"一超六有"、退出贫困村的"一低五有"标准,扎实开展脱贫攻坚,贫困户增收效果明显。全省完成107.8万名贫困人口脱贫,超出计划数2.8万人,完成率达102.7%,全省贫困发生率降至4.3%;2437个贫困村实现退出,达标贫困村基本上都有了产业支撑,大部分有劳动力的贫困户家庭有了持续稳定增收的产业或就业依托。

四川省统计局编写组

农村经济运行中存在的问题

【脱贫攻坚中对贫困群众的"造血式"扶贫欠缺】 2016年,在四川省各级各部门的共同努力下,全省脱贫攻坚取得明显成效,但在部分地方仍存在着脱贫目标、帮扶措施不够精准,产业帮扶效果较差,产业同质化倾向明显,"五个一"帮扶合力和针对性不强等问题,且"输血式"扶贫大于"造血式"扶贫。

【农民收入增长受制约因素增加】 一是农产品价格上涨空间有限。四川省生猪价格在经过快速的恢复性上涨后进入了价格相对稳定期,粮食及部分畜产品价格受国内外价格倒挂影响很难提高。二是农民工资性收入增长增速减缓。随着人口老龄化和城镇化率进程加快,农村劳动力供应减少。同时,"三新"经济的进一步发展对劳动力的需求结构性缩减,对农民工需求下降。三是农民转移性收入缺乏增长后劲。转移性收入随着国家财政收入增速放缓,国家有关涉农性补贴标准和补贴范围逐渐趋于稳定,补贴拉动的政策效应已基本释放。

四川省统计局编写组

农业发展概况

农业资源区划

【基本情况】 2016 年,四川省农业资源区划工作按照全国农业资源区划办公室提出的工作重点,结合四川省农业工作实际,围绕大力推进现代农业建设、加快发展优势特色农业、进一步推进农业产业化经营、加快培育新型农业经营主体、保障粮食等主要农产品基本供给、促进农民持续增收等重要任务,充分发挥农业资源区划在农业和农村经济工作中的基础性、前瞻性、综合性作用,以课题为引导,带动全省特别是市、县级农业资源区划工作自主、有序、持续深入开展,努力推动四川省由农业大省向农业强省跨越。

【开展规划编制工作】 2016 年是"十三五"开局之年,是四川省实现传统农业向现代农业跨越、加快推进农业现代化的关键一年,农业厅结合农业供给侧改革、绿色发展等内容,经过多次专题研究,编制了《四川省"十三五"农业和农村经济发展规划(送审稿)》,充分发挥了规划的引领作用;积极参与编制《四川省"十三五"脱贫攻坚规划》《村域农业产业发展规划编制参考》,指导全省 88 个贫困县和 11501 个贫困村全面完成产业扶贫规划编制工作,为全省贫困地区产业"差异化""错位"发展奠定了良好基础;参与编制《四川农业可持续发展规划(2015—2030 年)》《四川民族地区"十三五"农业发展规划》《四川省五大经济区农业区域布局规划》,指导各地区划办合理布局优势特色产业,进一步调整和优化全省农业产业布局,将优势资源集中到优势区域,实现块状发展,促进生产要素在空间和产业上的优化配置,加快形成区域特色明显、产业分工合理、产业体系完备的现代农业发展新格局;积极协助省级相关部门共同编制了《乌蒙山、秦巴山、藏区区域发展与扶贫攻坚规划 2016 年年度实施方案》和《大小凉山彝区"十项扶贫工程"2016 年实施方案》,将各项目标任务进行了分解,落实到相关责任单位,确保规划顺利实施。

【开展农业资源区划课题研究】 2016 年,在全国农业资源区划办公室深入组织开展农业可持续发展研究的带动下,四川省农业厅按照全国农业区划办的部署安排,积极开展四川省农业生态环境问题研究工作。同时,积极争取省级财政安排专项资金 80 万元,组织 4 个科研院所、4 个市(县)级区划办、2 个省级相关部门分别对农业产业扶贫、农业一二三产业融合发展、新型农业经营主体培育等 10 个课题进行了研究。

【组织实施网点县监测工作】 2016 年,四川省 8 个网点县按照全国农业资源区划办公室要求,做好农业遥感监测工作,通过开展定期监测、按时报告实测数据等方式为综合评价主要农作物长势、土壤墒情、农业自然灾害、农作物单产和总产量、农业生态环境等提供了可靠依据。一是组织召开了有关监测网点县及协助单位会议,安排布置年度工作任务,组织相关人员到监测网点县进行现场检查、指导。二是由省区划办相关人员带队,组织全省网点县技术人员参加了在湖南省长沙市召开的国家地面样方网点监测县培训。三是收集、汇总田间土壤墒情测量数据,按时上报有关数据和信息,并对田间农作物长势进行了等级评价。通过实施 8 个县农业信息预警地面样方网点县监测项目,强化了对信息的采集整理,提高了数据的准确性、时效性和科学性;强化了对信息的分析研判,提高了农业信息监测预警水平;强化了信息的发布与服务,提高了信息发布的规范化和制度化水平。

【编制完成《四川省农业资源状况报告(2015)》】 2016 年,为充分发挥四川省农业资源优势,实现农业资源可持续利用,为政府对农业和农村经济发展进行宏观调控提供科学依据,农业厅以农业资源的可持续利用为中心,根据"理论和实际相结合、定性研究和定量研究相结合"的原则,采用系统、综合分析法编写完成了《四川省农业资源状况报告(2015)》。报告全面分析评价了四川农业资源开发利用动态变化特征和生态环境质量现状,提出了实现农业资源可持续利用的对策措施,对全省如何切实保护和改善农业生态环境,合理、持续利用农业资源,保持农业生产稳定增长提供了强有力的理论依据。

四川省农业厅编写组

种 植 业

综 述

【基本情况】 2016年,四川省各地认真贯彻中央和省委省政府关于农业农村工作的决策部署,着力转变农业发展方式,狠抓强农惠农政策改革和落实,积极引导粮食适度规模经营发展,全面深化粮食高产高效创建,努力推进粮食产业稳定发展。全省粮食总产量达348.35亿千克,增长1.2%(如下表所示)。

2016年四川省主要粮食作物生产情况表

	2016年			2016年比2015年增减(绝对数)		
	面积(万亩)	亩产(千克)	总产量(亿千克)	面积(万亩)	亩产(千克)	总产量(亿千克)
粮食作物合计	9680.9	359.8	348.35	-0.1	4.2	4.05
小春粮食作物	2620.5	229.4	60.1	-10.7	0.7	-0.05
大春粮食作物	7060.4	408.2	288.25	10.6	5.2	4.15
稻谷	2985	522	155.8	-1.2	2.1	0.55
小麦	1632	253.3	41.35	-46.5	-0.7	-1.3
玉米	2098.5	378	79.3	-4.5	13.9	2.75
红薯	715.2	291.9	20.9	0.4	-0.1	0.05
马铃薯	1210.5	266.3	32.25	14.7	9.1	1.5
大豆	348.6	152.9	5.35	8.8	-2.2	0.1
高粱	113.4	359.8	4.1	0.1	5	0.1

【粮食作物生产】 2016年,四川省粮食总产量达348.35亿千克,增加4.05亿千克。从季节看,小春粮食产量60.1亿千克,减少0.05亿千克;大春粮食产量288.25亿千克,增加4.15亿千克。从作物看,除小麦外,主要粮食作物均增产,为全年粮食产量基本稳定增长发挥了决定性作用,其中马铃薯产量增幅最大,增长4.9%;玉米增量最大,增加2.75亿千克。

【水稻生产】 2016年,四川省水稻种植面积2985万亩,比上年减少1.2万亩;亩产522千克,比上年增加2.1千克;总产量155.8亿千克,比上年增加0.55亿千克。全省国标三级以上优质稻种植面积达2283万亩,占水稻种植总面积的76.5%;水稻旱育秧面积2195亩,抛秧612万亩,水稻超高产强化栽培技术示范推广面积达390万亩,超级稻示范推广面积达807万亩,配套集成高产栽培技术进一步完善。

【小麦生产】 2016年,四川省小麦播种面积1632万亩,比上年减少46.5万亩;亩产253.3千克,比上年减少0.7千克;总产量41.35亿千克,比上年减少1.3亿千克。推广以"绵阳""川麦"等系列为主的小麦良种面积1490万亩,占小麦播种面积的91.3%;小窝疏株密植栽培面积达840万亩,占小麦播种面积的51.4%;稻茬麦免耕栽培面积220万亩。

【玉米生产】 2016年,四川省玉米播种面积2098.5万亩,比上年减少4.5万亩;亩产378千克,比上年增加13.9千克;总产量79.3亿千克,比上年增加2.75亿千克。玉米良种推广面积1753万亩,比上年增加1万亩;育苗移栽1135万亩,占玉米播栽面积的54%;地膜覆盖栽培面积达1190万亩,占玉米播栽面积的56.7%。

【红薯生产】 2016年,四川省红薯种植面积715.2万亩,比上年增加0.4万亩;亩产291.9千克,比上年减少0.1千克;总产量20.9亿千克,比上年增加0.05亿千克。红薯良种推广面积532万亩,其中脱毒薯推广面积约70万亩;地膜育苗移栽面积675万亩。

【马铃薯生产】 2016年,四川省农业厅坚持"抓良繁带基地、抓协会带营销、抓企业带加工、抓凉山带全省"的"四抓四带"工作思路,谋划和推进马铃薯产业发展,全省马铃薯种植面积、总产量再创历史新高,全省马铃薯种植面积1210.5万亩,比上年增加14.7万亩;单产266.3千克,比上年增加9.1千克;总产量32.25亿千克,比上年增加1.5亿千克。脱毒种薯推广面积达362万亩以上,推广率约为30%;地膜覆盖面积达290万亩。

【高粱生产】 2016年,四川省高粱种植面积113.4万亩,比上年增加0.1万亩;单产359.8千克,比上年增加5千克;总产量4.1亿千克,增加0.1亿千克。重点推广"泸糯8号""泸糯10号""川糯粱一号"等杂交高粱新品种和"青壳洋""国窖红一号""泸州红一号""红缨子"等常规高粱优良品种,全省优质高粱品种覆盖率达90%以上。

【大豆生产】 2016年,四川省大豆播种面积达348.6万亩,比上年增加8.8万亩;亩产152.9千克,比上年减少2.2千克;总产量5.35亿千克,增加0.1亿千克。套作大豆配套技术研究不断深化,高产高效种植模式不断发展,在全国大豆面积不断萎缩的情况下,全省大豆生产形成了以川中丘陵为核心、以套作食用高蛋白非转基因大豆为显著特色的大豆产业优势区。

四川省农业厅编写组

粮油高产创建

【基本情况】 2016年,四川省各地围绕粮油绿色高产高效创建,在创建内容上做到绿色、高产、高效并重,在管理上做到"政、技、物"结合,在技术上做到人才、信息、技术集成,重点示范,整体推进,不断提升创建水平。在17个县(市、区)开展粮油作物绿色高产高效创建,其中在崇州市、邛崃市、广汉市、眉山市东坡区开展"稻/油(麦)""稻/菜"粮经复合种植绿色高产高效主题示范;在泸县、富顺县、隆昌县、江安县开展“中稻+再生稻”绿色高产高效主题示范；在三台县和什邡市开展油菜绿色高产高效产业化主题示范；在蓬安县、西充县、达州市达川区、渠县、广安市广安区、邻水县开展旱作农业绿色高产高效模式主题示范；在通江县开展马铃薯绿色高产高效模式主题示范。全省共落实示范片431个、示范面积445.1万亩，其中水稻示范片313个，落实面积324.2万亩；玉米示范片25个，落实面积25.78万亩；小麦示范片38个，落实面积39.3万亩；马铃薯示范片23个，落实面积23.7万亩；油菜示范片31个，落实面积31.1万亩；高粱示范片1个，落实面积1万亩。通过推广新品种、新技术，集成绿色高产高效技术模式，开展关键技术瓶颈攻关，绿色高产高效创建已成为当前全省粮油产业发展的有效途径和重要抓手，有效促进了全省粮食生产持续稳定发展，油料生产再创历史新高。

【突出绿色高效，探索创建模式】 2016年，四川省农业厅积极推广种子包衣、健苗控药、杂糯间栽、配方施肥、增施有机肥等绿色增效栽培技术，确保化肥、农药“两减”；因地制宜示范推广“稻+鱼”“稻+鸭”生态种养、玉/豆/草/畜种养模式、油菜间套马铃薯以及“菜—稻—菜”、“水稻—蘑菇”、玉米套种大豆（蘑菇）等粮经高效种养模式；与省农科院、四川农业大学等科研单位联合开展新品种展示，开展全程机械化、秸秆还田、稻田氮肥利用关键技术试验攻关，重点筛选宜于机械化的优质新品种，推进农机农艺深度融合、良种良法配套。

【全面协调发展，深化创建内涵】 一是开展社会化服务。四川省农业厅对机插秧集中育秧、机插（播）、机械化烘干作业、病虫害防治及秸秆处置等环节给予支持，依托新型农业经营主体和服务主体，通过购买服务的方式在项目区大力开展集中育秧、病虫害统防统治，示范推广耕、种、收、烘干一体化秸秆综合处理技术。二是发展订单生产。积极示范推广“宜香优2115”“德优4727”“川优6203”等优质品种，示范区优质品种推广率达95%，其中水稻国标二级以上优质稻推广率达50%。建立优质水稻、油菜订单基地125万亩，创建“满多多”“百里稻香”“竹海绿珍珠”“绿三乡”等优质大米品牌。三是发展创意休闲农业。在高产创建示范片丰富田园造型、拓展休闲项目，吸引游客前往休闲观光，通过一三产互动带动粮油产业效益的增加。什邡市在公路沿线水稻生产片中种植彩色水稻，绘制了具有什邡特色的图案；三台县建立油菜观赏示范点，举办了油菜花节，吸引游客达50万人次以上，拉动休闲产业消费5000万元以上。

【整合人财资源，汇聚创建合力】 2016年，四川省农业厅构建政技结合的组织领导体系和农科教结合的技术指导体系，充分发挥行政部门、科研推广、基层干部在组织发动、方案制订、政策扶持、技术推广等方面的积极作用，加强组织领导，做好统筹协调，落实技术措施。省财政专门安排资金1.2亿元用于绿色高产高效项目建设，各项目县在用好项目资金的同时有效整合其他涉农项目资金，推进基础设施建设、科技培训、农业生产全程社会化服务与绿色高产高效创建的有效结合，形成助推创建的合力。

【深化技术服务，夯实创建基础】 2016年，四川省先后举办了水稻集中育秧、玉米大豆复合种植、稻渔高效种养、水稻机直播技术培训，推动新品种、新技术、新模式的应用和推广。四川省农业厅召开了粮油绿色创新发展培训会，促进市、县农技人员绿色发展新理念、新知识的更新。各地以创建活动为契机，加快关键技术的示范推广和技术模式集成。在关键农时季节，组织科技人员到创建示范区开展技术指导和服务，实现科技人员直接入户、技术要领直接到人、良种良法直接到田，确保创建示范片达到“五个统一”（即统一供应良种、统一肥水管理、统一病虫防控、统一机械作业、统一技术指导），标准化生产率达100%，项目县粮油单产水平普遍提高，增产增收效果明显。万亩示范区水稻、玉米、小麦、油菜、马铃薯、高粱平均亩产分别为625.8千克、586.7千克、395.7千克、187.3千克、2070千克、345千克，比非示范区分别增产44.4千克、48.8千克、40.7千克、15.3千克、156.2千克、12.3千克，按水稻2.7元/千克、玉米2元/千克、小麦2.3元/千克、油菜5.5元/千克、马铃薯2.8元/千克、高粱3.2元/千克计算，带动农民亩均增收130元。同时，由于采用配方施肥、生物防治等措施控制化肥、农药用量，亩均可实现节本45元以上，每亩可节本增收175元。泸县20万亩水稻绿色高产高效创建示范片平均亩产688.9千克，最高田块亩产达810.5千克；中江县玉米绿色高产高效创建万亩示范片夏玉米平均亩产648.8千克，其中最高田块亩产819.06千克，创造了四川盆地夏玉米高产的新纪录；广汉市万亩示范片小麦、水稻从播种、收割到秸秆收集全部实现机械化作业，稻麦秸秆综合利用率达100%，带动全市综合生产机械化水平达75.2%以上。

四川省农业厅编写组

农作物病虫害防治

【农作物病虫害监测预警】 2016年，四川省农业厅严格执行重大病虫害汇报制、会商制、预警制，全省植保系统共发布病虫害动态、预报和防治警报3000期以上，全省病虫害测报准确率平均为90%，植保情报基本覆盖新型农业经营主体，为大面积病虫害防控工作提供了科学依据。省植保站在大小春重大病虫害发生关键时期邀请专家和技术人员对重大病虫害进行趋势会商，科学制作、发布病虫害预报。利用多种媒体宣传病虫害发生与防治，全省累计发布病虫害电视预报1000余期，有效提高了病虫害信息到位率。加大推进数字植保建设，全省50个国家级病虫害区域测报站利用全国农作物重大病虫害数字化监测预警系统向农业部全国农技中心填报病虫害信息6241期次，填报率达97.9%；60个省级病虫害重点测报站利用病虫害阶段汇报系统填报信息2980条，利用四川植保短信平台向种植大户等新型农业经营主体群发短信3万余条；省植保站利用GPS技术制作发布病虫害实时监控信息55期。

【重大病虫害防控】 2016年，四川省农业厅按照农业部“政府主导、属地责任、联防联控”的要求，明确病虫害防控责任，按照预案制、值班制和督导制的要求开展防控工作。一是安排部署早。农业厅与各市（州）农业局签订了目标责任书，确保重大病虫害防控目标、任务和责任落实到位。全省各级制订了农作物重大病虫害防治方案，开通了值班电话，在病虫害发生关键时期派出工作组巡回指导各地病虫害防控，确保关键技术进村入户、落实到田。二是源头预防扎实。突出主要作物、重点区域、关键时期和重大病虫害防控，采取“抓早争主动、抓小提防效”的防治策略，在小春作物秋播期间、水稻播栽关键时期分别在梓潼县、富顺县召开了全省小麦药剂拌种、水稻带药移栽和转变植保服务方式现场培训会，印发了《重大病虫害防控技术方案》和《重大病虫害防控工作通知》，有效减轻了中后期大面积病虫害防控压力，为重大病虫害防控争取了主动。三是宣传培训有力。省植保站举办水稻、柑橘等农作物病虫害防控技术现场培训班5期，组织贫困市（县）举办绿色防控、专业化统防统治等各类培训班780

期,培训技术人员和农民 12.27 万人次,印发技术资料 138.92 万份,技术覆盖率超过 50%。在重大病虫防治关键时期,组成 8 个工作督导组和 10 个专家指导小组督导覆盖粮油作物范围主产区和重大病虫灾害发生区,有效促进了防控措施落实到位,推动了防治工作的顺利开展,营造了良好的社会氛围。四是防控效果显著。全年防治农业有害生物面积 3.11 亿亩次,占病虫害发生面积的 134.05%;挽回农作物损失 583.52 万吨,减少农药使用量 1600 吨。

【专业化统防统治】 2016 年,四川省大力推广专业化统防统治工作。一是抓统防统治示范区建设。以 60 个现代植保示范县为重点,开展连片整村推进示范,在每个示范县建立专业化统防统治核心示范区 1 万亩,示范带动专业化统防统治 10 万亩。二是抓政府购买植保病虫害公共服务试点。利用省财政 4000 万元专项资金在 16 个市、46 个粮食主产县开展政府购买病虫害防治公共服务试点,政府购买水稻病虫害防治服务 172.2 万亩,带动水稻病虫害专业化统防统治 1280 万亩次。三是抓社会化服务体系建设。全年培育壮大新型植保社会化服务组织 187 个、服务种植专合社(种植大户、家庭农场)749 个。四是抓技术指导。在开展高效、安全药剂及配套使用技术筛选和示范的基础上,推荐了一批高效、低毒、低残留农药及新型植保机械,促进了现代植保装备水平的提升。全年共出动高效植保机械 85.6 万台次,防治农作物重大病虫害面积 1.3 亿亩次,占病虫害发生面积的 153.2%。

【病虫害绿色防控】 2016 年,四川省农业厅积极开展病虫害绿色防控技术集成创新和示范推广,全省建立绿色防控示范区 712 万亩,带动推广大面积绿色防控 1695 万亩。印发了《现代植保示范县建设实施指导意见》《油菜、草莓蜜蜂授粉与病虫害绿色防控技术集成示范方案》《水稻、玉米、马铃薯等大春作物病虫害绿色防控技术方案》。分别在自贡市、绵阳市和南充市高坪区举办了水稻、柑橘等作物病虫害绿色防控技术现场培训。省植保站和省蜂业管理站、省畜牧总站、省水产局和省农科院水产所、植保所建立合作机制,合力推广绿色防控与蜜蜂授粉、稻鸭共栖、稻渔共育融合技术,带动大面积绿色防控技术推广。与 9 家绿色防控产品研发机构和生产企业合作,开展水稻、柑橘、蔬菜和茶叶等绿色防控技术试验示范。在 60 个现代植保示范县建立主要粮经作物 IPM 绿色防控示范园区 120 个,推广杀虫灯 2.8 万盏、性诱剂 23.9 万套、诱虫板 1800 万张、捕食螨 100 万袋、生物导弹 44.6 万枚、生物农药 2429.33 吨,推广稻鸭共栖、稻鱼共育模式 150 万亩以上。

【植保体系建设】 一是巩固完善监测预警体系。四川省农业厅加大智能预警平台建设,自主开发水稻、小麦主要病虫害智能监测预警系统 3 套,初步搭建起四川省重大病虫灾害智能预警应用平台并在 20 个县进行应用。二是加强病虫害监测预警经费保障。省财政安排病虫害监测预警专项经费 1000 万元,有效保障了全省病虫害监测预警体系的稳定运转。三是加强病虫害监控技术创新。在 60 个重点测报站建设性诱自动监测装置 177 套、自动虫情测报灯 161 盏、小气候观测仪 64 台、孢子捕捉器 72 台、农林 ATCSP 物联网远程实时可视化监控系统 2 套,与省农气中心合作建设田间气候观测站 12 处。

四川省农业厅编写组

林　业

综　述

【基本情况】 2016 年,四川省林业部门自觉践行"创新、协调、绿色、开放、共享"五大发展理念,扎实推进全省林业改革发展,圆满完成了年度目标任务。全年落实省级以上财政资金 95 亿元,完成营造林 1113.7 万亩,同比增长 27%;增加森林面积 628.5 万亩、森林蓄积量 1970 万立方米,森林覆盖率达 36.88%;实现林业生态服务价值 1.68 万亿元;实现林业总产值 3000 亿元,同比增长 12.6%;林业有害生物成灾率 0.18‰,森林火灾损失率 0.014‰,涉林案件综合查处率 96.5%,全省"十三五"林业工作开局良好。

【完善发展思路目标】 2016 年,四川省林业厅传达学习党中央"五大发展理念",省委省政府推进绿色发展、建设美丽四川等决策部署,进一步增强林业建设的责任感和紧迫感。围绕林业改革发展的重点难点组织了多次调研活动,形成调研报告 22 篇,研究解决多个具体问题。组织召开四川林业建设民主党派情况通报会、坚持绿色发展建设长江上游生态屏障专家座谈会、全面落实四个着力推进林业创新发展专家高级研讨会,邀请院士、专家学者和党外人士共同为林业建设献计献策,及时将成果转化为实践。结合中央和省最新要求,牵头编制了《四川省"十三五"生态保护与建设规划》,印发了"十三五"全省林业发展总体规划及多个专项规划,制定了林业"七五"普法规划,出台了首个省级森林康养发展规划。召开会议部署林业脱贫攻坚、产业发展、重点改革、资源保护等工作,完善了思路目标和方法。

【林业脱贫攻坚】 2016 年,为推进林业产业脱贫攻坚工作,四川省林业厅出台了《关于贯彻落实省委十届六次全会精神大力推进林业扶贫攻坚的意见》《四川省"十三五"林业产业精准扶贫规划》等文件,将林业产业基地培育、林下经济发展、林业生态旅游、森林康养等任务落实到适宜贫困县、贫困村,并分解到年度。全年安排林业产业扶贫资金 7000 万元,用于发展 57 个贫困县的产业扶贫项目。组织开展竹编培训班等扶贫培训班,组织专家服务团队 170 余人次,发放技术资料 49 种、60 余万册。全年在"四大片区"建成现代林业产业基地 1200 万亩,带动建档立卡贫困户 66.2 万户。利用贫困地区丰富的森林、湿地、野生动植物资源和林业产业基地发展生态旅游和康养产业,新建省级森林公园 6 个,举办大熊猫、红叶、核桃、杜鹃花、梨花、荷花等生态旅游节会活动 31 个,促进了贫困地区地方经济发展和农民就业增收。

2016 年,四川省林业厅为学习贯彻省委省政府关于加强林业脱贫攻坚工作的指示精神,促进全省核桃产业持续快速健康发展、努力增加核桃种植农户收入、提高林业产业脱贫攻坚实效,启动并开展了核桃病虫害防治技术扶贫专项行动,编印了《核桃常见病虫害防治及综合管理技术》《四川省核桃病虫害防治周年工作历》等技术资料 2 万余份,通过开展"千乡万村送林技"行动把资料送到重点发展核桃产业的贫困地区农民手中。组织林业有害生物防治协会及相关企业分别到全省各地现场开展进行宣传指导。在林业厅网站、官方APP及微信公众号等网络平台上开辟核桃病虫害防治技术查询专栏,为广大核桃种植户查询病虫害防治技术提供了便利。选取广元市朝天区、古蔺县、金川县、德昌县为核桃病虫害防治技术扶贫专项行动试点示范县(区),为每个县安排30万元专项补助经费以保障试点示范工作顺利开展,各试点示范县(区)实施方案已通过专家审定,各项工作有序开展。

林业厅组建了林业科技扶贫专家团队,深入开展"千乡万村送林技"行动,编印实用技术资料60余万册并组织分送到7600余个涉林贫困村;建成林业科技示范村40个、集中连片示范点100个、示范林5000亩;培育重大科技创新成果20余项,推荐进入国家林业成果库30项;全省林业科技成果转化率达60%,标准采用率达62%,科技进步贡献率达47.2%。强化产业助推脱贫,启动新一轮40个现代林业重点县建设,组织开展藏区林特产品进都市、参展第16届西博会等推介活动,新培育省级现代林业示范园区6个、现代林业产业基地150万亩,新建国家级林下经济示范基地18个、省级林下经济示范基地16个,新增省级以上林业产业化龙头企业72家、示范专合社48个,全省家庭林场超过1200个,成都、乐山、泸州等12个市(州)林业总产值超过100亿元;兴文方竹获批为国家地理标志产品,荣县油茶获得国家地理标志证明商标。完善林业脱贫政策,下达贫困县林业建设资金55亿元。建立生态护林员制度,统筹资金1.1亿元,精准带动3.5万名贫困人口脱贫。开展贫困人口管护国有林试点。加强对口帮扶,对口帮扶县汶川县实现7个贫困村退出、180名贫困人口脱贫。林业扶贫工作两次获得省委书记王东明的批示肯定并在全国林业科技创新大会上作了重点交流。

【生态屏障建设】 2016年,四川省政府首次颁布了《四川省重点保护野生植物名录》,加强天然林保护工作。全年有效管护森林面积2.6亿亩,建设公益林45万亩,完成国家储备林基地建设5.5万亩。协调完成耕地保有量和基本农田保护指标调减申报工作。完成2015年度新一轮退耕还林任务50万亩,争取国家下达2016年度任务50万亩并造林30.5万亩。争取中央和省下达川西藏区治沙资金6.2亿元,新增沙化土地治理面积4.3万亩,巩固治理成果23.1万亩。汶川县、攀枝花市东区等8个县(区)完成干旱半干旱地区生态综合治理试点6000亩。建成国家级湿地公园3处,申报国家级湿地公园试点5处,批建省级湿地公园9处,邛海被纳入全国23个"重点建设国家湿地公园"范围。深入推进生物多样性保护,加强自然保护区能力建设,首次同时放归两只野化培训大熊猫。大渡河流域岷江柏保护破题,发现疏花水柏枝等珍稀物种野外新居群。芦山地震灾后林业生态修复全面完成,新的生态工程有序破题,参与编制的《长江经济带森林和自然生态保护修复规划》《长江沿江重点湿地生态保护与建设工程规划》森林草原湿地生态屏障重点县建设意见通过省委深化改革领导小组审议。

【林业重点改革】 2016年,四川省委省政府印发了《四川省国有林场改革实施方案》,省政府召开专题会议,下达中央和省级改革补助资金2.4亿元,涉及改革的20个市(州)实施方案全部通过批复,国有林场公益属性得到保证,成都、自贡、攀枝花、德阳、广元、内江、南充、宜宾、广安、达州、眉山、阿坝、甘孜12个市(州)国有林场全部纳入公益一类事业单位管理。深入推进集体林权制度改革,建立林权交易网点76个,初步搭建起了省、市、县(区)、乡四级林权交易服务体系。"两证一社"改革覆盖20个市(州)45个县,颁发经济林木(果)权证1353本、林地经营权流转证460本,发放贷款5.6亿元。成都市、巴中市巴州区林改试验区有序推进,彭州市实施的全省首宗林地经营权及林木所有权、使用权流转网络竞拍溢价1倍以上。健全涉林自然保护体制,《大熊猫国家公园体制试点方案》获得中央全面深化改革领导小组审议通过,《四川省林业综合行政执法改革方案》已经省政府审议并印发,中央和省级财政湿地生态补偿试点工作有序推进。

【林业对外形象】 2016年,四川省林业厅会同省级有关部门指导和支持眉山市、青神县举办第九届中国竹文化节,33个国家、4个国际组织、20个省(市、自治区)385家企业1000余名代表参会参展,现场交易金额达6300余万元,协议成交金额达1.5亿元,有效彰显了四川作为竹资源大省的地位。开展"千村万景"生态旅游扶贫,规范举办大熊猫、花卉、果类、红叶等节会75场次,德阳市申办中国第八届月季花展。引领发展森林康养,出台首个省级指导意见和"两个建设"标准,发布首个森林康养APP——"康养宝",举办森林康养夏、冬季年会,新增森林康养基地53处。德国政府贷款森林可持续经营等国际国内合作项目有序推进,落实双(多)边合作项目资金4804万元。与香港海洋公园、香港海洋公园保育基金签署战略合作协议,建立自然保护"四川周"长效机制,与日本山梨县森林环境部签署五年林业交流合作协议,与广东省林业厅、资阳市政府签订战略合作协议。召开大规模"绿化全川"、竹文化节等新闻发布会、通气会,中央电视台、《人民日报》、中央人民广播电台专题报道长江上游生态屏障建设成效。中央、省、市媒体刊播四川林业新闻2000余篇(条),经国家林业局门户网站采用发布信息3000余条,连续4年列全国第一位。

【林业系统自身建设】 2016年,四川省林业厅扎实开展"两学一做"学习教育活动及"四项教育"、三项整改"回头看"、基层党建"八个专项检查"活动,厅领导带头讲党课40余次。出台《林业项目建设名录》,省、市联动稽查48个县,资金总量达26亿元。联合省综治办命名首批"平安森林公园""平安湿地公园""平安自然保护区"。木材检查站调整优化到230个,建设验收标准化林业站24个,强化林木种苗质检机构能力建设31个。建成运行四川林业发布平台、办公平台、林权管理平台,18个信息系统迁入省级政务云运行,林业厅门户网站获得省级机关绩效考核第二名。修订完善了《林业厅党组议事规则》,评定专业技术人员310余人,培训学员3000余人次。联合人力资源社会保障厅表彰林业工作先进集体109个、先进个人238名。切实履行党风廉政建设"两个责任",建立林业厅约谈机制,组织编制了《林业厅人财物事管理工作流程图》《林业厅党员干部纪律提醒卡》《十八大以来林业系统违纪违法案件警示录》,林业厅政风行风测评在省级机关排名连续4年上升。出台了加强离退休人员工作的意见,信访维稳、安全生产、后勤保障工作有力有效,林业工会、学会、协会等为全省林业改革发展做出了积极贡献。

四川省林业厅编写组

"绿化全川"行动

【召开部署会议】 2016年,为贯彻落实四川省委十届七次全会关于建设长江上游生态屏障、开展大规模"绿化全川"行动的决策部署,林业厅充分发挥牵头作用,狠抓落实,组织召开了四川林业建设民主党派情况通报会、坚持绿色发展建设长江上游生态屏障专家座谈会、全面落实四个着力推进林业创新发展专家高级研讨会,邀请院士、专家学者和党外人士为"绿化全川"行动献计献策。7月,省委十届八次全会通过了《中共四川省委关于推进绿色发展建设美丽四川的决定》,专题对开展大规模"绿化全川"行动、筑牢长江上游生态屏障工作进行了部署。8月,国家林业局召开全国加快推进国土绿化现场会,四川省作为唯一省份做了交流发言。10月,省政府召开了开展大规模"绿化全川"行动电视电话会议,吹响了开展大规模"绿化全川"行动的号角,会议召开后,全省21个市(州)政府及住建、水利、交通等省级相关部门均召开了专题会议,对辖区(部门)国土绿化工作进行了研究部署。

【规划方案编制】 2016年6月,四川省绿化委员会印发了《大规模绿化全川筑牢长江上游生态屏障总体规划(2016—2020年)》(以下简称《总体规划》)。9月,省政府办公厅印发了《大规模绿化全川行动方案》,各地、各部门根据《总体规划》积极开展绿化规划(方案)编制工作。截至2016年年底,全省21个市(州)均编制完成大规模绿化规划或实施方案,住房城乡建设、交通运输、农业、铁路、水利、教育等部门编制了部门(行业)绿化行动方案。在《总体规划》的基础上,省绿化委制定了《大规模绿化全川行动2017年度实施方案》,将2017年度造林绿化任务分解落实到21个市(州)、183个县(市、区)。

【植树造林】 2016年3月21日,四川省林业厅举行以"坚持绿色发展,建设美丽四川"为主题的四川省和成都市党政军领导义务植树活动。全省各地纷纷行动,不断创新义务植树活动的方式方法,呈现出省、市、县、乡、村上下联动,党政军民学共同参与义务植树和城乡绿化的良好氛围。全省共计16个市(州)举办了绿化行动仪式,开展了植树造林活动。全年完成营造林1113.7万亩,同比增长27%;参与义务植树3720.6万人次,植树1.47亿株;新增森林面积628.5万亩、森林蓄积1970万立方米;实现林业总产值3060亿元。截至2016年年底,全省森林覆盖率达36.88%,绿化覆盖率达66%。

【部门绿化】 一是城市绿化。积极推进城市绿化建设,取得显著成效。四川省设市城市建成区园林绿地面积同比增加4423.31公顷,城市人均公园绿地面积增加0.7平方米。二是校园绿化。截至2016年年底,全省校园绿地面积6399.71公顷,绿化覆盖总面积7168.25公顷,绿化覆盖率达32.8%。三是公路绿化。紧紧围绕"改善公路生态环境,提升公路形象""推进身边增绿",积极开展公路绿化,全年投入绿化资金3.86亿元,累计绿化公路12.67万千米。四是铁路绿化。结合铁路新线建设同步开展铁路绿化,截至2016年年底,累计绿化铁路2234.45千米、6232.25公顷。五是水系绿化。以江河、湖泊、渠系沿岸及水库等重要水利工程周边绿化为重点,进一步提升全省水系绿化水平,截至2016年年底,全省累计绿化江河、渠系沿岸16.82万千米、453.7万亩,绿化湖泊、库堰32.7万亩。六是草原绿化。在牧区落实草原生态保护补助奖励政策,实施草原禁牧7000万亩、草畜平衡奖励1.42亿亩,开展人工草地建植10.65万亩,实施天然草原改良79.75万亩。实施退牧还草工程,建设草原围栏665万亩,退化草原补播200万亩,建设人工饲草地13万亩。截至2016年年底,全省草原综合植被覆盖率达84.5%。七是矿区治理。全省共有195座矿山开展地质环境恢复治理工作,恢复治理面积905.41公顷。

【森林城市及绿化模范县创建】 2016年,大英、汉源、炉霍等7个县分别创建为全国、省级绿化模范县,井研县林业局等9个单位获得"全国绿化先进集体"称号,绵阳、宜宾2个市分别创建为国家级、省级森林城市。截至2016年年底,全省国家级和省级森林城市(含全国绿化模范城市)达17个,占全省设市城市总数的50%;全国及省级绿化模范县(区)达76个,占可纳入绿化模范县(区)创建县(区)总数的57.6%。

【广泛宣传动员】 2016年,四川省绿化委员会下发了《贯彻落实省委十届八次全会精神,掀起大规模绿化全川行动热潮的通知》,印发了"齐心协力绿化全川共建共享绿色家园"倡议书,启用了《四川绿化简报》。省政府新闻办召开了大规模"绿化全川"行动新闻发布会,新华社、中央电视台、人民网、《中国绿色时报》、中国林业网、《四川日报》、四川电视台等主流媒体开展集中持续宣传报道,在《中国绿色时报》《国土绿化》《四川日报》等报纸杂志开辟了专版进行宣传。同时,通过微博、微信等自媒体平台发布理论文章、权威访谈和重点报道。以"坚持绿色发展共建美丽四川""美丽中国四川林业在行动"等为主题的大型媒体采访活动也对大规模"绿化全川"行动进行了关注和报道。

四川省林业厅编写组

森林资源保护

【大力推进保护发展森林资源目标责任制】 2016年,四川省政府与各市(州)政府签订保护发展森林资源任期目标责任书,印发《四川省保护发展森林资源目标责任制对市(州)人民政府考核办法》,指导各市(州)开展保护发展森林资源任期目标责任制考核自查及2016年森林资源"双增"目标完成情况自查。同时,举办了全省森林资源管理培训班,详细讲解了森林资源监测、林木采伐、林地占用、案件查处、保护发展森林资源目标责任制等森林资源管理核心工作。

【森林采伐限额工作】 2016年,四川省"十三五"期间年森林采伐限额得到国家林业局的审核确定。经国务院批复同意,"十三五"期间,全省年森林采伐限额达1629.6万立方米,比"十二五"期间增加300余万立方米。同时,按照国务院批复和国家林业局通知,将限额分解下达到各市(州)、县(市、区)以及各编限单位实施。全年共办理限额追加事项38宗,累计追加省级备用限额4.4万立方米,有效支持了防灾减灾和森林抚育经营工作。

【采伐管理制度】 2016年,四川省林业厅进一步严格执行限额采伐、凭证采伐和天然林商品性禁伐等林木采伐管理制度,明确要求分解落实到限额编制单位的年森林采伐限额市(州)不得截留,不同单位间的采伐限额不得挪用,同一单位各类型分项限额不得串换使用。明确因各种灾害、森林经营保护等特殊情况需要采伐林木且在限额编制单位采伐限额内无法解决的应上报林业厅,申请在省级备用限额中批准追加。推进林木采伐许可手续网上办理,防控违规办理采伐许可证问题。反思2015年雅安发生的违规采伐天然林案件,进一步提高天然林保护重要性的认识,切实加强组织领导,完善和严格执行天然林保护政策,坚决制止和严肃查处破坏天然林的违法违规行为。深入研究输电线路走廊占用征收林地采伐林木和省级备用限额使用中的问题;研究国有特用林采伐许可等有关问题,推动通过制度设计来解决相关问题。

【采伐监督检查】 2016年,四川省林业厅检查核实攀枝花、宜宾、广元等地德国政府贷款森林可持续经营项目、松材线虫病林木、自然灾害木等采伐情况。专题调研广元市利州区工农镇"11·2"滥伐林木案。雅安市雨城区森林可持续经营试点工作取得了初步成果，指导开展天然商品林经营管理调研并形成了调研报告。全年共发放林木采伐许可证 11.5 万份，批准消耗蓄积量 280.9 万立方米。全年发现滥伐、盗伐林木案件 2614 件，查处 2604 件，收缴木材 389.51 立方米，罚款 599.5607 万元。

【木材检查站标准化建设】 2016 年，四川省林业厅下发关于进一步加强木材检查站建设和管理工作的通知，就限期完成木材检查站布局调整、依法合理设置木材检查站、认真履行好木材检查职责、进一步加强木材检查站管理工作以及人员、执法水平、硬件建设等提出了新要求，力争尽快实现全省木材检查站标准化建设。按照"推进一批、编制一批、申报一批"的要求，督促彭州市磁峰木材检查站等 8 个木材检查站加快实施 2015 年中央预算内林业基本建设项目；指导青神县中岩路木材检查站等 6 个木材检查站做好 2016 年中央预算内林业基本建设项目实施方案编制工作；申报阿坝州木材检查总站等 10 个木材检查站 2017 年中央预算内基本建设项目。结合全省森林资源保护和交通路网新形势，优化调整全省 270 个木材检查站，调整优化后的木材检查站减少到 230 个，同时公布保留的木材检查站名录和地理位置坐标、执法形式，主动接受社会监督，防范出现公路"三乱"问题。

【木材运输及经营加工监督】 2016 年，四川省共核发木材运输证 19.7 万余份，发现处理违法运输木材案件 2438 起，依法收缴违法运输木材 7889.79 立方米，罚款 245.3793 万元。开展木材经营加工单位基础信息采集工作，全面掌握全省木材经营加工单位分布情况，为科学指导木材经营加工合理布局及开展"双随机一公开"监督检查打下基础。做好木材经营加工许可证到期审核换发工作，现场监督检查建丰、柯瑞马 2 家木材经营试点加工企业并对存在的问题提出了整改要求。

【森林资源监测体系建设】 2016 年，针对审计指出的四川省森林资源底数不清、新增森林面积位置不明以及有的地方存在有林地造林、新增森林重复上报等问题，林业厅派工作人员到贵州等省考察地方森林资源监测体系建设。结合四川省实际，提出了四川省建设以小班（地块）为基础的森林资源监测体系的思路、目标、措施，初步争取到 2017 年建设资金 160 万元。按照《森林法实施条例》法定定义，测算提出大规模"绿化全川"行动全省森林覆盖率奋斗指标以及目标实现的技术路线。完成全省森林资源年度监测出数工作。

【林地调查】 2016 年，四川省需要开展林地变更调查的 178 个县级单位中已有 143 个单位提交成果数据，其中完成省级检查并提交最终成果的有 95 个。在康定市启动开展林地保护利用规划修编，已批复同意 2 个县的林地保护利用规划调整方案、9 个县的林地保护等级调整。督促各地积极对接调查技术单位，在确保质量的基础上，进一步加快工作进度。针对大规模"绿化全川"行动的需要，研究森林资源规划设计调查成果内容，加快建立符合新要求的成果数据体系。全年组织验收 30 个县的调查成果，开展 40 个县的外业质量检查，批复 66 个县的工作方案和技术方案。

【公益林变更及资源清查】 2016 年，四川省林业厅针对公益林补进调出程序等相关问题对公益林变更进行了进一步分类，提出了变更原则及程序。完成 2015 年度全省国家级公益林数据库的年度更新审核和上报，其中因林地占用征收地类变动调出 222 宗、7.8 万亩，因区划错误（公益林区划到非林地）纠错调出 4 个县（市、区）0.37 万亩，大邑县、江油市共计补进省级集体公益林 3.6 万亩。研究草拟全国第九次森林资源清查工作方案和技术方案，争取解决清查工作经费问题。创新拓展森林资源清查队伍，召集全省乙级林业调查规划设计单位座谈讨论参加森林资源清查工作的可行性及方式方法。

【森林资源案件排查】 2016 年，四川省林业厅坚持国家和省、市、县四级联动，在继续接受国家监督检查的基础上，首次组织开展省级、市级、县级林地占用和林木采伐监督检查，对全省 8 个县林地占用和林木采伐开展专项检查，在直接检查的 142 个图斑中发现违法图斑 68 个；在移交自查的 640 个图斑中发现违法图斑 231 个；共发现违法占用林地 341 公顷、违法采伐林木 3959 立方米，其中因违法占用林地导致违法采伐林木 3477 立方米。省、市、县三级共计出动车辆 2085 台次，检查人员 9500 人次，检查林地项目 1870 个（小班数 19231 个）、伐区 3276 个，发现林地被许可人违法占地 126 个、林木采伐被许可人违法 22 个，共计发现违法使用林地 57 公顷、违法采伐蓄积 680 立方米。运用林业厅主要负责人任期经济责任审计移交的相关成果，组织各地对可疑图斑开展了现地核实，创新案件发现新途径。在前期核实的 90 个图斑 15000 余亩面积中，属于林业区划错误或粗放的有 34 个、数据更新不及时的有 11 个、技术原因无法上图的有 4 个，面积共计 5000 余亩；属于土地利用现状图与现地不一致（土地利用现状图为建设用地，但现状仍为林地）的有 38 个，面积达 1 万余亩；属于违法征占用林地的有 4 个，发现旁边存在违法占用林地 1 个。

【森林资源信访案件查处】 2016 年，四川省林业厅共处理信访案件 13 件，均已全部查证核实，为森林资源管理案件的发现和查处发挥了补充作用。复核调查雅安市雨城区晏场镇刘某申请信访案件，实地调查核实资源司交办的昭觉县群众信访反映存在的破坏森林资源问题。全年共发现、受理各类涉林案件 7226 起，查处 7202 起，打击处理各类违法犯罪人员 7718 人次。推进打击非法侵占林地清理排查专项行动督办案件后续工作，推进雅安违法采伐天然林有关问题整改并向绿色和平组织进行回复，督促指导相关地方完成国家林业局 2015 年核查发现的林地占用和林木采伐管理问题整改。

四川省环境保护厅编写组、四川省林业厅编写组

野生动植物保护

【科学繁育大熊猫】 2016 年，卧龙中国保护大熊猫研究中心和成都大熊猫繁育研究基地共繁育成活大熊猫 33 胎、49 仔，其中卧龙中国保护大熊猫研究中心繁育成活 16 胎、22 仔，成都大熊猫繁育研究基地繁育成活 17 胎、27 仔。全省人工圈养大熊猫总数上升至 407 只，占全国人工圈养大熊猫总数的 87.5%，其中卧龙中国保护大熊猫研究中心圈养 231 只、成都大熊猫繁育研究基地圈养 176 只，分别是全球第一和第二大人工圈养大熊猫种群。

【大熊猫保护管理】 2016 年，大熊猫"华妍""张梦"顺利放归自然。中国大熊猫研究中心进行了 8 批次的野化培训，共有 19 只大熊猫参与野化培训，其中淘汰 8 只，4 只尚在培训阶段；放归野化培训人工繁育大熊猫 7 只，死亡 2 只，存活 5 只。成都大熊猫繁育研究基地累计开展了 3 批次的野化培训，共有 6 只大熊猫参与野化培训，其中淘汰 2 只、死亡 1 只，3 只尚在培训阶段。编制完成《重点分布区大熊猫微卫星调查技术规范》《大熊猫 DNA 监测工作方案》。积极争取政策和资金支持，加强对犬瘟热等疫情的防控措施，全省未发生一起大熊猫重大疫情事件。

【大熊猫对外交流合作】 自1993年开始，四川省先后与美国、日本、英国等13个国家17家单位合作开展圈养大熊猫科学研究。2016年，在中国香港海洋公园举办的“四川周”活动启动仪式上发布了《大熊猫之歌》，进一步在香港地区宣传了四川省大熊猫自然保护工作；在北京、中国香港、成都及韩国首尔、日本东京分别举办了“熊猫亦艺术·保护无国界”大熊猫世界艺术巡展活动，吸引近30万人次参观，取得了显著的宣传效果和社会效益；顺利将大熊猫“爱宝”“乐宝”送抵韩国，从美国接回大熊猫“美轮”“美奂”，大熊猫国际交流合作影响深入。截至2016年年底，已在国外繁育成活大熊猫幼仔44只，其中27只已送归国内。继续与美国、日本、比利时、中国香港、中国台湾等国家和地区就大熊猫研究领域开展深入科研合作，为科研人员营造了良好的学习交流氛围，搭建了优质的合作平台。

【野生动植物资源外业调查】 2016年，四川省林业厅组织完成第二次全国野生动植物资源外业调查，分别在泸州市、彭州市发现疏花水柏枝、距瓣尾囊草野外新居群。组织实施全国冬季水鸟和秋季迁徙水鸟同步调查，编制完成了《四川省冬季水鸟同步调查报告》。大型猫科动物调查取得阶段性成果，完成雪豹纪录片拍摄工作。指导鞍子河、唐家河两个自然保护区与科研机构合作建立鸟类环志站，填补了四川省研究候鸟迁徙规律领域的空白。实施极小种群野生植物和极度濒危野生动物保护工程，开展峨眉拟单性木兰、光叶蕨、距瓣尾囊草、崖柏、西昌黄杉等珍稀濒危野生植物人工繁育，江油市已着手建立新的野外种群；开展野生动物救护，指导并帮助成都动物园等单位开展病饿野生动物救护，救助大熊猫、黑鹳等一级保护动物10余头(只)，其中共易地放归、救护病饿野生大熊猫2只。

【野生动植物保护管理】 2016年，四川省林业厅配合全国人民代表大会常务委员会到广元、成都等地开展《中华人民共和国野生动物保护法》修订草案调研。12月，省政府颁布了《四川省重点保护野生植物名录》并报国务院备案，结束了四川省野生植物保护工作长期有条例无名录的历史；结合四川省实际，对《陆生野生动物重要栖息地评估认定规程》等7部规章提出了建设性修订建议。召集乐山、宜宾、凉山等地林业部门专题研究野生动物危害防范处置及补偿试点工作，针对各地调查的危害严重的野生动物种类和数量下达了猎捕计划；指导雷波县应急处置黑熊伤人事件，依法依规保障人民群众生命财产安全。支持非人灵长类实验动物资源战略储备基地建设，对省医院实验动物研究所等4家非人灵长类实验动物人工繁育单位优化种群结构工作给予了大力支持；积极服务各地企业，完成2016年度全省松茸出口采集和申报工作，办理松茸出口许可1300吨，松茸产业实现产值达1.3亿元。

【大渡河流域岷江柏木保护】 2016年7月，四川省林业厅委托科研团队开展大渡河上游水电开发对天然岷江柏木的影响暨创新保护机制专题研究，指导研究团队设计了大渡河上游水电开发对岷江柏木及区域生态保护影响研究的技术方案和工作方案，系统论证了岷江柏木移栽的可行性，研究提出了移栽技术标准，制定了创新物种种质资源保护机制与模式并通过会议评审。批复同意猴子岩水电站1516株岷江柏木迁地保护方案，联合省发展改革委、环境保护厅向省政府上报加强大渡河流域岷江柏木保护工作的报告，从流域角度整体重构水电开发与资源保护的关系已成功破题。

四川省林业厅编写组

森林防火

【基本情况】 2016年，四川省各级林业主管部门针对全球厄尔尼诺暖流的冲击和省内特殊气候、物候给森林防火工作带来的不利影响，以防止森林火灾发生、减少森林火灾损失为目标，以提升应急处置能力为抓手，着力抓基层、打基础，进一步推进森林防火责任制度的落实，进一步强化野外火源管理，不断增强应对森林火灾的能力和水平，全省森林防火形势总体平稳。全省共处置森林火灾263起，当日扑灭率达97.3%，过火面积、受害森林面积同比分别下降14.2%、28.3%，连续6年无重(特)大森林火灾发生。

【森林防火部署】 2016年，四川省委省政府主要领导高度重视森林防火工作，针对严峻的森林防火形势多次做出重要指示，要求各地加强防范，努力避免和减少森林火灾。林业厅调整充实了省指挥部组成人员；省防火办按照林业厅部署先后9次发文安排具体工作，6次向林业厅专题汇报阶段性工作情况，协调省森防指成员单位先后派出工作组30余批次深入87个县(市、区)、228个乡(镇)检查调研和赴火场一线指导扑救。市、县、乡共计召开工作会议4500余次，党政领导带队督查工作1万余次。甘孜、阿坝、凉山、攀枝花、宜宾、绵阳、泸州、眉山等市(州)，康定、德昌、盐边、九寨沟、长宁、江油、古蔺、洪雅等市(县)党政主要领导亲自过问，安排部署和检查森林防火工作，做到了工作早安排、责任早明确、措施早落实。

【森林火灾预防】 2016年，四川省林业厅及时指导各地围绕“防”字想办法、定措施、抓落实，采取堵疏结合、管治并举等有力举措，主动预警、积极防范，认真贯彻落实省领导的批示精神和省指挥部、林业厅的一系列安排部署，主要表现在“三个注重”上。一是注重宣传教育。印发了以“崇尚绿色低碳，防范森林火灾”为主题的森林防火宣传教育实施方案，组织开展森林防火宣传月活动，协调省委宣传部通过四川电视台公共频道和康巴卫视在春节、元旦、清明节、五一劳动节等重要时段持续滚动播放森林防火宣传短片，及时向省指挥部领导、成员单位和各市(州)分管负责人发送森林防火工作动态短信1万余条。完成全省森林防火宣传片的制作，各地积极开展森林防火宣传进林区、进社区、进校区等系列宣传教育活动2余万次，发放宣传资料41万份，书写、悬挂标语、横幅20余万条，宣传教育面达95%以上。二是注重预警预报。各地各有关部门及时发布森林火灾预警信息，加强巡护监测，在春节、清明节、国家和省“两会”、G20峰会等重要时段严密防范森林火灾发生，积极应对夏季局部地方出现的持续高温天气，2次与省气象局专题会商森林防火气象趋势，发布森林火险红色警报2期、橙色警报3期，第一时间调度核查林火卫星热点40个。三是注重隐患排查。会同教育厅、民政厅、财政厅、交通运输厅、省新闻出版广电局、省通信管理局、省气象局、省政府应急办、团省委、武警四川省森林总队等成员单位先后到联系片区进行森林防火检查。春节前后，组织开展了森林防火大检查和隐患排查专项行动，派出由11名厅级领导带队的22个工作组和7个暗访组到重点防火区进行防火检查和隐患排查，现场督促、整治火灾隐患853处；省、市、县林业主管部门和武警森林部队共计派出工作组2000余个，排除森林火灾隐患2万余起，处理违规用火人员200余人。在攀枝花、凉山等地实施计划烧除110余万亩。

【火灾应急处置】 2016年，四川省各级森林防火部门始终围绕“早”字抓落实，确保“火情早发现、早处置，小火不酿成大灾”。一是科学指导扑救。省指挥部先后启动应急预案Ⅲ级响应13次，派出6批工作组到火场一线指导扑救。全省252起森林火灾中,24小时内扑灭246起,当日扑灭率达97.6%。二是积极联防联保。甘肃迭部达拉林场发生火灾后,省指挥部紧急启动边界联防机制,迅速调集武警阿坝州森林支队200名官兵和若尔盖县应急民兵360人实施增援扑救,受到国家森防指的充分肯定和甘肃指挥部的高度赞扬。三是发挥航空优势。全年租用航空消防飞机8架,空中发现、侦察和报告火情10起,对7起森林火灾实施吊桶灭火85架次。紧急协调从云南调派1架M26大型直升机协同K32直升机对冕宁县泸沽镇火场连续2天实施机群作业。首次依托泸州蓝田机场开展夏季森林航空消防作业,成都、西昌两个航站给予了大力支持。四是森警部队作用突出。武警森林部队在完成驻地防火灭火任务的同时,实施跨区增援、靠前驻防,累计动用兵力5248人次;执行防火执勤、灭火作战等任务,成功扑灭森林火灾23起,有力有效发挥了突击队作用。

【防火保障基础】 2016年,四川省林业厅积极争取中央资金投入,全年到位中央资金1.13亿元,较上年增加6500余万元;省级财政投入森林防火资金近4000万元。雅江县以水灭火、峨边县林火视频监控两个中央投资试点项目建设完成,"三州两市"森林防火通信系统等项目启动实施,省级财政支持的雅江、冕宁、盐边等9个县(市)森林防火综合能力提升试点示范工作稳步推进,金川直升机起降场项目获得国家林业局批准。会同计财处组织申报国家森林防火建设项目7个,估算总投资2.2亿元,其中中央资金1.77亿元。启动了《四川省森林防火规划(2016—2025年)编制工作,完成了省级储备物资的采购,组织开展了信息指挥系统使用培训,制订出台了森林火灾专业扑救队伍建设标准和森林火险区划等级标准。各地结合扶贫、产业发展、通乡通村道路建设等项目,积极开展森林防火应急道路建设。组织市(州)、县(市、区)政府分管领导、防火办主任参加全国地市级指挥员培训和省级业务培训,派出人员到多地指导相关业务培训。遂宁、宜宾、达州等地组织开展灭火演练。

【防火管理制度完善】 2016年,四川省林业厅坚持"预防为主,积极消灭"的工作方针,不断探索完善森林防火管理机制,全力防控森林火灾发生,助力大规模"绿化全川"行动。一是强化制度执行。严格执行24小时值班和领导带班制度,广泛实施独具四川特色的村民轮流挂牌值班和巡山护林员"两项制度",落实用火审批、入山登记、坟主责任、林内巡护、智障人员监管等日常制度,大力推行"责、权、利"挂钩的村民自治管理办法。指导有关地方落实省际间、市(州)间和县(市)间的森林火灾联防联控制度。办理查处森林防火案件,阿坝州等地对民俗用火实行定点集中管制,林区违规用火行为得到有效遏制。二是强化责任落实。各级林业部门及时修订森林火灾应急预案和办法,层层签订防火责任书。森林防火成员单位按照职能分工和任务划分主动履职尽责,驻川解放军、武警官兵和民兵预备役部队积极参与森林火灾扑救,甘孜、宜宾等地结合实际大力推行森林防火党政同责制。三是强化信息公开。各级林业部门按照"森林火灾零报告"制度和"有火必报、报扑同步"要求,及时归口逐级报告火情信息,主动公开灾情动态,积极回应社会关注,正面引导舆论宣传。

四川省林业厅编写组

森林病虫害防治

【基本情况】 2016年,四川省林业有害生物仍处于高发阶段,全省发生面积1048.89万亩,比上年同期减少25.11万亩,下降2.34%,其中重度发生面积90.52万亩、中度发生面积233.97万亩、轻度发生面积724.4万亩;森林虫害发生面积834.9万亩,比上年略有减少;病害发生面积132.06万亩、鼠害发生面积81.91万亩,发生面积略有增加;各类突发、危险性林业有害生物发生面积呈蔓延扩散趋势,局部地区危害成灾,全省成灾面积6.02万亩,成灾率0.18‰。全省共计防治748.58万亩,防治作业面积905.97万亩次,其中无公害防治作业面积883.02万亩次,无公害防治率达97.47%,将成灾率严格控制在了3‰以内,大大降低了林业有害生物危害程度。

【目标管理】 2016年,四川省林业厅为落实2016年度林业有害生物防治目标责任,在1月26日召开的全省林业工作会上,林业厅厅长尧斯丹对2016年度林业有害生物防治工作进行了部署,并代表林业厅与宜宾市、凉山州林业局局长现场签订了责任书,其余市(州)则通过邮件形式签订。省防控工作指挥部办公室拟定了《四川省2015—2017年重大林业有害生物防治目标责任检查考核办法》,于2015年12月下旬至2016年1月中旬对各市(州)2015年林业有害生物防治目标完成和责任履职情况进行了全面量化考核,并将考核情况及时上报省政府。在防治关键节点,省防控工作指挥部、林业厅、省森防检疫总站多次派出督导组到疫区及重点防控区对冬(春)季病死树除治、夏季媒介昆虫防治、秋季普查等开展专项督导20余次,下发检查通报16份,提出整改意见48条,指导疫区抓紧完成枯死松树除治和验收工作,为确保完成年度目标任务奠定了基础。

【监测预报】 2016年,四川省林业厅对各县(市、区)森防站测报工作坚持执行"年初有工作任务计划,年中有工作月报,年底有绩效考核",对全省40个国家级中心测报点和50个省级中心测报点工作强调过程管理,统一实施考核,根据考核情况差别安排补助资金,对2016年测报工作不达标的资中、沐川中心测报点进行了通报批评并要求整改。在对主要林业有害生物进行全面监测的同时,强调对各类突发性、检疫性有害生物开展调查监测,各地及时发现红火蚁、锈色棕榈象、桉树枝瘿姬小蜂等检疫性有害生物并采取了有效防控措施,未造成严重灾害;在全省松林分布的国家级和省级中心测报点重点开展以常规监测为主、系统观察为辅的松材线虫病媒介昆虫松墨天牛监测工作,为松材线虫病防控提供了可靠依据;在松材线虫病疫区开展政府采购无人机监测服务试点工作,利用低空遥感数据监测定位枯死松树,准确掌握疫情发生情况,监测面积超过50万亩次,有力提升了全省松材线虫病监测工作技术水平。4月,邀请省农业气象中心专家结合全省去冬今春气候背景共同分析、会商林业有害生物发生态势,在四川卫视《天气预报》栏目中发布全省2016年度林业有害生物发生趋势信息及对策建议;6月,四川省主办了云贵川渝藏林业检疫协作和鄂渝川陕联防联治会议,共商重大林业有害生物防控工作。全省各级森防站及中心测报点在全面调查监测分析基础上,共计发布辖区内林业有害生物预报、警报1500余次,为领导决策、科学防控提供了可靠依据。

【检疫监管】 2016年,四川省林业厅以省政府名义公布了全省林业检疫性有害生物疫区名单。省森防检疫总站获知雅安市名山区森防检疫站在检疫复检工作中发现一批来自湖南省混杂有松木的木质电缆盘携带活体松材线虫,随即以省松材线虫病防控工作指挥部的名义发出通知,在全省范围开展了以木质光电缆盘等松木包装材料为重点的检疫执法专项行动。根据国家林业局造林司工作部署,选取了成都市等18家市、县级森防检疫机构,30余名专职林业植物检疫员开展国内林业植物检疫信息系统测试工作并及时提出了修改建议意见,为完善系统做出了贡献。根据2015年林业厅与四川出入境检验检疫局签订的《关于促进生态林业产业发展合作备忘录》要求，明确了林业厅内部相关部门职能分工，制定了2016年备忘录林业工作要点。省森防检疫总站与四川出入境检验检疫局动植处共同对成都、绵阳等地从国外引进的油橄榄、鹅耳枥等苗木实施隔离试种检疫监管，切实防范外来林业有害生物传入，进一步深化了双方合作。商请省通信管理局出台了《关于加强涉木包装材料植物检疫查验及配合复检的通知》，要求中国电信、中国移动、中国联通四川分公司以及中国铁塔股份有限公司四川省分公司积极配合林业植物检疫机构开展木质包装材料检疫执法工作。完成全省检疫机构和专职林业植物检疫员信息档案更新工作，对参加专职林业植物检疫员上岗培训班并考核合格的人员核发了林业植物检疫员证，全省专职检疫员共计达1070人。重新清理并集中委托部分森防检疫机构办理出省林业植物检疫业务，全省具备办理出省检疫证的单位达75家。对国外引种苗木及隔离种植情况实施检疫检查和监管，严防外来危险性有害生物入侵，11月，省森林病虫防治检疫总站严格按照规范程序查处一起无《植物检疫证书》调运林业植物的行政处罚案件，起到了良好的警示效应。开展与林业植物检疫相关的行政权力清单、公共服务事项清单梳理审核工作，制定和规范行政审批细则、办事指南、办事流程图及《四川省引进林木种子苗木检疫审批与监管规定实施细则》。

【林业有害生物普查】 2016年，四川省普查领导小组办公室和四川省林业厅分别印发了《2016年全省林业有害生物普查工作要点》《全省林业有害生物普查汇总工作方案》。召开两次全省普查工作会议，对全省普查汇总和验收工作进行了全面安排部署。为提高普查影像拍摄质量，举办了全省林业有害生物普查微距摄影技术普查班。省普查办及时督促各市（州）每月底报送普查工作进展并组织专业力量对全省普查工作进行不定期检查指导，对检查中发现的问题督促各地整改。全省大多数县（市、区）进入汇总验收准备阶段，报送了部分普查成果，省级正启动成果汇总审核工作。全省普查调查寄主植物种类1119种，发现有害生物种类2765种，同时发现一些新种和四川省新分布记录的林业有害生物种类。

【林业有害生物防治】 2016年，四川省以松材线虫病、蜀柏毒蛾等有害生物防治为重点，制订防治方案，争取防治资金，采购药物药械，采取综合措施，及时开展防治工作。

加强松材线虫病防治。编制四川省林业有害生物防治体系建设、四川省松材线虫病防治等“十三五”专项规划，严格审核批复21个市（州）和20个重点县年度防治实施方案，为各地科学防治打下了良好基础。各地严格按照国家技术规定，在媒介昆虫羽化期前基本完成枯死松树除治和安全处理任务，去冬今春，全省10个疫区共除治疫木32万株。加强疫木安全利用，组织专家论证并报批国家林业局审批了全省首家松材线虫病疫木板材定点加工企业。加强媒介昆虫综合防治，采取饵木诱杀、信息素诱捕、化学药物喷施等综合措施防治松墨天牛44.76万亩次。分别与云南省、重庆市签署了《川滇两省松材线虫病联防联治框架协议》《川渝两地长寿区邻水县松材线虫病联防联治联席会议纪要》，在重庆市长寿区、邻水县相邻乡（镇）实施飞机防治。轮值召开云贵川渝藏林业植物检疫联合执法协作和鄂渝川陕联防联治工作会，区域联防联治联检工作取得实质性进展。通过实施引智项目，采取“走出去学、请进来教”的方式，选派自贡市、广安市森防站站长到日本山梨县学习研修松材线虫病防治技术，邀请2名山梨县林业专家到自贡、广安、卧龙等地和四川农业大学、省林科院等单位指导交流松材线虫病防治技术及管理工作。

加强蜀柏毒蛾防治。将飞机防治和人工地面防治相结合，对蜀柏毒蛾等重大林业有害生物开展防治，其中飞防作业面积70万余亩次，取得良好控灾效果，全省未出现大的灾情。在全面收集资料、深入调查研究、广泛征求意见的基础上，编制了《蜀柏毒蛾防治技术规程》，指导和规范蜀柏毒蛾防治工作安全、合理、科学、高效开展，该技术规程在11月召开的全国林业有害生物防治标准审定会上顺利通过专家审定。

积极探索机制创新。为规范全省林业有害生物飞机防治市场、推进政府购买社会化防治服务进程、强化林业有害生物飞防管理工作，林业厅组织专家开展飞防作业通用航空公司遴选工作，出台《加强林业有害生物飞机防治管理工作的指导意见》，确保了飞防工作科学、高效、安全开展。为加强行业自律、推动四川省社会化防治体系建设，四川省林业有害生物防治协会与省林学会共同制定出台了《四川省林业有害生物调查设计资质认定管理办法（试行）》，以此加快推进全省防治工作社会化、市场化和专业化进程。

【野生动物疫病监测防控】 2016年，四川省林业厅加强春秋季鸟类禽流感等疫病监测防控工作，完善节假日应急值班信息报告制度。开展全省野生动物疫源疫病信息管理系统维护，率先启动重点地区野生大熊猫疫病本地调查工作，首次在岷山、邛崃山、大相岭、小相岭和凉山五大山系10个自然保护区采集大熊猫调查样本41份，已完成第一阶段疫原体实验室检测分析工作。适时完成2016年国家财政支出野生动物疫病监测和预警系统维护项目绩效报告并接受国家林业局专家组检查考评，受到评审专家的高度评价。

四川省林业厅编写组

畜 牧 业

综 述

【基本情况】 四川省为全国五大牧区之一。全省有畜禽地方品种49个，其中进入省级保护名录38个；天然草场3.13亿亩，其中可利用草场2.65亿亩，主要分布在甘孜、阿坝、凉山三州。盆地以饲养猪、牛、小家畜、家禽为主，高原高山地区以饲养牦牛、绵羊为主。

【畜牧业养殖】 2016年，四川省实现畜牧业产值2551.7亿元，比上年增长1.4%。全省肉类总产量690.77万吨，比上年减少1.9%；生猪出栏6925.4万头，比上年减少4.3%；生猪存栏4675.9万头，比上年减少2.9%；猪肉产量494.5万吨，比上年减少3.5%。全省出售和自宰肉用牛、羊、禽分别为305.2万头、1755.8万只和67776.9万羽，分别比上年增长3.3%、3.4%、2.5%；牛肉、羊肉、禽肉产量分别为36.9万吨、26.9万吨、102万吨，分别比上年增长4.2%、2%、2.4%。兔出栏21506.4万只，比上年增长1.7%。禽蛋产量149.5万吨，增长0.8%；牛奶产量62.8万吨，减少7%；50头以上的生猪规模养殖面达72.5%。

【现代畜牧业重点县建设】 2016年，四川省农业厅按照《四川省人民政府关于扎实推进新一轮现代农业林业畜牧业重点县建设的意见》要求，在总结第一、二轮现代畜牧业重点县建设成效经验的基础上，择优选择27个县开展新一轮现代畜牧业重点县建设。新一轮现代畜牧业重点县建设以现代设施设备武装、标准化规模养殖、种养业循环绿色发展、一二三产业融合为重点，以四川盆地优质生猪、盆周山区优质肉牛（肉羊）、川西优质奶牛、川中优质禽兔、川西北高原牧区牦牛藏羊优势主产区为重点，以现代农业示范市（县）、现代畜牧业重点县和生猪调出大县、国家基础母牛扩群增量项目县、省级牛羊标准化生产基地县为抓手，推动资金、技术等要素向优势区域集中，加强产业带基础设施建设，优化产业布局，推进优势产业集约化、集群化、产业化发展。围绕27个现代畜牧业重点县建设目标，指导27个县选择优势产业编制重点县建设实施方案，推动现代畜牧业重点县建设工作。召开全省现代畜牧业发展现场会，对“十三五”时期全省现代畜牧业发展的总体取向、目标任务、发展原则、工作重点和保障措施进行了全面部署。开展国家畜牧业绿色示范创建活动，探索符合省情的畜牧业绿色发展路子，推进畜禽废弃物无害化处理和资源化利用，促进全省畜牧业绿色发展，推动一二三产业融合发展。

【特色畜牧业】 2016年，四川省农业厅按照《四川省牛羊肉生产发展规划（2014—2020年）》要求，继续组织实施肉牛、肉羊标准化生产基地县建设项目。全年共投入肉牛、肉羊发展专项资金1.3亿元，在全省25个基础母牛扩群增量项目县、28个肉牛标准化生产基地县和24个肉羊标准化生产基地县实施肉牛、肉羊产业建设，肉用牛、羊出栏量分别比上年增长3.3%和3.4%，推动了肉牛、肉羊产业加快发展。

【畜禽养殖标准化示范创建】 2016年，四川省农业厅按照“稳猪禽、兴牛羊”发展战略，全省畜牧业工作紧扣“转方式、调结构、补短板、增效益、保安全、促增收”主题，大力推进现代畜牧业重点县建设、肉牛肉羊标准化生产基地县建设、基础母牛扩群增量项目建设，继续组织实施畜禽养殖标准化示范创建行动和南方现代草地畜牧业推进行动，落实中央草原生态补助奖励、生猪大县奖励等政策措施；按照农业部要求，在畜牧产业基础条件较好的蒲江县、洪雅县、苍溪县、武胜县、遂宁市船山区、梓潼县、宣汉县、南江县、仪陇县、乐至县10个县（区）开展国家畜牧业绿色示范创建，整县推进畜禽废弃物无害化处理和资源化利用。推广“龙头企业+专业合作社+适度规模养殖户”和“生态养殖+沼气+绿色种植”现代畜牧生产模式，加快适度规模标准化养殖、种养结合循环农业发展，探索符合四川省情的畜牧业绿色发展路子，有力地推动了畜牧业绿色发展和转型升级。全年肉、蛋、奶产量分别达690.77万吨、149.5万吨、62.8万吨；畜牧业产值达2551.7亿元，农民人均畜牧业经营净收入879.75元，同比增长20%。新（改、扩）建畜禽标准化规模养殖场（小区）2025个，总数达25379个；生猪规模养殖面达72.5%，提高3个百分点。为加快转变畜牧业生产方式、提升畜禽养殖标准化水平、从源头上保障畜产品质量安全，全省从2010年起按照农业部“畜禽良种化、养殖设施化、生产规范化、防疫制度化、粪污无害化”要求，开展畜禽养殖标准化示范创建，持续打造了一批标准化程度高、环境影响小、示范效应好的畜禽养殖标准化示范场，全年创建部级畜禽养殖标准化示范场20个、省级畜禽养殖标准化示范场143个，全省部、省级畜禽养殖标准化示范场累计达906个，其中部级203个、省级703个。全省生猪三元杂交面达76.1%，其中外三元杂交面48.7%；肉牛改良配种占应配母牛总数的45.9%；肉羊良种及杂交面为89.6%；禽、兔良种面分别为89.3%、89.4%。

【畜禽遗传资源保护】 2016年，四川省有各类种畜禽场915个，其中种猪场582个，存栏种母猪32.51万头；种牛场47个，存栏种牛2.05万头；种羊场108个，存栏种羊4.58万只；种禽场111个，存栏种禽334.72万只；种兔场67个，存栏种兔15.06万只。继续整理挖掘新资源，广元灰鸡、昌台牦牛2个新的畜禽遗传资源先后通过国家畜禽遗传资源委员会组织的现场鉴定，其中广元灰鸡被列入国家畜禽遗传资源目录。加强种畜遗传资源保护工作，成都麻羊资源场、四川白兔资源场顺利通过农业部畜禽遗传资源委员会组织的国家级畜禽遗传资源保种场现场验收，内江市种猪场在“中国地方猪保护与利用协作组第十二届年会”上获得国家畜禽遗传资源委员会颁发的“中国地方猪保护与利用经验交流优秀奖”，江油新希望海波尔种猪育种有限公司通过国家级核心育种场现场复核。

四川省农业厅编写组

畜产品质量安全监管

【基本情况】 2016年，四川省农业厅全面加强畜产品质量安全监管，围绕薄弱环节大力开展专项整治行动。全年畜产品质量安全省级例行监测合格率达99.6%，未发生重大畜产品质量安全事件，畜产品质量安全水平持续稳定向好。

【兽用抗菌药专项整治行动】 2016年，四川省农业厅继续推进实施四川省兽药（抗菌药）综合治理五年行动。开展兽药经营环节拉网式检查，全面检查兽药GSP执行情况和兽用处方药管理制度落实情况。发放《兽药经营承诺书》7000份，对《兽药经营许可证》的发放进行了规范。组织开展兽用抗菌药安全使用宣传培训，与规模养殖场签订了畜产品安全目标责任书。依法查处使用违禁兽药和超范围、超剂量使用兽用抗菌药行为。

【生猪屠宰“扫雷”行动】 2016年，在四川省农业厅门户网站开设“屠宰监管”专栏，宣传报道生猪定点屠宰监管、生猪屠宰案件查处等信息。将信息化与生猪屠宰监管工作进行深度融合，在成都市开展“智慧动监”建设。各地扎实开展生猪屠宰检疫、无害化处理工作，全年屠宰检疫生猪3908.64万头，无害化处理生猪65544头；开展专项监督执法13649次、联合执法2134次，关闭取缔小型屠宰场点1160个；立案90件，涉案物品95.3吨，货值248万元，罚没55万元。

【“瘦肉精”专项整治行动】 2016年，四川省农业厅开展养殖环节“瘦肉精”拉网排查，强化收购、贩运和屠宰环节“瘦肉精”监测，严厉打击饲料兽药环节非法添加“瘦肉精”行为，全省共监测“瘦肉精”459.7万头份，其中养殖环节158.6万头份，屠宰、流通环节301.1万头份，结果均为阴性。

【生鲜乳专项整治行动】 2016年，四川省农业厅开展生鲜乳专项整治行动，对全省现有的30余个生鲜乳收购站进行了全覆盖现场检查，现场抽查42辆生鲜乳运输车，结果均符合规定要求。将全省收奶站及运输车纳入“生鲜乳收购站运输车监督管理系统”，坚决取缔不合格收购站和运输车，注销已关停及僵尸收购站和运输车证号。全年抽检生鲜乳样品204批次，监测生鲜乳指标18项，配合农业部开展异地检测抽样 40 批,针对不合格样品开展了追踪整改工作。

【动物疫病防控】 2016 年,四川省农业厅扎实做好春秋两季重大动物疫病集中免疫工作,争取财政部下达四川省动物防疫补助经费 63039 万元,其中强制免疫疫苗补助经费 48690 万元,春秋两季共集中免疫高致病性禽流感、口蹄疫等重大动物疫病牲畜 3.68 亿头次,家禽 13.1 亿羽份,应免畜禽免疫密度达 100%,免疫抗体合格率达 70%以上。深入推进包虫病综合防治工作,争取财政部下达资金 5887 万元,省财政下拨资金 500 万元用于动物包虫病防控,全省共举办包虫病防控培训班 259 期,在包虫病疫区登记犬只 34.61 万只,捕灭流浪犬 6.92 万只,累计开展犬只驱虫 294.27 万只次,收集处理犬粪 475 万余只次;累计注射免疫羊包虫病基因工程疫苗 628.14 万只次,完成包虫病监测 5.79 万份,畜间包虫病综合防控成效明显。继续强化人畜共患病防控,争取落实农业血防项目资金 4683 万元,检查家畜血吸虫病 15.8 万头、圈养牛 3.9 万头,血吸虫病流行区家畜圈养率达 95%以上,流行村家畜圈养率达 90%以上。全年检测布病 86.5 万头(只),阳性率为 0.46%;检测结核病 7.6 万头,阳性率为 0.17%,对阳性动物均进行了捕杀和无害化处理。强化狂犬病防控,开展狂犬病免疫 499.5 万只。做好动物疫病监测和流行病学调查,全省设立 18 个国家动物疫情测报站,11 个国家级、40 个省级、21 个市级和 147 个县级动物疫病监测与流行病学调查点,全年共监测各类畜禽组织和血清学样品 70.2 万份。进一步完善兽医队伍系统建设,清理、变更官方兽医 923 人,组织 1990 人在成都市和南充市考点参加 2016 年执业兽医资格考试,考务工作连续七年实现"零差错、零事故"。争取下达基层动物防疫补助经费 10080 万元,用于补助村级防疫员。迅速彻底处置突发重大动物疫情,省级采购和调运下发消毒药 73 吨、防疫用品 1.1 万套,储备消毒药 475 吨、防护服等紧急防疫用品 8.9 万套,10 月 26 日在宜宾县开展了四川省 2016 年突发重大动物疫情应急演练培训会及应急演练现场会。坚持 24 小时值班和领导带班制度,快速扑灭了 4 起零星点状散发的重大动物疫情,将疫情及时控制在疫点上,防止疫情扩散蔓延,切实保证了全年不发生区域性重大动物疫情。

【畜禽屠宰监管】 2016 年,四川省农业厅完善畜禽屠宰管理制度,印发了《关于做好 2016 年畜禽屠宰监管工作的通知》《关于加强屠宰行业管理保障肉品质量安全的贯彻实施意见》等文件,出台了《四川省生猪屠宰厂(场)监督检查规范实施细则》《四川省畜禽屠宰企业内部管理制度》,努力推进屠宰生产管理标准化、监督检查行为规范化、监督检查过程痕迹化。全面完成生猪定点屠宰资格审核清理,截至 2016 年年底,全省共关闭取缔生猪屠宰场(点)1160 家,保留 1816 家(其中 A 类企业 289 家、B 类企业 1527 家),屠宰行业实现了"压点减数、提档升级"。及时处置生猪屠宰突发事件,先后处置了邛崃屠宰走私生猪事件、内江市市中区众源屠宰中心涉嫌违规屠宰行为、崇州市江源镇大庙村民雷某某注水窝点案和成都市武侯区金花镇川西营村私屠滥宰点案等多起屠宰突发事件和案件,有力打击了生猪屠宰违法犯罪行为。印发了《关于严查走私生猪强化屠宰监管确保食品安全的紧急通知》,开展了生猪屠宰监管"扫雷行动",出动执法人员 5.5 万人次,开展监督执法 1.1 万次,立案 68 件,涉案物品 363 吨、货值 238 万元;向公安机关移送案件 34 件,追究刑事责任 10 人;关闭取缔小型屠宰场(点)1160 个,捣毁私屠滥宰窝点 203 个。

【动物检疫】 2016 年,四川省农业厅严格实施跨省调运动物指定通道准入和申报检疫、查验制度,全省已建成 44 条跨省调运动物指定通道,建立 22 个规范化指定通报申报点,省发展改革委投资建设的标准化广元七盘关指定通道检查站于 2016 年年底竣工并投入使用,全年经指定通道跨省调入和检疫生猪 551.14 万头。严格执行检疫申报制度,办理 19 个批次乳用、种用动物审批,其中动物 6.58 万头(只)、种蛋 200 万枚、精液 600 袋。加强产地检疫工作,全省以乡为单位的产地检疫面达 98%、规模场达 100%;坚持屠宰检疫全程同步,定点屠宰场屠宰检疫率达 100%。检疫证明实现联网电子出证,截至 2016 年年底,全省检疫证明联网电子出证点新增 87 个,总数达 4517 个,基本满足了检疫出证工作需要,累计出具动物检疫合格证明 155.71 万张、动物产品检疫合格证明 876.34 万张。开展动物诊疗机构专项整治,全省共备案动物诊疗机构 836 个,关闭或责令整改诊疗机构 37 个,吊销、注销《动物诊疗许可证》5 个,吊销、注销(助理)兽医师执业证书 10 本,查处违法案件 36 起。做好病死畜禽无害化处理工作,在内江市和成都市建设无害化处理场 6 个;养殖环节共无害化处理病死猪 54.01 万头,监督到位率达 100%;屠宰环节共无害化处理病死猪 3.98 万头,处理率达 100%。加强流通环节"瘦肉精"监管,全年共在流通环节开展"瘦肉精"监督抽检 193.79 万头次;接受了农业部两次"瘦肉精"风险监测,结果均为阴性。

【兽药质量监管】 2016 年,四川省农业厅积极引导兽药产业转型,通过引导产业升级换代,全省兽药生产能力和水平不断提高,品种和剂型逐步丰富,产业规模不断扩大,产业效益不断提升,兽用化学药品和生物制品产业在全国均形成了具有一定竞争力的产业体系。全省有兽药生产企业 115 家、兽药经营企业 6800 余家,兽药年产值达 30 亿元,其中年产值在 5000 万元以上的企业有 22 家。加强兽药行业准入监管,出台了《四川省兽药生产质量管理规范检查验收实施办法》,修订了《四川省兽药经营质量管理规范实施办法》,建立了四川省第一届兽药 GMP 检查员库,提高了全省兽药 GMP 和 GSP 现场检查验收标准。按照农业部要求,自 7 月 1 日起所有兽药生产企业生产的产品全部标注"二维码"上市销售;8 月 1 日起,全面启动兽药产品批准文号申报现场核查和抽样工作,全年完成 27 家生产企业的兽药 GMP 检查验收和 3240 批兽药产品文号报批审查工作。积极组织开展兽药专项检查活动,吸取"山东疫苗事件"教训,先后开展了兽用生物制品大检查行动 2 次,共检查企业 5682 家,查处违规违法案件 7 件,罚没金额 1.2 万元。印发《四川省兽用抗菌药专项整治行动实施方案》《关于进一步加强兽药经营环节质量监管工作的通知》,发放《兽药经营承诺书》7000 份,进一步规范了全省行业秩序。严厉打击制售假劣兽药行为,全年完成兽药质量监督抽检 915 批,抽检合格率达 96.7%,较上年提高 0.2 个百分点;组织各市(州)对农业部发布的 14 批兽药质量监督抽检假劣产品进行了清查,坚持开展飞行检查、季度检查和跟踪检查。全年累计检查兽药生产、经营企业和动物用药单位 4.34 万个次,立案 122 件(其中移交司法案件 1 件),货值金额 76 万余元,罚没金额 69.44 万元;开展宣传培训 671 期,培训人员 4.52 万人次,发放宣传资料 30 万份(册)。开展畜产品兽药残留监控,完成畜产品兽药残留监控抽样样本 4909 批,样品包括猪肉、牛肉、羊肉、禽蛋、禽肉、牛奶 6 种动物性产品;检测兽药残留物 37 种,其中 2 批鸡蛋样品检出氟喹诺酮类药物残留超标,对超标样品进行了追踪溯源;在 36 个养殖场进行耐药性监测抽样,共抽取样本 3722 批,分离、鉴定沙门氏菌、大肠杆菌和金黄色葡萄球菌菌株 1154 株,对其中 939 株细菌进行了 16 种药物的耐药性监测,为科学合理指导养殖用药提供了技术支撑。

四川省农业厅编写组

水 产 业

【基本情况】 2016年,四川省水产业以"创新、协调、绿色、开放、共享"五大发展理念为引领,以"提质增效转方式、稳量增收可持续"为工作主线,坚持宜渔则渔,深化供给侧结构性改革,加快转方式、调结构步伐,保持了渔业经济平稳发展势头,实现了"十三五"良好开局。

【水产养殖】 2016年,四川省水产养殖面积达21.49万公顷(不含稻田养鱼面积),比上年增加0.34万公顷,增长1.61%,其中池塘10.84万公顷、水库8.17万公顷、河沟2万公顷、湖泊及其他0.48万公顷。稻田养鱼面积31.21万公顷,比上年增加0.32万公顷。全省水产品总产量145.44万吨,其中养殖产量139.58万吨,比上年增加6.86万吨,增长5.17%,占总产量的95.97%;捕捞产量5.86万吨。养殖产量中,池塘71.88万吨、水库23.71万吨、河沟7.88万吨、稻田35.09万吨、湖泊及其他1.02万吨。草鱼、鲢鱼、鳙鱼、鲤鱼、鲫鱼等常规品种产量稳中有增,达106.02万吨,比上年增加5.63万吨,增长5.6%,占总产量的72.89%。名特优水产品养殖产量稳步增长,达39.42万吨,比上年增加1.12万吨,增长2.92%,占总产量的27.1%。

【结构调整】 2016年,四川省农业厅转变传统主养草鱼搭配鲢鳙鱼的养殖模式,积极发展泥鳅、黄颡鱼、鲈鱼等特色优势品种养殖,不断提高名特优水产品养殖比重。加快发展休闲渔业,大中城市周边结合乡村旅游集餐饮、观光、度假于一体的大型休闲渔业基地不断涌现,延伸了渔业产业链条,带动了相关产业发展,为农民增收提供了更加广阔的渠道。全省休闲渔业产值达28.19亿元,同比增长28.82%。以优质水稻种植和优质水产品养殖相结合的粮经复合稻鱼综合种养模式加快发展,在邛崃市、江油市、隆昌县等地建设稻鱼综合种养技术示范面积2万亩,新增稻鱼综合种养面积11.2万亩。大力培育新型水产经营主体,全省水产企业超过1500家,其中国家级水产龙头企业2家、省级水产龙头企业7家;水产专业合作社达3289个,其中国家级水产示范合作社14个、省级水产示范合作社73个;水产养殖专业大户10306户;家庭渔场1287个。

【安全生产】 2016年,四川省农业厅认真落实中央、省安全生产工作要求,以渔船安全生产监管为重点,加强监督检查和隐患排查,共检查渔船9473艘次,其中整改386艘、行政处罚271艘。全年培训渔业行政执法船船员209人,培训内陆渔业船舶验船师141人。全年水产行业未发生安全责任事故。

【渔业资源保护】 2016年,四川省农业厅落实天然水域春季禁渔期制度,加强舆论宣传和执法监督,严厉整治电、毒、炸等非法捕捞行为。各地查获违禁捕捞渔船131艘,取缔深水张网1854张,查处电鱼器453台(套),没收违法捕捞渔获物4000余千克,查处违法销售渔获物1500千克,没收"三无"渔船52艘,行政处罚397人,刑事处罚18人。积极筹措资金开展鱼类增殖放流,共向天然水域放流各类鱼苗、鱼种1.1亿尾,促进了天然水域渔业资源增殖。建立省级水产种质资源保护区3个。办理水生野生动物经营利用证55份、驯养繁殖证88份、运输证8份、捕捞证4份、涉鱼工程审批12个。

【水产品质量安全监管】 2016年,四川省农业厅积极推进病害远程诊断、质量安全追溯体系建设及国家水产品质量安全示范县创建工作,大力开展水产品质量安全专项整治,严厉打击使用违禁药物等行为,圆满完成农业部、省级水产品质量安全监测和抽检工作。全省各级共抽检水产品10303个,合格率达99.95%;复查换证无公害水产品生产基地34个及无公害水产品190个,新认定无公害水产品生产基地25个;创建农业部渔业健康养殖示范县1个。

【水产科技】 2016年,四川省获得省部级科技成果、技术推广奖项3项,完成14项水产地方标准的编制和初审工作。四川省农业厅发布2016年渔业主导品种11大类14个品种,发布渔业主推技术3大类11项。落实基层水产技术推广体系改革与建设补助项目资金1800余万元,积极开展技术培训与职业技能鉴定,220人次获得职业技能合格证;实施农业部渔业节能减排项目和渔业渔政信息化示范项目各1个。扎实开展水产养殖动物病害测报,完成365名官方兽医(水生动物)的资格确认工作。

【水产技术扶贫】 2016年,四川省农业厅积极开展水产技术扶贫和产业扶贫工作,派出5名工作人员到阿坝州5个县蹲点开展水产技术扶贫,特别是协助茂县、九寨沟县发展特色水产养殖。开展分片蹲点调研督导,指导各驻村农技员做好产业帮扶工作。

2016年四川省重点县(市、区)渔业基本情况统计表

县(市、区)	总人口(万人)	渔业经济总产值(万元)	水产品总产量(吨)	捕捞产量(吨)	养殖产量(吨)	养殖面积(公顷)
仁寿县	157.04	116424	48460	—	48460	8247
眉山市东坡区	87.71	210528	37580	106	37474	3216
井研县	42	66408	35000	30	34970	1524
泸县	108.7	45100	34406	636	33770	3089
简阳市	148.5	66880	32000	870	31130	5953
资中县	128.1	70410	28420	901	27519	3030
内江市东兴区	88.3	62333	25754	797	24957	2282
隆昌县	77.91	78730	25604	1544	24060	1859
安岳县	160.8	39796	23582	1428	22154	4237

四川省农业厅编写组

特色效益农业

综　述

【基本情况】 2016年,四川省扎实推进现代农业发展和农业供给侧结构性改革,以“转方式、调结构、创品牌、提质量、增效益、促增收”为总体思路,加大技术创新力度,优化现代元素配置,加快绿色发展步伐,提升现代经作产业建设质量和效益,全力打造川菜、川茶、川果、川药等优势特色产业,圆满完成各项目标任务,为全省农业增效、农民增收和产业扶贫做出了重要贡献。

【产业规模稳步提升】 2016年,四川省经济作物总面积达4013.81万亩,同比增长1.48%,其中蔬菜(食用菌)面积2058.6万亩,同比增长1.7%;茶叶面积494.6万亩,同比增长2.5%;水果面积994.8万亩,同比增长2.7%;中药材面积179.2万亩,同比增长6.5%。全省经济作物总产量达5535.02万吨,同比增长3.19%,其中蔬菜(食用菌)产量4535.2万吨,同比增长2.9%;水果产量850.5万吨,同比增长5.5%;茶叶产量26.5万吨,同比增长6.6%;中药材产量46.4万吨,同比增长5.9%。

【产业布局更加优化】 2016年,四川省农业厅立足多样化的生态条件,结合产业基础、市场需求,筛选确定主导产业,科学规划布局,集中连片发展。全省有果、蔬、茶10万亩以上规模化、标准化产业基地县137个,其中蔬菜86个、水果28个、茶叶23个。全省特色产业基地规模化、标准化水平已跃居全国前列、西部首位,基本形成了川西600万亩“稻菜”轮作产业带、盆周200万亩高山蔬菜产业带、川南300万亩早春蔬菜带、川西南盆周300万亩名优绿茶产业带、川东200万亩优质富硒茶产业带、龙门山脉60万亩优质猕猴桃产业带、川西盆地100万亩晚熟柑橘产业带、川中100万亩柠檬产业带集中发展区。

【产业结构日趋合理】 2016年,四川省农业厅主动适应消费升级需求,大力引进推广优新品种和创新技术,全省推广果、蔬、茶优新品种65个,优质晚熟柑橘面积达26%;红黄绿肉猕猴桃比例达8∶1∶1,已建成全国最大的优质红肉猕猴桃产区;蔬菜优良品种覆盖率达98%。全省茶叶“一主三辅”产品结构调整不断推进,夏秋茶原料利用率不断提高;名优茶产量16.24万吨,大宗茶产量11.8万吨,绿茶、红茶、黑茶产量分别占总产量的84%、4.4%、10.1%,其他占总产量的0.42%(主要是乌龙茶和黄茶)。

【产业强县不断涌现】 2016年,四川省共建设现代经作产业标准化基地222万亩,完成目标任务的111%;创建菜、果、茶标准化基地55个。通过创建大基地、培育大产业,推进果、茶、菜特色产业转型升级和提升发展,一批特色产业强县(强市)成功建成。苍溪县、安岳县、雅安市名山区、会理县已分别建成全国规模最大的红心猕猴桃生产基地、全国最大的柠檬生产基地、全国第一茶叶县和“中国石榴第一县”;攀西地区、泸州市分别建成全国最大的晚熟芒果基地、全国最大的晚熟荔枝生产基地;建成以川西平原为核心的全国最大的秋冬喜凉蔬菜基地。宜宾市、乐山市、雅安市茶园面积占全省茶园总面积的60%,雅安市名山区、峨眉山市、高县等20个茶叶重点县茶园面积占全省茶园总面积的76%,一批茶叶强市、强县陆续涌现。

【产业环境不断优化】 2016年,四川省农业厅努力争取省委省政府和农业部对全省特色产业发展的重视和支持,省委《关于推进绿色发展建设美丽四川的决定》中明确提出“发展特色效益农业,做大果蔬、茶叶、中药材等产业”。成功承办全国果茶绿色发展经验交流会、全国生产水果形势分析会、全国园艺作物标准园创建培训会、中国柑橘年会、中国茶叶科技年会5个大型全国性会议。11月15日,农业部副部长余欣荣在参观全国果茶绿色发展经验交流会现场时,对丹棱柑橘基地做出了“特色鲜明,气势很大,很受启发”的高度评价,在大会上充分肯定了四川特色产业发展取得的成就,指出四川工作具有很好的示范意义和推广价值。成功承办了省政府召开的全省深化现代农业林业建设工作会议,会议全面总结了第二轮现代农业重点县建设工作情况并启动了第三轮现代农业示范县重点县建设工作。

四川省农业厅编写组

水果产业

【基本情况】 2016年,四川省水果种植总面积994.8万亩,产量850.5万吨,分别比上年增长2.65%和5.46%,其中柑橘面积423.4万亩,产量401.7万吨;梨面积117.5万亩,产量99.7万吨;桃面积75万亩,产量57.2万吨;苹果面积56.7万亩,产量62.7万吨;猕猴桃面积60万亩,产量24.4万吨;葡萄面积46.4万亩,产量35.5万吨。

【水果产业发展态势平稳】 2016年,四川省水果产业发展态势总体平稳。一是柑橘总体发展势头放缓。占总量70%以上的中熟柑橘发展相对缓慢,将重点放在了优化结构、改造提升上;不知火、清见、春见、塔罗科血橙新系等晚熟柑橘发展迅速,品种和熟期结构得到进一步优化,同时带动了休闲农业蓬勃发展,实现三产互动。二是优势特色水果迅速发展。生态优势突出、地域特色鲜明、市场优势明显的伏季水果发展迅速,猕猴桃面积达60万亩,攀西晚熟芒果面积达50万亩,枇杷、梨、桃等传统果类增长缓慢或略有下降。三是产业聚集趋势更加明显,初步形成了以成都、德阳、广元、雅安等为重点的龙门山脉优质猕猴桃产业带,以攀枝花市仁和区、米易、盐边等为重点的攀西优质晚熟芒果产业带,以眉山、成都等为重点的晚熟柑橘产业带,以阿坝、雅安等为重点的高海拔民族地区优质甜樱桃生产区,以资阳、内江、遂宁、南充等为重点的柠檬产业带,以会理、西昌等为重点的优质石榴生产区,以合江、泸州市江阳区、泸州市龙马潭区等为重点的晚熟荔枝龙眼生产区。四是销售价格市场总体顺畅。受年初低温雨雪天气影响,全省枇杷减产80%~90%,部分产区几乎绝收;荔枝产量减少60%左右,价格翻番;晚熟柑橘塔罗科血橙、春见、不知火、清见等高价畅销;攀西晚熟芒果价格与上年基本持平,红阳猕猴桃、柠檬销售好于上年。

【水果产业提质增效】 2016年,四川省加快富顺县、苍溪县、邻水县、安岳县、攀枝花市仁和区、华蓥市等以水果为重点的现代农业重点县建设,促进柑橘、猕猴桃、葡萄、芒果等产业加快发展。开展园艺作物标准园创建,以农业部园艺作物标准园创建为契机,加快全省水果标准化园区建设,示范、引领全省水果产业提质增效。抓好产业扶贫攻坚,贯彻落实中央和省关于扶贫攻坚的决策部署,做好产业发展技术支撑,编写了梨、桃、苹果、李子等主要果类周年工作月历。加快新品种、新技术推广运用,选育出了1—5月相继成熟的塔罗科血橙新品种、品质和红色素均优于“红阳”的红肉猕猴桃新品种和“羌脆李”等优新品种并在生产上着力推广,高厢深沟起垄稀植、水肥一体化、葡萄避雨栽培、猕猴桃早结丰产、果园综合利用“果—菜”模式、合理种植密度、简易修剪、留树保鲜延后采收等优新技术得到推广应用。

四川省农业厅编写组

蔬菜产业

【基本情况】 2016年,四川省蔬菜种植面积2058.6万亩,比上年增加20万亩,同比增长0.99%;产量4291万吨,比上年增加50万吨,增长1.18%,种植面积居全国第六位,产量居全国第五位。全年实现蔬菜产值1057亿元,比上年增加36亿元,同比增长3.53%,实现人均增收40.84元。

【保障供给能力提高】 2016年,四川省建成全国最大的冬春喜凉蔬菜基地,保障了全省9100余万人口的基本蔬菜需求。同时,常年外销鲜菜600余万吨到重庆、西藏、宁夏等周边省(市)及“三北”地区,调剂了全国蔬菜市场供给。攀西地区冬春喜温蔬菜、川南地区“春提前”“秋延后”设施蔬菜以及盆周山区高山蔬菜稳步发展,缓解了蔬菜季节性品种短缺,周年均衡生产供应能力明显提升。

【质量安全水平提升】 2016年,四川省农业厅组织实施2016年园艺作物标准园创建项目,建成10个蔬菜标准园,辐射带动区域蔬菜标准化生产。大力推广优质丰产抗病品种、标准化生产、绿色防控等技术,构建了蔬菜优质安全生产体系,农业部对全省蔬菜质量安全监测合格率达99.3%,高于全国平均值1.3个百分点,居全国前列。

【供澳蔬菜基地加快建设】 2016年,四川省供澳蔬菜出口备案基地规模由6478亩增加至2.5万亩,范围从成都地区辐射发展到广元市朝天区、峨眉山市等地,备案基地规模的不断扩大对今后四川省蔬菜供澳乃至出口将起到积极作用。

【四川蔬菜品牌形象展示】 2016年4月27日—5月2日,在泸州市召开了首届蔬菜品赏会;11月1日—5日,在彭州市召开了第七届中国·四川(彭州)蔬菜博览会;组织参加了第四届四川农博会、第十七届中国绿色食品博览会、第十四届中国国际农产品交易会等,借助各种博览会、展销会等平台开展蔬菜产品宣传推介,展示了四川蔬菜的品牌形象。

【蔬菜生产信息监测工作有序推进】 2016年,四川省完成旬度报表36次、月度报表12次、季度报表4次、年度报表1次,及时掌握了蔬菜生产动态、适时发布预警信息对科学研判发展趋势、指导农民合理安排生产和销售起到了积极作用。在2016年农业部蔬菜生产信息监测考核中,四川省获得省级考评A级第2名的优异成绩。

【助推蔬菜产业扶贫攻坚】 2016年,四川省农业厅制订了“三大片区”蔬菜产业扶贫行动方案,计划到2020年建设300万亩蔬菜产业基地。结合贫困地区蔬菜生产实际,提出了分片区主推品种的意见建议。组织四川省农科院、成都市农科院、四川农业大学等科研单位院所专家到对口帮扶村开展技术培训,提升贫困地区蔬菜生产水平。

四川省农业厅编写组

油料作物

【基本情况】 四川省是全国油料生产大省,2016年,全省油料作物种植面积达1959.79万亩,同比增长0.6%,其中油菜种植面积1538.6万亩,同比增长0.7%;单产157千克/亩,同比增长1.5%;总产量242.1万吨,同比增长2.1%,总产量和总面积实现了“十四连增”,分别居全国第一位和第二位。

【整合政策项目】 2016年,四川省突出油料标准化产业基地建设,结合高标准农田建设,重点整合产油大县和部(省)级绿色高产高效创建项目,夯实产能基础。全省统筹产油大县资金3.8亿元,集中用于油料基地、仓储加工设施配套、高产高效技术推广等方面,其中通过竞争立项,引入第三方考评机构,在20个县(市、区)全面推进产油大县示范县建设,投入资金2亿元。

【推广应用优良品种】 2016年,四川省农业厅充分发挥全省油菜育种优势,大力培育示范宜机播机收、产量品质稳定、抗逆性强的油菜新品种。全省油菜主要推广品种有10余个,主推品种在平原、丘陵、山地等不同区域试验示范展示实现了全覆盖,其中“川油”“德油”“蓉油”“南油”“蜀杂油”等系列品种在盆地不同区域得到大面积推广。

【落实轻简实用技术】 2016年,四川省农业厅针对全省农业机械化发展相对滞后、农村劳动力缺乏等问题,按照“集中突破、分类推进”的思路,大力推广油菜轻简实用技术。在成都平原区集中推进以大型农机具为主导的机播机收全程一体化发展;在盆中丘陵区大力推进中型机具机耕、以病虫害统防统治为主导的机械化分段式发展;在盆周山区突出小型农机具推广,提高机械化水平。

【探索体制机制创新】 2016年,四川省农业厅积极培育新型农业经营主体、社会化服务主体,引导农民群众采取租赁、转包、托管等方式流转经营权,探索以合作社、股份制等形式发展适度规模经营。抓好公益性服务机构建设,引导懂农业技术、有生产要素、懂市场经营的农民创办领办经营性服务机构,扩大政府购买公益性服务机制创新试点,加快发展产前、产中、产后的农业全程社会化服务。

四川省农业厅编写组

茶产业

【基本情况】 2016年,四川省茶产业按照“高产、优质、高效、生态、安全”的现代农业发展要求开展工作,在品种改良、基地建设、品质提升、安全生产、品牌打造等方面取得了显著成效。

【产业规模不断扩大】 2016年,四川省茶园面积达494.59万亩,茶叶总产量26.47万吨,分别比上年增加12.2万亩、1.63万吨,分别增长2.53%、6.56%。全省无性系良种茶园面积达393万亩,有茶产业优势县32个,“两带两区”茶产业基地基本建成。

【品牌建设成效显著】 2016年,四川省级区域大品牌“天府龙芽”正式亮相并在国内外展会上进行了宣传造势。全省有地理标志保护茶产品28个,“蒙顶山茶”区域品牌价值达23.68亿元;有中国驰名商标14个、著名商标68个。旺苍县、雅安市名山区、万源市获得“中国名茶之乡”称号。

【产业带动效益明显】 2016年,四川省茶产业的快速发展带动了饮料、包装、茶楼、物流等相关产业的发展。全年实现毛茶产值190亿元、综合产值550亿元,较上年分别增加33亿元、50亿元,分别增长21.02%和10%。全省有茶叶专业合作社867个、省级示范社67个、种植大户1029户、家庭农场568个,带动茶农近100万人,茶农茶叶人均增收412元。

【领导重视力度不断加强】 2016年,四川省委书记王东明,省长尹力,省委常委、省委农工委主任曲木史哈等省领导先后对茶产业发展做出重要批示15次,要求各部门要充分发挥各自职能,通力协作,加快推进茶产业转型升级。省委常委、省委农工委主任曲木史哈,副省长王铭晖主持召开了茶产业发展省级联席会议第四次会议,研究决定川茶产业当前和今后一段时间的重点工作,形成了会议纪要,明确了把茶叶标准化机采基地建设作为重点。省级联席会议成员单位支持茶产业发展项目资金近2亿元,其中用于"天府龙芽"品牌打造资金5000万元。

【基地建设标准化】 2016年,四川省"两带两区"茶产业基地建设有序推进("两带",即300万亩川西南名优绿茶产业带、200万亩川东北优质富硒茶产业带;"两区",即10万亩川中茉莉花茶集中发展区和工夫红茶集中发展区)。加大机采技术推广力度,全年建成标准化机采基地20万亩,比上年增加10万亩,增长一倍;单产56.27千克,比上年增加4.8千克,增长9.32%,高出全国亩产量3.5千克,首次超过全国水平。加快茶树优新品种的选育和推广,3个茶树品种通过省品种委员会审定。近5年来,全省自行选育茶树优新品种17个,良种推广率达79%,高出全国22.5个百分点。强化茶园质量安全,推广病虫害生态综合防治技术,引入环境保护、生态安全的友好型茶叶生产模式,全省茶园绿色防控面积达364.78万亩,其中无公害茶园面积361.2万亩、绿色食品127.3万亩、有机基地5.95万亩、质量追溯面积12.3万亩。

【加大宣传推广,提高品牌影响力】 2016年,四川省级区域大品牌——"天府龙芽"在第五届四川国际茶博会暨天府龙芽茶文化节上亮相,与中央电视台联合举办了"天府龙芽川茶区域品牌高峰论坛"。举办第五届四川国际茶博会暨天府龙芽茶文化节,各主产区区域品牌和企业品牌得到充分展示,多元化的茶类产品得到展现,茶博会总交易额达12.48亿元,比上届增长15.8%。乐山市、雅安市、成都市、泸州市纳溪区、旺苍县等主产茶区在本地或异地纷纷举办了形式多样的茶事活动和评选活动,犍为县、万源市、雅安市雨城区被评为第五届"中国名茶之乡"。达州市在中央电视台七套《农业气象》栏目和全国300余个动车候车室投放"四川达州富硒茶"广告宣传片。积极组织茶企参加"川货全国行"、"万货出国门"、俄罗斯茶博会、中国香港茶博会等展示展销活动,"天府龙芽"系列产品在英国、俄罗斯、中国香港、北京等国家和地区展示,品牌知名度唱响国内外。

【推进茶旅融合,培育茶产业新的增长点】 2016年,四川省积极推进"茶旅游",充分挖掘茶文化和旅游资源,将名茶与名山、名水、名人有机结合,利用"五一""十一"等节假日为消费者设计茶旅游精品项目,推进一二三产业融合发展,使茶文化旅游成为茶产业新的增长点。推进"茶体验",建设茶文化风情体验园,拓展茶叶现代园区功能,展示茶叶从采摘、加工、质检、包装到品饮的整个过程,介绍茶叶基本知识,游客可自己采摘、加工,亲自尝试制茶工艺,体验茶农乐趣。泸州市纳溪区按照"一地一景观"和"一庄一特色"的原则,打造了白节瀚源茶庄、护国凤岭茶庄和梅岭茶庄等5个示范园区,被评为"2016年度全国特色茶旅游资源区"。推进"茶文化",将茶风味特色食品(如茶饼干、茶月饼、茶饮料等)、茶文化商品(如茶具、相关书画等)、用茶制作的纪念品、茶微电影、茶歌曲等在景区全方位展示,让游客在旅游中可看、可听、可饮、可食,感受和参与茶文化,促进茶产业发展。

【完善服务体系,提升产业整体水平】 2016年,四川省农业厅牵头修订了《川红工夫红加工技术规程》,引入了最新科技发展成果,对规范企业生产、确保产品品质具有指导性、操作性和代表性作用。宜宾市制定了《宜宾绿色茶产品生产技术规范》等9个系列地方标准。在不同季节、不同区域针对不同茶产品开展生产加工技术培训,8月在沐川县举办了全省机采鲜叶加工技术现场培训会,培训人数达200余人,全面提高了茶农和加工工人的技术水平;博茗茶技能培训中心和四川农业大学、宜宾学院等近10个校内高等专业培训中心培训评茶、茶艺茶道专业人员1000余人次,为"千亿茶产业"的可持续发展提供了技术和智力支撑。完善服务中介组织,川茶品牌促进会、省茶叶学会、茶叶行业协会等茶叶行业专业服务体系积极参与行业自律、市场协调监督、科研协作、人才培养、产业宣传、茶文化传播等工作,为政府职能部门决策当好参谋,推动全省茶产业健康快速发展。

四川省农业厅编写组

食(药)用菌产业

【基本情况】 2016年,四川省食用菌总产量169万吨,同比增加11万吨,增长7%;实现产值68亿元,同比增加2亿元,增长3%,分别居全国第六位、西部第一位。

【羊肚菌产业加快发展】 2016年,四川省羊肚菌人工栽培实现商业化运作后,成都、阿坝、甘孜、凉山等地的羊肚菌种植规模大幅增长。全省羊肚菌种植面积达1.5万亩,占全国羊肚菌种植总面积的60%~70%,成为全国最大的羊肚菌生产基地。

【科技支撑能力增强】 2016年,依托四川省食用菌创新团队和地方科研院所,开展了羊肚菌、毛木耳、大球盖菇等新品种、新技术、新模式研究、试验和推广。7月,四川省园艺作物技术推广总站与省农科院土肥所联合在成都市召开了"羊肚菌高效栽培技术研讨会",针对羊肚菌产业发展技术难题提出了解决措施,明确了今后科技攻关的方向。

【会展效应更加明显】 2016年3月12日,由四川省农业厅、成都市人民政府主办的第三届四川(金堂)食用菌博览会在金堂县召开。该届菌博会以"绿色、融合、共享"为主题,组织召开了传统食用菌产业转型升级、珍稀食用菌栽培等多场专业性学术论坛,发布了最新研究成果和行业发展动态,开展了食用菌新技术、新产品展示展销,签约项目31个,总金额达11.6亿元。

【扶贫攻坚效果良好】 2016年,依托四川省食用菌科技创新团队,在甘孜、阿坝、马边、德昌等贫困地区开展野生珍稀食用菌保育和羊肚菌、香菇、黑木耳、银耳等特色食用菌示范推广。在巴中、广元等食用菌主产区贫困县开展了基层农技人员知识更新培训,巩固提升食用菌生产水平,促进贫困地区食用菌产业健康稳定发展,为脱贫攻坚做出了积极贡献。

四川省农业厅编写组

蚕桑产业

【基本情况】 2016年,四川省蚕桑产业坚持以提高质量效益为目标,以培育新型经营主体为核心,以机制创新为重点,积极推动蚕桑产业转型升级,增强市场竞争力,促进农民持续增收。全省共有18个市(州)98个县(市、区)100万名蚕农从事栽桑养蚕,全年新栽桑2万亩,桑园面积达187万亩,其中果叶兼用桑园面积达12万亩,桑果产量达6万吨,居全国第一位。全省有蚕种生产单位16家、蚕种冷库5座,全年生产原种3万张、一代杂交蚕种185万张。全年养蚕205万张,产茧7.7万吨,蚕茧产量居全国第二位;实现蚕桑产业综合产值65.5亿元。

【基地建设】 2016年,四川省继续推进攀西、川南、川中北三个优势蚕桑产业带建设,其产茧量占全省产茧总量的 90%以上,呈现适度规模和聚集发展态势。编制产业发展规划,指导制订财政项目实施方案,推动果桑、养蚕、蚕茧加工同步推进。结合全省蚕桑中长期规划,指导省级财政项目县开展标准桑园、小蚕共育室及养蚕设施建设。开展现场蚕桑技术培训,推广优质高效生产技术,加快精品蚕业发展步伐。在绵阳市涪城区召开全省现代蚕桑产业基地建设现场会,总结全省蚕桑基地建设典型经验,研究部署产业转型的办法措施。

【机制创新】 2016 年,四川省持续推进产业机制创新,进一步总结推广"企业带动型""政府主导型""合作社型"等产业化发展模式,推进"公司+合作社+农户""公司+共育户+农户"的利益联结机制建设。大力推广"涪城模式",通过龙头企业土地流转、返租倒包等方式扩大规模经营,重点扶持蚕桑专业合作社、家庭农场、种养大户等新型经营主体,全省 10 亩以上种养大户有 8 万户,30 亩以上家庭农场有 2600 家。开展新型经营主体和新型职业农民培育,采取现场观摩学习、相互交流、专家授课等方式进行培训,在绵阳市涪城区、西充县举办 3 期新型经营主体培训,参训人员超过 200 人。

【技术创新】 2016 年,四川省农业厅加快蚕桑优良品种推广,加大"芳·绣×白·春""川山×蜀水""雄蚕品种""川桑 48-3""川桑 98-1"等优良蚕桑品种推广力度。将优质品种、生产技术纳入全省农业推广目录,合理安排生产布局,扩大良种良法覆盖范围,新蚕品种推广比例达 85%。狠抓蚕桑关键技术落实,大力推广"一步建园、良桑嫁接、配方施肥"等桑树栽培技术,加大小蚕共育技术和仪评收茧推广力度,全省小蚕共育面达 70%,仪评收茧推广面达 60%以上。科学布局间套品种,积极推广"6215"栽植模式,全省桑园套种率达 54%,形成"春菜(草、菇)—夏苕(豆、药)—秋薯(榨菜)"生产格局。编制完成并发布实施《桑蚕自动上蔟技术规程》《桑树品种区域适应性试验技术》《桑蚕氟化物中毒诊断技术规程》3 个省级农业地方标准。

【良种繁育】 2016 年,四川省农业厅组织开展新蚕品种鉴定试验、蚕品种比较试验,组织 3 家企业开展联合缫丝试验。安排组织 7 个县(区)示范推广"芳·绣×白·春"8000 余张,安排青神县等地开展"川桑 48-3"等良桑品种示范推广,组织巴中、广元、达州等地开展柞蚕放养示范。举办蚕品种生产技术推广培训会,组织全省蚕业部门到省外考察桑蚕、柞蚕产业,增进省内外学术、技术交流合作。

【蚕种检验】 2016 年,四川省农业厅切实抓好产品质量安全,规范蚕种检验检疫,完成原种、一代杂交种母蛾检验、成品检疫、成品检验等监督检验工作,对不合格蚕种实施封存与现场销毁。全年蚕种检验合格率达 99%以上,确保了广大蚕农用种安全。组织省内 6 家蚕种检验机构开展实验室间比对,开展市(州)蚕种质检工作现场评价与业务指导,开展质量控制、仪器管理、检验资质专项检查。

【品牌建设】 2016 年,四川省农业厅依托全省茧丝质量优势,推动区域品牌、企业品牌、产品品牌建设取得突破。凉山桑蚕茧、盐边桑蚕茧、盐边桑椹、德昌桑椹分别获得农业部"农产品地理标志登记证书""绿色食品 A 级产品"中国地理标志产品认证。绵阳市"涪城蚕茧"、自贡市"白雀牌"蚕丝被、宁南县"南丝路"牌蚕茧分别获得四川省著名商标、中国四川西部博览会金奖、四川省名优产品等多项证书,产品畅销国内外。2016 年,盐边县被中国蚕学会命名为"中国果桑之乡"。

【精准扶贫】 2016 年,四川省农业厅将蚕桑发展融入农业产业精准扶贫、精准脱贫中心工作中,督促各地积极开展产业扶贫和技术帮扶,在全省确定的贫困村中有 698 个贫困村将蚕桑作为脱贫主导产业。围绕"人平两亩桑,脱贫奔小康"精准扶贫模式,制定蚕桑产业精准扶贫、精准脱贫计划,帮助贫困村、贫困户脱贫致富。兴文县 57 个贫困村中有 22 个村、1777 户建卡贫困户从事栽桑养蚕,全年桑园面积达 1.1 万亩,人均养蚕收入 2036 元,1527 户贫困户通过发展蚕桑产业实现脱贫,生活得到明显改善。

四川省农业厅编写组

花卉产业

【基本情况】 2016 年,四川省花卉种植总面积 136 万亩,比上年增加 7.2 万亩,其中鲜切花切叶种植面积 6.9 万亩、盆栽植物种植面积 14.8 万亩、绿化观赏苗木种植面积 60 万亩、食用与药用花卉种植面积 41.5 万亩;实现销售收入 6.96 亿元,比上年增加 4.1 亿元。全省共有各种花卉市场 287 个、花卉企业 1418 家、大中型企业 233 家,从业人员达 29 万人。

【促进花卉产业转型升级】 2016 年,四川省各地积极促进花卉产业转型,打造花卉休闲旅游。以花卉产业基地为载体,扩展产业功能,促进产业融合,建成了一批集农业观光、休闲度假、赏花美食、婚纱摄影、花卉研发、一站式购物等于一体的体验式花卉旅游场所,促进了一三产业互动,推动了全省花卉产业转型升级。建成与国际接轨的现代化成都春天花卉市场,为促进花卉大流通、发展花卉大产业打下了坚实基础。突破传统种植模式,深入挖掘花木编织技艺,整合花木编艺资源,组建花木合作社,引进专业设计平台,不断研发花木编艺领域艺术化、小型化、个性化、品牌化特色产品,拓展家庭、办公、订制、公共市场,引导花农走花木景区化种植、资源规模化集成、产业融合化发展的路子,推动农旅一体,一三联动调整产业结构。举办了"2016 中国·温江第二届花木编艺文化旅游活动",塑造"寿安编艺"品牌、文化标杆和产业标杆,把"寿安编艺小镇"打造成为产村相融的示范区,使之成为促进农村发展、农民增收的有效途径。将花文化和花卉元素融入第三产业,极大地带动了旅游、休闲、观光产业发展。组织汇编了《川派盆景画册》,将优秀的、具有代表性的作品以图片和文字的方式流传下来,以传承、宣传和弘扬川派盆景艺术。举办了"2016 中国(郫县)首届川派盆景博览会",增强了同各地的交流合作,促进了旅游、休闲、观光产业的发展,将有几千年历史和深厚文化底蕴的川派盆景艺术向更多人展示,推动了川派盆景的发展。

四川省农业厅编写组

中药材产业

【基本情况】 2016 年,四川省中药材种植面积 179 万亩,产量 46.2 万吨(农业部分),分别比上年增长 6.39%、5.31%。制定了四川省地方标准《重楼生产技术规程》。审定了"川姜黄 1 号""川蓬 2 号""川益 1 号""川天魔金绿 1 号""中附 4 号""仙山云芝""攀首乌 1 号""乐斛 1 号""南银 1 号"9 个品种。

【业务培训】 2016 年 4 月 19 日,在成都市举办了全省中药材培训会,各市(州)和药材重点县农业局分管局长、经作站站长参加了培训。农业厅副厅长涂建华出席培训会并做了题为"四川省中药材产业发展的思路和对策"的报告,有关专家就充分利用四川药材资源、中药材种植中面临的机遇和挑战、政策性农业信贷担保的职能和作用、"互联网+中药材"的应用等进行了讲解。

【第五届中医药现代化国际科技大会】 2016 年 10 月 24 日—25 日,由科技部、工业和信息化部、农业部、国家卫生计生委、食品药品监管总局、国家中医药管理局等 14 部委与省政府共同主办的"第五届中医药现代化国际科技大会"在成都市召开。大会以"中医药科技创新与大健康产业”为主题，围绕中医药资源、中医理论、中药研发、针灸、治未病、民族医药等领域举办了13个主题分会和中医药与生物医药大健康创新创业等3个专题活动。

四川省农业厅编写组

特色经济林产业

【基本情况】 2016年，四川省各地以全省林业产业发展规划为指引，立足当地自然条件和资源禀赋，着力发展以核桃、花椒等为主的特色经济林产业，核桃、油橄榄、花椒和三木药材等特色经济林产业发展水平进入全国前列，“朝天核桃”“通江银耳”“金阳青花椒”“炉霍雪域俄色茶”“四川中藏药”等特色经济林产业品牌享誉海内外，特色经济林综合开发已成为山区农民增收致富的一条重要途径，对促进地方经济发展做出了较大贡献。

【规划引领】 2016年，四川省林业厅为充分发挥四川省特色经济林产业发展优势，进一步优化产业发展布局，各级政府注重在产业发展规划上下功夫。《四川省林业产业发展“十三五”规划》指出，“十三五”期间，全省将围绕推广良种良法、提高单位产量和产品质量加快推进特色经济林基地建设。采取改造、抚育或新建等方式培育核桃、油茶、油橄榄等木本油料林800万亩，培育杜仲、厚朴、黄柏、辛夷花、金银花等木本药材基地50万亩，培育(木)耳林、椿芽、树花菜等森林蔬菜基地40万亩，集约培育(青)花椒、银杏、枣子、板栗等特色干果基地和香樟、岩桂、红豆杉、无患子、互叶白千层、大马士革玫瑰等林产化工原料林基地310万亩。凉山州印发了《凉山州“1+X”生态产业发展实施方案》，“1”即核桃产业，“X”即核桃以外的经果林。《方案》明确，在未来三年(2016—2018年)将完成以核桃为主的生态产业基地1500万亩的建设任务，同时大力发展油橄榄、花椒、速丰林、茶桑果等其他经济林木为补充产业，把经济林产业作为发展生态林业产业的重要战略部署。

【基地建设规模不断扩大】 2016年，四川省各地结合林业工程和项目，整合扶贫、水利、农业综合开发等涉农项目，大力推进特色经济林规模化、集约化、标准化经营，现代产业基地规模快速增加。“十二五”以来，全省经济林面积每年增加200万亩。截至2016年年底，全省各类经济林栽培面积达4800万亩，产量613.2万吨，其中核桃栽培面积1737万亩，产量41.5万吨；凉山州核桃基地面积超过800万亩，盐源县、南江县、广元市朝天区等15个县(区)核桃种植面积超过40万亩。金阳县建成青花椒基地面积89万亩，占全省种植总面积的21.1%；青川县保存油橄榄基地面积9万亩，占全省种植面积的24.6%；开江县建成油橄榄基地8.1万亩、银杏基地10万亩，创建为“中国橄榄油之乡”“首批国家珍贵树种培育示范县”和“四川银杏之乡”。

【经济林树种良种数量不断增多】 2016年，四川省通过省级审(认)定的经济林树种良种共156个，约占全省林木良种总数的70%，其中核桃良种72个、油橄榄良种14个、花椒良种10个、油茶良种37个、竹良种17个、银杏良种6个。各地依托林木种苗工程、林木良种补贴、林木良种繁育体系建设等项目建设核桃良种基地近20个，其中被确定为国家级重点核桃良种基地1个、省级重点核桃良种基地4个；建成专用或兼用核桃良种采穗圃2万余亩；建成油茶定点采穗圃4个、油茶定点苗圃5个，年生产油茶良种穗条约300万根，年培育油茶良种苗木约1000万株；建成银杏国家良种基地1个。

【经济林产品加工能力不断增强】 2016年，四川省林业厅在抓好经济林基地建设的同时，注重扶持、培植和引进加工企业，不断促进特色经济林产品的加工转化。全省有特色经济林产品加工企业691家，产能244.5万吨，其中特色干果加工企业28家，产能10万吨；木本药材加工企业22家，产能7.8万吨；木本油料加工企业47家，产能12.9万吨；森林蔬菜加工企业56家，产能10.5万吨；特色水果加工企业90家，产能186.2万吨；茶叶加工企业433家，产能13.1万吨；其他产品加工企业15家，产能3.9万吨。

【政策保障】 2016年，四川省各地出台了一系列扶持政策，在特色林业产业培育上出实招。绵竹市制定了对公有制和非公有制林业企业同等标准的实贴资源利用、奖励、资金补助等政策，鼓励外地客商、外资企业参与绵竹市林业建设和产业开发，促进林业优势产业基地的规模化、产业化进程；开江县制定出台了《大力发展现代农业“221”工程实施意见》，每年预算安排油橄榄、银杏产业发展专项资金2000万元，引导涉农资金向产业基地整合，对连片发展油橄榄、银杏达500亩以上的按1000元/亩的标准分3年给予补贴，累计兑现补贴资金2800余万元。

【资金整合】 2016年，四川省林业厅按照“政府引导、农户主体、项目整合、信贷扶持、社会参与”的原则，不断拓展融资渠道，提升经济林产业发展效益。广元市朝天区财政每年预算500万元核桃产业发展基金专门用于基地建设、综合管护、品种改良、技术服务、品牌推介、加工营销等；设立200万元风险基金，探索“政银保”模式，对非林地内核桃树进行确权颁证；开江县整合各类资金7500余万元用于支持油橄榄、银杏产业发展，利用产业扶贫信贷基金发放贷款9300万元，安排1.5万余亩林业项目定向投放到37个贫困村，对参与特色林业产业种植的贫困户按5万元/户的标准给予财政贴息贷款，有效解决了产业资金短缺的现实问题。

【机制模式】 2016年，四川省各地坚持把创新模式和机制作为激活产业发展、促农增收的内生动力，大胆探索，敢于突破，呈现竞相赶超的良好态势。广元市朝天区大力发展“订单农业”，建立“龙头企业+专合组织+农户”的产业化新机制，引导龙头企业和农民专合组织发展订单生产；广元棒仁食品科技股份有限公司实行统一种植品种、统一技术指导、统一质量标准、采用“保底价+浮动价”形式统一回收产品的“四统一保”的利益兜底模式实现了龙头企业原材料就地采购、特色农产品就地加工、“企业”和林农双赢的利益新格局，公司成功创建为省级林业产业化龙头企业。成都市温江区着力打造“互联网+花木”平台，建有成都花木交易所、温江花木指数网、温江花木APP、温江花木微信群等运营平台，全年实现花木销售额18.8亿元，其中互联网销售额达5.64亿元，全区农民互联网人均交易额达7050元。

【科技创新】 2016年，四川省各地积极构建以企业为主体、市场为导向、产学研相结合的林业产业科技支撑体系，着力加强良种选育与推广，加强林产加工关键技术引进和研发，加强丰产栽培实用技术集成与示范，加强产业(品)标准化建设，加强基层技术人才和乡土人才培训，极大提升了林业产业发展的质量和效益。巴中市与中国林业科学院、四川省林业科学院、四川农业大学等科研院所合作，选育出通江核桃良种4个、南江核桃良种2个，引进“川早”“辽核”等早实品种系列9个。加强核桃科研技术攻关，“核桃工厂化快速繁育关键技术研究”获得省科技进步三等奖，“核桃果实害虫综合防治技术研究”“秦巴山区核桃标准化栽培及丰产培育技术研究与应用”分别获得市科技进步一等奖、二等奖。盐源县核桃产业化技术协会发明了核桃高位嫁接新技术——“鸭舌嫁接法”，该技术成果的推广应用使古老的核桃产业焕发出新的生机，助农增收效益显著。

【新型经营主体培育】 2016年，伴随林业企业、林业专业合作组织、家庭林场、专业大户等新型农业经营主体的大幅增加，四川省林业产业规模化、集约化、组织化程度持续提高。汉源县充分利用原料基地优势，引进以核桃为主的特色干果产品加工企业，增加产品附加值。汉源县五丰黎红公司推进年产 1200 吨核桃深加工产品生产线技改项目建设，辐射带动石棉、甘洛等周边县的企业进行核桃深加工。茂县六月红花椒专业合作社拥有绿色食品种植基地 5 个，面积达 1.5 万亩，年销售花椒成品 320 吨，实现销售额 4500 余万元，共计带动花椒基地及周边 4000 余户农户从中受益，被省委农工委评为四川省“省级示范农民专业合作经济组织”，授予“带农增收作用突出农民专业合作经济组织”和“全省农业产业化经营‘两个带动’先进单位”荣誉称号，被农业部评为“国家级农民专业合作示范社”。

四川省林业厅编写组

惠农政策

【农机购置补贴】 2016 年，四川省农机购置补贴工作对所有补贴产品实行“敞开补贴、应补尽补”，中央财政下达全省农机购置补贴资金 4.03 亿元，全年发放补贴资金 4.35 亿元(含上年结余)，补贴各类机具 27.5 万余台(套)，受益农户 24.41 万余户。省级财政安排资金 2000 万元，其中藏区累加补贴资金 500 万元、农机购置补贴工作经费 1500 万元，农机购置补贴政策实施范围覆盖全省所有农牧业县(市、区)。

【农业支持保护补贴】 2016 年，中央继续安排四川省开展农作物良种补贴、种粮农民直接补贴和农资综合补贴三项农业补贴改革试点，将三项补贴合并为“农业支持保护补贴”。改革后的农业支持保护补贴政策目标主要有两个，一是支持耕地地力保护，二是支持粮食适度规模经营。

【耕地地力保护补贴】 2016 年，中央下达四川省耕地地力保护补贴资金 66.56 亿元，对拥有耕地承包权的种地农民进行补贴。一是补贴方式。耕地地力保护补贴与耕地面积挂钩。耕地面积的核定以土地承包或土地确权面积为基础，按排除法进行调整。对已作为畜牧养殖场使用的耕地和林地、成片粮田转为设施农业用地、非农业征(占)用耕地等已改变用途的耕地以及长年抛荒地、占补平衡中“补”的面积和质量达不到耕种条件的耕地等不给予补贴。二是补贴标准。由各县(市、区)政府根据补贴资金总额和补贴面积统筹确定。三是兑付方式。经严格核实相关面积后，通过“一卡通”将补贴资金直接发放到土地承包户手中。

【粮食适度规模经营补贴】 2016 年，四川省农业厅支持主要粮食作物适度规模生产经营者重点向种粮大户、家庭农场、农民合作社、农业社会化服务组织等新型农业经营主体倾斜，支持方式主要有信贷担保、贷款贴息、现金直补、重大技术推广与服务补助等。

四川省农业厅编写组

国有农场

【基本情况】 2016 年，四川省农场系统有农场 134 个，其中农垦企业 39 家、良(原)种场 95 个；有职工 5266 人，其中农垦企业职工 2370 人、良(原)种场职工 2896 人，总人口近 2.36 万人。农场分布在全省 21 个市(州)的 110 余个县(市、区)的不同生态地区，土地面积 831.55 万亩，其中牧场面积 608.92 万亩、耕地面积 2.14 万亩、茶果桑园面积 4.86 万亩、水面 0.15 万亩、林地面积 42.55 万亩。

全省农场产业涉及种植业、畜牧业、农副产品加工业，形成了一二三产业综合经营、面向农村、逐步带动农村发展的产业群体。第一产业以良种、果、茶、奶、蛋、肉、鱼等农畜产品为主，在农场经济中具有基础地位；第二产业主要生产 10 余个门类 100 余个品种的工业产品，在农业产业化进程中发挥着龙头作用；第三产业涵盖了旅游、餐饮、市场、贸易、农技服务等多个行业，成为农场经济新的增长点。

【农场经济】 2016 年，四川省部分农垦企业因产业结构转型而减产，农场企业总数比上年减少 6 家，全省农场经济总量略微下滑。全省农场系统实现生产总值 39577 万元，同比减少 6.7%；完成固定资产投资总额 3201 万元，同比减少 62%；实现利润 4971 万元，同比减少 29.2%；上缴税金 4171 万元；职工人均年收入 39713 元，同比增长 8.1%；粮食产量减少 8.7%，水果产量减少 22%，牛奶产量减少 4.6%，肉类产量减少 2%。

【农场改革】 2016 年，为贯彻落实好中共中央国务院《关于进一步推进农垦改革发展的意见》，四川省农业厅先后对 12 个市(州)的 33 个重点农场进行了调研，征求和吸收了 20 个市(州)和省直属农场以及省发展改革委、财政厅、人力资源社会保障厅、国土资源厅、住房城乡建设厅等相关部门意见，同时学习借鉴云南、贵州等省的经验做法，邀请农业部督导组专家进行了指导和修改，按要求时限完成全省《关于推进农垦(农场)改革发展的实施意见(审议稿)》编制工作，并经农业和农村体制改革专项小组 28 个成员单位召开会议进行审议并原则通过，形成《实施意见》送审稿提交省委全面深化改革领导小组审议。

【农场扶贫开发】 2016 年，四川省国有农场扶贫项目总投资 1150 万元，其中中央财政扶贫资金 1081 万元、农场配套资金 69 万元，重点实施 6 个重点贫困农场扶贫项目，扶贫力度明显加大，积极落实实施农场财政扶贫项目，与财政厅专门研究资金分配方案，召集 6 个贫困农场的领导研究具体实施方案并对方案进行审批，定期督促检查验收，6 个重点贫困农场项目实施顺利。贫困农场扶贫开发项目的实施将大大改善贫困农场的生产生活条件，对贫困农场经济社会发展起到较大的推进作用。

【棚户区改造工程】 2016 年，四川省农场系统棚户区改造工程自 2011 年以来累计规划改造 7951 户，积极协调国家有关部委、省级有关部门对农场棚户区改造的支持，全面落实补助配套资金及各项优惠政策。2011—2015 年下达的农场棚户区改造任务 7688 户已基本完成，2016 年下达的农场棚户区改造计划任务 263 户已完工 110 户，其余 153 户前期准备工作有序推进。组织督查组到市(州)开展督查，确保了棚户区改造工程的建设质量和廉政建设。已完成棚户区改造的农场极大地改善了农场职工的居住和生活条件，对促进农场经济社会发展和建设和谐农场打下了坚实基础。

【国有农场土地使用管理得到切实加强】 2016年,四川省农业厅做好土地使用权确权登记调查摸底工作,为全省农场系统国有土地使用权确权登记发证工作做好准备。依法加强对收回国有农场土地使用权和变更国有农场土地使用用途的前置审批工作,努力保护国有农场土地合法权益,规范国有土地资产的监督管理,切实保障农场职工的长远生计。针对个别地方政府在收回国有农场土地和变更国有农场土地使用用途过程中没有严格按照法定程序办理和安置补偿不合理等现象,农业厅积极与当地有关部门沟通、协调,处理解决存在的问题,及时纠正、制止违规、违法行为发生。2016年,全省农场系统涉及土地使用用途和使用权变更的前置行政审批事项共有5件、面积1603.4915亩,其中土地使用用途变更1件、面积13.5亩,土地使用权变更4件、面积1589.9915亩,无一例违纪、违法行为发生。

【热作产业发展】 2016年,四川省热作系统坚持科学发展观,转变发展观念,突出科技创新,提高产业效益,促进了全省热作经济全面提升,实现热作产业较快发展。全省热作产品总面积742.6万亩,比上年增长0.02%;总产量771.5万吨,比上年增加0.02%;实现热作产品总产值197.3亿元,同比增加21.41亿元,增长12.17%;热区农民人均增收106.76元,增长14.31%,增收效果显著。热区热作产品种植面积、产量、产值都有较大增长,荔枝、芒果受天气灾害影响造成不同程度的减产,但是售价普遍偏高,因而产值和果农收入未受影响。全省新建和改造现代农业热作产业基地近10万亩。

【农场示范带动和产业化经营能力不断增强】 2016年,四川省农场系统以种养业标准化技术推广、畜牧业高产攻关、全国农垦现代农业示范区创建、社会主义新农村示范场建设、产业化经营为抓手,积极开展现代农业示范、农业科技创新应用示范、优质良种示范、优质农产品示范、产业优化升级示范,推广新品种、新工艺、新产品、新技术,对当地农业农村经济结构调整以及职工和农民增收起到了积极的促进作用。全省农场系统采取"农场+基地+农户"产业化经营模式带动农户12.3万户,建立基地近33.5万亩,户均增收180元以上。

四川省农业厅编写组

国有林场

【基本情况】 2016年,四川省认真贯彻落实《中共中央国务院关于印发〈国有林场改革方案〉和〈国有林区改革指导意见〉的通知》《国家林业局关于深入学习宣传贯彻中央6号文件精神的通知》、全国国有林场和国有林区改革电视电话会议精神以及国家国有林场改革第九督查组督查四川省国有林场林区改革工作的要求,通过积极争取各方支持、印发改革方案、召开动员会、研究改革补助资金分配方案、审批市(州)改革实施方案等,扎实推进全省国有林场改革工作。

【国有林场改革进程】 2016年,四川省林业厅召开国有林场改革座谈会,听取基层意见,促进基层理解和支持改革。7月17日—27日,分两期举办了全省国有林场改革专题培训班,全省20个市(州)、91个县的林业局局长、科室负责人及180个林场场长参加了培训。7月4日,全省国有林场改革工作电视电话会议在成都市召开,副省长王铭晖出席会议并讲话,对全省国有林场改革工作进行了动员和安排部署,进一步明确了省级相关部门的责任和市(州)、县(市、区)政府改革的主体责任。

【国有林场改革方案】 2016年,《四川省国有林场改革实施方案》(以下简称《方案》)上报国家国有林场林区改革工作小组,得到国家林业局批复,四川省林业厅按照省政府的要求和国家林业局的批复意见进一步修改完善了《方案》,并再次征求省直相关部门意见;5月16日,省委省政府正式向各市(州)、县(市、区)党委政府和省直各部门印发了《方案》;加强与财政厅对接,研究制定了中央和省级改革补助资金的分配方案,2亿元中央财政和4200万元省级财政改革补助资金已分配到有改革任务的市、县两级财政,为全省国有林场改革顺利实施提供了财政支持。及时了解各地方案编制情况,对于任务重、难度大的市(州)采取调研指导、召开座谈会的方式加快推进;组织相关人员对20个市(州)实施方案进行审批,各市(州)均按照审批意见进行了修改完善,以市(州)党委、政府名义印发并组织实施。

【国有林场资源管理】 2016年,四川省林业厅积极开展清理整治违法占用征收林地行为,下发了《四川省林业厅关于自查清理违法进入林业保护地和国有林场(林区)修筑实施及开始活动的紧急通知》,对违法占用国有林场林地行为进行了清理,有效遏制了国有林场林地流失和逆转,守住了国有林场林地红线,切实有效保护了国有林场林地资源。按照《国家林业局关于加强国有林场森林资源管理保障国有林场改革顺利进行的意见》要求,督促检查全省国有林场森林资源管理、保护、利用、监测等情况,有效保护国有林场森林、林木、林地资源,确保国有林场森林资源稳定增长。16个国有林场全部被纳入全国木材战略储备生产基地建设,建设面积4.6万亩,投入资金1710万元。

【国有林场生产生活】 2016年,通过开展种苗培育和发展花卉苗木、林下种养业、林产品加工、森林旅游等多种经营,四川省林场实现营业收入11157万元,2000户职工参与种养殖、旅游服务等林下经济发展,平均增加年收入近万元。全省国有林场扶贫工作取得新突破,全年累计安排扶贫资金3191.8万元,对28个国有林场的危房改造、道路建设、林下经济发展方面等给予了支持。从资金构成上看,省、市、县配套资金达2400万元,林场自筹195万元,扶贫力度明显加大。同时,聘请1000余名农村贫困人口作为生态护林员,参与管护国有林场森林资源,有力地帮助了当地贫困人口脱贫致富。继续深入实施国有林场危旧房改造项目,新建及维修改造危旧房1259户(含续建项目)。全年建设林区道路363.12千米,解决饮水安全和饮水困难人口1024人,建设电力设施32.7千米,林场职工生产生活条件得到进一步改善。

【国有林场发展建设】 2016年,四川省林业厅指导洪雅县林场开展《联合国森林文书》示范单位创建,什邡林场获得"2015年度全国十佳林场"称号。切实加强林场干部职工能力建设,组织10个林场场长参加国家林业局林干学院培训,选派6名林场场长到广西、江西等地挂职锻炼。组织什邡林场职工参加由国家林业局、中国就业培训技术指导中心和中国农林水利气象工会全国委员会联合举办的2016年中国技能大赛——全国国有林场职业技能竞赛,获得"精神风尚奖";组织洪雅林场职工参加由国家林业局和中国农林水利气象工会全国委员会联合举办的2016年"五台山杯"全国国有林场思想政治工作演讲大赛,获得"优秀组织奖"。积极协助林业工会做好"2016寻找最美生态公益人物"推荐评选工作,通江县铁厂河林场护林员景祥俊获得"2016最美生态公益人物"称号。

四川省林业厅编写组

农资工业

化肥及农药工业

【协调要素保障,保持化肥生产平稳运行】 2016年,四川省经济和信息化委员会加强对经济运行的预警预测,加强协调要素保障,保持了全省化肥农药企业生产运行基本稳定。抓好中央和省上出台的各项稳增长政策措施的落地生效,积极为泸天化等38家化肥企业和利尔化学等5家农药企业争取享受"直供电""丰水期富余电"等优惠政策。针对中小化肥企业取消电价优惠及天然气价格"2016年11月20日起允许上浮20%"等政策给全省化肥企业带来的不利因素,及时调度企业运行情况,测算增加成本,积极争取暂缓执行化肥用天然气浮动价格、暂缓执行中小化肥企业电价上调等政策。全年生产化肥508.6万吨(折纯),同比增长2.7%,其中氮肥285.7万吨,下降7.2%;磷肥214.3万吨,增长17%;钾肥8.6万吨,增长103.4%。全年化学农药产量17.8万吨(折纯),与上年持平。

【强化协调服务,积极解决企业困难】 2016年,四川省经济和信息化委员会多次组织有关专家对龙蟒集团、泸天化、乐山福华等重点企业进行技术帮扶指导,协调研究并解决企业发展所面临的困难和问题。组织全省13家农药化肥企业参加第16届全国农化展及首届国际肥料展,帮助提升全省农药化肥企业的影响力。

【严格执行国家产业政策】 2016年,四川省经济和信息化委员会继续推进合成氨、磷铵等行业准入及淘汰落后产能工作,组织专家对瓮福达州、绵竹三佳2家磷铵企业进行了行业准入现场考核。截至2016年年底,全省已有24家合成氨生产企业共365.5万吨产能、11家磷铵生产企业共243万吨产能达到准入条件。根据国家农药管理的有关规定,组织专家对12家农药企业生产资质进行了延续核准现场考核并上报工业和信息化部备案。按照工业和信息化部的统一安排部署,委托省危险化学品质量监督检验所对全省19家农药企业138个农药产品质量进行抽检;4月,对农业部办公厅2015第三批农药监督抽查结果通报中涉及的成都华西农药有限公司进行了调查核实并将结果上报工业和信息化部。

【积极推进行业转型发展】 2016年,四川省经济和信息化委员会支持合成氨、磷铵企业积极开展清洁生产审核。龙蟒、宏达、蓥峰、高宇等一批磷化工企业加大对磷石膏的综合利用开发,建成石膏砌块、水泥缓凝剂、建筑石膏粉等生产线。支持乐山福华、利尔化学、泸州东方等一批企业进行技术改造。新都化工股份有限公司开发的"20万t/a"高塔硝硫基缓释复合肥关键技术及装置"等一批技术成果获得省科技进步奖。

四川省经济和信息化委员会编写组

饲料工业

【基本情况】 2016年,四川省共有饲料和饲料添加剂生产企业543家,其中饲料加工企业364家。取得预混料生产许可证的企业有99家,添加剂生产许可证的企业有60家,混合型添加剂生产许可证的企业有32家,配合、浓缩、精料补充料生产许可证的企业有289家,单一饲料生产许可证的企业有121家。受猪肉价格持续走强影响,全省饲料生产形势良好,全年饲料总产量达1070.3万吨,同比增长9.2%;实现饲料工业总产值439.7亿元,同比增长5.4%。从饲料种类来看,配合饲料产量979万吨,同比增长9.8%,占全省饲料总产量的91.5%;浓缩饲料产量62.6万吨,同比增长4.9%;预混料产量28.5万吨,同比增长8.4%。从饲料品种来看,全省猪饲料产量656.2万吨,同比增长11.4%,占全省饲料总产量的61.3%;蛋禽料产量109.1万吨,同比增长7.2%;肉禽料产量209.8万吨,同比增长9.4%;水产料产量65.3万吨,同比下降0.2%;反刍料产量17.3万吨,同比增长10.2%。

【饲料质量安全水平稳中向好】 2016年,四川省监督抽检生产、经营和使用环节饲料样品共2781批次,合格率达99.4%,较上年提高0.8个百分点,产品合格率连续7年稳定在98%以上,未检出"瘦肉精"、三聚氰胺、苏丹红等违禁物质,氟苯尼考、氟喹诺酮类等禁止在商品饲料中使用的兽药,反刍动物饲料中牛羊源性成分检出率均为零。全年未发生饲料质量安全事件。

【严格许可审核,加大后续监管】 2016年,四川省农业厅认真执行国家规定的许可条件,严把行业准入关,从产前、源头入手加强饲料质量安全监管。全年共受理各类许可资料217件,书面评审合格190件,合格率达87.6%;现场审核100件,合格85件,合格率达85%。加强许可后续监管,对监督检查和年度备案中发现的问题及时进行通报。开展跟踪检查,实行分类处理,全年共注销企业生产许可证15家。

【全力推进《饲料质量安全管理规范》实施】 2016年,四川省农业厅继续以《饲料质量安全管理规范》(以下简称《规范》)示范企业创建为抓手,加大宣传培训力度,开展执法检查,全力推进《规范》的贯彻实施。在成都市专门举办《规范》培训班,邀请全国知名专家授课,派出专家赴各地进行培训指导;组织市(州)管理部门和饲料企业考察学习部级示范企业;开展部省级《规范》示范企业"回头看",确保按《规范》要求运行。全省全年新增《规范》省级示范企业9家、国家级示范企业2家,全省《规范》省级示范企业累计达23家、部级示范企业累计达9家,数量位居全国前列。

【加强执法检查,强化市场监管】 2016年,四川省农业厅继续实施"全覆盖"监测,制订下达了2016年全省饲料质量安全监督抽检计划并监督实施。全省共监督抽查各类饲料样品2781批次,不合格产品16批次。农业厅专门发文对"全覆盖"监测中检测出的不合格饲料产品和生产经营单位进行了通报,并对所在地饲料管理部门提出了具体的处理要求,处罚案件全部结案,罚没金额16.6万元。制定印发了《2016年全省饲料行业监督检查工作方案》《生产企业检查记录表》《经营单位检查记录表》,实行痕迹化管理,确保监督检查的规范性、实效性,组织到德阳、资阳、遂宁、乐山、南充、绵阳、宜宾、达州、广安、泸州、内江等地开展监督抽查,始终对违法违规行为保持高压严打态势。省级直接开展监督抽查企业达30家。首次开展全省饲料行业管理督导检查工作,对遂宁市、泸州市饲料管理工作进行督导检查,督促监管责任落实到位。

【抓好饲料资源开发工作】 2016年,四川省农业厅组织2014—2015年承担秸秆养畜项目建设的10个单位进行自查,并对部分项目进行了抽查;完成对宣汉县、蓬安县、南充市高坪区、邻水县秸秆养畜项目的验收工作;积极争取2016年农副资源饲料化利用项目,国家已立项下达建设项目2个,争取财政资金1120万元。

四川省农业厅编写组

农业合作与交流

农业国际合作与交流

【基本情况】 四川省是农业大省，在农业生产技术、农产品加工、农机装备等方面都具有较强的比较优势。截至2016年年底，全省已备案农业种植、加工及林业企业对外投资项目共86个，对外投资额8.8亿美元，涉及饲料生产、制糖、种植、农机装配、林业砍伐加工等领域，主要包括新希望六和股份有限公司、新希望集团、通威集团、四川特驱有限公司投资的20个饲料生产项目；四川非亚的非洲国家7个制糖项目；成都八益家具有限公司、四川北大荒物流集团有限公司、四川友豪恒远农业开发有限公司、四川蜀兴种业有限公司、安吉瑞公司等在老挝、柬埔寨、缅甸投资的粮食种植加工、畜禽水产养殖、木材加工项目。组织开展农业企业“走出去”研讨会，推出了一批境外农业合作项目，促进省内农业上下游企业共同参与境外项目投资开发。通过大力组织全省农产品企业和经销商参加广交会、昆交会、西博会、“新春年货购物节”和“川货全国行”“惠民购物全川行”等经贸活动，鼓励和引导农产品生产及贸易企业积极与全球客商开展洽谈对接，加强国际合作与交流。

【大力开展“万企出国门”活动】 2016年，四川省组织开展“万企出国门”等活动135项。新增进出口实绩企业1059家、境外网点227个，其中涵盖全省知名农产品企业和经销商。全面提升“万企出国门”活动实效，鼓励建立四川农产品国际营销网络，促进农产品贸易发展提升。积极推进成都跨境电商综合试验区建设，培育有影响力的跨境电商综合服务商，鼓励农产品企业建立跨境电商海外仓、开设保税体验店。依托国家级经济开发区、高新区及有条件的产业园区，积极培育外向型产业。促进“大通关”建设，发展口岸经济，发挥好粮食、肉类等进口口岸功能。

【中澳农业投资研讨会】 2016年4月13日，在“川澳贸易投资圆桌会议”机制下，四川省商务厅与澳大利亚贸易委员会共同主办了中澳农业投资研讨会，川澳企业家共300余人参会，双方企业家代表分别介绍了川企投资澳大利亚农业案例及对澳农业投资情况，研讨会还安排了嘉宾现场座谈、投资热点问答及分主题研讨对接等活动。

【对外经济技术援助】 乌干达农业示范中心（渔业淡水养殖）项目是中国援建非洲的10个有特色的农业技术示范中心之一，也是唯一一个水产养殖中心。该中心投资规模约4000万元，由四川华侨凤凰集团股份公司承建，2011年起由中方进行为期3年的运营管理。2016年，四川省农业科学院沼气研究所承办援外培训班8期，为加纳、毛里塔尼亚、阿根廷、巴勒斯坦等36个发展中国家培训学员220名。

【加强同柬埔寨的交流活动】 2016年，四川省商务厅委任四川蜀兴种业有限公司投资设立的在柬企业负责人为驻柬商务代表，推进四川省农业企业参与“一带一路”沿线国家经贸投资合作。

四川省商务厅编写组

农业对台合作与交流

【基本情况】 2016年，四川省对台农业交流合作持续推进、蓬勃发展，全年新增台资农业企业12家，项目投资总额4.3亿美元，同比分别增长71.42%和411%。全省发展现代农业的投资环境进一步优化，在川台资农业企业整体发展态势良好。

【大型涉台农业活动】 第三届川台农业合作论坛。2016年4月26—28日，由中共四川省委台湾工作办公室、四川省委农村工作委员会、中国台湾旺报社、四川省社会科学院和成都市人民政府、眉山市人民政府联合主办的第三届川台农业合作论坛在新津县和眉山市举行，省委副书记刘国中、中国国民党副主席郝龙斌出席论坛并致辞，副省长曲木史哈主持论坛，成都、攀枝花、遂宁、眉山等市的农业部门负责人和省内农业企业负责人，中国台湾苗栗县农会、中国台湾农村发展基金会、中国台湾休闲农业发展协会、中国台湾客家商会负责人和岛内农业专家、企业负责人等200余人参加了论坛。论坛以“农业一二三产业融合与幸福美丽新村建设”为主题，围绕农产品加工、幸福美丽新村建设、休闲农业发展等议题开展了广泛深入交流，推动川台农业合作向纵深发展，达成了一批合作项目签约，投资总额11.9亿元。

第三届兴义论坛。2016年11月25日—26日，在新津县举办了以“生活农业 · 农业生活”为主题的第三届兴义论坛，省委台办、农业厅相关负责人，川台两地农业协会代表、专家及现代农业企业负责人等200余人参会。成都新津台湾农民创业园管委会分别与中国台湾新竹地方特色产业发展协会、中国台湾正修科技大学和成都信息工程大学就推动农业产业平台建设、现代农民培养、特色农庄信息化管理等签订了合作协议。

中国 · 四川第二届森林康养（冬季）年会。2016年12月2日—3日，中国 · 四川第二届森林康养（冬季）年会在攀枝花市召开。川台两地森林养护专家、康养专家和专业医生就森林康养的新机遇、攀枝花与台湾合作开发森林康养项目的发展潜力等方面进行了交流。

【川台农业交流合作持续深入】 2016年，中共四川省委台湾工作办公室副主任张军、四川省委农村工作委员会副主任毛业雄率团赴台协调推动在台湾举办“第四届川台农业合作论坛”的有关事宜。成都、泸州、绵阳、内江、广安、宜宾等市有关县（市、区）也先后多次组织农业专业考察团赴台湾交流学习，宣传四川省发展现代农业的便利条件和优惠政策，推介农业投资项目，达成多项合作共识。中国国民党中常委游家富带领的台湾农业考察团深入成都、眉山等市考察台湾精致农业、特色果蔬在川发展情况。中国台湾农业部门前负责人陈保基，中国台湾农田水利联合会会长、云林县农田水利会会长林文瑞，中国台湾渔会理事长黄一成等率领的台湾农会、农田水利会、渔会参访团到成都、德阳、眉山等地参观考察，与当地政府交换了进一步加强农业合作的意见。中国台湾中国梦促进会到泸州市考察生态旅游项目，与泸州市签订了《合作框架协议》。中国台湾农产品流通经纪人协会到泸州市考察，与泸州市纳溪区达成了合作意向。中国台湾品牌农业推广协会到广元市考察，与当地企业交流农产品品牌打造的经验。由云林、南投、屏东、嘉义等台湾县(市)基层农会代表组成的台湾农业合作社和乡(镇)市民代表团到成都市参访考察，交流农业生产、农产品营销经验和精致农业发展理念。

【涉台农业园区(基地)建设】 2016年12月16日—17日，全国人民代表大会常务委员会原副委员长、中国关心下一代工作委员会主任顾秀莲到攀枝花市盐边台湾农民创业园调研，了解园区发展情况。盐边台湾农民创业园水、电、道路、农用耕地等基础设施日趋完善，助推台商发展现代农业的优惠政策同步更新，农产品项目包装、深加工及展销和生态康养等多个对台投资项目有序接洽，园区促进农业企业发展能力不断增强。省委台办、省委农工委授予成都翔生大地农业科技公司、成都钧乔农业科技开发公司等10家在省内从事种养殖的台资农业企业为首批"川台农业合作示范基地"，加快推进台资涉农基地建设，更好地服务台资农业企业发展。新津县政府印发了《关于促进四川成都新津台湾农民创业园建设发展的意见》，进一步完善农创园建设规划和产业发展规划，每年安排专项资金3000万元，整合设立5亿元发展基金并逐步扩大资金规模，旨在构建"一核四片"的产业发展格局，重点发展优质高效种养、精致农产品加工和休闲农业、乡村旅游、特色民宿，逐步形成现代都市农业产业集群，不断提升园区承载能力。

【强化对台资农业企业的支持服务】 2016年2月16日，四川省委常委、省委农工委主任李昌平带队到台资农业企业——成都钧乔农业科技开发公司调研，了解企业生产经营情况，要求省、市有关部门落实鼓励和扶持农业的各项政策、补贴，支持台资农业企业发展。省委台办、省委农工委、农业厅和达州市、攀枝花市、绵阳市、德阳市等有关领导多次协调解决台资农业企业发展中存在的问题。省委台办、省委农工委等8个省级部门联合出台了《关于支持台资企业和台胞发展现代农业的意见》，从农业补贴、税收优惠、用地保障、基础设施投入等15个方面支持台企台商在川发展现代农业。深入开展"服务台商大走访"活动，强化对台资农业企业的服务力度，全面协调解决企业面临的用地、用工、基础设施和融资等难题，助力企业健康发展，增强其扎根四川发展现代农业的信心。召开全省对台经济和台胞权益保护工作会议，要求各地依法保护涉农台商台企的合法权益，持续优化台商和台胞在川发展农业的投资环境，吸引更多台商到川发展现代农业。

【扩大川台农业合作成果宣传】 2016年，中共四川省委台湾工作办公室邀请中央电视台到四川省拍摄制作了45分钟的川台农业合作成果专题纪实片——《缘聚天府筑梦田园》，纪实片播出后得到广大网友的点赞分享。台湾东森电视台《"两岸大视野"——走进四川话农业》摄制组到成都、绵阳、南充、眉山、广安和广元6市拍摄制作了24分钟的专题宣传片，重点介绍了四川省现代农业、特色农业发展情况和与台湾的合作交流现状，在台湾五大电视台播出后得到岛内民众的一致好评。

中共四川省委台湾工作办公室编写组

涉农招商引资

【基本情况】 2016年，四川省投资促进工作呈现高位转型、稳中有升、提质增效的良好态势，成功举办了首届川商返乡发展大会，"2016中外知名企业四川行活动"、欧美同学会年会暨海归创新创业(成都)峰会、第九届中国西部投资说明会暨经济合作项目签约仪式4场重大招商引资平台活动以及电子信息、汽车产业、攀西战略资源创新开发、生物医药等专题投资促进活动，总签约金额达1.33万亿元，涵养了一大批客商资源。全年引进到位国内、省外资金达9614亿元，增长5.5%，其中投资额在5亿元以上的履约项目2155个，到位资金5716.8亿元，占全省到位资金总额的67.3%。

【首届川商返乡发展大会】 2016年，四川省首届川商返乡发展大会紧扣"回家发展·振兴家乡"主题，吸引了406名国内外知名川商参会。会上，四川省川商总会正式成立，募集资金规模达42.41亿元的川商返乡兴业投资基金正式揭牌。各市(州)充分利用大会平台同步举办了18场各具特色的专题座谈会、恳谈会、推介会和11场"川商家乡行"活动，共签约川商返乡投资合作项目278个，投资总额达1582.16亿元。

【"2016中外知名企业四川行"活动】 活动以"开放合作、共谋发展"为主题，吸引了453家境内外知名企业和知名商协会、机构的730余名嘉宾出席，中电科、华润、中国电建等39家中央企业，美国苹果公司、吉利集团等75家"三个500强"企业参会。"2016中外知名企业四川行投资推介会暨合作项目签约仪式"主体活动集中签约了一批重大投资合作项目；"四川—台湾产业合作推介会""2016川欧投资合作交流会""军民深度融合发展专题推进会"3场专题活动进一步深化了川台、川欧全方位、多领域的投资合作与交流，推动四川省与各大军工单位建立了更加紧密的战略合作关系，与11家军工集团和中国工程物理研究院签署了合作协议。活动期间还开展了120余次市(州)自主对接活动，邀请80余批次客商实地考察。活动共签订投资额在2000万元以上的正式合同项目668个，投资总额达5001.46亿元；有针对性地推出投资合作项目2334个，涉及投资总额3.17万亿元。

【欧美同学会年会暨海归创新创业(成都)峰会】 活动以"海归创新创业·助力转型发展"为主题，吸引了240余位省(境)外嘉宾出席，其中"两院"院士4人，国家"千人计划"专家42人，来自30个省(市、区)的地方欧美同学会负责人54人，来自美国、俄罗斯、德国、法国、瑞士、瑞典、西班牙、匈牙利、新加坡、澳大利亚等国的海外高层次人才42人，特邀嘉宾26人，国内项目代表55人。各方代表与相关市(州)共签约合作项目53个，总投资额达301.6亿元。

【第十六届西博会投资促进活动】 活动共举办1场综合主题投资促进活动，即第九届中国西部投资说明会暨经济合作项目签约仪式；6场专题投资促进活动，即四川省藏区彝区产业扶贫推介会暨项目签约仪式、全球知名川商座谈会、精准扶贫帮扶县(金阳县、美姑县、马边县)产业扶贫投资推介会等活动；德国汉堡论坛、巴伐利亚论坛2场"主宾国"活动以及内蒙古、陕西、贵州、新疆、西藏、新疆生产建设兵团等7项"主题省"活动。344位境内外知名企业和知名商协会、机构嘉宾参加了第九届中国西部投资说明会暨经济合作项目签约仪式，其中"世界500强""中国企业500强""民营企业500强"企业107家。活动期间共开展省领导会见14场、21个市(州)共同投资促进活动24项，西部各方共签约投资合作项目1008个，总投资额7876.85亿元，其中四川省签约项目836个，投资总额6572.53亿元。

【专题投资促进活动】 2016年，第三届中国(雅安)攀西战略资源创新开发试验区投资推介会暨项目签约仪式共签约项目52个，总投资364.73亿元。四川医药产业推介会分别在上海市和深圳市举行，四川省与参会企业在研发中心和生产基地布局、中药材种植加工、健康城市建设等方面达成了100余项初步合作意向。

【聚焦产业招商扶贫】 2016年,在广州市、上海市连续举办了2场藏区彝区产业扶贫专题推介会;西博会期间,举行了四川省藏区彝区产业扶贫推介会暨项目签约仪式、精准帮扶县(美姑县、金阳县、马边县)产业扶贫投资推介会,签约项目44个,投资总额达775亿元;积极发动商会、企业捐款捐物,协调企业开展就业扶贫,以认购"爱心礼包"、搭建电商平台等形式有效解决了一部分地方土特产销路难的问题。

四川省投资促进局编写组

涉农会展

【基本情况】 2016年,四川省共举办重大会展活动1367个,其中展览活动685个,展览总面积725.7万平方米,展览直接收入78.1亿元;会展业总收入1765.5亿元,会展业直接收入187.2亿元,会展业拉动收入1578.3亿元,其中,成功举办了第四届四川农业博览会、第四届成都国际都市现代农业博览会、第94届全国糖酒商品交易会、第五届中国·四川国际茶业博览会、第三届四川国际旅游交易博览会、2016中国国际酒业博览会、第八届中国泡菜博览会等一批涉农展会。

【2016中国国际酒业博览会】 2016年3月19日—23日,2016中国国际酒业博览会在泸州市举办,共有来自25个国家和地区的700余家企业参展,各类专业采购商、经销商和品牌运营商近2万人次参加。该届酒博会共签约项目266个,签约总额503.7亿元,其中酒类采购项目231个,签约金额126.6亿元;招商引资项目35个,签约金额377.1亿元。

【第94届全国糖酒商品交易会】 2016年3月24日—26日,第94届全国糖酒商品交易会在成都市举办,展览总面积达40.8万平方米(世纪城新国际会展中心展览面积12.8万平方米、酒店展场展览面积约28万平方米),其中葡萄酒及国际烈酒展区、国际食品专区、国际食品机械展区等国际化展区面积达3.6万平方米。参展国家及地区数量超过40个,参展企业接近3000家,参展客商超过30万人次,其中专业观众超过15万人次。

【第五届中国·四川国际茶业博览会】 2016年5月5日—8日,以"茶韵天府、品味世界"为主题的第五届中国·四川国际茶业博览会在成都市举办。该届茶博会由四川省农业厅、四川省商务厅、四川省经济和信息化委员会、中国茶叶学会共同主办,展览面积4万余平方米,参展参会品牌企业650余家,四川省首个省级公共大品牌——"天府龙芽"参展。该届茶博会总成交金额达12.48亿元,其中现场销售额6800万元、合同成交额11.8亿元;到会洽谈采购的专业买家达2.8万人次。

【第三届四川国际旅游交易博览会】 2016年9月22日—28日,以"旅游交易·开放合作——助推丝绸之路经济带振兴"为主题的第三届四川国际旅游交易博览会在峨眉山市举办,世界旅游组织(UNWTO)、亚太旅游协会(PATA)、世界旅游业理事会(WTTC)等国际旅游组织参会。该届旅博会首次邀请了中国—东盟中心作为支持单位,并首次创新性设立主宾国和主题市,其中泰国为主宾国,眉山市为主题市。大会设置了交易洽谈、展示推广、旅游商品、户外体验4个展区,推出了开幕式、峨眉高峰论坛、亚太旅行商大会等八大主题活动和2个配套活动,来自47个国家和地区以及国内16个省(区、市)的商家开展"一对一"交易。四川省继续推介"8+30+100"优选旅游项目,集中签约旅游项目24个,签约总金额达447.42亿元。

【第八届中国泡菜博览会】 2016年10月31日—11月6日,以"三千年泡菜 中国人味道"为主题的第八届中国泡菜博览会在眉山市举办。该届博览会由四川省农业厅、眉山市人民政府、中国食品工业协会共同主办,展览面积约2万平方米,共有222家企业参加展示展销,现场销售泡菜和农副产品总额670万元,参展企业与经销商场下交易额达1420万元。通过举行"东坡味道"招商推介及签约活动,与26家单位及企业签订投资、采购等协议金额67.1亿元;通过举办"东坡味道"美食周、"东坡味道"美食美景金秋精品游等活动,吸引全国各地游客28万人现场参观、购物。

【第四届四川农业博览会】 2016年11月10日—14日,第四届四川农业博览会在成都市举办。该届农博会主要开展了第四届四川农业合作发展大会、中国三农智库高层论坛暨四川农村改革研讨会等活动,展览展示环节在第十六届中国西部国际博览会第二阶段,展览面积3万平方米。共签订农业投资促进项目314个,合同金额1022.9亿元;农产品采购贸易签约186.4亿元,其中第四届四川农业合作发展大会现场签约31.5亿元、展览期间现场签约154.9亿元。21个市(州)新推介农业合作项目1090个,投资需求3249.6亿元,其中88个贫困县推介农业合作项目381个,投资需求1167.9亿元。企业1200余家、专业采购商2万人次参展,举行专场对接洽谈5000余场次,观众累计超过30万人次,现场销售农产品总额达4.4亿元(其中网络销售额2.8亿元)。

【第四届成都国际都市现代农业博览会】 2016年12月1日—4日,第四届成都国际都市现代农业博览会(以下简称"成都农博会")在成都世纪城新国际会展中心举办。该届农博会以"创新助推农业转型升级 品牌引领特色产业发展"为主题,展览面积4.5万平方米,参展商1100余家,累计接待观众10万余人次,其中专业采购商及合作商2.2万人次。该届成都农博会由成都市人民政府主办,同时举办了首届都市现代农业发展(成都)高峰论坛、国家农业科技创新联盟发展论坛暨国家智慧农业科技创新联盟成立大会、第二届成都农业农村电子商务发展论坛、第三届农业产业化龙头企业发展论坛暨成都都市现代农业投资项目推介活动、2016国际合作社联盟中国合作社论坛、成都资阳甘孜阿坝凉山农产品营销暨企业对接会、成德两地农村产权交易市场建设签约仪式等活动。现场成交金额达15.4亿元,其中现场签约额14亿元、现场零售额1.4亿元。

【2016中国(宜宾)白酒文化节】 2016年12月18日,由中国酒业协会主办的2016中国(宜宾)白酒文化节在宜宾市开幕。该届文化节以"酒都宜宾,绿色发展"为主题,主要以"展示展销+论坛"的方式举办。主要活动包括白酒文化节新闻发布会、白酒文化节开幕式、五粮液第二十届"12·18"厂商共建共赢大会、中国酒文化的国际传播论坛、宜宾市白酒产业科技创新研讨会、宜宾市首届白酒品评职业技能竞赛、名优白酒及绿色食品展示展销会等。12月17日—20日,由宜宾市人民政府主办、宜宾市商务局承办的2016中国(宜宾)白酒文化节——名优白酒及绿色食品展示展销会在宜宾市南岸体育场举办,设置标准展位260个、个性化特装展位11个,参展商家234家(其中宜宾市内175家、市外59家),参展商品1600余种,接待观众18万人次,现场直接销售额1278.5万元,协议合同销售额约1.32亿元。

四川博览事务局编写组

现代农业建设

农业科技工作

综　　述

【基本情况】 2016年，四川省农业厅出台了《四川省农业厅科研院改革试点工作总体方案》，成立了领导小组，审议了草科院、农机院的试点改革方案并征求财政、科技、人社等部门意见；批复了省畜科院川藏黑猪科技成果转让方法和程序。全年组织申报省科技进步奖76项，推荐获奖项目34个（其中一等奖6项）；获得中华农业科技进步奖3项；组织申报农业部全国农牧渔业丰收奖31项、贡献奖55项、合作奖1项。

【科研方法有新突破】 2016年，四川省农业厅在农作物遗传发育与抗性机理、畜禽渔品种繁育、动植物疫病防控、土壤质量演替规律等研究上集成了新方法。全年育成并通过审定品种84个，其中通过国家审定12个、省级审定72个；创制育种新材料421份，研究集成新技术15项、新工艺12项，研发新产品28个；获得植物新品种授权及专利46项，形成技术标准和技术规程16个。

【科研投入持续增加】 2016年，四川省农业厅申报国家重点实验室和观测站5个，投入资金2349万元，在农业部投资项目绩效考评中被评为（农业部重点实验室）“优秀”等级并通报省政府；坡耕地重点实验室和玉米、马铃薯科研创新示范基地建设获得国家启动支持；新增肉牛、肉羊、淡水鱼3个现代农业产业技术创新团队并被纳入省级财政预算；组织申报省科技支撑计划和应用基础计划项目86项。

【科技推广力度不断加大】 2016年，四川省建立集示范、展示、推广、培训于一体的农业科技创新与集成示范基地、地方区域性农业科技试验示范基地500余个，核心示范面积达100余万亩，培养科技示范户20万户；印发了《四川省农业厅关于推介发布2016年农业主导品种和主推技术的通知》，遴选并示范农业主导品种95个，推广主推技术48项，同时，出台了《四川省贫困地区农业主导品种和主推技术推介目录》，加快了主导品种和主推技术在贫困地区的推广应用；在崇州市建设超级稻生态高效生产集成技术试验示范基地2200亩，构建“科研成果+基地”“科技人才+专合社”“专家+基层农技服务体系”等科技成果试验示范推广模式；开展了“科技进藏区”、“科技三下乡”、“农民读书月”、农民工技能大赛等活动。

【畜禽标准养殖示范创建】 2016年，四川省农业厅为加快转变畜牧业生产方式、提升畜禽养殖标准化水平、从源头上保障畜产品质量安全，全省从2010年起按照农业部“畜禽良种化、养殖设施化、生产规范化、防疫制度化、粪污无害化”要求开展畜禽养殖标准化示范创建活动，持续打造了一批标准化程度高、环境影响小、示范效应好的畜禽养殖标准化示范场。全年创建部级标准化示范场20个、省级标准化示范场143个，全省部级标准化示范场累计达203个、省级标准化示范场累计达703个。

【水产业科技服务】 2016年，四川省获得省级、部级科技成果、技术推广奖项3项，完成14项水产地方标准的编制和初审工作。发布2016年渔业主导品种11大类、14个品种，发布渔业主推技术3大类、11项。落实基层水产技术推广体系改革与建设补助项目资金1800余万元，开展技术培训与职业技能鉴定，220人次获得职业技能合格证；实施农业部渔业节能减排项目和渔业渔政信息化示范项目各1个。扎实开展水产养殖动物病害测报，完成365名官方兽医（水生动物）的资格确认工作。

四川省农业厅编写组

农业科技创新与成果转化

【基本情况】 2016年,四川省农业科技工作全面贯彻新发展理念,认真落实中央和省委"一号文件"精神,围绕农业供给侧结构性改革和四川现代农业发展大力推动农业科技创新与转化,不断加强科技扶贫、精准脱贫,深化农村科技体制机制改革,取得了显著成效。2016年度农业科技领域获得四川省科技进步一等奖7项、二等奖19项、三等奖33项。

【科技创新成果】 2016年,四川省农业科学院承担国家、部、省和横向课题共814项,其中国家级课题154项、省级课题415项,到位科研经费1.49亿元,科研经费实现"六连增";获得国家、部、省科技成果奖22项,其中国家科技进步二等奖1项,四川省科技进步一等奖1项、二等奖4项、三等奖10项;发表科技论文443篇,其中核心刊物225篇、SCI收录45篇;编写著作9部;申请专利144件(发明117项),授权117件(发明35项);通过国家和四川省审定品种66个次,其中7个水稻品种通过国家审定。申请植物新品种权21项,授权12项。研制标准22项,获得软件著作权登记证书4个。优质稻新品种"德优4727"入选农业部绿色超级稻新品种,"川优6203""德优4727""川麦104""成单30""荃玉9号""川油36"被评选为农业部主导品种,再生稻综合栽培技术等5项技术被评为农业部主推技术。

【科技成果转化】 2016年,四川省农业科学院持续加强公益性成果转化平台能力建设,在依托项目推进成果转化过程中,以转化平台为纽带,一方面引进高端人才,推进项目建设、实施及人才培养,促进区域产业提档升级;另一方面整合国省院校(所)科技资源向急需地方输出,让科技人员直接参与产业建设,加速农业科研成果的推广应用与产业化。建成了4个层次的公益性成果转化平台:南充、绵阳、川南、攀西4个分院,8个院士成果对接工作站,10个综合性中试熟化和特色产业示范基地,20余个专家大院,涉及水稻、小麦、油菜、玉米、蔬菜、水果、食用菌、饲草、水产、蚕桑、植保、加工、茶叶、节水农业、循环农业、智慧农业、绿色有机农业等多个学科领域,覆盖了成都、德阳、绵阳、泸州、南充、达州等主要农区,并在各自领域发挥着重要作用。与成都农业产业化龙头企业综合服务平台执行机构——龙投天创孵化器有限公司签署战略合作协议,共同搭建农业科技创新创业转移转化平台。省农科院全年共服务企业193家,科技成果转化收益到账2370万元。院土肥所羊肚菌品种及专有技术与企业开展转让合作,转让价值2000万元,其中1200万元为知识产权折价,占企业股份20%。院生核所保水剂项目完成从初试到中试的改进和完善,已初步具备产业开发潜力,下一步将加快产业化开发。重点推进四川省农药环境检测与评价平台建设、突破性羊肚菌新品种设施栽培产业化示范、蚕业机械研发加工设备配置与生产线建设等11个产业化示范项目。

【农作物及畜禽育种攻关】 2016年,四川省科学技术厅持续推进"十三五"省农作物及畜禽育种攻关,按照商业化育种、公益性育种研究、高技术育种平台建设三大专项布局,组织实施攻关项目60项,选育农畜新品种(配套系)80余个,分别示范推广农畜新品种(配套系)5000万亩、100万头(只)以上。"十二五"期间,全省培育农畜新品种(配套系)452个(其中国家审定品种82个),创制育种新材料1967份,改进创新育种新技术、新方法118项,获得国家、省部级科技成果奖139项,获得授权专利350余项,形成技术标准规程220项,累计推广农作物新品种3.91亿万亩、畜禽新品种760余万头(只、套)。

【粮食丰产科技工程】 2016年,四川省科学技术厅研究提出了"十三五"国家粮食丰产增效重大科技专项四川方案,大力组织实施粮食丰产工程四川项目区项目。"十二五"期间,创新形成了"杂交中稻超高产强化栽培技术体系""玉米—大豆带状复合种植技术"等10套技术体系,研制行业和地方标准14项,建立科技成果转化示范基地、科技特派员工作站17个。在40个县建成水稻辐射区6511万亩、平均亩产542.6千克,在30个县建成玉米辐射区3083.3万亩、平均亩产410.8千克,累计新增稻谷产量257.84万吨、玉米产量135.3万吨。

【农业成果转化资金专项】 2016年,四川省科学技术厅实施省级农业成果转化资金项目37项(财政资金资助2000万元),组织完成2014年度25个国家项目验收和2015年37个省级项目财政资金绩效考评工作。组织完成2017年度省级项目遴选推荐工作,共征集评审项目85项,立项39项,获得财政资金资助2000万元。全年累计开发转化新品种、新产品、新工艺27个,新技术、新设备42项,建立示范基地(区)32个,建成中试线9条、生产线12条,实现产值近7亿元。

【农村领域公益类科技专项】 2016年,四川省科学技术厅启动实施水稻丰产节水节肥、突破性玉米新品种栽培、生猪安全高效养殖、稻田安全生产等62项基础性、公益性农业科技计划项目,各项目有序推进,为农业增效、农民增收、农村增绿肥奠定了科技基础。其中,水稻丰产节水节肥研究针对四川盆地水稻产区水源不足、时空分布不均、夏伏旱频发等突出问题以单季稻丰产和水肥高效利用为核心开展关键技术研究,促进了水稻综合生产能力提高,实现了资源高效利用和可持续发展。

【其他省级科技支撑计划项目】 2016年,四川省科学技术厅除各重大专项外,其他省级科技支撑计划分三批立项,共实施项目51项,投入专项经费合计2710万元,重点支持区域特色优势农业产业生产、精深加工、安全检测、贮运保鲜、现代物流和副产物、废弃物综合利用等共性关键技术集成应用与产业化示范。全年共研发示范新品种、新技术、新工艺、新产品、新模式近200项,转化推广技术成果50项以上,项目带动当地农民年人均增收3500元以上。

【科技扶贫】 2016年,四川省科学技术厅设立省级科技扶贫专项行动计划,投入财政资金14740万元,实施省级科技扶贫项目共301项,支持88个贫困县产业技术创新、成果转化推广和科技能力提升。争取国家科技引导计划资金1800万元,支持彝区、藏区、乌蒙山和秦巴山区特色产业技术开发及成果推广科技项目17项。全年组织32家涉农科研院所和高等院校与贫困地区开展校(院)地合作;引进产业化龙头企业在贫困地区建立示范生产基地30余个;转化农畜新品种142个、新技术198项,精准带动200个贫困村、3000户贫困户人均增收1500元以上,带动项目区近5万户农户实现人均增收1000元以上,带动企业与专业合作组织新增产值近5亿元,取得了良好的经济社会效益。

四川省科学技术厅编写组、四川省农业科学院编写组

现代农业产业技术服务体系建设

【基本情况】 2016年,四川省辖21个市(州)、183个县(市、区)、5008个乡(镇),其中农业县(市、区)178个、农业乡(镇)4410个、村

委会 47737 个；总户数 3167.4 万户，其中农业户数 2070.1 万户；总人口 9097.4 万人，其中农业人口 6585.3 万人。省、市（州）、县（市、区）、乡（镇）设立农技推广机构（含种植业、畜牧业、农机、渔业，下同）9310 个，其中乡（镇）站 8680 个、区域站 630 个；有编制 63179 人（实有 55281 人），其中乡级编制 37448 人（实有 33530 人）。

【推进基层农技推广体系改革】 2016 年，四川省农业厅争取中央和省级财政投入 2.27 亿元，其中中央财政投入 1.77 亿元、省级财政投入 0.5 亿元，支持全省所有农业县（市、区）开展农业技术推广工作。根据全员摸底统计，全省农业系统核定编制 80576 人，在岗 67553 人，60%以上的农技人员具有大专以上学历，70%以上的农技人员有专业技术职称，90%以上的乡（镇）完成农技推广体系条件建设项目。基层农技推广体系不断健全，省、市（州）、县（市、区）、乡（镇）各级都建立了推广机构，在管理体制上，将省级农业、畜牧、水产、农机合并统一管理，对乡（镇）或区域公益性农技推广机构实行县级农业部门和乡（镇）政府双重领导、以县级农业部门管理为主的管理体制。加强基层农技推广队伍建设，对全省农业、畜牧、农机、水产基层农技推广机构在编在岗人员进行知识更新培训，共培训 31223 人。全省各级农业技术推广机构经费基本得到保障，将定编定员后的乡（镇）农业技术推广机构人员工资和事业经费纳入县级财政预算，基层农技人员的工资待遇、工作条件和工作经费等保障水平都有了明显提高。探索出一批新型技术推广服务模式，崇州市依托基层农技推广服务机构搭建起农业科技服务平台，促进了公益性服务与经营性服务相结合、专项服务与综合服务相协调，得到了国务院副总理汪洋的充分肯定。技术推广服务效能显著提升，推介农业主导品种、主推技术，遴选 3 万名技术指导员培育种养殖科技示范户 25 万户，辐射带动 500 万户，建立农业科技试验示范基地 560 个、面积 13 万亩；组织省、市（州）、县（市、区）、乡（镇）11501 名农业科技人员深入开展"万名农业科技人员技术扶贫行动"，引导农民选用优良品种和先进适用技术。在崇州市以实施超级稻示范推广工程为抓手，建设农业科技创新与技术集成示范基地，完善和巩固"专家—农技人员—示范户—辐射户"科技入户机制、"首席专家—岗位专家—产业基地县—合作社—龙头企业"技术集成示范机制、公益性农技推广与农业社会化服务有机结合机制。

【继续开展"全国基层农技推广机构星级服务创建"活动】 2016 年，四川省农业厅印发了《四川省新一批基层农技推广机构星级服务创建试点工作方案》，宣汉等 8 个县（市、区）继续实施，新增加金堂等 42 个县（市、区）开展实施，全省已有 50 个县（市、区）被纳入"全国基层农技推广机构星级服务创建"范围，着力构建适应现代农业发展的农业技术推广体系。

【推介发布农业主导品种和主推技术】 2016 年，四川省农业厅根据《农业部办公厅关于做好 2016 年农业主导品种和主推技术遴选推荐工作的通知》要求，遴选推介发布 2016 年农业主导品种 95 个、主推技术 48 项，正确引导农民学科技、用科技，加快农业科技成果转化与推广。

【加强试验示范基地建设和科技示范户培育】 2016 年，四川省农业厅组织农业科研院校、产业技术创新团队、农民合作社、涉农企业等多元主体实施技术推广服务，建设试验示范基地 530 个，辐射带动面积 2000 余万亩；遴选技术指导员 2 万余人，培养科技示范户 20 万户，辐射带动农户 400 余万户；完成实用技术培训 2000 余万人次。对全省种植业、农机、畜牧和水产乡（镇）或区域公益性农技推广机构人员开展五大类专题全员培训，共培训基层农技人员 31223 人，其中省级调训 6235 人。

【推进农技推广信息化】 2016 年，四川省农业厅继续开展农技推广云平台建设试点，建设农业科技网络书屋 1.7 万个；为 5000 名农技人员免费发放"智农卡"，在 120 个县为 1.2 万名农技人员、11 万户农户普及应用"农技宝"，为 400 户农户、6000 余名农技员普及应用"E 农通"，延伸了农技推广服务功能。

【科技创新服务平台建设】 2016 年，四川省科学技术厅组织筹建了水产产业、家禽产业、猕猴桃产业和茶产业 4 个产业技术研究院，全省共有科领生猪、科创饲料、东坡泡菜、水产产业、家禽产业、猕猴桃产业和茶产业 7 个涉农产业技术研究院。新建食用菌、藏茶、饲用有机微量元素和牦牛乳生物 4 个工程技术研究中心，全省共有涉农工程技术研究中心 37 个。

【"星创天地"建设】 2016 年，四川省科学技术厅组织在全省开展"星创天地"创建，建立服务农业科技人员创新创业的孵化园、创业园、创业苗圃、产业技术服务中心、"科技扶贫在线"平台等各类形式的"星创天地"95 家，在孵家庭农场、专业大户、专业合作社、小微企业等新型农业经营主体 300 余家，开展创业教育培训近 200 次，举办创新创业活动 150 余次，服务科技人员 900 余人，有效提升了农业科技服务水平，为现代农业转型升级和精准脱贫提供了科技支撑。全省 51 个"星创天地"被纳入国家"星创天地"备案，数量居全国第三位。

【四川"科技扶贫在线"平台建设】 2016 年，四川省科学技术厅启动建设"四川科技扶贫在线"平台，在广元、凉山、苍溪、雷波等 6 个市（州）的 7 个县开展试点。组织制定了《四川省科技扶贫专项行动实施方案》《"四川科技扶贫在线"开发方案》《"四川科技扶贫在线"平台运管中心建设指导意见》等文件，明确了基本思路、目标任务和政策措施。开发"四川科技扶贫在线"网站，筛选信息 5 万余条，遴选信息员 9683 名、专家 8090 名，发布技术供给、产业信息、龙头企业、供销商家等信息 1655 条。成立省、市、县"四川科技扶贫在线"运管中心 14 个，其中省平台 1 个、市平台 6 个、县平台 7 个，做到了有机构、有职能、有人员、有场地、有条件、有经费。试运行期间，网站访问量 91.9 万次，开展信息服务 3944 次，完成解答 3475 次。组织开展了"全省科技扶贫产学研对接暨培训会""四川科技扶贫在线""四川科技扶贫在线平台发布会"等培训，先后赴巴中、泸州、宜宾、广元、凉山、阿坝、雷波、黑水等地开展平台推介。编印《四川省科技扶贫工作简报》42 期、172 篇。

四川省科学技术厅编写组、四川省农业厅编写组

农村科技人才队伍建设

【"三区"人才专项】 2016 年，四川省科学技术厅采取专家自愿报名与科研部门遴选相结合、专家专业研究特长与当地产业发展需求相结合、参研项目与"三区"科技人员专项相结合的选派方式共选派 450 名科技人员为"三区"提供种植、养殖、中药材开发、农产品加工等科技服务。举办"四川科技扶贫在线"平台实训班 15 期，培训各级专家、信息员 3000 人次，其中"三区"专项受培人员 165 人次（含 30 名秦巴山片区科技特派员青年创业骨干培训班学员）。中国科学院成都分院、西南民族大学、四川农业大学、四川省农业科学院、四川省畜牧科学院、四川省林业科学院等 50 余家院校与贫困地区建立了长期、稳定的结对帮扶关系，为贫困地区提供技术支撑。"三区"科技

人员服务企业合作社、农民协会等机构484个，创办领办企业、合作社、农民协会等机构500余个，引进新品种、推广新技术300余个，培训农民6.4万人次，为受援地培养基层技术骨干3000名。

【科技特派员农村科技创新创业行动】 2016年，四川省科学技术厅通过“引进、聘请、选派、任命、指导”等措施积极拓宽科技特派员来源渠道。将“四川科技扶贫在线”30743名科技服务专家和科技信息员全部纳入科技特派员管理。

积极推进科技特派员创新创业。组织112个县开展科技特派员工作，实施各级科技项目1379项，引进新品种1528个，推广新技术1421项，创办企业556家，组建专合组织710个，带动13万人就业。

推进激励农业科技人员创新创业改革试点。制订出台了《关于进一步扩大农业科技体制改革试点激励科技人员创新创业的实施方案》，并在省农科院等11所省级农业和涉农科研院所、成都市农林科学院等10所市属科研院所、绵阳市涪城区等16个市的62个县（市、区）扩大试点。

推进国家级科技特派员创业链、创业基地和创业培训基地建设。积极推进四川农业大学新农村发展研究院、四川省农业科学院、四川省牧畜科学院3个国家级创业培训基地建设，引导科技特派员服务新型农业经营主体261个，帮助企业建立科技示范基地103个，培训农民489万人次。

四川省科学技术厅编写组

科普惠农

【基层科普行动计划】 2016年，四川省科学技术学会持续深入实施基层科普行动计划，共争取中央和省级财政投入资金4695万元，其中中央财政资金3195万元，用于奖补全省88个农村专业技术协会、37个农村科普示范基地、19个农村科普带头人；省级财政资金1500万元，用于奖补100个农村专业技术协会、40个农村科普示范基地和50个农村科普带头人，促进了农村新型经营主体培育和农业特色产业发展，有效服务了全省“三农”工作大局。

【“银会合作”项目】 2016年，四川“银会合作”项目累计发放贷款23294笔，金额43亿元，其中2016年当年发放贷款11890笔，金额23.07亿元，共带动13.5万户农户创业就业；结余11779笔，金额26.36亿元。眉山市“银会合作”作为全国农技协发展典型案例在全国推广，成为了科协服务经济发展的切入点、银行拓展金融业务的突破口、协会及会员群众增收致富的助推器。

【农村专业技术协会发展】 2016年，四川省基层农村专业技术协会总数达8803个，其中农技协联合会112个（县级联合会49个、乡级联合会63个）。从农技协运作类型上看，经济技术实体型3366个、技术服务型3244个、技术交流型1428个、其他类型904个；建立合作社的农技协有3534个。全省农技协会员总数达282万户，带动农户682万户，进入农技协经营行列的省内农户达964万户。2016年，全省农技协实现总产值629亿元，实现总销售收入493亿元，会员人均纯收入达1.32万元；销售收入达亿元以上的协会有138个。各级农技协在农技推广服务、农村改革发展、社会主义新农村建设和扶贫攻坚等各项工作中发挥了积极作用。

四川省科学技术学会编写组

农业科技创新产业链示范工程

【组织实施情况】 2016年，四川省科学技术厅以农产品精深加工技术创新为重点，推进全产业链技术创新，打造产业品牌，提升产业竞争力，推动一二三产业融合发展。组织实施家兔、肉鸡、蚕桑丝绸、牦牛、生猪、泡菜6个重大产业链项目，投入财政专项资金3122万元，撬动企业投入达6526余万元。持续推进茶叶、稻米等11个四川特色优势农业产业链示范重大项目和24个区域（市、州）优势特色农业产业技术研发项目建设。

【创新成效】 2016年，四川省科学技术厅共筛选新品种29个，开发新产品114个，研究集成新技术（新工艺）134项、集成新模式17项，建立标准或规程28个，申请专利146项（其中已授权77项）；建设示范基地（生产线）114个，带动农民专业合作社20个，培训农民3.3万人次，带动农户2.5万人，带动项目区农户人均年增收达7700元，企业效益达200亿元。

【创新团队及平台建设】 2016年，四川省科学技术厅整合四川农业大学、四川大学、省农科院等优势科研单位61家、企业65家、科研人员760名，建立重点实验室、工程技术中心等平台18个。

四川省科学技术厅编写组

农业机械化

【基本情况】 2016年，四川省有农机化管理机构3407个、6407人，农机化教育培训机构87个、460人，农机化科研机构7个、165人，农机试验鉴定机构1个、58人，农机化技术推广机构146个、754人，农机安全监理机构194个、1054人，农机化作业服务组织18587个、82136人。全年培训农机管理人员、监理人员、技术人员和农机操作人员共计32.43万人次。

全省农机化发展有四个主要特点：一是农机装备总量增加。中央下达四川省农机购置补贴资金4.03亿元，全省发放农机购置补贴资金4.35亿元，完成中央下达全省购补资金总量的109%，补贴机具27.5万台（套），受益农户24.41万户。全省农机总动力达4450万千瓦，比上年增长1%。二是农机化发展水平提高。全年完成机耕7094万亩、机播（插）1302万亩、机收3302万亩，机播面积与上年基本持平，机耕、机收面积分别同比增长0.38%和9%。三是农机合作社服务能力提升。全省农机合作社数量达1267个，比上年增加163个；合作社有各类农机具6.88万台（套），比上年增长14.9%；全年作业面积达1047万亩，较上年增长12%。四是农机基础设施条件持续改善。全省修复提灌机械7.7万台次、85.45万千瓦，改造提灌站2337座、7.44万千瓦，新建提灌站684座、2.13万千瓦，新增提水控灌设备1.78万台、12.6万千瓦；提水30亿立方米，新增有效灌面30万亩。

【农机推广】 2016年，四川省农业厅制订了《四川省主要农作物生产全程机械化推进行动工作方案》，积极推进水稻、玉米、小麦、油菜、马铃薯等主要农作物生产全程机械化新技术、新机具的运用；加快实破农机化生产薄弱环节，积极推广应用机械化育插秧技术、油菜机械化直播及收获技术，加大玉米、马铃薯机播、机收技术示范力度；继续探索茶叶、果蔬等经济作物生产全程机械化。绵阳市安州区、丹棱县、开江县、盐源县承担农业部全程机械化及保护性耕作示范项目。

【农机安全监管】 2016年，四川省农机安全生产形势持续稳定，农机事故发生数、死亡人数分别下降34.6%、40%，农业厅被省政府评为"安全生产先进单位"。农机安全监理装备建设取得历史性突破，首批63个项目县将于2017年投入建设。继续开展统一注册登记拖拉机数据清理工作，在规定时间内向农业部全国变拖管理系统录入变拖信息11.8万条；拖拉机、联合收割机注册登记、检验、驾驶人考试发证工作规范性不断提高，拖拉机年检率较上年大幅提升。扎实开展农机安全生产检查和隐患排查工作，组织开展"百日安全生产"、安全生产大检查、安全生产打非治违等活动，逐级检查覆盖了21个市(州)、70余个县(市、区)近3000个点位。积极参与道路交通安全综合整治，拖拉机源头信息在共享平台中实现农机单向实时传输。突出农机安全监管痕迹管理，印制12万余册《合作社/大户/公司/家庭农场农机安全生产制度及台账》《农机安全生产管理台账》《农机安全检查及隐患排查治理台账》并免费发放到基层。加强农机安全宣传教育，组织开展"安全生产月"活动，印制农机安全生产宣传画册3万余张，拍摄发放农机安全监管宣传片200余部，全年各级共计开展安全生产相关现场宣传2800余次，发放宣传资料50万余份，发送短信100万余条。切实加强行业队伍建设，坚持"三年轮训一遍"思路，3月、6月、7月、12月分别召开和举办了全省农机安全监管工作会、新任农机监理员培训班、农机安全生产形势分析会和农机安全监管法规知识培训班。4月，组织部分市(州)到江苏、北京等地开展"走出去"学习活动。

【农机科研】 2016年，四川省农机研究设计院全面开展公益类科研院所深化一批改革试点，狠抓农机装备研发，扎实提升农业科技创新研发能力和服务能力。积极参与国家、省科技项目申报，承担了"国家智能农机装备——丘陵山地拖拉机关键技术及整机开发"以及农业部行业专项——"茶园综合作业机械化技术与装备研究""西南丘陵山区油菜联合收获技术及装备研究与示范"等纵向科研项目30余项。取得了"水陆两栖立式离心泵研究与开发""丘区油菜精量播种机研究与应用"等多项科技成果，获得了"一种全喂入式油菜联合收割机""适宜丘陵山地的茶园耕作施肥一体机"等多项发明专利。积极推进"农业部丘陵山地农业装备技术重点实验室"研发平台建设，研发能力显著提升。

【农机鉴定与质量监督】 2016年，四川省农业机械鉴定站完成了部级、省级农业机械推广的鉴定项目共60余项，对获得省级推广鉴定证的37家企业的108个型号产品进行了监督检查。对全省范围内的烘干机产品实施了质量调查。起草了微型联合收割机、割晒机等11个省级农机推广鉴定大纲，并组织专家对大纲进行了审定。

四川省农业厅编写组

高标准农田建设

【基本情况】 高标准农田建设是一项稳增长、促改革、调结构的重大民生工程，为加快推进《四川省高标准农田建设总体规划(2011—2020)》的实施，拓展投融资渠道，多方投入资金，四川省政府已将高标准农田建设纳入国家专项建设基金支持范畴。

【总体规划修订完善】 2016年，国家发展改革委等7部委联合下发了《关于扎实推进高标准农田建设的意见》，要求进一步加强高标准农田建设力度。四川省农业厅按照《四川省高标准农田建设总体规划(2011—2020年)》要求，"十三五"期间全省确保建成高标准农田1934万亩，平均每年为387万亩。省政府明确了由省发展改革委牵头，会同农业、国土、财政等部门出台贯彻落实意见，要求各地对照总体规划，将任务分解落实到每个年度及牵头部门，确保各市(州)、县(市、区)任务落地，将粮食主产区、现代农业示范区、永久基本农田划定区、新型经营主体规模经营区优先纳入规划、优先支持、优先建设。

【年度目标任务落实】 2016年，四川省农业厅根据总体规划，经成员单位议定，征求市(州)意见后，联席会议办公室将2016—2017年度高标准农田建设任务408万亩落实到市(州)、县(市、区)，其中整合试点县107万亩、非整合试点县301万亩。整合试点县根据扶贫工作需要自主确定建设规模，年度工作完成后，按照验收认定面积上报，不纳入年度高标准农田建设目标考核；非整合试点县将年度任务落实到片区、乡(镇)、村(社区)、项目，加强整合，统筹规划，成片推进。

【绿色示范区建设】 2016年，四川省农业厅会同成员单位联合下发了《四川省高标准农田绿色示范区建设推进方案》，"十三五"期间全省将建成高标准农田绿色示范区400万亩，其中2017—2018年为每年50万亩。各地围绕"五大工程"科学制订绿色示范区建设实施方案，以生态田埂、种养循环、果肥套作为重点，选择2~3项措施探索总结不同区域绿色示范区建设模式，同时将高位沼液池、输送管网、固埂植物、绿肥种植等生态治理措施纳入重点支持范围并加大项目财政资金投资力度。

【夯实产业扶贫基础】 2016年，四川省农业厅将高标准农田建设与产业扶贫相结合，根据不同产业发展需求，有针对性地开展高标准农田建设，优先解决引水灌溉、排涝排湿、产业道路等突出问题，及早打通制约瓶颈，建成一批小庭园、小菜园、小果园，串点连片、组团式发展，增强产业对贫困农户的带动作用，同时各地在编制产业扶贫实施方案时安排一定比例的资金用于基础设施建设。

【建设管理机制创新】 2016年，四川省农业厅为确保高标准农田建设持续发力，坚持创新投融资机制，落实省政府与国家开发银行战略协议要求，将高标准农田建设纳入国家专项基金支持范围，各市(州)相关部门主动与发改、农发行等部门对接，鼓励社会资本、金融资本、新型经营主体加入高标准农田建设，破解了资金投入不足的问题。

【工作绩效考核评价】 2016年，四川省农业厅将高标准农田建设与省农建综合示范片考核相结合，各成员单位共同参与，对各市(州)年度高标准农田建设工作的组织保障、整合投入、规模质量、开发利用、验收认定5个方面的工作进行综合考评，建立更加科学、更加完善的考核评价指标体系，减少人为评判因素，实现可测算、可量化考核，对重点工作、重点环节实行一票否决制；建立层层考核评价通报制度，同时将考核评价结果通报到市(州)政府，市(州)政府将考核评价结果通报到县(市、区)政府,进行工作排位,作为项目资金安排的依据。

【机耕便民道建设】 2016年,四川省共建设机耕便民道32912千米,完成土石方开挖4634万立方米,修建桥涵7642座,累计投入工日1157万个。全省共投入机耕便民道建设资金62.54亿元,比上年增长17%,其中各级、各部门使用财政资金41.16亿元,比上年增长24%;社会投入(含农民投工折资、自筹资金等)21.38亿元,比上年增长7%。组织对2016年度农田水利基本建设进行绩效考核(农机项目),其中遂宁市获得一等奖,达州市、眉山市、绵阳市、南充市、广安市、宜宾市获得二等奖,巴中市、自贡市、广元市、成都市、乐山市、德阳市、攀枝花市、凉山州获得三等奖。省级财政现代农业推进工程农机化生产道路建设安排在21个市(州)的58个项目县实施,完成建设200千米。

四川省农业厅编写组

水利工程建设与管理

水利工程建设

【大型水利工程建设】 2016年,四川省在建大型水利工程包括嘉陵江亭子口水利枢纽、小井沟水利工程、武引二期灌区、毗河供水一期、升钟灌区二期、红鱼洞水库及灌区、土溪口水库、李家岩水库、蓬溪船山灌区、黄石盘水库和向家坝灌区首部取水隧洞工程,其中武引二期灌区、毗河供水一期、升钟二期灌区、红鱼洞水库及灌区、土溪口水库、李家岩水库、蓬溪船山灌区和黄石盘水库工程被列入国务院172项重大节水供水工程。

嘉陵江亭子口水利枢纽。工程挡水大坝、消力池、电站厂房、左右岸灌溉渠首已全部完成施工,航运工程土建、机电、金结及航道清理项目已完成,剩余部分装修项目有序推进。工程累计完成投资157.27亿元,占批复总投资的93.3%,其中2016年完成投资5.34亿元。

小井沟水利工程。工程大坝、泄洪道、溢洪道、取水洞、环境用水及泵站、副坝、输水干渠等已全部完成施工,排洪渠、提灌泵站及灌渠工程建设有序推进。工程累计完成投资26.94亿元,占批复总投资的97.5%,其中2016年完成投资2.89亿元。

武引二期灌区工程。灌区内的金峰水库于2015年6月通过导截流阶段验收,大坝填筑已启动并安全度汛。大坝上游临时挡水断面已填筑至425米高程,沥青混凝土心墙填筑至414.6米高程。西梓干渠、金龙分干渠全面开工,石黑支渠、大宝支渠和仁柏支渠等中小渠系工程陆续开工建设。累计完成投资28.31亿元,占批复总投资的57.6%,其中2016年完成投资8亿元。

毗河供水一期工程。工程已全线启动建设,累计贯通隧洞94座,完成倒虹管建设7.35千米,66座渡槽、70.6千米施工明渠及暗渠施工有序推进。累计完成投资35.06亿元,占批复总投资的52.84%,其中2016年完成投资14.28亿元。

升钟二期灌区工程。南充干渠鹅背山隧洞全线贯通,干渠全线启动建设,赵子河水库放空洞已全部贯通并衬砌,大坝心墙填至322米高程,应家沟水库放空洞已贯通并衬砌,取水口开挖支护已完成,坝基开挖已完成。累计完成投资14.06亿元,占批复总投资的49.7%,其中2016年完成投资5.05亿元。

红鱼洞水库及灌区工程。工程大坝已顺利截流,溢洪道、取水口、生态放水洞等主体工程建设有序推进,上游三区围堰填筑、沥青混凝土基座及齿槽趾板浇筑工程加快实施;南江右总干渠全面开工建设,省道101线复建提前建成并通车。累计完成投资18.3亿元,占批复总投资的57.4%,其中2016年完成投资6亿元。

土溪口水库工程。工程可研报告于2月通过国家发展改革委批复,初步设计方案于8月通过水利部批复,开工仪式于6月举行,绕坝交通隧道、右岸上坝道路、生产生活区等"三通一平"工程及导流洞工程已启动实施。累计完成投资3亿元,占批复总投资的7.1%,其中2016年完成投资3亿元。

李家岩水库工程。工程可研报告于6月通过国家发展改革委批复,初步设计方案于10月通过水利部批复,大坝导流泄洪放空洞于10月启动实施。累计完成投资5.05亿元,占批复总投资的10.5%,其中2016年完成投资5.05亿元。

蓬溪船山灌区工程。工程可研报告于5月通过国家发展改革委批复,初步设计方案于10月通过省发展改革委和水利厅批复,灌区内白鹤林水库导流洞于8月启动实施。累计完成投资3.6亿元,占批复总投资的9.8%,其中2016年完成投资3.6亿元。

黄石盘水库工程。工程可研报告于5月通过国家发展改革委批复,初步设计编制工作有序推进。工程施工准备工程于9月启动实施,已完成水库专用水文站建设、上坝公路和枢纽区场地平整工程及10千瓦高压输电线路等临时工程。累计完成投资2.72亿元,其中2016年完成投资2.72亿元。

向家坝灌区首部取水隧洞工程。南、北隧洞主洞开挖累计完成15264米,其中北隧洞于7月全线贯通。累计完成投资4.77亿元,占批复总投资的54.7%,其中2016年完成投资1.22亿元。

上述11处大型水利工程建设总体顺利,其中被列入全国加快推进的8处重大水利工程顺利完成国务院下达的完成当年投资计划90%的目标任务。

【中型水利工程建设】 截至2016年年底,四川省在建中型水利工程共85处,总设计灌面583.82万亩,总库容13.78亿立方米,总投资416.15亿元,已完成投资约233.34亿元,占总投资的56.1%,其中2016年完成投资约60亿元。85处项目中,已进入竣工验收阶段的有18处,其中中型水库工程10处(新华、惠泽、龙潭、燕儿河、观音岩、党仲、永定桥、解元、九龙潭、七一),中型引水(灌区)工程8处(天池湖渠系、关门石渠系、牛角坑渠系、玛依河、白松茨巫、斯觉大堰、洛须、打火沟);主体工程基本完成建设的有25处,其中中型水库工程24处(二郎庙、大竹河、黄桷坝、白岩滩、王家沟、金王寺、双桥、刘家拱桥、寨子河、开茂、东风水库扩建、天星桥、锁口、倒流河、马鞍山、龚家堰水库扩建、梅子箐水库扩建、三仙湖、八角、东山、观文、油房沟、祥凤寨、楼房湾),中型引水工程1处(崇化);主体工程处于建设阶段的有35处(中型水库工程24处,即大海子、关刀桥、九龙、乐园、新坝、狸狐洞、湾潭河、双峡湖、龙滚滩、沉水、和平、曲河、蟠龙湖、华强沟、联合、石峡子、土地滩、猫儿沟、回龙寺、大坡上、群英水库扩建、金鸡沟、大寨、雷家河;中型引水工程11处,即铜头引水、观音岩引水、顺河堰、巴楚河、力曲河、易日河、抚美达日、尼措、嘉绒、凤南土、西尔芦色);枢纽主体工程尚处于施工准备阶段的有3处(向阳桥、二龙滩、双河口);处于招标阶段的有4处(中型水库工程3处,即龙滩、石泉、穆家沟;中型引水工程1处,即若果朗)。

继续推进烟区水源项目相关工作。及时组织对古蔺县龙洞沟水库工程初步设计报告进行技术审查;及时向财政厅转报了攀枝花市仁和区跃进水库渠系配套工程、叙永县龙洞水库等5处项目的资金拨付申请;主汛期对古蔺县朝门水库和叙永县纳坪水库开展了安全度汛工作督导,2016年年底协调配合省烟草办、省烟草公司对古蔺县朝门水库和叙永县纳坪、龙洞水库建设进行了再次督查。

【大中型病险水库(闸)除险加固工程建设】 2016年,艾大桥、总岗山、三岔河水、太平寺、高中5处中型病险水库除险加固工程全面完成建设;21处大中型病险水闸除险加固工程初设审批全部完成,其中花溪、金雁2处工程已完成主体工程建设,武引取水枢纽、黑石河三四支节制闸、黑石河七支渠过羊马河排洪闸、西河人民堰冲沙闸4处工程开工建设,剩余15处工程前期工作已完成。

【抗旱小型水库工程建设】 2016年,四川省纳入规划的28座抗旱小型水库已全部开工建设,累计完成投资12.13亿元,其中5处已完成主体工程建设,即南部县范家沟水库、南充市嘉陵区文家沟水库、南江县金台水库、攀枝花市仁和区河心水库、遂宁市安居区萝卜园水库。截至2016年年底,泸县三星桥、通江县方田坝、广元市昭化区梅岭关、仁寿县龙池寺、叙永县高木顶5座水库完成投资超过80%,阆中市五马、剑阁县剑门、蓬溪县鲤鱼岩、安岳县挂石沟、美姑县联合、会东县马头山、古蔺县刘家、岳池县灵泉寺、荣县李子坝、仪陇县七一、宁南县麻窝凼11座水库完成投资超过50%。

【"六江一干"防洪治理工程建设】 2016年,四川省共下达13个基础设施建设堤防项目资金,涉及嘉陵江、渠江、岷江、大渡河、青衣江、雅砻江和白河流域的8个市(州),共争取中央预算内资金1.83亿元。截至2016年年底,13个防洪工程全部建设完成,累计完成投资2亿元。

【中小河流防洪治理工程建设】 四川省流域面积在200~3000平方千米的中小河流有573条,其中有治理任务的有420条。2009年以来,全省共有172个县(市、区)的325条中小河流被纳入全国治理名录,截至2016年年底,已开工建设315个,其中219个项目已完工,完成综合治理河长960.44千米,占规划河长的68.75%,对47处中小河流防洪治理项目进行了竣工验收。

四川省水利厅编写组

水利工程管理

【狠抓在建项目安全度汛工作】 2016年,四川省水利厅印发《四川省水利厅关于开展在建大中型重点水利工程建设及度汛安全督查督导工作的通知》《转发水利部关于做好2016年在建水利水电工程安全度汛工作的通知》,进一步强化了对在建重点水利工程的检查指导,督促指导各项目按照验收规程要求及早完成导(截)流验收各项要件准备、导(截)流阶段验收工作,汛前及时组织编制年度度汛方案和应急抢险预案并报市级防汛部门审批,有序推进主体工程建设;结合汛前安全检查,加强现场指导,及时印发现场督导意见,确保工程安全度汛。

【加大在建项目现场督导力度】 2016年,四川省水利厅组织工作人员多次前往大中型工程、抗旱小型水库工程项目中推进长期迟缓的项目建设现场进行督促指导,梳理制约工程建设的问题和原因,对存在技术困难的项目派专家予以指导。全年对大中型水利工程、中小河流、基建堤防、抗旱小水库等工程开展现场检查或技术指导150余次,较上年增长25%;开展四川省年度水利工程建设项目稽察,共派出26个稽查组对21个市(州)的70个不同类型的水利项目进行了全面稽查,稽查项目数量较上年增长63%。

【完善建设管理制度】 2016年,四川省水利厅会同省发展改革委印发了《关于明确大中型水利工程设计变更及投资概算调整有关事宜的通知》,进一步规范设计变更管理工作;印发了《四川省小型抗旱水库工程项目建设管理指导意见》,进一步加强抗旱小型水库建设管理,加快建设进度;印发了《关于进一步做好国家投资水利工程建设项目招标投标活动行政监督工作的通知》,进一步合理划分招投标活动行政监督职责分工;印发了《四川省水利厅关于成立省水利工程造价管理工作协调小组的通知》,进一步加强四川省水利工程造价体系、规范标准、日常事务研究和管理;组织编制印发了《营业税改增值税后〈四川省水利水电工程设计概(估)算编制规定〉调整办法的通知(试行)》,指导税改后的行业造价工作。

【推进电子招投标试运行】 2016年,四川省水利厅牵头开展《四川省水利工程标准施工招标文件》等四类标准招标文件编写工作,编制完成《招标投标活动政策法规汇编》。联合省发展改革委、住房城乡建设厅、交通运输厅、省政务服务和公共资源交易中心等单位印发《关于启动"四川省公共资源交易平台电子招投标系统"试运行的通知》,印发《四川省水利厅关于进一步做好水利工程项目进入"四川省公共资源交易平台电子招标投标系统"试运行有关工作的通知》,进一步明确了水利工程试运行的责任分工、具体措施、工作要求等。全年对150余个水利工程建设项目进行了招投标活动备案和行政监督。按照"两集中、两到位"要求,组织编写了招投标活动备案进入省政府政务服务中心方案及服务指南,推进行政权力规范化运行,妥善处理招投标活动中的投诉纠纷5件,无行政行为被复议、诉讼、撤销等情况发生。

【推进安全生产标准化工作】 2016年,四川省水利厅组织召开四川省水利安全生产标准化工作推进会,邀请水利部安全监督司副司长到会指导并讲话;组织开展2期安全生产标准化工作宣传贯彻培训班,对四川省水利工程施工企业、水利工程管理单位和水利工程建设项目法人等单位进行宣传贯彻培训;印发《关于申报四川省二、三级水利安全生产标准化评审机构的通知》,组织开展了二、三级水利安全生产标准化评级相关工作。

【推进工程验收工作】 2016年,四川省水利厅对大桥水库灌区一期工程、紫坪铺水利枢纽工程、武都水库3处大型工程,蓬溪县黑龙凼水库工程、古蔺县龙爪河引水工程、中江县黄鹿水库工程、高县惠泽水库枢纽工程、峨眉山市观音岩水库工程5处中型工程,武都引水工程一期灌区总干渠灾后重建项目及沉抗水库震损除险加固工程、沉抗水库灌区灾后重建项目等8项欧洲投资银行灾后重建项目的竣工验收工作继续开展督导,其中大桥水库灌区一期工程、黑龙凼水库工程、龙爪河引水工程、黄鹿水库工程4处工程通过竣工验收;对观音岩水库工程进行了竣工技术预验收;强化对黄桷坝、九龙潭等16处中型工程项目蓄水验收相关工作的指导,督导各项目及早开展蓄水安全鉴定，按照验收规程要求完成水库下闸蓄水验收各项要件准备，及时完成蓄水阶段验收工作。

【开展河湖管护体制机制创新试点】 2016年，四川省水利厅根据水利部技术审查意见及绵阳市游仙区、阆中市人民政府批复，组织两试点县积极开展河湖管护体制机制创新试点工作。3月14日—18日，组织专项检查组对试点县涉河建设项目审批、日常监管、河道采砂许可等情况进行全面检查，定期或不定期结合日常管理工作对两试点县进行督促和指导。6月29日，下发了《四川省水利厅办公室关于报送河湖管护体制机制创新试点实施进度总结的通知》，要求两试点县结合已经开展的试点工作对河湖管护体制机制创新试点工作进行阶段总结，以《关于四川省河湖管护体制机制创新试点进展情况的函》的形式将试点情况上报水利部。积极争取省政府和省财政的支持，督促各地按照《四川省河湖管理范围划定及水利工程划界确权实施方案》要求开展河湖管理范围划定前期准备工作。

【加大违法涉河建设活动打击力度】 2016年，四川省水利厅会同执法管理部门及各地河道管理部门对长江干流、涪江、岷江、渠江等重要江河进行了5次全流域拉网式巡查；按季度向水利部定期报送涉河建设项目管理信息，及时录入河道管理范围内建设项目管理信息系统并进行公告；按规定对44个涉河建设项目、6个采砂规划报告进行了审批，对涉河建设项目及河道采砂管理中的不规范行为和违法违规行为进行了纠正和查处。

【加强河道采砂管理】 2016年，四川省水利厅认真贯彻落实《四川省河道采砂管理条例》，将河道采砂向规范化管理、制度化管理、依法管理的方向再迈出一大步。下发《四川省水利厅办公室关于印发四川省长江河道采砂管理统一清江行动工作方案的通知》和《四川省水利厅办公室关于开展四川省长江河道采砂管理汛末专项打击行动的通知》，组织开展长江干流河道采砂专项执法行动，进一步加强了长江河道采砂管理，确保长江河道采砂禁采管理总体可控。

【开展全面推行河长制工作】 2016年，为贯彻落实中央精神，全面提升江河湖泊管理和保护水平，四川省水利厅牵头组织开展了河长制有关工作，全面推行河长制工作。11月29日—12月2日，针对工作中可能遇到的相关问题和下步工作的重点和难点，水利厅组织工作人员到已全面实行河长制的浙江、江苏和江西等省进行了实地考察学习并形成了调研成果。12月13日，设立省级分会场，参加贯彻落实《关于全面推行河长制的意见》视频会议，对全面推行河长制各项工作进行动员部署。配合完成了全面推行河长制省政府常务会、省委常委会汇报材料。

四川省水利厅编写组

农田水利建设

【基本情况】 2016年，四川省农田水利局紧密围绕“再造一个都江堰灌区”目标，扎实开展农田水利建设，深入推进农村水利改革，全年累计完成投资122.96亿元，继续保持高位运行，实现了“十三五”全省农田水利工作的良好开局。全省全年修复提灌机械7.7万台次、85.45万千瓦，改造提灌站2337座、7.44万千瓦，新建提灌站684座、2.13万千瓦，新增提水控灌设备1.78万台、12.6万千瓦；全年提水30亿立方米，新增有效灌面30万亩。全省投入提灌建设资金6.87亿元，其中中央投入1.4亿元，省级投入2.01亿元，市、县、乡投入1.99亿元，其他投入1.47亿元；累计投工213万个。农业用水形势稳定向好，机电提灌设施在农业生产和农村生活中的作用进一步凸显。

【民生水利建设成效显著】 2016年，四川省大力实施农村饮水安全巩固提升工程，建成集中供水工程2435处、分散供水工程24146处，受益人口201.87万人，其中解决了66.95万名建卡贫困人口的饮水安全问题。全省集中供水率达77%，自来水普及率达67%，水质达标率达59.9%，城镇自来水管网覆盖行政村比例达36%。扎实开展小型农田水利建设，继续推动大型灌区与农业综合开发中型灌区续建配套与节水改造，截至2016年年底，106个“小农水”重点县项目建设全面完工，新增有效灌面43.19万亩，发展高效节水灌面20.4万亩；建成农建综合示范区146个、总面积260万亩。做好小型病险水库除险加固工作，加强水利工程设施管理与维护，2241座新增小型病险水库被列入《四川省加快灾后水利薄弱环节建设实施方案（2016—2019年）》，保证全省无一座水库垮坝、无一人因水库出险伤亡。全面完成《四川省抗旱规划实施方案（2014—2016年）》建设任务，确保项目覆盖区干旱时期应急供水水源有保障。积极开展水利风景区建设，全年成功创建国家级水利风景区5个，年度创建数量居全国第一位，累计创建国家级水利风景区36个，创建总数位居全国第七、西部第一。确定对18个精品景区、60个重点景区进行重点建设，打造四川水利风景品牌，四川水利风景区建设已成为构建“长江上游生态屏障”、建设“美丽四川”的重要窗口。

【农村水利改革不断深化】 2016年，四川省水利厅以深化农村水利改革作为打开“十三五”局面的重要突破口，不断推动农村水利改革向纵深发展。以省政府名义召开了四川省深化农村水利改革现场会，成立了四川省农田水利改革领导小组，由省政府分管领导挂帅，高位推动四川省农村水利改革。一是加快推进农村小型水利工程确权登记颁证。同步推进土地承包经营权确权、农村小型水利工程确权登记与水库工程划界确权工作，进一步释放水利工程的民生效益，截至2016年年底，全省农村小型水利工程登记确权颁证完成率达94%。二是深化农田水利设施产权制度改革和运行管护机制创新。以1个全国农村改革试验区、6个国家级与15个省级农田水利设施产权制度改革和创新运行管护机制试点县建设为依托，确立了13项改革任务，着力引导受益主体承担管护责任，构建“专业+群众+社会”多重覆盖的新型管护模式。三是大力推动小型水利工程管理体制改革。以2个全国深化小型水利工程管理体制改革示范县和19个省级深化小型水利工程管理体制改革示范县建设为抓手，总结小型水利工程管理体制改革“八步工作法”，细化推进改革的“27步操作程序”，指导改革由试点向全省辐射展开。四是完成农业水价综合改革试点。截至2016年年底，顺利完成“十二五”以来20个县（市、区）的全国和省级农业水价综合改革试点（示范）项目建设。五是大力发展“智慧水利”，推动技术革新。截至2016年年底，完成2100余座水库动态监管预警系统建设，系统配套的手机APP软件已在1200余名水库管理人员中推广使用。

【加快技术进步】 2016年，四川省农业厅深入推进太阳能提灌建设，省级财政安排太阳能提灌建设专项补助资金2000万元，在9个市（州）的18个县（市、区）实施。积极推广软启动装置、节能电机、潜水泵集成技术、远程智能控制技术、泵管渠一体化技术。推进农村机电提灌管理信息化建设，全省机电灌溉信息化平台已录入超过31500座泵站的基本信息和5000余座泵站的坐标（GPS）数据，农村机电提灌的“大数据”应用开始起步。完成6个机电灌溉重点县30座远程管理（GPRS）示范泵站的改造和项目终验的相关工作。

【水利脱贫攻坚稳步推进】 2016 年,四川省水利厅将水利脱贫攻坚作为推进农田水利建设再上新台阶的重要抓手,协调推进饮水安全、水源保障、产水配套、水生态治理、人才培养五大水利扶贫行动,多点发力助推幸福美丽新村建设。一是加强领导统筹。成立了水利脱贫攻坚和支持幸福美丽新村建设工作领导小组,抽调工作骨干组建了水利厅脱贫办,保障了水利扶贫的组织基础。二是做好规划编制。有针对性地编制了《四川省“十三五”水利扶贫规划》《四川省贫困地区“十三五”饮水安全巩固提升规划》《“十三五”贫困村和幸福美丽新村小型农田水利建设规划(2016—2020年)》等,明确工作目标,压实扶贫任务。三是加大资金倾斜力度。贫困地区全年水利基础设施建设中央与省级财政资金投入达56.12 亿元,项目个数和资金安排量均超过全省项目总数和资金安排总数的 50%。四是保证项目支撑。大力实施农村饮水安全巩固提升工程,加快解决 88 个贫困县建档立卡贫困人口饮水安全问题;积极推进贫困地区骨干水源工程建设和中小河流生态治理工作,保障群众生产生活供水,促进项目区产水配套与生态治理,为脱贫攻坚与幸福美丽新村建设提供水利支撑。五是加强人才技术扶持。举办农村水利改革、水质检测、水库运行管理等专业技术培训 14 期,培训 1000 余人次,切实帮助贫困地区培养出一支高水平水利干部专业技术队伍;派驻业务骨干驻扎联系点贫困村开展技术帮扶,定期派工作组到贫困县开展调研指导。

四川省水利厅编写组、四川省农业厅编写组

农业重大工程项目建设

【基本情况】 2016 年,四川省农业部门发挥重点项目的支撑和牵引作用,以供给侧结构性改革为抓手,强化要素保障,农业农村经济发展继续呈现稳中有进、稳中向好态势,主要农产品供给充裕,第一产业增加值、农民人均可支配收入均达到预期目标。

【投资完成情况】 2016 年,四川省 5 个农业重点项目被纳入全省重大项目库,计划投资 11.27 亿元,其中粮食生产能力提升工程、现代农业推进工程、农业生态环境治理工程、农业公共安全保障工程是整合农业生产补助、农技推广和基本建设资金组合项目,国家杂交水稻制种基地建设项目是争取国家发展改革委立项的基本建设项目。全年到位资金 17.38 亿元,占计划的 154.25%;完成投资 15.22 亿元,占计划的 134.18%。

【项目建设进展情况】 2016 年,四川省 5 个项目建设进展有序。一是实施粮食生产能力提升工程。建设耕地质量保护与质量提升示范区 60 个,建设高标准农田 537.7 万亩,调整田型 1.2 万亩,建成部(省)级粮油高产创建万亩示范片 500 个,全年粮食稳定增产,油菜籽产量跃居全国第一位。二是实施现代农业推进工程。启动 59 个现代农业畜牧业重点县和 21 个现代农业示范市(县)建设,创建 55 个国家级园艺作物标准园、164 个部(省)级畜禽标准化养殖场,标准化改造池塘 2.5 万亩,新增提水灌面 28.76 万亩,完成农村机耕道建设 132 千米。三是实施农业生态环境治理工程。落实草原禁牧补助 7000 万亩、草畜平衡奖励 1.42 亿亩,建设现代家庭牧场 154 个,牲畜棚圈 4050 户、17.26 万平方米;化肥使用量增长率控制在 0.7%以内,减少农药使用量 1600 吨;开工建设新村沼气集中供气工程 152 处、规模化大型沼气工程 29 处。四是实施农业公共安全保障工程。认定第三批监管示范市(县),启动第四批监管示范市(县)创建,1 个市 4 个县被纳入国家首批农产品质量安全县创建试点,省级平台覆盖 135 个县 1926 家主体;抽检样品 570 万个,省级例行抽检总体合格率达 99%以上,全年未发生重大质量安全事件。五是实施国家杂交水稻制种基地建设项目。项目通过国家发展改革委正式批复,2016 年年底前开工建设,先期在泸县等地建设 4.55 万亩。

【主要工作措施】 一是压实责任抓落实,健全重点项目推进机制,出台重大项目实施方案,四川省农业厅主要领导亲自抓、分管领导直接抓、有关处室具体抓,正排工序、倒排工期,确保明责到人头、任务到节点。二是强力推进抓落实,建立农业厅领导挂联重点项目制度,提前介入、并联推进,倒排工期、错位施工,跟踪服务、蹲点指导,工作围着项目干、资金跟着项目走,促进项目尽早落地建设、投产达效,确保项目建设有序推进。三是严管资金抓落实,对项目资金强化事前、事中、事后全程监管,制(修)订《四川省农业专项资金管理办法》等项目资金管理制度,严格执行制度,强化资金分配政策、过程、结果信息公开力度,开展资金专项绩效评价,切实提高项目资金使用的规范性、安全性、有效性。四是强化督查抓落实,建立健全重点项目督查机制,对照项目建设时间节点定期或不定期开展重点项目推进情况专项督查;建立重点项目进展定期报送和通报机制,对项目推进情况进行动态跟踪,确保“周周有进展、月月有突破、季季有变化”。

四川省农业厅编写组

农业产业化基地建设

综　　述

【基本情况】 2016 年,围绕“三农”工作和脱贫攻坚目标任务,四川省坚持农村改革主攻方向不动摇,积极推进农业供给侧结构性改革,不断优化和重构现代农业产业体系、生产体系、经营体系,大力培育新型农业经营主体,深化“两个带动”,产业化组织培育和作用发挥取得新成效,成为推动全省现代农业发展的重要力量和带动贫困群众脱贫奔康的有力支撑。全省产业化组织建设农产品生产基地 5675 万亩,带动农户 2008 万户,带动面达 65%,从事产业化经营户户均增收2497元,有从业人员452.9万人。

【龙头企业和专合组织发展】 2016年,四川省有龙头企业8873家,有从业人员223.6万人,固定资产1921亿元,实现销售收入6113亿元、交易额1277亿元、销售(交易)利润563亿元。5835家龙头企业深入贫困地区开展精准扶贫,新建和巩固提升种养业生产基地59万亩,带动贫困户156.7万户,吸纳65.6万名贫困人口就业,带动近40万户贫困户人均年收入达1.53万元。

修订出台《四川省农业产业化省级重点龙头企业认定和运行监测管理办法》,组织开展了第七批省级重点龙头企业监测和第八批省级重点龙头企业评审认定,全省省级重点龙头企业达715家,其中国家级重点龙头企业60家。出台《四川省农民合作社参与财政支农项目申报和实施办法》等政策,加强农民专合组织规范化管理,提高专合组织运行监测工作质量,推进省级示范专合组织建设。全省农民专合组织发展到8.2万家,其中农民专业合作社7.4万家;4.9万家农民合作社吸纳建档立卡贫困户21万户,带动建档立卡贫困户47.4万户,常年和季节性雇佣贫困户113.8万人,支付工资90.1亿元,向贫困户返还利润6.2亿元。

【农业产业化示范基地建设】 2016年,四川省积极贯彻落实省委省政府《关于加强产业园区党的建设推动产业园区科学发展加快发展的意见》以及3个配套文件精神,以加强党建为切入点,着力提升管理水平和服务功能,示范基地党建工作成效明显、发展质效明显提升,引领农业发展转方式、调结构、促改革的能力显著增强。全省13个国家农业产业化示范基地建设公共技术研发中心24个、公共质量检测中心29个、公共物流信息中心11个、公共品牌推荐中心13个,获得“三品一标”认证农产品796个,在推进农业供给侧结构性改革、促进县域经济发展和带动农民增收致富等方面发挥了显著作用。

【“一村一品”发展】 2016年,四川省继续扎实推进“一村一品”发展,组织开展申报第六批全国“一村一品”示范村镇,成功申报17个全国“一村一品”示范村镇,全国“一村一品”示范村镇达88个。在全国“一村一品”示范村镇建设经验交流会上,四川省“一村一品”发展成效得到农业部及兄弟省份的充分肯定,汉源县作为全国唯一的县级单位在全国“一村一品”产业扶贫经验交流暨村企对接活动会上发言。盐源苹果、雷波脐橙参加了全国“‘一村一品’十大知名品牌”网络评选,分列全国“一村一品”十大品牌第三、四名。

中共四川省委农村工作委员会编写组

林业产业化建设

【基本情况】 2016年,四川省林业厅贯彻落实中央和省关于农业改革发展有关决策部署,实施多点多极支撑发展战略,着力发展六大产业、打造四大产业集群,林业产业发展成效显著。召开了全省林业产业扶贫工作现场会、全省林业产业园区现场会,承办了绿色发展构建质量与品牌为核心的产业(企业)竞争力座谈会等会议,切实推进现代林业产业发展,推动供给侧改革,加快现代林业产业发展。

【工作成效】 2016年,四川省林业产业基地面积接近1亿亩,其中现代基地近2500万亩;涉林企业7748家,木竹人造板产能达1323万立方米、木竹地板产能达2190万平方米、木竹家具产能达3929万件(套)、竹浆造纸(含竹纤维)产能达180万吨,特色经济林产品加工能力达170万吨。成都平原区林板家具、川南竹产业、川东北特色经济林和川西生态旅游四大产业集群初步形成。全省林业总产值达3060亿元,首次突破3000亿元大关,进入全国林业总产值排名第一集团,诞生了首个林业总产值百亿元大县。成都、泸州、广元、绵阳、乐山、南充、眉山、宜宾、达州、雅安、巴中和凉山12个市(州)林业总产值超过100亿元,其中成都市达到643亿元,乐山市、眉山市超过200亿元;成都市新都区、成都市温江区、都江堰、崇州、峨眉山、南部、九寨沟7个县(市、区)林业总产值超过50亿元,其中成都市新都区达到121亿元。林业产业促农增收效果明显,广元市朝天区农民从以核桃为主的林业产业获得的收入超过4000元。

【多元化现代林业产业融合发展】 自2009年以来,四川省政府印发《关于加快现代农业发展的意见》,将现代林业产业作为重要内容加以推进。每年省级财政安排资金1.8亿元,用于推进现代林业产业基地建设,全省已经形成了标准化、集约化、规模化、良种化的现代木竹、木本油料、木本调料等特色基地。以中高密度纤维板、板式家具、竹浆造纸、竹编工艺、木本粮油、森林蔬菜等为主的林产加工业快速发展,涌现了升达林产、国栋建设、永丰纸业、云华竹旅、开源油橄榄等一系列本土林业产业化龙头企业。以森林休闲旅游、森林康养为代表的新业态异军突起,在全国率先引进了森林康养概念。推进“互联网+”,扶持建设了首个全省专业性垂直电商平台——“天府林产”。推进大数据应用,推进木材指数平台、林产品质量追溯系统等应用建设,林业三产得到融合发展。

【林业区域经济特色】 2016年,根据四川省特色优势,围绕木竹培育利用、特色经济林培育利用、野生生物繁育利用、林下经济、苗木花卉、生态旅游和森林康养六大产业,突出区域优势,打造四大产业集群,已初步形成集竹基地培育、竹浆造纸、竹编、竹藤家具、竹制品研发、林下生态种养、竹生态旅游与休闲康养于一体的川南竹产业集群;集工业原料林培育、人造板、板式家具制造和研发、现代物流于一体的成都平原区林板家具产业集群;以木本油料、生态旅游、森林康养为主导产业的川东北特色经济林集群;以生态旅游为主导的川西高山高原区生态旅游集群。自2010年以来,全省已有60个现代林业重点县(产业强县)被省政府授牌认定,新一轮40个重点县培育工作有序推进,近100个重点县分布在四大产业集群中,形成了林业产业对区域经济的多点多极支撑。

【现代林业园区建设】 2016年,四川省林业厅依托现代林业产业基地建设和“万亩林亿元钱”示范片建设,进一步集聚优势资源,优化要素配置,拓展发展空间,培育新型林业经营主体,积极推进现代林业产业园区建设。截至2016年年底,全省共评定省级现代林业示范园区16个,建成规模化、标准化、集约化园区示范基地63.75万亩,产值达31.72亿元,园区内农民人均林业收入1.43万元。青神竹编、简阳花卉、纳溪大旺竹产业、朝天中子核桃、乐至林业科技、沐川方竹笋、威远无花果等省级示范园区既带动了竹编、竹笋、核桃和无花果等优势特色产业的发展壮大,为现代林业产业的经营理念、科学技术、管理方式提供了可复制的经验,又为群众展现了林业产业的经济效益、社会效益和生态效益,为社会各界提供了可看、可学、可推广的现代林业发展样板。

四川省林业厅编写组

林业产业重点县建设

【组织领导】 2016年,四川省各重点县党委、政府高度重视林业产业重点县建设,均成立了以政府主要领导为组长,分管领导为副组长的现代林业重点县建设领导小组，其中都江堰市成立了以市委书记为组长的林业重点县建设工作领导小组，下发了重点县建设实施意见，召开了专题工作会或现场办公会；泸州市纳溪区、合江县举办了重点县建设培训班。各重点县围绕现代林业产业高起点谋划、高标准建设，既有三年建设方案，又有年度项目实施方案，既细化了目标任务，又强化了推进措施。

【市、县财政投入】 2016 年，四川省各市、县两级加大财政投入力度，其中成都市补助都江堰市 2610 万元用于林业示范县建设，都江堰市本级财政配套 200 万元，保障了产业发展的财政资金配套；黑水县每年县级财政投入 500 万元用于林业重点县建设；宜宾县以及泸州市、达州市的重点县整合本级财政资金超过 1000 万元；其他重点县整合新村建设、农田水利建设等涉农项目资金，打捆使用，整体推进重点县建设，成效良好。

【扶持政策】 2016 年，四川省各重点区（县）出台了一系列扶持政策，保障建设任务完成，其中泸州市纳溪区对竹产业园、竹种园场地实施"五通一平"，入驻企业标准厂房建设等相关费用由区财政垫付；绵竹市制定了对公有制和非公有制林业企业同等标准的资源利用补贴、奖励、资金补助等政策，鼓励外地客商、外资企业参与林业建设和产业开发，促进林业优势产业基地的规模化、产业化进程；广安市广安区出台了对发展 500 亩以上特色经果林的农户给予每亩奖励 220 元的补助资金以及贫困村林业产业由村集体管护的每亩补助 100 元等奖励扶持政策。

【发展模式】 2016 年，青神县把现代林业示范县建设工作作为"十大亮点工作"并落实了目标责任；绵竹市将现代林业重点县建设工作列入全市"六大会战"重点工作之一，实行挂图作战；成都市 4 个重点县（市）在种苗等物资采购上采取实施主体自行采购的形式，突出实施主体的能动性，保证了种苗质量；岳池县依托"互联网+"组建了岳池核桃、花椒林产品销售团队，实现线上线下同步销售；巴中市恩阳区通过印制宣传资料、坝坝会、乡（镇）广播等方式宣传核桃产业发展前景，引导贫困户、农户、业主积极筹资投劳，调动了农民和经营主体的积极性。

【示范带动】 2016 年，四川省重点县利用网络、电视等新闻媒体大力宣传政策和成效，推广"万亩林亿元钱"示范模式和"龙头企业+基地+农户""托管寄养""股份合作""订单种养"等利益联结模式，联结机制越来越紧密，产业组织化水平较快提高，突出了精准扶贫和惠民利民，受到了上级部门和社会各界的广泛关注和支持。

【建设成效】 2016 年，四川省林业厅按照省政府《关于扎实推进新一轮现代农业林业畜牧业重点县建设的意见》要求，各重点县政府把重点县建设作为推动绿色发展、建设美丽四川、推进林业供给侧改革、助推脱贫攻坚的重要抓手。全年 40 个重点县实现林业总产值 1002.9 亿元，占全省林业总产值的 32.8%；建成林业产业基地 3208.2 万亩，占全省基地总面积的 31.1%；完成林业产业生产道路建设 1114.55 千米、蓄水池建设 45830 立方米，建成"万亩林亿元钱"示范片 29 万亩。40 个重点县有规模以上林产加工企业 47 家，木竹人造板产能达 312 万立方米、木竹地板产能达 310 万平方米、木竹家具产能达 1520 万件（套）、竹浆造纸（含竹纤维）产能达 80 万吨，特色经济林产品加工能力（含竹笋）达 69 万吨，涌现出了"青神竹编""朝天核桃""开江油橄榄""汉源花椒"等一批知名林产品品牌，极大地带动了全省林业产业发展。

四川省林业厅编写组

农业科技园区建设

国家级农业科技园区建设

【基本情况】 2016 年，科技部已批复四川省国家农业科技园区 9 个（乐山、广安、雅安、宜宾、南充、自贡、绵阳、遂宁、巴中）。9 个国家农业园区已建成核心区面积 14.5 万亩、示范区面积 300 余万亩。园区围绕主导产业发展，依托 80 余家省内外科研院所和高等院校，以科技项目为载体，大力开展集成创新，加速成果转化，示范新品种、新技术、新模式、新机制，累计引进示范新品种 200 余个、新技术 100 余项，培训技术人员及农民近 50 余万人次，促进了园区茶叶、畜禽、花木、果蔬、中药材、林竹、酿酒、生态旅游等主导产业发展。

【绵阳国家农业科技园区】 绵阳国家农业科技园区规划面积 44.7 万亩，核心区 3.4 万亩，确定了以涪城麦冬为主的道地中药材、以杂交水稻制种为主的生物种业、优质蚕桑、都市休闲旅游四大主导产业，带动乡村旅游、电子商务等产业发展，促进一二三产业融合发展。园区有注册经营主体 305 家（其中省级龙头企业 3 家、市级龙头企业 19 家）、农民专业合作社 84 家、家庭农场 28 家；妙季优鲜、国际香草园被认定为首批"星创天地"；"三品一标"农产品认证达 61 个；鸿宇"颗颗缘"绿色葡萄、丰邱涵蒙"百膳缘"绿色蔬菜等 5 家企业建立健全了质量可追溯体系。园区建成村级农村电商服务站 14 个，农业龙头企业触网率达 100%；本色农业、丰邱涵蒙、鸿宇农业、三木鸵鸟等企业通过淘宝开店、微信销售等方式进行农产品网上销售，实现网上销售额约 500 万元。2016 年，园区农副产品增加产值达 3.9 亿元；接待游客 110 万人次，实现乡村休闲旅游总收入 1.5 亿元，促进了一二三产业融合发展，实现了农业增产增效和农民增收。

四川省科学技术厅编写组

省级农业科技园区建设

【基本情况】 2016 年，四川省共有省级农业科技园区 93 个，园区大力组织开展农畜新品种、新技术、新模式、新机制的试验示范和推广应用，助力农业产业发展和农民增收致富。已建立核心区 33.4 万亩、示范区 154.6 万亩、辐射区 500 余万亩，聚集企业 1000 余家，示范新品种 800 余个，推广新技术 500 余项，培训农民 150 余万人次，实现年产值 300 余亿元。

【遂宁市安居区省级农业科技园区】 遂宁市安居区省级农业科技园区以龙头企业为主体、以产学研联盟为技术依托，着力打造优质肉牛产业，已发展成为集肉牛养殖、屠宰、深加工、贮运于一体的肉牛产业特色农业园区。园区采取"公司+科研单位+协会+基地+农户"的产学研合作新途径开展产前、产中、产后全程技术服务和生产服务，推行订单农业、二次返利机制等模式，辐射带动周边农户增收。设立养殖大户产业扶持基金，养殖大户只需“肉牛养殖协会”提供担保就可获得5万~10万元的借款支持。

园区以美宁实业集团为基础，以四川农业大学、成都大学等大专院校为技术支撑，组建产学研紧密结合的科技创新联盟，开发出优质冷鲜牛肉、方便牛肉及其他畜禽肉罐头制品、休闲(旅游)方便小包装牛肉、副产物综合利用产品四大系列80余种新产品。2016年，园区龙头企业新增产值3.2亿元，实现盈利3000余万元，带动辐射区15000余户农户养殖优质肉牛，实现户均增收13200元。

四川省科学技术厅编写组

先进农业科技园区选介

【中国泡菜城】 中国泡菜城园区创建于2012年，位于眉山岷江一桥以东，距中心城区1千米，紧邻岷东大道，遂资眉高速东坡出口连接线横贯园区，覆盖眉山市东坡区崇礼、永寿2个乡(镇)，总体规划面积12.9平方千米。建园以来实现了“六个全国第一”，即全国第一个规模最大、功能最全、工艺最新的泡菜产业园区，全国第一个国家级泡菜质量监督检验中心，全国第一个泡菜产业技术研究院，全国第一个中国泡菜博物馆，全国第一个泡菜行业标准，全国第一个泡菜行业4A级景区。2016年，园区实现综合产值90亿元，连续两年增长超过25%以上。

为保障园区企业泡菜原料供应，满足企业加工需求，按照“整合项目、集中打造、连片推进”的思路，整合各类涉农项目资金5000万元，建成生产道路33千米、排灌沟渠180千米，田网、渠网、路网“三网”互联互通的标准化核心示范区6000亩，辐射带动周边农户发展原料蔬菜基地1万亩。基地核心区引进吉香居、川南、恒星3家泡菜加工企业和翠鲜、升宏、助农、青康4家蔬菜专业合作社，培育蔬菜种植大户10户，流转土地6000亩，适度规模经营实现全覆盖，土地流转金每亩达1000元以上。园区基地按照“专业化、标准化、机械化、生态化、信息化”要求进行蔬菜种植、采收、贮运，全面推广黄板、杀虫灯等绿色防控设施和病虫害综合防控技术，建设互联网农产品质量安全追溯系统，确保泡菜原料的绿色、安全。配套建成集约化育苗中心100亩、温室大棚400亩，安装田间水肥管网8000余米，配置喷(滴)灌设施600余亩。采用“公司+基地+农户”“公司+合作社+农户”等形式，园区泡菜企业与蔬菜种植专业合作社、基地农户签订最低保护价收购协议，按企业需求组织生产，基地内订单生产率达100%。2016年，园区基地生产泡菜原料6.5万吨以上，基地农户人均蔬菜销售收入3000元；有常年性和季节性务工农民1000余人，共增加务工收入500万元。

围绕泡菜食品主导产业引进川南、惠通、李记、恒星、大有、味之浓、邓仕、虎将等28家大型泡菜企业入驻园区，其中亿元以上企业10家，泡菜广场风情街入驻大型企业和商家22家，产业集中度达62%，实现销售收入80亿元。引导周边青壮农民8000余人就地转移进厂务工，增加务工收入2.3亿元。园区泡菜企业全面执行眉山市制定的国家泡菜行业标准、国家泡菜质量监督检验中心强化质量检测，与日本、韩国合作发起制定了国际泡菜行业标准。园区创建国家级农业产业化龙头企业1家、省级龙头企业3家，引进国家级农业产业化龙头企业1家、上市公司1家，拥有中国驰名商标3个、省著名商标4个、四川名牌产品6个、绿色食品26个。“东坡泡菜”创建为国家地理标志保护产品，获得产地证明商标，荣登中国品牌价值榜，品牌价值达104.6亿元。按照“科研团队为主体、重点泡菜企业出资、政府政策项目支持”的机制，在园区内成立了泡菜产业技术研究院。研究院先后获得国家发明专利19项，直投式乳酸菌发酵加工泡菜技术获得国家食品行业科技发明一等奖，两项成果获得四川省政府科技进步一等奖，科研成果被转化为20余个新产品，为企业增加年销售收入近亿元。园区建成45万亩标准化绿色泡菜原料种植基地，订单率超过80%，促进22万户基地农民年增收9亿元。眉山市东坡区被授予“全国绿色食品蔬菜标准化生产基地”“全国调味品原味辅料种植基地”称号。

园区注重泡菜文化与东坡文化的有机融合，连续8年作为中国泡菜博览会主会场举办国内外泡菜展示展销、中国泡菜品牌大赛、中国泡菜制作大赛等活动，形成和发表了《中国泡菜眉山宣言》，被中国食品工业协会授予中国泡菜展销会永久会址。东坡泡菜远销日本、韩国、美国、欧洲等100余个国家和地区，中央电视台、凤凰卫视、《人民日报》等媒体多次进行了专题报道。园区建成以泡菜博物馆、泡菜风情街、泡菜广场、企业观光生产线、万亩绿色蔬菜基地、水天花月湿地公园为核心的旅游景点，形成了观光环线，2016年创建为国家4A级旅游景区，接待游客50余万人次，实现旅游综合收入6500余万元。围绕“互联网+东坡泡菜”，园区组建“盛华管理电商平台”，年线上销售收入近3亿元；川南、惠通、邓仕、恒星、虎将等12家企业先后进军电商市场。举办“东坡泡菜”互联网主题宣传活动和招商推介签约活动，2016年第八届泡菜博览会期间，园区与京东、阿里巴巴等签订泡菜产品和眉山特色农产品购销协议67亿元。依托“中国泡菜城”，以“水城交融”“三纵两横”和“八大载体”为主题，将园区与周边2个乡(镇)统筹规划、一体布局，建成现代城市综合体6平方千米，聚集人口5万余人。通过城市开发、景区打造等方式，园区促进2000余名本地农民转变成为三产经营者和从业者，为其增加收入4000万元。

【双龙现代农业产业园】 双龙现代农业产业园地处苍溪县城以东，总面积3.82万亩，覆盖岳东、河地、运山、文昌、东溪5个乡(镇)26个村，集红心猕猴桃产业特色化、产村一体化、装备现代化、生产标准化、经营规模化、管理规范化于一体，对推进贫困山区的农业现代化建设起到了较好的示范引领作用。园区实现年综合产值13.4亿元，带动农户9860户、29600人增收致富，园区内年人均纯收入实现9100元。

园区按照特色种养功能区、农产品加工与流通功能区、农业休闲观光功能区、农村居民聚居与服务功能区等“一园四区”总体布局，多规合一，统筹规划指导建设。按照“项目整合、多元投入、以奖促建”原则，创新投入体制机制，累计投入园区基础建设与产业发展资金3.98亿元，其中统筹整合财政涉农资金1.15亿元、财政资金撬动社会资本(龙头企业)投入1.2亿元、财政资金撬动金融资本投入1.08亿元、财政资金撬动民间资本(农户投入)投入0.55亿元。园区成立了以县委书记、县长任组长，县级相关部门和有关乡(镇)“一把手”为成员的园区建设领导小组，领导小组下设园区党委，统筹协调推进园区各项建设管理工作。统筹技术保障力量，园区建成院士(专家)工作站1个，工作站有美国科学院院士1人(兼职)、博士3人、研究生5人；建成技术服务中心4个，由政府统配水果、粮油、畜禽养殖、乡村旅游专业技术人员8人，新型经营主体外聘专业技术人员12人，培育农业技术骨干540人(含技术明白人)；制定园区建设管理办法,通过园区党委下设园区规划组、资金统筹保障组、项目建设管理组、技术服务组、合作经营服务组等“一委五组”,同时建立园区建设管理奖惩激励机制,形成了“一个办法、一支队伍、一套机制、一项考核”的“四个一”的建管机制,推动了园区建设、经营管理经常化、制度化、规范化。

园区围绕特色种养殖功能区建成以红心猕猴桃为主,苍溪雪梨、优质粮油、生态畜禽养殖配套的“1+3”特色种养殖产业,集中连片发展红心猕猴桃、雪梨等特色水果2.18万亩,优质粮油1.64万亩,建成标准化生态畜禽养殖小区12个,形成了果、粮、畜(禽)、沼(气)配套的种养循环产业链。围绕农产品加工功能区引进培育省级农产品加工龙头企业4家,其中特色水果深加工企业2家、优质粮油深加工企业2家,2016年实现农产品加工16万吨,实现产值12.2亿元;围绕农产品流通功能区、农业生态观光功能区建成农产品流通合作社13个,培育农民经纪人65人、农业合作经营服务中心5个,建成电商服务站12个,年销售农产品280万吨,建成农业观光旅游点3个,发展农家乐12家(其中星级农家乐8家)。

在园区内大力开展农村土地、房屋确权登记,农村集体土地“三权分离”与农村集体资产股份制改革,改革覆盖面达100%。按照“户建场、场入社、社联企、企接市”的总体思路,采用“龙头企业+基地+农户”“企业+专合社”“家庭农场、企业+农户”“专合社、家庭农场+农户”“电商平台+农户”等多种合作经营方式大力引进培育孵化新型经营主体,培育龙头企业3家(其中农业上市公司1家)、专合社12家、家庭农场258个、电商2家,培育新型农业职业经理人团队2个、新型职业农民896人。园区适度规模经营户达1500户,土地经营权流转2.48万亩,流转面达65%以上。

园区通过与北京大学现代农学院、四川农业大学、四川省农科院等院校和科研单位合作建立院士(专家)工作站,大力推进“产学研、育繁推”一体化建设。在园区特色种养殖功能区大力推广高标准农田建设、良种繁育、水肥一体化、农业物联网、绿色防控、无人机植保、农业机械集成、秸秆还田免耕连作、农业面源污染治理以及“特色种植+生态养殖+沼气”生态循环发展等实用技术;建立农产品质量安全检测点4个,建立了完备的农产品质量安全台账和信息库,构建了“四级”农产品质量安全体系和三级质量追溯体系;建设动植物疫病防控点4个,开展主要农作物及家畜家禽重大疫病综合治理技术集成配套。园区建成高标准农田2.8万亩,占园区总面积的73%以上;新建黑化道路110千米,园区道路通达率达100%;标改塘库(堰)578口,建成标准化排灌渠道67千米,水肥一体化推广面积达1.2万亩;推广猕猴桃组培苗栽植2.18万亩,培育红心猕猴桃新品种2个;农业物联网推广面达60%以上,绿色防控面达95%以上,免耕连作面积达1.6万亩,农业机械集成技术推广面达65%以上。园区农产品连续多年检测合格率达98%以上,禁用药物监测合格率达100%,面源污染治理面达95%以上。在农产品加工功能区引进台湾新技术开发猕猴桃酵素、含片、果酒、饮料、口服液保健品等深加工产品30余种。

园区创新“四保+分红”利益联接机制,流转土地2.18万亩,亩均流转费为550元,园区农民年获得土地租金收入累计达1190万元。合同保障了流转土地农户优先务工权,华朴公司在园区流转土地建设红心猕猴桃基地1.6万亩,让3000余名农民在家门口成为农业工人,年人均务工收入达2万余元。保订单收购,对农户种植的红心猕猴桃由各类经营主体实行订单收购,订单生产覆盖面达100%。积极鼓励园区新型经营主体和农户参加保险,化解风险、增加收益,参保面达95%以上。“分红”,即二次返利分红。2016年,果王公司、金龙粮油、梨乡粮油在园区推行订单收购,二次返利分红184万元;反租倒包分红,华朴公司在园区实行反租倒包,年实现超产分红120余万元;股权收益分红,积极推行财政涉农资金股权量化改革,按户均折股入股龙头企业经营分红,园区农户亩均获得分红收益200元。

园区在农民聚居与服务功能区按照建设新农居、打造新环境、培养新农民、树立新风尚、配套新服务、加强新治理的“六新”模式建成新型农村社区12个、生态家园户4500户,培养有技术、有道德、有文化、有经营管理能力、有民主法治素质的“五有”新型农民2.1万人。园区的行政村均建立了“一平台三中心”党群公共服务中心,为村民提供生产生活的全方位服务。

【“白坪—飞龙”现代农业产业园】 “白坪—飞龙”现代农业产业园位于武胜县东北部,辖白坪乡、飞龙镇、三溪镇3个乡(镇)29个行政村,辖区面积50平方千米,有人口6.3万人。园区成功创建为“全国休闲农业与乡村旅游示范点”、国家4A级旅游景区;白坪乡、飞龙镇被命名为省级生态乡镇;飞龙镇卢山村被评为省级环境优美示范村并获得中央电视台2013年“中国十大最美乡村”提名奖和农业部2014年“中国最美休闲乡村”称号;白坪乡高洞村被住房城乡建设部评为“全国宜居村庄”并获得中央电视台2014年“中国十大最美乡村”称号;白坪乡白坪村2015年被评为“中国乡村旅游模范村”。示范园区内农民纯收入达15320元,比全县人均纯收入高32个百分点。

坚持统筹发展,推进全面建设。一是统筹规划编制。编制《白坪—飞龙新农村示范区建设总体规划》《白坪—飞龙现代农业示范园区建设规划》及土地利用、镇村建设、产业发展等专项规划30余项,形成了标准甜橙园、标准蔬菜园、标准花木园和优质粮油、家禽家畜种养基地的产业布局和白坪—飞龙旅游新城、三溪商贸新镇、7个新农村综合体和41个新村聚居点的镇村体系。二是统筹产业发展。引进四川安柠宝、四川昊农等农业企业14家,产业业主136个,培育菜根循环农业专业合作社、宏远农业专业合作社等专合组织69个,规模发展标准甜橙园3万亩、标准蔬菜园1.5万亩、标准花木园5000亩和“千斤粮万元钱”粮经复合产业基地2万亩,新发展规模养殖场22个,建成农产品初加工中心5个,建成乡村酒店2家、特色农家乐22家、乡村客栈36家。三是统筹基础设施建设。建成景观大道、内外环线道路95千米,开通农村客运专线2条、乡村旅游专线3条,投入营运公交车8辆。实施小农水重点县、病险水库除险加固等建设项目,治理水土流失面积18平方千米。实施河东供水工程和“宽带乡村行”工程,升级改造变电站,新建光缆接入点和交接箱,核心区实现WiFi全覆盖。建成垃圾池(箱)200余口(个);人工湿地和太阳能微动力污水处理系统14处、生化处理池38个。

推进机制创新,增强发展活力。一是创新农村产权制度。建立农村产权交易市场,引导农村产权进入市场交易12宗。率先开展农村产权抵押融资试点,探索农村产权抵押、担保的多种实现形式,共融资1200余万元,建立特色农庄12个、产业基地8000余亩。二是创新发展适度规模经营。建立农业园区农民土地承包流转交易服务平台、乡(镇)流转服务站、村流转服务点,提供委托流通、农地生产能力等级、流转价格评估、抵押担保等服务,加强农村土地流转监测。三是创新新型农业经营主体培育。实施分类指导,引导具有一技之长的农户发展适度规模经营,培育专业大户136户、农庭农场28个、农民专业合作社69个。开展示范性家庭农场创建活动,培育省级示范家庭农场2个。引进2家农业产业化龙头企业发展适合企业化经营的现代种养业、农产品加工流通业。四是创新农业社会化服务。健全和完善农业园区和乡(镇)农业技术推广、动植物疫病防控、农产品质量安全监管等公共服务体系。开展农机作业、委托代耕、病虫害防治、育种育苗、储藏保鲜等经营性服务,扩大农业生产全程社会化服务试点。

链条产业延伸,促进产业融合。一是实现产区变景区。建设橙海阳光、丝情画意、金色大地等六大景区,实现"种庄稼"与"种风景"的融合。建成花卉苗木园、农耕文化院落、红岩英雄文化陈列馆、竹丝画帘展馆等景点12个,每年吸引游客100余万人次,实现收入3.2亿元,为园区农民人均增收1200余元。二是实现产品变礼品。吸引工商资本和民间资本建立农产品加工基地5个;加强品牌建设和营销管理,开发土蜂蜜、武胜脐橙、礼品西瓜、功能蔬菜等系列特色农产品8个,提高农产品附加值20%以上,为农民人均增收40余元。三是实现劳动变运动。打造开心农场、亲子乐园等景点,让城市游客享受个性化、人性化、亲情化的休闲体验,吸引广安、重庆、南充附近400余户家庭在园区登记开展传统农事活动。四是实现一业变多业。大力发展现代农业、乡村旅游业、商贸流通业,实现一三产业互动、融合发展。适应趋势,拓宽业态,加快发展健康养老、教育培训、电子商务、文化创意等新兴产业,促进产业转型,多业并举。

【新安农业公园】 新安农业公园位于江油市新安镇,园区总面积2.31万亩。园区坚持种养结合、绿色发展理念,是集农业生产、新技术展示、休闲观光、农事体验、农产品加工于一体的现代农业产业融合示范园,园内农民可支配收入达1.5万余元。2016年,新安农业公园被农业厅认定为四川省首批省级示范农业主题公园。

园区主导产业优良品种覆盖率达100%,猕猴桃、葡萄、早熟梨种植面积达1.1万亩,占园区总面积的80%以上,其中猕猴桃种植面积近6000余亩,主导品种突出,为农产品初、精加工提供了良好的产业基地。园区按照"补短板、促发展""种养结合、循环发展"的要求,高标准配套建设正大"1100"模式现代化生猪养殖场13个和10万羽肉鸡养殖场1处,养殖废料经干湿分离、沼化处理、好氧存贮后全部转为优质有机肥,粪污完全做到资源化利用。园区原有田埂、梯田全部整理成适宜种植水果的缓坡地,输水渠、排水渠、地间毛渠等水利基础设施完善并全部硬化。主干观光道纵贯全园,沿观光道两侧密布硬化作业道、步行道至每个地块。园内设施化种植比例较高,除极少数不需要网架设施(比如蓝莓)的项目外,梨、葡萄、猕猴桃等种植区域全部建有水泥桩网架设施,香瓜、草莓等全部为大棚温室种植,有近500亩葡萄建设了避雨大棚。水肥一体化、滴灌技术应用率达80%以上。园区业主根据各品种特点,从施肥、施药、授粉、采摘、修枝等各个环节均制定了标准生产流程,工人必须经培训合格方可上岗,园区内基本实现了标准化生产。公园实行"大园区、多业主"的经营方针,园内经营主体主要以龙头企业为主,以专业合作社、家庭农场和种养大户为辅,新型经营主体作用突出,为园区品牌化经营打下了良好基础。2016年,园区共有龙头企业29家、专业合作社19个、家庭农场13家、种养大户200余户。统一注册了"甜蜜新安"商标,园内业主自有注册商标13个、有机食品4个、绿色食品3个,为农业公园产品走出四川、走向全国打下了基础。

园内配套建有组装式冷藏库19座,冷藏储存能力达1460吨;建有烘干房2座,烘干能力达2吨/天,有猕猴桃自动分级筛选线1条,基本满足了农产品冷藏错峰需求。园区自建设起就坚持按旅游六要素景区化打造,园内主干道、作业道四通八达;园内田块、沟渠、网架等设施整齐,700余户民房全部统一风貌打造,园内建有300亩湿地公园、1处观景平台,设有3处生态公交站;园内果园普遍开设了采摘、农事体验、果树认养等体验项目;园区有生态农庄21家、乡村酒店2家、床位30余张,为游客品尝美食、体验乡村生活提供了全方位服务。园区已连续举办了10届"梨花节"和3届"采果节"。2016年,园区接待游客30余万人次,实现旅游收入5200万元,基本达到了农旅融合发展的目标。

四川省农业厅编写组

农产品加工业

综 述

【基本情况】 2016年,四川省农产品加工业及食品工业均保持了良好稳定发展态势,全省规模以上农产品加工企业达3943家,累计实现工业总产值11301.78亿元,同比增长10.76%;实现销售产值10924.06亿元,同比增长11.48%,产销率达96.66%。全行业实现主营业务收入10507.3亿元,同比增长10.65%;实现利润总额668亿元,同比增长7.1%;完成利税1229.4亿元,同比增长2.42%(如下表所示)。其中,全省规模以上饮料食品企业2299家,累计实现工业总产值7628.98亿元,同比增长10.7%;实现销售产值7336.04亿元,同比增长11.81%;产销率为96.16%。全行业实现主营业务收入7047.4亿元,同比增长10.2%;实现利润总额475.2亿元,同比增长8.25%;完成利税913.5亿元,同比增长2.03%。纺织业规模以上企业344家,实现主营业务收入958.1亿元,较上年同期增长9.2%;实现利润总额43.9亿元,较上年同期增长4.2%;完成利税68.4亿元。家具制造业规模以上企业295家,累计实现主营业务收入544.5亿元,较上年同期增长14.3%;实现利润总额30.7亿元,较上年同期增长10.6%;完成利税55.3亿元。造纸业及纸制品业规模以上企业254家,实现主营业务收入477.2亿元,较上年同期增长14.2%;实现利润总额20.2亿元,较上年同期增长4.1%;完成利税32.9亿元。

2016年四川省3943家规模以上农产品加工业经营情况统计表

	工业总产值	销售产值	主营业务收入	利润总额	利税
产值(亿元)	11301.78	10924.06	10507.3	668	1229.4
同比增长(%)	10.76	11.48	10.65	7.1	2.42

【持续推进重点行业转型升级】 2016年，四川省经济和信息化委员会按照《川茶加工业转型升级实施方案》确定的工作路线，以支持精制茶加工企业生产设备自动化、清洁化、连续化和新产品工艺创新为抓手，重点支持了全省31家茶叶加工企业的技改和创新项目。顺应供给侧结构性改革，指导和推动食品工业企业面向中高端消费需求增加新产品供给，一些行业和企业呈现出新亮点。马铃薯主粮化战略在方便食品开发领域成功落地，光友薯业通过技术创新开发的“重庆小面”、马铃薯粉丝深受消费者喜爱，出现供不应求的态势。新希望华西乳业、菊乐食品等省内知名乳企纷纷发力国内消费增长最快的常温酸奶市场，分别取得了单品销售收入超过3亿元和9000万元的业绩。推动食品工业向饮食消费成品化和便利化的服务制造型转变，在中餐标准化方面，促进工厂食品和餐饮消费食品有机对接，大力支持四川王家渡食品有限公司餐饮食品工业化、标准化生产，开创了国内餐饮食品与工厂食品结合的先河。在方便食品行业，继续支持了一批速冻米面主食加工业发展项目。同时，推动预制调味品和佐餐食品品种多样化发展。

【乳制品加工】 2016年，四川省中国荷斯坦牛存栏17.56万头，奶产量62.7万吨。全省乳制品加工企业主要分布在成都市特大城市经济圈，其中成都市、眉山市占11家，城郊型奶业性质明显。全省乳制品加工企业日处理牛奶能力达5800吨，年加工能力达200万吨。获准乳制品加工许可企业的加工产品主要为常温液态奶、低温保鲜奶、调制液体奶、发酵酸奶、含乳制品等。省内有31家企业具备奶制品生产条件(核准)，四川新希望、四川菊乐、四川雪宝、成都伊利、四川蒙牛、四川杨森、凉山三牧等22家企业(独立法人)拥有乳制品生产许可证，阿坝州高原之宝获得婴幼儿奶粉生产许可证；22家企业生产液体乳制品、含乳饮料制品和干乳制品，乳制品年产量达110万吨。省内30余家饮料企业生产含乳饮料和含乳食品，全省乳制品及含乳饮料制品年产值达130亿元以上。四川蒙牛、成都伊利、四川新希望、四川菊乐、四川雪宝、广元娃哈哈、四川杨森、凉山三牧8家主要乳制品企业年产值超过亿元，其中年产值超过10亿元的有4家，年产值在5亿~10亿元的有3家，合计产值近62亿元。

【蔬菜加工业发展壮大】 2016年，四川省农业厅建设了一批采后商品化处理、冷藏设施，带动了全省采后商品化处理率提升至40%。建成全国第一的泡菜加工原料生产基地，泡菜加工工艺居国际领先水平，比肩日本、韩国。2016年，全省泡菜产量、产值分别达370万吨、300亿元。

【持续推进农产品加工业创新发展】 2016年，四川省经济和信息化委员会举办了食品饮料产业政产学研用协同创新研讨班，邀请中国工程院院士、国家部委专家、学者、省内高校教授和金融机构、国有企业负责人为省内重点企业、院所、协会、产业园区和主管部门等120余人进行培训。继续推进农产品深加工企业开展触网行动，支持企业经营形态创新。鼓励企业参加“互联网+四川制造”活动，新增8家调味品、休闲食品企业，5家精制茶企业进驻天猫、天虎云商平台，提升企业线下市场与线上渠道同质同价营销能力。落实国家农村一二三产业融合发展实施意见，配合省发展改革委等6部门制订了全省三产融合发展的方案，共同推荐蒲江县等6个县(市、区)为全国首批农村产业融合发展试点示范县。立足农产品加工业职能，在现有农业产业形态和加工生产基础较好的雅安、乐山、绵阳、泸州等市指导和推动农产品加工业主管部门发展兼具观赏游玩功能的加工业，支持雅安蒙顶山茶业集团、跃华茶业集团、犍为县炒花甘露公司、江油市松花岭农业开发公司投资建设万亩茶叶、茉莉、百合、高粱等大型田园生态区，在经营形态上实现了农工旅贸融合。

【持续推进农产品加工业投资项目建设】 2016年，四川省经济和信息化委员会组织开展2016年四川省技术改造和淘汰落后产能专项资金中小企业农产品深加工项目征集、评审工作，共安排100个固定资产投资项目，企业总投资24.2亿元，累计支持5000万元，建成后预期新增销售收入44亿元、利润约5.2亿元、税金约2.1亿元。资金下达后，已有63个项目资金落实到位，项目完工率达42%，投资完成率达66%。推动各地食品饮料产业重大投资项目建设，指导有关市(州)工业主管部门跟踪服务重大投资项目进展，成都市加快推进食品产业39个重大工业项目建设，总投资130.93亿元，其中2016年计划投资33.1亿元，已完成投资30.7亿元，完成年度计划的92.7%；10个计划竣工投产项目已竣工投产4个。遂宁市引进的喜之郎食品有限公司、四川珠穆朗玛食品有限责任公司、福建中绿(遂宁)蓬溪西南生产基地3个重大产业项目已形成实物投资量超过13亿元。

【持续支持企业开拓市场】 2016年，四川省经济和信息化委员会围绕农产品进城入市主题，召开了食品工业企业开拓市场工作座谈会，组织流通协会、食品工业企业和大型商贸企业开展业务对接，促进全省加工食品更好地走进省内城乡消费市场；鼓励全省食品工业企业“走出去”，借助中国—白俄罗斯元首协议成果，组织40余家有“走出去”愿望的企业参加中—白工业园招商推介会，让四川食品企业有更多机会分享“一带一路”招商成果带来的发展机遇和政策红利，在沿线发展中国家中寻得商机；依托国内品牌展览展销活动，以展促销，全年共参加全国性、区域性和外向型农产品加工、食品工业类展会3次，组织98家食品工业企业参加第四届东亚食品博览会、34家企业参加第十九届中国国际农产品加工业贸易洽谈会、30家企业参加2016年中国海南国际热带农产品冬季交易会。

【持续做好食品安全工作】 2016年，四川省经济和信息化委员会围绕提质增效，鼓励和引导食品饮料企业加强质量安全保障能力建设，利用现有资金渠道支持企业冷链发展项目和国家食品质量安全检验检测示范中心建设。四川省轻工院、四川省食研院分别完成企业、政府委托检测18600批次和3800批次，分别培训企业质检人员115人和77人。在宜宾市组织开展了2016年全国食品安全宣传周四川省经信系统主题日活动，对白酒行业80家企业负责人和宜宾、自贡、泸州市主管部门负责人进行了诚信管理体系(CMS)建设培训。

【认真落实产业精准扶贫工作】 2016年，四川省经济和信息化委员会专题调研阆中市农产品加工业发展情况，就依托当地生猪、肉牛、蚕桑、中药材等特色资源和部分屠宰、酿造、制药龙头企业助力精准扶贫进行了综合分析，对下一步支持产业发展的方向和具体举措提出了建议；多次到开江县督查调研精准扶贫进展，积极推动程家沟村农产品“三品”工作等具体帮扶事项落实；大力支持贫困县农产品加工业项目，在2016年资金渠道中累计对29个贫困县的57个项目进行了支持，资金额达2640万元，分别占全部项目总数和金额总数的57%和53%。

四川省经济和信息化委员会编写组、四川省农业厅编写组

肉制品工业

【基本情况】 四川省是肉类生产和消费大省，以肉类为主导的畜牧产值占农业总产值的50%以上，2016年肉类产量接近800万吨，占全

国肉类产量的1/10。尤其是特色川猪仍然具有资源和规模优势，在其规模效应的带动下，畜禽饲养、肉类生产和消费量持续发展，成为全省农村发展、农业增效和农民增收的支柱产业，也为老百姓“菜篮子”中肉类充足供给和社会和谐安定提供了保障。

随着肉类生产的持续增长，全省肉类加工也在长足进步，屠宰加工能力继续保持了较强的竞争优势，技术力量、设备条件和营销网络居全国之首。加工以生猪屠宰为主，全省有生猪定点屠宰厂（场）200余个、小型屠宰场点接近1800个，基本形成了120余家重点生猪屠宰加工企业和270余家规模以上屠宰加工企业，总资产超过310亿元，屠宰及肉类加工年销售收入达100亿元以上，利润总额接近45亿元。全省以生猪为主的精深加工主要集中在成都市及其周边地区，成都、德阳、绵阳等市拥有全省48%的肉类加工企业，其中屠宰加工占70%以上，精深加工占总数的30%左右。肉类消费主要以鲜肉消费为主，其中冷鲜肉、冷冻肉方式消费占总数的30%。在精深加工领域，持续的设备技术引进和自主创新不断提升肉类加工业总体技术水平，现代腌制、乳化、重组等技术引进集成冷鲜、低温、预调理等肉制品开发，血、骨等屠宰大宗副产物加工利用，传统特色腌腊、酱卤肉制品现代化改造，冷链物流技术应用和安全控制体系建设等稳步推进。

【生猪产业】 2016年，四川省有规模以上屠宰企业150余家，屠宰能力达2亿头以上，实际屠宰约4000万头。猪肉总产量700余万吨，四川高金等前10强企业屠宰量占屠宰总量的70%以上。全省规模化精深加工企业达270余家，重点龙头企业技术、装备日益进步，生产规模不断扩大，年加工能力达100万吨以上，85%以上是以鲜态分割产品以及传统腌腊（香肠、火腿、腊肉等）、酱卤等为主，辅以烧烤、肉干等类型，规模化、机械化及技术含量较高的产品则是西式高温火腿肠、低温香肠、预调理肉类菜肴和肉罐头等类型，其在产品中的比例为40%左右。以科技支撑、成果转化等项目实施为抓手，产业龙头企业与成都大学、四川农业大学、四川大学、西华大学、四川省畜牧科学研究院等高校和科研院所组建了产学研用技术创新联盟，围绕生猪加工关键技术研究与应用领域进行攻关；依托生猪产业研究院和工程中心新建肉类品质提升和安全控制工程实验室并投入运行；通过发布开放基金项目等形式聚集专家团队和企业集群进行攻关，取得专有技术成果30余项、发明专利及实用新型成果20余项，转化技术成果40余项，开发产品新装置50余种（套），获得四川省科技进步奖2项，继续为产业发展提供有力的技术支撑。

【肉牛产业】 2016年，四川省涉及牛肉加工的企业达100余家，其在加工技术研发和产品开发等方面达到国内先进水平。依托产业龙头企业与成都大学、四川农业大学、西南民族大学、四川大学、四川省畜牧科学研究院等高校和科研院所组建了牛业产学研技术创新联盟，实施相关项目10余项，取得专有技术成果20余项、发明专利及实用新型10余项，开发高档调理冷保鲜牛肉、发酵牛肉干、牦牛肉火腿肠、风味牛肉罐头、休闲方便牛肉制品等优质产品百余种，有机、绿色等优质牛肉产品开发和认证工作获得新进展。

【肉羊产业】 2016年，四川省涉及羊肉加工的企业近百家，但规模以上企业仅有10余家，而且主要是屠宰分割初加工，主要分布在甘孜州、阿坝州、凉山州等地区，实际屠宰能力不到200万头，小规模化羊肉制品加工企业仅有10余家，四川绿源、简阳大哥大、甘孜炉霍、阿坝永昌、松潘银河等主要进行精分割肉、风干羊腿、羊肉卷、羊肉串等加工。羊肉产业龙头企业与成都大学、西南民族大学等高校实施多项相关项目，取得专有技术成果6项、发明专利及实用新型10余项，开发发酵风干羊腿，调理羊排、风味羊肉串、质构调整羊肉干等产品数十种，围绕羊肉产业关键技术研究与应用领域进行了富有成效的探索。

【肉鸡产业】 2016年，四川省涉及鸡肉加工的企业达60余家，其中规模化加工企业20余家，作坊式制作则上千家，龙头企业如四川玉冠、四川颐康、四川金鑫等加工能力30余万吨，但实际规模化加工能力不到3万吨，加工产值在1.2亿~1.5亿元之间。主要产品为分割冷鲜冻鲜品、传统腌辣酱卤品，其次是冷保鲜调理调味以及少量肉糜制品、罐头制品等，大部分分布在成都市、遂宁市等及其毗邻地区。依托四川省肉鸡工程技术中心和肉类加工四川省重点实验室等研发平台，四川省畜牧科学院、四川农业大学、成都大学等高校和科研院所与肉鸡生产和加工龙头企业围绕肉鸡屠宰与初加工、精深加工、副产品利用和贮运流通环节进行攻关，研发配套相关技术，形成系列发明及实用新型专利等技术成果，开发系列产品并规模化加工投放市场，在冷鲜调理产品、川菜菜肴工业化、生物发酵改进传统产品、重组乳化风味产品等领域均进行了富有成效的技术研发和产品开发。

四川省经济和信息化委员会编写组

制茶工业

【基本情况】 2016年是四川省茶产业的品牌年，是茶产业转型升级的重要年，全省茶产业在省委省政府的高度重视下，产品创新、主体培育、市场建设等方面均取得了良好成绩。

【产品结构逐步优化】 2016年，四川省茶产业“一主三辅”产品结构调整不断推进，全年绿茶产量20.91万吨、红茶产量1.23万吨、黑茶产量2.82万吨、茉莉花茶产量2.62万吨，分别占茶总产量的74.46%、4.4%、10.07%和9.36%，绿茶仍处于主导地位。全年名优茶产量16.24万吨、大宗茶产量11.76万吨。深加工产品进一步发展，川茶集团的超微绿茶粉及茶食品开发成功；雅安藏茶研发的藏茶精华液——“天路”成功投放市场；犍为茉莉花精油等茶日用品受到白领的青睐。积极参加省内外名优茶评选，芽芝春茶业、巴山云顶7个产品在“国饮杯”评选中获奖，犍为清溪茶叶的“清茗香”在2016全国茉莉花茶质量评选中获奖，巴山雀舌、巴蜀玉叶等产品在北京茶博会“第二届亚太茶茗”名茶评比中获奖。

【大力培育经营主体】 2016年，由四川省茶业集团股份有限公司、成都农业发展投资有限公司、四川金典藏茶股份有限公司等企业组建的天府龙芽股份公司注册成功并正式运营，公司将承载川茶大区域品牌带领四川茶企抱团发展。全省规模以上茶叶企业达614家，其中产值在500万~1000万元的有377家，产值在1000万~5000万元的有157家，产值在5000万元以上的有80家；有省级以上重点龙头企业59家，增加12家；茶叶电商、微商等快速发展，销售额超过亿元，较上年增长10%以上。采取“公司+基地+农户”“公司+专合社（种植大户、家庭农场）+农户”经营模式，围绕品牌茶企推进基地建设，公司竹叶青茶业自有基地2.2万亩，产量达1000吨，辐射带动基地24余万亩，产量达12200吨；川茶集团订单基地达38万亩，精制茶产量达10772吨。加快标准化茶厂改造和设备改进，提升名优茶加工水平和生产能力，万源市引进了红茶全自动生产线1条和绿茶连续化生产线1条，年加工能力达1000吨，大大推进了万源市茶叶加工现代化进程。加大力度扶持龙头企业壮大资本化运作，鼓励企业抱团发展，茶叶企业在"新三板"挂牌企业1家（雅安茶厂），在成都（川藏）股权交易中心挂牌14家。

【构建营销体系，拓展国内外市场】 2016年，四川省有大型茶叶专业市场7家和蒙顶山茶叶交易所1家，有效带动了茶叶的市场交易、信息聚集和仓储物流发展。简阳大华国际茶城举办了中国黑茶高峰论坛和中国茶技能大赛，提高了茶城知名度。茶叶龙头企业在全国设立品牌店、连锁店、加盟店，进超市、进卖场，构建了省外营销网络。米仓山茶业在乌鲁木齐市和喀什市举办了"米仓山茶"推介会，现场交易额达1300万元。推进电子商务平台建设，电子商务规模快速增长，全省有1/3的企业开展了电子商务，川红集团电商交易额达1亿元，拥有传统电商平台活跃用户50万户，微信平台有赞商城累计4.6万余个分销商、近5万名粉丝。农业厅、商务厅等部门加大对出口茶的支持力度，利用"一带一路"和"丝绸之路"组织川茶企业拓展国际市场。

四川省农业厅编写组

泡菜加工业

【基本情况】 2016年，四川省泡菜产量370万吨，实现产值300亿元，分别较上年增加40万吨、30亿元，产业规模约占全国泡菜产量的70%。全省泡菜销售产值达上亿元的企业超过30家，产业从业人员超过60万人。依托农业部园艺作物标准园创建和省级现代农业示范市（县）、重点县建设项目推进标准化泡菜原料基地建设，全省标准化泡菜原料基地面积达240万亩，带动基地农民增收近22亿元。

【泡菜质量安全水平提升】 2016年，四川省农业厅普及推广《四川泡菜》《四川泡菜生产规范》等一系列技术规程。各类泡菜企业年加工鲜菜近1100万吨，产品抽检合格率稳定在98%以上。

【龙头企业聚集发展】 2016年，四川省以眉山市东坡区"中国泡菜城"、"新繁泡菜（食品）产业园"、郫县"中国川菜产业园"为主代表的产业园区加快发展，其中"中国泡菜城"聚集泡菜龙头企业近30家，成为全省泡菜的主产地、核心区，2016年园区实现产值近100亿元。

【举办博览会提升品牌知名度】 2016年10月30日—11月3日，在眉山市东坡区举办了第八届中国泡菜博览会。该届博览会以"三千年泡菜中国人味道"为主题召开了泡菜经济文化圆桌会议，评选认定了20个四川名牌泡菜产品、全国泡菜十大经销商，开展了泡菜产品展示展销、泡菜烹饪比赛、川菜研讨会等活动，"四川泡菜"区域品牌知名度进一步提升。

四川省农业厅编写组

农村市场体系建设

农产品现代流通体系建设

【大力发展农村电商】 2016年，四川省农村网络零售额456.8亿元，其中示范县农村电商网络零售额151亿元左右，占比33.1%。一是完善农村电商公共服务体系。县、乡、村三级电商公共服务体系为农民提供代购代销、代收代发、缴费、小额取款、创业等服务，农民生活更加便利，与城市居民享受到了同样的消费服务。二是实现农村产品电商化、品牌化。深入推进"一县一品""一乡一品"农村产品电商布局，强化农产品标准化、分级包装、初加工配送等设施建设。三是促进农村经济转型升级。示范县仪陇县的"电商+龙头企业"、邻水县的"电商+贫困户"、青川县的"电商+产业基地"、青神县的"电商+特色产业"、广元市利州区的"电商+特色农业"等模式初步建立起了"连接城乡、双向流通、虚实结合、平急共用、融合一体"的农村现代流通体系，改变了农业生产方式、农村生活方式、农民思维方式和价值观念，对促进农村经济转型升级、调整农业产业结构、提高农民收入具有重要意义。四是培训孵化帮助农民增收致富。企业网上接订单，贫困户家门口搞生产，实现用工、就业双赢。农村电商直接创造就业岗位14万个，累计帮助2万余人开设网店；农村电商产业链直接创造就业岗位13.9万个，帮助大量农村青年、返乡农民工、留守妇女实现就地就业。

【推进农产品流通网络建设】 2016年，四川省级财政安排2800万元资金，引导社会投资7亿余元，推动10个百万人口大县改造提升县域商贸流通设施，建设现代流通示范县。一是开展商贸镇建设。近三年，省级安排资金7000余万元，引导社会资金投入14亿元，共有66个小城镇围绕提升乡（镇）商贸服务中心、特色商业街、农贸市场、特色专业市场和农村电商服务等开展商贸镇建设。二是推进农村商品配送中心和农家店建设。以万村千乡市场工程、牧民定居计划、彝家新寨、秦巴山区扶贫开发等项目建成的商品配送中心和农家店为基础，增加电商服务功能，促进线上线下融合发展。三是支持农产品市场提档升级。支持骨干农产品批发市场进行市场信息、检测、监控、电子决算、物流配送等100余个项目建设，提升农产品批发市场交易服务功能。四是推动农村特色专业市场建设。支持民族地区畜产品、秦巴地区山珍产品等一批特色专业市场升级改造，促进县域专业批发市场发展。

【建设农产品冷链流通体系】 2016年，成都等11个市的20个县（市、区）的冷链物流企业开展冷链物流标准化产地预冷集配、低温加工仓储配送等设施和信息化体系建设。商务部、国家标准化管理委员会联合开展农产品冷链流通标准化示范工作，商务厅引导21个市（州）及冷链物流企业积极争创全国农产品冷链流通标准化示范城市和企业。成都市、绵阳市被确定为农产品冷链流通标准化试点城市，成都银犁冷藏物流股份有限公司、绵阳森泰农业开发有限公司等10家企业被确定为农产品冷链流通标准化试点企业。加强农村电子商务体系建设，强力推进冷链物流建设，在国家级电子商务进农村示范建设中支持县、乡、村物流体系建设，明确农村物流体系建设财政补助资金不低于30%。以农产品冷链流通标准化试点城市和试点企业为引领，全面开展农产品冷链流通标准化建设，逐步完善农产品冷链流通标准体系，实现农产品优质优价，推动农业结构优化调整。同时，在商务部的支持下，积极向国家开发银行、农业发展银行等金融机构争取政策，为冷链物流企业发展提供金融支持，推动冷链物流体系建设。

四川省商务厅编写组

“互联网+农业”

【四川省“互联网+”现代农业工作推进会】 2016年12月29日，由四川省政府组织的四川省“互联网+”现代农业工作推进会在蒲江县召开。会议明确了今后5年“互联网+”现代农业5个方面的工作目标：一是全省农业生产智能化水平明显提升，农业物联网等信息技术应用比例达20%以上。二是农业经营网络化水平明显提升，农产品网络零售额占农业生产总值的比重达10%以上。三是农业管理数字化水平明显提升，农业农村大数据建设取得重大进展。四是农业服务便捷化水平明显提升，农业信息服务惠及80%以上的农户。五是农业信息化基础设施建设水平明显提升，农业信息化服务装备手段明显提高，城乡信息基础设施差距进一步缩小。

【农业政务信息化提升项目】 2016年，四川省农业政务信息化提升项目总投资279万元，建设内容包括农机信息化平台（一期）、粮油规模经营主体信息管理系统、四川省土地确权登记前端数据检查（采购四川鱼鳞图信息技术股份有限公司成品软件模块）、“蚕丛丝路”APP、人事管理系统五大行业应用软件开发以及机房服务器配套基础软件和资源池软硬系统扩容升级。项目于5月开工，11月完成建设，12月通过验收，项目的建成为实现全省农业信息化与农业现代化的“两化融合”发挥了积极作用，为省级农业主管部门实现3年期大农业信息化软硬件整合奠定了良好的基础。

四川省农业厅编写组

农产品贸易

【基本情况】 2016年，四川省农产品进出口总额为71.1亿元，较上年增长5.1%，其中出口42.1亿元，同比增长4.5%；进口29亿元，同比增长5.9%，农产品对外贸易总体呈现平稳运行态势。

【主要成绩】 2016年，四川省货物进出口、进口较上年分别增长2.8%和25.6%，出口下降9.8%。全省农产品进出口、出口增幅高于大部分其他产品，进出口增幅高于全省平均水平2.3个百分点。

进出口、出口在全省外贸中的占比稳中有升。农产品进出口和出口分别在全省总额中占2.2%和2.3%，较上年分别提升0.1和0.3个百分点。进口占比2.1%，较上年减少0.3个百分点。

进出口产品共涉及429个品种，出口产品涉及320个品种，其中白酒出口8.4亿元，占农产品出口总额的19.8%，同比减少24.1%；调味品出口2.7亿元，同比增长13.9%；其余主要有烟草、植物液汁及浸膏、植物制胶液及增稠剂、鱼油脂及其分离品、猪肉及杂碎罐头、桉叶油、绿茶、桑蚕厂丝、种用稻谷、松茸、中药材等。进口184个品种，其中黄大豆进口9.4亿元，占农产品进口总额的32.4%，同比减少5.6%；牛皮进口3.1亿元，增长8.1%；固态乳及奶油进口2.8亿元，增长145.4%；其余主要产品包括水貂皮、配方奶粉、草饲料、葡萄酒、饲料用鱼粉等（如表1所示）。

表1 2016年四川省农产品进出口主要品种

农产品出口主要品种	出口总额（万元）	同比（%）	农产品进口主要品种	进口总额（万元）	同比（%）
全省合计	421109	4.5	全省合计	290365	5.91
白酒	83531	-24.06	黄大豆（种用除外）	94356	-5.59
未列名调味汁及其制品、混合调味品	27256	13.94	其他超过16千克的整张牛皮	31129	8.05
部分或全部去梗的烤烟	21287	5270.39	未加糖的固态乳及奶油，含脂量>1.5%	27867	145.35
未列名植物液汁及浸膏	15573	13.61	整张水貂皮	18970	6400.38
未列名植物制胶液及增稠剂	13550	11.42	供婴幼儿食用的零售包装配方奶粉	12902	-6
未列名食品	13442	8.66	其他草饲料	11585	-57.05
除鱼肝油以外的鱼油、脂及其分离品	12664	-31.36	装入2升及以下容器的鲜酿葡萄酒	11086	74.72
卡拉胶	10273	87.99	饲料用鱼粉	10492	-30.87
猪肉及杂碎罐头	9566	-12.87	黄油	7718	11.57
桉叶油	9228	-19.66	干麒麟菜	5365	245.88
绿茶，内包装每件净重≤3公斤	8402	61.99	固态乳及奶油，含脂量≤1.5%	4915	20.18
鲜或冷的整只鸡	8328	—	冻带骨猪前腿、猪后腿及其肉块	4526	809.8
未列名主要用作药料的植物及其某部分	7853	-5.15	鲜、冷大西洋鲑鱼	4129	9.8
猪鬃	7732	10.01	未列名鲜果或干坚果	3098	—
桑蚕厂丝	7302	-27.94	其他冻猪肉	3009	271.44

续表

绿茶,内包装每件净重>3 公斤	6688	17.22	其他食用高粱	2583	-42.02
种用籼米稻谷	6630	-29.83	鲜乳酪包括乳清乳酪、凝乳	2521	217.83
冷冻松茸	6545	71.54	糊精及其他改性淀粉	2028	5.26
鲜或冷的整只鸭	6395	—	乳清及改性乳清	1932	-5.84
党参	5533	61.93	其他冻猪杂碎	1755	56.3

549 家企业有农产品进出口实绩,农产品进出口实绩企业数量占全省外贸实绩企业总数的 13.6%。370 家企业有出口实绩,其中五粮液出口 7.7 亿元,占全省出口总额的 18.3%;豪吉食品出口 2.4 亿元;其余企业主要有四川烟草、省新立新进出口、齐藤贸易、森态源生物科技、德阳华泰生物医药、川村中药材等。216 家企业有进口实绩,其中益海粮油、新希望分别进口 9.4 亿元和 5.6 亿元,合计占全省进口总额的 51.9%;其余企业主要有振静股份、德华皮革、通威实业、华川高新农业科技等(如表 2 所示)。

对 127 个国家和地区开展农产品贸易。2016 年,全省农产品出口国家和地区有 111 个,其中出口亚洲占出口总额的 73.5%,主要有东盟、日本、韩国等国家和地区;出口欧洲和北美分别占 11.9%和 8.1%,主要有美国、加拿大、德国、意大利等国家。进口国家和地区有 72 个,其中对大洋洲和北美洲进口分别占全省进口总额的 30%和 26.9%;对拉丁美洲、欧洲和亚洲进口分别占 17%、14.5%和 10.7%,主要有美国、新西兰、澳大利亚、巴西、阿根廷、丹麦、加拿大等国家或地区(如表 3 所示)。

表 2　2016 年四川省农产品进出口主要企业

农产品出口主要企业	出口总额（万元）	同比（%）	农产品进口主要企业	进口总额（万元）	同比（%）
全省合计	421109	4.5	全省合计	290365	5.91
四川省宜宾五粮液集团进出口有限公司	76854	-25.47	益海(广汉)粮油饲料有限公司	94356	-0.61
四川豪吉食品有限公司	24454	11.85	四川新希望贸易有限公司	56408	38.82
中国烟草四川进出口有限公司	22404	3865.67	四川振静股份有限公司	26587	51.44
四川省新立新进出口有限公司	15679	78.34	四川德华皮革制造有限公司	18987	6406.08
成都齐藤贸易有限公司	11689	27.78	四川省金铭汇国际贸易有限公司	9791	330.18
四川森态源生物科技有限公司	10217	15.14	成都通威实业有限公司	7058	-63.78
德阳华泰生物医药资源有限公司	6995	-40.75	成都华川高新农业科技有限公司	5421	94.79
四川川村中药材有限公司	6434	-6.37	成都齐藤贸易有限公司	5365	245.88
四川省医药保健品进出口公司	6432	7.71	泸州老窖进出口贸易有限公司	4459	—
四川朗润国际贸易有限公司	5228	87.07	成都特驱澳佳投资有限公司	4119	1.53
成都华高茶科技有限公司	4378	-18.84	成都拓峰国际贸易有限公司	3880	101.66
泸州兴乐食品有限公司	4253	5.73	成都麦迪亚国际贸易有限公司	3500	38.88
四川川虎鬃业有限公司	4177	-24.24	成都龙信实业有限责任公司	3147	1650.35
四川欣美加生物医药有限公司	4073	-22.12	成都凤凰饲料有限公司	2879	7.24
四川康晨生物科技有限公司	3979	51.02	四川正达生物科技股份有限公司	2867	508.11
中核建中核燃料元件公司	3922	-46.75	成都新维德贸易有限公司	2353	74.55
四川品高农产有限公司	3710	27.11	四川省伊思利恩商贸有限公司	1664	—
成都建中香料香精有限公司	3638	15.01	成都岚牌—辛普皮业有限公司	1612	7127.81
成都协力魔芋科学种植加工园有限公司	3324	52.42	四川畅新食品有限公司	1472	46.36
四川水井坊股份有限公司	3028	-23.16	四川协力制药有限公司	1469	-50.73

表 3　2016 年四川省农产品进出口主要国家（地区）

国家（地区）	出口（万元）	同比（%）	进口（万元）	同比（%）	国家（地区）	出口（万元）	同比（%）	进口（万元）	同比（%）
亚洲	309643	3.2	31023	57.27	欧洲	49978	20.1	42386	138.18
中国香港	116026	27.9	1477	11.38	丹麦	938	-57.19	21233	1350.04
日本	35562	10.83	457	433.58	德国	12378	-14.07	3514	90.41
菲律宾	32254	39.76	853	370.83	法国	5565	10.34	4472	51.85
新加坡	23646	-27.66	25	3.96	西班牙	6436	90.1	1917	19.58
印度尼西亚	17192	9.87	6448	99.9	荷兰	5108	115.6	2299	62.88
越南	17486	6.43	4840	-27.44	比利时	6638	595.69	293	-2.79
泰国	11459	-36.61	8349	194.68	意大利	4098	8.94	838	57.6
韩国	14245	17.76	2008	-40.62	法罗群岛	0	—	3484	27.94
马来西亚	10888	-50.34	1709	412.48	俄罗斯	2823	29.65	288	—
印度	9808	-24.1	173	-51.96	拉丁美洲	1567	-10.63	49770	-38.58
中国台湾	5648	-24.84	421	8.76	巴西	458	-14.55	24294	-43.42
朝鲜	1007	-19.26	3128	—	阿根廷	16	-81.43	22979	-5.99
阿联酋	2699	25.3	155	43.81	秘鲁	26	547.2	1039	-92.19
中国澳门	2794	-41.97	0	—	北美洲	33628	-14.2	78273	-3.98
土耳其	1844	191.95	1	-25.11	加拿大	7432	-40.76	12176	99.8
非洲	17959	48.41	1968	104	美国	26196	-1.69	66098	-12.37
摩洛哥	9439	22.69	1343	242.03	大洋洲	8334	0.57	86944	18.89
塞内加尔	1989	78.07	0	—	澳大利亚	5234	13.94	36546	-0.96
阿尔及利亚	1125	153.96	0	—	新西兰	1211	130.99	50398	39.23

四川省商务厅编写组

农产品进出口概况及年度特点

【基本情况】 2016 年，四川省农产品进出口总额实现双增长。全省进出口农产品总额实现 71.2 亿元，比上年增长 5.2%，其中出口 42.1 亿元，增长 4.6%；进口 29.1 亿元，增长 6.1%。

【四川省农产品进出口的主要特点】 2016 年，四川省农产品进出口整体呈现前低后高的走势，前 9 个月除 1 月（6.8 亿元）和 8 月（6.6 亿元）外，进出口规模均在 4 亿～6 亿元的较低区间运行，年末三个月持续走高，进出口规模在 10 月、11 月突破 7 亿元后，12 月回落至 6.9 亿元，但仍处于历史同期高位，同比增长 9.7%，其中出口 4.9 亿元，为自 2014 年 6 月以来的新高，同比增长 13.3%；进口 2 亿元，同比增长 1.7%。

一般贸易方式占绝对主导地位，加工贸易方式快速增长，海关特殊监管方式实现激增。2016 年，四川省以一般贸易方式实现农产品进出口 69.5 亿元，增长 3.7%，占全年全省农产品进出口总额的 97.6%，仍保持第一大贸易方式地位，其中出口 41.3 亿元，增长 2.9%；进口 28.2 亿元，增长 5%。同期，以加工贸易方式进出口 5897.5 万元，增长 18.9%，快于 5.2%的整体增速，占全省农产品进出口总值的 0.8%；以海关特殊监管方式进出口 5575.7 万元，激增 2.7 倍。

2016 年，中国香港取代东盟成为全省农产品第一大出口市场，全年对其出口 11.6 亿元，增长 27.9%；对东盟、欧盟、日本和美国分别出口 11.4 亿元、4.7 亿元、3.6 亿元和 2.6 亿元，分别下降 12%、增长 20.9%、增长 10.8%、下降 1.7%，前五大出口市场合计出口值占同期全省农产品出口总值的 80.3%。此外，四川省对“一带一路”沿线国家共出口农产品 14.1 亿元，下降 10.6%，占全年农产品出口总值的 33.4%（如表 1 所示）。

同期，美国、新西兰仍为四川农产品前两大进口来源地，其中自美国进口 6.6 亿元，下降 12.5%；自新西兰进口 5 亿元，增长 39.2%，自上述前两大市场合计进口值占全年农产品进口总值的 40%。此外，四川省自“一带一路”沿线国家农产品进口值达到 2.5 亿元，增长 58.5%，占全年农产品进口总值的 8.5%（如表 2 所示）。

表 1 2016 年四川省对"一带一路"沿线国家出口农产品统计表

（前 10 位）

国家	出口值(万元)	同比(%)
菲律宾	32254	39.8
新加坡	23648	-27.7
越南	17486	6.4
印度尼西亚	17248	10.2
泰国	11459	-36.6
马来西亚	10888	-50.3
印度	9808	-24.1
意大利	4098	8.9
俄罗斯	2823	29.6
阿联酋	1844	25.3

表 2 2016 年四川省自主要"一带一路"沿线国家进口农产品统计表

（前 10 位）

国家	进口值(万元)	同比(%)
泰国	8935	215.1
印度尼西亚	6448	99.9
越南	4840	-27.4
马来西亚	1709	411.7
菲律宾	853	371.3
意大利	838	57.8
蒙古	466	—
俄罗斯	288	—
孟加拉国	199	—
印度	173	-51.9

出口商品主要以白酒、中药材、植物汁液及蔬菜等为主，肉及烤烟等出口增势迅猛。2016 年，白酒仍为四川省农产品第一大出口种类，全年出口白酒 161.6 万升，减少 10.1%；价值 8.4 亿元，下降 24.1%，占全年四川农产品出口总值的 19.8%。除了白酒以外，其他农产品主要出口种类出口值均呈现不同程度的增长，其中出口中药材 9910 吨，增长 1.6 倍，价值 4.2 亿元，增长 59.7%；出口植物汁液及果胶 5347.5 吨，增长 41.6%，价值 4 亿元，增长 25.5%；出口蔬菜 1.4 万吨，减少 23%，价值 3.6 亿元，增长 25.2%；出口茶叶 9098.4 吨，增长 64.7%，价值 1.6 亿元，增长 24.7%，上述 4 类农产品出口值共占全年四川省农产品出口总值的 31.7%。此外，肉及杂碎和烤烟出口呈现迅猛增长态势，全年出口肉及杂碎 1.4 万吨，增长 2.3 倍，价值 2.7 亿元，增长 1 倍；出口烤烟 8124.3 吨，激增 33.6 倍，价值 2.1 亿元，激增 52.7 倍（如表 3 所示）。

粮食和乳制品仍为前两大进口品种，肉及杂碎、水果及干果的量、价均成倍增长。2016 年，粮食和乳制品仍为四川省农产品前两大进口种类，全年进口粮食 36.9 万吨，减少 15.4%，价值 9.9 亿元，减少 8.9%（主要为大豆进口）；进口乳制品 3.8 万吨，增长 60.1%，价值 6 亿元，增长 69.2%。上述二类农产品进口值共占全年四川农产品进口总值的 54.7%（如表 4 所示）。

此外，肉及杂碎、水果及干果进口量、价均成倍增长，全年进口肉及杂碎 1 万吨，增长 2.5 倍，价值 1.3 亿元，增长 2.5 倍；进口水果及干果 1129.4 吨。

表 3 2016 年四川省主要出口农产品量值统计表

种类	出口值(亿元)	同比(%)
白酒	8.4	-24.1
中药材	4.2	59.7
植物汁液、果胶、琼脂及其他胶液	4	25.5
蔬菜	3.6	25.2
肉及杂碎	2.7	24.7
猪肉	0.19	-67.8
羊肉	0.08	-10.9
烤烟	2.1	5270.4
生丝	0.9	-33.4
粮食	0.8	-21.1
谷物及谷物粉	0.7	-30.4
稻谷和大米	0.7	-29.8

表 4 2016 年四川省主要进口农产品量值统计表

种类	进口值(亿元)	同比(%)
粮食	9.9	-8.9
木薯	0	-100
谷物及谷物粉	0.4	-43.6
高粱	0.3	-42
大豆	9.4	-5.6
乳制品	6	39.2
奶粉	4.6	56.6
酒类	1.3	85.8
葡萄酒	1.1	67.5
肉及杂碎	1.3	248.2
饲料用鱼粉	1	-30.9
鲜、干水果及坚果	0.3	147410.5
植物汁液、果胶、琼脂及其他	0.2	-43

【农产品进出口增长主要原因】 2016 年，四川省委省政府大力支持

地方特色农产品"走出去",紧紧抓住蔬菜价格上涨、多国渔业减产带动四川水(海)产品出口增长等契机共同提振出口,大力推动地方特色农产品走出国门,其中烤烟、中药材等特色农产品出口步伐进一步加快。同时,2016年年初由于国内蔬菜供应趋紧,打开了蔬菜价格上升通道,推动主要蔬菜出口品种价格明显上涨,在出口量减少的情况下,出口值大幅增长。此外,厄尔尼诺现象产生的高温天气对东南亚、阿根廷、秘鲁、美国等国家和地区渔业带去了严重减产影响,多国水(海)产品市场供应偏紧,给四川水(海)产品出口提供了充分的市场空间。2016年,全省烤烟、中药材、蔬菜和水(海)产品出口值分别增长52.7倍、59.7%、25.2%和36.3%,对农产品出口值增长的贡献率达125.5%。

消费升级带动葡萄酒等进口大增,内外价差扩大导致进口肉类实现激增等因素共同拉动了进口增长。由于国内消费需求扩大和消费层次提高,加之受二胎政策带来的生育高峰等因素影响,乳品和酒类(主要是葡萄酒)进口值分别增长69.2%和85.8%。同时,由于国内市场价格上升,内外价差扩大,以猪肉为代表的肉类产品进口值激增长2.5倍,乳品、葡萄酒和肉类合计进口值拉高全国农产品进口总值11.7个百分点。

【主要特色农产品进出口情况】 2016年,四川省中药材单月出口量整体呈现先低后高的走势,年末三个月出口实现激增,10月、11月和12月出口量分别激增13.1倍、56.7倍和5倍。从出口市场来看,华人聚居的周边国家和地区为主要出口目的地,其中对中国香港3亿元,激增1.8倍,占同期全省中药材出口总值的73.1%;对日本出口6232.1万元,下降18.7%,占同期全省中药材出口总值的15%;对东盟出口3633.8万元,下降32.3%,占同期全省中药材出口总值的8.7%。从出口具体商品来看,地黄、茯苓、党参和川穹仍为出口量前4大商品,而出口值前4大商品则为党参、冬虫夏草、茯苓和地黄。中药材出口虽然出现大幅增长,但占全国的比重仅为6.2%,主要制约因素有以下几个方面:一是出口市场较为单一,主要为华人聚居区,而全国中药材出口市场还包括美国、德国、意大利等非华人主要聚居国家;二是出口价值链处于较低端,出口品种主要以中药等原料植物药为主,缺乏向价值链深处的加工,与当前出口原料药、中药制剂、饮片及提取物等多样化出口结构已不相适应;三是物流成本依然较高,削弱了全省中药材出口的国际市场竞争力。

2016年,全省出口白酒161.6万升,减少10.1%;价值8.4亿元,下降24.1%。白酒出口出现减少,主要原因有以下几个方面:一是出口基数较高。2015年白酒出口值创历史新高,基数效应导致2016年出口出现同比下滑。二是2016年国内主要白酒企业纷纷调整经营战略,纷纷推出更适合国内消费的大众白酒品种,加之国内白酒消费市场结束了2015年的低迷态势,出现显著回暖,五粮液、泸州老窖等知名白酒企业又再次将市场推广重心放到国内,国内白酒消费的提升抑制了白酒出口的快速增长。

1—10月,四川省以加工贸易方式进出口1402.1亿元,同比增长17.6%,增幅继续扩大(1—9月增幅为14.8%),拉动全省外贸增长7.8个百分点(同期四川外贸下降2.7%),占同期全省外贸进出口总值的54%(该比重自2月以来已连续9个月超过50%)。全省以加工贸易方式进出口以成、德、绵城市群为主,其中成都以1333.5亿元的加工贸易进出口额继续排名第一位,增长21.4%(1—9月增幅为18.1%),继续保持持续性正增长且增速超过四川省加工贸易整体增长幅度,占全省加工贸易进出口总值比重高达95.1%;绵阳(25.4亿元,下降7.8%)、德阳(12.2亿元,下降64.2%),分列第二位和第三位;乐山(9.8亿元,增长7.7%)加工贸易进出口总值继续保持正增长,位列全省第四。

【四川省农产品值得关注的问题及相关建议】 2016年,四川省农产品进出口实现了较快增长,但受部分农产品内外价差扩大的影响,部分农产品由原来的贸易顺差转为贸易逆差,例如过去很长一段时间四川为猪肉净出口地,而目前转为猪肉净进口地。同时,四川农业多以散养、散种的生产方式为主,产业化程度不高、现代规模化经营不足的问题依然存在,更需关注的是,省内农产品加工企业规模化水平和技术水平还有待提升,深加工占比较低,农产品出口主要依靠的仍然是低价增量,附加值较低,农药残留检测手段单一,农药超高的现象还不时发生,极易造成相关出口目的国的贸易壁垒和贸易调查,四川农产品在国际上的市场竞争力依然较弱。此外,四川农产品缺乏具有国际竞争力的知名品牌,对外宣传推广还需加强。因此,四川省应进一步加强农业供给侧结构性改革,积极推动农产品转型升级,提质增效。一是鼓励农产品加工企业充分发挥市场主体作用,积极参与国际市场竞争,大力引进国外资本、先进技术和管理经验,同时实施"走出去"战略,积极开展境外农业合作开发,建立规模化海外生产加工储运基地,培育有国际竞争力的农业跨国公司。二是健全农产品贸易调控机制,优化进口来源地布局,在确保供给安全的条件下,扩大优势农产品出口,适度增加国内紧缺农产品进口。三是加快完善农产品价格形成机制,充分发挥市场的资源配置作用,将价格支持和财政补贴相结合,实现价补分离。四是利用市场需求带动种植结构调整,加快农业科技创新,发展适度规模经营,降低生产成本,保证农民收入。

中华人民共和国成都海关编写组

农村基础设施建设与管理

水利建设

综　述

【基本情况】 2016年，四川省水利系统完成《四川省"十三五"水利发展规划》的编制工作，围绕"再造一个都江堰灌区"目标，深入推进水利改革发展，全年累计完成投资285亿元，新增和恢复蓄引提水能力1.5亿立方米，新增有效灌面120万亩，水利行业治理水土流失面积2458平方千米，实现了"十三五"全省水利工作的良好开局。

【水利基础设施建设成效显著】 2016年，四川省武引二期灌区、什邡八角水库等68处大中型水利工程加快建设；蓬溪船山灌区、土溪口水库、黄石盘水库、李家岩水库4处国家"172"重大水利工程开工建设，开工数量列全国第1位，创造了四川省大型水利工程年度开工数量的新记录；向家坝灌区一期、凉山州大桥水库灌区二期等重点项目前期工作总体顺利，平昌县江家口水库被增补纳入国家"172"重大水利工程名录。加快推进主要江河堤防、中小河流治理、病险水库水闸除险加固、抗旱应急水源工程、基层防汛预报预警体系建设，灌区节水改造、小农水重点县、高效节水灌溉等农村水利建设项目进展顺利，农村饮水巩固提升工程受益人口达202万人，江河湖库水系连通工程2016年试点项目积极推进。全年新增地电装机28万千瓦，完成276个农村水电增效扩容改造项目。

【防汛抗旱工作取得全面胜利】 2016年，受超强厄尔尼诺事件影响，四川省部分地方洪涝灾害偏重，四川省水利厅超前部署工作，强化预警预报，坚持值班值守，强化应急抢险，实现了"重要水库、水电站无一垮坝，堰塞湖、堤防无一溃决，无一人因水利工程出险死亡"的既定目标，汛期因洪涝灾害死亡、失踪人数和直接经济损失分别为多年平均值的1/3和1/4，最大程度保障了人民群众的生命财产安全，减轻了灾害损失。同时，认真落实抗旱措施，千方百计蓄水保水，科学调度有序管水，汛末全省工程蓄水总量达70亿立方米，比多年同期增蓄6.8亿立方米。

【水利法制建设取得新进展】 2016年，《四川省水利工程管理条例》通过四川省人民代表大会常务委员会第一次审议。四川省水利厅结合水利工作实际开展了《四川省〈水法〉实施办法立法后评估报告》《四川省河道管理实施办法立法后评估报告》等专题调研。推进规范性文件的审查备案工作，审查《向社会力量购买农田水利工程运行维护和服务的管理办法》《关于鼓励引导社会资本参与农田水利设施建设运营的意见》等10余个规范性文件，并依据法律法规的规定做出了相应的修改完善，对部分不符合法律法规规定的规范性文件坚决不予出台。

【依法科学管水力度不断加强】 2016年，四川省全面落实最严格水资源管理制度，顺利完成"十二五"期末及年度考核工作，审查水资源论证报告16份，发放取水许可证42份，全省用水总量得到有效控制。节水型社会建设深入开展，《用水定额》地方标准颁布实施，国家水资源监控能力建设项目(一期)通过验收，第一批30个节水型社会重点县建设基本完成。优化行政审批，规范权责清单，政务中心水利窗口受理按时办结率、满意率均达100%。严格依法管水，规范建设管理程序，项目招投标、合同管理、资金使用、质量安全等关键环节监督有力有序。严格水事执法，组织开展常规执法巡查9800余次，开展重点流域专项执法监督检查6次，并依法对水事违法行为予以处罚,水事环境进一步优化。水利科技和职业教育取得新进展,与中国水利水电科学研究院签署战略合作协议。水文基础设施建设稳步推进,中小河流水文监测系统基本建成;省政府批复了《四川省水土保持规划(2015—2030年)》;强化为地方服务,与资阳市政府签订了战略合作框架协议。

【水利改革攻坚持续推进】 2016年,四川省水利厅在《省委重要改革举措实施规划(2014—2020年)》明确的9项水利改革任务中,农业水价综合改革试点、农村小型水利设施确权颁证等7项改革任务顺利完成,《水利工程管理条例》修订等2项任务按计划积极推进。深入开展水利改革试点,水资源管理体制、水利投融资体制、行政审批制度等关键领域的11大项37小项改革有序推进。贯彻落实省委办公厅、省政府办公厅《关于创新机制推进水利支持幸福美丽新村建设的意见》,建立了相应的工作机制,明确了评估考核办法。全面推行河长制工作进展顺利,省委省政府印发了《四川省贯彻落实〈关于全面推行河长制的意见〉实施方案》,构建起了最高规格、坚强有力的省级河长制组织领导体系。

【水利脱贫攻坚深入开展】 2016年,四川省水利厅大力实施饮水安全、水源保障、产水配套、水生态治理、人才支撑5项水利扶贫行动,着力补齐贫困地区水利短板,水利脱贫攻坚与幸福美丽新村建设深度融合,有效保障了当年脱贫"摘帽"的107万名贫困人口饮水安全。自上而下层层传导压力,牵头完成了由省领导带队的高县、布拖县和水利厅带队的德格县脱贫攻坚蹲点督导任务,顺利完成脱贫攻坚省级验收抽查,如期完成四川省脱贫攻坚饮水安全专项考核。狠抓定点帮扶工作,选派12名政治素质高、工作能力强的年轻党员进驻德格县和高县,扎实开展驻村帮扶,两县当年脱贫任务顺利完成。

【行业建设进一步加强】 2016年,四川省水利系统坚决贯彻全面从严治党要求,全力推进"两学一做"学习教育,党员干部"四个意识"逐步增强,良好政治生态总体形成。切实加强党风廉政建设,突出政治纪律和政治规矩,严格落实中央八项规定和省委省政府十项规定精神,着力构建作风建设长效机制。在省纪委、纠风办等部门组织开展的政风行风群众满意度测评中,水利厅得分87.21分,在61个测评单位中排名第10位,连续4年排名上升。高度重视信访稳定、安全生产和群团统战等工作,在重大节日和特殊敏感期间,厅直属系统保持"零上访",全年无重大水利安全事故发生。

【《全国抗旱规划"十三五"实施方案(2017—2020)》小型水库项目】 2016年,按照《水利部关于确认列入〈全国抗旱规划"十三五"实施方案(2017—2020)〉小型水库建设任务和开展项目复核工作的通知》要求,四川省水利厅确定了四川省拟列入《全国抗旱规划"十三五"实施方案(2017—2020)》小型水库项目,于8月经长江水利委员会审核后上报水利部。全省复核上报小型水库67座,水库总库容1.7亿立方米,总供水量1.9亿立方米,供水人口144万人,设计灌面66万亩,工程总投资70亿元。

四川省水利厅编写组

水利规划

【《四川省"十三五"水利发展规划》】 2016年,《四川省"十三五"水利发展规划》是四川省政府确定的重点专项规划,四川省水利厅在深入调查研究的基础上,组织各市(州)和有关县(市、区)水务局开展座谈,与水利部对接,邀请有关单位和专家学者进行了咨询论证,书面征求了有关省直部门意见,编制完成规划报告并通过省政府第137次常务会议审议。12月,省政府办公厅印发了《四川省"十三五"水利发展规划》(以下简称《规划》)。《规划》提出了防洪抗旱减灾、节约用水、城乡供水、农村水利、水生态环境保护、水利改革和管理6个方面的目标,确定了全面推进节水型社会建设、改革创新水利发展体制机制、加快完善水利基础设施网络、进一步夯实农村水利基础、大力推进水生态文明建设、强力推进水利扶贫攻坚、全面强化依法治水和科技兴水7项重点任务。全省"十三五"水利发展规划投资规模将达1429亿元,比"十二五"水利投资规模增长12%。

【《四川省治涝规划》】 2016年,按照水利部关于开展全国治涝规划编制工作的通知要求,四川省水利厅组织编制完成《四川省治涝规划》(以下简称《规划》),邀请有关单位和专家进行了审查,于5月将规划成果上报水利部和水利部水规总院。《规划》认真梳理了全省涝区分布情况,确定了治涝区划,提出在重点涝区实施排涝河道治理、排涝涵闸和排涝泵站建设等工程和非工程措施,使易涝地区的排涝能力满足要求。

【《四川省加快灾后水利薄弱环节建设实施方案》】 2016年,按照党中央、国务院关于做好灾后水利建设的决策部署和水利部《关于抓紧编制加快灾后水利薄弱环节建设实施方案的通知》要求,四川省水利厅组织各市(州)和县(市、区)水务局认真研究,编制完成《四川省加快灾后水利薄弱环节建设实施方案》并上报水利部。经水利部复核,四川省纳入《加快灾后水利薄弱环节建设实施方案》有主要支流治理、中小河流治理、小型病险水库除险加固和小型水库监测预警设施建设4类项目。

四川省水利厅编写组

水资源管理

【基本情况】 2016年,四川省水利厅紧紧围绕落实最严格水资源管理制度,优化水资源配置,严格水资源管理,强化水资源节约,加强水资源保护,大力开展节水型社会和水生态文明建设,狠抓国家水资源监控能力建设,加大水资源费征收力度,圆满完成了年初下达的目标任务。

【最严格水资源管理制度考核有序开展】 2016年,四川省水利厅顺利完成国家对四川省最严格水资源管理制度的考核以及国家考核的自查、检查和整改等工作。根据国家考核工作组制定的制度建设和措施落实的考核内容及具体评分标准,结合四川省实际情况,确定了四川省在最严格水资源管理制度建设和措施落实方面的评分标准,使之在考核时有据可依,方便管理,易于操作。同时,四川省于2014年7月开始对各市(州)实行最严格水资源管理制度进行考核,考核内容为制度建设和措施落实,其中对凉山、广元等5个市(州)开展重点抽查和现场检查,并对考核结果进行了公开发布。在各市(州)自查评分并提供相应支撑材料的基础上,组织省考核领导小组成员单位的技术人员和省水文局、省水利院、省水科院的专业技术人员组成考核检查组到内江市、南充市、绵阳市进行现场检查,抽查重点取用水户,深入了解、掌握市级水资源管理工作开展情况,通过考核,全省21个市(州)考核成绩达到90分及以上的有3个市(州),80~89分的有11个市(州),60~79分的有7个市(州),总体情况良好。考核结果已经省政府最严格水资源管理制度考核工作领导小组审定并向社会公开发布。

【积极推动规划水资源论证】 2016年,四川省水利厅按照《四川省取水许可和水资源费征收管理办法》要求,积极推动规划水资源论证,实现因水制宜、量水而行,从源头上控制高污染、高耗水项目,确保城市(园区)发展和产业布局与当地水资源条件和水环境承载能力相适应。截至2016年年底,对全省11个市级城市总体规划进行了规划水资源论证,同时开展了岷江中游航电规划、工业园区(集中发展区)等35个项目的规划水资源论证。

【严格规范取水许可】 2016年,四川省水利厅印发了《关于进一步加强和规范取水许可管理工作的通知》,简化取水许可程序,规范取水许可审批,将水资源论证报告书技术审查意见作为取水申请批准文件的附件。严格取水验收,狠抓水资源管理法规、取水申请批准文件、水资源论证报告书、"节水三同时"、取水计量在线监控设施建设等的贯彻落实。强化取水许可监督管理,督促取水单位按照规定报送年度取用水总结和下一年度取水计划申请。加强取用水档案管理,按照"一户一档"原则进行建档立卡,确保取用水档案资料完整。全年核发取水许可证848份。

【水电站取用水管理】 四川省是水资源大省,也是水能资源大省。随着大规模的水电开发,部分水电站造成局部河流断流,为妥善解决这一问题,四川省水利厅对所有新建水电项目在取用水许可审批中统筹考虑当地生产生活、生态用水要求,按不低于水电站所在河流多年平均流量的10%确定下泄流量,提出了保证下泄流量的工程措施和管理措施。对老电站在延续其取水许可证的同时,引导水电站采取补救措施,督促业主在确保工程安全的情况下增加措施适当下泄生态水量,确保减水河段综合用水的需求,同时强化监督管理,确保下泄水量落到实处。

【逐步开展水量分配】 2016年,四川省水利厅积极配合长江水利委员会完成岷江、沱江、嘉陵江、赤水河、汉江5条长江一级支流的水量分配方案编制工作并予以印发。同时,启动了嘉陵江和安宁河流域的水量分配方案编制工作。

【落实水资源消耗总量和强度双控行动方案】 2016年,四川省水利厅会同省发展改革委等单位制订了《"十三五"水资源消耗总量和强度双控行动四川省实施方案》,已经省政府办公厅转发。《四川省水资源承载能力评价及监测预警机制工作方案》编制工作有序推进,初步完成了对市(州)套水资源三级区承载能力基础数据的初步评价。

【稳步推进节水型社会重点县建设】 2016年,四川省水利厅根据四川省政府《关于全面推进节水型社会建设的意见》要求,分两批启动了70个节水型社会重点县建设,第一批30个重点县于2016年年底全面完成,省级财政投入资金8.13亿元;第二批40个重点县建设已启动,省级财政已投入资金8.4亿元。

【《四川省用水定额》修订工作提前完成】 2016年2月,四川省质量技术监督局首次以地方标准形式批准发布了《四川省用水定额》(DB51/T2138-2016),涵盖了农业、畜牧业、渔业、主要工业、城市公共生活和居民生活等主要用水行业,共计310个定额值。

【建立中央、省、市三级重点监控用水单位名录】 截至2016年年底,四川省共有226家重点监控用水单位被纳入中央、省、市三级名录,其中国家级重点监控用水单位30家、省级重点监控用水单位31家、市(州)级重点监控用水单位165家,并按照"谁收费、谁监管"的原则落实了监管主体。

【开展水生态文明城市试点建设】 2016年,成都市、泸州市第一批全国水生态文明建设试点城市年度实施计划顺利完成,遂宁市、乐山市等第二批试点城市建设工作已启动。积极推动《水利部关于加快推进水生态文明建设工作的意见》《水利部关于推进江河湖库水系连通工作的指导意见》的贯彻落实。

【继续开展水功能区水质监测及达标评价工作】 2016年,四川省有全国重要水功能区338个。截至2016年年底,四川省水利厅按照要求完善监测技术,优化监测站点,继续开展水功能区水质监测及达标评价工作,已开展水质监测评价的水功能区有272个,监测覆盖率达80%,水质达标率达88.2%。

【深化入河湖排污口监管】 2016年,四川省水利厅规范了入河排污口审批流程,在排污量超出水功能区限排总量的地区禁止取水和禁止设置入河排污口。先后对宜宾、泸州、内江、遂宁、乐山等多市开展入河排污口监督检查,对金沙江、安宁河、长江干流等河流部分重要入河排污口开展了监督性监测。

【重要饮用水水源地安全保障达标建设顺利完成】 2016年,根据《水利部关于印发全国重要饮用水水源地名录(2016年)的通知》显示,四川省共有50个重要饮用水水源地(实为60个独立的饮用水水源保护区)。按照"水量保证、水质合格、监控完备、制度健全"的要求,四川省水利厅指导相关市(州)水务局做好成都市三道堰、遂宁市南北堰、南充市嘉陵江干流龙王井等10个饮用水水源地的安全保障达标建设,同时开展了重要饮用水水源地名录复核工作。

【江河湖库水系连通工程项目有序推进】 2016年,四川省水利厅组织市(州)开展江河湖库水系连通工程项目申报和方案编制工作,按照水利部的要求初步建立项目库。全年争取中央江河湖库水系连通工程项目资金2.3亿元,指导相关市(县)推进江河湖库水系连通工程项目实施并印发了实施意见。

【水资源监控能力建设进展良好】 2016年,国家水资源监控能力建设项目(一期)顺利完成并通过验收,实现了对563个取水监测点、10处重要饮用水水源地水质监测站的在线监测,监控水量达30.47亿立方米,占全省用水总量的12.86%,占许可水量的64.83%;以水利骨干网和四川省电子政务外网作为项目基础,结合互联网,省级平台实现了"三网共用"。积极推进国家水资源监控能力建设项目(二期)建设,四川省方案已初步完成并通过水利部项目办的技术复核。印发《四川省取用水计量在线监控系统建设技术指导意见(试行)》,《意见》明确要求对新建的规模以上取水户自建取用水在线监控系统并保证数据接入省水资源监控平台,截至2016年年底,全省已建成12家。

四川省水利厅编写组

水文工作

【基本情况】 2016年,四川省水文水资源勘测局在国家发布的《山洪灾害调查技术要求》《山洪灾害分析评价技术要求》等技术文档的基础上,结合四川省实际,细化相关技术指标,制定完成了《四川省山洪灾害调查评价工作方案(试行)》《四川省山洪灾害调查评价技术要求(试行)》《四川省山洪灾害调查评价技术要求(2014)》《四川省山洪灾害调查方法指南(试行)》等,为全省山洪灾害调查评价提供了技术保障。严格执行标准化检查、复核,对各承建单位报告制定了编写大纲,对不符合要求的报告及成果一律要求重做,确保了山洪灾害调查评价工作质量。编制完成《四川省山洪灾害调查评价集成总报告(初稿)》。

【洪水水情预警、预报服务】 2016年,四川省水文水资源勘测局及

10个市(州)水文局分别承担着全省近200个区(县)的防汛报汛服务任务,3000余处水情报汛站随时监测各条江河的水情状况,及时将水情信息报送给省、市、县各级防汛抗旱救灾部门及长江下游省份和流域机构。

水情预报方面。汛前,向各级政府提供了各主要江河的汛期洪水趋势分析,完成汛期洪水趋势预报和发布工作。汛中,每月初向省防汛办提供了主要江河当月洪水趋势分析预测报告。在7月青衣江、沱江洪水期间,滚动发布洪水预报,及时向有关单位和领导发布水情短信,为政府指挥抢险提供了准确及时的水情预报信息。

2016年汛期四川省平均30分钟到报率为99.3%,15分钟到报率为97.4%,遥测站8/20时来报率为97.7%。发布主要江河重点河段短期洪水预报16站次,省水情预报中心接收水情信息1329万条,向国家防汛办、长江委、下游省份以及省内防汛部门报送水情信息1890万条。

水情预警方面。汛期中发布洪水预警15次,其中红色预警1次、橙色1次、黄色8次、蓝色5次。向政府实时提供全省各报汛站的雨情、水情信息,共发布水情简报84期。向国家防汛办、省防汛办、厅领导和省抗旱办及地方政府提供全省主要江河每月洪水趋势分析报告、场次洪水分析报告、阶段水情分析报告、汛期洪水特点分析等文字材料122次。

7月上旬,盆地西部、西南部出现大暴雨,导致青衣江下游出现超警戒水位洪水。洪水期间,省水文局高度重视,多次组织技术人员分析水情,及时发布洪水预报。5日凌晨,雅安、乐山、眉山等市境内普降大到暴雨,局部地区大暴雨。省水文局根据省气象局未来降雨量预报,结合当时青衣江流域来水量情况,初步判断下游夹江水文站将会出现超警戒水位洪水,在第一时间根据青衣江流域降雨量分布及逐时变化情况,结合上游来水量和沿江梯级水库下泄水量变化情况迅速做出分析预报,及时向省防办、乐山市防办、夹江县防办发布,5日21时12分,夹江水文站出现洪峰水位412.38米,流量9330立方米/秒,超警戒水位0.38米的洪水,预报水位误差0.02米,流量误差0.75%,为乐山市和眉山市防汛抢险工作赢得了宝贵时间,减少了洪灾损失,取得了明显的防洪减灾效益。

除为政府部门提供水情预报服务外,省水文局还为部分水电站、能源及交通等工程部门提供了准确的水文情报预报服务,电站根据水情信息,申请次日发电负荷,作好生产调度运行,利用上游来水,最大限度地产生经济效益;施工工程单位根据预报信息,及时调整施工计划。在洪水的准确水位到底多高,是否搬迁施工设备的关键问题上,水情预报人员果断做出判断,发出预报,为工程部门避免了经济损失,避免了工期延误。沿江各电站根据省水文局情报预报合理调度,充分利用来水,既保证了正常发电,又保证了大坝安全。

【水质监测、监控服务】 2016年,四川省有全国重要水功能区共338个,纳入年度国家考核的全国重要水功能区有268个,其中246个由省水文局负责监测。省水文局加强对排污口的监督检查,其中对宜宾、泸州两市长江干流入河排污口进行了逐一实地调查,对8个典型排污口进行了水质、水量实测;对泸州、遂宁、内江等市5个排污口开展了现场监督检查,对污水进行了采样分析,均提交了分析评价报告。

【积极应对突发事件,开展应急监测工作】 2015年11月,甘肃省陇南市西和县陇星锑业有限责任公司尾矿库发生尾砂泄漏事故,造成西汉水和嘉陵江部分河段锑污染,此次锑污染事故一直持续到2016年1月,在四川省水文水资源勘测局的统一安排部署下,绵阳、南充分中心积极开展锑污染应急监测。2015年11月28日—2016年1月11日,采样人员在广元市朝天区水文站、广元市水文站、龙转弯断面共采集分析水样395组(其中广元市朝天区水文站186组、广元市水文站194组、龙转弯断面15组),出具水位、流量观测成果380余份,向水利厅和当地水务部门发布应急监测报告40余期,得到了环境保护部的肯定和表扬。

2016年3月,在陕川省界不远处一柴油罐车发生柴油溢漏事故,省水文局绵阳分中心及时启动水污染应急预案,在潜溪河中子镇、潜溪河嘉陵江汇合口以上1.5千米、潜溪河与嘉陵江汇口以下100米处共设置3个应急监测断面开展应急监测,并将监测结果及时上报水利厅和当地水行政主管部门,为各部门科学决策提供了有力支撑。

【水资源管理系统建设】 2016年,为实行最严格水资源管理制度,四川省水利厅围绕水资源配置、节约和保护,确立了水资源管理三条红线,建立了水资源管理责任制度和考核制度。结合全省水资源管理实际情况,省水文局承担了四川省水资源管理系统建设任务,负责与国家项目办和水利厅的工作衔接;承担了省水资源信息中心平台硬件选型、软件开发方案拟定以及平台建设组织实施和质量控制工作;负责水资源信息中心平台的运行管理并完成21个市(州)的技术评估,四川省一期运行基本正常,二期设计工作已基本完成,2016年度任务及资金已全部下达各预算单位,并完成各单位招标文件的技术部分复核。四川省成为全国第七个获得评估通过的省份,综合排名达到第8位。

四川省水利厅编写组

防汛抗旱工作

【基本情况】 2016年,四川省汛期总体表现为"前涝后旱"。5—7月,全省降雨量较常年同期均值偏多1成,发生了13次明显降雨过程,多条江河发生超警戒水位洪水。8月以后,全省降雨较常年同期均值偏少4成,无江河发生超警戒水位洪水。入汛后盆地南部、西南部部分地区降雨偏多,其中6—7月,泸州、宜宾以及乐山、凉山部分地方降雨较常年同期均值偏多8成以上,泸州、宜宾部分地区降雨偏多1倍以上,叙永、泸县、美姑等地降雨量超过历史同期。大江、大河干流总体水势平稳,部分支流洪水突出。

【组织领导有序】 2016年,四川省委省政府高度重视防汛抗旱工作,省委书记王东明,省长尹力,省委常委、省委农工委主任曲木史哈,副省长王铭晖等省领导多次做出重要批示。王东明3次主持召开省委常委会议就防汛减灾工作进行强调,国家防总、水利部先后12次派出工作组到四川省指导防汛抗旱抢险救灾。全省各级党委、政府紧紧围绕"全力确保人民群众生命安全、确保重要堤防和重要设施安全"的目标任务,加强领导、靠前指挥,灾区广大干部群众一起抗灾,最大限度减轻了灾害损失,夺取了防汛抗旱减灾工作的全面胜利。全年因灾死亡、失踪人数较多年平均值减少60%以上,其中眉山、绵阳、南充、雅安等11市实现了"零死亡",直接经济损失较多年平均值减少75%。

【安排部署有力】 2016年,四川省政府先后于4月19日、6月21日、7月6日召开全省电视电话会议,安排部署防汛抗旱减灾工作。省防指于1月21日召开全省防汛抗旱工作会议,3月下旬组织分析研判汛情、旱情趋势,提出防御对策;4月18日、6月17日先后召开省防指全体成员会议,研究部署汛期和主汛期防汛工作。水利厅7

月中下旬先后就全省水利系统防汛减灾重点工作特别是水利工程安全度汛进行强调和督促。

【责任落实到位】 2016年,四川省政府防汛抗旱指挥部于4月15日在《四川日报》上公示了全省大江大河、大型和重点中型水库水电站、重点城市和受威胁人口在2000人以上的山洪灾害危险区责任人名单。根据实际需要调整和充实省防指队伍,新增国土资源厅厅长、省气象局局长2位副指挥长和林业厅、省测绘地理信息局2个成员单位,新增省纪委派驻水利厅纪检组组长为省防指成员,细化补充了各成员单位的工作职责;资阳、德阳、阿坝、凉山等地也结合当地实际对防汛指挥机构进行了调整充实,其中广安市成立了由市委书记、市长共同担任总指挥的防汛减灾工作指挥部,设立由市领导任组长的防汛抢险组10个。

【能力大幅提升】 2016年,按照"雨前排查、雨中巡查、雨后核查"的原则,四川省领导先后带队检查渠江、嘉陵江、岷江等重点区域和亭子口、紫坪铺、红鱼洞水库等重要工程备汛情况。省政府、省防指、水利厅先后组织5轮共53个检查组到21个市(州)开展防汛大检查,就防汛准备、重点区域防汛保安、防洪风险隐患排查等方面存在的问题向相关市(州)发出整改通知39个,整改问题71个(类),各市(州)也针对重点领域和薄弱环节组织开展了防汛检查和隐患排查。

【过程应对有序】 2016年,四川省政府防汛抗旱指挥部共组织现场或视频会商40余次。在每次强降雨前及降雨过程中,及时抽查降雨区域防汛责任人履职情况,全年共开展抽查24轮,每天随机抽查水库30座,涉及各类责任人约7000人次。省防指于7月5日启动Ⅳ级防汛应急响应,宜宾、泸州、阿坝、攀枝花等市(州)先后启动了相应级别的应急响应。汛期由水利厅厅级领导带队的10个抢险组共派出19个组次第一时间轮流到受灾地区指导。

【科学防灾预警】 2016年,四川省水利厅以山洪灾害防治项目建设和运行管理为基础,与各市、县签订了山洪灾害监测预警系统运行维护责任书,每天安排专人统计县级平台运行、监测、预警、值班管理以及效益发挥情况。制定了《四川省山洪灾害监测预警工作规程》,进一步明确山洪灾害防御职责分工,规范监测预警流程。完善调查机制,对每一次有人员死亡、失踪的致灾过程开展调查,对造成3人及以上死亡、失踪的过程由省防办组织专家组到现场就重点环节开展调查。2016年,全省共通过系统发布预警7300余次,发送预警短信近107万条,涉及相关责任人27万人次,组织转移群众6.7万人次,避免伤亡近1.3万人。

【保障措施落实到位】 一是备齐物资队伍。四川省共储备防汛物资总值4.1亿元,组建抢险队伍1.2万支、40万人,进入主汛期后,调拨冲锋舟、编织袋、土工布、全方位工作灯、钢丝网箱等物资总价值近400万元。二是强化科学调度。督促水库水电站完善度汛方案,汛期先后调度了紫坪铺、宝珠寺等工程。三是组织开展演练。6月22日,省防指与成都市防指在金堂县举行了包括堤防加固、群众救援、积水抽排、大型漂浮物拦截等多个科目在内的防汛综合大演练。四是加强军民联防。5月20日正式将武警水电第三总队按建制纳入省级防汛应急抢险队伍,与十三集团军、陆航二旅共同建立了抢险救灾信息沟通渠道。五是加强信息报送。从完善制度、提升质量、强化保障等方面对防汛减灾信息报送提出了明确要求,加强对迟报、瞒报、漏报的追究问责力度。六是突出正面宣传。按照国家防总指示,与中央电视台共同拍摄完成了《抗洪的日子》系列专题片,分2期在中央电视台财经频道《经济半小时》播出;组织新华社四川分社、《四川日报》、《中国水利报》等主流媒体深入达州、广安、德阳等地采访,多角度反映全省防汛减灾工作。

【基层体系完善】 2016年7月11日,四川省水利厅、四川省财政厅、四川省人力资源和社会保障厅联合出台了《关于落实基层防汛抗旱体系建设相关经费保障的通知》,就进一步落实山洪灾害监测预警系统运行维护费用、基层防汛物资购置经费、山洪灾害防御责任人报酬和防汛人员值班费用等提出了明确要求并落实了保障措施。全省19个市、150个县共落实系统运维经费5200余万元,82个县不同程度落实了基层责任人报酬,其中攀枝花市、泸州市、乐山市、广安市所辖各县均已落实。

【抗旱减灾工作成效显著】 2016年,坚持防汛抗旱"两手抓",强化旱情监测,及时跟踪了解雨情、墒情信息,随时掌握旱情发展动态,于6月中旬、7月上旬、8月下旬3次组织召开专题旱情趋势会商;完成《四川省抗旱预案》修订工作,落实"一乡一策、一村一策"保供水预案,重旱区场镇采取分时限供、拉水保供等措施确保群众基本生活用水。先后派出5个工作组到夏伏旱情较重的巴中、达州、南充、绵阳、广元等市督导抗旱保供。旱区县、乡两级抗旱服务队及时提供抗旱机具、送水车为群众提水浇地和送水,省抗旱服务队出动送水车200余辆次、各类机具设备近3000余台(套),抗旱浇灌作物面积超过10万亩次,临时解决了近4万人的因旱饮水困难。在中央拨付特大抗旱补助资金2000万元的基础上,全省下达省级抗旱救灾资金1500万元、农业生产救灾资金800万元,用于支持25个受旱县抗旱减灾。

四川省水利厅编写组

饮水民生工程

【基本情况】 2016年是"十三五"的开局之年,也是农村饮水安全巩固提升工程承上启下的关键一年,四川省水利厅认真贯彻落实省委省政府决策部署,扎实推进农村饮水安全巩固提升和脱贫攻坚工作,圆满完成省委省政府下达的目标任务,全年农村集中供水率达77%,自来水普及率达67%,均比上年提高1.5个百分点;水质达标率较上年提升5.61个百分点,达59.9%;城镇自来水管网覆盖行政村比例达36%。

【全面完成工程建设任务】 2016年,四川省农村饮水安全巩固提升工程重点解决88个连片贫困县的建卡贫困人口饮水安全问题,工程计划总投资14.35亿元,受益人口145.97万人,其中解决建卡贫困人口饮水安全问题55.78万人。截至2016年年底,全省完成总投资14.35亿元,建成集中供水工程2435处、分散供水工程24146处,受益人口201.87万人,解决建卡贫困人口饮水安全问题66.95万人,占应解决总人数的100%。

【完成农村饮水安全巩固提升工程"十三五"规划编制工作】 2016年,按照国家发展改革委、水利部等六部委的部署,四川省组织编制完成了《四川省农村饮水安全巩固提升工程"十三五"规划》。规划新建、管网延伸和改造配套各类农村饮水工程27055处,受益人口973.44万人,改造水质净化设施1953处,配套消毒设备2361台,改造供水规模达到20.01万立方米/天,更新配套管网长度4424千米,受益人口174.23万人,规划总投资53.84亿元。各市(州)、县(市、区)相应完成了农村饮水安全巩固提升工程"十三五"规划编制工作。

【大力推进农村饮水安全扶贫攻坚工作】 2016年,四川省水利厅启动四川省脱贫攻坚饮水安全信息库建设，开展了建档立卡贫困人口饮水状况调查，全省饮水不安全建档立卡贫困人口共计 215.39 万人。编制完成《四川省“脱贫攻坚”农村饮水安全专项规划》，出台《关于实施贫困地区农村饮水安全巩固提升工程的意见》《四川省水利脱贫攻坚技术导则（试行）》《关于切实加强四川省建卡贫困人口饮水安全工作的通知》《四川省市（州）、贫困县党委和政府脱贫攻坚工作年度农村饮水安全考核实施细则》并加强检查督导。

【开展村镇供水文明单位创建】 2016 年，为提升水厂管理水平和服务能力，积极培育和践行社会主义核心价值观，四川省水利厅组织开展了村镇供水文明单位创建工作，印发了《关于在四川省开展村镇供水文明单位创建的通知》，评选出村镇供水文明单位 14 个、先进个人 38 名，起到了示范带动作用。

【石渠县包虫病综合防治试点工作稳步推进】 2016 年，四川省水利厅建立包虫病综合防治试点工作省、市（州）、县三级联席会议制度，指导石渠县开展《石渠县包虫病综合防治农村安全饮水实施方案》编制工作。成立专家组，在多次考察的基础上编制完成了《四川省农村饮用水包虫病防治导则（试行）》，用以指导包虫病区农村饮水包虫病预防工作。制定《石渠县包虫病综合防治试点农村饮水安全工作年度考核评估标准》，完成石渠县 2016 年农村安全饮水包虫病综合防治考评工作。

四川省水利厅编写组

水利科技

【基本情况】 2016 年，四川省水利行业直属单位开展省、部级水利科研项目 9 项；申请省级科技计划项目 10 余项，已立项 3 项，其余进入省科技项目储备库；水利部 948 项目——“都江堰灌区重要水源地水质水体监测自动化系统”已建成并投入试运行；“四川农田沟渠生态净化工程关键技术研究”等 4 个项目通过验收。水利厅承担省政府科学技术进步奖水利电力专业组评审，推荐省科学技术进步奖水利电力专业组拟奖项目 9 项；省水利科学研究院水处理装置、农田沟渠生态净化系统 2 项研究成果获得国家实用新型专利。

【新技术、新材料、新工艺的推广应用】 2016 年 3 月，营山县金鸡沟水库工程正式开工，四川省水利科学研究院与中国水利科学研究院合作，将胶凝砂砾石混凝土和新的施工生产工艺应用于金鸡沟水库坝体建设；人民渠第二管理处设计制作了高水位远程电话和短信报警装置并完成安装 20 处，保障了渠道安全运行；德阳江渠水电有限公司水轮发电机组采用无接触主轴密封新技术对原橡胶活塞主轴密封进行了改造，完成后运行过程中未出现主轴密封漏水情况。

【重大水利工程设计、建设情况】 2016 年 5 月 30 日，四川省都江堰管理局成立了都江堰灌区信息化建设项目部，9 月组建了都江堰灌区国家水资源监控项目建设工作小组，编制完成了《都江堰灌区信息化建设 2016—2020 总体框架》；玉溪河引水工程主干渠增大过流技术改造工程建成通水，主干渠上段过流能力由技术改造前的 30 立方米/秒增加到 34 立方米/秒，中段过流能力由技术改造前的 22.5 立方米/秒增加到 26 立方米/秒，正常年份新增供水量 5000 万立方米以上；四川省中小河流水文监测系统建设项目基本完成。

【示范推广】 2016 年，四川省水利厅印发《四川水利先进实用技术推广指导目录》300 余本，推广先进适用技术 50 余项；组织参加水利部第十三届国际水利先进技术（产品）推介会；省水利科学研究院开发的“地质雷达的水利工程质量检测技术”逐步应用于全省水利工程质量检测工作；在盐亭县、简阳市示范应用农田雨水集蓄和灌溉利用技术，建设核心示范区 3 处，面积达 1000 余亩，农田雨水利用率提升 15%以上；在德阳市旌阳区黄许镇示范应用农村分散式一体化污水处理模式，日处理量达 5 立方米；四川省都江堰管理局研发的“都江堰灌区重要水源地水质水体监测自动化系统”已建成并投入试运行，实现了对成都市应急水源主要水质指标全天候、自动、连续、实时监测。

【技术标准】 2016 年，四川省《用水定额》《土石坝施工质量第三方检测规范》和《水利工程质量监督规程》3 个地方标准发布并实施；完成水利行业已有推荐性地方标准复评审工作；主办《工程建设标准强制性条文》宣传贯彻培训班 1 期，培训人数 120 余人；开展水资源管理年报编制、农田灌溉水利用系数等培训，培训人次达 400 余人次。

四川省水利厅编写组

水土保持

【基本情况】 2016 年，四川省秉承“创新、协调、绿色、开放、共享”五大发展理念，走生态优先、绿色发展之路，水土保持工作成绩突出。全年完成水土流失综合治理面积 4700 平方千米；受理省级生产建设项目水土保持方案 208 个，办结省级生产建设项目水土保持方案 204 个，受理水土保持措施变更申请 8 项；开展省级水土保持设施验收项目 103 个，印发验收鉴定书 98 份，完成全年计划目标的 163%；省级征收水土保持补偿费 7900 万元，完成全年计划的 113%。

【大力推进重点项目建设，加快综合治理进程】 2016 年，按照水利部项目储备要求，顺利完成四川省国家农业综合开发水土保持项目、国家水土保持重点建设工程、坡耕地水土流失综合治理工程实施方案批复工作并分批及时申报和下达了各类项目计划。继续全力推进国家水土保持重点工程建设进度，圆满完成年初既定目标，全省国家水土保持重点工程共计投资 55068.5 万元，其中中央投资 38641 万元、地方投资 16427.5 万元，共涉及 21 个市（州）84 个县（市、区），完成水土流失综合治理面积 969 平方千米，治理坡耕地水土流失面积 4.29 万亩，治理区水土流失面积减少 70%，土壤侵蚀量减少 77%，林草覆盖率增长 20%，粮食单产提高 30%，人均纯收入增长 40%。完成国家水土保持重点建设工程“十二五”以来省级验收及项目县整改情况的清查工作，同时，配合水利部完成四川省 2016 年国家水土保持重点工程督查工作以及“十二五”期间坡耕地水土流失综合治理建设管理、农发项目建设管理等调研工作；协助财政厅完成财政部对四川省国家水土保持重点建设工程的绩效评定工作；配合国家发展改革委完成 2013—2015 年四川坡耕地水土流失综合治理成效评估工作；加强技术分类指导和督促工作，抓好直报系统和国家水土保持重点工程信息管理系统统计数据的上报。

【加强预防监督管理，控制人为水土流失】 2016 年，四川省水利厅加强预防监督管理，一是抓好水土保持方案审查审批工作。贯彻落实水土保持法“预防为主、保护优先”工作方针，不断完善和执行各项工作管理制度，全面推行水土保持方案行政审批信息公开工作，建立中介技术服务质量信誉体系，强化水土保持方案评审现场查看工作，对全省生产建设项目水土保持措施变更进行程序化管理。二是协调推进省重点工程水土保持工作。设立绿色通道，加快办理省级项目水土保持方案批复，完成成都市天府国际机场配套高速公路、地铁，岷江龙溪口、老木孔枢纽工程及绵九高速公路等重点项目涉及水利、水电、交通等多个行业水土保持方案审查和行政许可工作。三是加强水土保持监督检查工作。制定出台了《四川省生产建设项目水土保持监督检查暂行办法》,印发了《2016年度省级水土保持监督检查计划》,通过实行县级全面排查、市(州)重点检查、省级抽查和建设单位自查等方式,实现对在建的生产建设项目水土保持监督检查全覆盖。四是加强水土保持补偿费征收工作。全面清查2015年以前批复建设项目水土保持补偿费缴纳情况,督促建设单位依法足额缴纳水土保持补偿费。

【全面开展宣传教育,强化生态文明观念】 2016年,四川省水利厅成立了水土保持宣传年领导小组,开展新修订后的《中华人民共和国水土保持法》施行五周年宣传活动。推动广安市、德阳市、资阳市和宣汉县水土保持宣传教育进党校试点工作。制定印发了《四川省省级水土保持科技示范园区评定办法》和《四川省水土保持生态文明工程评定标准》,推动九寨沟管理局、简阳市、泸州市纳溪区、青神县、宜宾市翠屏区等地水土保持科技示范园和中小学生水土保持社会实践基地建设。绵竹市湿地沟、泸州市纳溪区清溪河小流域获评为“国家水土保持生态文明清洁小流域建设工程”,彭州市龙门山镇宝山村龙漕沟小流域申报的“国家水土保持生态文明清洁小流域建设工程”已通过水利部审核。向100所小学赠送由团省委、教育厅、水利厅联合编写的《四川省水土保持科普教育小学读本》。

【加强水土保持基础工作,科学实施水土保持规划】 2016年,四川省水利厅完成《四川省水土保持规划(2015—2030年)》报批工作并获得省政府同意批复实施,开展了《四川省“十三五”水土保持规划》编制与报批工作。按照《全国水土保持信息化实施方案》和《四川省水土保持信息化实施方案》要求,推动“互联网+技术服务”,深化水土保持监督管理信息化、水土保持生产建设项目监督示范和省政府权力运行平台建设。协助四川大学共同完成国家重点工程——成兰铁路、川藏铁路、成昆铁路“地下洞室对地下水与植被生态影响的研究及其应用”科研课题并通过科技厅组织的会审,已作为2016年度四川省科技进步一等奖申报项目报省政府批准。组织开展四川省第四次水土流失遥感普查,完成国家水土保持监测网络二期工程建设。

四川省水利厅编写组

电力建设

地方电力建设

【基本情况】 2016年,四川省地方电力新增装机28万千瓦,完成地方电力发电量195亿千瓦时,地方电力工作全部完成2016年三级指标考核任务。

【狠抓农村水电安全生产运行】 2016年,按照水利部、四川省政府和水利厅的部署和安排,四川省地方电力局延伸工作重心,注重抓源头、严规章,开展了全省农村水电安全生产大检查,由局领导带队组成督查组对各地各级担负农村水电安全生产监督职责的水行政主管部门安全监管履职情况,已建、在建农村水电站及其配套电网安全生产情况进行检查。

【农村水电安全生产标准化管理工作有序推进】 2016年,为推进农村水电站安全生产标准化管理工作,四川省地方电力局制定《四川省农村水电安全生产标准化达标评级实施办法(暂行)》,相继确定6家标准化评审机构在四川省“十二五”农村水电增效扩容改造项目中开展标准化评审工作。截至2016年10月,全省已有70余座水电站开展标准化工作,其中达到安全生产标准化二级4座、达到安全生产标准化三级21座,2016年年底前完成剩余45座电站的标准化达标评级工作。

【严格地方电力工程质量监督】 2016年,在四川省水利地方电力建筑质检中心站和四川省地方电力机电质检站的大力配合和支持下,四川省水利厅采取检查施工现场、查阅质量记录资料、听取现场工作人员介绍等方式方法对地方电力工程开展质量监督。截至2016年年底,已对新增的18个中小型水电站工程及增效扩容在2.5万千瓦以上的21座电站实施了政府质量监督,并对增效扩容改造项目出具了相关阶段质量验收监督意见,对3个110千瓦输变电工程及部分35千瓦农网改造项目进行了质量监督。

【全力推进增效扩容改造工作进度】 2016年,四川省全面完成“十二五”农村水电增效扩容改造项目绩效评价工作。全省农村水电增效扩容改造项目已完工276个,改造后装机容量达62.09万千瓦,年均发电量达32.69亿千瓦时;已完工未验收项目12个,改造后装机2.99万千瓦;未完工项目11个,改造后装机4.05万千瓦。开展“十二五”农村水电增效扩容改造总结工作,挖掘强农惠农典型。根据财政部、水利部《关于继续实施农村水电增效扩容改造的通知》要求,开展“十三五”农村水电增效扩容前期工作,编制完成《四川省农村水电增效扩容改造实施方案2016—2019》并通过水利部、财政部的备案审查。“十三五”期间,全省农村水电增效扩容改造共涉及96条河流,实施项目310个,其中增效扩容改造项目150个、河流生态改造项目160个,修复减脱水河段37.15千米;建设生态流量泄放闸孔125处,建设生态堰坝16个,增设监控措施144台(套),新增生态机组2台、容量1000千瓦;增效扩容改造后装机容量达58.99万千瓦,新增装机12.82万千瓦,新增年发电量8.7亿千瓦时;改造总投资18.67亿元,其中中央财政奖励资金7.68亿元、项目自筹资金10.98亿元,财政部、水利部已预拨四川省3.361亿元预励资金用于项目建设,上述资金已全面下达到各项目。

【水电新农村电气化和小水电代燃料建设后期工作有序推进】 2016年,四川省水利厅组织和指导各地全面完成“十二五”24个水电新农村电气化县验收和总结工作,认真挖掘代燃料和电气化项目典型,做好全省小水电代燃料示范县建设和电气化典型培育工作,增强先进典型的示范、引导作用。以现场服务的形式继续推进2009—2015年小水电代燃料续建项目,加快对已完工未验收项目的验收准备工作,督导落实已验收项目代燃料电站的运行及实施方案的落实情况。截至2016年年底,乡城县全面完成项目区改造,基本完成全国小水电代燃料示范县创建工作,同时完成了全县3镇9乡3775户代燃料户的代燃料补贴发放工作。

【开展水利扶贫工作】 2016年,为贯彻落实2015年中央扶贫开发工作会议关于大力扶持贫困地区农村水电开发的精神,四川省水利厅组织开展项目情况初步调查,形成《四川省"十三五"农村小水电扶贫工程实施方案(初稿)》,涉及国家级扶贫县范围内项目148个,总装机容量达157.86万千瓦。严格筛选条件较好的农村小水电扶贫工程试点区域,召集相关地区政府、主管部门和部分项目业主代表进行座谈,指导其编制完成试点实施方案并上报水利部。

【协助做好农网升级改造工作】 2016年,四川省水利厅全力配合省能源局完成农网改造升级项目2016年度建议计划编制和审查工作。协调组织相关部门对四川省地方电力农网完善工程进行了督导检查,全年农网改造升级工程下达计划投资28亿元,实际完成工程投资5.6万元,占下达计划的20%。

四川省水利厅编写组

农村电网改造

【基本情况】 2016年,国网四川省电力公司认真履行服务"三农"的社会责任,攻坚克难,奋力推进农网改造升级和小城镇/中心村、机井通电项目建设,服务社会主义新农村建设工作取得突出成效。

【全面完成2015新增批次和2016年农网改造升级工程】 2016年,国网四川省电力公司进一步加大电网投入,完成2015年新增农网改造升级工程总投资50.36亿元,新建及改造35千伏变电站10座、主变11台、67.25兆伏安,35千伏线路159.5千米,10千伏线路5602.03千米,配变11887台、1597.42兆伏安、低压线路33059.7千米,改造户表9.1831万户。完成2016年农网改造升级工程总投资33.6005亿元,新建及改造35千伏变电站1座,主变2台、20兆伏安,35千伏线路18.9千米,10千伏线路5797.63千米,配变6791台、887.395兆伏安、低压线路23009.2千米,改造户表11.3156万户。

【积极推进新一轮农网改造升级"两年攻坚战"工程建设】 2016年,国网四川省电力公司计划投资99.18亿元进行2016—2017年新一轮农网改造升级"两年攻坚战"工程建设(含小城镇/中心村、机井通电、村村通动力电项目)。截至2016年年底,完成投资51.53亿元,新建及改造110千伏变电站10座,主变14台、719兆伏安,110千伏线路162.1千米,35千伏变电站26座,主变38台、314.5兆伏安,35千伏线路557.32千米,10千伏线路7682.24千米,配变8874台、1384.645兆伏安、低压线路24870.937千米,改造户表12.821万户。

通过2016年各批次农网工程建设,国网四川省电力公司农网供电能力持续增强,全面解决了农村低电压问题,大面积消除了线路对地距离不够、电杆强度不足等安全隐患,降损节能效果显著,提高了农网的安全经济运行水平和农村供电保障能力。2014—2016年累计解决农村低电压问题177.16万户,农网供电可靠率由上年的99.752%提高到99.763%,综合供电电压合格率由98.874%提高到99.502%。降损节能效果显著,农村电网综合线损率由6.81%降低到6.22%,城乡居民生活用电量由340.812亿千瓦时提高到392.721千瓦时。

【电力助推扶贫攻坚】 2016年,国网四川省电力公司立足于加快推进贫困地区电网规划建设,制订了"电力助推扶贫攻坚"十大行动计划,提出"三步走"工作目标,全面调查贫困村脱贫攻坚农网改造项目需求,多部门联合商定项目安排原则,布置项目时序调整等工作,大力实施农网改造升级等专项行动。深入秦巴山区、大小凉山彝区等连片特困地区开展扶贫调研,了解扶贫动态,分析电力助推扶贫攻坚工作存在的突出问题,制定有针对性的整改措施和办法,为贫困县"摘帽"、贫困村退出、贫困户脱贫提供了坚强的电力保障。实施"产业、爱心、智力"三位一体"造血"扶贫,持续做好马边县建设乡高石头村、劳动乡柏香村、下溪乡珍珠桥村和喜德县光明镇阿吼村定点帮扶工作,取得显著效果。

国网四川省电力公司编写组

交通建设与管理

综　述

【基本情况】 2016年,四川省交通运输厅坚持"惠民生、补短板、促发展"的原则,突出重点,明确目标,创新举措,加快补齐发展短板,全面促进农村公路"建管养运"协调发展,为农村经济社会快速发展下好先手棋、当好先行官。

【推进"项目年"取得重大突破】 2016年,四川省交通投资保持高位运行。全省公路、水路建设完成投资1310亿元,连续第6年超千亿元,居全国领先地位,发挥了稳增长的重要作用;全年到位交通运输部级补助资金170亿元、中央专项建设基金77亿元,有力支撑了项目建设。一是重点项目建设取得突破。省、市合力推进138个交通重点项目建设,雅康、汶马高速公路等项目进展顺利,成安渝高速公路重新启动建设并实现二绕至省界段建成通车,全年建成高速公路项目6个、共503千米,全省高速公路通车总里程达6519千米,跃居全国第二位;绵九、峨汉等11个高速公路项目开工建设,新开工里程1013千米,总投资1490亿元;成功招商项目9个,建设里程1055千米,引进社会投资1500亿元,均超过2012年以来四年的总和;全省高速公路建成和在建里程超过8600千米。二是加快推进普通国省道提档升级和大中修工程,新(改)建2200千米,大中修2000千米,全省普通国道二级及以上比重达57%。汶川地震灾后发展振兴重点项目——映秀至卧龙公路、巴朗山隧道及绵茂路汉旺至黑滩隧道段建成通车,雅安乐英至夹金山等芦山地震灾后重建"3+5"干线公路项目全部建成通车。新增四级航道190千米,全省四级及以上高等级航道里程超过1500千米;岷江犍为枢纽工程建设加快推进,嘉陵江航运配套二期工程等4个项目开工建设。道路客运枢纽全覆盖工程全面实施,建成和在建项目达29个;建成中国西部现代物流港等3个货运枢纽(物流园区)。三是项目管理更加科学。首次牵头编制了全省综合交通运输"十三五"发展规划,编制完成公路水路交通运输"十三五"发展规划和15个专项规划,形成了"1+1+15"的规划体系。落实"十三五"车购税补助资金规模超过千亿元。四是加快项目前期工作。储备宜宾至攀枝花等29个高速公路项目和岷江龙溪口至宜宾段航道整治工程等9个水运项目,总投资超过5000亿元,积蓄了强大发展后劲。

【农村客货运输发展迅速】 2016年,四川省交通运输厅新建成客运站点732个,新增通客车的建制村1299个,所有县均建有二级("三州"三级)客运站、80.7%的乡(镇)建有客运站(停靠站),乡(镇)和建制村通客车率分别达95%和78%,较2012年分别提高1.3和3.6个百分点。

【交通脱贫攻坚首战告捷】 2016年,四川省交通运输系统始终把交通脱贫作为"头等大事",集全行业之力,聚焦"四大片区"、88个贫困县,坚持工作优先安排、资金优先保障、措施优先落实的"三优先"原则,先后制订了全省交通精准扶贫专项工作方案和甘孜、大小凉山等专项推进方案,精心组织,全力推进,全省交通脱贫攻坚取得首战告捷。全省实现53个贫困县100%的乡(镇)和建制村通硬化路,91.5%的贫困村通硬化路,贫困地区道路通达通畅水平大幅提高。2017年计划脱贫"摘帽"的16个县已实现100%的乡(镇)和99.9%的建制村通硬化路,3700个退出贫困村已实现94.3%通硬化路。

加快实施新甘推、新凉推等4个专项扶贫方案,全年完成交通精准扶贫投资510亿元,新增2个贫困县(兴文县、古蔺县)通高速公路,内地除通江县外所有贫困县均有建成或在建高速公路覆盖。新增通硬化路的乡(镇)57个、建制村2800个,全面完成脱贫"摘帽"村通硬化路建设任务。全省交通脱贫攻坚项目涉及高速公路、国(省)干线、农村公路和管养能力建设,"摘帽"贫困县通乡通村硬化路和退出贫困村通村硬化路是省委省政府考核交通行业的唯一指标。一是开展通村公路信息核查。组织各地对全省48328个建制村通村公路信息进行核查,重点摸清11501个贫困村通村硬化路建设情况,为加快脱贫村通村硬化路建设、尽快实现乡(镇)和建制村100%通硬化路奠定了基础。二是建立精准脱贫攻坚管理台账。以项目为单位,分别建立了脱贫"摘帽"贫困村通村硬化路、通乡油路、县(乡)道改善提升、省领导联系点等精准脱贫项目建设管理台账,逐月跟踪、通报和专报项目建设进展。截至2016年年底,39个省(厅)级领导联系点的183个精准扶贫项目中已有35个省(厅)级领导联系点共计145个项目完成建设。三是深入开展脱贫攻坚督导。交通运输厅公路局重点对甘孜州、凉山州通乡通村硬化路、溜索改桥项目等开展蹲点督导并在交通运输厅和州委内部形成定期专报。四是参与国家、省级脱贫攻坚检查考核。厅公路局制订市、县党委领导班子脱贫攻坚工作考核工作方案和实施细则,组织开展并完成2016年"摘帽"贫困县和退出贫困村通村硬化路建设考核工作。配合完成中纪委等部、省级部门对交通扶贫工作的检查和省级主要领导脱贫攻坚现场蹲点督导调研。

全省普通公路精准扶贫完成投资270亿元,南部县、蓬安县、广安市广安区、广安市前锋区、华蓥市5个脱贫"摘帽"县实现乡乡通油路、村村通硬化路,2437个退出贫困村实现100%通硬化路,贫困地区新增通硬化路的建制村达2566个。

【强化政策保障】 2016年,省委省政府把农村公路建设作为统筹城乡、改善民生的重要抓手,连续多年将农村公路工作纳入省委"一号文件"安排部署。省政府出台了关于促进农村公路建管养运协调发展、加快发展农村道路客运、推进建制村联网路和村内通组路建设等系列文件,全面厘清省、市、县、乡、村五级工作职责,构建农村公路发展公共财政保障和"建管养运"协调发展机制,落实农村公路管养机构、人员、经费。出台农村客运优惠政策,明确客运发展模式,推进客运城乡一体化发展。支持各地建设村道联网和通组路,不断满足农民群众新的出行需求,服务农业产业发展和脱贫攻坚。

【强化资金筹措】 2016年,四川省初步建立以政府公共财政投入为主,以金融机构贷款、整合涉农资金和社会力量投入等为辅的农村公路多元投入机制,对贫困地区进行重点倾斜、优先保障,为全省农村公路发展提供有力保障。一是加大公共财政投入。积极争取国家部委支持,省、市、县各级政府加大农村公路公共财政投入,全力保障农村公路发展。党的十八大以来,全省农村公路建设共落实国家和省级财政补助资金572亿元,有力保障了农村公路发展资金需求。二是大力吸引社会资本。用好PPP融资政策,积极吸引社会资本投入农村公路发展。引导社会企业和个人捐资投劳,鼓励利用冠名权、路边资源开发权、绿化权等方式筹集资金,支持农村公路建设和养护。

【创新管理方式】 2016年,四川省政府将农村公路、安保工程、渡改桥工程等内容纳入对各市(州)政府民生工程目标考核范围,将建制村通畅率作为贫困县党政领导班子和领导干部经济社会发展实绩考核交通项目唯一指标。交通运输厅建立了交通建设计划"负面名单"管理制度和"以奖代补"激励机制,夯实政府参与交通建设的主导作用,全力保障建设目标任务顺利完成。创新联动机制,在公路安保工程(路侧护栏)建设过程中,建立了省、市(州)、县(市、区)三级政府联动,交通、发改、财政、公安、安监五部门联合参与的工作机制,保障项目顺利实施。完善准入机制,建立由县级政府组织,公安、交通、安监联动的农村客运开行条件审核机制,进一步规范了农村客运发展。创新建设管理模式,鼓励各地采用施工总承包将农村公路打捆招标或采用PPP模式引进大型国有企业先行垫资建设,后期由政府还贷方式实施建设。同时,对地质结构复杂、施工难度大、技术要求高的项目,鼓励各地优先采用项目代建制,引入高水平、专业化的建设管理队伍,确保工程质量。

【行业治理能力全面提升】 2016年,四川省加快地方立法工作,《四川省道路旅客运输管理办法》等3部规章修订实施,《四川省农村公路条例(草案)》经省政府审议通过;在3个市2个县推进交通运输综合行政执法改革试点,整合交通监管和执法机构,多头执法、重复执法的问题得到有效解决。一是"放管服"改革成效显著。清理规范行政权力,省、市、县三级交通运输行权事项分别精简75%、37%、27%;推进行权平台和监察平台建设,建立并公布权力、责任等5张清单;建设网上审批服务平台,公路大件运输许可实现跨市(州)、跨省联网审批,政务服务"一张网"改革取得实质突破;推广"双随机一公开"抽查,事中事后监管落实到位。二是投融资体制改革取得实效。出台《四川省高速公路"BOT+政府股权合作"项目实施办法》,建立包括"BOT、BOT+政府补助""BOT+政府股权合作"在内的PPP制度体系,有效激发了社会资本的投资积极性,巴中—万源高速公路采用"BOT+政府股权合作"模式招商成功。推进设立交通投资基金,已形成方案并上报省政府。三是行业管理改革多点突破。出租汽车行业改革有序推进,省政府出台了《关于深化改革推进出租汽车行业健康发展的实施方案》,成都市等地发布了实施细则;长江干线航运行政管理体制改革成功落地，宜宾、泸州海事局挂牌成立。加快推进建设管理体制改革，启动工程监理模式、设计施工总承包改革试点。探索实施建设项目招（投）标管理改革，推动“合理低价法”等多种评标方法的综合运用。完善建设市场信用评价工作机制和激励惩戒措施，建立信用管理信息化系统，有效发挥信用管理的规范引导作用。不断完善质量造价监管体系，全省130个县（市、区）成立了县级质监机构，对重点交通建设项目实现造价台账管理。高速公路管理联席会议制度、“一路四方”协调机制等经验做法得到交通运输部、公安部的肯定；高速公路收费标准与服务质量挂钩管理机制初步建立，高速公路管理改革迈出新步伐。

【交通运输服务水平全面提升】 2016年，四川省着力加快“智慧交通”建设，为群众出行提供全程信息服务，出行服务供给方式更加丰富，高速公路出行信息发布体系启动运行。改造高速公路收费站49处，建成星级服务区15对，基本实现高速公路移动通信、交通广播和服务区免费WiFi、信息查询服务四个全覆盖。建成ETC车道1272条，用户数量突破180万人，同比增长65%。全省具备条件的211个三级以上客运站全部实现互联网售票、票务APP和微信购票平台上线运行，试点发售了电子客票。提供WIFI服务的营运客车超过6000台。成都、泸州等7个城市陆续实现交通一卡通全国互联互通。12328服务监督电话系统实现部、省、市三级联网运行，年话务量超过16万件。启用“客运包车管理信息系统”，业务办理效率大幅提高。组织成立全省接驳运输联盟，800千米以上长途客运班线全部实施接驳运输。运输服务加快转型升级，大力推行甩挂运输、多式联运等组织模式，交通运输部确定的5个甩挂运输试点项目顺利推进，成都国际铁路港入选国家第一批多式联运示范项目。泸州、宜宾港服务范围不断扩大，宜宾港至南京集装箱直航快班开通运行，全省已开通水路集装箱班轮航线8条。全年完成集装箱吞吐量72.2万标箱，同比增长30%，铁水联运增长39%。出台《关于进一步加快我省农村物流运输发展的实施意见》，县、乡、村三级农村物流发展迅猛。创新驾培服务模式，全省384所驾培机构提供“计时培训、计时收费、先培后费”服务，覆盖率超过70%。300余家二类以上维修企业加入“阳光维修”公众服务平台。强化科技创新，“高寒高海拔地区公路工程质量监测与控制科技示范工程”等2个科研项目入选2017年度交通运输部科技示范工程，2项科研成果获得省级科技进步奖。与同济大学开展厅校战略合作，教育培训和科研合作深入推进。标准化工作不断加强，《道路旅客运输企业安全生产规范》等4项地方标准发布实施。出台《关于科学发展加快发展现代交通运输职业教育的意见》，充分发挥交通运输厅属院校人才培养主阵地作用，全年培养培训各类人才5万余人次。

【行业安全稳定全面提升】 2016年，四川省交通运输安全生产形势稳定向好。统筹推进道路交通安全综合治理长效机制年和“全国一盘棋”治超行动，高速公路基本实现1吨以上违法超限货车“零驶入”，道路运输实现重大以上事故“零发生”，客车死亡人数和较大事故“双下降”。交通运输厅圆满完成迎接国务院安委会巡查任务，省政府安委会给予了高度评价。G20峰会和春运、重要节假日期间交通运输保障有力、安全生产形势稳定。成功举办部、省、市、县四级联动公路地质灾害应急联合演练和应对地震灾害军地联合应急演练，得到交通运输部的充分肯定。安全监管体系不断完善，贯彻落实习近平总书记关于安全生产的重要批示指示精神，切实做到党政同责、一岗双责、齐抓共管、失职追责，深入推进“平安交通”创建，安全监管体系基本成型。深刻吸取“6·4”广元白龙湖沉船事故教训，配合省安监局出台加强水上安全工作意见，明晰各类船舶监管职责边界。行业信访维稳成效明显，着力做好高速公路建设、出租车经营管理、历史遗留难题等重点领域、重点人群信访工作，落实依法逐级走访制度，坚持依法分类处理信访诉求，强化矛盾纠纷集中排查调处，行业信访总量进一步减少。积极推进行业社会治安综合治理和反恐防范工作，加强交通运输危机管理研究，保障了行业和谐稳定发展。

【坚持协调发展】 2016年，四川省交通运输厅以“四好农村路”示范县创建为抓手，扎实推动农村公路建管养运协调发展。一是强化公路管理养护，全面提升农村公路通行服务水平。认真贯彻省政府出台的《关于进一步促进四川省农村公路建管养运协调发展的意见》，督促各地建立健全公共财政保障和建管养运协调发展两个机制。全省基本建立“县（市、区）有路政员、乡（镇）有监管员、村有护路员”的路政管理体系和“县有机械化养护中心、乡（镇）有交通管理站、村有养护队”的养护管理体系，逐步推进农村公路管养机构、人员、经费“三落实”。围绕农业产业发展、幸福美丽新村建设等强化统筹规划，加强路域环境整治，助推农村宜居宜业。二是强化运营服务，切实推进农村客货运输持续稳妥发展。统筹规划建设农村公路和农村客运站场，科学规划和布局农村客运线网。加大农村客运站场建设投入力度，根据当地居民出行需求加快建设标准适宜、安全实用的乡（镇）客运站、招呼站（牌）。加强与供销部门和邮政部门的合作，增加农村客运站场物流和邮政服务功能，充分发挥农村客运站场、车辆在服务农村物流和农村邮政等方面的组合效应，统筹推进农村客运和农村物流、农村邮政融合和一体化发展。

四川省交通运输厅编写组

农村公路建设

【农村路网服务能力显著提升】 2016年，四川省新（改）建农村公路2.3万千米，其中县、乡道改造工程4995千米，村道改造工程7469千米；新增通硬化路的乡（镇）57个，其中凉山州26个、甘孜州30个、阿坝州1个，阿坝州实现所有乡（镇）通硬化路；新增通硬化路的建制村2880个，完成计划的288%，其中内地1655个、“三州”地区1225个（甘孜州475个、阿坝州149个、凉山州601个）。全省农村公路完成投资1375亿元，占同期普通公路完成投资的40%，初步形成以县城为中心、覆盖乡、村的农村公路网络。全省新增233个乡（镇）、13585个建制村通畅和708个建制村通达，实现97.6%的乡（镇）通硬化路、99.7%的建制村通公路和95.2%的建制村通硬化路，有效缓解了农民群众“出行难”问题。建成安保工程路侧护栏2.6万千米，基本实现乡道以上公路临水临崖及高差3米以上路段路侧护栏全覆盖并向通7座及以上客运班车的村道延伸。

【养护管理水平逐步提升】 2016年，四川省交通运输厅以深入推进农村公路养护体制改革、开展农村公路“管理养护年”活动和“四好农村路”建设为契机，初步形成农村公路发展公共财政保障和建管养运协调发展两个机制，基本实现“有路必养、有路必管”的管养态势。全省78.7%的县将养护经费纳入财政预算，95%以上的乡（镇）建立了交通管理站，除阿坝州以外，全省所有县（市、区）实现机械化养护中心全覆盖、县（乡）道重要节点超限检测站（点）覆盖；农村公路列养率达100%，优、良、中等路列养比例达65%。全年投向贫困地区部、省级交通补助资金超过270亿元，占投入资金总量的80%以上，同时，各地通过政府购买服务和争取PSL贷款（263亿元）方式强化农村公路建设和养护资金保障。甘孜州、凉山州大力推广普通国省干线项目代建模式，既保证了项目实施效果，又培养了技术管理人才。

【渡改公路桥工程】 2016年3月，省政府办公厅印发了《渡口改桥2016—2020年建设推进方案》，计划实施渡改公路桥223座、90936延米，估算总投资为91.9亿元，项目涉及泸州、南充、达州、巴中、广安等17个市（州）62个县（市、区）。截至2016年年底，全省共建成渡改公路桥62座，完成投资18亿元，分别占总计划的27.8%和19.6%。

【“溜索改桥”项目建设】 2016年，四川省共实施“溜索改桥”项目77座，其中车行桥72座、人行桥5座。截至2016年年底，已累计全面完工74座（含3座主体完工项目），在建3座。

【农村公路路网结构改造项目】 2016年，交通运输部下达四川省农村公路路网结构改造项目建设目标为建成公路安全生命防护工程1860千米（含国省干线）、整治危病桥45座。截至2016年年底，全省建成公路安全生命防护工程1982.8千米，完成计划的106.6%，其中国、省干线98.8千米，农村公路1884千米；共整治危病桥103座，完成计划的288.8%。

【农村公路改善提升工程】 2016年，四川省农村公路改善提升工程目标任务为建成总里程6000千米（省政府民生工程目标为3000千米），涉及除甘孜州外的20个市（州）。截至2016年年底，建成总里程共计5480千米，其中成都、自贡、绵阳、广元、南充、广安、巴中、阿坝等市（州）顺利完成年度目标任务，攀枝花、泸州、内江、雅安等市完成年度目标任务的90%以上。

【“四好农村路”建设】 2016年，为贯彻落实交通运输部《关于推进“四好农村路”建设的意见》和省政府《关于进一步促进四川省农村公路建管养运协调发展的意见》，确保到2020年实现“建好、管好、护好、运营好”农村公路（以下简称“四好农村路”）的总目标，四川省全面启动“四好农村路”建设工作。一是全面开展“四好农村路”建设。印发了《四川省交通运输厅推进“四好农村路”建设工作方案》和《四川省“四好农村路”建设技术指南》，省政府印发了《四川省创建“四好农村路”示范县评定办法》，交通运输厅印发了《四川省创建“四好农村路”示范县评定实施细则》，对全省10个市（州）开展“四好农村路”建设开展督导调研，将30个县（市、区）作为重点创建“四好农村路”建设示范县进行培育。二是开展农村公路安全隐患整治。协调省级五部门组建联合工作组，完成对16个市（州）2015年建成公路路侧护栏省级考核现场抽查工作。交通运输厅公路局会同厅运管局组织各地开展县、乡道公路查漏补缺和已开通七座及以上客运班车村道公路路侧安全隐患排查并形成了2016年农村公路安保工程（路侧护栏）建设方案。组织开展农村公路桥梁安全隐患排查，对2011—2015年下达建设计划但未实施的项目（115座）进行“挂牌督办”。三是配合农村公路立法及制度建设。配合省政府法制办开展《四川省农村公路条例》起草、立法前期评估和立法调研论证工作，条例已通过省政府审议并送省人大常委会审定。编制了《四川省农村公路养护管理办法》《四川省农村公路养护管理考核办法》和《四川省农村公路建设养护技术管理指导意见》等管理制度。

四川省交通运输厅编写组

农村能源建设

【基本情况】 2016年是“十三五”开局之年，四川省农村能源工作围绕绿色发展和生态文明建设，以农村沼气转型升级为核心，以促进农牧结合、种养循环和生态农业发展为目标，转变发展方式，着力大中型沼气工程、集中供气沼气工程和户用沼气池工程建设，积极拓展农村能源建设内容，全面完成全年目标任务，不断推进农村能源工作上新台阶。全年共争取中央及省级财政投入3.09亿元，其中退耕还林项目中央补助资金1.3亿元、中央预算内投资规模化大型沼气工程资金1.09亿元、省级新村集中供气项目资金7000万元。在省级新村集中供气项目资金安排上主动向贫困地区倾斜，共安排资金3644万元，占总资金的52%。

【全面完成目标任务】 2016年，四川省新建规模化大型沼气工程31处；新建集中供气工程172处，集中供气农户13906户，完成目标任务的100%；新建户用沼气池1.7万口，新（改）建省柴节煤炉灶及节能炉15万台，新增太阳能利用装置、生活污水净化沼气池各15万立方米。

【开展沼渣沼液综合利用】 2016年，四川省农业厅围绕现代农业产业发展开展沼渣沼液综合利用，成功打造一批以沼气工程为纽带的种养融合发展的循环农业示范基地。为推进循环农业发展，在安排项目时优先安排业主经营状态好、积极性高、沼渣沼液利用条件好、有利于种养业循环发展的项目。

【推进退耕还林农村户用沼气建设】 2016年，四川省农业厅印发了《关于做好巩固退耕还林成果调整项目实施工作的通知》，督促各地加快项目实施进度，全年共新建户用沼气池1.7万口、高效低排生物质炉2.45万台、以电代柴户内用电设施18.35万户。在项目实施中，除满足退耕户需求外，将项目安排主动向贫困村、贫困户倾斜。

【探索秸秆能源化利用试点】 2016年，四川省农业厅在德阳、遂宁等地开展秸秆能源化利用试点，探索并提炼总结出广汉市秸秆全域化全量化综合利用模式、射洪县秸秆固化成型燃料化利用模式等，为缓解秸秆禁烧压力和下一步推广应用打下了基础。

【碳交易国际国内市场开发成功】 2016年，四川省扩大国际碳交易（CDM）项目规模，项目涉及农户总数39万户。完成第二期33万户项目农户10个月60万吨的减排量签发，签发减排量已进入国际市场交易。成功开发农村沼气碳减排国内交易项目，涉及农户14万户，项目已全部通过国家发展改革委评审并成功备案，同时接受第三方审定机构减排量现场核证，进入减排量签发阶段。

【抓实抓牢安全生产工作】 2016年，四川省农业厅全面部署农村沼气安全生产工作，进一步落实安全生产责任，制订了《四川省农村能源办公室农村沼气安全生产责任落实方案》，确保“沼气安全生产有人抓、出了问题能问责”。针对夏季高温天气专门下发通知，指导各地有针对性地做好高温天气沼气安全管理；针对冬季尤其是春节临近期间等安全事故易发时段，召开各种会议重点进行强调部署。

四川省农业厅编写组

农村信息化建设

四川农村信息网建设

【基本情况】 四川农村信息网(原四川农经网 www.scnjw.gov.cn)是四川省政府主办,四川省气象局承办的农村经济综合信息网站。网站于2001年7月18日开通,主要开展农村经济综合信息和气象信息服务,为政府提供农经综合信息和气象决策服务。四川农村信息网建立了省、市、县、乡四级信息服务体系,拥有1个省级信息中心、21个市(州)信息分中心、174个县(市、区)信息服务中心、4500余个乡(镇)信息服务站和分布全省的37个市场价格信息采集点;拥有一支由5.5万余人组成的乡村信息员队伍,从事农经信息的采集、编辑和发布以及气象灾害防御相关工作。

网站涵盖主站、20个市(州)分站、农产品价格供求发布系统、农产品价格供求GIS分析系统、农产品电子商务(中川农商)、气象公共服务和农产品气候品质认证与溯源等多个平台,开设有市场、政策、科技、资讯、减灾、教育、休闲、新农村建设和气象9个板块,以文字、图片和视频方式实现线上线下结合,解决了信息进村入户“最后一公里”问题,助力农民增产增收。完成价格供求GIS手机网站的开发。

【信息发布与宣传】 2016年,四川省组织发布农业科技、涉农法律政策和市场分析等各类农经信息22087条;通过价格供求信息系统采编、发布农产品价格信息174300余条、供求信息14903条;在农事活动关键期及其他气象为农服务期策划网络服务和宣传专题2期,发布《农产品价格供求情况分析》12期,链接中国兴农网、中国天气网四川站和四川省公共气象服务网等相关网站及专题。

【四川省公共气象服务网(二期)升级美化】 2016年,四川省气象局对全省及各市(州)、区(县)共计180余个地区的网站页面进行了升级美化,实现分级管理和各地网站个性化展示;完善和丰富服务产品,新增24小时天气预报、短时预报、临近预报、乡(镇)预报、农业气象、气候评价等气象服务以及天气预报展示、实况数据对比等新模块,改变了天气预报视频只能在电视上定时定点播放的单一方式,实现全省各市(州)天气预报视频能在网站上实时展示和点播。

【加强农产品气候品质认证和溯源工作】 2016年,四川省农村经济信息网继续加强农产品气候品质认证和溯源工作,为凉山、乐山、雅安、德阳、巴中等市(州)的6家企业的名优农产品提供了认证和溯源服务,颁发农产品二维码溯源标签2万余枚。

四川省气象局编写组

农村通信工作

【基本情况】 2016年,四川省电信业务总量累计完成1671.5亿元,同比增长44.5%;电信主营业务收入完成575.8亿元,同比增长6.2%,其中非话音业务收入占比达78%。固定资产投资累计完成178.9亿元。电话用户总数达8784.5万户,电话普及率为107.1%,其中4G用户达4124.8万户,渗透率56.5%;移动互联网用户达6358.4万户;固定互联网宽带接入用户达1851.2万户;IPTV加上移动电视用户达1400万户。

全省光缆线路总长度达189.6万千米,同比增长17.4%。互联网宽带接入端口总数达3686.1万个,其中光纤接入FTTH/0端口2833.5万个,占端口总数的76.9%。移动电话基站总数达29.3万个,其中4G基站达14.7万个,基本实现城乡移动宽带全覆盖。

【行业管理】 2016年,四川省通信管理局狠抓行风纠风工作,开展服务承诺公示,对标践诺,提升服务水平,引入第三方开展电信业务实证监督调查和拨测,提升监管的广度和深度,全省电信用户申诉率和不明扣费每百万用户申诉率分别为41.8人次、3.7人次,较好地完成了行风纠风工作考核指标。省申诉中心共受理申诉341人次,调解申诉争议269人次,解答用户咨询5808人次。加强电信用户实名制管理,完成1300余万名未实名老用户补办登记,全面实现电话用户实名登记,实名率达100%。

【大力推进提速降费】 2016年,四川省全面取消“成渝城市群”移动电话长途费和漫游费,每月为用户让利1.3亿元;全省互联网接入业务平均使用费用从2015年年底的55元/户/月下降至39.5元/户/月,降幅为28%,互联网接入带宽平均单价从2015年年底的1.41元/兆下降至0.93元/兆,降幅为34%;移动蜂窝数据业务平均资费从2015年年底的0.1元/兆降至0.06元/兆,降幅为40%。

【规范建设市场秩序】 2016年,四川省通信管理局把通信安全生产和工程质量监督、建设市场秩序监管等结合起来,持续深入开展安全生产监督检查,全年无安全事故发生。大力规范招投标行为,促进通信行业招投标公开、透明、规范。持续推进共建共享,修订共建共享实施意见和共享租金指导价格,积极推进成都新机场、成渝客专、成贵线铁路等重点共建工程,全年节约投资约40亿元。加大通信设施保护力度,全年通信设施被盗窃、被破坏案件发案率和经济损失实现双下降。

【电信普遍服务】 2016年,根据工业和信息化部、财政部印发的《关于组织实施电信普遍服务试点工作的指导意见》的要求,四川省通信管理局会同财政厅、省经济和信息化委成立电信普遍服务省级工作推进小组,制订了《四川省国家电信普遍服务补偿项目工作方案》,召开专题会议研究实施方案,制定工作措施,先后组织各市(州)申报第一、二批电信普遍服务试点,甘孜(部分县)、阿坝、凉山(部分县)等14个市(州)被纳入电信普遍服务第一批、第二批试点范围,争取国家补贴资金9.9亿元并于12月15日全面完成招标工作。根据招标结果,四川电信中标阿坝、达州、攀枝花、宜宾、巴中5个市(州)和泸定、稻城、乡城、得荣4个县,获得中央财政补贴资金22374万元;四川移动中标绵阳、广元、凉山、泸州、南充、遂宁6个市(州)和康定、巴塘、道孚、炉霍、甘孜5个县,获得中央财政补贴资金31837万元;四川联通中标广安、内江2个市和丹巴县,获得中央财政补贴资金4063万元。已完成项目内所有市(州)的合同签署并启动建设,项目实施期内(中标后一年内)将解决7306个(其中未通村4079个、升级村3227个)行政村的宽带光纤通达问题,基本实现试点项目内市(州)、县所有行政村光纤通达,提前完成试点项目内市(州)、县的通信脱贫攻坚任务。

【民生工程】 2016年,四川省通信管理局按照省委省政府关于开展民生工程的有关工作部署,制订了《2016年民生工程农村通信项目目标分解方案》,将2500个行政村通宽带的建设任务下达到基础电信企业,沿用"分片包干"形式推进行政村通宽带建设。积极争取工业和信息化部和基础电信企业集团公司对全省农村通信建设的支持,在民生工程任务分配、资金分配方面对四川省予以倾斜。同时,对接财政厅,落实民生工程农村通信项目建设及运维专项补贴资金9999万元,提高了各基础电信运营企业加快推进民生工程建设的积极性。会同财政厅进一步加强和规范专项资金管理,研究修订了《四川省通信业发展专项资金管理办法》。全省于11月底完成2500个行政村通宽带的民生通信工程任务,全省行政村通宽带比例达91%。

【信息扶贫】 2016年,四川省通信管理局按照省委省政府关于信息通信扶贫攻坚的相关要求,制订印发了《四川省信息通信扶贫攻坚2016年度实施方案》,确定在11月底前以光纤到户、ADSL、4G、3G等技术手段实现2350个行政村通宽带。省通信管理局组织运营企业采取"分片包干"形式推进所负责的责任片区内所有年度脱贫"摘帽"贫困村实现通信覆盖,其中,四川电信负责攀枝花市、宜宾市、达州市、巴中市、阿坝州、资阳市、乐山市、雅安市和泸定县、色达县、德格县、稻城县、乡城县、得荣县、理塘县、雅江县,共823个贫困村;四川移动负责泸州市、绵阳市、广元市、遂宁市、南充市、凉山州、自贡市、眉山市、成都市和康定县、巴塘县、道孚县、白玉县、新龙县、甘孜县、石渠县、九龙县、炉霍县,共1311个贫困村;四川联通负责内江市、广安市和丹巴县,共216个贫困村。各责任单位均在11月底完成任务目标,累计完成2350个贫困村通信网络覆盖。大力开展定点扶贫,帮助青川县黄坪乡青春村47户贫困户脱贫,加快完善对口帮扶县青川县的信息基础设施建设,提前一年实现全县所有行政村通宽带、95%以上的行政村通光纤宽带。

积极推进农村信息化应用,加大惠民利民力度。一是组织相关企业联合农业厅开展"农技宝"业务,在全省多个市(州)推广使用,县、乡两级农技人员通过宽带、手机等方式把科技信息送到千家万户,引导农民使用先进实用技术,解决生产难题,改变了农民仅凭经验进行种养殖和靠天吃饭的状态。二是组织企业联合商务厅打造"天府云商"平台,重点帮扶农村养殖大户和乡(镇)企业,推进农村电商发展,帮助乡(镇)企业解决农业信息畅通和产品流通问题。三是联合财政厅实施农村中小学免费通宽带工程并向项目内学校免费赠送一批电脑。同时,组织相关企业与成都优质教育资源联合推进网上远程教育,让部分农村地区享受到了与城市地区同等的教育资源。

【项目管理】 2016年,四川省通信管理局加强民生工程与脱贫攻坚、普遍服务的统筹推进。一方面,结合脱贫攻坚任务,将民生工程实施区域尽可能地与年度脱贫行政村相结合,充分保障了脱贫攻坚年度任务的顺利完成;另一方面,积极争取国家支持开展电信普遍试点,先后争取国家补贴资金9.9亿元,带动基础电信企业集团投资超过15亿元,用于全省农村通信基础设施建设和运维,进一步加大民生工程农村通信项目的资金保障和实施力度。

加强督导检查,推进共建共享。一是加强工程进度管理,督促有关企业严格按照时间节点要求推进工程建设。二是多次组织对甘孜、阿坝、凉山等项目地行政村通宽带项目的工程进度、建设质量、运行服务情况及省财政补贴资金拨付使用情况进行实地抽查,协调解决工程建设中遇到的困难和问题,督促企业加快进度,保证工程建设质量,确保年度目标任务顺利完成。三是联合财政厅成立专项检查小组,对项目实施和资金使用管理情况进行专项检查,对检查中发现的问题督促企业进行专项整改。四是在工程建设过程中,推动各企业在光缆、杆路、铁塔等方面加强共建共享,降低建设投入,减少运维成本,形成行业合力,加快建设进程。

四川省通信管理局编写组

农村邮政事业

综　述

【基本情况】 2016年,中国邮政集团公司四川省分公司立足四川西部农业大省实际,积极发挥行业优势,助推地方经济社会发展,圆满完成了党和国家赋予的普遍服务和特殊服务义务,更好地保障了边远地区群众的基本通信权利。持续完善县以下渠道布局,加大投入,破解农村流通体系"最后一公里"和农产品进城"最初一公里"难题,邮政农村实物传递网络更加健全,传递效率进一步提高。快速推进邮政农村电商发展,主动承接电商进农村国家级、省级示范县建设,"线上+线下"邮政农村电商体系基本成形,"农村电商+"运营模式更加清晰,邮政农村电商工作得到国家、省委省政府领导的充分肯定。

【农村邮政能力建设】 2016年,四川省邮政开设农村邮路1226条,单程57201.8千米,全程90543.9千米,全年里程2772万千米;设立农村邮政支局1039处、农村自办邮政所1174处、农村代办邮政所3114处;农村地区全部开办普遍服务支局(所)4704处,有办理储蓄业务的农村支局(所)2059处;新增邮政支局(所)1处,撤销16处;设在农村地区的其他营业网点10885处,其中2处可开办储蓄业务。全省邮政农村地区自办投递服务网点2152处,代办投递网点2841处;设立农村投递段道10485条(其中步班邮路2132条、马班邮路11条),单程18.3万千米,全程29.9万千米,全年里程6085万千米。农村平均投递班期为4.17次/周,每周总投递频次为4.4万次/周/条。设置农村信筒信箱9139个,每周平均开箱8.7次,每周开箱总次数7.9万次。全省有8752个行政村建立了村邮站,其中邮政企业直接投递到户的有4962个、投递到村的有8752个、投递到村其他接转点的有31135个,行政村直接通邮率达96.99%;每周投递达到5次以上的行政村有5075个、4次以上的行政村有708个。开展县域"三合一"流程优化,优化县下网运组织,省内网明显提速。推行农村投递"私车公助",实施投递网改造,加大投递机动车配备力度,农村及时妥投率达90.62%。设立县以下机要投递段道150条,单程2283千米,设置机要服务网点9处、机要车辆3辆、机要摄像头29个、机要通信独立监控系统9套，机要通信连续23年保持质量全红。

【普遍服务和普惠金融任务】 2016年，四川省邮政服务覆盖所有4295个乡(镇)和4.62万个行政村。撤销不符合普遍服务要求的营业网点26个，将93个低效非金融自办网点转为委办。开展全省邮政普遍服务培训及履职检查，稳步推进便民汇款、助农取款替代手工汇兑。继续做好1406处补建空白乡(镇)邮政局所运营，完成26个农村乡(镇)未设立邮政局所的覆盖工作。

【农村邮政工作创新】 2016年，中国邮政集团公司四川省分公司创新开展业务外包，整合利用社会资源，在服务质量不降低、风险可控、稳步推进的原则下，对部分农村邮政工作实施外包，凉山州对空白乡(镇)补建局所运营实施外包，既降低了传统委代办风险又保证了普遍服务质量。创新服务方式，积极与地方政府、行业单位合作，助力公共服务均等化，让广大农村居民享受到方便快捷的公共服务。与农业厅合作开展了农民权益监督宣传，与省交警总队开展了交通安全宣传和交管项目，与教育厅开展了少儿书信比赛，与民政厅开展了“邮善促民生”项目，与省扶贫基金会、省妇基会、省儿基会开展了一系列针对贫困山区妇女儿童的关爱活动，特别是与省交管局合作开展的交管便民业务通过设置警邮便民服务站极大地方便了农村居民的生产生活。以更加开放的姿态加强行业合作，雅安、广安等地邮政公司发挥自身渠道覆盖面广的优势，承接部分民营快递到农村地区邮件的传输、投递工作，有力支持了政府“快递向西、向下”产业政策落地。

【邮政农村电商工作】 2016年，中国邮政集团公司四川省分公司将邮政农村电商工作作为三个“一把手”工程之一，作为支撑邮政“一体两翼”经营发展战略的基础平台，出台实施了《四川邮政农村电商发展(2016—2018)总体实施方案》，从顶层设计上系统规划了邮政农村电商发展。3月5日、9月9日，分别在安岳县、三台县召开了全省邮政农村电商工作会议、现场推进会议，确立发展了农村电商“拓展一体，助力两翼”的定位，明确了农村电商平台运营基础在建、关键在用、核心是人，要求量质并重、建用结合推进邮政农村电商发展。省邮政公司成立了由主要领导任组长的农村电商发展领导小组，先后出台了《2016年四川邮政农村电商推进工作奖励方案》《四川邮政农村电子商务运营团队建设暂行方案》等制度办法，组建了521人的省、市、县三级农村电商运营团队，30人的省级农村电商内训师队伍，全方位支撑了邮政农村电商发展。5月28日，国家发展改革委副秘书长程建林调研并充分肯定了西充县邮政农村电商工作。

中国邮政集团公司四川省分公司编写组

农村邮政综合服务体系建设

【基本情况】 2016年，中国邮政集团公司四川省分公司围绕省政府“电子商务进万村工程”，主动参与“电子商务进农村”综合示范工作，倾力打造集“网络代购+平台批销+农产品返城+公共服务+普惠金融+物流配送+精准扶贫”于一体的农村邮政综合服务体系，帮助农民实现购物不出村、销售不出村、生活不出村、金融不出村、创业不出村的“五不”目标，助力地方政府推进公共服务均等化和精准脱贫。全年与16个国家级、省级电商进农村示范县签订合作协议，建成示范县县级运营及仓储中心3个。商务部将西充农村电商工作机制列为全国电子商务进农村五大工作机制之一并在全国进行推广。

【线上平台建设】 2016年，中国邮政集团公司四川省分公司依托中国邮政邮乐网全面建成邮乐网四川馆、21个市级馆和175个县级馆。发展邮乐小店1.4万个，订单转化率达23%，指标全国领先。“双11”线上特卖活动出口订单量列全国第3位。

【线下“邮乐购”站点建设】 2016年，中国邮政集团公司四川省分公司依托中国邮政“邮掌柜”系统将“邮乐购”站点作为农村邮政综合服务体系的线下“根据地”，在绩效考核体系中设置专门评价指标，调高相应分值，引导加强“邮乐购”站点建设运营。印发了《2016年四川邮政农村电商推进工作奖励方案》，安排专项奖励资金100万元，设置渠道建设、进货批发、便民服务、进销存、会员管理和线上平台6个方面10个评价指标，充分调动了各市(州)发展邮政农村工作的积极性。截至2016年年底，全省建成“邮乐购”站点1.82万个，提前完成三年规划建设目标，覆盖了全省所有的乡(镇)和近一半的行政村，南充、绵阳等10个市(州)累计建成上千个；发展A类掌柜8277个，占“邮乐购”站点总数的45.4%，活跃度达97.34%；发展“邮乐购”会员41万人。

【丰富体系服务功能】 2016年，中国邮政集团公司四川省分公司积极探索业务联动，推进“农村电商+金融、农村电商+批销、农村电商+寄递、农村电商+便民服务”，打造邮政综合服务体系“一刻钟服务圈”，实现水电气、通信、交通罚没款等公共事业性缴费，邮件自提，交通票务等30余种基本公共服务一站式办理，为广大群众提供了便利。全年邮政便民服务站办理业务1470万笔，交易金额20.22亿元；邮政“邮乐购”站点实现交易金额48.9亿元，帮助农村群众寄递各类农特产品54.39万件。

【助力精准扶贫】 2016年，中国邮政集团公司四川省分公司以电子商务与农村实体经济深度融合为重点，打通信息、物流“最后一公里”，利用邮乐网推广当地特色农产品，打通工业品下乡和农产品进城双向通道，开展“造血式”精准扶贫，引导当地群众运用电子商务创业增收、脱贫致富。全年通过“邮乐购”站点批销功能压缩商品流通环节，为农村地区群众提供了价值4262万元的生产生活资料。通过“线上+线下”模式，运作特色农特产品返城20余种，实现线上线下销售额1.2亿元，其中邮乐网上线地方农特产品2545种，销售额达1730万元。全年开展电商创业培训650期，覆盖4.2万人次，有力促进了农民增收脱贫。截至2016年年底，“掌柜贷”上线，“邮掌柜”(“邮乐购”站点经营者)只需在PC端上简单操作便可完成贷款申请、查询、支用等，1个工作日即可出具额度审批结果，在额度内借款资金极速到账，为帮助农村居民解决创业资金难题创造了快捷途径。省邮政公司获得省电商协会颁发的“四川电子商务精准扶贫最佳服务商奖”和“2016四川互联网金e奖”。

中国邮政集团公司四川省分公司编写组

农村环境保护与乡村旅游

生态建设

综　述

【划定四川省生态保护红线】 2016年,四川省环境保护厅按照环境保护部关于生态保护红线划定工作的要求,精心组织实施,制订了工作方案,明确了目标要求、时间进度、责任主体等事项,在成都市温江区、蒲江县、宝兴县及松潘县进行了生态保护红线的划定试点。组织相关专家、技术人员在试点的基础上,反复到市、县调研,形成了四川省生态保护红线方案初稿。9月30日,由省政府正式印发《四川省生态保护红线实施意见》,四川省成为全国第六个、西部地区率先划定生态红线的地区。提出了相应的生态保护红线管控要求,生态红线划定面积19.7万平方千米,占全省总面积的40.6%,分一类管控区和二类管控区。推进生态保护红线分级划定工作,组织专家编制《四川省市(州)、县(市、区)生态保护红线划定技术指南(试行)》,指导各市(州)、县(市、区)开展生态保护红线划定工作。

【加强省级生态县建设】 2016年,四川省环境保护厅组织完成了攀枝花市东区、广安市广安区、华蓥市、武胜县4个省级生态县(市、区)验收;组织完成了筠连县、兴文县、珙县、剑阁县4个省级生态县建设技术评估工作;对汶川县、眉山市东坡区、眉山市彭山区、巴中市恩阳区等20余个县(区)进行了省级生态县创建工作调研指导。

【积极推进生态文明示范县建设】 2016年,四川省环境保护厅积极推进生态文明示范县建设,按照环境保护部生态文明示范建设新要求,指导有条件的地区创建国家生态文明建设示范区。组织完成蒲江县、新津县、金堂县、成都市双流区的国家生态文明建设规划修编及评审。针对全省生态环境现状、问题,结合主体功能定位、经济社会发展水平,开展生态文明建设进展评价研究,提出了一套符合四川区域特点的生态文明评价体系。加强对县级环保模范城市创建工作的指导,组织专家对汶川县、剑阁县进行了省级环保模范城市验收。

【积极推进生态旅游示范区建设】 2016年,四川省环境保护厅配合省旅游发展委、林业厅进一步推进国家生态旅游示范区建设,积极参与建设指导、检查等具体工作。

【秸秆禁烧和综合利用】 2016年,四川省环境保护厅印发了《关于切实加强夏秋季节农作物秸秆禁烧工作的通知》,以成都及周边、川南、川东北三大区域为重点,分别制订区域《农作物秸秆禁烧工作方案》,召开成都平原地区秸秆禁烧联防联控工作会议,开展联合行动,形成区域秸秆禁烧工作长效机制。在关键时期派出督查组,采取干部包片蹲守、领导包村巡查、县(区)巡回督查等方式抓实秸秆禁烧和综合利用工作。通过发放宣传资料、开展"基层夜话谈禁烧"、在醒目路口悬挂宣传标语等多种方式进行宣传,强化公众环保意识,加大秸秆禁烧工作力度。研究制定《四川省"十三五"秸秆综合利用规划》,印发《四川省农业生态保护与建设"十三五"规划》《四川省农业面源污染防治工程"十三五"规划》,进一步推动秸秆综合利用。2016年,全省秸秆综合利用量达2999.7万吨,综合利用率达82.6%。

【芦山地震灾区恢复重建指导工作】 2016年,四川省环境保护厅继续加强对芦山地震灾后恢复重建人居环境类重建整治项目的指导。以县(区)环保部门为责任主体的人居环境类重建项目共涉及芦山、天全、宝兴、荥经4个县,共有五大类15个项目,估算总投资32402万元,实际安排投资57812万元,已完工14个项目,完工率为93.33%,累计完成投资55489万元,占估算投资总额的171.25%,占实际安排投资的95.98%。

四川省环境保护厅编写组

森林生态

【天保工程】 2016年,四川省继续停止天然林商业性采伐,依法加强对天然林的保护和管理,组织204个天保工程实施单位落实森林管护责任制并层层签订了森林管护责任书(合同),常年有效管护森林面积26549.08万亩(其中国有林18252.5万亩、集体和个人所有公益林8296.58万亩),按季度向国家报送了工作进展情况。完成国家下达四川省天保工程二期公益林人工造林7万亩、封山育林38万亩。全年核定兑现公益林补偿10174.3万亩,其中国有国家级公益林1877.3万亩、集体所有国家级公益林8297万亩(包括国家级集体所有公益林7248.4万亩、省级集体所有公益林1048.6万亩)。在深入国有林区开展改革调研的基础上,配合林业厅国有林场和国有林区改革工作小组提出了《四川省国有林区改革存在的困难及建议意见》并上报国家国有林场和国有林区改革工作小组,主动争取国家支持;根据省政府要求,到东北三省学习国有林区改革经验,结合四川省实际编制了《四川省国有林区改革实施方案(讨论稿)》,征求省发改、编办、财政等有关部门意见,在对意见逐条讨论、修改后编制了《四川省国有林区改革实施方案(送审稿)》。组织完成2016年度天保二期"双线"目标责任书签订工作〔"双线"目标责任书即省、市(州、局、自然保护区)人民政府为一线,省、市(州)、县(市、区)林业部门为一线,层层签订目标责任书〕。

【退耕还林工程】 2016年,四川省林业厅坚持生态改善与民生改善两结合,坚持巩固与发展两手抓,攻坚克难,务实创新,全面完成年度目标。全年共完成国家和省级退耕还林工程投资19.74亿元(含前一轮)。在全面完成2015年50万亩任务的基础上,积极推进2016年50万亩任务建设,已落实地块36.01万亩,占总面积的72%;完成造林19.11万亩,占总面积的38.2%,预计2017年8月底前全面完成(国家要求2017年年底完成),得到了国家退耕还林工程办公室的充分肯定,多次安排四川省在全国退耕还林会议上作经验交流。抓住国家八部委出台的扩大新一轮退耕还林规模的政策机遇,积极加强与财政厅、省发展改革委、国土资源厅、省扶贫移民局等部门沟通,指导各市(州)在充分调查并解决好当地群众生计的基础上,实事求是地提出耕地保有量和基本农田保护指标调整方案,全省除内江市以外的20个市(州)政府均提出了两项或其中一项指标调减申请,其中调减耕地保有量308.27万亩,涉及14个市(州)95个县;调减基本农田保护指标345万亩,占全省25度以上基本农田坡耕地总面积的73.1%,涉及20个市(州)123个县。申报方案经省政府审定后于4月底上报国务院。会同省发展改革委、财政厅、农业厅和国土资源厅组织有关市(州)政府严格把握政策界限,依据最新年度土地变更调查成果,围绕扶贫开发,开展2016年度新一轮退耕还林任务申报工作。在各地书面承诺按时保质完成任务的基础上,结合全省生态建设和扶贫开发工作需要,统筹研究向国家申报2016年新一轮退耕还林需求50万亩并于5月27日通过批复。林业厅积极协调省级有关部门,于6月21日正式下达任务计划。

【林地保护管理】 2016年,四川省林业厅进一步严格林地用途管制,加强林地占用征收管理,构建工作联动机制,严厉打击违法占用林地等行为。组织全省森林资源管理部门主动参与打击违法占用林地等涉林违法犯罪专项行动,提供审核审批项目清单和掌握的违法线索,有效震慑了违法占用林地的高发态势。贯彻落实国家林业局关于加强临时占用林地监督管理、光伏电站建设使用林地有关问题的通知,并结合四川省实际,提出了具体意见,明确了具体要求。对全省高尔夫球场涉及占用林地问题进行审查,由林业厅牵头对攀枝花市、阿坝州等地高尔夫球场涉林问题进行督促整改。开展建设项目使用林地被许可人监督检查。参加由省政府组织的对普格县养窝监狱老基地的明察暗访,调研其森林资源资产移交问题及森林资源保护管理工作,现场督促整改了国家林业局检查发现的林地管理问题。全年发现林地违法案件957件,查处952件,罚款1462.6848万元,依法回收林地73.5323公顷。

【"项目年"林地服务】 2016年,四川省林业厅结合省委省政府确定的重大建设项目,指导各地林业主管部门落实"提前介入,依法加快"要求,对接项目业主单位,全力提供指导和咨询服务。现场指导成都天府国际机场等重大项目使用林地相关工作,审核批复天府国际机场试验段、巴塘水电站、李家岩水库、成昆铁路峨米段扩能工程等项目先行使用林地申请;组织开展大渡河双江口水电站、汶马高速、川南城际铁路、江铜稀土矿开采等项目使用林地可行性报告技术审查;对接省电力公司,座谈协商四川西部水电送出走廊规划有关涉林工作事宜。针对省政府确定的7000万标志性工程——国电大渡河猴子岩水电站蓄水验收涉及的岷江柏木保护有关问题,做好岷江柏木移栽相关指导工作。全年共指导协调审核审批及上报使用林地项目699个,面积6086公顷,收取森林植被恢复费7.7亿元,为"项目年"的顺利推进提供了林地要素保障。

【灾后重建涉林政策】 2016年,四川省林业厅下发了《关于做好芦山地震灾后恢复重建项目完善使用林地手续工作的通知》,具体安排部署灾后恢复重建项目完善使用林地手续工作,明确所有灾后恢复重建项目使用林地要在12月31日前按规定申报完善手续,并明确函复雅安市林业局咨询的关于灾后重建项目使用林地和林木采伐有关政策能否延续等问题,简化芦山地震灾后重建项目使用林地报批手续。全面总结国家和四川省支持芦山地震灾后恢复重建的政策措施和贯彻执行情况。全年共指导办理地震灾区使用林地项目65宗,面积377公顷,免收2个项目的森林植被恢复费。

四川省林业厅编写组

自然保护区管理

【基本情况】 2016年,四川省有林业自然保护区123个(其中国家级23个、省级51个),保护面积725万公顷,其中森林和野生动植物类型自然保护区82个、湿地类型自然保护区41个。近90%在川有分布的国家重点保护野生动植物物种和近50%的自然湿地在自然保护区内得到有效保护。

【保护区管理能力建设】 2016年,四川省林业厅组织协调完成黄龙、南莫且晋升国家级自然保护区的省级大评委审查、国家林业局审查和省政府报送及国家级大评委专家现场论证和申报材料整改等工作。组织完成麻米泽省级自然保护区晋升国家级自然保护区的材料准备和预审查工作,协调完成华蓥山、海鹰寺建立省级自然保护区的材料整改工作。推动完善自然保护区相关标准体系建设,完成《红外相机监测野生动物技术规范》《自然保护区生态旅游总体规划技术规范》等3个标准送审稿编制工作,并通过省质监局的专家审查。组织上报2017年《自然保护区野外保护站无动力与微动力污水处理技术规范》等两个地方标准的立项申请。提升自然保护区管理机构管理能力，组织召开大熊猫自然保护区管理机构能力评估会，组织专家组对广元毛寨11个市(州)的42个大熊猫自然保护区管理机构保护管理能力进行了专项评估并出具了评估报告。举办解说导赏与展板撰写培训等系列培训和活动，提升了自然保护区向社会公众开展自然教育的能力。组织审查了若尔盖湿地、白坡山等自然保护区总体规划，完成若尔盖湿地国家级自然保护区总体规划向国家林业局的报送申请工作。组织完成卧龙、米仓山、栗子平、龙溪—虹口总体规划的修改和完善工作，协调并完成了国家重大科技基础设施——“高海拔宇宙线观测站”项目进入海子山国家级自然保护区的行政许可审批工作，组织审核了德乐、民主水电站、大唐海口风电场、拉米南、拉米北、井叶特西风电场工程建设对麻米泽、螺髻山等自然保护区影响行政许可现场论证，审核批复了大唐海口风电场进入螺髻山自然保护区，德乐、民主水电站进入麻米泽自然保护区的行政许可。协调省重点建设项目和精准扶贫项目涉及的下拥、喀哈尔桥、申果庄、观雾山等自然保护区开展功能区划调整，其中组织审查并向省政府报送了下拥省级自然保护区、喀哈尔桥湿地自然保护区功能区划调整和确认申请。组织完成行政许可项目后续核查、国家级自然保护区卫星遥感发现活动的核实核查工作。整改了黑水河自然保护区内违规建设旅游设施、九顶山自然保护区内矿产开发等违法违规行为。

【推动自然保护区标准化建设】 2016年，四川省环境保护厅印发了《四川省环保系统省级自然保护区规范化建设和管理导则(试行)》，推动省级自然保护区规范化建设，全面提升省级自然保护区管理水平。

【加强自然保护区监督管理检查】 2016年，四川省环境保护厅下发了《关于对自然保护区建设管理情况进行检查的通知》，组织开展环保系统主管自然保护区建设管理情况检查。对全省国家级自然保护区人为活动开展核查，向各地政府通报了违法建设活动并向环境保护部上报了核查情况。

【加强自然保护区日常监管】 2016年，四川省环境保护厅开展四川黄龙、南莫且省级自然保护区升级为国家级自然保护区和新建四川华蓥山省级自然保护区有关工作，完成国道215线巴塘竹巴笼至得荣二龙桥公路改建工程等40余个涉及国家级、省级自然保护区建设项目的生态影响专题论证、审查。

【组织做好“十三五”自然生态保护规划研究工作】 2016年，四川省环境保护厅组织开展“十三五”自然生态保护规划研究，配合林业厅开展《四川省“十三五”生态保护与建设规划》编制工作。

【大熊猫国家公园建设探索】 2016年4月8日，四川省林业厅参加了中央财经领导小组办公室在北京市召开的关于大熊猫、东北虎国家公园工作启动部署会，会议传达了习近平总书记要求川、陕、甘三省联合建立大熊猫国家公园，保护大熊猫栖息地完整性与原真性的要求。按照中央部署，省政府牵头启动大熊猫国家公园体制试点方案编制工作，方案编制领导小组办公室设在林业厅。林业厅积极协调陕西、甘肃两省，在5月组织召开了三省划界和资产核查协调会，组织国家公园所涉及的省内6个市(州)召开范围和功能区确认会，协商划定公园范围，开展大熊猫国家公园范围内人员、林权、工矿、学校等摸底调查，注重横向(部门间)、纵向(省、市、县)交流，科学划定大熊猫国家公园范围和功能分区，提出多套大熊猫国家公园范围备选方案；科学提出大熊猫国家公园保护目标，统一川、陕、甘三省关于大熊猫国家公园范围划定的原则和技术标准；创新性提出功能区划分原则和分区管理方案，既将应该保护的保护起来，又兼顾了地方经济发展和居民生计需求，较好地解决了保护与发展的矛盾；率先提出国家公园内全民和集体土地并存模式，既保持了大熊猫栖息地的完整性，又保障了国家公园内原住居民的利益。12月，经四川、陕西、甘肃3省政府同意上报的《大熊猫国家公园体制试点方案》获得中央深化改革领导小组审议通过。

【对外合作与交流】 2016年，四川省自然保护区与国家公园领域内的国际交流日益深入，派出专业人员到韩国参加2016年中韩野生动植物和生态系统保护合作专家研讨会，会议对联合国生物多样性保护与可持续发展目标、中韩自然保护区现状、国家公园工作推进情况以及中国金佛山自然保护区、四川自然保护区社区发展案例进行了深入的研究、交流、讨论，实地考察了韩国无等山、智异山国立公园，其先进经验为四川省国家公园和湿地公园建设提供了借鉴；完成世界自然基金会在中国香港组织开展的湿地管理培训；通过对瑞士和芬兰林业的考察，加强对外合作与交流，学习借鉴欧洲在现代林业、保护地管理、湿地修复、公园建设、森林旅游等方面的先进理念，更好地服务于四川林业建设与发展；继续加强与WWF、CI、TNC、中国香港海洋公园等非政府组织和机构在濒危物种拯救与保护、自然保护研究、自然保护区管理培训、监测、淡水保护、社区发展等领域的合作；与美国密西根州立大学、中国科学院动物所、北京师范大学、浙江大学、四川农业大学等院所和科研机构建立科研合作关系；继续与重庆动物园、北京动物园等57家单位开展大熊猫饲养合作，为大熊猫科普宣传教育推广奠定了基础。

四川省林业厅编写组

森林公园建设

【基本情况】 2016年，四川省累计建立森林公园127处，总面积120.05万公顷，占全省辖区总面积的2.47%，其中国家级森林公园38处，经营面积107.08万公顷；省级森林公园58处，经营面积11.28万公顷；市(县)级森林公园31处，经营面积1.69万公顷。此外，还建有国家花卉苗木专类公园1处，即四川江油国家百合公园。全省森林公园实现总收入63.12亿元，其中门票收入8.57亿元、食宿收入28.52亿元、游乐收入10.62亿元、其他收入15.18亿元；接待总游客3395.27万人次，其中海外游客17.75万人次。各级森林公园(含百合公园)共筹集建设资金24.88亿元，其中国家投入9.08亿元、自筹10.84亿元、引资4.97亿元；投入生态建设资金3.4亿元。全年在森林公园内植树造林3412.82公顷，改造林相6283.05公顷；森林公园游步道达2602.09千米，车船总数906辆(艘)，接待床位总数69354张，餐位总数112476个；共有职工6593人、导游642人，带动社会从业人员35713人。

【城郊森林公园建设】 2016年，四川省林业厅深入贯彻落实《全国城郊森林公园发展规划(2016—2025年)》，于7月19日在成都市新都区召开了建设城郊森林公园助推民生林业发展研讨会，着力构建城郊森林公园体系。成都市依托现有的24个森林公园(国家级5个，省级2个，市、县级17个)，完善森林公园基础建设和管理，大力发展主题鲜明的森林观光休闲、民俗节庆旅游，以满足市民游憩、娱乐、休闲和科普需求，着力构建“城景相融、山水相依”的城区(郊)森林公园体系，是全省城郊型森林公园发展的典范。

【森林公园创建】 2016年，四川省林业厅促进国有林区森工企业、贫困山区乡村和城市郊区三个板块森林公园建设。3月28日—31日，林业厅组织参加了国家林业局森林公园管理办公室在云南省普洱市举办的 2016 年度国家级森林公园申报培训班，为申报创建国家级森林公园奠定了良好的工作基础，全年共有 7 个单位向国家林业局提交创建国家级森林公园的申报材料，创近年来最高纪录。为有效规范全省国家级森林公园申报工作，积极推进申报进度，召开了国家级森林公园申报推进工作会，指导甘孜、阿坝、凉山三州地区的森工企业以及蓬安县、营山县、泸州市江阳区、古蔺县、荥经县、邻水县、德昌县、汶川县大寺村、青神县尖山村、江油市枫顺乡等地申报创建国家级或省级森林公园，其中白玉县林业局申报的沙鲁里山国家森林公园、金川县和观音桥林业局联合申报的太阳河谷国家森林公园已顺利通过国家林业局组织的专家现场考察；荥经县珙桐、邻水县万峰山、德昌县姑姑山和黑龙海子、汶川县巴布纳、金川县雪梨、小金县梦笔山、松潘县热务沟、黑水县三奥雪山、马尔康县梭磨河等 11 个省级森林公园正按照相关程序提供审批所需资料。支持甘孜、阿坝、凉山三州地区尚无森林公园的 16 家森工企业积极创建森林公园，探索国有林区转型发展道路；道孚县林业局以全域施业区面积 601 万亩申报的四川鲜水河大峡谷国家森林公园于 10 月 18 日揭牌，成为四川省第一大、全国第三大国家级森林公园。

【森林公园监督管理】 2016 年，四川省林业厅按照《国家级森林公园监督检查办法》要求，对森林公园做到事前审查、事中事后监管，重点对甘孜措普、甘孜荷花海、成都白水河、绵阳北川 4 个国家森林公园管理机构设立及履行职责情况、总体规划编制和建设实施情况、国家级森林公园财政转移支付补助资金使用情况等方面进行了督办，并对调研发现的巴中米仓山国家森林公园建设占地在建和已建项目责令停工督查。对 2015 年获得国家级森林公园转移支付补助资金和省级森林公园财政项目资金的单位进行监管，以规范资金使用。督促指导近两年新批准设立的国家级和省级森林公园编制总体规划。组织专家对自贡飞龙峡、巴中章怀山 2 个省级森林公园总体规划进行了评审，对《四川省旺苍大峡谷森林公园总体规划》《四川省飞龙峡森林公园总体规划》进行了批复。组织专家对攀枝花二滩、巴中米仓山、达州宣汉 3 个国家森林公园总体规划建设项目进行现场考察并提出了修改意见。

【森林公园人才培训】 2016 年 6 月 27 日—7 月 5 日，由四川省林业干部学校举办、四川省森林旅游中心协办的“全省森林公园管理培训班”在成都市举行，全省 21 个市（州）林业局森林公园工作管理人员、森林公园发展重点县林业局主要负责人、国家级森林公园和省级森林公园管理机构负责人、已申报国家级或省级森林公园的申报单位负责人、在省级以上森林公园内投资开发经营生态旅游的企业主要负责人、从事森林公园申报资料（可研报告）编制及规划设计单位的业务骨干等共计 100 余人参加了培训。6 月 6 日—8 日，四川省组织北川国家森林公园参加了国家林业局森林公园管理办公室在山东省邹城市举办的 2016 年度森林公园建设管理研讨班，会上，北川县就 2012 年北川国家森林公园成立以来的建设管理情况做了专题汇报，四川省森林公园监督检查工作受到国家林业局森林公园办领导的肯定和表扬。

四川省林业厅编写组

湿地建设

【基本情况】 四川省湿地类型多样，战略地位重要，生态服务功能无可替代，拥有沼泽、湖泊、河流、库塘等多种类型湿地，湿地总面积达 174.78 万公顷，占全省湿地总面积的 3.6%，位于长江流域关键湿地区第二、第三两个分区，在长江经济带中是内陆湿地面积最大的省区。同时，以九寨沟、黄龙、若尔盖、邛海、海子山等为代表的最美湿地云集四川。截至 2016 年年底，全省有国际重要湿地 1 处、国家重要湿地 3 处，有湿地自然保护区 52 个、湿地公园 56 个、湿地保护小区 1 个。全省拥有大面积高原湿地，同时境内河流众多，有大小河流 1320 余条，素有“千河之省”的称号。境内平均流量在 1000 立方米/秒以上的长江一级支流有雅砻江、岷江和嘉陵江，是长江、黄河重要的高原水塔和最大的水源补给地。四川省是全国最大的高原泥炭分布区，88% 的高原泥炭分在若尔盖地区，是全国最大的碳库。

【湿地公园建设】 2016 年，四川省林业厅按照“上山、顺江、进城”和“绿化全川，建设美丽四川”的工作方向，继续在城市周边、大江大河、重要库区、生态节点积极推进湿地公园建设。全年共完善和新建湿地公园 15 处，总面积 3.17 万公顷（含湿地面积 1.98 万公顷），涵盖河流、湖泊、沼泽、库塘等类型湿地，其中建成国家湿地公园 3 处（若尔盖、大瓦山、柏林湖国家湿地公园），是继广元南河、西昌邛海、阆中构溪河后通过国家验收的国家湿地公园；国家林业局批准建设 5 处国家湿地公园试点（渠县柏水湖、乐山市沙湾大渡河、江油让水河、炉霍鲜水河和巴塘姊妹湖），批准建设省级湿地公园 10 个（崇州桤木河、青神竹林、东坡湖、宝兴硗碛湖、理塘无量河、泸定九权树、德格珠姆、德格玉隆、色达果根塘、南部八尔湖）。

【湿地保护与恢复】 2016 年，四川省林业厅利用中央财政补助资金指导蓬安县相如湖、平昌县驷马河、广元市南河、绵阳市三江湖、雷波县马湖和西昌市邛海、广安市白云湖、泸州市纳溪区凤凰湖、白玉县拉龙措 9 处国家湿地公园和石渠县国家级自然保护区开展湿地保护与恢复、购买监测设备等工作。对盐源县、遂宁市船山区、营山县 3 个积极开展湿地保护与建设工作的县（区）级政府奖励 500 万元资金用于湿地保护工作。利用省级财政补偿资金指导雅江那溪措、大凉山谷克德、宜宾市南溪区云台湖 3 处省级湿地公园开展保护站点和界桩标牌建设，购买监测设备进行保护管理能力建设和湿地监测。

【湿地生态补偿】 2016 年，四川省林业厅指导若尔盖县利用中央财政补助资金 2500 万元在若尔盖湿地国家级自然保护区持续开展湿地生态补偿工作，主要内容为在保护区核心区实施湿地管护补助 97.041 万亩，补助标准为 5 元/亩；在保护区实验区和缓冲区开展限牧还湿补助 2.6 万亩，补偿标准为 80 元/亩，同时开展禁牧还湿补助 1.6 万亩，补偿标准为 90 元/亩；投入资金 60 万元，开展黑颈鹤栖息地保护补偿成效监测，保护区及周边 6 个乡（镇）26403 人从湿地生态补偿政策中受益。在红原县、理塘县继续开展省级湿地生态补偿工作，共投入资金 1972 万元，主要内容为实施退牧还湿补偿，补助标准为 25 元/亩；实施湿地管护补助，补助标准为 4 元/亩。红原县补偿湿地面积 300.54 万亩，其中退牧还湿工程涉及湿地面积 9.44 万亩，补助资金 235.88 万元；湿地管护补助面积 300.54 万亩，补助资金 1202.17 万元，10 个乡（镇）6280 户牧民从中受益。理塘县补偿湿地面积 129.58 万亩，其中湿地管护面积 129.58 万亩，补助资金 519 万元；退牧还湿面积 0.56 万亩，补助资金 14 万元，资金总投资为 533 万元，22 个乡（镇）11244 户牧民从中受益。

【湿地保护宣传】 2016 年，四川省林业厅在成都市锦城湖湿地公园组织开展了“世界湿地日”省级宣传和培训活动，邀请国内知名湿地生态专家袁兴中教授以伦敦湿地公园和国内典型湿地公园为案例,全面系统讲解了城市生态湿地规划建设的先进理念。在中央电视台新闻频道先后以西昌邛海湿地、成都白鹭湾湿地为样板介绍了四川省湿地保护优先、科学修复、协调发展的理念和经验,受到国内外的广泛关注。配合中央电视台,在若尔盖县拍摄黑颈鹤等候鸟迁徙场景并在新闻联播播出,较好地宣传了高原湿地和候鸟保护工作。

四川省林业厅编写组

荒漠治理

【基本情况】 2016年4月,四川省发展和改革委员会下达四省藏区专项第一批中央预算内投资计划,落实川西藏区生态保护与建设工程沙化土地治理资金约5.6亿元、省级财政配套资金4712万元。财政厅明确将预留的2014年川西藏区生态保护与建设工程沙化土地治理省级配套资金3000万元调整用于新的沙化土地治理任务,并另外安排林业防沙治沙资金6000万元,2016年省级财政投入的治沙资金累计达9000万元。围绕川西藏区生态保护与建设工程沙化治理和省级财政林业防沙治沙及成果巩固等工程项目,在川西北地区沙化严重的草地区域集中实施沙化土地防治及治理成果保护工作,全年完成沙化土地治理4.3万亩、成果巩固23.1万亩。

【石漠化监测】 2016年,石漠化是岩溶地区首要的生态问题,石漠化监测是一项十分重要的国土生态状况调查。按照国家林业局统一部署,四川省于5月正式启动岩溶地区第三次石漠化监测工作,由林业厅负责组织实施,具体任务由省林业调查规划院承担,预计于2017年4月全面完成,最终形成省级监测成果。监测范围涉及10个市(州)的46个县(市、区),监测内容包括石漠化土地面积、程度和分布,石漠化土地动态变化、石漠化土地演变状况等。7月,林业厅印发了《四川省岩溶地区第三次石漠化监测工作方案》和《四川省岩溶地区第三次石漠化监测技术实施细则》(2016年修订),形成了指导全省石漠化监测工作统一的技术标准。同月,省林业调查规划院集中自身技术业务骨干以对《实施细则》技术验证性试生产的形式完成了华蓥市的监测任务。9月,林业厅组织开展技术培训,有关市(州)、县(市、区)的管理和技术人员集中学习了石漠化监测技术实施细则以及信息管理系统、外业调查信息采集系统软件的基本操作,外业调查工作正式启动。

【石漠化综合治理】 2016年,国家正式印发《岩溶地区石漠化综合治理工程"十三五"建设规划》,叙永县、古蔺县、华蓥市、石棉县、盐源县、会东县、宁南县、金阳县、越西县、甘洛县10个县(市)被纳入规划建设范围,规划建设任务为治理岩溶土地25平方千米、治理石漠化10平方千米。3月30日,国家发展和改革委员会同国家林业局等四部委(局)下达四川省2016年石漠化综合治理工程建设任务为治理岩溶面积400平方千米,项目投资12000万元,其中中央预算内投资10000万元、地方配套2000万元。4月26日,省发展改革委、林业厅、农业厅、水利厅联合转下达岩溶地区石漠化综合治理工程2016年中央预算内投资计划,明确建设内容为封山育林3515.02公顷、人工造林3156.19公顷、草地建设738.92公顷等。12月20日,财政厅转下达岩溶地区石漠化综合治理工程2016年中央预算内投资10000万元。

【干旱河谷地区生态治理】 2016年,四川省级财政安排干旱半干旱地区生态综合治理专项资金2000万元,在丹巴县、汶川县、理县、汉源县4个县完成以生态经济林、生态景观林、生态防护林等营造林为主,配套灌溉、坡改梯等工程措施的生态综合治理4000亩。9月,林业厅委托四川天勤会计师事务所对2015年干旱半干旱地区生态综合治理项目进行了绩效评价,其中对攀枝花市仁和区、汉源县进行了现场评价,项目绩效评价得分92.15分。12月,林业厅组织调研组到茂县开展干旱河谷治理专题调研,形成了调研报告并报送省政府,省政府分管领导召开专题会议,做出了在干旱河谷地区实施生态治理产业脱贫工程的决定。

四川省林业厅编写组

农业生态

【农药化肥零增长行动】 2016年,四川省农业厅围绕"提"(提升耕地质量)、"推"(推广科学施肥技术)、"替"(有机肥替代化肥),推进化肥减量增效,全省建立减量增效重点县12个,每县落实项目资金260万元,建设减量增效示范区20万亩。全省主要作物化肥利用率达36%,2016年全省化肥使用量在全国率先实现零增长(根据国家统计部门数据)。围绕"统"(统防统治)、"防"(绿色防控)、"购"(政府购买植保公共服务)、"准"(精准施药),推进农药减量控害,主要农作物绿色防控技术覆盖率达25.8%,专业化统防统治覆盖率达36%,农药利用率达38.2%,2016年全省农药使用量实现负增长(根据国家统计部门数据)。

【推进农业废弃物资源化利用】 2016年,四川省农业厅坚持农用为先,深入推进秸秆肥料化、饲料化、基料化、能源化利用,通过重点实施秸秆还田、秸秆养畜和秸秆食用菌转化利用等示范工程,全省秸秆综合利用率达82.6%,成都、德阳、绵阳等重点地区的秸秆综合利用率达90%以上。大力推进以农牧结合、种养循环、生态消纳为主的畜禽粪污综合利用模式,重点在12个县开展PPP模式推进畜禽粪污综合利用试点,在2个县开展农业生产全程社会化服务畜禽粪污综合利用试点,努力构建畜禽粪污综合利用产业体系和循环农业产业体系,推行畜禽粪污处理专业化、社会化全程服务,全省规模化养殖场畜禽粪便综合利用率达62%。启动农业废弃物资源化利用试点工作,经省政府同意,向农业部等国家六部委申报在6个县开展农业废弃物资源化利用试点。

【耕地土壤综合防控】 2016年,四川省农业厅全面完成农产品产地土壤重金属污染防治普查,基本摸清全省耕地土壤重金属污染状况。完成138个县(市、区)水稻协同监测任务,共采集稻米样品7109个。在21个典型县(市、区)开展耕地重金属污染综合治理试验示范及产地环境长期定位监测。在11个县启动农产品产地环境保护试点,总结形成"一提三调"(提升耕地地力、调节土壤酸碱、调换作物品种、调整种植结构)的产地重金属污染综合防治技术路径。在重点流域开展2万亩耕地重金属污染综合治理示范区建设,探索污染耕地综合治理集成技术体系和分级管控模式。

【农业资源保护】 2016年,四川省农业厅以农田生态环境保护为重点建立高标准农田示范区,完成投资100.6亿元,其中各级财政资金85.2亿元,建成高标准农田581万亩。以草原生态保护为重点,实施新一轮草原生态保护补助奖励政策,落实中央资金8.8亿元,实施草原禁牧补助7000万亩、草畜平衡奖励14200万亩,草原综合植被覆盖度达84.7%。继续实施退牧还草工程和退耕还草工程,在农区各县实施南方现代草地畜牧业推进行动，在牧区各县开展现代草原畜牧业转型试点示范。以水生态保护为重点，启动江河湖库渔业养殖禁养区、限养区划定。大力推广生态健康养殖，积极发展池塘健康养殖、水库生态养殖、稻渔综合种养和流水养殖。全省国家级水产种质资源保护区达37个，国家级、省级水生生物自然保护区达13个。

【耕地质量保护】 2016年，四川省农业厅在15个县实施农业部耕地保护和质量提升项目，大力开展地力培肥及退化耕地治理示范，重点推广秸秆还田、增施有机肥、种植绿肥、酸化土壤改良等技术，建立耕地质量保护与提升万亩示范区60个，推广面积110万亩，项目区秸秆还田率达95%以上，减少化肥施用量10%以上，增施有机肥区耕层土壤有机质明显提高，土壤理化性状逐步改善，耕地质量稳步提高。

【养殖污染治理】 2016年，四川省共有117个县（市、区）政府出台了禁养区和限养区划定文件，禁养区面积达2.3万平方千米，占全省辖区面积的4.8%，禁养区涉及50头以上的生猪规模养殖场2.99万个，年出栏生猪354.4万头。全省禁养区已关闭或搬迁养殖场（小区）1051个，新（改、扩）建畜禽标准化规模养殖场（小区）2025个。配合环境保护厅完成500家大型规模化畜禽养殖企业治污，挂牌整治1646家畜禽养殖场。在畜牧产业基础条件较好的蒲江、洪雅、苍溪、武胜、遂宁市船山区、梓潼、宣汉、南江、仪陇、乐至10个县（区）开展国家畜牧业绿色示范创建活动。大力推广以干湿分离、雨污分流、沼气处理为主要内容的畜禽养殖污染治理技术，畜禽养殖场（小区）配套建设废弃物处理利用设施比例达79.4%。

【农业节水工作】 2016年，四川省农业厅大力推进工程节水，建设小型集雨补灌设施，以达到集雨节水、补灌抗旱和高效种植的目的。大力推进农耕节水，全省推广地膜覆盖面积2000万亩左右，秸秆还田总面积达2300万亩左右，常年水稻旱育秧移栽面积1900万亩。大力推进农艺节水，重点发展马铃薯、玉米、红薯、高粱等旱作作物，全省马铃薯种植面积达1140万亩。大力推进灌溉节水，全省喷灌面积达22.9万亩，微灌面积达55.2万亩，管灌面积达150.5万亩，水肥一体化面积达31.2万亩。

【农业绿色发展】 2016年，四川省农业厅全面落实省委十届八次全会做出的大力推进绿色发展建设"美丽四川"的决定，分别就牵头的五大农产品主产区农业发展格局、加强草原生态保护建设、实施退牧还草和草原鼠虫害防治等重点工程、实施土壤污染治理与修复工程、加快转变农业发展方式、切实保障食品安全六项重点内容形成了六项行动方案。完成编制《四川省农业生态保护与建设"十三五"发展规划》和《四川省农业面源污染防治工程规划纲要（2015—2020年）》，配合省发展改革委制定《四川省秸秆综合利用规划（2016—2020年）》。

四川省农业厅编写组

矿区环境治理

【规范矿产资源开发和矿业权市场秩序】 2016年，四川省国土资源厅深入开展藏区矿业权筛查评估工作，形成了《四川省藏区矿业权处置标准及要求》，督促各市（州）严格按照"一矿一案"的要求处置矿业权。扎实推进第三轮矿产资源规划编制工作，严格执行矿业权人勘查开采信息公示制度，严格规范矿业权协议出让，对大中型矿山储量动态检测实现100%全覆盖，矿产资源勘查开发秩序进一步规范。开展专项督查，强化矿产资源勘查开采安全监管，国土资源厅获评为安全生产目标管理优秀单位。坚持市场化配置资源，坚持省级矿业权进入公共资源交易中心集中交易。全年省级审批登记探矿权证569个、采矿权证428个；招拍挂出让采矿权36宗，金额3186万元；出让探矿权12宗，金额1.2亿元，有力支撑了各级财政收入增长。

【节约资源，推进绿色发展】 2016年，四川省国土资源厅贯彻落实国土资源部《关于推进矿产资源全面节约和高效利用的意见》要求，研发推广应用先进适用技术，健全完善探采选技术标准规范体系，提高矿产资源综合利用效率，促进低碳循环经济发展。2个市、15个县（市）被评为国家级节约集约模范县（市）。调查掌握全省各类自然保护区内矿业权设置情况，研究自然保护区内矿业权退出方案，从矿业权出让环节严把生态环境保护关。出台了《关于进一步贯彻落实矿山土地复垦制度的通知》，加快推进矿山土地复垦和绿色矿山建设。

【矿山地质环境保护】 2016年，四川省国土资源厅根据国家关于生态文明建设的统一部署，按照省政府推进绿色发展、建设美丽四川的相关要求，抓紧起草《四川省矿山地质环境恢复和综合治理工作方案》，进一步明确全省矿山地质环境恢复治理下一步工作推进方向。持续推进已启动实施的矿山地质环境恢复治理项目建设。多次通过集中通报、实地督导的形式梳理各地在项目实施过程中存在的问题，提出下步整改措施，大力推动历史遗留矿山地质环境问题的加快解决。

四川省国土资源厅编写组

水污染防治

【基本情况】 "十二五"以来，四川省以生态文明建设为指导，努力构筑长江生态屏障，贯彻落实国务院《水污染防治行动计划》要求，紧紧围绕国家《重点流域水污染防治规划（2011—2015年）》（以下简称《规划》）目标和任务，严格落实污染防治责任，稳步推进工业污染防治，大力加强饮用水水源保护，扎实推进城镇污水、垃圾治理设施建设和管理，积极开展城乡环境综合整治，努力提升流域水污染风险防控水平，全省重点流域水污染防治工作取得积极进展。

【水环境质量状况】 2016年，四川省水污染防治工作取得积极成效，总体上看水环境呈改善趋势，但部分水污染问题依然突出。全年地表水水质优良（达到或优于Ⅲ类）断面比例为72.4%，地表水丧失使用功能（劣于Ⅴ类）水体断面比例为5.7%，全国31个省（区、市）中有16个省（区、市）的地表水水质优良比例排名在四川省之后，有15个省（区、市）地表水丧失使用功能（劣于Ⅴ类）水体断面比例排名在四川省之后。地级及以上城市集中式水源地中有95%的地表水型饮用水水源地达标，50%的地下水型饮用水水源地达标。

主要特点。一是地表水水质稳中趋好。全省110个考核断面（87个国家考核断面、23个省级考核断面）中有23个考核断面水质得到改善，69个考核断面水质保持稳定；国家考核断面优良水质断面比例为72.4%，同比上升10.4%，但与国家制定的年度考核目标相差4.6%，就流域水环境总体而言，实现了地表水水质稳中趋好的态势。二是地表水劣Ⅴ水质恶化得以遏止。全省劣Ⅴ类水体集中在岷江、沱江两大流域，劣Ⅴ类水质断面比例控制在5.7%，同比下降8.2%，超额完成国家制定年度考核目标的2.3%。三是个别地区水环境质量下降。全省有18个考核断面（含省级考核断面）水环境质量较2014年基准年比较有所下降，主要集中在沱江、嘉陵江流域。四是全省流域污染治理工作系统性、科学性不够，污染治理设施建设与流域水环境质量对应关系没有得到很好的统筹。

【全省地表水水资源量减少】 2016年，受全球气候影响，四川省大部分地区普遍降雨量减少，地表水径流量考核较基准年2014年明显减少。2016年前三季度，全省岷江、沱江、嘉陵江流域地表水水资源总量为822.5亿立方米，其中岷江606.4亿立方米、沱江55.4亿立方米、嘉陵江158.7亿立方米，与考核基准年2014年比较，岷、沱、嘉陵江流域地表水水资源总量减少62.3亿立方米，下降7%，特别是污染较严重的沱江流域地表水水资源总量下降30%。水环境容量明显减少，污染物浓度相对增加，导致部分考核断面污染物浓度超标。

【主要污染物减排指标的影响】 在环境保护部同省政府签订的《四川省水污染防治目标责任书》中，四川省87个国家考核断面均以2014年水质现状为基数，在“十二五”期间，国家制定的水污染防治技术路线是以削减化学需要量、氨氮为重点，而总磷指标并未纳入“十二五”期间的考核评价体系中。通过“十二五”期间水污染防治专项治理，岷江、沱江、嘉陵江等流域化学需氧量、氨氮等污染物问题已得到基本解决，化学需氧量、氨氮等污染物已不再是四川省水污染防治工作的主要矛盾。十三五”期间，国家将总磷指标纳入水环境质量目标考核评价，在化学需氧量、氨氮等污染物基本消灭的情况下，总磷成为我省各大流域主要污染物，污染问题日益突出。

【考核标准提高】 一是水环境质量考核断面增加。“十二五”期间四川省国家考核断面共有72个，“十三五”期间全省国家考核断面共有87个，较“十二五”期间上升17个百分点。出川断面由“十二五”期间的6个考核断面增加至10个，增长67%。二是饮用水水源水质考核更加严苛。国家按照“单月单因子”标准对集中式饮用水水源地进行考核，即参与考核的集中式饮用水水源地有任意一个月一个考核因子未达标，该水源地全年考核结果为不达标。

【个别优良水体水质下降】 2016年，四川省有7个2014年水质现状为Ⅲ类2016年水质降为劣于Ⅲ类的国家考核断面，分别为德阳市西平镇、象山断面，内江市球溪河口断面，南充市白兔乡断面，资阳市跑马滩、幸福村(河东元坝)、拱城铺渡口。

【结构调整任务艰巨】 一是四川省是农业大省，农业面源污染对水环境质量影响严重，全省农村污染负荷已占全部污染负荷比重的30%~40%，部分地区达70%。二是全省纳入监控的重点风险源企业有2100余家，其中化工、造纸、印染、制革、有色金属冶炼等高污染企业大多分布在沿江沿河等环境敏感区，一些地区建设项目违法违规、饮用水源地违法建筑、危险废物非法处置等问题时有发生，以十大环境风险隐患为重点的突出环境问题尚未得到有效解决。三是受土地指标、相关规划调整、市场条件变化等客观因素制约以及国家对四川省资金补助比例低、到位慢，社会资金投入少等影响，加之全省地方财政困难，城镇污水处理、垃圾处理和区域水环境整治三类项目推进难度大。

【基础设施建设滞后】 从环保基础设施建设方面看，2016年，四川省仍有40余个县级以上城市尚未建立污水处理厂，部分已建成的污水处理厂运行不正常；80%左右的乡(镇)没有集中污水处理设施，已建成的乡(镇)污水处理设施普遍没有正常运行；部分县城和多数乡(镇)污水管网不配套。

四川省环境保护厅编写组

土壤污染防治

【《土壤污染防治行动计划四川工作方案》编制工作】 2016年5月，国务院《土十条》出台后，四川省环境保护厅随即启动了《土壤污染防治行动计划四川工作方案》(以下简称《工作方案》)编制工作。《工作方案》经30余次修改，两次征求各市(州)政府和省级有关部门意见后，按照省政府重大行政决策程序规定，组织进行了专家论证、风险评估、征求公众意见，于11月完成送审稿上报省政府，已通过省政府常务会审议。

【全面开展土壤污染环境风险排查】 2016年，四川省环境保护厅印发了《关于开展全省土壤污染风险源排查的通知》，组织全省环保系统对可能造成土壤污染的环境风险点开展全面排查，通过对排查情况的分析，确定了各类重点污染物排放的重点区域和行业，制定了土壤重点监管企业名单，重点污染风险源、重点控制区域清单。

【开展重点行业企业土壤污染源遥感核实工作】 2016年，四川省环境保护厅下发了《关于开展土壤污染重点行业企业空间位置遥感核实工作的紧急通知》，对国家下达的6378家重点行业企业的地理位置、生产规模等基本信息进行了详细核查并在遥感影像图上进行空间位置标注，为下一步重点行业企业污染地块详查点位的确定打下了坚实基础。

【有序实施土壤污染治理与修复试点】 2016年，四川省环境保护厅制定印发了《四川省土壤污染防治专项资金项目入库申报指南》，积极开展“十三五”中央和省级土壤污染治理与修复项目储备库建设，环境保护部给予全省土壤污染防治专项资金5.37亿元的支持，环境保护厅会同财政厅选择典型区域，集中安排到8个市(州)开展土壤治理与修复试点示范。完成首批11个土壤污染防治项目的入库工作，指导成都市完成10个重点行业企业搬迁场地的风险调查与评估，指导乐山市完成1个搬迁场地的治理修复。

【加强土壤污染环境监管】 一是严格环境准入，控制新增土壤污染，对新建有色金属冶炼、石化、化工、电镀等排放重点污染物的建设项目在开展环境影响评价时要求增加对土壤环境影响的评价内容。同时，开展土壤环境监测，提出防范土壤污染的具体措施。二是加强工矿企业管理，严防矿产资源开发、涉重金属行业、工业废物处理、各类危险废物和企业拆除活动污染土壤。

【重金属污染综合整治】 2016年，四川省环境保护厅完成了《规划》期终考核工作。全面梳理“十二五”期间重金属污染防治工作，组织全省对照国家考核要求进行自查，对部分重点区域进行现场核查，编制完成《〈重金属污染综合防治“十二五”规划〉四川省实施情况自查报告》并上报环境保护部。12月，环境保护部通报了各省(区、市)《重金属污染综合防治“十二五”规划》实施情况全面考核结果，四川省总体评分为88.77分，考核结果为良好，较好地完成了《规划》目标任务。编制完成了《四川省“十三五”重金属污染防治技术分析报告》，按照环境保护部关于“十三五”重金属污染防治规划编制工作要求，编制完成了《四川省"十三五"重金属污染防治技术分析报告》并报送环境保护部，为"十三五"重金属污染防治工作奠定了基础。推进高汞触媒淘汰，按照《环保部办公厅、工信部办公厅关于关于开展电石法聚氯乙烯生产企业高汞触媒淘汰情况检查的通知》要求，及时将《通知》转发相关市并提出具体要求，会同省经济和信息化委组织相关人员对涉汞市环境保护部门及企业高汞触媒淘汰相关情况进行督查。

【清洁生产】 2016年,四川省环境保护厅及时印发了《关于做好2016年清洁生产审核工作的通知》,对2016年清洁生产工作进行了全面部署,紧紧围绕国家重金属污染防治和大气、水污染防治行动计划确定的重点内容开展强制性清洁生产审核工作,摸清底数,完成改造计划。公布了2016年第一批强制性清洁生产审核计划和2016年第一批强制性清洁生产审核评估结果。按照《清洁生产促进法》《清洁生产审核办法》等文件要求,按时公布2016年强制性清洁生产审核计划和审核评估结果,一方面把工作任务落实到具体行业企业,加大监管力度;另一方面对已开展审核评估的企业及时公布评估结果,鼓励、肯定企业的环保工作。积极筹划工业园区清洁生产审核试点,为拓展清洁生产审核领域,提升工业园区整体清洁生产审核水平,按照《四川省污染防治改革试点方案》的要求,牵头开展了工业园区清洁生产审核试点工作并初步完成试点工业园区清洁生产审核试点示范项目建议书和实施方案的编制,为后期工作的开展奠定了良好基础。

四川省环境保护厅编写组

生物多样性保护

【基本情况】 2016年,四川省环境保护厅启动了羌塘—三江源、横断山南段、岷山—横断山北段、武陵山、大巴山5个生物多样性保护优先区域保护规划编制工作。推动各县(市、区)开展生物多样性行动计划制定,对《万源县级生物多样性行动计划》进行了审查。积极争取环保部资金支持,推动环科院编制四川省生态科研网络生物多样性跟踪观测项目建议书。支持平武县、青川县向环保部申请生物多样性减贫示范项目。配合省发展改革委、林业厅做好大熊猫国家公园建设申报有关工作。

【康定市农业野生植物资源保护工作】 康定市野生植物种类繁多,盛产虫草、贝母、黄芪、羌活、大黄等名贵中药材。2016年,康定市农牧局继续组织虫草产区150名农牧民开展野生植物资源保护培训班,共印发宣传资料300余份。通过农业野生植物保护培训,特别是对冬虫夏草生长及科学合理采集方法的培训切实提高了当地农牧民对冬虫夏草的认识水平和保护意识。按照《康定市虫草保护区管理办法》《康定市虫草保护区土地管理办法》和《保护区观测点监测办法》要求,在冬虫夏草原生境保护示范点的核心区和缓冲区禁止任何单位和个人采挖虫草及其他中藏植物药材和从事有损保护区植被的其他活动;进一步加强保护区管护队伍的建设管理,保证保护区的各项设施完好;定期巡山管护,特别是在虫草采挖季节增加巡山次数,防止人畜进入保护区;制定保护区防火工作预案,做好防火宣传教育。

在做好原生境保护点管护工作的同时,康定市农牧局与甘孜州农科所联合在虫草产区开展冬虫夏草原位抚育研究试验,移栽珠芽蓼15千克、播种面积约300平方米,投放幼虫50条并对其进行了标记以便观察珠芽蓼生长情况及虫草的生长情况,现场采集鲜草14条。通过加强农业野生植物保护工作,进一步增强了广大农牧民对保护冬虫夏草资源重要性的认识,促进了生物多样性和可持续发展,对增强农业野生资源保护、促进藏区农牧民群众增收以及对促进藏区稳定具有积极意义。

【外来入侵有害生物防除工作】 2016年,四川省农业厅和省农科院联合编印了《外来入侵生物识别与防治》,系统介绍了入侵物种的定义和危害,并详细列举了全省14种主要入侵物种的识别特征、分布、传播途径和相应的防治方法。6—11月,组织相关专家组到相关县(市、区)开展技术培训12次,受训人员累计达3000余人次,发放科普宣传资料2500余份。

四川省环境保护厅编写组、四川省农业厅编写组

农村废弃物处理

【基本情况】 2016年是"十三五"决胜全面小康、建设经济强省的开局之年。按照省委省政府的总体部署,四川省城乡环境综合治理工作认真贯彻中央城市工作会议和省委经济工作暨城市工作、省十二届人大四次会议精神,坚持"创新、协调、绿色、开放、共享"五大发展理念,紧密结合,加快推进新型城镇化工作,围绕环境治理"深化提升和常态管理"的总体思路,以农村生活垃圾治理和农村污水治理为工作重点,大力推进大气污染防治,统筹实施环境质量、城镇承载力、示范创建、宣传教育再提升四大工程,取得了明显成效,为实施"三大发展战略"、推进"两个跨越"做出了积极贡献。

【农村生活垃圾治理进一步提升】 2016年,四川省住房和城乡建设厅积极实施农村生活垃圾治理攻坚行动,安排城乡环境综合治理专项资金0.8亿元,完成1000个行政村的生活垃圾收集设施建设和转运设备配置任务,建立和完善农村生活垃圾"户分类、村收集、镇(乡)运输、县处理"机制,实现了对生活垃圾的有效治理,农村生产生活条件得到有效改善。

【农村生活污水处理试点有序推进】 2016年,四川省住房和城乡建设厅按照"因地制宜、稳步推进、科学施治"的原则,安排城乡环境综合治理专项资金1亿元,在全省10个县的100个村开展农村生活污水处理试点(含3个国家试点县),同时,积极探索社会资本参与农村生活污水治理的投融资新模式。加强指导,制发了《〈县域农村污水治(处)理专项规划〉编制要点》,组织专家组对各试点县县域生活污水治理专项规划进行了集中评审和复审,在丹棱县举办了农村生活污水治理专题培训班。强化督查,将农村生活污水治理试点工作纳入省级财政专项资金绩效评价系统,财政厅、省治理办联合对资金使用和工作推进情况进行了专项督查和绩效目标考核,确保了试点工作有力推进。

【环境质量进一步提升】 2016年,四川省住房和城乡建设厅继续以"减排、压煤、抑尘、治车"为重点,持续加大对大气污染的联防联控,严控秸秆焚烧,秸秆资源化利用率达82%。加快推进城市黑臭水体整治力度,加强对重点流域、重点行业水污染的防治和对重要水库、天然湖泊和饮用水水源地的保护。深入实施农房建设管理提升工程,开展"旧村改造"专项行动,有力推进绿色宜居村庄建设。推进农村环境连片整治,解决农村环境"脏、乱、差"问题。加强农村面源污染防治,深入推进耕地质量提升和化肥农药使用量零增长行动,完成20个县的畜禽粪便还田利用试点工作。升级改造城乡再生资源回收点5900个。深化水环境治理,加大天然林、草原生态保护和退耕还林力度。开展全民义务植树造林活动,营林造林40万公顷,森林覆盖率提高到36.2%。

【示范创建有序推进】 2016年,四川省住房和城乡建设厅有序推进环境优美示范城镇、乡村创建工作,10个县(市、区)、100个乡(镇)

和1000个村庄被列入示范创建范围。对已命名的示范单位实行动态管理，组织督促、暗访和复查评定，对在复查评定过程中发现问题的勒令限期整改，经整改后仍不合格的，报请省委省政府撤销命名称号。持续推进国家级和省级卫生城市、县城、乡（镇）、村庄创建工作，创建2个国家卫生城市、40个国家卫生城镇、8个省级卫生县城、320个省级卫生乡（镇）和3000个省级卫生村，提高了卫生城市、县城、乡（镇）、村庄覆盖率，提升了城乡环境卫生质量。

【宣传教育有序推进】 2016年，四川省住房和城乡建设厅依托“七进”活动、志愿者服务、“文明劝导”活动等载体，综合运用环境优美示范创建、生态文明示范创建和卫生城镇、文明城市、园林城市、环保模范等创建工作平台，发动城乡居民参与环境治理，引导城乡居民在参与中树立生态文明理念，提高文明素养，养成良好生活习惯和行为方式，促进文明向上的社会风貌形成和社会和谐。全省各地累计组织开展城乡环境综合治理群众性宣传活动2.5万余次，组建文明劝导队伍5000余支。

四川省住房和城乡建设厅编写组

乡村旅游

综 述

【基本情况】 四川省是“中国农家乐发源地”，四川乡村旅游从20世纪80年代中期起步，历经了自主发展（1987—1991年）、规模发展（1992—2002年）、规范发展（2002—2008年）、提升发展（2008年至今）四个阶段，形成了环城天府农家、川西藏羌风情、川东北苏区新貌、川南古村古镇和攀西阳光生态五大乡村旅游发展板块，已成为推进城乡统筹发展、拓展农业功能和转变农村经济发展方式的重要抓手，成为促进农民增收致富、拉动就业的重要渠道，成为促进县域经济发展和加快社会主义新农村建设的重要载体，成为四川旅游的一大亮点和新的经济增长点。

2016年，全省乡村旅游总收入突破2000亿元，同比增加350亿元，同比增长22%，相当于为全省6646万名农民人均增收贡献了520余元（毛利润），人均现金收入增加额为126元。全省5万余个行政村中发展乡村旅游带动农民致富的超过5000个，占全省乡村总数的10%；发展乡村旅游经营户10万余家，带动800余万名农民直接和间接受益。实现生态旅游直接收入769.8亿元，较上年同期增长16.9%，其中森林公园、自然保护区、湿地、乡村生态旅游分别实现直接收入71.7亿元、129.3亿元、31.2亿元、537.6亿元；接待游客2.6亿人次，带动社会收入1970亿元。

【创新工作机制，强化工作统筹】 2016年，四川省旅游发展委员会构建了“省地联动、分级负责”工作机制，成立了全省旅游扶贫工作领导小组，专门设立了旅游扶贫办，建立了社会化参与扶贫机制。通过购买服务的方式依托高等院校和科研机构组建了“四大片区”旅游扶贫促进中心，为贫困县、贫困村提供旅游规划编制、旅游产品打造和宣传营销、旅游商品品牌培育、旅游培训等方面的智力服务。

【突出规划引领，科学统筹谋划】 2016年，四川省旅游发展委员会面向社会广泛发动有资质的旅游公司加入全省旅游扶贫规划公益行动，为具有发展乡村旅游潜力的贫困村进行公益规划。已完成第一批27个贫困村乡村旅游规划编制，启动了第二批45个贫困村乡村旅游规划编制工作。坚持示范带动，实施省、市、县三级共300余个乡村旅游提升示范项目建设（其中省级25个），引领全省乡村旅游提升发展。

【精心组织，加大品牌创建工作力度】 2016年，四川省旅游发展委员会深化产业融合，实施乡村各类资源景观化，推进农业园区、森林景观、乡村聚落、水利风景、古镇新村等各类乡村资源创建国家A级景区和旅游度假区、生态旅游示范区等旅游品牌，已创建省级乡村旅游强县14个、特色乡（镇）39个、精品村寨57个，扶持培育星级农家乐（乡村酒店）300余个和休闲农庄、养生山庄、花果人家、生态渔庄、民族风苑等乡村旅游特色业态经营点近600个，推动了全省乡村旅游规范化、品牌化发展。充分发挥全省中医药资源富集优势，联合中医药管理局向国家旅游局、国家中医药管理局择优推荐国家中医药健康旅游示范区创建单位4家、示范基地创建单位14家、示范项目创建单位29家。

【注重示范引领，实现精准扶贫】 2016年，四川省旅游发展委员会确定了全省1443个旅游扶贫重点贫困村，并将其列入全国乡村旅游扶贫重点村名录。加快旅游扶贫示范创建，安排省级旅游发展资金5200万元（占全省的50%以上）用于支持贫困地区旅游基础设施和公共服务设施建设，引导贫困地区开展示范工程创建。联动省扶贫移民局制定了旅游扶贫示范区、示范村和乡村民宿旅游达标户标准，推动创建13个省级旅游扶贫示范区、241个旅游扶贫示范村和1239户乡村民宿。联合省委党校编制了《四川省乡村旅游合作社创建指南》，联动农业部门启动乡村旅游合作社示范社、示范县标准编制与创建工作，提高乡村旅游组织化程度，推动农村集体经济发展。

【重视宣传营销，扩大市场影响】 2016年，四川省旅游发展委员会制订实施《四川旅游扶贫宣传营销方案》，指导贫困地区积极申办重大旅游节会，将全省旅游宣传营销渠道和平台向贫困地区倾斜，加强对贫困地区旅游景区、线路产品和乡村旅游的宣传营销。在《四川日报》、Tsichuan营销平台、四川旅游微信公众号等多种媒体平台开辟专题专栏，重点推介乡村旅游扶贫产品，扩大贫困地区旅游产品的知名度和社会关注度。在“四大片区”举办2016年春、夏、秋、冬四季版的四川乡村文化旅游节，逐步将其培育成为贫困地区乡村旅游产业发展与宣传营销的新品牌，进一步吸引客源，聚集人气，扩大影响。

【加大培训力度，强化人才支撑】 2016年，四川省旅游发展委员会分级、分批、分类对贫困地区开展乡村旅游培训，采取集中培训和分片区培训方式为贫困地区举办各类乡村旅游培训班共29次，共培训14176人次，其中5月和11月分别在平昌县、平武县召开了全省乡村旅游和旅游扶贫大型现场培训会，拓宽了贫困地区政府主导发展旅游的思路和视野，提升了乡村旅游致富带头人的旅游经营管理水平和贫困户从事旅游接待的技能水平。

【以融合发展推动乡村旅游产业规模壮大】 2016年,四川省各级党委政府把乡村旅游发展作为推进城乡统筹发展、转变农村经济发展方式的重要抓手,作为促进农民增收致富、拉动就业的重要渠道,作为促进县域经济发展和幸福美丽新村建设的重要载体。各地坚持把乡村旅游提升发展与新型城镇化、幸福美丽新村、农(林)业产业基地(园区)、农村文化、扶贫开发、灾后重建、藏(彝)区富民安康工程等工作结合起来,整合资源、要素,加快推进旅游业与其他产业融合发展,不断延伸产业链,拓宽产业面,集聚产业群,实施农(林)业产业基地(园区)景观化工程,涌现了一批聚集发展区、乡村旅游A级景区、特色村镇(寨)和乡村度假、休闲农庄等成规模、有特色的乡村旅游新业态,如以广元市利州区龙潭山地农业主题公园为代表的乡村旅游聚集发展类,以邛崃大梁酒庄为代表的一二三产业融合发展类,以彭州市龙门山镇宝山村为代表的乡村旅游度假类,以汶川县水磨镇为代表的灾后重建类,以理县古尔沟镇丘地村为代表的扶贫移民和民族特色村寨类。

【以培育新业态提升乡村旅游吸引力】 2016年,四川省旅游发展委员会在统筹布局和科学规划的基础上,通过培育现代农业产业基地,依托农业优势资源和乡村资源推进休闲农业与乡村旅游从一家一户分散经营模式向连片化、板块化、集群化发展。成都"五朵金花"、郫县农科村、西昌"乡村八景"、武胜县白坪—飞龙度假区等产业集聚程度不断提升,产业规模化效益日趋明显。同时,为适应旅游大众化、社会化、休闲化、多元化的发展趋势,按照"科学规划,合理布局,注重特色,差异发展"的原则,全省各地积极引导乡村旅游经营业主充分利用独特的自然、人文环境和产业资源打造不同类型的农家乐产品。如,以农业生产和乡村生活为依托,以丰富有趣的乡村活动为核心吸引,以为游客提供游乐体验为主,以休闲、餐饮、购物、住宿等服务为辅的农家乐园;依托山地环境和良好生态,以绿色健康、修心养生为经营理念从事颐养身心、健康休闲、舒适度假的养生山庄;以花圃或果园为依托,为游客提供以观赏、采摘、休闲、学习和科普等体验活动为主,以餐饮、购物、住宿等服务为辅的花果人家;依托乡村良好的自然生态、村容风貌和渔业特色产业,以"鱼、渔"和水体景观为主题旅游吸引物,可提供特色餐饮、休闲娱乐、观光游览等服务的生态渔庄;地处乡村,以文化艺术的创作和展示为吸引,为游客提供参观、体验、购物、餐饮等服务的创意文园;以民族建筑、服饰、风俗、生活形态、宗教信仰、生产方式等为依托,以民族文化与民族风情体验为特色,提供餐饮、住宿、观光、休闲、购物等服务的民族风苑等。

【以模式创新增强乡村旅游发展动力】 2016年,四川省各地不断创新发展模式,促进乡村旅游蓬勃发展。如,筠连县腾达镇春风村创新"景区管委会+公司(旅行社)+农户"发展模式,引入陕西翰阳实业集团等打造国家4A级乡村旅游景区,由景区管委会负责统一管理,陕西翰阳国际旅行社负责引入客源,联合打造"中国云上石漠·花海春风"品牌,带动当地农户通过房屋出租或入股、参与公司劳务、自营等方式多元化增收。松潘县川盘村创新"合作社经营"发展模式,成立乡村旅游专业合作社,整合原有松散的"藏家乐"资源,由合作社统一装修、统一价格、统一经营,将入社社员按餐饮、住宿、接待等业态进行专业分工,按月发工资,该合作社有成员17户,年人均纯收入达20000元。邛崃市夹关镇探索"乡村酒店联盟"模式,依托灾后重建"沫江山居"安置点,引进绵阳福隆实业有限公司成立专业酒店公司,采取企业租赁建设、农户加盟自建、股份合作共建三种方式盘活农户集中安置房,通过推行"设施标准、服务标准、客源引入、价格体系、后勤管理"统一服务体系,联动农户打造乡村酒店联盟,已加盟农户6户,达成协议30户,加盟农户年均收入可达8.2万元。郫县采取"政府引导+企业主导"模式,编制国家级乡村旅游产业功能区产业规划以及战旗·妈妈农庄等7个景区专项规划,引入社会资本建成望丛祠等3个国家4A级旅游景区和中国川菜产业园等3个国家3A级旅游景区,发展星级农家乐(乡村酒店)36家。

【以节庆活动提高乡村旅游市场影响力】 近年来,四川省各地依托地方产业基础深挖乡风民俗,利用花木、果木生长期顺应节假日调整,整合资源,打造品牌。从2008年开始,每年以"四川乡村文化旅游节"和"四川花卉(果类)生态旅游节"两大节庆活动为主线,按照"主会场+分会场"方式,开展以"春赏花、夏避暑、秋采摘、冬年庆"为主题的形式多样、特色鲜明的乡村旅游节庆活动。每年全省各地共举办各类节庆活动30余个,做到季季有主题,月月有节庆,为乡村旅游发展营造了氛围,打造了品牌,吸引了客源,聚集了人气。

【"千村万景"扶贫攻坚行动】 2016年3月10日,四川林业生态旅游千村万景扶贫攻坚行动启动仪式和2016四川花卉(果类)生态旅游节主会场暨长宁第十五届梨花节开幕式在长宁县佛来山生态旅游区举行。四川省林业厅厅长尧斯丹和宜宾市副市长李敏分别讲话。来自全省21个市(州)林业部门、"四大片区"88个县政府和贫困村、四川林业生态旅游扶贫千村万景专家服务团的代表和当地群众上千人参加了活动。同时,在长宁县举行了林业生态旅游扶贫攻坚经验交流会。交流会上,长宁县介绍了该县依托生态建设工程,大力实施退耕还林发展林下经济、开展生态旅游,实现一三产业联动发展,创造出四川林业产业"万亩林亿元钱"模式;筠连县腾达镇春风村介绍了该村在石漠化的坡地上通过退耕还林种植李树、栽培茶叶和发展园林树种以及通过开展花果生态旅游节庆活动大力发展生态旅游,走出了一条贫困山区脱贫致富的新路子;成都市新都区斑竹园镇打造的花香果居通过城乡统筹实现了农区变景区、田园变公园、产品变商品的转变,走出了一条生态休闲经济富民的创新之路;巴中章怀山省级森林公园开创了能人返乡创业,通过打造森林公园发展生态旅游,带动当地老百姓把资源变成资本,走集体致富的新模式;德昌县德州镇角半村代表介绍了角半村从绿化荒山荒坡开始,通过退耕还林种植经济林木,在山顶上、沟两边实施造林绿化的工作经验,借助生态建设,积极开展花果生态旅游节庆活动,近年来全村林果业面积发展到近万亩,成为攀西地区发展乡村生态旅游的一颗耀眼的明珠;海螺沟景区通过积极建设国家森林公园发展生态旅游,带动景区外围多个乡(镇)社会经济全面发展。

为更好地推动林业生态旅游扶贫攻坚,交流会上成立了由林业厅主管、省生态旅游协会组织的"四川林业生态旅游扶贫专家服务团",服务团整合了四川旅游学院、四川农业大学、四川大学等高校,省林科院、省农科院、林业调查规划设计院、旅游规划设计院、各市(州)林业科研和规划设计机构的50余个机构的120余位教授、讲师、高级工程师、研究员等专家资源,"进村入景"开展林业生态旅游扶贫千村万景非盈利咨询服务。同时,省森林旅游中心、省生态旅游协会、省林业生态旅游扶贫"千村万景"专家服务团与"四大片区"的汶川县、屏山县、旺苍县、德昌县4个县政府代表签署了生态旅游扶贫合作协议,发布了林业生态旅游助力扶贫攻坚的《长宁宣言》。

【生态旅游节会管理与监督】 2016年,四川省林业厅为进一步规范和加强对生态旅游节会活动的管理,促进生态旅游健康有序发展,根据《四川省节庆论坛展会活动管理实施细则(试行)》《四川省节庆活动管理实施办法(试行)》《关于全面清理非行政许可审批事项的通知》等文件要求,制定出台了全省《生态旅游节会活动管理办法(试行)》,对以政府名义、财政出资的生态旅游节会的举办做出全面、系统的规定。根据节会管理办法,从申报条件、审批程序、经费管理、安全监管与节会总结等环节做好生态旅游节会规范和监管工作,主要围绕申报受理、归类审批、指导监管、总结评估四个环节展开。首先是归类整合节会活动,花卉(果类)节庆申请60处,分布在18个市(州)的45个县(市、区),包含全省各地24种花卉和14种果类。通过整合,实际举办33处分会场,同时将采茶节纳入花卉生态旅游节举办范围。其次是深入节会现场监管,派人到节会举办地现场对节会举办的设施、交通、安全等进行督导。最后是开展节会评估,根据节会举办地分布地域、节会类型对长宁梨花节、理县红叶温泉节、汶川大熊猫节等20场生态旅游节会分会场举办成效开展了评价工作,根据评价结果决定其是否继续举办。通过规范管理,2016年四川花卉(果类)节庆活动成效显著,节会举办方式、安全管控措施比往年先进,节会亮点比往年突出,游客人数、带动经济收入比往年增加。通过举办生态旅游节,使得社会大众能够走进林业、认识林业,收到了良好的社会效益和经济效益,有效提高了林业的社会影响力,成为现代林业在生态文明建设中展示地位和作用的重要窗口和平台。

【三大生态旅游节】 2016年,经四川省林业厅批准举办的花卉(果类)节庆共有66处,长宁县梨花节作为2016年四川花卉(果类)生态旅游节主会场,其余65处花卉(果类)节会为分会场,全省统一冠名,统一LOGO,强势推出了四川花卉(果类)生态旅游节节会品牌。10—11月,2016年四川红叶生态旅游节相继举办,红叶节以理县米亚罗红叶温泉节为主会场,旺苍县、黑水县、金川县等5个县(区)为分会场,打造了四川省红叶生态旅游节会品牌。宝兴、九寨沟、唐家河、汶川等地相继举办了四川国际大熊猫生态旅游节,为进一步推动大熊猫保护工作、进一步打响"熊猫品牌"、进一步扩大当地知名度和影响力做出了重要贡献。

【中国森林旅游节】 2016年9月24日,由国家林业局和吉林省人民政府主办,长白山保护开发区管委会、吉林省林业厅承办的以"绿水青山就是金山银山,冰天雪地也是金山银山"为主题的2016中国森林旅游节·长白山国际生态论坛在长白山保护开发区池北区举行,四川省组织市(州)、县(市、区)林业部门、森林公园、湿地公园、自然保护区、国有林场、森工等单位的100余名代表参加。开幕式上,九寨沟县接受了"全国森林旅游示范县"的授牌,鲜水河大峡谷、鸡冠山等2个国家森林公园接受了"国家森林公园"的授牌,九寨沟县、鲜水河大峡谷国家森林公园分别在森林旅游推介会上进行了投资项目推介和森林旅游发展经验交流。该次森林旅游节在国家馆展出森林风光作品30幅,其中四川省有7幅作品参与展出。四川馆展出了18处森林公园、湿地公园、自然保护区的68幅作品图片,发放了《生态旅游美丽四川》等宣传画册,接待观展人员万余人次。开幕式后,全国政协副主席罗富和、国家林业局局长张建龙等到四川馆观看了四川省生态旅游展示图片,听取了四川省结合国有林场与国有林区改革转型,"四大片区"脱贫攻坚,大熊猫国际生态旅游节、红叶、花(果)生态旅游三大节会品牌打造等推动森林公园建设和生态旅游发展的情况介绍,对四川省生态旅游发展取得的成效给予了充分肯定。四川省在旅游节上获得了2016中国森林旅游节"优秀团体奖""优秀宣传奖""优秀市场服务奖"三个奖项。

【旅游扶贫已成为脱贫攻坚的崭新生力军】 2016年,四川省乡村旅游已成为拓展农业功能和拉动内需的新引擎、促进农业增效和农民就业增收的新途径、推进新农村建设和统筹城乡发展的新平台、丰富旅游资源和提高居民幸福指数的新场所。全省5万余个行政村中发展乡村旅游带动农民致富的超过5000个,占全省乡村总数的10%;乡村旅游经营户10万余户,带动800余万名农民直接和间接受益。全省有1443个旅游扶贫重点村被纳入全国乡村旅游扶贫工程名录,仅巴中市就有204个村实施乡村旅游扶贫工程,惠及4.6万名贫困人口。平武县2789户建卡贫困户通过发展乡村旅游实现518户脱贫,占全县脱贫户数总量的18.57%。新形势下,旅游扶贫已成为推进脱贫攻坚的重要抓手,成为促进贫困户脱贫增收致富的重要渠道,成为促进区域经济发展和幸福美丽新村建设的重要载体,成为四川旅游的一大亮点和新的经济增长点,对引领全国乡村旅游发展、服务全省"三农"工作做出了重要贡献。

【"省地联动、分级负责、多方参与"的乡村旅游扶贫大格局已经形成】 2016年,四川省委省政府高度重视,将旅游扶贫纳入全省17个扶贫专项工作之一。全省建立了旅游产业扶贫工作联席会议制度,成立了旅游扶贫工作领导小组,形成了由省旅游发展委牵头,省扶贫移民局、农业厅等13个省直部门和"四大片区"12个市(州)旅游(委)局共同参与、分工负责的乡村旅游扶贫工作新机制。通过购买服务的方式依托成都大学、成都信息工程大学银杏管理学院、西昌学院组建了秦巴片区、乌蒙片区、大小凉山彝区、高原藏区四大旅游扶贫促进中心,为贫困县、村、户提供规划编制、品牌打造和宣传营销、旅游商品培育、旅游培训等方面的智力服务,为社会化扶贫探出了新路子。

省旅游发展委联动财政厅设立了"四川旅游产业投资股权基金",委托专业机构策划包装了"8+30+100"旅游招商项目,其中8个跨区域重大项目全部涵盖贫困区域,30个精品项目中有15个、100个优选项目中有43个涉及贫困地区,积极推动旅游优选项目进入北京产权交易所平台开展专业化招商。参与定点帮扶平武县、乡城县工作的定点结对帮扶,产业扶贫与定点扶贫相得益彰。

【四川"旅游+扶贫"融合新模式得到广泛实践认可】 2016年,四川省各地结合实际,因地制宜推动旅游扶贫,探索了许多旅游脱贫致富的新路径。总结推出了"打造景区带动型、发展乡村旅游型、开发旅游商品型"三类旅游扶贫模式并在第二届全国乡村旅游与旅游扶贫会上作为全国11个旅游扶贫样板进行推广,得到广泛认可。

"打造景区带动型"模式,即通过提升存量景区、打造增量景区带动当地及周边农户开展民居食宿接待、景区务工、配套供应农牧产品和旅游商品销售等活动。如平武白马王朗、仪陇朱德故里、宣汉巴山大峡谷等景区通过创建A级景区和旅游度假区将带动周边上万人脱贫致富。以白马王朗景区为例,在当地旅游项目启动前,白马王朗项目核心区域内的1526名村民当中贫困人口有206人,人均年纯收入不足4300元。随着近年来的旅游扶贫工作的不断深入、力度不断加大，白马藏族同胞们渐渐吃上了“旅游饭”，生活发生了翻天覆地的变化。通过发展旅游业，当地已有202人实现脱贫。

“发展乡村旅游型”模式，即按照“风貌特色化、功能现代化、服务标准化”要求，依托城镇、公路沿线、农（林）产业园区等开办农家乐和经营乡村民宿等，以多种业态、多种方式为游客提供服务。如平昌县驷马水乡引导106户贫困户以闲置房屋、土地承包经营权等入股方式组建乡村旅游合作社发展乡村旅游。宣汉县开工建设、提升改造景区快速通道、通乡通村道路共350余千米，涌现出了黄连村支部书记李永太、米岩花海符纯珍等“全国乡村旅游致富带头人”，带领周边1300余名群众通过土地入股分红、就近就业等方式实现户均增收1000元以上，全县申创四川省乡村旅游示范镇（村）9个，培育三星级乡村酒店9家、农家乐35家、旅行社6家，建成乡村民宿达标户478户，辐射带动周边近5万名群众增收致富。

“开发旅游商品型”模式，即按照“创意化的文化产品、文化化的实用产品、旅游化的土特产品”三个类型积极推动贫困地区旅游商品开发，将当地土特产品运送到景区、农家乐等游客相对集中的区域，或以“电商”方式销售旅游产品。如西充县将原先单纯的有机农业园区变成景区，通过现场采摘或借力农村电商开展网上预订，实现旅游综合收入达17亿元。在高原藏区，依托藏区旅游资源策划和设计了乡城菩提、黑水咂酒等6个具有浓郁藏区特色和有市场潜力的旅游商品品牌并在中国乡村旅游网等平台上进行推广，打造成为具有地理标识的旅游商品，完成全面立体式的品牌提升。

三种模式的综合应用。以上几种模式在巴中市、乡城县被结合运用，促进了全域旅游发展，为贫困群众带去了更多实惠。巴中市在乡村旅游发展中坚持以国家3A、4A级景区建设的标准推动乡村旅游聚集地发展，一方面围绕景区抓配套，整合项目加强重点景区及周边基础设施建设，辐射带动周边区域改善环境，做到“建一个景区、促一片发展”，全市创建7个国家4A级景区，其中5个乡村旅游景区；另一方面，巴中市围绕景区抓电商，乡村旅游发展到哪里，电商就配套到哪里，通过线上线下销售，让农民的农副产品、手工制品变为旅游商品，“巴食巴适”已形成品牌效应。在乡城县，民宿业不仅成为大香格里拉环线上的一道风景线，也使乡城全域旅游业得到了有效补充。

【示范创建】 2016年，四川省林业厅贯彻落实国家林业局《关于加快森林体验和森林养生发展的通知》等文件精神，稳步推进“全国森林旅游示范县（村）”创建，国家级和省级“森林体验基地”和“森林养生基地”试点建设，全省林业生态旅游示范县、示范景区、“森林人家”创建等工作，全省共创建“森林人家”430个。12月20日，四川省质量技术监督局发布生态旅游类地方标准，分别是《自然保护区生态旅游总体规划编制技术规范》（DB51/T2285-2016）和《林业生态旅游示范县评定规范》（DB51/T2294-2016）。

【生态旅游观赏指数】 为配合2016年四川生态旅游节会主题活动的全面开展，四川省林业厅联合《华西都市报》等主流媒体共同发布了2016四川花卉观赏指数和红叶观赏指数，涵盖了川内22个花卉观赏景点和29个红叶观赏点，为公众获取第一手权威真实的观赏信息提供了良好平台。支持生态旅游协会围绕“生态旅游经济强省建设”构建生态旅游新媒体集群，形成网络、刊物、微信平台、电视栏目全覆盖的生态旅游宣传营销格局。

四川省旅游发展委员会编写组

森林康养

【基本情况】 “森林康养”是四川省林业厅借鉴国家林业局国际合作成果——“森林疗养”理念，结合中华传统养生文化，创造性提出的具有典型中国特色的本土化概念，即以森林对人体的特殊功效为基础，以传统中医学与森林医学原理为理论支撑，以森林景观、森林环境、森林食品及生态文化等为主要资源和依托开展的以修身养性、调适机能、养颜健体、养生养老等为目的的活动，森林康养产业则是依托森林等林业资源开展的以促进身心健康和延年益寿的现代服务业的统称。

【政策出台】 2016年，四川省林业厅制定发布全国首个森林康养省级指导意见——《四川省林业厅关于大力推进森林康养产业发展的意见》。《意见》界定了森林康养产业的概念、内涵和业态范围，强调发展森林康养产业必须坚持六项原则，即坚持保护第一，绿色发展；坚持以人为本，康养主导；坚持多业联动，融合发展；坚持多规合一，统筹协调；坚持示范带动，突出特色；坚持政府引导，市场主体。《意见》提出了大力抓好推进森林康养林营建、大力推进森林康养基地建设、大力推进森林康养步道建设、大力推进森林康养市场主体培育、大力推进森林康养产品与品牌建设、大力推进森林康养文化体系建设六项重点任务。《意见》同时提出了启动实施森林教育“100+1”计划，即各县（市、区）规划建设一个不少于100公顷的公益性森林教育基地，设置一条不少于1千米的公益性森林教育线路，用于当地中小学生开展森林体验、自然教育和森林康养文化学习。巴中、攀枝花等市出台了市级森林康养产业发展指导意见。

【标准及规划】 2016年，四川省林业厅制定并经省质监局发布了《四川省森林康养基地建设·资源条件》（DB51/T2262-2016）、《四川省森林康养基地建设·基础设施》（DB51/T2261-2016），同时制定发布了《四川省森林康养基地评定办法》；成立了四川省森林康养基地评定专家委员会，建立了专家库；绵阳、巴中等市相继出台了市级森林康养基地建设标准。根据省政府办公厅印发的《四川省养老与健康服务业发展规划》要求，林业厅牵头编制发布了《四川省森林康养“十三五”发展规划》，明确了四川省森林康养产业发展“12224”空间布局，即1个康养创新发展核、2个复合发展轴、2个特色增长极、2个辐射发展片、4个森林康养发展示范区，规划到2020年，全省建设森林康养基地200个（其中重点贫困地区100个）、森林教育基地100个、森林康养步道6000千米，营建森林康养林1000万亩，创建森林康养人家3800户，培养森林康养师2000名。

【示范建设】 2016年，四川省林业厅持续开展森林康养基地建设探索示范，以眉山市玉屏山、眉山市七里坪、广元市天曌山、巴中市米仓山等首批10个森林康养试点示范基地建设为载体，围绕森林康养步道、森林康养健康服务设施等基础设施建设、森林康养产品研究、森林康养食疗菜单开发与创新等积极开展探索，取得了突出成效，森林康养步道建设日益契合森林康养理念。全年完成全省第二批森林康养基地申报评估工作，新增森林康养基地53处，全省森林康养示范基地数量达到63处。

【社会参与】 2016年，腾达集团、德胜集团、金杯集团、同仁堂、展翔体育、鹤林绿洲、止语林业等民营企业积极参与推进森林康养产业发展,在产品开发、市场培育、人才培养等方面进行了前瞻性实践。全国首个 PPP 项目——“农旅+康养”15 亿元项目落地洪雅县,成立了中国绿化基金会攀枝花绿色发展专项基金。截至 2016 年年底,全省参与森林康养产业发展的企业超过 50 家,签约重大森林康养项目 20 余个,签约金额达 330 余亿元,参与森林康养的社会资本总额突破 500 亿元。

【平台建设】 2016 年,四川省林业厅进一步强化森林康养平台构建,推进社会参与联动,启动了“四川省森林康养协会”筹备工作。申请中国林产联合会森林医学与促进健康分会批准在成都市建立“森林康养西部培训中心”,支持建立攀枝花森林康养研究中心,推动四川省森林康养管理有限公司、腾达集团、花舞人间等企事业单位发起成立了四川省森林康养产业联盟。指导绵阳市成立了全国首个市级森林康养协会,80 余家企事业单位参与;攀枝花市结合本地实际成立了生态康养协会。

【理念推广】 2016 年,四川省林业厅分别在广元市、攀枝花市成功举办“中国 · 四川第二届森林康养夏季(冬季)年会”,在成都市举办“中国 · 四川首届森林自然教育大会”,举办森林康养国际论坛、森林自然教育论坛,来自德国、加拿大、日本、韩国等国家和中国大陆及台湾地区的专家学者、企业家等各方代表约 1 万人次参加,接待全国各地交流学习森林康养团组 100 余批次、1000 余人,带动全国超过 50%的省(市、区)借鉴四川经验实践发展森林康养产业。通过《中国绿色时报》《四川日报》《绿色天府》等官方媒体宣传推广森林康养政策与发展案例;创建《森林康养家》《森林康养》等微信公众号,实施森林康养微信推广。森林康养理论成果取得重大突破,截至 2016 年年底,全省发布各类森林康养宣传推广文章 200 余篇,发布《生态康养论》《森林康养》专著两部;上线全国首个森林康养 APP——“康样宝”并升级到 2.0 版本。

【助力脱贫攻坚工作】 2016 年,四川省林业厅以森林康养业态建设为抓手,积极推进森林康养助力脱贫攻坚工作。在省委农工委领导下,启动开展了森林康养新业态示范县建设,崇州市、渠县、米易县森林康养业态示范建设县通过省委农工委专家组考评。在重点贫困地区确定建设森林康养示范基地 24 处,指导推进南江、泸州市纳溪区、高县、汶川等重点贫困县(市、区)森林康养产业发展。采取以会代训、研讨代训、专家讲座等多种形式对森林康养基地所在县(市、区)林业局、重点森工、民营企业、农林合作社人员进行了相关培训,其中 4 个重点扶贫区域参培人数达 140 余人次。

四川省林业厅编写组

休闲(观光)农业

【基本情况】 2016 年,四川省休闲农业与乡村旅游接待游客达 3.5 亿人次,实现综合经营性收入 1150 亿元,同比增长 14.08%;带动全省 1155 万名农民就业,同比增长 11.7%,带动全省农民人均增收 88 元。

【承办全国休闲农业大会】 2016 年 5 月 5 日—6 日,全国休闲农业和乡村旅游现场交流会在雅安市举行,农业部副部长陈晓华出席并讲话,农业部相关司局负责人、各省(区、市)农业管理部门负责人及 2015 年全国休闲农业和乡村旅游示范县代表参加会议。会议充分展示了全省休闲农业在建设农业景区、培育休闲农庄等方面取得的成效,受到与会领导和各省代表的赞扬。

【休闲农业景区化建设】 2016 年,四川省农业厅以“万亩亿元示范区”为主要载体加快推动现代农业产业基地景区化建设,建成了特色鲜明、形式多样、农耕文化浓郁、田园风光秀美的休闲农业景区景点 4832 个。按照省地方标准《农业主题公园建设规范》,加快打造农业主题公园,建成功能设施完善、产业特色鲜明的蔬菜、水果、茶叶等农业主题公园 320 个。

【实施品牌培育工程】 2016 年,四川省农业厅组织创建国家级品牌,成都市、西昌市和阆中市获评为“2016 年全国休闲农业和乡村旅游示范县(市)”,全省示范县(市)数量达 16 个,其中示范市 2 个。成都市新都区回南社区、郫县青杠树村、内江市市中区尚腾新村、芦山县青龙场村和宣汉县洋烈村获评为“中国美丽休闲乡村”,全省美丽乡村数量累计达 13 个。开展首批省级示范农业主题公园创建认定工作,评选认定首批省级示范农业主题公园 80 家。

【构建现代营销体系】 2016 年,四川省农业厅组织开展“2016 四川美丽田园欢乐游”活动,其中举办省级大型活动 3 个、地方特色节庆活动 380 余个,吸引游客 8700 万人次。筛选休闲农业和乡村旅游精品线路 168 条,其中 54 条在农业部“去农庄网”上推介。借助麦味网开展“互联网+休闲农业”,展示休闲农业产品,开展电商服务。开辟田园四川《胖姐下乡》栏目,编印《休闲农业》季刊 1.6 万册,多角度宣传休闲农业。

【农业文化遗产保护】 2016 年,四川省农业厅开展全省农业文化遗产资源普查,筛选上报江油附子栽培系统等 23 项农业文化遗产,其中入选全国目录 20 项。组织申报第四批中国重要农业文化遗产,推荐四川名山蒙顶山茶文化系统和四川盐亭嫘祖蚕桑传统生产系统。指导苍溪县、江油市等已获得中国重要文化遗产的县(市)申报全球农业重要文化遗产。

【培训、交流与合作】 2016 年,四川省农业厅举办全省农民合作社示范社、家庭农场示范场休闲农业专题培训 1 期,培训人数 1000 人次;举办全省农村实用带头人休闲农业专题培训 6 期,培训人数 600 人;举办全省现代农业发展休闲农业专题培训,培训县级负责人 90 人。积极搭建合作交流平台,省休闲农业协会与全国 15 个省(市)协会等社会团体签订了休闲农业战略合作协议,接待青海、北京等 7 个省级和 30 余个地区代表团考察全省休闲农业。

四川省农业厅编写组

农村社会事业与民主法制建设

农村教育事业

综述

【基本情况】 2016年，四川省有农村幼儿园9780所，在园幼儿185.85万人，专任教师(含园长)7.08万人；有农村小学5199所，校舍面积2772.1万平方米；在校学生420.19万人(含在读农村留守儿童120.24万人)，专任教师24.77万人，生师比为16.97∶1。有农村初中学校3380所，校舍面积2712.89万平方米；在校学生180.24万人(含在读农村留守儿童56.58万人)，专任教师15.03万人，生师比为11.99∶1(农村指镇区和乡村)。

【设立县级教育扶贫救助基金】 2016年，四川省财政厅、教育厅、省卫生计生委决定在全省有扶贫任务的160个县(市、区)以县为单位分别设立县级教育扶贫救助基金和县级卫生扶贫救助基金。两个基金首次设立时规模均大致为300万元左右，救助标准根据贫困家庭实际困难状况和基金支付能力酌情确定。县级教育扶贫救助基金主要用于帮助农村贫困家庭解决在享受现有教育保障制度和助学帮扶政策的基础上仍然存在的与子女就学直接相关的特殊困难，避免因经济原因导致贫困户家庭子女辍学。

【改善农村办学条件】 2016年，四川省教育厅继续实施“全面改薄”工作，合理规划学校布局，把重点项目向贫困“摘帽”县和贫困退出村倾斜，以标准化中心校建设为抓手，统筹“全面改薄”、大小凉山彝区教育扶贫提升工程、标准化食堂建设等项目，增加师生平均用房、活动场所等，推动贫困地区特别是民族地区办学条件显著提升。全年安排下达中央专项补助资金24.5亿元，安排下达省级义务教育均衡发展省级专项补助资金7.2亿元。截至2016年年底，全省“全面改薄”工程累计投入156.98亿元，校舍开工建设面积741.9万平方米，竣工面积582.98万平方米，购置教学设备价值29.88亿元，分别完成5年总规划任务的68.09%、67.57%、67.59%，提前并超额完成教育部提出的五年规划时间过半、完成目标任务过半的“双过半”的任务；率先实现脱贫攻坚的广安市广安区、广安市前锋区、华蓥市和南部县、蓬安县5个“摘帽”县的农村中心校全部实现校舍标准化建设。全年中央下达资金1.814亿元，用于支持四川省集中连片特困地区普通高中改善办学条件，建设校舍3.57万平方米、运动场8.07万平方米，购置仪器设备价值5090余万元、图书价值57万元。

【推进农村中小学教师队伍建设】 2016年，在四川省教育厅制定的《关于推进县(市、区)域内义务教育学校校长教师交流轮岗的实施意见》和《四川省深化中小学教师职称制度改革实施方案》中，要求各地重点引导优秀校长和骨干教师向农村学校、薄弱学校流动，实现县(市、区)域内校长和教师资源均衡配置，各县(市、区)城镇学校、优质学校每学年交流轮岗到农村学校、薄弱学校的教师不少于应交流轮岗教师总数的10%，其中骨干教师应不低于交流总数的20%。同时鼓励城镇学校、优质学校校长和教师交流到农村学校、薄弱学校。逐步提高农村学校教师补贴占基础性绩效工资的比重并进一步向农村小学、教学点、边远山区学校教师倾斜。及时变更义务教育学校岗位设置方案，适应和满足教师交流到农村和薄弱学校岗位聘用的需要。积极探索在农村学校、薄弱学校设立中小学正高级教师岗位，适当提高农村学校中、高级专业技术岗位结构比例标准，对中小学教师专业技术水平评价标准要体现不同类型学校的不同特点和要求并向农村教师适当倾斜；对在农村学校任教(含城镇学校交流支教交流、支教)3年以上、经考核表现突出并符合具体评价标准条件的教师在同等条件下优先推荐评聘;对在农村学校任教累计满30年且仍在农村学校任教的教师符合具体标准条件的可直接推荐申报评审高一级教师职务(职称)。

根据农村中小学需要,确定了42个“国培计划”中西部项目县和64个“国培计划”幼师国培项目县。首次通过政府采购方式确定项目承担单位(机构),对农村中小学(幼儿园)教师和校(园)长等14万余人进行针对性培训,其中中西部农村义务教育骨干教师培训项目培训教师(校长)118608人、幼儿教师培训项目培训教师(园长)23798人。按照省级教育扶贫攻坚计划的部署,实施教育精准扶贫专项培训,培训武胜县和彝区学科骨干教师700人,175名贫困县和特困地区中小学(幼儿园)校(园)长参加教育部组织的边远贫困地区农村校长助力工程培训研修。

【实施免费师范生定向培养计划】 2016年3月28日,四川省教育厅、省委编办、财政厅、人力资源社会保障厅印发了《关于申报2016年四川省免费师范生定向培养需求计划的通知》,按照《四川省乡村教师支持计划实施办法(2015—2020)》要求,将省级免费师范生年度培养计划从2000名增加至3000名,实施范围由原来的119个县扩大至包括“四大片区”贫困县(市、区)在内的143个县(市、区)。免费师范生的培养任务分别由四川师范大学、西华师范大学、成都师范学院、乐山师范学院、四川民族学院、阿坝师范学院、西昌学院、内江师范学院、四川文理学院、绵阳师范学院承担。6月,教育厅组织各地做好部属师范大学及省级免费师范毕业生就业安置工作,全年签约免费师范毕业生1269人。

【农村教师周转宿舍建设和农村教师生活补助】 2016年,四川省教育厅、财政厅按照每套农村教师周转宿舍补助4万元的标准下达省级补助资金4亿元。会同省发展改革委审核上报2016年全省边远艰苦地区农村教师周转宿舍(二期)中央预算内投资计划,中央下达投资1.5亿元,建设规模达9.14万平方米。全年共开工建设农村教师周转宿舍10312套,完成年度目标任务的103.12%。按照四川省《乡村教师支持计划实施办法(2015—2020年)》要求,将集中连片特殊困难地区和国家扶贫开发工作重点县农村教师生活补助政策实施范围扩大至“四大片区”贫困县,全年下拨中央综合奖补资金和省级专项资金共计92259万元,惠及农村教师18.9万余人。

【推进教育精准扶贫】 2016年,四川省教育扶贫项目涉及12个大项38个小项,共投入资金92亿元。根据《四川教育扶贫2016年度工作方案》要求,教育厅制订了《教育扶贫工作责任分工方案》,对2016年教育扶贫工作责任分工做出了安排部署。加强精准识别,指导各市(州)、县建立完善了教育扶贫数据库,摸准全省建档立卡贫困家庭学生情况。组织召开教育扶贫工作培训会,对各市(州)、县分管领导、教育局长进行培训。全省公办高校共选派121名驻村干部(其中“第一书记”43人)参与“四大片区”88个贫困县对口帮扶工作;在资金分配、建设项目等方面向贫困地区倾斜,做好联系贫困县武胜县、雷波县的精准扶贫工作。加强教育扶贫工作监督检查。10月16日,教育厅举行全省“教育扶贫全覆盖行动”启动仪式,四川师范大学党委书记周介铭代表全省教育系统发起行动倡议,教育厅机关、直属事业单位代表开展了现场捐赠活动。

【召开基础教育信息化暨贫困县教育信息化推动精准扶贫现场会】 2016年12月27日—28日,四川省基础教育信息化暨88个贫困县教育信息化推动精准扶贫现场会在泸州市纳溪区召开。会议主要任务是贯彻全国第二次教育信息化工作电视电话会议及基础教育信息化应用现场会精神,安排部署基础教育信息化及信息化推动精准扶贫工作。会议要求全省各地要聚集力量实施精准扶贫,整合优化各种教育信息化资源,不断加大教育扶贫攻坚力度,进一步改善88个贫困县教育信息化的办学条件,大力发展“网校”等远程教育,加强对88个贫困县基础教育信息化的对口支援,通过推进教育信息化实施教育精准帮扶。

【建立农村留守儿童关爱保护工作联席会议制度】 2016年,为贯彻落实四川省政府《关于进一步加强农村留守儿童关爱保护工作的实施意见》精神,推进全省农村留守儿童关爱保护工作,建立了由民政厅、教育厅等30个部门和单位组成的农村留守儿童关爱保护工作联席会议制度,统筹协调全省农村留守儿童关爱保护工作。研究拟订了工作措施和年度计划,完善了关爱服务体系,健全了救助保护机制,督促、检查工作的贯彻落实。

【开展农村艺术教育改革试点工作】 2016年,四川省教育厅继续推进全省学校农村艺术教育区域整体改革试点,促进城乡教育均衡、连片发展。完成四川省5个全国农村艺术教育改革试点县(区)改革工作阶段性结题任务,其中成都市武侯区《中小学艺术教育高位均衡发展实践研究》、成都市双流区《农村学校义务教育阶段艺术学科课堂教学质量评价的实践研究》、三台县《因地制宜优化艺术教育资源配置的实践研究》、南部县《开展惠及全体农村学生的艺术课外活动的实践与研究》和宜宾市翠屏区《区域性推进学校艺术教育均衡发展的策略研究》5个实验课题受到专家的肯定并通过鉴定,教育厅对主研和参与人员进行了通报表扬。

【举办第四届中国农村教育高端论坛】 2016年10月29日,第四届中国农村教育高端论坛暨第二届现代田园教育论坛在蒲江县举行。论坛以“中国农村教育现代化——从地方经验到理论自觉”为主题,围绕城乡教育一体化发展、产城教一体化发展、职业教育供给侧改革与教育精准扶贫、农村教育现代化实践经验、农村教师综合素质提升、农村学生核心素养培养等议题展开了讨论,近20位教育界专家发表了主题演讲,来自全国各地的教育行政部门、教育工作者、科研院所、中小学校、幼儿园管理人员及教师、专家学者等400余人参加了会议并对蒲江县农村教育发展情况进行了实地考察。蒲江县教育局相关负责人以“回归自然、回归农村、回归书院”为典型特质的现代农村教育发展探索之路作了经验介绍。

【评选四川省优秀乡村教师】 2016年,为进一步增强乡村教师的荣誉感和责任感,激励激发广大乡村教师扎根乡村、服务乡村教育改革和发展,四川省教育厅办公室印发了《关于做好四川省优秀乡村教师推荐工作的通知》,决定在全省县以下乡(镇)(不含县城所在地)农村学校从事教育教学工作5年以上的教师中评选表扬一批优秀乡村教师。8月24日,教育厅印发《关于表扬四川省优秀乡村教师的通报》,对成都市籍田中学辜琛坤等400名“四川省优秀乡村教师”予以通报表扬并颁发了证书。

【组织开展“乡村学校从教30年教师荣誉证书”颁发工作】 2016年,根据《国务院办公厅关于印发乡村教师支持计划(2015—2020年)的通知》要求,教育部、人力资源和社会保障部决定自2016年起,组织开展“乡村学校从教30年教师荣誉证书”颁发工作。5月23日,四川省教育厅、人力资源社会保障厅印发了《关于做好乡村学校从教30年教师荣誉证书颁发工作的通知》,要求各市(州)按照颁发对象和颁发程序做好登记填报和审核工作。全省首次登记乡村学校从教30年的教师250617名。

【开展高校“牵手乡村教育”志愿服务活动】 2016年9月5日，由四川省教育厅主办，省教育基金会承办的四川教育系统宣传《慈善法》暨高校“牵手乡村教育”公益活动启动仪式在成都理工大学举行。由四川师范大学、成都理工大学等10所高校的青年教师、大学生组成的志愿服务队到贫困县乡村中小学校开展帮扶工作，以提升乡村教师教育教学水平和学生素质为目标，促进农村教育事业的发展。

【希望小学】 希望工程是共青团发起的著名公益品牌，由四川省青少年发展基金会具体实施。自1989年启动以来，面向社会募集捐款17.3068547472亿元，其中以希望小学建设项目作为核心内容。截至2016年年底，在全省贫困农村地区共建设希望小学793所，带动地方政府加大对农村基础教育的投资，改善了农村地区基础教育条件，提高了农村青少年教育水平。

2016年，四川省青少年发展基金会积极面向社会募捐，通过和山东海尔、广东坚朗五金、李晓东先生等爱心企业及个人联系，共募集捐款380万元，用于在全省农村地区捐建希望小学10所，其中捐建石棉县迪士尼希望小学，捐赠资金30万元；巴塘县坚朗希望学校，捐赠资金30万元；自贡市大安区美仪希望小学，捐赠资金50万元；叙永县白腊乡海尔希望小学，捐赠资金20万元；洪雅县中梦希望小学，捐赠资金30万元；仪陇县国珍希望小学，捐赠资金50万元；自贡市贡井区DHC希望小学，捐赠资金40万元；广元市利州区世纪希望小学，捐赠资金30万元；安岳县麦德龙希望小学，捐赠资金50万元；峨边县悦达希望小学，捐赠资金50万元。在希望小学建设过程中，四川省青少年发展基金会及时向捐赠方反馈建设进度，对建设流程予以监督，确保按时保质完成相关工作；建设完成后，建立完善的回访机制，让捐赠方和学校建立有效的联络方式，形成长期对口帮扶机制，在硬件和软件上继续对捐建学校进行进一步帮助。希望小学的建设改善了贫困地区的办学条件，唤起了全社会的重教意识，促进了基础教育的发展，弘扬了扶贫济困、助人为乐的优良传统，推动了社会主义精神文明建设。

四川省教育厅编写组、共青团四川省委编写组

农村基础教育

幼儿教育

【大力发展农村学前教育】 2016年，四川省各地把大力发展农村学前教育作为保障、改善民生和新农村建设的重要内容，通过新建公办幼儿园、利用农村闲置校舍改建幼儿园、依托农村小学增设幼儿园（班）等重点项目推动农村学前教育事业的发展。原则上每个乡（镇）（人口5000人以上）要建设1所独立设置的公办幼儿园，暂不具备独立办幼儿园条件的地方，可依托现有乡（镇）中小学附设幼儿园；各行政村可依据实际情况单独或联合举办幼儿园（班），乡（镇）中心幼儿园可举办分园或教学点。民族地区结合当地实际，依托中心小学或农村小学举办附属幼儿园（班）。鼓励城镇学前教育机构将优质教育资源往农村地区延伸，独立或联合设立幼儿园。实施大小凉山彝区“一村一幼”计划，彝区13个县新开办幼教点2527个，选聘辅导员6213名，招收幼儿9万余人。

【加强农村幼儿园教师队伍建设】 2016年，根据四川省教育厅、省委编办、财政厅、人力资源社会保障厅印发的《关于进一步加强幼儿园教师队伍建设的通知》的要求，全省各地通过小学教师培训后转岗、接收安置免费师范生、公开招聘等多种途径加强农村幼儿教师的补充配备力度。各地根据实际，聘任优秀的幼儿园退休教师到师资短缺的农村地区任教或开展巡回支教。加大培养培训力度，继续将农村幼儿教师纳入免费师范生定向培养范畴，适度增加培养计划指标，为农村地区幼儿园培养一批下得去、留得住、教得好的幼儿教师。对长期在农村基层和艰苦边远地区工作的幼儿教师实行工资倾斜政策，通过生均财政拨款、专项补助等方式解决好公办非在编教师、农村集体办幼儿园教师工资待遇问题。实施幼儿园教师国家级和省级培训计划，加大农村幼儿园教师培训力度。

四川省教育厅编写组

义务教育

【开展适龄儿童、少年义务教育入学情况调查】 2016年，按照《四川省教育厅关于做好2016年秋季适龄儿童、少年义务教育入学情况调查工作的通知》要求，四川省各市（州）教育行政部门以县（市、区）为单位，开展2016年秋季适龄儿童、少年义务教育入学情况调查统计，全面摸清义务教育入学情况，重点清查已到法定入学年龄未入学、新学期开学后未按时报到入学等情况。各地通过全面摸底调查，以问题为导向，认真分析查找造成适龄儿童、少年失学、辍学的各类原因以及大致比例，制定整改措施，进一步完善“控辍保学”机制，进一步落实县级教育行政部门、乡（镇）政府、村（居）委会、学校和适龄儿童父母或其他监护人的“控辍保学”责任，完善由县长、乡（镇）长、校长、村长、家长共同负责的“五长责任制”。

【做好返乡农民工随返子女入学工作】 2016年11月9日，根据外出务工农民工大批返乡，随父母返乡的适龄儿童、少年入学出现的一些新情况新问题，四川省教育厅印发了《关于进一步做好我省返乡农民工随返子女入学工作的通知》，要求各地要以随到随入学，不让1名适龄随返子女辍学为目标加大工作力度，层层落实责任，简化入学手续，为随返子女入学搭建高效、便利的绿色通道；落实优惠政策和“三免一补”政策，规范收费行为；相关学校要在摸清底数的基础上，及时制订接收安置方案，动员广大师生有针对性地开展“一帮一”“手拉手”等多种形式的帮扶工作，确保返乡农民工随返子女顺利入学。

【实施特殊教育提升计划】 2016年，根据四川省教育厅、省委编办、省发展和改革委、民政厅、财政厅、人力资源社会保障厅、省卫生计生委、省残联制定的《关于特殊教育提升计划（2014—2016年）的实施意见》要求，建立以设立特殊教育专项经费为主要内容的发展特殊教育的政策保障体系，特教学生生均公用经费水平达5000元以上；围绕破解送教上门、融合教育、医教结合和孤独症儿童教育等难点问题，启动特殊教育改革实验区工作。与省残联联合开展全省6～14周岁残疾儿童、少年入学情况调查统计工作，印发《四川省教育厅四川省残疾人联合会关于进一步做好适龄残疾儿童少年入学工作的通知》，对进一步做好适龄残疾儿童、少年入学工作进行了部署和强调。全面推进全纳教育，采取多种形式，使三类残疾儿童、少年义务教育入学率达85%。

【继续实施农村义务教育学生营养改善计划】 2016年，四川省共有119个县纳入营养改善计划试点范围，其中国家试点县61个、地方试点县58个，实现了集中连片特殊困难县、国家扶贫开发重点县、少数民族县及少数民族地区待遇县、革命老区县全覆盖。同时，将民族地

区县城义务教育学生全部纳入地方试点。全省计划覆盖农村义务教育学校11212所，其中国家试点县5029所、地方试点县6183所；受益学生353.32万人，其中国家试点县122.63万人、地方试点县230.69万人；下达农村义务教育营养改善计划补助资金22.94亿元，其中中央资金16.73亿元、省级资金6.21亿元。

四川省教育厅编写组

农村成人及农业职业教育

【创建第一批国家级农村职业教育和成人教育示范县】 2016年11月29日，根据《关于开展国家级农村职业教育和成人教育示范县创建工作的通知》要求，在各地自愿申报、省级评估、入围创建、省级复检的基础上，教育部、科技部、水利部、农业部、国家林业局、国家粮食局6部门印发了《关于公布第一批国家级农村职业教育和成人教育示范县名单的通知》，确定59个单位为第一批国家级农村职业教育和成人教育示范县创建合格单位，其中成都市温江区、成都市双流区、宜宾县成为第一批国家级农村职业教育和成人教育示范县。

【农业职业教育】 2016年，四川省中等职业学校涉农类专业招收学生1.9万人，在校学生3.65万人；毕业学生2.63万人，其中获得职业资格证书2.56万人。全省各地根据地方产业发展布局，通过整合资源、政策扶持、资金支持等渠道打造一批农业技能型人才重要培养基地。鼓励和引导高等农业院校帮助中等农业职业学校，城市优质中等职业学校与农村涉农专业学校加强合作，在师资、设备、教学、实习、就业等多方面实现资源共享，互利共赢。

【深入推进“9+3”免费职业教育计划】 2016年，根据藏、彝区“9+3”人才培养需求，调整优化内地招生学校和专业，四川省共有95所中等职业学校、56个专业面向藏区和彝区招生。组织内地“9+3”学校深入藏区和大小凉山彝区开展招生宣传，7月、9月两次共招录藏、彝区“9+3”学生近万人。做好“9+3”毕业生就业促进工作，通过推荐就业、到高职院校就读、藏区事业机关招聘等方式，2013级藏区“9+3”毕业生初次就业率达98.93%，超额完成目标任务。比照藏区州内中等职业学生资助标准，将“9+3”免费教育资助范围扩展到集中连片特困地区的29个县，共下达补助资金1001万元，按照每人每年1000元的标准对2万余名特困地区的在校中等职业学生给予生活补助。

【中等职业学校脱贫攻坚工作】 2016年，根据《四川省教育与就业扶贫专项方案》要求，四川省教育厅研究制定了《职业教育扶贫2016年专项工作方案》和《关于进一步加强中职学校参与脱贫攻坚工作的通知》，要求各中等职业学校在当地党委政府的领导下，按照中央和省委精准扶贫精准脱贫、集中力量打赢扶贫开发攻坚战的要求，服从安排、主动对接，积极参与地方的脱贫攻坚工作。学校要挖掘和发挥教师素质高、专业技能强、合作企业多等优势，大力开展以政策咨询、技术指导、教育培训、志愿服务等为重点的对口帮扶精准扶贫。全年共有310所中等职业学校参与脱贫攻坚，选派干部教师驻村帮扶6200余人次，通过“送科技上门”活动为1万余人次群众进行专业技术指导。贫困地区中职学校和县级职教中心先后开展了新型农民、农村实用人才和企业职工在岗、转岗等形式多样的职业技能培训和就业培训，培训人数超过10万人次。

【加强“农民夜校”工作】 2016年，为贯彻落实省委书记王东明关于“大力推广农民夜校”的重要指示精神，四川省教育厅印发了《关于加强“农民夜校”工作的通知》。要求各级教育部门要在当地党委政府领导下，充分利用教育系统资源优势、人才优势，支持“农民夜校”活动广泛开展，对尚未建立“农民夜校”的地区，各村级学校、“一村一幼”教学点在保障正常教育教学的情况下，为“农民夜校”提供必要的场地和设施设备；要整合区域教育资源，进一步完善教育培训网络，为“农民夜校”的开展提供更多更优质的服务；各职业学校要借助“农民夜校”平台，采取“送教下乡”等灵活方式开展劳动力转移培训、实用技术培训和新型职业农民培训；各高校要将“农民夜校”作为组织高校志愿者到农村开展支教支医支农、大学生暑期社会实践、“三下乡”等志愿服务的重要阵地，大力开展扶贫脱贫工作；结合省委“五个一批”扶贫行动，根据不同学习对象开展专题培训，大力开展职业技能培训，让农民获得适合自身特点的职业技能，具备自我“造血”的功能；开展形式多样的教育教学活动，采取案例分析、专题讲座、实践锻炼、文体活动等方式组织教学，开展分片分组教学、上门送学、结对帮学和远程辅学，推动“农民夜校”在脱贫攻坚中取得实实在在的成效。

四川省教育厅编写组

农村文化、体育工作

农村文化建设

【加快推进农村公共文化基础设施提档升级】 2016年，四川省文化厅统筹城乡、区域公共文化协调发展，坚持把重心放在农村基层，全省已基本建成以县级公共文化设施为枢纽、乡级公共文化设施为骨干、村级公共文化设施为基础的基层公共文化服务体系，共有县级公共图书馆180个、文化馆185个、乡(镇)综合文化站4318个、村文化室33872个，建成文化共享工程基层点5.2万个，构建了全国战线最长、网点最多的基层公共文化设施网络体系。

【推动文化惠民活动广泛开展】 2016年，四川省文化厅积极推进文化惠民项目与群众文化需求的有效对接，积极开展面向农村留守妇女儿童和老人的流动文化服务和展演展示活动。指导贫困地区扎实开展农村文化活动，将送戏、送图书等下乡活动优先安排到贫困村并在活动场次、数量上予以倾斜。2016年以来，全省在德阳市成功试点建设331个文化院坝后，又在全省范围内铺开建成4000余个，文化院坝已成为全省基层公共文化服务的综合性平台，同时，“畅想院坝”活动也在全省各地开展。

【推动公共文化服务提质增效】 2016年，四川省公共文化均等化水平有了明显提高，工作重点向革命老区、民族地区、贫困地区倾斜，通过开展“一馆一团一车”“汉藏文化交流”“大篷车流动博物馆”“市民艺术学校”“农民工文化驿站”“留守儿童文化之家”“农民演艺网”“农民读书月”等一系列公共文化品牌活动推动优秀传统文化进藏区、进寺庙、进社区、进农家，使基层群众零距离享受到多样化的公共文化服务,提高了“三区”地区公共文化服务的保障能力。

【加强基层文化队伍建设】 2016年,四川省文化厅制定了基层文化人才队伍建设规划,乡(镇、街道)党委宣传员、宣传干事和乡(镇)综合文化站专职人员配备基本齐全,每个乡(镇)综合文化站至少有1~2名专职人员。同时,积极引导优秀文化人才向农村基层流动,组建文化志愿者协会和团队200余支,有文化志愿者5.3万余名,形成了专兼职结合的基层文化工作队伍。加强对文化专干、文艺骨干、农家书屋管理员、电影放映员等各类人员的培训,全年共组织开展培训1149期次,培训人员146050人次。

【加大文化扶贫力度】 2016年,四川省文化厅认真落实专项方案,协助省委宣传部研究制订了《四川省文化惠民扶贫专项方案》,单独制订了《扶贫开发攻坚筹资平衡方案》,就文化惠民基础设施、文化人才队伍建设等方面做了详细的跨年度筹资平衡方案。扎实推进新农村文化惠民扶贫,加快“四大片区”公共图书馆、文化馆等文化项目建设,实施县级“两馆”维修改建工程,提升贫困地区公共文化设施和服务标准化水平,给予全省88个贫困县每个县公共文化专项补助经费100万元、每个乡(镇)文化站公共文化免费开放补助资金5万元,帮助2420个贫困村实现文化脱贫。狠抓文化扶贫项目,加强相关厅局之间、县乡政府之间的沟通联络,督导当地党委政府发挥好在扶贫攻坚中的主体作用,以驻村帮扶村支部、村委会为主体,工作组和帮扶干部为枢纽,扶贫与扶志相结合,充分发挥当地致富能人的引领作用,助力发展家庭产业,增强贫困村、社、户的自我脱贫意识、信心和可持续致富能力。坚持“输血”与“造血”并重,积极协调加大贫困地区文化惠民扶贫工作的经费投入,截至2016年年底,省级财政安排村文化室专项资金11576万元、县级“两馆”维修改造及设备购置专项资金3031万元、国家和省级财政安排非物质文化遗产专项资金3200万元。健全对口帮扶机制,厅领导多次带队深入对口扶贫点叙永县水尾镇西溪村、茂县永和乡纳普村实地调研,摸清贫困户基本情况,建立了“一户一卡”精准扶贫档案,组建了贫困户“一对一”精准扶贫对子。成立文化惠民扶贫工作领导小组,建立了与相关厅局之间,上下文化单位之间,贫困县与乡政府之间,村、社、贫困户之间的联络机制。

四川省文化厅编写组

非物质文化遗产保护与传承

【基本情况】 2016年,四川省文化厅在文化部的指导下,在厅党组的领导下,不断创新思路方式,强化落实各项政策措施、组织措施、工作措施,扎实推进四川非物质文化遗产保护与传承工作,取得了显著成效。

【完善法规体系,夯实法治基石】 自2011年6月《非遗法》颁布实施以来,为加强民族自治地区非遗保护和保存,四川省非遗资源富集的凉山州、阿坝州、甘孜州已先后出台了当地非物质文化遗产单行条例。《四川省非物质文化遗产条例》被列为省政府2016年立法一类(制定类)项目。为加快推进四川非遗立法进程,切实履行好保护非物质文化遗产的政府法律责任,文化厅先后多次与省法制办、省人大常委会联合组成非遗立法调研组到凉山州、绵阳市、泸州市、宜宾市等省内非遗资源富集、非遗特色鲜明的地区调研,与当地市级相关部门、文化干部及非遗代表性传承人进行交流,征求《四川省非物质文化遗产条例(草案)》的修改意见和建议;赴贵州省考察调研黔东南国家级文化生态保护区,学习借鉴兄弟省市的立法工作经验;召开非遗立法工作专家座谈会,广泛听取相关省级部门、社会各界人士的意见和建议。《条例(草案)》已通过省人大常委会一审。

【强化政府主导,充实传承队伍】 2016年,四川省文化厅为充分发挥非遗名录政府权威认定和示范引领作用,进一步充实全省非遗传承人队伍,组织开展了第六批省级非遗项目代表性传承人评审认定工作,评审公布了82名四川省级非遗代表性传承人,全省省级非遗代表性传承人由682人增加至764人,形成了年龄和梯次都更加合理的老中青非遗传承人队伍。与人力资源和社会保障厅共同开展了“四川省非物质文化遗产保护工作先进集体、先进个人”评选表彰活动,对在非遗保护工作中做出突出成绩的43个“先进集体”、69名“先进个人”进行了通报表彰,进一步激发和调动了各级文化部门、非遗保护单位和广大非遗保护工作者的积极性。

【深化高校合作,提高传承能力】 2016年,为提升四川省非遗传承人群的当代实践水平和传承能力,更好地推进非遗项目的保护传承,四川省文化厅大力实施文化部、教育部“中国非物质文化遗产传承人群研修研习培训计划”,向文化部推荐输送了23名蜀锦、蜀绣、成都银花丝、成都漆艺等新一代非遗传承人参加清华大学、中央美术学院、上海大学、上海视觉艺术学院等高校举办的非遗传承人群研修培训班。同时,与省内3所高等院校合作开展了四川省非遗传承人群普及培训班,分别在成都市举办了四川大学绵竹年画培训班、西南民族大学羌绣培训班、成都纺织高等专科学校蜀绣培训班,共2批7个班的360余名非遗传承人参加了普及培训,普及培训班着眼于“强基础、增学养、拓眼界”,以绵竹年画、羌绣、蜀绣的保护传承与当代设计为主题,通过学员集中学习培训,完善传承链条、提高传承能力、增强传承后劲,提高了非遗传承人群的文化素养、技艺水平和创新设计能力,提高了全省传统工艺的设计、制作及衍生品开发水平,促进了传统工艺走进现代生活和振兴。9月21日,全省蜀锦、蜀绣、绵竹年画、羌绣、道明竹编等国家级非遗项目优秀学员作品及项目精品在山东省举办的“第四届中国非物质文化遗产博览会”亮相并获得了文化部领导的高度评价,受到了众多观众的青睐和好评。

【开展宣传活动,扩大非遗影响】 2016年,为弘扬民族优秀传统文化、不断提升四川非物质文化遗产的影响力和辐射力,四川省文化厅以2016年文化遗产日活动为契机,以“加强遗产保护振兴传统工艺”为主题,在全省范围内组织开展了内容丰富、形式多样、特色鲜明的文化遗产日非遗宣传展示活动。6月8日—12日,在省图书馆举办了“中国非遗传承人群研修研习培训计划·四川省首批普及培训成果展”,以文字、图片、视频、实物、活态展示等生动形式全方位展示了绵竹年画、羌绣、蜀绣三期培训班取得的积极成果,展示了项目精品和部分学员结业作品,吸引了众多观众参观,受到社会各界的广泛好评。文化遗产日期间,全省21个市(州)文化部门、厅直文化单位组织开展了包括非遗演出、非遗展览、非遗宣传、非遗研讨、非遗知识讲座、非遗进校园在内的各具特色的文化遗产日活动,向广大群众普及非遗知识,宣传政府的非遗保护政策,展示非遗的独特文化价值和魅力,在全省掀起了四川非遗保护的新热点、新亮点、新高潮。

【开展执法检查,提升管理水平】 2016年,四川省文化厅根据《文化部办公厅关于开展非物质文化遗产法贯彻落实情况检查工作的通知》的精神和要求,及时制订了自查工作方案,于6月底在全省部署开展了贯彻落实《非遗法》自查工作,要求全省各地以开展《非遗法》贯彻落实自查工作为契机,切实履行好政府及文化部门的非遗保护法律责任,进一步掌握《非遗法》实施5年来依法保护非物质文化遗产的现状,总结有效经验和做法,解决存在的突出问题。在各市(州)和厅直相关单位开展自查工作的基础上,文化厅对照检查内容,形成了《四川省文化厅关于贯彻落实〈非遗法〉情况的自查报告》并上报文化部。11月7日—10日,文化部工作组到四川检查全省《非遗法》贯彻落实情况,实地查看了四川省国家级非遗项目——绵竹年画、蜀绣的保护情况,检查了四川省、成都市非遗保护中心、绵竹年画博物馆非遗数据库和非遗档案建设情况,听取了全省《非遗法》落实情况汇报,工作组对四川省宣传贯彻落实《非遗法》的情况和做法给予了充分肯定和高度评价。

四川省文化厅编写组

涉农广播与电视工作

【基本情况】 2016年,全省完成25万户电视户户通工程、1933个行政村广播村村响工程、22个县应急广播平台建设以及46318个农家书屋补充更新工作;完成200个中心书屋建设任务,省级补助资金600万元已全部下达;完成34个高山无线广播电视发射台站设施设备改造工作。

【广播影视精准扶贫工程】 2016年,全省新闻出版广播影视精准扶贫专项工程完成2300个贫困村项目建设。3月17日,省新闻出版广电局组织12个市(州)88个贫困县260人参加了新闻出版广播影视脱贫攻坚工作人员业务培训班,对项目建设管理、建设方案编制、验收考核办法等进行了培训。9月8日,根据推进情况及时组织召开全省新闻出版广播影视脱贫攻坚惠民项目推进工作会,针对存在的问题进行督促落实。10月14日,全省新闻出版广播影视2016年脱贫攻坚“摘帽”县现场会在广安市召开。11月4日,省新闻出版广电局再次召开市(州)脱贫攻坚工作人员业务培训会,确保培训工作完美收官。四川电视台新闻频道对四川省委农业工作会议、第四届四川农业合作发展大会、第四届四川农业博览会等涉农重点会议进行了报道,开设了《决战全面小康全力脱贫攻坚》《扶贫开发·权威访谈》等专栏,播发稿件180余篇。四川卫视《四川新闻》栏目围绕脱贫攻坚主题特别推出了《脱贫攻坚进行时》专栏,对全省脱贫攻坚的动态消息、最新进展、典型经验等进行了报道。

四川电视台新闻频道围绕“决战全面小康全力脱贫攻坚”重大主题策划制作了六集系列报道《解码春风村》、三集系列报道《休闲农业“靓”起来》,策划制作了三集系列报道《乡土四川变形记》。四川卫视《四川新闻》针对中央电视台联合走基层深度报道播出的《“悬崖村”扶贫纪事》后所引发的社会高度关注和关心,重访“悬崖村”,重攀“悬梯路”,从“第二落点”上主动撬动公众和媒体对大凉山彝区脱贫攻坚战艰巨任务的新认识、新思考。科教频道全年共计播出农业新闻资讯104条,与农业厅宣传中心联合开设《田园四川》栏目,策划制作了17期公益纪实片《四川农业产业扶贫在行动》,推出了12期休闲农业真人秀综艺节目《胖姐下乡》,展示了四川各级部门扶贫帮困、农村自立自强以及农村居民的幸福生活。四川频道网站《扶贫》栏目相继推出了《扶贫攻坚进行时》《扶贫攻坚同步小康》等专题专栏报道,发布相关报道900余篇,并推出10部百岁老人探秘纪实新闻短片,点击阅读量超过20余万人次。

康巴卫视在《康巴卫视新闻》开设了《脱贫攻坚进行时》专栏,共计播出新闻641条。阿坝州及各县(市)新闻节目结合精准脱贫、精准扶贫工作重点策划了《精准脱贫全面小康》《第一书记助力精准扶贫》等专栏,全年各级广播电视台播出涉农新闻3200条以上。《绵阳新闻》在《专路发展定力决胜全面小康》《精准扶贫全面小康》等专栏集中报道了农村扶贫攻坚、农村产业化、金融、文化教育、医疗及电商发展等多个方面的工作,全年共播发动态新闻、专题报道300余条(组)。凉山州广播电视台推出《向贫困宣战——凉山在行动》专栏,《精准发力扶贫攻坚》《行进凉山·精彩故事——春走安宁河》等系列报道,《整点快报》播出相关信息400余条。

【涉农新闻宣传和报道】 2016年,全省各级广播电视播出机构紧扣深入推进农业供给侧改革、脱贫攻坚、幸福美丽新村建设等“三农”重点工作,策划制作了多篇主题突出、立意深远的连续系列报道,展示了四川农业发展的新气象。全省各级广播电视播出机构共计播出农村公益广告和宣传提示上1万余次、宣传标语4600余条,发放气象灾害、病虫灾害等防治宣传资料8000余份。四川卫视《四川新闻》关注全省农业供给侧结构性改革,播出了《我省农业从今春起推进供给侧结构性改革》《水中筑“粮仓” 我省发力农业供给侧改革》等节目;关注农民工权益保障,播出了《依法依规保障农民工权益尽全力维护社会公平正义 尹力督促检查农民工工资支付保障工作》《(我从基层来)赵萍:要用合同保障农民工拿到工钱》《支持农民工等返乡创业我省5县获批全国试点》等报道。阿坝州县(市)广播电视台报道了各地涉及农业生产和新农村建设的动态报道,其中报道汶川县、茂县《开展2017“科技之春”科普宣传月活动》《专家田间行科技送上门》以及理县《50万果树幼苗将于3月上旬前全部发放》等新闻600余条。绵阳市广播电视台全年制作播出自制农业栏目《乡韵绵州》52期,绵阳北川新闻综合旅游频道先后开设《脱贫攻坚进行时》《四大战略引领新跨越》等4个专栏,制作专题节目《精准扶贫同步小康》《以积淀民俗文化开发乡村旅游》《荒地变梯田“金土地”惠民脱贫奔康》等10余个。成都市广播电视台针对成都涉农旅游产业发展迅速、市民周末休闲度假需求旺盛的实际,推出了《又是春来到菜花黄灿灿》《龙泉山桃花真的开了!》《蓝莓枝头挂等你来采摘》《猕猴桃宽窄巷子免费尝》等农业服务类新闻报道,展示了“三农”领域良好的发展态势。广安市各播出机构开设了《星火科技30分》《致富巧有道》等专题、专栏节目6个,全年推出《星火科技30分》专栏节目52期《致富巧有道》专题节目208期、《华蓥全景》15期,全市各播出机构共播发涉农稿件1000余条,播放公益广告、提示字幕3000条次,发送提示短信、微信500条次。广元市各级广播电视宣传媒体开设了《大众创业万众创新》《返乡创业回乡发展》等专题专栏,通过动态报道、深度报道、综述评论等形式全面宣传全市涉农工作的动态信息,先后播出涉农稿件2000余条。

四川电视台科教频道利用新媒体发布涉农资讯336条,遂宁市广播电视播出机构通过12个官方微博、微信公众号等新媒体发布农业知识、农业信息等图文信息155条次,网络及新媒体针对农村的宣传得到空前发展。

四川省新闻出版广电局编写组

涉农报刊、出版物及农家书屋

【基本情况】 2016年,四川省各类报刊积极承担坚守农村舆论阵地、坚持正确舆论导向的社会责任,有效发挥党和政府的“喉舌”和“耳目”作用以及党和政府联系农民群众的桥梁纽带作用,全年刊发关注农业农村农民的热点难点问题、宣传报道脱贫攻坚工程、引导农民致富奔小康、建设和谐新农村的新闻报道文章达10万余篇。

【涉农报刊】 2016年,《四川农村日报》《四川经济日报》《西南商报》《四川科技报》和《四川党的建设(农村版)》等报刊充分发挥宣传主阵地作用,以服务"三农"为宗旨,坚持面向农业、农村和农民,宣传党的方针政策,推广适用先进科技,传递市场经济信息,弘扬农村精神文明,丰富农村文化生活,服务农村经济社会发展。《四川农村日报》共出版296期,发行22.01万份;《四川党的建设(农村版)》共出版12期,发行36万册;《四川经济日报》共出版347期,发行4.88万份;《西南商报》共出版142期,发行4万份;《四川科技报》共出版104期,发行0.54万份。全年完成4000个贫困村阅报栏建设任务,省级补助资金1200万元已全部下达。积极组织报刊单位开展"全民阅读·报刊行"活动,开展向藏区农牧区中小学生赠送藏汉双语读物系列活动,组织向藏区农牧区基层党组织、群众和寺庙免费赠阅《四川日报》260余万份、《四川党的建设(藏文版)》13200册、《多彩哈达(藏文版)》90000册、《民族(藏文版)》32000册。

【涉农图书】 2016年,四川"三农"图书特别是农业、牧业科普图书出版是全省出版业的优势项目之一。全省图书出版行业将涉农图书的出版工作作为服务"三农"、服务社会主义新农村建设的重要工作内容来抓,全年出版服务"三农"图书品种达440种,占出版新书种数的6.9%,总出版册数达255.25万册,较好地满足了农村群众的阅读需求。省新闻出版广电局通过实施重点图书出版规划项目等方法对涉农图书出版予以支持,推动了全省涉农图书的出版,全省共确定4个涉农图书出版项目进入全省各类重点图书规划并已全部完成。各图书出版单位结合自身优势,精心组织策划出版了一大批服务"三农"的图书,涉及农村生活的方方面面,例如《乡村志》《泥土的芬芳——社会主义核心价值观农民漫画系列丛书》《科学种茶与加工》等。

四川省新闻出版广电局编写组

农村有线、无线电视网络建设

【基本情况】 2016年,四川省广电系统以"用户至上、用心服务"为理念,以提升用户满意度为指引,以关键服务环节为切入,以感知测评为手段,强化对农村网络用户的维护服务。积极参与当地政风行风建设,不断规范市场、资费及收费行为,加强用户信息安全、网络安全和信息化建设。组织开展宽带与互动业务开通安装维护技能培训163场,培训人员6854人。全省共有农村广播电视用户727余万户,其中有线电视用户561万户左右,另有166万用户多为居住在地理位置分散、偏僻,有线网络覆盖非常困难的区域。

【农村有线、无线电视网络建设】 2016年,四川省新增有线电视网络覆盖农村用户29.9万户,双向化改造农村用户超过40万户。省农村数字电视覆盖用户500余万户;已开展双向业务的用户达100余万户,双向网络覆盖用户接近350万户,双向化率达70%。全省已建成地面无线数字电视发射台站131座,安装发射机393台,21个市(州)全部开通地面无线数字电视信号,用户超过100万户,其中2016年新增用户209602户。对农村用户较多、居住分散、地面无线覆盖较广的地区按照"政府主导、公共服务、统筹资源、适应市场"的发展思路,建立"财政投入为主、有偿服务补充、拓展增值业务"的运行模式,在有线未通达的农村区域确保基本公共服务免费。核定网络运行成本、服务成本和财政承担能力,确定受益用户应当承担的运行维护费标准。截至2016年年底,全省累计申请直播卫星户户通工号及设立专营网点332个,农村地区完成安装63万余户。

【广电网络扶贫攻坚】 2016年,四川省新闻出版广电局积极参与新闻出版广播影视精准扶贫工作,发挥省广电网络在管理、资金、技术、市场、人力资源等方面的综合性优势,统筹有线、无线和卫星融合覆盖,保障全省贫困群众收听收看广播电视的基本文化权益。新闻出版广播影视扶贫工作涉及全省广电网络区域内16个市、91个县(区、市)、7022个贫困村、88万户贫困电视盲户,其中省级财政负担的88个贫困县中广电网络扶贫涉及46个县(市、区),涉及5269个贫困村、51万户贫困电视盲户。

【"视听乡村"工程建设】 2016年,为了满足四川省农村广大人民群众的文化需求、巩固农村地区的舆论宣传阵地、强化主流意识形态的传播、提升农村视听及信息服务的公共服务水平,省新闻出版广电局着力推进"视听乡村"工程建设。完成郫县、成都市龙泉驿区、威远县、南江县、金堂县等地的城镇无线视听工程建点测试,累计建设WIFI热点2000余个。在绵阳、宜宾、巴中等(市)州完成无线视听基础城域网络扩容配套并召开了5个重点市(州)规模化试点建设专项会议,同时启动相应项目建设。四川省有线广播电视网络股份有限公司(以下简称"网络公司")联合国家新闻出版广电总局广播科学研究院共同编制700M试点方案。四川广电"视听乡村"工程建设累计完成投资31795.1万元,覆盖约60余万户农村家庭;新增数字电视用户约13.7万户;新增宽带用户31212户,覆盖293245户。

【"雪亮工程"】 2016年,四川省各市(州)已全面启动"雪亮工程"建设,已累计建成330个镇级、1191个村级平台,安装摄像头10417个,机顶盒入户数达56644户。通过广大群众监看视频、报警等手段让老百姓参与到社会治理中来,使综治维稳工作向基层末端延伸,切实解决农村地区治安力量不足的问题,促进农村社会持续平安稳定,实现长治久安,造福人民群众,促进社会持续健康发展。

四川省新闻出版广电局编写组

农村精神文明建设

【基本情况】 2016年,中共四川省宣传思想文化战线深入学习宣传贯彻习近平总书记系列重要讲话精神,牢固树立政治意识、大局意识、核心意识、看齐意识,认真贯彻中央和省委决策部署,牢牢抓住"两个巩固"根本任务,认真履行"围绕中心、服务大局"基本职责,把牢方向导向,主动担当作为,推动全省宣传思想文化工作取得新的重要进展和显著成效,为决胜全面小康、建设经济强省提供了有力思想舆论保证和良好精神文化条件。

【持续深化对习近平总书记系列重要讲话精神的学习宣传研究】 2016年,中共四川省委宣传部始终把深入学习贯彻习近平总书记系列重要讲话精神作为首要政治任务,以党委(党组)中心组和领导干部为重点,以理论工作"四大平台"为载体,切实抓好讲话精神的学习教育宣传,推动全省干部群众进一步树牢"四个意识",进一步增强"四个自信"。一是突出关键要点抓好学习引领。在习近平总书记每次发表重要讲话后,省委常委会、省委中心组均及时组织学习,研究贯彻落实意见。各级党委(党组)中心组结合"两学一做"学习教育,通过正反典型教育、聆听专家报告、研读《准则》《条例》、结合典型案例剖析反思等方式开展专题学习研讨2000余次,以实际行动争当党员先锋模范。持续打造"三级三讲"学习品牌,以讲党课为载体推进省、市、县三级党委(党组)书记讲、中心组成员讲、专家讲,各级领导干部到机关、学校、社区、乡村、企业、军营、寺庙做报告、上党课共计1万余场次,不断拓展推动理论学习的深度和广度。二是着眼全面覆盖抓好宣传普及。围绕学习宣传党的十八届六中全会和省委十届八次、九次全会精神,做好中央宣讲团到来川宣讲组织工作。43位省级领导及时深入联系点和贫困县宣讲全会精神,省委宣讲团和专家团队深入基层开展集中宣讲472场,各地各部门开展基层宣讲1.7万余场,发放《群众宣讲辅导读物》2万册、《宣传挂图》2.1万套,有效推动了全会精神家喻户晓、深入人心,四川省宣讲工作受到中宣部的充分肯定。抓好《习近平总书记系列重要讲话读本(2016年版)》的学习宣传和使用发行,全省发行240余万册。深入推进马克思主义理论研究和建设工程、中国特色社会主义理论体系研究中心、马克思主义学院、报刊网络理论宣传阵地"四大平台"建设,办好用好党委(党组)中心组网络学习平台,重点新闻网站"治国理政进行时"专题推送习近平总书记系列重要讲话、活动稿件1600余篇,集纳报道7000余篇。三是立足指导实践抓好研究阐释。召开学习贯彻习近平总书记"七一"重要讲话、在纪念红军长征胜利80周年大会上的重要讲话、在哲学社会科学工作座谈会上的重要讲话精神3次全省社科理论研讨座谈会,《四川日报》刊发专家解读阐释文章30余篇。高质量完成中央"马工程"(马克思主义理论研究和建设工程)重点课题"四川省阿坝州文化生态旅游业与民族地区经济社会发展实践研究",研究成果入选中宣部重大成果,对省委藏区工作思路的生动实践和取得的成功经验进行了充分宣传。

【深化社会主义核心价值观建设和精神文明创建】 2016年,中共四川省委宣传部始终着眼提高公民素质和社会文明程度,大力推动核心价值观日常化、具体化、形象化,公民对核心价值观的自信心和践行力进一步增强。一是积极培育和践行核心价值观。创新制定《四川省社会主义核心价值观工作测评体系(试行)》,推动各级党委切实担负起责任,主动抓核心价值观建设。实施社会主义核心价值观建设综合示范县(市、区)工程,在成都市武侯区、眉山市彭山区等7个地区试点,率先探索构建核心价值观建设全员参与、全域覆盖和全方位融入的特色经验和长效机制,以特色茶馆文化为载体,以家风建设为抓手,探索推动核心价值观融入社会生活。隆重纪念朱德同志诞辰130周年、红军长征胜利80周年,策划开展向红军长征纪念碑敬献花篮、"长征精神光照千秋,不忘初心继续前进"等活动,弘扬了革命传统,传承了红色基因。广泛开展爱国主义教育,146个省级以上爱国主义教育示范基地年参观人数3000余万人次。全力抓好"4·20"芦山强烈地震纪念馆陈列布展,进一步弘扬伟大的抗震救灾精神,培育感恩奋进文化。二是扎实开展公民道德实践活动。抓住道德教化这个基础性环节,广泛开展道德模范、四川好人等先进典型评选宣传和系列主题实践活动,推出王家元同志为全国重大典型,选树宣传"中国好人"41名、"四川好人"360名、志愿服务先进典型150名、全国孝心少年7名、四川最美少年及美德少年110名和一批"最美"系列人物,用身边好人的嘉言懿行垂范乡里,用道德楷模的善行义举传递弘扬社会正能量。大力弘扬志愿服务精神,扎实开展"身边雷锋时代榜样"主题实践活动,推动建立学雷锋爱心联盟,组织发动7000余支志愿服务队伍、200余万名志愿者开展系列主题活动12000余次,志愿服务蔚然成风。广泛开展"我们的节日"主题活动,组织举办"古羌夬儒节""羌历年——羌区联谊、相聚北川"等系列主题文化活动,打造文化主题示范点和本土特色品牌。制定《关于加强失信惩戒推进诚信四川建设的意见》,构建守信激励和失信惩戒机制,推进诚信建设制度化。三是持续深化精神文明创建。完善《四川省文明城市测评细则》,组织对9个全国县级提名城市、53个第四届四川省文明城市参评城市进行集中测评。抓好"四好村"创建,抓好"新家园、新生活、新风尚"建设,在贫困地区、藏区建成32个示范点,在100个全国文明村镇组织实施"百村建设"行动。未成年人思想道德建设走在全国前列,活动阵地建设、中华经典诵读等做法在全国推广。截至2016年年底,争取中央专项资金5.44亿元,承建中央乡村学校少年宫项目1720个,项目建设快速推进,成为全省农村未成年人素质教育的重要基地。开展文明校园创建工作调研,研究制定四川省中小学文明校园测评细则。加强文明旅游工作,初步建成主管部门督导、旅游行业主导、媒体宣传引导、志愿服务劝导、游客之间互导"五导同向"的文明旅游工作格局。

【加快推动文化改革发展】 2016年,中共四川省委宣传部始终坚持把社会效益放在首位、实现社会效益和经济效益相统一,稳步推进文化体制改革,加快构建现代公共文化服务体系,发展壮大文化产业,推动涌现更多精品力作,不断满足人民群众的精神文化需求。一是统筹推进文化体制改革。对照全省深化文化体制改革实施方案和改革台账,基本落实30项改革任务。牵头制定全省推动国有文化企业把社会效益放在首位、实现社会效益与经济效益相统一的实施意见,加快筹建党委和政府监管有机结合、宣传部门有效主导的省属国有文化资产管理体系,推动国有文化企业负责人薪酬制度改革。深化国有文艺院团改革,推动转制院团建立现代企业制度,建立全省院团演艺联盟。统筹制定政府向社会力量购买公共文化服务、推进基层公共文化服务中心建设和建设高清四川、智慧广电等实施意见,协调推进公共文化服务体系建设。推动制定深化文化市场综合执法改革的贯彻意见,加强网络文化市场管理及同城一支队伍建设。落实省级文化集团改革事项,重点推进峨眉电影制片厂转企改制和省有线广电网络公司股份制改革。二是加快发展文化产业。加强中华优秀传统文化的传承与发展,启动实施四川历史名人文化传承创新、古蜀文明保护传承和最美人文古镇(村落)创建等工程。加强文化惠民扶贫,整合中央及省级资金7亿余元,建成3000余个村文化服务中心(幸福美丽新村、社区文化院坝)、7个县数字影院、22个县应急广播平台、1933个村广播"村村响"。投入3.18亿元,推动实施藏区文化繁荣发展计划。统筹编制四川文化改革发展和文化"走出去"战略规划,研究制定支持电影产业发展、推进音乐产业发展的实施意见,开展文化经济政策督查评估。三是繁荣发展四川文艺事业。坚持以人民为中心的创作导向,以社会主义核心价值观为引领,以打造精品力作为重心,优秀文艺创作生产实现新突破。电视剧《彝海结盟》在中央电视台八套黄金时段播出,持续占据全国卫视频道收视率榜首。理论文献纪录片《红旗漫卷西风》《红军长征的数字密码》在中央电视台纪录频道播出。大型交响音乐会《长征》得到各界高度评价,民族歌剧《彝红》、舞剧《家》、川剧《还我河山》等多部作品获得国家艺术基金支持。深入开展"深入生活、扎根人民"主题实践活动,创作各类文艺作品1万余件,有力提升了基层文化服务供给能力。争取中央电视台2017春节联欢晚会西部分会场落户西昌,邀请中央电视台"心连心"艺术团到雅安慰问演出。成功举办西昌邛海"丝绸之路"国际诗歌周、青年川剧演员比赛和"欢跃四季·舞动天府"百姓广场舞大赛等文化活动。组织省、市、县三级文艺院团、文联、作协等文艺组织深入100余个贫困县开展文化惠民帮扶活动,让人民共享文化发展成果。

【建设良好的网上舆论生态】 2016年,中共四川省委宣传部始终坚持正能量是总要求、管得住是硬道理,发展壮大积极健康向上的网络文化,加大依法管网治网力度,推动网信事业取得长足发展。强化网信基础管理和制度完善,建立健全省委网络安全和信息化领导小组重大决策请示、重大事项报告、重点工作督查督办制度和成员单位联络员例会制度,加强对网络安全和信息化工作的统筹协调。完善网络应急值班工作制度、属地重点网络应急值班制度,坚决落实24小时双岗值班、领导带班制度,建立健全省、市、县三级应急响应机制。研究部署网上群众路线、推进"互联网+"等重点工作。实施网络扶贫行动计划,推进27个网络扶贫项目。承办了全国手机报新媒体发展推进现场会,组织召开全省通过网络走群众路线工作现场会。

【加强全省宣传思想文化战线党的建设和队伍建设】 2016年,中共四川省委宣传部始终注重加强各级宣传思想文化工作部门和单位领导班子、干部队伍和人才队伍的思想政治建设、业务能力建设,确保全省宣传思想文化工作队伍政治上可靠、业务上有"几把刷子"。一是全面加强党的建设。认真贯彻落实中央和省委全面从严治党要求,围绕"两学一做"学习教育,抓好全省宣传思想文化工作部门和单位党的建设,严格落实全面从严治党主体责任,着力加强和规范党内政治生活,加强党内监督,推进党风廉政建设。全省宣传思想文化战线党员干部深入学习贯彻习近平总书记系列重要讲话精神和党的十八届六中全会、省委十届九次全会精神,牢固树立"四个意识",牢牢把握"两个巩固"根本任务,坚持不懈抓好理论武装和理想信念教育,更加扎实地把中央和省委系列决策部署落到实处。二是加强领导班子建设。按照讲政治、管队伍、守纪律要求,结合市(州)换届工作,在省委统一部署下,会同组织部门选优配强各级宣传思想文化部门和单位领导班子,提升思想政治素质和业务能力。三是抓好人才队伍建设。着力加强人才培训,推动宣传思想文化工作者夯实理论根基,完善知识结构,拓展知识领域,善用现代化传播手段。组织开展中宣部"四个一批"人才资助项目申报及考核工作,做好国家"万人计划""千人计划"推荐选拔工作,4名新入选全国"四个一批"人才立项申报,8人参评全国哲学社会科学青年拔尖人才。围绕学习贯彻习近平总书记关于宣传思想文化工作系列重要讲话精神,分类组织实施新闻舆论战线、网信系统、文艺业务骨干和管理干部、哲学社会科学教学科研骨干、乡(镇)宣传委员等专题培训,赴美国开展"互联网新技术在公共服务中的应用"培训,不断增强宣传思想文化工作队伍的凝聚力和战斗力。

中共四川省委宣传部编写组

农村医疗卫生事业

综　述

【全民医保制度】 2016年,四川省推进实施城乡居民医保"六统一"政策,制定出台《关于做好城乡居民基本医疗保险制度整合工作的实施意见》。全省新型农村合作医疗参合率达99.69%,人均政府补助标准提高到420元,个人缴费标准提高到120元。优化调整新农合报销政策,住院费用政策范围内报销比例达77.15%,实际补偿比例达65.18%。推进支付方式改革,13个市(州)、99个县(区)开展以按病种、按床日付费等为重点的复合支付方式改革,有效控制医疗费用不合理增长。城乡居民大病保险实现21个市(州)全覆盖,受益人群范围不断扩大,累计补偿大病患者10.59万人次,涉及医疗费用37.62亿元,大病保险补偿比例达50.8%;补偿重大疾病患者5.23万人次,涉及医疗费用3.8亿元,实际报销比例达67.8%。省内异地就医即时结算全面实现,省级结算中心覆盖81家定点医疗机构,累计结算8万余人次,补偿患者4亿元。跨省就医即时结报取得新进展,与陕西省、贵州省开通了新农合异地就医结算。

【药械供应保障】 2016年,四川省卫生和计划生育委员会基本建立药品、高值医用耗材、医用设备、第二类疫苗、体外诊断试剂"五位一体"集中采购新格局。推进药品集中分类采购,完成2.8万个直接挂网采购药品、4个国家定点生产采购药品、301个特殊药品省级集中挂网采购。完成第二批双信封招标采购竞价药品商务标竞标,中标价格平均降幅为15.75%。扩大高值医用耗材阳光采购种类,实现10大类41个亚类产品挂网。推行医用设备阳光备案采购,完成37大类医用设备采购信息全部备案。全面开展体外诊断试剂挂网采购。强化药械采购使用监管,建成全省统一的药械采购监管信息化平台,全面覆盖药械生产经营企业、医疗机构、卫生计生行政部门。修订《药品上网交易生产经营企业不良记录管理办法》,将62家企业列入一般不良记录,取消221个违规品种上网资格并在网上公示。全省351家非政府办基层医疗卫生机构实施基本药物制度,占医疗结构总数的77.23%;三级、二级医疗机构使用基本药物比例分别达33.41%、52.72%。严格控制贵重药品、自费药品、高值医用耗材和高价医疗设备的采购使用。

【疾病预防控制】 2016年,四川省卫生和计划生育委员会制发了《关于完善防治结合推进公共卫生工作的意见》,明确各类医疗卫生机构的职能职责,明确规定二级以上医院设置疾病预防控制科(预防保健科),进一步健全医防协同工作机制。推进市、县疾控机构等级评审,修订等级评审管理办法和评审细则,促进各级政府落实倾斜政策、增加投入、提高待遇、保障运行的主体责任,评审98家疾控机构,其中通过省级评审的疾控机构平均政府新增投入367万元。出版《2015年全省人群健康状况及重点疾病报告》。国家基本公共卫生服务项目人均补助标准提高到45元,服务项目增至12大项。加强疫苗规范化、精细化管理,在全国率先实施第二类疫苗挂网阳光采购。加强预防接种管理,在重点地区、重点人群开展麻疹、脊灰疫苗强化免疫或查漏补种工作,实现全省预防接种在线地图查询与服务。国家扩大免疫规划疫苗报告接种率达99.34%。妥善处置"山东济南非法经营疫苗系列案件"。加强重点传染病、新发传染病疫情研判和风险评估,开展全省传染病网络直报质量督导,强化防控措施落实。全年甲乙丙类传染病报告发病率为349.4/10万,较全国平均值低31.03%。

【慢性病防治和卫生监测】 2016年，四川省卫生和计划生育委员会继续推进慢性病综合防控示范区建设，建成一批国家级和省级综合防控示范区。全民健康生活方式行动县（市、区）覆盖率达88%，人均期望寿命提高到76.67岁。在贫困地区创新开展类风湿关节炎、慢性阻塞性疾病患者健康管理服务，高血压、糖尿病患者管理率分别为43.97%、32.21%；农村项目地区癌症早诊率达82.32%，治疗率达80.76%。省政府出台了《贯彻落实全国精神卫生工作规划（2015—2020年）实施方案》，成都市、绵阳市等6市开通心理援助热线，严重精神障碍患者检出率提高至4.11‰，管理率达87.02%。重点职业病和医用辐射防护监测覆盖21个市（州），饮用水卫生监测乡（镇）覆盖率达100%，52个县（市、区）、1040个监测点开展农村环境卫生监测。开展学校中小学生常见病和教学与生活环境卫生监测，启动实施公共场所健康危害因素监测项目。

【综合监督执法】 2016年，四川省卫生和计划生育委员会印发《关于进一步加强卫生计生综合监督行政执法工作的实施意见》。强化乡（镇、街道）、村（社区）卫生计生监督执法网建设，19个市（州）、162个县完成机构整合更名，四川省整合卫生计生监督执法机构、加强基层体系建设以及公共卫生监督执法工作经验做法在全国会议上作交流发言。全年举办各类培训班26个，培训2600余人次；7个试点单位开展监督执法全过程记录，不断提高监督执法能力和素质。推进以"号贩子"和"网络医托"、计划生育行政执法、疫苗预防接种等为重点的专项整治，全年行政处罚4206件，罚款930余万元，5个案例获评为国家卫生计生委年度优秀案例。开展对《职业病防治法》《人口和计划生育法》等法律法规落实情况的监督检查，四川省贯彻落实《艾滋病防治条例》工作得到国家调研组的高度肯定，单采血浆站建设、传染病防治监督等工作经验被国家卫生计生委以专刊形式介绍推广。

四川省卫生和计划生育委员会编写组

农村医疗卫生服务体系建设

【分级诊疗制度】 2016年，四川省委全面深化改革领导小组办公室召开专题座谈会，系统总结和宣传推广全省分级诊疗制度建设经验做法，制定出台了《关于巩固完善分级诊疗制度建设的实施意见》及系列配套文件。

推动基层落实首诊职责。推进基层医疗卫生机构服务模式转变，183个县（市、区）全面开展家庭医生签约服务，建档立卡贫困人口家庭医生签约率达100%。实施社区卫生服务提升工程，评选省级优秀社区卫生服务中心10个、全国百强社区卫生服务中心4个。实施四批100个县级医院临床重点专科建设项目，全省62.56%的县级综合医院达到二甲建设标准。采取大型医院调减床位、取消普通门诊加号、停止成人门诊输液等措施推进大型医院"减量提质"。

规范双向转诊。制定《县级医疗机构应治病种目录》和《乡镇级医疗机构应治病种目录》，加强分级诊疗信息化平台建设，畅通转诊渠道。发挥医保杠杆作用，提高基层就诊报销比例，合理引导患者分级就医。实施医联体内双向转诊和延伸门诊病房管理，改变"散发联合、散在转诊"等无序转诊局面。

探索急慢分治四川模式。推动健康档案、签约服务、双向转诊、全周期管控的"四同步"，以糖尿病、高血压为突破口，初步建立慢性病"急慢分治"模式。持续完善分级诊疗哨点监测制度和定期成效分析制度，动态监测分级诊疗实施效果。

强化上下联动。巩固完善"1+11"医疗服务作战区，通过医联体建设、多点执业、远程医疗、城乡对口支援、巡回义诊等措施促进优质医疗资源下沉，进一步提升优质资源的服务效率和可及性。全省县域内就诊率从上年的88%提升至89.36%，新农合住院次均费用和基金流向县域外占比均有所下降，省、市级医疗机构医师日均担负住院床日同比下降7.08%，疑难重症患者占比增加2.6个百分点，群众对分级诊疗的认可度和赞成率达84%。

【"互联网+医疗健康服务"】 2016年，四川省卫生和计划生育委员会出台了《关于加快推进互联网+医疗健康服务的指导意见》《关于制定互联网医疗健康服务项目价格的通知》。成立了四川微医、四川大学华西妇女儿童等互联网医院，探索线上线下互动的新型健康医疗服务新模式。承办首届全国"互联网+医疗健康"创新创业大会，组织举办"互联网+医疗健康"创新创业全国大赛及总决赛；与中美健康峰会组织等达成战略合作共识，成立主动健康产业联盟，全国家庭健康服务平台西南中心落户四川省。以慢性病管理、儿童医疗保健为突破口，在成都市、德阳市、绵阳市开展"巴蜀快医"在线互动诊疗服务试点。打造全省统一的"互联网+健康医疗"便民服务云平台，接入400余家大型医疗机构，注册用户500万人，实现妇幼专区预约挂号和床位信息实时展示，群众就医体验显著改善。

【健康服务业供给侧改革】 2016年，四川省卫生和计划生育委员会委制定了《四川省医疗卫生与养老服务相结合发展规划（2016—2020年）》。雅安市、攀枝花市、德阳市、广元市4个市被确定为国家级医养结合试点城市，自贡市、内江市、遂宁市、乐山市、南充市5个市被确定为省级医养结合试点城市。省健康服务产业基金支持重点项目53个，全省377家医疗机构和养老机构建立合作机制，25.46%的二级以上综合医院开设老年病科。省政府出台《关于促进社会办医加快发展的实施意见》，推动落实用地需求、财税价格、医保政策等支持政策，放宽中外合资、合作办医条件，将境外资本股权比例放宽到90%，从技术、管理、人力资源、学科发展等方面给予扶持。加强社会办医监管，实行与公立医疗机构统一的医疗质量、医疗安全、医德医风、诚信服务等考核和管理评价标准。全年民间资本投入医疗卫生领域39.8亿元。

【卫生信息化建设】 2016年，四川省政府印发了《关于促进和规范健康医疗大数据应用发展的实施意见》，成立四川省健康医疗大数据中心，开展分级诊疗、大型医院监测等数据分析，推动健康医疗大数据融合共享、开放应用。推进省、市、县三级人口健康信息平台建设，新建市级平台6个、县级平台48个。推进"互联网+政务"建设应用，省卫生计生委机关非涉密信息系统全部迁移至省政务云，探索开展跨部门信息互联共享和业务协同。继续强化"基层卫生信息化生态圈"建设，指导推进筠连县"村医通"移动终端应用试点。推进便捷智慧就诊和健康医疗服务"一卡通"，全省累计制发居民健康卡1200余万张，绵阳市等地居民持卡就诊率达90%以上。加快建立基层发起、上级响应、多级联动的远程医疗服务机制，远程会诊系统覆盖全省500余家医疗机构。

【县级公立医院改革】 2016年,四川省成为国家综合医改试点省,省政府把医改工作纳入目标绩效考核,出台11个重要医改文件和41个配套改革文件。21个市(州)均列为公立医院改革国家联系试点城市,所有市(州)、中央在川和省属公立医院取消药品加成。采取"分级管理、小步快走"方式,同步调增19所省管公立医院1668项医疗服务价格。巩固和完善县级公立医院药品零差率销售改革,开展县级医改试点示范,进一步深化医院管理体制、运行机制、服务价格、人事薪酬、医保支付等综合改革。

【中医药工作】 2016年,四川省实施19个中央投资县级中医医院和1个市级中医医院建设项目,争取中央和省级财政投入7148万元,支持413个乡(镇)卫生院、社区卫生服务中心建设中医馆,2000个村卫生室、社区卫生服务站建设中医角。出台《四川省关于同步推进公立中医医院综合改革实施意见》,推动建立符合中医药发展规律的运行新机制,公立中医医院总诊疗3181.68万人次,出院174.97万人次,较上年分别增长8.25%、7.52%;调增42项中医医疗服务项目价格。启动中医医疗质量控制中心建设,设置阿坝州、甘孜州2个基层藏医药适宜技术推广点。凉山州等6个市(州)加强中医药治疗艾滋病诊疗能力建设。对口支援88个贫困县、67个民族县县级中医(民族医)医院实现全覆盖。开展民族医药学术思想及临床经验整理研究,出版《川派中医药源流与发展》,完成第一批10部少数民族医药文献整理工作。

四川省卫生和计划生育委员会编写组

公共卫生服务均等化

【妇幼健康服务】 2016年,四川省在全国率先印发《关于实施全面两孩政策加强妇幼健康服务的通知》,县级以上医疗保健机构普遍开设"两孩生育"联合门诊、"优生咨询"门诊,编印发放《四川省全面两孩妇幼健康指导手册》。率先出台妇幼健康全周期技术服务规范和产(儿)科分级诊疗指南,细化产(儿)科常见疾病的双向转诊指征。全年自愿免费婚检和免费孕前优生健康检查项目完成率分别为193.8%、119.11%。妇幼重大公共卫生项目惠及523万名农村妇女儿童。制定《危重孕产妇救治中心建设指南》,加快推进省、市、县、乡产(儿)科急救体系建设。成都市龙泉驿区等6个县(市、区)创建为国家级妇幼健康优质服务示范县,省妇幼保健院创建为国家级儿童早期发展示范基地,全省21家妇幼保健机构达到二级及以上水平。全面落实免费计划生育技术服务,加强国家免费避孕药具发放管理和服务,提供免费孕情、环情医学检查1771.55万人次,发放免费避孕药具1329.7万人次。孕产妇住院分娩率提高到99%,同比提高0.89%;孕产妇死亡率降至20.28/10万,首次接近全国平均值;婴儿死亡率降至6‰,连续9年低于全国平均水平;5岁以下儿童死亡率降至8.26‰,连续4年低于全国平均水平。

【卫生应急】 2016年,四川省卫生和计划生育委员会编制《四川省紧急医学救援"十三五"规划》《四川省突发急性传染病防治"十三五"规划》。加强卫生应急队伍建设,调整选聘77名国家(四川)紧急医学救援队成员。建立健全毗邻省、市、县卫生应急联防联控协作机制,组织120名国家、市、县三级卫生应急人员参加川、渝、黔卫生应急联合演练。参与省政府防震减灾综合演练、平安四川防灾宣导千城大行动。探索航空医学救援体系建设模式,率先提出"政府主导、政策支持、市场参与、多方协作"原则,推动形成平灾结合的陆空一体化急救转运体系,提升突发事件紧急医学救援能力。做好突发公共卫生事件应对处置,指导成都市规范处置H5N1 1例、H9N2人禽流感疫情1例。加强鼠疫防治工作,修订《四川省鼠疫监测方案》,指导2个国家级、19个省级监测点开展鼠疫疫情监测及防控工作。严防寨卡病毒病、黄热病等疫情输入,疫区回川人员跟踪医学观察和监测管理覆盖率达100%。全年处置突发公共卫生事件23起,组织卫生应急演练994次。

【卫生城市创建】 2016年,四川省政府首次将爱国卫生工作纳入年度目标考核。推进城乡环境整洁行动和卫生创建,新创建国家卫生城市2个、卫生县城(乡、镇)80个,覆盖率同比分别提高6.2%、1.78%,达40.63%、2.96%;新增省级卫生县城7个、卫生乡(镇)448个、卫生村3955个,覆盖率同比分别提高6%、10.3%、8.5%,达72.4%、31%、24.4%。率先在全国通过农村生活垃圾处理验收,77%的农户用上了卫生厕所。召开健康城市、健康村镇建设启动会,全省7个市、6个县、18个乡(镇)、16个村被列入首批省级健康城市和健康村镇试点,成都市、泸州市、德阳市、攀枝花市受邀参加全球健康城市市长论坛。都江堰市柳街镇水月社区"利益联结、党引民治"健康农村建设模式受到世界卫生组织和全国爱卫办的肯定。

【食品安全】 2016年,四川省食品安全风险监测采样点覆盖98%的县级行政区域,全年监测食品样品7740份,获得数据53019条,样品量、项次分别超额完成114%、126%。食源性疾病监测覆盖二级以上综合医院569家,采集监测病例23540条。开展食品安全风险监测示范单位创建,提升疾控机构风险监测能力。开展贫困地区营养包专项监测,完成《四川省贫困地区食品营养安全工作调查报告》。发布《火锅底料》《酸菜类调料》《半固态复合调味料》3项地方标准,立项《苦荞茶》等5项地方标准,全年备案食品安全企业标准1800余件,办结率达100%。

四川省卫生和计划生育委员会编写组

艾滋病和重大疾病防治

【艾滋病防控】 2016年,四川省政府连续7年实施艾滋病目标考核,艾滋病感染者发现率提升到64%,接近全国平均水平,新发感染数和病死率连续5年呈下降趋势,疫情快速上升势头得到有效遏制。

【重大疾病防治】 2016年,四川省卫生和计划生育委员会深化重大疾病防治工作机制,召开重大疾病防治和爱国卫生工作会议,全面完成各类重大疾病防治目标任务,疫情总体得到有效控制。结核病报告发病率64.56/10万,降至历史最低水平,新涂阳患者治愈率提升到93.9%,乙肝报告发病率连续10年下降。石渠县包虫病综合防治试点取得显著成绩,"两抓四管六结合"的边远高原民族重疫区取得防治经验,目标人群筛查率达92.74%,实现患者"应查尽查、应治尽治、应助尽助",获得《人民日报》、新华社、中央电视台等众多中央媒体的集中"点赞"。在全国率先以县为单位实现血吸虫病传播阻断,首批13个县实现消除达标。大骨节病、克山病、跛子病、碘缺乏病等重点地方病继续保持消除状态。

四川省卫生和计划生育委员会编写组

农村档案工作

【不断规范农村土地承包经营权确权登记颁证档案工作】 2016年，四川省档案局指导各市（州）档案局落实《农村土地承包经营权确权登记颁证档案管理办法》，开展土地确权颁证档案的收集、整理、保管、利用工作。完成国家档案局“农村土地承包经营权确权登记颁证图纸档案的整理与保存”项目，全省档案工作与土地确权颁证工作同布置、同要求、同开展，确保多地土地确权颁证档案工作顺利通过验收。指导市（州）印发关于做好土地确权颁证档案工作的规范性文件，开展土地确权颁证档案工作培训。

【精准扶贫档案工作】 2016年，四川省档案局召开了全省精准扶贫档案工作推进会、全省扶贫开发项目档案业务培训会，确保精准扶贫档案工作思想认识到位、体制机制健全、工作措施落实。省档案局先后到宜宾、泸州、攀枝花等地深入县（区）、乡（镇）、村（社）开展精准扶贫档案工作调研，实地查看精准扶贫工作中形成的乡村户建档立卡信息登记表、帮扶规划、减贫计划、贫困户登记表以及项目档案资料，详细了解国家精准扶贫工作信息录入系统和全省“六有”信息管理平台运行相关情况，多次组织当地档案、扶贫部门及有关乡（镇）、村相关工作人员座谈，听取各方关于扶贫档案管理工作的意见和建议。联合省脱贫攻坚领导小组办公室印发了《关于进一步加强精准扶贫档案工作的意见》，明确了全省当前阶段精准扶贫档案工作的总体要求、基本原则、主要任务和保障措施；制定了《四川省精准扶贫档案管理办法》《四川省精准扶贫文件材料归档范围和档案保管期限表》。同时，省档案局印发了《四川省扶贫开发项目档案管理细则》，对于监督指导做好全省精准扶贫档案工作起到了积极作用。

成都市档案局站在“对历史负责、为现实服务、替未来着想”的高度，主动跟进融入全市精准扶贫工作，认真做好高标准推进城乡扶贫开发过程中的档案管理工作，真实、完整记录和保存全市城乡扶贫开发工作全过程。通过积极争取，市档案局被列入成都市农村扶贫开发领导小组成员单位，精准扶贫档案工作得到党委政府的重视和支持；各县（市、区）档案部门深入农村选择典型、培育示范，通过开展现场培训、实地参观学习，带动全市精准扶贫档案规范化管理。市档案局与市农村扶贫开发领导小组办公室联合出台了《关于做好城乡扶贫开发档案工作的实施意见》，从提高认识、做好业务指导、加强档案管理三个方面对全市城乡扶贫开发档案工作提出了具体要求。扎实开展第二批100个相对贫困村、10000户精准扶贫户建档工作，切实做到“百村万户”帮扶档案规范收集整理和安全保管；多次深入扶贫开发县（市、区）扶贫村调研扶贫档案收集、保管和管理工作；与市扶贫开发领导小组办公室联合制作“精准扶贫户档案袋”，在档案袋上注明户主信息和归档材料范围细目等相关内容并免费发放到各扶贫村，指导各村各户规范建立精准扶贫户档案。《中国档案报》以“成都出台《关于做好城乡扶贫开发档案工作的实施意见》，确保‘百村万户’精准扶贫档案工作落到实处”为题两次对该工作进行了报道。

攀枝花市档案部门把服务脱贫攻坚作为重要任务，建立完整的“脱贫攻坚”档案，确保每村、每户扶贫攻坚对象“原貌有记载、发展有记录、致富后能回忆”。一是脱贫攻坚档案实行统一领导、分级管理。市脱贫攻坚领导小组办公室负责全市脱贫攻坚档案工作的统一领导、统筹协调和检查验收；市档案局负责对全市脱贫攻坚档案工作的监督指导；各县（区）脱贫攻坚领导小组办公室、县（区）档案部门参照执行。二是先后多次调研县、乡、村、户四级在精准扶贫工作中产生的档案资料及管理情况。出台《关于做好脱贫攻坚档案管理的通知》，对脱贫攻坚档案的形成质量、类目提出了要求，进一步明确了县、乡、村、户各门类档案的归档范围和保管期限。三是加强精准扶贫项目档案管理工作，严把项目立项、验收、报账三个关键环节，做到立项之初就有明确的项目档案管理要求，项目开工及时进行登记，项目竣工验收前先行完成档案验收，报账时一并完成档案的移交。四是对乡（镇）有关工作人员和选派的70名驻村“第一书记”进行精准扶贫档案业务培训，在各县（区）建立脱贫攻坚档案管理示范乡、示范村，采用“以点带面”的方式加快推广脱贫攻坚档案的规范管理，同步将脱贫攻坚档案管理工作纳入2017年各县（区）档案部门的目标考核，督促脱贫攻坚档案管理工作的落实。

泸州市紧紧围绕“全面真实记录泸州脱贫攻坚历程”主线，以“五个切实抓好”强力推进精准扶贫档案工作，为顺利实现市委提出的“提前一年脱贫”和“决胜全面小康、建成区域中心”战略目标提供了优质档案服务。一是全市各县（市、区）把精准扶贫档案工作列入本级精准扶贫总体实施意见和各阶段工作方案，初步构建了“党委政府统筹协调、相关部门各负其责、县乡村户同步建档、市县乡村四级联动”的精准扶贫档案工作体系。二是积极报送精准扶贫档案工作宣传信息，被《中国档案报》、四川在线、《泸州日报》等报刊网站媒体采用28条。收集制作了《泸州市精准扶贫工作照片档案相册》和《泸州精准扶贫档案工作掠影》展板，生动展现了泸州市深入开展精准扶贫档案工作所取得的成效。三是组织到贵州省六盘水市借鉴先进经验，与阿坝州、茂县就精准扶贫档案工作进行了学习考察和交流研讨，推动精准扶贫档案工作取得新突破和新成效。四是确定了县（区）、乡（镇）、村三级精准扶贫档案工作市级示范点13个，牵头组织县（市、区）档案专家采取“全面指导与分类指导、统一部署与个案研究相结合”的方式对各市级示范点进行精心指导。五是编印《泸州市精准扶贫档案工作手册》并下发到全市各贫困村“第一书记”和各有关人员手中。部分县（区）启动精准扶贫档案数字化工作，实现精准扶贫档案的“双接收”。全市6个涉贫县（区）扶贫移民局和105个涉贫乡（镇）抓紧创建和巩固省二级以上档案规范化管理单位，有条件的贫困村抓紧创建省三级档案规范化管理单位。

宜宾市各级档案部门从加大村级档案人员培训力度、做好贫困户建档立卡及跟踪服务、指导监督减贫档案、抓好扶贫项目档案规范管理等方面主动服务扶贫开发工作，为集中力量打赢扶贫开发攻坚战做出了档案人应有的贡献。一是全市多地档案部门被纳入了当地精准扶贫工作成员单位，并成立了精准扶贫档案工作领导小组。未纳入本地扶贫工作领导小组的县（区）档案局均成立了扶贫档案业务指导服务工作组，全程跟进扶贫开发工作的档案业务指导。二是市政府和县（区）政府签订的《宜宾市2016年度档案工作目标责任书》中明确把“服务扶贫开发，指导建立县、村、户减贫档案，推进扶贫开发项目档案工作”作为重点业务目标之一，进一步细化对县

(区)档案局的业务目标考核,强化扶贫档案工作。三是全市各地按照综合性文件、基层组织建设、基础设施建设、基本产业发展、基本公共服务保障等方面进行了分类收集,确保对"五个一批""六大兜底"和"十大专项行动"等方面的扶贫资料收集齐全、完整。四是全市各级档案部门从抓认识深化、抓人员落实、抓培训学习、抓分类管理、抓制度建设等方面做好精准扶贫档案工作。通过业务培训和现场示范,逐步探索精准扶贫档案的收集、鉴定、整理、立卷、编目、保管工作的要点,对工作中出现的问题及时给予指导,推动精准扶贫档案工作有序开展。

茂县成立了精准扶贫档案管理工作领导小组,确保扶贫档案工作更好、更顺利地开展。县档案局和扶贫移民局分别下发了《关于深入贯彻落实省委十届六次全会精神努力做好扶贫开发档案工作的通知》及《关于进一步做好精准扶贫档案管理工作的通知》等文件。县档案局和扶贫移民局深入乡(镇)、村开展精准扶贫档案专题调研工作,对精准扶贫工作中产生的档案资料门类、档案的分布等情况进行了充分了解。全县确定了精准扶贫档案管理试点工作乡(镇),抓好档案库房、阅览室等基础设施建设,确保精准扶贫档案管理工作做到有计划、有制度、有分管领导、有考核措施、有专兼职人员、有工作经费。加强对全县精准扶贫档案整理工作的指导力度,明确了精准扶贫档案的归档范围、保管期限和整理要求,确保整个工作流程和每个工作环节所产生的各种文件材料能及时、完整进行归档,确保档案资料的齐全、完整、准确。加强对全县 64 个贫困村的村道、安全饮水、农村电网、广播电视、宽带畅通工程、交通、水利、住房、电力、生态建设等扶贫开发项目档案的监督、检查、指导;按照"谁形成、谁负责"的要求,严格执行项目档案登记和专项验收制度,规范扶贫开发项目档案管理,确保扶贫开发项目档案完整、准确、系统、安全和有效利用。

四川省档案局编写组

农村基层政权建设

【圆满完成全省第十届村(居)民委员会换届选举工作】 2016 年,四川省委省政府于 11 月 18 日召开了全省村(社区)"两委"换届工作会;11 月 30 日—12 月 2 日,在成都市举办了全省村(居)民委员会换届选举工作培训班。截至 2017 年 3 月,全省 52961 个村(居)民委员会圆满完成换届选举工作,选举产生 22 万名村(居)民委员会成员,村(居)民参选率为 81.2%,村(居)民委员会一次性选举成功率为 98.18%;党员村(居)民委员会主任比例为 76%,党员村(居)民委员会成员比例为 59.3%,党小组长兼任村(居)民小组长比例为 18.4%;致富能手当选村(居)民委员会主任的比例为 20.8%,大学生村干部当选村(居)民委员会主任的比例为 0.5%;高中及以上文化村(居)民委员会成员比例为 48.4%;村(居)民委员会成员平均年龄为 40.1 岁,比上届减少 1.75 岁。

【村民自治模范单位及和谐社区示范单位表彰】 2016 年,四川省民政厅出台了《关于表彰四川省村民自治模范单位及和谐社区示范单位的决定》,表彰了新津县等 75 个"四川省村民自治模范单位"、成都市温江区等 140 个"四川省和谐社区示范单位"。

【统筹推进农村社区建设试点工作】 2016 年,四川省民政厅认真实施全国《城乡社区服务体系建设规划(2016—2020 年)》和《四川省民政事业发展"十三五"规划》,出台了《中共四川省委办公厅、四川省政府办公厅关于开展农村社区建设试点工作的实施意见》。从 2016 年开始,每个市各选择 2% 的村,阿坝州、甘孜州、凉山州各选择 5~15 个村,按照全省总计每年 1000 个村的规模开展农村社区建设试点。

【深入推进村级治理创新工作】 2016 年,四川省出台了《中共四川省委办公厅四川省人民政府办公厅关于进一步加强城乡社区协商工作的通知》《中共四川省委办公厅四川省人民政府办公厅关于完善以城镇社区党组织为核心的新型社区治理和服务体系的意见》和《四川省民政厅关于大力推进"三社联动"工作的意见》,进一步夯实了全省基层治理的政策制度体系。

四川省民政厅编写组

农村民主法制建设

农村检察工作

【基本情况】 2016 年,四川省检察机关落实省委大力实施"两化"互动、城乡统筹、打赢脱贫攻坚战等重大部署,积极发挥检察职能作用,在服务农村改革发展中充分体现司法护农要求,积极推动农村社会治理和法治建设,为全省农村社会和谐稳定和改革发展提供了有力的司法保障。

【切实保障农村经济健康发展】 2016 年,四川省人民检察院制定了服务保障精准扶贫工作意见,强化脱贫攻坚法治保障。开展集中整治和加强预防扶贫领域职务犯罪专项工作,省检察院、省扶贫移民局分别成立专项工作领导小组,联合下发《全省检察机关、扶贫部门集中惩治和加强预防扶贫领域职务犯罪专项工作实施方案》并联合召开会议,对专项工作进行具体部署。依法严惩挤占、挪用、截留、虚报、冒领惠农扶贫资金等犯罪行为,重点惩处了一批"蝇贪""蚁贪""小官巨贪",共查办 723 人。联合扶贫部门共建预防机制,加强实地走访、预防宣讲和干部约谈,帮助完善村务、财务制度,防范基层干部犯罪风险。结合个案梳理风险环节,提出了针对性预防建议。健全检察机关调研督导、结对帮扶、驻村帮扶等工作机制,促进扶贫项目、政策、资金精准落实。推进精准扶贫与司法救助相结合,解决农村刑事被害人因案致贫、返贫等问题。围绕省委"推进绿色发展、建设美丽四川"战略部署,强化农村生态环境司法保护,加强与林业、环保、国土、水利等部门执法司法协作，增强生态司法保护合力，践行“用司法呵护美丽四川建设”。持续开展破坏环境资源犯罪专项监督活动，依法严肃打击滥伐盗伐林木，非法占用农用地，非法采矿，污染土地、水体等破坏环境资源的犯罪行为，共批捕284人，起诉1098人，查办相关职务犯罪60人。联合环境保护厅开展污染环境犯罪专题预防，推动落实危险废弃物转移和处置五联单制度，促进建立农村生态修复补偿机制。凉山州检察院组织开展全州非法占用农用地（林地）现象专项调研并向州政府发出了检察建议，推动州政府在全州范围内集中开展违法违规占用林地耕地清理整顿工作。成都市青白江区检察院发现祥福镇仁宽塑料厂严重污染当地生态环境，向区公安分局、区环保局、祥福镇政府分别发出了纠正违法、督促履职和改进工作的检察建议，推动相关部门对违规排污行为开展全面清查。

【积极推动农村社会法治建设】 2016年，四川省人民检察院在依法惩治犯罪的同时，注重延伸职能，强化源头治理和风险防控，着力推进农村社会治理。依法严厉打击故意杀人、绑架、“两抢一盗”、诈骗等侵害农村群众生命健康和财产权益的犯罪行为。积极参与农村禁毒整治行动，对成昆铁路沿线地区毒品违法犯罪严重场所进行专项整治，推动建立禁毒长效机制。开展打击治理通信网络新型违法犯罪专项行动，依法打击利用网络、电话、短信对农民群众实施诈骗、盗窃、色情、赌博等犯罪。持续开展危害食品药品安全犯罪专项监督活动，严厉打击制售有毒有害食品药品，制售假种子、假农药等坑农、害农犯罪行为，严肃查办食品药品违法犯罪背后的职务犯罪。坚决打击危害农业生产和农民生活的破坏农村电力设备、水利设施犯罪，维护农民正常生产生活秩序。积极参与藏区依法常态化治理和重点寺庙整治、治安复杂地区和突出问题综合整治行动，加大对藏汉、彝汉双语等特殊人才的引进力度。强化涉农控告申诉举报办理工作，整合信、访、网、电、视频诉求表达渠道，加强农村文明接待室建设，75个检察院建成“一站式”检察服务大厅，各级检察院普遍对信访接待室进行了装修改建，增添了便民、利民设施，进一步减轻了农民群众信访诉讼困难。加强远程视频接访宣传和应用，制定《全省检察机关远程视频接访工作实施办法》，引导农村群众依法就地表达诉求。积极推进律师参与化解和代理涉法涉诉信访案件工作，80个检察院牵头与当地司法行政机关、律师协会签订文件，73个地区建立了律师人才库，84个检察院在信访接待场所设立了律师工作室，采取律师到信访场所值班、信访人自由选择律师、检察机关主动邀请参与接访、邀请律师事务所评析、邀请律师参与公开听证、引导信访人接受法律援助“六种模式”依法妥善化解涉农、涉法涉诉矛盾纠纷。

【依法维护农村群众合法权益】 2016年，四川省人民检察院加强农村未成年人保护和犯罪预防，依法严惩性侵、拐卖未成年人，利用未成年人贩毒等犯罪。加强未成年人双向保护，落实社会调查、合适成年人到场等特殊制度，对1126名涉罪未成年人犯罪记录予以封存，促使其更好地回归社会。积极参与校园及周边环境治理，启动为期三年的“法治进校园”巡讲活动，开展“千校千人送法进校园禁毒宣传”活动，结合校园欺凌、未成年人涉毒等典型案例以案说法。加强农村妇女权益保护，依法严惩强奸、猥亵妇女，强迫妇女卖淫等犯罪，5件案件入选四川省依法维护妇女儿童权益十大典型案例。开展女性不堪忍受家庭暴力反施暴的“恶逆变”案件调研，促进健全反家庭暴力社会干预模式。着力维护农民工群体合法权益，各地检察机关通过与同级司法局、法院、劳动保障部门共建工作机制以及开展维权宣传、专项行动等方式不断加大维权力度，批捕恶意拒不支付劳动报酬犯罪65人，起诉99人；支持起诉拖欠农民工工资案件321件。绵阳市涪城区检察院与区法律援助中心共建贫弱群体帮扶机制，通过建立信息互通线索移送机制、支持起诉协作机制和联络员工作制度，共同维护社会贫弱群体的合法权益。

【积极探索涉农检察工作的方式和途径】 2016年，四川省检察机关深入开展法律进村社活动，通过向群众发放宣传手册、宣传单等资料，现场接受来访群众咨询，开展个案普法、以案释法，部署开展禁毒、举报、防范非法集资等主题宣传活动，切实增强农村群众法治意识。立足实际，积极开展查办职务犯罪“小专项”工作，采取“抓系统、系统抓”的办案方法开展打击退耕还林、灾后重建、水务、医疗等领域职务犯罪专项行动。坚持惩防并举，紧盯土地征收流转、惠农补贴、困难救济、扶贫项目等涉农职务犯罪易发多发领域开展深度预防，组建省检察院“涉农惠民扶贫领域预防职务犯罪”宣讲团开展全省巡回宣讲，编辑印刷《涉农扶贫领域预防职务犯罪宣传挂图》《宣传手册（口袋书）》并向全省发放。分别在达州市（秦巴山区）、眉山市（川南地区）、西昌市（彝区和藏区）、古蔺县（乌蒙山区）四个片区召开涉农扶贫宣讲、涉农扶贫领域重大典型案件专项调研工作总结会、工作剖析会，对在专项调研中发现问题较多的县、乡（镇）发出了检察建议，推动其建立预防涉农惠农扶贫领域职务犯罪机制。全省检察机关对所属地区派驻贫困村的“第一书记”、主任以及脱贫攻坚领导小组成员单位负责人进行了培训。拓展未成年人刑事检察工作途径，加强对农村未成年被害人的心理抚慰和司法救助，推动完善党委领导、政府支持、社会协同、公众参与的未成年人犯罪帮教社会化体系；与综治、共青团、关工委、妇联、民政、学校、社区、企业等协调配合，创新农村留守儿童关爱、事实孤儿救助、强制亲职教育、未成年人心理疏导、问题少年心理干预等工作模式，建成38个特色观护基地，打造了成都“亮晶晶”、泸州“纳爱”、内江“谭妈妈”等特色未成年人检察团队品牌。

四川省人民检察院编写组

农村政法工作

【基本情况】 2016年，四川省政法部门坚决贯彻省委省政府农村工作大局，充分发挥职能作用，把防控风险、服务发展和破解难题、补齐短板摆在更加突出的位置，持续深化平安建设，创新转变农村社会治理方式，进一步提升群众的安全感和满意度，有力地维护了农村治安大局平稳和社会稳定，确保了农村治安秩序良好、群众安居乐业，为全省推进“两个跨越”、实现农村“十三五”良好开局做出了贡献。

【服务农村改革发展大局】 2016年，中共四川省委政法委员会认真领会省委推进绿色发展的重大部署精神，制定出台《四川省政法机关保障服务绿色发展的意见》，提出了7项举措，牢固树立“保护生态环境就是保护生产力”的理念，将生态安全作为“大平安”的重要内容，把保障服务绿色发展理念贯穿于各项工作，全力推进农村加快转变发展方式，走安全高效绿色发展道路。加大对破坏生态违法犯罪行为的打击力度，建立监督常态化机制，形成综合施策、齐抓共管的生态保护格局。加强对农村绿色产业及污染、群众合法权益的司法保护，加强农村法律服务和司法救助，开展“法律服务进乡村”专项活动。同时，结合扶贫攻坚，充分发挥政法职能，严厉打击农村扶贫攻坚中的贪污挪用、侵占私分、违规操作等行为。

【深入开展突出问题整治】 2016年，中共四川省委政法委员会推动各地农村与城镇同步开展快递末端网点备案清查，包括农村收寄点在内的全省9648个寄递网点、36346名快递员注册使用“四川寄递e通”APP手机应用软件，形成了较为完整、便捷的寄递物流溯源机制。坚持重拳打击整治毒品犯罪，全面推进政法干警担任重点村专职禁毒副书记、禁毒委成员单位并赴重点乡（镇）开展驻点整治工作，落实涉毒人员管控“五长”乡（镇）长、派出所所长、村主任、组长、家长）负责制，呈现出禁毒形势持续向好的良好态势。加强对农村社会治安重点地区和重点问题的排查整治，依法打击农村黑恶势力、“两抢一盗”、诈骗、拐卖妇女儿童、侵害留守人员等突出违法犯罪行为，增强村民安全感。

【大力加强农村治安防控】 2016年，四川省综治委、省幸福美丽新村建设推进领导小组联合制发了《关于在幸福美丽新村建设中实施“雪亮”工程的指导意见》，推动各地按要求科学规划安装视频监控探头，合理布建视频监控网络，推进联网入户与警务平台对接，同步与综治中心和“6995”互助联防系统实行有效对接，通过实时监控、一键报警、分级处置、综合应用实现发现隐患实时预警、即时响应。全省全年已完成4441个村（社区）的建设任务并投入使用，有效提高了农村地区治安防控水平，深受基层干部、群众的好评。在全国社会治安综合治理创新工作会议上作为典型经验向全国推广，中央电视台《社会与法》栏目对该做法进行了长篇报道。

【深化矛盾纠纷多元化解，有效防范化解社会稳定风险】 2016年，中共四川省委政法委员会深化矛盾纠纷多元化解机制建设，综合运用乡规民约等多种手段提升矛盾纠纷化解水平。加强农村行业性、专业性调解组织建设，从源头防范化解集体土地征用、承包土地流转、环境污染、民工劳动争议、邻里纠纷等突出疑难问题，挂牌跟踪督导藏区49个重点区域边界纠纷，确保不发生重大群体性事件。全省乡（镇、街道）一级调解成功各类纠纷140927件、村（社区）一级调解成功各类纠纷315811件。结合幸福美丽新村建设，各地大力推进村（社区）和农村规模院落“调解文化大院”建设，营造了讲美德、讲和谐、讲秩序的良好社会风尚。

【加强基层政法力量建设】 2016年，中共四川省委政法委员会深入开展“两学一做”学习教育，针对基层干警工作需求，组织开展“政法大讲堂”视频讲座4次，18万人次政法干警集中参训，不断夯实广大基层干警忠诚使命的思想基础。针对农村警力偏少、技防物防基础差、覆盖率不高等问题，继续坚持重基层、强基础工作导向，将政法工作力量、保障向基层倾斜。紧紧围绕重点工作和先进典型，精心组织宣传，多名农村基层政法英模事迹在中央政法委集中展播，有力提升了基层政法工作影响力和队伍整体形象。

中共四川省委政法委员会编写组

农村信访工作

【基本情况】 2016年，四川省信访系统认真贯彻落实中央和省委省政府决策部署，围绕中心，服务大局，坚持以信访工作制度改革为主线，以“信访基础业务提升年”为抓手，以“互联网+信访”为支撑，大力推进阳光信访、责任信访、法治信访、开放信访、和谐信访建设，全省信访总量同比下降2.4%，其中农业农村类信访问题2.7万余件，同比下降7.4%。

【“走基层”活动更加务实有效】 2016年，四川省委省政府高度重视信访工作，省委常委会、省政府常务会、省政府专题会议先后7次研究信访工作。各地将信访工作纳入党委政府重要议事日程，党委常委会、政府常务会定期研究信访工作，省委书记王东明、省长尹力等21名省领导带头接访下访、带头包案，推动各级集中攻坚化解信访积案难案3947件，带动全省县级以上领导接访下访2.6万人次，化解矛盾纠纷和信访问题3.8万件次，一大批事关群众切身利益的行路难、吃水难等民生问题得到解决，“走基层”活动取得了良好的政治效应和社会效应。

【网上信访更加便民高效】 2016年，四川省信访局按照《四川省信访工作信息化建设“十三五”规划》要求，全力打造四川省网上信访格局，省、市、县三级网上投诉受理，建成省、市视频信访和全省信访数据统计分析4个系统，搭建1个全省信访数据交换平台，形成了以“4+1”为核心的网上信访工作新格局。制定《四川省网上投诉事项办理规程》，大力推行群众满意度评价，信访事项及时受理率、按期办结率和群众满意度持续上升。

【责任信访更加落实落地】 2016年7月，四川省信访局联合省委督查室、省政府督查室、人力资源社会保障厅、国土资源厅等单位对《中共四川省委办公厅四川省人民政府关于创新群众工作方法解决信访突出问题的实施意见》贯彻落实情况进行专项督查。会同国土资源厅、住房城乡建设厅、农业厅等单位邀请新闻媒体、省人大常委会代表和政协委员，分4个组对攀枝花、宜宾、凉山等8个市（州）的16起案件开展统筹实地督查，主动公开督查结果，接受群众监督，推动了信访问题及时就地解决。

【法制信访更加科学完善】 2016年，四川省信访局坚持以法治思维和法治方式开展信访工作，严格落实诉访分离制度，积极推行依法分类处理信访投诉请求，推动29个省直部门梳理制定《依法分类处理信访诉求清单》，把信访事项导入法定途径和程序，引导群众依法逐级理性反映诉求、解决问题。结合“法律七进”活动，全省信访系统举办信访法制宣传活动31场次，制作发放《信访条例》《信访漫话》等法治宣传册1万余份，信访工作相关政策解读、宣传活页25万份，利用门户网站、电视、广播和网络媒体播放信访法制宣传片1.6万余次，努力在全社会营造依法信访的法治氛围。省信访局被省委省政府表彰为全省法制宣传先进单位。

【扶贫攻坚更加扎实开展】 2016年，四川省信访局按照“两学一做”要求深入推进扶贫攻坚工作，联系点小金县通过开展贫困户清退、新增比对复核工作进行了3次精准再识别复核，确定贫困户2952户、贫困人口10578人（包括2015年已脱贫的620户、2197人）。为扎实做好扶贫帮困工作，省信访局党组成员共7人次带队前往帮扶村，8个党支部党员代表数次到帮扶村开展走访慰问活动，共捐款2.37万元，捐赠棉被33套、棉衣及其他衣物130余件，派驻1名驻村干部帮助解决困难和问题，顺利完成省委下达小金县18个村退出、2557名贫困人口脱贫的任务，阿坝州下达小金县24个村退出、2830名贫困人口脱贫的任务。

四川省信访局编写组

农村社会治安综合治理

【基本情况】 2016年，四川省农村地区刑事案件立案100277件，同比下降16.22%，占全省刑事案件立案总数的28.18%；共查处农村地区违反治安处罚案件104502件，同比下降0.76%。

【侵财性案件居高不下】 从2016年四川省农村地区刑事案件立案

情况来看，侵财性案件仍是侵害农民利益的主要犯罪，侵财性案件共立案84997件，其中抢劫1121件、盗窃72172件、抢夺1662件、诈骗9623件（包括电信诈骗4230件），占农村刑事案件立案总数的84.76%。从发案类型上看，主要以入室盗窃为主；从发案区域来看，集中在乡（镇）沿公路一带民房或偏远地区散居的居民户；从侵犯客体上看，主要是现金、农用物资、摩托车等物品；从作案方式上看，呈现流窜作案和跨区域作案的新趋势。

【新型诈骗类犯罪在农村迅速蔓延】 近年来，随着四川省农村经济的快速发展，农村居民经济条件得到了极大改善，加之城区预防各类诈骗犯罪的宣传越来越普及，打击力度不断加大，越来越多的犯罪分子将犯罪目标转移到农村，利用农村居民信息较为闭塞、自我防范意识差、法律和维权意识淡漠等弱点，采取以婚骗财、代办参军教育、网络电信虚假信息等新型诈骗方式实施犯罪，其中又以电信诈骗为主。

【黄赌毒、封建迷信等仍有生存空间】 由于四川省农村经济基础薄弱、人员聚集度低，文化、体育设施建设相比城市明显滞后，广大农村居民在农闲时间难以开展和参加各类有益的娱乐活动，黄赌毒等不良现象乘虚而入，一些不法分子将涉黄涉赌场所，例如洗浴按摩、电子赌博机、涉赌棋牌室转到了农村茶馆，甚至隐蔽性更强的村民院落。同时，传播封建迷信活动现象依然存在，农村地区由于受教育条件的限制，村民文化水平普遍偏低，一些封建迷信势力和门徒会、法轮功等邪教组织借机蛊惑群众，传播迷信思想和反动言论，农村地区反迷信、反邪教工作依然任重道远。

【各类矛盾纠纷易发难调】 四川省农村地区村民文化程度普遍较低，法制意识淡薄，邻里之间因宅基地、路基边界、债务纠纷、农田水利、收种农作物引发的矛盾纠纷随处可见。以绵阳市为例，2016年，全市调解农村各类矛盾纠纷达9467起。由于农村民间纠纷琐碎复杂，当事双方往往又容易睚眦必报，公安机关的调解很难做到双方满意，完全化解矛盾，矛盾纠纷常常会累积发酵，形成安全隐患，遇到突发诱因极易演变成治安、刑事案件，甚至造成严重的财产损失和人员伤害。

【未成年人违法犯罪呈上升趋势】 在改革开放过程中，四川省作为全国人口大省，输出了大量青壮劳动力，农村实有人口出现年龄断档，未成年人隔代监护、教育的现象十分普遍。处于人生重要可塑期的未成年人缺乏有效监护管理，易受到社会阴暗面的影响和一些不法分子的引诱教唆，从事违法犯罪活动。近年来，全省农村未成年违法犯罪活动逐年上升，并呈现低龄化、团伙化的特点。

【不稳定因素复杂交织，群体性事件时有发生】 四川省农村经济的发展带来了大量的征地拆迁、道路施工和工业园区建设等工程项目，这些项目往往和当地农村居民的切身利益密切相关，各类矛盾纠纷也随之而来，形成了新的不稳定因素，这些新的不稳定因素和传统的土地承包和流转关系处理不当引发的矛盾互相交织，极易引发集体上访、堵路阻工、抬尸闹事等群体性事件，甚至出现围攻党委、政府的极端行为。同时，少数民族聚居区特别是彝族聚居区因婚姻家庭问题、财产纠葛引发冲突也常常造成人员聚集和集体上访，增加了农村维稳工作的压力。

【空巢老人、留守儿童亟待关注】 四川省大量青壮年农村劳动力外出务工带来的结果之一就是产生了许多空巢老人和留守儿童，这些人员由于自立、自防、自卫能力弱，常常会成为不法分子的侵害目标。老少独居还容易引发火灾、煤气中毒等安全事故。同时，在空巢老人和留守儿童身上发生的治安刑事案件往往会成为媒体、社会关注的焦点，给当地公安工作带来巨大的舆情压力。

【科学优化农村派出所设置和警力配置】 2016年，四川省公安厅出台了《关于进一步加强农村公安派出所基础防控工作的通知》，要求各级公安机关从全局和战略的高度充分认识加强和改进农村派出所工作的重要性、紧迫性，紧紧围绕“发案少、秩序好、社会稳定、群众满意”的总目标，以不断增强实力、激发活力、提高战斗力为总要求，切实增强农村派出所担负起保一方平安的主体责任，为农村改革发展提供良好的社会治安环境。一是规范农村派出所警力配置。根据公安部要求，农村建制镇派出所民警不少于10人，建制乡派出所民警不少于5人，辅警与民警的人数比例不得低于1∶1。禁止随意从农村派出所抽调警力。建立农村派出所与局机关、城市派出所之间人员定期轮岗交流制度。落实省厅、市（州）公安局关于新入警人员在基层所队锻炼的相关规定，原则上优先到条件艰苦的农村派出所工作，县级公安机关新入警人员都应先到农村派出所工作2年以上。二是进一步收缩整合农村派出所。原则上民警人数在5人以下的派出所不再运行。允许各地综合考虑接处警数、刑事案件发案数、治安案件受案数、实有人口数、交通条件、管辖面积等因素，对警力虽达到5人，但治安好、人口少、交通便利地区的农村派出所自行进行整合，对整合后不再运行的派出所实行“五个不变”，即原派出所建制不撤、所领导职数不减、工作阵地不丢、基础工作不弱化、办证服务功能不减。县级公安机关存在民警数在5人以下派出所的地方，省厅一律不再批准新设立派出所机构。三是实现驻乡警务室全覆盖。加强农村警务工作，对未设派出所或派出所收缩后的乡（镇）要求其必须设立警务室，实现辖区公安工作无缝覆盖。截至2016年年底，全省共有农村派出所2323个（建制镇派出所1539个、建制乡派出所784个），占全省派出所总数的78.63%，其中，一级派出所77个、二级派出所294个、三级及以下派出所1952个；配备民警12953名、辅警10262名；建成农村警务室1958个，配备警务室民警2607名。

【改革农村派出所警务模式】 2016年，四川省将农村派出所打造成担负“防、管、控、打”职能的综合性战斗实体。一是优化派出所勤务模式。派出所内部原则上不再细分队室，按照“一警多岗、一警多能，防打一体、分片包干”的模式，将辖区划分为若干警务区，每个警务区按照不低于“1+1+N”的标准配备民警、辅警和协管力量，负责警务区的治安防范、人口管理、治安管理、侦查办案、矛盾化解等综合性警务工作。按照“白天见警、夜晚亮灯”“逢场天坐堂，冷场天下乡”等要求，逢场天由民警值守，集中受理和处置群众报案报警、办事办证等业务；冷场天由辅警值班，受理群众报警求助、办事咨询等；不参与值守的民警和辅警深入警务区开展工作。二是规范派出所执法办案。农村派出所负责办理行政案件和辖区内因果关系明显、案情简单、无需专业侦查手段的刑事案件。对辖区发生的案件做好接受报警、先期处置、保护现场、控制人员、提取基础信息、开展走访调查等工作。落实案件回访制度，及时向受害人或报案人通报案件进展。三是强化所队联勤。农村派出所落实基础信息采集、重点人员管控等工作，为专业侦查队工作提供支撑；国保、刑侦、治安、交警、消防等警种部门积极指导服务派出所，为派出所提供专业技术手段和情报信息支持，反哺基础工作。鼓励有条件的农村派出所承担交通管理职能，原交警中队人、财、物、事权整体移交派出所，由交警大队加强业务指导。

【深化农村地区平安建设】 2016年，四川省农村派出所紧紧围绕农村群众最关心的治安问题，从影响农村群众安全感的违法犯罪入手，切实加强防范控制，努力创建平安村落、平安乡镇。一是切实压减多发性侵财性案件。农村派出所及时总结发案规律，加强重点时段、重点地区的人防、物防、技防建设，切实压减发案。推行资阳市雁江区“派出所+村委+农户+保险公司”四方合作模式，通过村民共筹、村委统筹、政府补助、保险兜底的方式实现案发后保险先行赔付，切实解决农村治安防控资金筹集难、组织发动难、长期坚持难、追赃挽损难的问题。2016 年，全省农村地区侵财性案件发案数量同比下降 18.95%。二是加强基础要素动态管理。农村派出所全面准确采录辖区“一标三实”基础信息，落实农村标准地址编制上墙要求，加强流出人员去向排查，建立与流入地“点对点、两头管”的人口管理新模式。全面准确掌握辖区肇事肇祸精神病人、前科劣迹人员、非法上访老户等重点群体情况，落实动态管控措施。截至 2016 年年底，全省共采集农村标准地址信息 2084.09 万余条、农村实有房屋信息 1793.96 万余套、农村实有人口信息 3974.1 万余人，采集到的农村实有人口信息人数占全省实有人口总数的 51.32%。三是整合资源、借力科技。坚持“专门工作+群众路线”和“警力有限、民力无穷”的理念，充分依靠农村基层组织加强农村治保会建设，广泛开展守楼护院、邻里守望，夯实治安防控群众基础。积极发展治安信息员，延伸信息触角。推行广汉市“综治红袖套”做法，组织动员社会力量和资源参与治安防控。坚持向科技要警力，推行广元市昭化区“三建三防”模式（“三建”，即建警务室、建天网、建卡口；“三防”，即防止群众因发生案件返贫、因发生交通火灾事故致贫、因发生治安事件阻碍脱贫），依托“雪亮”工程，建立农村“小天网”视频监控和卡口治安系统，提升防控效能。四是加强辖区安全管理。开展消防、道路交通安全隐患排查，加强农村民爆物品使用、烟花爆竹购销燃放监管，积极参与预防和处置火灾、交通、爆炸、中毒等治安灾害事故。五是多元化解矛盾纠纷。深入摸排辖区内各类矛盾纠纷，分类建立基础台账，定期向党委政府汇报，由多元化调解中心进行分流处置。落实公安厅和司法厅联合下发的《关于建立完善人民调解与治安调解衔接联动机制的意见》，在中心派出所成立司法驻所调解室，由 2~3 名专兼职人民调解员驻所开展调解工作，最大限度地减少公安机关的调解压力。截至 2016 年年底，全省 292 个派出所实现了人民调解员驻所，累计调解纠纷近 1.4 万起，有效减轻了派出所的调解压力。

四川省公安厅编写组

农村居民家庭生活

【基本情况】 2016 年，四川省各地深入贯彻落实中央、省委“一号文件”精神，按照省委省政府“稳增长、调结构、促改革、惠民生、防风险”的宏观经济政策要求，以脱贫攻坚工作为核心，加大投入力度，创新举措，大力推进农业供给侧结构性改革，农民收入实现稳步增长，实现新跨越，迈上新台阶。全省农村居民人均可支配收入连续 5 年每年跃升 1 个千元台阶，2016 年农村居民人均可支配收入达 11203 元，同比增加 956 元，增长 9.3%。

【增幅呈“三高”特征，与全国差距缩小】 2016 年，四川省农村居民人均可支配收入增速高于全国平均水平 1.1 个百分点，比全省 GDP 增速高 1.6 个百分点，比全省城镇居民收入增速高 1.2 个百分点。总量占全国平均水平的比重由 2015 年年底的 89.7%提升至 90.6%，提升 0.9 个百分点，与全国差距逐渐缩小（如图 1 所示）。

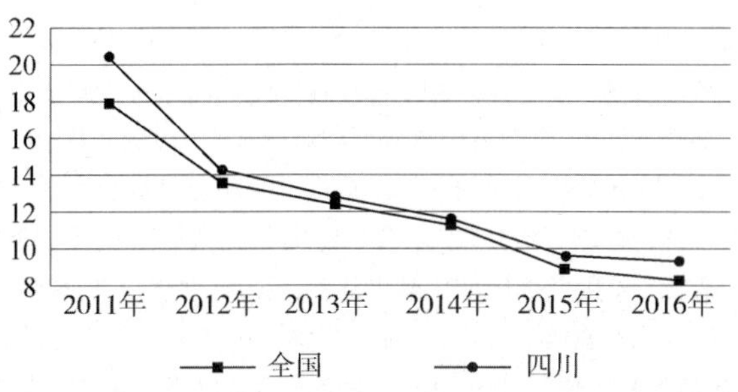

图 1 2011-2016 年四川省及全国农民人均可支配收入增速（%）

【四大类收入全面增长】 2016 年，从收入结构看，四川省农村居民工资性收入、家庭经营净收入、财产净收入、转移净收入全面增长，增收呈现多元化趋势。其中，工资性收入增幅小幅回落，为 3738 元，同比增加 274 元，增长 7.9%，较上年同期回落 1.8 个百分点；家庭经营净收入稳步增长，为 4525 元，同比增加 328 元，增长 7.8%，较上年同期回落 0.4 个百分点；财产净收入大幅增长，为 269 元，同比增加 45 元，增长 20.1%；转移净收入明显增加，农民人均转移净收入 2672 元，同比增加 309 元，增长 13.1%，较上年同期上升 2.1 个百分点。从贡献率看，四川省农村居民经营净收入对可支配收入的贡献率排四大类收入首位，达 34.3%，转移净收入与工资性收入的贡献率紧随其后，分别为 32.3%和 28.7%（如表 1 所示）。

表 1 2016 年四川省农民人均可支配收入情况

	2016 年（元）	2015 年（元）	增额（元）	增速（%）	占比（%）	贡献率（%）
人均可支配收入	11203	10247	956	9.3	—	—
工资性收入	3738	3463	274	7.9	33.4	28.7
经营净收入	4525	4197	328	7.8	40.4	34.3
财产净收入	269	224	45	20.1	2.4	4.7
转移净收入	2672	2363	309	13.1	23.8	32.3

【农村居民收入增长快于城镇居民，城乡收入比进一步缩小】 2016 年，四川省农村居民人均可支配收入增速高于城镇居民收入增速 1.2 个百分点，城乡居民收入倍差为 2.53，比上年缩小 0.03，城乡收入比进一步缩小。

【农民收入增速居经济八大省第 1 位】 2016 年，四川省农村居民人均可支配收入总量在全国 31 个省（市、区）排第 21 位，增速排第 7 位，均与上年持平。与经济八大省相比较，增速连续三年居第 1 位。

【农民收入增长的主要影响因素】 2016 年，四川省农业生产稳定，生猪价格保持高位，带动居民家庭经营净收入增长。全省粮食和油料产量稳定，其中粮食产量3483.5万吨，由上年在全国的第7位上升至第5位，比上年增加40.7万吨，增长1.2%，比全国高2个百分点，比西部12个省（市、区）高1.2个百分点，增速居西部12个省（市、区）首位；油料产量313.6万吨，同比增长2%。生猪出栏6925.4万头，同比减少4.3%。牛、羊、禽出栏继续保持较快增长，牛出栏305.2万头，同比增长3.3%；羊出栏1755.8万只，同比增长3.4%；家禽出栏67776.9万只，同比增长2.5%。肥猪价格全年延续开年以来的高位运行态势，前三季度，全省肥猪平均价格达19.3元/千克，比上年同期上涨24%；前三季度，全省仔猪平均价格达33元/千克，比上年同期上涨55.1%。2016年，全省农村居民人均牧业收入1041元，同比增长20.7%，对人均可支配收入的贡献率达18.7%，占据了经营净收入对可支配收入贡献率的半壁江山。

农村非农产业发展良好，成为农民增收亮点。随着农村经济发展的变化，农产品加工、农村电商、乡村旅游、家庭农场等新产业新业态蓬勃发展，加之城镇化建设步伐的加快以及各项基本建设项目的全面展开，带动农村居民在工业、建筑业、交通运输、批零贸易、住宿餐饮、社会服务等行业中从业、就业人员不断增加，获利丰厚、增收较多。

脱贫攻坚取得实效，助农增收成效显著。2016年，在省委省政府的高度重视和坚强领导下，全省集中力量打好脱贫攻坚硬仗，各地对照贫困户脱贫的“一超六有”、退出贫困村的“一低五有”标准，扎实开展脱贫攻坚，贫困户增收效果明显。全年完成107.8万名贫困人口脱贫，超出计划数2.8万人，完成率达102.7%，全省贫困发生率降至4.3%。2437个贫困村实现退出，达标贫困村几乎都有了产业支撑，贫困户中有劳动能力的家庭大部分有了持续稳定增收的产业或就业依托。

【消费提档升级】 2016年，四川省受收入持续稳定增长、消费环境不断改善的推动影响，农村居民消费持续较快增长，新兴消费理念逐步形成，新的消费特点和趋势日渐显现，消费质量提档升级。全省农民人均生活消费支出10192元，同比增加941元，增长10.2%。

增速保持较快增长。全省农民人均生活消费支出同比增长10.2%，增速比全国平均水平高0.4个百分点，比同期农民人均可支配收入增速高0.9个百分点，比同期城镇居民人均生活消费支出增速高3个百分点。

八大类消费齐增长。从增速上看，2016年四川省农村常住居民八大类生活消费支出呈现齐增长态势。其中，医疗保健支出973元，同比增长15.8%，增长最快；交通通信、居住、衣着、食品、生活用品和服务支出分别为1174元、1919元、641元、3887、693元，同比分别增长15.1%、14.5%、10.4%、7.4%、5%（如图2所示）。

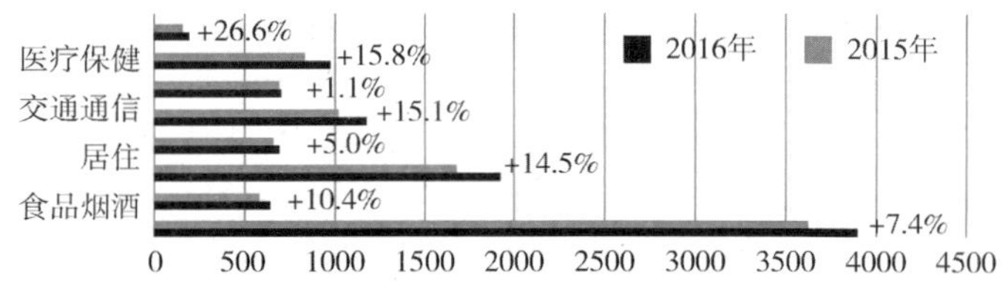

图2 2016年四川省农民人均生活消费情况

【线上消费备受青睐】 2016年，互联网的日益普及以及手机的大众化为消费升级创造了技术条件，使得居民的网络选购变得空前便捷，居民足不出户就可以挑选到心仪的商品和服务，交易成本的下降也推动网络消费频率大幅提高，个性化需求得到了更好的满足。四川省农村居民人均通过互联网购买商品或服务支出金额达63元，翻了近一番，明显高于同期消费的增长水平。

国家统计局四川调查总队编写组

农村居民社会保障

综　　述

【基本情况】 2016年，在四川省委省政府的领导下，四川省民政厅认真贯彻落实党的十八大、十八届三中、四中、五中、六中全会及习近平总书记系列重要讲话精神，坚持“创新、协调、绿色、开放、共享”发展理念，坚持围绕中心、服务大局，全力推进脱贫攻坚，大力加强基本民生保障，不断深化基层社会治理，积极支持国防军队建设，切实做好专项社会事务管理，扎实推动省委省政府相关重大决策部署落地落实，各项年度目标任务均全面完成或超额完成，为推进四川“两个跨越”、全面建成小康社会做出了积极贡献。

【医疗救助工作】 2016年，为认真贯彻落实《国务院办公厅转发民政部等部门关于进一步完善医疗救助制度全面开展重特大疾病医疗救助工作的意见》和《省政府办公厅关于进一步做好医疗救助工作的通知》要求，四川省民政厅及时下发了《四川省民政厅办公室关于开展国办发〔2015〕30号和川办函〔2015〕186号文件落实情况评估工作的通知》，全面详尽列明了评估内容和工作要求，为全省医疗救助工作的深入推进奠定了坚实基础。督促各地全面资助城乡最低生活保障家庭成员、特困供养人员等重点救助对象参加基本医疗保险，有序推进医疗救助与基本医保“一站式”结算机制，方便困难群众及时快捷获得基本医疗保障。会同省卫生计生委等部门制订了《四川省建档立卡贫困人口医疗保障实施方案》，明晰了民政医疗救助在脱贫攻坚任务中的层级及功能定位，在全国率先明确了已纳入最低生活保障对象的建卡贫困户参加基本医疗保险个人缴费部分由省、市、县三级本级财政负担，不再由民政医疗救助资金支付，建卡贫困对象被全部纳入重特大疾病医疗救助保障范围。全年累计医疗救助692万人次，医疗救助重点救助对象政策范围内住院自付费用经各类医疗保险报销后在年度救助限额内救助比例达70%，完成省政府“民生工程”目标任务的100%。

【最低生活保障工作】 2016年，为确保低保标准发布科学、规范、及时，根据农村居民消费支出等因素，结合低保线与扶贫线“两线合一”目标，四川省民政厅会同省发展改革委、财政厅、省统计局、国家统计局四川调查总队下发了《关于发布2016年全省城乡居民最低生活保障标准低限的通知》，确定2016年全省农村低保标准低限为240元/月（2880元/年，较上年增加600元/年），从7月1日起执行。成都、攀枝花、眉山、广安、广元、达州、德阳、乐山、资阳、泸州、南充、巴中、自贡、内江、凉山、雅安16个市(州)均已达到或超过全省农村低保标准低限,其中成都、攀枝花、泸州、德阳、内江、乐山、眉山、广安、达州、巴中、雅安11个市农村低保标准均达到或超过3100元/年,5个计划脱贫“摘帽”县农村低保标准均达到3120元/年。将农村低保补助水平纳入民生工程任务,农村累计月平均补助水平不低于150元/人/月,较上年增加40元/人/月。截至2016年年底,全省共保障农村低保对象357万人,累计月人均补助水平为162元,完成民生工程的107.9%。

【特困人员救助供养工作】 2016年,为贯彻落实《国务院关于进一步健全特困人员救助供养制度的意见》,切实维护城乡特困人员的基本生活权益,四川省民政厅会同相关部门下发了《关于进一步加强特困人员救助供养工作的通知》。全省符合农村特困供养条件的对象共48.6万人,全部被纳入供养范围。全省有农村特困人员供养服务机构2686所,供养服务机构事业单位法人登记率达86%;有床位30.5万张、工作人员13949人,集中供养率达52%。民政厅会同财政厅出台了《关于提高特困人员供养标准的通知》,明确农村特困人员分散供养标准不低于300元/月、集中供养标准不低于400元/月,农村特困分散供养人员和集中供养水平分别达到每人每月327元和436元。

【农村区域性养老服务中心建设工作】 2016年,四川省建成农村区域性养老服务中心300个,完成目标任务的100%;新增床位1278张,改造床位10525张;入住5417人,新增工作人员116人。各中心明确功能定位,完善基础设施和服务功能,创新服务方式,提高服务质量,对入住的老人提供生活照料、等级护理、精神慰藉、文化娱乐、体育健身等多种服务;加强与基层老年协会合作,组织开展社会帮扶、邻里互助、志愿服务,解决老年人实际生活困难;充分发挥区域性养老服务中心的示范和辐射作用,对辖区内居家养老、日间照料中心、农村幸福院等养老服务进行指导。

四川省民政厅编写组

社 会 福 利

农村养老服务体系建设

【加强农村特困人员供养服务机构建设】 从2014年起,四川省将新增改造养老床位、推进社会养老服务体系建设纳入省委省政府民生目标和民生实事加以推进,大力推进包括农村敬老院在内的养老机构和服务设施建设。同时,依托乡(镇)中心敬老院开展区域性养老工作,通过改善设施条件、健全服务功能、发挥示范作用,逐步建成一批既能满足农村五保对象集中供养需求又可面向社会提供养老服务,运营效益良好、养护功能完善的农村区域性养老服务中心。截至2016年年底,全省有养老机构3817个(养老机构床位51万余张),有养老床位54万余张,其中农村特困人员供养服务机构达2686所,床位30余万张。

【积极发展农村居家养老服务】 从2014年开始,四川省将为包括农村老人在内的困难家庭的失能老人和80周岁以上高龄老人提供居家养老服务纳入省委省政府民生实事,按照每位老人每年不低于300元的标准,通过政府购买服务的方式提供上门服务;重视培育农村为老服务社会组织,积极推动农村基层老年协会参与农村空巢老人居家养老服务试点工作,发挥村民自治功能和老年协会作用,帮助留守、失独、经济困难老人解决生活困难。截至2016年年底,全省农村居家养老服务覆盖率达50%。

【农村幸福院建设】 2016年,四川省通过采取村级主办、政府扶持的方式,充分整合农村闲置资源,新(改)建农村养老服务设施,在管理上采取自我管理、互助服务的方式,为农村老年人提供日间照料等服务并为农村居家养老服务提供支持,有效缓解了农村养老服务设施滞后的现状,满足了农村老年人,特别是空巢老人、留守老人在生活、健身、娱乐、精神慰藉等方面的需求,产生了良好的社会效益。截至2016年年底,全省已建成农村幸福院5070个。

【推动农村社区养老发展】 从2014年开始,四川省给予在农村建立的各个社区日间照料中心不低于25万元的建设补助。截至2016年年底,全省已建成农村社区日间照料中心1783个,在城郊接合部和农村社区创建示范社区54个,提升了农村社区养老服务水平。

【稳步推进民族地区养老服务】 2016年,四川省民政厅稳步推进民族地区养老服务。一是推动藏区养老设施建设。支持藏区新建城乡社区日间照料中心96个,对城市社区日间照料中心和农村社区日间照料中心分别按照每个30万元、25万元的标准给予补助,其中省级补助35%的补贴(省级财政投入977.25万元,其中安排甘孜州261万元、阿坝州705.75万元、木里县10.5万元)。为藏区5.72万名困难家庭失能老人和80周岁以上高龄老人提供居家养老服务支持,按照平均每人每年不低于300元的标准(其中省级补助35%的补贴),累计投入省级资金600.6万元,其中安排甘孜州260.085万元、阿坝州309.015万元、木里县31.5万元。二是推动民族地区全覆盖工作。从2014年起,省委省政府开始全面推进民族地区供养机构房屋建设和设施设备购置,在确保受益对象自愿的前提下,对民族地区城乡“三无”“五保”对象和孤儿全面提供集中供养纳入民生实事加以推进,力争用两年的时间实现民族地区城乡“三无”“五保”对象和孤儿集中供养全覆盖。任务下达后,民政厅注重加大政策和资金支持力度,多次深入实地检查督导,现场协调解决建设过程中遇到的实际问题;各任务市(州)高度重视,加强组织领导,分解建设任务,细化落实举措,严格督导问责,全力推进项目建设,基本实现了“建设项目于一次性下达,争取两年完成”的要求。截至2016年年底,全省共新建床位17070张,其中攀枝花市、泸州市、乐山市、宜宾市、阿坝州已完成建设任务的100%。

四川省民政厅编写组

残疾人福利工作

【实施困难残疾人生活补贴】 2016年,四川省民政厅、四川省财政厅、四川省残疾人联合会联合印发了《关于建立困难残疾人生活补贴和重度残疾人护理补贴制度的通知》,决定从1月开始实施困难残疾人生活补贴制度,发放对象为全省持有第二代《残疾人证》的低保对象,并按照困难残疾人自愿申请、乡(镇、街道)初审、县级残联审核、民政部门审定、乡(镇、街道)公示的程序发放。省政府将实施困难残疾人生活补贴纳入民生实事和脱贫攻坚任务加以推进;各地民政部门积极会同残联组织乡(镇、街道)、村(居)相关工作人员开展培训,按照“应补尽补、应退尽退、定期核查、据实结算”的原则,实施发放困难残疾人生活补贴,发放标准为2016年60元/月/人,2017—2020年每年提高10元,到2020年达到100元/月/人,省财政按照

35%的总体补助水平对市(县)给予补助(其中对"三州"和扩权县补助比例为40%,对其他市、县补助比例为30%),总额包干。

【加快精神卫生社会福利服务发展】 2016年,四川省民政厅积极做好复员退伍军人、流浪乞讨人员、城乡"三无"人员、城乡低保对象中的精神障碍患者的救治、救助和康复工作。"十二五"以来,通过中央预算内资金、部级福彩公益金、省本级福彩公益金等累计投入4亿余元,支持各地新建和改(扩)建一批精神卫生福利机构,有效提高了服务能力。贯彻实施民政部《精神卫生社会福利机构基本规范》,在全国率先制定出台《四川省精神卫生社会福利机构基本规范评价细则(试行)》。积极参与精神卫生防治体系建设和公共卫生服务,配合卫生、公安等部门做好重性精神病人的救治和管理工作,完成民政服务对象中重性精神病患者的排查和建档工作,将符合条件的贫困重性精神疾病患者及其家庭纳入城乡低保和医疗救助,有效防范重性精神病患者肇事肇祸,维护了社会的安全稳定。

【做好残疾人福利相关工作】 2016年,四川省民政厅实施"晚晴行动"和"福康工程"项目,为福利机构中的残疾人配置康复辅助器具,为城乡特困人员中的白内障患者和残疾人实施手术、配置康复器具。

四川省民政厅编写组

慈善事业

【基本情况】 2016年,四川省慈善总会深入贯彻《国务院关于促进慈善事业健康发展的指导意见》和《四川省人民政府关于促进慈善事业健康发展的实施意见》,进一步加强行业规范和行业自律,持续加快推进灾后重建项目建设,大力实施慈善公益项目,充分发挥慈善事业在打赢脱贫攻坚战和全面建成小康社会中的重要补充作用。截至12月,共募集款物4.57亿元(其中善款1.19亿元),开展各类慈善捐赠、慈善交流活动30余个,开展灾后重建项目督查工作100余次,受助贫困群众达上万人次。

【开展慈善法和首个中华慈善日宣传】 2016年,四川省民政厅通过举办慈善培训班、慈展会,开展慈善法宣传周、慈善法有奖知识竞答,举办研讨会,短信、微信、微博网站推送等多种形式积极宣传《慈善法》。举办了全省慈善组织扶贫项目交流会议,积极搭建慈善参与脱贫攻坚展示交流平台。

【推动建立四川慈善表彰制度】 2016年,经国务院同意,四川省政府设立了"四川慈善奖",拟表彰2008年以来在全省扶贫济困、扶老助残、救孤恤病等领域做出突出贡献的团体、个人和项目。

【指导开展慈善试点】 2016年,四川省民政厅安排省本级福利彩票公益金200万元资助慈善试点工作,在绵阳、成都、乐山、巴中、遂宁、达州等12个市开展慈善超市市场化运行、"邮善促民生"、"废旧纺织品综合利用"和慈善款物募用分离工作试点,直接惠及群众25万余人。

【日常扶贫济困项目持续开展】 2016年,四川省慈善总会开展了"四川慈善情暖万家·新年关爱慰问活动",全省各级慈善会共筹集资金1058.34万元,其中省慈善总会本级下拨及入户慰问金565万元。开展"放飞梦想·托起四川希望的明天"2016年慈善福彩帮困助学活动,共筹集资金1300万元,资助全省贫困家庭大学、高中新生3200名。三是组织实施第二届"诚至诚·乐天使"音乐夏令营项目,主要针对学龄孤儿、留守学龄儿童等困难儿童群体,组织其接受系统专业的声乐、社工等服务,开展了数次户外拓展活动并在四川省锦城艺术宫举办了2016年爱与诚——四川慈善"诚至诚·乐天使"音乐夏令营音乐会。继续组织实施日常慈善赠药助医项目,共计发放药品价值3.1亿元,惠及困难贫困患者3000余名;募集手术资金604.76万元,实施手术2000余次。持续开展冠名基金类项目,通过总会与捐赠方联动的方式,由捐赠方设立冠名基金,指定符合要求的贫困群体并由总会实施救助,涵盖医疗、养老、教育等方面,主要涉及8个冠名基金,资助总金额约280万元,惠及贫困群众1000余名。

【开展形式多样的精准扶贫项目】 2016年,四川省慈善总会积极实施万源市定点扶贫项目,募集并安排234万元慈善资金,资助万源市50名贫困大学生,硬化万源市老洼坪村4.3千米村道,改造12户建卡贫困户危旧房屋,为51户建卡贫困户改厕改圈改厨。开展四川慈善"百企扶贫行动",邀请爱心企业前往贫困村开展慈善捐赠、扶贫项目调研及义诊等活动,通过座谈讨论、实地参观、现场交流等方式激发了爱心企业对慈善事业的热情,近40余家爱心单位捐赠款物价值近5000万元。设立重大疾病慈善救助基金,通过筹募社会捐款、补充救助的方式帮扶患有重大疾病的建档立卡贫困人口。设立"四川省慈善总会—血友病慈善基金",针对全省甲型血友病患者提供一定的资金援助,缓解其经济压力,已筹集资金共计70余万元,援助患者51人次,援助金额共计28.02万元。设立"四川省慈善总会·诚至诚爱心基金",针对凉山、阿坝、甘孜、雅安等地的贫困村进行产业帮扶、农房改造、基层设施建设,基金首期注资4500万元,已实施扶贫项目8个,安排资金1300余万元。

四川省民政厅编写组

农村低保兜底扶贫工作

【制发低保兜底实施方案】 2016年,四川省民政厅会同财政厅、省扶贫移民局、省残联联合印发了《2016年脱贫人口中低保兜底工作实施方案》,对低保兜底工作提出了具体要求和任务完成时限,为2016年5个计划"摘帽"贫困县和脱贫人口中的低保兜底对象在年内提前实现"两线合一"、充分发挥低保政策在扶贫攻坚中的兜底救助保障功能提供了制度保障。

【精准认定低保兜底对象】 2016年,四川省民政厅下发了《关于在全省开展城乡低保对象普查和精准识别工作的通知》《关于开展"低保政策兜底一批"数据复核认定工作的紧急通知》,会同省扶贫移民局先后部署开展了城乡低保对象普查和精准识别、低保政策兜底一批数据复核认定、脱贫攻坚低保政策兜底对象和2016年计划脱贫人口中的低保兜底对象数据确认收集工作,有效遏制了骗保、错保行为。同时,以民政部门审批的低保对象数据为准,将省扶贫移民局"六有"大数据平台中的低保政策兜底一批对象与低保信息系统中的对象进行逐一比对,切实做到对象精准、数据准确、把底兜住。

【发放特殊生活补贴】 2016年,四川省民政厅联合有关部门制发了《关于组织实施农村低保对象特殊生活补贴政策有关具体事项的通知》,为全省年收入低于国定扶贫标准的农村低保对象发放特殊生活补贴,会同财政厅分4次下拨各地特殊生活补贴资金1.2亿元。截至2016年年底,全省已累计为268万名收入低于国定扶贫标准的农村低保对象发放特殊生活补贴4.5亿元,全面完成特殊生活补贴发放工作。

【加强低保兜底工作督导】 2016,四川省民政厅先后组织13个督查组,由厅领导带队分赴21个市(州)对各地统筹推进农村低保标准与国家扶贫标准“两线合一”等脱贫攻坚任务落实情况进行了督查，并针对存在的问题和下一步工作研究了措施。同时，为进一步厘清在脱贫攻坚大会战中社会救助工作的重要作用和工作重点，帮助和指导各地民政部门在执行社会救助政策过程中更好地与脱贫攻坚任务相融合，实现依法行政、精准施策，组织召开了全省脱贫攻坚社会救助政策业务培训会，对市、县级低保工作人员进行了全面培训，各市(州)也相应开展了低保兜底政策培训。

四川省民政厅编写组

农村防灾减灾工作

综　述

【基本情况】 2016年是实施“十三五”规划的开局之年，四川省民政厅坚持以防为主、防抗救相结合，坚持常态减灾和非常态救灾相统一，重点做好《四川省“十三五”防灾减灾规划》编制工作，继续推进健全防灾减灾救灾体制改革，加强减灾救灾政策制订，协调推进救灾物资储备体系建设，加强综合减灾等工作。

【规划编制】 2016年，四川省民政厅牵头编制完成省政府重点专项规划《四川省“十三五”防灾减灾规划》。根据国家新修订的《国家自然灾害救助应急预案》和省政府办公厅通知要求，重点对2012年颁布的《四川省自然灾害救助应急预案》适用范围、应急响应启动条件、启动程序、响应措施等方面进行了调整和完善，进一步提高了预案的针对性、实用性和可操作性，更符合当前自然灾害形势变化和救灾工作实际需要，已经省政府常务会议审议通过并正式印发。针对纪检监察部门发现的少数乡(镇)、村救灾资金管理出现的发放不公开、标准不统一，索要“辛苦费”“劳务费”等问题，会同驻厅纪检组深入基层调研，认真查找问题，深刻分析原因，完善改进措施，制定了《关于进一步加强自然灾害生活救助资金规范化管理工作的指导意见》，从制度上扎牢了救灾资金规范化管理的笼子。

【有序做好自然灾害应急救助工作】 2016年，四川省先后遭受了雪灾、低温冷冻、干旱、暴雨洪涝、泥石流、山体滑坡、风雹、地震等自然灾害，其中，尤以汛期“6·19”“9·18”两次洪涝灾害和“9·23”地震灾害最为严重。全年各种自然灾害共造成全省741.79万人次不同程度受灾，因灾死亡65人、失踪14人，紧急转移安置10.86万人；农作物受灾面积41.06万公顷，绝收面积6.09万公顷；因灾倒塌房屋0.31万户、0.77万间，严重损坏房屋0.77万户、2.01万间，一般损坏农房4.92万户、10.21万间；直接经济损失77.41亿元。灾情发生后，省减灾委、民政厅先后启动四川省Ⅳ级救灾应急响应2次，派出工作组深入宜宾、泸州、攀枝花、阿坝州等重灾区核查灾情、指导救灾。全年编发《灾情报告》15期，争取中央救灾资金3.49亿元，省级安排救灾资金0.57亿元(含冬春救助资金)。应急救灾期间，先后向灾区紧急调拨棉被5400床、棉大衣1500件、单衣300件、棉衣300件、帐篷100顶、棉帐篷70顶，切实保障了应急救灾期间受灾群众的基本生活，确保了灾区社会稳定。全面完成芦山、得荣地震灾后农房恢复重建工作，康定地震恢复重建工作顺利推进。

【扎实做好受灾群众冬春救助工作】 2016年，四川省民政厅为确保全省受灾困难群众冬春基本生活，在9月上旬对全省困难群众冬春生活救助摸底工作进行了全面部署。指导各级民政部门对困难群众生活、御寒物资保障等情况进行全面核查，建立冬春救助台账，做到冬春摸底工作类别明晰、重点清楚、范围准确，为做好困难群众冬春救助工作打下了坚实基础。12月上旬，在中央冬春救助资金尚未下达的情况下，积极协调省财政先期预拨省级冬春生活救助款，提前安排困难群众冬春生活，中央冬春生活救助资金下达后，积极与财政厅协调，配套省级资金，于2016年年底前全部下拨各地。

【全力做好“走基层、送温暖”工作】 2016年是四川省实施精准扶贫、精准脱贫的第一年，省委省政府高度重视保障建档立卡贫困户安全温暖过冬工作，将保障困难群众安全温暖过冬作为“走基层、解难题、办实事、惠民生”活动的重要内容和岁末年初的重要工作来抓。10月中旬，民政厅代省委省政府草拟了《关于切实做好困难群众安全温暖过冬工作的通知》。10月28日，以省委省政府名义举行了“走基层、送温暖”向全省困难群众发送御寒物资启运仪式，安排资金4439万元紧急采购棉被46万床，调拨库存棉被34万床，共计向民族地区、高寒山区发放棉被80万床，全力保障建档立卡贫困户和受灾困难群众安全温暖过冬。

【组织开展全省四级综合减灾救灾应急指挥体系集中演练】 2016年，四川省民政厅组织开展了全省四级综合减灾救灾应急指挥体系集中演练。演练以方舱临时指挥部为中心，组织宜宾、泸州、凉山3个市(州)的35个县(市、区)采取上下联动、整体实战的方式，利用动中通、静中通卫星指挥车，便携式卫星通信站，无人机等应急指挥设备进行了视频会议系统，市(县)3G图传通信系统，卫星指挥车、单兵图传、卫星通信集群5个科目的集中演练，整个演练过程进展顺利，音像传输效果良好，实现了预期效果。

【继续加大防灾减灾宣传教育力度】 2016年，四川省各地积极开展全国第八个“防灾减灾日”宣传活动，省减灾委紧扣“减少灾害风险建设安全城市”主题，会同成都市减灾委共同举办了2016年“防灾减灾日”主题宣传活动，向广大市民介绍了家庭、学校、社区防灾减灾科普知识和应急避险相关常识，同时宣传介绍了成都市社区(村)综合减灾标准化建设工程，受到了四川电视台、《四川日报》、成都电视台、《华西都市报》等省内主流媒体的关注和报道。邛崃市道佐乡皮坝村社区等71个社区(村)获得国家减灾委和民政部授予的“全国综合减灾示范社区”称号，数量居全国第6位、中西部第1位。

【继续加大灾害信息员培训】 2016年，四川省民政厅指导各市(州)、县(市、区)认真开展基层灾害信息员培训，全年培训包括各级民政救灾干部和村(组)干部在内的各类灾害信息员1.6万余名。10月上旬，在成都市举办了2期灾害信息员培训班，培训灾害信息员250余名，发放了《四川省民政系统灾害信息员实用手册》。全省接受过专业培训的各级灾害信息员人数已达6万余人次，自然灾害信息报送水平和防灾减灾工作素养得到有效提升。

【继续加强救灾物资储备】 2016年，四川省民政厅安排财政专项资金7439万元用于救灾物资储备。按照《四川省自然灾害救助物资储备规划(2016—2020年)》要求,全省凡是有特大型和大型地质灾害隐患险情的乡(镇)、村均已全部建立救灾物资储备点。全省有市(县)级救灾物资储备库160个、救灾物资储备点1210个、应急避难场所821个,18个藏区综合防灾减灾项目建设完工,全省救灾储备网络体系更趋完善,救灾物资种类丰富、数量充足,应急保障能力得到进一步提升。

四川省民政厅编写组

农业气象服务

【气象助农减灾减损】 2016年,四川省气象局充分利用气象部门的网络优势,升级气象短信预警信息发布系统和气象声讯系统,提升系统短信下发速率,峰值速率达1000条/秒。充分利用新兴媒体平台技术,与手机客户端、微博、微信等对接,实现气象灾害预警信息的及时推送,扩大预警信息发布覆盖面,增强了时效性。全省气象预警信息社会单元覆盖率达92%,决策气象服务满意率达94%。红色气象灾害预警实现全网免费发布。

【气象助农增效增收】 2016年,四川省省、市、县各级气象部门持续开展春耕春播、夏收夏种、秋收秋种等关键农事季节的专题服务和主要生产环节的农用天气预报服务等工作。省级气象部门累计完成旬(月)报、土壤墒情监测报、农业气候评价等常规业务服务材料600余期,农用天气预报120期,春耕春播、夏收夏种、秋收秋种农业气象专题服务材料64期;各市、县气象局共计发布关键农事气象保障服务产品4500余期。

全省已有21个市(州)、112个县(市、区)气象局与当地农业部门共同推进直通式气象服务,建立了包括专合组织、农业经营企业、种养殖大户、综合服务社等在内共计12481个服务对象的直通式服务对象数据库,针对粮食作物、特色林果、养殖业等50余个农业产业类别开展服务,已制作发布相关气象服务产品3000余期次,与农业部门联合开展田间调查197次,联合制作发布267期次直通式服务产品。

【建立气象为农服务长效机制】 2016年,四川省已有145个县建立县级农村气象灾害防御领导小组(机构),明确有气象灾害防御分管副镇长的乡(镇)达3120个;自建或共建乡(镇)信息服务站4661个,乡(镇)覆盖率达100%;有气象信息员56692人,行政村覆盖率达99%;141个县级政府出台了气象灾害应急预案,112个县政府出台了气象灾害应急准备制度文件。民政、国土、环保、交通、水利、农业等14个部门预警信息接入国家突发事件预警信息发布系统并与手机短信、网站实现对接。全省各级通过国家突发事件预警信息发布系统发布预警信息14930条,比上年增长58%。

【标准化气象为农服务县(乡)建设】 2016年,四川省气象局积极推动标准化气象服务县、标准化气象灾害防御乡(镇)建设,成都市双流区、安岳县、眉山市彭山区、富顺县4个县(区),峨边彝族自治县杨村乡、绵竹市金花镇、资中县鱼溪镇、荣县长山镇等31个乡(镇)被中国气象局认定为标准化气象为农服务县(乡)。

【人工影响天气服务】 2016年3月10日,四川省政府组织召开四川省人工影响天气指挥部成员会议,会议审议通过了《2016年度四川省人工影响天气作业计划》,形成了指挥部成员会议纪要并发函征求有关部门意见和建议并下发到省人工影响天气指挥部各成员单位以及市(州)政府,有效促进了全省"人影"工作的开展。四川省"人影"业务功能系统业务正式运行,全省21个市(州)部署了综合分析系统的市级版本,152个县安装部署了综合业务管理平台,为1000余名作业人员安装移动终端系统。

省、市、县三级气象部门积极开展人工影响天气作业。在飞机作业方面,组织开展飞机人工增雨作业23架次,作业航程12144.24千米,作业航时51.1小时,增加降水量12.23亿立方米,影响面积38.56万平方千米,全面完成全省飞机人工增雨作业年度任务。在地面作业方面,开展增雨、防雹、森林防(灭)火、重大活动保障、消减雾霾等服务。在增雨防雹方面,开展人工增雨作业402次,发射炮弹2100发、新型火箭弹803枚、FJ火箭弹56枚;实施防雹作业4219次,发射炮弹66766发、新型火箭弹562枚、JFJ火箭2672枚。在生态环境保护方面,甘孜州开展片区联动作业,积极应对2月19日—21日康定市甲根坝乡和雅江县河口镇三道桥村的森林火灾,发射火箭弹41枚,及时扑灭森林火灾;5月10日,开展人工增雨(雪)作业3次,共发射火箭弹27枚,及时扑灭渠县洛须镇俄巴纳村森林火灾。阿坝州开展森林防灭火人影增雨(雪)作业21次,发射火箭弹99枚;凉山州在冕宁、木里等县实施人工增雨灭火作业并取得成功。在增加水库蓄水方面,眉山、广元、自贡等地开展瓦屋山流域、白龙湖流域、嘉陵江流域和双溪水库人工增雨蓄水作业,取得显著效益。

【消减雾霾】 2016年,成都市利用飞机、高炮、火箭以及烟炉等多种作业手段持续开展改善空气质量工作;眉山市在全市辖区多个作业点开展大规模人工增雨作业,有效改善了空气质量;遂宁市与环保部门合作,在遂环线周围布设人工增雨消污防护区,多次开展大气污染防控作业;德阳、广安等地积极开展人工增雨消(减)雾霾天气作业,一定程度上减轻了空气污染。

【重大活动保障】 2016年,四川省气象局完成乐山市茶博会以及第三届四川国际旅博会分会场的气象保障工作,调集沐川、井研、峨边和乐山市人降办共6套作业装备分赴峨眉、夹江、峨边3个作业点开展作业,共计发射火箭弹28枚。

6月3日,内江市2016年中国·内江第七届大千龙舟经贸文化节开幕式在甜城湖举行,出动4套火箭车开展消雨作业3次,发射火箭弹22枚,保证了"龙舟节"开幕式的晴好天气。

7月,首届旅游文化周在沐川县开幕,共计发射火箭弹32枚,保障了开幕式的顺利召开。

8月8日,中国·凉山彝族国际火把节在西昌市举行开幕式,共组织各有关县(市)开展人工消雨作业41次,发射高炮弹201发、BL-1型车载火箭弹32枚、JFJ-1型火箭弹112枚。

10月11日—13日,第九届"中国竹文化节"在眉山市举行,共出动火箭车12台次,发射火箭弹34枚,保障了活动顺利进行。

四川省气象局编写组

地质灾害防治

【防灾工作部署】 2016年2月,四川省国土资源厅提前组织专家分析、会商、研判灾害趋势,3月初启动了全省地质灾害拉网式排查,在此基础上印发了年度防治方案。4月19日,省政府召开全省防汛抗旱和汛期地质灾害防治工作电视电话会议,对汛期地质灾害防范工作进行了全面部署。国土资源厅也根据地质灾害气象风险预警先后多次召开全省汛期地质灾害防治工作视频会和调度会,对防灾工作进行适时的部署安排。

【防灾责任落实】 2016年,四川省国土资源厅按照地质灾害隐患动态管理的有关工作要求，在各市（州）申报的基础上，汛前及时更新了全省地质灾害隐患防灾责任落实数据库，将全省排查发现的近4万处地质灾害隐患点的防灾责任落实到县、乡政府具体领导，明确了具体的责任人和监测人。

【督导检查机制】　2016年，四川省国土资源厅开展了全方位、多轮次的地质灾害防治工作督导检查。3月，对全省21个市（州）的汛前防灾准备工作进行了检查。4月，对重点区域在建工程防灾措施落实情况进行了专项检查。5月，省地质灾害应急指挥部组成6个联合督导组，对在建工地地质灾害防范准备和措施落实、隐患整改情况进行了检查。5月底到6月初，国土资源厅会同省政府督查室又再次对重点市（州）防灾工作进行了督查。针对督导检查发现的问题，采取了逐条梳理、建档立卡、"发点球"通报、开展"回头看"等多种措施，督促问题整改落实。

【隐患动态发现机制】　2016年，四川省国土资源厅坚持推行点面结合的多层次隐患巡排查工作，一是抓好规划层面的详查。有针对性地部署41个县（市、区）地质灾害易发县的详细调查工作，把工作范围拓展至全省21个市（州）。二是抓好汛期层面的排查。组织开展拉网式排查隐患38858处，夯实汛期防灾基础。三是抓好降雨过程动态巡查。坚持"雨前排查、雨中巡查、雨后核查"，共巡查隐患点19702点次，保障防灾措施逐点落地。

【群测群防专职监测机制】　2016年，四川省国土资源厅除了将芦山地震灾区和康定地震灾区相关专职监测工作纳入规划统筹实施外，对其余纳入省级专职监测体系的33263处隐患点也逐点建立台账，逐点明确防灾责任人和监测责任人，同时筹措资金9978.9万元对专职监测人员进行补助。

【会商值守与预警预报机制】　2016年，四川省国土资源厅坚持"一日一会商"和"一日一调度"制，省级层面召开专题视频会商调度会21次。同时，汛期坚持每天面向全省发布地质灾害气象风险预警，累计发布3级及以上风险预警95次，向防灾责任人及监测人发布预警短信235万条。

【宣传培训与应急演练机制】　2016年3月，四川省国土资源厅启动全省地质灾害防治知识宣传培训工作，并首次将宣传培训工作贯穿汛期始终。省级层面组织专家50余人分赴全省21个市（州）、72个重点县（市、区）和25处重大在建工地累计培训人员1.5万余人，同时，各地开展地质灾害宣传培训5257场次，培训36万余人，要求各地大力加强、全面开展地质灾害应急演练，在演练的基础上完善和修订应急预案，提高干部群众对应急防灾预案的认知程度和预案的可操作性，确保面临险情能够有序、有效撤离。

【汛期驻守督导机制】　2016年，四川省国土资源厅坚持把汛期驻守督导作为解决基层防灾力量薄弱问题的重要抓手，不断推动防灾关口持续下沉。对全省所有地质灾害易发县（市、区）进行逐个梳理对接，组织56家专业地勘单位的577名专业技术人员驻守督导，实现了全省地质灾害易发县督导全覆盖。

【汛期主动预防避让机制】　2016年，四川省国土资源厅积极鼓励各地创新开展主动防灾避险工作，提升防灾工作成效。在宜宾等地试点开展"三方避险转移责任"机制，即由避险转移人、接收人、乡（镇）政府三方共同签订避险转移协议，每次避险转移时，实行由避险转移人提出申请、接收人负责接收并提供食宿、乡（镇）政府财政报销的三方责任分担模式，着力探索政府引导、被转移人和接收人各负其责的避险转移共同责任机制。

【综合防治体系建设】　2016年，四川省国土资源厅根据《四川省地质灾害综合防治体系建设方案》工作部署，结合年度中央及省级补助资金到位情况，加快推动全省地质灾害综合防治体系建设。在与各市（州）国土资源局充分对接的基础上，及时下达了地质灾害综合防治体系建设补助资金项目任务书，明确了年度项目任务下限控制指标为开展专职监测33263处、工程治理284处，排危除险982处，实施地质灾害综合治理项目11处、市级能力建设11个、县级能力建设45个。同时，为推进地质灾害防灾避险搬迁安置工作，在财政厅下达项目资金的基础上，及时下达了2016年度全省18980户避让搬迁项目任务书。根据四川省地质灾害综合防治体系建设总体方案，在2015年启动开展"三州"地区、川南和川北盆周山区中地质灾害隐患相对较发育的彭州、古蔺、九寨沟、石渠、金阳、平武等35个县（市、区）的1:50000地质灾害详细调查工作的基础上，2016年启动了阆中市等41个县（市、区）地质灾害详细调查工作。为加快推动前期下达的地质灾害综合防治体系建设项目实施进度，建立了地质灾害综合防治体系建设项目进展情况月报制度，多次以文件形式在全省范围内通报各市（州）相关项目进展情况，要求各地压实项目实施责任，切实加快项目实施进度，强化项目督导检查，确保各类项目高效实施。

【重大地质灾害治理工程】　2016年，四川省国土资源厅根据省政府"民生工程"实施计划，组织开展重大地质灾害治理工程80处，完成88处，完成任务总量的110%。

【受地灾威胁农户避险搬迁安置】　2016年，四川省国土资源厅组织开展18000户受地质灾害威胁分散农户的防灾避险搬迁安置工作，共计完成20706户，占任务总数的115%。

【甘孜州包虫病区打井找水工程】　2016年，四川省国土资源厅按照《甘孜州包虫病区地下水调查及打井供水工程实施方案》要求，积极筹措省级财政补助资金4286.64万元，会同甘孜州政府加快推进2016年度石渠县包虫病区150口供水井建设，包虫病区打井供水工作全面完成。

【地质遗迹保护和地质公园建设】　2016年，四川省国土资源厅积极做好全省地质公园建设和地质遗迹保护项目实施工作。积极指导自贡世界地质公园评估工作和光雾山—诺水河国家地质公园申报世界地质公园；积极支持射洪县申报国家重点古生物化石产地；督促青川地震遗迹国家地质公园、绵竹清平—汉旺国家地质公园加快推进建设，其中青川地震遗迹国家地质公园通过国土资源部的复核验收。同时，认真抓好部、省地质遗迹保护项目实施，确保达到预期实施效果。

【地热水资源及矿泉水年度审理】　2016年，四川省国土资源厅完成99处饮用天然矿泉水水源及医疗热矿泉水水源地开发审理工作，为全省矿泉水和地热水资源开发利用提供了坚实基础。

【地质灾害防治工作成效】　2016年，受极端天气影响，四川省共发生地质灾害2263处。汛期因地质灾害造成的死亡、失踪人数为多年平均值的13%，全省因灾死亡、失踪人数连续3年保持在历史最低位水平。全省所有预案内地质灾害隐患点"零死亡"；汶川、芦山、康定三大地震灾区没有出现1起因地质灾害造成的重大伤亡事件，雅安地震灾区连续3年实现"零死亡"；全省18个市（州）实现了汛期地质灾害"零死亡"。全年提前转移疏散受地质灾害威胁群众48457名，实现地质灾害成功避险41起，避免了1536人因灾伤亡，避免直接经济损失1.45亿元，取得了显著的防灾成效。

四川省国土资源厅编写组

农村消防工作

【基本情况】 2016年,四川省农村消防工作进一步得到加强,农村火灾形势持续稳定。全年共发生农村火灾3179起,死亡40人,受伤12人,造成直接经济损失1559万元。

【严格落实消防安全责任】 一是健全组织机构。2016年,四川省各地成立市、县(区)、乡(镇)三级消防安全委员会,选派公安民警和消防文职雇员开展工作,解决乡(镇)级政府消防组织"缺位"问题。同时,依托各乡(镇)公安派出所,成立日常农村消防工作办公室和消防工作警务室,统筹协调农村消防工作,全面提升基层火灾防控能力。二是明确主体责任。全省各县分别召开了本地区消防工作会议,以逐级签订目标责任书的形式将农村消防工作纳入政府年度消防工作目标任务,进一步明确了乡、镇、村消防安全职责。三是强化消防工作考核。建立健全工作考核机制,出台《消防工作考核办法》,实施年度消防专项考核,将考核结果与年度表彰、年度安全工作认定、年度乡(镇)主要领导干部工作排名相挂钩,督促落实工作职责。

【夯实群防群治工作】 一是推进"网格化"管理。2016年,四川省各地大力推行消防安全"网格化"工作模式,发动乡(镇、街道)干部、村(社区)"两委"班子成员、大学生村干部等力量,分片包段,拉网检查,集中采集网格内的单位场所数量、性质、位置、规模、从业人数、主要负责人、消防设施器材等基础信息,建立健全各类工作台账,及时掌握单位场所消防安全现状,督促其整改火灾隐患。二是完善派出所监管体系。充分利用基层公安派出所点多面广、熟悉民情、深入群众的优势,出台《四川省公安派出所消防监督检查规定》,大力推行户户联防,责任到户,由乡(镇)派出所民警负责督促村民执行防火制度,组织防火巡查看护,及时发现、整改火灾隐患,定期开展火灾隐患自查和互查,形成"户户参与、人人关心"的良好氛围,有效缓解了基层消防警力不足的局面。三是强化隐患排查整治。针对"三合一"、"多合一"、"九小"、独居老人等农村火灾防控重点,各地消防部门联合行业主管部门、派出所、基层管理人员逐一进行排查,制定针对性整改措施,建立隐患排查整改台账,坚决消除火灾隐患。各村委会通过高音喇叭、"农信通"手机APP等方式在不同时段提醒村民注意防火,督促村民针对家庭用火、用电、用油、用气、焚香点烛、柴草堆放等行为开展自查自纠,及时清理易燃、可燃物品,消除不安全因素。

【提升基层消防基础建设】 一是完善城乡消防规划。2016年,四川省公安厅为筑牢农村防灾减灾能力、保障社会公众利益和公共安全,各地借助新农村建设等工作将消防安全布局、消防水源等纳入乡(镇)总体规划和村庄建设规划,推动城乡消防规划修编实施。截至2016年年底,全省277个国家重点镇、1330个其他建制镇、1095个乡完成城乡消防规划修编工作。二是提升消防基础设施建设。各地积极提请政府加大经费投入,针对在消防车难以停靠取水的农村小河、池塘等问题,配备了手抬、推车式消防泵,水带、水枪等基本消防设施器材。同时,针对电气线路老化严重、乡村道路狭窄等情况,组织更换电气线路,实施穿管保护并配备消防摩托。全年各地乡(镇)新增市政消火栓5108具,增添手抬机动泵1476台,配备水带、水枪等基础器材18771件套,灭火器38616具,消防摩托760台,修建、改造各类水池1427个,农村消防基础设施建设水平进一步提升。三是加强灭火救援力量建设。各地结合辖区农村消防工作实际,就志愿消防队伍建设、器材装备配备等薄弱环节专题报告当地政府并逐一落实到位。全年未达到建立专职消防队标准的乡(镇)和常住人口超过1000人的行政村(自然村)分别建立志愿消防队伍3159个、9359个。

【提高消防安全意识】 一是强化弱势群体消防宣传教育。2016年,四川省各地积极借助"11·9"、消防宣传日、安全生产月、"12·4"法制宣传日等活动,针对农村群众,联合乡(镇)志愿消防队、老年人协会等组织,采取"划区分块、进家入户"的方式对空巢老人、留守妇女儿童等弱势群体制定针对性强的培训课件,采用图文并茂、通俗易懂的内容开展集中培训。二是强化校园消防宣传教育。邀请乡(镇)、农村学校师生参观消防队,近距离了解消防,提高青少年的消防意识,努力实现"教育一个学生,带动一个家庭,影响整个社会"的良好社会效应。三是强化重要时段重点部位消防宣传教育。在"11·9"消防日、春节、农忙季节等重要时段,通过广播、电视、板报、传单、举办图片展览和防火灭火知识竞赛等群众喜闻乐见的形式深入开展农村防火宣传教育;清明节期间联合林业、民政等部门广泛开展文明祭扫、护林防火专题宣传教育;在村头、路口等显眼位置普遍设置消防宣传栏、防火标语和警示标识,形成了浓厚的群防氛围。2016年,全省各级消防机构发放各类宣传资料267万余册;组织开展集中培训、举办消防知识讲座3300余次,累计培训基础干部、普通村民、消防志愿者34万余人次。

四川省公安厅编写组

农村危房改造

【基本情况】 2016年,中央安排四川省农村危房改造任务26.1万户、资金20.56亿元,省级安排配套资金8亿元(配套率为66.6%)。全省农村危房改造已开工26.8万户,开工率达101.5%,提前完成中央下达的年度目标任务。

【将农村危房改造纳入政府监管范围】 2016年,四川省住房和城乡建设厅将农村危房改造纳入省政府"百万安居工程建设行动"和"十项民生工程"。出台了《四川省农房建设管理办法》,把农村分散自建房屋纳入监管范围,落实农房安全选址和抗震设防,提高抵御自然灾害的能力。

【做好"四类重点对象"危房户的核查建档工作】 2016年,四川省住房和城乡建设厅结合精准识别"回头看"工作,先后3次组织开展"四类重点对象"危房户核查并顺利完成任务,并在《全国农村住房信息系统》建档。开展与"国家扶贫开发子系统"和"四川省脱贫攻坚六有大数据平台"数据衔接工作。

【重点抓好建档立卡贫困户危房改造】 2016年,四川省住房和城乡建设厅结合全省脱贫攻坚目标,确定了全年13万户建档立卡贫困户危房改造的目标任务,并在中央提出的开工目标上自加压力,要求各地在年底前全面竣工。截至2016年年底,全省改造任务已全面竣工。省级财政专项配套8亿元,将建档立卡贫困户D级危房改造补助标准提高到2万元/户,极大地减少了建档立卡贫困户的筹资压力。

【农房建设资金统筹和政策协调管理】 2016年,四川省住房和城乡建设厅开展农房建设政策协调和资金统筹管理工作,省级相关部门在安排农村住房建设资金时严把农村住房建设资金的统筹关、分配关和管理关,切实提高资金安排的精准度;加强相关政策的衔接配合,确保政策对象全覆盖、无重叠、不遗漏。

【加大督促检查和技术服务指导】 2016年,四川省住房和城乡建设厅在督促各地做好保障性住房专项审计整改工作的同时,先后开展了农村危房改造财政专项资金绩效评价、民生工程农村危房改造督查、农村危房改造交叉检查、脱贫攻坚农房质量安全保障考核、脱贫攻坚验收考核抽查等工作,重点对5个年度"摘帽"县、巴中市、甘孜州、凉山州等重点地区开展了专项检查和对口技术帮扶指导,有效促进了总体目标任务的完成,保障了农村危房改造的质量安全。

四川省住房和城乡建设厅编写组

农村群团工作

农村青少年工作

【基本情况】 2016年,四川省关心下一代工作委员会(简称"省关工委")始终坚持"急党政所急、想青少年所需、尽关工委所能"的工作方针,坚持"围绕中心、服务大局、积极配合、主动作为"的工作定位,紧扣立德树人,帮扶助困、固本强基三项重点工作,认真学习习近平总书记对关心下一代工作的重要指示,认真贯彻全省关心下一代工作会议精神,坚持服务青少年的正确方向,开创了关心下一代事业跨越发展的新局面。

【领导体制和工作机制逐步健全】 2016年,四川省各级关工委通过召开主任办公会、专题学习会及举办培训班等方式及时深入学习贯彻党的十八届五中、六中全会精神、习近平总书记"七一"重要讲话精神,认真学习贯彻省委十届八次、九次全会精神。21个市(州)党委常委会听取了省委关心下一代工作会议精神汇报,研究贯彻具体措施;17个市(州)党委召开了关心下一代工作会议;成都、攀枝花、泸州、德阳、广元、遂宁、乐山、南充、宜宾、广安、巴中、雅安、眉山、甘孜14个市(州)出台了贯彻落实《四川省关心下一代工作委员会工作规则》的具体意见,使关心下一代工作更加规范化、制度化。各级党委、政府进一步加强领导,把关心下一代工作纳入重要议事日程,纳入经济社会发展总体规划,纳入目标考核内容,纳入精神文明建设规划。进一步健全关工委领导班子,完善保障条件,及时解决人员编制、工作经费等实际困难,部分市、县已实现了关工委年工作经费县不低于30万元、乡(镇)不低于3万元、村不低于3千元的目标。

【青少年思想道德教育取得新成效】 2016年,四川省关心下一代工作委员会联合省文明办、教育厅、团省委等部门开展了"铭记'两史',践行三爱"万名青少年主题夏令营活动,1.6万名优秀学生、美德少年、留守儿童、困境儿童参加,同时在乡(镇)、村(社)举办了部分分营活动,深受欢迎;组织阿坝州、甘孜州60名藏族学生到成都市参加"汉藏学生手拉手"夏令营;连续6年开展万名青少年夏令营活动,主题突出、特色鲜明,得到中国关工委和省委领导的充分肯定,已成为四川省关工委开展青少年思想道德教育活动的响亮品牌。

结合庆祝建党95周年、红军长征胜利80周年等活动,组织专家编写了《四川省关工委党史国史教育宣讲资料汇编》并印制5000册赠送基层关工委宣讲员,向乡镇小学赠送2万册《做红军一样的英雄》读本,深入开展党史、国史教育活动。指导各级关工委宣讲团、文艺宣传队深入大中小学校、机关、企业、乡(村)、社区举办宣讲活动和文艺表演1.2万场,623万人次青少年受到教育。

大力推进学校、家庭、社会教育相结合。指导各地关工委自办或联办家长学校、四点半钟学校、关爱活动室、社会实践教育基地等,充分依托革命遗址、伟人故居、烈士故居等红色资源开展丰富多彩的教育活动、课外辅导1.1万场次,惠及青少年319万人次。省关工委将朱德同志故居纪念馆、邓小平故居陈列馆、四川博物院、中国三线建设博物馆等33家单位命名为首批"四川省青少年社会实践教育基地",联合林业厅将四川卧龙国家级自然保护区等8家单位命名为"四川省青少年森林自然教育实践基地",搭建起青少年社会实践教育活动平台。

【关爱帮扶青少年工作取得新突破】 2016年,按照省委"全面加强对'五失'青少年的帮扶工作"的指示精神和全省"十三五"规划中"帮扶'五失'青少年"的要求,四川省各级关工委在党委政府的重视支持下,主动作为,积极配合,整合资金7896万元,重点开展爱心助孤、爱心助业、爱心帮教,帮扶留守儿童、流动儿童、困境儿童、"五失"青少年,涉及52万余人。

2015—2016年,省关工委、省关心下一代基金会筹资200万元,凉山州关工委争取爱心企业、公益基金会支持100余万元,在凉山州启动"爱心助孤行动",重点针对州内11个贫困县的极度贫困村的事实无人抚养儿童开展救助关爱。各市(州)、县(市、区)相继开展"爱心助孤行动",取得明显成效。2016年3月,省关工委撰写的《关于凉山州"爱心助孤"情况的调研报告》得到国务院副总理刘延东、省委书记王东明、省长尹力的充分肯定,省关工委提出的相关工作建议被纳入省政府出台的困境儿童保障政策。各级关工委结合脱贫攻坚,配合民政等部门,重点对8万余名事实无人抚养的困境儿童进行关爱救助。各地关工委集中开展了"老少牵手,温暖童心"暖冬行动,重点为贫困地区、民族地区、革命老区的困境儿童送去温暖。

省关工委积极配合有关部门,进一步加强留守儿童关爱服务。全省22.3万名五老志愿者常年结对关爱留守儿童,对留守儿童做到"三个落实"(即落实监护人,落实困难帮扶、落实结对关爱)。在开展万名青少年夏令营、教育实践活动、助学工程、暖冬行动等教育关爱帮扶活动中,重点向留守儿童倾斜,让他们生活得到保障、心灵充满温暖。各地开展"爱心妈妈""代理家长"等活动,对其进行生活关爱、学习辅导、心理疏导。省关工委指导五老志愿者积极配合相关部门常年开展捐赠衣物、学习用品和结对帮扶等活动。

省关工委、省关心下一代基金会在新建关心下一代基金会的广安市、内江市实施爱心助学项目,为2市各安排项目资金50万元,广安市关工委、内江市关工委、基金会再配套资金得到具体实施,2市共发放助学关爱资金303万元,帮助1754名贫困学生圆了上学梦。资助宜宾市关工委举办失业青年就业技能培训班,首批结业78人,36人签约TCL、美满人生集团等单位,实现了"帮扶一人、脱贫一家"的目标。

1月,省政法系统关工委成立,各地也相继建立政法系统关工委,已发动政法系统五老志愿者7500余人广泛开展青少年法治宣传教育和关爱帮教活动。全省2万余名五老志愿者常年义务监督网吧，为青少年健康成长营造了良好环境。各级关工委配合有关部门，深入开展"关爱明天、普法先行"活动，爱心帮教失足和有严重不良行为的青少年2.3万名，预防和遏制了未成年人犯罪，依法维护了青少年合法权益。乐山市公安局关工委组织老同志作为义务讲解员在乐山市公安史馆以案说法，1.5万余名青少年受到教育。南充市关工委、资阳市雁江区关工委等积极推选五老加入"合适成年人队伍"，为涉案未成年人提供诉讼支持。省关工委在成都、德阳、乐山等市深入调研的基础上，于10月召开了法治关爱工作座谈会，形成了《关于加强青少年法治关爱工作的调研报告》并上报省委省政府。

7月，西南儿童医院捐赠资金50万元，与基金会共同启动"一路童行"困境儿童专项救助基金项目，旨在帮助患有自闭症的儿童进行治疗。2016年，基金项目分别到雅安市和凉山州进行了义务诊疗，分别对2名在西南儿童医院进行治疗的儿童各给予4000元的补贴。

11月，省关工委在眉山市召开了农村关心下一代工作座谈会，总结交流开展"讲政治、育新人、学科技、奔小康"活动的情况和经验，邀请农业厅厅长祝春秀到会介绍了全省现代农业发展情况，进一步明确了以培育新型职业农民为重点，推动农村关心下一代工作创新发展的工作目标。

【关心下一代基层工作更加扎实】 2016年是创建"六好"基层关工委活动三年短期规划的收官之年，各地深入贯彻省委办公厅、省政府办公厅《关于转发〈省关工委关于进一步开展创建六好基层关工委活动的实施意见〉的通知》要求，认真部署，稳步推进，扎实开展调研、检查、督促、验收等工作，创建"六好"基层关工委活动实现制度化、规范化、长效化。贯彻省委办公厅、省政府办公厅《关于印发〈四川省关心下一代工作委员会工作规则〉的通知》要求，基层关工委工作条件得到更大改善，有效推动了创建"六好"基层关工委活动取得新成效。省关工委进一步完善干部培训机制，印发了《四川省关工委2016—2020年干部教育培训规划》，计划5年培训1500名县级以上关工委干部，其中2016年培训关工委干部500余人，有效提高了基层关工委干部能力素质。全省关工委组织发展到7.8万个，其中县以下基层关工委组织7.48万个，除部分少数民族地区存在一些特殊情况外，全省乡（镇、街道）、村（社区）关工委组织基本实现全覆盖，不少村（社区）、机关、企业、学校也建立了关工委，形成了纵向到底、横向到边的组织体系，普遍呈现出班子优化、队伍扩大、制度健全、保障有力、活动经常的良好局面。"六好"基层关工委组织4.5万个，实现三年创建计划，五老队伍规模达123万人，其中乡村、学校"五老"达75.7万人。

【自身建设和服务青少年能力不断提升】 2016年，四川省关心下一代工作委员会省各级关工委高度重视加强自身建设，不断改革创新，推进思想、作风、制度、能力等建设，为关爱事业发展提供了坚强的组织保障。一是班子建设不断加强。积极向党委建议，选拔有威望、有影响、有热情的退休领导同志充实关工委班子，特别注重选好配强执行主任，吸纳了组织、宣传、政法、教育、文化、经济等部门和军队、武警的同志进入领导班子，班子整体的凝聚力、影响力、战斗力和专业化水平得到有效提升。二是五老队伍发展壮大。通过领导推荐、组织动员、骨干带动、模范感召等方式，特别是在基层加强与老协、老体协、老科协、退休党支部等涉老组织的联系合作，动员和吸引了一大批老同志参与关心下一代工作，建设成了一支人数众多、覆盖面广、想干事、能干事的五老志愿者队伍，关工委工作真正扎根于群众之中。2016年，全省五老志愿者队伍已由2011年的90万人发展到123万人。三是干部培训有效开展。省关工委制定了干部培训规划，联合省委党校，4年共培训了1200名基层关工委干部。创办省关工委培训中心，培训班子成员和五老志愿者1500人次。各级关工委开展干部学习培训班2900余场，培训老同志20万人次。四是调查研究和理论研究取得成果。各级关工委深入基层、深入青少年，广泛开展调查研究和理论研究，撰写了关于关心留守儿童、"五失"青少年、事实无人抚养儿童、未成年人社区矫正、关爱女童等方面的调研报告和理论文章，得到了省委省政府和中国关工委的充分肯定，为党委政府决策提供了有效参考。召开了全省首次关心下一代工作理论研讨会，形成了一批实践成果、制度成果和理论成果。

【关心下一代基金会有序发展】 2016年，四川省关心下一代工作委员会强化业务主管职能，修改了《四川省关心下一代基金会章程》，持续推动全省关心下一代基金会稳步发展、规范运行。省关心下一代基金会网站和微信公众号正式上线，开通了网上捐赠通道。全省已建有20家省、市（州）、县（市、区）关心下一代基金会，总资金近3亿元。2016年共筹集资金3325万元，实施了"朝阳工程""雨露计划"关爱厨房、暖冬行动、爱心书屋和关爱帮扶"五失"青少年等特色公益项目，共投入4071万元。省关心下一代基金会重点支持凉山州等民族地区，六一儿童节期间，联合省新闻出版广电局为凉山州5个国定贫困县40所农村小学、村幼儿园捐赠了价值40万元的图书；12月，筹资180万元在凉山州、甘孜州等地开展了"老少牵手，温暖童心"暖冬行动。宜宾市关工委自2008年起连续9年实施"栋梁工程"，全年筹资980万元，帮助2348名贫困大学新生入学。

【关心下一代宣传工作形成新格局】 2016年，四川省各级关工委紧紧围绕中央、省委决策部署，着力构建制度机制，强化阵地建设，大力开展宣传工作，形成关爱工作良好舆论环境，大宣传工作格局基本建成。努力争取省委宣传部支持，强化大宣传理念，创新建立了省关工委宣传协调小组，加强与省级主流媒体、部分中央媒体、多家海外媒体的沟通交流，建立了"重大会议、活动信息网站当日发布、报纸次日见报、杂志定期刊发、电台、电视台定时播出"的宣传报道机制，形成了"报刊有专题专栏、电视有固定频道时段、广播有固定频率时段、网络有固定栏目"的长效工作机制。创办了全国公开发行的《关爱明天》杂志，升级改版关工委网站，不断创新栏目，注重质量提升，发展组织队伍，建成了一批通联站和一支优秀的通讯员队伍，杂志每期发行量达4.5万份，受到读者普遍好评，充分发挥了"传达精神、交流经验、传递信息、指导工作"的重要作用。省关工委联合有关部门单位举办了三届关爱明天十佳五老评选活动和首届宣传关心下一代新闻佳作评选活动，涌现出了王正国、丁爱谱、楠木灯等一大批贡献突出、影响广泛、事迹感人的五老志愿者楷模；各地也充分运用主流媒体、新兴媒体加强宣传，弘扬主旋律，传递正能量，营造了全社会关心下一代的良好氛围。

四川省关心下一代工作委员会编写组

农村妇女儿童工作

【基本情况】 2016年，四川省各级妇联组织认真践行中央对群团的强"三性"、去"四化"要求，扎实开展"两学一做"学习教育，努力创新实践，妇联组织的吸引力、影响力、凝聚力不断增强，各项工作取得明显成效，得到了各级党委政府的充分肯定和广大妇女群众的广泛认可。省妇联多次组织赴全国群团改革试点地区——上海市、重庆市开展学习考察，组成8个改革调研小组深入21个市(州)的县(市、区)、乡(镇)、村(社)查找妇联组织和妇女工作中存在的突出问题，经过认真研究，形成了《四川省妇联改革工作调研报告》。在前期调研的基础上，起草了《四川省妇联改革方案》(以下简称《方案》)初稿，《方案》已经中央深改办批复。赋予4个直属事业单位新的工作职能，成立女性社会组织服务中心，推进四川妇女就业创业孵化园基建及营运筹备。启动了四川妇基会和儿基会改革重组，成立了四川妇女儿童发展基金会。下发了《关于在全省开展村(社区)妇联组织改建工作的通知》，专题进行改建工作培训，指导各地妇联开展村(社区)妇联组织改建工作，已改建村(社区)妇联16385个，吸引7.5万名优秀女性成为村(社区)妇联组织的兼职副主席、执委、专兼职妇联干部。将在3年内实现5个100%的目标纳入省妇联改革方案，出台了《关于在全省开展乡镇妇联组织区域化建设改革的实施意见》，相继在广元市、达州市、凉山州等地召开推进会。创建27个基层组织示范县；建立健全全省“妇女儿童之家”5万余个，其中示范“妇女儿童之家”2167个；投入资金100万元，打造8个升级版“妇女儿童之家”——“妈妈家”，并对骨干人员、基层妇联主席进行了专题培训。全省21个市(州)全面落实“1元钱”工作经费，成都、德阳、绵阳、攀枝花、广元等地已超过“1元钱”。

【依法维护和保障妇女儿童合法权益】 2016年，四川省妇女联合会大力实施巾帼维权行动，助力社会和谐稳定。一是加强源头参与。省妇联深入基层一线，向各级党委、人大、政府、政协提交调研报告、提案议案202篇为各级党委政府、妇联组织有针对性地开展扶贫攻坚和维权服务提供了第一手资料。二是广泛宣传。积极响应依法治省的要求，在“三八维权周”等重要时间节点，联合相关部门开展法律法规宣传12720场次，向余万人次宣讲了《反家庭暴力法》等，较好地帮助广大妇女增强了法治意识、维权意识。三是建立婚姻家庭纠纷调解机构2283个，调解婚姻家庭纠纷14874起，有效化解了家庭矛盾。积极开展“平安家庭”创建活动，大力倡导男女平等、互谅互让、以和为贵的家庭传统文化，引导广大妇女群众和家庭成员树立正确的婚姻观、家庭观。四是扎实抓好“两纲”工作。结合妇女儿童发展纲要，制定了《四川省“十三五”妇女儿童工作专项行动计划(2016—2020年)(征求意见稿)》。选择在成都市等地4个“儿童之家”实施“社区儿童保护与服务体系”项目。

【加大特殊群体关爱力度】 2016年，四川省妇女联合会依托成都理工大学建立了四川省儿童工作资源中心(减灾备灾)，在绵阳、雅安等地实施儿童优先视角的减灾备灾项目，实现四川省儿童工作资源中心可持续发展。做好关爱“三留守”群体工作，深化留守儿童、困境儿童结对帮扶，对农村留守儿童、进城务工人员随迁子女以及流浪儿童、孤残儿童、贫困家庭儿童等特殊困境儿童群体开展帮扶和慰问。省妇基会、省儿基会筹集资金583.92万元，实施灾区“母亲安居工程”“健康快车”“希望·藏区妈妈”“六衣计划”等一批妇女儿童公益项目，让广大妇女儿童普受惠、常受惠。深化民族地区妇女关爱帮扶，抽调工作组专题调研“三州”民族地区妇女疾病防治工作，在红原县、阿坝县试点开展“四川省三州地区妇女健康关爱”项目。争取全国妇联贫困母亲“两癌”救助专项基金2198万元，安排省级农村妇女“两癌”贫困患者救助资金290万元，救助“三州”贫困患病妇女290名，救助比例达到申报人员的70%。筹集资金210万元开展“四送”活动，为330名觉姆(觉姆是女尊者，历史上王者称其母亲和姐妹为觉姆，藏区出家者男子称扎巴而女子称觉姆，是表现尊称，因此与尼姑名称的对象一样但情感不同)捐赠了“暖心包”等，帮助觉姆转变思想观念、拓宽眼界视野，促进了藏区和谐稳定。

【多举措促进妇女全面发展】 2016年，四川省妇女联合会大力实施“素质提升行动”，搭建女性素质提升平台。一是推动女性人才库建设。继续加大女性人才三支队伍建设，重点加强女性科技人才队伍建设，为全省发展大局聚智聚力。同时，通过广泛宣传、创业事迹巡讲等方式，大力宣传优秀女性代表的创新创造、拼搏奉献精神，激励更多的女性人才加入创新驱动发展战略。二是提升进城女性素质。依托“妇女之家”，以“新家园、新女性、新生活”为主题，在社区创办城市新女性培训学校，编写培训教材，开展模拟实训，帮助进城妇女转变思想观念、改变生活习惯、增强城市生活技能，促进“物的城镇化”和“人的城镇化”同步发展。联合教育厅、省网信办在全省109所高校线上线下同时开展“春蕾绽放——女大学生思想引领”活动，通过新颖的O2O模式将线上线下对接起来，利用新媒体提高活动影响力，仅线上就吸引200余万人关注。积极推进巾帼志愿服务工作，依托“志愿四川”网站，加大巾帼志愿者网络注册、登记、统计、管理工作，各级妇联、高校、社会团体已在“志愿四川”平台注册巾帼志愿者33478人，建立巾帼志愿服务队434支。全省已建立省、市、县、乡、村服务网络，建立“帮帮乐互助俱乐部”“妈妈家”等4000余个志愿服务驿站，实施巾帼志愿者关爱项目等20余个。“四川省巾帼助老志愿服务项目”获得全国妇联巾帼志愿服务工作表彰。

【引领妇女在服务发展大局中建功立业】 2016年，四川省妇女联合会大力实施“巾帼建功行动”，积极发展绿色低碳和极具妇女特色的妇女手工产业、妇女种养业、巾帼家政服务业。坚持以“做强产业带就业”的工作思路，打出“技能培训、基地扶持、小贷助力”的组合拳。省妇联引导各级妇联围绕三大妇女特色产业开展实用技术培训和提升培训余期，培训人数达人。争取省发展改革委项目资金1400万元，用于推进14个省级妇女居家灵活就业基地建设。全省建成全国现代农业巾帼科技示范基地3个、省级妇女居家灵活就业示范基地个、市级以下示范基地1676个，培育帮扶妇女种植大户12775户、妇女养殖大户23650户、妇女加工大户1679户，吸纳168.5万名妇女就近就地就业。全省发放妇女小额贴息贷款170.5亿元，扶持带动妇女就业创业118万人。全省妇女发展工作从“单点突破”走向“体系构建”，由“区域发力”走向“整体联动”，打造出一批较有影响力的工作品牌。2016年年初，省妇联在中国儿童博物馆举办的“川针引线·巧手致富——四川妇女居家灵活就业工作成就暨传统手工艺术展”历时3个月，引起社会各界的强烈反响。

【推进家庭建设】 2016年，四川省妇女联合会大力实施“幸福家庭行动”，形成全民参与、共建共享绿色生态文明家园的良好社会风尚。实施“幸福使者·母亲课堂”项目，指导、带动市(县)各级妇联培训母亲课堂讲师、家庭教育骨干等各类幸福使者万余名，各地开展家风家教、婚姻家庭讲座2万余场，惠及200余万个家庭。首创“儿童公益学院”倡导公益家风，依托“儿童公益学院”教育实践基地、家长学校、“妇女儿童之家”、幸福使者队伍最大限度发动群众参与，发挥妇女儿童、妇女干部和妇联组织在建设美丽乡村、美丽社区、美丽家园中的独特作用。“儿童公益学院”已建立19个教育实践基地，培养近3万名儿童志愿者；协同全省商、学、政、民、媒领域的219家合作伙伴组织开展了335场儿童公益实践活动，带动全省近7万个家庭参与公益活动。

四川省妇女联合会编写组

劳务开发、农民就业与创业

农村劳务开发

【基本情况】 2016年是"十三五"开局之年,也是经济形势严峻复杂、工作任务艰巨繁重的攻坚之年。解决好农民工问题,事关全省工业化、新型城镇化、农业现代化发展与和谐社会建设,是实现中国梦四川新篇章历史进程中的战略性任务,在全局工作中处于十分重要的地位。在省委省政府和省农劳领导小组的领导下,在国务院农民工办的精心指导下,全省各级各有关部门紧扣为农民工服务这一鲜明主题,牢固树立"一盘棋"思想,精准发力、协同攻坚,全省劳务开发和农民工工作取得明显成效。全年转移输出农村劳动力2491.5万人,同比增长0.5%,其中省内转移1354.7万人,同比增长1.1%;省外输出1133.9万人,同比减少0.3%;外派劳务2.9万人,同比减少3.4%。全省实现劳务收入3833.4亿元,同比增长7.2%;农民工资性收入实现3738元,同比增加274元。

【加大农民工就业政策落实力度】 2016年,四川省人力资源和社会保障厅深入贯彻四川省就业和失业登记办法,将农民工全面纳入城镇就业登记范畴,将居住半年以上的城镇常住人口纳入失业登记范围,平等享受职业介绍、职业技能鉴定、职业培训等公共就业服务并按规定享受就业援助政策。

【着力扩大农民工转移输出规模】 2016年,四川省人力资源和社会保障厅坚持每季度对农民工就业形势、劳务收入情况进行分析,围绕重点问题开展专题调研,科学研判农民工就业走向。依托"泛珠三角(9+2)劳务洽谈会"平台,通过订单式、定向式、委托式等合作方式,积极推进省际劳务合作,为省外企业定向输送技能型人才。抓住产业梯度转移契机,积极利用在建项目为农民工提供就业岗位。通过开展村企对接、"百企联百村"等活动,帮助农民工实现在家门口就业,促进205.2万名农民工在全省龙头企业就业,年均现金收入3万元以上。

【扎实推进家庭服务业促进就业工作】 2016年,四川省人力资源和社会保障厅深入开展中心城市家庭服务体系建设和"千户百强"家庭服务企业创建活动,全面推进家庭服务业规范化职业化建设。成都力业家政、巧媳妇家政、泸州小蜜蜂家政等5家家政公司被认定为"全国百强家政企业";达州现代家政、德阳家道家政等57家家政企业被认定为"全国千户家政企业"。

【切实加强农民工公共就业服务】 2016年,四川省人力资源和社会保障厅加大农村劳动力实名制登记入库工作力度,入库人数达2485.3万人,并对数据按季进行动态更新。四川公共招聘网浏览点击率达1.01亿人次,提供就业岗位71万余个,广大农民工足不出户即可享受方便、快捷的公共就业服务。普遍开展以"搭建供需平台、促进转移就业"为主题的"春风行动"活动,组织专场招聘活动1150场,免费服务农民工131.2万人。

【农民工技能培训工作进一步加强】 2016年,全省各级人社、教育、农业、科技、扶贫部门以及工青妇组织立足工作职能,紧紧围绕特色产业培育、工业园区发展、新农村建设等开展农民工职业技能培训,着力构建人社部门牵头抓总、相关部门齐抓共管的大培训格局,不断增强培训工作的整体合力。全年农业部门培训新型职业农民和返乡创业创新人员超过20万人;扶贫移民部门"雨露"计划完成农民工外出务工培训4.1万人次;省妇联开展"巾帼脱贫千人培训计划"活动,组织430名农村妇女参加培训。一是加大职业技能培训补贴力度。对参加新生代农民工劳动预备制培训的农村应届初高中毕业生除给予培训补贴外,还给予每人每年2000元的生活费补贴,有效调动了其参训积极性,共培训农民工40万人,培训后就业率达90%。二是大力实施劳务品牌培训。坚持打造特色劳务品牌与培养市场紧缺人才和助力脱贫攻坚相结合,加大对人口密集地区、贫困地区、民族地区的倾斜力度,进一步提升劳务品牌培训质效。全年共组织4.53万名农民工参加中、高级劳务品牌培训,超额完成省政府民生工程年度目标任务。三是成功举办全省第六届农民工技能大赛。大赛设置了8个比赛项目,各市(州)、县(市、区)经过层层选拔,共推荐了159名选手参加全省决赛,最终评出单项一等奖8个、单项二等奖24个、单项三等奖40个。

【农民工社保权益得到切实保障】 2016年,四川省人力资源和社会保障厅全面落实农民工养老保险相关政策,搭建城乡居民养老保险与企业职工养老保险制度双向衔接的"立交桥",积极鼓励灵活就业的农民工自愿选择参加待遇水平更高的企业职工养老保险。一是深入推进医保转移接续工作。全面落实鼓励灵活就业人员参加基本医疗保险有关政策,降低农民工个人参加职工医保门槛,明确灵活就业人员可自愿选择参加城镇职工、居民基本医疗保险或新农合,实现了医保关系省内跨地区、跨制度顺畅转移接续。同时,在省内实现住院和门诊特殊疾病异地就医直接结算,与重庆、新疆、云南、海南和新疆建设兵团实现跨省异地就医联网结算,进一步改善了农民工异地就医条件。二是保障农民工失业保险待遇。全面落实统一农民工与城镇职工失业保险参保缴费和待遇享受办法的有关政策,大幅提高农民工失业保险待遇,切实保障农民工失业后的基本生活。三是扩大农民工工伤保险覆盖面。大力实施建筑业参保扩面"同舟计划",健全按项目参保和优先办理工伤保险工作机制,继续做好淘汰落后产能、兼并重组企业农民工的工伤保险待遇支付工作,全省参加工伤保险的建筑施工企业、员工分别达2.2万家、132万人。

【农民工权益维护工作扎实推进】 2016年,四川省人力资源和社会保障厅积极开展劳动法律法规进企业宣传活动,推动落实带薪年休假制度,全面推进集体合同攻坚计划,全省企业劳动合同签订率达94.3%。一是健全欠薪治理长效机制。健全和落实建设领域主管部门源头性欠薪问题处理责任制、总(专)包企业工资支付责任制,推动欠薪治理可防可控、常态长效。全年处理因拖欠农民工工资引发的劳务纠纷2万余件,挽回经济损失16.5亿元。二是提高农民工劳动争议处理效能。开辟农民工劳动争议快速调解、简易仲裁和先行执行等"绿色通道",全省各级劳动人事争议仲裁机构共立案受理农民工案件1.7万件,涉及农民工2.3万人,结案率达92%。三是加强农民工法律援助工作。着力构建面向省内农民工的"一小时法律援助服务圈"。要求省内条件成熟的300万以上人口大市和百万人口大县在当地外出务工人员集中区域建立省外法律援助工作站，共计建立农民工工作站250余个，依托司法、总工会、残联等部门建立法律援助工作站734个。

【农民工公共服务水平稳步提高】 2016年，四川省人力资源和社会保障厅扩大公办中小学招生规模，落实《四川省进城务工人员随迁子女在当地参加升学考试实施方案》，对接收农民工随迁子女较多的地区给予奖补。全年中央和省级财政共投入3.1亿元用于保障接收学校公用经费和条件改善，全省共有54.8万名农民工随迁子女在输入地接受义务教育。一是改善农民工居住条件。继续实施“农民工住房保障行动”，将农民工住房问题纳入城镇住房保障体系统筹解决。根据农民工需求，将当年竣工公租房房源的一部分定向供应农民工，租金按市场水平的50%或更低来确定。全省共为农民工提供公共租赁住房7万余套，20余万名农民工享受到住房保障。二是强化农民工卫生计生服务。印发了《流动人口健康教育和促进行动实施方案（2016—2020年）》，规范全省农民工健康服务标识标牌，办理农民工生育服务登记32.5万例。三是丰富农民工精神文化生活。深入推进农民工文化驿站、留守学生（儿童）文化之家建设，加大各级图书馆、文化馆免费开放力度。积极向国家推荐45名农民工和3个集体，分别被表彰为全国优秀农民工、全国农民工工作先进集体。四是健全农村“三留守”人员关爱服务体系。组织志愿者结对帮扶农村留守学生140余万人，建设“留守学生之家”4600余所。组织开展关爱留守妇女行动，组建留守妇女互助组，为农村留守妇女提供生产生活帮助。培育和建设农村为老服务社会组织，积极开展多种形式的农村养老服务。五是加强农民工党团组织建设。依托驻外办事处、商会等组建驻外党组织，健全城乡一体、输入地党组织为主、输出地党组织配合的农民工党员教育管理服务工作制度。建立农民工团员服务和管理工作制度，积极从新生代农民工中发展团员。

【加强省外川籍农民工服务工作】 2016年，北京办深入开展“送医、送药、送健康进工地进企业”活动，为4000余名川籍农民工免费开展义诊体检；重庆办组织省返乡创业联盟及在外川商开展返乡创业研讨会，探索了返乡创业路径及服务模式；厦门办组织开展了“建设海西”川籍农民工主题摄影大赛颁奖活动，免费发放《维护农民工合法权益手册》《农民工返乡创业政策宣传手册》1.6万余份；沈阳办推动建立川籍农民工维权服务中心，创新了农民工维权工作机制。

四川省人力资源和社会保障厅编写组

返乡就业与创业

【基本情况】 2016年，全省新增返乡创业农民工7.1万人，创办企业1.8万家，实现产值140.5亿元。成都市将返乡创业政策扩大到所有农村劳动者，扶持三产融合特色创业；德阳市组织川商返乡发展座谈会，先后签约投资项目17个；眉山市结合农民工返乡创业投入183万元，表彰奖励了121个集体和个人；巴中市将农民工返乡创业工作纳入市委市政府目标管理，切实强化刚性约束；绵阳市建立16个市级返乡农民工创业园；资阳市、宜宾市等地采取一系列创新性举措，进一步将深入开展农民工返乡创业工作。

【积极争取资金支持】 2016年，四川省人力资源和社会保障厅设立2000万元的返乡创业专项扶持资金，组织开展返乡农民工初创培训、创业辅导、创业提升培训等示范培训工作。全年各地共举办返乡创业示范培训班184期，培训返乡创业农民工1.9万人次。协调省财政面向88个贫困县设立1.76亿元返乡创业分险基金，每个贫困县200万元。积极鼓励和引导金融机构加大放贷力度，着力解决返乡创业融资难问题。

【大力支持返乡创业企业】 2016年，四川省人力资源和社会保障厅结合返乡创业提升示范培训工作，支持参训的1300余家返乡创业企业组建四川返乡创业联盟。2月，省委省政府召开了以“回家发展·振兴家乡”为主题的首届川商返乡发展大会，大会共签约项目278个，投资总额1582.2亿元。10月中旬，四川返乡创业联盟作为全国唯一一家农民工返乡创业团队参加了在深圳市举行的全国“双创周”活动，受到国务院总理李克强的亲切接见。

【加大政策宣传力度】 2016年，四川省人力资源和社会保障厅免费发放《农民工返乡创业政策宣传手册》13万册，制作了返乡创业政策解读动漫宣传片，举办了多期返乡创业政策培训班。组织力量分赴北京、上海、深圳和省内成都、德阳、绵阳、资阳等城市，面向川籍农民工开展了16场集中宣讲活动，营造了良好的支持农民工返乡创业社会舆论氛围。

【开展表彰评选活动】 2016年，四川省人力资源和社会保障厅结合开展全省优秀农民工和农民工工作先进集体评选表彰活动，同步组织返乡创业明星和返乡创业示范企业评选推荐活动，精心组织筹备了全省优秀农民工暨返乡创业先进集体和个人表彰大会。

四川省人力资源和社会保障厅编写组

民族地区社会事业

综　述

【基本情况】 2016年，四川省民族工作部门按照“五位一体”总体布局和“四个全面”战略布局扎实开展“两学一做”学习教育，坚持抓好党风廉政建设和党建工作，坚定不移地抓“发展、民生、稳定”3件大事，推进民族团结进步事业深入发展、民族地区长治久安。在2016年年底召开的全国民委主任会议上，四川省民族宗教委员会在大会上作了交流发言并获得“全国民委信息工作先进集体”称号。全省民族宗教工作得到社会各界的好评，在年度政风行风群众满意度测评中，省民族宗教委名列省直各部门前17名。

【民族团结进步示范县（市、区）创建活动】 2016年，四川省民族宗教事务委员会积极探索在县（市、区）级行政区划单位开展民族团结进步示范县（市、区）创建活动的有效模式，加强市（州）区域创建的基础支撑，树立典型、推广经验，进一步推动全省民族团结进步示范县（市、区）创建活动整体提升。联合省委宣传部、省委统战部下发了《关于申报“创建民族团结进步示范县（市、区）试点”的通知》，组织开展了试点申报工作，筛选出16个县（市、区）示范点下发了《关于创建民族团结进步示范县（市、区）试点的决定》。在成都市举办了“四川省民族团结进步创建活动试点工作培训暨启动仪式”，建立了省创建试点工作网络交流群。起草并下发了《进一步加强和深化民族团结进步创建活动,奋力建成民族团结进步同步全面小康示范省工作方案(2016—2020)》,对创建民族团结进步示范省工作进行全面规划和安排,以甘孜、阿坝、凉山三州和成都市为争创全国民族团结进步模范市(州)第一梯队,全力推进民族团结进步奔康致富示范省建设。按照《关于做好四川省民族团结进步创建活动示范单位(第三批)申报工作的通知》要求,108 个单位被命名为第三批省民族团结进步创建活动示范单位。充分利用《四川民族》《四川民族工作》杂志宣传民族团结进步创建与和谐寺观教创建先进典型,充分发挥典型的示范效应,营造相互学习、相互借鉴、相互促进、共同提高的良好氛围。

【摩梭家园建设暨摩梭文化保护工作】 2016 年,四川省民族宗教事务委员会按照省政府要求制订了《摩梭家园建设暨摩梭文化保护项目督查落实方案》,对 2015 年摩梭家园建设暨摩梭文化保护项目进行了督查并上报了摩梭家园建设情况;进一步协调省联席会议成员单位支持 2016 年摩梭家园建设,积极开展工作项目对接。协调下达 2016 年摩梭家园建设暨摩梭文化保护项目资金 1 亿元,指导盐源县完成《2016—2018 年摩梭家园建设暨摩梭文化保护项目实施方案》的编制和备案工作。多次到盐源县泸沽湖镇督导检查落实年度民生工程任务,完成民居改造 816 户,完成 10 个村落的基础设施建设。落实《摩梭家园建设暨摩梭文化保护》等规划,指导摩梭文化传承人母系大家庭传业创业,将民族文化产业同现代旅游产业紧密结合、协调发展,开展摩梭特色音乐、舞蹈、文学、电影作品和宣传片创作,完成《摩梭文化传承人口述史》《摩梭非物质文化遗产》《泸沽湖文化旅游》书籍出版及《摩梭原创歌曲》《摩梭经典民歌》《摩梭人甲搓》专辑发行工作。在泸沽湖镇举办了泸沽湖景区旅游服务质量暨职业素质提升培训班,泸沽湖景区管理局职工、村落摩梭文化讲解员及当地导游共计 55 人参加了培训,进一步提升了泸沽湖景区服务人员职业素质和服务水平。

【春节慰问“送温暖”活动】 2016 年春节前夕,四川省委省政府下拨 1400 余万元用于开展民族地区春节慰问“送温暖”活动,其中向 3 个民族自治州及 67 个少数民族县(市)、自治县和享受少数民族待遇县(区)分别下拨慰问资金 20 万元;省委组织部从省管党费中向慰问市(州)各下拨慰问金 10 万元,用于慰问困难党员、老党员和基层干部;省总工会向慰问市(州)各下拨慰问金 10.48 万元,用于慰问困难企业和困难职工家庭。省委省政府共组成 5 个慰问团,由省委省政府领导带队分别到绵阳市、乐山市、阿坝州、甘孜州、凉山州的民族地区开展春节慰问“送温暖”活动。慰问活动采取入户看望、召开小型座谈会、发慰问信、送慰问金等形式,深入农村、企业、学校、部队、贫困家庭看望慰问了贫困农牧民、受灾群众、“三老”人员、困难职工、基层教职员工、驻地部队及武警官兵、公安民警。同时,67 个少数民族县(市)、自治县和享受少数民族待遇县(区)按照省委省政府要求分别确定了 1000 户贫困农牧民、受灾群众、困难职工为慰问对象,将省财政下拨的慰问资金专项用于购买省委省政府慰问品,组织受慰问群众当场签名领取。

四川省民族宗教事务委员会编写组

民族地区经济工作

【基本情况】 2016 年,四川省民族自治地区实现 GDP2031. 7 亿元,比上年增长 6. 2%;地方一般公共预算收入完成 196 亿元,比上年增长 9%;农村居民人均可支配收入 10201 元,比上年增长 10.3%。

【民族地区经济规划编制】 2016 年,四川省民族宗教事务委员会加强对民族地区经济发展的各类重点、难点和突出问题的研究,谋划促进民族地区经济发展的新方法、新思路和新举措,密切关注国家、全省及民族地区的规划动态,及时了解把握各类规划的重点和方向,力争将更多的民族地区项目列入国家和全省规划。结合四川省实际,对国家民委《“十三五”促进民族地区和人口较少民族发展规划草案》提出了政策建议,部分意见建议已被采纳。积极参与省级相关部门“十三五”规划编制修改工作,对《四川省国民经济和社会发展第十三个五年规划纲要》《川西北生态经济区“十三五”规划》《攀西经济区“十三五”发展规划》《进一步加强全省旅游市场综合监管的实施意见》等 30 余个总体规划和专项规划文件提出了意见。

【民族发展资金管理】 2016 年,为切实发挥少数民族发展资金“拾遗补阙”作用,把少数民族发展资金用在关键项目上,四川省民族宗教事务委员会按照财政部《关于提前下达 2016 年中央财政扶贫资金预算指标的通知》要求、国家民委《关于提前下达 2016 年少数民族发展资金的通知》要求,国家民委、财政部下达四川省 2016 年度中央预算内提前批次少数民族发展资金 6144 万元。同时,按照少数民族发展资金“突出重点、兼顾全面、拾遗补阙”的管理原则,研究提出 2016 年度提前批次 6144 万元和第二批次 2838 万元少数民族发展项目资金安排方案,已下达到民族自治地方。

【民族经济工作业务培训】 2016 年,为充分发挥民族发展资金作用,准确掌握民族地区经济社会发展水平,进一步开展民族统计和民贸民品工作,提升统计数据和服务质量,提高民宗委系统民族经济工作干部素质,四川省民族宗教事务委员会在茂县组织举办了 2016 年度四川省民宗系统民族经济工作业务培训,全省 21 个市(州)民宗局领导,省发展改革委、省统计局、部分市(州)统计局等相关部门负责同志参加了会议。会议传达学习了中央、省委经济工作会议和全国民族经济工作会议精神,对 2016 年少数民族发展资金、民族统计、民贸民品工作进行了安排部署和业务培训。

【民族特色小镇建设】 2016 年,按照《国家民委办公厅、国家发展改革委办公厅关于做好 2016 年少数民族特色小镇专项建设基金项目储备工作的通知》要求,进一步做好少数民族特色小镇保护与发展工作,保护与传承少数民族优秀传统文化,发展特色优势产业,与省发展改革委等部门多次沟通协调,四川省民族宗教事务委员会共同研究制订了工作方案,加强对民族地区宣传和衔接,争取更多的少数民族特色小镇纳入专项建设基金项目。甘孜、阿坝、凉山、宜宾、雅安、泸州、达州、乐山、绵阳、广元 10 个市(州)共上报申请项目 33 个,涉及藏、羌、彝、土家、苗、回 6 个少数民族,最后甄选出普格县螺髻山特色风情小镇、道孚县八美镇少数民族特色小镇、金川县勒乌镇少数民族特色小镇、峨边彝族自治县黑竹沟彝族特色文化旅游小镇、松潘县青云民族特色小镇、德格县马尼干戈镇少数民族特色小镇 6 个有代表性的建设项目并上报国家民委、国家发展改革委。

【民族特色村寨挂牌工作】 2016 年,按照《国家民委办公厅关于开展第二批少数民族特色村寨命名挂牌工作有关事项的通知》要求,四川省民族宗教事务委员会切实加强对各地的组织指导,要求各市(州)结合自身实际,从已建成的少数民族特色村寨、灾后重建新村、幸福美丽家园、牧民新村、彝家新寨等范围筛选出符合命名挂牌条件的特色村寨,对符合条件的特色村寨进行实地考察,在突出民族特色和地域文化特点的基础上,将村寨特色经济的可持续发展和村民生产生活水平的提高作为重要参考依据,切实体现特色,真正起到示范带动作用,同时对各地上报材料进行汇总评估并上报国家民委。

【落实民贸民品政策】 2016年,四川省民族宗教事务委员会按照国家民委要求,总结四川省"十二五"期间扶持民族贸易和民族特需商品定点生产企业政策执行情况,分析存在的问题,对"十三五"民贸民品政策提出建议并形成总结报告上报国家民委,同时按要求上报民品企业3家。落实民贸民品政策,加强对民贸民品定点生产企业的指导。

【推进民族地区脱贫攻坚】 2016年,四川省民族宗教事务委员会紧紧围绕省委"确保全省每年减少农村贫困人口100万左右,到2020年全面消除绝对贫困,全省农村贫困人口全部脱贫,贫困县农民人均纯收入比2010年翻一番以上"目标,坚持把民族地区脱贫攻坚作为重点任务来抓,协同实施大小凉山彝区"十项扶贫工程"、藏区"六项民生计划"、民族地区教育和卫生发展十年行动计划,牵头抓好彝区现代文明新生活"六件套"工程和摩梭家园建设暨摩梭文化保护工程,着力推进农牧业增收、民族文化推进和"四小"等专项建设;科学统筹民宗口项目资金,全部按渠道精准扶持到贫困民族县、乡、村、贫困户;牵头组织了对新龙、丹巴、荥经、宝兴4个县脱贫攻坚迎国家检查抽验工作;为牵头定点联系的色达县和杨各乡下甲斗村选派2名优秀干部驻县、驻村,全年投入帮扶资金分别达1000万元、300万元,突出抓好产业帮扶。制订了彝家新生活行动"四件套"和"二选一"年度实施计划,根据广大彝区群众和基层政府关于由衣柜代替生物质炉的建议,组织完成了对"四件套"的优化设计并组织省直部门和地方政府对优化后的"四件套"进行了审定;在省委主要领导指示将"四件套"和"二选一"合并为"六件套"后,及时请示省政府同意对2016年全省十大民生工程中"四件套"和"二选一"进行变更。组织召开精准脱贫与民族地区县域经济发展座谈会,会议邀请了省级部门以及甘孜、阿坝、凉山三州所辖的48个民族县、3个民族自治县和16个享受少数民族地区待遇县100余人参会,积极探索精准脱贫与民族地区县域经济发展如何有机结合、走出双轮驱动的路子。省民族宗教委领导带队多次到委定点帮扶县色达县和联系乡杨各乡及全省民族地区基层开展扶贫督导调研,结合四川民族地区脱贫攻坚的紧迫实际,积极向国家相关部委汇报衔接,推动凉山州被列入国家重点支持加快建设小康社会3个民族自治州之一,同时协调配合省政府出台了《国家发改委国家民委关于支持四川省凉山彝族自治州云南省怒江傈僳族自治州甘肃省临夏回族自治州加快建设小康社会进程的若干意见》的落实意见。

【民族地区生态保护】 2016年,为贯彻落实省委十届八次全会上做出的《中共四川省委关于推进绿色发展建设美丽四川的决定》精神,四川省民族宗教事务委员会加快推进民族地区树立绿色发展理念,大力促进生态文明建设,全省民族地区紧紧围绕建设西部地区生态屏障目标不动摇,坚定促进转型发展,坚决守护绿水青山,在推进绿色发展、改善生态环境上发挥了重要作用并取得了显著成效,得到省人大常委会的高度关注。省民族宗教委专门听取了省政府关于民族自治地方生态保护和补偿机制的建立及落实情况,省人大常委会对全省民族自治地方生态保护和补偿机制的建立及落实工作给予了高度肯定。

【民族地区统计监测工作】 2016年,四川省民族宗教事务委员会开展民族地区统计监测工作,分析民族地区经济运行情况,及时研判民族地区经济运行形势,及时为省委省政府和省级各有关部门提供民族地区经济发展季度报表和经济运行报告;按照要求提供历年民族地区经济和社会发展数据,及时上报国家民委下达的各项统计报表及运行报告,为民族地区经济决策提供了有益参考。

四川省民族宗教事务委员会编写组

民族地区文化工作

【参加第五届全国少数民族文艺会演】 2016年,四川省代表团参演剧目民族歌剧《彝红》于8月17日—18日在北京天桥艺术中心上演。评奖委员会在参演的43台剧目中评选出金奖10个、银奖15个,《彝红》获得剧目银奖。四川省代表团团长、副省长王铭晖,全国政协副秘书长、港澳台侨委主任杨崇汇,中央财经办原副主任段应碧,最高法院原副院长刘家琛,四川省委原常委、四川省纪委原书记欧泽高等领导和嘉宾与观众共同观赏了演出。中央电视台新闻频道对《彝红》做了新闻报道;中央电视台音乐频道对《彝红》进行了全场录制并于9月播出;新华社、《人民日报》、《光明日报》、中央电视台、中央人民广播电台、《中国青年报》、《中国文化报》、《中国民族报》等数10家媒体对《彝红》进行了新闻报道。会演期间,《中国民族报》对四川省民族文化工作的成就进行了专题报道。

【举办"美丽中国·和谐家园"——四川德阳三星堆民族文化创意设计展】 2016年,由国家民族事务委员会主办,四川省民族宗教事务委员会与德阳市委市政府共同承办的"美丽中国·和谐家园"三星堆民族文化创意设计展于8月12日—17日在北京民族文化宫开展。展览将传统民族文化元素与当下备受关注的文化创意产业相结合,旨在聚合民族文化,开拓民族文化产业创新、创意新思路,提升民族创意设计产品、旅游产品、时尚产品等设计理念和设计水平。

【严格审查公开出版物】 2016年,四川省民族宗教事务委员会严格按照党的民族宗教政策和国家民族宗教法律法规,进一步规范公开出版物的审查程序,加强与新闻出版、广播电视和文化主管部门的沟通协调,全年审查70余件涉及民族宗教类的影视作品、文学作品、学术论文等出版物,对符合相关规定的作品在把关过程中力求质量,鼓励精品;对不符合相关规定的作品坚决予以否定;对因缺乏常识、出于猎奇等违规图书、音像制品提出了修改完善或明确不予出版发行的建议。

【开展少数民族文化建设调研工作】 2016年,四川省民族宗教事务委员会对民族文化产业发展的成功典型——凉山文广传媒集团进行了调研,形成了《弘扬民族优秀传统文化、锻造民族文化产业品牌——凉山文化广播影视传媒集团有限公司发展情况调研报告》,《报告》以点带面,对民族文化产业发展情况进行了分析,提出了民族文化产业发展的建议意见。配合国家民委文宣司组织国内著名文化产业专家到平武县和北川县开展民族文化产业调研,帮助民族文化企业解决问题,促进发展。

【做好贯彻落实中央和省委民族工作会议精神的宣传报道工作】 2016年,四川省民族宗教事务委员会制定下发了《关于贯彻落实意识形态领域工作责任制的通知》《藏区宣传工作要点》;向《中国民族报》《民族画报》提供了宣传四川省民族团结进步典型人物的报道文章和阿坝藏族羌族自治州成就的系列文章和图片;配合国家民委等完成了对四川民族工作和红军长征95周年的系列采访报道;加强对网络、微博的舆情监测,及时处置影响民族团结的媒体舆论。

【少数民族古籍搜集整理工作】 2016年,四川省民族宗教事务委员会继续开展国家"十二五"重点出版项目《中国少数民族古籍总目提要》四川藏族卷的编目工作,已完成书籍类搜集、整理、翻译、审定、打印和校对等工作,同时完成《中国少数民族古籍总目提要》文书类编目的汇总和审定工作;开展国家民委"十二五"少数民族古籍重点项目出版规划《藏族古籍经典系列丛书》之二《工巧明》的录入、校对、审定和出版工作;完成国家"十二五"重点出版项目《中国少数民族古籍总目提要・彝族卷》四川部分全部编目的审定工作;做好省“十二五”少数民族古籍重点项目出版规划《古彝语词汇释义》的审定出版工作。

【民族语文业务培训】 2016 年,为全面提升全省民族语言文字工作水平,四川省民族宗教事务委员会对省、市(州)民族宗教部门和出版社、报社、电台、电视台、研究所、编译局、古籍整理等民族语文工作相关机构及部分民族地区高等院校负责人及业务骨干进行了培训,帮助参训人员进一步提升政策理论水平和业务技能,增强做好民族语文工作的责任感和使命感,也为全省民族语文机构交流学习、团结协作、携手共进搭建了平台,营造了进一步做好民族语言文字工作的良好氛围。协调安排省藏校完成省法院承办的川滇两省藏汉双语法官培训班藏文基础课教学任务。

【筹办首次川滇黔桂四省区彝语文工作联席会】 2016 年,为加强川、滇、黔、桂四省(区)彝语文对接协调,切实解决工作中的实际困难,四川省民族宗教事务委员会于 11 月 7 日—8 日在成都市召开川滇黔桂四省区彝语文工作联席会第一次会议,四川、云南、贵州、广西四省(区)民族、民语部门负责人和全国彝语术标委负责人在会上介绍交流了彝语文工作及彝语文“三化”(规范化、标准化、信息化)建设情况,讨论修改了《川滇黔桂四省区彝语文工作联系会办法》,就加强协调沟通、搭建跨省(区)协作平台、共同推进彝语文事业发展达成了共识。教育部(国家语委)语言文字信息管理司司长田立新和国家民委教育科技司司长田联刚应邀参会并分别讲授了《贯彻〈国家语言文字事业“十三五”发展规划〉加强少数民族语言文字“三化”建设》《我国的民族语文政策》,为参会人员了解掌握国家语言文字工作方针政策、进一步理清工作思路打下了坚实基础,联系会的召开标志着川滇黔桂四省区彝语文工作联系协作机制正式确立。

【推进双语和谐乡村建设试点工作】 2016 年,四川省阿坝藏族羌族自治州茂县黑虎乡被国家民委确定为全国双语和谐乡村(社区)建设试点单位。省民族宗教委与阿坝州、茂县民宗部门共同研究制订了项目实施方案,确定了示范选点、舆论宣传、氛围营造、学习培训、双语教学、跟踪指导、效益评估 7 个双语实施内容并先后两次到基层督导,协调解决试点过程中存在的问题,有效推动了试点工作。11 月初,该项目顺利通过国家民委和教育部实地验收。

【举办四川省第四届彝汉双语演讲比赛】 2016 年,为深入贯彻落实中共中央总书记习近平关于“在民族地区当干部,少数民族干部要会讲汉语,汉族干部也要争取会讲少数民族语言,这要作为一个要求来提”的指示要求,10 月 20 日—21 日,四川省民语办和凉山州语委共同举办了四川省第四届彝汉双语演讲比赛,经过筛选,来自部分彝区基层的彝汉藏苗等各族干部以及西昌学院、四川省彝文学校、西昌市民族中学、喜德县民族中学的各族师生共 33 人进入决赛。双语演讲比赛已经成为促进各民族之间相互欣赏、相互学习,加强交往交流交融,进而增强各族干部群众中华民族共同体意识、巩固和发展民族团结进步事业的有效抓手。

四川省民族宗教事务委员会编写组

民族地区教育工作

【制发《关于加快发展民族教育的实施意见》】 2016 年 11 月 28 日,四川省政府印发了《关于加快发展民族教育的实施意见》,要求到 2020 年,民族地区教育事业发展主要指标基本达到全省平均水平,逐步实现公共教育服务均等化,普及学前一年双语教育,基本普及学前两年教育,有条件的地方普及学前三年教育,学前两年、三年毛入园率分别达到 85%、75%;九年义务教育巩固率达到 95%,县域内义务教育基本均衡发展目标全面实现;普及高中阶段教育,毛入学率达到 90%以上,职业中学和普通高中比大体相当;高等教育办学水平、教育质量和大众化水平进一步提高,服务民族地区全面建成小康社会的能力显著增强。

【落实民族地区各项惠民教育政策】 2016 年,四川省在民族地区 51 个县(含阿坝州、甘孜州、凉山州共 48 个县及马边县、峨边县、北川县)启动实施 15 年免费教育计划,在实施义务教育“三免一补”政策和中等职业免费教育的基础上,免除 3 年幼儿保教费,免除 3 年普通高中学生学费并免费提供教科书,惠及 150 余万名民族学生。

【推进民族地区教育发展十年行动计划】 2016 年年初,四川省民族宗教事务委员会会同教育厅、省发展改革委、财政厅等部门共同研究制订实施了《四川省民族地区教育发展十年行动计划》2016 年度方案。省民族宗教委组织力量采取现地勘察、听取汇报、随机抽查、交流互动、个别了解、查阅资料等方式对马边县、峨边县、乐山市金口河区、北川县 4 个县(区)15 个乡(镇)20 所中小学校的教育管理、项目实施、经费使用、设备购置、校园文化、对口支援、师资培训 7 项 2015 年度《行动计划》内容进行了检查。

【继续实施高海拔民族地区学生取暖计划】 2016 年,四川省级财政安排专项资金 5876 万元,实施甘孜州、阿坝州、凉山州高海拔(海拔 2500 米以上)地区义务教育学校学生取暖计划,惠及学生 29.38 万名,完成全年目标任务的 101.31%。

【实施藏区千人支教十年计划】 2016 年 7 月 8 日,四川省教育厅、四川省委组织部等 5 部门印发《关于实施藏区千人支教十年计划的意见》,决定从 2016 年秋季学期起,通过选派支教教师,接收藏区中小学校校长、幼儿园园长、骨干教师赴内地跟岗学习等方式提高民族地区的教育教学水平。全年从内地县(市、区)选派 700 名优秀教师到藏区支教,接收 300 余名藏区校(园)长、骨干教师赴内地跟岗学习。实施“三区”人才支持教师专项计划,选派 1368 名优秀教师到“三区”支教。

【协助做好年度少数民族学生招生录取相关工作】 2016 年,四川省民族宗教事务委员会先后与教育厅共同拟制下发了“9+3”、内地民族班、中央民大附中招生工作等通知,共协助招收 2016 级学生近万人,其中“9+3”学生 9000 余人、内地民族班学生 502 人、中央民大附中学生 48 人;协助完成 2013 级藏区“9+3”学生 4025 人的就业促进工作,落实了 3982 人的就业岗位,其中就业 3136 人、参军 112 人、升学 715 人,毕业生初次就业率为 98.9%;协调省教育考试院、成都市招办完成了成都市第三中学“富民安康”甘孜高中班 111 名学生在成都市参加高考、回原籍录取的信息档案审核报送工作。

【加强对“两校”的指导与服务】 2016 年,四川省民族宗教事务委员会采取电话沟通与实地检查相结合的方式对省藏文学校、省彝文学校的教育管理、师资队伍、学科设置、发展规划、维护稳定、政风校风建设、民族团结创建活动等工作进行了跟踪指导;协调省发展改革委将“两校”纳入国家“十三五”产教融合规划,有望为“两校”各解决 2000 万元经费用于学校教育实训基地建设;与省发展改革委员会对接协调了藏文学校基本建设附属工程经费 800 万元;推荐并指导省藏文学校做好省级“法治教育示范基地”资料报送及工作。全年“两校”共招收新生 887 人,其中藏文学校 395 人、彝文学校 492 人;毕业学生 1657 人，其中藏文学校 409 人、彝文学校 1248 人。

【对接协调少数民族学生高考有关事宜】 2016 年，四川省民族宗教事务委员会与四川省教育考试院对接协调民族地区与少数民族高考学生加分有关政策；为 24 名学生解答 6 个平行志愿填报方法和少数民族预科生招收条件及有关问题；协调开展 12 名民族地区学生预科直升、政策加分及招生录取工作。

【召开四川省民族地区教师座谈会】 2016 年 9 月 5 日，四川省民族地区教师座谈会在成都市召开，副省长杨兴平出席会议并讲话。会议要求，在民族地区教育改革发展中，要突出立德树人的根本任务，营造和谐共进育人环境；要改善民族地区薄弱学校办学条件，全面提升教育质量水平；要建设师德高尚、业务精湛、数量充足、结构合理的专业化教师队伍，筑牢教育人才支撑；要大力推进"双语"教育改革，实施好藏区、彝区"9+3"免费教育计划，推动教育创新发展；要办好民族自治地区十五年免费教育，推进薄弱学校改造计划、彝区教育扶贫提升工程、学前三年行动计划、义务教育营养改善计划等重大教育项目实施，大力实施教育扶贫工程；要把教育优先发展落到实处，完善经费保障机制，持续弘扬尊师重教风尚。

四川省教育厅编写组、四川省民族宗教事务委员会编写组

民族地区卫生工作

【基本情况】 2016 年，根据四川省卫生和计划生育委员会、四川省突发公共卫生事件应急办公室、四川省重大传染病防治工作委员会办公室等要求，四川省民族宗教事务委员会完成《民族卫生十年行动计划五年实施情况及"十三五"规划思路》《2015 年防艾总结及 2016 年计划》《2015 年突发公共卫生事件应急工作总结和 2016 年工作要点》等编制工作。按照省政府和省重传办《关于做好 2015 年度艾滋病防治目标检查通知》要求，由省民族宗教委牵头，与省卫生计生委、省中医药管理局等相关部门组成检查组，对雅安市、甘孜州年度艾滋病防治工作进行了检查，对绵阳市、德阳市 2016 年血吸虫病春查工作及甘孜州艾滋病防治和爱国卫生目标进行了检查。

【民族卫生十年行动计划】 2016 年，四川省召开省民族地区卫生发展十年行动计划领导小组会议，全面回顾总结"十二五"民族卫生工作。完成《四川省少数民族地区医疗资源均等化研究之空间分布分析研究报告》。中央财政投入 5.21 亿元，实施县、乡医疗卫生建设项目 148 个，为 21 个县级妇幼保健院配备越野型孕产妇急救转运车，27 个高海拔县高压氧舱建设完工 24 个并投入使用。持续抓好藏区"六项民生工程"医疗卫生提升计划、彝区"十项扶贫工程"健康改善工程，加强与广东省、浙江省对口支援和东西部扶贫协作工作衔接。推进藏区重点寺庙县级中(藏)医医疗机构建设，加强寺庙僧尼医疗卫生公共服务。继续开展技术大练兵、设备使用率提升、诊疗量质提升和健康管理全覆盖"四大行动"，58 个民族县建成远程医疗系统，远程诊疗量达 30385 人次，同比增长 197%；巡回医疗派出医务人员 7648 人次，同比增长 107%，诊治农牧民连续两年突破 10 万人次；培训乡(镇)卫生院技术人员、专业骨干和管理人员 4200 人。

【包虫病防治工作】 2016 年，根据四川省人民政府下达的在藏区进行包虫病防治宣传教育活动的任务，四川省民族宗教事务委员会制订下发了《2016 年四川省民族宗教部门包虫病防治宣教活动方案》，明确要求甘孜州、阿坝州民族宗教部门结合宣传党和国家的民族宗教政策，采取邀请专家采取入寺讲解包虫病预防知识、免费义诊、发放《包虫病防治健康教育读本》(藏汉双语)等形式在甘孜州 18 个县(市)、阿坝州 3 个县(市)针对宗教人士入寺开展包虫病综合防治宣传教育活动 100 场，力求使包虫病防治知识"寺喻僧晓、人人皆知"，累计下发《包虫病防治健康教育读本》2 万册。

【努力发挥成员单位职能作用】 2016 年，四川省民族宗教事务委员会作为省爱国卫生委员会、省重大传染病防治工作委员会、省突发公共卫生事件应急指挥部、省民族地区卫生发展十年行动计划领导小组等的成员单位，积极参与各项工作和行动计划方案的制订和实施，配合省卫生计生委等部门完成相关年度任务，促进了全省民族卫生事业发展。在县重大传染病防治方面，省民族宗教委在对口联系县昭觉县共安排包括禁毒防艾、民族团结新村建设、教育、民生等项目 13 个，资金 560 万元。

【卫生人才队伍建设】 2016 年，四川省民族宗教事务委员会推进人才资源下沉，通过"三支一扶"、"阳光天使"、全科特岗等项目为基层引进人才 2023 名。探索乡村卫生人员一体化管理模式，95 个县开展了乡村一体化改革，村医乡聘村用率达 58.28%。

四川省民族宗教事务委员会编写组、
四川省卫生和计划生育委员会编写组

民族地区科技工作

【基本情况】 2016 年，四川省民族宗教事务委员会配合省科协推进实施《全民科学素质行动计划纲要》，做好"十三五"开局之年工作规划，选派工作人员参加工作协调会并对民族地区科普工作进行了督查；协助科技厅做好由四川省和科技部、国家民委等 14 部委主办、省政府承办的第五届中医药现代化国际科技大会的相关工作；配合卫生厅在民族地区广泛开展包虫病防治等科普宣传活动，编译、印制并免费发放了一批科普卫生宣传资料。同时，利用省民族宗教委系统的各种培训，将科普卫生知识穿插其中，配合相关处室提高民族工作人员的综合素质。

【"欢乐藏区行，科普进寺庙"活动】 2016 年 5 月 31 日—6 月 2 日，由四川省科学技术学会、四川省民族宗教委员会主办，四川省民族科普队、四川省民族宗教委教科民语处承办，阿坝州科协、阿坝州民宗委、康巴卫视、红原县人民政府协办的"欢乐藏区行，科普进寺庙"活动在红原县麦洼寺举行。活动以"节约能源资源、保护生态环境、保护安全健康、促进创新创造"为主题，通过展示科普展品、开展健康卫生知识讲座、开展消防安全讲座、免费义诊等方式为麦洼寺僧人及周边群众送去了科普、健康知识。科普大篷车现场播放《包虫病防治》《大骨节病防治》《预防氟中毒》和《牧区鼠害》等科普视频，在组织专家进行健康卫生知识和消防安全知识讲座的同时现场开展义诊活动 5 场次，向当地捐赠《四川省重大传染病防治知识手册》(藏汉文版)、《农村常见疾病预防》《保护水资源改善水环境》、《建新村、树新风、除陋习、治脏乱》等双语科普书籍 2000 余册，《急救指南》科普挂图 500 余幅。

四川省民族宗教事务委员会编写组

农村财政、金融与市场监管

农村财政与金融

财政支农工作

【基本情况】 2016年,四川省财政部门紧紧围绕主要农产品有效供给和农民持续稳定增收核心目标,全面落实各项强农惠农政策,加大农业投入力度,创新财政支农机制,改革资金管理使用方式,提升农业财政管理水平,推动全省农业农村加快发展、脱贫攻坚深入推进。

【加大农业投入】 2016年,四川省财政部门深入贯彻落实省委省政府关于加大农业投入的安排部署,加快建立持续稳定增长的农业投入体系,逐步形成政府、金融、农户、社会多元化投入格局,为农业农村发展提供了财力保障。一是加大财政农业投入。面对新常态下十分突出的收支矛盾,各级财政坚持把加大农业投入放在优先位置,积极争取中央支持,优化调整支出结构,多级联动做大资金规模。全年财政农业专项资金投入625亿元,同比增长12.6%,其中中央财政补助250亿元,省级财政投入152亿元,市(州)、县(市、区)级投入223亿元。二是加强财政金融互动。运用财政贴息、农业担保、贷款分险等方式引导金融机构加大农业投入,制定出台了农业信贷担保体系建设财政支持政策,安排农业信贷担保补助资金2.7亿元;支持农业担保体系建设,撬动农业担保贷款72亿元;安排农业产业化银行贷款贴息资金4425万元,对43个农业产业化固定资产贷款项目和34个茶产业流动资金贷款项目给予贴息,吸引固定资产贷款14.3亿元、流动资金贷款5.5亿元。搭建易地扶贫搬迁融资平台,省财政将地方政府债务资金26.5亿元和专项建设基金58亿元作为资本金注入省级平台公司,引导金融机构发放长期低息贷款94亿元,支持25万人的易地扶贫搬迁住房建设任务全面完成。三是吸引社会资本投入。发挥财政资金的引导作用,制定出台政府购买农业社会化服务试点办法,开展政府购买农作物病虫害防治、易地扶贫搬迁、林业有害生物防治、飞机人工增雨等公共服务,引导社会力量参与服务供给。安排专项资金3500万元,支持荣县、叙永等地开展PPP模式推进畜禽粪污综合利用试点,引导社会资本投入,合力解决畜禽养殖粪污严重、耕地质量下降等问题。推进政府与社会资本合作,出台了《鼓励引导社会资本参与农田水利设施建设运营的意见》。

【转变农业发展方式】 2016年,四川省财政厅以加快转变农业发展方式为主线推动经营体系向专业化和适度规模经营转变,生产方式向环境友好资源节约转变,加快现代农业发展。继续开展调整完善种粮农民直接补贴、农资综合补贴和农作物良种补贴政策试点,合并设立农业支持保护补贴,支持耕地地力保护和粮食适度规模经营。安排资金38.6亿元,支持农田水利基础设施建设,加快建成高标准农田,提高农业综合生产能力。安排资金26亿元,支持第三轮现代农业(林业、畜牧业)重点县建设,发展水稻、茶叶、蚕桑、畜禽等产业基地,打造一批现代农业示范园区。安排新型农业经营主体培育专项资金4亿元,支持500余个农民合作社、上千个家庭农场发展,开展多种形式的适度规模经营。安排资金4700万元,通过以奖代补的方式支持各地盘活农村撂荒土地、闲置农房等资产资源,培育壮大新兴产业,加快形成新的农民增收业态。实施"区域品牌+企业自主品牌"发展战略,支持"天府龙芽""四川泡菜""大凉山"等优势区域公用品牌建设。发展农产品冷链物流,推广"产地集配+销地分拨"等直销模式,实现生产、加工、流通、消费的有效衔接。加快推进"互联网+现代农业",打造"线上农业",带动"线下农业"提质增效、转型升级。

【扎实推进绿色发展】 2016年,四川省财政厅围绕“绿化全川”行动,大力支持林业重点工程建设,全年安排资金13.4亿元,深入推进天然林资源保护工程,有效管护国有林1.8亿亩。安排森林生态效益补偿资金13.6亿元,对1亿亩公益林给予补偿。安排退耕还林资金18.3亿元,巩固退耕还林成果1336万亩,落实新一轮退耕还林还草任务54万亩。安排资金10亿元,启动新一轮草原生态保护补助奖励政策,实施草原禁牧补助7000万亩、草畜平衡奖励1.4亿亩。大力支持水土保持和水资源节约保护,安排资金2.7亿元,治理水土流失面积663平方千米;安排资金7.2亿元,支持70个节水型社会重点县建设和水库水资源保护。大力支持农产品质量安全体系建设,安排资金1.2亿元,开展农产品质量安全检测,严把从农田到餐桌每道防线。安排资金8亿元,全面落实重大动物疫病防控措施,开展土壤重金属污染防治试点。创新财政支持绿色发展机制,安排资金2.4亿元,支持深化国有林场改革。安排资金2000万元,开展干旱半干旱地区生态综合治理试点。安排资金4500万元,开展湿地生态效益补偿试点。

【推动幸福美丽新村建设】 2016年,四川省财政厅围绕“业兴、家富、人和、村美”的目标,持续加大投入,分层次、分类别、分区域推动幸福美丽新村建设。安排资金6亿元,支持63个省委省政府确定的幸福美丽新村示范县建设。安排幸福美丽新村建设资金16.7亿元,以2700个扶贫新村为重点,加快新村基础设施和公共服务设施建设。推动“一事一议”财政奖补政策转型升级,安排奖补资金2.9亿元,建设美丽乡村131个。围绕彝区十项扶贫工程,安排彝家新寨建设资金12.1亿元,支持彝区1.48万户贫困群众建设新居,改善275个贫困村基础设施条件,发放“四件套”2.3万套。围绕藏区六项民生工程,安排藏区新居建设资金4亿元,支持藏区2万户困难农户建设新居。

【支持贫困县统筹整合试点】 2016年,为确保省委省政府关于支持贫困县开展统筹整合使用财政涉农资金试点的要求落实落地,四川省财政厅会同省级有关部门及时修改、完善涉农专项资金管理办法,对不利于统筹整合的条款予以取消或调整。出台规范统筹整合使用财政涉农资金试点的操作办法,对适用范围、使用方向、预算调整、项目管理、财务列报等做出了具体规定,严格整合后资金和项目管理,细化项目实施、竣工验收、报账支付、监督管理和绩效考评等办法,确保资金整合依法按规、资金使用有据有效。探索建立了“蓄水统配”“截长补短”“引流归口”等统筹整合模式。全年70个试点县统筹整合农业生产发展和农村基础设施建设资金67亿元,集中用于弥补贫困村、贫困户对照脱贫退出标准的短板。试点成效初显,激发了贫困县的内生动力,创新了财政扶贫方式,丰富了精准扶贫手段,提高了资金使用精准度,深受基层政府和贫困群众的欢迎。

【创新民办公助机制】 2016年,四川省财政厅在财政支农项目建设中探索实践了以“六民六制一保障”为主要内容的民办公助方式。“六民”,即规划方案“民议”、项目内容“民知”、工程建设“民管”、工程质量“民监”、资金使用“民审”、工程建后“民受益”;“六制”,即公告公示制、目标责任制、竣工验收制、直接支付制、档案管理制、管护责任制;“一保障”,即强化组织保障。“六民六制一保障”方式在一定程度上破解了受益农民积极性不高、项目建设主体缺位、项目建后管护的难题,推进了基层政府角色转变,促进和调整了农业生产关系。

【探索建立“四项扶贫基金”】 2016年,四川省财政厅创新财政扶贫方式,支持全省160个有扶贫任务的县设立教育和卫生扶贫救助基金、扶贫小额信贷分险基金,11501个贫困村设立产业扶持基金。截至2017年1月底,全省“四项扶贫基金”累计筹集68.7亿元,其中教育扶贫救助基金累计筹集4亿元,已发放救助资金0.4亿元,基金余额3.6亿元,惠及4.76万名贫困家庭学生;卫生扶贫救助基金累计筹集3.6亿元,已发放救助资金1亿元,基金余额2.6亿元,惠及11.5万名贫困人口;扶贫小额信贷分险基金累计筹集26.5亿元,引导发放扶贫小额信用贷款106.9亿元,惠及37.9万户贫困户;贫困村产业扶持基金累计筹集34.6亿元,滚动发放15.3亿元,惠及16.3万户贫困户。“四项扶贫基金”聚焦目标、突出精准、体现特惠,从制度层面丰富和完善了脱贫攻坚政策体系,解决了贫困群众在上学、就医方面存在的特殊困难,解决了贫困群众发展产业缺乏启动资金的问题,政策效应初显。

【创新资产收益扶贫模式】 2016年,四川省财政厅针对全省贫困人口中缺乏劳动能力比重较大的实际,探索建立了以“股权量化、按股分红、收益保底”为核心内容的财政支农项目资产收益扶贫新模式。全年省财政安排财政专项扶贫资金1.25亿元、财政支农专项资金6800万元,分类开展资产收益扶贫试点,已覆盖5.16万户贫困户,2016年实现户均分红400元以上,开辟了贫困户增收新路径,推动了农业生产发展方式转变,深受农民合作社等实施主体和贫困农户的拥护。

【创新绩效监督管理机制】 2016年,四川省财政厅牢固树立“花钱必问效、无效必问责”的理念,强化绩效预算管理,在事前环节,加强预算编制审定、绩效目标制定和项目预算管理;在事中环节,深化绩效分配改革、执行中期评估和预算执行管理;在事后环节,强化结余资金管理和支出绩效评价。加强涉农资金日常管理,建立省、市、县、乡、村五级公开公示制度,健全举报、查处和反馈机制。加大监督检查力度,实施重点项目资金监督检查和绩效评价。严肃财经纪律,严厉惩处违纪违法行为。

【推进脱贫攻坚】 2016年,四川省财政部门始终把脱贫攻坚作为头等大事,有力推动“1+4+4”财政脱贫攻坚政策落实落地,为脱贫攻坚首战首胜提供了财力支撑。一是保障脱贫攻坚财政投入。各级财政对接2016年17个扶贫专项工作计划,周密谋划、精心测算、创新举措,千方百计挖掘存量、优化增量、增加总量,安排财政扶贫资金657亿元(其中中央和省级补助422亿元),支出629.7亿元,保障了脱贫攻坚的计划实施。筹集中央和省级财政专项扶贫资金71.6亿元,其中中央资金45.4亿元,同比增长33%;省级资金26.2亿元,同比增长40.6%。二是落实财政扶贫政策措施。围绕“1+4+4”财政脱贫攻坚政策体系,省级财政从均衡性转移支付增量中单独安排25亿元,用于贫困县单列单算补助,增强贫困县财政保障能力。安排财力激励补助资金2000万元,对开展跨区域合作成效明显的成阿工业集中发展区、成甘工业集中发展区、甘眉工业园区等6个贫困地区跨区域合作项目给予激励补助,充分调动了贫困地区跨区域合作的积极性。制定扶贫资金到村到户操作办法,落实扶贫资金“四到县”制度,建立扶贫资金精准扶持机制。创新脱贫攻坚资金专调制度,对库款有困难的地方实行专调,确保资金早到位、项目早建设、群众早受益。落实财政促贷、风险分担、信贷担保、保险奖补4个方面21条财政促进金融扶贫政策,健全财政激励金融、金融推动扶贫的传导机制,运用贴息、担保、分险、基金等方式鼓励金融机构加大脱贫攻坚投入。

支持向有劳动能力的贫困人口购买劳务服务，包括乡村环卫工人、公益设施维护人员、生态护林员等岗位。全年省级财政补助资金1.1亿元，选聘2.6万名贫困人口为生态护林员。三是支持深度贫困地区加快发展。深入推进实施藏区六项民生工程、彝区十项扶贫工程，持续改善民族地区生产生活条件。各级财政安排藏区六项民生工程资金62亿元，其中中央和省级财政补助资金48.6亿元；安排大小凉山彝区十项扶贫工程资金93.3亿元，其中中央和省级财政补助资金82.7亿元，保障了46个大项88个小项任务的实施。创新帮扶机制，建立财政管理对口帮扶联系制度，组织内地市（县）与藏区、彝区45个县结成对子，为民族县提供制度建设、管理改革、人员培训等指导服务，帮助民族县提高财政管理水平。

四川省财政厅编写组

中国农业发展银行四川省分行涉农工作

【基本情况】 2016年，中国农业发展银行四川省分行认真贯彻总行党委和省委省政府决策部署，主动提升站位，积极践行“五大发展理念”和总行“一二三四五六”总体发展战略，进一步发挥好在“稳增长、调结构、惠民生”中的重要作用，细作深耕于粮油收购储备调控、易地扶贫搬迁、棚户区改造、城乡一体化建设、水利建设、农村路网建设、农发重点建设基金等涉农领域，支农成效突出。全年投放信贷支农资金775亿元，其中贷款469亿元、农发重点建设基金306亿元，为全省粮油收储、农业农村基础设施建设、农业产业化发展等提供了坚实有力的支持。农发行省分行强化政治担当、服务国家战略、支持地方经济发展取得的显著成效多次得到省委省政府领导的重要批示和充分肯定。

【稳定粮食安全】 2016年，中国农业发展银行四川省分行严格落实国家粮油购销储政策，按照中央“去库存”要求，全年销售油脂3.01亿千克、粮食5.49亿千克，累计收贷29.43亿元。根据国家粮油调控政策，完成中储粮轮换、承储工作，投放中央储备及调控类粮油贷款23.64亿元，支持中储粮公司轮换粮食6.5亿千克、划转粮食2.03亿千克；发放地方储备贷款10.01亿元，支持企业储备粮食4.69亿千克。及时启动落实托市收购政策，全年累计发放收购贷款33.67亿元，支持企业购入油菜籽0.105亿千克、粮食15.415亿千克，全年无粮油收购负面舆情发生，确保了国家粮食安全和信贷资金的有效供给。

【助力脱贫攻坚】 2016年，中国农业发展银行四川省分行积极应对经济金融新常态，以服务脱贫攻坚统揽业务发展全局，紧紧围绕“五个全力服务”，按照“以点带面，整体推进，全域扶贫”的基本工作思路，主动融入全省脱贫攻坚大局，以支持易地扶贫搬迁为重点，以秦巴山区、乌蒙山区、大小凉山彝区、高原藏区为主的88个贫困县11501个村为扶贫开发的主战场，启动“一把手”工程，积极参与全省“十三五”扶贫规划编制和融资方案设计，研究制定差异化信贷支持方式，采取限时办贷、集中办公、现场办公等多种服务方式加快项目评审进程，提高项目评审效率。全年累计审批易地扶贫搬迁贷款及基金项目131个，总金额411.99亿元，投放贷款234.81亿元，投放易地扶贫搬迁专项建设基金33亿元，有力保障了贫困地区的资金需求，其中审批易地扶贫搬迁项目贷款24个，金额186亿元，利率平均下浮18%，平均贷款期限为25年，惠及搬迁人口50余万人，实现秦巴山区、乌蒙山区贫困县全覆盖。全年累计派出驻村“第一书记”42人，帮助贫困乡村和农户发展生产、脱贫致富，为服务四川脱贫攻坚做出了应有的贡献。同时，农发行省分行按照省委省政府要求积极做好定点扶贫村的帮扶工作。截至2016年年底，累计向定点帮扶的广元市利州区三堆镇龙池村投入信贷资金733万元，支持龙池村60户贫困户（221人）实施易地扶贫搬迁，协助实施核桃技改1200余亩，种植魔芋300余亩、中药材150余亩，发展黄羊养殖400余只，龙池村建卡贫困户年人均纯收入大幅度提高，实现村级集体经济收入2.1万元，远远超过了精准脱贫规定的目标任务，彰显了农发行省分行在脱贫攻坚中承担的社会职责。

【支持“三农”发展】 2016年，中国农业发展银行四川省分行主动适应信贷政策深度调整、项目竞争压力加大等新形势，积极探索创新信贷支持模式，深入开展重点项目建设，全行棚户区改造贷款余额27亿元，较年初增加14.69亿元；水利建设贷款余额67.36亿元，较年初增加8.77亿元；重大水利专项过桥贷款余额34.3亿元，较年初增加2.66亿元；农村路网及贫困地区公路建设贷款余额107.67亿元，较年初增加22.91亿元，重点业务品种均保持了上涨态势。特别是在媒体报道昭觉县“悬崖村”出行难后，总、省、州行快速反应，三级联动，审批贷款6000万元，已投放贷款240万元，支持修建了钢质便道，在冬季来临前及时解决了当地村民“出行难”问题。9月，攀枝花市发生群发性山洪及滑坡等重大自然灾害后，省、市、县三级联合迅速启动绿色办贷通道，3天内完成1亿元救灾应急贷款的调查、审查、审议、审批和发放工作，为受灾群众解危救困、恢复正常生产生活提供了有力支持，当地党委政府对农发行给予了高度评价。

【专项建设基金投入工作】 2016年，中国农业发展银行四川省分行积极贯彻落实中央和省委省政府“稳增长、调结构、惠民生”政策，继续做好专项建设基金投入工作。全年分3批向499个项目投放农发重点建设基金305.62亿元，重点支持棚户区改造、重大水利建设、城市基础设施建设、交通能源建设等一大批民生和提升核心竞争能力的制造项目。前7批累计向733个项目投放基金423.25亿元，支付基金163.33亿元，基金项目核批数、投放数均居全国农发系统首位，由此拉动社会投资5673亿元。

【提升服务能力】 2016年，中国农业发展银行四川省分行紧紧围绕服务国家战略目标，组建专业团队，为易地扶贫搬迁、水利建设、棚户区改造等项目量身定制融资方案，针对重点项目和贷款品种完善贷款调查评估模板，开辟绿色办贷通道，缩短办贷时间，项目从省分行现场调查到上报总行最快2天，平均用时18.3天，办贷效率大幅提升，全年上报总行基础设施类项目24个，通过率达100%，审批个数居全国第一位、审批金额居全国第二位。坚持社会效益优先和保本微利的原则，让利于政府和企业，易地扶贫搬迁、水利专项过桥等贷款利率均比基准利率下浮10%~20%，贷款期限最长至30年，受到各级党委政府好评。积极推广上线粮油库存远程监控、“营改增”、支付结算综合服务等系统，有效减少客户工作量，极大提高了工作效率。积极落实“惠企减负”政策，对符合政策的企业减费让利386.65万元。为满足客户需要，引入多家合作财险公司，为代理保险客户提供更加宽泛的选择。支持企业走出国门，积极开办外汇结算业务，客户服务能力和水平得到进一步提升。

中国农业发展银行四川省分行编写组

新型农村金融机构

综　　述

【基本情况】 2016年,四川省人民政府金融办公室紧紧围绕省委省政府关于全省农村金融改革发展的有关部署,积极组织开展农村资金互助合作组织试点。截至2016年年底,全省共有自贡大安区三绿、射洪县众旺、青川县众鑫、彭州市旭力、内江市中区江龙、大竹县汇鑫6家试点社获得省政府金融办监管注册证书并开业运营。6家试点社共有社员940户,其中自然人社员926户、法人社员14户,股金总额2732.6万元。全年累计发放贷款196笔,发放贷款2722.1万元,贷款余额2249.3万元,实现净利润160.61万元。

【有序推进试点工作】 2016年,四川省人民政府金融办公室修订了《四川省试点农村资金互助合作组织监督管理暂行办法》,进一步完善试点社宗旨、原则、组织架构、经营管理红线及监管框架和基本要求等,指导各试点社有序开展经营活动。从试点情况看,各试点社基本能按照入股自愿、社员管理、服务社员、审慎经营等原则开展经营活动,资金在社员内部封闭运行,整体运营情况良好、风险可控,尚未发现超社员范围发放贷款、以固定回报招揽股金、参与对外投资、违规吸收新社员或增资、明显侵犯普通社员合法权益等行为。

【满足社员融资需求】 2016年,四川省6家农村资金互助合作组织累计获得贷款的社员户数占资金合作组织社员总户数的20.85%,较上年下降17.61%。采用信用贷款、保证贷款以及农产品抵质押贷款等方式获得贷款,社员的资金需求能够在较短时间内得到满足,基本达到"小额分散、应急补充"的基本要求,得到社员群众的广泛认可。

【促进资金互助与农业生产的有效融合】 经过两年来的探索,四川省各试点社充分利用本地资源,以农民专业合作社为依托,发挥资金聚集的优势作用,积极开展各具特色的资金运营管理活动,实现了资金互助与农业生产经营的有机融合,更好地促进了社员增收和产业健康发展。青川县众鑫农村资金互助合作社利用当地特有的黑木耳、天麻等优势农产品,以专合社为基础搭建统一平台,试点社、养殖户、专合社紧密合作,让社员能够全身心投入种植,不必分心融资、销售等问题,进而更好地保障了产品品质。大竹县汇鑫农村资金互助合作组织以当地特有的秦王桃为主要载体,推动开展资金互助合作,并以社员的家庭资产、个人信用、股本金出资情况及为互助社做出的贡献为主要指标,按照"3331"的比例对社员进行星级评定,并最终由社员大会进行确定,有效提升了合作社的风控能力和社员的积极性,为推动当地特色产业可持续发展做出了贡献。

四川省人民政府金融办公室编写组

农村合作金融机构

【基本情况】 2016年,四川省有农村合作金融机构110家,非法人机构5759个,执证网点5869个。法人机构包括省联社1家,地(市)农村信用联社2家,农村商业银行51家,农村合作银行1家,县级联社38家,城区联社17家;非法人机构包括省内异地分行6家,支行1455个,分理处1796个,信用社808个,分社1680个,储蓄所14个。全年机构总数增加18家,其中法人机构减少2家,非法人机构增加20家。开业农商行数量比上年增加15家,产权改革工作稳步推进。

【经营管理】 2016年,四川省农合机构经营规模不断扩大,资产总额达17628.09亿元,较年初增加1590.92亿元,增长9.92%;负债总额16580.55亿元,较年初增加1507.6亿元,增长10%;所有者权益总计1047.54亿元,较年初增加83.32亿元,增长8.64%,资产、负债规模分列全国农合机构第5位和第4位。全省农合金融机构资本充足率、一级资本充足率和核心一级资本充足率分别为12.68%、11.04%和11.04%,较年初分别提高0.34、0.25和0.25个百分点。全省农村合作金融机构存贷款持续增长,各项存款占所有负债的78.76%,比年初增加0.09个百分点;余额13059.49亿元,比年初增加1200.87亿元,增长10.13%。存款结构进一步优化,储蓄存款9262.61亿元,较年初增加1026.18亿元,增长12.46%。各项贷款占资产余额的39.28%,较年初增加0.85个百分点;余额6925.03亿元,比年初增加762.23亿元,增长12.37%。存贷款规模分别列全国第5位和第6位。累计实现拨备前利润248.69亿元,净利润100.78亿元,年度净利润列全国第7位。账面不良贷款281.48亿元,比年初增加11.15亿元;不良贷款率4.06%,比年初下降0.32个百分点。全省农合机构涉农贷款余额5539.57亿元,较年初增加503.18亿元,增长9.99%,实现涉农贷款持续增长。小微企业贷款余额为3235.25亿元,较年初增加425.56亿元,增长15.15%,比全部贷款增速高2.78个百分点;小微企业贷款户数63.95万户,同比增加3.13万户;小微企业申贷获得率96.93%,同比提高0.45个百分点,服务小微企业成效不断提升。全省农合机构存差资金6134.46亿元,比年初增加438.64亿元,增长7.70%;流动性比例58.27%,比年初减少23.19个百分点,高于全辖法人机构水平1.72个百分点;人民币超额备付金率4.77%,比年初减少2.25个百分点;核心负债依存度62.77%,比年初增加0.82个百分点,中长期负债稳定;流动性缺口率20.87%,比年初减少14.23个百分点。流动性总体充裕,未发生流动性风险事件。

【创新监管方式】 2016年,四川银监局全面贯彻银监会全国农村中小金融机构监管会议精神,着力抓好监管创新、风险防范、机构改革、金融服务等工作,促进全省农合机构实现了平稳较快发展。印发了《四川省农村中小金融机构分类监管指导意见(试行)》,指导银监分局制订了"一行(社)一策"差别化监管方案,分别实施监管强制措施。推动实施走访巡查,20个分局班子成员全年共走访巡查92家农合机构、141个网点。

【严守风险底线】 2016年,四川银监局督促省联社强化信贷管理,联合审计厅开展不良资产分类真实性检查,组织农合机构按季度对同业业务(含表内外非标业务)开展持续排查,成都农商行20亿元非标投资风险处置工作取得重大进展。全年农合机构发生1起案件,风险金额58万元,均较上年大幅下降。组织开展流动性风险应急演练、流动性风险摸底调查,针对2016年年底债市震动,对农合机构开展风险提示,切实防范流动性风险。共对全省农合机构发生的未经批准异地设立分支机构、违规放贷、违规开展票据业务、利用职务之便侵占信用社资金案件等违法违规行为实施行政处罚49起,警告高管人员20人,没收6家机构违法所得100.85万元,对37名高管和12家机构分别实施罚款176万元、741.22万元,取消高管任职资格5

人，禁止从事银行业工作4人。

【坚持体制机制改革】 2016年，四川银监局共清收处置不良贷款167.44亿元。鼓励和支持农合机构在股权改造和改制中优先引进符合条件的涉农企业和民间资本，民间资本占比达93.44%，推进了农商行改制提质提速。促成省政府修改对省联社的考核制度，督促省联社加快推进行业审计中心建设。

【深化农村金融服务】 2016年，四川银监局制定了"银行业服务实体经济的十六条措施"、《四川银行业机构农村金融服务考核办法》，健全监管激励约束机制、《四川金融机构推进解决空白乡镇分年度发展规划(2016—2020年)》等政策措施，扎实推进普惠金融工作。会同省委组织部联合推进基层党组织和银行业基层网点合作；联合省委、成都市委组织部召开成都市双基合作惠农贷款工作推进会。

中国银行业监督管理委员会四川监管局编写组

涉农保险

【基本情况】 截至2016年年底，四川省共有保险公司法人机构3家、省级分公司87家、各级保险分支机构4930家。全省保险公司总资产3235亿元，较年初增长28%；共管理保户储金及投资1183亿元，较年初增长67.6%。全省共实现原保险保费收入1712亿元，同比增长35%，保费规模与增速均居全国第5位；赔付支出554亿元，同比增长22%。保费规模居全国第5位，增速居全国第4位。全省保险市场运行稳健，满期给付与退保工作总体平稳，没有发生大的风险事件。

【支持"险资入川"】 2016年，中国保险监督管理委员会四川监管局落实省政府与保监会签署的合作备忘录要求，联合相关部门搭建保险资金与地方项目对接平台，召开保险资金投资四川重大项目对接会。"险资入川"规模不断扩大，投资项目主要集中在能源、交通、棚户区改造等重点项目和重点企业，累计投资余额1200亿元。

【支持"走出去"】 2016年，中国保险监督管理委员会四川监管局积极发挥出口信用保险的功能作用，服务四川省融入"一带一路"和长江经济带战略，推动全省外向型经济发展。支持559家企业一般贸易出口37亿美元，服务小微出口企业410家，带动出口3.2亿美元，支付赔款1788万美元，帮助企业追回逾期应收账款255万美元。

【灾害风险管理】 2016年，四川省首创性地建立"直接保险+再保险+地震保险基金+政府紧急预案"的多层次风险分担机制，共为76万户城乡居民提供风险保障金196亿元。四川保监局作为全省巨灾保险试点领导小组办公室，积极牵头与各成员单位共同研究，不断完善地震巨灾保险制度。

【金融安全维护】 2016年，中国保险监督管理委员会四川监管局不断完善监测预警和风险排查，实时把握风险动态，及时发布风险提示公告，提高社会公众的风险防范意识。牵头开展全省互联网保险风险专项整治工作。完善保险业非法集资风险防控体系和工作机制。保持监管高压态势，整顿规范市场秩序，切实保护保险消费者的合法权益。

【扎实推进保险扶贫】 2016年，四川省成立四川保险业助推脱贫攻坚工作领导小组，制订全国首个保险业扶贫工作方案，统筹整合全省保险业扶贫资源，坚定有力抓好脱贫攻坚"头等大事"。一是助力彝区精准扶贫。为凉山州量身定制扶贫产品"惠农保"，通过一张保单涵盖自然灾害、农房损失、意外伤害等风险保障，将投保年龄放宽至80岁，已为463个乡(镇)、20万套农房和741万人次提供风险保障金4757亿元，支付赔款1928万元。二是护航藏区特色养殖。截至2016年年底，已承保牦牛251万头次，提供风险保障金52亿元，支付赔款2.8亿元，户均赔款2.4万元。聘请藏族群众1800余人作为农险服务人员，每人每年直接增收近万元。三是对口结亲定点帮扶。四川保监局与商务厅对口联系邻水县城南镇芭蕉村。全省各保险机构共定点帮扶195个贫困村，先后直接投放130余万元，援建道路、学校、图书馆、文化馆等设施并为贫困人员赠送保险、减免保费、捐款捐物等。2016年全省扶贫日系列活动中，保险业合计募捐款物折合人民币500余万元。四是创新保险扶贫举措，实现重点突破。四川保监局联合财政厅、省扶贫移民局印发了《四川省"扶贫保"工作实施方案》，针对建档立卡的625万名贫困人口以及在全省160个有扶贫任务的县(市、区)开展"扶贫保"业务，已在广安、宜宾两地落地实施，其他市(州)实施工作有序推进。

【稳步扩大农业保险覆盖面，服务农业供给侧结构性改革】 自2007年开展试点以来，四川省农业保险工作成果一直居全国第3位。一是服务领域不断扩大。参保农户从首年的1925万户次增长到2759万户次，风险保障金从167亿元增长到2232亿元，累计支付赔款101亿元，受益农户2490万户。二是产品种类日益丰富。截至2016年年底，共开展水稻、玉米、育肥猪等中央补贴农险产品12种，积极发展果蔬、茶叶、中药材等地方特色农险产品66种。在全国率先开办水稻制种保险，较早开办价格指数保险、气象指数保险和收入保险。三是服务能力稳步提高。构建起全国最大、覆盖面最全的农险服务体系。9家农险经营机构依托各地政府，建成乡(镇)服务站4908个、村级服务点4.3万个，农险服务网络覆盖全省98%以上的县区，基层农险服务人员达4.8万名。四是创新开展支农惠农。全国首款"价格保险+场外期权"产品帮助农业企业抵御市场价格波动风险。土地流转收入保险为农村土地流转提供了保险保障。险资直投支农融资项目有效增强了农业企业造血能力，投放的1114万元已全部到位。

【发挥民生保障功能作用，完善社会保障体系建设】 一是全面推进大病保险。2016年，四川省大病保险实现21个市(州)全覆盖，覆盖人群7308万人，其中20个市(州)由商业保险公司承办，累计支付赔款36亿元。参保人员医疗费用报销比例在社保基础上平均提高10%以上，累计审核出违规医疗费用1.5亿元，实现了民众医疗费用负担和政府医保支持负担"双减轻"。二是发展多元化健康保险。保险业参与医疗制度改革，提供健康保险产品近千种。参与医保经办服务171项，服务人群799万人，提供赔付与补偿金额2.6亿元，其中"德阳模式"实现了商业保险和基本医疗保险"一站式"结算。2016年，成都市启动商业健康保险个人所得税优惠政策试点，并在全省有序推开。三是拓展多层次养老保险服务。保险机构与有关部门、老年协会、社区等开展合作，满足老年人在风险保障、财富管理、资金融通等方面的需求。成都、德阳、遂宁等多个地区探索建立统一的养老机构责任保险制度，涵盖意外身故、意外医疗、食品安全等多项保险责任，同时积极投资养老产业，兴建养老社区，打造养老全产业链。

中国保险监督管理委员会四川监管局编写组

管理与监督

涉农审计工作

【基本情况】 2016年,四川省审计机关把扶贫审计工作作为重大政治任务摆在业务工作的首要位置,坚持“扶贫政策指向哪里,资金就运用到哪里,项目就推进到那里,审计监督就跟进到哪里”,在服务和保障全省脱贫攻坚重大决策部署落实上发挥了积极作用。

【找准职能定位,突出审计重点】 2016年,四川省审计厅认真落实《四川省农村扶贫开发条例》和省委《关于集中力量打赢扶贫开发攻坚战确保同步全面建成小康社会的决定》对审计监督工作的要求,确立了以推动精准扶贫、精准脱贫决策部署和政策措施落实,保障资金安全、促进机制制度健全,确保扶贫资金管理不发生重大违纪违法问题的基本定位,审计中重点围绕“六个精准”的基本要求,持续关注各地、各部门贯彻落实“五个一批”扶贫攻坚行动计划的进展和效果;关注各地各部门特别是乡(镇)、村等基层单位扶贫资金管理运行和机制制度建立健全情况,着力发现和揭示财经纪律意识淡薄、管理制度缺失、财务基础工作薄弱等问题,推动筑牢扶贫资金安全屏障;坚持沿着资金流向从政策要求、预算安排、资金拨付一直追踪到项目和个人,加大对扶贫资金统筹整合使用、扶贫开发重点项目建设及运营效果的审计力度,推动扶贫资金安全高效使用。

【更新审计理念,深化监督实效】 2016年,四川省审计厅严格遵循扶贫相关法律法规,以是否符合脱贫攻坚精神和改革方向作为审计定性判断的标准,审慎区分无意过失与明知故犯、工作失误与失职渎职、探索实践与以权谋私,积极保护创新、支持实干、宽容失误,推动建立“容错”机制,为扶贫攻坚营造良好的干事创业环境。密切关注扶贫开发工作中出现的新情况新问题,着力揭示和反映阻碍政策措施落实、制约资金整合的体制性障碍和制度性缺陷,并积极提出对策建议,同时注重发现和总结各地精准扶贫、精准脱贫工作中好的经验做法,积极推广运用,完善扶贫攻坚制度机制。

【创新方式方法,推进审计全覆盖】 2016年,四川省审计厅实行“片区轮审”与“重点审计”相结合,扶贫审计与预算执行审计、经济责任审计、政策跟踪审计相协同,通过审计计划统管、审计方案统一、审计力量统筹等形成全省扶贫审计“一盘棋”工作格局,着力实现有重点、有步骤、有深度、有成效的扶贫审计全覆盖。2016年,审计厅统一组织开展了对2014—2015年大小凉山彝区13个贫困县财政专项扶贫资金和全省88个贫困县易地扶贫搬迁及地质灾害避险搬迁安置工程专项资金的审计,重点审计了精准扶贫、精准脱贫政策措施落实、相关制度衔接配套、资金使用安全和绩效、项目建设管理等情况,全省共投入审计人员475名,抽查财政、国土、发改等主管部门(单位)408个,扶贫项目1828个,审计资金总额65.31亿元,审计查出了部分扶贫资金未及时有效使用、部分专项资金被骗取套取或违规使用、部分项目实施监管不到位、个别人员严重违法违纪等问题并依法作出了处理。审计厅将有关情况形成综合报告报送省政府,在反映问题的同时深入分析了产生问题的原因,并从体制机制等方面提出了切实可行的审计建议。对审计发现的问题,各相关市、县政府高度重视,均已采取整改措施。截至2017年2月底,已追回专项资金1895.81万元;对不符合条件的补助对象不予兑付资金1532.9万元;督促各相关单位盘活使用结存结余资金4.51亿元,剩余尚未安排使用的闲置或结余资金将通过加快已完工项目验收和报账进度、调整项目实施等方式尽快使用;促进相关单位完善手续、规范管理涉及专项资金1397.03万元。各级审计机关报送当地党委政府的信息、简报等被采用23篇,得到党委、政府批示23次,推动建立健全规章制度33项。

【发挥专业优势,抓好审计服务】 2016年,四川省审计厅针对基层单位财经基础工作相对薄弱、违纪违法问题时有发生的实际情况,积极发挥审计部门专业优势,创造性地采取“寓监督于服务”的工作方法推进审计工作重心下移。由审计厅统一部署,并确定由市级审计机关统筹组织、县级审计机关具体实施,通过“以审计案例讲法规”等多种形式对县级相关部门和乡(镇、街道)、村有关负责人及财务人员开展财经知识与法纪培训,促进其增强法纪意识、健全规章制度、加强基础工作,着力把扶贫资金运行的底端、末梢导入制度“笼子”和规范化轨道。

【严格依法审计,强化法纪震慑】 2016年,四川省审计厅在审计中坚决查处虚报冒领、骗取套取扶贫资金,利用职权优亲厚友违规分配扶贫资金,违反中央“八项规定”、国务院“约法三章”精神和省委省政府“十项规定”将扶贫资金用于吃喝接待、公款旅游、奖金福利等问题,对扶贫资金管理使用中以权谋私、钱权交易、失职渎职等违法违纪问题始终坚持“零容忍”。全省审计机关向纪检监察等部门移送扶贫领域的违法违纪问题线索和案件32件,涉及金额2034.18万元,80名责任人员受到党纪、政纪和司法处理,推动形成高压态势,以严查严处促进扶贫资金的严管严用。

四川省审计厅编写组

农村经营管理服务工作

【机构队伍建设】 2016年,四川省21个市(州)有农村经营管理机构26个,实有人员116人;县级机构186个,实有人员1247人。4434个乡(镇)中,有4150个乡(镇)有农经工作承担机构,其中职责明确由行政机构承担的有1103个、由事业机构承担的有3047个(单独设置的218个、综合设置的2829个、与农技推广机构综合设置的1780个);有乡(镇)农经干部5150人,平均每个乡(镇)有农经干部1.16人。

【推进农村土地经营权规范有序流转】 2016年,四川省农业厅以放活土地经营权为重点,加强农村土地流转管理与服务,积极引导农村土地向新型农业经营主体有序流转,发展农业适度规模经营。截至2016年年底,全省家庭承包耕地流转总面积为1970.3万亩,占耕地总面积的33.8%,比上年提高6个百分点;转出耕地的农户数达526万户,签订流转合同320万份,分别比上年增长19.7%和17.8%;签订书面流转合同的规模流转面积达1172.1万亩,占流转总面积的59.49%,其中单个经营主体流转30亩及以上的流转面积1198.2万亩,规模经营率达20.6%,比上年提高3.1个百分点。

【强化纠纷调解仲裁体系建设】 2016年，四川省农业厅抓好农村土地承包经营纠纷仲裁庭建设，不断完善仲裁制度和规范仲裁行为，依法调处农村土地经营纠纷。截至2016年年底，全省有169个县(市、区)成立了仲裁委员会，继续指导102个县(市、区)仲裁委用好中央投入的原西部地区农村土地承包经营纠纷仲裁基础设施建设项目资金5100万元，改善当地基础设施条件。

【新型农业经营主体培育】 2016年，四川省农业厅认真贯彻执行《关于培育和发展家庭农场的意见》及其贯彻意见，开展示范性家庭农场创建活动，建立家庭农场名录库，联合评定命名省级示范场300家，累计培育500家。制订《培育壮大新型农业经营主体助推精准脱贫行动方案》，鼓励新型农业经营主体引领带动贫困村、贫困户发展农业产业和持续增收，提高贫困地区农业组织化程度；指导各地认真贯彻落实扶持政策，推动财政支农项目资金直接投向符合条件的农民合作社形成资产转交农民合作社持有和管护，按入社人数平均量化到全体成员，探索建立广大农民分享政策红利机制；与省发展和改革委等10部门联合命名336个省级示范社；成功举办第八届四川省农民合作社暨家庭农场优质农产品迎春大联展，实现销售收入618.56万元，签订意向协议2.76亿元。加大扶持力度，省财政下达资金7020万元择优扶持130个合作社，下达资金2000万元支持200个家庭农场改善生产设施条件。加大人才培训力度，培训农民合作社省级示范社理事长和财会人员600余人次、家庭农场省级示范场农场主300人次。全省有家庭农场33890家，经工商登记的农民合作社74048个；培育国家级农民合作社示范社496个、省级示范社1650个。

【农民负担监管】 2016年，四川省农业厅推行以政府为责任主体的农民负担监管机制和“谁主管、谁负责”的部门责任制，明确职责分工和齐抓共管的配合机制。全省21个市(州)183个县(市、区)全部建立了农民负担监管机构，其中19个市(州)174个县(市、区)对成员单位实行目标考核。联合财政、发改等六部门下发《关于转发农业部等六部门关于做好2016年减轻农民负担工作的意见的通知》，对当年工作进行细化安排。完善监管制度，加强监管力度，坚持执行涉农收费文件审核制、涉农收费和价格公示制、农民权益义务监督卡制、村级组织公费订阅报刊限额制和责任追究制等农民负担监管基本制度。审定下发2016年涉农收费和价格公示表，联合邮政发放农民权益义务监督卡，及时更新内容，畅通农民负担信访渠道。全面执行“一事一议”筹资筹劳政策规定，严格议事范围和筹资筹劳标准，规范议事行为。健全民主决策、多元投入、均衡发展新机制，推进村级公益事业发展。加强“一事一议”项目监管，严格议事项目乡(镇)审核、县级审批程序，加大专项检查和专项审计力度，坚决纠正强制以资代劳、虚假筹资筹劳、负债建设等问题。全年开展“一事一议”筹资筹劳村13688个，建设村级公益事业项目16614个，“一事一议”项目共筹资8.11亿元。联合相关部门开展涉农收费专项治理和涉农负担年度检查，保持减负高压态势；针对农民反映突出的农村义务教育、农民建房、农业用电用水、计划生育、农机购置、殡葬服务等领域及村级组织、新型农业经营主体负担问题开展全省专项整治，将整治重点放在贫困地区，解决反映突出、带有行业共性的问题。全省共取消收费项目18个，减轻农民负担102.556万元，退还农民款项2.1万元，处理责任人4个。抓好负担定点监测工作，调整完善农民负担监测体系，提高监测质量，及时反映农民负担变动趋势。同时，通过涉农收费公示项目审核、专项审计、阳光热线、信访处理等措施加大监管力度。加强对贫困地区和新型农业经营主体的监管，将扶贫开发重点县、集中连片特困地区县、省级确定的扶贫开发重点县列为涉农乱收费乱摊派专项治理重点，从严把握减负政策规定，严肃查处和纠正违规行为。对农民合作社、家庭农场、专业大户等新型农业经营主体在办理设立登记、税务登记、组织机构代码证、证照年检等流程中进行随机抽查，加大监管力度。

【农村集体资产管理】 2016年，四川省实行村务公开的村有47827个，建立民主理财小组的村有46856个，实行村会计委托代理制的乡(镇)有3328个。对37399个村开展农村财务专项审计，审计金额121.6亿元，对12683个村开展村干部任期和离任经济责任、农村集体“三资”等专项审计。贯彻《四川省农村集体资产股份合作制改革试点工作方案》精神，在10个省级试点县(市、区)基础上下发了《关于进一步深化农村集体资产股份合作制改革试点工作的通知》，要求深化改革、扩大试点。截至2016年年底，21个市(州)均启动了以农村集体资产股份合作制改革为主要内容的农村集体产权制度改革。通过试点，在成员确认、股份量化、主体确立、法人治理等关键环节取得了突破，为探索构建归属清晰、权能完整、流转顺畅、保护严格的中国特色社会主义农村集体产权制度探索了路径、创造了经验。

四川省农业厅编写组

农业行政执法及农资监管

【基本情况】 2016年，四川省农业厅按照省政管办要求，对除行政许可和公共服务事项外的行政权力事项再次进行梳理、调整、优化，结合公共服务事项目录的清理，形成省、市、县三级权力事项清单上报审定。省、市、县三级权力事项共计329项，其中行政处罚263项、行政强制20项、行政检查18项、行政征收8项、行政确认6项、行政奖励8项、其他行政权力6项。加强行政权力平台基础建设，大力推进行政权力事项网上运行。

【农业综合行政执法体制改革】 2016年，四川省农业厅按照省政府办公厅《关于开展综合行政执法体制改革试点工作的指导意见》要求，督促指导试点市(州)、县(市、区)制订改革试点方案，抓紧梳理执法机构职能，规范农业综合执法机构。部分市(州)、县(市、区)结合机构改革实际情况，积极整合执法资源，成都市、巴中市、自贡市大安区、雅安市雨城区等已实现全面综合执法。市、县两级均成立了农业行政综合执法机构，其中经编制部门批准设立182个、行政机关内设机构44个、参公管理机构108个、全额拨款事业单位52个。

【农业综合执法机构规范化建设】 2016年，四川省农业厅实施农业部农业综合执法机构规范化建设示范项目，20个县(市、区)通过实施项目配备了必要的执法取证设备，完善了执法制度，加强了执法办案，执法手段、能力和效率都有了明显提高。在30个市(州)、县(市、区)实施省级财政农业综合执法机构执法能力提升项目，购置执法取证设备，销毁收缴的伪劣、高毒投入品，开展农业执法信息化建设带动全省农业综合执法机构规范运行。组织开展农业综合执法示范窗口创建活动，通江县农业行政执法大队被农业部命名为“2016年全国农业综合执法示范窗口”。

【提高农业执法人员素质】 2016年，四川省农业厅采取分级培训的办法加大执法人员培训力度。农业厅重点抓执法骨干培训，举办了两期执法人员培训班，对全省200余名执法骨干进行了有针对性的培训，提高了全省执法人员的法律素质和执法办案水平。组织30名基层农业执法人员参加了全国农业执法培训。

【农业法制宣传教育】 2016年，四川省农业厅以“12·4”宪法日为契机，在全省组织开展了农业法制宣传现场活动。12月2日，在资中县高楼镇开展了“12·4”省农业法制宣传活动，对200余名高楼镇不知火种植合作社的果农、种养植大户等开展《农产品质量安全法》《农村土地承包法》等法律法规宣讲，活动现场发放农业法制宣传资料5000余份，接受农户关于土地确权、农业补贴等咨询60余人。达州、绵阳、遂宁、泸州、甘孜、雅安等市(州)、县(市、区)农业部门结合实际开展了各具特色的宣传活动，掀起了全省“七五”农业法制宣传教育的热潮。

【规范农业行政执法行为】 2016年，按照市(州)推荐与四川省农业厅抽查相结合的方式，组织全省农业系统开展了行政处罚案卷现场评查活动，共评查案卷225卷，评出省级优秀案卷46件，其中3件推荐为全国优秀案卷。通过评查，规范了调查取证行为、案卷制作及归档管理，针对案卷评查中存在的共性和突出问题进行了通报，督促基层农业执法机构提高农业执法案件办理质量。

【加大违法案件查办力度】 2016年，四川省农业厅推进执法重心下移，聚焦执法办案“主业”，全省共查处农业违法案件2579件，调处涉农纠纷738件，其中成都市、广元市立案查处农业违法案件200余件，达州、泸州、绵阳、宜宾、乐山、眉山、南充等多地立案查处农业违法案件100余件，自贡市办理涉案金额超过10万元的生猪注水案2件，有效遏制了农业投入品和农产品质量安全违法行为的发生，维护了广大人民群众的合法权益。从全省抽调执法一线骨干15名组成5个小组，对21个市(州)开展交叉执法检查，随机抽查农资经营门市，进行执法制度建设、执法工作记录检查等。通过交叉执法检查，推进了农业执法工作的开展。

四川省农业厅编写组

农产品进出口检验检疫

【基本情况】 2016年，四川出入境检验检疫局立足四川农业资源优势，发挥职能作用，抓调研、创品牌、建平台，积极服务食品农产品优进优出，连续创下两个全国首次进口和多个首次出口记录。通过助推四川建立进境指定口岸、打造出口食品农产品质量安全示范区等品牌创建活动，合力推动四川食品农产品扩大出口记录。全年共检验检疫和查验进出口货物234791批次，总货值476.1亿美元，同比分别增长12.03%、48.58%，检验检疫货物28896批，货值21.65亿美元，其中进口货物13727批，货值11.08亿美元；出口货物15169批，货值10.58亿美元。检验检疫不合格货物1542批，货值11981万美元，其中检出不合格进口货物1328批，货值10801万美元；检出不合格出口货物214批，货值1180万美元。

全年四川出入境检验检疫局共截获进境动植物疫情及动植物检疫违规货物4856批，其中截获植物有害生物282种、2119种次，种类同比持平，种次增长38.32%；检出检疫性动物有害生物16种、159种次，同比分别增长33.33%、39.47%。

在全国首次截获检疫性有害生物1种。四川口岸共查验出入境人员4786777人次，同比增长10.2%。全年共截获旅客携带禁止进境动植物及其产品5111批次、5099.48千克，同比分别下降37.65%和41.91%。

【出入境动植物及产品检验检疫监管】 2016年，四川出入境检验检疫局共检验检疫进出境动植物及产品5020批，货值31089.6万美元，其中进境动植物及其产品1542批，货值14357.5万美元；出境动植物及其产品3478批，货值17533.1万美元(如表1—表4所示)。

表1 2016年四川省出口动物及产品情况统计表

产品种类	批次	检验检疫总量		同比	
		数重量(吨/只)	金额(万美元)	批次(%)	金额(%)
犬	56	827	0.2	-52.1	233300
猫	17	810	0.3	-97.3	-93.5
小熊猫	1	2	0.6	—	—
其他野生啮齿动物	1	215	200	0	1900
猴	3	3450	92.4	0	-8.3
鲟鱼	3	0.01	2		
蚕	2	0.5	16.5	0	-10.6
冻猪肉	81	4892	2575.3	-15.6	-4.5
猪肠衣	49	671.4	794.3	-25.8	-31.1
其他鸭杂碎	1	6.5	3	—	—
未列出的鲜、冷、冻海水鱼产品	2	26.5	13	—	—
未列出的鲜、冷、冻淡水鱼产品	1	14	7.5	—	—
象牙	1	0	0	0	0
添加剂预混合饲料	15	1280	172	—	—
马鬃毛(含马尾毛)	3	0.1	1.8	-57.1	-91.7

续表

猪鬃	214	1252.6	1760.4	4.9	15.5
山羊毛	1	0	0.3	-66.7	-86.6
鸭绒	12	75.2	168.1	-71.4	-81.8
未列出的禽鸟羽毛	3	27.6	57.8	—	—
蜂蜡	2	36	29.9	0	92.1
药用虫、虫瘿、虫蜡中药材	5	0.1	129.9	—	—
未列出的其他动物源性中药材	1	0	0.6	-50	-23.7
猪全血	3	0.5	3.2	—	—
未列出的动物全血	1	0	1.9	—	—
未列出的动物血清	3	0.2	0.8	—	—
抗体(动检)	1	0	0.3	—	—
动物白蛋白	1	0.3	5.4	—	—
动物球蛋白	1	0	0.3	—	—
其他动物器官、细胞、培养基	1	0	0	—	—
本类其他动物产品	55	434.9	184.7	-33.7	-56.8
总计	540	8718.41 吨	6222.5	-57.1	-10.2
	—	5304 只	—	—	—

表 2　2016 年四川省进口动物及产品情况统计表

产品种类	批次	检验检疫总量		同比	
		数重量(吨/只)	金额(万美元)	批次(%)	金额(%)
犬	36	445	0.1	-18.2	26.5
猫	27	334	0.2	17.4	37.1
其他野生啮齿动物	1	15	0.3	—	—
鸡	4	1784	103.7	—	—
马	2	25.2	120.1	0	475.9
鳝鱼	14	18.8	7.5	—	—
其他观赏鱼	4	0.1	0.3	0	-87.4
对虾	112	57.5	40.4	—	—
梭子蟹	2	0.3	0.1	—	—
其他淡水虾蟹	123	88.1	55.4	925	11331.9
牡蛎(蚝)	2	0.2	0.3	—	—
猪精液	1	0	1.4	0	-6.2
虹鳟鱼卵	10	0.9	32.3	42.9	34.6
其他受精卵	2	0.3	9.3	—	—
猪肠衣	33	796.4	160.6	450	305.4
冻牛肉	2	52	21.3	—	—

续表

猪皮	1	22	2.2	—	—
鲜、冷、冻带鱼	1	0.2	0.1	—	—
鲜、冷、冻鳕鱼	2	1.1	0.8	0	98.1
鲜、冷、冻金枪鱼	1	0.1	0.1	-80	-90.1
鲜、冷、冻鲑鱼	391	1751.1	1698.6	-43.5	-39.7
鲜、冷、冻海捕河豚鱼	1	0	0	—	—
养殖鱼	31	292.6	132.5	—	—
养殖虾	2	41.3	24.2	—	—
鲜、冷、冻梭子蟹	1	0	0	—	—
野生蟹	1	8	2	—	—
野生双壳贝	1	13.6	2.4	—	—
未列出的鲜、冷、冻海水贝产品	1	11.6	2	—	—
鲜、冷、冻鱼片及其他鱼肉(淡水鱼产品)	1	23.5	2.8	0	-21.7
牛骨粉(骨成分67%以上)	4	926.1	48.7	0	-8.4
猫、狗饲料(宠物食品)	2	0	0	-50	-93.4
乳粉、蛋粉、乳清粉(非食用)	7	1715.6	115.3		
牛皮	256	41035.7	7002.7	-20.5	-25.2
蓝湿(干)牛皮	74	3664.5	1004.3	2.8	-18.3
未列出的其他动物皮革	1	8.4	11.4	-85.7	159.1
未列出的其他动物皮张	74	179.3	4125.5	2366.7	6253.4
鸭绒	1	0.6	2.3	-50	-75.1
珊瑚	1	0	0.3	—	—
燕窝	7	0.1	27.9	—	—
未列出的其他动物源性中药材	3	0	0.2	50	34
未列出的动物全血	1	0.1	19.1	—	—
抗体(动检)	1	0	0.1	—	—
动物微生物培养培养基	4	0	7.2	—	—
其他兽医诊断用试剂及试剂盒(动检)	10	4	57.9	-70.6	-63.2
本类其他动物产品	3	0	0.2	-40	-80.6
总计	1259	50739.3吨	14844.1	7.6	54.9
—	—	2578只	—	—	—

按照质检总局《关于印发2016年度进出口食用农产品和饲料安全风险监控计划的通知》要求，印发了《2016年度进出口食用农产品和饲料安全风险监控实施方案的通知》，全年共抽取219个进出口饲料和出口食用农产品样品，其中进出口饲料及添加剂样品167个、进口食用水生动物样品16个、出口水果样品36个，共获得1557个监控数据，未检出不合格产品。

根据《质检总局关于做好2016年国门生物安全监测工作的通知》要求，制定下发了《四川检验检疫局办公室关于做好2016年国门生物安全监测工作的通知》，在全省16个市(州)共布设实蝇监测点315个，诱捕到各类实蝇标本34304头。对泸州、宜宾2个进境粮食指定口岸的接卸码头、10个进口粮食储备库和37家进口粮食加工企业及其周边环境开展以外来杂草为主要内容的疫情监测调查，共监测到铁苋菜、抱茎水花生、狗尾草、苦荬菜、龙葵、鬼针草、蜈蚣草、艾蒿等37种本地杂草，未发现外来检疫性杂草。对彭州濛阳镇出口黄瓜、甜瓜、苦瓜、丝瓜、冬瓜、西葫芦 6 种葫芦科植物的茎、叶、果进行黄瓜绿斑驳花叶病毒监测,检测结果均为阴性。

表 3　2016 年四川省出口植物及产品情况统计表

产品种类	检验检疫总量		
	批次	数量(吨/立方米/株(个)/件)	金额(万美元)
种子苗木	11	6893 株	2.1
中药材	355	1765.5 吨	3493.1
竹木草制品	714	3499.9 吨	2839.3
烟草	82	2154.1 吨	861.2
水果	174	539.7 吨	118.9
合计	1336	7959.2 吨、6893 株	7314.6

表 4　2016 年四川省进口植物及产品情况统计表

产品种类	检验检疫总量		
	批次	数量(吨/立方米/株(个)/件)	金额(万美元)
种子苗木	9	1006 吨	82.6
竹木草制品	90	4860.8 吨	305.4
粮谷	344	182508.7 吨	4578.8
合计	443	188375.5 吨	4866.8

【疫情截获及违规情况】　2016 年,四川出入境检验检疫局加强动物检疫监管,全年从 2 批进口水产品中检出二类传染性动物疫病,先后 2 次从泰国进口的对虾中检出传染性皮下和造血器官坏死病毒。多次从邮寄宠物饲料中检出牛羊成分,质检总局据此下发了《关于严防动物源性饲料邮寄进境的警示通报》。检出进出境动物及其产品不合格情况如表 5、表 6 所示。

表 5　2016 年四川省出口动物及其产品不合格统计表

产品种类	批次	数重量(吨/只)	金额(万美元)	不合格原因
猴	1	1.2	33.6	检出致病菌

表 6　2016 年四川省进口动物及其产品不合格统计表

产品种类	批次	数重量(吨/只)	金额(万美元)	不合格原因
猫	1	1	0	无输出国官方证书
其他淡水虾蟹	1	1	0.6	检出致病微生物
牡蛎(蚝)	1	0	0	无许可证
猫、狗饲料(宠物食品)	2	0	0	无许可证
牛皮	5	471.7	73	检出检疫有害生物
蓝湿(干)牛皮	4	262.9	61.4	检出检疫有害生物
合计	14	—	135	—

四川检验检疫局技术中心动检室全年共检测鉴定动物样品 618 批 873 项次,检出不合格 25 批次,检出率为 4.06%,同比增长 161%。检出二类动物传染病 3 项次,其他疫病、转基因等外来有害因子多次,其中 5 种次系四川口岸首次检出(如表 7 所示)。

表 7　2016 年动检实验室检出的动植物有害因子统计表

时间	样品	检出	备注
1 月	挪威进口鳕鱼	异尖线虫	四川口岸首次检出,该寄生虫属于《中华人民共和国进境动物检疫疫病名录》中的二类传染病、寄生虫病病原
2 月	南美白对虾	传染性皮下与造血器官坏死病毒	该病毒属于《中华人民共和国进境动物检疫疫病名录》中的二类传染病、寄生虫病病原
3 月	韩国进口豆奶	检出 NOS、EPSPS 等转基因成分	系四川口岸首次从进口豆奶中检出转基因成分
5 月	加拿大邮寄进境宠物饲料	牛、羊源性成分	质检总局据此发布《关于严防动物源性饲料邮寄进境的警示通报》(2016 年第 29 号)
5 月	德国邮寄进境宠物饲料	牛、羊源性成分	
5 月	日本邮寄进境宠物饲料	牛源性成分	
9 月	日本邮寄鱼苗	鉴定为日本青鳉鱼	系四川检验检疫局首次检出
9 月	日本邮寄鱼苗	检出克氏库克菌	系四川检验检疫局首次检出
9 月	邮寄进境蟒蛇	鉴定为球蟒	系四川检验检疫局首次检出
9 月	南美白对虾	传染性皮下与造血器官坏死病毒	该病毒属于《中华人民共和国进境动物检疫疫病名录》中的二类传染病、寄生虫病病原

加强植物有害生物截获。全年截获植物有害生物 267 种、1961 次,其中截获检疫性有害生物 16 种、159 种次,同比分别增长 16.6%,37.7%。从来自新加坡的进境货物木包装中检出检疫性有害生物 1 种(波氏长小蠹),拉丁名为 Platypus,为全国首次截获(如表 8、表 9、表 10 所示)。

全年四川出入境检验检疫局技术中心植物检疫实验室共检测鉴定植物样品 285 批次、1086 项次,检出外来有害生物共 170 种(类),有害生物检出率达 72.63%,其中进境植物检疫性有害生物 15 种,属四川检验检疫局首次检出的检疫性有害生物 9 种(如表 11 所示)。

表 8　2016 年四川省出口植物及其产品不合格情况统计表

产品种类	批次	金额(万美元)	不合格原因
中药材	1	0.0091	包装破损,标签不合格
其他植物产品	2	1.88	添加剂超标
合计	3	1.8891	—

表 9 2016 年四川省进口植物及其产品不合格情况统计表

产品种类	批次	金额(万美元)	不合格原因
苗木	3	0.2478	无有效进境植物检疫许可证,携带一般性有害生物
粮谷类	85	844.8478	携带检疫性有害生物,与合同不符,无有效进境植物检疫许可证
木材类	5	6.4016	品质缺陷,包装不合格,无中文标识
竹藤草柳	1	0.1317	木质包装无中文标识
植物饲料类	4	59.495	与合同不符
合计	98	911.1239	—

表 10 2016 年四川省检验检疫局截获植物有害生物统计表

类别	检疫性种类	检疫性次数	非检疫性种类	非检疫性次数	种类数合计	次数合计
大洋洲	4	141	108	1529	112	1670
欧洲	3	3	85	179	88	182
亚洲	6	8	71	112	77	120
非洲	0	0	31	57	31	57
北美洲	3	5	35	49	38	54
南美洲	0	0	19	25	19	25
中国香港、澳门、台湾	2	2	6	7	8	9
不详	0	0	2	2	2	2
合计	16	159	266	1960	282	2119

表 11 2016 年植物检疫实验室四川口岸首次检出检疫性有害生物名录

序号	有害生物名称
1	大洋臀纹粉蚧 *Planococcusminor*
2	瓜实蝇 *Bactroceracucuribitae*(*Coquillett*)
3	南亚果实蝇 *Bctrocera*(*Zeugodacus*)*tau*(*Walker*)
4	斑翅短羽实蝇 *Acrotaeniostoladissimilis*
5	咖啡果小蠹 *Hypothenemushampei*(*Ferrari*)
6	美国白蛾 *Hyphantriacunea*(*Drury*)
7	非洲大蜗牛 *Achatinafulica*
8	红翅大小蠹 *Dendroctonusrufipennis*(*Kirby*)
9	柑橘溃疡病菌 *XanthomonasCampestrispv.citri*

四川出入境检验检疫局在机场旅检、陆运邮检口岸建立“人—机—犬”综合查验模式,疫病疫情截获率、检出率不断提升。9 月 19 日,陆运邮检口岸在从中国台湾邮寄进境的包裹中查获活蛇 3 条,这是四川邮检口岸首次查获活蛇,经鉴定为球蟒,属《濒危野生动植物物种国际贸易公约》CITES 附录所列Ⅱ类保护动物。在“绿蕾行动”中,共截获旅客携带、邮寄入境的植物种子种苗 164 批次、229.32 千克,其中种苗 443 株、种子 30 余千克,受到质检总局的表彰。

【口岸动植物检验检疫规范化建设】 2016 年,四川出入境检验检疫局着力推进口岸动植物检验检疫规范化建设工作,落实质检总局 2015 年度口岸大型查验设备专项资金 670 万余元,为四川口岸新配备门式消毒设备、高压灭菌锅、邮检 CT 机等设施,指导旅检口岸、邮检口岸完善各项规章制度、添置查验设施、开展人员培训等工作,提高四川口岸查验能力。3 月,召开四川口岸动植物检验检疫规范化建设工作会议;投入资金 20 余万元,用于建设旅检口岸、邮检口岸动植物初筛实验室,新增工作台、线虫分离器、培养箱等相关实验设备,全面完成 2016 年度四川口岸动植物检验检疫规范化建设工作任务。

助推成都国际铁路港建成进口肉类指定口岸。2 月 16 日,质检总局专家组对成都国际铁路港进口肉类指定口岸进行审核验收。3 月 28 日,质检总局公布《进口肉类指定口岸/查验场名单(2016 年更新)》,成都国际铁路港成为进口肉类指定口岸。10 月 2 日,乌拉圭 52 吨冷冻牛肉经宁波口岸运输顺利抵达成都国际铁路港,成都口岸实现国外肉类的首次进口。为保证中欧班列顺利开展进口肉类业务,四川检验检疫局带队前往沿线国家开展洽谈对接,成功打通中欧班列沿线国家过境通道。12 月 11 日,中欧班列首批 21.971 吨欧洲进口猪肉经波兰、白俄罗斯、俄罗斯、哈萨克斯坦,从阿拉山口直达成都国际铁路港进口肉类指定口岸。

指导成都双流国际机场建成进境水果指定口岸。10 月 24 日,四川出入境检验检疫局组织专家组对成都双流国际机场进境水果指定口岸进行预验收并于 10 月 27 日通过质检总局专家组考核验收。11 月 10 日,质检总局下发《质检总局动植司关于同意成都双流国际机场开展进境水果试进口的函》。落实习近平总书记出访波兰成果,11 月 23 日,首批 2.16 吨波兰苹果到达成都双流国际机场,是波兰苹果首次正式进入国内市场;11 月 24 日,成都空港进境水果指定口岸开通暨波兰苹果首航仪式在成都双流国际机场举行,首批波兰苹果经检验检疫合格并颁发了《入境货物检验检疫证明》。

【出口食品农产品质量安全示范区建设】 2016 年,四川出入境检验检疫局新建成 1 个国家级、5 个省级出口示范区,出口示范区内水果出口金额同比增长 150%,新增贸易国 6 个,攀枝花芒果、青川黑木耳、广元高山蔬菜等多个示范区内产品实现首次出口。建成 6 个国家级生态原产地产品保护示范区,51 个产品获得生态原产地产品保护,其中 5 个生态原产地保护产品首次亮相达沃斯论坛。四川检验检疫局与珠海检验检疫局、深圳检验检疫局建立“产地检验检疫、口岸直通放行”的供港澳蔬菜通关模式,实现 1962 年以来四川蔬菜首次直供中国香港、中国澳门地区,推动四川优质水果、蔬菜进入珠三角市场。

指导攀枝花市盐边县政府开展出口芒果质量安全示范区创建工作。4 月 27 日,盐边县出口芒果出口质量安全示范区通过四川检验检疫局、商务厅、农业厅的联合省级验收。6 月 23 日,盐边县出口芒果质量安全示范区通过质检总局专家组现场考核,8 月 26 日,盐边县出口芒果首次进入新加坡市场。9 月 9 日,质检总局下发《质检总局关于公布 2016 年国家级出口食品农产品质量安全示范区名单的公告》,盐边县获批为国家级出口食品农产品质量安全示范区。推动国家级贫困县叙永县、古蔺县出口甜橙质量安全示范区建设,12 月 15 日,叙永县、古蔺县出口甜橙质量安全示范区分别通过四川检验检疫局、商务厅的联合省级验收。

8月2日，四川出入境检验检疫局举办了“四川出口质量安全示范区果蔬优品产销对接会”，10家知名电商企业与来自四川省内出口质量安全示范区的30余家龙头企业参会，展会签订意向性购买协议近1000余万美元。

【生态原产地产品保护与地理标志产品保护】 2016年，四川出入境检验检疫局积极开展生态原产地产品保护工作。3月，推动四川省政府出台《四川省人民政府关于印发促进经济稳定增长和提质增效推进供给侧结构性改革政策措施的通知》，对通过国家生态原产地产品保护示范区创建的地区分别给予50万元资金支持，属全国首创。推动绵阳、泸州、遂宁、德阳等地政府分别出台支持生态原产地保护工作的政策措施，对获得保护的产品和示范区分别给予10万～20万元的奖励。截至2016年年底，全省建成6个国家级生态原产地产品保护示范区，51个产品获得生态原产地产品保护（如表12、表13所示），获得保护产品数量居全国前列。在第十六届西博会上设立生态原产地产品展示区，对“雀舌牌”茶叶等获得保护的产品进行专题展示宣传。5个生态原产地保护产品在夏季达沃斯论坛“生态原产地保护专展”中展出，1家企业作为生态原产地最佳实践企业参加APEC绿色供应链年会并作经验交流。苍溪县通过推广“龙头企业+农业专业经济组织+基地+农户”猕猴桃产业模式，共带动农户7.5万户，果农人均增收8000余元。争取质检总局支持对四川检验检疫局对口帮扶对象金阳县开展公益性评定，金阳县申建为生态原产地产品保护示范区，金阳县青花椒和白魔芋获得生态原产地产品保护。

表12 四川省生态原产地产品保护名单

序号	产品名称	申报单位	质检总局公告	辖区检验机构
1	苍溪红心猕猴桃	苍溪县人民政府	2015年第30号	广元局
2	四川华欧橄榄油和油橄榄苗木	四川华欧油橄榄开发有限公司	2015年第142号	绵阳局
3	“峰桃”牌富硒桃花米	四川达州市桃花米业有限公司	2015年第142号	达州局
4	东柳醪糟（东汉牌、东柳牌）	四川东柳醪糟有限责任公司	2015年第142号	达州局
5	“绿升”牌开江橄榄酒	四川天源油橄榄有限公司	2015年第142号	达州局
6	万源富硒马铃薯	四川万源市农业技术推广站	2015年第142号	达州局
7	万源富硒茶	四川万源市茶叶局	2015年第142号	达州局
8	万源富硒辣椒	四川万源市宝莱特农业开发有限公司	2015年第142号	达州局
9	万源旧院黑鸡、万源旧院黑鸡蛋	四川万源市畜禽品种改良站	2015年第142号	达州局
10	万源珍珠花菜及其制品	四川万源市花萼绿色食品有限公司	2015年第142号	达州局
11	万物生蜂桶蜂蜜	四川万源市太一蜂业有限公司	2015年第142号	达州局
12	七佛贡茶	青川县人民政府（广元市白龙茶叶有限公司）	2016年第29号	广元局
13	青川黑木耳	青川县人民政府（四川省川珍实业有限公司）	2016年第29号	广元局
14	青川竹荪	青川县人民政府（四川省川珍实业有限公司）	2016年第29号	广元局
15	“百年至尊”浓香型白酒	四川省邛崃市金龙酒厂	2016年第49号	成都局
16	绿岛山下核桃	达州市绿岛小镇生态农业发展有限公司	2016年第101号	达州局
17	环凤脆李	达州市环凤脆李种植专业合作社	2016年第101号	达州局
18	“川汉子”牌灯影牛肉	达州市宏隆肉制品有限公司	2016年第101号	达州局
19	绥定保丰大米	达州市通川区保丰大米种植专业合作社	2016年第101号	达州局
20	大竹香椿	大竹县人民政府	2016年第101号	达州局
21	玉竹牌大竹苎麻纤维、大竹苎麻纱线；大竹苎麻手工夏布	大竹县人民政府	2016年第101号	达州局
22	渠县“秀岭春天”绿茶	四川秀岭春天农业发展有限公司	2016年第101号	达州局
23	米城大米	达州市达川区人民政府	2016年第101号	达州局
24	达川乌梅	达州市达川区人民政府	2016年第101号	达州局
25	“川驰”牌牛肉制品	四川佳肴食品有限公司	2016年第101号	达州局

续表

26	开江尚禾青白鹅系列制品	开江县宝源白鹅开发有限责任公司	2016 年第 101 号	达州局
27	达州市山参葛业有限责任公司	“葛老”牌葛根酒系列	2016 年第 101 号	达州局
28	邛崃文君绿茶	四川省文君茶业有限公司	2016 年第 101 号	成都局
29	“宏杨牌”邛崃猕猴桃	邛崃市宏杨猕猴桃专业合作社	2016 年第 101 号	成都局
30	黑虎滩桑园番茄	邛崃市桑园宏吉果蔬种植专业合作社	2016 年第 101 号	成都局

表 13　四川省生态原产地保护示范区名单

序号	产品名称	申报单位	质检总局公告	辖区检验机构
1	青川县生态原产地产品保护示范区	青川县人民政府	2016 年第 29 号	达州局
2	四川省达州市通川区生态原产地产品保护示范区	达州市通川区人民政府	2016 年第 105 号	达州局
3	四川省万源市生态原产地产品保护示范区	万源市人民政府	2016 年第 105 号	达州局
4	四川省邛崃市生态原产地产品保护示范区	邛崃市人民政府	2016 年第 105 号	成都局

4 月 20 日—26 日，结合四川省知识产权周活动，四川出入境检验检疫局以地理标志保护产品为主体，开展了为期一周的知识产权宣传活动，向辖区企业 100 余人开展宣讲培训。指导辖区内各分支机构分层级、分对象地通过各种平台、采取多种措施大力宣传地理标志保护产品工作，推广普及地理标志产品保护的有关知识。5 月，制订了《四川检验检疫局 2016 年度国家地理标志产品专项监督检查方案》，对全省获得保护的 21 个地理标志保护产品开展了为期 5 个月的专项监督检查，抽取其中 3 个进行质量监督检查，确保产品质量符合相应技术标准。7 月，制订了《四川检验检疫局国家地理标志产品保护质量提升专项行动工作方案（2016）》。11 月 7 日，质检总局发布《关于批准对龙山矿泉水等 44 个产品实施地理标志产品保护的通告》，金阳丝毛鸡获批为地理标志保护产品。

【出入境食品化妆品检验检疫监管】 2016 年，四川出入境检验检疫局共检验检疫进出口食品化妆品 9713 批、101067.9 吨、货值 44910.1 万美元，同比批次、重量分别增长 60.9%、5.9%，货值下降 7.9%，其中，出口食品化妆品 8461 批、88800.9 吨、货值 40512.97 万美元，同比批次、重量分别增长 63.4%、6.4%，货值下降 9.4%；检出出口不合格 19 批，占出口总批次的 0.22%，同比下降 68.9%。不合格的产品种类主要有调味品、罐头、粮食制品类、特殊食品、蔬菜水果制品、酒类、茶叶、干坚果类、糕点饼干类等，不合格原因有货证不符，包装规格，标签标识不合格，食品添加剂、重金属超标等，其中不准予出口 3 批、整改合格准予出口 16 批。

全年检验检疫进口食品化妆品 1252 批、11982.4 吨、货值 4397.13 万美元，同比批次、货值分别增长 45.6%、9.5%，重量持平。共检出进口不合格 161 批，其中监督销毁 4 批、退货 3 批、监督技术整改合格进口 154 批（如表 14、表 15 所示），不合格批次占进口总批次的 12.86%，同比下降 33.74%。不合格的产品种类主要有酒类、饮料、乳制品、化妆品、粮食制品、罐头、糖果巧克力、糕点饼干类、茶叶等，不合格原因涉及包装、标签标识、品质缺陷、未获进出境审批许可、与合同不符、邻苯二甲酸盐不合格等。

表 14　2016 年四川省出口食品化妆品检验检疫情况

食品分类	计量单位	检验检疫总量			不合格		
		批次	数/重量（吨）	金额（万美元）	批次	数/重量（吨）	金额（万美元）
酒类	吨	285	1498.2	13512.56	1	3.6	0.76
罐头	吨	1475	25847.9	7065.25	3	9.2	3.55
调味品	吨	1019	29006	4632.19	3	3.3	2.9
蔬菜水果制品	吨	1011	9609.6	4360.47	2	—	0.25
食品添加剂	吨	361	6067.9	2718.82	—	—	—
食用油	吨	460	2359.4	2258.97	—	—	—
其他食品、化妆品	吨	139	1853	1504.94	—	—	—

续表

保鲜蔬菜类	吨	2463	1873. 8	1094. 24	—	—	—
特殊食品	吨	79	1113. 4	828. 16	3	2. 8	1. 28
粮食制品类	吨	481	2750.8	609. 59	3	3. 3	0.92
蜂产品	吨	36	771. 2	289. 8	—	—	—
饮料	吨	64	1635. 9	283. 92	—	—	—
水产制品	吨	44	23. 4	265. 35	—	—	—
茶叶	吨	27	515. 7	246. 32	1	55. 3	5. 32
植物性调料类	吨	206	135. 9	213. 7	1	—	0. 01
干(坚)果、炒货类(熟制)	吨	74	565. 1	167. 8	1	1. 4	0.48
糖与糖果,巧克力和可可制品	吨	49	512. 7	133. 73	—	—	—
糕点饼干类	吨	108	295. 3	89. 71	1	7. 7	2. 69
卷烟	吨	18	11. 6	69. 92	—	—	—
熟肉制品(非罐头包装)	吨	22	275. 9	61. 58	—	—	—
粮谷类	吨	4	2000	53. 4	—	—	—
化妆品及化妆品原料	吨	5	40. 1	30. 68	—	—	—
粮食加工产品	吨	10	11. 1	12. 06	—	—	—
蜜饯类	吨	12	21. 1	8. 47	—	—	—
海草及藻类	吨	9	5. 7	1. 34	—	—	—
总计	吨	8461	88800.9	40512. 97	19	86. 6	18. 16

表 15　2016 年四川省进口食品化妆品检验检疫情况

食品分类	计量单位	检验检疫总量			不合格		
		批次	数/重量(吨)	金额(万美元)	批次	数/重量(吨)	金额(万美元)
乳与乳制品	吨	107	1591. 9	1362. 39	3	31. 1	3. 86
酒类	吨	286	3465. 8	1181. 13	95	1079. 9	372. 05
化妆品及原料	吨	342	42. 2	393. 17	14	2. 8	6. 2
食用油	吨	28	1332. 5	334. 68	—	—	—
食品添加剂	吨	45	2505. 7	293. 74	—	—	—
粮食制品类	吨	37	2834. 5	230. 5	3	2	1. 97
其他食品	吨	21	12. 6	171. 31	6	3. 9	66. 61
特殊食品	吨	33	96. 8	144. 67	4	39. 2	3. 31
罐头	吨	53	96. 2	107. 04	6	76. 3	10. 69
糖与糖果、巧克力和可可制品	吨	77	45. 7	61. 35	7	8	16. 51
饮料	吨	131	186. 3	44. 89	8	70.9	20. 11
干坚果、炒货类(熟制)	吨	6	12. 8	19. 18	—	—	—

续表

卷烟类	吨	9	2.6	18.59	—	—	—
蜂产品	吨	3	5.1	14.87	2	2.5	7.89
糕点饼干类	吨	11	15.4	8.06	3	12.4	7.14
初榨植物油	吨	5	17.8	7.36	—	—	—
蜜饯类	吨	11	2.4	2.3	—	—	—
蔬菜水果制品	吨	4	0.2	0.81	—	—	—
植物性调料类	吨	6	0.1	0.54	1	—	—
调味品	吨	26	0.4	0.28	1	0.1	0.02
茶叶	吨	5	0.1	0.25	4	—	0.18
熟肉制品(非罐头包装)	吨	4	—	0.02	4	—	0.02
海草及藻类	吨	1	—	0.02	—	—	—
水产制品	吨	1	—	—	—	—	—
总计	吨	1252	11982.4	4397.13	161	1329.1	516.56

四川出入境检验检疫局按照质检总局《关于印发〈2016年国家进口食品化妆品安全风险监测计划〉的通知》要求，结合四川检验检疫局业务实际，制订了《2016年国家进口食品化妆品安全风险监测计划及实施方案》，共抽取卷烟、可直接饮用的蔬菜果汁饮料、较大婴儿和幼儿配方奶粉、面部护肤(膏霜)及葡萄酒等5类35个进口食品化妆品样品，获得233个结果，采样率达100%，项目完成率达100%，未检出不合格产品。

进口监督抽检。四川出入境检验检疫局按照质检总局《关于印发〈2016年度国家进口食品化妆品安全监督抽检计划〉的通知》《关于印发〈进出口食品安全监督抽检和风险监测实施细则(2016版)〉的通知》要求，制订了四川检验检疫局《2016年进口食品化妆品安全监督抽检计划及实施方案》，按照年度进口食品安全监督抽检计划及调整方案规定实施监督抽检，共抽取14类288个食品化妆品样品，获得1995个结果，除无实际进口业务或者实际进口批次小于计划抽检批次无法完成抽采样工作外，计划完成率达100%，无不合格检出。

出口监督抽检。四川检验检疫局按照质检总局《关于印发〈出口食品安全监督抽检管理办法(试行)〉和〈2016年度国家出口食品化妆品安全监督抽检计划〉的通知》和《关于印发〈进出口食品安全监督抽检和风险监测实施细则(2016版)〉的通知》要求，制订了四川《2016年出口食品化妆品安全监督抽检计划及实施方案》，按照计划及方案规定实施监督抽检，共抽取26类440个样品，得到2699个结果，除无实际出口业务或者实际出口批次小于计划抽检批次无法完成抽采样工作外，计划完成率达100%，无不合格检出。

重点进出口食品专项抽检。四川检验检疫局按照质检总局《关于开展进口婴幼儿配方乳粉专项检测工作的通知》要求，完成来自5个国家和地区11报检批、24个品种婴幼儿配方乳粉全项目专项检测，覆盖从四川进口的已获得注册的境外婴幼儿配方乳粉生产企业的所有产品、品牌和系列，对其余进口婴幼儿配方乳粉按照报检批的50%进行日常抽样检测，未检出不合格产品。按照《关于开展2016年供港蔬菜专项检查工作的通知》要求，对分布在成都、德阳、乐山、内江和宜宾的供港蔬菜备案基地的菜心、西兰花、芥蓝、小白菜、白萝卜和榨菜6种蔬菜共12个样品2858项农残进行抽样检测，未检出不合格产品。

【进出口食品安全口岸监管机制改革】 2016年，质检总局提出了“推进进出口食品安全治理体系和治理能力现代化”建设要求，四川出入境检验检疫局按照质检总局“进口前、进口时、进口后”3个环节的“进口食品安全治理体系顶层设计方案”和“原料生产基地备案、生产加工企业备案、出口前成品检验”3个环节的全过程出口食品安全治理体系要求，改革成都辖区进出口食品口岸检验监管机制，以合格评定程序代替过去的批批检验，实施监督抽检计划，即把监督抽检、评估审查、注册、备案、检疫审批、证单审核等内容作为合格评定活动的内容，构建以“科学严密、高效便利、协调统一、公开透明”为特征的新的成都辖区监管机制。口岸监管机制改革后，出口食品实验室检测批次、项目大幅度下降，通关速度加快，1天之内完成检验的批次占总批次的47.5%，超过5天完成检验的仅占总批次的19.3%。

【出口食品原料种植场备案管理】 2016年，四川出入境检验检疫局按照质检总局《出口食品原料种植场备案管理规定》要求，推进出口食品原料备案种植场备案管理工作。督促企业全面落实主体责任，指导企业进一步完善对农业投入品的采购、保管、发放、施用以及溯源，推动出口食品原料种植场科学化、制度化、规范化建设。全年新增蔬菜、栽培食用菌、茶叶备案种植场12个，面积28577.8亩。11月，对照质检总局《出口食品原料种植场备案管理规定(征求意见稿)》提出了15条修改意见及建议并报送质检总局。

【供港澳食品安全监管】 2016年，四川出入境检验检疫局加强对供港澳食品的源头管理和质量安全控制，助力四川食品对港澳出口。按照质检总局《关于开展2016年供港蔬菜专项检查工作的通知》要求，结合重点进出口食品专项抽检，制订了《2016年四川供港蔬菜专项检查工作方案》,完成四川供港澳蔬菜抽样及检测工作,检测结果均为合格。1 月,四川检验检疫局与珠海检验检疫局签署了《促进四川食品农产品供澳合作备忘录》,通过前移检验关口,四川供澳蔬菜经产地检验检疫局检验合格后在珠海口岸可直接核查货证放行,提升了通关放行速度和效率。12 月,与深圳局、宜宾市政府签署了《共同促进四川宜宾供港蔬菜出口合作备忘录》,四川供港蔬菜在四川铅封后深圳局不再查验直通供港。全年共有 4 个品种、5.8 吨、货值 6 万港币的四川新鲜蔬菜直通供港,实现 1962 年供港鲜活冷冻食品"三趟列车"开通以来的首次直通供港。新增 5 个供港澳蔬菜备案种植场,备案种植场区域从成都扩大到广元、乐山、宜宾和达州地区。截至 2016 年年底,全省共有供澳蔬菜备案种植场 16 个、面积 24000 余亩。四川供港澳新鲜蔬菜未出现任何质量安全问题。

【促进地方经济发展】 2016 年,四川出入境检验检疫局开展服务四川开放型经济发展"提速增效"大调研专项行动,撰写了《发挥指定口岸作用,服务临港临空经济发展》《发挥示范区引领作用,推动四川示范区农产品食品扩大出口》等政研文章,形成了《四川中药材产业对外贸易发展现状及对策建议》《出口杂交稻种风险分析》《多因素致我国杂交稻种出口锐减》等调研报告,其中《四川中药材产业对外贸易发展现状及对策建议》得到副省长刘捷的肯定性批示。四川局课题《内陆地区口岸动植物疫病疫情防控体系》获得质检总局三等奖。12 月,根据《质检总局关于复制推广自由贸易试验区新一批改革试点经验的公告》,制定了《免于核查输出国家或地区动植物检疫证书的清单》,清单内货物免于提交输出国家或地区动植物检疫证书。

四川出入境检验检疫局支持地方扩大优质产品进出口,全年成都双流国际机场进口冰鲜水产品 561 批、1858 吨、货值 1806 万美元,成为国内四大冰鲜三文鱼进口口岸之一;进口食用水生动物 253 批、165 吨、货值 104 万美元,同比批次、重量、货值分别增长 1306%、16255%和 3435%,撰写的《双流国际机场口岸获批西部唯一进境食用水生动物指定口岸的报告》得到成都市委书记唐良智的肯定批示。泸州、宜宾港共进口粮食 95 批、6.4 万吨,同比分别增长 16%、38%。四川润兆渔业有限公司鲟鱼苗养殖基地完成对泰国出口注册,成为四川首家取得出口资质的水生动物养殖场,于 4 月实现首次出口。示范区水果出口货重、金额同比分别增长 117%和 87.72%,创近 5 年新高。

2016 年,四川特色调味品出口迅速增长,四川检验检疫局报送的《我省调味品出口增长迅速》得到省长尹力的肯定性批示。四川冷冻烤鳗和青川黑木耳、广元高山蔬菜等多个产品实现首次出口,鱼子酱出口美国、以色列、法国、英国等。创新短货架期食品检验监管模式,开辟一天查验送检、两天完成检测、一天出证的"121 快速通道",实现进口巴氏杀菌乳首次进口。四川口岸首次以一般贸易形式进口坚果。

【保障口岸公共卫生安全】 2016 年,四川出入境检验检疫局完善口岸疫病疫情联防联控机制,实施"管控重点、分类监测、风险预警、联防联控"的口岸传染病疫情防控模式和"风险评估—预警—发现—检测—追踪—督导"管理流程,有效防控寨卡病毒、黄热病等疫情,全年四川口岸重点疫情疫病实现"零输入、零感染、零传播",口岸疫情防控工作获得省委省政府领导 2 次肯定性批示和质检总局的通报表扬。

5 月,四川检验检疫局在陆运办邮检口岸检出来自德国的 4 盒蜚蠊,其中 3 个种类均是四川省口岸首次截获的病媒生物,也是全国有报道的第二次截获。7 月,在机场口岸检出 1 例输入性疟疾病例。10 月,在机场口岸检出 1 例输入性登革热病例。妥善处置 2 例埃博拉疫区入境人员发热临界事件,处置 1 例埃博拉出血热留观病例。制定《四川检验检疫局处置恐怖袭击事件基本预案》,举办"反恐法宣贯暨核生化监测和内卫安保培训会",组织开展《反恐怖主义法》宣传教育周活动,四川口岸无核生化涉恐事件发生,四川检验检疫局无安全稳定事件发生。举办"四川口岸医学媒介生物传染病防控及医学媒介生物监测培训班",选送人员参加全国蚊类监测与控制演练竞赛并取得"全国个人单项第一名"。启用新版出入境特殊物品电子监管系统;建立检疫处理综合管理系统并在机场局、泸州局、宜宾办、陆运办上线部署完毕和通过验收。

【强化部门联动】 2016 年,四川出入境检验检疫局加强与成都海关、四川省林业厅、四川省农业厅等相关职能部门的联系协调,以《合作备忘录》为基础,细化合作内容,发挥各部门职能优势。1 月 4 日—8 日,派员参与四川省重大林业有害生物防治考核工作,对内江、宜宾、自贡等 7 个地区的重大林业有害生物防治工作进行考核。四川检验检疫局加强与海关、邮政等口岸部门的联防联控机制,协同保障国门生物安全,建立起口岸部门通报、会商、突发事件处置等制度。10 月 31 日,通过与成都海关协调,四川检验检疫局成都陆运口岸办事处与成都海关驻邮局办事处共同签署了《邮寄物品监管联系配合办法》。11 月,按照四川省《印发省委关于推进绿色发展建设美丽四川的决定责任分工方案林业厅牵头工作行动方案的通知》要求,四川检验检疫局与林业厅、农业厅、成都海关等单位共同就强化重点保护野生动植物及其制品的进出口管理、规范野生动植物繁育利用、有效防范物种资源丧失和外来有害物种入侵、严禁异地放生等工作提出了落实措施。12 月,根据《关于报送四川省农业对外合作厅际联席会议成员单位的函》要求,四川检验检疫局向农业厅报送了农业对外合作厅际联席会议成员。

四川出入境检验检疫局编写组

扶贫和移民工作

综　述

【基本情况】 2016年是四川省打赢脱贫攻坚战的开局之年,省委省政府坚持以习近平总书记扶贫开发战略思想为基本遵循,全面贯彻落实中央扶贫开发决策部署,自觉把脱贫攻坚作为必须完成的重大政治任务和全省头等大事来抓,始终聚焦“两不愁、三保障”和“四个好”目标,采取超常举措,付出超常努力,扎实推进脱贫攻坚各项部署落地生根,年度脱贫攻坚实现首战告捷。5个贫困县、2350个贫困村、105万名贫困人口的年度脱贫目标任务超额完成,贫困群众收入明显增加,贫困地区经济加快发展。

【严格对照国家标准,高质量完成年度减贫计划】 2016年,根据国家贫困退出标准和程序,经四川省、市、县三级验收考核和第三方评估,全省全年计划脱贫“摘帽”的贫困县、贫困村、贫困人口全面达到退出标准。一是105万名贫困人口年度脱贫任务超额完成。年度计划脱贫105万名农村贫困人口,实际脱贫107.8万人,超出计划数2.8万人,完成率为102.7%,脱贫幅度为28.4%,其中“四大片区”88个贫困县减贫67.5万人,片区外72个县减贫40.3万人。全省农村贫困人口减少至272万人,贫困发生率降至4.4%,全部达到国家“两不愁、三保障”和全省“一超六有”标准(年人均纯收入稳定超过国家扶贫标准且吃穿不愁,义务教育保障、基本医疗保障、住房安全保障、安全饮用水、生活用电、广播电视)。二是2350个贫困村年度退出任务超额完成。全省计划退出2350个贫困村,实际退出2437个,超出计划数87个,完成率为103.7%,贫困发生率全部降至3%以下,全部达到国家标准和全省“一低五有”标准(贫困发生率低于3%,有集体经济收入、硬化路、卫生室、文化室、通信网络)。三是5个贫困县年度“摘帽”任务全面完成。全省计划“摘帽”的5个贫困县的贫困发生率全部降至3%以下,其中国定贫困县南部县为2.52%、广安市广安区为1.46%,省定贫困县蓬安县为2.64%、广安市前锋区为1.84%、华蓥市为1.45%,全部达到国家标准和全省“一低三有”标准(贫困发生率低于3%,乡乡有标准中心校、达标卫生院、便民服务中心),达标率达100%。四是贫困地区农村居民收入增速高于全国平均水平。2016年前三季度,全省贫困地区农村居民人均可支配收入为6887元,同比增长13.3%,比全国农村贫困地区农民收入增速高2.9个百分点,达到高于全国平均增速的国家标准。五是扶贫资金使用管理精准高效。坚持扶贫资金、项目、资源聚焦“四大片区”,聚焦2016年计划脱贫“摘帽”的贫困县、贫困村、贫困人口。2016年,全省17个扶贫专项投入各类资金1181亿元,其中财政资金657亿元;投入中央和省级财政专项扶贫资金70.22亿元(其中中央44.01亿元、省级26.21亿元),其中省级财政专项资金同比增长40.61%。同时,省级财政安排32亿元地方政府债券支持脱贫攻坚。六是群众对脱贫攻坚工作成效满意度高。从160个有扶贫任务的县的省级验收评估抽查情况来看,建档立卡贫困人口识别准确率为100%,退出准确率为99.85%;从脱贫户、非贫困户、村组干部问卷调查结果来看,群众对“五个一”驻村帮扶工作满意度为99.13%、帮扶措施满意度为98.09%、帮扶干部工作满意度为97.77%;从88个贫困县第三方评估来看,建档立卡贫困人口识别准确率为100%,退出准确率为99.69%,对“五个一”驻村帮扶工作满意度为98.44%、帮扶措施满意度为97.98%、帮扶干部工作满意度为97.59%。

【把习近平总书记扶贫开发战略思想作为工作的基本遵循】 2016年,四川省各级各部门采取党委(党组)会、中心组学习会、专题培训等形式认真学习贯彻习近平总书记扶贫开发战略思想,准确把握核心要义和精神实质,深刻领会系列新思想新观点新论断,先后召开数十次省委常委会会议、省政府常务会议、脱贫攻坚领导小组会议,对脱贫攻坚工作作出全面动员和系统部署。邀请国务院扶贫办主任刘永富和原主任范小建到川授课指导,组织省直有关部门负责人、专家学者深入全省各地宣讲培训500余场(班)次,10万余名干部群众接受培训。四川省在全国学习贯彻习近平总书记扶贫开发战略思想研讨会上作了交流发言。

【把加强党的领导作为打赢脱贫攻坚战的坚强政治保障】 2016年,四川省扶贫和移民工作局充分发挥各级党委总揽全局、协调各方的领导核心作用,严格执行脱贫攻坚一把手负责制,从省到乡都组建了党政主要领导"双组长"负责的脱贫攻坚领导小组,层层立下"军令状"。坚持省级领导联系指导市(州)和基层工作制度,40名省级领导和48个省直部门分别牵头联系指导1个贫困县、1个贫困村,实现包村包户精准帮扶。统一明确各级党委副书记协助书记分管脱贫攻坚工作。持续优化贫困县班子,对党政主要负责人逐一分析、考核评估,对表现优秀的及时提拔但不离岗,做到不脱贫、不"摘帽"、不换人,对不适宜脱贫攻坚工作的坚决调整;选派178名省直机关干部到"四大片区"担任市(州)部门副职或贫困县党政副职,选派88名优秀年轻干部挂任贫困县专职副书记。配齐配强各级扶贫机构力量,贫困县扶贫机构在规定限额内全部单设,省、市两级扶贫部门主要负责人兼任同级政府副秘书长,贫困县扶贫部门主要负责人兼任同级政府党组成员。

【基本形成"制度设计完备"和"政策举措精准"紧密结合的工作格局】 2016年,四川省扶贫和移民工作局围绕落实中央、省委脱贫攻坚决策部署,在"3+10"政策措施的基础上,严格落实"六个精准"总体要求,实施"五个一批"扶贫攻坚行动计划,出台了17个扶贫专项年度工作计划和安全饮水、医疗卫生等7个年度实施方案,优化完善了金融支持、产业发展等13类脱贫攻坚专项政策,健全以"五个一"驻村帮扶、东西部扶贫协作、省内对口帮扶为主要内容的社会帮扶机制,构建起专项扶贫、行业扶贫、社会扶贫"三位一体"的大扶贫格局。出台了脱贫攻坚工作年度《考核办法》、贫困退出《实施方案》、《督查巡查办法》等机制举措,构建形成脱贫攻坚事先、事中、事后全程规范的制度体系。编制完成省、市、县三级"十三五"脱贫攻坚规划。

【创新构建"两不愁、三保障"和"四个好"相统一的目标体系】 2016年,四川省强调脱贫攻坚首先要实现"两不愁""三保障"目标,结合全省实际进一步细化为贫困人口脱贫要达到"一超六有"、贫困村退出要达到"一低五有"、贫困县"摘帽"要达到"一低三有"的具体工作要求。同时,细化制定"四个好"评价标准,启动"四好村"创建工作,2016年首批建成省级"四好村"1481个,力争到2020年60%以上的村建成省级"四好村"。

【将"四大片区"作为脱贫攻坚战主战场】 2016年,四川省扶贫和移民工作局持续实施"四大片区扶贫攻坚行动",深入推进彝区"十项扶贫工程"和17条政策措施落实,年度到位资金99.01亿元,实施项目88个。实施彝家新寨建设250个村、住房建设21250户入户用电、垃圾处理池、公共排污设施、农户环境绿化公益、商贸场所等项目已全部完成。深入实施藏区"六项民生工程计划",年度到位资金67.88亿元。藏区新居计划建设2万户,已开工1.99万户,开工率达99.7%;竣工1.56万户,竣工率达78.1%。完成包虫病病情调查44.6万人,免费药物治疗14762人。举办全省藏区彝区产业扶贫推介会,签约项目44个,涉及金额774亿元。大力推进秦巴山区、乌蒙山区扶贫攻坚,累计建成巴山新居2659个、乌蒙新村427个。新(改)建"四大片区"农村公路5.09万千米、干线公路4528千米。

【全方位全覆盖开展脱贫攻坚大检查大督导】 2016年,四川省委书记王东明、省长尹力带动省直部门和市、县对全省有扶贫任务的160个县、11501个贫困村开展全覆盖督查督导。40位省级领导平均每位调研督导贫困村26个、走访贫困户130户,省直部门厅级领导干部共调研督导贫困村1680个、走访贫困户8400户。6月、9月分别对5个首批计划"摘帽"县、160个有脱贫任务的县开展"解剖麻雀式"检查评估,向市、县和省直部门"发点球"限期整改。精细化实施脱贫验收考核和第三方评估,先后5次召开全省性验收考评工作动员会,进行统一部署,省、市、县三级共抽派5万余名业务骨干参与,组成7000余个工作组,逐县逐村逐户验收考核评估。委托四川大学、省社科院等7家高校、科研院所抽派700余名专家、师生组成8个评估组,对88个贫困县开展第三方评估。同时,开展扶贫《条例》第二次执法检查。启动开展脱贫攻坚领域违纪违规问题专项查处行动,启动实施了为期5年的加强预防和集中整治扶贫领域职务犯罪专项工作。

【扶贫对象基本实现精准管理】 2016年,四川省全面完成建档立卡及"回头看"、数据核查等工作,认定2015年年底贫困户117.2万户、贫困人口380万人,分类核定"五个一批"贫困人口(扶持生产和就业发展一批共239万人、移民搬迁安置一批共116万人、低保政策兜底一批共121.1万人、医疗救助扶持一批共161.9万人、灾后重建帮扶一批共2.9万人)。建成全省脱贫攻坚"六有"大数据平台和扶贫资金监管平台,实行"痕迹管理"和动态监测,实现识贫、扶贫与脱贫工作全记录、可追溯。

【群众住房安全问题加快推进解决】 2016年,四川省扶贫和移民工作局突出区域特色,以彝家新寨、藏区新居、乌蒙新村、巴山新居和幸福美丽新村建设为抓手,新建、改造和保护相结合,着力解决贫困群众住房安全问题,惠及146万名农村群众。落实易地扶贫搬迁年度资金151亿元,完成投资165.5亿元,全面完成国家下达的全省25万人易地扶贫搬迁住房建设任务,已开工建设104936套,开工率达143.3%;建成住房97686套,建成率达133.1%。严格执行易地扶贫搬迁人均建房面积不得超过25平方米的标准,对藏区、彝区建房成本按80%给予补助,对秦巴山区、乌蒙山区按不低于70%给予补助,对片区外按60%给予补助,防止贫困户因搬迁建房而过度负债。实施建档立卡贫困户危房改造,开工建设145258户,开工率达109.1%。

【产业扶贫增收取得明显进展】 2016年,四川省编制完成88个贫困县、11501个贫困村产业脱贫规划,逐户制定了脱贫措施。出台支持农业产业化龙头企业(工商资本)带动脱贫攻坚20条政策,全省6.4万个农民合作社、5835家农业产业化龙头企业参与脱贫攻坚,基本实现每个贫困村产业发展都有经营主体带动。贫困地区新建高标准农田254.5万亩,新建和改造农业产业基地580万亩,出栏大牲畜和小家禽共2.27亿头(只),水产养殖面积达117万亩。出台就业扶贫政策措施9条,将全省贫困家庭211.1万劳动力实名登记入库。深入开展"万名农业科技人员进万村"技术扶贫行动,培训贫困群众333.71万人次,实现转移就业84.2万人。

【教育扶贫取得重大突破】 2016年,四川省扶贫和移民工作局始终将保障贫困人口接受义务教育放在教育扶贫的优先位置,累计投入126亿元,全面加强1万余所农村义务教育薄弱学校建设。建立从学前教育到高等教育的贫困学生资助体系,减免74万名在园幼儿保教费,对122万名贫困寄宿生发放生活补助,对44万名高中生、81万名中等职业学校学生免除学费并提供助学金,对2016年秋季新入学的贫困本(专)科学生每年补助4000元学费和生活费直至毕业。在全省民族自治地方的51个县实施15年免费教育。扎实推进大小凉山彝区"一村一幼"建设,开办幼教点2527个,惠及10万余名学生。大力实施藏区彝区"9+3"免费教育计划,惠及5.8万名学生,全年"9+3"毕业生初次就业率达98.9%。利用村公共服务中心、村小学等场所举办农民夜校23802场,引导贫困群众学文化、学政策、学法律、学技术。

【医疗卫生扶贫水平持续提升】 2016年,四川省扶贫和移民工作局始终把实现贫困人口基本医疗有保障作为卫生扶贫的优先选项,着力抓好县、乡、村三级基本公共卫生服务体系建设,88个贫困县乡(镇)卫生院达标率为99.13%,村卫生室达标率为83.08%,县医院100%达到二级水平。在全省实施"十免四补助"政策,贫困群众就诊免收一般诊疗费和院内会诊费,全面开展白内障复明手术项目、孕产妇住院分娩等8项免费医疗服务,对手术治疗包虫病患者、0~6岁贫困残疾儿童等4类贫困人口给予特殊治疗补助。从1月起,贫困患者县域内住院政策范围内医疗费用个人支出部分控制在10%以内。在160个有扶贫任务的县设立规模达300万元的卫生扶贫救助基金,对享受医疗保险和补助政策后仍然因病负债的贫困家庭给予特殊支持,确保不因病致贫和返贫。

【社会保障兜底取得阶段成效】 2016年,四川省扶贫和移民工作局对完全或部分丧失劳动能力的121.1万名贫困人口重点加大低保统筹力度。将全省农村低保标准低限由2280元/年提高到2880元/年,计划"摘帽"的5个贫困县低保标准提高到3120元/年。通过发放特殊生活补贴使计划脱贫的32.8万名低保对象收入达到3100元/年,率先实现"两线合一"。完善社会保障救助体系,到2017年全省农村"三无"特困人员集中供养满足率达65%;全面完成纳入低保范围的贫困人口兜底工作,确保实现全省"两线合一"。

【灾后重建扶贫任务圆满完成】 2016年,四川省扶贫和移民工作局坚持把恢复重建与扶贫解困统筹起来抓,确保"4·20"芦山地震灾区17万名贫困群众与全省同步小康。2014年以来,全省共完成193个贫困村灾后重建项目,9.3万户农村住房、3.5万户城镇住房重建任务,5107户"三孤"人员、五保户、特困户等特困群众全部住进新家,灾区1.2万名贫困群众、150个贫困村如期脱贫"摘帽"。

【财政金融扶贫创新有力推进】 2016年,四川省扶贫和移民工作局制订了"十三五"脱贫攻坚资金预算平衡总方案,明确各级财政总投入2283亿元。出台支持贫困县开展统筹整合使用财政涉农资金试点的意见,70个试点贫困县整合资金67亿元。在160个县全面设立县级教育扶贫救助基金、卫生扶贫救助基金、扶贫小额信贷风险基金,在11501个贫困村全面设立产业扶持基金,"四项基金"总规模达56.96亿元。发挥扶贫再贷款等政策工具的引导作用,积极推广扶贫小额信贷等金融产品。截至2016年11月底,全省金融精准扶贫贷款余额达2742.65亿元,其中个人精准贷款余额199.82亿元。

【社会扶贫合力进一步汇聚】 2016年,四川省扶贫和移民工作局深入推进定点扶贫,23个中央国家机关、全省15781万个定点扶贫部门(单位)实现对11501个贫困村帮扶全覆盖。全年累计投资或引资131.06亿元,实施项目8625个。加大东西部扶贫协作力度,积极加强与帮扶省、市对接,浙江省、广东省落实无偿援助财政资金4.95亿元、社会帮扶资金955万元。积极推进"万企帮万村"行动,2685家商会、企业与2675个贫困村结对帮扶。2016年,全省社会扶贫共投入(募集)资金159.7亿元,实施项目9200个,举办各类培训班497期,培训各类干部技术人才30621人次,努力营造社会力量参与脱贫攻坚的良好氛围。

【"五个一"驻村帮扶和省内对口帮扶扎实推进】 2016年,四川省扶贫和移民工作局对11501个贫困村全覆盖实施"五个一"驻村帮扶,即为每个贫困村选派1名联系领导、1个帮扶单位、1个驻村工作组、1名"第一书记"、1名农技员,切实把帮扶责任落实到单位、落实到人头,明确要求贫困村不脱贫、扶贫对象不达标、帮扶力量不撤出。实行"召回"和激励制度,累计召回或调整"第一书记"2975名,提拔1234名。启动省内经济较发达的7市、35县对口帮扶藏区、彝区45个贫困县,阿坝州、甘孜州与成都市、眉山市、德阳市共建4个"飞地工业园区",民族地区部分贫困群众实现在园区就业。

四川省扶贫和移民工作局编写组

扶贫开发工作

五个"摘帽"县精准扶贫情况

南部县精准扶贫

【基本情况】 2016年,南部县在省委、市委的坚强领导下,始终把脱贫"摘帽"作为"最大政治、最大民生"任务牢牢地抓在手上、扛在肩上,紧紧围绕中央和省委脱贫攻坚决策部署,紧紧围绕户脱贫、村退出、县"摘帽"标准,精准施策,创新推进,超额完成了年度目标任务,全面夯实了脱贫"摘帽"基础,推进了脱贫攻坚工作再上新台阶。

【超额完成年度目标任务】 2016年,南部县按照中央和省、市脱贫攻坚安排部署,南部县应脱贫22309人、退出42个村。经过科学规划到村、量身定制到户、精准扶持到人,聚焦"脱贫摘帽"精准发力,攻坚基础进一步夯实,脱贫成效持续显现。全县贫困村基础设施全面改善,贫困群众生产生活条件明显改善,8519户、27569人达到"一超(两不愁)、三保障、三有"的脱贫标准,66个贫困村达到"一低、五有、四好"的退出标准,全年实际脱贫8519户、27569人,退出66个贫困村,结存贫困人口8677户、26093人,超额完成了年度目标任务,贫困发生率降至2.52%。全县建成标准中心校88所,73个乡(镇、街道)卫生院标准化建设全部达标,所有乡(镇、街道)均建有便民服务中心;农村居民年人均可支配收入达13305元,同比增长18.2%,全面超过"摘帽"标准。

【强化顶层设计,确保中央、省、市决策部署落地落实】 2016年,南部县在《中共中央、国务院关于打赢脱贫攻坚战的决定》出台后,第一时间召开县委常委(扩大)会、县政府常务会、县脱贫攻坚领导小组会、全县脱贫攻坚推进会等,系统学习、深刻领悟习近平总书记关于扶贫开发系列讲话精神和战略思想。对接省委"3+10"组合拳,制定了精准脱贫《决定》和《督查细则》,深入实施产业、安居、能力、基础、民生"五大扶贫工程",推进精准识别数据平台、扶贫项目融资平台、驻村帮扶工作平台、项目资金管理平台、社会扶贫对接平台"五大平台"建设,形成了"2+5+5"脱贫攻坚政策"套餐",确保了中央、省委、市委脱贫攻坚顶层设计在南部的落地落实。一是构建"六级责任体系",层层签订责任书。全面构建了书记(县长)的第一责任、县级领导的挂联责任、乡(镇)党政和"一把手"的主体责任、村"两委"和下派"第一书记"的直接责任、帮扶单位的扶持责任和纪检监察机关的监督责任"六级责任体系",细化了精准帮扶、整村提升、动员群众、维护稳定、依法治村"五项责任清单"。二是派驻"五个一"力量,人人立下"军令状"。把全县最优秀、最能干、最务实的干部选派到脱贫攻坚第一线,29名县级干部每人挂联1~3个乡(镇)和对应的贫困村,117个县级部门分别定点帮扶1~2个贫困村,选派242名优秀干部到村担任"第一书记",每个贫困村实现1名县级领导干部、1个帮扶部门、1个驻村工作组、1名"第一书记"、1名农业技术人员,"五个一"帮扶力量全覆盖。三是制订19个专项扶贫计划,分类制定"作战图"。按照省委省政府17个专项扶贫计划要求,细化制订了19个行业扶贫专项计划,把"摘帽"任务逐一项目化、实物化、具体化,逐项形成挂图作战的"任务书""路线图""时间表",19个扶贫专项计划已全部完成年度投资,为如期"摘帽"提供了有力支撑。四是加大要素保障和资金投入力度。紧紧围绕脱贫攻坚需要,落实建设用地指标800余亩,投入扶贫资金7.8亿元,其中财政专项扶贫资金2.3亿元、整合涉农专项资金及其他资金5.5亿元。县财政注入扶贫小额信贷风险补偿基金1999万元,同步加大金融扶贫力度,争取到扶贫再贷款限额3亿元、农发行易地扶贫搬迁贷款2.8亿元、"十三五"期间易地搬迁中央贴息贷款2.7亿元。

【强化精准施策,确保帮扶措施落地见效】 一是对照户脱贫标准精准帮扶、靶向突破。2016年,南部县按照贫困户"不愁吃、不愁穿,义务教育有保障、基本医疗有保障、住房安全有保障"标准,重点围绕贫困户增收难、安居难和扶智难集中资源、集中力量,进行突击攻坚、靶向突破。二是对照村退出标准精准发力、集中攻坚。重点围绕集体经济收入和安全饮水两大短板,整合资金、盘活资源、集中攻坚,保证了66个村全部达到"五有"退出标准。

【强化精准管理,确保脱贫成效落地生根】 2016年,南部县为确保脱贫成效,强化脱贫过程的精准管理,坚持"水紧逼鱼跳",多管齐下倒逼各级干部迎难而上、担当作为,建立"四大机制"保障脱贫攻坚驶入快车道。一是实行"挂图作战,现场验靶"。印制脱贫攻坚"作战图",细化"作战"目标清单、任务清单和节点清单,将工作安排到月、细化到周、落实到天。每季度开展一次"现场验靶"巡查考核,对考核结果好的授予流动红旗,考核结果差的给予黄牌警告,连续3次被黄牌警告的"一把手"引咎辞职。二是实行"蹲点督导,分类帮扶"。在常态化开展明察暗访、逐户走访、实地查看、现场办公的基础上,按照稳定脱贫的"模范户"、脱贫有一定问题的"中间户"和脱贫问题较大的"困难户"分类帮扶,重点对"模范户"实施稳定提升,对"中间户"实施精准帮扶,对"困难户"实施集中攻坚,确保靶向精准、有的放矢。三是实行"悬帽攻坚,正向激励"。坚持把扶贫攻坚的战场作为识人、选人、用人的赛场,预留部分县级机关和乡(镇)科级领导岗位"悬帽",重用思路开阔、作风务实、实绩突出、群众认可的扶贫干部。上年综合考核前10名的"第一书记"均被提拔使用,结合乡(镇)换届工作,共提拔重用扶贫一线优秀干部20人。四是实行"痕迹管理,责任倒查"。坚持对"第一书记"实行GPS远程签到、随机抽查、轨迹管理和"召回"制度,已召回"第一书记"13人。印制"三卡五册三模板",精准管理脱贫过程,实行责任倒查,对在脱贫攻坚中不作为、慢作为的干部一律新闻调查曝光,已有15名乡村干部受到党纪政纪处分。

【"四小工程"以短养长,实现当年增收】 2016年,南部县结合县情实际,有针对性地对贫困户分户规划实施小庭院、小养殖、小买卖、小作坊"四小工程",因地制宜打造以水果为主的小庭院、以农家生态养殖和桑果林下绿色养殖为主的小养殖,致力把小庭院、小养殖培育成大品牌;发挥大户、能人的带动作用,支持有基础有条件的贫困户经营竹木制品、方酥锅盔土特产品加工等小买卖,开办小作坊。全年安排到户产业补助资金9684万元,实施"四小工程"10339户,占贫困户总数的61%,其中小庭院4713户、小养殖5500户、小作坊27户、小买卖99户。通过发展入户产业,让每户贫困户至少有1个增收项目,集中解决了每户贫困户当期脱贫增收问题。

【"五方联盟"脱贫奔康产业园,确保稳定脱贫】 2016年,南部县建立"五方联盟"机制,创新发展联户产业,致力解决贫困群众联动增收、长远致富问题。推行"龙头企业+专合组织+农民群众+金融+保险""五方联盟"机制,让贫困户与优势市场主体、金融和保险机构联结起来,采取龙头企业带动、合作社领办、贫困户入股、金融贷款支持、保险公司跟进的方式在全县发展食用菌、肉鸡、果药、水产等脱贫奔康产业园200个,集中建成蚕桑和速生林、脆香甜柚、有机鱼三大脱贫奔康产业片,把千家万户的"小"变成"一村一业、一乡一品"的"大",有效解决了贫困户稳定脱贫的问题。大堰乡纯阳山村脱贫奔康(食用菌)农民产业园和封坎庙村脱贫奔康(家禽)产业园就是产业园带动脱贫的典型代表,2016年该村入园贫困户每户已实现数万元收益。同时,"四小工程"和脱贫奔康产业园长短结合、以短养长,确保了每户贫困户当年增收有项目、长远致富有支撑。

【易地扶贫搬迁"四书一报告"流程在全省推广】 2016年,南部县坚持把贫困户住房安全保障作为头等大事,创新易地搬迁扶贫"四书一报告"流程,全面规范建房各环节各方面,合理控制建房标准,确保又快又好地建成安全适用的安居住房。"四书一报告",即扶贫建房申请书、建房承诺书、施工安全责任书、告知书和验收报告,建房启动前充分尊重农户意愿,由农户自愿提出申请,经村两委审查后实施;签订建房承诺书,要求农户承诺不超面积建房、不因建房产生新的债务;签订施工安全责任书,要求农户和施工方严格遵守安全生产有关政策、法规和规定,确保不出任何安全事故;出具告知书,村"两委"对农户建房进行审查后出具项目启动许可书,目的是审查资金来源、建设规模和安全标准;出具验收报告,房屋建成后,由专家验收组检查验收并形成验收报告,以此作为监督安全质量、核发补助资金的依据。此外,要求亲朋好友捐赠贫困群众建房的必须提供无偿捐赠书,不能事后反悔追讨,防止因建房加深贫困程度。

配合"四书一报告"流程的实施,对相关问题进行了具体明确和规范。在资金筹集上,严守"户均自筹不超过1万元"的底线,防止因自筹资金超标加深贫困程度；在规划选址上，坚持宜聚则聚，宜散则散，不搞"一刀切"；在建筑设计上，严守"人均面积不超过25平方米"规定，统一设计了4套户型和砖混青瓦结构，地基打二建一，防止过度建设加重贫困程度；在推进措施上，坚持面积超标不补助、自筹资金超标不补助、旧房不拆除复耕不补助、工期超6个月不补助"四不补助"原则。按照"五改三建"标准对农村C、D级危房实施了改造。农村安全住房相关政策用完后仍不能搬迁入住的家户可向县安全住房基金申请政府贴息贷款，保证2393户易地搬迁户和8519户脱贫户每户都能修得起、搬得进、住得上安全房。

【"三三制"医疗靶向扶贫撑起健康保护伞】 2016年，南部县因病致贫、因病返贫现象普遍，贫困群众"小病挨、大病拖，有病不敢看、想看看不起"问题突出。在脱贫攻坚实践中，南部县立足大健康理念对医疗扶贫进行系统谋划，在被扶者和扶助者两方用力，探索形成"三三制"医疗靶向扶贫新模式，解决了贫困群众医疗健康保障短期化问题，为病困群众撑起了一把强大的健康保护伞。2015年年底，结存贫困人口53662人中因病致贫27305人，占贫困人口总数的50.88%，经过医疗救助等精准扶持，2016年年底，13173名因病致贫人口成功脱贫，减少24.54%。一是筑牢"三道防线"，确保群众看得起病。通过采取县财政全额代缴参保费、县域内住院全额报销合规费用、贫困残疾人康复项目纳入支付范围方式筑牢基本医疗保险防线，通过新农合基金出资统一为贫困人口购买大病商业保险筑牢商业保险防线。通过对4065名建卡贫困低保对象实施政府救助、对35种门诊重病实施门诊救助、对突发重大疾病贫困患者实施临时救助筑牢民政救助防线，形成医疗保障合力。二是实施"三大工程"，确保群众看得好病。实施源头工程——城乡一体供水工程，解决安全饮水问题，消除水源隐患，拔除病源穷根。全面实施基础工程——基层医疗机构建设，安排专项资金全面建设标准化村卫生室和达标卫生院，配足配齐医疗设施设备并纳入信息化管理，保障贫困群众"小病不出村，就近能看病"；全覆盖乡村医疗卫生人员办班讲座，加大教育培训力度；制订二级以上医疗卫生机构对口支持乡（镇）卫生院工作方案，确保"一对一"帮扶，增强对口支持力度；与华西医院、解放军301医院、天坛医院等进行合作远程诊疗，采取"走出去""请进来"等方式，扩大医疗联合力度。实施保障工程——技术培训和医疗联合，贫困患者县内就诊率达91%。三是建立"三大机制"，确保群众看得上病。建立动态筛查机制、定期巡诊机制、长效便民机制，对接建档立卡贫困人口信息建立"一户一卷、一人一档"贫困人口疾病信息台账并完善医疗信息数据库。对25501名医疗救助扶持对象开展免费健康体检和巡诊巡访，对慢性病、重病、残疾贫困患者进行分类管理。对贫困患者免挂号费、注射费、输液费；实行"先住院后结算"，不缴押金、中途不收费；坚决杜绝大处方、大检查，严格控制医疗费用，减轻贫困户医疗费用负担；开辟医疗绿色通道。

【城乡一体供水根治"因水致病、因病致贫"顽疾】 南部县属页岩地质，矿物质含量高，地下水卤盐超标，大肠菌群含量高、合格率低，水污染严重，引发许多地方病、癌症，农村群众因水致病、因病致贫现象突出。饮水不安全是南部县脱贫"摘帽"面临的一个特殊穷根，在脱贫攻坚的生动实践中，南部县标本兼治，治防结合，一方面加大力度落实医疗救助政策，一方面把城乡一体全域供水作为治本之策，从源头到末梢全方位治理重建。2015年以来，整合资金15亿元，依托嘉陵江、西河和升钟湖"三大水源"，建成6个大型制水厂，铺设9条供水主干线，形成了"三源六厂九线+N"的城乡一体全域供水体系，有效解决了65万名农村群众的"饮水难"问题，2016年拟退出贫困村、预脱贫户全部用上安全的自来水。

【"五型"集体经济破解"空壳村"脱贫难题】 2016年，南部县为全面补齐集体经济"收入单一、后劲不足"薄弱环节和现实短板、促进村集体经济"破壳"、壮大村集体经济收入，经过充分调研和多次专题研究，县委决定创新推进"五型"集体经济发展模式，即依托贫困村资源禀赋，利用塘库山林出租，走资产利用型路子；招引业主开发荒山荒坡或村集体自主经营，走资源开发型路子；由村集体领办农机农技服务合作社或开办企业，走自主经营型路子；利用新村居民聚居点开展物业服务，走物业经济型路子；以村集体闲置土地等入股专业合作社，走入股分红型路子。大力盘活集体资产、开发集体资源、提供有偿服务、发展物业经济和兴办集体企业，因地制宜、因村施策，多渠道灵活方式创造集体经济经营性收入，巩固集体经济"破壳"成果，在全县计划退出贫困村的集体经济收入都达到人均6元以上退出标准的基础上不断推动全县村级集体经济的持续发展和壮大。

【"三卡五册三模板"精准再现脱贫轨迹】 2016年，为确保2016年脱贫"摘帽"决战全面胜利，南部县在强化"三议"群众工作法、"四小工程"、"四书一报告"等创新做法的基础上统一制作了"三卡五册三模板"，全面加强对"摘帽"信息、"摘帽"过程、"摘帽"成效的精准管理。一是建好"三卡"，精准管理脱贫信息。通过规范填写《爱心帮扶卡》，做到贫困户家庭情况、致贫原因、脱贫措施以及帮扶力量等基本信息一目了然；通过常态记录《群众收入明白卡》，帮助贫困户算好收入账、算好明细账，每月算一次，经多方签字确认后，由帮扶干部、村、贫困户各保存1份，严防搞"数字脱贫"走过场；通过发放《政策明白卡》，让贫困群众充分了解除普惠政策外党和政府对建档立卡贫困户和贫困人口还有哪些特惠政策措施，以帮助其用好用活各项保障、扶持政策，有效规划脱贫发展，在政策落地中促进他们感恩奋进。二是建细"五册"，精准管理脱贫过程。通过规范填写贫困户基本信息精准管理册、年度脱贫摘帽挂图作战精准管理册、"五个一"帮扶精准管理册、"三议"群众决策精准管理册、扶贫项目资金精准管理册"五册"精准管理脱贫过程、全面提高落实质量。三是制作"三个模板"，精准管理脱贫成效。制作季度考核标准化模板、暗访督查标准化模板、成效第三方评估标准化模板"三个模板"，按照《模板》设计的内容常态开展明察暗访和电话问效、满意度调查，确保帮扶力量到岗到位、脱贫措施落地见效。同时，与"召回制度"、"悬帽攻坚"机制、电视问政紧密结合，倒逼脱贫过程责任落实。

【"三议"群众工作法激发脱贫内生动力】 2016年，南部县为全面激发困难群众内生动力，形成130万人民共同脱贫奔康的新风正气，全县实行"三议"群众工作法，即在精准扶贫过程中，对贫困户的确定、到村到户的规划、扶贫项目的实施等一律实行"村两委提议、村民代表审议、全体村民决议"的民主决策机制，做到自上而下宣传、自下而上决策，领导不拍板、群众说了算，一旦通过"三议"程序的村级事务就是全体村民的集体意志，必须执行到底。在贫困户精准识别阶段通过严格实行"三议"群众工作法，老百姓对评议确定的贫困人口心服口服，从不说长道短；在安全住房建设上，对户型设计、建设方式等一律通过"三议"程序确定，老百姓对2393户易地搬迁户没有任何怨言，才有了易地搬迁"三年任务一年完成"的基础和底气。

【"五大教育"塑就感恩奋进"四好"新风】 2016年，南部县坚持把

"干群一家亲"活动作为一根红线贯穿脱贫攻坚始终，在推进"四好"星级示范户评选和以"四好村"创建活动为抓手的基础上，持续常态开展感恩教育、法纪教育、习惯教育、风气教育和脱贫光荣的自尊教育"五大教育专题"活动，大力培育新风正气、弘扬优良传统、传递孝悌美德，进一步鲜明"户要干净、村要整洁、人要勤劳、心要感恩"的导向，确保物质和精神"双脱贫"。以"五大教育"为主的群众教育活动切实消除了困难群众的"等靠要"思想，有效激发了贫困户的内生动力，充分调动了贫困主体脱贫"摘帽"的积极性和主动性，全县主动争创"四好"星级示范户的贫困家庭达96%，"懒惰致贫可耻、勤劳致富光荣"的观念厚植人心，"四好"新风日渐形成。

四川省扶贫和移民工作局编写组

广安市广安区精准扶贫

【基本情况】 2016年以来，广安市广安区在区委区政府的坚强领导下，在市扶贫移民局的业务指导下，强化扶贫移民"十三五"，规划编制，狠抓扶贫移民项目实施，积极整合资金用于脱贫攻坚，创新举措，开展2016年扶贫日系列活动，全年精准减贫5019人，全区扶贫移民工作取得良好成效，成功迎接国务院扶贫开发领导小组办公室督查组领导，省委书记王东明，省委常委、省委政法委书记侍俊，市委书记侯晓春，市委常委、市委政法委书记肖雷等领导的脱贫攻坚督导检查，获得一致好评。

【编制扶贫规划，推进项目实施】 2016年，广安区由区脱贫攻坚领导小组办公室牵头，区级10个扶贫专项方案和"五个一批"扶贫攻坚行动牵头部门通力协作，在充分征求区级相关部门意见的基础上，初步完成全区脱贫攻坚"十三五"规划编制相关工作，全区"十三五"脱贫攻坚规划金额2341728.7万元，其中政府性投入839216.9万元、其他资金1502511.8万元（政府性投入中行业财政资金763013.4万元、财政专项扶贫资金76203.5万元）。根据省委办公厅、省政府办公厅《关于印发四川省17个扶贫专项2016年工作计划的通知》要求，在充分结合全区现状的基础上，区扶贫移民局牵头，区级17个扶贫专项年度工作计划责任部门通力配合，制定出台了广安区扶贫专项2016年工作计划和相应工作清单，为全区2016年贫困县顺利"摘帽"奠定了基石。编制了《2016年财政专项扶贫资金方案》，全区共计下达财政专项扶贫项目资金1.45亿元。由区扶贫移民局牵头，组织全区各乡（镇）分别编制了38个贫困村省市财政专项扶贫资金项目实施方案、20个贫困村市级财政专项扶贫资金项目实施方案、49个贫困村区级财政专项扶贫项目实施方案、20个贫困村定向财力转移支付项目实施方案、布衣农业公司和5个专项合作社资产收益扶贫项目实施方案、28个村定向财力庭院经济扶贫项目实施方案以及全区26个乡（镇）非贫困村到户扶持项目实施方案，其中上半年编制完成并下达建设计划的38个贫困村省市财政专项扶贫资金项目已基本实施完毕，年中下达建设计划的20个贫困村市级财政专项扶贫资金项目、49个贫困村区级财政专项扶贫资金项目建设已接近尾声，下半年编制的28个村定向财力庭院经济扶贫项目、非贫困村到户扶持项目建设已接近尾声，下半年编制的1464万元定向财力转移支付项目已纳入涉农资金统筹整合试点，相关资产收益扶贫项目实施主体按实施方案要求全力推进相应项目建设。

【完成扶贫小额信贷协议签订，整合行业资金投向贫困村贫困户】 2016年，由广安区扶贫移民局具体承办送审，与区农行、区邮政储蓄银行、思源农商行、恒丰村镇银行、区信用联社签订了扶贫小额信贷协议，已发放扶贫小额信贷4050户。整合扶贫移民局、农业局、农发办、财政局、交通局、住建局、农工委等部门涉农资金1.19亿元投入脱贫攻坚。

【2016年扶贫日系列活动】 2016年，广安区制订了《广安区2016年扶贫日系列活动方案》，对扶贫日系列活动做出了具体安排部署；印发了《关于做好扶贫日宣传和氛围营造工作的通知》，通过悬挂宣传标语、投放电视广告等方式营造浓厚的扶贫日活动氛围。10月14日，全区参加了广安市2016年扶贫日专场文艺演出，杨坪乡贫困学生雷凤和龙安乡集中村贫困户曾乐琼分别获得广安区第二建司、广安区锦绣购物社区超市结对帮扶资金各5000元；成都广安商会，中石化西南油气公司、巴广渝高速公司、四川省委政法委、广安职业技术学院、思源农商行、广安市委政法委、四川省委党史研究室、广安军分区、广安区信用联社12个单位和个人共举牌捐赠。在2016年扶贫日系列活动期间，收到广安区人民医院、广安市环保局、爱众股份有限公司、恒丰村镇银行、人保财险公司、绿源低碳、区邮政储蓄银行、中国人寿广安区分公司、故里情食品公司、美福农产品公司、四川旭辉建筑公司、惠美家超市、广安金达建筑公司、爱众电力公司、联通广安区分公司等企业或单位捐款共计32.65万元。

【有序实施贫困人口、贫困村、贫困县退出】 2014年、2016年贫困人口脱贫退出。广安区严格按照《中共四川省委办公厅四川省人民政府办公室关于印发〈四川省贫困县贫困村贫困户退出实施方案〉的通知》和《四川省脱贫攻坚领导小组办公室关于印发〈四川省贫困县贫困村贫困户退出验收工作指导意见〉的通知》文件要求，区脱贫办先后下发《关于启动2016年贫困人口和贫困村退出工作的通知》《关于做好2014年贫困人口退出工作的通知》，按照"系统标注，民主评议，审核公告，备案销号"的具体程序，对2014年、2016年脱贫退出人口组织评估验收，所有规定程序已完成，2014年、2016年脱贫退出贫困人口已全部达到"年人均纯收入稳定超过3100元，不愁吃，不愁穿，义务教育、基本医疗、住房安全有保障，户户有安全饮用水、有生产生活用电、有广播电视"的脱贫退出标准。2014年，全区脱贫退出贫困人口35102人；2015年，全区共计脱贫退出贫困人口5478人；2016年脱贫退出贫困人口5018人。截至2016年年底，全区贫困发生率降至1.46%。

贫困村退出。广安区严格按照《中共四川省委办公厅四川省人民政府办公厅关于印发〈四川省贫困县贫困村贫困户退出实施方案〉的通知》和《四川省脱贫攻坚领导小组办公室关于印发〈四川省贫困县贫困村贫困户退出验收工作指导意见〉的通知》文件要求，按照"确定任务、退出申请、审核公告、备案销号"的具体程序，开展贫困村退出工作，全区2016年拟退出贫困村已符合贫困村退出"一低五有四个好"的标准，市政府已经行文批复全区31个拟退出村按期退出贫困村序列。

贫困县"摘帽"退出。广安区贫困县"摘帽"退出工作高标准通过省级考核和第三方评估，精准识别度和精准退出准确度均达100%，退出贫困村"五有"达标率为100%，"五个一"帮扶满意度、帮扶措施满意度、帮扶干部工作满意度达100%，工作经验和脱贫成效被中央电视台《新闻联播》、凤凰卫视、人民网等媒体播出（刊载）。国家第三方评估已对全区贫困县"摘帽"退出进行了评估检查。

【移民后扶工作】 2015年大中型水库库区基金项目。上级下达广安区 2015 年大中型水库库区基金项目 560 万元，财评控制价 642.05 万元，主要在郑山、龙台、化龙等 7 个乡（镇）的 19 个村实施道路、水利等项目，已通过公开招标确定施工队伍，中标价 507 万元，已完成总工程量的 80%。

2015 年移民后期扶持专项资金项目。上级下达全区 2015 年移民后期扶持专项资金项目 1500 万元，财评控制价 1496.34 万元，主要在郑山、龙台、化龙等乡（镇）实施道路建设项目，解决 1000 名困难移民出行难问题，改善库区移民生产生活条件。该项目已通过公开招标，分三个标段确定了施工队伍，中标价 1147.02 万元，已完成总工程量的 50%。

2015 年第二批移民后期扶持资金项目。上级下达全区 2015 年第二批移民后期扶持专项资金项目 1263 万元，涉及 965 名困难移民，主要用于解决移民村基础设施、改善移民生产生活条件。乡（镇）通过征求移民村组意见充分尊重移民意愿，形成了项目计划，已完成实施方案、预算、施工图编制工作。

七一水库移民避险解困试点项目。七一水库移民避险解困试点县项目分两批已下达资金 10268 万元，项目由各村理事会组织实施，郑山乡统筹协调指导，已拨付项目进度款 2790 万元。郑山岭等 5 个安置点已完成主体工程，剩余 5 个安置点正在实施主体工程建设。

移民后期扶持结余资金项目。根据广安市广安区人民政府办公室关于做好移民后期扶持财政结余资金清理工作的通知，区扶贫移民局对 2009—2014 年的移民后扶结余资金进行了全面梳理，将结存的 793 万元结余资金安排到移民乡镇。

2016 年大中型水库移民后期扶持 600 元指标项目。广安区现有移民后扶人数 14669 人，按照 600 元/人的标准安排项目资金 880.14 万元到 10 个移民乡（镇）。出台了《广安市广安区人民政府关于下达 2016 年度大中型水库移民后期扶持计划的通知》，各乡（镇）组织各移民村加快实施。

2016 年年初，根据《关于进一步加强大中型水库移民后期扶持工作的通知》和《关于做好特殊困难移民整体解困推进工作的通知》要求，编制完成了《广安市广安区大中型水库特殊困难移民整体解困规划（2015—2017 年）》。根据国家和省关于“十三五”移民后期扶持工作的总体思路、重点任务和“十三五”移民后期扶持规划工作的基本要求，结合全区移民后期扶持的现状、存在的问题及发展需求，聘请设计单位编制完成了《广安市广安区大中型水库移民后期扶持“十三五”规划》，该规划已经市局审核通过并报省扶贫移民局审批。

四川省扶贫和移民工作局编写组

广安市前锋区精准扶贫

【基本情况】 2016 年，广安市前锋区全面落实中央、省委、市委部署要求，把脱贫“摘帽”作为头等重大政治责任，摆在唯此为大的突出位置，以等不得、拖不得、慢不得的责任感和使命感带领群众用心用力，确保率先脱贫“摘帽”、勇当全省标杆。全区累计实现 16142 名贫困群众精准脱贫，其中 2016 年精准脱贫 549 户、1718 人，贫困发生率降至 1.84%。2016 年计划退出贫困户对照“一超六有”指标全面达标，计划退出村对照“一低五有”指标全面达标，区摘帽“一低三有”指标全面达标，省验收考核和三方评估已全面完成。

【2016 年贫困户退出指标达标情况】 “一超过”方面。2016 年，前锋区坚持“政策兜底+庭园经济+产业发展+公益岗位+务工就业”等各种措施并举，增加贫困户收入，脱贫户全部落实人均 1000 元以上的到户扶持资金和项目。对全区 1083 名特困群众实行政策兜底，年人均纯收入达 3120 元。计划退出村均安排庭园经济发展资金 50 万元，100%的贫困户建立了庭园经济；村村有支柱产业，组建了专业合作社，贫困户参加率达 100%；安排贫困户公益性岗位 195 个，月均收入 300 元；务工就业 417 人，实现了有劳动能力的贫困家庭至少有 1 人就业。按照 2015 年 10 月 1 日—2016 年 9 月 30 日的人均纯收入计算年度测算，549 户脱贫户人均纯收入为 7316 元，其中，最高为 26988 元，最低为 3115 元；从有脱贫任务的村看，脱贫户人均纯收入最高的村为广兴镇寨坪村，达到 9318 元，最低的村为代市镇孔坝村，达到 6139 元；从人均纯收入高低分布情况看，3100～4000 元的有 38 户，4000～5000 元的有 112 户，5000～6000 元的有 106 户，6000～7000 元的有 71 户，7000～8000 元的有 53 户，8000～9000 元的有 41 户，9000～10000 元的有 42 户，10000～20000 元的有 80 户，20000 元以上有 6 户。

“两不愁”方面。549 户脱贫户人均粮食拥有量最低达 255 千克，最高达 330 千克；每人每季均有 3 套以上衣服、2 双以上鞋袜，冬季御寒衣服充裕，床上用品均达到 2 套/床以上，棉被、被褥达到 2 套以上，洗漱用品均能满足日常生活需求。

“三保障”方面。一是义务教育保障。549 户脱贫户有义务教育阶段学生 177 名，全部在校就读，无因贫辍学情况发生。二是基本医疗保障。549 户脱贫户家庭人口 100%参加了新农合，全面落实“十免四补助”和大病保险报销政策，患大病住院的贫困群众均享受到了大病医疗救助，脱贫人口实现了基本医疗有保障。三是住房安全保障。安全住房建设加快推进，549 户脱贫户中有易地扶贫搬迁户 113 户，已全面竣工；纳入 C、D 级危房改造 292 户，均进行了改造；户户都实施了“五改三建”。

“三有”方面。脱贫户均有安全饮用水，取水距离、水量、水质、供水率均达到标准。脱贫户均通生活用电，能满足照明、电视、电风扇、冰箱、洗衣机、电饭煲等日常生活用电需求。16 个有脱贫任务的贫困村均实现广播村村响，贫困户收听广播实现全覆盖；549 户脱贫户分别通过直播卫星、有线电视、地面数字电视等三种覆盖方式解决了收看电视难问题。

【2016 年计划退出贫困村指标达标情况】 2016 年，前锋区 10 个计划退出村贫困人口已全面达到脱贫标准，贫困发生率降为零。

“五有”状况。一是有集体经济。10 个村均有集体经济收入，累计人均收入达 16.3 元，最低村为人均 7.2 元、最高村为人均 37.7 元。二是有硬化路。10 个村通村公路均已拓宽至 4.5 米并油化，8 个村已建成村内环线。三是有卫生室。10 个村均已建成 60 平方米以上的标准化卫生室，均配置了能满足基本医疗卫生服务需要的设备，均有经卫生部门正式培训合格并取得行医资格的乡村医生或执业（助理）医师。四是有文化室。10 个村均有 50 平方米以上的文化室，室外均有文化活动场地、文化器材、广播器材、宣传栏。同时，每个村均打造了 1 个独具特色的文化大院。五是有通信网络。10 个村村活动室均已连通互联网。

【贫困县退出指标达标情况】 2016 年，前锋区有建档立卡贫困人口 7359 户、24097 人，其中 2014 年减贫 4465 户、12246 人，2015 年减贫 690 户、2178 人，2016 年减贫 549 户、1718 人（均不含自然增减人口)。11 月 20 日,区脱贫攻坚领导小组第 13 次全体(扩大)会议通过了 2014—2016 年减贫人口的退出审核,区政府对 5704 户、16142 名贫困人口退出贫困序列予以批准。全区尚有未脱贫人口 1856 户、5867 人,贫困发生率降至 1.84%。

乡(镇)“三有”情况。乡乡有标准中心校。全区 12 个乡(镇)共有标准中心校 20 所,有在校学生 15720 人(其中初中 6310 人、小学 9410 人);教学及辅助用房应达面积 64793 平方米,实有面积 71454 平方米,小学生人均面积 3.7 平方米,初中生人均面积 4.44 平方米;学生用计算机应有 1363 台,其中初中每百名学生实际拥有计算机 10.05 台、小学每百名学生实际拥有计算机 8.15 台,均已达标;共有图书 338098 册,其中初中生人均 29.55 册,小学生人均 18.4 册,均已达标;共有教职工 1091 人,专任教师 1065 人(初中专任教师 465 人、小学专任教师 465 人),其中初中师生比为 1 : 9.85,小学师生比为 1 : 14.15,均已达标。

乡乡有便民服务中心。全区 14 个乡(镇、街道)均有便民服务中心,围绕有场所、有人员、有项目、有牌子、有制度、有公示栏、有记录簿、有投诉或意见簿等“八有”标准,对全区所有村(社区)便民服务代办点按标准统一建设,做到软、硬件设施建设并举,统一设置了国土(村建)、计生、财政、民政、劳动保障、综合、公安派出所 7 个窗口,统一由乡(镇)长或分管领导担任便民服务中心主任,统一规范了公示栏和窗口吊牌,统一推出了便民服务中心“四卡”联动机制,统一录入并启用了乡(镇)便民服务通用软件系统。全区 14 个乡(镇、街道)便民服务中心已全部达到退出标准。

乡乡有达标卫生院。全区 11 个乡(镇)共有服务人口 308244 人(奎阁、大佛寺、龙塘 3 个街道共有人口 59970 人,合计人口 368214 人),12 个乡(镇)卫生院(2016 年上半年撤销前锋镇设立龙塘、大佛寺街道后,由前锋中心卫生院提供 2 个街道的基本医疗和公共卫生服务)共有床位 531 张,每千人拥有床位 1.72 张,加上前锋中心卫生院所在的大佛寺、龙塘街道服务人口 50439 人,每千人拥有床位 1.48 张,都超过了省上规定的每千人拥有 0.6~1.2 张床位的标准。1~20 张床位的 6 个乡(镇)卫生院总建筑面积 7888.5 平方米,平均每个卫生院建筑面积 1314.75 平方米;21~99 张床位的 6 个卫生院总建筑面积 29942.08 平方米,平均每个卫生院建筑面积 4990.35 平方米,所有卫生院均达到建筑面积验收标准。全区乡(镇)卫生院共有专职医务人员 551 人,平均每个卫生院有专职医务人员 45.9 人,每千人拥有医务人员 1.53 人;共有医疗设备 944 台件,平均每个卫生院有 79 台件,达到了满足基本医疗卫生服务开展的需要。

【层层分解、逐级传导,构建脱贫“摘帽”责任体系】 2016 年,前锋区将脱贫“摘帽”具体指标按行业系统和领导分工梳理归纳为 12 大类目标任务,并从区委区政府主体责任等 6 个层面分解落实,形成了“12+6”条块结合的责任体系。一是“1+2”压实区级领导责任。区委领导既主抓分管领域的行业扶贫,又按照“1 名常委+1 名区级领导”包干负责制,重点抓好联系乡(镇)、贫困村的脱贫攻坚工作;区委区政府主要领导每天碰头会商脱贫工作,每周召开推进会部署脱贫工作,带动全区上下倾情倾力冲刺脱贫“摘帽”。二是“定点+片区”压实行业部门责任。各行业部门以乡(镇)为单位,派驻 1~2 名业务指导人员长期驻镇、驻村指导帮扶,帮扶改善基础设施、发展致富产业、优化公共服务。组建片区业务指导组,整合行业部门力量,将全区乡(镇)划分为五大片区,分片区进行业务指导和工作督促。三是“一队、一办、一包”压实乡(镇)村社责任。每个乡(镇、街道)都建立了由区级领导任队长,定点帮扶部门和乡(镇、街道)主要负责人为成员的乡(镇、街道)工作队,建立每周例会制度,督促指导乡(镇)统筹推进脱贫攻坚。每个乡(镇、街道)成立脱贫办,专职负责全镇脱贫攻坚日常工作,确保乡(镇)有具体部门统筹协调、主抓主管。实行乡(镇)、村干部包组,由科级领导带队组成工作队,定组定户包干负责。四是“一对一”压实帮扶干部责任。实行机关干部“一对一”联系贫困户制度,与贫困群众同吃同住同劳动,帮助贫困群众找准致贫原因,增强致富能力,做到不脱贫、不脱钩。

【精细滴灌、个性帮扶,精准发力攻克贫困堡垒】 2016 年,前锋区按照“识真贫、扶真贫、真扶贫”要求,精准识别,精准帮扶,精准管理,真正帮在关键上、扶在急需处。一是精准识别。严格执行“五步骤三严格、两公示一公告”识别程序,整合公安、民政、车管所、房管局、银行等力量,集中反复比对贫困申请对象信息,定期开展建档立卡“回头看”,确保“真贫困”找得准、“假贫困”清得出。二是精准帮扶。按照省、市“六个一”帮扶要求,结合新区实际,组建乡(镇)工作队,成立乡(镇)脱贫办,明确乡(镇)联村领导,强化乡(镇、街道)脱贫攻坚力量,构建了“九个一”责任帮扶体系。坚持因村制宜、因户施策,以村和户为单位派驻帮扶力量、制订帮扶规划、落实帮扶措施,针对党组织软弱涣散村、基础设施薄弱村、产业发展滞后村等实际分别选派组织、交通、农业等部门和干部定点帮扶,确保精准发力、脱贫奔康。三是精准管理。建立贫困户户卡、二维码帮扶卡、医疗卡、扶贫手册、记账手册、痕迹管理记录册“三卡三册”痕迹管理体系,翔实记录贫困户精准识别、帮扶规划、措施落实、收支明细、脱贫过程,确保扶贫脱贫可追溯、可查询、可评估。创新开发全省首个“互联网+精准脱贫”APP 大数据信息平台,建立区、镇、村三级信息显示终端,实时录入、更新贫困对象脱贫动态、干部帮扶动态等信息,开辟政策宣传、民意畅达、群众致富新渠道。

【聚集要素、整合资源,组装投入加速脱贫步伐】 2016 年,前锋区坚持用改革的办法、创新的举措推进脱贫攻坚,注重通盘谋划、整体推进、协同作战,努力发挥政策、项目、资金资源最大化优势,全面提升脱贫实效。一是统筹政策。整合中央、省、市扶贫政策,制定出台基础设施建设扶贫、新村建设扶贫等 17 个 2016 年度扶贫专项工作计划,将扶贫政策的落实责任细化到部门、到人头,确保政策落地落实。围绕“两不愁三保障”,综合研判、统筹整合已有政策,提前实施扶贫线和低保线“两线合一”兜底保障,对 1083 名特困群众按 260 元/月的标准保障兜底;统筹实施易地扶贫搬迁、地质灾害避险搬迁、农村危房改造、“五改三建”、农村危旧房拆除、大中型水库移民搬迁“六大工程”,保障群众住有安居;创新实施门诊补偿、医疗救助、大病保险、民政救助、政府统筹“五位一体”救助措施,搭建先诊疗后结算、一站式服务、台账式看病“三大平台”,保障群众病有所医;建立贫困学生精准帮扶、普惠资助、社会救助“三位一体”帮扶机制,保障群众学有所教。二是统筹项目。成立涉农项目整合领导小组,坚持“项目渠道不变、资金投向不变、管理权限不变、实施单位不变”的原则,按照“四到县”的要求,整合饮水安全、林业生态、通村公路等涉农项目资金 2.86 亿元,打捆投向贫困区域产业发展、基础建设和服务配套,发挥了项目投入 1+1>2 的聚合效应。三是统筹资金。根据项目规划锁定投入,筹集资金,总投入扶贫资金 7.2 亿元。在区本级财力薄弱的情况下,将资金重点向扶贫领域倾斜,累计投入 2.3 亿元。同时,全力争取中央、省、市项目资金 4.9 亿元,打捆投入脱贫领域,全力保障脱贫需求。

【全体动员、全民参与,众志成城改变贫困面貌】 2016年,前锋区坚持做到全员参与、上下齐心、凝心聚力,将扶困帮穷延伸到全社会各个领域,奠定全社会参与脱贫攻坚大帮扶格局。一是干部职工主动作为。采取"领导包片区、部门包村组、干部包农户"方式,31名区级领导、148个省(市、区)级单位、3875名干部职工与94个贫困村、7389户贫困户结成帮扶对子,组建14个包片驻乡(镇)工作队、94个驻村工作组,选派94名优秀机关干部担任贫困村"第一书记",实现了贫困村、贫困户结对帮扶全覆盖。二是社会各界积极参与。大力开展"百企帮百村"精准扶贫活动,辖区企业与94个贫困村结成帮扶对子,与村级农业公司签订农副产品购销协议,通过订单购销农副产品、招聘就业务工、帮助改善基础设施等方式聚焦聚力脱贫攻坚主战场。创新推进"百企帮百村"暖冬扶贫捐赠行动,企业现场捐款捐物折资1100余万元,全区累计获得捐赠6300余万元。健全利益联结机制,通过"公司+贫困户"等方式引导1.5亿元工商资本进农村,实现了企业与农户"双赢"。三是各级各方鼎力支持。抢抓设立新区的独特机遇,全力争取支持,各级各界倾情关心、鼎力支持新区发展。特别是被确定为全省5个脱贫"摘帽"县之一后,积极"跑部进省",得到省委组织部、省扶贫移民局、省发展改革委、省卫生和计生委等省级部门和四川农业大学、省信用联社等帮扶单位在政策、资金、资源等多方面的支持,有力推动了脱贫奔康步伐。

【逗硬督查、从严问责,重奖严惩倒逼工作落实】 2016年,前锋区鲜明考核导向,出台专门绩效考核办法,制定专门制度对脱贫"摘帽"单列考核。一是高频率督查推进。由区纪委书记等区级领导牵头,整合区纪委、组织部、督查办、脱贫办等部门力量,抽调专职人员成立5个综合督查组开展拉网式、解剖式督查,现场发现问题、现场列出清单、现场督导整改,每天编写督查快讯,每周印发《督查通报》,督促通报问题整改到位。出台《脱贫攻坚工作问责办法》,严查不作为等行为,通报问责6名干部,撤销1名村支部书记职务。二是绩效考核激励。将区级部门、乡(镇、街道)和贫困村纳入脱贫攻坚目标绩效考核范围,按脱贫摘帽、经济社会发展、党的建设三个"百分制"进行综合绩效考核;采取部门、乡(镇)、村等互考互评方式,每月对牵头部门、帮扶单位、乡(镇)、贫困村排名定位,作为年底考核的重要依据,重奖激励全区上下比学赶超。三是优先提拔重用。将脱贫攻坚成效作为村"两委"换届考察的重要参考,充分调动村干部积极性,推动脱贫工作落地落实,把脱贫攻坚作为培养锻炼、考察识别干部的主战场,优先提拔、大力重用扶贫战线先进典型,在乡(镇)换届中提拔5名"第一书记",有效激发了工作积极性。

【问题导向、补齐短板,全力冲刺迎接考核验收】 2016年,前锋区围绕贫困县、贫困村、贫困户退出目标,扎实开展问题整改,全面补齐脱贫攻坚短板,用最好的状态迎接退出验收。一是抓问题整改。围绕省明察暗访组、评估检查组、三方预评估和市区督查自查发现的问题,组织召开专题会议逐一研究、分析原因,举一反三查找短板和差距,制订专项方案,及时整改,加速弥补短板。二是抓巩固提升。全面开展2014年、2015年脱贫人口"回头看",对照"一超六有"最新要求进行复核,按照"缺什么补什么"原则,巩固脱贫成果。重点关注年人均纯收入在3100~4000元退出线边缘的贫困人口,因户施策制定持续帮扶举措,帮扶其持续稳定增收,确保不返贫。三是抓评估验收。区脱贫攻坚领导小组组织区级帮扶部门、乡(镇、街道)和贫困村对照退出标准开展自查评估,及时查漏补缺。制定前锋区贫困村、贫困户退出实施方案,严格按规定程序开展贫困户退出评估验收和贫困村退出初审,区脱贫攻坚领导小组专题召开第13次全体(扩大)会议对贫困户退出验收结果、贫困村退出初审情况进行了审核,区政府已批准549户、1718名贫困群众退出,市政府已批准10个计划退出贫困村退出贫困序列,圆满完成迎接省级检查验收和第三方评估各项工作,全区脱贫"摘帽"工作得到省检查验收组的充分肯定。

【锁定最关键的问题,大力发展产业,促进就业创业】 2016年,前锋区立足贫困群众长远增收,大力发展主导产业,不断拓宽就业渠道,加快脱贫奔康步伐。一是特色产业逐渐形成,稳定了增收渠道。坚持长短结合、农旅结合,建立脱贫致富产业园50个,打造优质花椒、茶叶、柠檬、青脆李等扶贫产业基地13万亩,初步形成"一村一品"产业格局和"一山一水"30千米乡村旅游示范带;按照30万元/村的补助标准支持发展庭院经济,发展庭院蔬菜1460亩、小家禽8.3万只,每户贫困户均有一个以上增收致富项目,带动贫困户每年户均增收1800元。二是就业创业得到强化,拓宽了增收路径。建立"一库五名单"信息平台,在晓鸿服饰、福辉鞋业等园区企业建立就业扶贫基地,引导贫困群众入园就业1989人、劳务输出3009人,实现转移就业4998人,全面消除有劳动能力贫困家庭零就业。通过购买社会服务等方式,拓宽就业增收渠道,整合生态护林员、保洁、绿化等公益岗位资源,开发公益性岗位864个,年人均增收3700元。出台贫困对象自主创业扶持政策,给予其1万~10万元的创业奖励或创业担保;推行"小额贷款+创业培训"模式,成功帮扶2306名贫困群众自主创业就业。三是集体经济全面发展,消除了"空壳村"。在16个贫困村创办企业经营公司,采取"企业+村级公司+农户"等模式,通过盘活集体资源,发展特色产业、乡村旅游、农村电商等途径壮大集体经济,带动产业发展,带领群众脱贫。2016年计划退出的10个贫困村集体经济收入最低为7.2元/人、最高达37.7元/人。

【锁定最困难的问题,综合研判政策,实施"六大工程"】 2016年,前锋区大力实施易地扶贫搬迁、地灾避险搬迁、农村危房改造、"五改三建"、农村危旧房拆除、大中型水库移民搬迁"六大工程",全面解决贫困群众安全住房问题,做到不留死角、不漏一户。一是三类搬迁模式改善生存环境。采取幸福美丽新村集中安置等模式,全力推进777户易地扶贫搬迁、188户地质灾害搬迁、393户水库移民搬迁,同步配套公共基础设施,确保留得住、能致富。易地扶贫搬迁户住房建设全面竣工,12月底前全部入住。二是维修改造改善居住环境。采取精准覆盖、统筹规划、整合项目的方式,统筹实施C、D级危房改造,在省、市下达全区危房改造任务735户的基础上,实际实施危房改造3714户。统筹实施"五改三建",实现2016年省定计划退出贫困村全覆盖,4208户"五改三建"任务全面完成,群众居住环境不断改善。三是旧房拆除改善村容村貌。结合土地增减挂钩项目,采取"拆除旧房+退还宅地+领取补助"方式,全面拆除农村建新购新无人居住危房,复耕复垦1500亩,补助资金3000余万元,既实现了土地的节约集约利用,又极大地改善了村容村貌。

【锁定最根本的问题,超前配套基础设施,改善农村环境,发展后劲持续增强】 2016年,前锋区突出抓好以农田水利、道路交通、电力通信等为主的基础设施建设,农村发展条件不断改善、公共服务水平持续提升。一是农村道路网络日臻完善。统筹推进贫困村及重点区域公路升级改造,实施道路拓宽硬化78千米、道路黑化178千米,2016年省定退出贫困村及5个插花村道路完成硬化、黑化并全部达4.5米宽,全区所有建制村实现村村通硬化路。二是农田水利基础不断夯实。按照"山水田林路综合治理,沟池路凼渠统筹配套"现代农业标准，新建高标准农田 1 万亩、产业便道 38.5 千米、机电提灌站 5 座，农业生产条件不断改善。三是生产生活配套逐渐健全。按照高标准严要求，配套完善应急广播系统，所有贫困村均实现广播村村响，通过直播卫星、有线电视、地面数字电视三种覆盖方式全面解决了贫困户收看电视难问题，聘请专门机构，对所有贫困户饮用水水质进行全面鉴定，确保饮水安全。全区所有行政村实现村村有卫生室、文化室、通村公路、通信网络、集体经济。

【锁定最关心的问题，均衡城乡资源，延伸公共服务，群众幸福指数显著提高】 2016 年，前锋区坚持共享发展理念，同步推进物质脱贫与精神脱贫，不断提高公共服务水平，群众获得感和幸福感明显增加。一是教育资源均衡配置。统筹推进城区学校和乡（镇）标准中心校建设，16 个中心校建设全面达标，实现每个乡（镇）均有 1 所达标中心校、1 所公办幼儿园。建立贫困学生精准帮扶、普惠资助、社会救助"三位一体"帮扶机制，发动星星集团、省信用联社、国开行等力量设立帮扶基金，争取省、市资助资金 2634 万元、社会捐助资金 320 余万元，全面实现贫困学生从学前教育、义务教育、高中（中等职业）教育到高等教育帮扶全覆盖，全区无因贫而辍学、无因上学而负债现象。二是基本医疗全面覆盖。围绕指标达标和医疗保障两大核心，乡（镇）卫生院（中心卫生院）全部达标。新建卫生室 91 个，实现行政村卫生室标准化建设全覆盖。创新实施门诊补偿、医疗救助、大病保险、民政救助、政府统筹"五位一体"救助措施，全面落实"十免四补助"政策，贫困对象个人医疗费用报账率达 90%，区内住院治疗个人医疗费用支出实现零支付，区内就医率达 95%以上，贫困群众新农合参合率达 100%，贫困群众基本医疗得到全面保障。三是保障体系更加完善。健全以贫困群众为重点的社会保障体系，不断完善城乡低保、养老、医疗、五保供养、救助救济等制度，帮助贫困群众代缴基本养老保险，实施残疾人扶贫对象生活费补贴、护理补贴、生活补贴。特困供养标准提高 15%，新建农村区域性养老服务中心 2 个，特困供养人员集中供养率达 60%，贫困群众获得感明显增强。四是文明新风逐步形成。围绕"四个好"目标，以实施扶贫项目 50 个贫困村为重点，全面开展"四好村"创建活动。将中央、省、市、区系列脱贫政策以群众喜闻乐见的形式进行广泛宣传，引导贫困群众不等不靠、自力更生摆脱贫困，充分激发群众内生动力。全面推进洁净水工程，农家书屋实现全覆盖，打造黄锋村等文化大院 17 个。深入实施"破陋习、育新风"工程，推进"最佳清洁户""最佳文明户"等评选活动，开展室内清洁卫生行动和院落环境整治行动，引导群众改变陋习，好习惯、好风气逐步形成。

四川省扶贫和移民工作局编写组

华蓥市精准扶贫

【基本情况】 华蓥市地处华蓥山中段西麓，是四川省革命老区，辖区面积 470 平方千米，辖 13 个乡（镇、街道），是全国第二批、四川首个资源枯竭城市转型试点市。2014 年年初，全市共有贫困人口 6394 户、17401 人，其中 47%分布在 25 个贫困村，53%散居在 78 个非贫困村和城镇。虽然贫困人口总量不大，但生活在地质灾害区、采煤沉陷区、旱山区、渠江洪灾淹没区"四大特殊贫困类区"的贫困人口占总人口的 79%，因病、因残致贫的贫困户占总人口的 73%，是脱贫奔康最难啃的"硬骨头"。面对全面建成小康社会的最大短板，华蓥市坚决落实中央、省委、广安市委关于脱贫攻坚的政治号令和决策部署，将脱贫攻坚作为推动全面转型发展的第四张名片工程来抓，2015 年响亮提出了"三年脱贫、两年巩固、一年致富"的工作目标，举全市之力坚决打赢率先"摘帽"攻坚战。截至 2016 年年底，全市净减贫 5461 户、14330 人（其中 2016 年减贫 1932 户、5428 人），贫困人口降至 1060 户、3070 人，贫困发生率降至 1.45%，6 个贫困村通过广安市政府批准退出，华蓥市全面达到贫困县退出"一低三有"标准，已接受省级验收和第三方评估。

【把脱贫"摘帽"放在首位】 2016 年，华蓥市坚持把"组织保障、资金保障"两大保障摆在首要位置，围绕"1932 户 5428 名贫困人口脱贫、6 个贫困村退出、贫困县摘帽"的年度脱贫目标，下大决心坚决确保成功"摘帽"。一是实行"双组长制+五大责任主体"，层层压实各级干部责任。建立以市委市政府主要领导为"双组长"的脱贫攻坚领导小组，明确 4 名县级领导主抓脱贫攻坚工作；市级领导、市级部门主要负责人、乡（镇、街道）党政主要负责人、贫困村"第一书记"和帮扶责任人五大责任主体分别立下军令状、层层签订承诺书，若未完成脱贫任务影响脱贫"摘帽"的，自愿接受组织处理；人大、政协全力跟进脱贫攻坚；深入开展"脱贫攻坚—人大代表再行动""政协委员—我为脱贫攻坚做件事"活动。二是实行"联镇帮村+结对帮户"，不脱贫决不脱钩。全面落实"五个一"配备要求，29 名县级领导、72 个部门单位、93 名驻村干部（含"第一书记"、农技员）定点帮扶 25 个贫困村，组建以乡（镇、街道）、帮扶单位主要负责人为组长的 78 个工作组帮扶非贫困村。建立"321"和"642"结对帮扶机制（"321"即县级领导、科级领导、一般干部职工分别帮扶 3 户、2 户、1 户贫困户；"642"即县级领导、科级领导、一般干部职工每年分别捐赠 600 元/户、400 元/户、200 元/户），实现 2697 名责任人结对帮扶贫困对象全覆盖。三是实行"本级财政大投入+项目资金大整合"，统筹各类政策项目资金。顶住"吃饭型"财政巨大支出压力，将 50%以上的涉农资金投向贫困村、贫困户，年初先期预算 3000 万元专项用于脱贫攻坚，保障脱贫项目顺利启动；根据省委最新脱贫攻坚决策部署要求，将本级脱贫攻坚专项预算追加至 8000 万元，并根据实际需求及时调集，特别是以专项资金不崩盘为底线，全力保障和提标政策兜底类扶贫项目；按照"资金渠道不变、资金用途不变、管理权限不变、实施主体不变"原则，累计整合各类专项资金 4.2 亿元用于脱贫攻坚。

【把握关键环节，提出系列举措】 2016 年，华蓥市坚持问题导向，扭住重点难点，把准关键环节，研究最有力、最有效、最具针对性的系列举措，特别是针对脱贫攻坚这一系统工程化繁为简、优化流程，实行"六化"管理。一是标准化管理。制定"五改三建"、庭院经济、易地扶贫搬迁等具体标准，召开全市脱贫攻坚决战决胜誓师大会，一步到位明标准、讲范式、教方法，并在各乡（镇、街道）先行打造 2~3 个样板户示范带动。二是项目化管理。将《17 个扶贫专项年度工作计划》分解为硬化机耕道、饮用水源地规范化建设等 100 个重点项目任务清单，定人、定时、定责，挂图作战、统筹推进。三是精细化管理。具体分析致贫原因，因户施策，量身定制种植（经果、蔬菜）、养殖（鸡、鸭、鹅、鱼）、职业技能（电子、机械加工、建筑施工、缝纫）等发展规划，确保帮扶精准高效。四是应急化管理。在项目启动之初对省上有明确资金来源而资金暂未到位的一律先行垫资实施；经集体研究后，将重点项目作为应急工程或采取"一事一议"方式加快实施。五是痕迹化管理。探索涵盖脱贫规划、帮扶活动记录、收入算账等痕迹管理记录模式，经广安市、省脱贫办完善后在面上推广施行。六是简明化管理，"一纸明"，即适时印发《扶贫工作明白纸》，解决每个阶段具体做什么、怎么做、做到什么程度的问题；“一屏显”，即在每个贫困村设立可及时查询村情民情、致贫原因、脱贫规划、扶贫政策、帮扶措施、脱贫成效等内容的电子触摸屏；“一牌告”，即在每个贫困户门口悬挂包含基本情况、致贫原因、享受政策以及帮扶人员等信息的公示牌；“一册全”，即向每个贫困户发放《十大扶贫政策宣传手册》，保障贫困对象充分知晓各类政策；“一证通”，即向每个贫困户发放《帮扶证》，贫困对象出示证件即可享受免费教育医疗、职业培训等帮扶政策。

【大胆激励，严肃问责】 2016年，华蓥市将脱贫攻坚工作纳入各级各部门综合目标考核范围并实行单独考核，加大考核分值，提高考核权重，严格实行一票否决制。一是实行“两项考核+两项激励”。重视经济奖励、政治激励，设立专项资金用于奖励脱贫攻坚先进单位及个人，市财政按每人每年1.94万元的标准预算驻村干部工作经费和综合补助经费；对脱贫攻坚工作表现优秀的干部优先提拔使用，2016年以来已提拔重用50人，其中提拔重用“第一书记”7人。二是实行“督办问责+连带追责”。始终将督查问责作为推动工作落实的主抓手，压紧压实脱贫攻坚政治责任。“双组长”高频率督查，实行市纪委书记、市委组织部长“双组长”督查制，对脱贫攻坚任务特别是重点工程任务实行周督查、周通报、月考核。制定出台《华蓥市脱贫攻坚九条纪律规定》，对履职不到位的给予取消当年评先评优资格、扣发年度绩效考核奖等处理，并视情节给予组织处理或纪律处分。“循环交叉”连带考核，13个乡(镇、街道)随机交叉检查，既交流经验又比学赶超，对工作滞后的乡(镇、街道)，帮扶部门连带考核、连带追责并在市电视台设立脱贫攻坚先锋榜和曝光台。2016年以来，已给予7个单位、18名帮扶责任人通报批评、约谈、诫勉谈话处理，2名单位主要负责人在电视台公开检讨，2名乡(镇)主要负责人受到党纪处分。

【把争创全省标杆作为最高工作目标】 2016年，华蓥市坚持把贫困县“摘帽”作为保底标准，把争创全省脱贫攻坚示范县作为最高目标，以脱贫攻坚统领“三农”工作，以“五个一批”统领17个扶贫专项年度计划，在国、省标准基础上确立“一超过(4000元)、两不愁、三保障、四个好、十一有”的华蓥标准，致力在全省当标杆、树样板。全市25个贫困村均有集体经济收入，其中6个贫困村人均集体经济收入超过省脱贫标准，达20元/人/年，2016年脱贫对象年人均纯收入达8042元。

【坚持把“保障吃穿+就医就学”作为最温馨的人文关怀、最直接有效的脱贫手段】 2016年，华蓥市针对因病、因残无劳动能力贫困户占绝大多数的基本市情，把政策兜底摆在最优先、最重要位置，作为见效最快、力度最大的帮扶措施，最大力度织密筑牢“民生兜底网”。一是政策兜底保障吃穿。坚持应兜尽兜、不落一户，实现“低保兜底、特困供养、临时生活救助、残疾人扶持、养老保险代缴”兜底政策全覆盖。全市建档立卡贫困对象低保保障标准由每人150元/月调至每人300元/月，为广安市最高标准。围绕“十一有”配套标准，由帮扶部门、帮扶责任人采取捐赠、筹资购买等方式配齐基本生活所需，坚决杜绝缺衣少被、家徒四壁现象。二是全程帮扶保障就学。严格落实“三包”“五长”责任制，构建从学前教育到大学教育的全程帮扶体系，选派优秀教师“一对一”帮扶1235名贫困生，定向招收45名贫困中职学生，将贫困大学生资助标准从4000元/年提升至5000元/年。春秋两季资助1540名贫困生568万元(其中社会力量捐资助学150万元)，全市无1名学生因贫辍学。三是提标扩面保障就医。全面落实“十免四补助”“八个100%”等政策，将已脱贫对象一并纳入医疗保障范围，实现贫困患者县域内公立医疗机构住院医疗费用全额报销，2016年已累计兑现医疗帮扶资金883万元、惠及4068人次。大力实施医疗能力提升行动，全面推行“先诊疗后结算、一站式报账、全覆盖巡回医疗”等医疗服务，贫困对象市内就诊率达95%以上。13个乡(镇)卫生院(社区卫生服务中心)、106个行政村卫生室达标率均达100%。

【坚持把“发展产业+培训就业”作为最长效增收支撑、最根本的脱贫路子】 2016年，华蓥市坚持以市场化思维将贫困户纳入“标准化生产、规模化发展、品牌化运营、市场化营销”的现代产业链条中，让贫困户更多地分享产业链和价值链增值收益，推动脱贫攻坚由救助式扶贫向“造血式”扶贫转变。

创新模式推进“三变”改革。将财产性收入作为普惠增收途径，着力推进资源变资产、资金变股金、农民变股东。推行“政府项目资产+贫困村/贫困户”模式，整合项目资金3000余万元，在6个贫困村建设花卉、银杏、油樟等特色产业基地5720亩，基地建成后折资入股龙头企业(股权归村集体)或无偿移交给村集体公司，贫困村按股分红或自主经营取得收益后将量化分配向贫困户倾斜。推行“国有农投公司+贫困村/贫困户”模式，将500万元资产收益扶贫试点资金量化分配给25个贫困村，自愿入股到国有农投公司，再由农投公司投资到效益好的农业企业，农投公司按7%的年收益率分配给贫困村，每年25个贫困村集体经济可实现财产性增收共计35万元。同时，贫困户可自愿选择以保本分红方式与农投公司合作，将扶贫小额贷款交由农投公司运作，农投公司按2.8%的年收益率给予贫困户保本分红，贫困户最高可实现户均年增收1400元。推行“村集体公司+贫困户”模式，在6个贫困村成立村集体经济发展公司，将村内闲置资产以入股形式交由村集体公司统一管理运营。明月镇竹河村等4个沿江贫困村创新“复三七”利益联结机制，已连片发展特色桃李1200亩，既盘活了撂荒地，又壮大了集体经济，带动了贫困户增收。

推广现代农业生产组织形式。将经营性收入作为坚实的脱贫基础，完善推广“新型经营主体+贫困户”利益联结机制，带动千家万户的小农业进入千变万化的大市场，实现农产品商品率和效益最大化。推行“庭院经济+贫困户”模式，基于全市绝大多数贫困对象分散不成片、人均耕地少的实际情况，量身定制庭院经济发展规划，精心打造以“小种植、小果木、小畜禽、小水产、小加工”为特色的“五小”庭院经济2071户，由村集体公司或村支“两委”统一收售给帮扶单位食堂、工商企业和餐馆(宾馆)，实现贫困户户年均增收1900元，庭院经济成为产业脱贫的华蓥名片。推行“农业龙头企业+贫困户”模式，连片发展葡萄、花卉、蜜梨三大农业特色产业近10万亩，通过土地入股分红、劳务服务、反租倒包等利益联结机制，带动周边贫困户实现户均年增收1780元以上。推行“种养大户/农产品加工企业+贫困户”模式，种养大户/农产品加工企业与贫困户签订合作协议，免费提供优良品种，按照协议价或者市场价全数回购，保证贫困户种养“零风险”。

因材施教多渠道灵活就业。将工资性收入作为稳定的增收渠道，整合华蓥职校、农机校、农广校、旅游培训学校等各类职教资源创新设立全市职教中心，通过“市内定点培训+市外委托培训”模式帮助有劳动能力的2848名贫困对象至少掌握1门致富技能。鼓励企业吸纳就业，发动企业创办“扶贫车间”，扶持186户贫困对象通过家庭作坊式代工年增收最高达1万元。依托电子信息产业、旅游商贸、城镇开发等吸纳贫困对象就近就业2303人。支持创业带动就业，针对易地扶贫搬迁、C、D级危房改造等工程量大的实际，镇（村）结合适龄待业人员状况免费开展劳务培训，组建以贫困对象为主的扶贫劳务服务队，为危房改造、“五改三建”等扶贫工程提供微利劳务服务，全市已成立32支扶贫劳务服务队，可带动务工贫困对象户均年增收1万元以上。公益岗位兜底就业，坚持因事设岗和“新开发”原则，2016年以来新开发场镇管理、保绿保洁等镇（村）公益性岗位545个，全部用于兜底安置贫困人口就业，带动贫困对象人均工资性增收430元/月。

【坚持把“生态搬迁+移民安置”作为最坚实的基础保障、最利长远的脱贫措施】 2016年，华蓥市按照“整体规划到位、有序分步实施”的总原则，努力改善贫困村、贫困户的生产条件、生活条件、居住条件。一是全面改善基础设施。集中攻坚实施农村公路畅通联网工程，25个贫困村断头公路延伸联网闭环、窄路加宽、道路安防三大提升工程全面完成，6个贫困村骨干道路全部黑化，在全市率先完成村村通硬化路，全面形成镇与镇、村与村闭合环线。大力实施农村公共服务提升工程，协调推进贫困对象集中饮用水、供电设施、电视“户户通”“广播村村响”等工程建设，25个贫困村全面建成“1+6”村级公共服务活动中心，贫困村自来水普及率、供电保障率、广电网覆盖率、互联网覆盖率均达100%，构建形成覆盖城乡的公共服务体系。二是统规统建保障安居。推广规划、选址、设计、购材、施工、质检、配套、复垦“八统一”建设模式，既降低了建房成本，又保证了速效双优；实行房屋修建过程监管、竣工验收两本台账管理，抽调专业技术人员组建3个片区房屋质量安全监督小组，逐户排查房屋质量，确保按图施工和安全合格；将闲置农村小学、旧厂房等改造为农村廉租房，避免重复建设、资源浪费。截至2016年年底，已完成易地扶贫搬迁482户，C、D级危房改造586户，“五改三建”1936户，农村廉租房建设350套，所有建档立卡贫困对象安全住房保障率达100%。三是创优脱贫生态环境。用好“全国生态保护与建设示范区“的金字招牌，实施水土保持、低产低效林改造及抚育管护、石漠化综合治理、养殖场标准化改造、乡镇饮用水水源地建设、集中供气沼气工程、贫困村垃圾池建设、滑坡治理等重点项目，城乡环境得到显著改善。2016年，全市综合治理水土流失面积7平方千米，新（改）造及抚育林地4470亩，全市森林覆盖率达48%。

【同步推进整村扶贫和“插花”帮扶】 2016年，华蓥市针对全市53%的贫困户散居在非贫困村和城镇的实际情况，坚持整村扶贫和“插花”扶贫同部署、同推进、同督查、同标准、同验收，坚决做到一户不落、一人不漏，对散居在非贫困村的贫困人口采取均衡分配资源、市场主体带动、干部结对帮扶等方式，同标准、同步伐推进“五改三建”、“十一有”配套、政策兜底等脱贫帮扶项目。

【同步推进物质脱贫和精神脱贫】 2016年，华蓥市以全域开展“四好村”创建为抓手，促进贫困对象物质、精神双脱贫，共建成市级“四好村”27个。举办“欢乐农家大赛”“洁美文明村社、院坝、农户”评选活动，表彰“产业脱贫之星、技能脱贫之星、勤劳致富之星、洁美文明之星、孝老爱亲之星”，让贫困对象学有榜样、行有示范。坚持寓教于乐抓教育引导，通过顺口溜、快板、小品、坝坝舞等形式大力宣传本地脱贫典型和先进事迹。以村为单位每月开办扶贫夜校，转变贫困户“等靠要”思想，提升贫困户内生脱贫动力。推行“励志家训”“村规民约三字经”“双向约束制”，帮扶责任人与贫困对象签订《文明行为约定》，倒逼贫困对象改变不良习惯。

【同步推进拟脱贫对象和已脱贫对象帮扶】 2016年，华蓥市针对2016年拟脱贫对象因担心脱贫后利益受损、害怕“摘帽”的问题，研究落实后续巩固政策，对C、D级危房改造、“五改三建”、交通建设等一次性投入到位的工程类帮扶项目，贫困村、贫困户脱贫后不再享受；对低保、医疗、教育帮扶等兜底政策，2016年脱贫后再持续巩固2年，帮扶责任人继续帮扶2年，确保脱贫不返贫。针对部分2014年、2015年已脱贫对象在后续巩固方面仍存在一定差距的实际情况，整合扶贫资金1000万元，重点解决部分已脱贫对象后续保障与产业发展问题，确保持续增收奔小康。

【同步推进城镇脱贫与农村脱贫】 2016年，华蓥市率先将157户、313名城镇贫困群众纳入精准帮扶范围，安排300余万元专项资金，实施“最低生活保障、公租房租房补贴、医疗救助、教育资助、就业扶持”五大政策帮扶，城镇贫困低保对象保障标准从370元/月提高至470元/月，已累计兑现各类帮扶资金200余万元，城镇“三无人员”供养满足率达100%，确保50%以上的城镇贫困户年内脱贫。

【同步推进政府帮扶与社会帮扶】 2016年，华蓥市把握省质监局、农业部沼科所等13个中、省、广安市级部门定点帮扶的有利契机，下派86名干部驻村帮扶，争取各类项目47个，到位资金1800余万元。打造“企业联村、个体帮困”“我为家乡脱贫出份力”两大社会扶贫品牌，广泛开展社会捐赠、贫困孤儿认领、大病儿童治疗费认捐、扶贫公益基金设立等活动，星星集团、华晶电子等企业发起设立了扶贫公益基金。全市累计接受社会各界帮扶资金4158万元。

【把建立长效机制作为巩固脱贫成果的有力保障】 2016年，华蓥市严格按照《华蓥市2015—2017扶贫攻坚规划》《华蓥市“十三五”脱贫攻坚规划》要求，坚持以产业发展带动为依托、以基础设施改善为助推、以扶贫扶智为抓手，力争把每一个扶持项目精准实施到村、到户、到人，全面提升贫困村和贫困人口整体水平，确保2017年实现剩余19个贫困村全部脱贫“摘帽”、3070名贫困人口全部脱贫；2018—2020年实现巩固提升；2020年年末，确保所有贫困人口同步全面实现小康，全市农民人均可支配收入达2万元以上。

建立组织保障长效机制。坚持以党政主要领导为组长的“双组长”制，脱贫攻坚领导小组不变，确保组织领导高效运行。注重从脱贫攻坚工作一线选拔使用干部，选派政治素质高、工作能力强、基层工作经验丰富，一心为民、干在实处的干部到乡（镇）重要岗位，有针对性地配备熟悉现代农业、旅游发展、村镇建设、农村金融、群众工作等方面的领导干部，全力推进脱贫攻坚工作有序开展。

建立资金投入长效机制。继续把政策兜底摆在最优先、最重要的位置，作为见效最快、力度最大的帮扶措施，确保本级财政安排的扶贫资金增幅高于全市公共预算收入增幅，每年投入不少于4000万元，织密筑牢生活、医疗、教育、住房“四张”政策兜底保障网。在进一步完善兜底类政策“一定三年不变”保障机制的基础上，帮扶单位、帮扶责任人对帮扶对象再持续帮扶2年，确保已脱贫对象稳定脱贫，持续增收。按照“扶上马、送一程”的要求，创新开展精准扶贫对象后续扶持工作，除继续享受两年相关兜底政策外，给予每人每年400元的脱贫巩固资金。

建立培训就业长效机制。坚持“扶贫先扶智”的理念，将教育培训作为增强就业能力的重要抓手，借力全市电子信息产业发展机遇，以就业技能、劳务品牌、农业技术、创业、“职业技能+创业”和岗位技能提升等培训为主，切实提升贫困群众就业能力，引导就近就业，拓宽致富增收渠道。

建立产业发展长效机制。紧紧围绕"工业城、旅游市"的发展定位,大力发展产业经济,做大财政蛋糕,为脱贫攻坚提供财力支持,为贫困群众提供更多的就业岗位。坚持以电子信息产业发展为主攻方向,做大做强工业经济,力争每年规模以上工业增加值增速达10%以上;坚持"长短结合"的原则,重点发展以葡萄、梨、花卉为主导的特色农业和以"小种植、小果木、小畜牧、小水产"为特色的庭院经济,全面促进贫困户持续增收;坚持农旅结合,依托华蓥山旅游大开发和"一路两特"总体布局,充分发掘华蓥旅游资源,大力发展乡村旅游,全力助推脱贫攻坚。

四川省扶贫和移民工作局编写组

蓬安县精准扶贫

【基本情况】 蓬安县位于四川省东北部、嘉陵江中游,系西汉大辞赋家司马相如的故里,属秦巴山区连片扶贫开发县,是集丘区、老区、库区于一体的传统农业大县。全县辖区面积1332平方千米,辖39个乡(镇)647个村(社区),总人口73万人,其中农业人口57万人。2016年,全县地区生产总值141.8亿元,地方一般公共预算收入5.35亿元,全社会固定资产投资完成132.8亿元,社会消费品零售总额51.9亿元,城乡居民人均可支配收入分别达20138元和12605元,县域经济保持"稳中向好、蓄势突破"的良好发展态势。

境内贫困村地处深丘,土地贫瘠,自然条件较差;贫困户呈插花式分布,面宽、量大、贫困程度深。2014年,全县识别出建档立卡贫困村171个、贫困户17614户、贫困人口52682人,贫困发生率为8.88%,当年减贫3165户、9605人,贫困发生率降至7.2%。2015年,扶贫整村推进减贫3589户、10661人,贫困发生率降至5.6%。2016年,蓬安县被列为四川省首批脱贫"摘帽"县,通过精准施策、合力攻坚,全面完成了"县摘帽、村退出、户脱贫"的各项任务。

【高度重视脱贫攻坚工作】 近年来,省、市领导多次到蓬安县实地调研、蹲点督导,省委书记王东明5次听取蓬安县专题汇报,市委书记亲自联系蓬安县脱贫"摘帽"工作。省、市脱贫攻坚领导小组多次在蓬安县召开流动现场会。在省委、市委的领导下,蓬安县牢固树立"最关心的事"的政治意识、"最后堡垒"的攻坚意识和"冲在最前方"的责任意识,全面贯彻中央精准扶贫、精准脱贫方略,细化、量化、具体化省、市系列脱贫攻坚会议精神,所有县级领导挂帅出征,全体党员干部挂图作战,广大贫困群众主动参与,推动脱贫攻坚工作精准发力、纵深开展。通过几年的持续攻坚,蓬安县已达到脱贫"摘帽"的各项要求,县"摘帽"方面,三年累计精准减贫3.76万人,贫困发生率降至2.64%;所有乡(镇)均建有达标卫生院、标准中心校和便民服务中心。村退出方面,55个退出村减贫7611人,贫困发生率均在3%以下;村集体经济收入全部超过人均6元的标准;所有行政村通水泥路,均建有达标卫生室和文化室;通信网络实现全覆盖。户脱贫方面,减贫群众人均纯收入稳定超过3100元,吃穿问题得到有效解决;贫困户家家用上了安全电、吃上了安全水、通上了广播电视信号,义务教育、基本医疗和安全住房有了可靠保障。

【深入开展基础设施"大会战"】 2016年,蓬安县全面整合农村公路、水利设施、土地开发整理等涉农项目,大力引进民间资本,广泛动员群众筹资投劳,全年共筹集1.43亿元投向贫困村基础设施建设领域。扎实推进通村联社道路建设,建成村社水泥路245.9千米、农田机耕路240.6千米,有效缓解了贫困村"行路难"问题。扎实推进水利设施建设,统筹实施饮水安全工程、"五小水利"建设和抗旱减灾项目,建成集中供水站6个、联户饮水工程170个、小微水利设施975处,有效缓解了贫困村因水受困、因水成疾、因水致贫问题。扎实推进土地开发整理,建成高标准农田7.6万亩,新增耕地3400亩,有效缓解了贫困村靠天吃饭、土地撂荒问题。

【强力实施易地扶贫"大搬迁"】 2016年,蓬安县紧扣"三年任务一年完成"的要求,鼓励群众集中安置,因地制宜分散安置,从严控制投亲靠友安置,"十三五"期间,全县2584户易地扶贫搬迁对象全部住上安全住房。采用"多个口子进水、一个池子蓄水"的模式,累计筹措易地搬迁资金3.836亿元,其中中央预算内资金1336万元、省级专项建设资金3877万元、地方政府债务资金7119万元、长期低息贷款2.6亿元。对新建住房的,按照"人均不超过25平方米、每平方米不超过800元"的标准据实核算房屋造价,在扣除贫困群众自筹资金(人均不超过2800元、户均不超过1万元)后,由政府全额兜底;对投亲靠友安置的,按照人均2.3万元的标准给予补助,全县共拨付住房建设补助资金1.78亿元。累计投入2.05亿元,硬化农户院坝6.4万平方米,建成安置区道路423千米、入户便民路80.1千米,拆除旧房25.8万平方米,复垦宅基地38.8万平方米。全面推行领导包片、部门包村、干部包户,每天一督查、每周一通报、每月一考评,确保项目满负荷推进。逐村成立易地扶贫搬迁理事会,规划制订以群众意愿为主、项目实施以群众力量为主、竣工验收以群众评价为主的方案,把资金使用、工程建设、监督监管的主动权、决策权都交给了贫困群众。

【加快推进农村危房"大改造"】 2016年,蓬安县坚持"宜建则建、宜改则改"的原则,充分考虑农房现状,充分尊重群众意愿,统筹推进农村危房改造和"五改三建",做到不贪大求洋、不大拆大建、不举债负债。"拉网式"摸排农村房屋情况,建立农房改造台账,优先将建档立卡贫困户列为改造对象。结合农村实际和群众生活习惯,统一设计《危房改造标准图集》并免费提供给贫困群众参考使用。健全质量安全监管机制,整合住建、国土、安监力量,委托有资质的监理公司常态化开展巡查监管,保障住房建设质量安全。2016年,全县共改造贫困户C、D级危房4739户,实施"五改三建"3150户,贫困群众居住条件大幅改善。

【扎实抓好致富产业"大培育"】 2016年,蓬安县按照"长短结合、以短养长"的思路,坚持培育长效支柱产业与实施短期增收项目两手共抓,建设脱贫奔康农民产业园与引导群众就近就业双管齐下,一村一策,一户一法,推动贫困群众稳定脱贫、持续增收、致富奔康。用好用活产业发展资金,大力实施果蔬种植、畜禽养殖、劳务经济"三大增收计划",有劳动能力的贫困群众全部实施了"短平快"的致富项目。采取"单村兴建、跨村联建、联乡成片"的方式,建成脱贫奔康农民产业园78个,招引麦伦农业、乐乐生态、花好月圆等龙头企业入园发展;成立兴农种养、裕康农机、红旗大寨等400余个农民专合组织,实现了"村村有园、户户入园、人人受益"。建立70所农民技(夜)校,开展"订单式"实用技术培训,增强了群众的就业能力;每村开发保洁、护路等7个公益岗位,人均年劳动报酬3600元以上,一大批贫困群众在家门口实现就业。2016年,蓬安县被评为"全省农民增收工作先进县"。

【不断强化公共服务"大配套"】 2016年,蓬安县秉持"保基本、补短板、兜底线、促公平"的理念,着力改善入学、办事、就医条件,为群众提供均等的公共服务。加快建设标准中心校,深入实施学前教育"三年行动计划",科学配置师资力量,健全"控辍保学"机制,改(扩)建校舍 8.8 万平方米,新(改)建乡(镇)幼儿园 5 所。加快建设乡(镇)便民服务中心和村级代办点,完善县、乡、村三级联动服务体系,全面实现"两集中、两到位",行政审批平均提速 95%。加快建设达标卫生院,同步完善医疗垃圾收集、污水处理等辅助设施,标准化配置医疗设备和医务人员,基本实现群众小病不出乡、大病不出县。

【注重脱贫机制"大创新"】 2016 年,蓬安县作为四川首批"摘帽"县,大胆探索新途径、新模式,及时提炼和固化工作中的好做法、好经验,努力形成可借鉴、可复制、可推广的脱贫攻坚新机制。一是创新党建引领机制。坚持"精准党建+精准扶贫",整顿后进村党组织 29 个,调整充实村"两委"干部 51 名;推行"先进村+贫困村""党员先锋户+贫困户"联帮模式,大力实施"党小组+专业技术协会+产业园+贫困户"联帮联建工程,以强带弱、以富带贫、以快带慢,有效实现资源共用、成果共享、共同致富,极大地调动了贫困群众的内生动力,走出了一条党建引领、协会带动、群众主体的脱贫奔康新模式。二是创新多元融合机制。扎实推进跨村联乡脱贫奔康农民产业园建设,同步引导贫困户、非贫困户入园发展;在实施好入园项目的同时,集中更多财力物力改善交通、水利、公共服务等基础设施,让群众共享脱贫攻坚政策红利。更加关注处于贫困线边缘群众的生产生活,该帮扶的及时帮扶、该救助的及时救助,防止非贫困群众陷入贫困。三是创新巩固提升机制。保持扶贫支持政策的延续性,设立 2000 万元的巩固发展资金和 1000 万元的风险保障基金,有效防范和化解返贫风险。对已退出的贫困村,常态化开展入户走访,跟进解决具体问题;对已减贫的贫困人口,适时开展"回头看",重点看帮扶政策是否延续、增收措施是否可靠、脱贫成果是否巩固,做到标准不降、要求不变、力度不减。科学设置贫困监测点,共享扶贫、民政、人社、卫计、教育、残联等部门数据,对可能返贫的对象提前预警、提前介入,对已返贫对象及时重新纳入帮扶范围。四是创新利益联结机制。采取"参股入社、配股到户、按股分红、脱贫转股"的方式,动员新型农业经营主体"牵手"99 个贫困村,把贫困群众牢牢捆绑在农业规模经营的利益链条上,有效增加其入股分红、返租倒包、土地租金和务工收入。五是创新资金整合机制。采取"上级补助、本级投入、项目整合、金融扶持、社会捐助、群众自筹"等方式,筹集"摘帽"资金 6.93 亿元;严格执行扶贫资金专户专账管理制和县管乡镇报账制,全程加强跟踪检查和审计监督,确保扶贫资金用在刀刃上、发挥最大效益。六是创新长效帮扶机制。安排万名机关干部、教师、医生与贫困群众"结穷亲",动员千名义工进农家开展关爱活动,组织百家企业支持贫困村产业发展和基础设施建设,为每个贫困村量身定制 10 项帮扶措施、引进 1 个以上业主;落实"五个一"帮扶责任主体与贫困对象双向承诺制度,实现了帮扶力量、帮扶措施的全覆盖。县政协实施的企业帮村、界别帮点、委员帮户"三帮活动"彰显了帮扶特色,树立了帮扶样板,起到了很好的示范带动效应。

四川省扶贫和移民工作局编写组

社会扶贫

【基本情况】 2016 年,在四川省委省政府的领导下,省内外对口帮扶部门(单位)始终坚持以习近平总书记扶贫开发战略思想为指导,始终聚焦"两不愁、三保障"和"四个好"目标,与受扶地党委政府一道,充分履行对口帮扶主体责任,不断完善对口帮扶工作机制,重点突出帮受双方交流合作,强力推动定点扶贫、东西部扶贫协作、省内对口帮扶、社会各界扶贫等省内外对口帮扶工作,取得显著成效。全年共投入(募集)各类资金 159.72 亿元(其中直接投入资金 51.88 亿元、引进资金 86.55 亿元、募集社会资金和物资折价 21.29 亿元),实施各类项目 9215 个,举办各类培训班 2.2 万期、81.14 万人次,有效助推全省 5 个贫困县"摘帽"、2470 个贫困村退出、107.8 万贫困人口脱贫,超额完成年度脱贫攻坚任务,实现脱贫攻坚首战告捷。

【定点扶贫工作成效明显】 2016 年,在四川省的 23 个中央国家机关和省内部门(单位)主动担当担责,充分发挥自身优势,积极为受扶县出主意、想办法、解难题、办实事,通过帮受双方的通力协作,受扶县基础设施和人居环境改善明显,公共服务水平得到进一步完善,贫困户收入和自我发展能力得到进一步提升。全年共有 15804 个部门(单位)参与四川省定点扶贫工作,共投入资金 131.06 亿元(其中直接投入资金 39.11 亿元、引进资金 86.55 亿元、募集社会资金和物资折价 5.4 亿元),组织实施帮扶项目 8625 个,举办培训班 2.2 万期、80.69 万人次,其中,23 个在川定点扶贫的中央国家机关直接投入资金 2.49 亿元,帮助引进资金 1.53 亿元,实施帮扶项目 61 个;考察调研 423 人次(其中部级领导 56 人次),召开座谈会 67 次,调研走访贫困户 1157 户,选派挂职干部 48 人(其中"第一书记"18 人),举办培训班 82 期,培训 0.53 万人次,帮扶村实现劳务就业 0.11 万人次、劳务收入 0.4 亿元;15781 个省内定点扶贫部门(单位)在 160 个有扶贫任务的县结对帮扶贫困村 11501 个,组织调研 11.94 万人次,直接投入资金 36.62 亿元,帮助引进各类资金 85.02 亿元,帮助项目 8564 个,举办培训班 2.19 万期,培训 80.16 万人次,实现劳务就业 20.61 万人次。

【东西部扶贫协作有序推进】 2016 年,广东省、浙江省、珠海市和佛山市共提供无偿援助财政资金 4.95 亿元、社会帮扶资金 955 万元,共实施援建项目 229 个,人才支持 4949 人次,举办培训 20 期,培训 4490 人次,其中浙江省无偿援助财政资金 1.67 亿元、社会帮扶资金 110 万元,实施援建项目 92 个,开展人才培训 812 人次,领导考察互访 164 人次,开展劳务合作 2500 人次,实现劳务收入 6800 万元。广东省无偿援助财政资金 1.98 亿元、社会帮扶资金 760 万元,组织实施卫生、人才培养、产业扶持等项目 66 个,开工 23 个,竣工 9 个,完成投资 1.01 亿元;领导干部考察互访 110 人次,培训各级干部、专业技术人才共 3039 人次。珠海市无偿援助财政资金 0.2 亿元、社会帮扶资金 45 万元,实施援建项目 35 个,开展人才培训 639 人次,领导考察互访 36 人次。佛山市无偿援助财政资金 1.1 亿元、社会帮扶资金 40 万元,在凉山州 11 个贫困县 36 个安置点实施住房建设项目,开工 1851 户、竣工 923 户,完成投资 0.95 亿元。

【省内对口帮扶创新实施】 2016 年 7 月,全国东西部扶贫协作座谈会召开后,四川省委省政府制订出台了《四川省省内对口帮扶藏区彝区贫困县工作方案》,确定省内经济较为发达的 7 市和 35 县(市、区)对口帮扶藏区彝区 45 个贫困县(市、区)。各对口帮扶县积极履行帮扶责任,派驻挂职干部 1320 人,组成 45 个前方工作队,计划投资 7.18 亿元,实际拨付资金 7.82 亿元,实施住房建设、产业就业、基础设施、教育保障、医疗卫生等重点项目 361 个,助推受扶地全面完成 669 个贫困村退出、2.9 万户贫困户、11.7 万名贫困人口脱贫的年度目标任务。

【社会各界扶贫不断深化】 2016年，四川省扶贫和移民工作局精准激活社会力量，组织实施了"万企帮万村"精准扶贫行动、"扶贫一日行"实践活动、扶贫公益品牌打造行动、扶贫志愿者行动、民主党派参与精准扶贫行动、人大代表政协委员"我为扶贫做件事"活动等，取得显著成效。三峡集团2016—2019年每年拨付4亿元，共捐赠16亿元，助推凉山、宜宾、攀枝花3个市(州)18个县(市)打赢脱贫攻坚战；在川的农业、旅游业、采矿业、保险业等上市公司于12月开展了"上市公司三州行"活动，分别与甘孜、凉山、阿坝3个州签署了培育发展多层次资本市场助推脱贫攻坚框架合作协议，拓展了脱贫攻坚社会扶贫新思路；在"万企帮万村"精准扶贫活动中，组织113个商(协)会和2.8万家民营企业捐资捐物1.2亿余元，签署投资协议6550个、106亿元，开发式扶贫为企业拓展了发展空间。在全国第三个扶贫日期间，组织承办了首届"四川十大扶贫爱心组织"暨第二届"四川十大扶贫好人"评选表彰活动，各地也开展了具有地方特色的文艺义演、访贫问苦和"百企联百村""开发一方资源、富裕一方群众"等系列活动，大力凝聚了全社会力量，助力全省贫困群众早日脱贫。全省共开展扶贫日活动逾万个，募集资金(含物资折价)15.79亿元，普发"爱心扶贫"短信3000余万条，在全省上下营造了人人关心扶贫、人人支持扶贫、人人参与扶贫的浓厚的社会氛围。

【落实主体责任，稳步推进帮扶工作】 2016年，四川省内外对口帮扶援受双方始终把脱贫攻坚作为最大的政治任务，摆上重要议事日程，分别成立了组织领导机构，层层落实责任，形成主要领导亲自抓、分管领导具体抓、帮扶干部蹲点抓的对口帮扶工作格局。2015年，东西部扶贫协作双方主要领导先后带队互访考察，分别召开了广东省对口凉山州扶贫协作座谈会、扶贫协作暨深化合作座谈会，进一步增强了扶贫协作帮扶力量，新增了帮扶范围。省内对口帮扶援受双方认真贯彻落实省委省政府决策部署，党政主要领导亲自带队对接调研，协商帮扶方案，帮扶地始终把受扶地脱贫攻坚作为最大的政治任务，常抓不懈，确保受扶地脱贫攻坚各项工作有力有序有效推进。

【坚持精准发力，因地制宜科学规划】 2016年，四川省各帮扶单位始终坚持从实际出发，在深入调研的基础上，根据受扶地自然条件、资源禀赋、产业基础等特点帮助受扶地厘清发展思路，针对不同地区、不同贫困类型科学谋划基础设施建设、安全住房、特色产业培育、教育卫生扶贫等帮扶项目。根据扶贫对象的家庭情况，做好与"五个一批"的有机对接，因户制订脱贫方案，分类别编制个性化、差异化的到户项目规划，做到对症下药。始终坚持精准施策、精准发力，努力为受扶地出实招、办实事、求实效，办好群众最急、最难、最盼的事，不断提升受扶地群众的幸福指数。

【突出工作重点，着力解决民生问题】 2016年，四川省各帮扶地紧紧围绕改善受扶地贫困群众生产生活条件目标，加大精准帮扶力度。浙江省投入5066万元，援建农牧民定居点、乡村道路、夜间照明、庭院改造、学校、医院等民生项目。广东省投入4449万元，为受援地改善交通、住房等民生条件，切实推动当地群众增收致富奔康。同时，省内各帮扶单位始终把改善民生作为对口帮扶的着力点和落脚点，严格按照"贫困县摘帽、贫困村退出、贫困人口脱贫"的标准，积极帮助受扶地引资金、上项目、强基础，有效解决了受扶地民生问题。

【开展教育培训，不断增强"造血"功能】 2016年，四川省各帮扶单位坚持"扶贫先扶智、治贫先治愚"的原则，坚持订单培训、定向培训，采取课堂教学、现场观摩等培训方式重点培训贫困群众生产技术、劳动技能，切实增强其自我"造血"功能，不断激发其内生动力。浙江省投入1000万元，通过"走出去、请进来"的培训方式，举办油橄榄管护、茶叶包装和深加工、食用菌新品种开发、大棚蔬菜培育等实用技术培训，极大提高了受扶地贫困群众农业自我发展能力。全年共举办各类培训班2.2万期，培训各级党政干部14.82万人次、技术人员7.05万人次、农村劳动力48.4万人次，实现劳务就业20.72万人次。

【加强需求对接，积极拓展合作领域】 2016年，东部省(市)充分发挥民营企业众多、体制机制灵活、资金技术雄厚、人才管理规范等优势，与四川省在资源、市场、劳动力和政策方面的优势相结合，扩大经贸合作领域，实现优势互补。广东省多次组织当地商会、企业家等到川调研考察项目，依托2016年中外知名企业四川行活动，广东省促进华侨城集团与甘孜州签署了海螺沟景区旅游整体开发正式合同，投资总额达100亿元，其中2016年启动了投资20亿元的第一期工程。浙江省组织省级相关部门、园区及企业共60余人到阿坝州考察产业援藏项目。浙江九谷旅游投资有限公司与九寨沟县签订了《九寨沟山水花廊旅游业生态项目合作框架协议》，拟投资5亿元，打造藏羌客栈群、民俗文化广场、商业酒吧街、三维历史文化馆、山地探险旅游等业态。

【注重宣传引导，大力营造帮扶氛围】 2016年，四川省扶贫和移民工作局统筹内宣、外宣、网宣力量，协调组织各级各类媒体联合发声、同向发力，加大脱贫攻坚决策部署、政策措施、成功经验和先进典型的宣传力度，刊播原创稿件共计1.7万余篇(条)，百度搜索达780余万条(篇)；协调新华社、《人民日报》、中央电视台等中央媒体报道1300余篇(条)，报道量居全国前列，编发《脱贫攻坚》简报168期；组织省级主要媒体在重要版面、重要时段开设了专栏，推出专题报道5500余篇(条)。涌现了时代楷模、全国重大先进典型——宜宾市筠连县春风村党支部书记王家元，全国脱贫攻坚奖奋进奖——蓬溪县常乐镇拱市村党支部书记蒋乙嘉等，展现了四川省贫困村和贫困户的变化，增强了省内外对口帮扶单位的信心，激励了其帮扶热情，形成了比、学、赶、追的浓厚帮扶氛围。

四川省扶贫和移民工作局编写组

移 民 工 作

【基本情况】 2016年，四川省移民工作坚持以依法移民、开发移民为主线，以移民与工程并重、移民与业主并重、民意与官方并重、搬迁与发展并重、前期与后期并重、过程与结果并重"六个并重"为主调，以规范移民工作"三个主体、五个方面"的法律关系、利益关系、工作关系、监督关系"四个关系"为主题，实现了"十三五"起步顺、开局好。全年完成移民项目投资49.27亿元，搬迁安置移民0.67万人；

移民后扶项目投入资金21.85亿元，纳入后扶政策范围的移民达109.7万人。

【移民法规政策优化】 2016年，四川省《移民条例》于9月1日正式施行。该《条例》从管理体制、工作体系、职能职责、操作流程等方面进行了设计和界定，填补了四川省移民工作地方立法的空白，成为全国首部移民工作程序法。新制定或修订了移民安置年度计划考核、规划大纲编报、监督评估、移民验收、单项工程代建等规范性文件23个，形成了较为配套和完善的移民工作制度体系。针对移民群众反映强烈的利益诉求等问题，四川省扶贫和移民工作局会同有关部门对水电开发体制机制创新试点、移民安置与社会基本养老保险相结合、移民安置政策改革创新思路等进行了梳理研究。

【移民规划质量提升】 2016年，四川省扶贫和移民工作局提前介入，加强了对移民大纲与规划编制的全程指导，注重实物指标调查和移民意愿征集。对拟建的拉哇、银江、牙根一级电站以及向家坝灌区等工程的前期技术成果均开展了全面深入指导。强化对综合设计成果的管理，组织召开15个大型水电工程综合设计联络会议，就向家坝、溪洛渡水电站的移民安置实施报告编审工作进行了研究，协调解决了国省干线公路复(改)建规划设计标准和建设移交等重大问题，确保了规划设计的科学性和操作性。严格执行移民政策法规和技术规程规范，从规划要件、风险评估、可行性研究、专家评审等程序内容上把住关口，切实维护规划的严肃性。全年共审核审批《停建通告》4个、移民安置规划大纲7个、移民安置规划9个、移民安置规划调整或蓄水阶段移民安置实施方案16个，规划设计的深度和质量有明显提升。

【移民安置工作平稳推进】 2016年，四川省扶贫和移民工作局坚持用协议约束工作行为、落实工作责任，先后与项目法人、地方政府、设监评单位签订了移民安置协议、综合监理合同、独立评估合同和专项工作协议等协议(合同)40份。推行"责任制+清单制"管理方式，与市(州)政府签订责任书，分解下达移民安置任务和资金计划，建立移民工作台账和项目清单，限期交账销号，全年审核下达移民安置任务325项。以乌东德电站为试点，探索建设了移民安置实施工作模板，以点带面推动全省移民安置工作。组织召开专家咨询审查会，从严把关24项移民工程设计的变更、21座大中型水利水电工程阶段性(竣工)的移民安置验收工作，协调处理了瀑布沟电站移民综合监理费等遗留问题，依法维护了项目法人、地方政府和移民的利益。对移民安置进行全过程跟踪监督，不定期开展现场检查，对发现的问题要求限期整改。对年度任务较重的雅安、凉山、甘孜、阿坝4个市(州)移民安置目标任务及年度计划完成情况进行了专项督查，对27个综合设计、33个综合监理、26个独立评估单位年度工作情况进行了全面考评。

【移民后期扶持】 2016年，四川省扶贫和移民工作局以贫困库区、特困移民为重点，将贫困移民列入重点扶持范围，优先安排项目资金；推进移民整体脱困计划，安排整体解困资金8.22亿元，加快了特殊困难移民整体脱困步伐；实施移民避险解困试点，基本完成首批11个县14320人的避险解困试点工作，同时，启动实施第二批试点工作，涉及10个市(州)23个县(市、区)、移民28898人。做好三峡库区对口支援工作，编制对口支援重庆市开州区合作实施5年规划，落实对口支援资金5000万元。涉及31个县的两批移民后扶整村推进项目全面完成，产业体系基本建成，村容村貌得到改观，成为现代农业的集聚区、新农村建设的新亮点。新增纳入后期扶持政策范围26775人，核减13211人；争取国家批复四川省26座工程后期扶持人口15333人；建成后期扶持管理信息系统省级分中心，实现与国家后期扶持管理信息系统无缝对接；编制完成移民后期扶持"十三五"规划。

【完善移民维稳机制】 2016年，四川省扶贫和移民工作局立足抓小抓早、依法治访，坚持以"事要解决""人要稳定"为核心，注重从源头上分析、研判和化解移民信访问题，畅通"信、访、网、电"诉求反映渠道，健全移民矛盾纠纷排查、民意诉求表达、信访督查、问题通报和责任追究机制。全年及时妥善处理9起群访、5起联名信访和73起缠访闹访。狠抓移民信访突出问题和矛盾纠纷的排查调处，组织开展化解信访积案集中攻坚工作，加强与项目法人、设计监理单位的合作，项目法人、设计监理单位在4件信访复核、白鹤滩移民信访等问题的处理上发挥了重要作用。抓好来信来访处理，严格梳理关、办理程序关、办结时限关，"发点球"跟踪督办，确保了信访事项受理、办理程序合规、答复清楚。全年共接待办理信访658件、来访147批403人、来信460件，信访数量比2015年减少44件，下降19.1%，总体实现了"无大规模聚集、无重大恶性事件发生、到省信访总量逐步下降"的目标，确保了库区、安置区社会整体稳定。

【移民资金监管】 2016年，四川省扶贫和移民工作局加强资金计划管理，加强与项目法人的协调与衔接，积极筹措资金，审核下达38个大型在建工程移民资金年度计划49.27亿元，到位资金42.59亿元，及时足额拨付地方移民资金48.42亿元。完成对2015年度、2016年度大型水电站的财务决算、移民资金银行账户协议签订情况的清理。加强资金审计稽察，拓展监督范围，创新监督方式，清理了27座水利水电工程移民项目资金，对2016年度移民资金使用情况开展了专项督查，对13座大型水利水电工程2013—2015年度移民资金进行了财务收支审计，对瀑布沟、向家坝水电站的8个移民单项工程开展了结算审计，首次创新开展了红鱼洞水库在建项目的移民资金管理情况稽察，开展了6个县移民后扶项目稽察。推进资金管理信息化建设，启动建设全省移民资金管理系统，运用现代信息手段解决资金监管不及时、数据分析不准确的问题，提高移民资金管理水平。

四川省扶贫和移民工作局编写组

统筹城乡与新型城镇化

统筹城乡发展

综　　述

【基本情况】 2016年,四川省发展和改革委员会自觉践行新发展理念,积极适应把握引领经济发展新常态,扎实推进全省统筹城乡改革发展,重点推动"五个统筹"和"五项改革",城乡一体化发展进一步推进,城乡居民收入差距进一步缩小。截至2016年年底,全省统筹城乡改革发展40项重点工作任务基本完成,其中可量化的13项工作任务均全面或超额完成。

【统筹城乡规划编制工作】 2016年,四川省发展和改革委员会编制完成了《四川省省域城镇体系规划和四大城市群规划实施办法》;开展了省级空间规划研究,形成了《四川省省级空间规划研究报告》;出台了《四川省市(州)、县(市、区)生态保护红线划定技术指南(试行)》。

【统筹城乡基础设施建设】 2016年,四川省新(改)建农村公路2.3万千米,建成渡改桥137座,分别完成年度目标任务的153.3%和152.2%;新建高标准农田536万亩,新增有效灌面43.2万亩,分别完成年度目标任务的101.5%和108%;改造城镇危旧房棚户区27万套;实施农房建设36.9万户,完成年度目标任务的105.4%。深化"百镇建设行动",300个试点镇实现就地就近吸纳农业转移人口30.2万人。深入推进综合管廊建设,全省在建项目62个,建设里程211.1千米,完成年度目标任务的105.6%。

【统筹城乡产业发展】 2016年,四川省加快推进产业发展平台建设,国家级新型工业化示范基地总数达16家,位居中西部第一。新增省级示范农民合作社336家、示范家庭农场300家,分别完成年度目标任务的112%和100%。建成现代林业产业基地2445万亩、"万亩林亿元钱"示范基地80万亩,分别完成年度目标任务的106.3%和100%。建立四川电商大数据中心,创建国家级、省级电子商务进农村综合示范县57个,其中国家级示范县数量位居全国第一。加快转化农业科技成果,全年共转化236项,实现销售收入219亿元。

【统筹城乡基本公共服务】 2016年,四川省大力促进就业创业,城镇新增就业104万人,城镇登记失业率达4.2%;转移输出农村劳动力2491.5万人。启动实施民族地区15年免费教育。城乡居民健康档案电子建档率达93.4%。农村区域性养老服务中心挂牌300个,新建城乡社区日间照料中心2509个。免费开放图书馆197个、文化馆206个、乡(镇)综合文化站4349个。新建村级农民体育健身设施1923个,公共体育场馆免费开放1600万余次。

【统筹城乡社会治理】 2016年,四川省积极推进"一核多元、合作共治"的村级治理体系,以整顿软弱涣散基层党组织为重点,启动新一轮"三分类三升级"工作。推动网格化服务管理,全省网格员上报协助流动人口、特殊人群服务管理信息分别达632万余条和209万余条。稳步实施"雪亮工程",建立了全省"雪亮工程"建设联系协调会议制度,确定了19个县(市、区)为试点单位。

【推进户籍制度改革】 2016年,四川省大部分市(州)出台了推进户籍制度改革的实施方案,除成都市以外全面放开落户限制。全省全面实施居住证制度,全面部署开展解决无户口人员落户工作,累计为5万余名无户口人员办理了户口登记。

【农村产权制度改革】 2016年,四川省深化农村改革试验区建设,制订了《四川省农村改革综合试验区工作方案》,建立了20个农村改革综合试验区。加快推进农村产权确权登记颁证,农村土地承包经营权确权登记颁证完成应确权面积的 91.2%，进度居全国前三位。全面推进集体资产股份合作制改革试点，改革试点范围扩大到 21 个市（州）、42 个县（市、区）。加快农村产权流转交易服务平台建设，建成市级平台 8 个、县级平台 104 个、乡（镇）服务站 1486 个。

【城乡社会保障制度改革】 2016 年，四川省制定了《四川省人民政府关于整合城乡居民基本医疗保险制度的实施意见》，实现 20 个市（州）城乡居民医保整合。推进异地就医即时结算，省内异地就医联网结算医院达 335 家，跨省联网医院达 58 家。调整全省城乡居民最低生活保障标准底限，分别达 420 元/月和 240 元/月，均较上年标准提高 50 元/月。

【城乡用地制度改革】 2016 年，四川省全面完成城乡建设用地增减挂钩试点改革任务，巴中市与成都市高新区成为全国率先实现省域范围内流转使用节余挂钩指标的成功范例。落实最严格的耕地保护制度，21 个市级永久基本农田划定方案通过论证审核，183 个县级划定方案完成编制。推进不动产统一登记，全省 21 个市（州）均已开始颁证工作，183 个县本级行政单位开始停旧证、颁新证，发证率达 100%。稳步推进工矿废弃地复垦利用试点，新增资阳市为试点市，全省试点地区增至 16 个市（州）。

【农村金融改革】 2016 年，四川省积极开展“两权”抵押贷款试点，全省 12 个试点县（市、区）累计发放农村“两权”抵押贷款 2098 笔、20.7 亿元。创新实施“三农”专项信贷政策，实施新型农业经营主体金融服务主办行制度，推进“万家千亿”诚信小微企业融资培育计划，推动符合条件的农业龙头企业到银行间市场发行直接债务融资工具。推进农村信用社改革，全省新增挂牌开业农商银行 10 家。全面推进成都农村金融服务综合改革，设立农村产权抵押融资风险基金。组建全国首家农村产权收储公司，探索设立村级融资担保互助组织。

【成都市国家级试验区综合配套改革】 2016 年，成都市国家级试验区建设取得新进展。坚持以农村土地、金融制度改革为重点，加快推进生产要素平等交换，全面完成“新四权”登记颁证。全面开展集体资产股份化改革试点。郫县集体经营性建设用地入市累计成交 23 宗、面积 308.9 亩，交易额 1.9 亿元。邛崃市、青白江区、彭州市积极探索农户自愿有偿退出宅基地合理途径。推进温江区、崇州市、金堂县、郫县增加农民财产性收入改革试点，农民财产性收入占农村居民可支配收入的比例提高到 10.2%。进一步完善村级治理机制，深化农村新型领域基层党组织建设试点。推进农村小型公共基础设施村民自建改革，安排村民自建示范项目 14 个，总投资 2423.2 万元。

【统筹城乡发展综合示范项目建设】 2016 年，四川省先期启动了郫县、遂宁市船山区、广元市利州区等 6 个统筹城乡发展综合示范项目建设，各试点地区制订并完善了实施方案，省级预算内基本建设资金对示范项目予以支持，同时将示范区符合条件的项目纳入省重点项目管理。

【深入推进农村产业融合发展】 2016 年，四川省发展和改革委员会积极探索农业产业重大项目整体转型升级，促进农业一二三产业融合发展。从全省优势特色产业中选择了宜宾川茶、眉山枇杷、广元红心猕猴桃产业作为 2016 年全省农业重点项目并印发了推进工作方案。崇州市、蒲江县、雅安市名山区、西充县、内江市市中区、米易县、合江县、苍溪县 8 个县（市、区）被纳入全国农村产业融合发展试点示范县，示范县个数位列全国第一。

四川省发展和改革委员会编写组

成都市统筹城乡发展

【基本情况】 2016 年，成都市统筹城乡工作围绕国家中心城市和全国统筹城乡综合配套改革试验区建设的安排部署，深入抓好农村产权制度、土地制度、金融制度、户籍制度、城乡规划建设、产业发展、基础设施、公共服务、社会治理、生态保护等重点改革任务，全面推进《成都市统筹城乡 2025 规划 2016 年行动计划》落地生根、落实见效，统筹城乡改革发展进入新阶段、迈上新台阶。全年农业增加值达 491.97 亿元，农民人均可支配收入增加 18605 元，城乡居民收入比下降到 1.93 : 1，城镇化率增至 70.62%。

【农村产权制度改革】 2016 年，成都市基本完成农村土地经营权、农业生产设施所有权、农村养殖水面经营权、小型水利工程所有权“新四权”登记颁证，启动林地流转经营权和林木（果）权证登记颁证，新颁发各类产权证共 11.74 万余本。出台了《成都市鼓励和引导农村产权入场流转交易办法》，进一步健全农村产权管理服务体系，在统筹城乡综合改革示范镇（片）选择试点，推进乡（镇）农村产权管理服务中心有场地、有专人负责、有固定窗口，建立 1 套全镇完整的农村产权确权登记颁证原始电子档案资料，完成全镇农村产权流转信息收集汇总，清理规范试点村（社区）原有确权登记颁证结果，形成完整可展示的确权颁证档案资料。通过开办分公司、子公司和实行业务联网三种模式完成县（市、区）分（子）公司组建。与德阳、内江、绵阳等有关市（州）共建共营农村产权流转交易服务体系，扩大成都农交所辐射范围。成都农交所实现各类农村产权交易 13925 宗，累计交易额达 567.4 亿元。

【集体资产股份化改革试点】 2016 年，成都市在所有县（市、区）至少分别选择 1 个村（社区）开展试点，已确定 54 个集体资产股份化改革试点点位。规范管理农村集体经济组织，出台了《成都市农村集体经济组织备案管理办法（试行）》，完成 54 个村（社区）集体经济组织备案登记。鼓励农民自主组建集体经济新型市场经营主体，完成 26 个村（社区）经营主体的工商注册登记。修订了《成都市农村集体资产股权登记备案和交易管理办法》，完善农村集体资产股权权能。

【土地制度改革】 2016 年，成都市深化集体建设用地开发利用，在郫县开展农村集体经营性建设用地入市试点，出台了入市程序、收益分配机制等 23 个配套办法，郫县通过农交所挂牌出让集体建设用地共计 129 宗、2605.6 亩、9.4 亿元，已完成上市成交农村集体经营性建设用地 24 宗、321.05 亩、1.924 亿元。探索农户自愿有偿退出宅基地的合理途径，出台了《成都市农村宅基地使用权退出改革试验专项方案》和《成都市农村宅基地使用权退出改革试验专项方案》，总结邛崃市土地综合整治、灾后重建开展的“具备条件、自愿放弃、经济补偿”试点和青白江区、彭州市探索的“权属剥离、市场定偿、整户退出”实现就地发展的经验，形成了依托土地综合整治退出、宅基地原址开发利用、零星宅基地收储整理等农户自愿有偿退出宅基地的有效途径。探索农民住房财产权抵押、担保、转让的有效途径，开展盘活闲置农村房屋改革试点，完善《成都市农村房屋抵押融资管理办法》，在 15 个郊区县（市）建立 29 个农村房屋流转（租赁）服务中心，搭建了农房流转租赁平台。

【农村金融服务综合改革试点】 2016 年，成都市新增村镇银行 2 家，村镇银行总数达 14 家。开展农村普惠金融综合服务，实现每个行政村都能享受到金融服务。推进行政村选聘金融服务联络员工作,实现2000余个行政村(涉农社区)金融服务联络员全覆盖。开展农村产权抵押融资和农村动产抵押、仓单质押贷款等,农村产权抵押融资累计额达153.13亿元。继续开展20个品种政策性农业保险,推进蔬菜、生猪等农产品价格指数保险,为农业生产提供了1311.61亿元的风险保障。推进信用信息数据库建设及信用创建,建设信用乡(镇)121个、信用村1398个、信用户50722户。

【户籍制度改革】 2016年,成都市全面实行《成都市居住证管理实施办法》,制定《成都市居住证办理细则》,共办理居住证53万张。研究制定《成都市关于调整和完善市外人员入户政策的意见》《成都市居住证积分管理试行办法》和《成都市城乡居民市内迁徙服务管理办法》。继续推进基本公共服务常住人口全覆盖,配套制定为持有居住证的在蓉人员提供11项基本公共服务和便利的实施细则。

【村级公共服务和社会管理改革】 2016年,成都市以提升议事质量和群众满意度为重点推进民主议事制度化,全面推行项目管理全过程公开公示。落实"三个清单""四项制度",2733个村(涉农社区)议决项目2.63万个,优先项目占比达75.6%,群众知晓率达90%以上。从资金拨付、专账管理、资金支付、绩效评估等全过程加强村公资金的监督管理,强化市、县、乡三级主体监管责任,提高资金绩效。

【农业农村改革】 2016年,成都市开展农村改革试验区改革试点15项,推进农用地、林地"三权分置"改革,总结推广"土地预流转+履约保证保险""村民整体退出、集体统一经营"等土地承包经营权流转管理和退出方式,土地规模经营率达56.7%。深化农业供给侧改革,制订了《农业供给侧结构性改革工作方案》。形成"天府源"市级公用品牌领衔带动机制,全市累计获得中国驰名商标30个、省著名商标和名牌产品301个、"三品一标"农产品认证1261个。

【国内贸易流通体制改革发展综合试点】 2016年,成都市推进农产品流通体系建设,基本完成金堂县淮口镇、新都区新繁镇2个商贸镇的规划建设项目和10个城区标准化菜市场建设。按照城乡流通基础设施配置要求,规划建设公益性菜市场(农贸市场)409个,已投入运营190余个。

【统筹城乡综合改革示范镇(片)建设】 2016年,成都市共评审确定统筹城乡综合改革示范示范镇9个、示范片14个,涵盖了51个乡(镇、街道)。按照"定改革任务、定重点点位、定考核标准"的"三定"要求,推行任务清单、重点点位清单、验收清单"三个清单"的管理办法,建立了"8+1+N"改革任务,共确定改革重点点位510个,实施建设项目188个,初步形成了大邑县斜源镇、青白江区福洪镇等示范典型。

【"小组微生"新农村综合体建设】 2016年,成都市审定通过了《关于成片推进"小规模组团式微田园生态化"新农村综合体建设的意见(送审稿)》。新启动"小组微生"新农村综合体建设104个,建成"小组微生"新农村综合体102个,入住农户1.06万户、3.33万人。推进幸福美丽新村提质扩面,开展"四好村"示范创建,累计建成幸福美丽新村1979个,占应建行政村总数的63%。以高速公路沿线为重点,成片成带布局"小组微生"新农村综合体,编制完成二绕、成温邛、成安渝、成绵复线"一环三射"4条高速公路沿线"小组微生"集中连片布局规划和15个示范镇整镇推进"小组微生"建设布局规划。"小组微生"新农村综合体建设经验在全国体制改革工作会上作交流发言。

【"4·20"芦山地震灾后恢复重建】 2016年,成都市按照"中央统筹指导、地方作为主体、灾区群众广泛参与"的要求,运用统筹城乡的思路推进"4·20"芦山强烈地震灾后恢复重建,全力实施住房重建、基础设施重建、产业重建、文化重建和生态重建。通过三年的努力,灾后恢复重建目标圆满完成。截至7月底,邛崃、大邑、蒲江3个受灾县(市)完成重建项目237个,累计完成投资147.49亿元(其中,完工111个,累计完成投资27.41亿元)。5152户农村住房和85户城镇住房重建任务全面完成并全部入住。灾区新(改)建国、省、县道241千米,村(组)道路363千米,改(扩)建学校22所、卫生院16所、自来水厂8座,完成高标准农田水利设施综合配套建设3万亩,灾区基础设施得到整体提升。一批农产品生产基地和加工基地初步建成,乡村旅游整体提升,三次产业联动发展,建成邛崃市夹关镇熊营湖、五龙湖等5湖3湿地。

【新型城乡基层治理机制】 2016年,成都市出台了《关于加强农村基层党的建设工作的实施意见》和新型农业经营主体、村转社区党组织建设的指导意见,全面推进农村新型领域基层党组织建设试点。出台了《关于深化完善村级治理机制的意见》和《关于深化完善城市社区治理机制的意见》,建立村(居)民议事会咨询顾问制度、专家理事制度,完善议事会成员联系村民制度,农村居民对村民自治制度建设满意率达90%以上。出台了《关于进一步加强全市农民集中居住区治理工作的通知》,推广"1+3+2+N"的自治管理服务机制,修订完善"1+8+N"公共服务和社会管理设施配置标准。继续推广村民自建管理模式,将政府投入项目与村级治理机制有机结合,将项目的选择权、实施权、评价权交给村民,已安排村民自建示范项目14个,总投资1800万元。

【完善城乡一体公共服务体系】 2016年,成都市开展全民参保登记工作,城乡居民养老保险参保人数达353.69万人,城乡居民基本医疗保险参保人数达833.75万人。出台了《"十三五"期间基层医疗卫生机构硬件提升工程实施方案》,新型医联体100%覆盖县级公立医院和393家乡(镇)卫生院、社区卫生服务中心,基本公共卫生项目经费从50元/人/年提高到55元/人/年,获批为全国首批"健康城市"试点城市。完善"9073"养老服务格局,建设社区养老院72个、城乡社区日间照料中心683个、区域性养老服务中心14个。全面提高教育质量,建成公办幼儿园206所,启动培育26所领航高中、35所特色高中和5所综合性高中,县域义务教育校际均衡指数控制在0.26以内。完善现代公共文化服务体系,建成公共文化服务标准化示范点578个、基层综合性文化服务中心示范点428个。开展全民健身活动,推进区(市)县"一场、一馆、一池,两中心"建设,培训社会体育指导员3364名,接受国民体质监测人数超过7.6万人。

【都市现代农业转型升级】 2016年,成都市推进"全产业链"发展,连片打造杂交水稻制种基地10万亩,新建成片示范基地20万亩、设施农业1万亩,推广新品种新技术150个(项),农机化率达68%,农业科技进步贡献率达56.2%。突出发展高端农业,实现农产品加工产值1300亿元、高端种业产值65亿元。推动休闲农业与乡村旅游提档升级,全年举办乡村旅游节会活动110个,接待游客1.02亿人次,实现乡村旅游总收入260.91亿元。深化农业对外开放,举办了第四届成都农博会;实施供澳蔬菜项目,建成出口备案基地11个,签订农产品出口贸易协议9000万美元。强化农业投资,续建和新开工农业项目468个,完成固定资产投资133.9亿元;新签约引进农业项目170个,其中5亿元以上特别重大项目8个。继续盘活农村劳动力资源,大力培育新型职业农民,发展农业职业经理人,累计培养农业职业经理人7134名。

【持续提升农业基础设施】 2016年，成都市创新“统一规划、分级管理、企业建设、政府购买”建设模式，筹集资金57.9亿元，按照“七网配套”的标准，启动100万亩菜粮基地高标准农田建设提升行动。推动农业绿色发展，强化农产品质量安全，开展农业综合执法，圆满承办全国食品安全示范城市创建和农产品质量安全创建工作现场会。在蒲江县、大邑县创新实施PPP畜禽粪污综合利用试点，新建生态循环农业示范点22个，发展稻田综合种养面积5万亩。加快发展智慧农业，推动建设农业生产信息化示范基地30个。建成农村电子商务示范县6个、示范镇14个、试点村60个。推进基层农业综合服务站规范化运行，培育社会化服务组织374家。

【深入开展城乡环境综合治理】 2016年，成都市编制完成《成都市环境总体规划(2015—2030年)》和《成都市环境保护“十三五”规划》。深入开展大气污染综合防治，加快推进3个秸秆转运中心建设，小春秸秆综合利用率达96.9%。深入开展水环境污染治理，基本完成413条黑臭河渠综合治理，启动城市建成区黑臭水体综合治理及中心城区“截污再行动”。251座城镇污水处理厂投入运行，乡(镇)污水处理率达70%。做好农村面源污染防治，启动19家规模化畜禽养殖污染治理和有机肥厂建设等污染治理项目。扎实开展市容市貌治理，推进城郊接合部环境突出问题整治，有效改善210个薄弱村的环境质量和村容村貌。

四川省发展和改革委员会编写组

德阳市统筹城乡发展

【基本情况】 2016年，德阳市统筹城乡发展工作紧紧围绕协调推进“四个全面”战略布局、奋力实现“五个走在前列”目标，着力做好城乡规划、基础设施、产业发展、公共服务、生态文明、社会治理6个重点领域工作；继续深化户籍制度、农村产权制度、社会保障制度、用地制度、投融资体制5个关键环节改革；抓好统筹城乡发展试点示范建设，建立健全工作机制，促进和推动城乡经济社会协调发展。全年实现GDP1752.5亿元；城镇居民人均可支配收入达29159元，同比增长7.8%，农村居民人均可支配收入达13951元，同比增长9.1%，农村居民收入增速比城镇高1.3个百分点。城乡居民收入比缩小为2.09∶1。

【构建四位一体城镇体系】 2016年，德阳市编制完成《中心城区提档升级专项规划》《旌湖两岸修建性详细规划》，《成德同城化空间发展战略规划》编制工作加快推进。全面启动全市土地利用总体规划调整完善工作并编制完成市、县两级规划调整完善方案。不断完善“十三五”规划体系，深入推进“多规合一”试点，中江县完成省级“多规合一”全域规划试点和平台建设，绵竹市建成全省首个“多规合一”规划基础数据信息平台。

【推进城乡基础设施建设】 2016年，德阳市着力构建“五环五轴”成德同城化综合交通体系，开工建设成都经济区环线高速公路德阳至简阳段，天府大道北延线和一批城市干道建设进展顺利，全年完成农村公路建设417.25千米。顺利完成庐山路示范段(凯江路—黄河东路)等提档升级改造项目，有力推进地下综合管廊建设、生活垃圾焚烧发电项目。全年开工建设农村住房14479户，竣工13566户(其中危房改造2097户)；新建、改造农村电网线路263.746千米，新(改)建3G/LTE基站1209个；完成高标准农田示范区建设6个，面积达8.48万亩；建成各类供水工程1418处，解决4.2万名农村居民饮水安全问题。

【推进城乡基本公共服务均等化】 2016年，德阳市新增城镇就业4.29万人，完成目标任务的130.29%。建成文化院坝331个、城市社区文化活动室110个、村文化活动室610个、社区书屋133家、农家书屋1454个，完成广播电视改造升级工程农村公共服务网点建设28个。积极打造全民健身“一县一特”体育健身品牌，新建全民健身苑7片、农民体育健身工程120个、农村体育中心户30个。有序实施第二期学前教育“三年行动计划”，7所公办幼儿园(新建3所、改扩建4所)全部开工。普惠性民办幼儿园试点力度加大，全年投放普惠性学位1360个，建成普惠性民办幼儿园9所。全面改善义务教育薄弱学校基本办学条件，校舍建设类项目开工36所学校44个项目，竣工28个；完成30所学校38个设备采购项目，完成总投资6716万元。全年进城务工随迁子女入学人数达51724人，基本实现从义务教育到高中教育阶段进城务工人员子女入学。基本实现县域内义务教育均衡发展。全面推进实施12类45项基本公共卫生服务项目，深入开展社区卫生服务机构规范化建设。截至11月底，全市城乡居民健康档案电子建档率达96.74%，动态管理率达73.04%。

【统筹城乡生态文明建设】 2016年，德阳市有序开展“海绵城市”建设。全面深化城乡环境综合治理，“户集、村收、镇运、县处理”的农村生活垃圾处理机制模式得到住房城乡建设部的肯定并推广。6个城市(县城)、76个乡(镇)、325个行政村被授予“环境优美示范城镇乡村”称号。完成投资4724万元，实施中小河流治理和水土流失治理，完成水土流失治理面积186.56平方千米。深入推进工业企业污染防治、畜禽养殖污染连片整治等工作，开工建设乡(镇)污水处理厂(站)11个，完工6个；建成农村聚居点污水处理设施1个。

【统筹城乡社会治理】 2016年，德阳市有序推进优化县级行政区划设置和农村(社区)建设，罗江县率先启动撤县设区工作并通过民政部区划地名司审核。以幸福美丽新村建设和新型城镇化建设为契机，启动30个农村(社区)建设试点。健全完善“一村一社区一律师”法律顾问体制，逐步建立覆盖农村居民的公共法律服务体系和人民调解、行政调解、司法调解联动工作体系以及农村立体化社会治安防控体系。有效推进城市管理重心下移，全市22个执法中队派驻所在辖区街道(社区)办公，实现城管执法与社区工作有效结合。

【深化户籍制度改革】 2016年，德阳市制订出台了《深入推进户籍制度改革实施方案》，继续实施“四推行”“四放宽”八条户改新政等措施。全市累计办理入户16393户、27946人，其中2016年办理3733户、4666人。启动无户口人员清理专项工作，全市共摸排无户口人员8618人，解决上户7995人。全面实施居住证制度，全年办理居住证1051个，成为全省继成都市后第二个贯彻落实《居住证暂行条例》的市。

【深化农村产权制度改革】 2016年，德阳市完成农村土地承包经营权确权登记颁证主体工作，初步建成县级土地承包信息管理系统。6个县(市、区)全部通过省上检查验收，其中5个县(市、区)获得“优秀”等级，什邡市、广汉市被评为全省农村土地承包经营权确权登记颁证工作先进单位。全面启动农村集体资产股份合作制改革试点，涉及52个乡(镇)335个村，工作进度走在全省前列；旌阳区、广汉市在辖区内所有乡(镇)全面开展农村集体资产股份合作制改革；广汉市三水镇友谊村率先开展集体资产股权继承试点，办理完成2起股权继承手续。制定出台了《关于全市农村产权流转交易市场体系建设的实施意见》，成德两地于12月初签署了农村产权交易市场建设战略合作协议，着力建立市、县、乡三级农村产权交易平台。

【深化社会保障制度改革】 2016年,德阳市推进城乡养老服务体系建设,新增民办机构床位1850张,维修、改造公办机构床位1700张,建成城乡社区日间照料中心103个(其中城市社区90个、农村社区13个)。全面完成城乡居民医保整合,扩大异地就医即时结算范围,德阳市人民医院等15家医院接入全省异地就医联网结算平台。继续实施"百万安居工程建设行动",改造危旧房棚户区10638套(户),开工率达100%;定向供应农民工公租房688套,完成率达140%。

【深化投融资体制改革】 2016年,德阳市持续改善和提升"三农"金融服务水平,运用支农再贷款累计发放涉农贷款10.2亿元,余额达14.94亿元,辖区涉农贷款余额达685.48亿元。南充市商业银行德阳分行开业,哈尔滨银行拟在中江县发起设立村镇银行。大力开展土地流转收益保证贷款、农村产权抵押融资等农村金融试点,截至2016年年底,共发放土地流转收益保证贷款余额5908万元。

【加快区域重点镇率先发展】 2016年,德阳市根据《德阳市区域重点镇统筹城乡发展工作考核办法》和《德阳市市级统筹城乡发展专项资金管理办法》要求,对2015年度统筹城乡发展成效显著的6个区域重点镇给予总额200万元的专项补助资金,引领其更好地起到辐射带动作用。引导、鼓励40个统筹城乡发展村级示范点加快发展,为平坝、丘陵、山区等不同地域开展统筹城乡发展工作提供更多更好的创新模式和经验。

四川省发展和改革委员会编写组

自贡市统筹城乡发展

【深化农村产权制度改革】 2016年,自贡市推进"多权同确"并探索出"并地确权"模式。全市土地承包经营权确权面积达321万亩,被评为"优秀"等级;林权确权55.35万户、146.42万亩,纠错2440宗、3253.9亩,大安区建立"两证一社"、森林资源资产评估和森林资源资产收储等制度;完成宗地统一编码工作,累计颁发集体土地所有权证19278本、集体建设用地使用证2535本、宅基地使用证827956本。

各区(县)分别确定1个村(组)开展集体资产股份合作制改革试点,清资核产工作全部完成。荣县双石镇金台村成立了首家集体资产经营管理股份有限责任公司,注册资金2373万元,集体参股四川巴尔农牧业集团有限公司进行经营管理。

深化城乡建设用地增减挂钩试点,探索农村宅基地有偿退出新机制,增加耕地2138.03亩,建成农民集中居住区48个,集中安置农户1043户、4816人,货币化安置农户351户、1143人。建立农村承包土地良性流转机制和土地流转准入制度,制定农村土地承包经营权流转交易运作程序和工作制度,全市农村土地流转率达22%。

完成市、区(县)、乡(镇)三级农村产权流转交易平台和延伸至村的四级信息体系建设,农村产权流转交易体系与成都农交所实现联网运行。制定《农村产权流转交易网络平台操作手册》和流转交易风险防控机制,完成4宗、641亩土地承包经营权流转交易,成交额达508万元。

【构建现代农业发展机制】 2016年,自贡市继续推动一、二产业融合发展,形成了以粮油、茶叶、白酒及调味品、果蔬等为主导的10余个现代化农产品加工体系,有农产品加工龙头企业341家,年利润14.9亿元,上缴税金2.6亿元,解决就业3.9万人。百味斋食品、天健生物科技、牧天食品3家龙头企业在"新三板"上市。推动一、三产业融合发展,积极发展创意农业、信息农业、休闲农业、康旅农业,以"南环花卉、北环农耕、飞龙生态、古镇风情"为重点,开发了38条旅游线路,全年实现休闲农业与乡村旅游综合收入53.7亿元。高标准规划建设70万亩果蔬种植基地以及100万头生猪、3500万羽肉鸡养殖基地,启动20平方千米的现代农业综合园建设,扩(创)建8个省级现代农业示范园、5个农产品电商物流园。

大力培育新型农业经营主体,落实财政资金、金融信贷、工商税务扶持政策,制定示范家庭农场、农民专业合作示范社等评选及监测办法,出台并落实了对发展适度规模经营和兴办农业小企业的业主奖补政策,全市农民合作组织达1370个,其中新增165个;家庭农场达1789家,其中新增740家;新增省级重点龙头企业4家、省级农民合作社示范社15个、省级示范家庭农场11家。

健全公益性农技推广体系,全市农业技术推广机构达270个。积极培育经营性农业服务主体,大力发展植保、种子生产销售、农机作业等社会化服务组织。鼓励市场化经营性服务,支持农民专业合作社、涉农企业、农业产业化经营组织等开展产前、产中和产后生产经营服务。

【深化农村金融制度改革】 2016年,自贡市健全农村金融服务体系,制定了《自贡市农村金融改革实施方案》《金融服务"三农"实施意见》等文件,涉农金融机构在农村地区设立银行卡助农取款服务点3171个,金融机构涉农贷款余额30.73亿元,小额贷款公司农业贷款余额2.5亿元。

全域开展农村产权抵押融资试点,将农村土地、农房、设施等7种产权全部纳入抵押融资范围。建立农村产权评估体系,壮大农业融资担保平台,扩大农业保险种类和覆盖面,区、县分别设立300万~500万元的风险补偿基金,全域开展农村产权抵押融资和农村土地流转收益保证贷款,农村产权实现抵押融资358笔、44695万元,发放扶贫小额信贷贷款1562.25万元、支农再贷款1.59亿元。农业融资担保公司注册资本金增加到2亿元,在保余额8.3亿元。推动全国首创政府与保险公司合作的生猪价格指数保险,累计为22万头生猪系上"保险绳",规模连续多年保持全国第一位。

出台了《扩大农村资金互助社试点的意见》,严格坚守社员制、封闭性、不追求过高回报的政策底线,不片面追求发展速度和资金规模,预防和化解各种风险,第一批试点的大安三绿农村资金互助合作社(全省首家)累计向社员发放贷款76笔、1977.6万元,第二批试点的沿滩立丰资金互助社运转顺利,第三批试点的荣县东奇资金互助社抓紧做好筹备工作。

【创新"插花式"扶贫长效机制】 2016年,自贡市整合放大财政资金效应,出台涉农项目资金整合实施办法,推广"量化折股"模式和财政支农项目资产收益扶贫试点,动员社会力量参与扶贫,引导7.8亿元各类社会资金参与扶贫开发,在51个乡(镇)、52个村设立扶贫滚动发展基金2809万元,各类募捐筹资7161.248万元,110个产业示范单位"百村"帮扶5208户贫困户、1.585万名贫困人口。

提出了全市"摘帽"脱贫"两年集中攻坚、三年查漏补缺巩固提升"的提速加压目标,2016年计划"摘帽"56个村、脱贫3.8万人,分别是省下达任务的2.95和2.02倍。经省脱贫攻坚验收考核组验收考核,全面完成省下达的19个贫困村"摘帽"、18809名贫困人口脱贫的任务。

将脱贫攻坚与农业转型升级深度结合,培育自贡优势特色效益主导产业，打造聚集贫困人员脱贫致富产业链；将脱贫攻坚与新型城镇化深度结合，建设幸福美丽新村和农村新型社区；将脱贫攻坚与全面深化农村改革深度结合，让广大农民群众，尤其是贫困群众分享更多的改革发展红利。完善机制，强化工作保障措施，加大市委市政府对脱贫攻坚综合目标考核权重，实行末位诫勉谈话制；制定脱贫攻坚问责暂行办法，明确了16种问责情形、9种问责方式以及从重或从轻情形，形成脱贫攻坚高压态势。

【健全城乡一体化发展机制】 2016年，自贡市统筹谋划市域城镇、产业、基础设施、公共服务、文化、生态和安全七大体系，全域全链条布局产业，完成了各县（区）域新村建设总体规划调修和96个乡（镇）、300余个新村（聚居点）规划编制。建立和完善"政府组织、部门合作、专家咨询、公众参与、规委会决策"的小城镇规划决策机制，完善市、区（县）、乡（镇）三级规划管理体系，实施乡（镇）专职规划员管理制度。

市级扩权强镇改革试点镇扩大到39个并实行扩权事项目录清单管理，委托下放的行政权力事项由原来的66项调整规范为38项，原下放至试点镇的58项事务性权力收回由相关责任部门继续履行。顺应农村分化、农民分工、居住分级特点，差异化配套实用基础设施和公共服务，投入各类资金11.4亿元，全面实施"三改四建"工程，推动160个新建和84个续建幸福美丽新村建设，200个村基本建成幸福美丽新村，其中15个村建成省级"四好村"、113个村建成市级"四好村"。建成场镇新居160万平方米、新农村综合体26个、新村聚居点180个、新农家大院232个，建成幸福美丽新村398个、农村社区135个。

以东方物流、三辰实业、四川北部湾港投资等28家重点物流企业为基础，推进区域配送中心和配送网点建设。取消地域、户籍、行业等对农村劳动力进城就业的限制，将学校布局、合格学校建设、师资力量配置等教育资源向农村倾斜，推进基层医疗机构标准化建设和城乡医疗卫生机构对口支援制度，探索社会保险制度跨地区、跨城乡衔接和转移机制，推进基本医疗保障城乡统筹管理。同时，完善以城乡低保、五保供养、自然灾害灾民救助为基础，以临时救助、社会互助、优惠政策为补充，以医疗、教育、住房、司法等专项救助为配套的城乡社会救助体系。

【健全农村社会治理机制】 2016年，自贡市印发了《深入推进基层服务型党组织建设的实施意见》，制定了21条"后进村"党组织筛查标准，分类转化327个"后进村"，推进党的组织和工作向产业集中地覆盖、向农民工集中地延伸。足额发放村干部工作补贴和养老保险补助，村党组织工作经费为平均3.2万元/年，服务群众专项经费为平均5万元/年。大力实施"好书记培育工程"，全面推行并规范完善基层党务公开、政务公开、村务公开和财务公开制度。

规范民主选举程序，严把民主决策关，建立内容、形式、程序、结果公布、责任追究"五统一"决策机制，形成"2111+10"民主治理基本构架，推行"四议两公开"制度。建成县级社区服务指导中心7个、乡（镇）社区服务中心110个、村居社区服务站1277个、农村服务站997个。构建"6411"网格化工作机制（6个基础信息库、4级联动平台、1套闭合流程、1个服务平台），农村网格达1070个。

【推进荣县省级农村改革综合试验区建设】 2016年，自贡市从深化农村集体产权制度改革、加快构建新型农业经营体系、健全农业支持保护制度、健全城乡发展一体化体制机制、加强和创新农村社会治理、创新扶贫开发脱贫攻坚体制机制6个方面进行改革创新，成功探索出了双石镇金台村集体资产管理公司将经营性资产和资源股权量化到集体成员，增加农民财产性收入的改革试点；开展了度佳镇农村水利管理体制改革试点；开展"川汇味网""供销E站"等电子商务平台建设试点；出台了《荣县农业生产设施信息目录》；创新开展信用保证保险贷款，财政、银行、保险公司分别按照20%、25%和55%的比例分摊风险；按"35186"工作法构建了村级公共服务运行维护机制。

四川省发展和改革委员会编写组

广元市统筹城乡发展

【新型城镇化步伐加快】 2016年，广元市城乡规划体系进一步完善，完成城市总规中期评估、前期调研及大纲初步方案设计，苍溪县等4个县启动总规修编，完成7个镇、21个村的"多规合一"规划编制初步方案并经专委会审查，县城、镇控规覆盖率达70%。编制完成《广元市"十三五"新型城镇化规划》，高标准推进三江新区建设。新增建成区面积5平方千米（其中市区新增建成区面积2平方千米），城镇化率提高1.57个百分点。

【统筹城乡基础设施建设】 2016年，广元市城乡客运一体化步伐加快，新建县（乡）公路310千米，完工通村公路1240千米。新增通客车的乡1个、建制村70个，通公路的乡（镇）、行政村客车通达率分别达99.7%和83.8%。完成小农水重点县项目建设，整治塘堰215座，新建蓄水池876口，新建和整治渠道275千米，整治小型泵站8座，新增有效灌面2万亩，农村水利基础设施得到进一步夯实。持续推进"宽带乡村"建设，296个农村社区实现网络全覆盖；完成2100个行政村通宽带，行政村通宽带比例达86.6%。

【统筹城乡社会事业发展】 2016年，广元市深入开展城乡教师交流，交流学校干部58人、教师484人，农村教育质量得到全面提升；进一步推进义务教育薄弱学校改造和农村教师周转房建设，新（改、扩）建校舍5.9万平方米、教师周转宿舍727套，青川县、利州区分别获得国家义务教育均衡发展县授牌。医疗卫生服务体系建设持续加强，258个乡（镇）卫生院、39个社区医疗卫生服务机构标准化建设全面达标。公共文化服务设施建设扎实推进，共建设村级综合文化中心示范点77个、幸福美丽新村文化院坝144个；文化馆、图书馆、博物馆（纪念馆）、美术馆和乡镇综合文化站免费开放率均达100%；开展"全民阅读"活动8场，送图书下基层5万余册。积极开展全民健身活动，全年共举办各级各类全民健身赛事活动260余次，其中乡（镇）、村（社）体育健身活动近100次；开展"三下乡"活动5次；加快城乡体育设施建设，建成5个乡（镇）农民体育健身工程、60个村级农民体育健身工程和3个社区多功能运动场。

【推进"三园一区"建设】 2016年，广元市继续加大"三园一区"建设力度，统筹城乡发展载体进一步夯实。一是新型工业园区承载能力明显增强。全市工业园区新增开发面积5000亩，入园规模以上企业达374家，新增32家。园区基础设施进一步完善，青川庄子产业园污水处理厂基本建成，081产业新城道路和安置点、旺苍中小企业工业园、剑阁普安工业园污水处理厂等项目进展顺利，利州区军民融合产业园基础设施、苍溪紫云工业园标准化厂房建设等PPP项目前期工作加快推进。"园保贷"试点稳步推进，旺苍、剑阁经济开发区分别成为全省"园保贷"试点园区。"双创"基地建（改）成和在建面积达8.06万平方米，青川县"双创"空间、利州区大学生（农民工返乡）创新创业中心、朝天区归巢孵化园、广元经济技术开发区"双创"

加速基地等8个“双创”基地基本建成，入驻小微企业158家。二是现代农业园区综合建设全面提升。围绕农业“3+5”发展战略，新建成现代农业园区7个，集成创新园区提质增效技术18项，提升现代农业园区7个、7.8万亩；全力推进农村产业融合发展，培育提升农业主题公园、农业精品线路、休闲农业景区、休闲农业重点乡（镇）29个和休闲农业企业、休闲农庄、星级农家乐等新型休闲农业经营主体290余个；基本建成幸福美丽新村299个、新村聚居点356个；改造提升特色农产品冷藏和初加工能力8.7万吨，实现休闲农业和特色农产品初加工收入64亿元，为农民新增纯收入81.7元。三是文化旅游园区带动作用更加凸显。文化旅游园区建设加快推进，唐家河创建国家级旅游度假区工作正式启动，米仓山创建国家5A级旅游景区总体规划编制已完成，苍溪县梨文化博览园、青川县城木椟文化园创建国家4A级旅游景区分别通过省标评委初验和终评。全年累计接待游客3700万人次，实现旅游总收入260亿元，实现景区门票收入2.5亿元。剑门蜀道剑门关旅游区带动周边就业5000人，周边旅游从业人员达3.8万人，人均增收1600元以上，旅游园区对促进周边群众增收致富和当地经济发展发挥了重要作用。四是城乡新型社区服务功能日趋完备。新成立城乡新型社区15个，建立起以社区服务站（中心）为基点，社区党组织、社区居民委员会、社区服务站“三位一体”，交叉任职的社区管理和服务新体制。城区文化进社区率达100%，乡（镇）达75%，城区92%以上的社区建立了文化活动场所，城镇社区服务设施综合覆盖率达94%。全年建设城乡日间照料中心70个（其中城市社区68个、农村社区2个），建成区域性养老服务中心13个，新增民办养老机构床位1950张，为84540名困难家庭失能老人和80周岁以上高龄老人提供居家养老服务。切实开展分类指导，社区标准化建设取得实效，利州区统筹城乡新型社区国家级公共服务标准化试点工作顺利通过考核验收。

【推进农村产权制度改革】 2016年，广元市“七权同确”基本完成，其中农村土地确权登记颁证工作继成都市后率先在全省完成。制订了《广元市农村产权流转交易平台建设方案》，于6月29日挂牌成立市农村产权交易中心及县区农村产权交易分中心。全面完成利州区农村集体资产股份合作制改革省级试点并在全域推开。推广苍溪县永宁镇兰池村财政支农资金股权量化、农村产权抵押贷款试点经验。探索“互联网+农村产权”，探索土地租金、务工薪金、分红股金“三金”模式和“生猪寄养、土地托管”模式，全年开展土地托管7万亩，农民实现收入0.4亿元。

【推进用地制度改革】 2016年，广元市结合扶贫攻坚，大力开展增减挂钩试点和土地综合整治，共申报立项城乡建设用地增减挂钩试点项目14个，周转指标610.5803公顷。加快推进工矿废弃地复垦利用试点，经市级专家评审和县区政府审批立项工矿废弃地复垦利用项目8个，复垦总面积271.39公顷。坚持统筹城乡发展的理念，对土地整理项目和涉农项目实行同步规划、同步申报、同步审查、同步实施，实现了“实施一个土地整理项目，建设一个现代农业园区”的目标。积极探索农村集体经营性建设用地公开市场交易试点。出台了《关于进一步加强土地管理和用地保障工作的通知》，开展耕地占补平衡指标有偿流转，促进土地资源优化配置。

【推进户籍制度改革】 2016年，广元市出台了《广元市人民政府关于进一步推进户籍制度改革的实施意见》，实施城乡统一户口登记制度，并为户籍制度改革和实施居住证制度拟定了20条配套政策。推进农民市民化进程，主动引导农村居民转变为城镇居民，实现城镇落户“四个零门槛”，全年实现农村居民转变为城镇居民12367人。创新实有人口信息登记管理机制，建立以房管人、以业管人的实有人口信息登记管理新机制，提高实有人口特别是流动人口、重点人员信息登记管理率，流动人口信息采集登记率达90%。

【完善城乡社会保障体系】 2016年，广元市积极推进城乡保险制度改革，整合职工基本保险、城镇居民医疗保险、新农合，建立统一的城乡居民基本医疗保险制度。五大社会保险制度实现全覆盖，异地就医即时结算医院范围扩大到北京、重庆、新疆等省（区、市），省内344家医院、省外46家医院，广元市本地9家医院加入异地就医即时结算系统。

【统筹城乡发展综合示范镇建设】 2016年，广元市为加快形成一批可推广的山区统筹城乡发展经验，以试点示范为抓手，推动统筹城乡发展改革试点工作。一是积极推进省级统筹城乡综合示范项目。利州区赤化镇被纳入全省统筹城乡综合示范项目建设试点，省级166万元配套资金已到位，赤化镇公共服务中心正式启动建设。二是启动市级统筹城乡综合示范镇建设项目。苍溪县五龙镇、旺苍县三江镇、剑阁县武连镇、青川县青溪镇、利州区赤化镇、昭化区射箭乡、朝天区中子镇7个非县城驻地建制镇被纳入全市统筹城乡发展综合示范镇建设试点，各镇已编制完成《实施方案》并启动相关规划编制工作。三是下发了《关于认真做好统筹城乡综合示范项目建设的通知》，明确各级从项目、资金、用地、审批等方面予以示范镇建设倾斜支持。

四川省发展和改革委员会编写组

新型城镇化建设

综　　述

【基本情况】 2016年，四川省城镇化工作呈现出措施步步深入、质量持续提升的良好态势，全省常住人口和户籍人口城镇化率分别达49.21%和32.8%，分别增长1.5和2.2个百分点，实现了“十三五”的良好开局。

【新发展理念得到较好贯彻落实】 2016年，四川省住房和城乡建设厅坚持以五大发展理念为引领，以人的城镇化为核心，深化认识，尊重和顺应城市发展规律，树立科学的城市发展指导思想。在提高户籍人口城镇化率方面，细化落户条件和标准，加大财政支持，统筹推动农业转移人口和其他常住人口在城镇落户，加快推进农民工市民化，切实维护进城落户农民在农村的合法权益，有效提高了全省户籍人口城镇化率；在城乡基本公共服务方面，有序推进社会事业结构调整,优先发展基本公共服务,进一步消除城乡分割的体制性障碍,加强重点领域、薄弱环节和薄弱地区发展,有效扩大了教育、卫生、文化等优质资源的供给能力,着力解决随迁人口的就业、住房和基本公共服务问题,人人享有基本公共服务的权益得到进一步落实,群众的获得感和幸福感有效增强;在环境宜居和历史文化传承方面,把提高城镇化质量放在重要位置,加强全省城镇体系规划,坚持大中小城市和小城镇协调发展,着力优化"一轴三带、四群一区"的城市空间布局。扎实推进城乡环境综合治理,强化城镇基础设施建设,加强历史文化保护,积极推进城市管理体制改革,提升城市管理水平,促进全省新型城镇化工作持续健康发展。

【工作推进力度显著增强】 2016年,四川省住房和城乡建设厅按照省委省政府决策部署,代省政府出台了《深入推进新型城镇化建设的实施意见》,代省委省政府出台了《关于加强城市规划建设管理工作的实施意见》,组织省级部门考察学习了山东、重庆等地的先进经验和做法。系统总结了党的十八大以来全省新型城镇化工作探索实践的经验,得到了中央财办领导的高度肯定;中央电视台《新闻联播》、《人民日报》等媒体对四川省就地就近城镇化的实践与探索进行了系统报道。各市(州)政府扎实贯彻落实省委省政府的工作部署,把城镇化工作作为推进地区经济社会发展的重要支撑,落实主体责任,新型城镇化建设的各项工作取得了显著成效,其中成都市、泸州市、遂宁市名列前三名,在全省起到了示范引领作用;成都市的地下综合管廊建设、遂宁市的海绵型城市建设、宜宾市的基础设施建设、巴中市的棚户区改造等工作走在了全省前列,达州市的安居工程、南江县的"多规合一"等经验做法在全省进行了书面交流。

【城镇承载能力明显增强】 2016年,四川省住房和城乡建设厅大力实施"城市基础设施建设年行动",开展地下综合管廊、海绵城市和宜居县城建设试点,完成市政公用设施建设投资1350亿元,建设地下综合管廊203.5千米;启动实施15个省级海绵城市建设试点,遂宁市国家海绵城市建设试点有序推进,完成投资267亿元;深化"百万安居工程建设行动",探索建立"政策性金融+省级统贷+市(县)政府购买服务"的棚户区改造贷款新模式,争取贷款计划880亿元;"百镇建设行动"持续深化,300个试点镇综合承载力明显提升,一大批各具特色的工业镇、商贸镇、旅游镇和特色镇得到显著发展,城镇吸纳能力明显增强。争取38.12亿元中央预算内资金和77.49亿元国家专项建设基金,加快公共教育、医疗卫生、养老服务、文化体育等各项设施建设,着力解决公共服务资源配置问题。

【农业转移人口市民化进程明显加快】 2016年,四川省出台了《四川省推动农业转移人口和其他常住人口在城镇落户方案》,农业转移人口市民化"1+N"的政策体系框架基本形成,重点解决9类人群的落户问题,进一步细化了养老、住房保障、医疗、教育等12项配套政策。户籍制度改革取得明显突破,除成都市以外,全省落户条件全面放开;土地制度逐步完善,农村产权确权登记颁证工作有序推进,基本完成土地承包经营权登记工作;出台了支持农业转移人口市民化财政配套政策,全年省级财政筹集下达奖励资金9亿元,增强了农业转移人口市民化的财政保障力度。开展"农民工住房保障行动",累计解决了20余万名进城农民工的住房问题。围绕满足"新市民"住房需求,积极促进有能力在城镇稳定就业和生活的常住人口有序实现市民化,支持鼓励农民工和农民进城购房落户,细化政策措施,加大财政补贴力度,积极推广"农民安家贷"产品,提高农民进城购房支付能力,各地结合实际对其给予财政奖补,减轻农民工购房负担,为促进全省农业转移人口市民化提供了强劲动力,有效促进了地区经济的持续发展。

【新型城镇化综合改革试点工作成效明显】 2016年,成都市在户口管理方面制定实施新的居住证管理制度;调整和完善市外人员入户政策,实行居住证积分入户和条件准入双轨并行的落户政策;泸州市在全国率先探索公共户口落户措施。成都市在土地制度改革方面推进城乡要素自由流动改革;泸州市以泸县全国农村宅基地改革试点为载体,探索农村"三权"股份制转化、有偿退出机制、土地双挂钩等多种形式改革。阆中市在创新投融资体制机制方面申请发行旅游项目债和城市停车场项目收益债;泸州市做大做强融资平台,先后组建了11家投融资平台,积极筹建泸州市兴泸城市发展投资基金和泸州市基础设施建设专项基金。眉山市在提升城镇综合承载能力方面鼓励支持农民工和农民进城购房,得到了住房城乡建设部的充分肯定;绵阳市坚持产城融合,做强产业吸纳就业。

四川省住房和城乡建设厅编写组

小城镇建设

【基本情况】 2016年,四川省300个试点镇累计吸纳农业人口78.6万人,带动全省小城镇吸纳农业人口152万人,为城镇化率每年贡献0.62个百分点。镇区平均常住人口达1.59万人,是建制镇平均水平的2.74倍,其中镇区人口大于1万人的镇有117个,大于3万人的镇有33个,大于5万人的镇有8个;平均地区生产总值达14.4亿元,其中50亿元以上的镇有10个,简阳市贾家镇达200亿元;地区生产总值和地方财政收入年均增长21.4%和24.8%,分别高于全省平均增速11.6%和13.7%;建成区面积扩大65平方千米,带动全省小城镇建成区面积扩大127平方千米;建成幸福美丽新村802个,带动农民人均纯收入增加3907元,增速达13.9%,明显高于全省11%的平均增幅,城镇承载能力显著增强,在全省城镇化建设进程中发挥了重要作用。

【坚持统筹推进,优化城镇体系布局】 2016年,四川省住房和城乡建设厅围绕省域城镇体系建设,在试点镇选取上注重空间性,将300个试点镇中的96%安排在四大城镇群内;围绕多点多极支撑发展战略,在试点镇选取上注重多样性,300个试点镇都选择了县城关镇以外的中心镇,大力打造县域经济副中心;围绕城乡统筹整体推进,在试点镇选取上注重辐射性,坚持镇村联动,推动基础设施向农村延伸、公共服务向农村覆盖、城镇产业向农村拓展,避免农村出现大量土地撂荒和空心村等"农村病",带动美丽新村建设和农民增收致富。

【坚持生态宜居,塑造小城镇自身特色】 2016年,四川省住房和城乡建设厅坚持"多规合一""一镇一规",按照生态宜居的绿色发展理念,利用四川独特的山、水、林生态优势,创建山水相依、自然和谐的绿色小城镇;严格控制落后淘汰产业向小城镇转移,避免走工业盲目扩张的老路,造成环境污染和破坏,大力发展绿色环保新兴产业;利用四川丰富的地域文化、民族文化和红色文化,统筹历史文化名镇名村资源,传承发展历史文化特色,重点加强对24个国家级、56个省级历史文化名镇的保护利用;300个试点镇大力推进棚户区改造和环境综合治理,累计实施棚户区改造128个,省级财政累计投入7.3亿元用于试点镇环境综合治理。

【坚持设施先行,增加小城镇承载能力】 2016年,四川省住房和城乡建设厅重点发展对外交通设施,以强化试点镇道路与高速公路、国省干线、内河航道的相互衔接为重点，累计完成投资15亿元，建设、改造公路2421千米，全力打通试点镇对外连接的大通道；大力建设市政基础设施，省级部门累计整合专项资金28.4亿元，用于试点镇基础设施建设；不断完善公共服务设施，积极推行"9+N"公共服务设施配套工程，即建设或完善高标准进镇道路1条、标准中学1所、标准卫生院1个、敬老院1个、便民服务中心1个、农贸市场1个、供水设施1处、污水处理设施1处、保障性安居工程1处以及9项标准项目及其他公共设施项目。

【坚持产业支撑，提升小城镇吸纳能力】 2016年，四川省住房和城乡建设厅按照"宜工则工、宜商则商、宜旅则旅"的原则，突出发展特色产业，推动农民在"家门口"实现就业创业。一是突出发展95个工业镇。大力发展特色工业和新兴产业，着重提高工业园区的支撑和服务配套能力。二是突出发展107个商贸镇。依托小城镇区位和交通优势，立足服务农业农村，发展现代服务业，着重加强商业街区、集贸市场和仓储物流设施建设。三是突出发展98个旅游镇。依托小城镇历史文化资源、风景名胜资源和观光体验农业，着重塑造文化风貌特色，完善提升服务接待能力建设，大力发展特色旅游。

【坚持创新驱动，增强小城镇内生动力】 一是创新投融资机制。2016年，四川省住房和城乡建设厅大力推广PPP融资模式，64个PPP项目分别进入识别、准备、采购和执行阶段，总投资达318.9亿元。引导试点镇成立平台公司，发挥财政资金的撬动作用，蒲江县寿安镇通过平台公司利用1200万元的政府资金撬动社会资本40亿元。同时，积极申请国家新型城镇化专项基金15.36亿元，用于支持试点镇建设。二是创新土地供给机制。每年为试点镇单列1.8万亩建设用地指标，优先在试点镇安排城乡建设用地增减挂钩和工矿废弃地复垦利用项目，累计落实建设用地指标5.93万亩。三是创新管理机制。大力推进管理权下放，提高试点镇公共服务能力。金堂县向淮口镇下放184个事项，实现了大部分与法人、自然人相关的政务服务事项在"家门口"就能办；新津县向花源镇下放96个事项，整体审批环节和时限精简50%以上。

四川省住房和城乡建设厅编写组

重点乡（镇）选介

郫县德源镇

【基本情况】 德源镇位于成都市郫县南大门，东连成都市高新西区，南邻成都市温江区，西北与友爱街道、郫筒街道接壤。辖区面积30.7平方千米，其中城镇规划区面积8平方千米（建成2.7平方千米），常住人口6.3万余人，其中外来人口3.1万余人。以菁蓉镇为品牌形象的"双创"特色是德源镇特色小镇的独特名片，在产业形态上始终聚焦菁蓉镇，确立了建设国际创客小镇的发展定位。

【高端招引"双创"项目】 2016年，德源镇利用闲置房源改造创业公寓、孵化器等载体55万平方米，引聚专业孵化器35家、创新创业项目1263个，引进高层人才21名、基金22支、技术平台38家。以项目实施带动新经济培育工程，大数据、无人机、生物医疗、VR/AR技术、文化创意等新兴产业迅速集聚，初步形成了镇域经济的增长新引擎。开工建设国数码港成都大数据产业园、阿尔刚雷等5个项目。

【着力发展现代服务业】 2016年，德源镇融合特色小镇的"双创"功能、文化功能、社区功能，优化生活配套功能，引进成都航空旅游职业学校等4所中（高）职学校，聚集师生员工1.1万余人。打造美食商业街，提档升级农家乐，引进大型连锁超市及休闲娱乐场所，推动现代服务业聚集区的快速发展。

四川省住房和城乡建设厅编写组

大邑县安仁镇

【基本情况】 安仁镇位于成都平原西部，距成都市39千米、双流国际机场36千米、大邑县城8.5千米，辖28个行政村（社区），面积56.9平方千米，其中，镇域规划区面积15.07平方千米、控制性详细规划面积8.76平方千米。全镇总人口7.65万人，其中城镇人口4.85万人，城镇化率达63.8%。近年来，全镇积极抢抓全国以及省、市、县重点（示范）镇建设机遇，创新落实全省百镇试点要求，充分利用得天独厚的历史文化资源优势，以文博产业为引领，以旅游度假为载体，实现了文化旅游与特色小镇建设融合发展，镇域空间布局、承载能力、产业支撑、公共服务、生态保护得到全面提升。先后获得"中国历史文化名镇""中国博物馆小镇""中国文物保护示范小镇""国家园林城镇"和"全国特色小镇"等称号。

【坚持规划先行，科学布局小镇发展】 2016年，安仁镇坚持"跳出安仁规划安仁，放眼未来定位安仁"，将全镇发展定位和空间布局融入全县、全市乃至全省、全国发展的大格局中去谋划，先后邀请四川城镇规划设计研究院和中国城市规划设计研究院科学编制城镇总体规划、镇区控制性详细规划，确立了"一心、两区、双轴、多点"的发展布局，统筹优化土地利用、产业发展、基础设施配套等资源配置，提升规划的针对性和实效性。结合安仁镇独有的历史文化资源，编制形成了以文博旅游产业为核心，高端规模农业和都市观光农业为依托的产业发展规划，牢固树立"以人为本、四化同步、生态文明、文化传承"的特色新型城镇化发展思路。

【坚持文化引领，实现文旅融合发展】 2016年，安仁镇在促进和发展特色小镇建设中，坚持把对历史文化的保护和传承放在首位，着力强化对古镇核心保护区、历史建筑、传统村落和林盘的保护，保留了"望得见山、看得见水、记得住乡愁"的历史文脉和安仁记忆。通过大力实施"文博品牌化"战略，进一步放大川西古镇文化、公馆建筑文化、博物馆文化，以文旅融合方式不断聚集文博资源，着力打造文博旅游产业链，实现古镇文化旅游资源的全域开发。拥有全国重点文物保护单位、国家4A级旅游景区——刘氏庄园，中国最大的民间博物馆聚落、国家4A级旅游景区——建川博物馆聚落及省（市）级文物保护单位刘湘公馆和刘文辉公馆。镇域内有保存完整的中西合璧民国老公馆27座、文物保护单位16处；建有抗战系列、电影系列、党史系列以及涉及社会发展、传统文化等各类主题博物馆（含展示馆）32座，藏品800余万件（其中国家一级文物166件）。2016年，全镇接待游客658.3万人次，实现国内旅游收入62153.2万元，分别同比增长114.2%、122.1%。

【坚持全域统筹，城镇建设迅猛发展】 2016年，安仁镇充分发挥安仁"链接城市、辐射农村"的独特地位和作用，坚持把城乡统筹、协调发展的理念贯穿于特色镇建设的始终，做到全域规划、镇村统筹、产镇相融、农旅结合，初步实现城镇建设、镇域发展全域全程规划；产业发展、基础设施、公共服务配套到村，实现了安仁从传统农业镇向现代文化旅游小镇的转变。近年来，全镇先后投入资金3.6亿元改造和完善市政公用配套设施，新修村组道路120千米；光纤到户率和宽带入户率均达78.3%以上，城乡居民清洁能源使用率达66%，人均绿地面积28.86平方米，基本实现了镇域居民服务更完善、设施更俱全、生活更便捷目标。2016年，全镇地区生产总值约16亿元，年均增长13.1%；一般公共预算收入1483.59万元，年均增长17.6%；固定资产投资完成5.5亿元，年均增长12.8%。

【坚持四态合一，实现转型升级发展】 2016年，安仁镇在推动特色小镇发展的路径上始终坚持"文态个性化、形态特色化、业态多样化、生态优美化"的多元融合理念，在保留自己独有特征、彰显地域文化魅力的同时，坚持以特色产业为引领，一张蓝图画到底，既注重文化事业与文化产业的双轮驱动，又突出文化与旅游的深度融合发展，促进了城乡文化与经济均等发展，实现了以文化旅游带动实现就地新型城镇化并同步实现生态的可持续发展与经济发展的绿色化。近年来，通过实施文化产业、农村土地综合整治等项目，全镇就近转移安置农村人口3万余人，城镇化率达63.8%，同比增长3.4%；农民人均纯收入达19300元，同比增长22.6%；城镇居民可支配收入达28570元，同比增长21.3%。

四川省住房和城乡建设厅编写组

盐边县红格镇

【基本情况】 红格镇是盐边县南部片区的中心城镇，位于市、县两级城市半小时经济圈，距攀枝花机场45千米、攀枝花火车站30千米、京昆G5高速盐边出口8千米。辖区面积160.23平方千米，辖4个行政村21个村民小组1个社区，总人口2万余人，其中城镇常住人口13600人。2016年，全镇完成国内生产总值10.8亿元，2011—2016年累计完成固定资产总投资104.2亿元。

【统筹城乡发展，创新规划理念】 2016年，红格镇始终坚持"全域规划"理念，按照"红格不仅是红格镇的红格，也不仅是盐边的红格，更是攀枝花的红格，攀西的红格，中国的红格"思路，将红格镇作为南北区域互动发展战略高地，在市域层次统筹南部发展，在县域层次落实南北互动发展，在南部片区层次打破行政区域限制一体化发展构想，将红格镇建设与发展规划定位为国际阳光休闲旅游度假目的地、盐边工业集中发展区的综合服务基地、具有南亚热带风情的"宜居、宜业、宜游"的山水园林城镇。

【着力项目建设，突出产业支撑】 2016年，红格镇在特色小镇建设过程中，以完善公共服务为基础，以项目建设为载体，以产业培育为支撑，立足区位资源优势，引进国际知名企业投资开发红格阳光温泉康养旅游小镇，丰富旅游内涵，提升旅游品质，着力建设"宜居、宜业、宜游"的山水园林城镇。

【创新体制机制，优化公共服务】 2016年，红格镇积极开展城市管理探索试点，成立红格综合行政执法大队，受委托行使市容环境卫生管理、城市绿化管理、市政设施管理、建筑市场管理、燃气管理、城市施工现场管理、城市停车洗车管理方面法律、法规、规章规定的全部行政执法权；受委托行使城乡规划管理、环境保护管理、水务管理、公安交通管理、土地管理、食品药品监督管理等方面法律、法规、规章规定的部分行政执法权；按职责权限办理呈报违法违章案件，切实规范红格镇综合行政执法管理，有效促进了红格集镇建设规范有序、快速发展。

四川省住房和城乡建设厅编写组

泸州市纳溪区大渡口镇

【基本情况】 大渡口镇距泸州市区40千米，北接长江，东西介于泸州市和宜宾市之间，宜泸渝高速、省道308线穿境而过，是全国首批特色小镇、全国重点镇、全国建制镇示范试点镇、四川省百镇建设行动重点镇、四川省统筹城乡综合示范镇。全镇辖区面积129.6平方千米，总人口4.1万人。

【"指尖小镇"建设】 近年来，大渡口镇利用丰富的自然资源和得天独厚的旅游资源与城镇建设紧密结合，加快推进平桥小镇、酒庄小镇、酒庄小镇、凤凰小镇、清溪小镇、天堂小镇5个"指尖小镇"建设，探索出一条就近就地城镇化的发展之路。以白酒产业、传统农业为支撑，形成了以花、湖、酒、果、茶五要素为代表的特色产业业态，镇域内2个国家4A级景区"花田酒地""凤凰湖"已成为市民周末近郊旅游的热门去处；"中国酒镇·酒庄"项目建设顺利推进，已建成龙洄、顺成和、纳贡等15个中式白酒庄园；5000亩九色田园花果飘香；中国特早茶城落户凤凰湖畔。

【基础设施建设】 以统筹城乡发展为契机，大力推进基础设施建设，公共交通实现镇域全覆盖；建设停车位3000余个、街头小公园（绿地）6处，完成场镇景观改造3.6千米；建成自来水厂2家，自来水供水率达98%；建成日处理1000吨的污水处理厂1座；生活垃圾无害化处理率达100%；通讯光纤实现全覆盖，宽带入户率达65%。全镇形成了中心集镇辐射"指尖小镇"的特色发展模式，城镇化率从41%提升到61%，高于全国平均水平。

四川省住房和城乡建设厅编写组

西充县多扶镇

【基本情况】 多扶镇辖区面积34.9平方千米，辖15个行政村、3个社区，城镇建成区面积10.2平方千米，常住人口5万人。区位优势明显，地处西充县与南充市之间，毗邻南充市顺庆区地界，是西充县的东大门，是西充县融入南充、成都、重庆等地的桥头堡；交通便捷，国道212线贯穿城镇，距县城10千米、南充市区16千米，属成渝"两小时经济圈"；产城一体发展，有机葡萄、中药材、特色花卉等现代农业蓬勃发展，多福古镇、华严禅境、影视文化产业园、凤凰山开发等项目全面建设，生物科技、医药制造等新型产业同步推进，南充市有机食品加工园坐落于该镇。在加快融入"西部绿谷、蜀地西充"发展浪潮中，多扶镇成为产城一体、两化互动、三产联动、统筹城乡的主战场，先后被评为国家级重点镇、四川省"百镇建设行动"试点镇、省级卫生镇、省级安全社区、省级环境优美示范镇、南充有机食品加工基地；多扶工业园区被列为四川省新型工业化产业示范基地、四川省新型工业化重点培育基地。2016年，全镇实现地方生产总值101亿元，地方公共财政收入完成8000余万元。

【科学编制规划，"一张蓝图"定框架】 2016年，多扶镇抓住"西充多规合一试点县"建设契机，聘请中国城市规划设计研究院、同济大学、四川省城乡规划设计研究院编制了镇域总规和控规，围绕"一轴、一心、两翼、四片"的城镇框架推进城市建设、土地利用、经济社会、乡村旅游等多种规划的深度融合，实现城镇建设依规有序发展。政府负责规划编制、基础设施配套、资源要素保障、文化内涵挖掘、生态环境保护等工作，企业为投资建设主体，负责项目推进、人才引进、市场营销等工作。

【开明开放开拓,创新体制机制】 一是实行扩权强镇,下放行政权力203项,城镇管理更加有序有力。二是实行"一站式"服务,设立西充县政务中心多扶分中心,为企业提供"一站式"服务。三是制定《工业园区管理办法》,对企业的准入、退出,人才的招引、支持鼓励政策等做了明确规定。

多扶镇是西充县产城一体、两化互动、统筹城乡的试验田,也是南充市创新驱动园区北区,已入驻企业56家,其中规模以上企业43家、高新技术企业13家、上市企业4家。影视文化产业园区达24平方千米,有多福古镇、华严禅境、川东北(南充)康养中心等福(佛)文化、休闲养生养老旅游目的地。有现代农业园区4个,即九龙谷生态园、李记葡萄园、香桃产业园、香格里红柑橘产业园。

城镇功能齐备,以人为本。城镇道路全面油化,雨污实现分流,公共厕所、垃圾处理站、污水处理厂等基础设施完善,学校、医院、养老院等配套功能齐全,便民"一站式"服务窗口、银行网点、快递网点、公交车等公共服务快捷方便。

四川省住房和城乡建设厅编写组

宜宾市翠屏区李庄镇

【基本情况】 李庄镇位于宜宾市东郊19千米的长江南岸,素有"万里长江第一古镇"的美誉。全镇辖区面积71.52平方千米,城镇建成区面积2.5平方千米,古镇核心保护区近1平方千米;辖21个村、2个社区,总人口4.87万人,场镇常住人口1.7万人。2016年,全镇固定资产投资完成9亿元,地区生产总值5.9亿元,完成旅游收入8亿元,农村居民人均可支配收入15500元。

【特色小城镇建设与保护】 李庄镇是国家历史文化名镇、全国环境优美乡镇、国家4A级旅游景区、国家级小城镇建设试点镇、四川省百镇建设试点镇,2016年10月被列入全国首批特色小城镇。李庄镇古镇核心区域和古建筑规模宏大、布局严谨,较完整的体现了明清时期川南民居、庙宇、殿堂等建筑特点的李庄古建筑群得到有效保护,古镇风貌和古镇韵味进一步彰显。在保存完好的近1平方千米的古镇中有18条古街道;有以慧光寺、玉佛寺、东岳庙等为代表的"九宫十八庙",有被梁思成赞誉为李庄"四绝"的奎星阁、旋螺殿、百鹤窗、九龙石碑;有国家级重点文物保护单位2处(旋螺殿、中国营造学社旧址)、省级重点文物保护单位4处(慧光寺、东岳庙、张家祠、栗峰山庄)、市(区)级文物保护单位5处和历史建筑近40处。

四川省住房和城乡建设厅编写组

宣汉县南坝镇

【基本情况】 南坝镇隶属宣汉县,位于四川省东北部,大巴山南麓,北魏时为汉兴县治,西魏时为西流县治,清康熙时建张庙场,清乾隆时改名为南坝场,1949年置南坝乡,1959年改公社,1961年置南坝镇。距宣汉县城32千米,东与五宝镇、天台乡相接,南邻上峡乡、西靠下八镇,北接峰城镇。全镇辖区面积143.5平方千米,辖31个村(社区),总人口16.2万人,城镇总体规划面积41平方千米,城镇常住人口9.7万人。

【气都重镇】 为川气东送起点站之一。中石油、雪佛龙公司中外合资企业——罗家寨天然气净化厂落户南坝镇,占地1500余亩,项目投资达146.88亿元,年净化天然气30亿立方米,年产硫磺40万吨。

【经济强镇】 2016年,全镇实现国内生产总值17.9亿元。农业上主抓果、蔬、牛三大经济,工业上发展天然气、食品加工、商贸物流三大园区,商贸上突出商贸物流、便民消费、乡村旅游三大服务。

【文化名镇】 南坝镇红色文化、帝师文化、古镇文化底蕴厚重,是川东"四大古镇"之一;是两代帝师(朱棣之师唐瑜、道光帝之师陶洪元)故里,是唐瑜思想的发源地;是红四方面军、川东游击军会战四川军阀的军事战役要地。

【县域副中心建设】 被县委县政府纳入全县"双核双区"战略,定位为宣汉县域副中心,先后获得了全国首批特色小镇、全国重点小城镇、全省首批百镇建设试点镇、省级文化镇、省级卫生镇、省级商贸镇、省级环境优美示范城镇等称号。

四川省住房和城乡建设厅编写组

农村综合配套改革

农村产权制度改革

【基本情况】 2016年,四川省将健全产权制度、加强产权保护作为激发农村发展活力的根本措施和推进农业供给侧结构性改革的机制保障,大力推进农村各类产权还权、赋权、活权。

【着力推进农村确权颁证】 四川省是全国3个整省推进农村土地承包经营权确权登记颁证的试点省之一,从2014年开始全面启动试点工作。截至2016年年底,已完成外业调绘指界、农户签字确认面积9222.1万亩,占应确权面积的91.2%。总结推广"多权同确"做法,统筹推进农村其他产权确权颁证,农村集体土地所有权、集体建设用地使用权、宅基地使用权、小型水利工程等颁证工作确权基本完成。成都市、眉山市等地开始对土地经营权、农业设施所有权等进行确权,广元市利州区等地探索出的"实测确权+七权同确"工作模式有效推动了确权工作。全省土地承包管理信息系统基本建成,实现了省、市、县三级数据互联共享。

【着力推进农村集体产权制度改革】 2016年,四川省扎实开展农村集体资产股份合作制改革试点,53个县(市、区)、3700个村启动了改革试点。全面启动农村集体产权制度改革,研究制定实施意见,开展农村集体资产清产核资,合理界定集体成员资格,推动建立农村集体经济组织。出台了《关于深化农村集体产权制度改革发展农村新型集体经济的试行意见》,分片区召开村集体经济助推脱贫攻坚座谈会和推进会,在50个县(市、区)启动开展扶持村级集体经济发展试点,全省村集体经济组织经营性收入达15.6亿元,增幅达16.1%。进一步深化集体林权制度改革,扎实推进"两证一社"抵押贷款和集体林权综合试验示范区建设,全面启动国有林场改革。

中共四川省委农村工作委员会编写组

土地管理与土地制度改革

土地管理

基本农田保护

【耕地保护目标考核】 2016年年初,四川省国土资源厅与各市(州)国土资源局签订了耕地保护目标责任书,将全省耕地保有量594.8万公顷、基本农田保护面积513.75万公顷、高标准农田建设200.89万亩等各项责任目标任务分解下达到21个市(州),层层落实责任,并将任务成果纳入各级国土资源部门年度目标考核评价体系,进一步强化了保护耕地和履行占补平衡责任。

【耕地占补平衡】 2016年,四川省国土资源厅严格执行以补定占、先补后占的耕地占补平衡制度,按照"占一补一、占优补优、占水田补水田"的要求对每宗占用耕地的建设用地在占补平衡系统中落实补充耕地项目挂钩,依法对补充耕地方案进行审核。截至2016年年底,已完成建设用地项目占补平衡审查270余宗,其中乡(镇)批次142宗,使用占补平衡指标2927.5491公顷,为44个圈外单独选址建设项目落实占补平衡指标2171.4790公顷。同时,所有补充耕地项目均在国土资源部动态监测监管系统中备案,与建设用地项目一一挂钩确认。进一步加强耕地占补平衡管理,规范易地耕地占补平衡行为,按照《四川省建设占用耕地易地占补平衡实施细则》要求,审核批复了24批次跨市(州)耕地占补平衡指标易地流转,将巴中市、南充市、泸州市、乐山市等地的土地整治项目新增耕地指标3万亩用于成都市等地建设占用耕地易地占补平衡。

【高标准农田建设】 2016年,四川省国土资源厅依据《四川省高标准农田建设总体规划(2011—2020年)》要求和各市(州)上报的高标准农田建设项目情况,统筹安排全省2016年度民生工程高标准农田建设(国土)目标任务为200.89万亩(对应土地整治项目227个),同时被纳入省委省政府《2016年全省十项民生工程及20件民生大事实施方案》。省政府建立部门联动机制,落实责任、明确任务、落实项目,精准指导各地加快推进高标准农田建设,确保按时保质完成年度建设任务;在项目实施中执行月报制度,及时掌握建设进度,要求各市(州)国土资源部门每月月底前汇总所辖县(市、区)进展情况后在四川省土地整治网高标准农田进展情况填报系统中进行填报。同时,加强在国土资源部农村土地整治监测监管系统完成项目计划、实施、验收阶段信息的备案工作。截至12月14日,实际建成高标准农田202.24万亩,超额完成目标任务。

【永久基本农田划定工作】 2016年,四川省国土资源厅按照国土资源部、农业部部署,全面推进全省永久基本农田划定工作,完善耕地保护制度,按时间节点要求取得了阶段性成效。一是全面完成全省城镇周边永久基本农田划定论证审核并全部下达划定任务,共划定永久基本农田106.56万亩,其中成都市城市周边永久基本农田划定任务为5.28万亩、省级负责的17个设区市的31个区划定任务为43.83万亩、市级负责的99个县(市、区)划定任务为57.45万亩。二是编制完成《四川省永久基本农田划定方案(送审稿)》,经省政府常务会审议通过并上报两部论证审核通过。三是全面完成7793万亩县域全域永久基本农田划定任务,实现"落地块、明责任、设标志、建表册、入图库"。四是全省21个市(州)市级永久基本农田划定方案已编制完成并上报国土资源厅、农业厅,已完成市级划定方案论证审核;县级划定方案全面完成。

【土地整治项目立项和优选】 2016年,四川省国土资源厅加强规划设计技术指导和审查把关,立项批复第一批省投资土地整治项目148个,建设规模168.43万亩,预计新增耕地18.1万亩,投资估算22.08亿元。优选确定第二批省投资土地整治项目123个,建设规模151.91万亩,预计新增耕地11.48万亩,投资估算18.92亿元。同时,积极发挥农村土地整治监测监管系统和耕地占补平衡动态监管系统作用,对每个补充耕地项目从立项、实施到验收三个阶段进行全程把关、审核备案。优选确定2017年第一批省投资土地整治项目132个,建设规模158万亩,预计新增耕地12万亩,投资估算20亿元。

【农村土地综合整治】 2016年,四川省国土资源厅制订了《2016年农村土地整治扶贫工作计划》,将"四大片区"38个贫困县66个土地整治扶贫项目纳入省委省政府17个扶贫专项方案工作计划和政府年度目标考核,项目总投资10.46亿元,建设规模73.66万亩,预计新增耕地6.94万亩。在"四大片区"贫困县安排省投资土地整治项目192个,建设规模218.61万亩,预计新增耕地19.25万亩,概算投资28.7亿元。完成《四川省乌蒙山连片区域土地整治重大扶贫项目可行性研究报告》编制工作,在乌蒙山片区原有13个县(市)区的基础上增加了宜宾县、高县、珙县、筠连县、兴文县、峨边县,将项目区连接成整体区域,建设规模536.7万亩,总投资约145.83亿元。8月,国土资源厅联合省扶贫移民局分2期在巴中市、屏山县对承担易地扶贫搬迁任务的市(州)、县(市、区)相关负责人近500人开展了国土资源助推脱贫攻坚政策业务培训,帮助参训人员准确掌握国土资源脱贫攻坚政策,熟练运用国土资源政策、项目和资金,有效助推脱贫攻坚。

【土地复垦方案评审】 2016年,四川省国土资源厅组织召开了生产建设类土地复垦方案专家评审会共14批,共评审47个项目,其中32个项目通过专家组评审并出具了评审意见。根据《土地复垦条例》要求,委托省整理中心复垦科完成了"四川省生产建设类土地复垦项目管理信息系统"设计。

【编制《四川省"十三五"土地整治规划》】 2016年,四川省国土资源厅按照"保护优先、城乡统筹、依法依规、民主决策"的基本原则,以2015年为规划基期,以2020年为规划期,科学编制了《四川省"十三五"土地整治规划》,将生态文明建设理念、脱贫攻坚等内容贯穿于土地整治规划之中。

四川省国土资源厅编写组

土地流转

【基本情况】 2016年,四川省家庭承包耕地流转总面积为1970.3万亩,占耕地总面积的33.8%。耕地流转呈现以下特点:一是以出租和转包为主,两种形式流转面积占流转总面积的80%以上。二是流入新型农业经营主体趋势明显,流转农民合作社的耕地面积增速最快。三是向集中连片转变,单个经营主体流转30亩及以上的流转面积达1198.2万亩,规模经营率达20.6%。

【落实流转政策】 2016年,四川省各地认真贯彻落实《关于进一步引导农村土地经营权规范有序流转发展农业适度规模经营的实施意见》和《关于进一步加强工商资本租赁农地监管和风险防范的实施意见》，稳步推进农业适度规模经营发展。明确上限控制标准、分级资格审查范围、健全流转合同备案制度、严格租赁农地用途管制、建立健全风险保障金制度，采取先交租金后用地实物计量货币支付等方式保障农民权益不受侵害。

【搭建流转平台】 2016年，四川省各地充分利用农村土地承包经营权确权登记颁证工作契机，抓紧建立农村土地流转服务平台，完善流转服务体系。126个县(市、区)均建立了土地流转服务中心，落实了工作经费，建立了土地承包流转管理信息网络平台及LED电子显示屏。1141个乡(镇)设有流转服务站，探索开展信息沟通、委托流转、农地生产能力等级评估、流转价格评估、抵押担保等服务；对单个流入方累计流入30亩及以上的每半年逐级上报一次流转情况，加强农村土地流转监测。

【创新流转模式】 2016年，四川省各地在依法采取转包、出租、互换、转让及入股等方式流转承包地的基础上，不断创新丰富土地流转模式。一是“农业共营制”模式。崇州市盘活土地经营权，由农民以承包地入股形式组建土地股份合作社，聘请农业职业经理人，配套社会化服务，形成“土地股份合作社+农业职业经理人+社会化服务”三位一体的“农业共营制”模式，开展规模化、标准化、集约化和品牌化经营。二是“小集中”模式。德阳市通过村、组干部协调，农民自愿将承包地进行互换重组，使农户承包地块相对集中并对道路、水利设施等进行配套改造。三是“土地信托”模式。巴中市按照自愿原则，农户将土地经营权委托给土地合作社，合作社集中流转给农村土地流转服务中心，中心对土地进行综合整治后在农村产权交易平台挂牌流转招引业主，土地整理后的增值价差由农户、合作社、土地流转服务中心三方进行分配。四是“委托流转”模式。眉山市在乡(镇)成立农村土地承包经营权流转服务有限公司29家，区(县)财政为每家公司注入资本金10万元左右，适当吸收涉及村出资，接受农户委托，集约项目资金完善道路、沟渠等基础设施，对外招商引资，规模流转农村土地，减少业主流转农村土地的时间和资金成本，成立流转服务公司的乡(镇)土地流转率达70%以上。

【完善流转机制】 2016年，四川省各地探索完善流转机制，推动土地流转健康有序进行。广元市利州区设立了土地流转周转金，苍溪县设立了土地流转专项补助资金。通过机制创新，构建土地流转双方共赢的紧密型利益联结机制，拓宽了农民增收渠道。长宁县竹莲种养合作社社员通过土地流转不仅直接获得土地流转金收入，还在合作社务工，人均增加务工收入1000余元，合作社成员同时能参与二次返利。眉山市东坡区等22个县(市、区)建立了土地流转风险保证金制度，专项用于土地流转中经营业主因自然灾害等因素造成土地承包金支付困难、生产生活困难的帮扶。邛崃市在全省率先探索土地流转风险履约保证保险，全省已有18个县(市、区)建立了土地流转风险履约保证保险。建立健全土地承包纠纷调处机制，建立民间协商、乡村调解、县区仲裁、司法保障的农村土地纠纷调处机制，全省169个县(市、区)依法组建了农村土地承包纠纷仲裁委员会，强化了对土地流转纠纷的调处手段，维护了流转双方的合法权益。2012—2016年，全省分别受理土地承包及流转纠纷29508件、31446件、49027件、59354件和59896件。

【农村土地“三权分置”有效实现形式】 2016年，四川省农村土地承包经营权确权登记工作开展后，积极探索“三权分置”实现形式。成功探索出给通过合法流转方式获得承包土地的经营权的种养大户、家庭农场、农民合作社等颁发土地经营权证形式，成都市、遂宁市、眉山市、巴中市等地已试行颁发《农村土地经营权证》4000余本。按照《农村承包土地的经营权抵押贷款试点暂行办法》和《四川省农村承包土地的经营权和农民住房财产权抵押贷款试点实施方案》要求，指导成都市温江区等10个县(市、区)开展农村承包土地经营权抵押贷款试点，截至2016年年底，已累计发放农村承包土地经营权抵押贷款21.13亿元。

【主要成效】 一是解决了“谁来种地”“怎么种地”的问题。四川省通过土地流转引进种养大户、家庭农场、农民合作社和农业企业等新型农业经营主体发展现代农业，不但解决了“谁来种地”的问题，同时促进了资本、技术、人才、管理等生产要素向农业集聚，提高了农业劳动生产率，解决了“怎么种地”的问题。二是促进了新型农业经营主体加快发展。通过农村土地经营权的有序流转带动了技术、资金、人才等生产要素向农业集聚、向新型农业经营主体集中，加快了种养大户、家庭农场、农民合作社的发展步伐。全省新型农业经营主体健康发展，专业大户初具规模，家庭农场不断涌现，农民合作社快速发展，龙头企业不断壮大，呈现多元化发展的良好格局。2016年，全省种养大户超过13万户；发展农民合作社7.4万个、家庭农场3.4万家，分别比上年增加27.5%、47.8%；培育省级示范社1650个、全国示范社460个、省级示范场500家；农业产业化龙头企业达8873家，其中省级以上重点龙头企业达714家。三是推动农业社会化服务体系逐步完善。新型农业经营主体多形式发展土地适度规模经营有力推动了农业经营性服务组织发展，呈现主体多元、形式多样、竞争充分的发展态势，农业社会化服务领域逐步拓展，服务能力和服务水平明显提升。全省培育农机作业服务主体1768个、植保服务主体812个、土肥服务主体75个、资金互助活动合作社120个。在20个县(市、区)开展农业生产全程服务试点，探索主要粮食作物和蔬菜产业在集中育秧、机插机播、烘干作业、病虫害防治、秸秆集中处置、蔬菜采后商品化处理等环节开展全程社会化服务。在42个粮食主产县(市、区)开展政府购买植保病虫灾害防治服务试点，增强病虫害防治公共服务能力。

四川省农业厅编写组

土地制度改革

基本情况

【土地制度改革试点】 2016年，四川省着力推进土地制度改革试点，郫县和泸县分别获准开展农村集体经营性建设用地入市及宅基地制度改革试点，其中郫县完成29宗、总面积350亩入市，土地总价款近2.1亿元，取得了4项成果：一是完善了项目包干制、目标督办制和重大问题集体研判制等工作模式；二是创新编制了郫县农村集体建设用地专项利用规划，完善了土地利用功能分区及其管制规则；三是围绕基础管理、入市管理、配套管理出台了23个配套办法，形成了完备的规则体系；四是结合改革实践，于2016年7月向国土资源部报送了修法建议。泸县改革试点取得了4项成效：一是通过宅基地退出复垦建设农民集中居住区的方式改善了农村整体面貌和农民生产生活条件；二是逐步撤并散乱的农村居民点，将农村居民点人均用地指标降至50~70平方米，提高了土地节约集约利用水平；三是宅基地复垦后综合整治改善了耕种条件，为农业规模化经营创造了条件；四是宅基地退出复垦后，通过租赁、流转和有偿调剂获得的收益既增加了集体经济收入又提高了群众主动参与村级事务管理的积极性。

【推进土地规范有序流转】 2016年，四川省出台了专门指导意见，引导各地科学把握土地流转和集中规模经营，使其与城镇化进程和农村劳动力转移现状相适应。对一次性流转30亩以上的土地进行逐级登记汇总，制定了工商资本租赁农地的风险防范办法。积极探索“零风险”流转方式，推广成都市、眉山市等地农村土地流转履约保证保险等做法经验。在全国率先出台农村产权流转交易市场体系建设意见，建成市级平台11个、县级平台114个，累计完成交易631亿元。全省累计流转土地总面积1970.3万亩，农村土地规模以上（流转面积30亩以上）流转1198.2万亩，同比增长12.24%，占流转总面积的60.8%，比整省推进前提高10.4个百分点；耕地流转率达36%（阿坝州、甘孜州、凉山州除外），高于全国平均水平。

中共四川省委农村工作委员会编写组

土地产权制度改革

【基本情况】 2016年，四川省把确权登记工作作为农业农村改革的重要前提和基础大力推进，确权登记试点工作取得了显著成效，为全国确权登记工作创造了经验，圆满完成全国首批确权登记整省试点任务。按照“试点先行、稳步推进、保持稳定、农民满意”的要求，在先期试点的基础上，全省分55个省级试点县、60个重点推进县、49个其他县3个类别梯次推进、有序开展。截至2016年年底，全省完成外业调绘指界、农户签字确认的面积为9222.1万亩，占应确权面积的91.2%；完成组数360461个，占应确权组总数的94.4%；完成确权登记农户1711.2万户，占家庭承包农户总数的94.1%。省级土地承包管理信息系统建设有序推进，已进入数据质检和数据汇交阶段。全省21个市（州）（除阿坝州、甘孜州、凉山州3个少数民族自治州的部分县外）确权登记工作完成良好，成果符合精度要求，归户表、承包合同、登记簿、承包经营权证书、数据库记载信息做到了真实、准确、完整、一致。

【抓组织领导，确保责任落实工作到位】 2016年，四川省委省政府把确权登记工作作为全面深化农村改革的重要任务，省委书记王东明多次指示、亲自部署并在全省深化农村改革推进会上进行强调，加快推进确权登记颁证工作，明确所有权、稳定承包权、放活土地经营权，为深化农村产权制度改革创造条件。党的十八大以来，连续3年以省委省政府的名义召开确权登记工作动员部署会和工作推进会，2016年以省委省政府的名义召开了确权登记工作总结会。省、市（州）、县（市、区）均成立了以党委、政府负责同志为组长，有关部门为成员的确权登记工作领导小组，17个市（州）和148个县（市、区）把确权登记工作列入党委、政府目标绩效考核内容。

【确权登记工作有序推进】 2016年，四川省、市、县、乡逐级动员，分级开展政策业务培训，全省共培训确权登记工作人员50余万人次，免费发放政策解读和宣传材料近700万份，有力提高了农民对确权登记工作的参与度和认可度。注重流程规范，全面推行“成立领导小组、开展动员培训、确定技术单位、获取航摄影像、形成工作底图、确认地块权属、公示确权要素、做好验收颁证、归档确权资料”九步工作法，规范工作流程。注重矛盾化解，出台了《关于把握农村土地承包经营权确权登记政策界限的通知》，各地认真梳理试点中遇到的具体问题并形成指导意见。截至2016年年底，全省共化解矛盾纠纷18万余件。注重经费保障，省财政将确权登记工作经费纳入对县（市、区）均衡性转移支付保障范围，由各县（市、区）自主安排，截至2016年年底，全省共落实确权登记工作经费39.33亿元，其中争取中央补助10.04亿元、省级直接专项补助7347.4万元、市级落实3.37亿元、县级落实25.19亿元。

【确权登记成果质量不断提高】 2016年，以四川省第二次全国土地调查主要数据（以下简称“国土二调数据”）成果为基础，主要采用1∶1000比例尺的高精度航摄影像制作工作底图，其中盆周山区和民族地区均采用地面分辨率优于0.5米的卫星遥感影像。广元市、巴中市等地成立了确权登记质量监督专家组，主要对招标文件制作、技术参数指标设置、作业合同签订进行事前审查。56个县（市、区）引入第三方监理机制，由监理单位对航空摄影、权属调查、农户签字认可度、数据库软硬件建设、管理信息系统等进行适时监督，航摄成果、DOM工作底图、像控点等均须经省级以上有资质的检测机构检验合格，数据库需通过“四川省数据库规范工具”检查。截至2016年年底，全省150个县（市、区）影像资料通过质检。

【推动面积大县加快工作进度】 2016年，四川省农业厅为加快推进全省整体工作进度、确保确权登记质量、按时保质完成目标任务，召开了耕地面积80万亩（国土二调数据）以上大县确权登记工作推进会，要求各地依据工作步骤倒排工期，定期收集工作完成进度情况。同时，针对耕地面积大、进度慢的县（市、区）不定期派出督导组进行专项督查，确保确权登记政策和规程执行不走样。

【确权登记成果效用最大化】 2016年，四川省农业厅充分利用确权登记契机搭建土地承包管理数字化、信息化平台，加载和丰富平台内容，实现对土地流转、土肥信息的适时管理和对农业基础设施、高标准农田建设、农机灌溉、特色优势产业、农业区域发展规划等的空间化查询和管理。省政府和农业厅分别与西南交通大学签署战略合作协议，共同建设四川省农村土地大数据中心，开展基于土地信息大数据的“互联网+农业”创新研究和应用。

【取得的主要成效】 一是稳定完善了农村土地承包关系。四川省农业厅通过确权登记，实现了承包地、承包合同、登记簿、承包经营权证书“四相符”，承包地空间位置清晰、地块面积准确，依法赋予了农民充分而有保障的土地承包经营权，推动了农民安心进城务工落户，加快了城镇化进程。二是增加了农民财产性收入。确权登记后，农户承包地实测面积比第二轮测量的承包面积普遍增加，农户流转土地经营权的收益也随之增加。苍溪县云峰镇271户农户流转原承包面积为859亩，确权后流转面积增长68%，户均增加农村土地经营权流转收入1700余元。三是推进了农业适度规模经营发展。通过确权登记，农民对承包权获得了稳定预期，为放活土地经营权、推进土地流转奠定了坚实基础，土地流转率逐年上升，农业规模化程度明显提高。四是拓展了土地承包权能。积极探索“三权分置”实现形式，对通过合法流转方式获得承包土地经营权的种养大户、家庭农场、农民合作社等颁发土地经营权证，进一步活化土地承包权能。五是推动了农村产权制度改革。在全国率先出台《关于全省农村产权流转交易市场体系建设的指导意见》，加快培育农村产权交易服务体系。截至2016年年底，全省共建立市级农村产权交易平台8个、县级平台104个、乡（镇）农村产权交易站1486个，覆盖全省的农村产权流转交易服务体系初步形成，成都农村产权交易所成为全国最大的农村产权交易平台之一。全省各级平台累计完成农村产权交易逾12万宗，实现交易金额584.36亿元。六是培育新型农业经营主体多元发展。确权登记后农民放心流转土地，带动资金、技术、人才等生产要素向农业集聚、向新型农业经营主体集中，加快了种养大户、家庭农场、农民合作社的发展步伐。截至2016年年底，全省种养大户超过13万户；培育家庭农场3.4万家，经营土地面积229万亩；培育省级示范场500家；发展农民合作社7.4万个，培育省级示范社1650个、全国示范社496个；有规模以上龙头企业8873家；179个县（市、区）实施新型职业农民培育工程，累计培训新型职业农民14万人。

四川省农业厅编写组

集体林权制度改革

【基本情况】 2016年，中共四川省委农村工作委员会按照《国务院办公厅关于完善集体林权制度的意见》精神，起草了《四川省人民政府办公厅进一步完善集体林权制度的实施意见（代拟稿）》。全国集体林权制度改革试验示范区建设成效显著，探索了都市现代林业发展成都模式和山区林业发展巴州经验。2015年启动的集体林权流转地方立法被纳入省政府立法调研论证项目计划，已完成条例文本起草、意见征求和报送等工作。以"两证一社"为主要内容的林权抵押贷款改革顺利推进，印发了《关于进一步推进林权抵押贷款改革试点工作的通知》，开展了改革试点成效评估。45个试点县共颁发经济林木（果）权证2221本，涉及面积31.04万亩，贷款金额5.55亿元；颁发林地经营权流转证586本，涉及面积13.43万亩，贷款金额3.71亿元。

【积极推进集体林权制度改革综合试验示范区建设】 成都市、巴中市巴州区是全国第二批农村改革试点试验区，承担了集体林改任务。省委农工委主要领导、分管领导先后多次赴成都市有关县（市、区）和巴中市巴州区督促指导，指导成都市出台了19个配套改革文件，探索总结了林业经营"共营制"、补贴"普惠制"、承包"退出制"、流转"入场制"等机制；指导巴中市巴州区建立了林权流转基准指导价格发布机制。在崇州市召开了全省深化集体林权制度改革现场推进会，试验示范建设工作有效推进。

【积极推进集体林权管理制度建设】 2016年，中共四川省委农村工作委员会争取省政府将《四川省集体林权流转管理条例》列入2016年立法计划调研论证项目，会同省法制办开展了立法调研，完成立法条例文本起草工作。会同省工商局启动了《集体林权流转示范合同文本》制定工作，组织编印了《四川省集体林权制度改革法律法规政策汇编》。联合成都农交所指导彭州市探索集体林地经营权流转竞价交易模式，白鹿镇200亩林地实现经营权溢价108%交易，增加了林农收入。

【积极推进新型林业经营主体培育发展】 2016年，中共四川省委农村工作委员会举办了88个贫困县新型林业经营主体培育培训班，编印了《四川省集体林业改革发展典型案例》，全省新型林业经营主体突破13000个（其中专合组织4300余家），新增省级示范社42个、国家级示范社6个，较2014年增长53%；有家庭林场1200个；新增林下经济示范省级基地16个、国家级基地18个。积极引导发展林下经济、生态旅游，举办了森林康养夏季年会、冬季年会，全省林下经济、生态旅游产值突破1300亿元。

【严格林地用途管制】 2016年，四川省划定了林地红线，确保到2020年全省林地数量红线不低于3.54亿亩。科学调整森林分类区划，将生态脆弱和重要区位的天然林调整为公益林，严格落实天然公益林生态效益补偿政策。全面启动林地使用网上审核审批。出台了关于新农村聚居点建设使用林地审核审批、无电地区电力建设涉林工作、做好林地林木要素保障切实服务全省等意见。

中共四川省委农村工作委员会编写组

新农村建设

幸福美丽新村建设

【基本情况】 党的十八大以来，四川省针对新农村建设中出现的新情况、新问题，坚持把新农村建设与新型城镇化有机结合，与全面小康社会的建设目标紧密衔接，更加注重扶贫解困，更加注重村庄改造，更加注重农村生态文明建设，更加注重农耕文明的传承，创新理念、思路和举措，着力建设"业兴、家富、人和、村美"的幸福美丽新村，打造新农村建设的升级版，让广大农民群众"住上好房子、过上好日子、养成好习惯、形成好风气"，取得了新的成效，呈现出鲜明的四川特色。

2016年，全省累计建成幸福美丽新村16311个，占全省行政村总数的35%。一是脱贫攻坚首战告捷。全省107.8万名贫困人口脱贫、2437个贫困村退出、5个贫困县"摘帽"。二是农民收入持续较快增长。全省农民人均可支配收入11203元，比2012年增长60.02%，城乡居民收入比缩小到2.53∶1。三是特色产业加快发展。川茶、川果、川菜等规模发展，休闲农业、乡村旅游等蓬勃兴起。全省乡村旅游总收入达2015亿元，比2012年增长1.35倍。四是人居环境显著改善。全省农房新建、改造、保护数分别达183.4万户、325.56户和22.37户，农村生活垃圾治理工作在全国首个通过国家验收。五是农村精神文明建设成效显著。全省农村健康向上的精神风貌逐步形成，农民群众加快融入现代文明。

随着幸福美丽新村建设的推进，农村生产生活呈现出一些新的趋势。农业有了新业态，休闲农业、观光农业、体验农业、民宿经济蓬勃兴起，一些地方乡村旅游已经成为主导产业；建设有了新模式，近几年创造的"小组微生"建设模式在全省推广，成都市温江区万春镇幸福村的幸福田园、汉源县三强村等初步建成田园综合体；乡村有了新生活，体验式的、田园牧歌式的生活开始在一些地方呈现，许多城里人因此梦想着回归乡野，城市、乡村"5+2"生活方式方兴未艾。

【创新幸福美丽新村建设四大理念】 2013年年初，四川省委省政府根据习近平总书记系列重要讲话精神和中央关于新农村建设的"二十字"总要求，结合四川农村经济、政治、社会、文化和生态五大文明建设，同时考虑叫得响、记得住，提出了"业兴、家富、人和、村美"四大幸福美丽新村建设理念。

业兴。"一村一品"，一二三产业融合发展，让农民拥有创业就业、增收致富的主导产业，使主导产业成为农民收入的重要来源，是幸福美丽新村建设的基础和支撑。丹棱县发展以水果为主的特色产业，推行"一业一园""大园区、小业主"模式，全域推进产业转型升级,实现了家家有果园、户户有产业,全县“不知火”人均种植面积、产量、产值三项指标均名列全国第一位。

家富。农民收入水平和生活水平提高,农户间、村组间、城乡间收入差距缩小,实现家庭富裕、家家富裕、农民与市民共同富裕,是幸福美丽新村建设的核心和根本。地处高原藏区的贫困村康定市瓦泽乡营官村以建设“领略高原画境之美的自驾游、摄影营地”为目标,建成集摄影、体验、观光、休闲于一体的高原特色旅游新村,2016 年实现旅游收入近 1200 万元,全村人均旅游收入近 2 万元。

人和。基本公共服务和乡村治理良好,实现“学有所教、劳有所得、病有所医、老有所养、住有所居”,家庭和好、邻里和睦、社会和谐,是幸福美丽新村建设的关键和生命。蒲江县西来镇两河村按照“强支部、兴产业、富农民、促和谐”的工作思路,创新基层治理,团结带领党员群众建设“四好村”,实现了议事民主、邻里和谐、人人友善,村民满意度达 100%。

村美。展示民族文化、地域文化、农耕文化、山水生态和田园风光,实现产业美、环境美、人文美、生活美,各美其美,是幸福美丽新村建设的形象和魅力。达州市探索推行田区(农建基础配套区)、业区(现代农业园区)、景区(乡村旅游景区)、社区(新型农村社区)“四区合一”建设模式建设幸福美丽新村,取得了显著成效。

【全面实施幸福美丽新村建设五大行动】 为全面推进幸福美丽新村建设,四川省委省政府从 2014 年起启动实施“扶贫解困、产业提升、旧村改造、环境整治和文化传承”五大行动,力争到 2020 年实现 80%以上的行政村建成幸福美丽新村。

实施扶贫解困行动,把新村建设与脱贫攻坚深度融合。将农村危房改造纳入安居工程,编制中长期规划,统筹实施不同地区、不同类别的农村危房改造。凉山州为贫困户建房提供数十种户型选择,根据实际情况和人口数量确定住房面积并配套 3000 元的家具电器,让群众自主选择,受到贫困群众欢迎。近两年全省组织有脱贫攻坚任务县的 160 个县(市、区)的 5180 家龙头企业开展精准扶贫,新建和巩固提升种养业生产基地 52 万亩,带动贫困户 129 万户,吸纳 56 万名贫困人口就业。

实施产业提升行动,把培育特色优势产业与扶持新型经营主体相结合。扶持专业大户、家庭农场、农民合作社和农业产业化经营龙头企业,提升农业产业化经营水平。2016 年,全省新增省级以上龙头企业 125 家,农民合作组织发展到 8.2 万个,注册家庭农场 3.4 万家。全面实施乡村旅游提升行动计划,推进现代农业基地景区化建设,大力发展循环农业、休闲农业和乡村旅游业。2016 年,全省休闲农业与乡村旅游接待游客 3.5 亿人次,带动 1155 万名农民就业增收。汉源县从农业景观化、景观生态化、生态效益化入手,改造传统水果、蔬菜等特色产业,把一个产业建成一个田园景观系统,打造四季农业景观公园,特色产业基地发展到 66 万亩。

实施旧村改造行动,把基础设施建设与产业发展配套相结合。统筹推进山水田林路综合治理、电气通信网络综合配套,加快农村生产生活基础设施建设。2016 年,省级预算投入新村基础设施建设专项资金 27 亿元,以村“两委”为平台,建成集便民服务中心、农民培训中心、文化体育中心、卫生计生中心、综治调解中心和农家购物中心于一体的“1+6”村级公共服务活动中心 2.1 万个,占行政村总数的 45.2%。整合农村危房改造等项目,实施旧院落“三建四改”,改善旧院落内部功能。苍溪县元坝镇在将军村保留原有的林竹、古井、老屋的基础上传承农耕文化,通过改造和保护,建成川北生态民居 396 套,实现了旧貌变新颜。

实施环境整治行动,把人居环境优化与生态文明建设相结合。在相对集中居住的民居规划预留菜地和绿地空间,减少硬化和黑化面积,发展小菜园、小果园,既美化了人居环境,又展现了田园风光。开展“生态细胞工程”创建,创建国家级、省级生态文明乡村,实施生态修复,做好山林养护,改善生态环境质量,提高生态文明意识,探索建立新村规划生态环境评价审查制度。全省 95%以上的行政村建立了“户分类、村收集、乡(镇)运输、县处理”的生活垃圾处理机制。

实施文化传承行动,把弘扬农耕文化与共享现代文明相结合。抓好名镇名村保护开发,开展传统村落民居普查,编制保护规划,对符合保护条件的按照“一村一策、一户一策”原则进行保护和修缮,打造文化价值突出、民族特色、地域特色浓郁的传统村庄院落,全省已有国家历史文化名镇 24 个、名村 6 个,225 个村被列入中国传统村落名录。保护修缮具有历史文化资源禀赋的古井、古树、塔楼、林盘等,编写村史记载重大事件、历史人物、乡土故事,绵竹市孝德镇年画村以传统年画文化为载体,统筹布局、科学规划,在保持川西民居特色的基础上,依托原有的林盘、水系、山丘,将年画水街、年画湖、年画墙等融入其中,形成了具有“浓浓乡愁”的农家画卷。

【创造幸福美丽新村建设五大模式】 在幸福美丽新村建设中,四川省各地探索创新,形成了具有鲜明四川特色的“小组微生”和藏区新居、彝家新寨、巴山新居、乌蒙新村五大建设模式。

小规模聚居,控制建设规模。坚持尊重农民意愿、方便群众生产生活的原则,合理控制建设规模,防止脱离农村实际、盲目求大,片面讲集中、赶农民上楼。新村规模一般在 30~300 户不等,内部每个小组团 5~10 户,一般不超过 30 户。根据一户一宅政策,考虑各家各户的人口数量、经济承受能力,设计不同的户型,建设实用型、低楼层、具有民族风情和地域特色的民居民宅。崇州市桤泉镇群安村余花龙门子通过改造,建成了 3 个林盘组团。

组团式布局,优化空间形态。以行政村为单位,遵循原有村落格局格调,考虑群众的生产生活半径,选择村民小组中心点或交界点布局聚居点,形成自然有机的组团布局形态。新村一般由若干大小不等的小聚居组团组成,组团间留有足够的生态距离和空间,既适当组合集中,又各自相对独立,形成“你中有我、我中有你、交相辉映、层叠环绕”的新村格局。平昌县白衣镇濛溪村布局 3 个聚居点,点与点的距离在 50~500 米不等,组团中央规划建设村级公共服务活动中心,形成了既自成体系又开放开敞的新型农村社区。

微田园指向,保留乡村风貌。在相对集中居住的民居规划出前庭后园,让老百姓在房前屋后和其他可利用空间因时制宜种植瓜果豆菜,既方便群众生活,又优化土地利用,更体现出农村特色和乡土味道,深受老百姓欢迎。大竹县庙坝镇长乐村把已现有的林、竹、树和水塘保留起来,在房前屋后和公共区域就地取材,把原来脏、乱、差的“鸡啄地”变成整饬有序的“微田园”,同时为每户的“微田园”落实卫生责任区。

生态化建设,保护自然环境。本着尊重自然、顺应自然和生产、生活、生态相融合的原则,遵循“青山绿水就是金山银山”的建设理念,充分利用自然的地形地貌,正确处理山水田林路综合整治与民居建设的关系,严格保护优质耕地、保护林盘,避免夹道建设,体现背山、面水、进林盘的乡土味道,打造林院相依、院田相连、山水相融的生态田园风光。自贡市沿滩区仙市镇百胜村创新探索出生态田园特色新村建设路径,注重依山而建、前庭后院,实施居民风貌改造148户,最大限度保留了原有的自然生态。

在总结推广“小组微生”建设模式的同时加强分类指导,形成了藏区新居、彝家新寨、巴山新居、乌蒙新村四种与脱贫攻坚相融合的区域性建设模式。在民居建设上,藏区新居突出宗教文化、游牧文化,充分展示土木石结构和藏家风情;彝家新寨突出彝族风情、大小凉山地域特色;巴山新居注重弘扬红色文化,突出改造土坯房,有序建设中心村;乌蒙新村把旧村改造同特色产业发展结合起来,体现川南特色。截至2016年年底,全省累计建设巴山新居1775个、彝家新寨298个、藏区新居638个、乌蒙新村234个。

中共四川省委农村工作委员会编写组

“四好村”创建

【基本情况】 2016年,按照打赢脱贫攻坚战、同步建成全面小康社会和建设美丽乡村的战略部署,四川省全面开展“四好村”创建,增强农村发展的内生动力,加快建设“业兴、家富、人和、村美”的幸福美丽新村,让广大农民群众“住上好房子、过上好日子、养成好习惯、形成好风气”。力争到2020年,在全省普遍建成市(州)级或县(市、区)级“四好村”的基础上,60%以上的村建成省级“四好村”。截至2016年年底,全省已创建省级“四好村”1481个、市级“四好村”7094个、县级“四好村”9750个。

【以解决贫困户住房问题为重点,着力改善人居环境,让农民住上好房子】 2016年,四川省按照“先难后易、分类实施”的原则,大力推进农村C级、D级危旧房改造,通过拆旧建新、土地增减挂钩、抗震设防等方式切实解决农村危房户的基本住房问题。将脱贫攻坚和不同区域的实际情况结合起来,重点推进秦巴山区、乌蒙山区、高原藏区和大小凉山四大贫困地区建设,探索推进区域性建设模式,全年建设巴山新居1775个、彝家新寨298个、藏区新居638个、乌蒙新村234个。西昌市安哈镇长板桥村加快推进彝家新寨建设,对全村426户农房进行改造,新建村“两委”综合体、游客接待中心及文化广场,改造通组道路、电路等,群众生产生活条件得到了改善。按照“宜建则建、宜改则改、宜保则保”的原则,采取新建新村聚居点、改造提升旧村落、保护传统村落民居相结合的方式实施旧村改造行动,普遍推广“小规模、组团式、生态化、微田园”的建设模式,彰显乡村特色。建立全省农村住房建设统筹管理联席制度,由省委省政府分管领导任召集人,省委农工委、住房城乡建设厅等为成员单位,定期会商,进一步加强对农村住房建设的指导和监督,统筹抓好易地扶贫搬迁、地质灾害避险搬迁、水库移民避险搬迁等各类农村住房建设,进一步完善规划设计、统一统计标准、加强建设监管。把城乡环境综合整治统筹起来,在农村实施环境整治行动,加大对污水、垃圾的治理,在具备转运条件的县(市、区)大力推进“户集、村收、乡(镇)运输、县(市)处理”机制;在离县城生活垃圾处理场较远、不具备转运条件的农村,由县统一规划,分片建设符合环保要求的垃圾处理设施;在民族地区和边远山区交通不便的村庄采用就近就地卫生填埋等方式处理生活垃圾,禁止露天焚烧。都江堰市柳街镇金龙村黄家大院实施散居院落环境综合整治,公推、自荐、民选成立了院落管理委员会,建立了长效管理机制。

【以增加农民收入为核心,着力拓宽增收渠道,让农民过上好日子】 2016年,四川省立足农村资源优势,以市场需求为导向,大力发展农产品加工业、乡村旅游、创意农业、森林康养等新产业新业态,不断提高农业全产业链收益。汉源县九襄镇三强村从农业景观化、景观生态化、生态效益化入手,连续3年举办“梨花生态旅游节”,打造四季农业景观公园,吸引游客在当地“春赏花、夏避暑、秋品果、冬沐阳”。成立了全国第一个返乡农民工创业联盟,通过“众帮、众扶、众创”回乡开发家乡特色产业,帮助农民工就业,助农增收取得了良好成效。推行“龙头企业+农民合作社+基地+农户”等发展模式,积极组织开展多种形式的村企对接和村企共建活动,带动农户实现规模化种植、专业化生产、产业化经营,在全省形成了家庭经营、合作经营、集体经营、企业经营相结合的现代农业新型经营体系,加快发展“一村一品”。在农村集体产权制度改革的基础上,建立适应市场经济的农村集体经济组织,创新经营方式,因地制宜选择不同的发展路径,大力支持贫困村集体经济发展,省财政专门为每个贫困村安排了15万元产业扶持周转金,支持其发展新型集体经济;泸州市采取以人计算、以户持股的方式,将农村集体经营性资产折股量化到本集体经济组织成员,全市110.6万户农户成为股东,人均增收1600元。郫县安德镇安龙村将村级公共服务项目拓展细化到32项;凉山州把幼儿教育延伸到村一级,建成村级幼教点3060个,行政村覆盖面达82.7%。

【以移风易俗为突破口,着力改变生活方式,让农民养成好习惯】 一是讲卫生,养成文明健康的好习惯。中共四川省委农村工作委员会引导农民群众转变思想观念、行为方式、生活方式,注重个人卫生和家庭卫生,家家实现卧室、厨房、杂物房、厕所、畜圈独立修建、功能分区,户户普遍达到睡有床铺、盖有棉被、坐有板凳、炊有灶台、餐有桌凳、食有碗筷,保持屋内屋外洁净整齐。同时,维护公共卫生,保持入户道路洁净,打扫公共活动场所,确保村容整洁。昭觉县制定了《全民健康文明教育五年行动计划》,重点推进红白事宜、生活用能、聚餐习俗、个人卫生、厕所5项“革命”,引导群众过上健康文明新生活。二是完善村规民约,养成勤俭节约的好习惯。针对农村贫困地区大操大办之风盛行、盲目攀比愈演愈烈的趋势,建立健全村规民约、居民公约,充分发挥村(居)民委员会及红白理事会等社会组织的作用,引导群众自觉接受新观念,养成喜事新办、厚养薄葬的新观念。美姑县开展移风易俗,倡导文明新风,在全县36个乡(镇)筛选德高望重、群众认可的民间调解人员组建民间“德古”协会,协助县委县政府制定出台婚丧嫁娶中的礼金、酒席规模等规定。三是大力树立各类典型,养成勤劳自强的好习惯。广泛开展优秀农村基层干部、道德模范、身边好人、最美系列、新乡贤等先进典型评选活动,深入开展“星级文明户”和“文明家庭”等创评活动,树立活动标杆,形成鲜明导向。大英县在全县农村以村为单位,评选出产业发展、尊老爱幼、自强不息、创业就业等模范典型,将照片公布在村光荣榜上,通过树立典型带动其他群众。四是开展以家庭为单位的创建工作,先把“关键在群众、重点要激励”作为基本取向,突出抓好以家庭为单位的创建工作,先在激发村民动力上想办法,把创建标准制定、达标评选两个重点环节交给村民、交给基层,再把村民普遍认可、乐于遵守的村规民约与“四好”要求结合起来,制定创建标准,驻村帮扶部门对创建成效显著、积极性高的困难群众给予奖励,金融部门把积极创建“四好村”的农户优先纳入诚信户并给予信贷支持。蓬安县开展以“遵纪守法、尊老爱幼、邻里互助、勤劳致富、文明风尚”示范户评定为主要内容的“五星示范户”评定活动,取得了良好实效。

【以树立新风正气为目标,大力弘扬社会主义核心价值观,让农村形

成好风气】 一是创新村民自主管理办法。中共四川省委农村工作委员会发动村民参与家风家教家训和乡风评议活动,制定乡规民约,树立自力更生、艰苦奋斗的好风气,持续推动乡风民风美起来。开展以关爱留守妇女、留守儿童、留守老人为重点的志愿服务活动,大力倡导无私奉献、助人为乐的良好风尚。大竹县庙坝镇长乐村村"两委"充分运用以"创新管理聚民心、转变作风暖民心、阳光村务顺民心、强基固本赢民心"为主要内容的"民心工作法",坚持赋权于民、管理由民、教育化民,完善了新时期乡村治理工作新机制,把一个传统村落建成了一个新型农村社区,实现了农村发展、社区和谐、村民长乐。二是开办农民夜校,激活农民内生动力。通过开办多种形式的夜校,广泛开展社会主义思想道德和精神文明建设宣传教育,因势利导、循序渐进,重点发掘和宣传成功做法、模范事迹,用群众身边事讲清群众身边理、用群众身边人诠释群众身上事。三是开展依法治村行动。采取强村带弱村组建联合党支部、选派贫困村"第一书记"等方式,将支部建在专业合作社,建在龙头企业,强化基层组织的引领示范作用。开展法制宣传教育,推进法律"七进",增强法治意识。推进农村新型社区网格化管理和服务,形成办事依法、遇事找法、解决问题用法、化解矛盾靠法的良好秩序。仪陇县安溪潮村党支部从实际出发,突出重点和基层特点,认真学习党章党规和系列讲话,坚持做脱贫致富的带头人、遵纪守法的老实人和新风正气的引路人,自觉践行社会主义核心价值观,带动和帮助了更多的贫困群众脱贫致富奔小康。四是大力开展文化院坝等工作。整合基层宣传文化、党员教育、科学普及、农家书屋等公共设施和文化项目,引导支持有条件的行政村、自然村编写村史,引导"文化上墙",传承忠孝、感恩等传统文化,弘扬社会主义核心价值观,汇聚正能量。金川县咯尔乡德胜村明确构建美德文化产业新思路,以弘扬传统文化为抓手,把二十四孝图文雕刻上墙,在改善村貌的同时弘扬真善美,传递正能量,被称为"中国藏区传统美德第一村"。

中共四川省委农村工作委员会编写组

幸福美丽新村示范县建设

【整体把握"建改保"关系,重点解决农民住有所居、住得安全问题】 2016年,四川省根据村庄规模、产业布局和人口迁徙情况合理调整县城、重点镇、中心村和聚居点布局。坚持把旧村改造作为成败之举,注重新建、改造和保护有机结合,宜建则建、宜改则改、宜保则保,新建民居提倡统规自建、统规联建,原则上不搞统规统建;村落民居的改造注重完善提升内部功能,大力实施"三建四改"。按照"4+1"新村扶贫格局,突出重点,抓好藏区新居建设深化提升、彝家新寨建设提质扩面、巴山新居建设面上推广、乌蒙新村探索建设。大力实施农村危旧房改造,鼓励有条件的市(州)、县(市、区)开展农村危房改造信贷贴息试点,优先解决好无房、危房和住房困难户的住房问题,实现住有所居、住得安全。

【大力推进基础设施建设,重点解决农村交通和饮水问题】 2016年,中共四川省委农村工作委员会研究制定了《关于坚持新村建设与脱贫攻坚相结合加快推进幸福美丽新村示范县建设的意见》,统筹推进升级改造农村路网、水网、电网、气网等基础设施,进一步完善农村区域间道路网建设,大力实施通村硬化路和通组入户路工程,启动农村安全饮水巩固提升工程。贫困地区和边远山区重点抓好路、水、电等基础设施建设。在有条件的地方加快推进天然气管网配套建设。加快建设"1+6"村级公共服务活动中心,配套完善设施设备,优化提升服务功能,实现基本公共服务全覆盖,优先在示范县实施"宽带乡村"建设。通过3年建设,示范县基本完成通村路和通新村聚居点道路硬化任务,安全饮水率、有线电视宽带覆盖率均达100%。

【加大人居环境整治,重点解决农村垃圾和污水处理问题】 2016年,四川省注重生态保护,实施农村道路硬化、美化、净化,做好河道、沟渠、堰塘整治,开展山林、农田修整,做好大树尤其是古树名木的保护管理工作,构建常态化、规范化的长效管理机制,提升农村生态环境建设水平。突出抓好农村人居环境整治,完善排污治污设施,逐步推进生活垃圾、污水集中处理,因地制宜推广生活垃圾"户集、村收、乡(镇)运、县处理"等模式,全面治理农村环境和面源污染,改善农民生活居住条件。研究解决农村生活垃圾和污水处理办法和措施,注重科技创新和应用,率先启动一批应用人工湿地和"微动力"污水处理系统等试点示范,积极创建国家和省级生态文明新村。

【推动产业转型升级,重点解决农民充分就业和持续增收问题】 2016年,四川省坚持产村相融,协调推进现代农(林、畜牧)业重点县建设,突出发展特色、绿色产业,大力发展"一村一品",着力建设一批集中连片、规模发展的特色高效农(林)业产业示范带、示范片(区)和现代农(林)业产业基地和园区。注重专题现场培训,组织示范县分管领导、农办主任和住建局局长等200余人进行现场培训。加强农业科技创新和适用成果推广及科技扶贫服务体系建设。坚持改革创新,大力培育家庭农场、专业大户、农民合作社和农业产业化龙头企业,引导工商资本到贫困地区发展适度规模种养业,支持农业产业化龙头企业就地发展农产品精深加工。推进农(林)业多功能开发,兴建一批森林公园和湿地公园,大力发展休闲农业、乡村旅游、健康养老等新型业态,促进农村一三产业融合发展。加快推进互联网与农村产业融合发展,支持涉农电商企业拓展农产品网上营销,有效促进农民就业增收。

【加强农村文化建设,重点解决农村优秀文化传承问题】 2016年,四川省坚持把农村文化建设作为幸福美丽新村建设的灵魂,研究支持政策和措施,推动农村文化建设,着力充实幸福美丽新村建设文化内涵。加强传统村落民居保护工作,积极申报国家和省级传统村落民居保护项目,探索市、县级传统村落保护办法,挖掘保护和大力弘扬农村传统文化,对具有传统文化价值和地域特色、民族风情的传统村落实施保护性修缮和科学利用。整合资源,加快建设幸福美丽新村文化院坝(村综合文化服务中心),进一步完善提升村级活动场所(阵地)建设。实施文化惠民扶贫专项行动,积极开展精神文明创建和寓教于乐的乡村文化活动,满足群众基本公共文化需求,促进基层群众养成好习惯,在新村形成好风气。

中共四川省委农村工作委员会编写组

连续四卷获得省级、国家级大奖

四川農村年鑒

《四川农村年鉴》是省政府主管主办、省政府办公厅主编，逐年记载全省农村经济社会发展、工作经验和研究成果的大型综合年刊；是省委、省政府决策“三农”工作、开展扶贫攻坚、推进绿色发展、建设美丽四川的重要参考书；是帮助国内外人士了解、认识、研究、投资四川的重要工具书，具有资政、存史的重要作用。《四川农村年鉴》在全省农村经济社会发展中的作用日益彰显，已成为四川“三农”工作的“蓝皮书”，传达着四川“三农”发展的正能量。

2005年8月，经省政府领导同意，成立了省政府分管领导任主任的《四川农村年鉴》编辑委员会（川府办发电〔2005〕72号），编纂出版《四川农村年鉴》2005年卷（创刊卷），截至2017年，已连续编纂出版13卷。本着对历史高度负责的态度，客观、公正地记录事实，在“5·12”汶川特大地震发生2周年之际，2010年5月编纂出版了80余万字的《四川农村年鉴·抗震救灾专卷》；为适应信息化时代的发展需要，更好地发挥《四川农村年鉴》的大数据作用，2013年8月建立了《四川农村年鉴》门户网站——“四川农鉴网”（www.njw.sc.cn）；在做好《四川农村年鉴》编纂工作的同时，充分发挥编委会的编辑、出版农村系列丛书的职能作用，挖掘自身潜力，拓展编纂业务，于2009年开始与省旅游发展委（原省旅游局）合作，编纂出版《四川旅游年鉴》，截至2016年，已连续编纂出版5卷；2011年8月与省总工会合作，编纂出版了112万字的《5·12汶川特大地震·四川工会抗震救灾志》。10余年来，《四川农村年鉴》连续4卷相继获得省级、国家级大奖，2012年卷获得四川省第十五次地方志优秀成果奖；2013年卷被中国版协评为第五届年鉴编纂出版质量综合二等奖；2016年12月，2014年卷被四川省地方志工作办公室、四川省地方志学会评为四川省第十七次地方志优秀成果二等奖;2017年3月，2015年卷被中国出版协会年鉴工作委员会评为2015—2016年度年鉴编校质量检查评比一等奖。

《四川农村年鉴》将继续当好全省农村经济社会发展的记录者，全面、翔实记录省委、省政府事关“三农”的重大战略决策部署和各项目标的实现，客观、系统记述全省与全国同步全面建成小康社会的发展历程，为全省农村经济社会健康发展提供重要借鉴。

四川省林业厅

第九届中国竹文化节期间，全国政协人口资源环境委员会副主任江泽慧（中）、国际竹藤组织总干事费翰斯（左一）在青神竹园种植纪念竹

第九届中国竹文化节期间，省委常委、省委农工委主任曲木史哈（左一），眉山市委书记李静（右二）为青神竹园揭幕

省政协副主席唐坚（前排左二）到汶川县克枯乡大寺村督导脱贫攻坚工作

时任林业厅厅长尧斯丹（中）到汶川县督导脱贫攻坚工作

2016年，林业厅深入学习贯彻习近平总书记系列重要讲话精神，认真落实中央和省委扶贫工作决策部署，充分发挥行业优势，全力推进林业精准扶贫，全年累计安排贫困县林业资金55.3亿元，占全省林业总投入的61.6%；贫困县实现林业总产值超过1109亿元。

积极推进生态扶贫。投入资金23.1亿元，实施公益林建设42.6万亩、新一轮退耕还林工程41万亩、生态脆弱区生态综合治理9万亩，落实生态护林员公益岗位3.2万个，带动3万名贫困人口稳定脱贫。

积极推进科技扶贫。开展“千乡万村送林技”行动，组织林业科技人员深入3000余个贫困村开展技术指导，发放技术资料49种、60万册，向贫困村农民夜校赠送了林业技术教材。

积极推进改革扶贫。明确农民可直接在承包地上治沙和造林，促进农民通过参与生态建设增加收入。启动省级湿地生态补偿试点，项目区农牧民户均从项目增收1100元。在44个县（市、区）推进“两证一社”新型集体林权改革，新增抵押贷款9.3亿元。优先将符合条件且农户自愿申请调整的森林补划入公益林，使贫困户长期稳定从生态保护中增收。

时任林业厅厅长尧斯丹（后排中）在汶川县克枯乡大寺村讲党课

副厅长宾军宜（左二）慰问汶川县贫困户

副厅长包建华（中）主持全省核桃产业发展助推脱贫攻坚座谈会

全省林业产业扶贫现场会

四川林业“四大片区”精准扶贫科技支撑服务能力提升专题培训班

雅安市蒙顶山依托退耕还林工程发展的万亩茶园

叙永县叙永镇车家村 5000 亩银杏树林带动当地旅游业发展

四川林业扶贫竹编培训班学员作品

长宁县龙头镇竹海

四川省贫困县主要分布在山区，大力发展林业特色产业是促进农民增收、提高贫困地区自我发展能力的根本举措，是实现生态保护脱贫、特色产业脱贫的有效途径。2016 年，林业厅坚持多措并举，投入产业资金 2.4 亿元，充分发挥林业产业在助推脱贫攻坚中的积极作用。

一是明确工作思路。编制《四川省“十三五”林业产业精准扶贫规划》，先后召开全省林业产业扶贫现场会、核桃产业发展助推脱贫攻坚座谈会，进一步明确了全省林业产业助推脱贫攻坚的思路和目标任务。

二是注重培训引导。先后在林干校、青神县分别举办了特色林业产业扶贫和竹编实用技能培训班，对 88 个贫困县的产业股长和 50 名贫困群众进行了林业产业脱贫技能培训。安排产业扶贫专项资金 7000 万元，专门用于引导贫困村林业产业发展。完善了林业产业扶贫考核办法。

三是丰富扶贫载体。举办了“藏区林特产品进都市”扶贫活动，促成 12 家企业达成合作。举办了第九届中国竹文化节，协议成交额超过 2 亿元。新培育现代林业产业基地 100 万亩、林下种植基地 11 万亩，新增林下养殖规模 320 万头（只）。建立国家森林公园 4 个，筹建省级以上森林公园 25 个，认证森林康养基地 21 个，举办花卉、红叶、大熊猫等生态旅游节会 30 余次。

通江县春在乡向家营村猕猴桃种植示范基地

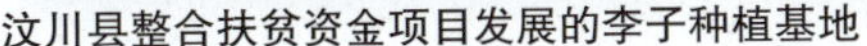

汶川县整合扶贫资金项目发展的李子种植基地

克枯乡大寺村产业园区道路

2016年，林业厅聚焦汶川县脱贫攻坚目标任务，大力实施生态扶贫、产业扶贫、科技扶贫、结对认亲等帮扶措施，积极配合汶川县大力推进脱贫攻坚工作，顺利完成“7个贫困村退出，57户贫困户、180名贫困人口脱贫”的年度目标任务，汶川县贫困发生率由2011年的17.7%下降到1.9%。

一是科学谋划脱贫攻坚路径。厅党组先后7次召开扩大会议，专题研究和讨论汶川县脱贫攻坚工作。组织编制了林业扶贫攻坚、林业科技扶贫、汶川县大寺村联村帮户扶贫、卧龙特区扶贫攻坚4个实施方案。制订了《三方共扶汶川县克枯乡大寺村联村帮户扶贫工作实施方案》，确立了“南林北果＋全域旅游（康养）”发展战略。

二是协力实施生态建设扶贫。支持实施天然林保护、退耕还林、干旱半干旱地区生态综合治理等林业工程，累计实施营造林4.7万亩。兑现落实各项林业政策性补助资金，森林生态效益补偿惠及633户贫困家庭，户均增收1245元；上一轮退耕还林工程使1062户贫困户户均增收1690元，新一轮退耕还林工程使226户贫困户户均增收771元。安排汶川县生态护林员公益岗位207个，207户贫困户户均增收近8000元。

三是协力发展林业特色产业。大力发展林业特色产业、生态旅游和森林康养，将生态资源优势转化为经济优势，让更多的贫困群众吃上“林业饭”“生态饭”。支持新建核桃、花椒、青红脆李等现代林业产业基地52万亩，林下种植基地0.4万亩；指导汶川县依托大熊猫品牌、林业产业基地和森林景观举办生态旅游节会。2016年，汶川县实现林业总产值3.03亿元，农民人均林业收入达3476元。

四是扎实开展联村帮户活动。建立汶川县定期调研驻村帮扶工作制度，林业厅厅长尧斯丹等厅领导多次带队到克枯乡大寺村开展专题调研并走访慰问贫困户。派出党员深入田间地头示范讲解青红脆李、中草药栽培管理技术，指导村（组）干部和贫困户开展科学施肥和病虫害防治。指导大寺村利用森林资源和青红脆李基地发展乡村生态旅游，走一、三产业联动发展路子。

践行习总书记金融思想　笃力推进金融精准扶贫

中国人民银行成都分行

"消除绝对贫困，到 2020 年全面建成小康社会"是党中央向全国人民乃至全世界做出的庄严承诺，打赢脱贫攻坚战是一项重要的政治任务。习近平总书记对此多次进行阐述，形成了新时期习近平精准扶贫思想，这一理论成果与习近平总书记的金融思想有机结合，形成了当前金融精准扶贫工作的重要遵循和实践指南。总的来说，金融精准扶贫应在坚持"党的领导、政府主导、市场运作、多方参与"的原则下，按照"精准扶贫、精准脱贫"方略，通过完善、落实支持政策措施，将金融资源定向、精准配置到贫困地区和贫困人口，增强贫困人口运用金融发展自身的能力，激发贫困地区经济社会发展动力的过程。精准扶贫作为打赢脱贫攻坚战的基本方略，是对贫困地区和贫困对象进行系统的、可持续性的社会治理。四川金融精准扶贫工作正是在习近平的精准扶贫和金融思想指导下开展并取得了积极成效。

四川金融精准扶贫工作主要做法

牵头引领，强力推进。一是机制引领。建立了以全省金融系统脱贫攻坚领导小组为组织保障，以精准到位为出发点，以产业、项目扶贫为抓手的高效金融扶贫工作联动机制，形成省、市、县、乡、村、户一杆到底的共扶、共帮、共建全面参与格局。二是货币政策工具引领。向 88 个贫困县安排扶贫再贷款限额 154 亿元，其中 45 个深度贫困县 31.46 亿元，根据各地工作进展和实际需要进行动态调整，大力推行"扶贫再贷款 + 产业带动贷款"以及以扶贫小额信用贷款为重点的个人精准扶贫贷款和产业精准扶贫贷款模式。该模式在全省推广以来，扶贫再贷款余额较年初增长 15.26 亿元，全省扶贫小额信贷投放量从 2016 年一季度末的 6 亿元增长到 2017 年二季度末的 101.2 亿元，增长 16.8 倍。同时，积极推动受到扶贫再贷款支持的新型农业经营主体与贫困户签订就业、订单采购、租赁流转土地等多种帮扶协议，充分发挥扶贫贷款资金对带动主体和贫困户的支撑性与有效性。三是财政撬动引领。联合四川省财政厅修订完善四川财政金融互动政策，对扶贫小额信贷财政按最高 5% 的利率贴息，支持部分地区对产业带动主体可按不超过 3% 的标准进行贴息；对发放精准扶贫贷款的金融机构按 1% 的比例给予资金奖励；对在贫困地区设立服务网点、

2017 年 3 月，中国人民银行成都分行组织召开四川省"发挥金融合力助推脱贫攻坚"金融精准扶贫劳动竞赛启动仪式

2017 年 9 月，中国人民银行副行长潘功胜（右四）在达州市调研金融精准扶贫工作

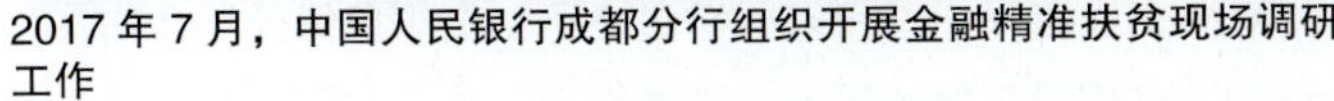

2017 年 7 月，中国人民银行成都分行组织开展金融精准扶贫现场调研工作

2017 年 7 月，中国人民银行成都分行召开脱贫攻坚领导小组会议

布放金融机具的金融机构直接给予费用补助，保障金融机构精准扶贫贷款业务的保本微利和可持续性。四是精准对接产业发展引领。精准对接产业发展需求，强化产业扶贫的带动作用。组织中国人民银行分支机构制定金融支持产业发展指导意见，建立新型农业经营主体金融服务主办行制度。截至 6 月，分别针对 2017 年拟“摘帽”退出 16 个贫困县、凉山州等重点地区和深度贫困地区组织开展了 9 次专场融资对接活动和上市公司“三州行”活动，签署战略合作协议 36 项，意向合作金额 460 亿元。

聚焦贫困村阵地，攻坚再发力。一是“分片包干、整村推进”再加力。下发《关于进一步推进金融精准扶贫工作的通知》，要求有贫困村的贫困地区必须尽快落实“分片包干、整村推进”主办银行制度，特别是 2017 年拟退出的 3700 个贫困村地区务必签订责任协议。继续根据贫困村特色产业开展融资对接，大力发放产业扶贫贷款和扶贫小额信贷。二是贫困村产业带动再加快。推动各地制定金融支持产业扶贫发展意见，配合各地“一村一品”产业发展规划开展金融支持旅游扶贫示范村、粮食产业示范基地、农业产业化示范基地创建，积极推广脱贫带动主体与贫困户签订采购协议、就业协议、入股协议的“公司 + 贫困户”“专合社 + 贫困户”等带动模式。截至 6 月底，全省产业精准扶贫贷款带动人数已达 17.18 万人。三是定点帮扶力度再加大。组织全省金融机构用足功夫做好帮扶工作，一方面积极将自身资源和接地气的金融服务投放到定点帮扶村，另一方面在定点帮扶村推行到村联络员制度，让金融精准扶贫各项安排和部署得到有效推动、贯彻、落实。截至 6 月底，全省金融机构定点帮扶的示范村达 640 个，贷款余额 7.2 亿元；在定点帮扶村建立助农取款点 589 个、农村扶贫综合服务平台 125 个，2016 年以来全省人民银行和银行业金融机构累计向贫困户捐赠资金达 2.02 亿元。四是村级金融服务再加深。指导金融机构实施“扶微助困”“惠农兴村”活动，在全省开展“三项评定”和“支付惠农示范工程”建设，让贫困村形成“村村有点有机有联络员、户户有档有卡有授信额”的全覆盖金融服务网络，实现有电有通信贫困村里贫困户足不出村就能方便快捷地办理小额取现、卡卡转账、账户余额查询、手机缴费等金融业务。

多点驱动，下足“绣花”功夫。一是易地搬迁扶贫。按照易地搬迁扶贫一批政策，引导金融机构精准对接易地扶贫搬迁融资需求，加快易地扶贫搬迁信贷资金投放使用，推动贫困人口有序移出高深山区，移出穷窝。截至 6 月底，全省已搬迁建档立卡贫困人口

2017 年 10 月，中国人民银行行长助理刘国强（右三）在凉山州走访贫困户

2017 年 10 月，中国人民银行行长助理刘国强（左二）在凉山州调研金融支持深度贫困地区脱贫攻坚工作

34.78万人，发放易地扶贫搬迁贷款余额167.3亿元。二是电商扶贫。实施电商扶贫工程，推动互联网创新成果与扶贫工作深度融合，引导金融机构创新开展"电商平台＋贫困村"新模式，打造"线下＋线上"深度融合金融服务体系，帮助贫困地区实现"工业品下乡、农产品进城"，进一步带动贫困人口就业和拓宽增收渠道。三是旅游产业扶贫。以"旅游＋"为突破口，依托贫困地区旅游资源，精准对接旅游地区融资需求，培育多元化产业主体，发展农业旅游、生态旅游、乡村旅游、民俗旅游、文化旅游、休闲旅游、智慧旅游等。支持景区与贫困户结合、旅游开发公司＋贫困户、乡村旅游合作社吸纳带动贫困户等方式建立利益联结机制，充分发挥旅游帮扶作用。四是教育扶贫。助学贷款作为教育扶贫的重要组成部分，积极支持金融机构开办生源地信用助学贷款，简化贷款办理手续，加强学生资助管理中心与当地扶贫办、民政局的沟通合作，充分保障扶贫重点地区贫困户的学生能够便捷、顺利地获得国家助学贷款。截至6月底，国开行受理发放生源地助学贷款24亿元，覆盖全省所有县（区），已帮助35万名贫困学子圆了大学梦想。

同步跟进，互相支撑。一是协调联动。将"政策引导"和"市场主导"有机结合，在金融精准扶贫政策制定上，推动四川160个有扶贫开发任务的县100%建立了风险补偿基金，银行和基金按3：7的比例承担风险，有效解决了金融机构后顾之忧。截至6月底，全省基金总规模达31.5亿元。二是联合增信。保险、财政等部门针对建档立卡贫困户创新推出"扶贫保"产品，由财政补贴80%的保费，贫困户只需承担20%。同时，积极推动金融机构与政策性农业担保公司和省再担保公司、农业担保公司合作，有效提升金融机构参与扶贫的积极性。三是考核激励。制定优化金融精准扶贫信贷政策效果评估实施细则，对全省国定贫困县及其辖区内金融机构金融精准扶贫工作进行全面评估。建立金融精准扶贫信息共享机制，按月监测、按季通报。加强监督检查，组织5批次工作组40余人深入凉山州、乐山市、泸州市等金融扶贫重点地区开展督导检查和暗访。联合省总工会启动了四川金融精准扶贫劳动竞赛，充分发挥人民银行在金融系统的带头引领作用，积极推荐全省脱贫攻坚奖候选人，营造出"比、学、赶、超"的良好扶贫工作氛围。四是信用体系建设。深耕细作农村信用体系建设"三项评定"工作，改善农村金融生态环境，启动"萤火虫工程 农民金融夜校"，营造"守信受益、失信惩戒"氛围。开展中小学诚信教育基地建设，实施"一人一校一队"校园诚信文化试点，宣传普及金融知识和诚信意识，防范化解信用风险。

四川金融精准扶贫工作主要成效

一是信贷资源持续快速向贫困地区流入。截至6月末，四川金融精准扶贫贷款余额达3102亿元，同比增长25.3%，高于同期各项贷款增速12.3个百分点，其中，发放个人精准扶贫贷款234.1亿元，同比增长164.6%，支持带动贫困人口224万人；产业精准扶贫贷款余额407.9亿元，同比增长18.35%；项目精准扶贫贷款余额2459.97亿元，同比增长20.5%。

二是深度贫困地区金融支持力度不断加大。截至6月末，全省66个国定贫困县金融精准扶贫贷款余额946.71亿元，占全省各项金融精准扶贫贷款总额的30.52%，同比增长218.36%；45个深度贫困县金融精准扶贫贷款余额388.44亿元，是上年同期的6.4倍。

三是贫困人口贷款付出成本得到最大降低。上半年，四川金融精准扶贫贷款加权平均利率为5.02%，比上个季度低了0.55个百分点，比同期四川农村商业银行各项贷款加权平均利率低1.78个百分点，贫困地区付出贷款利息累计减少超过50亿元以上，其中，大部分贫困户可享受全额贴息。

四是贫困地区基础金融服务基本实现全覆盖。截至6月末，全省88个贫困县建立银行网点3432个，设立助农取款点3.86万个，加载了电商功能的服务点数量为5348个，布放ATM机8410台、POS机9.55万余台，实现了有电有通讯贫困村的基础金融服务全覆盖。

扶贫再贷款＋农村承包土地经营权抵押贷款项目示范基地

扶贫再贷款引导支持农业产业化基地建设

五是保险和资本市场服务有效跟进。2017 年 1—6 月，辖区国家级贫困县及特困连片地区企业通过资本市场累计融资 1.38 亿元，广义贫困地区融资 54.23 亿元。上半年共在贫困县（区）实现保费收入 3119 万元，为贫困人口提供 5.56 亿元的风险保障，支付农户赔款 3525 万元；在 9 个市（州） 14 个县（区）推广“扶贫保”产品，为 72 万户贫困户提供风险保障 2425 亿元。

几点启示

一是以习近平金融思想为指导是金融精准扶贫工作取得成功的前提。以习近平金融思想为指导就是要坚持党的领导，这样才能保证中央有关金融扶贫工作的大政方针不折不扣地贯彻执行，才能妥善解决好政府职能部门、金融管理部门、金融机构、市场主体、贫困对象等主体如何多元参与的问题，金融资源和其他资源与融资需求如何实现有效对接等问题，才能通过政府政策支持、人民银行组织推动、市场机制自发协调有效调动金融资源参与金融精准扶贫工作中来。

二是坚持政府主导是金融精准扶贫取得成功的关键。习近平总书记强调“‘看不见的手’和‘看得见的手’都要用好”。一方面，金融精准扶贫面临信息不对称等问题，需要政府政策优势，为更多金融资源投向贫困对象创造条件。从孟加拉格莱珉银行（GB）、印尼央行乡村信贷部（BRI-UD）、印度小额信贷机构（SKS）等国外金融扶贫实践看，高度的市场化会导致金融机构无法平衡好商业利益与社会责任的关系，金融机构趋利倾向明显，而四川通过恰当的政策激励有效解决了这些问题。

三是坚持市场运作是金融精准扶贫可持续的基础。习近平总书记强调要“遵循金融发展规律”。金融机构经营过程中必须遵循安全、流动、盈利这“三性”原则。四川通过财政金融互动和“扶贫再贷款 +”模式，有效引导金融资源按照市场原则向贫困地区及贫困人口倾斜，实现了金融精准扶贫的可持续性。

四是不断总结推广成功经验是积极稳妥推进金融精准扶贫工作的有效方法。金融精准扶贫是一项全新的开创性工作，在工作初期没有成熟的经验和方法可以借鉴，中国人民银行在四川采取了先行先试，取得成效后再全面推广的稳妥模式。如个人精准扶贫贷款最初在广元试点“央行扶贫再贷款 + 个人精准扶贫贷款”，积极探索扶贫再贷款精准帮扶到村、到户的有效途径。广元市在试点中探索出的以“分片包干、整村推进”为主的一系列工作模式取得了较好的成果。

易地扶贫搬迁成效图

中国人民银行成都分行定点帮扶村——凉山州昭觉县特口甲古村

中国农业发展银行四川省分行

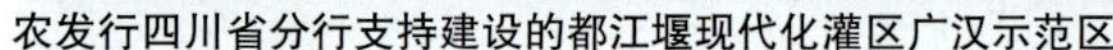
农发行四川省分行支持建设的都江堰现代化灌区广汉示范区

农发行四川省分行信贷支持农户进行泡菜原材料蔬菜种植

2016 年，中国农业发展银行四川省分行认真贯彻总行党委和省委省政府决策部署，秉承家国情怀，主动提升站位，积极践行“五大发展理念”和总行“一二三四五六”总体发展战略，进一步发挥好在“稳增长、调结构、惠民生”中的重要作用，细作深耕于粮油收购储备调控、易地扶贫搬迁、棚户区改造、城乡一体化建设、水利建设、农村路网建设、农发重点建设基金等涉农领域，支农成效突出。全年投放信贷支农资金 775 亿元，其中贷款 469 亿元、农发重点建设基金 306 亿元，为全省粮油收储、农业农村基础设施建设、农业产业化发展等提供了坚实有力的支持。年末贷款余额 1502 亿元，较年初增加 137 亿元；定向债券置换余额 72 亿元，较年初增加 60 亿元；农发重点建设基金投资余额 423 亿元，比年初增加 306 亿元，投资项目个数和投资金额均位列全国第一。农发行四川省分行强化政治担当、服务国家战略、支持地方经济发展取得的显著成效多次得到省委省政府领导的重要批示和充分肯定。

农发行四川省分行信贷支持建设的农民安置新居

农发行四川省分行信贷支持建设的攀枝花市新农村

农发行四川省分行信贷支持建设的泡菜企业生产线

农发行四川省分行信贷支持建设的南江县红鱼洞水库灌区工程项目

农发行四川省分行信贷支持建设的仪陇县新政嘉陵江二桥项目

农发行四川省分行积极确保粮食收购资金需求

农发行四川省分行支持建设的巴中市巴州区东北片区易地扶贫搬迁项目——花溪乡新庙村安置点

四川省关心下一代工作委员会

中国关工委主任顾秀莲（前排左三）到凉山州参加中国关心下一代教育示范基地学校授牌仪式

省委书记、省人大常委会主任王东明在省委关心下一代工作会议上讲话

组织性质

1991 年 1 月，中共四川省委批准成立四川省关心下一代工作委员会（以下简称"省关工委"）。省关工委是在省委领导下，以离退休老同志为主体、党政有关部门和群团组织负责人参加的以关心、教育、培养青少年健康成长为目的的群众性工作组织，是党和政府教育青少年的参谋和助手、联系青少年的桥梁和纽带。

时任省委副书记、省关工委主任刘国中（右二）到省关工委机关调研

省关工委名誉主任谢世杰（前排左一）到绵竹市调研

机构组成

省关工委领导班子由主任、名誉主任、执行主任、常务副主任、副主任、秘书长组成。由省委副书记邓小刚兼任主任，副省长杨兴平兼任副主任，谢世杰任名誉主任，张中伟任执行主任主持委员会日常工作。徐世群、陈官权、曾清华、谢明道任常务副主任，16 名厅级退休同志任副主任，7 个省级部门为成员单位。省关工委下设办公室处理委员会日常事务，委员会内设宣传、教育工作专委会，农村、培训专委会，科技、民族专委会，法制、理论专委会，组织、文卫专委会，负责专项工作。

工作宗旨

省关工委高举中国特色社会主义伟大旗帜，以马克思列宁主义、毛泽东思想、邓小平理论、“三个代表”重要思想、科学发展观为指导，深入学习贯彻习近平总书记系列重要讲话精神，紧紧围绕“五位一体”总体布局和“四个全面”战略布局，牢固树立和贯彻落实“五大发展”理念，坚持“急党政所急，想青少年所需，尽关工委所能”的工作方针，以改革创新精神推进关心下一代工作，教育引导青少年树立和践行社会主义核心价值观，着力提高青少年的思想道德素质、科学文化素质和身体心理素质，努力培育青少年成为有理想、有道德、有文化、有纪律和德智体美全面发展的中国特色社会主义事业合格建设者和可靠接班人。

党政重视

省委省政府历来高度重视关心下一代工作，把关心下一代工作纳入重要议事日程，纳入经济社会发展总体规划，纳入目标考核内容，纳入精神文明建设规划。关心下一代工作被列入省委常委会工作要点，写进了省党代会工作报告、省政府工作报告、省委《关于贯彻落实党的十八届三中全会精神全面深化改革的决定》，纳入了全省“十二五”“十三五”规划。近年来，省委办公厅、省政府办公厅相继印发了《四川省关心下一代工作委员会工作条例》（川委办〔2002〕12 号）、《关于进一步加强和改进关心下一代工作的意见》（川委办〔2010〕27 号）、《关于进一步开展创建六好基层关工委活动的实施意见》（川委办〔2014〕4 号）、《四川省关心下一代工作委员会工作规则》（川委厅〔2016〕22 号），形成了一套有较强指导性、针对性、操作性的工作机制，提高了关心下一代工作的制度化、科学化水平。

2010 年 7 月 14 日，在省关工委成立近 20 年之际，省委召开了四川省关心下一代工作会议，中国关工委主任顾秀莲、时任中共四川省委书记刘奇葆出席会议并作重要讲话。2016 年 4 月 18 日，在省关工委成立 25 周年之际，省委召开了全省关心下一代工作会议，中国关工委主任顾秀莲、中共四川省委书记王东明出席会议并作重要讲话，向获得四川省关心下一代工作先进集体和先进个人的代表颁奖，推进全省关心下一代工作事业创新发展。

2010 年上半年，省政府批准财政厅划拨 400 万元作为四川省关心下一代基金会成立启动资金，为省关工委创办四川省关心下一代基金会提供了先决条件。2010 年 6 月 18 日，四川省关心下一代基金会正式成立。随后，省政府还授权省关工委为全省关工委系统关心下一代基金会的业务主管单位，为各市（州）关工委创办关心下一代基金会、整合社会资源、关爱帮扶困境青少年健康成长提供了有力的政策支持。

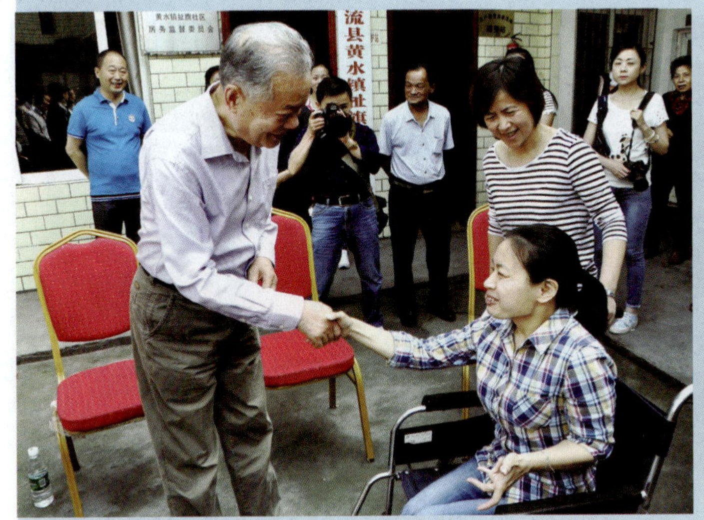

省关工委执行主任张中伟（前排左一）慰问双流残疾女青年罗燕（前排右一）

省关工委在四川博物院举行“四川省青少年社会实践教育基地”授牌仪式

四川省关心下一代工作会议在成都市召开。中国关工委主任顾秀莲（左四），省委书记、省人大常委会主任王东明（右四）出席会议并讲话。省委常委、省关工委主任李登菊（右二），省关工委名誉主任谢世杰（左三），省关工委执行主任张中伟（右三）出席会议

主要工作

坚持立德树人，加强青少年思想道德教育。把立德树人、培育和践行社会主义核心价值观、老少共筑中国梦作为根本任务和永恒主题。坚持开展青少年夏令营活动。连续 6 年联合教育厅、省文明办、团省委，投入 800 余万元组织 8 万余名青少年参加免费主题夏令营活动。充分发挥“五老”宣讲团特殊作用。全省各级关工委均成立了“五老”宣讲团，深入大中小学校、乡村社区宣讲社会主义核心价值观、中国梦、“三爱”（爱学习、爱劳动、爱祖国）和党史国史等。开展法制副校长、法制教育进校园、警校共育、安全教育讲座等活动，深化学校、家庭、社会教育“三结合”。2016 年，省关工委命名了朱德同志故居纪念馆、邓小平故居陈列馆等 33 家单位为首批“四川省青少年社会实践教育基地”，省关工委和林业厅命名了四川卧龙国家级自然保护区等 8 家单位为“四川省青少年森林自然教育实践基地”。全省 2 万余名“五老”志愿者常年义务监督网吧，为青少年健康成长做出了积极贡献。2014 年，“五老”义务监督网吧项目被省委宣传部、省文明办评选为“四川省十佳志愿服务项目”。2016 年，省关工委获得省委宣传部、省文明办颁发的“四川省志愿服务贡献奖”。

坚持帮扶助困，为青少年办实事、解难事。2010 年 6 月以来，20 个省、市（州）、县（市、区）关心下一代基金会筹资 3 亿余元，相继开展了脑瘫儿童救助工程、农村贫困青年就业技能培训工程、成长阶梯送书工程、基层关爱活动室建设工程、关爱留守儿童工程、关爱“五失”青少年行动，“五助一帮”行动等帮扶助困项目，使急需获得关爱资助的青少年受益，获得了社会各界的广泛好评，得到了中国关工委和省委省政府的高度肯定和赞扬。

第四届四川关爱明天十佳“五老”颁奖仪式

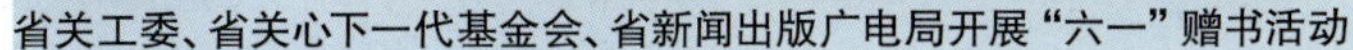
省关工委、省关心下一代基金会、省新闻出版广电局开展“六一”赠书活动　“老少牵手 温暖童心”暖冬行动启动仪式

坚持固本强基，切实加强关工委自身建设。把“四个纳入”作为关工委开展工作的目标和前提，把有组织机构、有工作人员、有工作经费、有办公场地作为组织建设基本要求，强化关工委体制机制建设。联合省委党校培训了1800余名基层关工委干部；创办了省关工委培训中心，常年开展班子成员和“五老”学习培训，已培训1500余名基层关工委干部。深入开展创“六好”基层关工委活动（领导班子建设好、争取相关部门配合好、老同志作用发挥好、活动经常效果好、制度健全执行好、积极探索创新好），经过3年的创建，“六好”基层关工委达标的占61.5%。目前，全省21个市（州）、183个县（市、区）均建有关工委组织，街道（社区）、乡（镇）、村（社）、机关、学校、企业共建有关工委组织7.8万余个，有123万名老干部、老战士、老专家、老教师、老模范为主体的“五老”志愿者活跃在城乡。

坚持正确舆论导向，不断提高宣传水平。省关工委创办了机关刊物《关爱明天》，建有四川省关心下一代工作委员会网、关爱明天网、四川关心下一代基金会网，按照“扩大报道面、贴近基层、贴近实际、增大信息量、网刊一体化”的工作目标，形成了一刊三网、各有侧重、互为支撑的宣传格局。不断加强与省级主流媒体的合作，实现了宣传关心下一代工作报纸有文字、电视有图像、电台有声音的格局。联合省委老干部局、省文明办、团省委等单位，举办了4届四川省关爱明天“十佳”五老评选表彰和两届宣传关心下一代新闻佳作评选活动，在省内外引起了广泛反响，营造了关心下一代的良好氛围。

四川省“铭记两史，践行三爱”万名青少年夏令营主营暨雅安分营开营仪式

四川省交通运输厅公路局

农村公路是现代综合交通运输体系的重要组成部分，是广大农村地区经济社会发展的基础性、先导性、公益性设施。党的十八大以来，部、省高度重视农村公路发展，省委连续多年将农村公路纳入“一号文件”安排部署，省政府出台多项支持政策，保障农村公路快速发展。交通运输厅认真贯彻落实，坚持“惠民生、补短板、促发展”的原则，突出重点、明确目标、创新举措，加快补齐发展短板，全面促进农村公路建管养运协调发展，为农村经济社会快速发展“下好先手棋、当好先行官”。

脱贫攻坚取得首战告捷。全省交通运输系统始终把交通脱贫作为“头等大事”，集全行业之力，聚焦高原藏区、秦巴山区、乌蒙山区和大小凉山彝区“四大片区”、88 个贫困县，坚持工作优先安排、资金优先保障、措施优先落实的“三优先”原则，先后制订全省交通精准扶贫专项工作方案和甘孜、大小凉山等专项推进方案，精心组织，全力推进，全省交通脱贫攻坚首战告捷。贫困地区共新增 197 个乡（镇）、8714 个建制村通硬化路，实现 53 个贫困县 100% 的乡（镇）和建制村通硬化路，91.5% 的贫困村通硬化路，贫困地区通达通畅水平大幅提高。2016 年全省已实现 5 个“摘帽”贫困县所有乡（镇）和建制村通硬化路及 2437 个退出贫困村 100% 通硬化路。2017 年全省计划脱贫“摘帽”的 16 个县已实现 100% 的乡（镇）和 99.9% 的建制村通硬化路，3700 个退出贫困村已实现 94.3% 通硬化路，剩余 210 个建制村硬化路将于 2017 年年底前全部建成。

路网服务能力显著提升。全省农村公路完成投资 1375 亿元，占同期普通公路完成投资的 40%; 新（改）建农村公路 11.5 万千米，总里程达 27.4 万千米，连续多年位居全国第一，初步形成以县城为中心、覆盖乡村的农村公路网络。全省新增 233 个乡（镇）、13585 个建制村通畅和 708 个建制村通达，实现 97.6% 的乡（镇）通硬化路、99.7% 的建制村通公路和 95.2% 的建制村通硬化路，有效缓解了农民群众“出行难”问题。累计建成渡改公路桥超过 800 座、溜索改桥 77 座，整治危（病）桥超过 1000 座。建成安保工程路侧护栏 2.6 万千米，基本实现乡道以上公路临水临崖及高差 3 米以上路段路侧护栏全覆盖并向通 7 座及以上客运班车的村道延伸，农村公路服务水平和安全治理能力不断提升。

彭州市蔬香路

养护管理水平逐步提升。以深入推进农村公路养护体制改革、开展农村公路“管理养护年”活动和“四好农村路”建设为契机，初步形成农村公路发展公共财政保障和“建管养运”协调发展两个机制，全力推进农村公路管养“机构、人员、资金”三落实，基本实现“有路必养、有路必管”的管养态势。目前，全省78.7%的县将养护经费纳入财政预算，95%以上的乡（镇）建立了交通管理站；除阿坝州以外，全省所有县（市、区）实现机械化养护中心全覆盖，县、乡道重要节点超限检测站（点）全覆盖；农村公路列养率达100%，优、良、中等路比例达65%。

农村客货运输发展迅速。全省新增2139个建制村通客车，新建客运站点732个。目前，所有县均建有二级（三州三级）客运站、80.7%的乡（镇）建有客运站（停靠站），乡（镇）和建制村通客车率分别达95%和78%，较2012年分别提高了1.3和3.6个百分点。

“四好农村路”建设开局良好。省委省政府把“四好农村路”建设作为改善民生、服务“三农”的重要内容，以示范县创建为抓手，全面推进农村公路建管养运协调发展，印发示范县评定办法，出台激励政策，全面激发各地示范县创建热情。制定了工作方案、技术指南、考评细则，按照“优中选优、宁缺毋滥”的原则，评选出第一批14个“四好农村路”省级示范县并由省政府审定命名。在此基础上，推动成都市郫都区等3个县（区）成功创建“四好农村路”国家级示范县，受到交通运输部的大力肯定。

自贡市通乡油路

甘孜县公路

甘孜县通村通畅公路施工现场

成都市天府大道南延线

泸定县德威乡海子村通村公路施工现场

广安市前锋区农村公路

广元市通村公路

广元市朝天区通村公路

建设中的宁南县红星乡前卫村通村水泥路

乐山市金口河区精准扶贫农村公路通乡硬化路施工现场

绵阳市农村公路

通江县民胜镇农村公路

改造后的雷波县马湖公路

旺苍县尚武镇石锣村通村水泥路

自贡市通乡水泥路

青神县农村公路

南充市 2016 年全省交通精准扶贫脱贫攻坚项目集中开工现场

江油市枫顺乡小坝村通村公路施工现场

内江市市中区农村公路养护现场

泸州市纳溪区上马镇真金滩"渡改桥"施工现场

甘孜州湓索改桥施工现场

凉山州"四好农村路"

大邑县"四好农村路"

得荣县莫宁村“溜索改桥”施工现场

广元市“溜索改桥”项目广吉大桥

成都市天府大道南延线华牧立交

泸州市纳溪区棉花坡镇金凤村双河场渡改桥

南充市渡改桥

四川省交通运输厅高速公路管理局

2016年是"十三五"的开局之年。一年来，在厅党组的坚强领导下，全省高速公路管理行业深入贯彻落实《四川省高速公路条例》，统筹抓好高速公路运行、养护、收费、服务、执法等工作，圆满完成各项目标任务，实现了"十三五"良好开局。

依法治理迈上新台阶。一是法规制度逐步健全。起草了《〈四川省高速公路条例〉释义》，出台了《四川省高速公路车辆通行费收费标准与工程和服务质量挂钩管理办法》，在全国率先探索建立收费标准动态调整机制；研究制定清障救援、交通标志标线管理、收费站拥堵评价等配套制度。二是超限治理巩固深化。组织开展高速公路交通安全综合治理长效机制建设年行动，严格贯彻落实超限治理新标准，完成 100 处入口治超点"动改静"工作，治超网络全面形成，多部门联合管控机制逐步完善，32 台违法超限车辆被纳入"黑名单"管理，高速公路基本实现违法超限车辆"零驶入"。三是联动机制初步建立。协调广安、内江、泸州、宜宾、乐山、自贡市地方政府及其有关部门，扎实开展"一路四方"联动试点，探索联合实施非标治理、应急保障、服务区安全和卫生监督等新机制，全年整治违法非标 278 块。制定基层高速公路管理机构营房建设三年规划，建设完善 16 处营房。协调公安交警启动调整高速公路限速标志，督促落实客运车辆凌晨 2 点至 5 点休息制度，加强危化品运输车辆监督，切实维护群众生命财产安全。

行业转型迈出新步伐。一是职能职责全面厘清。全面梳理高速公路交通执法和行业监管职能职责，厘清与公安交警及地方政府职责边界，清理规范权责清单事项 73 个，健全完善操作流程，"履什么职、怎么履职"等问题得到根本解决。二是智慧高速加快发展。完成灾备中心建设项目立项。基本完成专用通信网改造配套工程。升级完善路段监控系统。全面完成 76 处国家级交调站建设。累计开通 ETC 车道 1309 条，实现 ETC 车辆收费站全覆盖。试点优化 ETC 专用车道通行速度。有序推进 OBU 市场开放，开通 ETC 储值卡业务。开通 ETC 客服网点 1689 个，用户突破 180 万户；日均交易额突破 1200 万元，同比增长 80.22%。三是审批改革逐步深化。按照"放、管、服"要求，清理规范行政审批事项 2 个，基本实现超限运输审批"两集中、两到位"，建成超限运输审批省界收费站代办点 3 个，办理超限运输审批突破 9 万件。四是队伍结构持续优化。稳步清理编外聘用人员 354 名，约占聘用人员总数的 30%，在编人员与聘用人员的比例由 1 ： 1.05 下降至 1 ： 0.7，廉政风险和稳定风险稳步降低。五是执法资源加快整合。整合基层高速公路交通执法力量，48 个基层执法大队实行"一路一大队"管理模式及"一片一分队"应急处置模式，占基层执法大队总数的 46%。联合巡查、路产赔（补）偿监督及调解机制逐步建立。六是内部管理更加规范。制定高速公路交通执法形象规范化建设指导手册，统一规范交通执法外观形象、内部形象、办公用品等 3 个大项、75 个小项，局（总队）机关办公环境显著改善。

高速公路 12122 服务热线为群众答疑释惑

共产党员服务车工作人员签单检查客运车辆

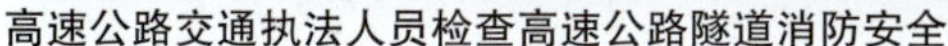
高速公路交通执法人员检查高速公路隧道消防安全

高速公路交通执法人员检查服务区超市食品安全卫生

七是行业扁平化管理成效明显。减少管理层级，提升工作效能，实行交通执法系统财务集中核算管理，启动高速公路交通执法系统纪检监察集中办案、分级处理的新机制；科学合理划分局（总队）、执法支队工作内容，探索局（总队）集中办理涉路施工审批事项，避免重复审批。

公共服务得到新提升。一是收费服务不断增强。完成 49 处收费站改造。组织评定星级收费员 9200 余名。按规定落实绿色通道、货车计重收费优惠及重大节假日小型客车免费通行等政策，减免及优惠车辆通行费 46.16 亿元。配合实施收费公路审计。加快规范联网收费高速公路车辆通行费结算清分工作，全年清分车辆通行费 170 余亿元。二是服务区服务提档升级。创建达万高速公路开江等 12 对星级服务区，完成 23 对星级服务区复审工作，成雅高速公路蒲江等 5 对服务区实现提档升级，基本完善成都二绕高速公路花源等 21 处服务区功能。三是信息服务更加及时高效。整合微信、微博等信息发布渠道，通过新浪微博及时发布路况及阻断信息，服务区基本实现免费 WIFI 服务、信息查询服务全覆盖；四川交通广播、移动通讯信号基本覆盖高速公路主干线，出行信息发布的及时性、准确性明显增强。四是清障救援持续规范。统一规范全省高速公路清障救援收费标准、服务标准、着装标准及外观标识，群众满意度不断提升。五是服务监督效果明显。以高速公路运营服务质量评价为载体，推动服务监督由事后评价向事前指导和事中监督转变，完善评价标准，精简评价流程，建立健全评价及抽查、复核、通报机制，各营运公司整改服务方面等问题 1.1 万余个。六是应急保障稳步加强。圆满完成 G20 财长会、西博会、重大节假日及部、省、市、县四级公路地质灾害应急联合演练、应对地震军地联合应急演练高速公路交通保障任务；探索使用直升机开展高速公路应急救援的新模式，高速公路服务保障能力不断提升。

养护管理取得新成效。一是养护决策更加科学。各营运公司结合道路技术状况，合理制订年度养护计划，明确重点路面大中修工程目标，全省高速公路投入养护资金 23 亿元，实施大中修车道 942 千米，路面使用性能指数总体保持优等。二是绿色养护加

高速公路交通执法大队严查春运期间客运班车违章行为

高速公路交通执法人员检查停车区污水处理设施

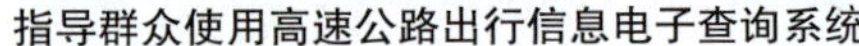
指导群众使用高速公路出行信息电子查询系统

高速公路交通执法人员在服务区开展便民服务

快推进。推动路面废旧材料回收及循环利用指导意见贯彻落实，成都绕城高速公路路面处治应用就地热再生技术取得良好示范效果。沪蓉高速公路四川段服务区 5 处电动汽车充电站建成并投用。三是养护能力不断增强。积极推广“四新”技术，组织开展全省高速公路路面养护技术交流。培训桥梁及隧道养护工程师 300 余人次。推进养护管理信息化，健全高速公路养护数据库，升级完善数据平台系统。四是养护监管成效明显。全年行业抽检 5859 车道公里高速公路路面和 309 座桥梁、37 座隧道。开展道路交通安全综合治理长效机制年活动，排查整治“两标一线”问题 1159 个。组织地质灾害和安全隐患排查，整治完成重点安全隐患 25 处、隧道路面防滑安全隐患 18 处、隧道机电系统安全隐患 38 座。

自身建设得到新加强。一是从严治党深入推进。全面贯彻落实党建工作责任制，主要领导切实担负起第一责任人职责，重要工作亲自部署、重大问题亲自过问、重点环节亲自协调、重要案件亲自督办；班子成员一岗双责，扎实做好分管范围内党建工作。直属各单位落实责任，分解任务，狠抓落实，形成横向到边、纵向到底、职责到人的责任体系和工作体系。组织基层党支部书记、党务干部集中培训。二是廉政建设不断加强。强化社会监督，有访必答、有案必查。强化责任追究，建立责任追究制度。三是学习教育成效显著。以“实”的作风开展“两学一做”学习教育，深入开展调研，形成《全省高速公路行业监管工作调研报告》，制定落实厘清职能职责、完善制度机制等 50 项措施。实施共产党员服务车行动，免费为群众提供医疗救助、信息咨询、应急维修等服务 1800 余次。四是队伍建设持续规范。组织开展交通执法服务形象大提升深化巩固活动，培训人员 2500 余人次，队伍业务能力稳步增强，在厅执法形象竞赛中获得第一名。五是精准扶贫成果丰硕。落实村级措施及一对一帮扶措施 70 余项，帮助解决道路改造项目省级补助、种养殖业帮扶及信贷资金 334 万元，建设农村便道 10 余千米等，协调实现 20 余人就业，改良土地 500 余亩，甲米村实现整村脱贫。六是文明建设谱写新篇。开展“清廉家风伴我行”主题演讲比赛及“弘扬行业文化、助推转型发展”文艺汇演等。中央媒体及全川主要媒体报道数量大幅增长。一批单位（部门）及职工被交通运输部评为全国交通运输行业文明单位、文明示范窗口、文明职工标兵。同时，科技教育、史志年鉴、档案管理、离退休工作等也取得了明显成效。

高速公路交通执法人员在事故现场协助实施救援工作

高速公路交通执法人员清理高架桥下违章堆积物

四川省农村发展促进会

秘书长刘洁（中）受邀参加东坡故居第七届“爱媛 38”评选大赛暨产品对接活动

第二届全国生态农业与农村可持续发展论坛成功举办

四川省农村发展促进会（简称省“农发会”），成立于1995年5月，英译名THE ASSOCIATION OF PROMOTIONF OF SICHUAN RURAL AREA（英文缩写APSRA），是由四川省民政厅批准同意，四川省农业厅主管的省AAA级社会团体。

省农发会是省委省政府联系全省农村基层的桥梁和纽带，是各级党委、政府决策“三农”的参谋和助手，是四川省加强农村对内、对外交流与合作的平台和窗口。省农发会由四川省原省长张中伟担任名誉会长，四川省人民政府资政张作哈拟任会长，《四川农村》总编刘洁担任秘书长。

2017年4月16日，由四川省农村发展促进会、中共四川省委党校新农村研究中心、四川省农业科学院茶叶研究所、北京市农村经济研究会联合主办的第二届全国生态农业与农村可持续发展论坛在巴中市巴州区召开。来自科研机构的专家教授以及企业界代表共150余人参加了论坛，与会者以生态农业产业化与精准扶贫为主题，对生态农业的发展进行了深入探讨。第一届全国生态农业与农村可持续发展论坛是在有机食品基地西充县举行，正是在那次会议上，“新农人”概念首次被归纳总结并提升到了理论层面，产生了良好的社会效益。

2017年6月23日，由四川省农村发展促进会主办，成都市郫都区承办的“四川省三农课题调研暨农业供给侧结构性改革研讨会”在成都市郫都区召开。来自科技厅、农业厅、林业厅、省委党校、省社科院、川农大，部分市（州）、县（市、区）领导，涉农企业和农民合作组织负责人等共计100余人参会。研讨会分为上午的主题演讲和下午的专题讨论两部分，与会领导和专家们围绕践行新发展理念、贯彻落实“一号文件”精神、深入推进农业供给侧结构性改革等主题进行了广泛研讨交流。

2017年12月15日，“当代农业发展讲坛——四川省农业供给侧结构性改革研讨会”在成都市召开，该次研讨会由德国艾伯特基金会支持，由四川省农村发展促进会主办，研讨会的初衷和目的是进一步深入学习党的十九大精神，更好地协助地方政府和涉农企业抓住政策、选好项目，构建新型农业经营体系，总结农业供给侧改革经验，助推乡村振兴战略实施。来自省委农工委、省社科院、省农科院、四川大学等单位的专家学者，部分县级政府涉农部门和涉农企业负责人以及媒体记者等共计50余人参加了研讨会。

省农发会调研组到内江市开展课题调研

四川省水文水资源勘测局

国家防总副秘书长、中国气象局副局长矫梅燕（右）在省水文局局长刘祥海（左）的陪同下检查指导四川水文工作

水利部水文司司长蔡建元（右二）在省水文局局长刘祥海（前排左一）的陪同下检查指导四川水文工作

水利厅厅长胡云（左五）、省防汛抗旱指挥部办公室主任谭小平（左二）一行检查指导水文工作

近年来，四川省水文水资源勘测局认真贯彻落实党和国家水利工作方针，在水利部水文局和厅党组的坚强领导下，紧紧围绕“节水优先、空间均衡、系统治理、两手发力”新时期治水思路，以“大水文”发展理念为指导，积极服务水利中心工作和经济社会发展需求，水文基础设施建设明显改善，测报手段和技术水平不断提升，水文工作为地方经济社会发展、防汛减灾、水资源管理、水生态文明建设、“河长制”全面实施等方面提供支撑和服务的能力得到明显增强，四川水文事业进入新的发展阶段，为国民经济和社会发展提供优质服务奠定了坚实基础。

水文局机关大门

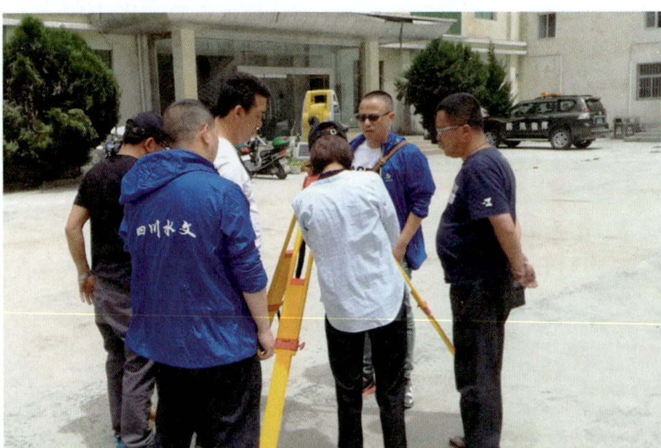

省水文局在西藏灵芝水文局开展支援工作

2017 防汛演练

上渔沟（金汤）水文中心站

“6·24”茂县泥石流水文监测现场

中小河流水文站——甘孜州盖玉站

国家重要水文站——苍溪水文站

成　都　市

2016 年，成都市贯彻中央、省委、市委农村工作会议精神，全面落实财政支农政策，引导社会资金投入农业领域，推进都市现代农业转型发展、幸福美丽新村提质拓面和农村脱贫攻坚，促进农业增效、农民增收和农村繁荣；推进"全产业链"发展，连片打造杂交水稻制种基地 10 万亩，新建成片示范基地 20 万亩、设施农业 1 万亩，推广新品种、新技术 150 个（项），全市农机化率达 68％、农业科技进步贡献率达 56.2％，"米袋子""菜篮子"产品供给充足；推进产业融合发展，突出发展高端农业，实现农产品加工产值 1300 亿元、高端种业产值 67 亿元；提升建设都市现代农业示范基地（园区、带），项目区启动实施项目超过 1000 个，完成投资 222.6 亿元，发展社会化服务组织 374 个，建设产后采集处理点 170 个，形成"一三产业互动"乡村旅游点 348 个。全年实现农业增加值 491.97 亿元，同比增长 4％；农村居民人均可支配收入 18605 元，同比增长 9.4％。

农村土地流转与适度规模经营。成都市按照"坚持集体所有权，落实农户承包权，放活土地经营权"的思路，以放活农村土地经营权为核心，发展家庭适度规模经营和土地股份合作经营，推广以"土地股份合作社＋农业职业经理人＋农业综合服务"为核心的"农业共营制"；推进农村土地"三权分置"，引导土地经营权进入成都农交所，通过转让、出租、股份合作、托管等方式依法有序流转，发展农业适度规模经营。全年农用地流转面积 540 万亩，占农用地总面积的 34％，其中耕地流转面积 452.7 万亩，占耕地总面积的 56.7％，规模经营率达 51.2％；推进土地承包经营权退出试点，形成"集体经济组织内部退出""结合新农村建设有偿退出""村民整体退出、集体统一经营"等多种退出方式，全年土地承包经营权退出面积 87 亩。

农业产业化龙头企业培育。成都市为鼓励农业规模化、产业化、品牌化经营，按照《关于做大做强成都市农业产业化龙头企业的意见》要求，共给予龙头企业经营上台阶、品牌创建、上市融资、基地和产品认证等方面的奖励补助资金 776 万元，有效推动了全市农业产业化经营发展；按照省委农工委《关于开展农业产业化国家重点龙头企业监测工作的通知》等文件要求，根据"动态管理，优胜劣汰"的原则，组织各县（市、区）开展两年一次的市级以上重点龙头企业运行监测工作；在各龙头企业自查和各县（市、区）产业办监测、审核的基础上，对市级重点龙头企业进行复查、审核，全面完成市级以上重点龙头企业监测工作。2016 年，成都市市级以上重点龙头企业达 492 家，其中国家级 26 家、省级 129 家、市级 337 家。市级以上农业产业化龙头企业销售收入（含交易额）突破 2300 亿元，亿元以上企业达 169 家（市场交易型企业 12 家），其中 1 亿～10 亿元企业有 150 家（市场交易型企业 3 家）、

崇州市 10 万亩现代农业产业基地综合示范区

10亿～50亿元企业12家（市场交易型企业2家）、50亿～100亿元企业2家、100亿元以上企业有5家（市场交易型企业3家）。

农业金融保险。成都市围绕粮油、蔬菜、畜禽三大主导产业和花卉苗木、伏季水果、茶叶、猕猴桃、食用菌、中药材、水产七大特色产业开展政策性农业保险工作。全市政策性农业保险险种达21个，其中自主开设的仅由市、县两级财政承担保费补贴的险种达11个；蔬菜和生猪价格指数保险已覆盖除简阳市以外的所有涉农县（市、区），土地规模流转履约保证保险已在全市推广。2016年，全市农业保险签单保费5.8亿元，为101万户农户提供120亿元的风险保障。

“农贷通”平台建设。成都市为确保全国农村金融服务综合改革试验区工作取得实效，进一步完善和优化全市农村金融环境，于8月建立了“农贷通”联席会议制度，负责“农贷通”平台建设的协调组织工作，联席会议办公室设在成都市农业委员会。截至2016年年底，全市承担“农贷通”平台建设工作的县（市、区）均成立了“农贷通”平台建设工作推进小组；除简阳市以外，其他县（市、区）均已建立不低于500万元的农村产权抵押融资风险补偿资金；已建成村级农村金融服务站988个。

休闲农业发展。成都市结合休闲农业产业发展、新农村建设、乡村风貌整治等方面的工作，打造休闲农业示范亮点，创建品牌，推动休闲农业和乡村旅游经济发展。2016年，成都市被评为全国休闲农业和乡村旅游示范市，成为第一个被评为全国休闲农业和乡村旅游示范市的副省级城市。新都区斑竹园镇回南社区、郫县三道堰镇青杠树村被农业部授予2016年“中国最美休闲乡村”。全市还拥有全国休闲农业与乡村旅游示范县（市、区）3个（郫县、蒲江县、温江区）、示范点5个（都江堰市虹口乡高原村、双流区元聪万亩生态休闲农业田园区、彭州市葛仙山休闲农业与乡村旅游景区、新都区花香果居、简阳市贾家东来桃源）。全市推进18类26个赏花基地建设，强化提升赏花旅游产业基础，推动乡村赏花经济发展，实现农业提质增效、农民就业增收；制订《2016年度赏花基地建设实施方案》，对2017年的47个赏花基地建设项目进行评审，通过基地竞争演讲、专家评分的方式，按照主题公园类和基地类共评选出一等奖2个、二等奖4个、三等奖8个，获奖的赏花基地将分别获得300万元、200万元和100万元的政府财政资金支持。

家庭农场发展。成都市把培育家庭农场作为转变农业发展方式，构建新型农业经营体系，实现农业增效、农民增收的重要抓手，制定出台扶持家庭农场发展的指导意见和新型农业经营主体建设项目申报指南，建立完善“成都市家庭农场名录库”，引导各类新型农业经营主体与家庭农场建立利益联结机制，发挥带动作用，构建“合作社＋家庭农场”“农业龙头企业＋家庭农场”“农产品市场＋家庭农场”“职业经理人＋家庭农场”等多种经营模式，开展省级、市级示范家庭农场评定和基础设施建设项目申报等工作。全年新命名省级示范家庭农场17家、市级示范家庭农场80家，安排省、市两级财政扶持家庭农场项目资金1000万元；已发展家庭农场3857家，其中市级及以上示范家庭农场达185家。

农民专业合作社发展。成都市认真贯彻落实中央、省、市关于推进农业产业化经营和农民专业合作组织发展的部署要求，坚持把培育农民专业合作社作为构建新型农业经营主体的重要抓手，制定出台扶持农民合作社发展的指导意见和新型农业经营主体建设项目申报指南，建立完善“成都市农民合作社名录库”，鼓励发展土地股份合作社，开展农民合作社内部信用合作试点，总结、提炼、推广以“土地股份合作社＋农业职业经理人＋社会化服务”为核心的“农业共营制”“合作社＋基地＋家庭农场（种养大户）”等经营模式，开展国家级、省级和市级示范农民合作社评定和基础设施建设项目申报等工作。全年新命名省级示范合作社20家、市级示范合作社39家，安排省、市两级财政扶持农民合作社项目资金1000万元；已发展农民合作社9684家，其中市级及以上示范合作社477家。

邛崃市冉义镇高标准农田

新都区集中连片建设高标准农田示范区

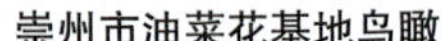

崇州市油菜花基地鸟瞰

简阳市东溪镇高标准农田建设现场

农民负担监管和权益维护。成都市重视农村集体"三资"监管，推进农村集体"三资"公开，重点整治农村集体"三资"登记台账管理不完善、财务管理不规范、财务公开不规范等问题，健全完善农村集体资金、资产、资源监督管理制度，保障农民的集体资产监管权；切实维护农民权益，开展农民负担监管工作，开展涉农收费领域的专项整治，杜绝乱收费、乱摊派和任何违纪违规行为；开展非法集资危害宣传活动，建立健全处置非法集资的工作机制和程序，确保农村集体和个人的资产安全。

农业对外交流与合作。成都市积极组织农业企业参与"一带一路"沿线国家经贸活动，先后组织企业参加了"第 17 届非洲国家驻华大使巡讲·成都行""2016 中阿经贸文化交流峰会""巴西农业企业研讨会"等活动。5 月，澳大利亚贸易委员会成都办事处组织 20 人参加的澳大利亚农业代表团到访成都，双方就农产品进出口、农业金融、技术合作、农业精深加工、农业冷链物流等方面的合作前景与机遇进行了探讨和交流。9 月，成都市组团参加莫斯科国际食品展，与俄罗斯列宁格勒州政府、哈萨克斯坦农业部在农产品贸易、农业技术交流、博览展销等方面初步达成合作意向，推动哈萨克斯坦国家控股农业集团股份公司与中粮集团成都农产品加工园区进行项目筹建；举办了"天府源·成都味"中国·成都农产品（莫斯科）推介会，双方在猪肉、茶叶、食用菌贸易以及马铃薯种植基地建设等方面达成多项合作协议，总金额达 9000 万美元。成都市积极鼓励农业产业化龙头企业开拓国际市场，在"一带一路"沿线国家投资建成农业园区 14 个、项目 28 个，农业园区和项目主要集中在非洲、东南亚和俄罗斯、波兰等地。

崇州市巨星农牧科技公司生猪养殖基地

郫县川菜产业园区

金堂县 10 万亩丘区特色产业示范基地

新津县柳江万亩蔬菜产业示范园

都江堰市胥家镇猕猴桃生产基地

邛崃市夹关镇茶叶种植基地

金堂县五凤镇罗坝社区

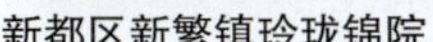

新都区新繁镇玲珑锦院

温江区万春镇幸福村

蒲江县大兴镇炉坪村

四川省都江堰管理局

2016 年，四川省都江堰管理局在省委省政府的关心下，在水利厅的正确领导下，都江堰灌区各水利部门团结一致、攻坚克难，全年完成灌溉面积 1043 万亩，保障了城市工业、生活和环境生态供水安全，实现了“十三五”良好开局。

一、服务能力全面提升

一是全面完成农业供水任务。2016 年，都管局与灌区各处、各县（市、区）水行政主管部门密切配合，做到精心调度、优质服务，保障了灌区适时栽插，不误农时。6 月 8 日，灌区完成了 640 万亩水稻泡栽任务，结束时间较常年提前 7 天。二是做好灌区工业生产、城市生活和生态环境用水工作。通过实施科学调度、提高服务水平，确保了生活、生产、生态环境供水安全。特别是 7 月下旬成都市承办 G20 财长和央行行长会议期间，都管局顶着防汛压力向成都中心城区增加供水近 3000 万立方米，为成都市成功举办重大国际会议营造了良好的水生态环境。三是积极主动应对灌区水质污染突发事件。2016 年，徐堰河、白沙河、人民渠干渠及青白江大河水体先后出现 4 次水污染事件，都管局迅速反应，会同各处及时启动应急预案，通过多种途径，全力保障了输水水质安全。

人民渠五七期干渠

二、基础设施不断完善

一是积极推进水利基本建设。2015 年冬至 2016 年春共实施岁修工程项目 1029 个，2016 年冬至 2017 年春共安排岁修项目 1028 个。2016 年继续加大灌区续建配套与节水改造力度，灌区工程保障性供水能力进一步增强，完成中央、地方工程总投资 5.19 亿元。二是大力加强信息化建设。编制完成了《都江堰灌区信息化建设 2016—2020 总体框架方案》，成立了灌区信息化建设项目部，为下一步加快推进项目建设奠定了基础。三是全力确保防洪度汛。都管局按照省委省政府及水利厅的部署和要求，立足于“防大汛、抗大洪、抢大险、救大灾”，把确保人民群众生命财产安全放在首位，超前防范部署，强化预警预报，严格值班值守，全灌区在汛期没有出现重大险情，实现了安全度汛。

三、依法治水持续加强

一是加大水政执法力度。全年灌区共出动水政巡查人员 1000 余人次，现场处置违法行为 116 起，为灌区水管单位挽回经济损失 1000 余万元，水行政执法的能力和水平得到不断提高。二是加大水利政策法规宣传力度。利用“世界水日”和“中国水周活动”，先后在灌区设置了 18 个宣传点，宣传受众达 2 万余人，比上年增长近 1 倍。

四、水利经济不断发展

规范了财务资产管理，各项经济指标增长有力。积极适应营改增税制改革，顺利完成了税务“营改增”过渡。探索政府购买服务改革，建立社会中介机构库开展财务审计、资产评估和造价咨询工作，提高了内审工作水平。完成了电厂增效扩容改造，提高了电厂发电量，增加了电厂收入，综合经营收入创历史新高。

五、全面从严治党，保持“全国文明单位”荣誉称号

2016 年，都管局深入组织学习贯彻党的十八届五中、六中全会精神和习近平总书记系列讲话精神，积极开展“两学一做”学习教育活动，努力提高全局基层党组织建设的整体水平；认真落实党风廉政建设责任制，扎实推进党风廉政建设和反腐败工作，全面完成党的建设各项任务。进一步加强水文化建设，不断传承弘扬李冰精神，大力宣传都江堰水利文化；高度重视精神文明创建工作，努力构建长效机制，推动创建工作常态化。坚持党群联动，充分发挥工会、青工委、团委等群团作用，有效推动了全局精神文明建设，都管局连续四届保持“全国文明单位”荣誉称号。

成都市司法局

局长袁宗勇（右）代表成都市司法局向大邑县出江镇虎岗村捐助对口帮扶资金10万元

局长袁宗勇（左三）到简阳市灵仙乡尹家祠村看望慰问贫困群众

高度重视，加强组织督导。成都市司法局党组高度重视精准扶贫工作，召开会议专门研究、制定扶贫措施。成立了以局党组书记、局长任组长，局机关党委书记、局工会主席任副组长，相关处室负责人、工作人员为成员的定点帮扶工作协调小组。选派1名优秀干部到大邑县出江镇虎岗村担任“第一书记”。按照统筹城乡和产业发展理念，结合帮扶村自身条件和优势特点，认真听取村民需求和村“两委”意见建议，制订了《2016—2017年成都市司法局定点帮扶工作方案》，细化扶贫计划，强化调研和督促。扶贫工作开展以来，局班子成员先后多次带队到村调研指导扶贫工作，实地察看村情村貌，详细听取村“两委”及乡（镇）党委关于发展规划的意见，加强沟通，协调解决实际困难，督促扶贫工作又好又快推进。

措施得宜，坚持标本兼治。一是帮助完善村组道路建设，解决村民出行难题。划拨资金10万元用于实施虎岗村10组、11组产业村组道路项目建设；向简阳市灵仙乡尹家祠村划拨帮扶资金13.5万元，用于解决村组道路4.5千米硬化资金缺口问题。二是帮助发展村特色产业，提高村内经济“造血”能力。支持虎岗村发展以红梅为主导的产业，打造产业园区，发展山地度假，积极帮助该村向市农委申请500亩红梅种植基地建设项目配套资金30万元。三是充分尊重对象户意愿，有针对性开展个体产业帮扶。对于虎岗村梳理出的4户可实行产业扶贫的贫困户，协调成都公证处为每户资助价值5000元的仔猪、树苗、饲料、肥料等生产资料，帮助其提升脱贫能力。四是改善村委会办公环境，提升基层战斗力。在村委会办公经费紧张、办公设施不全的情况下，市司法局协调帮扶资金，打造村法律服务工作室，改善村委会办公环境。五是扎实开展“走基层、送温暖”活动。局机关各党支部与虎岗村、尹家祠村40户贫困户（低保户、五保户）开展结对帮扶，帮助其解决一时之困。

多方协同，扶贫效果明显。发动局机关党员干部职工捐助扶贫爱心款项1.5万元，协调直属单位提供帮扶资金5.2万元，帮助红梅种植基地协调申请建设项目配套资金30万元；帮助开办农民夜校1期、培训32人；协调开展桃树种植技术、水产养殖技术等培训，惠及贫困户50户。经过一年的精准帮扶，扶贫村的交通运输条件显著改善，脱贫致富思路更加清晰，农业发展项目更具特色，经济发展动力更加充足，村民收入也有了明显提高。

成都市青少年宫

成都市关心下一代工作委员会常务副主任、成都市关心下一代基金会理事长何绍华（后排左九）参加锦江小学"流动少年宫"启动仪式

成都市青少年宫始建于 1958 年，当时名称为"成都市少年之家"，1983 年 3 月正式更名为"成都市青少年宫"，是具有 50 余年历史的青少年校外教育、活动阵地，已建设形成"一宫多区""三校六部"的工作格局。全宫总占地面积约 230 亩，建筑使用面积约 4.5 万平方米。拥有 200 余名职工，可供开展艺术、体育、科技、文化、社会实践、营地教育等 60 余个项目的素质培训、兴趣活动和公益活动。

整体工作。2016 年，成都市青少年宫以加强内部控制机制、制度建设和全面推进转型升级为中心工作，在团市委的领导下，全面贯彻落实党的十八届三中、四中、五中全会和习近平系列重要讲话精神，坚持公益性原则，坚持立德树人，以全面培养和提升少年儿童的民族自信、培育青少年的社会主义核心价值观和综合素质为目标，进一步加强了新课程和青少年研学项目的研发。2016 年，培训人数突破 7 万人次，组织各类公益活动 408 场，活动人数达 25 万人次，连续两年实现两位数的增长，有效地发挥了成都市青少年素质教育基地、全国青少年校外活动示范基地的重要作用，为全市青少年思想道德建设贡献了力量。

改扩建项目。2015—2016 年度，成都市青少年宫九里堤校区新建西部最大规模的青少年拓展绳网阵，新建环境优美的手工作坊、美术工坊和露营地；2016 年对小南街校区的部分场地、楼道进行了改造，增设了多功能活动室，进一步提高了小南街校区的服务功能。

核心价值观系列活动。2016 年，成功举办由成都市关心下一代工作委员会和成都市精神文明建设办公室主办的"童眼看世界，共筑中国梦"成都市第三届青少年微博比赛，收到各县（市、区）选送的作品 831 篇，共评出一等奖 10 名、二等奖 29 名、三等奖 61 名，优秀作品奖 100 名；积极开展"立德树人"家长系列讲堂，构建了以优秀校内外教育专家担纲主讲的教育平台，分别在成都市青少年宫举办了 6 场、在社区举办了 2 场专题讲座。

少先队特色活动。成都市青少年宫紧跟团市委步伐，做好少先队品牌活动。营地部开展"红领巾活力时光"，丰富少先队活动内容，并组织开展半日公益营活动等；课题成果论文《成都市少年儿童媒介素养状况抽样专项调研报告及对策研究》获得 2016 年成都市少先队活动研究学术论文特等奖、2016 年中国教育学会少年儿童校外教育分会优秀学术论文一等奖；1 名教师获得"省优秀少先

"非遗小传人"公益讲堂活动

重走长征路，探寻红军长征的伟大征途活动（日干乔大沼泽拉练）

队辅导员”称号。

公益特色活动。2016 年，开展“发现之旅”青少年社会实践研学活动 62 期，参加活动人数达 2880 人次；“成都市青少年宫非遗工作室”培训青少年 468 人；在崇州市锦江小学启动了为期 3 年的“细雨润苗·鸿鹄少年”筑梦计划流动少年宫试点项目，每学期开展 25 次活动，共培训了 2250 人次；以“深度帮扶、精准帮扶、科技先行”为指导思想，拓展了品牌公益项目“流动少年宫”的内容。 2016 年，“科创直通车”活动参与儿童及群众达 5076 人；“流动 3D 影院”为乡（镇）留守儿童免费放映 3D 电影 48 场；梦想关爱剧场共开展活动 128 场，参加活动人数超过 5000 人次。

“红领巾活力时光”牵手龙江路小学

实践体验活动。2016 年，营地教育工作逐步走上系统化课程推广的途径，于 6 月成立了营地部。营地部研发实施的活动课程有：“红领巾活力时光”“安全竞技场”“青春零艾滋 / 零毒品”等多项主题活动和“做一天林间小孩”“小小独立团”亲子活动。营地部全年共计开展活动 116 次，其中“红领巾活力时光”11 场次、“安全竞技场”4 场次、“青春零艾滋 / 零毒品”11 次，覆盖学员 2580 人次。“发现之旅”青少年社会实践研学活动建立了“邛崃红军长征纪念馆”“建川博物馆”“杜甫草堂博物馆”等实践基地。

赛事系列活动。继续把回报社会、促进学生成长发展的公益活动、社会活动作为工作重心。2016 年举办了成都市第十五届学生优秀艺术人才选拔赛、第十七届蓉城少儿十佳艺术新苗大赛，报名参赛的中小学生达 46833 人次；举办了“少文杯”数学思维邀请赛和“太阳神鸟杯”语文综合素质大赛，两项比赛参赛人数超过千人；举办的成都市“小冠军”杯棋类比赛既是成都市青少年宫承办的传统赛事，也是全市培养、选拔少年棋手的摇篮，2016 年参赛人数为 473 人。

社团建设。2016 年，艺术团积极组织团员参加各类高水平的青少年艺术展演和比赛活动。宫艺术团参与各级各类演出 10 余次，包括成都市中小学生音乐会、四川音乐学院“儿童节音乐会”“2016 成都国际友城青年音乐周”开幕演出等。弦乐团参加了“李自立作品创作 60 周年回顾与展望音乐节”并取得优异成绩。

教育科研。2016 年，以“搭平台，建机制，设项目，搞活动”为抓手，从根本上保证教学专业化建设的长效运行。启动了宫级课题的申报活动，有 10 个课题通过评审进入精品课程、核心课程和创新课程三个不同层面的实践探索。获得了 2016 年成都市少先队活动研究学术论文特等奖和 2016 年中国教育学会少年儿童校外教育分会优秀学术论文一等奖。4 名教师的 6 篇论文、案例获得中国教育学会、中国宫协等专业机构颁发的特等奖 1 篇、一等奖 3 篇、二等奖 1 篇、三等奖 1 篇。美术学校和书法部出版专辑和教材达 60 余种。2016 年，有 7 名教师获得中国宫协“骨干教师”称号；跆拳道 1 名教师取得国际级裁判资格，5 名教师取得国家级裁判、国家级教练资格；1 名教师获得“省优秀少先队辅导员”称号。分别组织了“业务校部长和骨干教师思享会”和“青年教师沙龙”等促进教师个人发展的系列交流活动。同时，全面打造“精品课程”，推出的“动物美莱坞”儿童舞台剧受到家长和社会各界的高度评价。

新媒体建设。2016 年，与中国电信签署战略合作协议，完善和提升了信息化硬件建设。积极利用网络平台，做好宫网站、微信公众号和宫微博的信息发布，积极向省宫协、中国宫协宣传平台推送信息 300 余条。全年微信公众平台发布信息 268 期，截至 2016 年年底，拥有阅读受众 4 万余人次。

DI 创新思维大赛。成都市青少年宫作为 DI 创新思维大赛四川组委，2016 年带队参加了全球创新思维 DI 大赛，获得 C 项即时挑战赛全球第一、2 个创新思维挑战奖。带队参加第十一届 DI 创新思维全国总决赛，获得了 C 艺术类全国第二名，获得一等奖 1 个、C 艺术类大赛特别奖达芬奇奖（一等奖）1 个、DI 探索精神奖（一等奖）1 个；B 科技类小学组中荣获大赛特别奖达芬奇奖（一等奖）1 个。九里堤小学张亚林同学荣获 DI 全面发展奖。

各类交流活动。2016 年，教师对外交流进一步拓展，外派教师培训学习近 20 人次，参加中国宫协、中国教育学会学术和各专业协会交流活动 50 余次；继续选派优秀的美术、舞蹈等专业教师赴印度尼西亚、美国、荷兰等国参与国务院侨务办公室组织的品牌项目——“中华文化大乐园”教学活动，深受参与国家青少年的喜爱；组织跆拳道代表队赴韩国参加了亚洲国际锦标赛并进行技术交流，取得了可喜成绩；与青海省青少年活动中心共建友好青少年宫。同时，建立了成都、西安、包头、广州 4 个城市青少年社会实践和研学活动的交流机制，组织成都市的青少年到包头市进行了“草原退化和保护”的科考活动，对内蒙古的草原文化和生态环境进行了深入的调研，与全国多个大中城市实现了干部与教师的交流学习。

金 堂 县

时任成都市长唐良智（左二）到金堂县对口联系村淮口镇龚家村视察扶贫工作

县委书记金城（中）参加成都市"送鸡苗、扶产业、助增收"活动

金堂县位于成都平原东北部，东靠中江县，西邻成都市龙泉驿区、青白江区，南接简阳市、乐至县，北壤广汉市；县城赵镇距成都市城区 30 千米。2016 年，全县有土地面积 1156 平方千米，其中建成区面积 22.28 平方千米、耕地面积 429.8 平方千米；辖 1 个街道、2 乡 18 镇 47 个社区 185 个行政村，有省级开发区 2 个——四川金堂工业集中发展区（成都工业战略前沿区）和成都—阿坝工业集中发展区；年末常住人口 71.6 万人、户籍人口 89.98 万人，人口出生率 11.3‰，人口自然增长率 4.7‰，人口密度 778 人 / 平方千米。

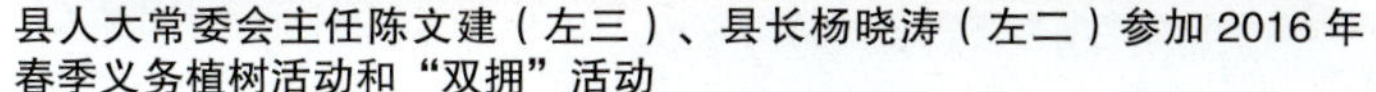

县人大常委会主任陈文建（左三）、县长杨晓涛（左二）参加 2016 年春季义务植树活动和“双拥”活动

县委常委、县委统战部部长、县总工会主席尹贤鹏（前排中）率队开展金堂县现代农业项目第二次“竞进拉练”活动

金堂县坚定实施“工业强县、农业固本、文旅兴城”战略，开创了金堂科学发展、加快发展的新局面。2016 年，完成“大智造”板块概念性规划、空间规划和产业规划，实施工业拓展区通航产业园、智慧园区建设，以节能环保、通用航空、新能源为主导的战略性新兴产业快速成长。全县规模以上工业企业总数首次突破 200 家，产值首次超过 200 亿元，获得国家新型工业化产业示范基地授牌。“4+N”现代特色农业产业稳步提升，累计建成高标准农田 18 万亩、都市现代农业示范园区基地 105 个、幸福美丽新村 156 个。县内有国家 4A 级旅游景区五凤溪古镇、国家 3A 级旅游景区官仓玉皇养生谷菊花观赏基地和转龙鲜花山谷芙蓉繁育中心观赏基地、全省首个水上夜航景区一号航线。万达广场、港中旅温泉度假区、铁投亲子乐园等项目加快推进。完成县一医院、县妇幼保健院等医院搬迁，引进华西医院领办县一医院，引进成都市妇女儿童中心医院合作办医，成功创建为新一轮全国计划生育优质服务先进单位，县一医院创建为国家三级乙等综合医院。成功举办铁人三项世界杯赛、中国龙舟公开赛、国家登山健身步道联赛等赛事，被评为国家公共文化服务体系示范区，“孝善金堂”文化品牌全国唱响。基本实现对外交通“大贯通”和对内交通“大循环”，综合治水能力、生产生活用水保障能力明显增强。2016 年，全县实现地区生产总值 323.7 亿元，增长 12.3%；一般公共预算收入完成 24.5 亿元，增长 23.4%；城乡居民人均可支配收入分别为 30112 元、16212 元，分别增长 9.5%、9.8%；三次产业比为 13 ：46 ：41。金堂县成功创建为全国十佳生态文明城市、全国绿化模范县、全国双拥模范县、全国绿色食品原料（脐橙）标准化生产基地、省级生态县，被评为 2016—2020 年度全国科普示范县和全省县域经济发展先进县、四川乡村旅游强县，被认定为第二批四川省防震减灾示范县。

金龙镇葡萄种植基地

官仓镇金满堂公司蔬菜种植基地

东风水库扩建干渠工程

金堂大道中段

金堂农产品精深加工园

赵家镇流转土地建设的千亩葡萄种植基地

10万亩丘区特色农业产业示范基地

四川峰上生物科技有限公司石斛生产基地

食用菌种植

金堂五彩花生

四川黑洋洋农业有限公司黑山羊养殖基地

万亩脐橙精品观光园

鲜花山谷

中国龙舟公开赛（金堂站）

西南航空文化旅游景区

五凤溪古镇

官仓镇玉皇山

云顶山桃花盛开

中国成都第七届自行车车迷健身节在金堂县举行

自 贡 市

市委书记李刚（中）走访慰问贫困户

市长刘永湘（右一）调研扶贫产业培育情况

自贡市始终保持定力、专注发展，调结构、促改革、惠民生。围绕"一区六园"建设目标，坚持多措并举，着力优化结构，促进转型升级，新型城镇化有力推进，新农村建设成效明显，现代农业加快发展，产业链不断延伸，农民收入持续增加。

粮油持续稳定增产。2016年，全市粮食播种面积325万亩，粮食总产量134.6万吨，同比增长1.5%，创历史新高。创建绿色高产高效示范片34个，粮食单产增长1.2%。粮经复合产业基地化、标准化发展，建设果菜茶产业基地100万亩，发展柑橘、蔬菜、茶叶标准化示范基地27个，创建农业部园艺作物标准化示范园2个。全年水果产量31万吨，同比增长5.5%；蔬菜产量204万吨，同比增长2%；茶叶产量1.1万吨，同比增长6.4%。

市委副书记李国贵（前排左二）督导易地扶贫搬迁项目建设工作

副市长鲜光鹏（左三）指导农业示范基地建设情况

畜牧生产稳步发展。生猪、肉奶牛、川南黑山羊、禽兔四大优质畜禽产业基地加快建设，全年肉、蛋、奶产量分别达 30.82 万吨、5.44 万吨、1.59 万吨，分别同比增长 0.04% 、0.86% 、1.02%。

水产业升级加快。全年水产品产量 6.79 万吨，实现产值 15.95 亿元，同比分别增长 4.8%、4.3％。

农产品质量安全水平趋稳向好，全市农产品质量安全例行监测合格率达 99.2%。

示范园区加快建设。启动自贡现代农业园区规划工作。贡井区建设镇（龙都早香柚）成为全国“一村一品”示范镇，富顺县永年、自流井区尖山园区成为省级现代农业示范园区。新发展特色农林水产基地 3.2 万亩，自贡环城乡村旅游、20 万亩菜畜（旭水河沿岸）、30 万亩果畜（越溪河、自荣路至富顺）3 个产业带初具规模。

新型农业经营主体不断壮大。出台了《示范家庭农场认定管理办法（试行）》《落实农民返乡发展农业新型经营主体补助政策》，促进新型农业经营主体发展，全市农民合作组织、家庭农场分别达 1370 家、1789 家，新增省级重点龙头企业 4 家、农民合作社国家级示范社 2 家、省级示范社 15 家、省级示范家庭农场 11 家。

新村建设步伐加快。以幸福美丽新村建设带动“一村一品”和休闲农业发展，实现产村相融、农民增收致富。完成 225 个幸福美丽新村建设，新（改）建村（组）道路 318.9 千米、入户路 123.8 千米，完成集中供水 5105 户、集中供气 3575 户，广播电视安装 3459 户、宽带安装 2259 户，路灯安装 964 盏。开展农村环境连片综合整治，修建排污管网 462.1 千米、垃圾设施 204 处、公厕 18 座。大力实施农村文化院坝建设，建成文化活动广场 59 个、“1+6”村级公共服务活动中心 98 个。

农村民生加快改善。创新扶贫开发机制，对 113 个贫困村开展干部驻村帮扶，启动精准扶贫，完成 1.89 万户贫困户脱贫。建成农村廉租房 875 户。将农村低保标准提高到 260 元 / 人 / 月，实现农村低保标准线与国家扶贫标准线“两线合一”，确保纳入低保兜底的贫困人口年人均纯收入达到 3120 元。针对贫困户因户施策，实施教育、医疗等帮扶政策，增加贫困户转移性收入。严格执行移民后期扶持人口动态管理，全年核减 196 人，兑付移民直发直补资金 667.38 万元。

交通四通八达

环境清新怡人

彩灯名扬天下

农村改革有力推进。全面完成土地承包经营权、林权等确权登记，将农村土地、农房等 7 种产权纳入抵押融资范围，设立风险补偿金及风险分担机制，实现农村产权抵押融资 358 笔、44695 万元。完善三级农村产权流转交易平台和延伸到村的四级信息网络，建立土地流转准入和风险防范制度，流转承包地 46.11 万亩、林地 6.52 万亩。农村公共服务运行维护标准化建设改革到位资金 1480 万元，实施项目 1428 个。

全市首个"盐义仓"贫困村聚力公益项目评审会

第四届四川农业博览会自贡展馆

全省转变植保服务方式暨稻水象甲防控现场会

荣县旭阳镇马石村产业脱贫技术培训会

巡回农技员服务小组到贫困户家中进行技术指导

西瓜喜获丰收

贡井区龙潭镇有机葡萄种植基地

富顺县洛源食品有限公司果汁生产线

荣县无人机防治水稻病虫害

标准化葡萄园

优质柑橘种植基地

标准化蛋鸡养殖场

九洪瓜椒专业合作社花椒丰产基地

杨柳溪水产专业合作社特色水产养殖区

万亩畜—沼—菜循环农业生产基地

四川绿茗春茶叶有限公司茶叶种植基地

草莓采摘（围绕乡村旅游发展特色体验农业，种植大户陈勇）

设施蔬菜生产基地

游人如织

荣县绿食佳农家乐

乡村旅游蓬勃发展

自贡市沿滩区

区委书记邹天才（左三）在沿滩镇调研“党建扶贫·双百示范”项目推进情况

区长黄雪智（左一）实地指挥防汛工作

自贡市沿滩区把脱贫攻坚作为“三农”工作的头号工程，深入贯彻落实中央和省、市委关于“三农”工作的重大决策部署，狠抓脱贫攻坚，大力发展现代农业，着力培育新产业新业态，扎实推进幸福美丽新村建设，稳步推进农村改革，全区农村经济社会总体保持持续健康稳定发展。2016年，全区实现农业增加值16.63亿元，增长4%，增速位列全市第一；农民人均可支配收入达13070元，增长9.13%，增速在全市四区两县中排名第二位。

全面推进农民增收工作。认真贯彻落实农民增收区委书记、区长负责制，多措并举，推动农民增收。区财政“三农”投入达9.73亿元，同比增长5.1%。及时兑现强农惠农富农政策，兑付耕地地力保护补贴2787万元、退耕还林补助资金446万元；办理农机购置补贴各种机型404台，补贴资金35.78万元。在足额落实各类支农资金的基础上，区财政划拨专项扶贫资金1600万元用于推进脱贫攻坚和促农增收。

积极培育农民增收新业态。积极推进花椒、柑橘、蔬菜、水产、花卉等6个万亩产业基地建设，培育了台湾风情园、中艺彩灯大世界、黄市萄宝葡萄园等10个精品产业园区。“信步沿滩·美过周末”乡村旅游系列活动持续推进，永安郁金香节、刘山草雕节等20余场节庆活动吸引了市内外游客500余万人，带动农户兴办农家乐、农家旅舍，有效带动了农民收入增长。

仙市镇百胜新村

富全镇余山新村

加强农业农村基础设施建设。争取农田水利项目26个、2.8亿元。新增耕地1471亩，完成6个乡（镇）水厂改（扩）建以及供水管网延伸工程建设，解决了10个“摘帽”贫困村和5655人饮水不安全问题；完成2座病险水库整治，治理水土流失面积6.67平方公千米；实施农村公路改善及硬化95.1千米，完成危桥改造3座。

扎实推进脱贫攻坚和幸福美丽新村建设。完成“十三五”脱贫攻坚规划和15个扶贫专项方案、扶贫专项年度计划的编制。认真抓好脱贫对象数据核实，全区锁定贫困户5257户、16108人。坚持以扶贫项目建设为抓手推进脱贫攻坚，全面完成省下达任务4个贫困村和自加压力6个贫困村的退出任务，实现6090名贫困人口脱贫。坚持把幸福美丽新村建设与脱贫攻坚相结合，按照“小组微生”和“四级居住”模式，分级分类建成幸福美丽新村20个，成功创建省级“四好村”2个。

深化农村改革。探索建立农村产权确权体系，完成土地承包经营权确权36万亩、林权确权13万亩，有序推进农村产权“多权同确”试点工作；创新产业托管模式，实现产业规模化发展、基地标准化建设；深入开展农村产权抵押融资，探索的“权属证明”“融资流程”“评估体系”等一系列机制为破解农业融资难、融资贵找到了新路子，全年发放贷款41笔、3650万元。

王井镇太源井村村级阵地

黄市镇群英新村

仙市镇箭口村

山坪塘整治

基础设施建设

沿滩区脱贫攻坚领导小组第三次会议

“留守儿童之家”

仙市镇马丘村产村相融

标准化葡萄园

花椒产业基地

设施蔬菜

柑橘种植基地

凤凰湿地公园

四川省现代农业建设示范县

全省农村改革综合试验区

荣 县

县委书记韩明祝（左一）调研农业农村工作

县长郑小清（左二）到长河镇双河村调研脱贫攻坚工作

2016年，荣县被成功确定为国家农业可持续发展试验示范区创建单位、四川省现代农业建设示范县、四川新一批基层农技推广机构星级服务创建试点县和四川省农产品质量安全监管示范县。

新型农业经营主体培育再创佳绩。全县有国家级龙头企业1家、省级龙头企业11家、市级龙头企业45家，其中，新培育省级农业产业化重点龙头企业2家；年销售收入亿元以上企业5家，其中10亿元以上企业1家。农民专业合作社和家庭农场总量分别突破400家和600家，新培育国家级示范专合社5家、省级示范社4家、省级家庭农场3家，双古茶叶专业合作社在全国农民合作社加工示范单位培训班上作了交流发言。

农村改革再获突破。成功申报为四川省农村改革综合试验区（全市唯一）、四川省进一步扩大农业科技体制改革试点激励科技人员创新创业试点县，在全省农村土地承包经营权确权登记颁证工作重点县推进会作了典型发言，农村产权抵押融资试点经验作为农村金融改革先进经验被四川卫视专题宣传报道，中央电视台《走遍中国》栏目组对荣县田园人才"孵化器"3111工程进行了专题宣传报道。

新产业新业态蓬勃兴起。荣县被列为全省25个盘活农村资产资源培育农民增收新产业新业态示范县（市、区）之一，并顺利通过省级验收获得正式命名。

荣县第十三次代表大会第五次会议

“绿茗春”第二届采茶节

乐德镇天宫村红土地

双河水库美景如画

双石镇金台村

乡村美景

留佳镇凤龙村移民新村风貌

长山镇胡家大院新村美景

小井沟水利工程施工现场

整治完工后的水库

农业机械化助力粮食生产

交通路网建设提速

家庭农场葡萄喜获丰收

鼎新镇红胜村蔬菜种植基地

新桥镇枇杷喜获丰收

攀枝花市

市委书记李建勤（左二）视察攀枝花特色农产品展示区

2016年，攀枝花市有44个乡（镇）、351个村，其中自来水受益村173个、通有线电视村249个、通宽带村276个。农业人口155446户、550022人，农村劳动力338781人，其中农业从业人员233812人，转移输出劳动力9184人。有耕地面积75007公顷，其中水田28836公顷、旱地46170公顷、水浇地1657公顷，陡坡25度以上的陡坡耕地面积2529.93公顷。园地面积37352公顷，林地面积445889公顷，草地面积34508公顷，设施农业用地面积3693公顷。

全年农村用电量20882万千瓦时；农用化肥施用量2.91万吨；农用塑料薄膜使用量3115吨，其中地膜使用量2707吨，地膜覆盖面积10882.33公顷；农用柴油使用量9792吨，农药使用量1293吨；乡村水电站39个，装机容量5万千瓦，发电量8757万千瓦时。

2016年，攀枝花市注册农民专业合作社达到1157个，增加175个，增长18.42%；家庭农场355家，增加112家，增长46%。其中，新增省级农民专业合作社示范社9个、国家农民专业合作社示范社11家，获得省批准第二批省级示范家庭农场10个。完成新申报的28家龙头企业的材料审核，组织符合条件的企业开展"新三板"挂牌重点后备企业的申报。

2016年，攀枝花市组织相关企业参加了第五届国际茶博会、第四届南博会、第十六届西博会、第十四届农交会和第四届农博会，在成都市举办了第二届26度芒果汇宣传推介活动，在北京市等地开展了以"阳光花城、金色芒果"为主题的系列芒果营销活动；组织锐华农业、26度果园、攀乡经贸、半坡咖啡等企业参加市内大型会议，开展农产品展示、品鉴活动10余次。在第十四届农交会上，攀枝花芒果获得"2016年全国名优果品区域公用品牌"称号。组织企业参加香港美食博览会，对接在哈萨克斯坦举办的攀枝花市特色农产品展示展销活动。锐华农业生产的芒果出口新加坡、加拿大、俄罗斯等国家12批次，合计172.8吨，销售金额达40万美元。

火龙果喜获丰收

咖啡果

高标准农田

稻菜轮作基地

林中“黑钻石”——攀枝花块菌(松露)

山地芒果园

米易县高效节水膜下滴灌基地

攀枝花果蔬产地集配中心

攀枝花市仁和区

大田镇板凳龙表演

攀枝花市仁和区地处攀西大裂谷，全区辖8镇6乡1个街道，辖区面积1727.07平方千米，耕地面积15.3万亩，有人口23.16万人，其中农业人口14.36万人。境内居住着汉、彝、傈傈、傣、回等28个民族，享受少数民族地区县待遇。2016年，全区实现地区生产总值215.6亿元，同比增长9.1%。实现农业总产值16.85亿元，农民年人均纯收入达14708元，位居全省前列。

仁和区属典型的内陆南亚热带气候，热量充足，气温年较差小，日较差大，无霜期长达300天以上，素有“天然温室”之称。

近年来，仁和区充分利用得天独厚的气候地理条件，紧紧抓住被列为全省第二轮省级新农村建设成片推进示范区和全省财政涉农资金整合打捆试点区的契机，大力发展现代特色农业产业。截至2016年年底，全区累计发展水果19.5万亩，产量9.15万吨，其中芒果15.34万亩，产量5.069万吨；石榴0.953万亩，产量1.284万吨；葡萄1.52万亩，产量0.3965万吨；其他水果1.69万亩，产量2.4万吨。2016年，全区粮食播种面积达18.79万亩，产量6.54万吨；蔬菜面积6.82万亩，产量24.15万吨。出栏牛（马）1.13万头（匹）、猪20.22万只头、羊9.02万只、家禽133.27万只，肉类总产量1.83万吨。烤烟种植面积1.54万亩，产量0.22万吨。

全区有农业产业化组织379家，全年新发展专合组织39家、家庭农场37家，其中市级以上龙头企业23家（省级龙头企业4家）、专业合作组织317家。全区获得无公害农产品认证9个，无公害畜产品认证2个，绿色食品4个，地理标志农产品2个，有机产品2个。有10个系列产品，分别为“啊喇”牌蚕豆、大米、豌豆、小麦、玉米，“宏翔果业”牌草莓、葡萄、芒果、李子、荔枝；6个农副产品基地，分别为优质晚熟芒果基地、青皮软籽石榴基地、优质酿酒葡萄基地、优质板栗和核桃基地、种草养畜基地、优质烟叶基地。创建农产品品牌26个，其中获得省级名牌产品6个、省级著名商标4个（仁和、攀西、行远、攀西阳光）、市级著名商标3个。开展了“电子商务进农村”工作，全年电商销售特色水果5万吨，比上年增长120%。

新农村风貌

平地镇迤沙拉黑山羊养殖基地

中坝乡行远牧业肉牛运动场

布德镇宏福生猪标准化养殖场

平地镇邑度酒庄展示厅

总发乡箐河火龙果基地

大龙潭乡万亩芒果种植基地

泸 州 市

时任中央农办主任唐仁健（左一）在市委书记蒋辅义（左三）的陪同下到泸县调研

泸州市位于四川省东南、川滇黔渝结合部。全市辖 15 个乡 108 个镇 21 个街道 ，辖区面积 1.22 万平方千米，其中耕地面积 615.74 万亩（比上年减少 0.12%），人均耕地面积 1.21 亩，基本农田 486.6 万亩。年末总人口 508.27 万人（户籍人口）；人口出生率 9.41‰，减少 1.55 个千分点；人口自然增长率 3.97‰，减少 1.11 个千分点。年平均水资源总量 60.59 亿立方米，人均水资源量 1407 立方米。林业用地 55.8 万公顷，有林地面积 50.9 万公顷，活立木总蓄积量 3049 万立方米，森林覆盖率达 50.2%。2016 年，全市 GDP1481.91 亿元，增长 9.5%，其中第一产业增加值 178.07 亿元，增长 3.9%；第二产业增加值 875.77 亿元，增长 10.4%；第三产业增加值 428.08 亿元，增长 10%。三次产业对经济增长的贡献率分别为 5.1%、65.4% 和 29.5%。劳务输出 159.63 万人，收入 246.459 亿元。全年接待游客 3916.76 万人，实现旅游收入 331.3 亿元，其中乡村旅游收入 170 亿元。

省政协副主席、省总工会主席李登菊（前排左三）到合江县榕山镇回洞桥村小学调研督导教育精准扶贫工作

教育厅厅长朱世宏（中）、市长刘强（右一）到江阳区梓橦路小学考察教育综合改革工作

林业厅副厅长宾军宜（右一）带队调研泸州市现代林业重点县建设工作

市委常委、市委宣传部部长鞠丽（右三），市委常委、副市长张文军（右二）出席纳溪区竹产业联盟会议

2016年泸州市农民新村大联欢

叙永县石坝彝族乡堰塘村

古蔺县大寨苗族乡富民新村

江阳区黄舣镇马道子新村

江阳区分水岭镇董允坝村

江阳区黄舣镇永兴村

叙永县叙永镇红岩坝新村

新村壁画

“腾飞之路”

“渡改桥”工程建成后的双河场大桥

铺筑幸福之路——古蔺县铁路修建现场

连片发展的古蔺县马蹄甜橙

泸州市水务局

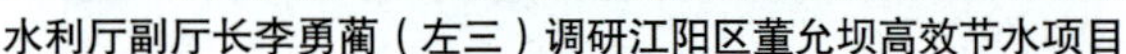

水利厅副厅长李勇蔺（左三）调研江阳区董允坝高效节水项目

泸县马溪河中小河流治理成效

纳溪区马庙水库

纳溪区黄桷坝水利工程

泸县三溪口水库水生态修复及水资源保护工程

江阳区阳院子水库除险加固工程

2016 年，泸州市重点水利项目完成投资近 16 亿元。水生态文明城市建设完成投资 17.7 亿元，完成目标的 295%；累计完成投资 87.7 亿元，完成计划总投资 76 亿元的 115%。着力完善和落实“三条红线”制度，完善了覆盖市、县、乡（镇）三级行政区域的水资源管理控制指标考核体系，将考核结果纳入了市对县（区）政府的综合目标考核体系。合江锁口水库完成投资 1 亿元，叙永倒流河水库完成投资 5389 万元，古蔺观文水库完成投资 1.05 亿元，叙永纳坪水库完成投资 7800 万元，古蔺朝门水库完成投资 7000 万元。全面完成 27 座病险水库除险加固工程。投入农村饮水安全建设资金 9346 万元，新建农村供水工程 793 处，解决了 22936 名贫困人口的饮水安全问题，同时改善了 22997 名贫困人口的饮水问题。综合治理水土流失面积 221.9 平方千米，泸州市水务局被评为四川省水土保持设施验收工作先进单位。泸州市 2016 年农田水利基本建设绩效考核获得全省第二名，农建综合管理项目考核获得全省第三名。

全国水土保持小流域示范工程——纳溪区清溪河小流域

泸州市江阳区

泸州市江阳区位于四川盆地南部，长江、沱江交汇处，东连合江县，南接泸州市纳溪区，西邻江安县、富顺县，北以沱江为界与泸县、泸州市龙马潭区相邻，是中外闻名的“泸州老窖特曲”发源地，素有“川南重镇”“酒城”等美誉，自古为云、贵、川、渝毗邻地区的交通枢纽和重要物资集散地，是泸州市政治、经济、文化中心。江阳区先后获得“中国历史文化名城”“全国双拥模范城市”“国家卫生城市”“四川省社会治安综合治理模范区”“四川省‘三农’工作先进区”“四川省农民增收先进区”等荣誉。

泸州市委书记蒋辅义（右一）到分水岭镇董允坝村调研集体经济发展情况

皇伞生态食用菌

林老五黄粑

泸州市副市长、江阳区委书记付小平（中）到通滩镇调研古镇建设情况

丹林镇文罗村向日葵种植基地

区长杨长缨（中）到方山镇调研

泸州市纳溪区

时任省委常委、省委组织部部长范锐平（左一）调研大渡口镇“中国酒镇·酒庄”建设情况

泸州市委书记蒋辅义（前排右二）到天仙镇调研基层党建工作

泸州市纳溪区位于四川省南缘，长江之滨、永宁河畔。因三国时期“蛮夷纳贡出此溪”而得名，南宋理宗绍定五年（公元 1232 年）建县，1996 年撤县建区。辖区面积 1150 平方千米，总人口 50 万人。纳溪区紧紧围绕省、市战略部署，坚持以绿色发展、红色传承、特色兴区“三色发展”为主导，加快建设泸州国家高新区纳溪科技园、中国白酒金三角酒业园区大渡基地、纳溪经济开发区“三大园区”，做大做强节能环保高新、生态特色食品、文化旅游养生、现代商贸物流“四大产业”，统筹推进长江湿地新城、人文老城、特色小镇“三城联动”。全区经济社会呈现出良好发展态势，化工、白酒等传统产业加快转型，“中国酒镇·酒庄”建设成效明显，成功创建为四川省新型工业化产业示范基地、中国白酒酒庄文化服务综合标准化示范区；“全域旅游”多点破题，建成天仙硐、花田酒地、云溪温泉、凤凰湖 4 个国家 4A 级旅游景区；城市品质整体提升，建成区面积扩大到 18 平方千米，常住人口达到 18.9 万人。纳溪区先后获得“全国休闲农业与乡村旅游示范区”“全国林业产业突出贡献奖”“中国特色竹乡”“中国特早茶之乡”“中国名茶之乡”“全省三农工作先进县（区）”“全省农民增收工作先进县（区）”“中国民间文化艺术之乡”“中国民生建设百强区”等称号，被省委省政府表彰为“全省县域经济发展先进县（区）”。

护国镇德红村“小农水”项目新建的渠道

中国白酒展示中心

茶叶种植基地

花海

高粱种植基地

国家 AAAA 级景区——天仙硐

泸　　县

时任中央农办主任唐仁健（前排左三）到泸县调研

泸县位于四川盆地南部，地处川滇黔渝四省市接合部、成渝经济区核心地带，是泸州市北大门、西南出海大通道桥头节点。县城距成都市 230 千米、重庆市 130 千米，形成了水、陆、空立体交通网络。

全县辖区面积 1532 平方千米，辖 19 个镇 1 个街道，有人口 108.69 万人。泸县历史悠久，文化底蕴深厚，是“古县新城”，拥有龙脑桥、雨坛彩龙、宋代石刻等“八大国宝”，是全国 100 个千年古县之一、“中国龙文化之乡”，境内有全国重点文物保护单位——龙脑桥，堪与赵州桥和卢沟桥媲美；有“东方活龙”之称的中国泸州雨坛彩龙数次进京献艺，斩获多项大奖，饮誉海内外；有“川南第一大道”之誉的新县城——龙城，以其碧水、蓝天、花园城的典雅、靓丽、浪漫、抒情令中外游客倾倒；有“川南第一湖”美称的玉龙湖。泸县是国家级建筑劳务基地县、全国双拥模范县、国家级卫生城市、西部经济百强县，近年来又成功创建为全国水利建设先进县、文化建设先进县、平安建设先进县。

泸州市委书记蒋辅义（右二）率队到泸县电子商务孵化运营中心调研

泸州市长刘强（右二）率参加全市电子商务进农村工作现场会人员参观玉蟾街道龙脑桥电子商务服务店

县委书记薛学深（右二）在泸县农林局干部职工大会上发言

县长肖刚（左二）到龙桥文化生态园考察

时任省委农工委乡村治理指导处处长徐涛（中）在副县长杜作文（左二）的陪同下到泸县调研农村新型集体经济发展情况

全国供销合作社电子商务工作会议在江苏省常熟市召开，县供销社主任赵军代表泸县作经验交流发言

四川省农民增收新产业新业态示范县考评工作汇报会

方洞镇现代农业产业园

泸县海翔生态泥鳅繁育基地

濑溪河一期堤防工程

石桥镇大王山项目片区坡改梯水土保持项目

神仙桥集中供水工程

泸县特产——五仙山茶叶

泸县特产——太伏火腿

泸县非物质文化遗产——奇峰彩龙

玉蟾山石窟

玉龙湖美景

古 蔺 县

泸州市委书记蒋辅义（中）考察古蔺县产业发展情况

泸州市长刘强（左二）到古蔺县开展“送温暖”活动

县委书记李万忠（左二）到大寨苗族乡调研

古蔺县，隶属泸州市，古称“蔺州”，别称“郎酒之乡”，位于四川省南部边缘，赤水河沿边界由南往东向北流入长江，全县地域成半岛形伸入黔北，西面与叙永县毗邻，东南北三面与贵州省毕节、金沙、仁怀、习水、赤水交界，辖区面积 3184 平方公里，辖 26 个乡（镇）、269 个行政村，有人口 87 万人，是国家扶贫开发工作重点县、国家乌蒙山片区区域发展与扶贫攻坚重点县、四川省革命老区县和少数民族地区待遇县。

县长陈廷俊（前排左二）到大寨苗族乡调研

芍药花开迎客来

德阳市气象局

局领导班子

环境综合整治后的局大院全貌

在广安市开展红色教育

职工运动会

2016年，德阳市气象局在省气象局和市委市政府的正确领导和关心支持下，认真学习党的十八大及十八届三中、四中、五中、六中全会精神，全面落实省气象局和市委市政府的工作部署，扎实开展“两学一做”学习教育，坚持公共气象服务发展方向，全面推进气象现代化建设，气象业务水平进一步提升，气象服务能力显著增强，气象社会管理进一步规范，防雷体制改革取得阶段性成果，精神文明建设再上新台阶。德阳市气象局被省气象局评为“重大气象服务先进单位”，在全年目标考核中被省气象局评为“特别优秀达标单位”，被市政府评为“安全生产一等示范单位”，被市委市政府评为“依法行政示范单位”，在市委市政府组织的党风政风行风满意度测评中名列前茅，成功创建为“省级最佳文明单位”。

2016年，德阳市气象局履职尽责，在气象防灾减灾服务中充分发挥“发令枪”“消息树”的作用，以不断提升气象业务服务能力为切入点，气象服务综合实力得到全面提高，气象业务服务水平显著提升，重大灾害性天气预报准确率达92%，24小时晴雨预报准确率达85%，决策服务、公众服务、专业服务满意率达95%，各项业务服务指标名列全省前茅；各类重要天气过程预报准确、服务及时，雨情、水情信息提供快捷，气象服务周全，气象灾害损失明显减少，取得了显著的社会经济效益，受到各级领导的赞扬和社会好评。

德阳市旌阳区

农业部农业生态与资源保护总站可再生能源处处长李景明（右一）到旌阳区调研沼气集中供气情况

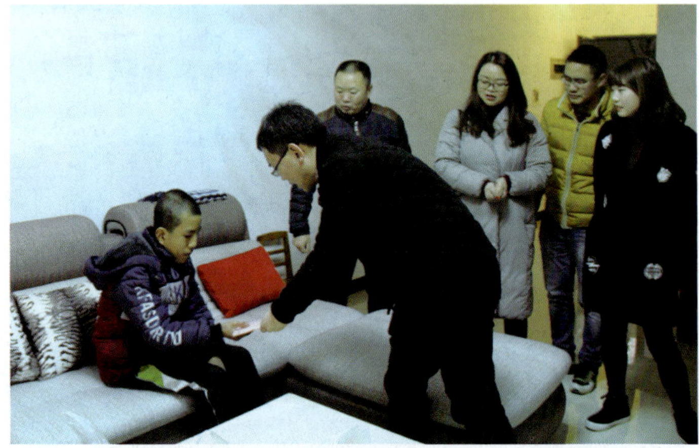

团区委书记刘丁滔（左二）慰问留守儿童

2016年是“十三五”开局之年，面对复杂严峻的宏观经济形势，德阳市旌阳区认真贯彻落实党的十八大、十八届三中、四中、五中全会和习近平总书记系列重要讲话精神，紧紧围绕“四个全面”发展战略，坚持“产业兴区、工业强区”战略不动摇，深入贯彻“1235”发展思路，全面践行五大发展理念，统筹做好稳增长、促改革、调结构、惠民生、防风险各项工作，努力提高发展质量，增强发展活力，社会经济保持稳中有进，实现了“十三五”良好开局。

全年完成地区生产总值500.08亿元，同比增长8.2%，保持了经济的中高速增长；财政总收入43.8亿元，其中一般公共预算收入12.35亿元，增长13%；全社会固定资产投资实现186.66亿元，增长11.5%；社会消费品零售总额202.11亿元，增长13.5%；城镇居民人均可支配收入30387元，增长7.8%；农村居民人均可支配收入15570元，增长9.2%，城乡居民收入差距继续缩小。连续十二年位居全省县域经济综合评价“十强县”行列，为决胜全面小康奠定了坚实基础。

外国官员、学者到扬嘉镇新隆村参观学习沼气技术

外国客商参观明润农业食用菌基地

林权抵押贷款改革试点首批颁证仪式

区农工办“科技下乡”活动现场

和新镇辣椒节

德阳市第二届乡村趣味运动会

留守儿童国学夏令营

黄许镇富新村晨曦之家辅导班开班典礼

组织留守儿童到黄继光纪念馆进行爱国主义教育

千名老人"圆梦"公益活动启动仪式

"公益合伙人"项目对接

中 江 县

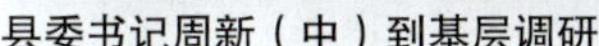
县委书记周新（中）到基层调研

县长李霞（右一）到集凤镇拱桥村调研乡村建设情况

2016 年，中江县“多规合一”平台建设试点工作取得积极进展，完成《中江县城市总体规划》编制工作；仓山镇、龙台镇被列入四川省“十三五”特色小城镇发展规划；完成仓山、黄鹿等 4 个乡（镇）的控制性详规的编制工作，启动 22 个乡（镇）的总规修编和控制性详规编制工作。县城建成区面积达 27 平方千米，聚集人口 27.4 万人，新增城镇面积 0.5 平方千米，新增城镇人口约 1 万人，全县中心城区控规覆盖率达 100%。实施城市基础设施建设项目 37 个，其中已完工 27 个、在建 10 个，完成投资约 1.8 亿元，占全年计划投资建设目标的 100%。实施宜居县城建设试点，完成一环路东段、芍药大道入城、德中路入城口广场和成巴高速互通两侧绿化等城市提档升级工程，新建城区道路 2 千米、城西片区排水涵 3 千米，开工实施一环、二环路改造 PPP 项目。开工建设“6”字环道路改建工程、“三江六岸”景观灯光一期工程和桥亭街、谭家街、松山小区 3 个棚户区改造项目；数字化城市管理指挥平台进入调试阶段。深化国家重点镇、四川省百镇建设试点镇、市域重点镇建设，完成投资 1.3 亿元。全县危旧房棚户区改造年度目标任务为 1129 套，已全部开工建设，开工率达 100%。推进户籍制度改革，截至 2016 年年底，全县共办理落实“农转非”7520 人；建立流动人口信息申报点 4130 个，申报流动人口信息 24157 条，全面完成目标任务。

2016 年，中江县争取省级美丽乡村示范村专项资金 600 万元、省级幸福美丽新村专项资金 1700 万元，2 个省级幸福美丽乡村和 12 个新村基础设施建设有序推进。90 个幸福美丽新村建设已全部完成，其中新建成幸福美丽新村 16 个、改造和完善基础设施幸福美丽新村 74 个；1400 户农村廉租房建设全部完成。以集凤镇“四好”示范带、永太镇“四好”示范片为重点，全力推进全县“四好村”创建活动，全年建成县级“四好村”167 个、市级“四好村”73 个、省级“四好村”20 个。扎实推进特色小城镇和幸福美丽新村建设，建成省级生态乡镇 5 个、美丽乡村 9 个、新村示范片 1 个、传统文化村落 3 个。

2016 年，中江县完成脱贫 10232 户、25045 人，完成贫困村退出 35 个，贫困人口减贫率达 74.3%；完成贫困户危房改造 1981 户。全县财政专项扶贫资金投入总额达 6861 万元，比上年增长 68.2%；设立卫生扶贫基金 1000 万元，重点对贫困人口非住院治疗进行救助。实施 111 个村小型公共基础设施建设项目，建成村社道路 516 千米，改造、新建塘堰 121 口，整治渠道 114 千米。

2016 年，中江县举办了太安首届桃花节、2016 四川花卉（果类）生态旅游节分会场暨中江第四届芍药赏花节、永太葡萄（西瓜）采摘节、仓山第二届古郪猕猴桃采摘节，累计接待各地游客约 100 万人次，实现直接旅游收入 2.6 亿元，拉动其他消费收入 10.4 亿元。太安桃花谷景区等乡村旅游示范点建设有序推进。

仓山镇响滩子新村

集凤镇石垭子新村

永太镇石狮新村

元兴乡火花新村

永太镇高坝新村

清河乡石碑河村建设后的中沟

广福镇铜山村粮食种植基地

合兴乡惠农专业合作社

南山镇三塘村小麦机收现场

小麦喜获丰收

通济镇苔坡新村

广 汉 市

省委常委、省委农工委主任曲木史哈（中）到农博会广汉展区了解无人机展销情况

广汉市因"广至汉水"而得名，位于"天府之国"腹心，自古就是"益州门户、蜀省要衢、通京孔道"。秦为雒县，西汉置广汉郡，1988年撤县建市。全市辖区面积548.68平方千米，辖18个乡（镇），总人口60万人。2016年，全市完成地区生产总值355.7亿元，规模以上工业总产值934亿元，全社会固定资产投资202.4亿元，一般财政公共预算收入16.6亿元，城乡居民人均可支配收入分别为30353元、15513元。

广汉是古蜀之源。诞生于4800年前的三星堆文明被誉为"长江文明之源"，是世界文化高地、中华文明圣地，三星堆遗址被称为20世纪人类最伟大的考古发现之一；沿袭300余年的"保保节"被列入省级非物质文化遗产保护名录，被誉为"川西民俗一绝"；境内有国家级重点文物保护单位雒城、明代古寺龙居寺以及金雁湖、房湖公园、广汉文庙、广汉东禅寺、汉代古墓群等，被评为省级历史文化名城、全国文化先进县。

广汉市2016年脱贫攻坚工作推进会

广汉市对口援助金阳县脱贫攻坚工作

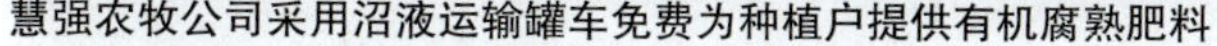
慧强农牧公司采用沼液运输罐车免费为种植户提供有机腐熟肥料

广汉市西高油菜花节期间搭建的空中便桥

广汉是改革之乡。1978 年，金鱼镇在全国率先实行“包产到组”联产承包责任制。1980 年，向阳镇第一个摘掉了人民公社的牌子，开启了中国农村改革的序幕。十八届三中全会以来，广汉市大力弘扬敢为天下先的改革精神，在农业农村、基层治理、创新创业等方面大胆突破、先行先试，实施了农田水利改革、农村集体资产股份合作制改革等多项改革举措，被确定为全省农村改革综合试验区。

广汉是创业之城。境内有德阳高新区、三星堆文化产业园两大国家级园区和广汉工业集中发展区，形成了油气装备制造、医药、食品和通用航空、新材料、新能源“3+3”产业体系。拥有中国民航飞行学院、四川航天职业技术学院、四川师范大学广汉校区三大高校以及中石油川庆公司钻采工程技术研究院、西南油气田公司采气工程研究院、川庆公司安全环境质量检测研究院三大研究院，是中国产业集群经济示范市、全国中小企业发展环境百佳县、西部最具投资潜力百强县和四川首批工业强县示范县。

广汉是宜居之地。南距成都市区 20 千米，北距德阳市区 19 千米，成都二绕、宝成铁路、成绵乐城际铁路、成兰铁路、成绵高速、成德大件路、天星干线、旌江大道等“一横七纵”交通干线穿境而过，建设中的天府大道北延线是一条南到眉山北达德阳的城市主轴，成都地铁 3 号线规划过境延伸至德阳城区。境内湔江、绵远河、石亭江、青白江均属沱江水系，地表水资源较为丰富；全市有林地 6928.7 公顷，建成区绿化覆盖率为 44.1%，是全国森林城市、全省环境优美示范县城。

当前，广汉市正全面贯彻落实省第十一次党代会精神，突出抓好脱贫攻坚、稳定经济增长、全面深化改革、环境保护、防汛减灾等重点工作，奋力建设产业富美、环境优美、人文秀美、社会和美的成都北部新城最优区域！

2016 年建成的金轮镇生态湿地污水处理站

广汉市大学生生态农业创业园

龙潭湾生态循环农业示范区

北川羌族自治县

省委常委、省委农工委主任曲木史哈（右五）在县委书记赖俊（右六）的陪同下到安昌镇调研循环农业发展情况

农业厅厅长祝春秀（前排右二）到北川县调研

2016年，北川羌族自治县围绕农业增效、农民增收、产业扶贫这一核心，千方百计抓好产业生产，促进全县农业农村经济良好发展。全年粮食播种面积17452.2公顷，粮食总产量4.7637万吨，同比增长3.1%；水果总产量0.52万吨；蔬菜总产量7.6959万吨，同比增长0.67%；中药材总产量2.9197万吨，同比增长46%。生猪出栏20.9万头，同比减少3.9%；北川白山羊出栏25.06万只，同比增长0.2%；小家禽出栏103.5万只，同比增长5.2%。农业总产值71394.25万元，增长10.9%。在安昌镇金龟村建设高标准农田66.67公顷。全县“三品一标”认证（含换证、续展、再认证）总数达33个。农村土地承包经营权确权登记工作通过省级检查验收。

种植业

粮食作物。在白坭、禹里、马槽、开坪等乡（镇）建立粮食万亩高产创建示范片4个、面积2666.7公顷，其中玉米高产创建示范片2个、面积1333.3公顷，涉及农户8265户；马铃薯高产创建示范片2个、面积1333.3公顷，涉及农户8702户。在开坪乡

县委书记赖俊（右一）与村民亲切交谈

县长瞿永安（左二）到基层调研

县委常委、县委统战部部长李光辉（左二）到基层视察工作

副县长李桂炳（左一）检查李家湾堰塞湖防汛工作

建设小金黄玉米种子繁育基地 33.33 公顷。

茶叶种植。全县茶园面积达 3886.67 公顷，采摘面积 2473.33 公顷，绿色防控面积 800 公顷。茶叶总产量 812 吨，名优茶产量 83 吨，其中绿茶 484 吨、其他类茶 244 吨，实现茶叶总产值 7000 万元。在擂鼓镇盖头村建设标准化茶园 66.67 公顷，辐射带动擂鼓镇田坝村、曲山镇景家村茶园基地管护面积 133.33 公顷。4 月，在擂鼓镇盖头村、曲山镇景家村举办以“游最美茶乡、品非遗文化”为主题的中国·北川第四届羌茶节。羌山雀舌公司的羌芝灵芽获得世界绿茶金奖。

魔芋种植。全县魔芋种植面积 1106.67 公顷，产量 1.84 万吨。在曲山、通口、陈家坝等 17 个乡（镇）建立魔芋基地，培育专业村 17 个，建立魔芋专业合作社 10 个。全年实现魔芋综合产值 3.3 亿元。依托绵阳安福魔芋开发有限公司，在坝底乡通坪村发展魔芋基地 6.67 公顷。

县委农办主任林川（右二）到羊肚菌基地调研

水果种植。全县水果种植面积 1560 公顷，产量 5191 吨，其中因猕猴桃受溃疡病影响，造成部分果园毁园，面积 773.33 公顷，投产面积 286.67 公顷，总产量 2220 余吨；枇杷 313.33 公顷，因受春冻影响，枇杷基本绝产；李子以青红脆李和桐子李为主，面积 166.67 公顷，主要分布在曲山镇、漩坪乡、禹里镇、安昌镇等地。在永安镇大安村、后庄村、楠木村建成水果种植基地 15.13 公顷，其中梨 10 公顷、枇杷 3.33 公顷、桃 1.8 公顷；在漩坪乡石龙村、景家村新建猕猴桃基地 8.27 公顷；在安昌镇金龟村种植冬桃 6.67 公顷、猕猴桃 13.33 公顷。

蔬菜种植。全县发展高山蔬菜基地 5333.33 公顷（复种面积），主要在坝底、禹里、香泉、桂溪等乡（镇）种植连片辣椒、四季豆、茄子、莴笋、蒜薹等高山缓季节蔬菜。其中，在坝底乡小岭村、马槽乡黑亭村发展高山蔬菜基地 41.33 公顷。

羊肚菌种植。全县羊肚菌种植面积 133.33 公顷，主要分布在安昌镇福田村、裕清村、高安村、建国村，永安镇向阳村、开坪乡全益村、凤阳村等地，鲜菌产量 500 余吨。亩产 150 ~ 250 千克，每亩实现产值 2.5 万 ~ 3.5 万元，每亩利润 1.3 万 ~ 2.7 万元，经济效益显著。

中药材种植。全县新发展中药材 200 公顷。依托普网·药博园在白什、小坝、曲山、禹里等乡镇发展桔梗、玄参等中药材基地 133.33 公顷。在开坪乡发展黄连种植 24.27 公顷，其中凤阳村 4.2 公顷、永安村 6 公顷、全益村 9 公顷、麂子坪村 0.6 公顷、马头村 0.43 公顷、刘家村 0.43 公顷、永生村 0.47 公顷、高坪村 2 公顷、安林村 1.13 公顷。

基地建设。全县新建和提升农业产业基地 6.01 万亩，其中高山蔬菜基地 2.55 万亩、水果基地 0.46 万亩、茶叶基地 1.85 亩、中药材基地 1.15 万亩。依托“公司 + 农户 + 私人订制”“公司 + 合作社 + 贫困户”“百企帮百村”等精准产业扶贫模式，扶持贫困村发展特色产业，重点建设通口镇幸福村标准化猕猴桃基地、香泉乡紫霞村香妃枣基地、禹里镇三坪村红脆李基地、坝底乡通坪村高山蔬菜基地等。围绕一二三产业融合发展，依托安昌镇金龟村牡丹园、高安等村荷花基地打造安乐路农业休闲旅游；依托擂鼓镇、曲山镇精品茶叶基地，打造以观光、采摘、制茶、品茶为主题的农业体验旅游。

养殖业

生猪养殖。全年生猪出栏 20.9 万头，同比减少 3.9%；能繁母猪存栏 1.6 万头，同比减少 4.7%；三元杂交改良面达 91.8%。规模养殖场主要分布在禹里、擂鼓、桂溪、安昌等关外乡（镇），其中年出栏生猪 1000~5000 头的养殖户有 16 户，年出栏生猪 5000 头以上的养殖户有 8 户。

白山羊养殖。全县白山羊出栏 25 万只，同比增长 4.3%。白山羊养殖主要分布在白什、漩坪、都坝、贯岭等乡（镇），其中年出栏肉羊 100~199 只的养殖户有 10 户，年出栏肉羊 200~499 只的养殖户有 16 户。

家禽养殖。全县小家禽出栏 103.5 万羽，同比增长 5.2%。小家禽养殖主要分布在安昌、永安、香泉、白什、白坭等乡（镇），其中年出栏小家禽 2000~9999 羽以上的养殖户有 18 户，年出栏小家禽 10000~29999 羽的养殖户有 7 户，年出栏小家禽 50000~99999 羽的养殖户有 2 户。

水产养殖。全县水产养殖面积 1500 亩，水产品总产量 1130 吨（其中冷水鱼产量 40 吨），实现产值 1800 万元。

农村能源建设和管理

农村能源建设。全年完成 2014 年和 2015 年省级新村集中供气沼气项目（沼气工程），新增沼气用户 268 户；完成农村沼气服务网点建设，规范了沼气服务网点经营场地，发放了网点设施设备。

农村能源管理。严格执行沼气生产职业准入制度，切实加强技术培训与指导；沼气池建设完成后，由县农业局按照国家有关标准组织验收，验收不合格者一律不得投入使用。

农业机械化建设。全县有农业机械 3 万余台，农机总动力达 8.5 万千瓦，全年完成机耕 2200 公顷、机播 266.67 公顷、机收 533.33 公顷，力争到 2020 年实现主要农作物耕种收综合机械化率达 12%。全年共发放农机购置补贴 2.932 万元。

农机安全管理。大力开展农机安全隐患大排查大整治、农机打非治违、农机非法改拼装等专项整治，检查各类农业机械 322 台（套），排查一般隐患 55 起，跟踪治理隐患 6 起。

农业病害防治与检疫

动植物疫情监管。全年畜禽群免密度均达 90% 以上，抗体质量合格率达 70% 以上，科学合理处置零星疫情，将损失降到最低，全年未发生区域性动物重大疫情。发布病虫害预测预报 3 期，完成绿色防控示范面积 4766.67 公顷次、农作物病虫害防治面积 9086.66 公顷次、专业化统防统治面积 3340 公顷，专业化统防统治覆盖率达 40.2%。

动物检疫。对全县养殖场、养殖大户的畜禽免疫抗体水平进行定期监测；对动物产地检疫做到应检必检，严防病死畜禽进入流通领域；规范定点屠宰，严把检疫关，杜绝病、死、注水肉出场；深入开展农药、兽药、饲料和饲料添加剂、肥料等农牧业投入品专项整治和"瘦肉精"等违禁物质专项整治，切实从源头和过程管理上确保农产品质量安全。

羌绣

手工羌茶

开坪乡凤阳村养鸡大户

坝底乡通坪村白山羊养殖

禹里镇石纽村高山蔬菜种植基地

坝底乡通坪村马铃薯种植基地

县城全貌

广 元 市

市委书记王菲（右二）到朝天区开展督导调研

市人大常委会主任邓光志（前排左一）到利州区三堆镇五郎村调研通村公路建设情况

2016 年，广元市深入贯彻落实省委十届六次、七次全会以及幸福美丽新村建设推进会议、省委经济工作会议、省委农村工作会议精神，树立"创新、协调、绿色、开放、共享"的发展理念，按照供给侧结构性改革的要求，以脱贫攻坚为重点，以深化改革为动力，深入实施房前屋后庭院化、村落农舍整洁化、产业发展合作化、基层治理法制化、文明新风常态化和公共服务体系化"六化行动"，着力让农民群众"住上好房子、过上好日子、养成好习惯、形成好风气"，打造体现川北民俗风情特色的幸福美丽新村。全市已基本建成幸福美丽新村 299 个，涉及农户 78334 户，完成年度任务的 124%；建成新村聚居点 356 个、扶贫新村 202 个，涉及农户 43936 户；完成"建改保"297 个村（其中新建农房 9757 户、改造农房 15441 户），解决无房户、危房户、住房困难户 6564 户，建成农村廉租房 1182 户，保护传统村落 36 个，保护传统村落民居 2193 户；311 个村实施基础设施和公共服务建设，其中完成通组入户路硬化的行政村 285 个，实现水、电、气、宽带"四通"的行政村 184 个，建成"1+6"村级公共服务活动中心 255 个。全市幸福美丽新村建设共投入资金 243307 万元，其中财政资金投入 112462 万元、农户投入 80181 万元、金融机构投入 32498 万元、社会资本投入 18166 万元。

主要成效

基础设施日趋完善。大力实施山、水、田、林、路综合治理，抓好中低产田土改造和高标准农田建设，同步开展交通路网、集中供水、能源电力、广播电视、网络通信、垃圾处理、治污设施等建设，道路硬化率、入户率均达 90%，边沟、路灯、标识标牌等附属设施配套完善，养护管理机制健全，供水管网入户率、农民安全饮水率均达 90%，清洁能源普及率达 70% 以上，通电率、通电话率、通宽带率均达 80% 以上。

人居环境显著提升。大力实施建庭院、建入户路、建沼气池和改水、改厨、改厕、改圈"三建四改"工程；全面治理农村面源污染，推行"户集、村收、镇运、县处理"的农村垃圾集中收集处理模式；实施河渠沟塘治理，开展清河、清渠、清沟行动。全市"美丽乡村"示范工程建设累计开展"六清"活动 4237 次，落实"四改"家庭 4117 户，新配保洁人员 152 人，新增村庄绿化面积 325881 平方米。

地域特色逐渐彰显。民居建设做到应建必建、宜改则改、宜保则保，控制建设体量，不搞"高大上"，既注重风貌塑造，更注重满足农民现代生活需要的内部功能配套，彰显川北民居"青瓦、灰墙、白屋脊、穿斗结构、美人靠、坡屋顶"的风格，村落民居建设尽可能保留村庄原始风貌，慎砍树、禁挖山、不填塘、少拆房，尽可能在原有村庄形态上改善农民生产生活条件。以历

市长邹自景（右二）到苍溪县调研精准扶贫工作

市政协主席杨凯（左二）到剑阁县公兴镇文林村调研脱贫攻坚工作

史传统、田园文化、农耕文明为基础，推广川北唢呐、川北舞狮、川北秧歌等民俗文化和麻柳刺绣、白花石刻、剑阁手杖等传统手工艺品，开发米仓山茶叶、剑门关土鸡、朝天核桃等丰富多样的地理标志农产品，形成创意农业产业带。实行农旅结合，发展各具特色的乡村旅游业，积极建设休闲农业重点乡镇、农业主题公园和休闲农业景点。

主导产业不断壮大。坚持基础配套，产业先行，建成"一村一品"示范村85个、特色产业专业村316个。坚持产村一体、园村相融，建成万亩亿元现代农业园区79个、全国绿色食品原料标准化基地165.6万亩。核桃、猕猴桃、茶叶、食用菌等特色产业突破性发展，"3+5"特色农业产业持续壮大。苍溪县建设成为国家现代农业示范区和乡村旅游与休闲农业示范县，青川县建设成为国家农业产业化示范基地，朝天区建设成为全国绿色食品原料（蔬菜）标准化生产基地。全市建成国家有机产品认证示范创建县2个、国家地理标志保护产品22个、中国驰名商标和四川名牌45个。

农民积极性高涨。通过抓点示范、政策激励、基础先行等办法，调动群众建设幸福美丽新村的积极性。充分发挥村民自治、"一事一议"等基层议事规则，让农民真正自己做主，解决自己最关注、最急迫的问题，满足农民群众求美、求新、求幸福的愿望。大力宣传幸福美丽新村建设的意义、规划和政策，宣传各地的成功经验和典型案例，组织农民群众现场感受新变化、新面貌、新气象，激发其建设热情，广大群众主动参与创建的热情不断高涨，很多在外务工经商的农民不惜放弃手中的生意，千里迢迢赶回家乡参与幸福美丽新村建设。

公共服务更加完善。整合与群众密切相关的便民服务项目到公共服务中心，实行"一站式"服务。重视农村空心化、老龄化和"三留守"问题，大力推动家庭养老、日间照料中心和"留守儿童之家"建设。推动门诊统筹率先覆盖所有贫困地区，将贫困人口全部纳入重特大疾病救助范围，贫困乡村医疗条件切实改善。积极开展幸福美丽新村文化院坝建设，举办丰富多彩的农村文化活动。以"村规民约"为抓手，推进农村新型社区网格化管理和服务。全市已建成"1+6"村级公共服务活动中心158个，新建和改造农村社区综合服务社210个、庄稼医院102个，各类经营服务网点总数达3500余个，覆盖了全市100%的乡（镇）、65%的村。

幸福美丽新村示范县建设顺利推进。启动实施旺苍县、青川县、利州区省级幸福美丽新村示范县建设。制定推进幸福美丽新村示范县建设意见，突出民居建设、基础设施建设、人居环境整治、产业提升和农村文化建设等重点工作。与脱贫攻坚相结合，保障幸福美丽新村示范县建设项目和幸福美丽新村建设项目重点向贫困地区倾斜。按照"缺啥补啥"的要求，提升产业发展和公共服务水平，加强农业科技创新和适用科技成果推广，改善农民群众的生产生活条件和居住环境，预计到2018年，示范县建设全面完成。

"四好村"创建工作全面启动。成立广元市"四好村"创建活动工作领导小组，负责创建活动的牵头抓总、统筹协调和督促落实。研究制订五年总体方案、2016年"四好村"建设方案、考评办法和评分标准。力争到2020年，全市70%以上的村建成省级"四好村"，80%以上的村建成市级"四好村"，90%以上的村建成县级"四好村"。9月底，由8个常委带队，分赴4县3区和经济开发区对脱贫攻坚评估和"四好村"创建工作进行专项检查和指导。

主要措施

坚持以扶贫攻坚统揽幸福美丽新村建设。广元市是秦巴山区连片扶贫开发重点地区，始终坚持以扶贫攻坚统揽"三农"工作，把幸福美丽新村建设作为扶贫攻坚的重要载体和主要抓手，探索出具有秦巴山区特色的四个"三位一体"精准扶贫机制，把扶贫

昭化区石井铺镇长岭新村

旺苍县嘉川镇五红村

开发主战场放在集中连片的北部山区、边远地区、移民安置区“三大区域”，深入推进“六大扶贫攻坚行动”，走“两轮驱动”扶贫攻坚的路子。

坚持以科学规划引领幸福美丽新村建设。把主导产业发展、新型农村社区建设、基础设施、公共服务和基层组织建设等同步规划、一体推进，做到县有总规、乡有详规、村有实施方案、户有施工图纸。在规划的空间形态上，突出居住区、产业区、加工区和服务区的功能区分，使集镇更像新城镇，村庄更像新农村；在社会形态上，突出城乡公共服务均等化；在产业形态上，突出农村一二三产业融合发展，使产业向适度规模集中、向园区集中，经营权向新型主体集中；在民居建设上，引导农民向适度聚居集中，突出农房安全实用，体现错落有致、依山傍水的川北民居风格和民俗文化、环境文化、产业文化内涵。

坚持以改革创新助推幸福美丽新村建设。在幸福美丽新村建设中，如果依然使用老办法、老经验是行不通的，必须要学会用新办法、走新路子。近年来，广元市始终坚持以深化农业农村综合改革为引领，积极开展农民住房财产权抵押、担保、转让试点，推进农业经营方式创新，积极发展农民专合社、家庭农场、农业社会化服务超市、市级农业产业化龙头企业等新型农业经营主体，有力有效地助推了农业增效、农民增收、农村发展。

坚持以农民主体投身幸福美丽新村建设。农民群众是幸福美丽新村的建设者、管理者、维护者，又是直接受益者，必须始终坚持农民主体。如果没有广大农民群众的积极主动参与，幸福美丽新村建设就失去了基础，失去了“土壤”。各级各部门在推进幸福美丽新村建设中，充分发挥村民自治、“一事一议”等基层议事规则，让农民真正自己做主，解决自己最关注、最急迫的问题，满足农民群众求美、求新、求幸福的愿望。

坚持以现代农业产业支撑幸福美丽新村建设。全市加快推进幸福美丽新村建设，最终目的是发展现代农业，实现农业现代化。离开了现代农业，幸福美丽新村就成了无本之木、无源之水。在实践中，广元市始终坚持产村一体、园村相融的理念，提出了“五个三”的建设模式，通过转变农村发展方式、提升农业增效农民增收，走出了一条整合资源要素、促进新村建设、驱动城乡统筹、促进现代农业发展的新路子，为幸福美丽新村建设提供了强有力的支撑。

领导高度重视，聚力建设幸福美丽新村。各级领导高度重视，制定印发了《关于以产业园区为载体整体性推进生态小康新村建设的意见》和《广元市创新幸福美丽新村建设机制工作方案》，对新农村建设作出整体性工作安排，提出了“把握三个阶段、划分三大类区、突出四个依托”的要求。在集合要素、集聚产业、集装配套、集约发展上下功夫，把幸福美丽新村建设与连片扶贫开发、灾后恢复重建、农房拆迁安置、城乡环境综合治理、提升农民素质有机结合，凝心聚力推进幸福美丽新村建设。

青川县凉水镇凉华村新村一角

苍溪县五龙镇三会村新村聚居点

改标后的旺苍县木门镇青龙村山坪塘

微水池与产业配套

苍溪县贫困群众投工建设致富路

旺苍县国华镇至天星乡通乡公路

朝天区李家乡蔬菜产业

贫困户的香菇喜获丰收

昭化区沙坝乡双狮村生猪产业蓬勃发展

旺苍县嘉川镇五红村贫困户利用扶贫小额信贷项目养殖跑山鸡

剑阁县开封镇友爱村宝来肉牛养殖专业合作社养殖场

大坝猕猴桃园区

旺苍县普济镇秀海村产业发展示范园

青川县木鱼镇马鞭草种植基地

广元市昭化区

省委副书记、省长尹力（前排右三）在昭化镇听取乡村旅游情况汇报

广元市委书记王菲（中）到虎跳镇了解幸福美丽新村建设规划情况

2016年，广元市昭化区认真贯彻落实中央、省委“一号文件”和省、市农村工作会议精神，突出“三大重点”，统筹“三大建设”，积极推进农村新兴产业发展，全区呈现出农业增长、农民增收、农村稳定发展的良好态势。

创新开展农民增收新产业新业态省级示范县（区）创建。2016年，昭化区创建为全省23个县（市、区）、全市首个省级盘活农村资产资源培育农民增收新产业新业态示范县（市、区）。全区新产业新业态快速发展，“四个三”经验被《四川农村日报》《广元日报》等报道，被省、市农村工作通报刊发并在省、市推广。“四个三”即三产融合，拓宽产业发展新渠道；三区联动，开辟产业升级新路径；三资入股，创新产业经营新方式；三方合力，构建产业富民新机制。

加强新村建设，夯实农村基础。昭化区被评为四川省第二轮新农村建设优秀示范县；《实施新村扶贫，助推精准脱贫——广元市昭化区强力推进农房建设》工作经验在全市农委系统作经验交流。全区建成区级“四好村”73个、市级“四好村”23个、省级“四好村”11个。

广元市长邹自景（前排右一）一行到丁家乡青龙村调研青龙寨易地扶贫搬迁安置点建设情况

区委书记陈正永（中）到朝阳乡南马村了解产业和新村聚居点建设情况

区长龙兆学（中）到紫云乡调研紫云猕猴桃产地集配中心项目建设情况

区人大常委会主任贾小玲（左三）到磨滩镇中华村稻鱼综合种养核心示范区调研

农村改革创新探出新路。新增土地流转 2.8 万亩，累计流转面积达 18.9 万亩，占耕地和可流转利用林地总面积的 22.8%，增长 17.5%。积极开展农民合作组织资金互助试点，筹建农村资金互助社 1 个。

新型农业经营主体培育及品牌建设成效明显。新引进农业企业 8 家；新培育省级重点农业产业化龙头企业 1 家，累计达 2 家；新建和规范农民专合社 57 家，新培育省级示范合作社 3 家；新发展家庭农场 100 家，其中省级示范家庭农场 4 家、市级示范家庭农场 4 家；新发展农业社会化服务超市 17 个，培育产业领军人物 266 名，带动农民 4.2 万余人。全年新认证太宝米业、三禾真仙茄、三禾辣椒、三禾秋葵 4 个绿色食品，紫云猕猴桃、升达纤维板、壮牛配合饲料 3 个农产品获得“四川省名牌产品”称号；王家贡米、昭化韭黄获得地理标志保护产品称号。

区政协主席石含玖（中）到王家镇文星村调研食用菌产业发展情况

区委副书记杜非（中）到沙坝乡红寨村查看猕猴桃产业园建设情况

区委常委、区委组织部部长、区总工会主席孙健（中）走访贫困户

副区长付健（中）到白果乡调研集中供水工程配套规划

区委农工委主任申华锋（左二）走访贫困户

元坝镇大坝猕猴桃园区

王家镇万亩优质水稻种植基地

晋贤乡香菇产业园区

射箭乡邱阳牧业种羊扩繁养殖场

紫云猕猴桃产地集配中心

土鸡大棚养殖

昭化镇天雄万亩蔬菜基地

嘉陵江防洪堤

虎跳镇三公村大湾水乡新村聚居点

石井铺镇肖家寨新村聚居点

青川县

省扶贫移民局局长张谷（前排左二）到石坝乡调研

县委书记罗云（中）走访贫困户

县长刘自强（前排右一）视察农村工作

青川县地处四川盆地北部边缘秦岭南麓，白龙江下游，川、陕、甘三省接合部，素有“鸡鸣三省”之称。全县辖区面积3216平方千米，辖11镇25乡268个行政村，总人口25万人。

历史文化底蕴厚重。已有2300余年历史，西汉置郡县。因“其水清美”而得名，始名于唐代天宝元年。青川有着光辉灿烂的木牍文化、三国文化、红色文化和民俗文化，中原文明和巴蜀文明交融汇聚。川北薅草锣鼓被列入第一批国家级非物质文化遗产名录。青川木牍上的三行墨书古隶为中国最早的古隶标本。金牛道、马鸣阁道、景谷道、阴平道4条古栈道穿境而过。1935年4月，徐向前率红四方面军在青川建立了苏维埃政权。

旅游资源得天独厚。青川县最高海拔3837米、最低海拔491米，春迟、夏短、秋凉、冬长，立体气候明显。森林覆盖率达72.99%，有银杏、珙桐等珍稀植物1900余种，大熊猫、金丝猴、扭角羚等珍稀动物440余种。年空气质量优良天数达360天以上，每立方厘米负氧离子含量达2.5万个，是国家卫生县城、省级文明城市、省级生态县和省环境优美示范县。境内有唐家河、东河口地震遗址公园、青溪古城、县城战国木牍文化生态园4个国家4A级景区和国家级风景名胜区白龙湖，是全国最具魅力生态旅游县、国家生态旅游示范区和首批国家全域旅游示范县创建单位。

特色山珍享誉中外。盛产黑木耳、香菇、竹荪等山珍和茶叶、核桃、油橄榄等有机食品及天麻、乌药、青贝等名贵中药材，有青川黑木耳、青川天麻、青川竹荪、七佛贡茶、白龙湖银鱼、青竹江娃娃鱼、唐家河蜂蜜7个国家地理标志保护产品，数量居全省第一位；是国家有机产品认证示范县、国家农业产业化示范基地、国家生态农业试点县、“中国名茶之乡”、全国绿色食品原料标准化生产基地和四川唯一的国家生态原产地产品保护示范区。

生态青川前景广阔。青川县属国家重点生态功能区，是川陕革命老区、秦巴山区连片扶贫开发重点县和“5·12”汶川特大地震极重灾区县，全县始终坚持聚焦聚力脱贫攻坚主战场，坚决打赢脱贫攻坚战。随着西成客专、兰渝铁路、广平高速的建成，青川区位优势日益凸显。青川县将继续坚持“以人为本、生态立县、绿色崛起、富民强县”的发展思路，举生态旗、打生态牌、走生态路，大力发展绿色产业，努力建设成为生态旅游目的地、生态经济先行区、生态文明示范县和“生态青川、美丽家园”，与全国、全省同步全面建成小康社会。

2017 年，全县地区生产总值实现 35 亿元，增长 8.5%；全社会固定资产投资完成 50 亿元，增长 19.2%；地方一般财政公共预算收入完成 1.82 亿元，同口径增长 17.5%；规模以上工业增加值增长 11.2%；社会消费品零售总额实现 19.8 亿元，增长 11.6%。城镇居民年人均可支配收入实现 26962 元，增长 9.1%；农村居民人均可支配收入实现 10583 元，增长 10.36%。全县实现 32 个村退出、2083 户 6284 人脱贫，贫困发生率降至 4.29%，“飞地扶贫”“三资入股”等扶贫模式得到国家、省、市的充分肯定。承办了四川共青团助力“四个好”青春扶贫行动重点工作推进会、全省农村贫困监测工作培训会、秦巴山区驻村干部示范培训班等重要会议。

生态旅游蓬勃发展。建成白龙湖·幸福岛、初心谷·田缘张家、大坝·凌霄花谷、仙雾茶海等特色乡村旅游景区，初心谷·田缘张家、大坝·凌霄花谷创建为国家 3A 级旅游景区。沙州镇、孔溪旅游电子商务创客基地创建为四川省乡村旅游特色乡镇创客示范基地。举办了 2017 国际自然保护地联盟年会、唐家河青溪古城音乐节、2017 中国青川乡村休闲旅游·茶山秀等系列活动。2016 年、2017 年连续两年获得中国国家旅游最佳生态旅游目的地称号。青川县“亮相”纽约时代广场，拓展世界“朋友圈”。全年共接待国内外游客 618.5 万人次，增长 23.2%；实现旅游综合收入 27.8 亿元，增长 26.9%。

生态农业高效发展。大力发展六大优势特色产业，全县新发展名优绿茶 2.2 万亩，总面积达 27.3 万亩；新发展绿色山珍 1000 万袋（棒），总产量达 1.5 万吨；新增道地中药材 3000 亩，总面积达 1.2 万亩；管护核桃 30.3 万亩、油橄榄 8.6 万亩；出栏肉牛 1.1 万头、肉羊 6 万只。持续巩固提升三锅、姚渡等八大现代农业园区，建成三谷现代农业园区，幸福岛被评为省级现代农业园区。不断壮大新型农业经营主体，新引进亿元以上龙头企业 1 家，新发展农民合作组织 49 个、家庭农场 101 家，新建社会化服务超市 14 个。

建成青川县农产品质量安全应急指挥中心。青川县获得了“国家有机产品认证示范区”“中国食用菌之乡”称号，仙雾茶海被评为“全国三十座最美茶园”，“七佛贡茶”获得了第三届亚太茶茗大奖赛金奖，“唐家河蜂蜜”获得第十八届中国绿色食品博览会金奖。青川黑木耳、香（花）菇、竹荪和蕨菜被列入 2017 年省级第一批名优产品推广应用名录。以“小聚寻农”、CCTV2“厉害了我的国·中国电商扶贫行动”现场直播等活动为载体，青川黑木耳的知名度、美誉度进一步提升。生态工业加快发展。全年规模以上工业总产值实现 42 亿元，增长 34.5%，增速居全市第一位；利润总额实现 1.9 亿元，增加值增长 11.2%，排全市第二位。新培育规模以上工业企业 5 家。竹园经济开发区创建省级经济开发区工作顺利推进，入园企业达到 28 家。青川双创空间创建为第六批省级小企业创业示范基地。

生态电商突破发展。全面完成商务部电子商务进农村示范县、国家供销总社电子商务进农村试点县建设，县、乡、村三级电商服务体系不断健全。全年网络零售额突破 4 亿元大关。青川县电商发展经验在中国首席智库品牌《领导决策信息》刊发，青川县农特产品通过电商渠道远销欧美、中亚等地区。

嵩溪回族乡地坪新村

油橄榄种植示范基地

板桥乡羊肚菌特色产业基地

青川县双创空间

楼子乡燕子村袋料黑木耳种植基地

建峰乡生态林下养鸡场

农旅融合促兴业

乐安寺乡椴木黑木耳产业基地

苍 溪 县

司法部副部长刘振宇（左三）带队到苍溪县开展结对帮扶活动

时任省委副书记刘国中（右三）在广元市委书记王菲（左三）的陪同下到苍溪县调研脱贫攻坚工作

2016 年，苍溪县实现农业总产值 508172.7512 万元，增长 5.3%；农业增加值 296298 万元，增长 3.8%。农民人均可支配收入 9939 元，增长 9.8%。

全面深化产权制度改革。建成农村产权流转交易分中心，完成农村土地承包经营权、集体林权、集体土地所有权、集体建设用地使用权确权颁证工作，颁发农村小型水利工程产权证 1506 个。农村房屋所有权确权颁证、农村集体资产股份制改造加快试点。全县推进"农地经营权资本转化"经验在全省"两权"抵押贷款试点现场推进会上作交流发言。做活"农地经营权资本转化"，发放农村承包土地经营权抵押贷款 854 笔、2.02 亿元。

全力推进精准脱贫攻坚。一是按照"五个一批"，实施 21 个专项扶贫计划，落实"七个一"驻村帮扶、责任清单、验收考核"三大机制"，建立财政、金融、社会和个人"四轮驱动"多元投入体系，成立 5 个巡回督导暗访组，顺利完成

时任省委常委、省委组织部部长范锐平（左一）率队到苍溪县调研督导脱贫攻坚工作

交通运输厅厅长汪洋（前排右二）带队到苍溪县调研交通基础设施建设精准扶贫工作

省旅游发展委主任郝康理（左二）到五龙镇三会村现代农业园区调研指导旅游扶贫工作

阿坝州副州长何斌（左一）到苍溪县考察现代农业发展情况

44 个村退出、16036 人脱贫任务。二是创新三大金融扶贫机制。创新“农村产权抵押贷款 + 扶贫再贷款”“扶贫小额贷款 + 农村保险”“债贷结合 + 拼盘整合”机制，7 家涉农金融、保险、担保机构共推出 6 种信贷产品，共发放小额贷款 2.41 亿元、扶贫再贷款 2.2 亿元，支付赔款 4120 余万元。争取发行全国首支易地扶贫搬迁项目收益债 10 亿元，成功申贷易地扶贫搬迁政策性贷款 5.1 亿元。三是以贫困户脱贫攻坚为先导，建设脱贫奔康示范区。全县着力“一片一园区、一村一产业、一户一庭院、一人一万元”的建设思路目标，在地理条件适合、辐射带动明显的地方集中连片建设万亩现代农业园区 17 个，覆盖贫困村 130 个、贫困人口 2.3 万名，通过园区建设实现覆盖村基础设施整体提升、支柱产业整体提升、公共服务整体提升、园区社会治理整体提升，集中打造脱贫奔康示范园，辐射带动贫困村整体脱贫“摘帽”。结合脱贫攻坚“一村一策、一村一品”产业精准发展路径，全县发展猕猴桃 39.2 万亩、苍溪梨 15 万亩、优质粮油 50 万亩，建成规模化畜禽养殖小区 437 个。加快农村 C、D 级危房改造和易地扶贫搬迁项目建设，推进农居改造和新村建设。

乡村旅游蓬勃发展。苍溪县紧扣“醉美梨乡，水墨苍溪”主题，依托幸福美丽新村、现代农业园区建设，着力培育农耕体验、康养休闲、生态观光、民宿度假等乡村旅游新业态。建成全省知名休闲农业与乡村旅游示范点 61 个、全国最美休闲乡村 1 个、省级乡村旅游示范镇 5 个、省级乡村旅游示范村 12 个、省级休闲农业与乡村旅游园 8 个、休闲农业与乡村旅游点 336 个。苍溪梨文化博览园成功创建为 4A 级景区。借势四川省乡村文化旅游节的成功举办，围绕“醉美梨乡，水墨苍溪”的形象定位，着力打造全域乡村旅游，展现了乡村旅游与农业、体育、文化、康养、森林、民宿等的有机融合。全年接待乡村旅游游客 427.24 万人次，实现乡村旅游收入 18.45 亿元。全县共建成 A 级旅游景区 8 个、国家级森林公园 1 个、国家级水利风景区 1 个、5A 级特色旅游商品购物点 1 家、四星级酒店 1 家，成功创建为全国休闲农业与乡村旅游示范县。

着力夯实农业发展基础。加快推进重点抗旱水源和省级“小农水”项目建设，建成供水工程 747 处，新增有效灌面 1.1 万亩；新建农村公路 396 千米，硬化村组道路 449 千米，通村公路硬化率达 100%，通组道路硬化率超过 40%；新建高标准农田 4.45 万亩，新（改）建田间作业道 507 千米；新建农村户用沼气池 1000 口；新（改）建机电提灌站 41 处，全县农机化水平达 60.2%。

以激发动力为目标，建设农村改革实验区。着力选择现代农业园区范围划定村组先行先试农村改革，推进农村土地承包经营权、集体土地所有权、房屋所有权、小型水利工程所有权、集体资产所有权、集体建设用地使用权、集体林权“七权”同确，联动推进农村综合改革，最大限度激发农村资源活力，实现倍增效应。创新农民利益联结机制，推进财政支农资金股权量化改革，完善推行“两保一分红”利益联接利益模式。创新农业社会化服务机制，厘清政府与市场的定位，坚持多予、少取、放活的方针，在园区建设以公益性为主导的多元化农业科技服务体系、分层次管理的农业基础设施服务体系、政府扶持的经营性农业生产服务体系、政事分设的农村经营管理服务体系、市场化为主的农村商品流通服务体系、金融机构为主体信用合作为补充的农村金融服务体系，社会化农村信息服务体系、政府主导的农产品质量安全服务体系。

八庙镇举台村藕鳅种养基地

苍溪县天新猕猴桃种植基地

雍河乡香菇培育大棚

嘉陵江二桥建设

中国·苍溪梨文化博览园

唤马镇五峰峡漂流景区

五龙镇三会村聚居点建设

云峰镇大获村风貌

五龙镇三会村异地搬迁聚居点

遂 宁 市

副省长王铭晖（前排右二）视察农产品展销情况

农业厅厅长祝春秀（右三）到遂宁市视察农村扶贫工作

遂宁市地处成渝腹地，四川盆地中部，涪江中游，是成都平原经济区的重要组成部分，辖船山、安居2区、射洪、蓬溪、大英3县和国家级经济技术开发区、河东新区2个独立核算园区以及105个乡（镇）、18个街道。辖区面积5325平方千米，总人口380万人。

遂宁市是全省“四大片区”外9个市之一，5个县（区）均没有被纳入国家和省扶贫工作重点县，属于丘区“插花”式贫困地区。贫困人口呈点状分布，21.3万名贫困人口“插花”分布在全市109个乡（镇、街道）、2002个行政村；323个贫困村，集中分布在全市94个乡（镇）的边远落后、旱片死角和水库淹没“三大贫困区域”。

市委书记赵世勇（左二）调研农产品展销情况

市长杨自力（中）慰问遂宁中学志翔班学生

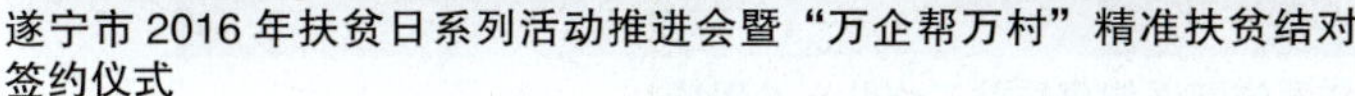
遂宁市 2016 年扶贫日系列活动推进会暨“万企帮万村”精准扶贫结对签约仪式

射洪县 2016 年畜牧产业技术扶贫培训会

党的十八大以来，遂宁市认真贯彻中央和省委决策部署，结合丘陵地区“插花”式贫困实际，认真落实“六个精准”，大力实施“五个一批”，更加注重精准到人、聚力到户，更加注重稳定增收、持续发展，在产业、住房、医疗等方面下足“绣花”功夫。在产业发展上，着力构建“造血”式产业扶贫机制，规划建设 173 千米长 500 余平方千米的扶贫大环线，串起全市 24 个农业产业园区，推动 323 个贫困村“村村进园区”，8.9 万贫困户“户户进基地”，促进贫困户由单打独斗向抱团发展转变。在主体培育上，出台支持龙头企业带动脱贫攻坚 20 条政策措施，全市 392 个农业专合组织、364 个家庭农场、355 家农业龙头企业参与脱贫攻坚，基本实现每个贫困村产业发展都有龙头企业、专合组织带动。在新业态上，建设市级农产品电商平台，400 余个“遂宁鲜”系列农产品实现线上供销、线下展示。发展微商城 12 家、农村电商运营中心 105 家，为贫困群众提供就业岗位 1000 余个。在住房保障上，创新易地扶贫搬迁、农村危房改造、新村建设、农村危旧房整治“四个结合”，采取拆闲、改危、建新等方式，计划 3 年内全面消除 8.5 万户农村土坯房。在健康扶贫上，在全面落实医疗救助政策的同时，加快完善村级公共卫生服务体系，推进“集团总医院、联村卫生室”和医务人员“县招乡用、乡招村用”改革。积极打造“1 小时优质医疗服务圈”，推动市中心医院、中医院等城区医院在人口集中的射洪县金华镇和蓬溪县蓬南镇建设分院。在教育扶贫上，创新开办普高志翔试点班、中高职衔接励志班、自强试点班和高职大专遂宁班等扶贫特色班 6 个，已招生 390 人。

遂宁市潜力巨大、前景美好。当前和今后一个时期，遂宁市将认真贯彻落实精准扶贫、精准脱贫重要思想，按照“立足脱贫、着眼奔康”的思路，既对照打赢脱贫攻坚战找短板，又对照农村全面小康 8 项标准找差距，以“年年都要打攻坚战、都要啃硬骨头”的决心，切实做到脱真贫、真脱贫，奋力谱写富民强市恢宏篇章。

村民喜迎新春

大英县蓬莱镇柏岭村首户市易地扶贫搬迁户入住新房

市文化馆、市川剧团到射洪县双溪乡九龙村开展文化惠民扶贫演出

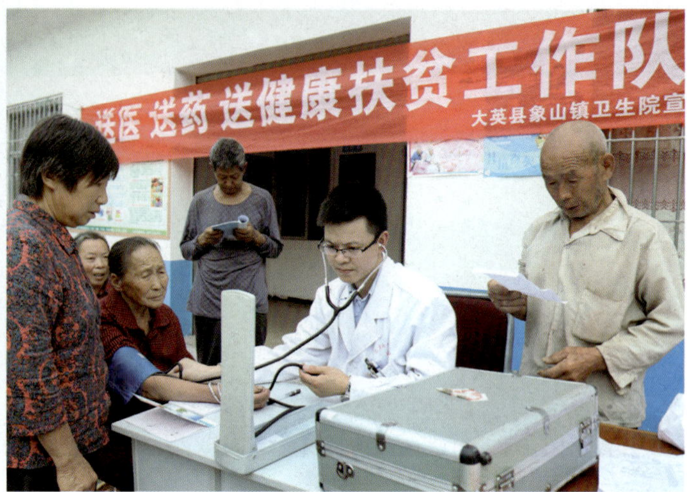

送医送药送健康扶贫工作队义诊现场

驻村农技员结对授课

农技专家服务团到贫困村开展培训

农技员组织开展技术培训

农村电子商务助农增收

遂宁市电子商务线下馆

船山区唐家乡农民收获绿色青椒

合作社蔬菜发往批发市场

船山区唐家乡绿色蔬菜示范基地

贫困村成片蔬菜产业基地

射洪县集约发展蔬菜种植基地

精准扶贫结“硕果”

花卉产业成增收新亮点

水产养殖助增收

射洪县洋溪镇设施蔬菜种植基地

回春堂中药材种植基地

船山区丰生大棚基地

欢乐新村

船山区桂花镇漆家桥新村

大英县蓬莱镇吊脚楼新村

世界荷花博览园

观音湖夜景

广德寺

四川逢春制药有限公司

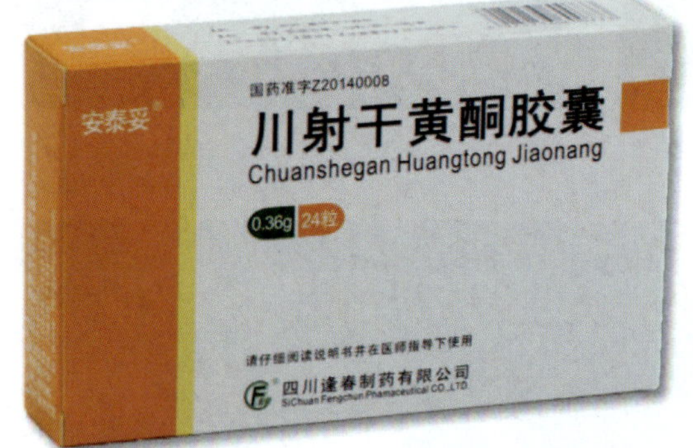

川射干黄酮胶囊——2014 年获批上市中药 5 类新药

九寨沟天然药业（全资子公司）中江分厂

四川逢春制药有限公司始创于 1973 年。如今，逢春制药及全资子公司、参股公司共有 27 家企业，已形成集科研、生产、销售、种植业、养殖业、林业、项目投资于一体的现代化大型企业。拥有资产 20 亿余元，工业用地 900 余亩，工业建筑面积 20 余万平方米，GAP 种植用地、林业、养殖用地 23 万余亩，已建成亚洲最大、世界闻名的林麝、马麝养殖基地。

公司经过 10 余年的发展，已形成了良好的信誉和声誉。2007—2010 年被省政府评为“省级重点龙头企业”;2007—2010 年被省经济和信息化委评为“四川省小巨人企业”;2009 年被省政府评为“四川省企业技术中心”；2011 年，农业部授予逢春制药“全国农产品加工业示范基地”荣誉称号，被中国医药协会评为“全国医药行业百佳百姓放心品牌企业”；2012 年，农业部、国家发展改革委等八部委联合授予逢春制药“农业产业化国家重点龙头企业”（第五批）荣誉称号；2012 年 9 月，被中国食品药品监督理事会授予副理事长单位，公司董事长被聘为副会长；2013 年 1 月，逢春制药被省质监局评为“四川省企业质量信用等级 AAA 级企业”；2015 年 6 月，被国家工商局评定为“中国驰名商标”；2015 年 7 月，逢春制药、九寨沟天然药业（全资子公司）再次获得科技部评定，并获得科技厅、财政厅、省国税局、省地税局联合颁发的“国家高新技术企业”证书；2016 年 10 月，逢春制药再次获评为“农业产业化国家重点龙头企业”。

在未来的竞争中，逢春人将秉承“健康改变生活、逢春创造未来”的企业宗旨，努力开拓国内外医药市场，积极推进人才培养和企业技术创新，时刻铭记以质量求生存、靠品牌求发展，逢春人将努力把逢春制药打造成为中国一流的医药企业！

助农工作

四川省高级人民法院助农工作

【基本情况】 2016年,四川省高级人民法院坚决贯彻中央和省委省政府脱贫攻坚各项决策部署,始终坚持把脱贫攻坚作为服务推进全省"三大发展战略""两个跨越"全局性工作和司法服务重大民生工程,高位推进,牵头帮扶的3个贫困村脱贫攻坚工作取得了重大阶段性成效。省法院牵头,配合常务副省长王宁、院长王海萍联系指导的乐至县龙门乡金鼓村实现整村脱贫;省法院牵头,与省直机关党校、省邮政储蓄银行、达州职业技术学院共同帮扶大竹县李家乡大湾村,省法院直属单位成都铁路运输中级法院帮扶的大竹县川主乡铁佛村均完成年度脱贫攻坚目标任务。

【强化组织领导,明确帮扶责任】 2016年,四川省高级人民法院成立了院机关脱贫攻坚领导小组,由院党组书记、院长王海萍任组长,3名院党组成员任副组长,5个内设机构主要负责人任成员,多次召开院党组会议,专题听取帮扶村脱贫攻坚情况汇报、研究相关问题的解决方案,要求全省各级法院党组要将脱贫攻坚作为法院工作的重中之重,与审判执行工作同谋划、同部署、同推进、同检查、同考核。选派优秀干部担任驻村"第一书记",实现包村包户全覆盖。2名驻村"第一书记"服务群众有感情、突破瓶颈有办法、打开局面有成效。健全落实《省法院机关党员领导干部、党支部联村帮户工作制度》,党员领导干部每人帮扶2户贫困户、机关每个支部帮扶3户贫困户,因户施策、精准帮扶、联动推进、责任到人、任务包干,不脱贫不脱钩。

【开展脱贫攻坚,督查调研把脉传压】 2016年,四川省高级人民法院注重突出"六个精准",在贫困识别上,督查识别标准是否统一、程序是否规范,贫困信息是否客观、真实;在扶贫措施上,督查是否逐村逐户制定差异化、个性化、精细化的帮扶方案和措施,是否建立精准帮扶台账实行"菜单式"扶持,是否按照"四到县"制度要求建立和完善精准扶贫金使用机制,是否在项目安排、资金使用上与减贫计划挂钩,对最贫困的村、最困难的户实行优先扶持;在精准减贫上,督查减贫对象是否有档案记录、有据可查,减贫任务是否一一分解落实到村、到户、到人;在整合扶贫资源上,督查是否预算安排本级财政专项扶贫资金,是否有效对接建档立卡贫困信息,是否统筹行业资金推动实施"五大扶贫工程"12项重点工作,是否充分发动群团力量和民间力量参与扶贫开发;在干部驻村帮扶工作上,督查是否实现帮扶单位对重点贫困村的全覆盖、驻村工作组重点贫困村的全覆盖、帮扶责任人对贫困户全覆盖的"三个全覆盖"要求,是否制定考核管理办法和保障措施,驻村干部是否下沉到村有效开展帮扶工作,建立起指导督查的常态长效机制,推动了脱贫攻坚决策部署的加快贯彻。2016年,院长王海萍率省督导组实地深入联系点的市、县贫困村、重大项目现场等基层一线督导,看望慰问贫困户6次,省法院领导调研指导联系点贫困村脱贫攻坚累计21人次,院机关各支部和党员干警到联系点开展帮扶、支部联建、法治宣讲、慰问活动累计达到115人次。注重加强对"第一书记"的管理监督,院领导和直属机关党委(党办)经常与驻村"第一书记"开展谈心谈话活动,适时了解"第一书记"的工作进展情况,交流做好基层和群众工作的方法和经验。

【履行牵头责任,整合资源确保实效】 2016年,四川省高级人民法院紧紧依靠地方党委政府衔接做好地方"十三五"规划和重点行业规划工作,按照"项目入笼子、资金进盘子"原则,指导帮扶村"第一书记"制订脱贫攻坚实施方案,实现目标、责任、资金、项目、措施、成效"六个落实"。截至2016年年底,为乐至县龙门乡金鼓村协调财政专项扶贫资金1300万元,为大竹县李家乡大湾村协调财政专项扶贫资金840万元,2个受扶村群众出行难、用水难、用电难问题得到根本扭转,住房难、通信难、医疗难问题得到有效解决。积极发挥组织协调作用,省法院牵头与省委编办、财政厅共同为乐至县龙门乡金鼓村筹集落实资金 65 万元,省法院牵头与省直机关党校、省邮政储蓄银行共同为大竹县李家乡大湾村筹集落实资金 69 万元,分别帮助 2 个受扶村发展黑山羊特色养殖项目,已成为受扶村增收脱贫的拳头产业项目。整合省直帮扶成员单位职能优势,形成合力,参加帮扶的省委编办、财政厅、省直机关党校、省邮政储蓄银行、达州职业技术学院积极支持配合,省委编办、财政厅充分发挥了省直部门的职能优势,在工作协调、专项资金统筹等方面为贫困村群众办实事、解难事;省直机关党校、达州职业技术学院发挥了党校、院校的智力扶贫优势,提出了对大竹县开展村组干部培训、农业技术和农家乐旅游培训、汽修就业培训等提升贫困群众致富素质能力的帮扶措施;省邮政储蓄银行在金融服务"三农"的具体举措方面给贫困村产业发展提供了实实在在的帮助支持,帮助联系村破解制约发展的基础设施、产业项目、民生改善等资金瓶颈,夯实了帮扶村加快发展的基础。

【发挥法院职能和法律服务优势推进脱贫攻坚】 2016 年,四川省高级人民法院立足审判职能,统筹指导全省三级法院为推进脱贫攻坚提供司法保障。加大对挪用、侵占、私分、贪污扶贫款物等涉贫违法犯罪行为的刑事处罚力度,及时发布典型案例,强化警示教育;加强对产权的司法保护,依法保障贫困户宅基地用益物权、宅基地占有和使用权;稳妥处理涉农案件和家事纠纷等案件,以审判工作服务推进基层依法治理,助推脱贫攻坚。在大湾村探索建立"微法庭",普及法律知识,提供法律服务,对离婚、赡养等纠纷加大调处、执行力度,认真听取群众诉求,妥善处理问题,有效促进了全村群众家庭和谐稳定。近年来,省法院机关主动送法上门,为受扶村群众解答民生涉法问题 60 余次、80 余人次,诉前化解纠纷 5 件,帮扶村实现了无治安案件发生、矛盾纠纷化解在村上的目标,推动帮扶村形成了尊崇法治、遵规守纪、和谐互助的好风气。

四川省高级人民法院编写组

四川省科学技术厅助农工作

【推广新品种新技术,加快产业推动】 2016 年,四川省科学技术厅聚焦扶贫对象,整合要素资源,创新工作机制,精准施策,探索出了产业、企业、院地、创业和在线相结合的"五动"扶贫新模式,走出了科技扶贫的新路径,取得了扶贫工作的新成效。持续推进农畜育种攻关,水稻、玉米、油菜等主要农作物新品种覆盖率超过 98%,大恒肉鸡、蜀宣花牛、川藏黑猪等一批自主创新新品种得到应用推广。推进贫困地区产业技术创新,实施产业扶贫科技项目近 400 项,转化新品种新技术 1000 余项,实现产业规模精准到村、带动脱贫精准到户、技术支撑精准到点,生猪、猕猴桃、核桃、食用菌、优质肉鸡等一大批优势特色产业展现出强劲的脱贫带动力,带动项目区农户人均增收 1000 元以上,已直接帮扶 1 万余名贫困人口,带动 4 万余人脱贫。

【构建新纽带新机制,依托企业带动】 2016 年,四川省科学技术厅发挥农业产业化龙头企业的市场带动作用,引导大企业、大集团在贫困地区探索"企业+专合组织+科技+基地+农户"模式,形成企业与农户紧密联系的利益纽带,依托企业带动脱贫攻坚。新希望集团、北大荒垦丰公司等 300 余家省内外农业产业化龙头企业和电商企业在贫困地区建立各类生产和示范基地。华朴现代农业股份有限公司研发推广高品质猕猴桃产品,带领当地 3 万户贫困户走上脱贫奔康之路。

【探索新政策新模式,推进院地联动】 2016 年,四川省科学技术厅出台了激励科技人员创新创业的 16 条政策措施,鼓励允许科技人员兼职兼薪、离岗创业、股权入股,动员中央在川和省属高校、科研院所参与科技扶贫,充分释放科技人员创新、创造、创业活力。北京大学、清华大学、中国农业大学、中国科学院等省内外 50 余所院校和科研院所与 80 余个贫困县建立了结对帮扶关系,四川农业大学创新新农村发展研究院大学推广模式,省农科院、畜科院积极推进市(县)分院建设。全省已选派科技特派员、"三区"科技人员 6.5 万余人。

【创新新理念新方法,实施创业拉动】 2016 年,四川省科学技术厅加强农民工、大学生和退役士兵等人员返乡创新创业教育,激发贫困地区创新创业活力。打造"星创天地"、农村产业技术服务中心、农业科技园区等创新创业平台,完善农村创新创业科技服务体系。全省建有农业科技专家大院近 300 个、农业科技园区 90 余个、科技特派员工作站 200 余个、国家级"星创天地"51 家;科技孵化器、孵化平台 300 余个,成功孵化 320 余人创业,带动 2000 余人就业脱贫。

【打造新平台新体系,推广在线互动】 2016 年,四川省科学技术厅针对传统科技服务效率低和多元化的需求,建立了"四川科技扶贫在线"平台,打造手机 APP 和 PC 端科技扶贫在线互动服务,通过手机 APP"点对点""分级诊疗"提需求,运管中心通过网络咨询和调度专家进行现场服务;在线平台适时发布成果信息,为用户提供经验参考;利用大数据和分析技术对产业发展问题进行系统分析;链接电商平台,实施从原料到生产到市场的全产业链精准综合服务。在线平台建立省、市、县三级运管中心 101 个,集聚专家 8090 人,建立信息员队伍 9683 人。自开通以来,平台网站访问量达 200 余万次,开展信息服务 1.5 万余次,解答率超过 90%,帮助农户挽回经济损失近 5000 余万元。

【领导重视,保障有力】 2016 年,四川省科学技术厅成立了由厅主要领导担任组长的全省科技扶贫协调指导小组,各市(州)、县(市、区)分别组建了领导小组,定期或不定期召开会议,专题研究科技扶贫工作,在人力、财力、物力和相关政策上全力支持。

【找准定位,精准发力】 2016 年,四川省科学技术厅瞄准具有比较优势的区域特色产业,依靠科技提档升级,打造助农脱贫的富民产业;瞄准高效科技扶贫服务体系建设,大力抓好科技扶贫在线、科技特派员、"三区"科技人才工作;瞄准帮扶对象,精准落实到示范县、示范乡、示范村和扶贫项目,带动 88 个贫困县依靠科技脱贫。有效汇聚人才、技术、资本等创新要素向贫困地区逆向流动,引导科技人才入农户、企业入村镇、技术进田间,解决科技成果转化"最后一公里"问题。建立部门、院所等横向到边,省、市、县科技部门纵向到底的联动协同工作推进机制,创新建立适应科技扶贫工作的项目管理制度,完善激励科技人员投身科技扶贫的政策体系,大力度、超常规推动科技扶贫工作。

【实施农业产业技术扶贫行动】 2016 年,四川省农业厅制订了《农业科技支撑助推精准脱贫行动方案》,下发了《关于组建农业产业综合技术指导专家服务团的通知》,指导各地整合 9095 名相关专业专家组建农技专家服务团1875个，开展巡回技术指导服务。印发了《2016年四川省驻村农技员绩效考核工作实施方案》，加强绩效考核。组织各地全覆盖培训驻村农技员25577人次、贫困村“两委”负责人22589人次，省、市、县编印扶贫培训教材近10万册，发放政策技术资料419.98万份，指导督促驻村农技员培训贫困农牧户333.7万人次。全省农业产业扶贫涌现出一批先进典型，300名驻村农技员获得省委省政府表扬。

四川省科学技术厅编写组

四川省人力资源和社会保障厅助农工作

【做好就业扶贫】 2016年，四川省人社系统共举办就业扶贫专场招聘会688场次，组织送岗位信息下乡入村4297次，提供岗位26.8万个，公益性兜底安置贫困群众4.78万人，全年实现贫困劳动力转移就业84.2万人，组织贫困劳动力参加就业培训18.4万人，就业扶贫实现“首战告捷”。全省就业扶贫经验在全国就业工作座谈会上作了交流发言，新华通讯社《国内动态清样》对四川就业扶贫工作进行了总结报道。

南充市推进“千村千园”工程，在1290个贫困村建立就业扶贫产业园区；广安市率先出台就业扶贫验收实施方案；自贡市积极探索“插花”式扶贫新路径；甘孜州通过整合各类资源开发公益岗位帮助8812名贫困劳动者就业；广元市着力开展精准识别，建立了15.65万名贫困劳动力数据库；雅安市对零就业贫困家庭提出“四个一”帮扶措施，实现了零就业贫困家庭动态消除。广州办成立华南川商精准扶贫工作小组，促成4批次用工企业到四川省贫困地区开展劳务对接，提供1.5万个就业岗位。

牵头制订了《四川省精准就业扶贫实施方案（2016—2020年）》，明确了“十三五”时期就业扶贫的目标任务和工作举措。同时，在对贫困劳动力开展精准识别的基础上，配套出台了《“一库五名单”动态管理办法》《就业培训“扶贫专班”实施办法》等5个操作办法，明确了就业扶贫的路径、抓手和方法。建立了就业扶贫按月通报、不定期督查和信息直报制度，建立健全了就业扶贫的激励约束机制。

【扎实开展布拖县定点帮扶】 2016年，四川省人力资源和社会保障厅把布拖县作为民族地区就业扶贫的试点县，从各个渠道争取资金1070万元，用于该县道路新建改造和产业发展项目建设。组织成都市91家企业到县城和4个中心镇举办现场招聘会，达成就业意向769人。指导布拖县举办各类培训班30期，组织劳务输出1.53万人，开发公益性岗位266个。开展“走基层、送温暖”活动，捐赠衣物1100套，购买价值7.2万元的棉被、棉衣送到布拖县高寒山区贫困群众手中。

四川省人力资源和社会保障厅编写组

四川省妇女联合会助农工作

【巾帼脱贫行动】 2016年，四川省妇女联合会下发了《四川省“巾帼脱贫行动”实施方案》，联合四川省扶贫移民工作局下发了《关于进一步做好贫困妇女脱贫致富工作的意见》，制定了“三项计划十一条措施”，统筹推动“巾帼脱贫行动”。在渠县召开了全省“巾帼脱贫行动”现场推进会，10万名妇联干部和妇女群众听取领会了会议精神。省妇联继续联系和指导渠县白蜡村和灵感村精准扶贫工作。21个市（州）妇联、183个县（市、区）妇联牵头联系定点扶贫村75个，协助或配合联系贫困村134个。各级妇联立足于把定点扶贫联系村打造为巾帼脱贫示范点，以贫困妇女需求为导向，调动贫困妇女积极参与。编制定点扶贫联系村发展规划75个，确定“妇女儿童之家”阵地建设项目128个，建立妇女特色产业发展项目库102个，实施妇女儿童关爱项目62个。各级妇联已在定点扶贫联系村组织实施各类项目48个，投入资金3420万元。

【推进女性行业协会“互助合作”】 2016年，四川省妇女联合会积极推广四川省妇女手工编织协会、四川省妇女绿色种植/生态养殖发展促进会，全省巾帼家政联盟指导各地妇联成立相应的协会（促进会、互助会），推行其成功经验和做法。全省建立妇女行业协会（促进会、互助会）105个，妇女领办合作社6683个，进入妇女行业性合作组织的妇女人数达47.6万名。

【动员社会力量参与扶贫攻坚】 2016年，四川省妇女联合会发挥“联”字优势，大力倡导并组织女企业家、各级妇联执委、巾帼志愿者队伍、巾帼文明岗、科研院所等社会力量开展结对帮扶，与贫困村结成帮扶对子34个，在全国首创成立以“三八红旗手”称号命名的“三八红旗手关爱公益基金”。积极动员女企业家开展“巾帼脱贫·公益同行”活动，全省各级妇联募集社会扶贫资金2000余万元。联合广东省妇联开展以“全面小康共建共享巾帼脱贫公益同行”为主题的“关爱凉山彝族自治州贫困妇女开展‘四好’家庭创建活动”，凉山州12万户建档立卡贫困妇女家庭获赠“五洗”用品，携手共创洁美家园。

【重点关注励志扶贫】 2016年，四川省妇女联合会与《中国妇女报》共同策划了《巾帼扶贫四川行》系列报道，已连续刊发9期有关四川省妇联在达州、乐山、凉山、内江、巴中、南充等市（州）地基层妇联开展“巾帼脱贫行动”的情况，倡导社会扶贫参与理念，在全社会营造了关爱妇女、扶贫济困、守望相助的浓厚社会氛围。编印了《我的扶贫故事》《我的脱贫故事》，通过大力宣传一批贫困妇女脱贫致富先进典型，用“四自”精神引领广大贫苦妇女克服“等、靠、要”思想，坚定其脱贫致富的信心和决心。开展“养成好习惯、形成好风气”培育行动，按照省委关于“四好村”创建活动工作要求，下发了《关于在贫困地区妇女和家庭中培育好习惯好风气助力精准扶贫攻坚工作的通知》，围绕“住上好房子、过上好日子、养成好习惯、形成好风气”目标，动员妇女群众充分发挥女性在家庭中的独特作用，带动家人养成好习惯、涵养好家风、支撑好社风。

四川省妇女联合会编写组

市(州)、县(市、区)农村工作概况

成 都 市

【基本情况】 2016年,成都市辖9区6县5市,辖区面积1.24万平方千米。全市农林牧渔生产总值841.25亿元,增长3.9%,其中农业(种植业)443.09亿元,增长5.8%;林业16.22亿元,增长9.3%;牧业332.4亿元,增长0.6%;渔业26.75亿元,增长9%;农林牧渔服务业22.8亿元,增长4%。农业增加值491.97亿元,增长4%。农村居民年人均可支配收入18605元,增长9.4%,城乡居民收入差距缩小为1.93∶1。全市供销系统实现经营服务总额近91亿元,利润总额近0.93亿元,基本持平。

2016年成都市主要农产品产量

主要农产品	单位	产量	同比(%)
粮食	万吨	290.44	-1.97
油菜	万吨	29.87	0.17
肉类	万吨	78.35	-2.43
猪肉	万吨	57.14	-3.87
禽肉	万吨	15.2	2.22
牛奶	万吨	10.45	-6.03
禽蛋	万吨	19.96	0.76
水产品	万吨	14.62	7.03

农业产业化发展。按照《关于做大做强成都市农业产业化龙头企业的意见》要求,成都市共给予龙头企业经营上台阶、品牌创建、上市融资、基地和产品认证等方面的奖励补助资金776万元。组织各县(市、区)开展2年一次的市级以上重点龙头企业运行监测工作并进行复查与审核。全市市级以上重点龙头企业达492家,其中国家级26家、省级129家、市级337家;市级以上农业产业化龙头企业销售收入(含交易额)突破2300亿元,亿元以上企业达169家(其中市场交易型企业12家),其中1亿~10亿元企业150家(其中市场交易型企业3家)、10亿~50亿元企业12家(其中市场交易型企业2家)、50亿~100亿元企业2家、100亿元以上5家(其中市场交易型企业3家)。鼓励农业产业化龙头企业开拓国际市场,在"一带一路"沿线国家投资建设农业园区14家、项目28个。出台了扶持家庭农场发展的指导意见,建立和完善"成都市家庭农场名录库",引导各类新型农业经营主体与家庭农场建立利益连接机制,构建"合作社+家庭农场""农业龙头企业+家庭农场""农产品市场+家庭农场""职业经理人+家庭农场"等多种经营模式,开展省级和市级示范家庭农场评定和基础设施建设项目申报等工作。全年新命名省级示范家庭农场17家、市级示范家庭农场80家;安排省、市两级财政扶持家庭农场项目资金1000万元,发展家庭农场3857家、市级及以上示范家庭农场185家。出台了扶持农民合作社发展的指导意见,建立和完善"成都市农民合作社名录库",开展农民合作社内部信用合作试点,总结、提炼、推广以"土地股份合作社+农业职业经理人+社会化服务"为核心的"农业共营制""合作社+基地+家庭农场(种养大户)"等经营模式,开展国家级、省级和市级示范农民合作社评定和基础设施建设项目申报等工作。全年新命名省级示范合作社20家、市级示范合作社39家;安排省、市两级财政扶持农民合作社项目资金1000万元,发展农民合作社9684家、市级及以上示范合作社477家。创新启动"新四权"确权,颁证率达99.9%。建设认定创新创业孵化园区10个,累计发展市级以上龙头企业492家、农民合作社

9684家、家庭农场3857家、农业职业经理人7134名。加强对农业龙头企业的扶持力度,市级财政兑现做大做强农业产业化龙头企业专项资金奖励补助776万元;对新获得“中国驰名商标”的企业奖励40万元,对龙头企业组织品牌宣传策划、开展品牌推介宣传、开设品牌农产品专营店、发展品牌电子商务等兑现奖励补助资金308.72万元。对21个生猪养殖场实施设施设备提档升级改造,总投入5821万元,其中成都市财政设施设备补贴资金1855万元;实施“龙头企业+适度规模家庭养殖场”生猪标准化建设,制订《成都市“龙头企业+适度规模养殖场”标准化提升建设示范项目实施方案》,启动122个单元适度规模家庭养殖场建设项目,总投入8160万元,建成适度规模标准化养殖场74个;投入370万元,其中成都市财政设施设备奖补资金250万元。

农产品品牌战略实施。截至2016年年底,成都市累计获得中国驰名商标30个、四川省著名商标167个、四川省名牌产品134个、成都市著名商标202个、国家地理标志保护产品39个、国家地理标志证明商标10个、国家农产品地理标志15个;“三品一标”农产品达1262个,其中无公害农产品381个、绿色食品251个、有机农产品615个,新增“三品一标”农产品36个,其中无公害农产品3个、绿色食品5个、有机农产品26个;新增国家农产品地理标志2个(都江堰方竹笋和都江堰茶叶)。第三届食用菌博览会上签订现代农业项目31个,协议资金11.6亿元;四川农博会签约项目6个,协议资金8.56亿元。

农村集体资产股份化改革。全年新增36个试点县(区),各试点县(区)已完成农村集体资产股份化改革试点。全市农村集体资产总额为88亿元,其中货币资金26亿元、固定资产27.2亿元、其他资产5.4亿元。全市村、组集体经济组织集体资产股份量化到户到人面达98.44%,登记颁发《成都市农村集体资产股权证》183.86万本,建成全市农村集体资产股权管理登记系统。

【种植业】 2016年,成都市粮食作物播种面积51.12万公顷,产量290.44万吨。油料作物播种面积13.72万公顷,比上年减少0.15万公顷,减少1.1%;产量33.48万吨,比上年增加0.07万吨,增长0.2%。全年小麦、水稻、玉米50亩及以上适度规模化种植面积达752559.43亩,符合财政奖补条件的水稻、玉米、小麦种植大户共1513户,累计发放粮食适度规模经营奖补资金152735392.34元。全市水稻栽插面积19.39万公顷,总产量159.1万吨;优质稻面积达263.68万亩,占水稻总面积的90.5%。玉米种植面积9.22万公顷,总产量50.91万吨;优质专用玉米面积119.34万亩,占玉米总面积的86.3%。红薯种植面积4.06万公顷,总产量13.84万吨,良种面积达92.2%。马铃薯种植面积4.31万公顷,总产量16.19万吨;推广脱毒薯面积9.5万亩,占马铃薯种植面积的40.9%。小麦种植面积9.3万公顷,总产量39.57万吨;推广优质专用小麦121.1万亩,占小麦种植面积的88.1%。油菜播栽面积12.33万公顷,总产量29.87万吨;“双低”优质油菜面积168.52万亩,占油菜种植面积的91.1%。全年推广水稻、玉米、小麦、油菜主导品种55个,其中小麦、油菜22个,水稻、玉米29个,马铃薯4个。全市主导品种占有率水稻达63%、玉米达59%、小麦达68%、油菜达54%,全市良种覆盖率达96%。组织申报和审核粮食工厂化育秧补贴项目,全市符合补贴条件的共有18个育秧场,育秧场占地面积281.4亩,设施面积231.8亩,实际育秧面积225.5亩,补贴资金1359.95万元。有农作物制种基地10万亩。全市共引进新品种192个,其中水稻24个、玉米14个、小麦14个、油菜20个、蔬菜120个;稻田综合种养优质水稻筛选工作共征集品种12个。蔬菜复种面积19万公顷,总产量637.36万吨。水果种植面积8.28万公顷,产量129.82万吨,与上年基本持平,其中柑橘2.27万公顷,产量54.78万吨;梨0.59万公顷,产量11.58万吨;桃1.47万公顷,产量19.35万吨;枇杷0.28万公顷,产量4.49万吨;葡萄0.74万公顷,产量17.04万吨;猕猴桃2.13万公顷,产量14.27万吨。全市茶园种植面积达2.58万公顷,与上年持平;茶叶产量2.2万吨,增加1421吨;鲜叶产值16.03亿元,增加0.62亿元。其中,名优茶产量10871吨,增加871吨,名优茶比例达55%以上,产值达10亿元。全市茶园良种面积达2.35万公顷,机械化作业面积达2.1万公顷,有机茶园面积达2.58万亩。全年食用菌总产量达87万吨,产值达51亿元。花卉种植面积2.8万公顷,销售总额35亿元。全年已建成26个集农业观光、休闲度假、赏花美食、婚纱摄影、花卉研发、一站式购物等于一体的体验式花卉旅游场所。全年中药材(道地药材)面积1.29万公顷,产量4.5万吨,产值23.7亿元。桑树种植面积1000公顷,生产蚕茧127.7吨,总产值578万元。花生种植面积13792公顷,产量35894吨。甘蔗种植面积298公顷,产量11778吨。烟叶种植面积294公顷,产量832吨。其他农作物26383公顷,其中青饲料14588公顷。

种子市场监管。全市春季市场共抽取杂交水稻样品238个、杂交玉米样品181个,完成对样品的室内三项指标检测和田间纯度种植鉴定;秋季市场共抽取小麦、油菜、蔬菜种子样品309个并完成检验。全年调解水稻、莴笋、白菜、油菜等种子纠纷10起,为种子企业和农户挽回经济损失近180万元。全市已形成新都区鉴定杂交水稻、都江堰市鉴定杂交玉米、郫县鉴定蔬菜、在海南省进行入库鉴定的种子质量鉴定体系。

【畜牧业】 2016年,成都市生猪出栏811.53万头,减少4.04%;存栏458万头,减少7.04%;猪肉产量57.14万吨,减少3.87%。牛出栏8.2万头,增长2.65%;牛肉产量1.19万吨,增长2.59%,占全市肉类总产量的1.52%。羊出栏131.4万只,羊肉产量2万吨,增长1.45%,占全市肉类总产量的2.55%。家禽出栏9080万只,增长1.8%;存栏3870万只。禽肉产量15.2万吨,增长2.2%;禽蛋产量19.96万吨,增长0.76%。奶牛存栏2.3万头,减少2.68%;牛奶产量10.4万吨,减少6.03%。加工饲料总产量334.9万吨,总产值127.87亿元,位居全省饲料行业首位。全市实现畜牧业总产值332.4亿元,其中生猪产值203.72亿元,占畜牧业总产值的61.29%。开展部级、省级、市级畜禽标准化示范创建活动,认定畜禽标准化示范场部级1家、省级5家、市级9家。对2家种鸡养殖场实施设施设备提档升级改造,总投入610万元,其中成都市财政设施设备补贴资金213万元。新建成都麻羊扩繁场3个,存栏能力3000只以上。全年总投入1800万元(其中成都市财政投入奖补资金900万元),开展成华猪、雅南猪、成都麻羊、金堂黑山羊、彭州黄鸡品种资源保护与开发利用。全市生猪三元杂交面达85%,肉羊良种杂交面达65%,蛋鸡、肉鸡良种面达95%。全年部、省、市级标准化场分别新增2家、16家、36家,分别达20家、51家、150家;组织开展技术培训7期,共培训技术人员700人次。开展三聚氰胺、布氏杆菌病、结核病的抽检和监测,对抽检不合格的生鲜乳、检测出有问题的奶牛按有关规定进行处理和强制扑杀,确保生鲜乳生产环节安全。全年共抽检饲料产品988批次,合格率达99.7%,全面完成省上下达的目标任务,没有发现使用“瘦肉精”、三聚氰胺等禁用物质的情况,连续实现饲料质量安全事件"零发生";共出动检查执法人员5042人次,开展饲料和饲料添加剂市场检查852次,检查生产经营单位(户)3548个(户)次,检查品种2197个,整顿市场381个,查处违法违规案件10件,罚没款共计32.27万元。有《饲料质量安全管理规范》的部级示范企业3家、省级示范企业6家,数量均居全省首位。

动物疫病防控。印发了《关于做好2016年重大动物疫病防控工作的通知》《关于开展2016年重大动物疫病防控工作延伸绩效考核暨秋防交叉检查的通知》,对全市重大动物疫病防控工作做出了安排部署。全年共免疫猪瘟1052.11万头次、猪口蹄疫1016.4万头次、牛(羊)口蹄疫87.6万头(只)次、高致病性猪蓝耳病992.68万头次、禽流感10028万羽、鸡新城疫5226.07万羽、小反刍兽疫42.16万只次,重大动物疫病应免畜禽免疫密度达到100%。开展重大动物疫病监测和流行病学调查,全年共完成猪口蹄疫、高致病性蓝耳病、猪瘟抗体检测各3359份,病原学检测各498份,牛羊A型、O型、亚洲I型口蹄疫抗体检测各540份,小反刍兽疫抗体检测510份,高致病性禽流感抗体检测2605份,病原学检测1970份,新城疫抗体检测1900份,病原学检测1815份,免疫抗体总体合格率达到农业部标准要求,病原学检测均未发现一例阳性。全年共免疫犬只88.99万只,免疫密度达98.4%;病原学检测4832只,血清学抗体检测118只,病原学检测未发现阳性,免疫抗体合格率达到农业部标准要求。

动物卫生监管。开展产地检疫和屠宰检疫,产地检疫生猪355.5万头、牛2.1万头、禽3593万羽;屠宰检疫生猪529万头、牛(羊)1.99万头(只)、禽类1776万羽,检出病害动物10.47万头(羽)并进行了集中无害化处理。全年养殖环节集中无害化处理病死猪23.9万头、牛160头、羊1826只、禽11.8万羽、兔3.4万只、鱼2.828万千克。

生猪屠宰管理。全年登记在册的生猪定点屠宰厂(场)共116家,其中屠宰厂58家、屠宰场(点)58家,审核生猪屠宰企业29家。全市生猪定点屠宰厂(场)共屠宰生猪632.73万头,屠宰环节无害化处理折合生猪9415头。

兽药监管。印发《关于切实加强兽医行业监管工作的通知》《关于进一步加强兽药经营环节质量监管工作的通知》,完善落实各项兽药监管制度;严格根据兽药相关法规和农业厅工作要求,按照属地原则,依法开展兽药生产环节和经营环节的资料审验、现场检查和颁证工作。全年共组织17批次现场核查工作组,完成16家企业100个产品批准文号的现场核查和抽样工作;完成农业厅下达的120批兽药监督抽检任务;通过多种形式开展兽药法律法规和滥用兽药、使用假劣兽药相关知识的宣传和培训。全年开展社会宣传500次,发放宣传资料13.185万份;开展各类兽药培训24期,培训相关管理人员190人次。

【水产业】 2016年,成都市水产养殖面积14602公顷,增加98公顷,增长0.68%;水产品产量14.623万吨,增加0.973万吨,增长7.13%;实现渔业经济总产值67.3637亿元。其中,稻田综合种养面积6812公顷,稻田养殖水产品产量0.8929吨。全市有水产品加工企业6家,水产品加工产量0.4798万吨;休闲渔业基地89个、苗种生产场站45个、家庭渔场39个、水产专业合作社227个、水产专业协会13个;水产养殖面积在20亩以上的养殖大户765户,面积2221公顷。市级财政安排4472.6万元专项资金对现代渔业发展项目进行奖补,新发展稻田综合种养面积4.37万亩;新建苗种繁育车间12540平方米、流水养殖基地3200平方米、标准化养殖基地2981.1亩、休闲渔业项目2个,改造养殖基地1316亩;完成现代化水平提升项目5个,新增产量665吨、苗种生产能力1030万尾、产值35152万元;完成4个公益性水产项目年度建设任务。全年发放《成都市农村养殖水面经营权证》475本。全年开展草鱼、斑点叉尾鮰精养新技术,池塘精养鱼病管控关键技术、池塘底排污技术、微孔增氧技术、物联网等水产养殖技术培训以及稻田综合种养等新技术培训,推广"稻+鱼""稻+虾""稻+蟹""稻+鳅""稻+鳖"稻田综合种养模式,累计培训300人次;申报的《生态鲟鱼养殖与加工技术集成与应用》农业技术成果应用示范项目已获市科技局初审通过。加快推进完成成都市水生野生动物保护基地项目选址工作,与新津县政府签订了合作建设水生野生动物保护基地框架协议;推进全市水生生物资源调查工作,委托四川农业大学、市农科院等单位对西河、南河、府河、彭州白鹿河、湔江的水生生物开展调查,完成秋季样品采集、品种鉴别和标本制作工作;开展资源调查专题技术培训;申报简阳市水生生物资源调查项目并编制调查方案。落实全省天然水域春季禁渔工作,加强天然水域巡查,严打电毒炸和非法捕捞行为,共出动禁渔执法和宣传车1285台次,出动执法人员4562人次,没收违禁渔具50套(副),没收并放归渔获物80千克,巡查河道1万千米,劝阻非法游钓人员2720人次;受理群众举报和办理市长公开电话共计85次,及时办理、查处和回复率达100%;立案查处案件9起,罚没款金额共计2820元。

【农业机械化】 2016年,成都市完成机耕697.7万亩、机播284.95万亩、机械植保面积540.94万亩、机收479.18万亩,主要农作物耕种收综合机械化水平达68%,其中水稻机械化种植面积125.8万亩,增长27.07%;油菜机械化播种面积70.8万亩、机收面积89.2万亩,同比分别增长3.93%、15.29%;马铃薯全程机械化生产试验示范面积达1000亩,全市农业领域未发生较大及以上农业安全生产事故,农业安全生产形势持续平稳。全年共发放农机购置补贴资金4488万元,新增农机近1万台(套),农业机械总量达30万台(套)以上,农机总动力达416.89万千瓦。

农机安全监理。下发了《关于加强农机安全监管执法工作的通知》,各县(市、区)落实农机安全生产工作职责,各级农业部门机构与机构、机构与机手之间层层签订安全生产责任书,建立起完整的农机安全生产责任体系。组织开展"安全生产月""安全生产月咨询日"活动,全年开展农机安全培训74次,培训人员4000人次,发放各类农机安全宣传资料2万份。全年共注册登记拖拉机、联合收割机1218台,年检拖拉机、联合收割机6390台,核发拖拉机、联合收割机驾驶证1064本。开展农机"打非治违""绿剑护农"及元旦、春节等重要节日和春耕、秋收等重要农时季节的农机安全专项执法行动。全年共开展农机安全执法检查712次,查找、整改安全隐患102起;出动执法人员2100人次,检查农机专业合作社206家次、农机维修点68个次、农机加油站16个次、农机驾驶培训学校7个,查处各类违规违法案件10起。

农村机电提灌及农机化生产道路建设。全年共投入农机化生产道路建设资金3.7亿元,新建农机化生产道路800千米;投入农村机电提灌建设资金1848万元,维修、改造提灌机具1962台、35289千瓦,新建机电提灌站102座、107台、2376千瓦,完成机电提水面积291.25万亩,新增灌面4.5万亩,常年提水保灌面积达160万亩。推动农村机电提灌站确权颁证工作,全面完成农村机电提灌站产权登记和固定、农村机电提灌站信息录入工作。

设施农业建设。重点支持规模以上以智能设施为主的设施农业,共安排市级财政资金520万元,支持6个高端智能设施建设。全年共新增设施农业1万亩,其中智能温室300亩、标准温室3000亩、简易大棚6700亩,设施农业总面积达65万亩,其中智能温室4150亩、标准温室80500亩、简易大棚565350亩。

【都市现代农业示范基地(园区、带)建设】 2016年,成都市都市现代农业示范基地(园区、带)建设项目共安排市级财政专项资金1.4亿元,项目相关县(市、区)县级财政资金共计2.0685亿元,启动建设项目348个,完成投资47.9亿元。截至2016年年底,项目区已建成新农村综合体905个,在建101个,涉及农户32.18万户;建成集中连片高标准农田90.4万亩、核心示范区面积79.8万亩,新(改)建渠系2557千米、道路2202千米,建成育苗中心84个、生态循环示范点150个、设施化栽培面积28万亩,发展新型农业经营主体1806个,集成技术应用352项,发展社会化服务组织374个、产地采后处理点170个、一三产业互动乡村旅游点348个,打造农产品品牌152个。

【新农村建设】 2016年,成都市累计建成幸福美丽新村1979个。完成农村廉租房建设531户。

"四好村"创建。全年创建县级"四好村"743个、市级"四好村"506个、省级"四好村"258个。评选首批成都市传统保护村落52个,规划川西林盘保护点位6645个。对愿意继续从事农业生产或愿意在农村居住的农户,按照"宜聚则聚、宜散则散"和"四态合一"理念,实施"小组微生"新农村综合体建设,累计建成186个;对无条件或无意愿参加集中居住建设的农户,按照"小组微生"理念改造提升;对无房户、危房户、住房困难户和贫困户的住房问题专案解决,确保所有村民住有所居、住得安全。每个村每年都安排村级公共服务和社会管理专项资金40万元以上;按照"1+8+N"的标准和差异化需求弹性配置村级公共服务中心;推广新型农村合作医疗保险,建立城乡居民统一的基本养老和基本医疗保险制度。全市打造"三美"示范村309个。开展"好儿媳""好公婆""好邻里"评选,寻找最美家庭、最美乡贤、书香之家,促进形成优良文明村风。

幸福美丽新村建设。进一步完善《全域村庄布局规划》,组织指导简阳市编制《简阳市村庄布局规划》;组织编制《成都市镇村"成片连线"规划技术导则》,完善了《成都市"小组微生"农村新型社区规划技术导则》,通过评估全域成都乡村资源进一步完善和整体推进全市幸福美丽新村建设规划。坚持幸福美丽新村建设与脱贫攻坚相结合,将简阳市89个贫困村中的31个相对贫困村,都江堰市、彭州市、邛崃市、崇州市、金堂县、大邑县和蒲江县部分相对贫困村纳入2016年幸福美丽新村建设目标,通过幸福美丽新村建设带动贫困村脱贫"摘帽"和相对贫困村实现脱贫目标。整合各级各部门支持幸福美丽新村建设政策和资金向贫困村、相对贫困村倾斜,全市共安排2016年省级财政幸福美丽新村建设资金4244万元支持贫困村、相对贫困村新村基础设施和公共服务设施建设。全年建设"小组微生"新农村综合体85个,完成总投资27.24亿元,入住农户0.94万户、2.93万人。成都市农委组织县(市、区)编制《2016年省级财政幸福美丽新村建设专项资金项目实施方案》,联合市财政局、市建委对2016年省级财政7600万元幸福美丽新村建设专项资金项目实施方案进行评审;完成编制2017年0.8亿元幸福美丽新村建设专项资金立项、专项资金的因素分配方案,发布《2017年成都市幸福美丽新村建设项目实施指导意见》。

幸福美丽新村建设示范项目。海峡两岸农业交流协会、成都休闲农业与乡村旅游产业协会、台湾财团法人农村发展基金会、台湾造园景观学会签订了《合作推进成都幸福美丽新村建设示范项目计划协议书》,与台湾合作启动实施推进成都幸福美丽新村建设示范项目。项目计划在新津县永商镇九莲村、都江堰市柳街镇金龙村、邛崃市卧龙镇杯土社区、崇州市廖家镇高庆村、大邑县韩场镇兰田社区、蒲江县甘溪镇明月村6个村前期试点示范,依托新津台湾农民创业园(台资翔生农场)等场所作为培训基地,聘请台湾农村再生和休闲农业方面的专家学者开展重点包括农村建设规划设计、种子教师培训、软硬件建设、产业提升、基层社区治理等内容的现场培训和实地指导,通过试点示范积累经验后再扩大项目实施范围。成都市与农业部对台湾农业事务办公室联合在新津县举办了"台湾农民创业园休闲农业培训班暨两岸合作推进幸福美丽新村建设培训班",聘请两地农村再生和休闲农业方面专家学者共12人就农村再生产业发展推动与经验、休闲农业规划与发展趋势、休闲农庄的盈利模式等方面对成都市及全国台创园管委会相关人员近200人进行了培训;应台湾财团法人农村发展基金会邀请,组织新津县、蒲江县等县(市)农业部门、乡(镇)、村"两委"和部分企业(合作社)及协会相关人员赴台见习考察,深入调查了解台湾农村再生及产业活化的相关经验做法。

【扶贫攻坚】 2016年,成都市围绕100个相对贫困村8512户贫困户、26600名相对贫困人口、简阳市89个贫困村15911户、46338名贫困人口推进第三轮第二批"百村万户"高标准扶贫开发和简阳市脱贫攻坚工作。强化精准扶贫的资金保障,市、县两级财政共安排专项扶贫资金2.75亿元,其中市级财政预算安排第三轮第二批扶贫开发专项资金7055万元,同比增加2055万元,增幅达41.1%。安排简阳市31个省定贫困村脱贫攻坚支持资金9300万元。完成简阳市31个贫困村和15952名贫困人口脱贫的年度目标任务。相对贫困村农民年人均可支配收入达到12000元,增幅达20%以上,较全市农民年人均可支配收入高10.6个百分点。

农村"百村万户"扶贫政策落实。成都市在完成第三轮第一批农村扶贫开发工作的基础上,按照2014年农民年人均可支配收入低于10000元的标准,在全市倒排100个相对贫困村(涉及三圈层7个市、县)。按照2014年人均可支配收入低于本县(市、区)同期水平50%的标准,在全市确定8512户相对贫困户,启动实施第二批"百村万户"农村扶贫开发工作并将其纳入2016年度市政府民生工程目标任务。促进100个相对贫困村农民年人均可支配收入达13415元,增幅达25.3%。实行县(市、区)党政"一把手"负总责的扶贫工作责任制,层层签订扶贫攻坚责任书,落实责任、权力、资金、任务"四到县"制度;落实42位市级领导和120个市级部门(单位)、131个县级部门(单位)参与新一批100个相对贫困村的督查和帮扶工作,为每个相对贫困村落实"第一书记"和农技员,二、三圈层15个区(县)共确定本级帮扶部门716个,落实帮扶责任人13000名并制订了年度帮扶计划;强化资金扶持,预算安排市级财政扶贫专项资金4413.6万元,用于全市100个相对贫困村及三圈层建档立卡相对贫困户的精准扶贫精准脱贫工作,对二圈层"插花"式分布的相对贫困户由相关区县落实专项资金予以扶持,按每村10万元的标准安排1000万元支农资金用于相对贫困村产业发展和经营主体培育,财政投入2000万元水务专项资金用于相对贫困村的农田水利建设,全年总计投入各类帮扶资金6.6亿元;编制《成都市"十三五"城乡扶贫规划》,把符合条件的相对贫困村纳入全市100万亩菜粮基地高标准农田建设三年规划;组织引导龙头企业到相对贫困村投资发展特色种养、农产品加工、乡村旅游等产业,利用"互联网+"平台打造粮油、药材、果蔬等特色品牌；扶持壮大本地农产品精深加工企业，加快培育壮大农民合作社、家庭农场、职业农民等新型农业经营主体，着力提高农民组织化程度，促进适度规模经营。全年累计实施产业项目295个、道路565千米、蓄水池348口，整治沟渠约186千米，开展技术培训2.5万人次，圆满完成年度民生工程目标任务。

简阳市脱贫攻坚工作。成都市按照“两年脱贫攻坚、三年巩固提升、五年高标准全面小康”的总体定位，针对简阳市89个省定贫困村和15911户、46338名农村贫困人口提出了“2017年简阳市贫困村和贫困人口全部脱贫，2018年全面融入成都市高标准扶贫开发进程，2020年与全市同步高标准全面建成小康社会”的脱贫攻坚目标任务。市委市政府强化责任落实，从压实“五个一”帮扶责任人手，40位市级领导挂点联系贫困村，深入简阳市推进脱贫攻坚工作，200个市（县）级部门、14个对口帮扶区县均明确了专门机构、专门人员负责脱贫攻坚工作。出台了《关于加快推进简阳市脱贫攻坚的实施意见》，制定了成都标准的脱贫攻坚作战图和任务书，从实施政策保障兜底、易地扶贫搬迁、产业先行发展等7个方面提出了15条措施。强化资金整合，全年共整合中央、省、市脱贫攻坚资金超过6亿元（其中省级财政扶贫资金3731万元、成都市级财政扶贫资金9941.4万元、简阳市本级财政扶贫资金8650万元），成都市级安排贫困村产业扶持基金1780万元、行业部门资金安排贫困村贫困户产业扶持周转金420万元，整合各类涉农资金14926万元，成都市对口联系部门落实帮扶资金875万元，14个定点帮扶区（县）落实帮扶资金3059万元，易地扶贫搬迁争取各级建设资金17155万元。强化政策兜底，将简阳市低保标准提高至450元/人；加快实行简阳市与成都市城乡居民医疗保险等模式全面并轨，确保建档贫困户100%参加城乡居民基本医疗保险；全面落实“三免一补”“雨露计划”等资助政策，筹集5000万元资金保障教学硬件条件，杜绝因贫辍学现象。加强简阳市基础设施保障，按照成都市基础设施标准启动贫困村村社道路、生产便道等项目建设，村民小组及20户以上的农民聚居点已通达水泥路；在住房安全方面，做好易地扶贫搬迁项目建设和D级危房改造工作，完成1020户、2965人易地扶贫搬迁年度目标任务；在配套设施方面，将卫生室、文化室建设与规划新村聚居点有机融合，逐个开展贫困村卫生室、文化室标准化建设，31个贫困村卫生室和文化室均达标；在新村建设方面，把开展“四好村”建设作为改变乡风村貌的抓手和平台，将“小组微生”理念贯穿于新村规划建设各个方面，高标准配套水、电、气、视、讯等设施，完善农村饮用水集中供水站布局，贫困村提灌站、渠系、塘堰、蓄水池等水利设施实现畅通，启动31.88万亩高标准农田建设项目，解决贫困户生产生活“最后一公里”问题。强化简阳市产业支撑，指导简阳市做好产业发展规划，把产业布局与农业产业园区规划建设、高标准农田建设等提升工作相结合，组织二、三圈层14个区（县）帮助简阳市有贫困村的32个乡（镇）规划建设5000亩农业产业园区，加快简阳市农业标准化、产业化、规模化、品牌化发展；研究制定现代农业招商引资优惠政策，支持四川郫县豆瓣、成都正大公司等企业到贫困村投资建设农业科技园区和产业基地；搭建农商合作、村企合作、农超合作平台，组织召开贫困村、产业龙头对接会，签约引进产业项目17个，投资总额达14.9亿元；引导资金向贫困村集中，培育新型集体经济，投入到户资金和产业发展周转金2720万元，按每村20万元的标准向89个贫困村投入新型经营主体培育专项资金1780万元；创新农业经营方式，探索实施“特色小镇+农业园区”“龙头企业+基地+合作社+贫困户”发展模式，保障集体经济发展效益惠及每户贫困户。

【移民安置与扶持】 2016年，成都市共安置大中型水利水电工程移民97904人，其中市内大型工程56112人（紫坪铺水库移民18345人、三岔水库31355人、毗河供水一期工程2902人、李家岩水库3510人）、中型工程23982人（分别为莲花洞水库3188人、东风水库扩建工程1494人、向阳水库2148人、红旗水库671人、长滩水库2608人、石盘水库7008人、张家岩水库1650人、沱江电站1429人、石桥电站1476人、养马电站2310人）、市外工程17810人（瀑布沟水电站移民8254人、其他工程9556人）；农村移民占95%以上，共有相对集中移民安置点181个（其中紫坪铺水库86个、瀑布沟水电站95个）。全市有移民后期扶持人口81923人（直发直补63572人、项目扶持18351人），其中直发直补移民人口分布在高新区、天府新区直管区及20个县（市、区），项目扶持移民人口分布在龙泉驿区、简阳市、都江堰市、彭州市、崇州市、金堂县、蒲江县；有已建大中型水利工程12座，在建水利工程2座；全年移民后扶项目资金3775万元，涉及省级库区基金3275万元、市级财政移民专项资金500万元，发放移民后扶直补资金1850万元。

移民规划实施。成都市移民规划涉及李家岩水库工程。李家岩水库工程规划建设征地征收（征用）各类土地面积9245.69亩，其中永久征收8086.90亩（崇州市）、临时征用1158.79亩（崇州市1045.72亩、都江堰市113.07亩），直接搬迁农村人口3469人，其中非农人口121人、农业人口3348人；工程建设征地移民安置总投资252317.85万元，其中列入初步设计阶段工程建设总投资的建设征地移民安置费用224187.12万元、地方政府自行配套投资为28130.73万元。10月11日，《四川省李家岩水库工程初步设计报告》获得水利部批准。截至2016年年底，水库移民搬迁签约率达98%，完成移民投资5.59亿元。

毗河供水工程移民安置。毗河供水一期工程是四川省重点水利工程建设项目，全年完成永久用地征收3554.13亩、临时用地征用2146.57亩，完成移民生产（社保）安置1623人、搬迁（住房）安置1179人，使用移民资金50050.6331万元。

移民后期扶持。编制了《成都市移民后期扶持“十三五”规划》；开展2006—2015年移民后期扶持项目及资金专项清理工作，涉及移民后扶资金34168.1万元、项目437个；举办移民干部及农村移民技术技能培训11期，培训干部76人次、移民1134人，其中就业技能培训35人，就业33人，培训就业转移率达94%。

【乡村旅游】 2016年，成都市举办了中国采茶节、油菜花节、桃花节、猕猴桃节、海棠花节等涉农乡村旅游节会活动110个，共接待乡村旅游游客1亿人次，增长5%；实现乡村旅游总收入261亿元，增长20%。成都市成为第一个被评为全国休闲农业和乡村旅游示范市的副省级城市，新都区回南社区、郫县三道堰镇青杠树村被农业部授予2016年“中国最美休闲乡村”称号，被评为全国休闲农业和乡村旅游示范市，全市有全国休闲农业与乡村旅游示范县（市、区）3个、示范点5个。推进18类26个赏花基地建设，强化提升赏花旅游产业基础，推动乡村赏花经济发展。制订了《2016年度赏花基地建设实施方案》，对2017年的47个赏花基地建设项目进行评审，共评选出一等奖2个、二等奖4个、三等奖8个，分别给予300万元、200万元和100万元的政府财政资金奖励。

【农村科技】 2016年，成都市推动蔬菜和马铃薯全程机械化生产试验示范关键技术取得突破，生菜和卷心菜全程机械化环节生产试验取得良好效果。引导和支持发展“畜—沼—粮”“畜—沼—菜”等种养循环经济模式,整合项目资源,落实全市循环农业示范工程建设资金2000万元,县(市、区)财政配套176.4万元、农户和业主自筹1938.11万元,全市共计投入农村沼气建设资金4114.51万元,新建农村户用沼气池350口,建成大中型养殖场沼气工程108座、1.69万立方米,建设种养结合农业循环经济示范工程22个,完成市委市政府民生工程年度目标任务的220%;利用PPP模式推进畜禽粪污综合利用试点项目1个;推广新品种100个、新技术50项、新机具10台(套),培育农业科技示范户10040户;推动建设现代农业创新创业基地10个、农业创新创业载体15个、农业科技创新转化平台10个;完成19个农业生产物联网示范基地创建,全市累计建成农业生产信息化示范基地58个;指导彭州市和蒲江县推进信息进村入户工程建设。围绕农业主导产业,以村、专合组织、产业园区为基本单元,围绕“10+7+3”都市现代农业综合示范基地和市级贫困村开展产业培训;组织相关县(市、区)在贫困村全面开展产业培训,加快推进贫困村产业发展,增强“造血”功能,全年开展农业产业培训500场,培训产业农民2.5万人次。开展农民实用技术培训57.6万人次、农机培训3.1万人次,农村妇女参加培训17.19万人次;在扶贫村开展培训1.9万人次。开展新型职业农民培训5475人,其中生产经营型2222人、专业技能型1807人、专业服务型1446人。全年共组织开展科技下乡活动187次,现场咨询40万人次,发放各类技术资料65.7万份;组建成都市农业产业专家服务团,组织技术扶贫人员进村达10142次,走访贫困户18960户,引进产业扶贫项目46个、资金1176.4万元。

基层农技服务体系建设。支持开展农业经营性服务,突出推行基层农业综合服务站引入农机服务、农资配送、劳务服务、仓储物流等社会化服务组织;建立农业综合服务超市,推进公益性服务和经营性服务的有机结合,开展农业全程化服务;引进涉农科研院所设立专家工作点,为农民提供面对面、多元化的科技咨询服务。新发展农机作业、农资配送、专业育秧(苗)、病虫统治、田间运输、粮食代烘代贮、农产品收贮等社会化服务机构150家,累计达4603家;新建成农业综合服务超市20个、农业职业经理人服务中心20个;结合2016年农业部基层农技推广体系改革与建设项目实施,全面推进农技推广云平台建设,加快全市农技推广信息化建设。

农业职业经理人培育。全年开展农业职业经理人新增培训2500人,知识更新培训2500人;8—10月组织800名农业职业经理人到市内实训基地培训,11月组织120名农业职业经理人到中国农业大学和中国农科院进行为期5天的提升培训,组织36名农业职业经理人到浙江、山东等先进产业基地培训。开展2015年初级、中级、高级农业职业经理人评价认定,新评定农业职业经理人2415人,其中初级1172人、中级1194人、高级49人,全市持证农业职业经理人达7134人,其中初级3380人、中级3606人、高级148人。开展2016年“十佳”“优秀”农业职业经理人评选工作,评选出“十佳”农业职业经理人10名、“优秀”农业职业经理人20名。成都市农业职业经理人培育工作被誉为新型职业农民培育的“成都模式”,农业部继续将成都市确定为全国新型职业农民培育整市推进示范市。

农业科技合作。继续加强与省农科院的合作,围绕重点合作项目,针对全市16个县(市、区)安排特色产业项目38个,共集成示范主要粮经作物新品种355个、新技术新模式90项;召开各类培训会677次,培训基层农技员和种植大户等47320名;在农业重点县(市、区)共建成各具区域代表性的特色产业专家大院5个、成都市农业示范产业园区(基地)7个,成果示范面积41.03万亩次,创造综合效益5.16亿元。与四川农业大学签署了《深入推进全面创新改革,共建世界一流农业大学战略合作框架协议》,主要围绕农业科技成果“三权”改革实践、共建都市现代农业产业技术研究院、共建都市现代农业示范带、共建绿色生态文明(温江)研究中心、共建川西特色村镇研究中心、共建成都市新型农村科技综合服务体系等方面开展深入合作。

【农村生态建设及环境保护】 2016年,成都市加强对农药的使用监管,推广生物制剂病虫害防治和绿色防控技术;开展蔬菜病虫害防治新药剂筛选试验,为指导农民科学用药提供依据;制订2016年绿色防控技术方案,抓好绿色防控示范区建设;抓好化肥“零增长”行动落实,推广生物有机肥、沼液沼渣综合+利用等措施代替化肥减量行动;鼓励农民增施有机肥,着力抓好测土配方施肥和绿肥种植,全年畜禽粪便综合利用率达90%。以蒲江县为试点县,完成以增施有机肥为主的土壤改良14.2万亩,施用有机肥8.3万吨;在崇州市集贤镇开展“化肥零增长”水稻示范试验,提高肥料有效利用率;抓好耕地土壤重金属污染调查和防控试点工作,完成土壤样品的化验和部分农产品样品采集和部分项目的招投标工作;制订《成都市2016年成都市畜禽养殖标准化示范创建活动工作方案》,开展标准化示范创建活动。

农作物秸秆综合利用与禁烧。研究制订了《成都市2016年农作物秸秆综合利用和禁烧工作实施方案》,发布了《关于禁止焚烧秸秆的通告》。全年农作物种植面积770万亩,秸秆综合利用面积748.8万亩,有效利用196.95万吨,秸秆综合利用率达97.24%,秸秆禁烧期间未发生一起露天焚烧秸秆行为,全面完成“不见烟雾,不见火光,不见黑斑”的禁烧任务。全年农作物秸秆生产总量达202.54万吨,其中秸秆肥料化、饲料化、基料化、原料化、能源化利用率分别为67%、4.1%、7.97%、1.22%、19.72%。

【农民负担监管和权益维护】 2016年,成都市推进农村集体“三资”公开,重点整治农村集体“三资”登记台账管理不完善、财务管理不规范、财务公开不规范等问题,健全完善农村集体“三资”监督管理制度,保障农民对集体资产的监管权;切实维护农民权益,开展农民负担监管工作,开展涉农收费领域的专项整治,杜绝乱收费、乱摊派和任何违纪违规行为;开展非法集资危害宣传,建立健全处置非法集资的工作机制和程序,确保农村集体和个人资产安全。

【农资供应】 2016年,成都市以供销农资物流体系项目建设为依托,抓好农资统供统配工作,改造提升新都区、青白江区、崇州市、大邑县4个农资配送中心,建设集条码管理系统、溯源系统、仓储系统、销售系统、终端查询系统、农技服务以及数据分析于一体的农业投入品监管服务平台,发挥供销合作社农资供应的主渠道作用,向全市农业生产者提供安全可靠的农业投入品(特别是农药),为全市创建农产品质量安全示范市奠定坚实基础。进一步探索新型农资供应体系和农资销售溯源体系,利用ERP电子信息化管理系统建立集在线庄稼医院、综合培训、信息发布、农技推广、农资展示展销、农业投入品追溯于一体的安全监管体系,龙泉驿区已在60个农资网点开展溯源体系示范建设。

【农产品质量安全监管】 2016年,成都市全面开展打击非法添加、制售假劣和禁用农业投入品专项整治行动,大力发展无公害、绿色、有机农产品和国家农产品地理标志产品,深入推进国家农产品质量安全市和省农产品质量安全监管示范市建设。全市农产品例行监测合格率达99.2%,无重大农产品质量安全事故。成都市被省政府命名为四川省农产品质量安全监管示范市，被农业部命名为国家农产品质量安全市。

农产品质量安全溯源体系建设。在彭州市、郫县、都江堰市、温江区、双流区、金堂县、新都区、蒲江县建设主要农产品质量安全追溯平台，配套使用二维农产品质量防伪追溯标签，完善农产品质量安全管理规范和技术标准。优选部分农产品生产企业、基地开展追溯试点，为政府监管、市场管理、消费者追溯和信息查询等提供全方位服务，逐步实现农产品生产基地质量安全可追溯并在此基础上完成市级农产品质量安全监管检测溯源平台的软件开发设计工作。

农产品质量安全检测体系建设。完成市级农产品质量安全检测机构建设，加快建设县级农产品质量安全监督检验站并配备农产品质量安全检测专业技术人员，积极开展“双认证”。双流区、都江堰市、崇州市、彭州市、邛崃市、郫县、金堂县和简阳市8个县级检测中心获得认证并开展工作，蒲江县、大邑县等3个县（市、区）县级检测中心建设已基本完成，新都区、龙泉驿区已经下达建设资金。未列入农业部项目的青白江区、温江区由市、区财政投资，按照农业部项目标准建设。在全市种植业农产品主产村建设村级检测室，构建市、县、镇、村四级农产品质量安全检测体系，为农产品质量安全和农产品生产安全提供检测技术保障。

农产品质量安全监测。全年完成生产基地农药残留快速检测248527批次，合格率达99.96%；完成生鲜牛乳收购站三聚氰胺和黄曲霉素M1检测1652批次，合格率达100%；完成农产品例行监测3900批次，合格率达99.2%；完成生产环节监督抽检2000批次，合格率达99.8%，对不合格产品全部进行立案查处；对全市无公害农产品基地开展全覆盖执法检查，监督抽检样本537批次。

农产品质量安全专项整治。以治理突出问题和防范风险隐患为目标，全市集中执法力量开展禁限用农药、兽用抗菌药、水产品、生猪屠宰、生鲜乳质量安全、瘦肉精、农资打假七大类专项整治行动，不断深化农产品质量安全源头治理，始终保持对违禁和假劣投入品的“防、控、堵、打”高压态势，从源头上消除安全隐患。全年共计开展执法检查12160次，出动执法人员59882人次，检查饲料、兽药、种子、农药、肥料生产经营企业44032户次，检查整顿市场5605个次；立案查处一般程序行政处罚案件235件，其中罚没款为5万元以上的大案要案8起、移送司法机关案件12起、移送工商部门1起，罚没款186.63万元，没收、转商、销毁违规物品23307.7千克。

【支农惠农政策落实】 2016年，成都市贯彻执行耕地地力保护补贴、畜牧业补贴、农机具购置补贴、农村沼气建设补贴和农民实用技术培训补贴等各项中央和省级支农惠农政策，落实推进粮食适度规模化经营、推进“菜篮子”工程建设、扶持特色产业发展、扶持龙头企业、农业政策性保险、农村扶贫开发、农业品牌培育等地方性支农惠农政策，各级财政对全市“三农”投入达4327473万元，其中农业投入737522万元、农村投入2343971万元、农民投入1245980万元。按照中央和省级安排部署，全市发放支持耕地地力保护补贴49138.37万元，补贴面积526.06万亩，补贴2096个村、30157个社、1621466户农户，补贴5042662人；分三个档次对规模种植水稻、玉米、小麦50亩以上的农户给予160~200元不等的奖励，规模化奖补面积75.26万亩，市财政安排奖补资金15273.54万元；农业政策性保险保费收入5.79亿元，赔付3.25亿元，赔付率达56.13%。实施生猪养殖场设施设备提档升级改造项目21个，总投入5821万元，其中市财政设施设备补贴资金1855万元；实施“龙头企业+适度规模生猪养殖场”标准化提升建设项目74个，总投入8160万元，其中市级财政投入奖补资金1220万元；加强“成华猪”“雅南猪”省级畜禽遗传资源品种的保护与开发利用，总投入370万元，其中市财政设施设备奖补资金250万元；生猪调出大县奖励资金共计1814.99万元，其中邛崃市609万元、崇州市336万元、大邑县322万元、蒲江县274万元、彭州市124.49万元、金堂县149.5万元。全市农机购置补贴资金总额达14153万元，其中中央资金12512万元（含2015年结转9472万元）、市级财政累加补贴资金1641万元；共新增各类农业机械1万台（套），受益农户1万户；开展农机作业补贴，对实施机插秧和秸秆粉碎还田作业的农户给予30%的油料补贴，补贴资金200万元；推动农机专业合作社建设农机库棚享受农业产业化生产设施及附属设施用地政策，给予50%资金补贴，兑现补贴资金60万元。

【农业保险】 2016年，成都市设立地方特色保险品种12个。政策性农业保险险种达21个，其中自主开设的仅由市、县两级财政承担保费补贴的险种达11个，蔬菜和生猪价格指数保险已覆盖除简阳市以外的所有涉农县（市、区），土地规模流转履约保证保险已在全市推广。全年农业保险签单保费收入5.8亿元，为101万户农户提供了120亿元的风险保障。

【农村市场体系建设】 2016年，成都市结合国家国内贸易流通体制改革发展综合试点契机，以发展农业农村电子商务为重要抓手，打通城乡流通双向渠道，创新内贸流通体制，为都市现代农业“跨越式”发展提供新动力。以示范建设为抓手，建立县级服务中心、镇级服务站点、村服务站点的三级农业农村电商服务体系，开展农村电商叠加服务建设。全市累计建成国家、省、市农村电子商务示范县6个，示范镇14个，试点村60个（其中21个为相对贫困村），探索形成多元化农业农村电子商务发展模式。通过强化与淘宝、京东等国内知名电商的深度合作，在全国范围内重点开展猕猴桃营销推广，打造农产品电商的“成都品牌”和“成都模式”，探索形成“互联网+供销社（邮储、超市）+服务站”发展模式、“互联网+基地+服务站”模式、“互联网+休闲农业”模式等七种模式。新都区“蠢都味”农村电子商务交易平台（PC端，手机移动端微商城）上线运行，“蠢都味”生活馆开馆，拓宽了农产品销售渠道。由青白江区供销联社牵头，区土产果品公司等9家涉农公司、农民专业合作社和家庭农场发起组建了成都市青白江区聚农合农民专业合作社联合社；崇州市“农村电子商务+金融服务示范点”在隆兴镇丰乐村建成，为当地村民提供小额取款、信用卡还款、转账、缴费等多项服务，使村民足不出村就可享受到和城里同等的金融服务；金堂县积极探索“农村综合服务社+电商”“农资放心店+电商”等新型农村电子商务发展模式，利用供销社遍布全县的服务网络体系为农民提供快递、网上代买代卖及生活服务，打通村镇电商物流“最后一公里”。建立“农贷通”联席会议制度，负责“农贷通”平台建设的协调组织工作，全市承担“农贷通”平台建设工作的县（市、区）均成立了“农贷通”平台建设工作推进小组；除简阳市以外，其他县（市、区）均已设立不低于500万元的农村产权抵押融资风险补偿资金。全市建成村级农村金融服务站988个。

【全国农村改革试验区经验介绍】 2016年，成都市作为全国第二批农村改革试验区，先后承担了土地承包经营权流转管理试点和退出试点，改进农业补贴办法试点，粮食、生猪等农产品目标价格保险试点，深化集体林权制度改革试点，农民合作社、家庭农场、村转社区等农村基层党组织建设试点，以农村社区、村民小组为单位的村民自治试点，集体经营性建设用地入市改革试点等14项国家级改革试点任务。全市在全面完成农村“六权”确权工作基础上,开展“新五权”确权,共颁证10.5万本;推动成都农交所成为全省唯一、西部最大的农村产权交易平台,与省内10个市(州)和83个县(市、区)联网运行,交易1.3万宗,交易额达565亿元。成都市级财政对现代农业暨特色效益农业生产项目下达补助资金1771.52万元,支持16个合作社(公司)实施产业化项目并进行股权量化试点。全市已颁发林地经营权流转证242本、7.73万亩,经济林木(果)权证1052本、12.05万亩;林权抵押贷款110.2亿元,余额15.17亿元;在农村地区发展助农取款点6681个、银行机构经营网点1092个、ATM机3963台,自助终端和助农取款POS机超过1万台;推进行政村选聘金融服务联络员工作,在全市2000个行政村(社区)聘请联络员。按照“坚持集体所有权,落实农户承包权,放活土地经营权”的思路,以放活农村土地经营权为核心,发展家庭适度规模经营和土地股份合作经营,推广以“土地股份合作社+农业职业经理人+农业综合服务”为核心的“农业共营制”;推进农村土地“三权分置”,通过转让、出租、股份合作、托管等方式依法有序流转,发展适度规模经营。全年农用地流转面积540万亩,占农用地总面积的34%;其中耕地流转面积452.7万亩,占总耕地面积的56.7%,规模经营率达51.2%。推进土地承包经营权退出试点,形成“集体经济组织内部退出”“结合新农村建设有偿退出”“村民整体退出、集体统一经营”等多种退出方式,土地承包经营权退出面积87亩。

【涉农节会会展】 第二届成都优质特色农产品网购嘉年华活动。2016年1月15日,由成都市农业委员会、成都市商务委、成都传媒集团主办,联合京东成都馆、淘宝成都馆共同助阵的第二届成都优质特色农产品网购嘉年华活动在成都市举行。该届嘉年华通过京东成都馆、淘宝成都馆、买够网等平台将金堂脐橙、崇州稻虾藕遇、郫县圆根萝卜、双低菜籽油、低胆固醇鸡蛋、五彩花生等近1000种优质特色农产品呈现在全国消费者眼前。在京东成都馆、淘宝成都馆、买够网上建立网购嘉年华专区,组织35家农业电商企业参加线下布展活动,两个月内成交数额超过2.1亿元。

川台农业合作论坛。2016年4月26日—28日,由四川省委农工委、省委台办、台湾旺报社、省社科院、成都市人民政府和眉山市人民政府主办,海峡两岸农业交流协会、台湾财团法人农村发展基金会、台湾客家商会、苗栗县农会协办的第三届川台农业合作论坛在新津县及眉山市召开。论坛以“农业一二三产业融合发展与幸福美丽新村建设”为主题,两岸知名农业专家、在川台资农业企业代表、各市(州)相关部门负责人等200人出席了论坛。论坛期间举行了合作项目签约仪式,对全省首批认定的10个“川台农业合作示范基地”进行了授牌(其中成都市2个)。该届论坛现场签约项目5个,总投资额达11.9亿元,其中成都市项目2个(番薯藤TINA庄园项目、民宿交流培训项目)。

中国·四川(彭州)蔬菜博览会。11月1日—5日,第七届中国·四川(彭州)蔬菜博览会(以下简称“菜博会”)在彭州市举行。该届菜博会由农业部、四川省人民政府主办,成都市人民政府、四川省农业厅、四川省商务厅承办,以“绿色、生态、品牌”为主题。农业部总农艺师孙中华,韩国(株)OURHOME本部长崔熙容等嘉宾应邀出席,省级有关部门负责人,北京、上海等14个四川蔬菜主销省(市、区)相关部门负责人,21个市(州)和蔬菜产业强县农业部门负责人,成都市21个县(市、区)有关负责人,有关科研院所、专家学者、企业代表等共计1400人参加会议。国家级蔬菜市场、蔬菜立体种植工厂、农业电商、果蔬现场加工等特色展馆成为新亮点。菜博会举行了四川(彭州)蔬菜线上线下产销对接会暨农业招商项目签约仪式、农产品仓单质押融资授信暨首批放贷仪式,共签订农业投资项目7个,协议资金15.33亿元;农业战略合作项目4个,农产品产销对接项目30个、营销金额27亿元。同时,举办了蔬菜产业供给侧结构性改革与农业品牌化论坛、凉山州特色农产品专场座谈会、专业展场展示展销、蔬菜园艺与农耕文化摄影展、魅力彭州乡村一日游、美丽田园乡村骑游、乡村田园美食、蔬菜一元超市、地方群众文化表演等活动,参会及参观总人数超过35万人次,为历届最高。

天府农业品牌嘉年华成都专场活动。11月6日,由中国农业电影电视中心、成都市人民政府主办,成都市农业委员会、四川教育电视台承办的《天府农业品牌嘉年华成都专场》晚会在昆明国际会展中心召开。评出了2016年成都市最受消费者欢迎十大优质农产品,向20余家经销商、采购商代表推介了成都特色优质农产品。活动亮点突出,一是首次由10个县(市、区)分管农业县长(市长)上台推介当地优质农产品。专题推介了郫县豆瓣、新都泡菜、双流二荆条、邛崃黑茶、邛崃黑猪、简州大耳羊、金堂黑山羊、蒲江猕猴桃、蒲江雀舌、都江堰猕猴桃、彭州川芎、青白江龙王贡韭12个成都区域特色农产品品牌。二是首次采取采购团现场举牌签约模式。现场安排了麦德龙、苏宁易购、禾中、北京超市发、有种网、中百集团、社员网、通吃网、四川易田电子商务有限公司、源本生鲜10余家大型企业组成的采购团选择最有意向合作的农产品进行投票,签署意向协议12个,金额达8000余万元。三是首次设置网络同步直播推介。现场引进“甜心吃货团”进行网络同步直播,在网络上引起了轰动。四是媒体宣传节目力度空前。20余家新闻媒体对晚会活动进行了宣传报道。中央电视台第7套节目到现场进行录播并于12月在《每日农经》栏目播出,农视网、网易对现场进行了图文直播。

第四届成都国际都市现代农业博览会。12月1日—4日,第四届成都国际都市现代农业博览会在成都世纪城新国际会展中心举办。农博会同期举办了以“三产互动·融和发展”为主题的首届都市现代农业发展(成都)高峰论坛;2个分论坛,即“国家农业科技创新联盟发展论坛暨国家智慧农业科技创新联盟成立大会”“第二届成都农业农村电子商务发展论坛”;2个主题活动,即“第三届农业产业化龙头企业发展论坛暨成都都市现代农业投资项目推介活动”“2016国际合作社联盟中国合作社论坛”;3个专项活动,即“成都资阳甘孜阿坝凉山农产品营销暨企业对接会”“成德两地农村产权交易市场建设签约仪式”“青海省农牧厅成都市农业委员会深化农业合作对接座谈会暨签约仪式”,总计参会人员超过1300人,吸引了以色列、俄罗斯、意大利、澳大利亚、泰国、日本、中国台湾等14个国家和地区,青海、哈尔滨、昆明、兰州、福州等省(市)及达州、甘孜、阿坝、凉山等40个市(州)组团参展参会。签约现代农业招商引资项目23个,签约总金额223.66亿元。

【主要领导人】 市委书记:唐良智;市人大常委会主任:于伟;市长:罗强(代理);市政协主席:唐川平;分管农业副市长:刘宏葆。

成都市编写组

锦　江　区

【基本情况】 2016年,锦江区辖16个乡(镇、街道),有农业人口25000人,有耕地面积19816亩、基本农田4316亩。全区实现农业总产值 10596 万元；农业增加值 6406 万元，同比增长 0.5%。

【统筹城乡与综合配套改革】 2016 年，锦江区紧紧围绕全市统筹城乡 2025 规划年度计划和区委全面深化改革领导小组《关于印发〈2016 年工作要点〉的通知》要求，不断深化农村产权制度和户籍制度改革，创新金融服务方式和农产品流通模式，努力推进锦城逸景新型社区综合配套改革。对成都明生公司 11 栋 4286.79 平方米农业设施大棚颁发《农业设施所有权证》11 本。制定出台了《农村土地经营权登记管理实施办法》，为 2 家农业龙头企业（明生农业有限公司和高威农业有限公司）颁发了《成都市农村土地经营权证》。组建成都农村产权交易有限责任公司锦江区分公司，成立了组织领导机构，区政府与成都农村产权交易所有限责任公司锦江区分公司签订了建设合作协议。制订了《锦江区农村集体经济组织股份化改革试点工作方案》，确立三圣街道红砂村为试点单位，组织指导红砂村集体经济组织对集体资产进行再次清理，对股权发放进行查漏补缺、复核纠错，做到资产权属清晰、权责和成员身份明确、股份量化且股权证发放到位、集体经济组织章程规范、相关制度完善和内部管理机制健全，形成股份量化长久不变，公司按股分红。在完成清产核资、深化完善股份改革，健全规章制度后，红砂村集体经济组织申请备案获得通过。

全面完成生鲜农产品电商配送示范点建设目标任务。一是在深入调查、走访群众、实地考察的基础上，研究制订了《锦江区生鲜农产品电商配送示范点建设实施方案》。二是科学规划，精心选点，确立了区农业龙头企业——明生公司为建设实施主体，选定东湖国际、华韵天府、上行汇锦、财富中心等 15 个条件相对成熟的社区作为生鲜农产品电商配送点。三是在相关部门的通力合作下，全面完成 15 个生鲜农产品电商配送示范点建设任务。

积极构建土地流转风险防范新机制。一是制定出台了《关于开展农村土地承包经营权流转履约保证保险的实施意见（试行）》，建立起了统筹部门牵头，财政参与，街道组织的推进机制。二是广泛开展土地流转履约保证保险政策法规宣传，完成首批 2 家企业共计 915 亩农用地的土地流转履约保证保险合同签订投保工作。三是推动城乡生产要素平等交换、公共资源均衡配置。为强化成果运用，锦江区积极推进农村产权抵押融资，促成成都高威农业有限公司利用 2 栋农业设施大棚抵押融资 6000 万元。

全面推进新型社区综合配套改革。一是建立新型社区配套经营性用房收益分配管理机制。通过各集体经济组织和社区分别召开股东会、董事会、议事会和骨干会等形式征求意见，在形成完全统一意见后，农锦公司制定出台了《新型社区配套经营性用房收益分配方案》，每个集体经济组织成员可望获得 100 元以上的分配，有力地促进了涉农居民财产性收入增收。二是深化户籍制度改革。会同区级相关职能部门对户籍管理各类规章制度、业务流程进行了全面梳理和再造，进一步规范和优化了户口迁入（出）、户口注销、证件申（补）办、户籍信息更改等工作流程，并在每个街道办事处设立集体户，解决了冻结户、无房户、拆迁户入户和办不了身份证的问题。建立《农村稳定职业或生活来源证明》制度，有效解决了不再确权范围的农村地区农户因无农村土地承包经营权证上户难的问题。三是建立"专业服务、群众测评、社区考核、按照补助"的新型社区物业管理考核机制。四是利用重大节假日和各种宣传教育活动开展形式多样的文化体育活动，提升新型社区居民素质。锦江区统筹城乡配套改革工作受到了各级领导的肯定，新华网、《中国改革报》等 10 余家媒体进行了多次宣传报道。9 月 23 日，《四川日报》以"锦江区为土地流转保买保险，农民不用出一分钱"为题进行了报道。9 月 28 日，《中国改革报》以"成都锦江区创新土地流转风险防范机制"为题对锦江区为有效防范和化解土地流转带来的风险、切实保障广大农民和投资业主权益、大力促进现代农业发展的具体做法进行了详细介绍。10 月 24 日，新华网以"成都锦江给土地流转上保险，建立健全风险防范新机制"为题对锦江区开展土地流转履约保证保险工作进行了报道。

【主要领导人】 区委书记：陈历章；区人大常委会主任：何立祥；区长：王乾；区政协主席：张松；分管农业副区长：刘沛。

锦江区编写组

青 羊 区

【基本情况】 2016 年，青羊区辖 14 个街道 79 个社区（其中涉农街道 3 个、社区 25 个），辖区面积 66 平方千米，其中耕地面积 58.87 公顷。有常住人口 113 万人，户籍人口 67.22 万人（增长 2.45%）；人口自然增长率 6.5‰，增加 1.4 个千分点。有耕地面积 58.87 公顷。有园林绿地面积 1443.85 公顷，其中公园绿地面积 539 公顷，绿化覆盖率达 42.17%。

2016 年，全区 GDP945.65 亿元，同比增长 7.2%，是 2011 年的 1.5 倍，年均增长 7.5%，其中第一产业增加值 0.04 亿元，同比下降 20.3%；第二产业增加值 156.42 亿元，同比增长 2.5%；第三产业增加值 789.19 亿元，同比增长 8.2%。三次产业结构比为 0：16.54：83.46。一般公共预算收入完成 50.84 亿元，同比增长 7.1%；一般公共预算收入达 57.1 亿元，同比增长 0.84%。全年完成固定资产投资 311.1 亿元，同比增长 7.9%。社会消费品零售总额 774.27 亿元，同比增长 10.3%。

有各类学校 54 所，在校学生 97434 人，其中普通小学 33 所，在校学生 46603 人，学龄儿童入学率 100%；普通中学 15 所，在校学生 22171 人；普通中等专业学校 6 所，在校学生 28660 人。全年获得国家、省、市级科技计划项目立项 59 项，有 37 项科技成果获得国家、省、市科技进步奖。有区属文化馆、图书馆、有线电视台各 1 个。全年城镇居民年人均可支配收入 38089 元，同比增长 7.7%。城镇居民基本养老保险覆盖率、基本医疗保险参保率分别保持在 90%、98% 以上；涉农富余劳动力向非农产业转移就业 302 人，新增吸纳高校毕业生就业 4450 人。

【年度农业和农村经济运行】 2016 年，青羊区实现农业增加值 0.04 亿元，同比减少 20.3%。城镇居民年人均可支配收入 38089 元，同比增长 7.7%。

农业产业化发展。青羊区开展国家级、省级、市级农业产业化经营重点龙头企业监测工作，成都市茶叶有限公司和四川大古林业开发有限公司不再列为市级重点龙头企业；成功推荐成都尚作农业科技有限公司由市级龙头企业升级为省级重点龙头企业，推动企业做大做强。全区重点龙头企业实现销售收入 25.84 亿元、利税 7139 万元，出口创汇 3200 万美元，带动省内 61350 户农户增收，吸纳 2992 人稳定就业，获得成都市财政农产品品牌创建奖励补助资金 50.63 万元、农产品品牌宣传展销活动补助资金 38 万元、中央财政贷款贴息补助资金 50 万元。

【新城规划建设】 2016 年，青羊区坚持"基础设施优先、公建配套优先、生态环境优先"三个优先原则，编制青羊新城总体规划和生态、水系、产业、教育等专项规划方案。着力新城基础设施建设,火车西客站等26个基础设施项目建设进展顺利,完成年度投资3.12亿元;加快新城"公建"配套项目建设,区域内教育、卫生、文化等37个配套项目建设提速,完成年度投资4.03亿元。加大生态环境建设力度,环城生态带项目完成拆迁19万平方米,新增绿化面积2.4万平方米;金沙水库项目完成拆迁11.62万平方米,项目用地拆迁全面完成;百仁生态公园建设加快,综合整治文家排洪沟等9条河渠和蛟龙工业港周边道路环境,区域生态环境得到优化。坚持产城一体,加快产业功能区建设,金沙中坝省级现代服务业集聚区已入驻企业94家,航空整机产业园被列为全省十大军民融合产业基地,青羊电子商务产业园网上交易额突破1000亿元,万和中心、青羊总部基地拓展区、主导科技等12个重点产业化项目建设有力推进,区域产业聚集度持续提升。"城中村"拆迁改造取得新进展,投入拆迁资金13.14亿元,拆迁土地面积3014亩,上市成交4宗共726亩;百仁片区等5个片区安置房建设加快,完成投资7.9亿元,实现百仁、中坝、红碾等区域连片开发建设。青羊新城"三大千亿"产业集群初步形成,在全省第七届C21论坛上被与会专家学者、政府共同推举为"最具投资价值区域"。

【涉农社区公共服务和社会管理改革】 2016年,青羊区确定涉农社区公共服务和社会管理改革项目192个,配套资金1107.4704万元(含上年结余资金107.4704万元),其中农村环境综合治理类项目61个,配套资金347.4814万元;农村社会治安维护类项目24个,配套资金253.945万元;村(组)道、农毛渠等基础设施建设类项目8个,配套资金42.345万元;明确村(社区)为管护主体的公共设施管护类项目16个,配套资金168.279万元;群团和党建工作类项目1个,配套资金10万元;文体类项目82个,配套资金285.42万元。全区涉农社区严格按照"三个清单"要求,细化完善"四项制度",认真落实"重点环节操作规范",抓好公共服务项目的收集和实施,群众满意度和知晓率均达97%。

【农村集体"三资"管理】 2016年,青羊区加强农村集体"三资"管理,制发《随意支配、侵占涉农集体"三资"专项督查工作实施方案》,确保工作任务落到实处;建立和完善三本台账,及时发现问题,及时整改,及时登记台账;组织工作人员对记账进度、各项收支等"三资"数据网上公示情况进行检查,对发现的问题印发检查通报,督促街道进行整改;针对"三资"公示时效性强的特点,建立了QQ工作群,实现了街道和社区干部实时反映困难问题和建议,区级部门实时协调、指导解决;组织相关专家对涉农街道和社区相关工作人员30余人进行了农村集体"三资"监管系统升级专题培训,提高了业务水平,确保了工作取得实效。

【农产品电子商务建设】 2016年,青羊区推进农产品电子商务建设,印发了相关实施方案,对工作任务进行了具体安排,组织区城乡工作统筹局开展电商平台企业考察、示范点点位布局、区级财政资金配套、检查验收等工作,全面完成15个城市社区生鲜农产品电商配送示范点和3个农产品电子商务进地铁展示展销示范点建设,创新了农产品流通模式,促进了生鲜农产品便利进城入社,减少了流通环节,降低了流通费用,解决了居民"买菜难、买菜贵"问题,获得了居民群众的一致好评。

【农村集体资产股份化改革试点】 2016年,青羊区结合实际,制订了《农村集体资产股份化改革试点工作实施方案》并报成都市农委审核备案,组织文家街道和试点单位康河社区开展工作方案制定、进行业务培训、成立工作机构、清产核资、界定成员、选举产生领导机构和人员、拟定章程等工作。核实集体资产,确认并固化集体经济组织成员,建立健全管理机构和管理制度,通过颁发《成都市青羊区农村集体经济组织证明书》明确了集体经济组织的职能职责和市场主体法人地位,理顺了集体经济组织和社区自治组织的关系,加强了农村集体"三资"管理。2016年康河股份经济合作联社实现集体收入50万元,促进了农民增收。

【对口帮扶】 对口支援得荣县。2016年,青羊区对口支援得荣县工作取得显著成效,5年来区财政累计安排帮扶资金共计1.13亿元(从2012年的1904万元提高到2016年的2533万元),动员社会援建资金1400余万元,联合蒲江县派出3批援藏工作队105人,实施援建项目22个,促进得荣县经济社会发展迈上新台阶,全县地区生产总值从2012年的43194万元增加到2016年的70269万元。组织专家完成《成都市青羊区对口帮扶甘孜州得荣县规划(2017—2021年)》编制工作,从产业发展、基础设施、人才培养、民生改善等方面抓好"十三五"帮扶规划落实;着力援建项目建设,按照援建工作规划,重点实施酿酒葡萄种植(截至2016年年底,11个乡已种植5000余亩,发展种植农户2000户)、瓦卡镇精品小学、瓦卡幼儿园、县第二人民医院、白松小学及幼儿园、寄宿制学生生活补助、专业技术人才培训、农贸市场建设8个项目,总投资2586万元,截至2016年年底,县第二人民医院、白松小学项目提前竣工。推进区域教育医卫互动,完成"学生委托培养项目",代培得荣县4名学生,选派了9名卫生专业人员支援得荣县;通过人才互派、专家培训指导等方式解决了得荣县人才培养引进难问题,第四批援藏干部共28人全部按时到岗。

定点帮扶蒲江县。2016年,青羊区、蒲江县持续深化"青蒲对流",拓宽合作领域,引领创新发展,促进联动发展,取得新成效。召开"青蒲对流"工作会议,签订了教育、文化、扶贫发展3个合作协议,开启新一轮青蒲圈层融合发展;召开青蒲座谈会议,青羊区10个区级帮扶单位加强与蒲江县10个相对贫困村对接,完善扶贫工作组织架构,为每个村落实帮扶产业发展项目1个、资金15万元,安排基础设施建设项目9个、投入帮扶资金135万元,共计150万元已由区财政预算安排到位;提高贫困人口可支配收入,2016年相对贫困村农民年人均可支配收入由2014年识别时的低于1万元增加到14647.4元,增长46.47%,全县380户相对贫困户人均可支配收入由2014年的6420元增加到11775.9元,增长83.43%。全年有204户相对贫困户实现精准脱贫退出,超额完成全年脱贫目标任务的158%。

结对帮扶简阳市贫困村。2016年,青羊区构建结对帮扶简阳市脱贫攻坚工作机制,制定《青羊区帮扶简阳市脱贫攻坚的实施意见》《2016年青羊区帮扶简阳市脱贫攻坚工作目标绩效考评实施办法》,成立了以区委区政府主要领导为双组长的青羊区扶贫攻坚领导小组,负责统筹协调全区扶贫工作,建立推进简阳市脱贫攻坚联席会议制度,实行"二帮一"对口帮扶模式,青羊区8个区级部门和8个街道办事处对口帮扶简阳市董家乡核桃村等8个省定贫困村。依据简阳市发展总体规划和扶贫村的区位特征,优化产业规划,帮助指导结对乡(镇)建设不低于5000亩的农业科技园,促使特色农产品融入青羊市场。针对核桃村等3个村种植的金针菇销路不畅等问题,联络协调金针菇食品加工龙头企业与3个村达成金针菇收购协议,日销量达2500千克,并由企业长期提供种植技术、管理支撑指导,为贫困村扩大生产规模、增加农户收入打下了坚实基础。落实年度帮扶资金800万元,由工作组与结对乡(镇)共同确定项目并统筹安排资金。切实帮扶弱势群体,在"两节"走基层活动中,为董家埂乡贫困户送去价值6万余元的冬被580床,16个对口帮扶部门、街道为贫困户送去现金及物资共计12.8万元。

【动物疫病防疫、防控及监管】 2016年,青羊区全面完成市农委春秋两季动物疫病防控工作的总体目标和2016年畜牧兽医工作目标,全年免疫生猪1816头、奶牛64头、高致病性禽流感4514只、鸡新城疫1万羽、犬只狂犬病11103只,切实做到应免尽免。做好活禽交易市场随机抽样检测工作,对活禽交易市场随机抽样25份和散养户随机抽样20份,45份样病原学检测结果均为阴性;动物疫病防控检测采样送检奶牛血样9头份,检测结果均为阴性;1头牛结核病呈阳性;犬只狂犬病采样送检唾液式子200份,检测结果均为阴性。强化紧急防控处置,在禽流感发生期间,对涉及6个活禽交易市场点位、59户经营户共计6506只畜禽进行无害化处理,并对整个无害化处理过程实施全程监控,确保万无一失。根据《牛结核病防治技术规范》规定,按照"早、快、严、小"的防控原则,对牛结核病呈阳性的奶牛进行了扑杀和无害化处理。严格疫苗物资过期报废制度,对过期报废疫苗物资进行无害化处理。完成百仁润禾市场活禽交易区的关闭工作。

【农产品质量安全监管】 2016年,青羊区强化农产品质量安全监督管理,把农产品质量安全纳入政府工作目标绩效考核,建立部门、街道联动协作制度,形成齐抓共管格局。做好农产品质量监测,全年抽检包括蔬菜、水果在内的农产品样品2400个,同时对农药、兽药、饲料等投入品依法进行抽样送检7个批次,合格率达100%。春秋两季对辖区内生猪养殖环节抽检生猪尿样225头份,分别对盐酸克伦特罗、莱克多巴胺、沙丁胺醇进行检测,检测结果均为阴性,尚未发现违法添加"瘦肉精"等现象。开展日常执法监管和各类专项整治,全年检查生产经营企业24家次,出动执法人员111人次,发放宣传资料500余份,查处案件1起,联合办案2起,向公安机关移送司法案件1起,涉案金额10万元,整治取缔非法经营摊点1个。

【秸秆综合利用及禁烧】 2016年,青羊区采用分片包干督查的方式严抓责任落实,在大、小春农作物禁烧巡查期间悬挂宣传标语、横幅145幅,发放禁烧宣传资料8200份,出动汽车约40辆次、摩托车146辆次、巡查人员197人次,提高了巡查工作效率,实现了秸秆燃烧污染天数为零和"不见火光,不见烟雾"的禁烧目标,全面完成了市政府下达的秸秆综合利用和禁烧工作目标任务。

【主要领导人】 区委书记:戴志勇;区人大常委会主任:吕长华(12月止),蔡祯文(12月始);区长:李燎(9月止),詹庆(9月始);区政协主席:桂建梅(3月止),沈萍(3月始);分管统筹城乡工作副区长:刘继平。

青羊区编写组

金 牛 区

【基本情况】 2016年,金牛区辖15个街道110个社区,土地面积108平方千米,其中建成区面积58.14平方千米、耕地面积3.3平方千米。有户籍户数30.24万户,户籍人口76.07万人;人口出生率11.36‰,人口自然增长率6.45‰,人口密度11216人/平方千米。

2016年,全区GDP950.1亿元,比上年增长6.6%,人均GDP78686元,增长6.2%,其中第一产业增加值0.1亿元,下降15.1%;第二产业增加值195.8亿元,增长1.3%;第三产业增加值754.2亿元,增长8.1%。三次产业结构比由上年的0.01∶22.2∶77.79调整为0.01∶20.61∶79.38。社会消费品零售总额747.44亿元,比上年增长10%。地方一般公共预算收入50.4亿元,比上年增长7.5%;税收收入28.9亿元,增长5.1%。全年接待游客人数1538.26万人次,比上年增长32.4%;实现旅游总收入201.25亿元,增长18.9%。

有中小学80所,在校学生11.03万人,教职工0.76万人,其中专任教师0.66万人,其中小学46所,在校学生6.89万人;普通中学28所,在校学生3.45万人;职业中学4所,在校学生0.67万人;特殊教育学校2所,在校学生198人;幼儿园127所,在园幼儿3.4万人,学龄儿童入学率100%。有公共文化馆1个,公共图书馆1个,体育场馆7个,文物管理所1个。申报国家、省、市科技创新项目、重大科技成果转化项目立项132个,获得资助资金5562万元;申报区级专利转化资金项目立项27个,获得资助金额149万元;区级软科学计划研究项目7个,获得资助资金50万元。完成专利申请量4878件,同比增长38.07%,其中发明专利2062件。

【年度农业和农村经济运行】 2016年,金牛区实现农业总产值1243万元,减少10.3%;农业增加值845万元,减少15.1%。

农业产业化发展。金牛区继续壮大发展农业产业化龙头企业,全区有市级以上农业产业化龙头企业3家,其中国家级1家(四川徽记食品股份有限公司)、市级2家(成都孔师傅食品有限公司、成都市农副产品批发中心)。四川徽记食品股份有限公司年销售收入在1亿元以上,成都孔师傅食品有限公司、成都市农副产品批发中心年销售收入均在5000万元以上。获得"中国驰名商标"认证的农业产业化企业1家(四川徽记食品股份有限公司),有中国驰名商标2个("徽记"及"好巴食")。

【扶贫攻坚】 2016年,金牛区在成都市第三轮第二批"百村万户"帮扶活动中承担对邛崃市10个相对贫困村的定点帮扶任务,已落实10个区级部门实施帮扶行动。制订了《金牛区关于切实做好第三轮第二批定点帮扶邛崃市相对贫困村的工作实施方案》,对相对贫困户95户、266人实施帮扶。金牛区8个街道承担对简阳市3个乡(镇)8个贫困村共449户1263人的结对帮扶任务,成立了对口帮扶贫困村工作组,制订了《金牛区结对帮扶简阳市贫困村工作实施方案》,通过采取产业帮扶、智力帮扶、协同帮扶实施,其中周家乡郭家祠村在2016年率先完成脱贫"摘帽"。推进对口支援石渠县工作,制订了《2016年度对口援藏工作计划》,同时,科学谋划五年总体规划方案,形成了《成都市金牛区对口帮扶甘孜州石渠县规划(2017—2021年)》(送审稿),确定了10个重点援助项目,按照2015年度区地方公共财政预算收入0.5%的标准,全额落实2016年度对口支援藏区专项经费2544万元,于7月全额划拨至石渠县共管专户。

【耕地保护】 2016年,成都市政府下达金牛区耕地保有量任务为600公顷(合9000亩),金牛区通过多种途径强化耕地管理,实行耕地保护目标管理,将耕地保有量纳入区委区政府年度主要目标任务,明确街道办事处主任为耕地保护第一责任人,将土地利用年度变更调查结果作为年终考核依据。建立区、街道、社区三级联动国土执法动态巡查机制,不定期开展动态巡查,一经发现占用耕地行为,区执法部门立即依法制止或处置,防止破坏耕地情况发生。落实耕地保护基金制度,向承担耕地保护任务的农户发放耕保金,同时完成耕保基金台账变更、耕保台账数据入库等工作,做到"公开、公正、透明"。完成基本农田补划方案的拟定和上报,国土资源部、农业部审核核定下发金牛区永久基本农田划定任务面积为4880亩。

【土地征后实施项目】 2016年,金牛区依法依规完成45个组的"一公告”(即征收土地公告)程序、13个组的“二公告”(即征收土地补偿安置方案)程序,编制6个组的安置补偿方案并取得批复。全年共开展征后实施项目39个,其中成灌路改造、大湾片区等22个项目均严格按照征后实施程序开展拆迁补偿安置工作;茶店子、花照壁城中村拆迁改造项目基本完成已拆迁农户人员安置和住房安置工作;跃进城中村项目群众精准算账签字确认率达95%,基本完成企业入户调查;五块石3、5、6组城中村改造项目启动3组征后实施工作,79户自愿签订协议。

【村级公共服务管理】 2016年,金牛区印发了《2016年金牛区深化村级公共服务和社会管理改革工作要点》《关于对全区当前开展的省委巡视组反馈意见村公改革专项整改工作的提示通知》《关于当前村公资金监督检查中查处的违规违纪案例情况通报和自查要求》等文件,安排部署全年村公工作。全年召开区级村公专题培训会议1次、街道村公专题培训会议8次,培训街道和社区干部、工作人员、议事会和监事会成员650余人次。推进建立议事会成员直接联系村(居)民制度,完善居民(代表)会议和议事会决策制度,健全村公项目发包和评议验收制度,执行落实好村公全过程公开制度,促进村公资金规范管理使用。开展村公专项检查4次、年度审计1次,全面普查56个社区的项目备案情况和网上公开公示情况,重点抽查28个社区的专项资金使用情况和民主制度建设情况,提出整改意见,督促其完成整改。

【村公专项资金】 2016年,金牛区按照每个涉农社区40万元、其他社区30万元的标准,将全年专项资金2070万元(其中涉农社区1680万元)全额拨付到各涉农街道。9月30日,各街道完成专项资金按标准拨付到各社区账户工作,同时对2015年村公资金项目实施情况、资金决算情况以及群众满意度测评结果进行公示,并全部在居民代表大会上进行通报。全年共议决村公资金项目314个,其中重点保障优先项目185个、实施完成项目246个,逐个进行备案审查和指导整改。

【涉农集中居住区建设】 2016年,金牛区有涉农居民约11.5万人,已拆迁涉农居民约8.2万人(其中已安置约5.6万人);全户未安置过渡约2.6万人,其中超期过渡约2.4万人;剩余未拆迁涉农居民约3.3万人。2004—2016年,全区共规划26个约643.32万平方米涉农居民拆迁安置房项目,累计开工面积约534.66万平方米,建成安置房点位18个,累计竣工面积约395.75万平方米;在建安置房点位7个,在建安置房面积约138.91万平方米;剩余未开工面积约108.66万平方米。全年新增明确国宾板块建设点位1个、五块石点位1个,安置房面积约28万平方米,全区规划安置房总规模达到约671.32万平方米。完成五福佳苑、锦西人家二期、沙河云景湾3个项目约20.7万平方米的安置工作,安置过渡人员约2950人;清淳家园二期、红豆华庭、互助家园、余家新城一期、万圣家园(A、B、D地块)5个项目约94.18万平方米基本达到安置条件,安置准备工作有序展开;余家二期B区15.5万平方米的安置房建设顺利推进。

【农产品质量安全监管】 2016年,金牛区开展食用农产品检查309人次,出动车辆115台次,对全区2家饲料生产企业、3家兽药生产经营企业、2家农资门市、五块石蔬菜种子市场、全部畜禽养殖户开展拉网排查4次,从源头上防止高毒高残留农(兽)药和其他有毒有害物质流入农产品生产领域。加强农产品市场监管,每月按照抽检农药残留检测样品数不少于200个的检测要求,对市场内经营的水果、蔬菜、食用菌等农产品进行农药残留抽样检测,全年农产品农药残留快速检测合格率达99.5%以上。

【动物防疫检疫】 2016年,金牛区坚持“预防为主”和“加强领导、密切配合、依靠科学、依法防治、群防群控、果断处理”的方针,按照“五统一、五不漏”,切实做到“应免尽免、不留空档”。全年累计免疫猪口蹄疫0.51万头、猪瘟0.52万头、猪高致病性蓝耳病0.52万头、禽流感0.27万羽、犬只狂犬病1.22万只,应免畜禽免疫密度达100%,犬只免疫率达90%以上,确保了重大动物疫病疫情零发生,保证了畜产品和公共卫生安全。

【主要领导人】 区委书记:刘玉泉;区人大常委会主任:赵华(12月止),周道富(12月始);区长:唐华;区政协主席:李凯威(2月止),岳李(2月始);分管统筹城乡工作副区长:白涛。

金牛区编写组

武侯区

【基本情况】 2016年,武侯区辖13个街道87个社区,辖区面积75.36平方千米,其中耕地面积80亩。有常住人口108.58万人,户籍户数25.5万户,户籍人口63.94万人;人口出生率12.9‰,人口自然增长率9‰,人口密度14408人/平方千米。

2016年,全区GDP867.8亿元,增长7.3%,其中第一产业增加值0.0067亿元,增长72.2%;第二产业增加值171.9亿元,增长2.4%(工业增加值129.2亿元,增长2%);第三产业增加值695.9亿元,增长8.6%。人均GDP79932元,增长7.3%。社会消费品零售总额774.6亿元,增长10.7%。全社会固定资产投资总额384.5亿元,增长8.8%。地方财政收入完成240.7亿元,增长17.7%;地方财政支出71.3亿元,增长4.3%。

有中小学校75所,在校学生110031万人,增长0.5%。有卫生机构88个,增长17.3%;病床位17101张,增长7%;卫生技术人员21875人,增长6%。

【年度农业和农村经济运行】 2016年,武侯区实现农业总产值100万元,增长92.3%;农业增加值67万元,增长86.1%。城镇居民年人均可支配收入38834元,增长7.9%。

农业产业化发展。武侯区按照都市现代农业“倍增计划”开展农业产业化龙头企业培育和服务,引导企业将经营理念向品牌管理和品牌竞争转变。全区有农业产业化龙头企业4家,其中国家级2家(新希望集团有限公司、四川隆生集团有限公司)、省级2家(成都香香嘴食品有限公司、四川省开元集团有限公司),全年共实现销售收入577.66亿元。

【种植业】 2016年,武侯区传统农业急剧萎缩,辖区内基本无水稻、小麦等粮食作物种植,农作物种植以蔬菜为主,主要分布在金花桥街道。全年栽种蔬菜300亩,产量390吨,实现总产值100万元。

【林业】 2016年,武侯区植树1.61万株,新增森林蓄积0.13万立方米,实现林业总产值36.56亿元,其中以永康森林公园、清水河公园为主的农家乐旅游与休闲服务产业产值达825万元。对100余家涉木企业开展林政执法检查,进行企业回访和木材复检12次。区统筹局被市林业和园林管理局评为“2015年度全市林业有害生物防治检疫工作目标管理责任制考核优秀单位”“全市森林资源保护管理和深化集体林权制度改革工作先进单位”。

林木病虫害防治和森林植物检疫。全区开展有害生物监测巡查近50次,监测“菟丝子”等有害生物6处。对四川彩乐园林绿化工程有限公司进行检疫登记和建档；对“加拿大一支黄花”“松材线虫”等检疫对象加大监控力度。开展林业有害生物普查，完成验收并发布数据。

野生动物保护。对13个野鸟疫情监测点进行完善，健全野鸟疫情监测机制，严防鸟类疫情发生。对农贸市场和餐饮企业开展野生动物驯养繁殖和经营利用清理整顿，在罗马广场古玩市场开展野生动物保护宣传，检查农贸市场12个、餐饮企业200余家、大型超市5家，发放宣传资料2000余份。全年未发现违规驯养、繁殖和经营利用野生动物的现象。开展了以“依法保护鸟类，建设美丽成都”为主题的“爱鸟周”宣传活动，设置林业法律法规咨询处，为市民现场讲解野生动物保护法律法规及爱鸟、护鸟知识，悬挂横幅50条，张贴海报近500份，发放环保宣传袋2000余个、宣传资料万余份，受众人数逾20000人。

【动物重大疫病防控与监管】 2016年，武侯区采用政府购买服务方式加强高致病性禽流感等动物重大疫病防控。委托成都市武威农业技术服务有限公司开展动物防疫工作，确保全年无动物重大疫情发生。强化狂犬病监测，送检样品病原均无阳性。开展春秋两季动物集中免疫，累计免疫狂犬病32100只，犬只免疫率达98%；禽流感29894羽，应免率达100%；消毒1.5万平方米。加强动物检疫报检点建设，实现动物检疫合格证明联网电子出证；加强动物卫生监督，定期抽检动物产品进行兽药残留检测，严防不合格动物产品流入市场；通过告知书、承诺书、友情提示等，明确经营户的质量安全主体责任。规范动物诊疗许可办证条件，要求城区诊疗机构须具备条件并在诊疗场所公示执业兽医信息，农村动物诊疗机构须取得乡村兽医资格。定期对西南民族大学动物医院、成都市武侯区发志华西动物医院、成都市武侯区谐和动物医院、武侯区家室宠物诊所等34家动物诊疗场所进行检查。加强执业兽医场所管理，检查动物诊疗场所60次，注册备案执业兽医82人次，责令整改3家，关闭无证行医诊所1家。

【统筹城乡发展】 2016年，武侯区深入推进城乡统筹，深化农村产权制度改革，对全区涉农街道村级公共服务和社会管理专项资金进行审计，村级公共服务和社会管理水平进一步提升。在巩固前期确权颁证成果的基础上，不断深化农村产权制度改革。区统筹局按照市统筹委、市农委对新“四权”的确权要求，对全区情况进行彻底摸查，向武侯区金花映月土地管理有限公司发放农村土地经营权证2本；在永康社区推进集体资产股份化改革，成立集体资产股份化改革工作组，制订集体资产股份化改革工作方案。加强村级公共服务专项资金的常态监管和专项整治，完成全区村级公共服务本级专项资金财政预算编制，将1040万元村级专项资金足额划拨到华兴、簇桥、簇锦、机投、金花5个涉农街道的26个社区。全区议定村公项目337个、优先项目172个，预算投入金额1253万余元（包括上年部分结余资金），各社区规范专项资金使用要求，全面完成年度村公项目计划。6月，成都市统筹委委托第三方机构对金花桥街道川西营社区2015年度村级公共服务和社会管理专项资金项目支出进行绩效评价，对2016年资金使用进行检查。10月，区统筹局联合区审计局对华兴、簇桥、簇锦、机投、金花5个涉农街道的马家河社区、南桥社区、果堰社区、双凤社区、高碑社区、文昌社区、新苗社区、机投社区2015—2016年6月期间的村级公共服务和社会管理专项资金使用情况进行全面审计，涵盖2015年村级专项资金拨付及管理使用情况、2016年村级专项资金拨付到位和项目议决实施情况以及村级专项资金管理系统在基层公开综合服务监管平台的运行情况。经审计，武侯区村级专项资金在2015年和2016年的筹集、拨付和管理使用及民主管理程序、制度建设、公开公示等方面总体情况较好，未发现重大违纪违规问题。

实施“改革创新、转型升级”总体战略，引导社会资本参与城市更新、产业发展、科技创新、民生改善等领域的项目建设。“三大区域”建设成效明显，磨子桥创新创业街区获得“四川省大学生创新创业俱乐部”称号，引进市级重大项目21个，招商签约项目47个。全面推进教育综合改革，提升区域教育质量和水平，获评为全国首批“家庭教育试验区”；推进卫生事业改革，在财政投入机制、社区卫生服务模式转型、“智慧医疗”建设方面都取得明显成效；开创“社保银行一体化”服务先河，试行社保业务办理“综合柜员制”，城镇职工基本医疗保险参保人数47.43万人；促进就业创业，全年城镇新增就业人员16028人；加快现代公共文化服务体系建设，初步构建起基层公共文化服务微生态体系，举办第26届“武侯闹春”系列文化活动118场、“梦想大舞台·多彩武侯人”文化惠民活动46场、大型文化活动400场。召开“全国推进行政许可标准化”现场会，“相对集中行政许可权”国家级试点初见成效，区行政审批改革经验成为全国样本；新建和续建市政基础设施项目46个，完成公建配套项目和开工公建配套项目各21个，率先建成街道指挥平台并实现数字化城管向社区延伸。

【对口帮扶】 2016年，武侯区拨付到位资金2560万元，续建和援建项目5个。13个街道围绕危房改造、慈善帮扶、党建共建和基础设施等方面与白玉县13个乡（镇）结对。投入帮扶资金65万元，解决13户贫困户住房问题；针对包虫病患者、贫困学生、农村孤儿和残疾人，给予300余户贫困群众79万余元的慈善帮扶；投入89万余元，采购挖掘机、太阳能路灯及其他急需物资，帮助藏区群众解决交通难、出行难等迫切问题。

定点扶贫崇州市、邛崃市。4月，确定4个区级部门、8个街道结对帮扶崇州市、邛崃市的6个乡（镇）10个相对贫困村。各帮扶单位到对口扶贫村调研44次，制订帮扶计划12个，落实帮扶项目21个。

助推简阳市脱贫攻坚。8月，武侯区承担了简阳市新星、同合、三星3个乡（镇）8个省级贫困村的对口帮扶任务，3个乡（镇）有总人口5.5万人，有建档立卡贫困户591户、1803人。制订了五年对口帮扶简阳市脱贫攻坚实施方案，五年内安排1.2亿元实施乡村规划先导行动、道路交通攻坚行动、农田水利改善行动、产业转型蝶变行动、危房住户安居行动、就业帮扶增收行动、品牌打造促销行动、脱贫攻坚暖春行动、干部能力提升行动、结对共建共治行动“十大行动”。全年投入资金62.2万元，对8个村288户309人实施因病因残及贫困学生救助帮扶。区级各部门进村入户开展对口帮扶工作200余人次，解决实际问题12个，帮助贫困群众1356人次。

【农村生态建设及环境保护】 2016年，武侯区按照“品质武侯”建设要求，围绕“花重锦官城”行动和“宜居水岸”工作标准，实施“增花添彩”和园林特色街区打造工程，创建新界、华宇楠苑等2个市级园林式居住小区。全年完成义务植树61万株（折合乔木数），实施屋顶绿化23.47万平方米，新增绿地10.02万平方米；园林绿地覆盖面积2554.78万平方米，比上年增加12.4万平方米；公共绿地面积917.38万平方米，绿地率达29.5%，绿化覆盖率达33.9%。一是义务植树。在植树节期间，动员社会各界2000余人栽植苗木500余株。区“四大班子”领导带头在双元街为96株樱花、鱼尾葵浇水夯土；区城管局和各街道办事处设立宣传站13个，悬挂横幅标语48条，发放宣传单、倡议书180份，利用微信、手机报等新媒体发送宣传信息258条；

150余名市民在清水河公园管护树木150株,清理草坪50平方米,市民认购栽种樱花60株;驻区单位和社会群体参与义务植树28万人次。二是"花重锦官城"工程。按照全市"花重锦官城"工作要求,对双元街滨河景观带、高升桥路分车带、"银杏特色街区"、成双大道、文昌路、太平寺机场路等进行综合打造。承办成都市"花重锦官城"园林绿化现场经验交流会,种植鱼尾葵39株,樱花、芙蓉、紫薇、红枫等约100株,鲜花、草坪约1500平方米,砌筑花台317.5平方米,打造桥头景观节点7个、约400平方米。三是园林绿化管理。强化区管绿化常态化管理,对90余条街道绿化树木进行修剪,修剪树枝5786株、绿篱6530平方米。补栽樱花、紫薇、栾树、小叶榕共689棵,在裸露草坪播草种约4500平方米;在游园、花箱、吊盆等补栽或更换鲜花45万盆。加强扬尘治理,出动洒水车1620余台次,冲洗街道350余条次、行道树4.5万余株次;开展绿化设施维护,生态治理行道树树池1750个。

城乡水环境综合整治。继续加强城乡水环境综合整治,推进河道市场化管理改革,继续实施黑臭河渠综合治理和下河排污口整治;强化各项防汛措施及河道水环境长效管理;加强污水处理厂(站)运行管理,推进污染物总量减排。一是重点河道治理。通过采取雨污水分流,新建截污水管道、提升泵站,增设一体化污水处理设施、补充环境用水、河道生态修复等方式,全面开展黑臭水体综合治理。投入黑臭水体治理资金6000万元,治理下河排污口85个,铺设截污管道3400米,清理河道淤积物2.6万立方米,整治14段黑臭水体下河排污口。通过整治,苏坡四斗渠、苏坡六斗渠、围机西沟、围机东沟、黄堰河、黄堰河排洪渠、左一斗、武青西四路排洪渠等达到消除黑臭水体标准,提升了河道排洪、泄洪能力,河道水质明显变化,改善了水环境受污染状况,群众居住环境得到提升。二是"河道市场化管理"改革。全年安排专项资金2000万元,启动"河道市场化管理"改革,将全区45条河道划分为2个管理类别,针对不同类别的河道制定具体的河道管护标准和考核办法;按照"一河一档"的标准,建立准确、详细的河道档案数据库。制定《河道市场化管理实施方案》《武侯区河道长效管理实施办法》《武侯区河道长效管理考核办法》,明确各单位的管理责任、管理权限、管理内容,让各责任单位在进行河道管理时有规可依、有章可循;逐步完善"河道保洁""设施管护""截污管道维护"等项目的作业规范和内容,建立科学、完备、高效的河道管护标准体系;明确河道长效管理市场化改革工作推进步骤,明确市场化主体进入河道管理服务领域的市场准入、退出和监管机制;充实管理力量,为每条河道配备河管员。7月,完成所有标段的招标;8月初,各管护公司入场开展工作。三是防汛工作。全区按照防汛工作部署,落实防汛措施,防汛期间无人员伤亡。汛前召开防汛会议,修订防汛预案;开展防汛演练,组建61支1300余人的应急抢险队伍。区级储备人头石200立方米、条石500立方米,编织袋28000条、铅丝笼500条、铅丝3吨,大型移动水泵2台、橡皮舟2艘、照明灯10台;各街道办事处和部门储备编织袋和麻袋45000条、铅丝0.89吨、救生衣488件、橡皮舟7艘;对区内河道、低洼易淹区及危险区域进行检查,确定4个江河险工险段和3个低洼片区并明确责任制;对全区重点河道、排水沟渠和管网进行清淤疏掏,清淤8万余立方米,疏掏管网78千米。严格实行24小时防汛值班和领导带班制度,做到无缝衔接。6月,区防汛办、区应急办、区安监局组成督导组,对区内5个街道应急队伍建立及落实、防汛物资准备、重点防汛点位应急措施、汛期日常巡查安排部署等情况进行专项督查,发现并整改隐患3处。辖区范围内因短时强降水发生的"'7·9'成都大悦城下穿隧道积水、广厦小区内涝"和"'8·4'前景市场门前积水"2次积水险情均得到妥善处置。四是污水处理厂(站)运行管理。完成2016—2019年度污水处理站运行管理工程和污水处理站设备更换及设施大修工程公开招标,严格按照运行管理标准实施管理,确保"节能减排"任务完成。全年处理生活污水约974万吨,日均处理量约26700吨,削减COD约2460吨,削减氨氮约330吨。五是自来水改造。完成金花桥街道凉马片区自来水改造工程收尾工作。区财政安排预算资金1100万元,对华兴街道南桥社区一组、二组、三组、四组、六组、七组、八组、九组实施自来水户表改造,完成南桥社区自来水主管铺设和道路恢复工程。

秸秆禁烧和综合利用。统一开展大小春农作物秸秆综合利用和禁烧工作。禁烧期间,出动执法宣传车辆640车次、执法人员1800人次,发放宣传资料3500份。区统筹局、区环保局成立督查组对隐患进行梳理,对焚烧行为进行查处。同时,探索市场化运作模式,推动建立秸秆收集储运服务体系。全年秸秆综合利用120亩,利用率达100%。

【村集体经济管理】 2016年,武侯区印发了《武侯区涉农社区集体资产管理办法》;向市纪委申报的加强基层防治腐败项目(2016年加强集体"三资"监管)被列为市级重点项目。区统筹局和区财政局在完善传统监管的基础上创立专业监督和网络监管2种方式。

【城市社区生鲜农产品电商配送示范点建设】 2016年,武侯区按照"政府引导、企业建设、先建后补、市场化运营"原则,建成城市社区生鲜农产品电商配送示范点15个。引导社会资金投资建设社区生鲜农产品电商配送示范点,确定成都容易达商业管理有限公司、成都三加六信息技术股份有限公司为示范点承建单位。示范点的建成进一步减少了农产品流通环节,缓解了农产品卖难买贵的矛盾。

【农业投入品质量安全监管】 2016年,武侯区按照《兽药经营质量管理规范》要求规范兽药经营企业行为,区内农业投入品生产经营企业无违法添加、经营、使用违禁兽药、药物添加剂等行为。开展饲料添加剂专项整治活动,对成都格蓝饲料有限公司、四川新通达生物饲料科技有限公司2家饲料生产企业实施年度备案及监督抽检。全年验收合格兽药经营企业20家,抽检饲料及饲料添加剂样品35个,兽药、农药样品20个,合格率均达100%。

【农资供应与服务】 2016年,武侯区供销联社通过参股企业成都邦绿达农资有限公司建立农资"放心店"服务窗口,指导开展放心农药、放心化肥、放心种子的供应工作。"庄稼医院"为庄稼病虫害标本诊断1300件次,为农户免费维修农机器具800台次,发放农技知识宣传资料1500余份并免费为农户提供技术指导服务。

【供销联社资产管理和处置】 2016年,武侯区供销联社对永丰、簇桥、机投、金花、石羊、桂溪6个基层供销合作社社员股金进行清理,对31064股社员股金重新登记造册,建立供销合作社社员股金电子档案,建成供销合作社社员股金台账。按照中华全国供销合作总社《供销合作社股金管理办法》要求,完善供销社社员股金自愿退股制度、股息分红结算制度、台账管理制度。建立供销社房产动态监管台账,完善房屋资产租赁价格、承租人情况、租赁期限等事项的台账明细。建立和完善房产收益最大化激励竞争机制,将供销社社有房产的管理责任、收益高低与管理者收入挂钩。通过清理、修缮暂时不会拆迁的房产,以市场定价对外出租,房产收益比上年提升6.5%。推进供销社体制机制创新,区供销联社与四川省老邻居商贸连锁有限责任公司、金牛区供销合作社合作组建四川省老邻居消费合作社,将"三农"和城乡居民的服务工作延伸到全省境内。加大财务预算管理、预算外其他特殊费用申报管理、定额和按实列支费用管理、大额资金支出程序管理，加强财务审计，严把社有资金的使用关。

【主要领导人】 区委书记：巫敏；区人大常委会主任：王力平；区长：林丽；区政协主席：伍本康；分管农业副区长：黎焰飚。

武侯区编写组

成 华 区

【基本情况】 2016年，成华区辖14个街道，辖区面积110.6平方千米，其中基本农田0.6582万亩。有农业人口4.95万人。

【农业产业化发展】 2016年，成华区协助农业企业申请成都市做大做强龙头企业奖励补助。根据《农业部关于开展农业产业化国家重点龙头企业监测工作的通知》要求，完成成都市级以上农业产业化龙头企业的监测工作，同时完成报表统计和上报，市级以上农业产业化龙头企业全年完成主营业务收入19400万元。推进农民专合组织扶持工作，帮助民合鱼腥草农民专合组织发展技术服务、销售服务与品牌建设，加强技术指导与配套服务，邀请成都市技术推广总站的专家进行技术指导，切实为农民分忧解难。

【种植业】 2016年，成华区粮食生产以水稻为主，全年粮食种植面积585亩，比上年减少137亩；亩产480千克，总产量307吨，比上年减少39吨。蔬菜种植以叶菜类为主，种植面积3645亩，比上年减少615亩，总产量6657吨。邀请成都市农业技术中心专家对"198"区域和龙潭外环路外现代农业片区的农业科技推广骨干、科技示范户以及种殖大户进行蔬菜田间管理、病虫害防治、农药安全使用、水生作物种类及栽培技术等专题技术培训，共举办培训2期，培训人员210人次，发放资料240份，不断提高种植户的科技意识、市场意识和经营能力。

【水产业】 2016年，成华区水产养殖面积360亩，增长2.86%，主要分布在龙潭街道、白莲池街道；水产品总产量360吨，实现渔业总产值380万元。加强对养殖、经营环节的执法检查，深化水产品质量安全整治工作，共出动水产品质量安全监管和渔政检查执法人员54人次，检查养殖户27家次；例行抽检水产品20批次，合格率达100%。

【现代农业发展】 2016年，成华区为加快现代都市农业新产业、新业态发展，推动都市农业产业升级效益倍增，区委区政府多次对外环片区开展农业产业调研，全面摸清外环片区农民耕种意愿、农业产业发展面临的困难和问题。结合社区干部与农户反映的情况，在与区财政、国土、北郊管委会等部门及青龙街道、白莲池街道、龙潭街道多次协商沟通的基础上，草拟了《成华区环城生态区都市现代农业发展工作指导意见(征求意见稿)》与《扶持环城生态区都市生态观光农业发展的政策意见(送审稿)》并送区政府审议。同时，督促鑫华农业公司和龙潭街道办等相关部门积极引进优质企业种植青贮饲料、苗木，鼓励专业合作社做好种植管理，动员并支持当地农户种植蔬菜，有效提升了农户收益。

【动物免疫】 2016年，成华区按照属地化管理原则，加大动物防疫、检疫工作力度，全面落实消毒、监测、检疫等措施，有效预防控制动物重大疫病和人畜共患疾病发生，开展春、秋两季猪口蹄疫、猪蓝耳病、禽流感、鸡新城疫、狂犬病等疫病集中免疫，免疫生猪口蹄疫4140头、猪瘟4140头、猪蓝耳病4140头、禽流感+新城疫46978只、狂犬病11860只，免疫率达100%，全年疫情发生率为零。

【统筹城乡与新型城镇化】 2016年，成华区统筹城乡工作坚持以《成都市统筹城乡2025规划》、成都市深化农村改革工作会议、成华区委经济工作暨城市工作会议精神为指导，聚焦民生指向，狠抓改革攻坚，推进全区统筹城乡工作在重点领域和关键环节先行先试，全力推动成华区在新的起点上实现新的跨越。

农用地产权制度改革。全区按照"两块牌子、一套人马"的方式在龙潭、白莲池等5个涉农街道建立农村产权服务中心，进一步促进农村产权管理的常态化、规范化；完成土地经营权、农村养殖水面经营权、农业生产设施所有权、小型水利工程所有权"新四权"的调查摸底和确权颁证工作，颁发农村土地经营权证书1宗、192.72亩。

农村集体资产股份制改革。为赋予农民更多的财产权利、激发农村经济活力，全区在白莲池街道石岭社区开展农村集体资产股份合作制改革试点工作，基本构建了"归属清晰、权责明确、保护严格、流转顺畅"的现代农村集体产权制度。通过股份制改革，石岭社区进一步明晰了农村集体资产权属，共清理出八大类资产共1280.5万元；进一步明确了集体经济组织成员身份，形成了人员固化方案，锁定人员3859人并为其颁发了股权证书；进一步明确了集体经济组织的市场主体地位，成立了石岭社区股份经济合作社。

村级公共服务和社会管理改革。区财政全年共计拨付村级公共服务和社会管理专项资金补助1600万元，全区村级公共服务和社会管理改革工作涉及6个街道40个社区，共实施村级公共服务和社会管理专项资金项目373个，完成专项资金投入1515.85万元，完成计划的94.74%。进一步健全村级公共服务和社会管理运行机制，规范"一户一表"的收集内容和居民代表会议议事程序，相关人员深入社区现场指导，并列席部分社区村民代表会议；落实"三项清单"，积极引导社区居民在项目收集、整理、议决时着眼居民最关心、最直接、最现实的基本公共服务和社会管理问题，优先保障基本公共服务和社会管理项目，明确了不能使用村级专项资金和村级自治组织不是供给主体的项目作为村级专项资金禁止项目，严格重点环节操作规范，确保项目实施；严格村级公共服务和社会管理全过程强制公开公示制度，公示率达100%，督促社区健全"四项制度"，使专项资金使用更加公开、公正、透明。成华区村级公共服务和社会管理改革工作经验做法在市《推进统筹城乡综合配套改革试验区建设》(简报2016年第9期)进行了介绍和推广，《农民日报》对成华区的工作经验及取得成效进行了专题报道，成华区在全市村级公共服务和社会管理改革目标考核中名列第一名。

【对口帮扶】 2016年，成华区对口援建和帮扶工作主要分为三个板块，由区统筹局牵头负责：一是对口支援丹巴县工作。二是对口帮扶简阳市贫困村工作。三是对口帮扶大邑县相对贫困村工作。

对口帮扶丹巴县工作。全区深入贯彻落实党中央第六次西藏工作会议明确的"治藏方略"精神，按照省委"五年集中攻坚、一年巩固提升"的要求，着力构建"干部人才、项目资金、技术管理"三大支援相结合的全方位援藏格局，推进丹巴县经济社会实现跨越式发展。2016年是成华区对口援建丹巴县第一轮五年规划的收官之年，成华区采取切实措施，加快项目进度，高标准、高质量地推进丹巴县人民医院综合大楼、"优教圆梦"等三大续建项目建设，确保第一轮援藏工作出成果、见成效。截至2016年年底，第一轮规划的23个援建项目全部完工，对口援藏专项资金2677万元全部拨付到位。完成《成都市成华区对口支援丹巴县规划(2017—2021)》编制。投资47万元，组织丹巴县特色优势农产品企业参加成都市国际农业博览会，进一步拓宽丹巴农产品交易渠道，扩大丹巴农产品对外影响力。立足丹巴实际需求,加大优秀党政干部和专业技术人才的输送,有针对性地选好配强28名第四批援藏干部,做好两批援藏干部人才轮换工作。围绕藏区“三大民生工程”,大力开展惠民项目,规划实施“卫生惠民”,续建丹巴县人民医院综合大楼建设项目和城乡环境综合治理项目,启动农村水环境治理项目;进一步实施“教育惠民”,规划启动丹巴高中教师周转房项目;努力打造“就业惠民”,开工建设“双创”实训基地,积极探索推进民生项目建设与帮助藏区群众就业增收有机结合的新模式,实现民生项目的长期效益。

对口帮扶简阳市贫困村脱贫工作。区委区政府多次召开会议研究帮扶工作,将对口帮扶简阳市贫困村脱贫工作纳入今后五年区委19项重点工程之一。区分管领导多次带队深入3个帮扶镇和贫困村了解情况,分析原因,在此基础上制订了《成华区关于对口帮扶简阳市贫困村脱贫攻坚的实施方案》,16个帮扶部门积极为贫困村特色产业发展献计献策。投资170万元,动工修建十里坝街道石家村道路,组织开展“扶贫济困,奉献爱心”活动,为8个贫困村送去价值20万元的慰问品与慰问金。16个帮扶部门帮助制定了脱贫规划,帮助石钟镇、新市镇、十里坝街道建立现代农业产业科技园,联系四川川龙养殖公司、老川东食品公司等16家企业商谈合作事宜。同时,有针对性地开展民生援助、智力援助、就业援助等工作。

结对帮扶大邑县相对贫困村工作。一是实施产业扶贫。指导和帮助贫困村结合自然资源优势和产业基础找准发展方向,增强“造血”功能。帮助晋源镇友谊村编制可持续发展规划,帮扶新场镇石虎村发展特色农业、鹤鸣乡新民村发展林业生产并引进了200亩优质猕猴桃种植基地建设项目。二是改善基础设施。按照“量力而为、尽力而为”的原则,支持和帮助对口帮扶村推进道路等基础配套设施建设,改善对口帮扶村村民的生产生活条件。帮助新场镇双井村与川王村实施道路等基础设施建设,筹资为鹤鸣乡青龙村修建2.6千米的上山道路,出资为新场镇同心村改造完善排灌沟渠设施。三是开展助困解忧。开展“走进贫困户、助困解忧愁”活动,真正把党和政府的温暖送到困难群众家中。相关扶持单位分别开展农村劳动力技能培训、师资力量培训、学校结对、教师结对等活动。积极开展“送温暖”活动,给重点贫困户送去慰问品和慰问金。

【农村集体经济管理】 2016年,成华区按照农村集体“三资”管理的有关规定和市、区纪委有关党风廉政建设和反腐败工作要求,切实加强指导和监督力度,大力推进农村集体“三资”规范化管理建设,维护农民群众的合法权益。深入落实“两个责任”,健全和完善农村集体“三资”组织领导机制,建立农村集体“三资”管理领导小组,深入推进农村集体“三资”管理制度体系建设。贯彻落实《四川省农村集体资金资产资源管理办法》,健全和完善农村集体资金(财务)管理、资产管理、资源管理、财务公开、民主理财、收益分配等制度,着力用制度管权、管事、管人。进一步完善和运用好农村集体“三资”监管系统,加强与基层公开服务平台对接,实现对农村集体“三资”管理情况的实时查询、实时分析、实时监管,推进农村集体“三资”管理的常态化和规范化。在设置的固定公开栏进行财务公开,解答群众提出的质疑和问题,听取群众的意见和建议,切实维护农民群众的知情权、监督权,对预警提示信息进行及时通报处理。

【农产品质量安全监管】 2016年,成华区加强执法监管,对全区3家饲料(饲料添加剂)生产企业、5个农药(兼营肥料)经营点(包括1家农药仓库)、1个饲料(饲料添加剂)经营点、3个兽药经营点开展日常及专项执法监管检查32次,按月对龙潭光明社区鱼腥草种植户、适度规模畜禽养殖户以及水产品养殖环节农业投入品使用安全情况进行了执法监管检查。加强抽样检测,对农业投入品经营环节的10个农药样品进行了监督抽样送检,对龙潭蔬菜种植户的2460个蔬菜样本进行了农残速测,对生猪养殖户的225头生猪尿液样品开展了快速检测,委托成都市动物疫病预防控制中心对水产品养殖环节的20个水产品样本开展监督抽检,合格率均达100%。加强案件查处力度,立案查处农产品质量安全案件1件,案件查处率及结案率均达100%。

【农机安全监理】 2016年,成华区切实抓好农机安全监管工作,加大宣传力度,教育引导各农机手牢固树立安全意识,按规定进行年检、补检和购买保险。全年开展提灌站安全检查44座次,开展农机安全现场宣传活动2次,培训人员48人次;发放农机安全宣传材料104份,设置了标语、横幅、展板等宣传栏;与农机手签订《安全生产责任书》36份,进一步明确了农机安全生产责任,建立了安全生产责任倒查制。年检(补检)各类拖拉机18台,做到人、机、证“三见面”;认真核对档案,对检验合格的拖拉机加盖年度检验合格章,核发检验合格标志;参检的所有农用车辆及拖拉机均按要求投保了国家规定的机动车交通事故责任强制保险,年检率达100%,全年无一例农机安全生产责任事故发生。

【涉农法律法规及专业知识宣传】 2016年,成华区组织开展“成华区2016年农民实用技术培训会暨农产品质量安全宣传会”,向农业科技推广骨干及部分科技示范户印发《农产品质量安全法》《农药合理使用准则》等相关资料。坚持“谁执法谁普法”的普法宣法制度,将普法教育与执法检查相结合,对嘉吉饲料(成都)有限公司等饲料添加剂生产企业及饲料添加剂经营门市(曾巴士饲料兽药店)、农药储存仓库(成都浆扬农资服务中心)、成华区稼禾农药经营部4个农药(肥料)经营门市和龙潭光明社区鱼腥草种植户的农业投入品生产、经营、使用环节进行日常及专项执法监管。开展农产品质量安全暨农业法律法规现场宣传指导活动,发放《农产品质量安全法》《最高人民法院最高人民检查院关于办理危害食品安全刑事案件适用法律若干问题的解释》等相关法治宣传资料。大力实施“互联网+法制宣传”计划,充分借助成华区门户网站、微信、微博等新媒体积极宣传与群众生产生活密切相关的法律法规;制作了《防汛应急避险指南》,对《防洪法》和防汛应急抢险知识进行专题宣传,向市民普及洪涝灾害、城市内涝的应急处理方法和注意事项,增强市民防灾救护知识,提升市民自救互救能力。

【秸秆综合利用和禁烧】 2016年,成华区统筹局配合区政府印发了《成华区2016年农作物秸秆综合利用和禁烧工作实施方案》《成华区秸秆综合利用和禁烧工作协调小组办公室关于切实做好2016年大春秸秆综合利用和禁烧工作的通知》,逐级签订《农作物秸秆综合利用和禁烧目标责任书》及《禁止焚烧农作物秸秆承诺书》,切实把目标任务分解到街道、落实到社组、传达到农户,确保禁烧工作全覆盖。强化宣传教育,张贴禁烧公告100张,悬挂横幅标语655幅,印发纸质宣传资料8540份。促进秸秆综合利用,全年秸秆综合利用面积达6365亩,综合利用率达95%以上。强化禁烧督查巡查力度,在4—6月及9—10月的小春及大春农作物秸秆禁烧巡查期间,每天出动秸秆禁烧巡查车辆402辆次(含汽车、摩托车、电瓶车)、巡查人员596人次,成功避免了露天焚烧农作物秸秆及向河道、沟渠抛弃农作物秸秆等现象的发生,实现了“不见烟雾、不见火光,不见黑斑”的禁烧目标。

【主要领导人】 区委书记:张孝军(8月止),刘光强(8月始);区人大常委会主任:刘鸿;区长:刘光强(8月止),蒲发友(8月代理,12月始);区政协主席:李榕;分管农业副区长:付超。

成华区编写组

龙泉驿区

【基本情况】 2016年,龙泉驿区辖12个乡(镇、街道),有农业总人口6.18万人,有耕地面积9.54万亩,减少6.1%;基本农田22.65万亩,减少1.65%。

【年度农业和农村经济运行】 2016年,龙泉驿区实现农林牧渔总产值52.28亿元,增长1.7%;农业增加值29.41亿元,增长1.5%。农民年人均可支配收入23501元,增长8.6%。

农业产业化发展。龙泉驿区区级以上农业产业化龙头企业达30家,农业产业化带动面达83.6%。全区有农产品精深加工企业16家,年加工农产品70万余吨,实现年产值20亿元,农产品精深加工率达50%,其中年产值上亿元的有7家、年产值在5000万元以上的有5家。新发展成都市梦里桃乡水果农民专业合作社等农民专业合作社30家,农民合作社累计达201家;新培育成都一生三民蔬菜农民专业合作社为省级示范农民合作社,成都天平蔬菜农民专业合作社、成都黄土优百惠果蔬农民专业合作社2家为市级示范农民合作社。新发展龙泉驿区西河镇盛龙家庭农场等家庭农场48家,家庭农场累计达146家;新培育成都市桃王家庭农场、成都嘿香猪家庭农场、成都国祥家庭农场3家为市级示范家庭农场。全年培育林业新型经营主体18个,其中评定区级初级林业职业经理人7人、家庭林场3个、森林人家7家、林业专业合作社1个。狠抓农产品生产基地规范化建设,成功促成长松水蜜桃合作社生产的水蜜桃出口新加坡和泰国,全年出口水蜜桃25万千克,网销金额突破100万元。

农用地产权制度改革。龙泉驿区农村土地承包经营权确权颁证工作涉及98个村(社区)1304个组79160户农户,面积27.92万亩,已颁证20宗,颁证面积3.3万亩,其中抵押融资面积9620.8亩,融资3亿元。林权确权颁证工作涉及79个村(社区)1006个组55364户,面积13.92万亩,已颁发证书58962本。农村集体土地所有权确权颁证工作涉及100个村(社区)1447个村民小组,面积66.66万亩。农村集体建设用地(宅基地)使用权确权颁证工作涉及100个村(社区)1466个组76371户农户,面积1825.6万平方米,已颁发证书73512本。农村房屋所有权确权颁证工作涉及100个村(社区)1466个组89372户农户,面积1594.01万平方米,已颁发证书89372本。集体农用地实测及确权颁证21259.76亩,颁发证书23055本。农村集体资产清产核资102个村(社区)1527个组。农村集体资产股份量化92个村(社区)1361个组,颁发股权证95686本。农村养殖水面经营权确权颁证20宗,颁证面积919.3亩。农业生产设施所有权确权颁证8宗,颁证面积105394平方米。完成洛带镇双槐村农村集体资产股份化改革试点,农村集体资产股份化改革试点村已达4个。全年新增土地规模经营面积1000亩,农用地规模经营面积达30.62万亩,规模经营率达60.7%。龙泉驿区被农业部认定为全国农村集体"三资"管理示范县。

农产品品牌战略实施。龙泉驿区新增绿色食品认证2个、有机农产品认证5个,完成复查换证绿色食品认证3个、无公害农产品5个。全区已取得"三品一标"农产品认证88个,认证面积达62.5%以上。"龙泉驿水蜜桃"区域品牌价值达65.64亿元。全区已获得中国驰名商标2个、四川省著名商标13个、成都市著名商标6个、四川省名牌产品11个。组织企业、合作社共9家参加第四届成都国际都市现代农业博览会;携手区商投局、成都商报电子商务有限公司共同开展"龙泉驿水蜜桃"网络营销活动。

【种植业】 2016年,龙泉驿区粮食播种面积8.9769万亩,产量2.7059万吨,实现产值0.65亿元。其中,大春粮食播种面积5.817万亩,产量2.0272万吨;小春粮食播种面积3.1599万亩,产量0.6787万吨。水果种植面积19.9817万亩,产量25.3016万吨,实现产值10.8794亿元。其中,水蜜桃8.16万亩,产量12.24万吨,实现产值5.3856亿元;葡萄5.2194万亩,产量8.7308万吨,实现产值3.2726亿元;枇杷3.2422万亩,产量0.081万吨,实现产值0.0973亿元;梨1.6817万亩,产量3.3634万吨,实现产值1.4799亿元;其他水果1.6784万亩,产量0.8863万吨,实现产值0.644亿元。蔬菜播种面积18.42万亩,同比减少0.56万亩;产量34.45万吨,较上年同期减少0.46万吨;实现产值8.92亿元。食用菌生产0.46万吨,较上年同期减少0.13万吨,实现产值5100万元。

以果树、粮油病虫测报为重点,建立病虫害监测点6个、鼠情监测点3个,准时发布病虫预报24期、病虫害预报及防治信息3.8万人次,开展病虫害电视预报9期,召开技术培训会50余次,病虫害防治面积394.64万亩次,挽回损失85933.53吨。开展桃缩叶病防治药剂筛选试验,选出露娜森等几种代替退菌特的农药。全年办理调运检疫2092批次,调运种子105万千克,调运苗木115.8万株、水果2万千克;实施苗木产地检疫530亩,苗木数量936万株,办理产地检疫合格证158份。开展稻水象甲、李豆病、柑橘溃疡病、柑橘黄龙病4种危险性有害生物专项调查,对扶桑绵粉蚧、红火蚁等危险性有害生物实施常规监测,未发现以上6种有害生物。全年开展植物检疫法规宣传21期,培训人员1165人次,发放宣传资料10000份;开展专项检查8次。新建农业设施2.06万亩,其中智能大棚0.09万亩、钢架大棚0.17万亩、简易大棚1.8万亩。

【林业】 2016年,龙泉驿区实现林业总产值364630万元,其中林业旅游与休闲服务产业产值87090万元。完成同安街道万家村、草坪村,洛带镇松林村新造幼林3000亩和茶店镇胜利村新造幼林2000亩抚育管护工作。完成科技人员下乡84人次,培训林农3300人次。森林蓄积达2.53万立方米,森林覆盖率达41.04%。全年共修改林权证信息31条,新办理林地96宗,涉及面积288.78亩;共确权颁证13.92万亩,颁发林权证58962本;办理林地经营流转证44本、面积5787.72亩,办理经济林木(果)权证195本、面积13336.151亩;规模流转林地3.24万亩,流转金额2.98亿元;完成林权抵押贷款1宗,涉及贷款金额15万元。办理林木采伐采集许可证43份、共2116株(不纳入限额593株),完成林木采伐394立方米(不纳入限额92立方米)、林木采集5454株,分项采伐和采伐总量均严格控制在"十三五"森林采伐限额内。完成全区8184户农户和221个集体经济组织2015年公益林数据审核和发放公益林保护资金方案编制。查处五洛路违法占用林地案件,配合市局完成成洛大道、金龙寺至金龙湖连接公路、金龙湖环线公路、洛万路改建工程、桃花湖旅游路、红桃路改建工程建设占用林地的情况检查并对相关单位发出整改工作函。完成万兴、同安望场渣土清理场临时占用林地清理督查,督促相关单位恢复植被。完成同安街道万家村垃圾场移民区2016年龙泉山脉生态提升工作植树造林2000亩(含500亩困难地造林)。完成2013年新造幼林3000亩(洛带镇新桥村2500亩、万兴乡鲤鱼村500亩)、2014年新造幼林3000亩(洛带镇松林村800亩、同安镇草坪村及万家村2200亩)、2014年新造幼林135亩(百工堰6、7、8组)的抚育管护工作,幼林苗木保存率达90%以上。全年共开展区级义务植树活动4次,栽植绿化苗木2万余株,完成义务植树任务71万株(含折合),市民尽责率达90%以上。

森林资源保护。全年林业有害生物预测发生面积18250亩,实际发生面积17170亩,测报准确率达94.08%;防治面积15070亩,无公害防治率达100%,林业有害生物成灾率为零;种苗产地检疫率达100%。开展以"森林防火进基层、进校园、进单位、进林区"为主题的宣传活动,发放安全用火告知书30000余份(册)。在森林防火期间,出动森林防火宣传车327辆次,开展广播电视宣传2086次、电视专题1期,派出督促组67个、680批次,开展活动271次,发放资料27868份,开展防火培训47次、专栏板报57期,新制作森林防火宣传警示碑(牌)964个,排查隐患57次,清除有效隔离带7600亩,消除和排除森林火灾隐患32处,林区群众、中小学生受教育面达95%以上,全区无一起较大以上森林火灾发生。全面开展森林保险业务,全区参保面积达15.03万亩,其中公益林5.95万余亩、商品林9.08万余亩,投保18.3万余元。

退耕还林工程建设。巩固退耕还林成果1.5万亩。完成2016年度现代林业产业示范项目巩固退耕还林成果专项林下生态鸡养殖6万只,任务完成率达100%。完成巩固退耕还林成果各级财政投资567.6万元(含2015年度计划2016实施任务),其中中央投资317.6万元、市级投资150万元、区级投入100万余元。完成退耕还林地国家补助167万元、市级补助资金30万元的兑付工作,资金兑付率达100%,涉及退耕农户6695户。

天然林保护二期工程。全面推进天然林资源保护(二期)工程建设,完成全区34万余亩森林资源管护工作,管护责任落实率达100%,管护率达100%。完成6.0093万亩集体公益林88.6万元生态补偿金的发放工作,发放率达100%。完成天保工程各级财政投资415万元,其中中央投入59.21万元、省(市)投入82.63万元、区级投入273万余元。

【畜牧业】 2016年,龙泉驿区生猪出栏13.4832万头,下降12.5%;牛出栏198头;羊出栏9403只,下降18.4%;家禽出栏98.84万只,下降14.6%;家兔出栏25.48万只,下降11.7%。生猪存栏47725头,下降37.2%;羊存栏7196只,下降7.9%;家禽存栏42.8万只,下降17.7%。肉类总产量11549吨,下降11.3%;禽蛋产量4124吨,下降18.1%;牛奶产量1025吨,下降18.7%。全年免疫生猪口蹄疫、猪瘟、猪蓝耳病共计148217头,牛口蹄疫1016头,羊口蹄疫18331只、羊小反刍16996只,禽高致病性禽流感825403羽、犬只狂犬病25927只,免疫密度达100%。全年共监测抽样样品2062个,其中奶牛"两病"136个、羊布病602个、血吸虫病300个、春秋防测抗样品260个、口蹄疫病原420个、狂犬测毒120个、马流感24个、定点流调点200个。全年开展马流感流调共计4次、流调马匹324匹次,开展禽流感等重大动物疫病流调41次、调查牲畜532635头(只、羽)。养殖、屠宰环节无害化处置病死生猪6540头,产地申报检疫率达100%。

【水产业】 2016年,龙泉驿区水产养殖面积约1万亩,产量10060吨,其中养殖产量9630吨、天然捕捞产量130吨、稻田养殖产量300吨。全年实现渔业产值3.01亿元,同比增长9.3%,渔业增加值达1.32亿元。开展水产品质量安全抽检95个批次,其中市级例行抽检38个批次、自行抽检57个批次,抽检合格率达100%。新建特种水产苗种繁育车间3975平方米,改建标准化池塘183亩,完成投资458.2万元。推广标准化池塘底排污建设368亩,完成投资208万元。推广稻田综合种养2000亩。推广新品种、新技术试验示范建设2处。申报农业部健康养殖示范基地1处。开展增殖放流活动2次,共投放鱼苗10万余尾。推广"野花组合"池塘美化建设2000亩。发放《龙泉驿区水产品生产档案》2000册;组织水产技术员、养殖大户召开水产品质量安全、健康养殖技术、稻田综合种养等水产培训6次;参加省(市)培训会2次,共计300人次。

【农业机械化】 2016年,龙泉驿区新增农业机械99台(套),累计拥有农业机械52300台(套),其中拖拉机1060台、耕整机100台、农用排灌机械3900台(套)、其他微型机械47240台,农机总动力达到20.6万千瓦。全年共完成机电排灌面积18万亩,植保17.7万亩,农村运输5670万吨,农副产品加工10万吨;新增农用提灌机械210台(套),1422.4千瓦;实施机械化秸秆还田2万亩。落实农机购置补贴资金6.75万元,其中国补37880元、市补29620元,农机购置补贴专项资金结算率达100%。全年共培训农机从业人员2000余人次,印发宣传资料1万余份;开展农机安全检查10次,出动检查人员60人次。年检拖拉机589台,新发驾驶证55个。与乡(镇、街道)签订农机安全生产责任书12份,与农机从业人员签订责任卡689份、承诺书689份。

【扶贫攻坚】 2016年,龙泉驿区编制发放《成都市龙泉驿区农村惠民政策汇编》1000余册。以产业发展、助学扶贫、医疗帮扶、就业创业扶持等方式落实区级专项帮扶资金94.25万元。全年实现204户相对贫困户脱贫致富,占相对贫困户总数的64.8%。以产业和集体经济发展、道路设施、公共服务、水利设施、文化体育、乡村旅游、医疗卫生、就业创业、居住环境改造九大领域扶贫开发项目全面推进相对贫困村脱贫致富。审定下达第一批、第二批扶贫开发项目共784个,计划总投资达27385.79万元。对定点帮扶的都江堰市、金堂县、大邑县的8个市级相对贫困村以产业提升、乡村旅游、基础设施完善、场镇整造等为主要帮扶措施,投入帮扶资金610万元。编制完成平息乡、普安乡2个农业发展规划,落实2016年度帮扶资金1050万元。

【乡村旅游】 2016年,龙泉驿区投入资金320万元,完成桃花故里入口景观、游步道、停车场等改造建设。成功申报2017年赏花基地建设项目2个。协助办好第30届桃花节,开展洛带宝胜第二届葡萄采摘节、乐活山泉水蜜桃季、蔚然花海大地艺术节、国际灯光节、花妖动漫音乐节等活动。提升休闲观光农业档次,好农人休闲农庄、蔚然花海赏花基地被评定为3A级景区,大面江家大院、龙泉街道晋家大院、洛带金龙阁3家农家乐升级为三星级农家乐,同安街办溪湖山庄农家乐、龙泉龙椅山生态植物园入选成都市"森林人家"。

【农村科技】 2016年,龙泉驿区择优选聘33名技术指导员组建技术指导队伍,培育科技示范户291户,培养农民技术专家23名、家庭农场主12户。建立科技示范试验基地3个,切实发挥了示范基地的辐射带动作用,推动了产业发展。新建农业职业经理人服务中心1个。全年组织开展农业实用技术培训2.5万人次、新型职业农民培训80人、产业培训1000人、农业职业经理人培训80人、"梦里桃乡"各类专题培训500人次。通过"新农通"信息平台发送各类"三农"信息30万条次,新增"E农通"农技推广云平台应用终端48台。全年组织开展“农技下乡、科技赶场”活动5场，现场开展咨询、指导2万余人次，编印发放科技服务联系卡2万余份，各类农业科技书籍、技术资料2万余份。

高标准农田建设。全区完成省级2015年粮食生产能力提升项目高标准农田建设1300亩；牵头实施并完成省级民生工程高标准农田建设——黄土镇改造提升高标准农田建设19000亩；启动实施成都市100万亩菜粮基地高标准农田建设、龙泉驿区2016—2018年新建高标准农田0.42万亩；完成2011—2015年黄土镇、洪安镇、洛带镇、西河镇建成的6.6万亩高标准农田的验收认定工作。

【农村生态建设及环境保护】 2016年，龙泉驿区安装完毕并交付使用太阳能杀虫灯622盏，完成1000亩核心示范片性诱剂和黄板示范的采购使用。编制完成2016年病虫害绿色防控子方案。建成病虫害绿色防控核心示范片乡镇8个，示范面积8万亩，绿色防控应用比例达40%以上。全年举办配方施肥技术培训3期、田间技术指导20场次，发放水蜜桃、葡萄配方施肥技术手册1.5万册，在洪安镇化工新村、洛带镇宝胜村、同安镇阳光村建立集中连片葡萄配方肥示范片3个、面积80亩，完成测土配方施肥推广面积30万亩。全区累计推广水肥一体化面积1500余亩。全年增施有机肥和土杂肥用量4万吨，亩均施用有机肥133千克，增长5.6%。全面实现化肥使用量年度增长率控制在0.4%以内的目标。共关闭禁养区养殖场74家，兑付关闭补助资金791.6万元。排查出西河镇两河村、龙井村埃及胡子鲶养殖户33家，涉及面积127.1亩，已全面完成33家胡子鲶养殖户的转产工作。全年落实禁烧工作和综合利用资金1239万元，全面完成秸秆综合利用和禁烧工作“不见烟雾，不见火光，不见黑斑”和秸秆综合利用达95.5%以上的民生工作目标。

【农产品质量安全监管】 2016年，龙泉驿区圆满完成国家级农产品质量安全区创建和国家出口食品农产品质量安全示范区复审相关工作。全区接受农产品省、市例行监测171批次，合格率达100%；完成农产品质量监测18500批次，合格率达99%，高出市级要求2个百分点。全年落实17个村级检测溯源室点位，试点完成5家已取得“三品”认证的新型农业经营主体快检室和质量追溯室标准化建设，试点完成长松水蜜桃农产品“质量云控”系统建设，实施电子追溯的生产经营主体有3个。联合区供销联社、区市场监管局举办龙泉驿区2016“放心农资下乡村，监管服务到基层”系列宣传咨询服务活动，惠农2000余人；编印发放《农产品质量安全——生产消费管理知识摘要》《农产品质量安全——农资篇》《禁限用农药名单》等宣传资料10000余份。组织开展村级协管员农残快检培训，组织检测人员参加检验检测知识培训和技能培训共计3期，组织镇级监管员和村级协管员120余人集中培训，邀请省、市及农业方面专家对辖区内60余家种养业合作社、企业、大户负责人及质量管理员进行相关法律法规、生产经营管理、生产技术规范等方面的培训。依法划定和调整农产品禁止生产区和种类，及时治理、修复被污染的区域，保证农产品产地符合安全标准。

【惠农政策】 2016年，龙泉驿区制定并印发《龙泉驿区2016年深化农村改革加快现代农业发展扶持办法的实施细则》和《龙泉驿区2016年提升伏季水果品质强化品牌建设增强市场竞争力实施意见的实施细则》，全年共收集申报补助项目32个，申报补助资金857万元。审核大面、同安、洪安、柏合、西河等10个村“一事一议”筹资筹劳项目13个，投资共1471.8万元，其中村民筹劳折资428.61万元、财政奖补878.94万元、村集体投入20.24万元、整合资金144.01万元，项目内容主要为村内道路硬化、沟渠建设、村容美化，受益人数达42153人。

【主要领导人】 区委书记：廖仁松（4月止），何勋（4月始）；区人大常委会主任：陈礼江（12月止），任闻宇（12月始）；区长：何勋（4月止），杜海波（9月代理，12月始）；区政协主席：何志涛（12月止），孙波（12月始）；分管农业副区长：曾勇达。

龙泉驿区编写组

青白江区

【基本情况】 2016年，青白江区辖11个乡（镇、街道），有农业人口21.52万人，有耕地面积20.29万亩，减少1.3%；基本农田22.9095万亩，与上年持平。

【年度农业和农村经济运行】 2016年，青白江区实现农业总产值25.8054亿元，增长3.6%；农业增加值15.22亿元，增长3.4%。农民年人均可支配收入19380元，增长8.8%。

农业产业化发展。青白江区扎实推进伏季水果产业基地、现代农业精品园区等建设，扩面优质杏等伏季水果2万余亩（总面积达8.5万亩），特色菌蔬总面积达8.4万亩。新引进川青、海珂等农业产业化龙头企业，到位内资4.01亿元。建成现代渔业稻田综合种养示范基地4000余亩，建立稻渔共生、蔬+果等绿色防控集成技术示范区5个。

2016年青白江区省级农业产业化重点龙头企业名单

企业名称	注册资金	法人代表	示范等级	年度产值(万元)	行业分类	主营产品
成都宜家食品有限公司	1000万元	唐兴波	省级	14366.06	农产品加工	泡酸菜、泡小米辣、风味包酸菜、康师傅香菇风味包
成都康祖食品有限公司	500万元	赖坤文	省级	16325	农产品加工	山椒凤爪、优品蛋干
成都红旗油脂有限公司	8000万元	巨浪	省级	33000	农产品加工	菜籽油
成都市贵和高科农业开发有限公司	2000万元	何德光	省级	1500	果蔬种植及休闲观光农业	蔬菜、草莓、蓝莓
益海嘉里(成都)粮食工业有限公司	2400万美元	吴会祥	省级	52898	农产品加工	面粉、大米、挂面
四川省恒邦农业开发有限公司	2067万元	李竺音	省级	5112	农产品加工	食用菌
九三集团成都粮油食品有限公司	6000万元	杨辉	省级	40599.81	农产品加工	大豆油

2016 年青白江区省级(及以上)示范农民专业合作经济组织名单

合作组织名称	注册资金(万元)	法人代表	示范等级	年度产值(万元)	行业分类	主营产品
成都市青白江区清泉明妍果蔬专业合作社	2	谷显中	国家级	300	种植业	黄金梨
成都奇源生猪养殖专业合作社	675	陈厚正	国家级	2000	养殖业	生猪
青白江区弥牟镇狮子村春蒜苗专业合作社	5	曾卫	省级	200	种植业	蔬菜
成都市田源山珍菌业专业合作社	1008	胡英席	国家级	2040	种植业	食用菌
成都市城厢镇玉虹桥蔬菜作业合作社	2.6	陈孝恩	省级	170	种植业	蔬菜
成都市鑫锋农副产品专业合作社	60	周良兵	国家级	400	种植业	蔬菜、黑花生、黑玉米等

2016 年青白江区家庭农场经营情况统计表(前 10 位)

家庭农场名称	注册资金(万元)	法人代表	年度产值(万元)	行业分类	主营产品
青白江青青阳光家庭农场	20	黄其兵	760	种养殖业	水果、蔬菜、生态猪
青白江区邓强菌业家庭农场	6	邓书强	45	种植业	食用菌
青白江区金竹苑家庭农场	60	黄伟	150	种植业	食用菌、蔬菜
青白江区瑞西家庭农场	12	蔡中清	70	种植业	食用菌、蔬菜
青白江区创意八步岛家庭农场	15	叶成鲜	120	种养殖业、休闲	蔬菜、水果、鱼
青白江区快乐怡家家庭农场	5	黄银华	82	种养殖业、休闲	生态鸡
青白江区丹丹红家庭农场	8	李丹丹	98	种植业	猕猴桃、梨
青白江区铭龙家庭农场	30	叶兴平	100	种殖业	梨、葡萄、桃、生猪
青白江区秋平家庭农场	18	胡其均	60	种养殖业、休闲	葡萄、鱼
青白江区阿敏家庭农场	10	曾礼水	380	种养殖业、休闲	桃、杏、李子、鱼

农用地产权制度改革。青白江区全面完成农村产权确权颁证工作任务。深化土地承包经营权流转管理试点和集体林权制度改革等工作,完善小型水利工程建管机制,颁发养殖水面经营权证 326 本、农业生产设施所有权证 112 本、农村土地经营权证 292 本、经济林木(果)权证 14 本。农村产权制度改革成果得到充分利用,逐步建成“农贷通”平台,进一步完善农村产权交易体系。以改革成果激活生产要素,促进农民增收,帮助农民致富,新型农业经营主体通过经济林木(果)权、农业设施共抵押融资 1400 万元。印发了《青白江区规范建立农村产权“一个交易平台、三级服务体系”实施方案》,成立成都农交所青白江分公司,各乡(镇、街道)、村(社区)农村产权交易服务中心已规范挂牌;姚渡镇光明村推行“农业共营制”(土地股份合作社+农业职业经理人+农业社会化服务体系),实现了农业经营主体的“共建共营”和经营收益的共营共享;福洪镇民主村以农户腾退的 4.58 亩宅基地联合杏果种植专业合作社承接青白江区福洪杏财政支农项目。

持续推进集体资产股份化改革试点。青白江区全面完成市级康家渡社区、福洪镇先锋村集体资产股份化改革试点以及“蔬香果韵,幸福田园”统筹城乡示范片福洪镇民主村、字库村等 3 个集体资产股份化改革试点。启动了 8 个区级集体资产股份化改革试点,其中康家渡社区经验在全市推广。

【种植业】 2016 年,青白江区农作物播种面积 3.19 万公顷,其中粮食作物播种面积 1.93 万公顷(大春粮食作物 1.34 万公顷、小春粮食作物 0.59 万公顷)、经济作物播种面积 0.62 万公顷(油料作物 0.54 万公顷)、其他农作物播种面积 0.64 万公顷(蔬菜 0.27 万公顷),粮食总产量 11.17 万吨,增长 0.3%。粮食复种指数达 236%。

【林业】 2016 年,青白江区有林地面积 8095.4 公顷(乔木林面积 7112.5 公顷、竹林面积 868.66 公顷、疏林面积 18.75 公顷、灌木林面积 95.47 公顷),森林覆盖率达 21.29%,林木绿化率达 38.99%;活立木总蓄积量 393957 立方米,其中乔木林 237340 立方米、疏林 33 立方米、四旁树 152102 立方米、散生木 4482 立方米。全区主要植物品种有 300 余个、野生动物 42 种;共有名木古树 65 株,主要是黄葛树、柏树。

【畜牧业】 2016 年,青白江区生猪出栏 20.1422 万头,同比减少 3.17%;牛出栏 372 头,同比增长 5.38%;羊出栏 1.5003 万只,同比增长 3.48%;家禽出栏 141.35 万只,同比增长 11.51%。肉类总产量 15500 吨,同比减少 1.22%;奶类总产量 6008 吨,同比增长 99.34%;禽蛋总产量 6323 吨,同比增长 7.26%。全区畜牧业产值比上年增长 8.7%,农民人均增收 149 元。生猪三元杂交改良面提高 2 个百分点,达 80.31%;生猪、家禽等主要畜禽适度规模养殖率达 89%,比上年提高 2 个百分点。四川新希望华西牧业有限公司青白江牧场被评为成都市畜禽养殖标准化示范场。完成兽药 GSP 认证,9 户兽药经营户取得《兽药经营许可证》。全年共培养乡村兽医 70 名。

【水产业】 2016 年,青白江区水产品总产量 4110 吨,同比增加 360 吨;实现渔业总产值 20805 万元,同比增加 11362 万元;生产鱼苗 800 万尾,同比增加 52 万尾;生产鱼种 200 吨,同比增加 10 吨;投放鱼种 664 吨,同比增加 124 吨。水产养殖面积 480 公顷,与上年持平,其中草鱼养殖面积占养殖总面积的 34.18%、鲤鱼养殖面积占养殖总面积的 13.19%、鲫鱼养殖面积占养殖总面积的 15.45%,名优品种占养殖总面积的 13.5%;新增稻渔综合种养面积 3856.1 亩,产量 360 吨,亩均实现产值 2600 余元。全区有渔业户 890 户、渔业人口 3490 人、渔业从业人员 2830 人。

【统筹城乡与新型城镇化】 2016 年,青白江区制定了《青白江区统筹城乡综合配套改革 2016 年工作要点》,明确了八大类 40 项改革任务。祥福镇康家渡社区盘活经营性资产存量,自主决策开发存量建设用地,民主协商决策集体收益分配,其经验做法在市委统筹委《统筹城乡工作研究》上刊发并被《成都日报》《四川日报》等多家媒体和网络宣传报道。收录 68 个中央、省、市、区农村改革文件形成《深化农业农村改革文件汇编》,编制了《成都市青白江区统筹城乡综合改革事项与建设项目计划(2016—2020)》。累计建成福洪先锋、龙王梁湾、清泉北宁等 7 个"小组微生"项目。福洪镇土地综合整治推进产村融合的经验做法被纳入国家发展改革委《国家新型城镇化报告(2015)》;福洪镇农业托管经营模式、土地综合整治推进产城融合、开发利用集体建设用地建设商贸综合体等经验做法被《人民日报》《成都改革》和《成都日报》等刊登;《探索农民就近城镇化的市场路径——解析农民就近城镇化的"福洪样本"》在中国经济新闻网报道;《全域规划镇村一体产村相融改革集成全面加快丘区纯农业乡镇新型城镇化步伐——福洪镇统筹城乡综合改革示范建设的实践》在市委统筹委《统筹城乡工作研究》上刊发。

扎实推进小城市和特色镇示范建设,城厢镇、祥福镇被列为全国重点镇,城厢镇、祥福镇和清泉镇被列为全省"百镇建设行动"示范镇,城厢镇加入成都市"天府古镇联盟"和首批成都市"互联网小镇",福洪镇被评选为全市重点支持建设特色镇之一。编制完成《青白江区城建攻坚十年(2016—2025)规划》,规划建设项目 426 个,总投资约 897.03 亿元。按照"小规模、组团式、微田园、生态化"的思路,以村组、院落为载体,以产业发展为支撑,以公共服务配套和基础设施建设为重点,加快推进美丽乡村示范建设,取得了明显成效,新村面貌得到明显改善,得到了农民的一致好评,建成弥牟镇狮子村、姚渡镇光明村等 26 个幸福美丽新村,创建姚渡镇光明村、龙王镇梁湾村等幸福美丽示范村 14 个。做好社会保险扩面征缴工作,支持和鼓励稳定就业的农村劳动力参加城镇职工社会保险,提高农民参保比例。全年发放医疗救助金 427.05 万元;城乡居民基本医疗保险参保 241027 人,参保率达 98%以上。

【扶贫攻坚】 2016 年,青白江区落实扶贫开发"双组长"制,严格按照"六个精准""五个一批"的要求,深入开展 10 个区级相对贫困村、164 户精准扶贫户和 30 户"插花"式帮扶户结对帮扶工作。区级财政安排扶贫专项资金 400 万元、整合其他涉农资金 905.5 万元,集中投放到区级相对贫困村基础设施建设、产业发展、贫困户物化补贴等项目,全区实施帮扶项目 23 个,通过产业带动和设施配套促进相对贫困村和贫困户不断增收。一是强化组织领导,落实帮扶资金。全区成立了对口简阳市脱贫攻坚帮扶工作领导小组,制订了《成都市青白江区对口简阳市脱贫攻坚帮扶工作实施方案》,建立了 2 名区级分管领导对口乡(镇)、4 个小组对接工作、8 个单位联系贫困村的"2+4+8"帮扶工作机制。落实首期帮扶资金 200 万元,明确专项资金管理及拨付流程,将 2017 年帮扶资金纳入专项资金预算予以保障。区委区政府领导先后 4 次带队深入飞龙乡、安乐乡 4 个贫困村开展对口帮扶调研;组织召开 3 次两地帮扶对接工作会,组织帮扶村乡、村干部到青白江区参观学习。二是强化人才培训,提升攻坚能力。围绕农村扶贫政策、农民专业合作社运行机制、乡村产业规划、美丽新村建设等内容举办各类培训班 4 期,累计培训 120 余人次。三是强化规划引领,指导总规编制。统筹考虑产业布局、基础设施建设等因素,多次对接并协调专业机构帮助完善镇域规划,指导制定村庄规划。四是强化园区建设,助力产业提升。按照"错位发展、功能互补"的建设思路启动 2 个 5000 亩园区建设,编制完成了园区建设发展规划。组织区内 15 家企业参加简阳市招商对接,签订了农产品购销框架协议;定期发布招聘信息,推送青白江区企业招工信息 3 期,组织 20 余家企业赴简阳市召开招聘会 2 场,现场提供岗位 1000 余个,发放宣传资料 1200 余份。

【乡村旅游】 2016 年,青白江区乡村旅游接待游客 720 万人次,同比增长 16.6%;实现收入 6.72 亿元,同比增长 10.7%。举办了 2016 四川花卉(果类)生态旅游节分会场暨成都(青白江)第七届樱花旅游文化节、青白江第九届杏花(果)生态旅游节、姚渡镇第 26 届龙门桃花节等 10 个旅游节庆活动,共接待游客 240 万人次,实现旅游总收入 2.1 亿元,其中樱花旅游文化节接待游客 130 万人次,实现旅游收入 1.3 亿元。全区有 A 级景区 1 个(客家杏花村国家 AAA 级景区),全年接待游客 168 万人次,同比增长 9%;实现收入 1.17 亿元,同比增长 2.7%。有星级乡村酒店 8 家,其中五星级乡村酒店 1 家、四星级乡村酒店 3 家、三星级乡村酒店 4 家;有星级农家乐 30 家、旅游特色村 5 个、乡村旅游精品村寨 1 个。

【农村科技】 2016 年,青白江区制订了《成都市青白江区激励农业科技人员创新创业专项改革试点方案》及其实施细则,鼓励农业科技人员从事技术研发、产品开发、技术咨询、技术服务等创新转化活动以及创办、领办、联办农业科技经济实体,加速农业科技成果转化与推广应用。全年完成农民实用技术培训 2.6 万人次、产业培训 1000 人次、职业技能培训 1408 人次、农业职业经理人知识更新培训 80 人、新型职业农民培训 97 人、省级劳务品牌培训 100 人、新增农村富余劳动力向非农产业转移就业 4668 人。

【助农增收】 2016 年,青白江区着力围绕增加农民经营性收入、工资性收入、财产性收入、转移性收入目标,加快构建农民增收六大机制,促进了农民持续多元增收,全年实现农村居民年人均可支配收入 19380 元,同比增长 8.8%。一是突出培育农业新业态,构建农民经营性收入持续增长机制。通过大力发展农产品加工业、不断完善农产品物流体系、积极拓展乡村旅游业,有效延伸农业产业链,提高产业综合效益和附加值,增加农民经营性收入。二是突出抓好农业创新创业,构建农民工资性收入持续增长机制。通过强化农民工职业技能培训、建设返乡创业孵化基地、设立就业创业补助资金等支持农民创新创业政策扶持体系,进一步调动农民就业创业的积极性和创造性,提高农民工资性收入。三是突出推进农村改革成果运用,构建农民财产性收入持续增长机制。通过深化农村产权制度改革、盘活农村资产资源、引导农村产权制度改革成果的运用进一步盘活农村资源,赋予农民更多财产权利,提高农民财产性收入。四是突出抓好强农惠农政策落实,构建农民转移性收入持续增长机制。通过全面落实惠农补贴、扩大农业政策性保险、完善农村社会保障体系提高农民生产生活保障水平,增加农民转移性收入。五是突出抓好产业扶贫,构建农村贫困人口长效增收机制。通过制定目标、落实责任,稳步推进项目实施,着力加大资金投入等扶贫开发措施增加贫困群众收入,减少贫困群体,促进农村和谐稳定。六是突出抓好督查考核,构建农民增收长效保障机制。强化安排部署,加强过程监管,实施季度考评,考核结果将作为乡镇党委、政府主要负责人和分管负责人评选优秀、提拔任用以及区级有关部门安排涉农项目资金的重要参考。

【供销社改革不断深化】 2016年,青白江区归并整合改造农资放心店83个,在祥福镇新建农资配送中心1个,完成农资监管信息平台和首批22家农资放心店信息化改造。大同综合服务社被评为全国供销合作社五星级综合服务社,弥牟综合服务社、祥福康家渡社区综合服务社被评为全国供销合作社四星级综合服务社。

【回乡创业之星选介】 刘胜光,城厢镇玉虹水产养殖农民专业合作社社长,先后在广州、上海、北京等地从事灯饰公司生产管理、酒店管理、仓储管理等工作,随后回到家乡创业。2014年3月,刘胜光成立了成都市玉虹水产合作社,主要从事生态水产养殖。2015年3月,为调动周边农户发展水产养殖的积极性,刘胜光将玉虹水产合作社变更为股份制合作社,推广水产养殖和水稻种植有机组合的稻田养鱼立体农业新模式,引导周边农户入股从事稻田养鱼,并以其为载体举办稻田抓鱼等活动,积极探索立体农业和第三产业互动发展的新路子。2016年,合作社累计发展稻渔综合种养面积670亩,有成员103户,95%为农民;建成鱼苗基地60亩、标准化水产养殖基地300亩、稻鱼种养示范片600亩,生产优质水稻200吨、成品鱼800吨、稻花鱼2.5吨,实现总产值1000万元;出售鱼苗收入2万余元,每亩增收600元。合作社常年用工4人,农忙季节临时用工900个,增加农民劳务收入16万元。

【主要领导人】 区委书记:刘筱柳;区人大常委会主任:张丽;区长:傅学坤(8月止),陈晓霖(9月代理,12月始);区政协主席:范维;分管农业副区长:吴世国(3月止),冉晓晞(3月始)。

青白江区编写组

新 都 区

【基本情况】 2016年,新都区辖13个镇(街道),辖区面积497平方千米,有人口120余万人。全年实现农业增加值25.6亿元,增长3%。农民年人均可支配收入20994元。

【都市现代农业发展】 2016年,新都区都市现代农业优化提升,全年完成农业增加值25.6亿元,增长3%。四川现代农机产业园成为全国首个国家级农机示范园区,成功创建为"四川省特色产业基地";新繁泡菜(食品)产业园获评为国家农业产业化示范基地。培育国家级重点龙头企业1家、省(市)级40家,培育农民专业合作社248个,带动农户面达83.1%。北星大道都市农业示范带被确定为第三条市级示范带。与省农科院强化院地合作,形成精品蔬菜、鲜食玉米等五大产业联盟。樱薇花美、泉映梨花等项目实现农旅融合,斑竹园镇回南社区被评为"全国魅力新农村十佳乡村""中国最美休闲乡村"。"云图生活""蠢都味"等农村电商模式受到农业部肯定。

【主要领导人】 区委书记:刘任远;区人大常委会主任:戴军;区长:贺欣(10月止),李云(10月始);区政协主席:方正行;分管农业副区长:张文豪。

新都区编写组

温 江 区

【基本情况】 2016年,温江区辖6镇4个街道,辖区面积277平方千米,其中耕地面积20.565万亩,比上年减少0.26%。年末总人口42.99万人(户籍人口),增长3.5%;人口出生率15.30‰,增加1.87个千分点;人口自然增长率7.68‰,下降0.16个千分点。全区耕地有效灌面和保证灌面均达到耕地总面积的100%;本地水资源总量1.5亿立方米,人均占有水资源量317.4立方米。林业用地37.46公顷,有林地面积35.49公顷,活立木总蓄积量38.74万立方米,森林覆盖率达20.18%。

2016年,全区GDP426.46亿元,增长8.1%,其中第一产业产值17.83亿元,增长3.1%,农林牧渔及农林牧渔服务业之比为89.7:0.12:7.42:1.12:1.64;第二产业产值212.72亿元,增长7.7%(工业产值203.41亿元,增长8%);第三产业产值195.91亿元,增长9.2%。三次产业对经济增长的贡献率分别为1.6%、48%和50.4%。全年接待游客1488.14万人,实现旅游收入63.08亿元。

公路通车里程802.96千米(其中乡村公路775.22千米),密度3320米/平方千米。社会消费品零售总额97.89亿元,增长10.1%。地方公共财政预算总收入完成35.72亿元,增长4.6%;公共财政预算总支出41.3亿元,增长1.68%,其中农业投入15052万元,占支出的3.64%。金融机构各项存款余额5947185万元,比年初增长7.5%。全年农业项目完成固定资产投资达12.05亿元。农业产业化重点龙头企业国家级1家,省级7家,市级15家,农业带动面达80%以上。

有幼儿园113所(教育部门办23所、国有企业办2所、民办公益14所、民办74所),中小学30所(公办25所、民办5所),普通高中2所,中等职业学校9所(区属公办1所、省属公办2所、民办6所),社区教育学院1所,镇(街)社区教育分校10所;公办教职工3086人;在校学生90425人;学龄儿童入学率100%。有艺术表演团体4个,文化馆1个,公共图书馆1个,博物馆5个。有无线广播电台1座,节目1套;电视台1座,节目1套。有各级各类医疗机构434家,开放病床位5507张,专业技术人员6321人。新型农村合作医疗参合人数315313人,参合率98%。新型农村社会养老保险参保人数10537人,参保率97%;被征地农民养老保险参保人数67291人,占总人数的20.8%。

【年度农业和农村经济运行】 2016年,温江区实现农业总产值29.15亿元,增长6.1%;农业增加值17.57亿元,同比增长3.1%。农民年人均可支配收入达23401元,同比增长8.8%。全区农产品质量抽检合格率继续保持100%。

2016年温江区主要农产品产量

主要农产品	单位	产量	同比(%)
粮食	万吨	0.8155	-1.74
稻谷	万吨	0.7858	3.42
小麦	万吨	0.0133	-1.48
油菜籽	万吨	0.1398	-4.44
蔬菜	万吨	5.779	2.94

续表

肉类	万吨	0.659	-17.21
猪肉	万吨	0.547	-16.23
禽蛋	万吨	0.129	-72.21
水产品	万吨	0.1158	15.8

农业产业化发展。温江区有农业产业化重点龙头企业23家,其中国家级1家、省级7家、市级15家,龙头企业带动面达80%以上。一是进一步夯实基础,促农业产业化龙头企业规范运行。按照《四川省农业产业化经营龙头企业管理暂行办法》文件要求,按时向市农委上报全区市级以上农业产业化重点龙头企业经营情况数据报表。二是积极落实优惠政策,促农业产业化龙头企业做大做强。对辖区内现代农业经营市场主体上报项目的真实性、合规性及完整性进行严格审核,组织申报促进经济平衡增长和提质增效推进供给侧结构性改革奖励补助并获批金额合计40万元,兑现工作有序进行。三是大力鼓励营销,促农业产业化龙头企业打响品牌。组织4家企业参加第十三届中国昆明国际农业博览会。组织鱼凫尚品、紫薇编艺合作社、扬名食品等农业产业化企业参加成都市第五届农博会,签约宏美田园综合体、明信农业公园等项目。

2016年温江区省级(及以上)农业产业化重点龙头企业名单

企业名称	注册资金(万元)	法人代表	示范等级	年度产值(万元)	行业分类	主营产品
四川万花环美生态环境建设有限公司	1500	匡艳	省级	4556	种植业	苗木
四川强劲奥林食品饮料有限公司	4700	李光灿	省级	5003	加工业	苦荞茶、米等
四川想真企业有限公司	3200	海东博之	省级	5112	加工业	有机食品
四川金宫川派味业有限公司	5360	龚永泽	省级	28000	加工业	鸡精、味精、半固态复合调味料
成都柯帮药业有限公司	1000	肖兰	省级	17462	加工业	氯威复合亚氯酸钠、氨基酸培藻精、生态鱼壮、生态鱼康等
四川金土地中药种植集团有限公司	40000	何新友	省级	2740	加工业	黄柏、川芎、麦冬、茯苓等
成都巨龙生物科技有限公司	1000	刘继勇	省级	9124	加工业	窝窝醪糟、巨龙料酒、醉香田米酒
四川华侨凤凰集团股份有限公司	2000	成甦	国家级	239951	加工业	饲料、水产品等

2016年温江区省级(及以上)示范农民专业合作经济组织名单

合作组织名称	注册资金(万元)	法人代表	示范等级	年度产值(万元)	行业分类	主营产品
成都市温江区聚力花木生产营销专业合作社	3	徐友树	国家级	1000	生产、营销	花木苗木
成都市温江区金穗农机服务专业合作社	100	高道全	国家级	103	服务业	农机服务
成都市温江区富农蔬菜专业合作社	50	张绍发	国家级	600	生产、营销	蔬菜
成都温江区红花紫薇花木专业合作社	5000	郭朝建	省级	2000	生产、营销	红花紫薇
成都市温江区幸福田园花木营销专业合作社	1600	郭建平	省级	2000	生产、营销	花木苗木
成都市温江区土桥紫薇营销专业合作社(改名大红紫薇)	230	倪彬	省级	500	生产、营销	大红紫薇
成都市温江区雨露生态蔬菜专业合作社	115	江晓军	省级	800	生产、营销	蔬菜
成都市温江区开志农机服务专业合作社	80	鲜开志	省级	800	服务业	农机服务
成都联慧花木营销专业合作社	500	石洪甫	省级	近两年未开展业务	营销	花木营销

农用地产权制度改革。温江区开展农村集体资产股份权能改革试点,制定出台了《成都市温江区农村集体资产股权继承管理办法(试行)》《成都市温江区农村集体资产股权有偿退出管理办法(试行)》《成都市温江区农村集体资产股权质押融资管理办法(试行)》

等文件,在万春镇天乡路社区、天府街道梓潼社区选择有意愿和需求的农户开展改革试点,办理农村集体资产股权继承15宗、股权质押2笔20万元。开展农村承包土地经营权抵押贷款改革试点,制定出台了《温江区农村承包土地经营权抵押贷款试点实施方案》《温江区农村产权抵押融资风险基金使用实施细则(试行)》,设立农村产权抵押融资风险基金500万元,办理土地经营权抵押贷款38笔、1.16亿元。

"新五权"确权试点建设。温江区扎实开展农村承包土地经营权、农业生产设施所有权、农村养殖水面经营权、农业生产设施所有权、经济林木(果)权"新五权"确权试点,积极开展赋予农民对集体资产股份占有、收益、有偿退出及抵押、担保、继承权6项权能探索,在万春镇乡路社区、金马镇温泉社区开展先行试点的基础上重点探索赋予集体资产股份抵押、担保权能,完成全省首单集体资产股份抵押担保贷款。大力推进农村金融体制机制改革,配套完善了《温江区农村产权抵押融资风险基金管理办法》等制度,实现花木仓单质押贷款4宗、融资3130万元,农村土地经营权抵押贷款36宗、融资1.149亿元。深入实施村级公共服务和社会管理改革,创新开展"一图五表"工作,被确定为全市村公宣传模板,全额下拨村级专项资金4649万元。全区106个村(社区)议决实施专项资金项目803个,预算使用村级专项资金5389.18万元;在万春、天府等镇街试点推行村公项目进站交易。全面开展14个示范创建村(社区)示范建设,相关经验在全市推广。"2+4+2"国家、省、市改革试点取得突破进展,统筹城乡综合改革示范片建设成效明显,承办"成都市统筹城乡综合改革示范建设村公改革暨正风肃纪工作现场会""成都市统筹城乡综合示范片工作现场会"。总结形成的《"三权一单"——破解农村产权融资桎梏的现实路径》《温江区探索花木仓单质押融资有效盘活农村在地资产》等经验成果在省委办公厅、省委政研室、省委深改办刊物刊发。

农产品品牌战略实施。温江区花木种植面积达20万亩,在地资产价值160亿元,销售收入18.8亿元,从业人员约5.5万人,建成市级特色花木信息化示范基地3个,打造天星植物编艺公园、土桥紫薇公园、先锋盆景村等特色园林小镇(村)、特色赏花基地6个。温江大蒜地理标志保护产品专用标志在国家质检总局注册登记,远销欧盟和日本,种植面积1.5万亩,蒜薹产量6750吨,实现产值0.8亿元。温江酱油获得国家地理标志保护产品称号,全区酱油生产企业达30余家,温江酱油产业已具备年产值1亿元的生产能力,涌现出扬名、天德利、美味王等一批全国知名企业。以海峡两岸科技园为核心,加快打造全市一流的特色农产品精深加工基地,辐射带动生物农业、有机农业等高效生态农业基地建设,做强绿色农业及农产品精深加工产业,全区农产品精深加工产值超过100亿元。9家农业龙头企业产品获得中国驰名商标认定,4家企业产品品牌被评为四川省知名品牌,20余家企业产品获得省、市知名品牌认证。积极开展"三品一标"农产品认证申报,对"三品"认证企业续期兑现认证奖补资金14.1万元。截至2016年年底,全区共有无公害认证农产品20个、有机农产品13个、国家地理保护标志农产品2个;有机认证基地面积455亩,无公害基地面积16091亩;实施标准化生产的"三品一标"农产品产地面积达3.8万亩,占食用农产品生产面积的67%。

现代农业园区建设。温江区围绕"一年看雏形,二年看轮廓,三年见成效"的园区建设目标,全面完成产村相融现代农业精品园区阶段性建设目标,统筹实施基础设施和接待功能配套建设,采取市场化方式做好后续运营工作。重点依托成都平原农耕文明实景博物馆核心区万春镇和林村,实施和林原乡成都平原农业主题公园建设,完成投资8200万元,已启动300亩稻蒜高产示范基地、七斗渠路改造、幸福田园旅游村落二期等9个项目建设。按照景区化发展思路,举办了"2016四川花卉(果类)生态旅游节分会场暨温江玫瑰花节开幕式"、"开秧门"农耕文化节、"花田喜事"赏花活动等特色创意农业节庆活动。9月25日,温江"鱼凫原乡"中国农业公园授牌仪式在万春镇幸福村举行,为全省首家中国农业公园。以"鱼凫田园·天府原乡"市级产村相融园区建设为核心区域,依托万亩标准化稻蒜高产基地、省市水稻高产创建、新优品种示范基地等项目,实施大田改造、田型调整、有机废弃物循环利用、地力培肥、土壤改良等举措,促进全区耕地地力提升,着力打造成都平原大田景观农业示范区。

【林业】 2016年,温江区持续推进植树造林、产业发展、森林检疫等重点工作,全年实现苗木销售额18.8亿元。春秋季义务植树活动栽植樱花500余株,新(补)植树木69万株(含管护),全区森林覆盖率达20.18%;巩固天保工程建设成果,对128亩国有林、90亩集体公益林森林资源进行有效管护;开展执法检查行动26次,检查苗木基地和涉木企业135家。抓好野生动植物资源保护,组织开展清理专项行动,共出动200余人次,对全区范围50余家农家乐,特别是国色天乡周边、成青快速通道沿线的农家乐、餐馆进行了重点清理检查,未发现破坏野生动植物资源的违法行为。

【畜牧业】 2016年,温江区生猪存栏1.04万头,出栏8.84万头;能繁母猪存栏0.12万头;家禽存栏11.57万只,出栏65.62万只;兔存栏0.12万只,出栏0.73万只。

【水产业】 2016年,温江区水产养殖面积765亩,水产养殖产量1158吨,其中观赏鱼养殖面积约170亩,观赏鱼年产值约1100万元。观赏鱼以高端精品养殖为主,特别是金鱼的品种和品质在全省拥有较高知名度。

【农业机械化】 2016年,温江区农机总动力达16.8万千瓦,完成机耕3.9万亩、机收2.6万亩、机插秧1.21万亩,农机综合水平达84.58%。兑付农机购置补贴资金108.91万元,其中中央农机购置补贴资金58.464万元、市级资金50.446万元。拖拉机、联合收割机年检率达70%,纠正农机违规违章行为16起,全年未发生农机安全事故。出动检查人员267人次,检查农机专业合作社、农机生产企业、农机经营门市125个次。开展农机安全培训500人次、农机安全宣传14次,发放宣传资料4万余份。

【重点农业项目建设】 百花亮采新桃源。项目由成都明信房地产集团有限公司投资建设,选址万春镇,面积约2000亩,其中农用地约1400亩、有条件建设区约400亩、农村集体建设用地约200亩。计划投资50亿元,按国家5A级标准打造集现代有机农业、花果观赏、文化创意、乡村酒店、健身康养于一体的现代都市农业旅游景区、园林生态"两养"度假胜地。项目计划于2018年9月开工,按照"五同时+"任务书(时间表)抓紧推进前期工作。

大嘉汇生态养生园。项目由广西桂嘉汇房地产集团有限公司投资建设,选址和盛镇友庆社区,面积约307亩,其中商业用地约80亩。计划投资8亿元,建设集高端康养酒店、国医馆、健康养生会馆、健康管理中心、银发颐养社区、田园养生基地、亲子萌宠乐园、民宿体验区、药用植物景观园、配套设施等于一体的大健康产业基地。项目已开工并启动景观建设,按照"五同时+"任务书(时间表)抓紧推进各项工作。

恒大养生谷。项目由恒大健康产业集团有限公司投资建设，选址寿安镇，面积约4000亩（其中建设用地约2000亩）。计划投资200亿元，创建全新“1+N”（医疗、养生、抗衰老、医学美容、生态旅游、运动休闲等）理念和防、治、养、游相结合的全生命周期健康生活方式，依托国际高端医院及相关配套构筑健康养生胜地，按照“五同时+”任务书（时间表）抓紧推进前期工作。

【幸福美丽新村建设】 2016年，温江区围绕“净美、秀美、富美、和美”幸福美丽新村建设温江标准，结合全市“四改六治理”“五大行动”专项工作，统筹实施新型社区建设、产业提升、基础设施与公共服务配套、环境整治、文化传承、管理创新等工程，全面完成万春镇长石社区、和盛镇柳岸社区、寿安镇东岳社区等40个幸福美丽新村建设工作。编制《成都市温江区2016年省级财政幸福美丽新村建设专项资金项目实施方案》，争取省级专项资金400万元，用于4个镇8个村（社区）的6个基础设施或公共服务设施项目建设。建成社会主义新农村绿色家园示范点位2个，分别为万春镇长石社区长石小区和天府街道游家渡社区安置小区。启动省级、市级、区级“四好村”创建，成功创建区级“四好村”45个、省级“四好村”13个、市级“四好村”13个。

【扶贫攻坚】 2016年，温江区221户城乡相对贫困户（农村184户、城镇37户）中有207户达到脱贫标准，完成既定目标。定点帮扶简阳市工作全年共落实财政帮扶资金203万元、社会资金14万元。定点帮扶崇州市、金堂县工作落实财政资金195万元，其中崇州市80万元、金堂县115万元。

【农村科技】 2016年，温江区推进有机农业基地规模发展，共引进、示范、推广新品种68个，农业新技术10项，实施推广配方施肥面积30万亩、农作物绿色防控技术面积2万亩，印发水稻、大蒜、有机蔬菜、无公害蔬菜等生产技术规程16万份。修订完善覆盖全区的水稻、大蒜、蔬菜等无公害农产品《标准化生产技术规程》和《产品质量标准》，有机农产品（水稻）生产技术规程。搭建农村科普活动平台、科普服务平台和科普教育平台，全面提升农民科学素养。借力省、市科技优势资源，结合“全国科普活动日”“科技活动周”“科普宣传月”活动，广泛开展“送科技下乡”“科教进社区”“崇尚科学、反对邪教”等大型科普活动，先后举办了温江区第21届“科技之春”科普活动月暨新市民创业火种计划启动仪式、2016年四川省暨成都市“全国科普日”活动·金温江创新创业展。全年举办科普进社区活动15场、农村实用技术培训班9期，参训群众8000余人。推广转化新工艺、新品种等科技成果12项。投入资金100万元，在万春镇、金马镇、和盛镇等11个乡（镇）开展市级科普示范单位创建活动。成都农业科技职业学院“小农夫”体验活动中心等2家单位申报2017年国家级基层科普项目已获得复审，和盛镇紫薇种植协会等3家单位申报省级项目。

【农村教育】 2016年，温江区实现学前教育全区各镇（街道）公办幼儿园全覆盖。新认定公益性幼儿园3所，全区共有公办及公益性幼儿园39所（办园点），覆盖率约为87.5%。进一步规范公益性幼儿园财政补贴管理工作，全年共补贴公益性幼儿园在园幼儿84084人次，补贴金额达1645.3万元。深入开展公办园和联盟组幼儿园观摩研讨活动，逐步形成以龙头园为中心，覆盖全区各类幼儿园的指导和服务网络。

义务教育。推进统筹城乡教育综合改革试验区第二阶段建设和教育体制改革试点项目，深入推进中小学学区制管理改革。按照《成都市温江区教育局深化教育领域综合改革实施方案》要求，实现改革任务台账化、项目化、时序化。与成都师范学院协同开展“义务教育阶段艺术学科素养发展水平监测”，形成“2016年成都市温江区义务教育阶段艺术学科（音乐美术）课程实施质量监测总结报告”。严格执行义务教育阶段公办学校划片、免试、就近入学政策，完善随迁子女入学政策。

职业教育。组织启动“2016年温江区职业教育活动月”、中职学校师生技能大赛、职教体验日等活动，在全区全国职业院校技能大赛中获得三等奖8名，其中团体奖4个；在四川省职业院校技能大赛中获得一等奖14名、二等奖6名。召开“双创”（创新、创业）教育工作推进会，扎实开展“双创之星”评选活动。组织中职学校参加成都市中职学校创新创意作品展、“创新创业管理能力”培训，参编的中职生精品课程教材《创新创业实践能力训练——中职学生创业素质教程》，燎原职校毕业学生创业案例入选。2016年财政划拨藏区“9+3”中职学生项目专项资金55万元，“9+3”毕业学生共计127人，就业率达100%。

社区教育。温江区被教育部等六部委认定为首批国家级农村职业教育与成人教育示范县。印发了《关于推进学习型城市建设的实施意见》，开展下岗待业失业人员培训、进城务工人员培训、农民实用技术培训、农村劳动力转移培训等多种培训，提供用工信息99期、工作岗位6021个，完成就业进家庭任务315户；开展“全民终身学习活动周”等主题社区教育活动244次，参与人次达16.7万人以上；创建区级学习型家庭810个、区级学习型社区24个，创建市级规范化社区教育学校1所、市级规范化社区教育工作站3所，召开社区教育现场会10次；开发、完善《新市民新视角》等精品课程10门，完成和盛蜀绣、公平国学、永宁武术与健身、永盛川西九斗碗等4门课程12节微课制作。“天府新市民教育培训”获得成都市“终身学习品牌项目”称号，1所社区教育学校获得“成都市规范化社区教育学校”称号，3个工作站被评为“成都市示范社区教育工作站”。

【农村文化】 2016年，温江区推动“两项试点”工作，建成“公共文化服务标准化”点位40个（新建17个）、“基层综合性文化服务中心建设”点位38个（新建22个）。全区10个镇（街道）综合文化站（活动中心）被评为市一级站（中心）。完成35个行政村农家书屋图书更新工作。

加强基层文化队伍建设，有镇（街道）文化站（中心）站长（主任）10人、文化助理10人，村（社区）文化辅导员114人，实现了“一村（社区）一名辅导员”。开展镇（街道）文化助理、文艺骨干和村（社区）文化辅导员培训2期。鼓励和支持农村文化队伍发展，建成镇（街道）文体队伍145支、特色文化队伍17支，有会员676人。放映农村公益电影1300余场，群众覆盖面达90%以上。

非遗保护。建立和完善非物质文化遗产项目库，其中省级项目1个、市级项目7个、区级项目9个。建立非遗传习所（基地）2个，即三邑园艺和陈氏园林“川派盆景盘扎技艺”非遗传习所，其中获批为市级首批非物质文化遗产优秀实践单位1个；有省级非遗项目代表性传承人1人、市级8人。

【农村卫生】 2016年，温江区持续推进基本公共卫生服务项目（共12类大项64个小项）并取得良好效果。全区孕产妇死亡率为零，5岁以下儿童死亡率为2.35‰，无重大、突发传染性疾病发生。全面完成“两癌”筛查目标任务，公共卫生工作居全市前列。

全面加强人口计生服务管理。继续实施“单独两孩”政策，流动人口登记率、办(验)证率、综合服务率均达95%以上,全年发放计划生育家庭奖励扶助金、特别扶助金、独生子女父母奖励金2200.29万元,惠及计生家庭62924人。免费孕前优生健康检查3908人,检查率达99.4%。符合政策生育率保持在95%以上,人口出生率控制在10.11‰以内,人口自然增长率控制在4.98‰以内,免费计划生育基本技术服务落实率达100%。全年创建省级卫生镇3个、省级卫生村9个,省级卫生镇、村覆盖率分别达56%和75%。大力开展病媒生物防治工作,全年共投放灭鼠药物1200千克、灭蟑药物2000包,四害密度符合国家标准。全年新创建星级院落23个、农村星级卫生院落110个。

【农村法制建设】 2016年,温江区着力提升"新市民"法治意识。围绕区委"6633"课题"新市民"培育计划,发放调查问卷表3500份,系统分析了全区"新市民"在医保社保、物业管理等民生领域13类法律需求。制作"新市民"法治意识培育"负面清单"系列读本《图说普法·一分钟学宪法》《图说普法·民生热点》《图说普法·精选案例》30000份,全年培育"法治新家园"10个、"法治示范户"100户、"法律明白人"1000人。扩展"互联网+普法"新空间,推广"智慧温江·法治先行"法制宣传互动服务平台。在《今日温江报》、温江电视台、金温江分别开设普法专栏累计达39期次,发布法治微信97期次、法治微博149期次。创作推广普法微电影《新岸》、法治动漫故事片《邻里一家亲》、普法广场舞《法治温江,我的家》等34个法治题材新剧目,依托村(社区)会议室、户外公园广场等共展播法制微电影130余场,观影人数达13000人次。强力推进"法律七进",细化《推进"法律七进"工作考核标准70条》和《推进"法律七进"10项重点举措》,强化监督保障。广泛开展"情系民生·握手法治"系列专项普法行动,极大地丰富了"法律七进"内涵。利用各类法律宣传月、周、日及重大节假日等时间节点开展形式多样的法治宣传教育活动650场次,发放各类法制宣传资料8余万份,受教育人数累计达15万人次以上,推荐寿安苦竹村、柳城光华社区、区供电局等为成都市"法律七进"示范单位。推进驻温高校法治文化"两翼"产业倍增计划,与四川艺术职业学院签订"校地共建"合作框架协议,打造"法耀川艺"文创孵化园,推出禁毒题材剧《毒殇》、普法川剧《铡美案》;以西南财经大学法学院为支撑,签订"校地共建"合作框架协议,组建"法治智库"。

人民调解。启动"社区法律之家"工程,依托村级公共服务综合体完成5个"社区法律之家"点位打造,将司法行政服务的触角延伸到基层一线,为群众提供"零距离"的法律服务。

法律援助。完成区法律援助中心永盛、寿安法律援助工作站建设。全年共受理各类法律援助案件357件,接待"12348"法律服务专线及法律援助来访咨询2683人次,为城乡困难群众提供法律援助服务3521人次。成立了全省首家少数民族法律援助工作站。

律师公证法律服务。实施驻村律师"双向选择"聘用制度,加强"一村(社区)一律师"工作指导。驻村(社区)律师解答村(社区)及群众法律咨询4952人次,参与民事纠纷调解151件,开展法律宣传培训241场次,到村(社区)坐班1437次。

【农村交通】 2016年,温江区全面实施"交通先行"战略,加快构建城乡一体的农村公路网络。按照《2013—2017年温江区统筹城乡村组道路建设规划》制定的年度建设目标,新建村组道路3.7千米,改建10.9千米。同时,按照市级财政要求,对统筹城乡村组道路建设项目实行新建20万元/千米、改建10万元/千米的补助政策。

【农村社会保障】 2016年,温江区城乡居民养老保险参保总人数为101537人,占全区应参保人数的97%。严格落实城乡居民基础养老金80元/月中央财政补贴及省、市调资政策。强化基层公共服务,全区126个基层点位各项专用设施设备配备到位,群众足不出户就能办理参保、年检、查询等业务。持续推进被征地失地农民参保手续办理,全区失地农民参保人数67291人。

【农村生态建设及环境保护】 2016年,温江区编制完成《温江区"十三五"环境保护规划》,启动《温江区环境总体规划》编制工作。在万春镇先锋村、寿安镇天星村深入推进区域生态综合体建设。深化生态文明体制改革,积极探索建立生态补偿、生态考核制度,出台了《温江区环境保护"党政同责、一岗双责、齐抓共管"实施办法(试行)》,将环境保护监管责任的落实情况纳入领导干部年度政绩考核的重要内容。通过"重拳治水",编制完成《温江区水环境质量达标规划(2016—2020年)》;加强集中式饮用水水源保护,完成岷江水厂饮用水水源一级保护区保护设施建设和温江金强寿安水厂饮用水水源保护区划分工作,加快推进温江区饮用水备用水源地保护工程建设;积极开展42段(处)黑臭水体污染整治工作;完成103家工业企业雨污混排问题整改。实施"科学治土",编制完成《温江区土壤污染防治工作方案》《2017年度温江区土壤污染防治工作实施方案》,启动温江区重点行业企业土壤污染排查行动。投资2800余万元对公平街道、金马镇、涌泉街道、万春镇、永盛镇、寿安镇、和盛镇7个镇(街道)实施农村环境连片综合整治,涉及污水收集管网、生活污水处理设施、河道生态综合整治等项目34个。对全区一体化污水处理设施统一招标第三方公司进行运营维护,启动全区一体化污水处理设施提标升级试点工程。全年综合利用秸秆3.83万亩,综合利用率达99.5%,实现了"不见烟雾,不见火光,不见黑斑"的目标。建立健全农产品产地环境监测网络,在全区设立大气、灌溉水、土壤监测点261个,开发畜禽养殖监管平台,推进畜禽养殖全域禁养和农村面源污染防控,为农业标准化生产、安全生产提供了良好的生态环境。

【农产品质量安全监管】 2016年,温江区全面贯彻落实中央、省、市、区关于农产品质量安全工作的要求,立足新常态,以"国家农产品质量安全县"和"国家食品安全城市"创建为主线,全面深化监管体系建设、网格化监管、基层速测、追溯系统管理等工作。强化属地监管,深化农产品质量安全网格化监管体系建设,巩固完善"432"农产品质量安全网格化长效监管机制,全区有农产品质量安全监管员10名、涉农村(社区)农产品质量安全协管员70名。着力构建"工作体系健全、监管责任到位、机制制度完善、监管措施有力"的村级监管模式,在万春镇和林村、永宁镇八角社区建设2个"农产品质量安全监管示范村(社区)",新增5家"三品一标"获证主体企业开展追溯体系建设。全年抽检农产品样品12062个,合格率达100%;开展"瘦肉精"检测抽检8300头份,合格率达100%;监督抽检水产品50批次,合格率达100%,全年未发生一起重大农产品质量安全事件。12月7日,温江区创建为国家农产品质量安全县。

【农村经济信息服务】 2016年,温江区农村信息工作以构建区、镇(街道)、村(社区)三级联动农业信息化管理服务架构为核心,充分应用各类服务平台积极开展涉农信息服务。一是依托区农业综合服务中心和区农村经济信息服务中心建成集农业数据收集与分析、业务协同管理与决策、科技推广、资源共享、生产资料监管、质量追溯、农业抗灾应急指挥调度等功能于一体的"一平台六系统"的智慧农业体系。二是组织开展农村电商企业、电商意向创业群体、新型农业经营主体、150名农业职业经理人的电商人才培训。组织新型职业农民及有电商创业意向的农民100人开展电子商务基础知识培训。三是充分发挥“新农通”短信平台功能,报送各类涉农信息275条,其中新华社审核采用138条。四是加强在互联网上对“三农”工作的宣传力度,通过“中国西部农业在线”“温江智慧农业信息网”和“温江区公众信息网”等网站发布各类涉农信息1292余条,有效助推农业技术、信息、金融等服务更加及时、准确、高效。充分利用新浪、腾讯微博的宣传优势,共发布工作动态、政策法规、新农村建设宣传等微博1080余条。

【劳务开发】 2016年,温江区充分利用广播、电视、报刊等新闻媒体,采取印发宣传资料等多种方式宣传劳务输出有关政策和依靠劳务输出致富的先进典型,积极引导劳动者树立正确的就业观念,增强广大群众外出务工的自觉性和主动性。同时,加大政策落实,充分发挥就业政策促就业、保稳定的作用。积极鼓励各镇(街道)、村(社区)加强公益性岗位开发、居家灵活就业基地建设,不断挖掘更多就业岗位安置失业人员及各类就业困难人员就业。利用“就业巡回服务”“春风行动”“送岗位、送培训、送政策”活动以及各类专场招聘会全力搭建企业与下岗失业人员供需对接平台,拓宽失业人员再就业渠道。围绕农业生产、农民增收,实施专业技能提升培训。借助在温中高等院校和全市社会培训机构,围绕花木病虫害防治、花木编艺等专业技术开展自选公开课、社区巡回课、素能提升课、专业提升课等“新市民”技能培训1844人;建成寿安缝纫实训基地、永盛就业援助基地等8个居家灵活就业援助基地,配套实施专业技能培训215人,有效解决农民居家就业问题。

【主要领导人】 区委书记:王道明;区人大常委会主任:万雪梅;区长:陈志勇;区政协主席:艾志秋;分管农业副区长:景仁志。

温江区编写组

都江堰市

【基本情况】 2016年,都江堰市辖13镇1乡5个街道1个经济开发区,辖区面积1208平方千米,有户籍人口62.28万人、常住人口68.5万人;出生人口6475人,死亡人口4704人,人口自然增长率2.82‰。城镇化率57.66%。农业固定资产投资完成14.86亿元,在远郊县(市)中排名第二位。

【年度农业和农村经济运行】 2016年,都江堰市实现农业增加值27.5亿元,增长5.3%,在远郊县(市)中排名第一位。农民年人均可支配收入达18140元,增长9.9%,在远郊县(市)中排名第二位。获得全省县域经济发展先进县和县级经济综合评价“平原地区先进县”称号。

农业产业化发展。都江堰市以四个“十万亩”基地建设为抓手,不断提高规模化、标准化和景观化水平。十万亩猕猴桃基地建设抓好标准化生产、综合技术服务、品牌营销、质量安全监管等重点工作,猕猴桃种植户加入合作社率达90%,项目荣获2016年成都市都市现代农业示范基地建设竞争比选二等奖;在胥家镇率先启动2500亩十万亩粮菜基地高标准农田建设;10万亩林下种植基地和10万亩笋用竹基地建设建成林下种植中药材和森林蔬菜1.2万亩,新改造笋用竹1.03万亩、厚朴1万亩。完成稻田种养2100亩。积极参与《成都市都市现代农业功能区规划》修订,将猕猴桃、茶叶、中药材、蔬菜等产业纳入成都市都市现代农业功能区总体规划。

农用地产权制度改革。都江堰市承担的成都林改量化指标全面超额完成。全年完成林权纠错97本,纠错面积2550.2亩;新增林地流转面积5621.97亩、林地经营权流转面积2640.61亩、经济林木(果)权确权颁证面积527.8亩,新增林权抵押贷款6800万元;新增新型经营主体61个;林业产业总产值67.26亿元,农民人均从林业上获得收入达3968.3元。全面完成农村产权“新四权”确权颁证工作,土地经营权登记颁证65宗,养殖水面经营权登记颁证6宗,农业生产设施所有权登记颁证12宗。制定土地(承包)经营权抵押登记流程,建立土地(承包)经营权抵押登记台账,办理土地经营权抵押担保4宗,发放抵押贷款236万元。全面开展农村集体“三资”清产核资和股权量化,实现股权量化到人、证书发放到户;加强农村集体经济组织管理,为全市187个村级集体经济组织、2103个组集体经济组织发放法人证书,赋予集体经济组织独立经营管理集体资产资源的权利,初步实现政经分离。土地经营权流转。坚持“农民自愿、政府引导、规范管理”原则,积极宣传、推广适合适度规模经营的流转模式,促进农业产业化进一步提升。全市累计流转农用地面积38万余亩,其中耕地29万余亩、非耕地8.9万亩。进一步规范产权证书登记和变更办理流程,全年累计受理承包经营权证变更6000余户,A、B、C类申请变更登记实现率达100%。全年颁发《农村土地经营权证》面积达4700余亩。

农产品品牌战略实施。都江堰市新增“三品一标”农产品3个,完成“都江堰方竹笋”“都江堰茶叶”地理标志登记保护。截至2016年年底,全市品牌农产品数量达100余个,其中省名牌产品3件、省著名商标9件、成都市著名商标15件;有全国名特优新农产品3个,数十个农产品进入四川省和成都市地方名优产品推荐目录并在西博会、农博会、茶博会等展会节会上获得大奖。依托猕猴桃、茶叶、冷水鱼等十大特色优质农产品,启动优质农产品“五进行动”,都江堰红心猕猴桃、青城道茶、青城山老腊肉入选成都市农副土特产品目录,在成都市、都江堰市成立“都江堰猕猴桃”品牌形象店5个,予乐实业、青城茶叶、依顿农业、新联水产被四川省纳入2016年“新三板”挂牌重点后备企业。以展团形式组织各类农业经营主体参加2016年北京国际果蔬展览会、第十四届中国国际农产品交易会、第四届成都国际都市现代农业博览会、第八届全国优质农产品(北京)展销周等展会,主要向国内外推荐展示都江堰猕猴桃、茶叶等特色优势农产品。其中,在第四届成都国际都市现代农业博览会设置都江堰展馆,组织18家企业参加,展品包括猕猴桃及其加工产品、茶叶、中药材、绿色蔬菜、特色养殖产品等。

【种植业】 2016年,都江堰市农作物播种总面积62.58万亩,其中粮食作物播种面积31.98万亩、经济作物播种面积19.23万亩(油料作物播种面积13.3万亩),经济作物占农作物播种总面积的比重达30.72%。

【畜牧业】 2016年,都江堰市生猪存栏26.76万头,出栏66.2万头;家禽存栏438万只(羽),出栏812万只(羽);兔存栏68万只,出栏89万只;羊存栏1.71万只,出栏1.94万只;牛存栏0.287万头,出栏0.56万头。肉类总产量4.91万吨,禽蛋总产量0.91万吨,牛奶总产量0.37万吨。有存栏生猪500头以上的规模养殖场(养殖小区)117个,存栏家禽5000只(羽)以上的规模养殖场37个。全市特种经济动物养殖户达33家,养殖经济动物3571头(只);畜禽养殖专业合作社发展到43家。全年畜牧业增加值增长3.24%,农民人均畜牧业可支配收入增加50.2元。

【乡村旅游】 2016年,都江堰市推动休闲农业精品示范线建设,按照乡村旅游精品示范线规划,统筹挖掘各乡(镇)优势资源,加快实施示范线绿道体系、停车场、旅游厕所和旅游导识设置。依托“一个中心、四大功能区、四条景观走廊”规划布局,以成青旅游快速通道—彭青线—莲花湖旅游公路为轴线,串联都市现代农业区8个乡(镇),完成乡村旅游精品示范线规划编制。

【扶贫攻坚】 2016年,都江堰市按照中央、省委和成都市委扶贫开发会议精神以及“六个精准”“六大行动”“五个一批”“五个一”等工作要求,坚持以精准识别、建档立卡、科学施策、机制完善、强化监管、众筹帮扶等为举措,深入开展精准扶贫、精准脱贫工作,积极构建专项、行业、社会扶贫工作大格局,扶贫开发工作取得较好成效。全年共争取各级财政专项扶贫资金1239.6万元,其中成都市级财政专项扶贫项目资金450.6万元、规划设计补助资金99万元、集体经济发展扶持资金110万元、本级财政专项扶贫项目资金490万元、规划设计补助资金90万元。制定《都江堰市2016年度扶贫专项资金项目申报指南》《都江堰市2016年财政专项扶贫资金项目实施计划》等文件,对相对贫困社区和贫困户在完善基础设施建设、发展优势主导产业、开发乡村旅游资源以及精准扶贫户发展种养业、开展技能培训、帮助就业创业等方面给予扶持。通过实施一系列措施,相对贫困社区农民年人均可支配收入达12844元,比上年同期增加2071元;相对贫困户人均可支配收入达11881元,为扶贫对象到2017年年底稳定实现增收脱贫并退出帮扶序列打下了坚实基础。

【农村科技】 2016年,都江堰市实施财政现代农业生产发展(水稻)项目,投入财政资金6000余万元,整合撬动社会资金4000余万元,建设天马、柳街、胥家、崇义4个万亩水稻产业示范基地,面积达5.2万亩,推广川优6203优质水稻品种约3.3万千克并集成推广新的栽培技术和绿色防控措施。

农业新品种新技术示范推广。为进一步提升猕猴桃品质,促进猕猴桃产业持续健康发展,针对红阳、海沃特、金艳等猕猴桃当家品种存在的缺陷,都江堰孙桥现代农业发展有限公司积极与中国科学院武汉植物园等国内知名猕猴桃育种和研究机构合作,引进熟性和果味多样化、抗溃疡病和根腐病、耐储性和外形好的猕猴桃替代新品种及野生资源10个,建立中试示范基地100亩。全年完成厚朴丰产栽培技术推广示范项目建设并通过林业厅项目专家组验收,项目建设内容包括营造厚朴示范林200亩、厚朴低效林改造示范500亩、开展技术培训8期821人次、辐射带动面积3000亩。

农作物病虫害检疫防治。遵循“公共植保”“绿色植保”理念,贯彻“预防为主、综合防治”方针,加强病虫灾害预测预报,全年发布病虫害防治预报8期,完成小麦条锈病、赤霉病、麦蚜,油菜菌核病、菜蚜,水稻稻瘟病、纹枯病、稻曲病、二化螟、黏虫、稻飞虱、稻苞虫,玉米螟、玉米纹枯病,蔬菜斑潜蝇、霜霉病、猝倒病、病毒病、大葱锈病、猕猴桃介壳虫及根腐病等重大病虫害的预测预报,测报准确率达95%以上。全市病虫草害防治面积169.3万亩次(其中病虫防治面积132.1万亩次、化学除草面积28.8万亩次、鼠害防治面积8.4万亩),病虫害损失率控制在3%以内。继续对引种的猕猴桃基地进行检疫性有害生物跟踪调查。对市域内川芎、蔬菜、猕猴桃集中生产区进行产地检疫检查,共办理检疫签证20批次,其中产地检疫2批,共450亩;种苗13批次,检疫种苗22940株;水果5批次,检疫水果10800千克,检疫合格率达100%。抓好绿色防控示范片工作,全市推广病虫害绿色防控技术面积42.2万亩,占主要农作物面积的60.4%;推广病虫害统防统治面积35.4万亩,占主要农作物面积的50.7%。

农业技术培训。全市新培育农业职业经理人180人,培训新型职业农民180人(省级30人、成都市级150人),开展贫困村产业技术培训35场、1750人次,完成农业实用技术普及培训3.5万人次。开展农业职业经理人等级评定和年审工作,评定初级92名、中级78名、高级9名;完成515名农业职业经理人资格证年审工作。成功申报茶溪谷家庭农场和都江堰孙桥现代农业发展有限公司2家农业职业经理人实训基地,申报蓝莓亲子园等3个青少年农事实践教育基地。

【农业重大项目建设】 2016年,都江堰市新引进花海裸心谷、新发地农副产品直供基地、壹亩叁蓝莓产业园等农业重大项目9个,计划总投资10.5亿元,实际到位资金2亿元。

【出口猕猴桃质量安全示范区建设】 2016年6月,都江堰市人民政府与成都出入境检验检疫局在成都市举行“共同建设都江堰市出口猕猴桃质量安全示范区”合作协议签约仪式,正式启动出口猕猴桃质量安全示范区建设工作。成立创建出口猕猴桃质量安全示范区领导小组,下设“一办三组”,即领导小组办公室,技术服务工作组、基地落实工作组、监督管理工作组,领导小组办公室设在市农林局,主要负责示范区建设的日常工作。出台了《创建出口猕猴桃质量安全示范区实施意见》和《关于调整都江堰市出口猕猴桃质量安全示范区建设领导小组成员、工作机构成员的通知》,明确各成员单位责任分工,形成一级抓一级、层层抓落实的高效工作机制。整合龙门山10万亩猕猴桃种植基地提升建设、农产品质量安全监管等涉农项目资金984万元,统筹用于出口猕猴桃质量安全示范区建设工作。截至2016年年底,出口猕猴桃质量安全示范区“八大体系”初步建立,即组织保障体系、质量安全标准化体系、农业化学投入品控制体系、疫情疫病监测控制体系、质量安全追溯体系、预警通报与应急管理体系、宣传培训与诚信管理体系、多元化国际市场体系。

【政策性农业保险】 2016年,都江堰市制发《都江堰市2016年政策性农业保险工作实施意见》,承保机构涉及人保公司、中航安盟保险公司、锦泰保险公司、中华联合保险公司4家,涉及水稻、玉米、油菜、小麦、蔬菜、猕猴桃、水果、育肥猪、能繁母猪、奶牛、马铃薯、公益林、商品林、食用菌、水产、小家禽、蔬菜价格指数、生猪价格指数、农村居民住房19个险种。按照政策性农业保险“共同负担”的原则,保费由中央财政、省财政、成都市财政、都江堰市财政和参保农户共同负担,全年共收取保费3820.17万元,其中成都市财政补贴2588.34万元(含本级财政承担成都市返还的60%)、本级财政补贴423.18万元(含本级财政承担水稻、玉米、油菜、马铃薯、小麦、公益林、商品林农户自筹部分124.2万元)、农户承担808.65万元。

【农村能源建设】 2016年,都江堰市继续围绕生态环境建设和农村面源污染治理工作加强沼气工程项目的安全管理使用,坚持“政策引导、农民自愿、统筹协调、确保质量、务求实效”原则,全年共新建养殖场沼气工程19处,总容积2000立方米;新建1处种养结合农业循环经济项目示范点。抓好沼气安全生产与安全使用管理工作形成历年常态化惯例,继续保持全年零安全事故。成立都江堰市秸秆禁烧工作领导小组,落实包片巡查督查部门,开展禁烧包片督查;印发《都江堰市2016年农作物秸秆综合利用和禁烧工作实施方案》,召开秸秆综合利用和禁烧工作会,层层签订目标责任书、承诺书;通过发放《禁烧通告》等宣传资料、张贴宣传标语、出动宣传广播车辆等形式引导群众增强法制观念和环保意识,调动广大农民群众参与秸秆综合利用和禁烧工作的主动性。全年大、小春期间未发现一起秸秆禁烧现象，切实做到了“无火光，无黑斑，无烟雾”，农作物秸秆综合利用率达 96.5%。

【主要领导人】 市委书记：张余松；市人大常委会主任：王聪；市长：何维楷；市政协主席：丁小平；分管农业副市长：韩冰。

都江堰市编写组

彭州市

【基本情况】 2016 年，彭州市辖 20 个乡（镇、街道），有农业人口 577209 人，有耕地面积 511907 万亩，减少 0.32%。

【年度农业和农村经济运行】 2016 年，彭州市实现农业总产值 824311 万元，增长 8%；农业增加值 486981 万元。农民年人均可支配收入 17935 元，增长 9.9%。

农业产业化发展。彭州市有各类农民专业合作组织 672 家，有成员 41674 人，占农业人口总数的 7.8%；带动农户 132805 户，占总农户数的 67.1%。通过农民专业合作社（种植大户、家庭农场、股份公司）经营、“土地银行”、“集体经济组织+企业+农户”、“小田变大田，小户变大户”等模式积极发展适度规模经营。支持农业企业完善现代农业产业链条，形成市场牵龙头、龙头建基地、基地连农户的现代农业产业发展新格局。全市农产品加工企业共计 144 家（其中产业化龙头企业 12 家），各类冷藏库冷藏能力达 12 万吨。

2016 年彭州市省级（及以上）农业产业化重点龙头企业名单

企业名称	注册资金	法人代表	示范等级	年度产值（万元）	行业分类	主营产品
四川绿色药业科技发展股份有限公司	71659.29 万元	徐黎明	国家级	105920.88	加工业	中药配方颗粒
彭州市弘大市场开发服务有限公司	2000 万元	张彩元	省级	79375.85	市场销售	农副产品
四川协力制药有限公司	162.96 万美元	何金凤	省级	28067	加工业	芦丁、曲克芦丁、青蒿素、地奥司明
彭州市宝山企业集团有限公司	12000 万元	贾卿	省级	41688	其他	水电、旅游、建材、食品、矿业、林产品开发
成都日兴特种水产试验中心（都江堰日兴鲟鱼科技有限公司）	120 万元	张家均	省级	7454	加工业	鲟鱼、鲟鱼苗、鱼子酱
成都萱源农产品有限公司	350 万元	陈孝建	省级	3425	加工业	大蒜
成都百信生态农业发展有限责任公司	8160 万元	杨洪勇	省级	6500	种养殖业	蔬菜
四川欣康绿食品有限公司	6000 万元	吴永军	省级	54542	加工业	冷鲜肉
四川润兆渔业有限公司	2110 万元	李军	省级	3500	加工业	鲟鱼苗、鲟鱼商品鱼、鱼子酱及鲟鱼肉类加工产品
成都濛阳农副产品综合批发交易市场有限责任公司	50000 万元	祝义财	省级	3200000	市场销售	蔬菜、水果
四川民福记食品有限公司	800 万元	黄道禄	省级	5815	加工业	蔬菜制品（酱腌菜）、调味料（半固态）、食用植物油（半精炼）等
彭州市余之康农业发展有限公司	1018 万元	王康余	省级	13753	加工业	大米

2016 年彭州市省级（及以上）示范农民专业合作经济组织名单

合作组织名称	注册资金（万元）	法人代表	示范等级	年度产值（万元）	行业分类	主营产品
彭州市凤霞蔬菜产销专业合作社	60	徐开友	省级	1600	种植业	蔬菜
彭州市康笑食用菌妇女农民专业合作社	200	金乐碧	省级	2200	种植业	蔬菜
彭州市丽春望高楼农业资源经营专业合作社	80	杨美健	省级	312	种植业	蔬菜
彭州市鸿强蔬菜种植农民专业合作社	150	李族成	省级	652	种植业	蔬菜
彭州市傲旺奶牛养殖农民专业合作社	120	叶仁俊	省级	457	养殖业	牛奶
彭州市彩林农机作业专业合作社	350	赵光友	省级	160	农机	农机服务

续表

彭州市诚信大棚蔬菜产销专业合作社	180	杨长福	省级	880	种植业	蔬菜
彭州市九尺镇永兴果蔬产销专业合作社	55	谢英忠	省级	325	种植业	蔬菜
彭州市通济镇盛源畜禽专业养殖合作社	120	吴正敏	省级	450	养殖业	生猪
彭州市三界丰碑蔬菜产销专业合作社	350	钟光辉	国家级	1380	种植业	蔬菜
彭州市全方养鸡专业合作社	300	刘祖全	国家级	2100	养殖业	蛋鸡

2016年彭州市家庭农场经营情况统计表(前10位)

家庭农场名称	注册资金(万元)	法人代表	年度产值(万元)	行业分类	主营产品
彭州市药乡锦凤蔬菜种植家庭农场	75	任伟	168	种植业	蔬菜
彭州市快乐农夫家庭农场	60	张世伟	88	种植业	猕猴桃
彭州市友富家庭农场	65	李和富	120	种植业	蔬菜
彭州市楠熙蔬菜产销家庭农场	50	杨雪蓉	68	种植业	葡萄
彭州市敖平镇佳兆家庭农场	65	杨雾帆	89	种植业	蔬菜
彭州市金润丰蔬菜种植家庭农场	56	吴加宁	79	种植业	蔬菜
彭州市龙芙果蔬种植家庭农场	60	杨云	55	种植业	蔬菜
彭州市丽春美地蔬菜种植家庭农场	50	杨美健	83	种植业	蔬菜
彭州市旦但果蔬产销家庭农场	100	但强	96	种植业	蔬菜
彭州市佳源生猪养殖家庭农场	100	李正奎	165	养殖业	生猪

特色产业规模发展。彭州市整合相关部门资金,集中推进万亩示范区建设,全市蔬菜种植涉及14大类200余个品种,形成了蔬菜主要品种生产核心基地。全市蔬菜播种面积达82万亩,产量220万吨(其中外销180万吨),产值31亿元,农民人均种植蔬菜收入占农民纯收入的1/3。大力开展高标准农田建设,生产基地标准化水平大幅提升。着力提高农业机械化水平,农业耕种收综合机械化水平达72%,以科研院所为依托,构建蔬菜科技研发与现代化育苗中心,年蔬菜育苗能力达30000万株以上。围绕主导产业,积极推广标准生产技术集成转化,标准转化率、标准入户率均达100%,蔬菜生产基地良种覆盖率达100%,病虫害专业化防治率达80%以上,绿色防控面积达50%以上,蔬菜农产品无公害率达100%。强化蔬菜质量安全监管体系建设,建成涵盖1个市级管理平台、14个镇管理节点、34个村(专合组织)和1个专业批发市场数据采集终端的三级质量追溯管理平台。成立彭州市现代蔬菜产业发展领导小组,负责蔬菜产业统筹安排、组织协调、政策配套、招商引资、项目审查和指导监督等工作。严格落实国家各项惠农政策,制定落实彭州市蔬菜产业发展适度规模化经营土地流转、蔬菜产业化龙头组织扶持、蔬菜科技创新和创建品牌扶持、蔬菜招商引资、设施蔬菜发展补贴、蔬菜生产贷款贴息等优惠政策,开展蔬菜政策性农业保险服务。整合农业、国土、水务、交通等相关部门的建设资金和项目,共同投入蔬菜产业发展和基地建设;充分发挥各类金融机构的作用,鼓励引导信贷资金合理流向蔬菜产业。以四川国际农产品交易中心为依托,以产地蔬菜批发市场、彭州蔬菜连锁配送中心为骨架,以蔬菜产销协会和培育新型农村专业合作社为基础,扶持发展蔬菜专业营销队伍,构建现代蔬菜物流销售体系,积极推进彭州蔬菜进超市、进社区、进学校、进机关、进工厂。

农用地产权制度改革。彭州市在葛仙山镇花园村试点开展土地承包经营权退出试验改革,该村有12户农户有意愿退出,已有1户农户通过公开拍卖方式退出承包经营权,退出交易金额为5.2万元。在小渔洞镇大楠村和葛仙山镇建新村试点开展集体资产股份量化改革,以合作社(集体资产管理公司)为平台,统一经营村集体资产,完善成员收益分配机制。在濛阳镇白土河村、葛仙山镇建新村和天彭镇壁山村试点开展"三权分置"改革,完成土地"三权分置"1400余户,土地规模流转0.6万亩。在全市范围内开展土地经营权抵押贷款试点,截至2016年年底,总计贷款5笔,贷款金额1720万元。积极开展土地承包经营权流转管理改革工作,探索建立农村承包土地"三权"分置机制、土地流转经营机制、土地承包经营权规范流转交易机制。

农产品品牌战略实施。彭州市在长期坚持实施"农业品牌战略"的基础上,完成无公害农产品产地认证、续证40万亩,建成大蒜全国绿色食品原料生产基地10万亩、猕猴桃生产基地5万亩、中药材生产基地10万亩和冷水鱼养殖基地1000亩。全市"三品一标"农产品认证76个,认证面积102万亩。培育蔬菜区域公共品牌——"龙门山"牌、国家地理标志保护产品——"彭州大蒜""彭州川芎""彭州莴笋""九尺板鸭"、中国驰名商标——"广乐龙泉山"牌酱菜等。

【种植业】 2016年,彭州市粮食种植面积62.9万亩,平均亩产455.5千克,粮食总产量28.65万吨,其中小春粮食种植面积12.91万亩,单产258千克,粮食产量3.33万吨;大春粮食种植面积50万亩,单产506千克,粮食产量25.32万吨。油料作物种植面积10.36

万亩,产量 1.73 万吨,其中油菜种植面积 9.9 万亩,油菜籽产量 1.62 万吨;花生种植面积 0.46 万亩,产量 0.11 万吨。经济作物种植面积 102.0787 万亩,其中蔬菜种植面积 82 万亩(含复种),产量 220 万吨,其中外销 180 万吨,实现产值 31 亿元;中药材种植面积 10.59 万亩(含三木药材),产量 3.65 万吨,实现产值 5.82 亿元;茶叶种植面积 0.07 万亩,产量 0.0015 万吨,实现产值 0.1 亿元;水果种植面积 3.4 万亩(不含猕猴桃),产量 4.18 万吨,实现产值 2.884 亿元;花卉种植面积 0.8187 万亩,实现销售收入 4029 万元。猕猴桃种植面积 5.2 万亩,挂果面积 4.5 万亩,产量 3 万吨,实现产值 2.35 亿元。

【林业】 2016 年,彭州市按照省上下达的目标任务,以现代林业产业基地打造、基础设施完善、现代林业龙头扶持、产业服务体系专业化等方面为突破口,对木质原料林、竹产业、林下种养殖及森林生态旅游等优势林产业进行升级打造。建设现代林业基地 27.3 万亩,完成计划的 100.1%,基中木质原料林 20.2 万亩,竹产业基地 7.1 万亩;积极推进省级龙头企业——四川宝山木业有限公司的建设与发展;在红岩镇虎形村建成"万亩亿元笋用竹基地示范园区"。巩固退耕还林建设成果 7.5 万亩,有效保护国有林和集体(个人)公益林 570213 亩。全年新增森林面积 200 公顷,森林覆盖率达 45.26%,实现林业总产值 45.73 亿元。森林火灾损失率、林业有害生物成灾率分别控制在 1‰和 3‰以内,涉林案件综合查处率达 95%以上。建成区新增绿地 10 公顷,义务植树 150 万株。加强野生动植物保护,完成森林生态系统及珍稀野生动植物种群监测;配合开展大熊猫公园建设,完成大熊猫国家公园范围划定和范围内人员、资产的调查;启动国有林场改革工作,制订《彭州市国有林场改革实施方案》;探索开展智能评估以及"互联网+林权+电子竞拍"的新型林权流转模式,开创了全省网上林地经营权交易的先河。

【畜牧业】 2016 年,彭州市出栏生猪 58 万头、小家禽 995 万羽、肉牛 3600 头、肉羊 7705 只、肉兔 78.1 万只,肉类总产量 6.04 万吨;牛奶产量 0.92 万吨,禽蛋产量 1.95 万吨。创建畜禽标准示范场 43 个(其中部级 2 个、省级 10 个、市级 31 个),改造养殖场 14 个。兽药经营企业专项检查活动共出动执法车辆 40 车次,检查兽药经营企业 230 家次。全年免疫高致病性禽流感 677.69 万只,其中鸡 405.792 万只、鸭 183.3433 万只、鹅 88.551 万只;鸡新城疫 405.79 万只,农村散养鸡免疫密度达 97.7%,规模场免疫率达 100%;生猪口蹄疫 57.92 万头,牛(羊)口蹄疫 2.19 头(只);猪瘟 57.92 万头、高致病性猪蓝耳病 57.92 万头,小反刍兽疫 1.5 万头;耳标佩戴率达 100%。开展高致病性禽流感等抗体监测 3002 份次,抗体合格率达 70%以上。全市未发生重大动物疫病。开展流行镇耕牛血吸虫病血清抗体监测 4114 头份,未检出阳性,开展牛只扩大化疗 1584 头次。狂犬病共免疫犬只 64659 只,免疫率达 98.3%;狂犬病病原检测 200 只,结果全部为阴性。产地检疫生猪 34.1 万头、牛 6220 头、羊 31 只、禽 236.1 万羽、蜜蜂 3198 箱,产地检疫开展面达 100%。生猪定点屠宰检疫 34.7 万头,家禽屠宰检疫 136.5 万羽,屠宰检疫率均达 100%。开展生猪"瘦肉精"检测 1.01 万份,检测黄曲霉素 295 份,均为阴性;生鲜乳三聚氰胺检测样本 804 个,全部合格。大力开展畜禽养殖污染集中治理,对全市主要河边、取水口周围养殖场进行了摸底排查,排查禁养区养殖场 207 家,关闭 34 家。全市畜禽规模养殖场粪便综合利用率达 95%。

【水产业】 2016 年,彭州市实施成都市现代渔业发展奖励补助项目 2 个(养殖基地标准化改造项目、苗种繁育车间项目),连片实施稻渔综合种养项目 4500 亩。开展水产品质量安全产地抽检和水产养殖投入品监管,严格督促养殖场对非正常死亡的水产品进行无害化处理,规范水产养殖场档案管理,积极引导企业申报无公害水产品。全年举办水产品质量安全培训班 2 期,培训 80 人次,发放资料 2000 余份;制定并发放《彭州市水产养殖场档案》500 本;开展水产品质量县级抽检样品 70 个,合格率达 100%。春季禁渔期间发放禁渔宣传资料共计 300 余份,接到群众举报并处理 3 起,配合市综合执法局处理投诉 1 起,处理率及回应率均达 100%。办理农村养殖水面经营权证 2 起(彭州涌泉渔业有限公司和彭州市鑫海养殖有限公司)。开展水生野生生物资源调查 3 次。全年投放鱼种 770 吨,水产品产量 4650 吨(其中冷水鱼产量 1000 吨)。

【新农村建设】 2016 年,彭州市紧紧围绕把幸福美丽新村建设成为传承农耕文明的载体这一基本要求,坚持"业兴、家富、人和、村美"四个目标,以基础设施、公共服务、人居环境、农房建设、风貌改造提升、产业培植为重点建设内容,全年完成濛阳镇白土河村、清卓村,龙门山镇九峰村,白鹿镇白鹿场社区,葛仙山镇普胜村、蒲沟村等 81 个幸福美丽新村建设(其中省级 25 个、成都市级 56 个,含 10 个示范村)。累计建成幸福美丽新村 172 个,创建省级"四好村"12 个、市级"四好村"49 个、县级"四好村"49 个,初步形成了"产村相融、田园相连、山水相依"的新型城乡形态,实现城乡统筹发展。按照"小规模、组团式、微田园、生态化"和"宜聚则聚,宜散则散"要求,积极推动实施蔬香路沿线濛阳镇何家院子、九尺镇彭家巷子等 7 个新农村示范点建设。

【扶贫攻坚】 2016 年,彭州市将 2014 年农民年人均可支配收入低于 10000 元的行政村、农民家庭人均可支配收入低于 7514 元的家庭划定为新的贫困村和贫困户,确定 5 个相对贫困村和 306 户有一定发展能力的相对贫困户为 2016—2017 年第三轮第二批扶贫开发对象,积极开展脱贫攻坚。一是成立了以彭州市委书记、市长为组长,"四大班子"分管领导为副组长,20 个成员单位组成的农村扶贫开发领导小组,制订出台了《彭州市高标准推进城乡扶贫开发工作的实施方案》。二是完善"市级领导挂点督查、部门(单位)定点帮扶、干部结对帮户"的帮扶机制,形成合力攻坚局面。三是科学编制 5 个相对贫困村村庄规划,引领整村发展。四是整合各级帮扶资源,围绕幸福美丽新村建设、优势特色产业发展、基础设施建设和公共服务提升,助推相对贫困村整村发展。五是推进到户精准扶贫,实施就业、产业、教育、医疗救助、低保兜底"五个一批"扶贫措施。截至 2016 年年底,相对贫困村农民年人均可支配收入约 13725 元,同比增幅超全市农民年人均可支配收入 2 个百分点以上,相对贫困户退出 292 户,全面完成 2016 年成都市"百村万户"扶贫任务。

【乡村旅游】 2016 年,彭州市继续把品牌创建作为发展乡村旅游的重要抓手,宝山旅游景区被评为四川省生态旅游示范区,葛仙山镇被评为四川省乡村旅游特色镇,宝山村被评为中国乡村旅游模范村、四川省乡村旅游精品村寨,金龙假日酒店被评为中国乡村旅游模范户。继续做好精品村、星级农家乐和特色旅游经营点评定前期辅导工作,完成 6 个乡村旅游精品特色业态经营点、7 个特色业态经营点、5 家星级农家乐(其中五星级农家乐 1 家、四星级农家乐 1 家、三星级农家乐 3 家)、1 个四川省乡村旅游精品村和宝山村创建旅游社区的申报工作以及国家中医药健康旅游示范区、示范基地、四川省乡村旅游强县的申报工作。丹景山景区积极创建国家 4A 级景区。举办了"四川·彭州第九届九尺美食(板鸭)文化节暨彭州第五届年货购物节"

“第32届牡丹花生态旅游节”“第十一届葛仙山镇田园赏花节”“第三届宝山·太阳湾蔷薇花风车节”“红岩镇第二届赏荷品瓜农事旅游活动”“升平镇第六届稻田鱼美食文化活动暨升平镇稻田立体渔业文化宣传季”“2016中国·彭州(磁峰)第三届富氧原生态猕猴桃旅游季”“第七届中国·四川(彭州)蔬菜博览会”等农事节会、赏花节会23个,共接待游客1090万人次,同比增长75%;总收入30.2亿元,同比增长86%;乡村旅游就业人数5.68万人次,占农村劳动力总数的17.5%。

【专业化社会服务】 2016年,彭州市健全基层公益性服务机构,培育发展专业化、社会化服务组织。一是在全市设立了19个镇农业综合服务站,建成14个农业综合服务站办公大楼,通过开展农技人员知识更新培训,全面提升基层农技推广人员的服务能力和服务水平。二是大力培育蔬菜、水稻、农机、植保、劳务等专业型社会化服务组织。三是积极探索、组建、规范农村专业服务队伍,采用“1+n”的形式建设农村服务综合体。组建蔬菜集约化育苗、农机、植保、劳务等专业型社会化服务组织,建立农资放心店271个、农资配送中心1个,开展“三新技术”推广及农产品加工、市场营销等全程服务,建成物联网农业信息化示范基地5个。

【主要领导人】 市委书记:韩轶;市人大常委会主任:谢扬;市长:董里;市政协主席:刘汉元(12月止),吴石泉(12月始);分管农业副市长:刘城(10月止),徐苒鑫(12月始)。

彭州市编写组

邛崃市

【基本情况】 2016年,邛崃市辖24个乡(镇、街道),有农业人口42.53万人,有耕地面积51.99万亩,减少0.7%。

【年度农业和农村经济运行】 2016年,邛崃市实现农业总产值653380万元,增长4.4%;农业增加值365268万元,增长4.1%。农民年人均可支配收入17043元,增长9.7%。

农业产业化发展。邛崃市围绕成新蒲、邛州大道、西部山丘区3条现代农业示范带建设高标准农田5.31万亩和稻渔综合种养、特色生态果蔬、标准化出口茶叶和低产低效林改造4个万亩产业片区,土地适度规模经营面达62%。

2016年邛崃市省级(及以上)农业产业化重点龙头企业名单

企业名称	注册资金(万元)	法人代表	示范等级	年度产值(万元)	行业分类	主营产品
四川省文君茶业有限公司	4000	阎坤雄	国家级	3587.26	农业	茶叶
四川省花秋茶业有限公司	1000	喻长根	国家级	8423	农业	茶叶
四川金忠食品股份有限公司	5000	刘俊岭	国家级	80000	农业	生猪
成都春源食品有限公司	2835.75	何东键	省级	34899	农业	冷鲜肉、冻肉
四川振鹏达食品有限公司	2700	林玉盛	省级	5230	农业	食品罐头系列产品
成都新太丰农业开发有限公司	8000	万学刚	省级	18000	农业	白条鸭
四川省高宇木业有限责任公司	4250	李波	省级	5983	农业	中密度人造纤维板
四川省春泉集团有限公司	2800	刘春明	省级	56087	农业	“九寨沟”牌牦牛肉、“古蜀”牌茶叶
成都嘉禾实业集团有限公司	1544	胡忠勇	省级	42515	农业	面粉、挂面、种子
成都市新兴粮油有限公司	5000	董国华	省级	12571	农业	菜油、菜粕
四川省上庆农业开发有限公司	3000	李学杰	省级	15996	农业	种猪、生猪
四川易林农业发展有限公司	2000	杨波	省级	16470.37	农业	林木深加工产品、生猪
成都市碧涛茶业有限公司	1000	刘碧清	省级	19548	农业	茶叶
成都市鼎辰源农业开发有限责任公司	2200	韦章高	省级	9012	农业	茶叶

2016年邛崃市省级(及以上)示范农民专业合作经济组织名单

合作组织名称	注册资金(万元)	法人代表	示范等级	年度产值(万元)	行业分类	主营产品
邛崃市碧涛茶业专业合作社	150	—	省级	1082	种植业	茶叶
邛崃市蟲鑫蜂业专业合作社	1875	王顺	国家级	2409.63	养殖业	蜂蜜
邛崃市宏扬猕猴桃专业合作社	32	杨彬	省级	735	种植业	猕猴桃
邛崃市宏源巾帼禽业专业合作社	60	程进	省级	623	养殖业	鸡
邛崃市牟礼三河蔬菜专业合作社	91.5	熬永利	省级	2300	种植业	蔬菜

续表

邛崃市南宝山茶叶专业合作社	249	邓雪松	省级	1095.9	种植业	茶叶
邛崃市桑园宏吉果蔬种植专业合作社	600	叶启银	省级	1200	种植业	蔬菜
邛崃市山河畜禽专业合作社	320.78	陈晓兰	省级	1250	养殖业	生猪
邛崃市依丰水稻专业合作社	10	陈国耀	省级	800	种植业	粮油

2016 年邛崃市家庭农场经营情况统计表(前 10 位)

家庭农场名称	法人代表	年度产值(万元)	行业分类	主营产品
成都市祥禾家庭农庄	徐永祥	205	种植业	猕猴桃、柑橘
邛崃市宏扬家庭农场	袁红超	360	种植业	猕猴桃
邛崃市百胜家庭农场	赵明均	75	种植业、第三产业	水果
邛崃市国林家庭农场	陈国林	243	种植业	猕猴桃
邛崃市张氏家庭农场	张定根	186	种植业	粮油
邛崃市迪文家庭农场	刘毅	220	种植业	粮油
成都市绿农果业家庭农场	罗廷万	80	种植业	猕猴桃、柑橘
邛崃市金华家庭农场	张成蓉	135	种植业	葡萄
邛崃市一亩田家庭农场	李勇	110	种植业、第三产业	茶叶、猕猴桃
邛崃市俊中穗丰家庭农场	李俊中	210	种植业	粮油

农用地产权制度改革。邛崃市以冉义镇为试点,探索“村土地预流转+镇合作联社经营+专业化社会化服务”新型规模经营模式,促进农业全程组织化标准化生产、专业化社会化服务、信息化品牌化建设,推动冉义镇规模种粮效益增加约 150 万元。抓好产权明晰和经营权放活,推进农村产权抵押融资,新办理土地经营权确权 33 宗、水面养殖经营权确权 9 宗、农业生产设施所有权 17 宗、林地流转经营权 9 宗、经济林木(果)权 56 宗,开展冉义镇共富村、平乐镇关帝村集体资产股份改革试点并累计实现农村产权融资 38 宗、1.12 亿元。邛崃市在全国首创农村土地流转履约保证保险风险防控机制,流转土地参保面积 18.2 万亩,促进土地流转规模在 100 亩以上的投保率达 90%以上,改革经验先后被《人民日报》、《农民日报》、《经济日报》、中央电视台等媒体报道,受到省、市领导的肯定,被作为成都市在深化农业支持保护制度改革方面的可复制经验予以推广。

【种植业】 2016 年,邛崃市粮食总产量 27.73 万吨,比上年增加 0.14 万吨;粮食单产 425 千克,比上年增加 9 千克;50 亩以上粮食规模化种植面积达 19.47 万亩,比上年增加 4.53 万亩,增长 30.32%。建成粮食烘干中心 15 家,日烘干能力达 3200 余吨。全年蔬菜种植面积 17.8 万亩;猕猴桃种植面积 6.5 万亩;柑橘种植面积 3 万亩;10 亩以上成规模的苗木基地 180 余个、面积 6 万亩;茶叶种植面积 13 万亩,茶叶产量 0.7 万吨,实现产值 6.9 亿元;中药材种植面积 3.5 万亩。争取到制种大县奖励资金和国家级杂交水稻种子生产基地建设项目,重点加快成都种业园区建设。

【林业】 2016 年,邛崃市有林业用地 81.67 万亩(其中公益林 17.66 万亩、商品林 64.01 万亩),活立木蓄积量 357.7 万立方米,森林覆盖率达 48%,是国家生态文化旅游融合发展试验区、成都市最大的人工商品林和竹源基地县、成都市首个四川省森林城市、四川省第一批林业产业强县之一。全年实现林业总产值 310952 万元,农民从林业中获得人均收入 3760 元。全年办理林木采伐许可证 1672 张,采伐蓄积量 47308.97 立方米,出材量 33429.8 立方米;办理木材运输证 1379 份,运输木材 21163.27 立方米、竹材 606 立方米、活立木和苗木 75080 株。以放活林地经营权为突破口,实施集体林地“三权分离”,流转林地 16660 亩,颁发林地经营权流转证 9 本、面积 797.25 亩。义务植树 115 万株,完成临济镇喻岗村岗上人家新农村绿色家园建设。开展巨桉天牛、松墨天牛、长足大竹象群防群治,防治面积 4.4 万亩,其中防治松墨天牛 1 万亩、长足大竹象 2.4 万亩、柳杉鼠害 1 万亩,确保了林业有害生物成灾率控制在 3‰以内。森林公安局侦破查处盗伐滥伐、非法占用林地、非法猎捕野生动物等涉林违法犯罪案件 55 件,其中涉林刑事案件 22 件,打击涉林犯罪人员 24 人;查处涉林行政案件 33 起,行政处罚 36 人;查处无证运输案件 10 起,没收木材 29.5 立方米、活立木 78 株,林业行政罚款 1255 元,办结率达 100%。

【畜牧业】 2016 年,邛崃市生猪存栏 701845 头、出栏 1468094 头,能繁母猪存栏 79966 头,猪肉产量 103682 吨;牛存栏 12008 头、出栏 1792 头,能繁母牛存栏 8461 头,牛肉产量 264 吨;羊存栏 24609 只、出栏 24515 只,能繁母羊存栏 11218 只,羊肉产量 423 吨;家禽存栏 2479675 只、出栏 11426897 只,禽肉产量 19260 吨。创建标准化示范场 39 个,其中部级畜禽标准化示范场 5 个(生猪 4 个、奶牛 1 个)、省级畜禽标准化示范场 11 个(生猪 10 个、肉牛 1 个)、市级畜禽标准化示范场 23 个(生猪 16 个、奶牛 3 个、蜜蜂 2 个、蛋鸡 1 个、肉牛 1 个)。全市高致病性禽流感、高致病性猪蓝耳病、牲畜口蹄疫、猪瘟 4 种强制免疫动物的群体免疫密度达 95%以上;集中免疫犬只狂犬病 47571 只,免疫率达 98%;无区域性重大动物疫情发生。全年无害化处理病死猪 77060 头、病死牛 300 头,打捞病死猪 28 头,检验检疫不合格生猪产品133536.1千克，病死动物无害化处置率达100%。开展生猪产地检疫70.6541万头，生猪产品检疫72.5862万头；禽产地检疫1232.0405万只，禽产品检疫1070.1028万只；牛产地检疫0.2423万头，牛产品检疫0.0868万头。

【水产业】 2016年，邛崃市建成水产养殖基地32家，水产养殖总面积10665亩，其中池塘养殖面积8910亩；水产品养殖产量1.4万吨，实现产值2.8亿元。发展稻渔综合种养面积1万亩，实现鱼产量500吨、鱼产值1200万元。全年共签订《水产品质量安全承诺书》180余份，出动检查车辆70余车次、执法人员130余人次，共检查养鱼场(户)、苗种生产场、鱼药和鱼饲料企业40余家，未发现假冒伪劣鱼药、鱼饲料和禁用鱼药使用情况。

【统筹城乡与新型城镇化】 2016年，邛崃市按照形态、业态、文态、生态“四态合一”理念，统筹城乡规划，确保总体规划与土地利用、产业发展等规划协调统一。试点推进新型农村社区基层治理，深化“一核多元、合作共治”新型农村社区治理机制，完善“政经分离”村集体经济组织运行机制，实行集体经济组织同自治组织相分离、集体经济组织成员同自治组织成员身份相分离、镇政府社会公共管理职能和集体经济资产所有者管理职能相分离的“三分离”原则组建经济合作社，鼓励农民带地入城，积累进城发展资本。

【扶贫攻坚】 2016年，邛崃市全面启动成都市第三轮第二批扶贫开发工作，精准锁定18个相对贫困村和1500户相对贫困户。制定了全市精准扶贫实施总方案、18个相对贫困村村级扶贫建设实施方案和11个部门专项扶贫方案等文件，落实28名市级领导、60个部门挂点帮扶相对贫困村，4624名党员干部和商会执委精准帮扶相对贫困户和在册低保户，构建市级领导、部门“二帮一”到村和党员干部、商会企业、社会志愿者“三帮一”到户工作机制。全年投入各类扶贫资金2亿元，帮扶相对贫困村农民年人均可支配收入达到12286元，较上年增加1821元，增长17.4%，增幅高于全市农村居民年人均可支配收入6个百分点，超出目标任务4个百分点。

【乡村旅游】 2016年，邛崃市累计建成休闲农业景区10个，建设景区化农业产业基地31个，培育星级农家乐4家、星级乡村酒店5家，中国酒村创建为国家4A级旅游景区。形成了“大梁酒庄”“天府红谷”“金银花庄园”“黑虎农庄乐园”“冉义万亩高标准农田粮经复合产业示范观光区”等休闲农业与乡村旅游发展项目典范，举办成都采茶节、冉义油菜花节、牟礼乐渔节、红珊瑚葡萄采摘节、南宝高山蓝莓采摘节、大同年货节等休闲农业节庆活动10余次，打造乡村旅游产品59个，承办了2016年全国休闲农业与乡村旅游现场会。全年休闲农业与乡村旅游接待游客738万人次，同比增长17.14%；实现休闲农业与乡村旅游总收入36亿元，同比增长97.2%。

【助农增收】 2016年，邛崃市农村居民年人均可支配收入达17027元，同比增长9.6%，增速位列成都市远郊县(市)第四位。一是抓好精准扶贫，增加农民转移性收入。整合各类行业部门扶贫项目资金12.31亿元，全市党员干部为相对贫困户和低保户落实结对帮扶资金117.1万元。在按1∶1比例配套资金的基础上，本级财政再次追加20%的资金，确保每个相对贫困村安排资金在55万元以上、每户相对贫困户获得财政性扶持资金0.4万元，切实帮助贫困村、贫困户发展产业、新村等“造血”项目，促进农民增收脱贫。二是抓好全域幸福美丽新村建设，增加农民财产性收入。截至2016年年底，全市累计建成新村聚居点177个，聚居3.7万户、13.3万人，投入新村建设财政资金93亿元，撬动社会资金投入116亿元，建成幸福美丽新村158个，其中市级示范新村62个；完成投资额在30万元以上的“产村相融”产业项目、基础设施、公共服务设施等6个项目。夹关镇周河扁新村、文君街道中国酒村再次被列为第三轮省级新农村成片推进示范县启动培训会现场点。三是抓好农业信息化、品牌化建设，增加农民经营性收入。推动以国家地理标志产品“邛崃黑茶”“邛崃黑猪”为核心的区域特色公共品牌策划打造，加强与成都白家农产品批发市场的农超对接，完善红珊瑚、京东—黑虎电商平台建设，启动邛崃阿里巴巴农村淘宝项目，加大了农产品线上线下营销力度，进一步拓宽了“邛崃造”农产品的品牌价值和营销渠道。四是抓好农民创业就业，促进农民工资性增收。全市有农村劳动力31.86万人，开展农民工就业技能培训4340人次，农村劳动力专业输出规模达21.99万人，劳务收入达43.46亿元，促进了农民工职业技能提升，切实增加了务工收入。建立瑞云欣广场创业基地、邛崃市返乡人员创业园(鑫和工业园)，落实农民工返乡创业、大学生创业专项基金100万元，发放创业担保贷款55万元、创业补贴69万元，扶持创业1580人，带动就业8000余人。

【2016年度“三农”工作先进经验介绍】 2016年，邛崃市实现农业增加值36.52亿元，同比增长4.1%；完成农业投资12.81亿元，超目标任务23.2个百分点。邛崃市农村改革、产业发展、新村建设等工作受到中、省、市各级部门和领导的肯定。一是调优农业产业体系。以粮油、茶叶、生猪三大产业为主导，重点打造“二黑”品牌，开发拳头产品，提升“邛崃造”产品的市场影响力，培育行业“单打冠军”。依托成都种业园区打通产业前端，依托临邛工业园和临济、夹关农副产品基地做大加工后端，加快发展休闲农业和乡村旅游，推进主导产业全产业链建设。二是调好农业生产体系。深化国家农产品质量安全县建设，强化“三品一标”农产品认证，种植业“三品”农产品认证面积占总面积的60.03%；获得国家无公害、绿色、有机食品标志认证66个；“邛崃黑茶”“邛崃黑猪”荣获天府农业品牌嘉年华消费者最喜爱的十大农产品称号。推进农业标准化生产，依托成都市农产品质量安全检测监管追溯平台完善农产品质量安全追溯体系。深化与省畜科院、省茶研所、四川农业大学等单位的合作，引入农业科技研发中心，抓好新技术、新成果转化应用，构建“政产学研用”科研转化应用平台。围绕“一控两减三基本”的治理目标，深化巩固农业面源污染生态治理“循环利用”成果，强化土壤治理、统防统治绿色防控和全域种养循环治理，推动农业生态可持续发展。三是调顺农业经营体系。运用“互联网+”优化与实力电商的合作机制，促进农产品上线销售；扶持本土电商人才发展，支持本土农村电商做大做强，推动“邛崃造”产品实现线上线下营销。编制了邛崃市2016年现代农业示范市建设相关项目实施方案，包括推进特色效益农业基地建设、发展现代畜牧产业及现代渔业综合能力提升建设涉及的粮经复合稻田养鱼基础设施建设3类项目实施方案，共计投入资金1265.34万元，其中省级财政资金500万元、业主自筹资金765.34万元。承办了全省农村经营管理工作会议，获得了“成新蒲”都市现代农业示范基地(园区、带)建设竞争比选二等奖。

【回乡创业之星选介】 李飘飘，成都市黑石农业开发有限公司总经理。李飘飘在固驿镇黑石村有猕猴桃基地1018亩，2010年开始建园并成立公司，总投入超过3000万元。公司通过线上和线下的方式，结合批发和零售渠道，将基地生产的猕猴桃销往全国各地。2016年开始承接出口订单，当年产值超过1000万元。公司在种植销售猕猴桃鲜果的同时还进行猕猴桃深加工产品的研发推广，开发出无任何人工添加剂的猕猴桃果酒。2016 年,公司建成了容量 1000 吨的气调保鲜库。基地除了付田地租金给当地农户外,还吸纳农户到基地工作,每年用工量超过 2000 人次其中常年雇工在 300 人左右,为当地农民增收致富做出了一定的贡献。李飘飘先后获得 2014 年"拜师褚橙"全国新农人评选活动第一名和 2014 年度获消费者"最受欢迎生产者"称号;2015 年 5 月,基地被授予"邛崃市巾帼科技示范基地"称号;2015 年和 2016 年,李飘飘均获得"创业天府"邛崃创业比赛三等奖;2016 年获得邛崃市"青春榜样"称号并当选为邛崃市第 15 届政协委员、成都市第 13 届青年联合会委员。

【重点乡镇选介】 冉义镇,位于邛崃市东部,距邛崃市区 27 千米,面积 35.98 平方千米,其中耕地面积 27933 亩,辖 11 个村(社区)、169 个村民小组,共 11785 户、3.06 万人,其中农业人口 26772 人、城镇人口 3859 人,素有"贡米之乡"的美誉,为四川省小城镇建设试点镇。冉义镇以高标准农田建设为载体,以全域土地整治为抓手,努力打造整镇推进新村建设的"成都样本""四川典范"。自 2013 年开始,全镇启动实施 11 个城乡建设用地增减挂钩项目和 3 个农用地整理项目,总投资 15.7 亿元。在幸福美丽新村建设方面,积极探索大型农民集中居住区基层治理有效模式,建成集镇、火星、英汉 3 个新型社区,总占地面积 2080 亩,建筑面积 92 平方米,安置 6733 户、21616 人,聚居度达 80%以上,严格按照"1+23"标准配套公共服务;在高标准农田建设上,投入 1.7 亿元,建成"三网"配套的连片高标准农田 3.9 万亩;在产业发展上,围绕建成后新村和高标准农田,以发展"粮经复合、种养循环、一三互动"现代农业为定位,创新"农户+村土地经营合作社+镇合作联社+专业大户"粮食适度规模化经营新机制;在土地规模流转风险防控上,在全国首创农村土地流转履约保证保险风险防控机制,以市场化的方式筑牢农村土地流转风险的"安全防火墙",全域 90%以上的土地实现稳定流转、规模经营。

【主要领导人】 市委书记:潘祖龙(8 月止),曾洪扬(8 月始);市人大常委会主任:王一田(12 月止),刘忠(12 月始);市长:惠朝旭;市政协主席:刘忠(12 月止),欧俊波(12 月始);分管农业副市长:周洪彬。

邛崃市编写组

崇 州 市

【基本情况】 2016 年,崇州市辖 25 个乡(镇、街道),有农业总人口 58.5494 万人,耕地面积 58.54 万亩,与上年持平;基本农田 54.54 万亩,与上年持平。一二三产业结构比由上年的 13.9∶48.6∶37.5 调整为 13.2∶48.6∶38.2,一产业结构比重比上年调减 0.7 个百分点。

【年度农业和农村经济运行】 2016 年,崇州市实现农林牧渔和服务业总产值 58.3 亿元,比上年增长 4.2%,其中农业产值 25.55 亿元,增长 5.6%;林业产值 0.91 亿元,增长 3.5%;牧业产值 28.35 亿元,增长 3.1%;渔业产值 1.41 亿元,增长 1.2%;农业服务业产值 2.08 亿元,增长 4.5%。农林牧渔业及农业服务业产值在农业总产值中的比重分别由上年的 43.87∶1.59∶48.77∶2.56∶3.21 调整为 43.82∶1.56∶48.63∶2.42∶3.57。全市实现农业增加值 34.7 亿元,增长 7.6%,其中农业增加值 19.34 亿元,增长 7%;林业增加值 0.74 亿元,增长 6%;牧业增加值 12.89 亿元,增长 7.8%;渔业增加值 0.67 亿元,增长 2.9%;农业服务业增加值 1.06 亿元,增长 19.6%。农林牧渔业及农业服务业增加值在农业增加值的比重由上年的 56.01∶2.17∶37.07∶2.02∶2.73 调整为 55.74∶2.13∶37.15∶1.93∶3.05。农村居民年人均可支配收入达 17896 元,增长 10%。

农业产业化发展。崇州市有农业企业 89 家,其中成都市级以上农业产业化龙头企业 30 家、省级林业龙头企业 4 家;农民合作社 1100 家,其中国家级示范农民合作社 3 家、省级示范农民合作社 11 家、成都市级示范农民合作社 26 家;家庭农场 175 家,其中省级示范家庭农场 5 家、成都市级示范家庭农场 29 家。农村土地经营权入股发展农业产业化经营试点取得突破,探索形成土地折资企业注资组建新的农业经营主体经营、农业产业化企业入股土地股份合作社经营、土地股份合作社入股农业产业化企业经营三种经营模式,让农民分享产业化经营效益。新增财补合作社资金形成经营性资产股份量化达 1200 万元,总额达 5000 万元。

2016 年崇州市省级(及以上)农业产业化重点龙头企业名单

企业名称	注册资金(万元)	法人代表	示范等级	年度产值(万元)	行业分类	主营产品
成都丰丰食品有限公司	3000	张忠伟	国家级	89947	农产品加工业	肉鸭
四川王一食品有限公司	1000	王宝军	省级	10052	农产品加工业	白条肉、分割肉
成都希福食品有限公司	2080	李献	省级	4770	农产品加工业	魔芋精粉及魔芋制品
成都市四友生物科技有限公司	1000	范青林	省级	12640	其他	肥料
巨星农牧科技股份有限公司	19128.1734	唐光平	省级	136695	养殖、饲料加工业	生猪、禽、饲料

2016 年崇州市省级(及以上)示范农民专业合作经济组织名单

合作组织名称	注册资金(万元)	法人代表	示范等级	年度产值(万元)	行业分类	主营产品
崇州市富明蔬菜种植专业合作社	843.9	谢子明	国家级	1275.75	种植业	蔬菜
崇州市土而奇禽业专业合作社	200	冉启斌	国家级	958.6	养殖业	家禽、鸡蛋

续表

崇州市耘丰农机专业合作社	60	罗通	国家级	293.47	服务业	农机服务
崇州市杨柳农民专业合作社	9.416	陈永建	国家级	234.36	种植业	粮油
崇州市天鹰种植专业合作社	134	叶志祥	省级	140.9	种植业	粮油
成都市崇双郁金农民专业合作社	223	宋思贵	省级	537.98	种植业	中药材
崇州市文井江牛尾笋种植专业合作社	53	袁明志	省级	51.49	种植业	牛尾竹笋
崇州市大地农机专业合作社	50	艾光建	省级	125	服务业	农机服务
崇州市青桥土地股份合作社	1314.59	任建忠	省级	133.58	种植业	粮油
崇州市江源镇邓辕土地股份合作社	6791.58	张洪成	省级	279.1	种植业	粮油
崇州市集贤涌泉土地股份合作社	3516	刘远清	省级	120.11	种植业	粮油
崇州市五星土地股份合作社	409.35	王纪	省级	242.5	种植业	粮油
崇州市和旺土地股份合作社	461.5	杨开忠	省级	297	种植业	粮油

2016年崇州市家庭农场经营情况统计表(前7位)

家庭农场名称	注册资金(万元)	法人代表	年度产值(万元)	行业分类	主营产品
崇州市雪泉家庭农场	50	李洪	62	养殖业	猪肉
崇州缘道家庭农场	88	詹祥友	326	种植业	粮油、休闲观光农业
崇州市绿优家庭农场	60	沈松明	596	种养殖业	粮油、小龙虾
崇州市集贤长富家庭农场	20	李静	60.1	种养殖业	水稻、小麦、生猪
崇州市广生家庭农场	40	龚健明	121.4	养殖业	山羊
崇州市布衣开心家庭农场	200	丁红勇	126	种植业	粮油、休闲观光农业
崇州市隆兴孔学梅家庭农场	60	孔学梅	180	种养殖业	蔬菜、猪肉

农用地产权制度改革。崇州市持续提升"农业共营制",实施土地股份合作社"三百行动",土地股份合作社规范化建设率达100%,土地股份合作社开展土地经营权登记颁证工作并实现应颁尽颁,土地股份合作社加入"土而奇"公共电商平台120家。探索构建"林业共营制",按照"确权颁证奠基础、股份改造育主体、基地建设壮产业、抵押融资破瓶颈、完善分配促增收"的工作思路,放活林地经营权,推进林业供给侧改革,探索实践以林地股份合作社为主的"林业经营主体+林业职业经理人+林业综合服务"三位一体的"林业共营制"新型经营体系,工作经验受到林业厅的肯定。全市土地适度规模经营率达60.32%,粮食适度规模经营率达70%。推进社会化服务项目建设,开展土地托管服务、政府购买农业公益性服务试点,建成土地托管为农服务中心,全市开展土地全托管服务2000亩、半托管服务24.82万亩。农村承包土地经营权抵押贷款试点工作扎实推进,全市累计开展农村土地经营权抵押贷款179笔、金额21525万元,结余贷款123笔、19630万元。国家农村改革试验区试点工作扎实推进,健全农村承包土地流转市、县、乡三级登记备案制度。成立成都市农交所崇州市有限公司,搭建农村土地流转交易平台,健全农村产权交易鉴证制度。改进农业补贴承担中央对成都市的中期绩效考评,受到农业部、财政部的肯定。深化农村产权改革工作取得成效,推进农村土地"三权分置",全市登记颁发《农村土地经营权证》262本、《农业生产设施所有权证》94本、《农村养殖水面经营权证》25本、《林地经营权证》26本、《经济林木(果)权证》25本,实现应颁尽颁。农村专项改革加快推进,国家农村产业融合发展示范、省农村产权抵押融资试点、省培育农民增收新产业新业态示范、土地流转履约保证保险试点、增加农民财产性改革试点取得成效。集体资产股份化改革取得突破,开展村(涉农社区)传统集体经济组织经营性资产的股份化改革试点30个,组建村级股份经济合作社30个,工商注册桤泉镇生建村、白头镇五星村、三郎镇茶园村、集贤乡山泉村村级股份经济合作社,探索实践集体资产由"共同共有"转变为"按份所有",赋予社员持股权和收益权。开展农村金融服务改革试点,搭建"农贷通"平台,完善农村产权抵押融资"六大体系",建立村级农村金融综合服务站231个,全市补充农村产权抵押融资风险基金200万元、农村产权抵押融资财政担保金850万元。

【种植业】 2016年,崇州市粮食作物播种面积61.96万亩,粮食总产量 27.32 万吨、油菜籽产量 2.47 万吨、蔬菜产量 30.92 万吨、水果产量 1.69 万吨。崇州市获得“2015 年度四川省粮食生产‘丰收杯’”称号。

【林业】 2016 年,崇州市推进“绿化全川”行动,推动美丽崇州建设,实施国有林管护 21.58 万亩,补偿集体公益林 23.4587 万亩,巩固退耕还林成果 2 万亩,新造牛尾竹基地 1 万亩,建设新农村绿色家园 2 个、特色村 1 个。新增森林蓄积 4.38 万立方米,批准木材采伐 20871 立方米,年森林采伐控制在 60895 立方米内,全市森林覆盖率达 42.76%,成为四川省现代林业建设重点县。桤木河湿地公园成为省级生态湿地公园,鸡冠山森林公园获批为国家级森林公园,启动国家大熊猫公园建设。全年开展植物调运检疫 101 批次,签发检疫证书 101 份,植物产地检疫合格率达 100%。探索建设智慧森防监测预警体系平台,林业有害生物测报准确率达 99%以上,有害生物成灾率控制在 1.41‰以下,林业产地检疫率达 100%。加强木材加工经营企业的生产指导和安全检查,督促企业依法依规进行安全生产,全年无涉林生产安全责任事故发生。构建农业社会化服务体系,完善集贤农业社会化服务中心功能,构建形成农(林)业科技、品牌、金融和社会化相结合的现代农业服务体系,推进农业、林业适度规模经营。

【畜牧业】 2016 年,崇州市生猪出栏 87.88 万头,肉牛出栏 2.2 万头,肉羊出栏 2.05 万只,家禽出栏 780.2 万只;肉类总产量 7.88 万吨,禽蛋产量 3.45 万吨,奶产量 0.72 万吨,水产品产量 1.17 万吨。全年免疫猪瘟 100.2 万头、高致病性猪蓝耳病 93.4 万头、猪口蹄疫 133.9 万头、牛口蹄疫 2.39 万头、羊口蹄疫 2.33 万只、禽类禽流感 1017.53 万羽、鸡新城疫 561 万羽,猪瘟、猪口蹄疫、高致病性猪蓝耳病、禽流感、鸡新城疫群体免疫密度常年保持在 90%以上,畜禽有效免疫抗体合格率达 70%以上,实现清净无疫。

【绿色高端农业发展】 2016 年,崇州市积极发展绿色有机农业,全市种植业“三品一标”农产品认证面积达 68 万亩,占种植面积的 67%。制定出台《崇州市绿色水稻种植技术规程》,成都心连心有限公司的 20 万羽蛋鸡、成都巨星农牧科技有限公司的 19551 头种猪、成都润惠农业开发有限公司的 108 吨石斛(鲜条)获得 GAP 认证。全市累计建成部级、省级、市级标准化示范养殖场 41 个,种养循环养殖场 192 家,成都巨星公司被批准为国家级生猪核心育种场,崇州市成为四川省现代畜牧业重点县。探索形成稻田养鱼、养虾、养蟹、养鳅、养鳖、养鸭六种稻田综合种养模式,推广稻田综合种养面积 1.2 万亩。发展高端农业,建成杜邦先锋种业、川农大种子繁育基地,打造高端农作物种业基地。培育“崇耕”区域农产品品牌,推出了“稻虾藕遇”等一批农产品品牌。

【农业产业融合发展】 2016 年,崇州市优化农业功能区建设,编制“川西坝子 · 田园记忆”“水木北部 · 乡创崇州”“多彩田园 · 绿色崇州”“康养圣地 · 健康崇州”“森林旅游 · 山水崇州”五大功能区产业融合发展规划,全域推进农村产业融合发展,成为全国农村产业融合发展试点示范县、四川省培育农民增收新产业新业态示范县。推进多业态复合发展,发展粮油全产业链,全市建成粮油烘储中心 20 个、粮食加工中心 5 个,探索形成粮食规模种植、种养循环、产品加工、电商营销、休闲农业全产业链发展模式,延伸产业链、提升价值链、保障供给链、强化生态链。

【农业机械化】 2016 年,崇州市集成推广农林牧副渔机具和农产品加工技术、工艺和装备,推进粮油生产、粮油烘储加工全程机械化。全市新增新型农机具 777 台(套),农机总动力达 41 万千瓦时;完成机耕作业面积 73.9 万亩、机电灌溉作业面积 12 万亩、机播面积 46 万亩、机收面积 62.33 万亩,农业综合机械化水平达 80%,成为西南地区全国唯一的主要农作物全程机械化示范县。强化农机安全生产,同农机生产企业签订安全责任书,同农机手签订农机安全责任卡,全年无农机安全责任事故发生。

【幸福美丽新村建设】 2016 年,崇州市紧扣建设“业兴、家富、人和、村美”幸福美丽新村目标,遵循“小组微生”建设原则,采取“保护、建设、改造”方式,全域推进幸福美丽新村建设。全市建成幸福美丽新村 193 个,占全市行政村总数的 83.5%;创建县级“四好村”39 个、成都市级“四好村”30 个、省级“四好村”30 个。探索形成“1+3+6”新村建设治理机制,深化“一核多元、合作共治”,农村基层治理机制建设取得了一定成效。崇州市被评为第二轮新农村建设省级优秀示范县。

【扶贫攻坚】 2016 年,崇州市聚焦脱贫攻坚“两不愁三保障”和“四个好”目标,强化政策措施保障,制定出台了“1+7”政策措施(“1”,即 1 个揽总意见;“7”,即集体经济发展、电商培育、干部引领、社会保障、教育助学、医疗关爱、社会救助 7 个行动方案)。强化资金使用精准,在成都市安排相对贫困村扶贫资金 480 万元的基础上,本级财政配套相对贫困村资金 572 万元,本级对口帮扶单位帮扶资金 200 万元,整合涉农项目资金 1240 万元,每个相对贫困村扶贫资金达 150 余万元,用于基础设施建设和产业发展。在成都市安排精准扶贫户每户 2000 元的基础上,本级财政安排精准扶贫户每户资金 2000 元,市级对口帮扶单位帮扶资金不低于 2000 元,每户帮扶资金达 6000 元以上,用于精准扶贫户发展增收项目。发展壮大集体经济,16 个相对贫困村成立村股份经济合作社,落实相对贫困村集体经济发展项目 16 个。全市 460 户精准扶贫户实现脱贫 244 户,相对贫困村人均可支配收入增长 30%以上,实现年度脱贫攻坚目标。

【乡村旅游】 2016 年,崇州市发展休闲农业与乡村旅游,盘活闲置农房农村资源发展民宿旅游,全市有农家乐 450 余家、乡村客栈 20 余家、星级农家乐(乡村酒店)35 家、规模以上农家乐 150 余家。承办第四届“四川自驾赏花节”开幕式,推出 10 万亩稻乡金秋旅游季等乡村旅游活动,休闲农业与乡村旅游业接待游客 900 万人次,实现旅游收入 22 亿元。

【农村科技】 2016 年,崇州市集成推广应用农业新技术 27 项、新品种 17 个,建成万亩水稻高产强化栽培示范基地。培育农业科技示范户 450 户,农业科技示范户带动农户 4500 户。开工建设农业科技服务总部基地,建成林业科技服务总部基地、文井江镇铁索村设施林业科研示范基地,建成现代农业创新创业园区 2 个、农业科技创新转化平台 2 个、农业创新创业载体 2 个、农林科技专家大院 3 个、现代农业专家工作站 2 个,形成农业科技“产学研用”链条,成为国家农业科技创新与集成示范基地。推进高标准农田建设,编制完成《崇州市菜粮基地高标准农田建设提升行动计划项目规划方案(2016—2018 年)》,规划建设菜粮基地高标准农田 12 万亩。采取“三统筹一主体”(规划统筹、资金统筹、建设统筹、农民主体)措施,新建高标准农田 3.3 万亩,崇州市 10 万亩粮食高产稳产高效综合示范基地成为四川省现代农业示范园区。运用互联网、大数据建成水稻、果蔬、药材等农业示范基地 30 个,建成农业物联网信息化示范基地 6 个、农产品示范基地综合监控监管平台 10 个,全市设施农业面积达 5.18 万亩,农业科技化、机械化、信息化深度融合发展加快。推进农业面源污染治理,落实"一控两减三基本"措施,建成万亩农作物绿色防控及统防统治示范基地,全市病虫害统防统治和绿色防控面达80%以上。推广测土配方施肥90万亩次,农作物秸秆综合利用率提高到99%,基本实现化肥、农药零增长。

【农业招商项目建设】 2016年,崇州市引进农业项目40个,到位省外资金19.1亿元。同利水湾公司签约投资5.1亿元,打造羊马河立体生态养殖示范项目。全年开工建设农业重点项目53个,完成投资20.1亿元;完成农业固定资产投资12.5亿元,增长278%。推进李家岩水库"四区联动"建设,李家岩水库建设项目获批并举行了开工仪式。国家现代农业示范区以奖代补资金撬动金融资金投入农业试点,探索形成财政资金政策扶持、统筹整合、"补"改"投"、"补"改"息"四大机制,探索构建财政资金撬动社会资本投入农业农村"三聚合一共享"机制。

【农产品质量安全监管】 2016年,崇州市深入开展"瘦肉精"等农产品质量安全专项监测工作,开展"瘦肉精"抽样监测55678份。强化动物产地检疫、屠宰检疫,全年开展生猪产地检疫17.68万头、家禽300.79万羽。健全农产品质量安全检测体系,开展屠宰检疫猪肉6756.08万千克、禽肉692.08万千克。开展农产品执法监督抽样172个、农业投入品执法监督抽样368个,全市农产品质量安全抽检合格率达99%以上。强化农产品质量安全监管体系建设,落实乡(镇、街道)农产品质量安全监管员25名、村(社区)农产品质量安全协管员253名、农产品质量安全信息员3586名,实行农产品质量监管网格化管理,成为四川省农产品质量安全监管示范县。

【农业补贴与培训】 2016年,崇州市持续深化农作物良种补贴、种粮农民直接补贴、农资综合补贴合并为农业支持保护补贴改革,全市发放农业支持保护补贴3333.68万元、成都市2016年粮食规模种植奖补补贴3972.3万元。全年培训农民实用技术14.11万人次、新型职业农民760人、农业职业经理人280人;开展农村电商培训2900人次,其中电商职业经理人培训1100人次。

【农村市场体系建设】 2016年,崇州市搭建"土而奇"公共农产品电商平台以及"龙门山里来""蜀禾采"等企业农产品电商平台,培育"崇耕""稻虾藕遇"等农产品电商品牌,建设农村电商示范村10个、电子商务服务点50个,建立第三方网店32家、自办网店11家、微店7家,农村电商实现线上销售农产品20余个,崇州市成为中华供销总社认定的全国电子商务示范县。

【农业综合行政执法】 2016年,崇州市深入开展种子、肥料、农药、兽药、饲料等农资打假和农产品质量安全专项整治、春季禁渔、"绿剑护农"、生猪屠宰"扫雷"行动等农资专项治理行动,营造农业投入品"防、控、堵、打"氛围。深入开展农业综合执法规范化示范建设,强化农业综合执法,依法严厉打击收购、屠宰、加工、冷藏、营销病死动物及动物产品行为,依法严厉查处农业、林业违法案件。全年出动农业执法人员5393人次、执法车辆2645辆次,检查农业林业经营户、种养殖户和生产企业6345户(家)次,立案查处各类行政违法案件46起,全年农业行政执法检查覆盖率达100%。规范行政审批服务,全年受理行政审批(服务)事项21项、服务事项5923件,办结5923件。

【主要领导人】 市委书记:赵浩宇;市人大常委会主任:易孔盛;市长:欧昭;市政协主席:杨火清;分管农业副市长:文国洪。

崇州市编写组

简阳市

【基本情况】 2016年,简阳市辖58个乡(镇、街道),有农业人口117.89万人,有耕地面积163.7万亩,增长29.6%;基本农田100.13万亩,减少1%。

【年度农业和农村经济运行】 2016年,简阳市实现农业总产值512155万元,增长11%;农业增加值326947万元,增长14.5%。农民年人均可支配收入13531元,增长9.8%。

【种植业】 2016年,简阳市粮食作物播种面积156179公顷,油料作物播种面积30426公顷,蔬菜及食用菌播种面积21587公顷。全年粮食总产量667293吨,其中稻谷产量189733吨、小麦产量116472吨、豆类总产量44243吨、薯类总产量79018吨。油料作物总产量67597吨。种植水果30万亩,产量29.8万吨,其中冬草莓产量1.54万吨,实现产值13.11亿元。蔬菜总产量67.5万吨,实现产值8亿元。

【林业】 2016年,简阳市新增造林面积2133公顷,退耕还林面积40公顷,实有森林管护面积5.1万公顷。完成义务植树180万株,全市森林活立木总蓄积量达322.34万立方米,森林覆盖率达38.3%。新增林业专业合作社61个。全市有种苗生产经营企业188家,生产总面积29064.23亩,种苗储蓄总量7926.703万株,其中经济林苗面积16831.5亩,种苗6345.22万株;造林苗面积596.5亩,种苗89.3万株;绿化苗面积11636.23亩,种苗1492.183万株。制定了《关于做好2016年现代林业重点县建设项目工作的通知》,明确了目标任务、建设内容和工作责任;召开了现代林业重点县建设工作专题会,全力推进现代农业林业重点县建设。编制完成《简阳市2016年现代林业重点县建设项目实施方案》《简阳市蜀新1号核桃林木良种补贴方案》《简阳市林产品质量安全监测方案》《简阳市2016年林业科技服务基层行动实施方案》《简阳市核桃科技培训工作方案》等技术方案和资料13个,为全市现代林业产业发展提供了科学依据。加快产业基地和园区建设,开展产业基地和5000亩以上的产业园区培育,在平泉镇、东溪镇规划建设万亩果园。加快林业产业龙头企业培育,引进上市公司介入林产业销售市场,确保林农增收致富。将重点县建设和市级现代林业项目整合,加快新一轮现代林业重点县建设,新植核桃7254亩,嫁接核桃5400亩,种植林下油用牡丹4000亩。

【畜牧业】 2016年,简阳市出栏生猪117.86万头、山羊88万只、肉牛0.5万头、小家禽畜1015.6万只,肉类总产量11.69万吨,禽蛋产量3.2万吨;实现畜牧业总产值42亿元,农民人均实现畜牧业收入3500元,比上年增加160元。山羊出栏量位居全省第一,生猪出栏量位居全省第三,简阳市已成为全国生猪生产大县和全国生猪调出大县。2016年,全市各类畜禽规模养殖场达1892个,发展家庭牧场、畜禽养殖专业合作社662个,入社农户3.82万户。重大动物疫病做到应免尽免,抽检抗体合格率在70%以上。全年培训农民1.29万人次,发放宣传资料2.6万余份。

【水产业】 2016年,简阳市水产品总产量3.2万吨,同比增长3.2%。简阳市智舒水产养殖专合社、简阳市大众养殖公司等完成池塘改造500余亩;稻田生态综合种养工程试验示范面积不断扩大,共发展1100亩,较上年增长100%;水面经营权证登记发放工作有序推进。抓好春繁禁渔工作,在沱江简城段开展为期4个月的电鱼专项整治;实行渔船许可、检验、登记"三证合一"制度,开展渔业船舶管理;检查水产专合社和渔需物品商店56家、养殖户48户,抽检12批次、样品 160 个，生产环节合格率达 100%。全年无水产食品安全事故发生，无渔业生产安全事故发生。

【统筹城乡与新型城镇化】 2016 年，简阳市按照“拥江发展、上拓下延、四镇同城、西拓西联”的发展思路，加快构建“六位一体”的现代城镇发展体系，大力实施城建“10823”工程（重点项目 108 个、储备项目 23 个），城乡建设工作全面融入成都市。全年完成固定资产投资 75.75 亿元，增长 16.5%；配套城市基础设施资金约 2.288 亿元。以成都城市总体规划修编为契机，编制完成简阳新型城镇化等专项规划。强力推进保障性安居工程建设，改造 1400 户，改造面积 5.8 万平方米，完成投资 1.45 亿元。加快推进 450 套公共租赁住房建设，继续推进农村廉租房建设，完成保障性住房建设目标；发放 2015 年廉租房补贴 1471 户、约 182 万元，完成 2016 年农村建档立卡贫困户危房改造 562 户。积极推进全国重点镇——贾家镇、养马镇基础设施建设，其中贾家场镇道路“白改黑”工程全面完工，滨河市政工程、养马场镇污水处理厂等加快实施；中心镇、特色小镇建设有序推进，三岔、石板凳等中心场镇面貌明显改善；投入新型城镇化建设专项资金 4800 万元，禾丰镇、玉成乡等 16 个小城镇基础设施建设有序实施。

【新农村建设】 2016 年，简阳市按照“业兴、家富、人和、村美”的要求，加快推进幸福美丽新村和“小组微生”新农村田园综合体建设，创建成都市级“四好村”47 个、省级“四好村”18 个，累计建成幸福美丽新村 90 个。加快推进 3 个省级幸福美丽乡村、20 个省级新村基础设施项目建设，永宁乡石泉村、江源镇江源村等 5 个聚居点已基本完工。实施农村道路改造提升工程，通村水泥路覆盖率达 100%，乡（镇）实现天然气、自来水供应全覆盖。一是科学规划，明确建设任务。编制了《简阳市幸福美丽新村建设实施方案（2016—2020）》，对未启动建设的 628 个村进行了任务倒排，明确了每年的建设任务并对产业发展、新村建设、基础设施建设及环境综合治理、公共服务配套等进行了详细规划。二是精心组织，加快推进幸福美丽新村建设。成立了由市委市政府分管领导任组长的幸福美丽新村建设领导小组，对 2016 年实施的 90 个幸福美丽新村进行了摸底，按照“缺啥补啥”的原则，因地制宜地重点解决农村急需的产业发展、“1+6”服务设施、道路、水利、能源、环卫和绿化设施。依托上级美丽新村建设项目和省级财政幸福美丽新村建设专项资金，完成 31 个扶贫新村及 6 个改造型、提升型新村规划编制和项目建设。三是强化联动，加快推进三种模式新村建设。按照“省级试点、市级示范、乡镇探索”的思路，上下联动，大力推进幸福美丽新村建设。在省、市级试点示范的带动下，石钟镇长沟村、涌泉镇齐心村、武庙乡五龙村、镇金镇镇金村先后启动新村建设，共新建农房 400 户，已完成投资 6000 万元。养马镇、贾家镇城乡增减挂钩试点项目计划安置农户 1571 户、5030 人。四是提档升级，加快推进农村“7+2”工程建设。加快推进五合乡敬老院新建和三星镇等敬老院维修改造建设，新建农村砖房 1.2 万户，硬化社道 80 千米，新增适度规模产业基地 0.6 万亩以上，完成 9 个乡（镇）数字广播、8 个乡（镇）无线数字广播安装，完成重点部位乡（镇）地面数字电视直放站、76 个村广播室、农村贫困户地面数字电视设备等建设和安装。

【扶贫攻坚】 2016 年，简阳市认真贯彻落实脱贫攻坚决策部署，按照“六个精准”“五个一批”工作要求，围绕“两年脱贫攻坚、三年巩固提升、五年高标准全面小康”的总体定位和“两不愁、三保障”“四个好”的基本要求，切实强化政策兜底保基本，推动产业先行促发展，提升基础设施促共享，统筹推进产业发展、基础设施建设、易地扶贫搬迁等各项工作，完成了全年脱贫攻坚任务。一是加强组织领导。健全领导机制，全面做好脱贫攻坚工作部署，研究制订了《关于集中力量打赢扶贫开发攻坚战确保同步全面建成小康社会的决定》，先后召开简阳市脱贫攻坚工作动员大会等全市性会议 14 次、专题会议 62 次；研究制订了基础设施建设、产业扶贫、社会保障等十大专项扶贫方案和 17 项年度工作计划；市委市政府与 58 个乡（镇、街道）签订了《脱贫攻坚目标责任书》，对各责任单位的工作目标、组织领导、项目实施、进度要求等进行了明确，将脱贫攻坚工作纳入年度目标考核，开展脱贫攻坚督查 67 次；建立了脱贫攻坚信息日报和周报报送制度，确保及时准确掌握脱贫攻坚工作情况。二是落实资金保障。2016 年以来，全市共投入脱贫攻坚资金 60567 万元，其中各级财政扶贫资金 24881 万元、整合各类涉农资金 14926 亿元、成都市对口联系部门和区县帮扶资金 3934 万元、易地扶贫搬迁建设资金 16576 万元。三是科学编制发展规划。聘请北京、上海等地专业机构对标成都要求，对 2016 年脱贫的 31 个贫困村、15952 名贫困人口进行预脱贫评估，结合评估报告编制完成 31 个省定贫困村全域村庄规划，确保高水平、高质量推进贫困村建设。四是全力推进异地扶贫搬迁。成立易地扶贫搬迁指挥部，每周召开工作会议。研究制定了《简阳市易地扶贫搬迁工程农房建设标准》，主动加强与省国农公司、国开行、农发行的对接。签订了易地扶贫搬迁资金政府购买服务协议，制订并印发《简阳市 2016 年易地扶贫搬迁工程跟踪审计监督检查工作方案》，切实强化对全过程的资金监管。五是发展产业促进增收。按照“长短结合、种养互动”的原则，立足大耳羊、晚白桃、草莓等产业发展基础，引导贫困村、贫困户发展特色种养业；探索“特色小镇+农业园区”建设模式，实施每个乡（镇）5000 亩的农业产业园区规划建设；研究制定《简阳市现代农业招商引资优惠政策》，举办简阳产业扶贫推进会暨成都市生猪产业发展投资项目集中签约仪式；加大贫困群众就业技能培训，组织开展“千企万户爱心结对”活动，实现建卡贫困户就业 13416 人。六是落实民生政策兜底。全面接轨成都市城乡居民最低生活保障和特困人员保障制度，实现城乡居民低保标准和对标补差方式“双统一、全覆盖”，将 4071 户、7953 人纳入低保范围；实施教育脱贫解困，全面落实“三免一补”“雨露计划”等建档立卡贫困家庭学生特别资助政策，健全完善贫困家庭学生在校教育资助体系，2016 年累计资助贫困家庭学生 2759 名；全面落实贫困户“两提一兜底三取消”医疗卫生基金救助等精准医疗救助服务，组建 236 支扶贫医疗服务队，进村开展集中义诊 370 场次，实现全市贫困群众健康档案全覆盖；切实提高贫困群众医疗报销比例，将贫困群众个人医疗费用支出控制在 10%以内，为全市建档立卡贫困户支出医疗兜底资金 1370 万元。七是补齐公共服务短板。对 2016 年计划脱贫的 31 个贫困村村卫生室及贫困村所在乡（镇）卫生院进行标准化建设；全面实施改善贫困村义务教育薄弱学校项目计划，整合中央、省、市资金 5259 万元，用于保障基本教学条件、改善学校生活设施、配齐教育教学设备，加快推动农村教育信息化；积极推进农村文化服务体系建设，对 2016 年计划脱贫的 31 个贫困村村文化室实施了标准化改造，配套设施、设备；全面推进贫困村电力、电视、通信、网络基础设施建设，2016 年计划脱贫的 5111 户贫困户均实现了有生活用电、有广播电视。

【乡村旅游】 2016 年，简阳市立足乡村旅游资源，因地制宜，强化统筹规划、科学引导、资源整合、完善设施、抓点带面、打造品牌，着力推动乡村旅游特色化、文创化、精品化、连片化发展。全年实现乡村旅游收入 30.2 亿元。全市发展农家乐（乡村酒店）420 余家，其中星级农家乐（乡村酒店）28 家；拥有全国休闲农业与乡村旅游示范点 1

个、中国乡村旅游模范村1个、中国乡村旅游模范户1个、中国乡村旅游金牌农家乐8家、四川省乡村旅游示范乡镇4个、四川省乡村旅游示范村5个、四川省乡村旅游特色业态8个。开发建设东溪梨文化主题园、桑海乡田乡村旅游示范区、卧龙山休闲度假区、五凤山生态旅游区、前锋休闲农业观光区等项目。实施乡村旅游品牌创建,新增四川省乡村旅游品牌6个;积极开展乡村旅游扶贫,5个贫困村被纳入国家旅游局乡村旅游扶贫帮扶计划,永宁乡上坪村创建为省级旅游扶贫示范村。推出了"踏青郊游季、采摘品尝季、休闲垂钓季、运动怡养季"四季活动品牌,举办了第十三届羊肉美食旅游节、第十届樱桃节、第五届桃花节、首届胭脂脆桃采摘、第二届葡萄采摘游等活动,游客接待量达500万余人次;推出了赏花、品果、美食等系列旅游地图和旅游台历、书签等旅游商品及一日游、二日游线路宣传DM单等,简阳市乡村旅游品牌深入人心。实施乡村旅游规范服务提升,举办了第三届乡村旅游美食大赛;开展乡村旅游专题培训、农家乐服务培训等行业培训15场次,培训各类旅游人才2000余人次。

【助农增收】 2016年,简阳市农村改革不断深化,农业发展方式加快转变,农业项目投入不断增加,脱贫攻坚工作有序推进,全市农村继续保持粮食稳定增产、农民持续增收、农村繁荣稳定。全年实现农村居民年人均可支配收入13531元,增长9.8%。一是工作体系有效健全。建立市级领导联系乡(镇)、市级部门对口指导帮扶、机关干部联系农户"三个一"联系机制,对不属于调查网点内的38个乡(镇)建立调查网点一并调查。实行乡(镇)党委书记、乡(镇)长和涉农部门负责人促农增收负责制。二是分类指导扎实开展。市级涉农部门深入乡(镇)、走村入户认真倾听群众意见,全面分析农民收入的优势和不足,开展农村生产、农民生活及农业基础设施状况摸底,针对各乡(镇)农民增收途径和产业结构特点,把全市58个乡(镇、街道)划分为三大类,组织涉农部门对口实施分类指导和重点帮扶。三是产业结构极大优化。规划推进简阳市双古井现代都市农业园区建设,辐射带动全市农业产业基地扩面提质。加快实施现代农业基地东移战略,大力推广"专合社+基地+农户""专合社+家庭农场+农户+基地"等经营方式。推进电商企业向农村发展,拓展农产品销售渠道。引导农民通过土地流转、入股分红、自主经营等多种渠道增收,实现农村人均可支配收入连年保持两位数增长。简阳市农村土地承包经营权确权登记工作全面完成,24个乡(镇)15万户农户领到确权证书。加强农村产权交易平台建设,市、乡、村三级农村产权交易网络实现全覆盖,全市累计流转土地27万亩。按照"三有五落实"模式,有序推进小型水利工程管理体制改革。四是增收渠道不断拓宽。充分发挥劳务输出大县优势,加快推动农村剩余劳动力向重点产业、重点区域转移输出,2016年转移输出农村劳动力50.6万人次,实现劳务收入77.21亿元。依托樱桃节、桃花节、亲水节、草莓节、羊肉美食节等旅游节庆活动,大力发展以农家乐、休闲农庄为重点的乡村旅游,2016年实现旅游收入83.9亿元。全市兑现农业支持保护补贴资金1.3亿元,农民政策性收入有效增长。发挥财政资金杠杆作用,探索拨改投、投改贷和财政资金直接投向合作社等支农模式,整合各级财政资金12.5亿元,撬动社会投资6.5亿元。五是脱贫攻坚工作有序推进。2016年,成都市级财政拨付每个贫困村专项扶贫资金300万元,简阳市级财政拨付每个贫困村专项扶贫资金200万元,同时整合各类项目资金(每个贫困村不低于200万元)用于脱贫攻坚建设;本级财政对建档立卡贫困人口每人给予800元的产业发展基金,扶贫异地搬迁工作加快实施。

【农业产业转型发展】 2016年,简阳市5000亩农业产业园区规划建设项目启动实施,开启了园区化发展新模式。制定了《简阳市农业产业项目招商优惠政策》,举办了脱贫攻坚农业产业项目招商暨优质农产品推介会,签约引进正大、温氏等农业龙头企业。成都市100万亩菜粮基地高标准农田建设启动仪式在简阳市举行。31.88万亩高标准农田建设项目已开工,为农业产业转型发展提供了基础保障。

【重点乡镇选介】 贾家镇,位于龙泉山东面、简阳西北,距成都市区约45千米,距简阳城区23千米,辖25个行政村5个社区,辖区面积77平方千米,总人口7万人。境内有两湖路(龙泉湖至三岔湖)、国道321线、成(都)简(阳)快速、成都第二绕城高速等交通要道。2014年入选全国重点镇。"东来桃源"景区2014年创建为国家3A级旅游景区,2015年被评为全国休闲农业和乡村旅游示范点;菠萝村获得"中国乡村旅游首批模范村"称号;2015年创建为省级安全社区;2016年1月被评为"全国一村一品示范村镇",同年被评为四川省工业特色镇并创建为四川省质量强镇示范镇。工业方面,全镇基本形成了"居家、机电、食品"三大产业布局,即以帝王洁具为中心的1.5平方千米的居家(建材)产业园、以若男食品为中心的0.5平方千米的食品产业园、以一诺钢构为中心的1平方千米的机械产业园。实施"12336"工程,园区规划面积13.8平方千米,已入驻企业225家(投产企业130家),其中上市企业2家、亿元产值企业12家、规模企业42家。2016年,全镇工业总产值实现188亿元,规模工业增加值实现55.6亿元。农业方面,菠萝、永盛等15个村建成标准化简阳晚白桃基地4.2万亩,简阳"晚白桃"获得农业部国家级农产品地理标志认证。依托简阳市兴农种植专业合作社平台,注册的"农阳"牌桃获得A级标准绿色食品认证,被誉为"中国十大名桃"。全镇累计发展樱桃1万亩,建成韭黄、生姜种植基地9000余亩。乡村旅游方面,举办了十届樱桃节和五届桃花节,培育农家乐230家(其中五星级1家、四星级1家),平均每年接待游客80余万人次,实现旅游收入9000万元左右。城镇建设方面,贾家镇城镇建成区面积4平方千米,常住人口3.3万人,镇区内有高中1所、初中及小学7所、二甲医院1所;在建房地产项目5个,建设面积25万平方米。

【主要领导人】 市委书记:王宏斌;市人大常委会主任:钟世全;市长:赵春淦;市政协主席:李崇喜;分管农业副市长:李茂鸣。

简阳市编写组

金堂县

【基本情况】 2016年,金堂县辖2乡18镇1个街道47个社区185个行政村,辖区面积1156平方千米,其中建成区面积22.28平方千米、耕地面积429.8平方千米(减少0.1%)、基本农田78.8万亩(减少0.1%)。年末常住人口71.6万人,有农业总人口65.7万人;人口出生率11.3‰,人口自然增长率4.7‰,人口密度778人/平方千米。

【年度农业和农村经济运行】 2016年,金堂县实现农业总产值768104万元,增长5.5%;农业增加值434820万元,增长5.1%。农民年人均可支配收入16212元,增长9.8%。

农业产业化发展。金堂县全面落实都市现代农业功能区规划,结合地形和种植习惯,大力发展平坝10万亩经作示范区、浅丘10万亩粮经高效示范区、深丘10万亩三产融合示范区、龙泉山20万亩生态产业示范带、资水河10万亩乡村生活示范带,形成分工合理、比较优势充分发挥的区域布局。建成特色产业示范基地(园区)105个。

2016 年金堂县省级农业产业化重点龙头企业名单

企业名称	注册资金(万元)	法人代表	示范等级	年度产值(万元)	行业分类	主营产品
成都晋江福源食品有限公司	10000	蔡明顺	省级	53201	农产品加工业	糕点、膨化食品
成都市金桑缘农业开发有限公司	3100	陈雪兰	省级	9466	农产品加工业	家禽、生猪
四川省正鑫农业科技有限公司	1000	虎彪	省级	5025	种养殖业	鸡苗
四川省国中食品有限公司	8500	孙先平	省级	63150	农产品加工业	生鲜牛肉制品

2016 年金堂县省级(及以上)示范农民专业合作经济组织名单

合作组织名称	注册资金(万元)	法人代表	示范等级	年度产值(万元)	行业分类	主营产品
金堂县兴民生猪专业合作社	100	米宣根	国家级	1200	畜牧养殖	生猪
金堂县福丰农机专业合作社	20	张建	国家级	140	农机服务	农机服务
成都广兴齐辉果蔬专业合作社	50	曹东	国家级	514	蔬菜种植	蔬菜
成都市丰润水产养殖农民专业合作社	500	蒋利浩	国家级	1008.17	水产养殖	大闸蟹、鱼
金堂县官仓果蔬专业合作社	200	陈晓辉	国家级	3325	蔬菜种植	蔬菜
金堂县三溪白庙脐橙专业合作社	69	邱述权	省级	5968	水果种植	脐橙
成都市农鑫养殖专业合作社	50	虎彪	省级	502.8018	畜牧养殖	肉鸡、鸡蛋、黑山羊
金堂县鑫瑞农特葛根专业合作社	58	何晓宇	省级	1410	中药材种植	葛根
成都市转龙桑园生态家禽养殖专业合作社	2.4	袁定金	省级	180.9	畜牧养殖	肉鸡、鸡蛋
成都市金堂阳河食用菌专业合作社	1066	石毅	省级	2521.74	食用菌种植	羊肚菌、各类食用菌
成都金堂金森冬草莓专业合作社	500	刘守平	省级	4215	水果种植	草莓
金堂县赵家三烈飞龙土地股份合作社	330.19	徐前	省级	35	蔬菜种植	蔬菜
金堂县淮口光荣油桃专业合作社	2.6	曾和刚	省级	180	水果种植	油桃
金堂县三王庙高山蔬菜专业合作社	60	何池富	省级	3930.12	蔬菜种植	蔬菜
成都粤系蔬菜种植专业合作社	500	廖双炳	省级	705	蔬菜种植	蔬菜
金堂县清江新水碾稻麦专业合作社	2.6	刘应建	省级	680	种植业	水稻、小麦、玉米
成都金卉农土地股份合作社	120	黄刚	省级	2200	经济作物	荷花茶
金堂县金溪水果专业合作社	200	孙泽富	省级	520	水果种植	脐橙
金堂县广兴资水河生猪专业合作社	26	周桂彬	省级	320	畜牧养殖	生猪
成都市金堂县民鑫核桃专业合作社	200	唐洪	省级	227.6	经济作物	核桃
成都金佛源中药材种植专业合作社	4007	刁隆军	省级	97	中药材种植	各类中药材
成都市金堂土桥金智任水产养殖专业合作社	5500	肖开应	省级	738.865	水产养殖	鱼

2016 年金堂县家庭农场经营情况统计表(前 10 位)

家庭农场名称	注册资金(万元)	法人代表	年度产值(万元)	行业分类	主营产品
金堂县绵忆家庭农场	200	易晓霞	365	水果种植	葡萄
金堂县清江镇永莉家庭农场	97	郑永友	330	经济作物	食用菌
金堂县清江镇洪泽家庭农场	50	林洪泽	290	经济作物	食用菌
金堂县赵镇幸福家庭农场	40	范惠琼	287	经济作物、畜牧养殖	鸡、黑山羊、野猪、蔬菜
金堂县本味源家庭农场	200	胡兴琼	280	水果种植	葡萄
金堂县淮口镇光华家庭农场	10	王光华	184.37	畜牧养殖	鸡、鸡蛋
金堂县广兴镇牧耕梨禾园家庭农场	8	王惠琼	160	畜牧养殖,蔬菜、水果种植	猪、蔬菜、梨
金堂县平桥乡富禹家庭农场	30	付克全	128	畜牧养殖	黑山羊、鸡
金堂县转龙镇林静家庭农场	50	林勇	95	畜牧养殖	鸡、鸡蛋
金堂县彩柚家庭农场	—	卿尚学	83	水果种植	红心蜜柚

农用地产权制度改革。一是健全农村产权管理服务体系。金堂县提供各类政策咨询、变更登记、纠纷处理、流转信息发布等服务 313 次,产权变更登记率、农村产权咨询投诉处理率、法律援助办结率均达 100%。二是深化农村产权登记颁证。办理养殖水面经营权证 26 本、农业生产设施所有权证 19 本、农村土地经营权证 101 本、小型水利工程所有权证 31232 本。三是推进农村集体资产股份化改革。完成又新镇祝新村集体资产的清产核资,集体资产管理公司首次实现 50 元/股的分红。四是推进农村产权规范交易和抵押融资。办理农村产权抵押贷款 25 宗、贷款 625.5 万元,1 宗集体建设用地到成都市农村产权交易所进行挂牌交易。五是深化农业经营体制改革。培育新型农村市场主体,新增土地流转 7248 亩,累计流转土地 51.65 万亩,土地规模经营率达 57.6%。

【种植业】 2016 年,金堂县粮食种植面积 90.12 万亩,产量 31.11 万吨,亩产 345.2 千克(其中优质粮食种植面积 88.59 万亩,优质率达 98.3%);示范推广粮食新品种 25 个、新技术 12 项,粮食规模化种植面积 6869.7 亩;粮食生产经营新主体获得市级示范农业专业合作组织称号 6 个、市级家庭农场示范称号 13 个,金堂县获得四川省人民政府 2016 年粮食“丰收杯”奖。蔬菜复种面积 34.9 万亩,比上年新增 1.3 万亩;产量 83.7 万吨,比上年增加 2.8 万吨,实现产值 20.5 亿元;常年蔬菜种植面积 10 万亩;蔬菜加工量 6800 吨,实现加工产值 9000 万元。生产食用菌 5.4 亿袋,羊肚菌等覆土栽培品种 5000 亩,食用菌总产量(干、鲜)22 万吨,实现产值 10.7 亿元;加工量 25 万吨,实现加工产值 11.8 亿元;食用菌外销量 9 万吨,出口创汇 0.6 亿美元。全年试验示范蔬菜、食用菌新品种 50 余个,推广新技术、新种植模式 26 项。果树栽植面积 30 万亩,水果产量 23.2 万吨,产值 4.9 亿元,其中柑橘面积 20.3 万亩,占水果总面积的 2/3;产量 16.6 万吨,实现产值 3.3 亿元。伏季水果总面积 9.7 万亩,产量 5.63 万吨,实现产值 1.5 亿元,努力打造伏季水果生产示范带,其中葡萄避雨栽培 5000 亩、新植梨示范基地 300 亩、桃优新品种嫁接示范种植 1000 亩、新发展青脆李 2000 亩。高改柑橘 4000 亩,建成柑橘新品种新技术产业示范园 1000 亩。

【林业】 2016 年,金堂县提升油橄榄基地 1 万亩,发展川皇菊等彩叶林 0.2 万亩。管护国有林 1514 亩、集体公益林 14.64 万亩,续建封山育林 0.5 万亩,中幼林抚育 1 万亩,巩固退耕还林 4.65 万亩和龙泉山脉生态植被恢复工程 14.09 万亩,实施龙泉山生态提升工程 1.35 万亩;兑付林农各项补助资金约 2825.47 万元(含退耕还林财政补助资金、生态保护金、集体公益林补偿金、龙泉山脉生态植被恢复工程补助金),森林覆盖率达 37.06%。深化集体林权制度改革,颁发经济林木果权证 65 本,颁证面积 10320 亩。全面完成松材线虫病及重大林业有害生物防控,林业有害生物无公害防治率达 85%以上,实现了有虫不成灾的预期目标;全县种苗产地检疫率达 100%,森林病虫害成灾率控制在 3‰以内。以“严厉打击破坏野生动植物资源违法犯罪行为冬季严打整治专项行动”“林区辑枪治爆专项行动”“森林火灾案件侦破查处专项行动”等为载体,打击破坏森林和野生动植物资源的违法犯罪行为,全年办理林业案件 46 件,其中林业行政案件 45 件、刑事案件 1 件,涉林案件查处率达 100%。

【畜牧业】 2016 年,金堂县生猪、奶(肉)牛、肉羊、家禽和肉兔存栏量分别达 48.34 万头、3.6 万头、13.16 万只、515.6 万只和 123.12 万只,出栏量分别达 65.9 万头、3.03 万头、22.48 万只、679.28 万只和 309.14 万只;肉、蛋、奶总产量分别达 7.21 万吨、2.39 万吨和 1.37 万吨,同比增长 0.41%、1.7%和 7%,畜牧业总产值达 22.18 亿元。全县建成父母代种猪场 3 个、生猪标准化养殖场 99 个;父母代种蛋鸡场 2 个,蛋鸡标准化养殖场 15 个;金堂黑山羊原种场 1 个、扩繁场 5 个、示范户 244 户。建成部级畜禽标准化示范场 3 个、省级标准化示范场 4 个、市级标准化示范场 15 个,有省级畜牧龙头企业 2 家、市级龙头企业 9 家、省级示范合作社 2 个,有国家蛋鸡良种扩繁推广基地 1 个,获得有机转换认证 1 个、国家无公害认证 4 个。“金堂黑山羊”获得了国家农产品地理标志保护称号。

【水产业】 2016 年,金堂县淡水养殖水面 28935 亩(未包括稻田养鱼面积 3000 亩),其中池塘养鱼 17985 亩、河沟养殖面积 6000 亩、水库养鱼 4950 亩;水产品总产量 12266 吨,实现产值 1.96 亿元。有水产行业协会 1 个、国家级健康养殖示范基地 1 个、无公害水产品基地 1 个(无公害基地面积近 4500 亩)、水产养殖专业合作社全国示范社 1 家,发展 100 亩以上规模化现代渔业养殖新型经营主体 40 余个。

【统筹城乡与新型城镇化】 2016 年,金堂县统筹推进幸福美丽新村建设,建成幸福美丽新村 75 个,创建省级“四好村”39 个。全面推进金堂大道南段统筹城乡综合改革示范片建设，按照推行改革事项、建设项目、推进机制的任务清单、重点点位清单、验收清单“三个清单”的管理要求，建立了专题会议机制、目标考核督促机制、定期现场会研讨机制、重点点位研讨机制，全面完成“8+1+N”改革任务和6项建设任务，成功承办了全市统筹城乡综合改革示范建设片区现场会。推进“小组微生”新农村综合体建设，完成3个新建项目，新增聚居农户308户、1011人，实施40余个村（社区）100余个院落的旧村改造，惠及群众6000余户。

大力推进天府水城建设，完成县医院和妇幼保健院迁建、三星大学城客运站、图书馆、档案馆以及城市主、次干路提升改造等一批重点项目建设，完成60个城市老旧院落和512户城中村改造，创建为四川省宜居县城建设试点城市、四川省地下综合管廊试点城市，全面完成《宜居县城建设专项规划》《县城地下综合管廊专项规划》及《海绵城市专项规划》编制。继续深入开展淮口小城市示范镇和竹篙、五凤、土桥、白果、高板、福兴、赵家、清江8个特色示范镇建设工作，淮口、五凤2个乡（镇）成功申报成都市重点支持小城市和特色镇。制定了《金堂县城建攻坚2016年度计划》，全面完成66.94亿元的投资任务，进一步完善县城以及特色镇、一般镇的基础设施和公共服务功能。

【扶贫攻坚】 2016年，金堂县23个相对贫困村、3374户相对贫困户被纳入成都市第三轮第二批精准扶贫帮扶序列。高标准编制扶贫规划及年度实施计划，构建“9+1”帮扶工作格局，落实“双五个一”帮扶行动，推广“造血式”扶贫机制和“5+1”精准扶贫合作模式，由成都市委书记唐良智、成都市委常委谢瑞武等9位市领导挂点督查，25个市级部门、33个区级部门和全县5000余名党员干部对口帮扶相对贫困村和相对贫困户。落实帮扶资金2.79亿元，用于各相对贫困村和相对贫困户发展特色种植、特色养殖、乡村旅游，完善道路、水利等基础设施。截至2016年年底，精准扶贫区域及精准扶贫户发展红心柚、伏季水果、有机蔬菜等特色产业2.07万亩，新建道路221千米，整治塘堰69口，修建蓄水池174口、沟渠61千米，实现相对贫困村人均可支配收入12808元，增幅22%，1048户相对贫困户退出帮扶序列。

【乡村旅游】 2016年，金堂县成立了由县长任组长，县委县政府分管旅游工作的县领导任副组长的旅游品牌创建工作领导小组，全面推进旅游品牌创建。金堂县创建为“四川省乡村旅游强县”，创建了毗河湾省级旅游度假区、云顶石城省级生态旅游示范区品牌，官仓玉皇养生谷菊花观赏基地、转龙鲜花山谷芙蓉繁育中心观赏基地2个农业园区被评为国家3A级旅游景区，新评定星级农家乐（乡村酒店）4家、乡村旅游特色业态11家。按照“月月有活动、个个有特色”的基本要求，以“节”为媒，将乡村旅游资源与特色节会活动相结合，举办了食用菌博览会、成都油橄榄节、国际油菜花节等重大节庆活动；举办五凤古镇桃花节、广兴樱花节、首届三角梅主题文化乡村旅游节等赏花采摘类休闲农业与乡村旅游活动60余次，接待乡村旅游游客700万人次以上。依托铁人三项赛、龙舟公开赛及国家登山健身步道赛等品牌赛事的举办，分别吸引27.83万人次、20.16万人次和1.17万人次游客到金堂县观光游览，带动山地古镇五凤溪、最美校园西南航空文化旅游景区、农旅融合典范鲜花山谷等特色旅游景区旅游发展，提升了金堂县旅游资源的知名度。

【村级公共服务和社会管理改革高效推进】 2016年，金堂县21个乡（镇）232个村（社区）共议决出村级公共服务和社会管理项目2072个、资金18504万元。一是强化宣传培训。采取进镇入村的培训方式，对镇（社区）、村（组）干部、村议（监）事会代表进行村公改革专题培训，培训2800余人次；利用《新金堂》进行宣传，印发村公改革的目的意义、“三个清单”、“四项制度”、村公资金的核定及标准1.4万份到村到组到户；利用县委宣传部微信、微博平台动态发布村公工作要点、政策等，同时建立互动平台开展有奖问答；利用金堂县电视台开展5期“走进村公”系列报道，宣传项目实施程序，展示历年来村公项目取得的成果。二是推进全程公开公示制。全县232个村（社区）完成统一公开栏公示，已有1224个农民集中居住区及大型散居院落设置了小型公开栏。三是强化项目管理。充分发挥金堂县村级公共服务和社会管理工作联席会议作用，加强对年初议决项目和新增项目的审核和备案管理，对照“三个清单”对议决出的2072个项目进行逐一审核。

【电子商务进农村】 2016年，金堂县探索内贸流通体制改革，加快推进电子商务进农村。构建“三级联动、五统一”的县域农村共同配送体系，一是整合7家快递公司组建“金乡运”有限公司，在县级电商孵化中心建立共同仓储、分拣中心，在乡（镇）建立乡（镇）共同投递站，整合县内100余个村级电商服务站（点），构建了县、乡、村三级联动的共同配送体系。二是实现县域内“五统一”共同配送，即统一仓储、统一分拣、统一中转、统一配送、统一服务，打通了农村电子商务“最后一公里”。三是建立电子商务产业孵化中。吸纳了农耕云、农味鲜等企业20余家及个体从业者130人，已建设成为“网上交易为主，实体经营为辅，配套服务共存”的新型电子商务应用示范园区。

【2016年度“三农”工作先进经验介绍】 2016年，金堂县高度重视现代农业发展，将“农业固本”战略作为全县三大发展战略之一，以农业增效和农民增收为核心，全面深化农村改革，切实推进农业发展方式转变，着力打造五大新型现代农业，全县农业农村工作取得了小总量下的快发展、新突破，呈现出农业基础稳固提升、产业体系逐步健全、园区带动持续增效、跨产融合开局良好、物流加工初具规模、品牌营销初显成效、机制探索实现突破的现代农业新格局。2016年，全县实现农业增加值43.48亿元，同比增长5.1%；农民年人均可支配收入达16212元，同比增加1447元，增长9.8%，被评为2016年度全省“三农”工作先进县。一是优化产品结构，强化地域特色。以市场需求为导向，调优、调精全县农业生产结构，形成了以蔬菜、水果、食用菌、金堂黑山羊为主导，油橄榄、小家畜禽、特色水产为补充的“4+N”特、经、粮农业品种结构。按照“一镇一品”思路，建成清江、赵家食用菌特色小镇，淮口油橄榄特色小镇，又新镇西南畜牧小镇，高板、云合特色水产养殖小镇等一批产业优势突出、产品特色鲜明的小镇。二是优化产业体系，推动产业链发展。发挥一二三产业融合的乘数效应，突出农产品精深加工，加快竹篙农产品精深加工园区和清江镇、赵家镇食用菌加工园区建设，集聚省、市级农业龙头企业32家。实施全域乡村旅游，加快龙泉山城市公园金堂片区建设，培育三溪“中国脐橙之乡”、转龙鲜花山谷等乡村旅游产品，奋力打造成都近郊休闲旅游目的地和“成都后花园”。三是加快推进“互联网+农业”深度融合。以打造“田岭涧”等金字招牌为突破口，引入农耕云、京东等电商开展农产品营销，2016年，全县电商销售额达1.8亿元。

【四川省现代农业林业建设重点县经验介绍】 2016年，金堂县被纳入第三批四川省现代农业林业重点县建设行列。一是强化组织保障。成立由分管副县长任组长的重点县建设项目领导小组，协调落实好各项项目工作。二是完成项目方案编制。围绕全县主导产业发展，确定了2016—2018年实施100万只蛋鸡产业项目，建设标准化鸡舍16650平方米;实施精准扶贫户550户生猪代养场项目,建设配套养殖设施设备、种养循环设施的标准化生猪圈舍;实施精准扶贫水果蔬菜种植示范项目,种植杂柑400亩、蔬菜1300亩;重点建设木本油料林基地,发展油橄榄3.04万亩,实施核桃提质增效高接技改2.9万亩等项目。三是加快项目建设。按照"政府主导、农民(业主)主体,民办公助、以奖代补、先建后补、奖补结合"的原则组织实施。新建油橄榄基地1.5万亩,提升经济林干果基地0.9万亩;正大100万只蛋鸡专业项目已流转土地249.6亩;实施精准扶贫户生猪代养场项目,引导农户成立专业合作社,启动标准化圈舍建设。四是切实加强资金管理。实行县级报账制,做到专款专用,规范资金正常运行,保障项目实施。五是政策支持。坚持"渠道不乱、用途不变、各负其责、优势互补、形成合力"的原则,在不改变资金性质和用途的前提下,整合10万亩丘区特色产业示范基地、高标准农田、新农村等各类建设资金,综合打造现代农业林业重点县基地。

【回乡创业之星选介】 叶家涛,男,1954年生,官仓镇红旗村人,成都鑫瑞现代农业开发有限公司负责人。2010年,叶家涛获得"成都市劳动模范"称号。2012年被评为"四川省第八届创业之星",当选金堂县人大代表、政协委员、党风群众监督员。2016年获得"四川省返乡创业明星"称号。

2006年,叶家涛在官仓镇红旗、双新2村规模流转土地5000余亩,用于投资植树造林绿化和现代农林产业园建设,建立了官仓镇有机农业产业园;2007年创办成都鑫瑞现代农业开发有限公司,2010年开始向三产融合方向发展,修建接待中心2处。2016年建成全省第一条国家登山健身步道,成功打造玉皇养生谷国家3A级旅游景区,"四川省级示范休闲农庄""四川省最美乡村""四星级乡村酒店",年接待量达30万人。先后承办了"菊花登山健身节""金银花采摘节"等节会,举办了2016年国家登山健身步道联赛。公司为四川省林业产业化经营省级重点龙头企业、成都市农业产业化经营市级重点龙头企业""成都市劳动关系和谐企业""诚信品牌企业";"鑫瑞农特"品牌获得"成都市著名商标"称号。

【重点乡镇选介】 淮口镇,地处成都市区以东48千米,距金堂县城25千米,辖区面积109平方千米,辖26个村(社区),镇域人口10.8万人。淮口镇是全国重点镇、全省"百镇建设行动"试点镇、全市小城市建设示范镇,辖区内有金堂工业园区和成阿工业园区2个省级开发区,建成面积25.8平方千米,是成都规划330平方千米"大智造"基地的核心区,被定位为国家中心城市卫星城。2016年,全镇共有规模以上企业124家,实现工业总产值144.74亿元、主营业务收入110.2亿元;固定资产投资完成7.77亿元;地区生产总值93.27亿元,社会消费品零售总额15.37亿元,农民人均现金收入18615元;城市建成区面积达10平方千米(不含工业园区),城镇化率达80.1%。全镇围绕"产城一体、宜业宜居"城乡新形态的战略目标,依托龙泉山脉自然资源及云顶山、炮台山旅游资源优势,着力将淮口镇打造成生态农业的示范片、有机农业的先行区、观光农业的重点镇。大力发展以油橄榄、金堂明参、伏季水果为主导产业,以林下养殖、黑山羊为特色产业的现代农业,全镇油橄榄种植面积达1.5万亩,明参种植面积达5000余亩,伏季水果种植面积达4000余亩。引进现代农业企业14家,规模经营面积达13385亩。淮口镇文化旅游资源丰富,沱江小三峡穿城而过,境内有第六批全国重点文物保护单位——瑞光塔、省级生态旅游示范区——云顶石城、西南最大的法国风情水岸旅游度假小镇——科玛小镇。

竹篙镇,位于成都市东部,距成都主城区45千米、天府国际机场30千米,成都经济区环线高速公路(三绕)、沪蓉高速均在竹篙设有出口,快速通道金堂大道贯穿全镇,是全国重点镇、国家级生态乡镇、四川省"百镇建设行动"试点镇、省级优美乡镇。全镇辖区面积72.67平方千米,辖11个村3个社区,镇域总人口5.37万人,其中城镇规划区面积4.3平方千米,建成区面积2.45平方千米,城镇常住人口2.8万人,城镇化率52.14%。竹篙镇紧扣"一二三产业融合发展"思路,利用农产品精深加工园区就地就近加工的优势,建成丘区山地万亩级粤系蔬菜基地,示范带动周边乡(镇)发展10万亩粤菜种植,促进粤系蔬菜产业成片发展,就地就近打造农产品精深加工原材料基地。准3A级景区"花熳天下"被列为成都市18个赏花基地之一,举办了"富美竹篙、樱你绽放"赏花游园活动,基地占地面积4000余亩,带动镇域种植樱花26余万株,成片辐射带动广兴、隆盛等周边乡(镇)发展民俗休闲、观光体验式乡村旅游,年接待游客200余万人次,实现旅游收入4000万元以上。

【主要领导人】 县委书记:金城;县人大常委会主任:陈文建;县长:杨晓涛;县政协主席:彭禄君(12月止),邓忠(12月始);分管农业副县长:钟成基(10月止),易志坚(11月始)。

金堂县编写组

双流区

【基本情况】 2016年,双流区辖13个乡(镇、街道),有耕地面积22.65万亩。全年实现农业总产值25.7亿元,增长3.5%;农业增加值25.6%,增长3%。农民年人均可支配收入20994元。

【现代农业建设】 2016年,双流区以打造成新蒲都市现代农业示范带、锦江流域休闲农业示范带、牧山文化生态农业示范带为重点,充分挖掘都市现代农业功能,大力推进农业产业化,打造经济集约、精品高端的农业示范区,构建"一带、两廊"的都市现代农业发展格局,其中,彭镇作为成新蒲示范带区域已按照《现代农业示范带实施方案》完成柑梓、木樨、常存的产业发展规划编制,引导启航合作、艺龙草莓等农业企业、合作社进行产业布局和投资,做优农业结构,按照一二三产融合发展思路,适度规模发展现代高端种业、特色精品种植、休闲体验农业等高端业态,加大标准化生产基地建设力度;黄水镇、金桥镇按照《现代农业示范带实施方案》要求有序落实各项工作,大力推进优势产业发展,实施提升紫山药、蓝莓、地力3个三年行动计划以及产业核心基地沟渠、生产便道、标牌标识等配套设施建设。同时,为鼓励成新蒲都市现代农业示范带上基础较好、信息化运用广的龙头企业和农庄农场发展智慧设施农业、运用农业物联网和电商销售等信息化技术,区农发局以农业物联网应用为重点,创新"智慧农业"生产管理模式,推广应用现代农业机械设备精准作业、管理信息化、生产可视化、灾害预警等技术,提高农业生产智能化水平。通过"智慧农业"建设有效应对农业基地管理过程中出现的各种问题,实现集约型管理,大幅度降低生产成本,提高生产经济效益。全区在成新蒲都市现代农业示范带、锦江流域休闲农业示范带、牧山文化生态农业示范带积极打造示范带接口道路建设、道路景观建设,提档升级家庭农场、现代农庄,推进现代农业基地景区化建设。围绕金桥镇各基地、家庭农场不断完善沟渠建设,打造游步道,施工图设计工作有序推进。黄龙溪古镇被评为全国最美生态文化古镇。全年农业总产值达25.7亿元,增长3.5%。全区累计新增农业市场经营主体50个、年销售收入上千万元的龙头企业26家;创建“三品一标”农产品114个,成为国家农产品质量安全县。

【农村市场体系建设】 2016年,双流区为了大力发展“互联网+”销售模式,成立了区级电商服务中心,在拓宽全区农产品销售渠道、创新销售模式等方面起到了积极作用,加快农业农村电子商务发展,提升农产品流通和农村市场现代化水平,促进全区都市现代农业提档升级。在黄水楠柳社区等地建立农村电子商务村级服务点10个,村级示范点作为当地农产品收集包装中转站,由京东服务中心(双流)工作人员定点收货并进行物流配送,以进一步转变农业发展方式,改善现代农业营销流通体系,打造双流区农产品品牌,提高农产品附加值和效益。全区将按照“都市田园、田间超市”的定位和“互联网+空港+农业”的思路,放大双流冬草莓、黄甲麻羊、牧马山“二荆条”等国家地理标志产品的品牌效应,大力发展生态、有机农业及农产品精深加工,促进更多优质农产品通过空港物流和农村电子商务“走出去”,实现从农场到市场、从田间到餐桌全链条发展,构建起“集约式、经济型、现代化”的临空都市现代农业发展体系。

【主要领导人】 区委书记:周先毅;区人大常委会主任:屈建宏;区长:徐刚;区政协主席:胡天成(11月止),李德龙(11月始);分管农业副区长:万琳(12月止),刘一阳(12月始)。

双流区编写组

郫县

【基本情况】 2016年,郫县辖14个乡(镇、街道),辖区面积43454.97公顷,其中林地面积61.28公顷,占总面积的0.14%;非林地面积43393.69公顷,占总面积的99.86%;耕地面积29.97万亩。有农业总人口26.53万人。活立木总蓄积量374418立方米。

【年度农业和农村经济运行】 2016年,郫县实现农业总产值39.8亿元,增长3.4%;农业增加值23.2704亿元,增长3.4%。农民年人均可支配收入22134元,增长8.5%。

农业产业化发展。郫县围绕“建大公园、造大景区”的发展思路,坚持走高端品种、高端品质、高端品牌“三位一体”的高端之路,加快发展生态粮油蔬菜、精品花卉苗木、农产品精深加工、休闲农业与乡村旅游四大优势产业,推动实现农业农村经济持续较快发展。全县规模以上农产品加工企业达86家,其中市级及以上农业产业化经营重点龙头企业35家,新增省级龙头企业2家、市级龙头企业2家。市级以上龙头企业销售收入达91亿元,实现利润3.96亿元、税收3.03亿元。全县农民专业合作社达246家,其中市级示范以上34家。不断壮大都市现代农业发展规模,培育家庭农场78家,其中市级示范8家、省级示范2家。全县有机农业发展势头良好,有机农业面积约3000亩,有机认证品种60个,涵盖旅游、观光、食用等多方面产业链。

农产品品牌战略实施。郫县申请了天府水源地区域农业公用品牌。全县市级及以上农业产业化龙头企业共有中国驰名商标6个、四川省著名商标16个、四川省名牌产品16个、成都市著名商标18个。全县有无公害产品企业4家,认证产品种类22个;绿色食品企业20家,认证产品种类71个;有机产品企业10家,认证产品种类138个;有地理标志农产品1个、地理标志证明商标1个、地理标志保护产品2个。在双流区白家农产品批发市场设立郫都区农产品特色馆1个,与鲜猫科技合作设立地铁特色农产品展示窗口2个,与乙米米、红太阳合作利用电信营业厅设立农产品销售展示体验店8个,在成都市区内多渠道宣传、展示和销售全县特色农产品,提高了全县农产品在省内的知名度和市场占有率。组织农产品市场主体参加全国和地区农交会、农博会4次,郫县豆瓣和唐元韭黄在“成都市民喜爱农产品”评选活动中分别获得第三名和第十名。

【种植业】 2016年,郫县粮食作物播种面积117075亩,产量5.7504万吨,其中大春粮食作物播种面积96045亩,产量5.052万吨;小春粮食作物播种面积21030亩,产量0.6984万吨。油菜播种面积59985亩,产量1.0032万吨。蔬菜种植面积25.71万亩(含复种),产量72.97万吨,实现产值18.51亿元,其中外销重庆、上海、武汉、广州等地30万余吨。

新品种试验示范。依托金田育苗公司、德维蓝地公司引进白菜、甘蓝、茄子、辣椒、黄瓜、冬瓜等新品种100余个,推广新品种22个;引进生物菌肥、生物菌剂改良土壤技术,蔬菜病虫害绿色防控应用技术,试验示范有机蔬菜生产病虫害防控集成技术、十字花科作物根肿病防治技术、“土壤调理+科学施肥管理”集成技术3项;开展瓜类、茄果类蔬菜嫁接苗、嫁接技术推广工作,推广瓜类双断根嫁接育苗、工厂化育苗、喷灌、滴灌等节本增效新技术7项。试验示范羊肚菌、平二、大球盖菇、虫草花等食用菌品种5个,试验示范羊肚菌菌种制种和林下栽培(白果树、桂花树)技术、工厂化栽培蟹味菇、海鲜菇、杏鲍菇、废料栽培草菇和双胞蘑菇、大棚自动喷雾等5项新技术。引进水稻新品种4个、油菜新品种2个、玉米新品种2个,推广水稻新品种宜香优2115(国标2级米)面积5000余亩。

【林业】 2016年,郫县有林地面积61.28公顷,占总面积的0.14%;非林地面积43393.69公顷,占总面积的99.86%。活立木总蓄积量374418立方米(含花卉园林苗圃地),森林资源较少。木(竹)加工企业规模相对较弱,仅有98家小型加工企业,年产值2.7亿元。以《郫县林地保护利用规划(2010—2020年)》为基础,制定了《占用征收征用林地审核办事指南》。与县农林局和各镇签订了《郫县保护发展森林资源目标责任书》。

林地变更调查。根据《国家林业局办公室关于做好2015年全国林地变更调查工作的通知》《四川省林业厅关于开展2015年全省林地变更调查工作的通知》等文件要求,郫县启动了林地保护利用规划实施以来的首次林地变更调查工作,于2016年3月完成,2016年10月通过成都市级检查和四川省监测中心的审查并形成最终成果。

郫县按照省、市深化林改突破年工作要求,启动了新一轮的深化集体林权制度改革工作,成立了郫县深化集体林权制度改革工作领导小组,形成了县政府、县林改办、镇政府、镇农林综合站四级工作体系。出台了《郫县深化集体林权制度改革工作方案》等6个文件,明确了相关单位工作职责;成立了郫县农村土地流转履约保证保险工作领导小组,出台了《郫县农村土地流转履约保证保险财政补助资金申报实施细则》。2016年,全县共颁发《成都市经济林木(果)权证》81本、涉及面积8060亩;开展土地经营权流转18708户、涉及面积共192258亩,其中用于花木培育的土地经营权流转户9558户、面积90478亩。新培育市级龙头花木企业6家、花木专业合作社5家,培育林业高级职业经理人1人、中级6人、初级3人。累计颁发《林权证》7162本,颁证面积2420亩。建立健全包括林权初始登记、变更登记、流转备案、抵押备案、林权证件管理审核要件、流程等管理制度;建立健全林权日常管理台账,并将林权交易服务体系建设纳入全县农村产权交易服务体系建设,在区公共资源交易服务中心建立农村产权流转综合服务中心。

【畜禽业】 2016年,郫县生猪存栏44853头,出栏94840头;家禽存栏354107只,出栏1024420只,禽蛋产量2206吨;肉类总产量0.8559万吨,其中猪肉产量0.6743万吨;奶牛存栏1092头,牛奶产量6732吨。有蜂农165户,养殖蜂群3.85万群,其中西蜂3.04万群、中蜂0.81万群,蜂蜜产量2072吨,实现产值3150万元;花粉产量0.048万吨;蜂王浆产量0.0013万吨。全年实现畜禽业总产值5.3968亿元。

完善动物疫病预防控制、动物卫生监督执法、动物卫生检疫检验"三大体系"建设,全年共集中免疫猪瘟25.5万头次、高致病性猪蓝耳病13.7万头次,牲畜口蹄疫强制免疫18.5万头次,其中牛(羊)1万头(只)次,生猪17.5万头次;高致病性禽流感免疫93万羽次,散户禽新二联苗免疫11.8万羽次。指定18家宠物医院和14个镇(街道)畜牧兽医技术服务站为日常犬只狂犬病补免点,共免疫犬只4.51万只次。规范屠宰、产地检疫环节,加强动物卫生监督,严厉打击非法生产经营行为。

【水产业】 2016年,郫县水产养殖面积1275亩,主要养殖有大鲵、大闸蟹、鲤鱼、草鱼、花鲢、白鲢、鲫鱼等品种。全年投放苗种250吨,水产品总产量1210吨,实现渔业总产值1960万元。推广稻田综合种养面积2000亩,新增稻鱼产量160吨,新增渔业产值200余万元。制定《郫县无公害养殖技术规程》并向全县水产养殖户发放;开展无公害养殖规范宣传,推广无公害养殖53公顷,占全县水产养殖面积的62%。

先后到安德镇黄烟渔场、友爱镇清溪村渔场抽取草鱼样本,按农业部标准进行药物残留检测,全部合格。在全县水产养殖场开展水产品质量抽检75批次,其中市级随机常规抽检25批次、县级监督抽检25批次、风险抽检25批次,合格率均达100%。开展水产品质量安全隐患专项整治活动,先后出动230人次,排查企业、渔场105家,累计检查点位600余个,发放食品安全宣传资料2500余份。实行渔业档案制度,全县水产养殖场所建档率达100%,完善了生产记录和销售记录。对全县水产养殖生产经营活动实行全程监管。与水产养殖户签订了《郫县水产食品安全生产责任制》《水产食品安全生产承诺制》。全年处理渔政案件1件,破案1件。开展春季天然水域禁渔工作,通过郫县电视台、《郫县报》等进行广泛宣传,发放、张贴禁渔公告200余份,发放宣传资料2000余份,出动巡查车45车次、巡查人员120人次,全年未发生天然水域春季捕捞、销售、经营利用野生鱼等违法案件。预防和控制水生动物疫病的传播和流行,确保水生动物食品安全;加强宣传,增强水产养殖户防疫检疫意识,举办水生动物防疫检疫相关技术培训,保障了渔业生产和人民身体健康。

【农业机械化】 2016年,郫县完成机耕面积19.6万亩,其中水稻10.4万亩、小麦1.4万亩、油菜6.3万亩、马铃薯1.5万亩;机播11.49万亩,其中小麦1.2万亩、水稻5.8万亩、油菜4.49万亩;机收16.23万亩,其中水稻10.35万亩、小麦1.38万亩、油菜4.49万亩、马铃薯0.01万亩;机械化秸秆还田14.95万亩;农机综合机械化水平达81.6%。更新、改造、维修提灌机械30台次,提灌面积达到4.82万亩。新增设施农业面积729亩,其中智能设施39亩、标准设施140亩、简易设施550亩。完成农业生产设施确权颁证12个。

农机购置补贴和推广。根据国家农机购置补贴政策,制定了郫县2016年农机购置补贴实施方案和2016年累加补贴实施意见,补贴农机具245台,受益农户166户,发放农机购置补贴资金508.193万元,其中中央投入341.868万元、市级投入166.325万元。建设提灌站(机井)9座,投入资金44万元。举办水稻机插秧操作管理人员培训1期,培训人数40人;农机专业合作带头人培训15人,支出培训经费6万元。全县农机专业合作社达20家;争取吉峰农机连锁有限公司共同成立了农机合作联社,在精品园区建设以蔬菜机械化为主的农机化示范园,投入蔬菜机械化试验示范资金60万元。结合水源保护项目,积极推进种养平衡,完成异地种养平衡循环利用畜禽粪便2万余吨、农作物秸秆肥料化利用1000余吨,补贴资金60万元。

春秋两季共完成机械化秸秆还田14.95万亩、秸秆收储1000余吨,有效缓解了禁烧压力。完成机械化秸秆还田补贴6971亩、秸秆收储补贴1015吨,其中6家农机专业合作社以及绿山生物科技有限公司享受市、区级财政农机作业(秸秆还田、机插秧、收储)补贴49.2万元。

农机安全监理。全年开展安全检查10次,检查各类农机具32台次,纠正违章3起;开展农机安全培训380人次,层层签订《农机安全责任书》312份。完成上路行驶拖拉机年检198台、联合收割机年检2台,农业机械年检率达87%,上户率达88%,持证率达95%。办理监理业务389件,新车入户登记56台,新办驾驶证和操作证30个。全年无农机重特大事故发生,实现了事故"零死亡"目标。

【新农村建设】 2016年,郫县按照"宜业宜居、产村一体"的理念,遵循市场化原则和民主化方式,规范推进"小组微生"新农村示范建设。启动了三道堰镇"五村连片"以及红光镇、德源镇"四村连片"新农村综合体建设,古城镇指路村二期等5个"小组微生"新农村综合体建设加快推进,完成指路村一期等3个新农村综合体示范点建设。积极开展以"住上好房子、过上好日子、养成好习惯、形成好风气"为内容的省、市、区三级"四好村"创建活动,三道堰镇青杠树村等28个村(社区)被评定为市级"四好村",其中12个村被评定为省级"四好村"。

【扶贫攻坚】 2016年,郫县精准识别和确认全县相对贫困户155户、416人(其中精准贫困户27户、82人,相对贫困户128户、334人),由67个县级部门(单位)和13个镇(街道)实施精准帮扶。全年实现93户相对贫困户、254个相对贫困人口精准脱贫(其中精准贫困户27户、82人,相对贫困户66户、172人),93户相对(精准)贫困户人均可支配收入达到或超过当地同期水平的70%以上,县财政投入扶贫专项资金40万元,县级部门(单位)、镇(街道)投入扶贫资金约40余万元。区财政安排专项资金1100万元用于扶贫开发项目建设,7个镇11个相对贫困村按照村民自建"十步工作法"有序推进54个扶贫开发项目建设,共投资1251.6552万元,已完成总工程量的60%。

对口帮扶。郫县地税局、红光镇等14个单位帮扶崇州市、邛崃市7个相对贫困村实施帮扶项目7个,共投入帮扶资金129.3万元,超额完成帮扶任务。制订了《郫县对口帮扶简阳市江源镇、老龙乡工作方案》《简阳市江源镇农业科技产业园规划建设方案》《简阳市老龙乡农业科技产业园规划建设方案》,成立了郫县对口帮扶简阳市脱贫攻坚领导小组,向江源镇、老龙乡派驻对口帮扶简阳市脱贫攻坚工作组,全年共拨付扶贫项目财政专项资金560万元。

【休闲农业与乡村旅游发展】 2016年,郫县坚持走"农旅结合、以农促旅、以旅强农"的路子,强化项目招引,以转变农业生产方式为主线,以农业产业主动服务"全域景区"建设为发展方向,推动农区变景区、田园变公园、产品变商品,实现休闲农业与乡村旅游可持续发展。全县规模以上农家乐达164家（其中星级农家乐27家）、乡村酒店13家、休闲农园9家；友爱镇农科村获得“中国农家乐旅游发源地”“全国美丽宜居村庄”“中国最有魅力休闲乡村”称号；三道堰镇青杠树村获得“中国十大最美乡村”“中国美丽休闲乡村”称号；妈妈农庄、多利农庄被评为省级示范休闲农庄。全县全年休闲农业与乡村旅游接待游客608万人次，实现收入12.8亿元。

“一村一品”专业村建设。截至2016年年底，全县共有友爱镇农科村，唐元镇锦宁村，唐昌镇战旗村、青春村，安德镇广福村，新民场镇云桥村6个“一村一品”专业村，其中农科村、锦宁村被评为全国“一村一品”示范村。

“产村相融”农业精品示范园区建设。精品示范园区建设涉及安德镇安宁、泉水、棋田、园田、广福5个村和新民场镇兴增、兴旺、永盛3个村，面积20.33平方千米，共6423户、18184人，其中劳动力11583人，耕地总面积20989亩（其中常年蔬菜种植面积16000余亩）。按照“双创高地、生态新区”的发展定位，在园区内大力发展生态有机蔬菜种植。依托川菜产业园加工企业带动川菜原辅料加工，结合徐堰河生态湿地景观项目，大力挖掘旅游潜力，把精品园区打造成为一二三产业全产业链互动发展的示范区。2016年，园区投入9599.5万元，其中市级专项资金830万元、配套区级专项财政资金1660万元、整合资金4976万元、自筹资金2139.5万元，共实施了21个项目，重点推进和完善现代农业全产业链发展、基础设施建设、新农村建设、饮用水水源保护、体制机制建设等项目。截至2016年年底，园区已完成8个项目建设，平均亩产值达1.3万元，农民人均纯收入达2.3万元，初步达到了基础设施完善、产业格局初显、农业经营主体多样、新村建设有提升、机制创新有突破的精品园区建设目标，初步展现出“村在绿中、房在田中、人在景中”的农业景观效果。

【农村科技】 2016年，郫县按照“小镶双生游”的建设理念，通过完善“七网”配套，“六化”融合，“三力”提升，组织实施高标准农田建设2.45万亩，由郫县高标准农田建设项目（农业部）、财政局农业综合开发项目、饮用水源基础设施建设项目构成，总投资4137万元，涉及安德、新民场、唐昌、唐元、三道堰、红光6个镇，其中，郫县高标准农田建设项目（农业部）实施1.2万亩，建设地点为安德镇棋田村、园田村、广福村，新民场镇兴增村、兴旺村、永盛村，红光镇白云村，项目总投资1800万元；财政局农业综合开发项目实施0.75万亩，建设地点为三道堰镇炮通村、八步桥村、程家般村，唐元镇青杨村、临石村，项目总投资837万元；饮用水源基础设施建设项目首期实施0.5万亩，2017年实施0.5万亩，建设地点为安德镇、唐昌镇、新民场镇，项目总投资1500万元。

院县合作。县政府与省农科院农业科技院地合作项目建设围绕现代农业发展实际需求，在郫县农业专家大院升级建设、搭建院地合作平台创新、推进院地合作工作机制创新以及新品种、新技术、新成果研发形成、示范应用和培训宣传等方面工作展开，顺利完成郫县农业专家大院申报省级专家服务基地建设工作。全县建成核心示范区338.8亩，推广应用面积达7602亩，销售金额7.64万元；示范推广韭菜高产集成技术，韭黄每亩平均增产300余千克，增加产值3000元以上，推广应用5000亩，增收1500余万元；果菜类蔬菜嫁接关键技术集成示范应用区冬瓜双断根嫁接苗亩产3978千克，增产114.8%，推广应用2000亩，增加冬瓜产量425.万千克。撰写科研论文3篇，申报专利2项，制定四川省地方标准1项，完成成果资料撰写2套。开展8个实施项目技术培训和技术宣传等活动共39次，培训各类人员1700余人次。

现代农业“双创”工作。由郫县政府、成都市农委、中国电信四川分公司、成都市农业科技合作职业学院四方合作共建的现代农业双创空间位于菁蓉镇，由A、B、C三个创业区组成，占地面积1.2万平方米。园区致力于打造“中国领先，世界一流”的农业“双创“品牌，搭建“1+3+1+4”现代农业双创空间格局，即一个菁蓉镇现代农业“双创”管理中心、三种形态孵化园区（种养业孵化园区、城市生态农业孵化园区、农业社会化服务孵化园区）、一个农业智库（涉及农业科技成果、全国农业技术专家、现代农业大数据分析应用等）、四大农业转化平台（农业资源向发展资本转化平台、农业科技成果向现实生产力转化平台、信息共享向价值实现转化平台、新技术研发向推广应用转化平台），为创业区企业和平台提供项目、科技成果、资本、人才（导师）、信息“五位一体”的汇聚服务。

农业服务体系建设。提升本土专家队伍建设水平，及时更新本土专家人才库。与32名本土专家签订了委托服务合同，专家按照要求在基层开展农业科技服务工作，指导农户应用农业新品种、新技术、新机具，开展科技培训，以满足全县农民本土化技术需求。积极开展“技术走基层”活动，每名科技人员负责1个村、联系10户专业大户开展“四新”（新品种、新技术、新模式、新机制）示范，带动多方力量多渠道、多形式开展农业科技服务，促进农业主导品种和主推技术加速落地、推广应用。

农民实用技术培训。通过进村办班、技术指导等形式开展培训363期、22360人次，其中新型农民科技培训17人、农业职业经理人培训114人，产业培训40场、2000人次，发放技术资料11万余份，通过培训促进农村富余劳动力3720人就地就近转移就业；新引进、试验、示范和推广农业新品种23个，推广农业先进实用技术9项，推广新机具120台（套）。利用“赶场日”、农民朝会日，组织农业科技人员深入唐元镇、德源镇、红光镇、友爱镇、安靖镇、三道堰镇和团结镇等地开展科技“三下乡”活动32次，出动宣传车辆45台次，参与农技人员达120余人次，发放技术资料约9万份。

【农村集体经营性建设用地入市制度改革试点】 一是大力推动土地入市样本扩容增效。2016年，郫县完成24宗农村集体经营性建设用地入市交易，共计314亩，获得成交价款1.9亿元，缴纳土地增值收益调节金3713.59万元，平均征收比例为19.5%，征得与契税相当的调节金440.29万元，占总成交价款的2.3%。既通过创新多种收益分配形式保证集体收益共享，又通过样本扩容积累了更多经验。二是进一步制定和完善各相关配套办法。针对农村集体经营性建设用地入市途径单一和试点样本不全等问题，参照国有建设用地相关规定和其他试点地区的经验做法，拟定和修改完善了涉及整治入市、自主开发、不动产登记和租赁管理等内容的4个制度办法，进一步实现了机制体系的归并完善。

【加强土地流转管理与风险防控机制】 2016年，郫县建立农业适度规模经营情况半年报制度，详细登记适度规模经营主体流转土地及经营情况。截至2016年年底，全县农用地流转面积达19.3115万亩，占农用地总面积的64.76%，其中20亩以上规模经营面积11.174万亩，占流转面积的57.86%。在学习借鉴邛崃市开展农村土地经营权流转履约保证保险工作经验的基础上，与中华联合财产保险、中国人民财产保险、锦泰财产保险、中航安盟财产保险、中国平安5家公司进行了深入沟通，走访了湖西岛、多利农庄等重点项目业主，形成了《郫县人民政府关于建立农村土地流转风险防范机制的实施意见》。

按照《郫县人民政府办公室关于推进农村土地流转履约保证保险工作的实施意见》文件精神,于2016年11月将目标任务分解到各镇。农用地流转履约保证保险工作的开展有利于调动和激发土地流转双方的积极性,发挥保险的风险保障作用,构建完整的农村土地流转市场化服务体系。

【农村集体经济发展】 2016年,郫县通过开展清产核资和股份量化,新民场镇星火社区、安德镇交通村等4个试点村(社区)共清理农村集体资产2681.082万元,固化农村集体经济组织成员8902人,颁发股权证3070本。流动资产、固定资产、长期投资、净资产和资源性资产等产权归属进一步明晰,管理者对集体资产管理水平的动力进一步增强,确保未确权到户的土地、房屋及集体经营性资产、非经营性资产和资源性资产等集体资产清理核实到位、股份量化到位、股权证发放到位,明晰集体经济组织成员对农村集体资产的股权利益联结,构建"归属明晰、股份固化、管理规范、分配合理"的农村集体资产管理机制。

【农村产权流转交易】 2016年,郫县依托全省统筹城乡发展综合示范项目,深化农村产权制度改革,在全县范围内开展"新四权"确权颁证工作。严格执行《成都市农村土地经营权管理办法》,重点探索开展农村土地经营权登记颁证,2016年,全县完成农村土地承包经营权入场交易,办理农村土地经营权证56宗。

【全国农产品质量安全监管示范县创建】 2016年,郫县在全县14个镇(街道)设立农产品质量安全服务站,在各涉农村(社区)设置农产品质量安全兼职协管员153人,实现监管机构(人员)县、镇、村三级全覆盖。完成14个镇(街道)及65个村村级溯源监测农残快检室建设,在有条件的生产企业(专合组织)配置农残快检设备,指导企业开展产品上市前自检,农产品质量监测实现农产品生产基地(专合组织)、农贸市场、农产品批发市场、超市全覆盖。2016年,郫县创建为全国农产品质量安全监管示范县。

【农产品精深加工产业发展】 2016年,郫县围绕川菜产业化园区建设,加快打造豆瓣产业、川菜产业"双百亿"工程,豆瓣产业实现产值130亿元,川菜产业化园区实现产值120亿元。以"郫县豆瓣"区域公共品牌为依托,完善园区工业旅游接待能力,实现二三产业有机融合,初步形成了加工业"倒逼"种植业发展机制并获得了"全国农产品加工业示范基地"称号。大力发展农产品产地初加工,发挥其在降低农产品产后损失,提高商品化率和入市品级以及促进农民就业等方面的作用,加快形成产地初加工与精深加工分工合理、优势互补、协调发展的格局,全县农产品精深加工率达52%。

【国家农业综合开发项目县创建】 2016年,郫县按照《关于郫县唐昌镇高标准农田建设项目(2016年)相关情况通知》要求,实施了唐昌镇高标准农田建设项目(2016年)非工程内措施。项目农业措施实施内容为改良土壤0.09万亩,总投资45.5万元;项目科技措施实施内容为开展技术培训800人次、示范推广0.1万亩,总投资6.2万元。

【农业安全】 2016年,郫县共出动执法人员1420余人次,开展种子、农药、肥料、兽药、饲料及饲料添加剂、种畜禽、动物及动物产品、农产品质量安全等执法检查行动540余次,检查各类生产、经营企业589余家次,实施农业投入品和农产品执法监督抽样175个批次,共办理各类案件20件,罚没款34.53万元,全年无一起行政复议和行政诉讼案件,未发生一起农产品质量安全事件。

农业投入品法律法规宣传培训。坚持"谁执法谁普法""谁主管谁负责"的原则,分别对农机、渔政、畜牧、农产品质量安全等执法机构建立"普法责任清单"并完善了相应的考核评估和保障机制;以"七五"普法、"12·4"国家宪法日宣传活动、"三下乡"等为契机,通过法律大讲堂、以案释法等方式,利用"春台会"时机开展涉农法律、法规宣传活动9次,发放宣传资料3025份,接待群众现场咨询160余人次;组织全县农资生产和经营企业负责人、从业人员参加农业法律法规和技能培训,培训管理相对人180余人次。

未经定点从事生猪屠宰活动专项整治行动。一是坚持"防范为主,源头治理"的原则。在通过强化宣传提高生猪定点屠宰从业人员的法制意识和消费者的维权意识的同时,通过监督检查、明察暗访、接访举报与基层排查等方式发现并掌握生猪屠宰违法线索,组织疑似未经定点从事生猪屠宰活动的人员参加对相关法律、法规专项培训,达到了一定的警示和教育目的。二是对未经定点从事生猪屠宰活动保持"零容忍"态度,严厉打击违法犯罪行为。全年共受理涉及屠宰监管投诉举报11件,取缔未经定点屠宰生猪窝点10个,没收生猪及猪肉产品2.7万余千克、屠宰工具若干,行政处罚5人,罚款63万余元,移交公安机关侦查处理3人。三是建立长效监管机制。县政府办公室下发了《关于进一步加强生猪定点屠宰行业监管工作、确保生猪产品质量安全的通知》,明确了食安委、公安局、市场和质量监管局、环保局、市场管理中心、商务局和各镇的职能职责,构建了职责明确、协作联动、准出与准入无缝衔接的生猪屠宰监管长效机制。

【绿色家园建设】 2016年,郫县市级社会主义新农村绿色家园建设继续被列入市委市政府民生工程目标,花园镇共河村被列为市级社会主义新农村绿色家园建设点位。共河村社会主义新农村绿色家园建设项目位于4、5社,为土地整理安置小区,占地总面积3.8757万平方米,绿化面积约1.2万平方米,绿化建设主要内容为栽植桂花、栾树、银杏、天竺桂、广玉兰、海棠、红叶李等10余种大小乔木以及红继木、海桐、金禾女贞、兰天竹、杜鹃等灌木,投入建设资金约110万元,其中市级以奖代补专项资金10万元。项目于2016年11月24日通过市级第三方监理机构验收,验收等级为合格。

【主要领导人】 县委书记:杨东升;县人大常委会主任:王洁;县长:刘印勇;县政协主席:刘航;分管农业副县长:全钢。

郫县编写组

大 邑 县

【基本情况】 2016年,大邑县辖20个乡(镇、街道),有农业人口31.73万人,有耕地面积40.4万亩,与上年持平;基本农田38.26万亩,减少3.3%。全年粮食总产量19.66万吨,增长2.5%。

【年度农业和农村经济运行】 2016年,大邑县实现农业总产值586600万元,增长5%;农业增加值3340700万元,增长4.9%。农民年人均可支配收入18096元,增长9.6%。

【助农增收】 2016年,大邑县农业农村工作牢固树立"五大发展理念",以改促进,推动一二三产业融合发展,促进都市现代农业高效发展、农民持续稳定增收。全县实现农业增加值34.07亿元,同比增长4.9%;农村居民年人均可支配收入18096元,同比增长9.6%。

坚持规划引领,明确都市现代农业区域布局。围绕成都市建设国家中心城市目标,结合大邑资源禀赋,编制完善了"四片区五园区"发展规划("四个功能区",即生态保护区、生态产业区、粮油产业区、特色产业区;"五园区",即沙渠精品农业园区、安仁葡萄(蓝莓)

园区、现代粮经产业园区、现代林业产业示范园区、四川省畜牧高科技园区），“四片区五园区”建设内容各有侧重，功能定位为互补。

坚持以改促进，增强发展活力。创新启动“新四权”确权颁证和土地流转履约保证保险试点，推进农村产权抵押担保，共颁发权证4063本，各类农村所有权证抵押担保贷款达5700余万元。

坚持绿色导向，推进农业可持续发展。继续实施天然林资源保护和退耕还林“两大工程”建设，推进循环农业发展，全县森林覆盖率达56.02%，规模畜禽养殖场粪污利用率、秸秆综合利用率均达98%以上。

坚持农业标准化，提升品质保安全。全县主要农产品安全抽检合格率达100%，“三品一标”农产品达89个，全国、全市农业标准化工作现场会在大邑县召开。大邑县创建为国家农业综合标准化示范县、四川省农产品质量安全监管县。

坚持产业融合，促进产业多元发展。大力发展特色产业基地，培育龙头企业、新型农业经营主体，鼓励开展各类乡村农业节庆活动，促进一二三产业融合发展。全县土地规模经营率达60%，新组建农业联合会等13个涉农产业协会，市级以上农业产业化重点龙头企业33家，农产品精深加工率达60%，实现乡村旅游收入3.38亿元。

坚持项目牵引，增强发展后劲。全年完成农业招商协议投资13.93亿元、农业固定资产投资12.28亿元。

坚持产村相融，促进产业与城乡联动发展。全县新建幸福美丽新村20个、“小组微生”新农村综合体10个，开展50个县级、50个市级、33个省级“四好村”创建活动。

坚持高标准扶贫，共享改革成果。19个市（县）级贫困村脱贫发展规划编制工作全面完成，落实扶贫项目67个，投入专项资金和帮扶资金3160余万元，53户贫困户实现脱贫。

【主要领导人】 县委书记：李燎；县人大常委会主任：马良清；县长：廖暾；县政协主席：张昌勇；分管农业副县长：李建康。

大邑县编写组

蒲 江 县

【基本情况】 2016年，蒲江县辖12个乡（镇、街道），有农业人口18.92万人，有耕地面积23794万亩，增长46.8%。

【年度农业和农村经济运行】 2016年，蒲江县实现农业总产值319073万元，增长4.5%；农业增加值188248万元，增长4.7%。农民年人均可支配收入18119元，增长9.5%。

农业产业化发展。蒲江县培育龙头企业、农民合作社、家庭农场等新型农业经营主体1009家，培育农业职业经理人和新型职业农民1741人；构建土地托管、授权种植、股份合作等多种形式的新型经营体系，全县土地适度规模经营率达56.7%。

农用地产权制度改革。蒲江县深入推进土地所有权、承包权、经营权“三权分置”，着力构建农村土地经营权确权颁证、流转交易、价值评估、融资担保、风险防控“五大体系”，提升土地承包经营权流转管理试验改革实效。累计颁发《农村土地承包经营权证》和《农村土地经营权证》6.82万本，确权面积31.11万亩。推动土地经营权流转20万亩，实现抵押融资5700万元。培育龙头企业、合作社、家庭农场等新型农业经营主体627家，新型职业农民1075人，建成农业标准化示范基地50个，带动全县土地适度规模经营率达56.7%。着力推动农村资源变资本，坚持以科学规划和用途管制为引领，创新出让、租赁、入股等流转方式，盘活农村闲置集体建设用地，大力培育农产品加工、乡村旅游等新业态。依托“农贷通”，建立农村集体建设用地等农村产权流转信息库，构建集农村金融、电子商务、产权信息于一体，县、乡、村三级联动的“三站三中心一平台”网络服务体系。制定集体建设用地流转交易规则，成立成都市农村产权交易所蒲江分公司，在甘溪镇明月村、金花村等12个新村实现集体建设用地流转33宗、96.85亩，为农产品加工、仓储物流、乡村旅游等14个项目提供了用地保障。坚持“自愿申请、集体议决、协议补偿、永久退出”的原则，制定了《蒲江县农村宅基地自愿有偿退出与利用实施办法（试行）》，结合农村土地综合整治项目，以集体建设用地指标入市交易价格为基准，积极引导宅基地自愿有偿退出。截至2016年年底，在大兴镇米锅村、王店村、九尖村等项目区实现宅基地自愿有偿退出10余宗，有效增加了农村居民财产性收入。将“农业提升”列为全县重点攻坚任务，优先满足现代农业转型升级用地需求。一是留足用地空间。以蒲江县被列为省级“多规合一”试点县为契机，积极推进现代农业发展、土地利用与基础设施、公共服务等专项规划的衔接，开展全域永久基本农田划定和基本农田调整，适时修编《蒲江县土地利用总体规划》，新增建设用地1.5万亩和一般农用地4.28万亩，为农业农村重大项目落地预留空间。二是节约集约用地。严格现代农业项目用地指标审查把关，建立项目申报、投审会审查、规土会决策等工作制度，强化规划的执行监督，确保项目用地有保障、指标落地不浪费。三是落实重大项目用地保障。在成新蒲都市现代农业示范带、三大产业核心示范区、乡村旅游集中发展区等重点区域为12个农业产业化重大项目配套建设用地680亩，培育了蒲江现代农业水果物流中心、联想佳沃猕猴桃标准化示范基地等一批现代农业示范园区。

2016年蒲江县省级（及以上）农业产业化重点龙头企业名单

企业名称	注册资金（万元）	法人代表	示范等级	年度产值（万元）	行业分类	主营产品
成都佳享食品有限公司	5000	陈文君	国家级	19000	加工业	屠宰分割肉、“佳享”牌脆皮肠等
佳沃（成都）现代农业有限公司	14800	姜惠铁	国家级	4562	加工业	猕猴桃
四川嘉竹茶业有限公司	1000	吴建明	省级	6000	加工业	“嘉竹”牌茶叶
四川绿昌茗茶业有限公司	1000	周文	省级	9258	加工业	茶叶
四川川蒲派立食品股份有限公司	6736	陈贵良	省级	10356	加工业	米花糖、蛋苕酥、饼干

续表

四川七环猪种改良有限公司	700	汪懋琨	省级	12000	养殖业	种猪
蜡笔小新(四川)有限公司	30000	郑育双	省级	11000	加工业	果冻、糖果、糕点
四川好好吃食品有限公司	5000	赵玉兰	省级	29753	加工业	"好好吃"方便米饭系列
成都新朝阳作物科学有限公司	2000	何其明	省级	25000	加工业	天然芸苔素内酯、植物源农药、免深耕土壤调理剂
成都市蒲议食品有限公司	1200	王德元	省级	5377	加工业	米花糖、蛋苕酥、豆腐乳
四川川辣妹食品有限责任公司	1000	邹昌强	省级	15800	加工业	肉制品
成都华高生物制品有限公司	6000	顾峰	省级	7240	加工业	茶多酚

2016年蒲江县省级(及以上)示范农民专业合作经济组织名单

合作组织名称	注册资金(万元)	法人代表	示范等级	年度产值(万元)	行业分类	主营产品
蒲江县红阳猕猴桃种植专业合作社	20	向洪平	省级	20	种植业	猕猴桃
成都市蒲江县九仙果品专业合作社	300	姚庆英	省级	1000	种植业	柑橘、猕猴桃
蒲江县妙乐冬枣专业合作社	214.8	张贤勋	省级	600	种植业	冬枣
蒲江县兴龙果业专业合作社	80	刘敏	省级	200	种植业	柑橘、猕猴桃
蒲江县同心茶业专业合作社	200	张兴忠	省级	200	种植业	茶叶
蒲江县加威猪业专业合作社	50	吴加威	省级	850	养殖业	生猪
蒲江县田园农机专业合作社	87	何国术	省级	20	农机	农机、社会化服务
蒲江县阳光味道果业专业合作社	245	张瑜华	省级	1000	农业	猕猴桃
蒲江县马南渔业专业合作社	50	陈现彬	省级	1100	养殖业	鱼
蒲江县明月雷竹土地股份专业合作社	400	张辉清	部级	4000	种植业	雷竹

2016年蒲江县家庭农场经营情况统计表(前10位)

家庭农场名称	注册资金(万元)	法人代表	年度产值(万元)	行业分类	主营产品
蒲江县吴加威家庭农场	800	吴加威	650	一三产业	水果、观光农业
蒲江县长林家庭农场	100	郭长林	200	种植业	柑橘、猕猴桃
蒲江县碧香家庭农场	100	袁永学	150	种植业	葡萄
蒲江县叶彩家庭农场	100	叶其斌	1000	种养殖业	柑橘和四大家鱼
蒲江县真真家庭农场	50	周争	120	种植业	杂柑、猕猴桃
蒲江县花田家庭农场	100	杨欣	100	种植业	猕猴桃
蒲江县石堡滩家庭农场	100	刘兴龙	150	一三产业	水果种植、观光农业
蒲江县祥娃娃家庭农场	100	潘建阳	83	种植业	猕猴桃
蒲江县晓雨家庭农场	100	王素敏	162	种植业	金艳猕猴桃
蒲江县新贵家庭农场	100	王新贵	90	种植业	猕猴桃

【林业】 2016年,蒲江县继续加强全县36.35万亩森林和4.5万亩退耕还林地的常年管护工作,建立天然林管护体系,实行县、乡(镇)、村、管护点、管护人5级管护并逐级签订责任书,严格按照《蒲江县天然林管护员考核办法》等定期对森林管护员进行抽查、考核。在加强森林管护的同时,积极争取成都市现代林业产业示范项目,在甘溪镇明月村笋用竹基地完成500亩雷竹林的丰产施肥、病虫害防

治、伐竹留新；在成佳镇同心社区、麟凤村、友助村建成彩叶林基地核心示范区 100 亩，带动辐射周边茶园套种彩叶林 813 亩。全年净增有林地面积 4288.1 亩，全县森林面积达 456920.1 亩，森林覆盖率达 52.6%，比上年增长 0.5%。全力推进深化集体林权制度改革，继续完善集体林权所有权、承包权、经营权“三权分置”，引导林农充分利用森林资源的优势发展一三互动林旅产业，促进林地流转和林业产业资源整合。进一步完善森林保险制度，扩大森林保险覆盖面。执行木材采伐限额和凭证采伐制度，全年办理木材采伐 113 宗，蓄积 2606.4 立方米，出材量蓄积 1373.7 立方米。

【畜牧业】 2016 年，蒲江县成功申报为全国首批畜牧业绿色发展示范县创建县，编制了“十三五”期间畜牧业绿色发展规划。制定了《蒲江县关于划定畜禽养殖禁养区的实施意见》。与华西希望·重庆德康农牧(集团)有限公司签订了生猪养殖绿色发展暨肉食品加工项目，发展“龙头企业+适度规模养殖场”建设项目，提升标准化规模养殖水平。坚持以种定养、以养定种，促进种养融合发展。生猪养殖场粪污处理设施配套率达 100%，综合利用率达 98%以上。构建养殖业主、保险公司、无害化处理厂与动物卫生监督机构“3+1”四方联动的无害化处理长效运行和监管机制，实现整县推进病死动物集中收集处理，集中处理率达 100%。构建“成都智慧动监”平台，实现畜产品从产地到屠宰以及检疫、监管、执法等建立产品质量安全服务网络，实现网格化管理。全年出栏生猪 65.12 万头、家禽 375.47 万只、肉兔 189.23 万只，实现畜牧业产值 14.03 亿元，占农林牧渔总产值的比重达 45.36%。全年无重大动物疫病和畜产品安全事件发生。

【水产业】 2016 年，蒲江县水产养殖面积 662 公顷，其中池塘养殖 409 公顷、水库养殖 247 公顷、流水养殖 6.12 万立方米水体；水产品总产量 7700 吨，其中淡水捕捞产量 17 吨、淡水养殖产量 7683 吨；实现渔业经济总产值 2.5316 亿元，同比增长 4.37%。全县共有无公害水产品养殖基地 11 个、无公害水产品 15 个、渔业专业合作社 7 个、渔业家庭农场 5 个、水产专业协会 2 个。

【新农村建设】 2016 年，蒲江县依托城乡建设用地增减挂钩政策，实施土地综合整治项目，推进幸福美丽新村建设全域覆盖。一是全域规划建设幸福美丽新村。将新村建设纳入“1+1+10+130”城乡发展规划体系，在全县 126 个村(社区)实施新村建设项目 130 个，已建成 77 个，全部建成后将聚居 25970 户、8.44 万人，基础设施和公共服务实现城乡一体发展。二是引导市场化建设新农村。探索建立“政府引导、村民主体、市场推进”的新村建设模式，整合财政资金，引导社会资本投入和群众投资，全县已实施项目总投资 97.5 亿元，在建的 53 个新村社会投资参与率达 100%，投资额 46.55 亿元。三是助推集体经济发展。坚持每个新村建设项目预留 5%的集体建设用地用于发展集体经济，由村集体按自治管理程序，依据区位条件、生态环境、产业基础等采用土地入股、联营等多种方式发展休闲旅游、文创产业、涉农服务等项目，实现集体资产资本化，推动新农村建设可持续发展。全年成功创建省级“四好村”17 个、市级“四好村”48 个、县级“四好村”48 个，群众生产生活水平加快提升，农村新风正气蔚然形成。

坚持公开透明，着力营造公平竞争的市场环境。公开新村建设项目信息，为社会资本平等参与新村建设搭建平台。由村集体提出新村建设申请，县国土部门牵头，成立县土地综合整治办公室(以下简称“县综整办”)，会同乡(镇)政府和住建局、规划局等县级相关部门，指导村集体包装编制新村建设项目。经省、市国土资源管理部门审查同意立项后，县综整办及时通过县公共资源交易服务中心面向社会公开项目基本信息以及社会资本参与项目建设的程序、条件、方式等。由有意愿参与的投资业主自行向县综整办提出申请，县综整办按照每个项目不少于 3 家的标准，向项目所在地村集体推荐符合条件的意向投资方。由村集体和建房户代表组成项目议事会，采取竞争性谈判或比选方式引进投资业主。意向投资方与村集体初步对接，确定参与新村建设投资谈判后，即可签订《意向合作协议》。县综整办向其平等提供项目区国土资源相关台账，指导其根据立项情况到项目区开展摸底调查、宣传动员、资源调查和回报率分析，自主与村集体、农户谈判细化合作条件，形成正式实施方案。

坚持基层自治，充分保障广大村民的主体地位。充分发挥“一核多元、共建共享”基层治理机制作用，切实保障农民在新村建设中的知情权、参与权、话语权和决策权，做到三个“群众说了算”，即是否启动项目，必须由 2/3 以上村民代表签字同意；是否参与项目，必须由农户自愿提出申请；怎样实施项目，必须农户自主决定。

针对农户在新村建设中市场组织化程度低，与意向投资方开展竞争性谈判能力不足等情况，县综整办牵头制定《蒲江县新村建设民主议事办法》，明确以村党组织为主导、村委会具体负责、建房户民主推选的方式，每个项目成立 4 人以上的新村建设议事会，按照“提议公开、过程公开、结果公开”原则，代表建房户负责决定项目投资业主、施工主体。全县先后成立 76 个新村建设项目议事会，共有成员 560 人，议决事项 5000 余项。项目议事会结合各自项目实际情况，议定新农村建设入户政策、规划选址、户型设计、实施建设等具体事宜，在市场谈判中最大程度保护和争取农户利益，多数项目实现了“农户少出钱”目标，双石新村等项目甚至实现了“农户基本不出钱”。正式启动建房后，成立项目工程建设监事会，监事会成员协同监理单位全程监督工程建设，与建筑工人同步上下班，保证了新村建设质量。

坚持从严监管，确保市场化建新村风险可防可控。新村建设周期长，涉及群众面广，资金需求量大，引入社会资本建新村存在一定的市场风险。蒲江县把坚决避免“烂尾工程”“问题工程”作为新村建设的底线，成立由县长任组长，县国土局、规划局、住建局、统筹办等 18 个县级职能部门为成员的农村土地综合整治和农房建设工作领导小组，全面落实项目社会稳定风险评估责任制，从三个方面完善市场风险防控。一是建立投资业主“双审查”制度。其一是资金实力审查。建立乡(镇)、村和业主共管账户，投资业主按每个项目缴纳 2000 万元工程建设保证金，根据项目实施进度划出使用；缴纳 300 万元质量保证金，在新村质保期满后退还；按工程总造价 5%缴纳民工工资保证金，确保无民工工资纠纷发生。近年来，先后有马南村、鞍山村等 3 个项目发生投资业主资金链断裂中途退出或群众反映项目质量瑕疵等问题，均因严格执行保证金制度得到及时化解。其二是专业能力审查。引导项目区村委会在同等条件下优先选择有土地整理成功经验、信誉度高的投资业主，避免投资方“有钱就任性”。二是建立建房户保证金制度。引导参加新村建设群众按民主程序自主约定，按 1 万~2 万元/户向村委会缴纳入住保证金和旧房拆除保证金。与投资业主签订《旧房拆除还耕协议》，无正当理由不按要求拆除旧房的不得参加分房和退还保证金，有效促进群众增强诚信意识，规范市场行为，全县社会资本实施的新村建设项目旧房及时拆除率达到 100%。三是严格规划和工程监管。坚持“规划精致、用材精良、施工精细”，落实“小组微生”美丽新村各项规划建设要求，确保“村村一张图、全县一幅画”。县级职能部门组建监管团队，定期开展房屋建设工程质量巡查;监理公司全程监督规划实施、资金使用、建材选用、工程质量。房屋建成后,职能部门和乡镇、村、建房监事会联合验收,做到“不达标不收房”。

坚持合作共赢,确保市场化建新村可复制可持续。县综整办会同乡(镇)政府指导投资业主与项目区村委会充分谈判,以《项目实施方案》的形式约定各自的权利和义务。建立新村项目审计机制,由村委会委托第三方对项目进行工程和财务审计,确保“农民不吃亏、村集体不受损、业主投资回报合理”,实现市场化建新村的可持续发展。一是实现农民宅基地使用权和住宅所有权合理收益,参与群众感到满意。在新村建设规划全覆盖的基础上,根据群众意愿成熟一个实施一个。因群众意愿不强烈,先后延缓实施项目3个,全县无一例违背农民意愿、强制搬迁、强制实施的项目。已实施的76个社会资本投资项目人均新房面积35平方米以上,人均占用集体建设用地50~70平方米,户均增加有效耕地面积230平方米,参与群众“旧房换新、耕地增多、环境变美”。二是实现村集体宅基地所有权合理收益,当地生产生活生态同步改善。按5%比例预留集体建设用地,已实施的76个社会资本投资项目累计预留1000余亩,用于当地基础设施建设和集体经济发展。项目实施推动了零星集体宅基地资源转变为资本和资金,集中使用惠及集体经济组织更多成员。推动“1+8+N”公共服务配套全覆盖,全县美丽新村均建设约1000平方米的公共用房并确权为村集体资产。米锅村、明月村等12个村集体按自治管理程序,依据区位条件、生态环境和产业基础,采用土地入股、联营、流转等多种方式,发展休闲旅游、文创产业、涉农服务等14个项目,实现了集体资产资本化。韩桥、藕塘等70余个村集体将节余指标900多亩变现为集体资金近3亿元,用于道路水利建设、村容村貌提升等。三是实现业主投资回报合理收益,社会资本参与信心增强。围绕新村建设,开展“微权利”“微腐败”专项治理,明确投资业主在新村建设中主要承担美丽新村规划设计和建设费、占地补偿金、宅基地复垦费和公共服务设施配套费,杜绝基层组织、基层干部和建房户未经协商一致随意增添业主投资义务。投资业主通过国土部门回购节余指标获得收益,从全县已实施项目来看,业主投资回报率保持在12%左右的合理区间。社会资本对参与新村建设信心稳定、热情攀升,2015年以来实施的53个新村项目中社会资本参与率达100%,投资总额46.55亿元。

参与创建,一个也不能少。坚持把“四好村”创建放到全局工作中去统筹谋划,充分发挥基层和群众的主体作用,抓好动员培训和任务分解。其一,村(社区)全参与。扎实做好宣传动员,充分利用网络、微信、电视、会议等方式,对“四好村”创建的目的意义、标准要求开展全方位、多层次、多角度的宣传培训,全县12个乡(镇、街道)126个涉农村(社区)变“要我创建”为“我要创建”,对照创建标准,查找自身差距,确定创建目标,实现创建工作村(社区)全覆盖。其二,部门乡(镇)大联动。一是建立县级部门“1+1”结对联系村(社区)制度,将“四好村”创建列为结对联建的重要内容,实行“创建不成功、结对不脱钩”。二是建立完善统筹协调机制,成立县“四好村”创建办,坚持“政策集成、资金集成和干部集成”思路,聚焦聚力《蒲江县“四好村”创建计划(2016—2020)》,实现产业发展、新村建设、支部建设、文明创建、平安创建、“微腐败”专项治理等基层基础工作与“四好村”创建的联动推进。

标准刚性,一项也不能软。将“四好村”创建作为与全市同步高标准全面建成小康社会的重要抓手,做到标准要“硬”,工作要“实”。其一,“好房子”突出特色。突出现代川西民居风貌特色,新村建设做到“规划精美、用材精良、施工精致”。按照“1+8+N”公共配套标准,全县建成新村77个,在建53个,全部投用后聚居度达45%,安全住房保障率达100%。加强散居农户自建房规划审批和建设监管,坚决拆除违章建筑,累计改造农村困难群众土坯房1105户,动态消除了农村危房。其二,“好日子”注重品质。全面实施《统筹城乡2025规划》,推进城乡教育、卫生、就业、社保等基本公共服务均衡发展,城乡居民养老和医疗保险参保率保持在99%以上,低保、五保实现应保尽保。全县城乡居民自来水覆盖率98.4%,实现同网同质同价;天然气覆盖率达58.5%,建成成都市首个全光网试点县,乡村道路通达率100%。着力拓宽农民增收渠道,实施“农业提升”和“工业突破”,深化农村产权制度改革,2016年全县农民年人均可支配收入18119元,城乡收入比达1.561∶1,连续3年获评“全省三农工作先进县”。其三,“好习惯”贵在养成。一是深入推进“一核多元、共建共治”,《村规民约》、农民集中居住区自治物业管理等基层治理机制实现全覆盖。二是整合农民夜校、村(社区)党校、道德讲堂、法治大讲堂等资源,积极开展新市民培训计划,农村群众法治水平、道德素养、科学素质明显提升。三是深化村容村貌整治。广泛开展“清洁家庭”“最美家庭”评选,在全市率先探索实施农村垃圾分类处置、农村面源污染综合治理等工作,获批全国有机废弃物资源化利用试点县。其四,“好风气”离不开活动。一是深入开展社会主义核心价值观宣传教育,引导群众富而思源、富而思进。二是着力深化文明单位创建,创建全国和省、市、县文明村(社区)49个次,占38.9%,新启动创建县级文明村(社区)79个。三是积极开展“孝亲敬老家庭”等群众喜闻乐见的评选活动,评选“中国好人”8名、“四川好人”19名,命名蒲江县“道德模范”20人、“蒲江榜样”20人,全县农村形成自觉抵制“低俗之风”“攀比之风”等不良风气的正能量。

久久为功,一刻也不能松。针对“四好村”创建点多面广周期长的特点,突出规划引领、目标导向、问题管理、过程监督和成果运用,形成“四好村”创建长效机制。其一,加强组织领导。成立蒲江县创建“四好村”工作领导小组,县级部门、乡(镇、街道)和村(社区)成立相应工作机构,推动创建工作纵向到底、横向到边、整体联动。其二,抓好关键层级。将乡(镇、街道)作为创建工作的关键层级,要求其党(工)委书记对创建活动务必亲自研究、亲自推动、亲自督查,每年不少于4次。其三,注重工作提示。由县“四好村”创建办负责,在关键节点、关键环节向各乡(镇、街道)印发《工作提示》,确保创建工作按计划按步骤高标准推进。对工作迟缓推进不力的印发《整改提示》,督促其整改到位。其四,强化成果运用。一是推动“先创”带“后创”。县委召开农村工作会,对2016年省、市、县“四好村”进行授牌和表彰,以新闻报道、工作简报、经验交流会等形式总结创建经验,树立先进典型。二是创新长效常态机制。管好用活省级奖补资金,积极探索用于发展壮大集体经济的新模式;以“钉子回脚”的精神开展好“回头看”。

【扶贫攻坚】 2016年,蒲江县坚持精准扶贫、精准脱贫的基本方略,深入推进“五个一”帮扶机制,扎实开展“双五一”帮扶行动,对全县10个相对贫困村380户相对贫困户开展帮扶工作。10个相对贫困村全年共投入各类扶贫资金5765.486万元,其中财政专项扶贫资金376万元,共实施基础设施项目建设69个,新(改)建道路65.0376千米,改建桥梁16座,修建渠道30.284千米、堰塘3口、蓄水池66口、抽水设备19台、提灌站17座,打造电子书屋、文化站、医疗中心、养老中心等共7个；实施产业项目33个，培育和发展绿色有机基地18700亩；修建1000吨保鲜气调库、300吨组装式冷藏库；禽类林下养殖达6000只；安装灭虫灯212盏、黄板13万张；培育新型农业经营带动主体10个、专合组织16个。全县10个相对贫困村村集体收入由2014年识别时的低于10000元上涨到14647.4元以上，增长46.47%；380户相对贫困户人均可支配收入由2014年的6420元上涨到11775.9元，增长83.43%。截至2016年年底，全县有204户相对贫困户实现精准脱贫。

【乡村旅游】 2016年，蒲江县依托官帽山318山地自行车赛道、樱桃山旅游景区、大溪谷旅游度假区发展以山地运动、生态休闲为主的系列旅游项目，建设大溪谷休闲运动公园。继续依托甘溪镇自然环境、历史文化底蕴和4口古窑等资源，以陶文化为主题，文创产业为支撑，旅游合作社为主体，乡村旅游为载体，实施明月国际陶艺村项目建设，构建"一核四区一环线"的空间布局，打造集陶艺生产销售、文化展示、创意体验、休闲运动、禅修养生、田园度假于一体的人文生态度假村落。引进临溪河谷乡村文化旅游项目，涉及寿安、西来、复兴、大塘、甘溪5个乡(镇)，总规划面积258平方千米，规划发展精品酒店、乡村集市、房车酒店、亲子体验农场、帐篷营地、湿地公园等乡村文化旅游一体化项目。挖掘余家碥古村落文化旅游资源，开展余家碥项目建设，打造充满怀旧情绪和乡土人文于一体，集乡村民宿、乡村文化展示、川西农耕文化体验、蒲江民俗展演于一体的乡村文化旅游项目。

【助农增收】 2016年，蒲江县茶叶、柑橘、猕猴桃三大主导产业标准化种植面积达50万亩，幸福美丽新村建设实现全域覆盖，农民年人均可支配收入达18119元，城乡收入比缩小为1.56∶1。全县地理标志保护面积达35万亩，有机(转换)产品认证企业达30家，认证覆盖茶叶、水果、生猪、蔬菜等67个产品，同步建立农产品质量安全追溯系统，构建了农业标准、质量管理、综合服务、巡查执法"四位一体"的质量安全监管模式，从源头上确保农产品品质和质量安全。

强载体，加快建设电商体系。一是积极推动电子商务创业园及物流园建设，集中推进"蒲江造"特色农产品网上交易和物流配送。该园区已于2015年12月正式投入运营，占地面积50亩，建筑面积约25400平方米，其中办公区域为3700平方米、仓储物流中心12800平方米、人才公寓7100平方米、配套用房1800平方米，搭建起蒲江产品流通的便捷交易平台。二是出台了《蒲江县鼓励入驻电子商务创业园的实施意见》，大力引进和集聚电子商务专业人才，为当地网商、大学生、创业青年免费提供办公用房、网络通信、培训、摄影、仓储等一站式综合服务。同时，集中优惠政策重点孵化具有发展潜力的网商，已入驻电商企业与个体93家。三是依托蒲江优质农产品和地理标志品牌资源，重点打造"鲜农纷享""爽购网"等农产品交易平台，加快建设"西部茶都电子商务交易中心"；借力为中央直属储备肉冷库所在地和中食物流项目优势，加快打造西部肉类电子交易平台。

抓特色，全面推进电商进村。一是龙头电商带动。结合每个村的产业特色，与京东、苏宁易购、淘宝、易田电商、天虎云商等电商平台企业合作，开展农产品购销、便民业务等线上线下服务，重点搭建以猕猴桃、柑橘、茶叶等农产品为主的网上销售渠道。其中，京东和易田分别在县城建成综合服务站和体验店；在西来镇两河村，大兴镇水口村、米锅村、炉坪村等村(社区)建成村级电子商务服务站14个，每站均配备专业人员，对村民建网店、网上购物等电商应用进行宣传推广，完成村级电商培训500人次以上。二是拓展邮政便民服务。累计设立邮政自办网点6个、便民服务站81个、村邮站132个，建成邮政综合便民叠加服务站点50个，综合提供邮政、金融、农资销售、便民缴费、电商配送、农产品销售、政府信息发布、公益活动等10余种服务，同步启动探索建立全新的邮政O2O平台，打造村民缴费与电商购物一站式服务平台。三是支持企村合作发展。整合县内"万村千乡市场工程"、供销及日用品、农资流通企业等资源，推动建立电商应用和信息化共享模式，着力实现涉农企业与镇、村合作共赢。

优服务，持续拓展电商应用。一是壮大网商队伍。重点围绕大学毕业生、返乡创业人员和个体经营户，积极培育电子商务创业带头人，逐步形成以蒲江特色农产品销售为主的电商交易群体，推动蒲江猕猴桃、茶叶、杂柑等地理标志产品迅速占领了淘宝、天猫、京东、1号店等平台。二是支持电商企业发展。组织龙头电商企业、专合组织入驻京东成都馆、淘宝成都馆，与易田、苏宁易购共建蒲江特色馆，定期开展蒲江优质农副产品网上销售及一二产业线上线下互动活动。三是加快完善冷链物流。积极推动农资流通企业、农产品流通企业、农产品批发市场和配送中心加强物流资源整合，重点加强农产品冷链物流建设，发展产地预冷、冷冻运输、冷库仓储、定制配送等全冷链物流，加快构建适应电子商务发展的物流配送体系。

【2016年度"三农"工作先进经验介绍】 2016年，蒲江县坚持"美丽蒲江·绿色典范"发展定位，以农业供给侧结构性改革为主线，以提升蒲江农产品国内国际市场竞争力、提高农业效益、增加农民收入为目标，创新实施现代农业"四个三"工程，全域推进幸福美丽新村建设，走出了一条具有蒲江特色的农业农村发展之路。

坚持三业并举，持续优化产业体系。集中连片发展优质茶叶10万亩、柑橘20万亩、猕猴桃10万亩，三大主导产业实现全域覆盖，产值占全县种植业产值的93%。坚持种养循环，科学配置规模养殖基地，推进畜牧业绿色发展，年出栏生猪60万头。

坚持"三化"促动，持续优化经营体系。一是规模化发展。培育龙头企业、农民合作社、家庭农场等新型农业经营主体1009家，培育农业职业经理人和新型职业农民1741人；构建土地托管、授权种植、股份合作等多种形式的新型经营体系，全县土地适度规模经营率达56.7%。二是标准化生产。以工业的理念抓农业，出台茶叶、猕猴桃、柑橘等地方特色农业标准28个，建立标准化核心示范区50个，绿色、有机、GAP认证面积达14万亩，获评为"国家茶叶和猕猴桃标准化示范区""全国出口食品农产品质量安全示范区"。三是市场化运营。创新农业用地保障机制，引进联想佳沃集团、海升集团等社会资本实施重大农业项目23个，总投资58.8亿元，带动蒲江农业高端化发展；创新财政投入方式，构建政企合作模式，设立全国首支耕地质量提升产业基金，引导北京嘉博文公司、卫农庄稼医院等社会力量参与农业服务；积极承接"蓉欧+"战略，支持阳光味道、新朝阳等企业拓展欧洲、东南亚等国外市场。

坚持三品提升，持续优化生产体系。一是品种提升。强化科技创新驱动，依托"院县合作"，建成四川省猕猴桃工程技术研究中心、柑橘和茶叶品种园，引进、培育、推广猕猴桃、柑橘、茶叶优新品种20余个，品种良种化率达98%，农业企业获得专利授权131件。二是品质提升。以优质农产品有效供给为目标，坚持种、管结合，构建覆盖全域的公共植保和绿色防控体系，在全国率先实施全域耕地质量提升行动和整县发展有机农业，累计完成耕地质量提升22万亩次，化肥使用量降低10%，农药使用量降低0.8%，认证有机产品88个、面积4.26万亩；创新农业标准、质量管理、综合服务、巡查执法"四位一体”的质量安全监管模式,构建县、乡(镇)、村(社区)农产品质量安全网格化管理体系。三是品牌提升。坚持“公共品牌+企业品牌”双轮驱动,成功培育“蒲江雀舌”“蒲江猕猴桃”“蒲江丑柑”三大区域公共品牌并获评为地理标志保护产品,综合价值达287.04亿元;培育中国驰名商标2件、省著名商标11件;连续成功举办中国采茶节、有机农业论坛、国际猕猴桃节等特色农事节会,承办CCTV魅力农产品嘉年华等重大活动,蒲江农产品品牌知名度和影响力不断提升。

坚持三产融合,不断提升农业综合效益。一是针对农产品加工短板,实施农业全产业链建设,累计培育农产品加工企业138家,建成农产品商品化处理项目65个,获评为全国农产品加工示范基地。二是坚持全域景区化理念,创新“生态+”“旅游+”模式,推进成新蒲都市现代农业示范带、成佳茶乡观光旅游区、复兴猕猴桃观光旅游区、光明樱桃山观光旅游区“一带三区”建设,建成光明樱桃山、成佳茶乡等A级以上景区5个,打造微耕农庄、加威农庄等一批田园综合体7个,获评为全国休闲农业与乡村旅游示范县。三是大力发展农村电商,建成蒲江县电子商务产业园,培育市级以上电商示范村5个,发展电商1000余家,2016年实现电商交易额30亿元,其中农产品交易额5亿元。

【回乡创业之星选介】 罗波,男,蒲江县人,大专文化,2008年毕业于成都工业学院,后供职于华硕科技上海有限公司。2012年年底回乡,偶然间品尝到家乡丑柑,味甘香甜,入口脆嫩化渣,遂萌生将家乡特产销往全国各地的念头。恰逢政府扶持电商产业,罗波抓住机会成立了蒲江县蜀蒲人家农业专业合作社,2013年销售额达到30万元,2014年达100万元,2015年达200万元,合作社获得了“电子商务网络营销优秀企业”称号。2016年得益于拼团形式的爆发,合作社销售成倍增长,达530万元,获得成都市政府表彰。同时,合作社帮助残疾人社员创业,出资扩宽本村道路,带动周边农村电商成效明显,成为青蒲残疾人帮扶标志企业。

【重点乡镇选介】 成佳茶乡,位于成都平原南部,距成都市80千米,成雅高速公路和川西旅游环线穿境而过,自古就是进藏入滇的咽喉要道、交通枢纽和物资集散地。境内山清水秀、人杰地灵,森林覆盖率达80%。有风光旖旎的长滩湖,底蕴厚重的茶马古道(国家重点文物保护单位),万亩花海的保利·石象湖,郁郁葱葱的马尾松林,碧波万顷的生态茶园。

成佳茶乡产业优势突出,是国家茶叶标准化种植示范区的核心区、国家级出口茶叶质量安全示范区。全乡有茶园2.2万亩,其中有机茶园1.2万亩;集聚了绿昌茗、三花、嘉竹、良峰等茶叶加工企业68家。依托良好的生态资源和产业优势,大力发展生态旅游,每年承办“采茶节”、“中国·成都自行车车迷健身节(青蒲站)”、乡村美食品鉴等系列节庆活动,已初步形成集现代农业观光、康体健身、乡村美食、采摘体验、休闲度假于一体的生态旅游模式,是全国休闲农业与乡村旅游示范县的核心示范区、全国环境优美乡镇、国家4A级旅游景区、四川省生态旅游示范区、四川省乡村旅游特色镇、成都市4A级诚信旅游景区。

【主要领导人】 县委书记:刘刚;县人大常委会主任:罗超(12月止),安建东(12月始);县长:刘刚(8月止),王凯(8月代理);县政协主席:徐耘(12月止),杨亚群(12月始);分管农业副县长:陈贵(12月止),赵武斌(12月始)。

蒲江县编写组

新 津 县

【基本情况】 2016年,新津县辖12个乡(镇、街道),有农业总人口18.15万人,有耕地面积19.64万亩,减少0.3%;基本农田17.56万亩,减少0.48%。

【年度农业和农村经济运行】 2016年,新津县实现农业总产值316188万元,增长4.7%;农业增加值168593万元,增长4.7%。农民年人均可支配收入18492元,增长9.7%。

农业产业化发展。新津县新增新型农业经营主体19个,其中职业经理人13名、专业合作社(家庭林场)3个、林产企业3家。

农用地产权制度改革。新津县全面推进小型水利工程所有权、土地经营权、生产设施所有权、养殖水面经营权“新四权”的确权颁证,累计颁发小型水利设施证3605本、农村土地经营权证210本、农业生产设施所有权证28本、农村养殖水面经营权证28本。推进经济林木(果)权和林地流转经营权改革,颁发《林地流转经营权证》3本、826.7亩,《经济林木(果)权证》5本、1751.68亩;建立集体林权流转交易平台14个,完成林权抵押贷款1183万元。夯实集体建设用地使用权流转基础,完成集体建设用地使用权证遗失补办、变更登记59宗。进一步完善集体建设用地流转“4+1”体制机制,规范农村集体建设用地入市交易,流转集体建设用地6宗、流转面积57亩,实现土地出让收入1690万元。

【种植业】 粮油生产。2016年,新津县粮食作物播种面积21.87万亩,产量10.33万吨,其中水稻播种面积13.39万亩,产量7.44万吨,单产556千克;小麦播种面积4.86万亩,产量1.55万吨,单产318千克。油菜种植面积5.84万亩,产量0.98万吨,单产168千克。在品种布局上,主导推广优质、高产、高效、抗逆良种,水稻品种主要有宜香2115、深两优5814、川香9838等10个品种,推广优质稻12.72万亩,占水稻总播种面积的95%。小麦品种主要有川麦104、川麦58、川麦55等7个品种;玉米品种主要有雅玉10号、川单15、川玉3号等6个品种;油菜品种主要有蓉油18、油研1707、德郝油2号等8个品种,在生产技术上,重点示范推广高产节本增效农业新技术,推广水稻机插秧栽培技术3.84万亩;推广水稻旱育秧及旱育抛秧栽培技术12.8万亩,占水稻总面积的95.6%,其中旱育抛秧面积2万亩。在生产经营上,大力发展粮食适度规模经营,在全县粮食种植50亩(含)以上的规模种植面积中小麦达2.35万亩、水稻(含制种)达3.32万亩、玉米(含制种)达0.41万亩。实施优质稻全产业链项目,成立了新津县粮食订单协会,通过协会组织县内重点粮食加工企业、种植主体、种业企业等开展优质稻产销对接,全年实施优质稻订单生产面积1.4万亩。

蔬菜生产。全县蔬菜种植以叶菜类、根茎类、茄果类、豆类为主,主要分布在普兴、花桥、花源、兴义、方兴等镇,以大棚春提早秋延后蔬菜和韭黄生产为优势。全年蔬菜生产面积10.45万亩(含复种),鲜菜总产量24.86万吨,实现蔬菜总产值5.17亿元,优质蔬菜比重在70%以上。

水果生产。全县水果主要有柑橘类、梨、葡萄、西瓜、猕猴桃等,主要分布在普兴、金华、邓双、永商、兴义、安西、方兴等镇。全年水果生产总面积4.43万亩,投产面积3.48万亩,总产量5.12万吨,优质果率达70%以上,总产值达3.3亿元。

食用菌生产。全县食用菌生产以工厂化设施栽培为主,主要品种有双孢蘑菇、茶树菇、鸡腿菇、金针菇、姬菇、木耳、平菇、香菇等，主要分布在方兴、花桥、花源、邓双、永商、文井等乡（镇）。全年食用菌总产量 0.8 万吨，实现总产值 0.53 亿元。

种子（苗）产业化。依托四川西南科联种业有限责任公司，在文井乡玉龙、大明、李柏和张场 4 个村（社区）落实玉米制种面积 4205 亩，玉米新品种选育研发基地 100 亩，基地采用机械化作业，生产杂交玉米种子 60 万千克。依托新津县种子公司，在文井乡、新平镇落实杂交水稻制种基地 800 亩，生产杂交水稻种子 18 万千克。依托四川省现代农人种苗科技有限公司和成都农彩农业有限公司，在花源镇东华村和花桥镇马王村建成蔬菜育苗中心，年生产销售蔬菜种苗 6500 万株。

2016 年新津县省级（及以上）农业产业化重点龙头企业名单

企业名称	注册资金（万元）	法人代表	示范等级	年度产值（万元）	行业分类	主营产品
四川得益绿色食品集团有限公司	8500	杜成斌	国家级	27147	生产加工	方便米饭
四川特驱投资集团有限公司	50000	王德根	国家级	800000	生产加工	饲料
成都华西希望集团有限公司	5000	陈育新	省级	876323.88	生产加工	饲料等
成都市花中花农业发展有限责任公司	1000	胡志勇	省级	15625	生产加工	大米
中粮（成都）粮油工业有限公司	—	刘杰	省级	351007	生产加工	粮油
成都伍田食品有限公司	7000	伍健敏	省级	88000	生产加工	牦牛肉系列制品，白条、分割猪肉，白条鸭
成都建中香料香精有限公司	3510	肖林	省级	39000	生产加工	桉叶油、胡椒醛
四川大北农农牧科技有限责任公司	1000	李勇	省级	30139	生产加工	猪饲料
成都三旺农牧股份有限公司	5321.7	伍建强	省级	316120	生产加工	配合饲料、浓缩饲料

2016 年新津县省级（及以上）示范农民专业合作经济组织名单

合作组织名称	注册资金（万元）	法人代表	示范等级	年度产值（万元）	行业分类	主营产品
成都市新津大地农耕技术专业合作社	150	秦洪君	省级	—	农机服务业	农机服务
新津县家禽业联合社	—	张玉刚	省级	8600	养殖业	肉鸭
成都市新津梨花溪果业专业合作社	3	李永春	省级	246	种植业	梨
新津县岷江蔬菜专业合作社	10	高志清	省级	842	种植业	蔬菜
成都市新津县宝山果业农民专业合作社	2	林根成	省级	360	种植业	柑橘
新津县龙马杂交水稻制种专业合作社	160	高万金	省级	582	种植业	水稻制种
成都市新津县绿川农耕技术专业合作社	155	涂成元	省级	—	农机服务业	农机服务

2016 年新津县家庭农场经营情况统计表（前 10 位）

家庭农场名称	法人代表	年度产值（万元）	行业分类	主营产品
新津县宝龙生态家庭农场	杨波	100	种植业	粮食
新津县绿丰家庭农场	李仁君	150	种植业	粮食
成都市绿久家庭农场	徐文刚	400	种植业	柑橘
新津县花桥镇新双家庭农场	雷杰	73	种植业	蔬菜、水果
新津县秋天家庭农场	高奎	50	种植业	蔬菜
新津新农汪氏家庭农场	汪友良	600	种植业	粮食
新津县龙马鑫苑家庭农场	秦洪君	80	种植业	粮食
成都全明军生态休闲家庭农场	全明军	300	种养殖业	蔬菜、水果、家禽
成都庄园牧歌家庭农场	陈卫红	800	种植业	葡萄
新津县津龙家庭农场	廖东	160	种植业	蔬菜、粮食

测土配方施肥与农业基础设施建设。全县继续推进测土配方施肥项目,完成测土配方施肥技术推广面积35万亩次,其中小麦9万亩次、水稻11万亩次、油菜9万亩次、玉米1万亩次、蔬菜瓜果等经济作物5万亩次;完成配方肥推广面积12.5万亩次,推广万亩示范片2个、百亩示范片10个;发放测土配方施肥建议卡2万余份,实施测土配方施肥技术培训3000人次。整合退耕还林基本口粮田建设、现代农业生产发展、农业综合开发高标准农田建设等项目,实施田型调整0.6万亩,修建沟渠37.6千米,完成田间生产道建设14.6千米,实施地力培肥1.2万亩,全面提高了项目区农业生产基础设施条件,提升了项目区耕地质量。

植保植检。全县农业病虫害防治工作坚持"预防为主,综合防治"方针,在做好预测预报的基础上,重点对小麦锈病、赤霉病、蚜虫,水稻稻水象甲、稻瘟病、纹枯病、螟虫、稻曲病、稻飞虱等主要病虫害开展了监控和预测预报及防治技术指导,全年印发《病虫情报》《病虫简报》《技术意见》15期、通知1期,电视预报4期,重大病虫害预报准确率达98%以上,重大病虫害防治面积达100%,病虫危害损失率在2%以下,挽回粮油、果蔬损失1.77万吨。对其他病、虫、草、鼠害做好防治技术指导,安装320套夜蛾性诱剂用于葡萄、韭菜防治,开展生物农药防治9.6万亩。在新平、普兴、安西等地建立小麦条锈病示范片1万亩;在新平、安西、普兴、方兴等地建立水稻重大病虫害"六统一"规模化防治示范区1万亩,贯穿采取"三诱"等绿色防控措施,示范区内全部采用高效低毒低残留农药进行专业化防治;在花桥、花源、普兴、兴义等地建立蔬菜病虫害绿色防控示范区面积1万亩;在葡萄、蔬菜防治上推广植物诱抗剂(太抗)7000亩。全年推广井冈霉素、井冈腊芽菌、阿维菌素、甜核苏云菌(禾生绿源)等生物农药9.6万亩。在植物检疫方面,加大对粮油作物、蔬菜、水果的全方位检疫,坚持做好产地检疫和调运检疫两个环节工作(重点是科联玉米、新津县杂交水稻),同时加大对蔬菜、水果苗木的检疫,保障农业经济健康发展。杂交水稻、杂交玉米种子计算机网络签证率达100%,检疫覆盖面在90%以上,全年共开具植物检疫证1932份。科联杂交玉米实施产地检疫3120亩,产量178万千克;四川陶然农业科技有限公司实施产地检疫300亩,产量700万株;成都市亚峰农业开发有限公司实施产地检疫105亩,产量360万株;新津县种子公司实施产地检疫1100亩,产量26.7万千克。

新品种、新技术推广。依托四川省农科院、成都市农林科学院、四川现代农人种苗公司等单位引进天骄101、亮霸、强兵茄子,多喜、百胜、欧倍番茄,大圣、紫金塔辣椒,白马5号、川翠3号、川绿11号无苦味黄瓜等多个蔬菜新品种。继续示范推广蔬菜嫁接苗种植,解决了蔬菜基地土传病害严重的问题,在普兴镇、花桥镇、花源镇柳江蔬菜基地核心区示范推广嫁接茄子、苦瓜、冬瓜、黄瓜等132.01万株。依托中国农科院柑橘研究所、四川省农科院、四川陶然公司引进了柑橘新品种金秋砂糖橘、黄金蜜柚、三红蜜柚、沃柑,葡萄新品种紫地球、夜美人、粉红亚多蜜玫瑰、阳光玫瑰、阳光乙女、珍珠玛丽10个水果新品种进行试验示范。引进示范推广可拆卸钢架大棚设施蔬菜栽培技术、瓜类蔬菜双断根嫁接育苗技术、蔬菜工厂化育苗技术等新技术9项,示范推广葡萄根域限制栽培技术、葡鱼共生高效生产技术等新技术14项。

【林业】 2016年,新津县实现林业总产值9.59亿元,其中林业旅游与休闲服务产业产值5.86亿元;农民人均从林业获得收入2877元,增长12%。完成社会主义新农村绿色家园建设项目1个并通过市级验收,项目建设内容为文井乡张场社区二期绿化,占地面积48亩,涉及农户108户,种植小叶榕、桂花、香樟、玉兰等树种,绿化面积3500平方米,配套绿化广场1000余平方米。通过巩固退耕还林成果国家专项规划建设项目、巩固退耕还林市级配套项目及农业相关扶持项目带动永商、邓双、普兴、金华、花源5个镇的1000余户农户实施林下生态鸡养殖项目,建成标准化林下养殖圈舍,年出栏小鸡20余万只,经济效益十分明显。制订了《新津县完善和深化集体林权制度改革实施方案》,对全县深化林改及"两证"登记发证等工作进行宣传,发布林改信息、《简报》8篇;召开专题培训会12次,转发相关配套文件11个。全年完成林地经营权流转面积8.267公顷,完成经济林木(果)确权颁证10本、面积25.1公顷,新增林权抵押贷款1083万元。开展集体林改"回头看",完成纠错1宗、面积0.95亩。为普兴、邓双、永商、兴义4镇的国有林管护工作落实管护人员、采取管护措施,森林管护合格面积达到387亩,森林管护面积合格率达100%。加强林业有害生物检测与防疫,落实了监测人员,林业有害生物全年预测发生面积1.75万亩,实际发生面积1.67万亩,测报准确率达95.4%;实施种苗产地检疫0.65万亩,产地检疫率达100%。组织实施新津县林业项目,实行项目公示制度、监理制度、市级验收制度和绩效考核制度。完成2014—2015年度林业资金稽查及交叉检查和林业园林项目绩效评价(自评)工作;严格资金管理,将县苗圃财务纳入林业园林财务统一管理,制定了《新津县林业和园林管理局项目专项资金财务管理制度》《新津县林业和园林管理局项目专项资金备案及监督检查制度》《新津县林业和园林管理局项目专项资金公示细则》等制度,加强对专项资金使用权利约束,规范资金报销审核、账务处理。完成培育鉴定和转化推广市级以上林业科技创新成果——雷竹推广项目,科技示范面积158亩,辐射面积986亩,组织技术人员下乡91人次,培训林农1610人次,按时完成林地变更调查成果和质量检查报告编制工作并上报到林业厅。

【畜牧业】 2016年,新津县出栏生猪34.25万头、家禽1001万只、兔175.6万只,同比分别增长-0.2%、6.8%、0.6%;肉类总产量4.17万吨、禽蛋产量1.24万吨、牛奶产量1653吨。全年实现畜牧业总产值16.65亿元,占农业总产值的52.7%;畜牧业增加值6.97亿元,占农业增加值的40.5%。

2016年新津县畜禽产量统计表

主要农产品	单位	出栏数	年末存栏数	产量
猪	头	342512	163471	—
牛	头	998	1188	—
羊	只	9510	5617	—
家禽	只	10010075	4542055	—
兔	只	1755952	513839	—
牛奶	吨	—	—	1653
蜂蜜产量	吨	—	—	289
禽蛋产量	吨	—	—	12410
肉类总产量	吨	—	—	41695

全年组织调运禽流感疫苗250万羽份、猪口蹄疫疫苗58万头份、牛口蹄疫疫苗1.5万头份、猪蓝耳病疫苗20万头份、猪瘟脾淋疫苗40万头份、狂犬病疫苗4.3万只份,共免疫猪O型口蹄疫29.6万

头、猪瘟 29.6 万头、猪蓝耳病 29.6 万头，免疫密度均达 100%；牛 O 型口蹄疫 800 头次，免疫密度达 100%；羊 O 型口蹄疫 1.2 万只次，免疫密度达 99.4%；鸡禽流感新城疫 400 万羽、鸭禽流感 140 万羽、鹅禽流感 8 万只，鹌鹑禽流感 240 万羽，鸡、鸭、鹅免疫密度均达 100%。全县 12 个乡（镇）和城区共登记养犬 3.94 万只，实际免疫 3.87 万只，免疫密度达 98.3%；发放消毒药 2 吨。全年采集规模养殖场、散养户以及屠宰场的猪、禽血清样品共 260 份，猪组织样品 420 份，禽泄殖腔拭子 100 个，采集狂犬病唾液 200 份，开展耕牛血吸虫检测 87 头、小反刍兽疫检测 60 头。开展奶牛结核病、布病检测，未发现呈阳性病牛。全年共检疫生猪 37.5 万头、鸡 33.5 万羽、鸭 498.5 万羽，屠宰检疫不合格生猪 277 头、禽类 0.9 万羽，全部进行了无害化处理。开展兽用抗菌药、饲料市场专项整治工作，对全县饲料生产企业和兽药经营企业进行全覆盖监督检查。开展饲料生产、经营、使用环节监督抽样工作，抽取饲料样品 150 批次、兽药产品 10 批次，其中饲料合格率达 100%；检查饲料生产企业 50 家次、饲料经营户 130 家次、兽药经营企业 70 家次、规模养殖场 40 次，完成饲料生产企业饲料免税抽样工作，共抽取饲料样品 98 个；及时准确完成饲料工业信息统计工作，全年饲料加工企业产销量 112.7 万吨，总产值达 41.5 亿元，居全市第一位。按照"依法养殖、总量控制、规范治理、达标排放"的养殖污染治理方针和"干湿分离、雨污分流、种养结合"的技术标准关停养殖场 153 家，完成治理 465 家，立案调查养殖场（户）18 家（户），下达《责令改正违法行为决定书》18 份，行政处罚 16 家并将其中 12 家养殖场（户）移交公安机关执行行政拘留，已处行政拘留 4 家。引导和支持养殖业发展"畜—沼—粮""畜—沼—菜"等农业种养循环经济模式。继续开展标准生产创建活动，按照"品种良种化、养殖设施化、生产规范化、防疫制度化、粪污处理无害化"要求，支持标准化规模养殖场规范生产管理，建立和完善养殖档案；开展部、省、市三级标准化示范创建活动，全县共创建市级标准化示范场 6 家、省级标准化示范场 2 家。

【水产业】 2016 年，新津县养殖水面 8565 亩，其中精养池塘面积 7905 亩。水产品产量由上年的 1.06 万吨增加到 1.15 万吨，增长 8.6%；水产品产值由上年的 1.27 亿元增加到 1.55 亿元，增长 22%；渔业总产值占农业总产值的 5.3%。在邓双、花桥、新平、文井、永商、安西等乡（镇）推广黄颡鱼、鲈鱼、长尾鲫、丁鱼岁、大鳞鱼巴、长吻鮠等名特优水产品养殖 3000 亩，名特优水产品养殖面积占全县水产养殖总面积的 30%。以新希望畜牧科技有限公司水产基地、兴天地农业开发有限公司、天乐渔业专业合作社、海飞种植专业合作社为示范基地，推广标准化生产、先进渔机渔具、节能减排和池塘内循环养殖技术。抓好健康养殖示范场的生产能力提升和示范推广，推动健康养殖集中、规模、连片发展，在新平、花源、安西、永商等镇建成大地农耕技术合作社、新拓家庭农场、纳雅山庄生态农业开发有限公司等规模养殖稻田综合种养示范点 1000 余亩，实现水稻亩产 500 千克、水产品亩产 100 千克，整体亩产值达 3500 元，较常规水稻种植亩均增收 1000 元，有力促进了当地农业增效和农民增收。通威水产食品有限公司、四川润兆渔业有限公司 2 家水产品加工企业全年鲟鱼鱼子酱产量 7 吨，实现产值 2450 万元；鱼肉、鱼丸、鱼皮等加工产品产量 1000 吨，实现产值 2000 万元以上。新津兴天地农业开发有限公司主要开展钓鱼、钓龙虾、划船等水上活动，渔文化展示、渔业培训及科普教育，捉泥鳅、挖竹笋等亲子游和尝河鲜、走绿道、看葵花等观光旅游活动，全年鲈鱼、泥鳅、黄颡鱼、丁鱼岁等名特优水产品产量 230 吨，带动 150 人就业、100 户农户增收。全年完成农业部水生动物疫病监测抽检 6 批次、省级抽检 60 批次、市级监测抽检 20 批次，合格率均达 100%。

2016 年新津县渔业生产发展情况统计表

项目	2015 年	2016 年	增长量	增长率（%）
水产品总产量（吨）	10550	11465	915	8.6
水产品产值（万元）	12657	15452	2795	22
人均占有量（千克）	34	36	2	5.8
渔业产值占农业总产值百分比	4.1	5.3	1.2	29
名特优水产品总量（吨）	2400	2500	100	4
名特优水产品总产值（万元）	3840	4000	160	4

【统筹城乡与新型城镇化】 2016 年，新津县以深化"五个统筹"为统揽，以健全统筹城乡体制机制为重点，以盘活农村土地、资本等农村资源为突破口，着力深化重点领域改革，大力推进城乡要素自由流动，努力促进农业发展、农民增收、农村繁荣。全县城镇居民年人均可支配收入达 31637 元，同比增长 8.8%；农村居民年人均可支配收入达 18492 元，同比增长 9.7%，城乡居民收入差距进一步缩小。全面推进花源镇统筹城乡综合改革示范镇建设，编制完成《花源镇统筹城乡综合改革示范镇实施方案》，投入专项资金 400 万元，东华村 6 组"小组微生"等 9 个建设项目全部建成，扎实推进农村产权制度改革、农村基层治理机制、"小组微生"新农村综合体建设等 10 项改革任务。加快推进永商镇朱山岭"小组微生"新农村综合体建设，完成农民集中居住区建设，道路、广场等基础配套设施不断完善；以"微田园"建设为契机，积极引导农户开展自我管理和自我监督；依托集体建设用地流转，推动新村产业快速发展。

【新农村建设】 2016 年，新津县按照"业兴、家富、人和、村美"的幸福美丽新村建设要求，新创建 23 个省级标准幸福美丽新村（其中市级示范村 10 个），全县累计建成省级标准幸福美丽新村 75 个，其中永商镇烽火村被评为"四川十大幸福美丽新村"，兴义镇张河村被评为"四川美丽水乡"，永商镇九莲村被确定为成都市幸福美丽新村建设试点示范村。以"住上好房子、过上好日子、养成好习惯、形成好风气"为目标，全面推进"四好村"建设，五津街道临江村等 10 个村（社区）被评为首批省级"四好村"。坚持"建改保"结合的方式，新启动"小组微生"项目 9 个、林盘综合整治项目 17 个。围绕构建"1+6""强基兴村"工作体系，投入资金 1.83 亿元，全力推进 314 个"强基兴村"专项资金项目建设，农村基础设施、产业配套设施建设水平等明显提升。按照"1+8+N"配置标准，完善农民集中居住区基础设施和公共设施配套，投入财政专项资金 340 万元，对涉及 5 个乡（镇）的 10 个涉农社区进行维修整治。调整和完善村、涉农社区配置标准，投入资金 4459 万元，全年共实施村公项目 1511 个。研究出台《新津县推进村级公共服务和社会管理示范村建设工作方案》和《新津县 2016 年村级公共服务和社会管理示范村创建内容清单》，开展 13 个村公示范村创建。

【扶贫攻坚】 2016 年，新津县农村扶贫开发和对口帮扶简阳市五合乡脱贫攻坚工作按照"五个一批""六个精准"和"五个一"的工作要求扎实推进,取得了较好的成效。全县建档立卡精准扶贫户19户顺利实现脱贫,超出目标任务5户。建立了"工作共谋、项目共建、人员共调、资金共筹"的帮扶机制,派驻了3人工作组,落实帮扶项目5个、资金150万元,500亩农业科技园区核心区金秋砂糖橘产业项目率先启动;五合乡龙潭村、护民村、新乐村3个省定贫困村实现脱贫,精准扶贫户253户、831人实现脱贫,全面完成年初目标任务。

主要做法。一是县内扶贫开发工作。全县建立了扶贫开发联席会议制度,结合"三值守"一家亲活动,为每个村落实了结对帮扶部门。部门、乡(镇、街道)和县扶贫办签订了目标责任书,乡(镇、街道)和村签订了目标责任书,把帮扶举措落实到贫困户。各帮扶部门、镇、村因户制宜,针对帮扶对象在疾病、残疾、就学、就业、产业发展等方面的突出困难细化帮扶措施,确保精准发力。对有产业发展意愿和就业技能的16户贫困户,在产业发展验收合格的基础上,市、县财政给予每户补助资金0.4万元,帮助贫困户建立长效增收机制。建立精准扶贫"月检查、季督查"的专项督查推进机制,每季度由县领导带队督查、每月由县扶贫办组织督查。二是对口帮扶简阳市五合乡脱贫攻坚工作。制订了《新津县对口帮扶简阳市五合乡脱贫攻坚工作方案》《新津县对口帮扶简阳市五合乡发展优势农产品奖补政策实施方案》。指导建立了5000亩的农业科技园区,其中在龙潭水库周边重点建立科技园核心区500亩,大力发展金秋砂糖橘产业,并对土地流转、土壤改良、新品种引进、品牌打造等给予支持,2016年落实对口帮扶资金150万元。成立了以县委分管领导为组长、县政府分管领导为副组长,县财政、农发、规划、交通等为成员单位的对口帮扶简阳市五合乡领导小组,办公室设在县扶贫办,将工作责任与任务分解落实到相关单位,强化落实工作责任制。三是推进两地干部交流,加快招商、选商。组建了以1名正局级干部任组长的3人驻乡帮扶工作技术指导小组,长驻五合乡开展驻乡帮扶工作;分2次组织五合乡乡、村干部及部分群众60人次到新津、蒲江农业园区以及农业产业化龙头企业生产基地、车间参观、学习;组织新津、蒲江等地7家农业企业负责人到五合乡实地考察、洽谈,高橙农业科技开发有限公司会同当地2家合作社共同打造核心区金秋砂糖橘示范基地500亩。

【乡村旅游】 2016年,新津县有中国乡村旅游模范村1个、省级乡村旅游示范镇2个;各类农家乐(乡村酒店)近400余家,其中三星级以上农家乐(乡村酒店)20家(五星级3家、四星级3家);中国乡村旅游金牌农家乐3家,省级精品乡村旅游特色业态经营点8家。全县乡村旅游实现总收入21亿元,接待游客1050万人次。加快培育品牌旅游产品,重点打造梨花溪旅游度假区、成新蒲现代农业示范带,围绕构建大旅游格局,科学合理规划全县乡村旅游产业"三环三片两走廊"。推进乡村旅游品牌创建活动,以创建促发展,2016年斑竹林景区成功创建为"四川省生态旅游示范区";充分发挥行业协会、行业联盟作用,制定乡村旅游行业规范;完善旅游诚信体系建设,营造公平诚信的乡村旅游发展环境。围绕打造"农事体验型"旅游,按照"农旅结合、以农促旅、以旅强农"思路,立足全县现有农业产业资源,大力推进一三产业互动,带动农民致富增收。充分利用梨花节、赛艇赛、龙舟会等重大节会平台大力营销展示新津乡村旅游资源;利用"互联网+"方式搭建微信、电商等网络平台,加强与知名旅游网站合作,线上线下全方位宣传新津乡村旅游资源。结合"大众创业、万众创新"要求,大力实施全县三年乡村旅游人才"万人培训"计划,着力培养一批高素质乡村旅游人才队伍;组织乡村旅游业主、从业人员到成都市三圣花乡、郫县三道堰镇青杠树村等乡村旅游发展先进地区参观考察;且推荐乡村旅游带头人到中国台湾学习先进经验,开拓发展思路,提高服务水平。全年培训乡村旅游带头人50人、旅游从业人员500人。

【农村金融服务改革】 2016年,新津县设立400万元的农村产权抵押融资担保风险基金,新增土地经营权抵押贷款3宗、面积895.68亩,贷款金额340万元;农业生产设施抵押贷款1宗,贷款金额40万元;林权抵押贷款2宗,贷款金额1183万元。制订《新津县农村金融服务综合改革试点工作实施方案》,积极推进农村金融服务综合试点改革,建立村级金融服务站20个(其中示范站3个),落实村级金融服务联络员90名。

【回乡创业之星选介】 陈天强,于1990年3月应征入伍,在中国人民武装警察部队广西壮族自治区总队某支队服役。1992—2002年从事国内蔬菜营销工作,2002年至今与四川盛田农业有限公司和希悦种子经营部合作从事蔬菜种苗、种子研发、蔬菜销售工作。2014年创立四川现代农人种苗科技有限公司,担任总经理并担任成都农业创新创业联盟成员。公司在花源镇东华村建成全新的现代化育苗中心和现代农业新优蔬菜品种展示中心,并正式命名为四川现代农人种苗科技有限公司。公司科技育苗园区占地103亩(其中育苗大棚面积53亩、蔬菜品种示范园区50亩),年产苦瓜嫁接苗、茄子嫁接苗等各大类高档蔬菜种苗2000万株左右,产值500万~600万元,可解决周边农户约60~80人的就业问题。2015年成都种业博览会第一届田间品种展示在该中心举办,吸引了专业参展商和观众上万人,为在全川推广新优蔬菜良种做出了积极的贡献。

汤修忠,2010年放弃了物流运输公司和超市的工作回到家乡开启创业之路。在村(镇)干部的帮助下,汤修忠以祖宅为依托点修建了集生态、环保、休闲、度假于一体的养生养老山庄。两年之后,山庄初具规模,承租土地百余亩,投资上千万元,并将其命名为"衡山湖休闲山庄"。山庄有固定员工32人,有力地带动了当地农民就业。汤修忠定期收购周边农民的蔬菜,为周边农民解决了蔬菜销售难问题,被永商镇镇、村两级推荐为"百姓中的创业之星"。

徐志东,1987年10月参军,于2008年12月转业回家乡并选择自主创业。徐志东在兴义镇流转土地250余亩,打破土地原水稻、油菜等常规农作物种植观念,选准了红阳猕猴桃种植项目,并于2009年成立了成都天宇农业开发有限公司。2015年猕猴桃开始进入丰产期,种植基地产品年产量达30万千克,产值可达400万元。由于品质优、口感好,产品主要销往北京、上海、深圳、成都等大型城市。同时,与都江堰禹王公司合作将产品销往英国,让新津猕猴桃走出国门、走向世界。公司种植基地每年可提供约200个工作岗位,用工达上万次,有效解决了当地200名50~65岁剩余劳动力的就业问题。

杨兵,2003年随父母从汶川县百花乡搬迁到文井乡,高中毕业后应征入伍。2011年,在文井乡党委、政府的帮助下,杨兵和科联公司签订返租合同,以300元/亩的价格租下科联公司流转的100亩土地并种植萝卜,每亩萝卜获利500余元。第二年,他将返租面积扩大到280亩,种植品种也逐渐增多,主要供应民生食品公司的高品蔬菜需求。2013年开始种植粮食,种植规模从200余亩扩大至600余亩。2015年,杨兵成立了新津县紫凌家庭农场并注册了梓凌商标,主要包含粮油水果、种植、销售等业务,为当地解决了部分就业困难人员的就业问题。在杨兵的带动下,村民纷纷加入到返包倒租的行列中。2015年,文井乡返包倒租的土地面积达3500亩,实现产值500余万元。

【重点乡镇选介】 兴义镇,地处新津县城北端,距县城10千米,距成都市区24千米,东与花桥镇、花源镇隔金马河相望,西隔西河临文井乡,南隔西河以龙王渡大桥与县城五津街道相接,北连崇州市三江镇。全镇南北长约11千米,东西宽约5千米,辖区面积39.22平方千米,有耕地面积3.25万亩,辖10个行政村、2个社区、209个村(居)民小组。年末常住人口35025人,户籍总户数12029户,其中农业户数10764户;户籍人口34538人,其中农业人口33828人;人口出生率11.79‰,人口自然增长率4.97‰,人口密度880人/平方千米。

2016年,兴义镇围绕“川西田园水乡·生态旅游小镇”的发展定位,在经济增长、产业转型、美丽新村等经济社会发展方面取得了明显成效。全年完成地区生产总值6.86亿元,同比增长11.5%;完成农业投资9534万元;完成第三产业增加值2.59亿元,增长12.3%;完成规模以上工业增加值2520万元,增长10%,新增规模以上企业1家;完成固定资产投资13.89亿元、服务业固定投资10.85亿元;完成工业投资2.09亿元、技术改造投资2.92亿元;社会消费品零售总额6.63亿元,电子商务交易额10.4亿元,中小企业普及应用率达83%;地方税收完成703万元;农村常住居民年人均可支配收入达18621元,增长15%。兴义镇先后被评为全国重点镇、全国有机农业示范基地、全国环境优美乡镇、四川省乡村旅游示范镇、成都市级重点镇、成都市重点支持特色镇等。

【主要领导人】 县委书记:辜学斌;县人大常委会主任:孙英元;县长:钟静远;县政协主席:蒋莉;分管农业副县长:文可绪。

新津县编写组

自贡市

【基本情况】 2016年,自贡市辖21乡75镇12个街道,辖区面积4381平方千米,其中耕地面积210.75万亩,比上年增长0.61%,人均耕地面积0.64亩。年末总人口327.38万人(户籍人口),减少0.02%;人口出生率10.25‰,人口自然增长率3.1‰。有林业用地11.37万公顷,有林地面积10.49万公顷,活立木总蓄积量564.82万立方米,森林覆盖率34.68%。

2016年,全市GDP 1234.56亿元,增长7.7%,其中第一产业增加值136.13亿元,增长4%;第二产业增加值710.37亿元,增长8.1%;第三产业增加值388.06亿元,增长8.3%。三次产业对经济增长的贡献率分别为5.7%、61.1%和33.2%。

2016年自贡市主要农产品产量

主要农产品	单位	产量	同比(%)
粮食	万吨	134.64	1.51
水稻	万吨	77.22	1.05
小麦	万吨	10.72	-4.82
玉米	万吨	20.88	4.46
马铃薯	万吨	3.84	9.9
油菜籽	万吨	4.61	6.93
蔬菜	万吨	204.04	2
水果	万吨	31.52	5.51
肉类	万吨	30.82	0.04
猪肉	万吨	16.99	0.92
牛肉	万吨	0.52	-0.67
羊肉	万吨	1.52	-1.67
禽肉	万吨	4.52	-1.15
兔肉	万吨	7.2	-0.34
禽蛋	万吨	5.44	0.86
水产品	万吨	6.79	4.8
牛奶	万吨	1.59	1.02

公路通车里程6537千米,密度1492米/平方千米,19.97千米/万人。社会消费品零售总额555.81亿元,增长10.8%。地方公共财政预算总收入完成48.76亿元,增长8.77%;公共财政预算总支出179.86亿元,增长3.75%,其中农业投入23.09亿元,占支出的12.84%。金融机构各项存款余额1524.05亿元,比上年末增长15.5%;各项贷款余额708.35亿元,比上年末增长15.3%。全年农业保费收入0.63亿元,增长18%,处理各项赔款和给付金额15.17亿元,增长26.5%。农业产业化龙头企业国家级、省级、市级、县级分别为1家、23家、130家、36家。

有各类学校700所,在校学生440200人,教职工27400人,其中普通高校3所,在校本(专)科学生45400人;普通中学136所,在校学生117600人;小学119所,在校学生179500人;学龄儿童入学率100%。有卫生机构2274个,病床位18832张,卫生技术人员22799人。新型农村社会养老保险参保人数202.78万人。

【年度农业和农村经济运行】 2016年,自贡市出台了《关于加快农业现代化建设同步实现全面小康的意见》。全市实现农业总产值222.19亿元,增长6.92%;农业增加值136.13亿元,增长4%;优质粮食、蔬菜、畜禽、林果、水产等特色优势农产品产量保持稳定增长。农民年人均纯收入达13192元,增长9.1%。全市农产品质量安全例行监测合格率达99.2%;建成96个基层农业综合服务站。

农业产业化发展。自贡市编制完成《自贡市2016年农业农村发展支撑项目计划》,完成投资82亿元。新发展特色农林水产基地3.2万亩,自贡环城乡村旅游、20万亩菜畜、30万亩果畜3个产业带初具规模。贡井区建设镇(龙都早香柚)成为全国“一村一品”示范镇。全市农民合作组织达1370个,新增165个;家庭农场达1789家,新增740家;新增省级重点龙头企业4家、省级农民合作社示范社15个、省级示范家庭农场11家。荣县开展了农民增收新产业新业态省级试点。

农用地产权制度改革。自贡市全面完成农村土地承包经营权确权登记工作,6个区(县)相继通过省级专家组检查验收,均达到“优秀”等级,全市平均得分93.5分,其中大安区以94.8分夺得全市第一;除自流井区红旗乡、高峰乡,大安区凤凰乡及部分区(县)的村组属城市规划区或水库建设移民区暂缓确权外,全市96个乡(镇)已完成确权登记93个,确权登记率达96.9%;确权登记村1099个,占应确权村总数的97.3%;确权登记组12907个,占应确权组总数的95.1%;确权登记农户60.73万户,占应确权农户总数的91.1%;确权调绘地块达755.37万块、面积322.65万亩。全面完成土地承包经营权、林权等确权登记,将农村土地、农房等7种产权纳入抵押融资范围,设立风险补偿金及风险分担机制,实现农村产权抵押融资358笔44695万元。完善三级农村产权流转交易平台和延伸到村的四级信息网络,建立土地流转准入和风险防范制度,流转承包地46.11万亩、林地6.52万亩。农村公共服务运行维护标准化建设改革到位资金1480万元,实施项目1428个。颁发水利工程所有权和使用权证书2.2万本。完成7个集体资产股份化试点,财政生产性项目资金及专合社扶持资金全部实现折股量化。

农产品品牌战略实施。自贡市启动农产品区域性公共品牌创建,"太源井"晒醋成为国家地理标志保护产品。开展"三品一标"认证及复查换证,认证无公害农产品57个、绿色食品标志许可产品84个、有机农产品29个、地理标志农产品2个、绿色食品原料基地11个。强化品牌农产品证后监管,推行不合格产品退出机制,对监管示范县实行不定期监督检查,对发现的突出问题提出整改意见并督促整改,提升品牌公信力,确保产品质量安全。全市"三品一标"获证产品抽检合格率保持在98%以上。

现代农业园区建设。自贡市新建现代农业示范园区2个,升级、扩面7个,新建园区规模1.23万亩,示范园区面积达9.29万亩。富顺县永年现代农业综合园区、自贡市尖山现代循环农业示范园区创建为省级现代农业园区。推进现代农业园区建设与新型业态培育相结合,大安区"中国玫瑰海"、荣县"荣国故事休闲园"等新发展的现代农业园区设施化、智能化、产业化水平持续提升,"中国玫瑰海"入选全国优选旅游项目名录。加快建设荣县、富顺县、自流井区农产品加工物流园区,实施龙头企业技改扩能项目30个,完成投资16亿元。

【种植业】 2016年,自贡市粮食播种面积稳定在325万亩,粮食单产增长1.2%,粮食总产量达134.6万吨,同比增长1.5%,创历史新高。粮经复合产业基地化、标准化发展,创建绿色高产高效示范片34个,建设100万亩果菜茶产业基地,发展柑橘、蔬菜、茶叶标准化示范基地27个,创建农业部园艺作物标准化示范园2个。全年水果产量31万吨,同比增长5.5%;蔬菜产量204万吨,同比增长2%;茶叶产量1.1万吨,同比增长6.4%。

2016年自贡市省级(及以上)农业产业化重点龙头企业名单

企业名称	注册资金(万元)	法人代表	示范等级	年度产值(万元)	行业分类	主营业务和产品
四川巴尔农牧集团有限公司	3041	李金玉	国家级	124653	畜牧业(养殖及其加工)	饲料、兽药、农业种植、生猪养殖和屠宰、农副产品销售
自贡市新星源食品有限公司	10000	李俊	省级	41536	畜牧业(养殖及其加工)	肉类加工、畜禽养殖
四川龙都茶业(集团)有限公司	4158.01	吴志容	省级	15802	种植业(种植及其加工)	茶叶
四川旭阳药业有限责任公司	3000	韩业祥	省级	33546	种植业(种植及其加工)	中成药
四川绿茗春茶业有限公司	1000	邹华春	省级	11625.3	种植业(种植及其加工)	茶叶
荣县阳光农业发展有限公司	1660	徐国平	省级	11825	种植业(种植及其加工)	稻谷加工
四川绿食佳农业有限公司	2000	虞桂兰	省级	5293	种植业(种植及其加工)	果蔬、食用菌生产加工
四川大农和农业开发有限公司	1000	吴剑	省级	3439.6	种植业(种植及其加工)	农业科技技术开发及服务,农产品、农业机械销售,谷物、蔬菜、畜禽种养殖
自贡市新隆农牧有限公司	2000	朱攀华	省级	2986.24	畜牧业(养殖及其加工)	畜禽、水产、蔬菜生产
四川弘鑫农业有限公司	7000	肖荣福	省级	1406	种植业(种植及其加工)	油茶种植、加工
四川吉泰龙食品集团有限公司	5000	梁世增	省级	51345	畜牧业(养殖及其加工)	生猪屠宰、加工
自贡市锦程农业开发有限公司	500	陶玉惠	省级	5486	畜牧业(养殖及其加工)	生猪养殖、销售;饲料销售;禽类宰杀加工;卤制品加工

续表

四川省富顺锦明笋竹食品有限公司	1060	杨文萍	省级	5500	种植业(种植及其加工)	种植、加工蔬菜制品
四川省远达集团富顺县美乐食品有限公司	5000	张远平	省级	42047	种植业(种植及其加工)	香辣酱、酱油、豆花蘸水、香辣菜、食醋
富顺县蜀佳味业有限公司	1010	李亭钢	省级	6896	种植业(种植及其加工)	调味食品
四川省旺林堂药业有限公司	1550	赵旺林	省级	7500	种植业(种植及其加工)	中成药,片剂、颗粒剂、硬胶囊剂、滴丸剂
自贡市六顺养殖开发有限公司	6000	刘世均	省级	6345	畜牧业(养殖及其加工)	山羊、兔、狗、猫、猪养殖加工
四川省洛源食品有限公司	1600	龚平	省级	5700	种植业(种植及其加工)	甜橙加工、果汁饮料生产
自贡市博宏丝绸有限公司	10800	王世明	省级	13640.3	种植业(种植及其加工)	丝绸、棉及化纤品制造
自贡市天花井食品有限公司	560	雷本江	省级	8000	畜牧业(养殖及其加工)	生产肉制品、罐头制品、调味品
四川金瑞克动物药业有限公司	1850	姜南	省级	30321.1	畜牧业(药品行业)	兽药生产
四川金福星生物科技有限公司	600	李柏君	省级	16295	畜牧业(饲料行业)	饲料生产
四川自贡百味斋食品股份有限公司	4256	甘丘平	省级	33041	种植业(种植及其加工)	火锅底料、调味料、调味油、调味汁、干货等
四川牧天食品股份有限公司	5658.5	张莛	省级	5009	畜牧业(养殖及其加工)	冷吃兔、手撕肉

2016年自贡市省级(及以上)示范农民专业合作经济组织名单

合作组织名称	注册资金(万元)	法人代表	示范等级	年度产值(万元)	行业分类	主营产品
自贡市牧天种养殖专业合作社	5600	张莛	国家级	5560	畜牧业	黑珍猪、冷吃免
自流井区农团食用菌农民专业合作社	180	古常林	国家级	1450	种植业	食用菌
自流井区荣边水果专业合作社	200	杨福贤	省级	600	种植业	水果
自贡市旭水河玉米专业合作社	152.25	罗文彬	国家级	784	种植业	玉米
贡井区桥头土鸡专业合作社	130	沈敬良	国家级	2350	畜牧业	土鸡
贡井区成佳大头菜专业合作社	200	詹泽光	省级	2880	种植业	大头菜
贡井区金子山果业专业合作社	130	莫东华	省级	178	种植业	水果
贡井区万鑫奶牛养殖专业合作社	520	刘强	省级	2000	畜牧业	鲜牛奶
自贡市满园春水果专业合作社	132.16	刘满春	省级	230	种植业	水果、坚果
自贡市先科农机专业合作社	377	王强	省级	132	农业服务	农机服务
自贡市大安区三绿水产专业合作社	270	朱建聪	国家级	2010	水产业	水产品

续表

自贡市明宇果业专业合作社	500	杨景寿	省级	443	种植业	水果
自贡市大安区庙坝肉牛专业合作社	203.2	严洪	国家级	9754	畜牧业	肉牛
自贡市家明蔬菜专业合作社	200.11	许家明	省级	4158	种植业	蔬菜
自贡市大安区明兴水产专业合作社	340	应兴	省级	320	水产业	淡水鱼
自贡市牛佛养蜂专业合作社	167.8	王敏	省级	560	畜牧业	蜜源树、蜂蜜
自贡市九台山瓜椒专业合作社	200	明从键	省级	543	种植业	瓜果、花椒、蔬菜
自贡市沿滩区刘山乡红丰蜜柚专业合作社	260.4	曾彬仁	省级	100	种植业	蜜柚
自贡市杨柳溪水产专业合作社	186	杜银江	省级	470	水产业	水产品
自贡市兴贵果蔬种植专业合作社	280	陈兴贵	省级	95	种植业	果蔬
自贡市沿滩区立丰花椒专业合作社	150	胡华	国家级	4605	种植业	花椒、蔬菜
自贡市九洪蜀江特种水产养殖专业合作社	200	明光银	省级	1670	水产业	鱼类
自贡市立志生猪养殖专业合作社	622	陈志凯	省级	400	畜牧业	生猪
荣县金桥鼎新蔬菜专业合作社	16.8	杨玉琼	国家级	530	种植业	蔬菜
荣县鼎新镇双贵马铃薯种植专业合作社	14.635	李双怀	国家级	2300	种植业	马铃薯、水果
荣县双古茶叶专业合作社	2.48	朱永财	省级	1693	种植业	茶叶
荣县兴农农作物种植专业合作社	1325	邓　新	省级	1483	种植业	农作物
荣县绿食佳蔬菜专业合作社	100	杨际玉	省级	600	种植业	蔬菜、水果
荣县华鑫养兔专业合作社	95.7	刘雪琴	省级	487	畜牧业	兔
荣县荣林油茶种植合作社	456	朱明伟	国家级	335	种植业	油茶
荣县兴隆畜禽养殖专业合作社	1280	傅进辉	国家级	3018	畜牧业	畜禽
荣县东奇谷物种植专业合作社	400	吴剑	省级	2134	种植业	谷物
荣县沙溪土花生种植专业合作社	52.6	秦文杰	省级	147	种植业	花生
荣县春兰茶叶专业合作社	168	黄革文	省级	217	种植业	茶叶
荣县聚丰养蚕专业合作社	200	虞东	省级	3400	种养殖业	蚕茧
荣县和牧山羊养殖专业合作社	1050	乔文霞	省级	136	畜牧业	黑山羊
荣县佳诚农机服务专业合作社	160	李成富	省级	100	农业服务	农机服务
荣县雨林油茶种植专业合作社	456	张俊良	省级	60	种植业	油茶
富县顺东湖镇椿坝养鱼专业合作社	445	杨必财	省级	110	水产业	鱼类
富顺县世英农牧专业合作社	1300	杜英	国家级	2390	种植业	花卉、生态苗木、经济林苗木等

续表

富顺县板桥镇柑竹湾村甜橙专业合作社	761.56	吴弟聪	省级	1000	种植业	甜橙、蔬菜
富顺县舒适水产专业合作社	300	胡明莉	国家级	213	水产业	水产品
富顺县安溪镇马山村甜橙专业合作社	2588	何峰	省级	46	种植业	塔罗科血橙
富顺县长滩镇蔬菜专业合作社	17	钟孝云	省级	483	种植业	蔬菜
富顺县光大畜禽养殖专业合作社	1600	陈著	省级	420	畜牧业	生猪、乌骨鸡
富顺县天翔生态养殖专业合作社	1660	陈卫湘	省级	396	畜牧业	鸡蛋
富顺县东湖镇同心村养殖专业合作社	1090.072	侯新友	省级	180	种养殖业	生猪、鱼、花椒
富顺县福善镇油茶种植专业合作社	2000	黄世武	省级	21	种植业	油茶
自贡市牧天种养殖专业合作社	5600	张苠	国家级	5560	畜牧业	黑珍猪、冷吃兔
自流井区农团食用菌农民专业合作社	180	古常林	国家级	1450	种植业	食用菌
自流井区荣边水果专业合作社	200	杨福贤	省级	600	种植业	水果
自贡市旭水河玉米专业合作社	152.25	罗文彬	国家级	784	种植业	玉米
贡井区桥头土鸡专业合作社	130	沈敬良	国家级	2350	畜牧业	土鸡

2016 年自贡市家庭农场经营情况统计表(前 10 位)

家庭农场名称	注册资金(万元)	法人代表	年度产值(万元)	行业分类	主营业务
荣县皓翰家庭农场	500	邓兴才	1100	畜牧业	生猪养殖
富顺县桑岭种养殖家庭农场	516	向书海	300	畜牧业	肉牛养殖、销售
自贡市必祥种养殖家庭农场	500	李必祥	186	畜牧业	畜禽、水产养殖、销售;种猪、种苗养殖、销售
自贡市仙丽祥家庭农场	150	钟呈祥	120	种植业	蔬菜、水果种植、销售
自流井区孝玉巾帼家庭农场	160	雷孝玉	108	种植业	蔬菜、水果、食用菌种植、销售
荣县留佳镇繁荣家庭农场	260	白树全	105	种养殖业	水果、粮食种植,水产养殖
富顺县小河养殖家庭农场	50	彭柏华	90	水产业	泥鳅、鳝鱼养殖、销售,堰塘养鱼、虾
富顺县红润种植养殖家庭农场	50	朱华武	86	种养殖业	果树种植,堰塘鱼、鸡养殖
荣县高山鸿鹄家庭农场	20	王华	64.7	畜牧业	黑山羊养殖、销售
贡井区华凤家庭农场	40	莫东华	40	种植业	水果种植、销售

【畜牧业】 2016 年,自贡市“种养结合、畜牧优先、集中连片、特色精品”的现代畜牧业发展战略深入推进,全市生猪、肉奶牛、川南黑山羊、禽兔四大优质畜禽产业基地建设加快,畜牧经济保持续稳步发展。全年肉、蛋、奶产量分别达 30.82 万吨、5.44 万吨、1.59 万吨,同比增长 0.04% 、0.86% 、1.02%;畜牧业重大项目完成投资 1.06 亿元,畜牧业产值同比增长 10.4%,农民人均畜牧业可支配收入增加 90 元。

【水产业】 2016 年,自贡市投放鱼种 1.615 万吨,水产品产量 6.79 万吨,同比增长 4.8%;实现产值 15.95 亿元,同比增长 4.3%。全年渔政执法案件办结率达 100%,渔业船舶登记、检验率达 95%,渔业船舶“三证合一”管理工作有序推进,安全监管规范有力,未发生渔业船舶安全责任事故。

【农村水利】 2016 年,自贡市农村水利项目完成投资 2.21 亿元,建成集中供水工程 29 处、分散供水工程 538 处,巩固提升了 6.29 万名农村居民的饮水安全。新建渠道71.2千米,整治渠道33千米,新建蓄水池192口,整治山坪塘337处、石河堰22座,改造机电泵站32处,新增灌面3.1万亩。完成12座病险水库除险加固工作,新增和恢复蓄水1100余万立方米。“一大三中”水库完成年度投资7.5亿元,小井沟水库5月下闸开始蓄水,11月开始向双溪水库输水,小井沟水库干渠正式通水。

【农业机械化】 2016年,自贡市安排农村机电提灌站维修改造补助资金200万元,新建、修复、改造机电提灌设备3764台、34783.8千瓦,新增控灌面积20.11万亩、组织提水6010.4万立方米、灌溉120.48万亩次。全市共组织购机4079台(套),分别兑付中央补贴资金304.48万元、地方累加补贴资金13.4万元,受益农户3983户;农机装备总动力达128.18万千瓦,同比增长7.1%;机耕作业面积299.82万亩次,耕种收综合机械化水平达46%。全年开展水稻全程机械化示范2350亩、玉米农机化生产示范100亩、马铃薯全程机械化示范450亩、油菜全程机械化示范600亩。

【统筹城乡与新型城镇化】 2016年,自贡市实施深化城乡建设用地增减挂钩项目,投资4亿元,拆旧复垦4000余亩,建成农民集中居住区51个、1674套,探索出农村宅基地有偿退出机制。全面推行并规范完善基层政务、村务和财务公开,建立内容、形式、程序、结果公布、责任追究“五统一”决策机制,形成“2111+10”民主治理基本构架,构建起“6411”网格化工作机制,建成农村网格1070个。

【新农村建设】 2016年,自贡市投入各类资金11.4亿元,推进幸福美丽新村建设,全面实施“三建四改”工程,推动160个新建和84个续建幸福美丽新村建设,完成225个幸福美丽新村建设。新(改)建村组道318.9千米、入户道123.8千米,公路乡(镇)通畅率达100%、建制村通畅率达94.56%;建设排污管网462.1千米、垃圾设施204个、厕所18座,安装路灯964盏;建成文化活动广场59个、“1+6”村级公共服务活动中心98个;建成农村廉租房639套。制订全市“四好村”创建活动实施方案,细化考评细则,明确创建重点和要求,联合市委宣传部、市文明办开展省级、市级“四好村”考评复查工作,顺利迎接省级复核工作,创建省级“四好村”15个、市级“四好村”117个。

【农村扶贫和移民工作】 2016年,自贡市组建市级扶贫开发基金4亿元,整合涉农项目资金12.04亿元,实施精准扶贫、精准脱贫,顺利通过省脱贫攻坚验收考核,省下达的19个贫困村、18809名贫困人口全部达标退出,群众和干部满意度平均达99%。完成全国扶贫开发业务管理子系统数据审核校正工作。全年易地扶贫搬迁竣工3226户、8554人,完成省下达任务的242.3%。启动大中型水库移民后扶“十三五”规划编制和审批工作。严格执行移民后期扶持人口动态管理,全年核减196人,共有后期扶持移民11769人,兑付移民直发直补资金667.38万元。接待和处理大中型水利水电工程移民来信、来访、电话咨询170余人次,库区和移民安置区社会稳定可控。

【乡村旅游】 2016年,自贡市把休闲农业纳入全市供给侧改革政策支持,对休闲农业示范经营主体实施专项奖补。实施旅游扶贫示范建设工程,支持具备条件的地区发展休闲观光农业,重点发展以环城沿线为主的休闲农业与乡村旅游产业带。全年休闲农业接待游客800万人次以上,实现综合性收入5.8亿元。

【农村科技】 2016年,自贡市重点开展农业科技实验示范,加大农业科技成果转化力度,全年共争取中央引导地方科技创新项目示范资金300万元;省上项目3个,落实资金110万元;征集和筛选30个市级应用研究开发项目,支持经费120万元,其中扶贫专项5个,支持经费25万元。重点推广新品种15个、新技术5项,发掘并推广新模式2种。

【农村教育】 2016年,自贡市出台了《乡村教师支持计划实施细则》,研究制定教师附加绩效工资有关政策。有序推进中小学教师职称评聘和岗位设置工作,进一步提高教师待遇水平。印发了《关于推进县(区)域内义务教育学校校长教师交流轮岗的指导意见》,指导全市86所学校结成对子,选派362名优秀教师到偏远农村学校支教,“上挂”锻炼教师135名。

【农村文化】 2016年,自贡市高清自贡、智慧广电全面推进,完成19个广播“村村响”和6917户电视“户户通”。完成6个乡(镇)出版物数字化发行网点、85个农村公共服务网点建设和1129个农家书屋、295个社区书屋的书目补充更新工作。实施广播电视“雪亮工程”和智慧乡村、社区建设。组织开展文化惠民扶贫攻坚,放映农村公益电影1.35万场,近70万人次观看。

【农村卫生】 2016年,自贡市有农村医疗机构1772个,其中乡(镇)卫生院96个、村卫生室1696个;核定乡(镇)卫生院编制数3398人,在编人员2361人,在岗3336人;编制床位数2599张。出台《关于落实乡医生待遇有关问题的通知》,对在岗和离岗老年村医分别提高100%、50%的养老保险、生活困难补助,为在岗村医购买每年100元/人的意外伤害保险,对村医县级定额补助由2500提高到4500元。开展乡(镇)卫生院、村卫生室规范化、标准化建设和“群众满意乡镇卫生院”创建活动,富顺县板桥镇中心卫生院等12家乡(镇)卫生院被评为2015—2016年度全国“群众满意的乡镇卫生院”。

【涉农招商引资】 2016年,自贡市3000万元以上的农业招商引资重大项目24个,均为内资项目;项目总投资98.33亿元,比上年增长50.8%。

2016年自贡市3000万元以上招商引资项目表

项目名称	总投资(万元)	投资内容	项目业主	项目进度
自流井区现代农业产业园工程	136000	以尖山现代循环农业示范园区、威尔特花海国际生态观光产业园区、“花满盐都”现代农业花卉主题园区、荣边现代农业示范园区为重点,打造自流井区南部生态片区特色产业带	威尔特公司、兴源公司、健康田园公司等	已开工
自贡冷吃兔地标现代农业产业园项目	69000	建设集现代化生产加工、参观展示、休闲体验、文化旅游于一体的现代产业园区	四川牧天食品股份有限公司	已开工
四川威尔特花海国际生态观光产业园	45000	总占地1030亩,建成以樱花、海棠、紫薇、红枫为主的四季景观,“动态养老”的新型养老模式养老公寓6000平方米,农业科普博览园5000平方米和动漫游乐园60000平方米	四川威尔特生态观光农业有限公司	已开工

续表

"花满盐都"现代农业花卉主题园	14500	总占地1000亩，建设包括湿地公园、游乐场、游客接待中心、花海、商业街等集赏花、游乐、休闲、生产体验于一体的花卉主题园	兴绿园林绿化工程有限公司	已开工
大安区万亩珍稀树木和万亩柑橘产业带建设项目	10000	打造珍稀树木产业基地1万亩，新建及提升改造优质柑橘产业带2万亩，推进以杂柑为主的宽皮柑橘产业带、沱江河流域大安段甜橙产业带建设，配套完善基础设施	成都景焱农业科技有限公司	已开工
年出栏3500万羽一体化养鸡项目	105000	建设饲料厂、办公、研发及配套用房、种鸡场及孵化场、交易平台及环保设施等，建设一体化养鸡全产业链无害化、标准化处理场、屠宰加工场(厂)	江苏立华牧业有限公司	已投产
皓禾生猪标准化养殖	12000	建设各类猪舍4500平方米、配套设施用房3800平方米、二期生物质燃气部分扩建新增建筑面积约24000平方米	四川皓禾生态农业有限责任公司	已开工
荷园休闲山庄四季观光及水果采摘园	5000	建设四季观光园林和水果采摘园，配套建设休闲设施	重庆洛林苗木有限公司	已开工
硕丰苑休闲农业观光园	5000	建设以四季水果采摘、休闲垂钓、特色餐饮等为载体的休闲农业观光园	贵州最农农业有限公司	已开工
自贡市贡井现代都市生态农业公园	95000	规划面积1万亩，建设循环农业示范园、水果产业示范园、花木文化博览园等八大版块	华宁春生苗木有限公司	已开工
莲花特色农林业旅游休闲区	4000	建设集野营、户外拓展训练、康体、农耕文化体验、休闲、娱乐、度假于一体的野营生态旅游区	重庆市文笔峰农业开发有限公司	已开工
莲花—牛尾生态公园项目	320000	进行川南彩色苗木核心示范基地建设、彩色苗木产业带建设、核心景点建设	四川七彩林业开发有限公司	正在规划
荣县天邦水果专业合作社高标准果园建设项目	3585	新建高标准果园	—	已竣工
西藏客商自贡新县新建度佳镇崎飞养殖家庭农场建设项目	4350	新建家庭养殖农场	—	已竣工
西藏客商自贡荣县新建现代农业产业园项目	4400	新建现代农业产业园	—	已竣工
新建示范化现代肉羊养殖场	4750	新建示范化现代肉羊养殖场	—	已开工
福建客商自贡荣县保华镇中药材种植项目	4620	中药材种植	—	已开工
浙江客商自贡荣县5000亩"乐德红"小红椒基地工程	3576	建设5000亩"乐德红"小红椒基地	—	已开工
荣县过水镇易家湾农场建设项目	3000	建设现代农场	—	已开工
田园牧歌建设项目	90000	新建花卉苗木、生态林、大棚果蔬种植基地及家禽、水产养殖基地，完善配套设施建设	云南客商	已开工
特色种养殖项目	20000	建设天鹅湖、鳄鱼湖等特色养殖基地，配套建设集四季水果采摘、休闲垂钓、特色餐饮、农耕体验等于一体的综合示范基地	北京企业商会	已开工
马安百年贡醋产业园	10000	建设生产及配套用房15000平方米、290亩晒场和贡醋文化、知青文化展示区，年产80～1200万斤调味品	丽江召瀚投资有限公司	已开工
鹅宝山甜橙专业合作社项目	8000	建设甜橙科技种植园，安装田间灌溉设施并完善相关配套工程	云南客商	已投产
新天地种养殖家庭农场项目	6500	建设种养殖基地，包括平整土地，建设场地，开挖鱼塘，栽植葡萄、车厘子等	云南客商	已投产

【农村社会保障】 2016年,自贡市开展低保立项治理,推进农村低保保障标准和扶贫标准"两线合一"。完善医疗救助制度,累计救助19.7万人次,支出资金6684万元,重点救助对象政策范围内住院自付费用在年度救助限额内的救助比例达70%,同时,建立精准扶贫对象长期患病者定额基本药物救助制度,按照200元/人/年标准救助416人。统筹城乡养老机构建设,建成15个农村区域性养老中心,新增、改造养老床位2950张。完成农村"三留守"人员情况摸底排查工作,实施"寒冬送温暖"专项救助。

【农村留守儿童(学生)帮扶】 2016年,自贡市实施适龄绝对贫困少年儿童基础教育巩固提升计划和贫困家庭子女教育补助政策,投入1067.57万元资助建档立卡贫困家庭子女1.02万人。持续推进省、市各项教育民生工程目标任务落地落实,完成中等职业学校招生11164人,2013级"9+3"毕业生就业率达100%。"栋梁工程——家乡助你上大学"爱心助学活动共计筹资309万元,资助家庭经济困难大学新生1244人。为4597名大学生发放生源地信用助学贷款3487万元。

【农产品质量安全监管】 2016年,自贡市扎实开展禁限用农药、兽用抗菌药、"三鱼两药"、"瘦肉精"、生鲜乳、农资打假、畜产品质量安全、生猪屠宰"扫雷"专项整治等行动,农产品质量安全水平稳中有升,省例行抽检总体合格率达99.2%。省级农产品质量安全监管示范县创建顺利推进,富顺县、沿滩区被认定为第四批四川省农产品质量安全监管示范县。

【农村市场体系建设】 2016年,自贡市加快农村金融体系建设,建成3个省级农村资金互助合作社。开通"川汇味网""供销E站"等电子商务平台并发布农特产品信息近千条,线上交易额近1500万元。创新开展信用保证保险贷款,银政险按照2:2.5:5.5的比例分摊风险。加快农业融资担保体系建设,市农业融资担保公司注册资本金增加到2亿元,在保余额8.3亿元。

【涉农节会会展】 2016年,自贡市组织泰福大头菜、大农和等10余家龙头企业及龙须淡口大头菜、大农和粮油、贡富笋竹、长滩红心柚等30余个系列产品参加第十四届中国国际农产品交易会,参加了采购商专场、四川农产品品牌推介会、贸易洽谈、展示展销、高端论坛等20场次品牌活动,接待农业部、农业厅各级领导及客商、观众20余万人,自贡名特优新农产品受到当地市民和组委会的亲睐和好评。组织全市60余家农业龙头企业、专合社、家庭农场等参加第四届四川农博会、2016天津全国优质农产品交易会等涉农展会,推出八大类、400余个有机农产品参加展销,现场销售额7000余万元;推出45个、总投资54.2亿元的农业招引项目,签约农业招商引资项目11个,投资总额5.32亿元,引资额2.85亿元;签约采购贸易协议78个,采购总金额4.35亿元。

【农村大事记】 1月29日,全市首批农药残留快速检测设备投入使用。该设备能够在20分钟左右检测出甲醛、漂白粉、吊白块、二氧化硫、双氧水等数十项农药残留含量,首批在17家大型超市和集贸市场的"农残快检室"投入使用。

2月26日,全市首个乡(镇)级农村电商综合示范项目在贡井区艾叶镇试点,规划建立农村电商应用服务体系,在镇域内建立区域仓储配送中心,辐射所辖村、社区,并在村级服务站配套建设电商配送站点,提供物流信息查询、订单打印及售后等服务。

3月7日,市政府与中农联控股有限公司签署协议,建设中国供销·川南(自贡)农产品电商批发物流园项目。该项目集农副产品批发零售及相关商贸展览展示等于一体,占地32.67公顷,计划总投资28亿元,是中国供销集团在四川布局的第一站。

5月4日,启动"万企帮万村"自贡精准扶贫行动,该行动组织全市民营企业、各类商会和其他非公有制经济组织与全市113个省定贫困村和有贫困人口的一般村开展结对帮扶,助推全市贫困对象如期脱贫。

7月28日,自贡市不动产登记局及不动产登记中心正式揭牌并发放了首批《不动产权证书》。

9月26日,全国南方再生稻现场观摩交流会在富顺县召开,农业部及福建、河南、湖北、湖南、广西、重庆、江西等10个省(自治区、直辖市)的专家、农技推广人员80余人参加会议。与会人员先后参观了富顺县代寺镇、古佛镇、宝庆乡、骑龙镇、童寺镇等乡(镇)再生稻生产情况,交流了中稻加再生稻的生产技术。

11月1日,小井沟水库干渠正式通水。该通水干渠全长约30千米,从小井沟水库左岸取水后,先后入双溪水库、旭水河、釜溪河,覆盖小井沟灌区、荣县城区和自贡城区,包括用于农业灌溉和人畜饮水及生活工业用水。

11月7日,住房城乡建设部等部门印发《关于做好2016年中国传统村落保护工作的通知》,自流井区龙凤山社区、贡井区艾叶镇竹林村、大安区三多寨镇徐家村、沿滩区永安镇鳌头铺社区、荣县墨林乡吕仙村和富顺县富世镇后街社区6个村(社区)入选第四批中国传统村落名录。

12月12日—22日,自贡各区(县)脱贫攻坚工作通过省级验收考核,省下达给自贡的19个贫困村退出、18809名贫困人口脱贫全部达标。

12月28日,市级扶贫开发基金成立,基金规模4亿元,用于全市4区2县扶贫项目。市商业银行股份有限公司为基金托管银行,实行专户管理。

【主要领导人】 市委书记:雷洪金(4月止),李刚(4月始);市人大常委会主任:陈华(9月止),谭豹(12月始);市长:刘永湘;市政协主席:潘泽金(12月止),游开余(12月始);分管农业副市长:杨征宇(12月止),鲜光鹏(12月始)。

自贡市编写组

自流井区

【基本情况】 2016年,自流井区辖13个乡(镇、街道),有农业总人口8.46万人,有耕地面积41250万亩,与上年持平;基本农田49336.2万亩,增长5.76%。

【年度农业和农村经济运行】 2016年,自流井区实现农业总产值78112万元,增长4.54%;农业增加值47289万元,增长4%。农民年人均可支配收入14367元,增长9.83%。

【种植业】 2016年,自流井区粮食总产量27801万吨,增长0.3%。狠抓大春生产,针对不同情况,因地制宜完成"中稻+再生稻"示范种植模式1万亩,种植"玉—豆"1万亩;实施配方施肥面积2.31万亩、病虫害绿色防控面积1.5万亩,专业化统防统治率达35%。

【林业】 2016年,自流井区组织开展育苗面积达50亩,栽植黄檀1000株,发展城乡绿化基地1434亩。发放防火年画2000份,悬挂宣传标语40幅、墙标400幅、林区警示牌360块;桃花会期间在门票上印制防火宣传标语10万份,发放区政府禁火区和禁火期公告1000份。

【畜牧业】 2016年，自流井区出栏生猪9万头、肉牛0.2万头、肉羊2万只、小家禽畜150万只，同比分别增长0.68%、2.48%、0.95%、0.3%；禽蛋产量0.3万吨、牛奶产量0.26万吨、肉类总产量1万吨，同比分别增长0.66%、0.0%、1.89%。

【水产业】 2016年，自流井区新建特色水产养殖基地300亩，水产品产量0.29万吨；实现渔业总产值6100万元，较上年增长5%，水产业助农人均增收30元。

【统筹城乡与新型城镇化】 2016年，自流井区仲权场镇综合提升改造工程全面完工，被评为"四川最美乡镇"；农团乡全省首个整乡增减挂钩和仲权镇全国首个增减挂钩深化试点项目全面完成并通过验收，实现城镇建新区可使用挂钩指标1877亩；累计建成新农村聚居点23个，基本形成以中心城区为核心、以小城镇为支撑、以新农村为基点的新型城镇化体系。

【扶贫攻坚】 2016年，自流井区通过大力实施产业扶贫、就业扶贫、金融扶贫、低保兜底扶贫、医疗救助、教育扶助等多项帮扶政策和措施，全面完成省下达减贫目标1066人。同时，建立和完善动态管理机制和精细管理台账，对已实现稳定脱贫的贫困户挂牌销号，切实做到底数清楚，确保扶贫力量精准对接、扶贫资金精准使用、贫困对象精准受益。

分类施策，确保扶贫政策"中靶心"。针对全区无贫困村、贫困人口呈"插花"分布、扶贫项目难以成片推进的现状，区委区政府主要领导多次召开工作推进会，专题研究贫困人口可单家单户享受的帮扶政策。各政策制定部门积极对接省、市专项扶贫方案和计划，浓缩提炼政策要点和精华，结合全区实际，出台专项政策，鼓励有劳动能力的贫困户发展种养殖小微项目并给予每户最高1万元的项目补贴，提高医疗和民政救助等资金限额和补贴比例，在全市率先试点开发农村公益性岗位，提出了"以房养老"等帮扶政策，最终形成了包含六大类22条帮扶措施的《自流井精准扶贫实施细则（试行）》，确保每户贫困户的困难都能对应解决，扶贫政策"正中靶心"。

多方整合，打好扶贫措施"组合拳"。全区积极对接省20个扶贫专项和市级2016年专项扶贫计划，在深入调研分析的基础上，科学制订分户脱贫方案，各项扶贫措施全面跟进。投入375万元，实施399个产业扶贫小微项目；投入250万元，开发252个农村公益性岗位，岗位人员每月可领取补贴828元，带动744人脱贫。全年实施易地扶贫搬迁26户、64人，已全部完成建设。落实城乡低保提标，顺利完成贫困线、低保线"两线合一"。投入300万元设立医疗救助基金，用于补贴贫困户医疗费用开支；发放各项残疾人补贴15.9万元，保障残疾人员不返贫；发放各类教育扶持补助资金11.12万元，惠及学生207名；为68名贫困大学生办理并发放生源地信用助学贷款53.9万元。

【乡村旅游】 2016年，自流井区推进全域旅游建设，提升休闲旅游发展水平。完善景区旅游基础设施和公共服务设施，加快旅游快速通道建设，全面建成狸狐洞水库大坝，确保早日下闸蓄水。大力发展休闲旅游，依托飞龙峡景区丰富的自然资源禀赋，高标准做好旅游发展规划，加快核心景区整体开发，力争启动中华龙乐园、湿地花语等项目建设，谋划实施特色旅游小镇、慢生活体验区、高品质度假村等特色精品旅游项目，促进旅游与文化创意、运动休闲等产业深度融合，加快建设独具特色的生态旅游目的地。树立全域旅游理念，以沿伍富路—自宜路环线为纽带，大力发展生态游、养生游、体验游、乡村文化游，推动乡村旅游个性化、差异化发展，着力打造四季花香、五彩斑斓的精品乡村旅游线路。

【主要领导人】 区委书记：龙腾鑫（9月止），曾健（9月始）；区人大常委会主任：何永海；区长：张序（11月止），黄志勇（11月始）；区政协主席：刘茂常；分管农业副区长：黄敏（11月止），贾小龙（11月始）。

自流井区编写组

贡 井 区

【基本情况】 2016年，贡井区辖11个乡（镇、街道），有农业人口19.4445万人，有耕地面积33.53万亩，增长0.06%；基本农田24.58万亩，增长0.1%。

【年度农业和农村经济运行】 2016年，贡井区实现农业总产值259390万元，增长2.7%；农业增加值160082万元，增长4%。农民年人均可支配收入13620元，增长9.1%。

农业产业化发展。贡井区登记注册各类农民合作组织140个，其中国家级示范专合社2个、省级示范专合社6个、市级示范专合社23个、区级示范专合社30个；登记培育家庭农场192个；有各类适度规模专业大户4000余户。

【种植业】 2016年，贡井区粮食播种面积29.59万亩，产量稳定在10.7万吨以上。蔬菜种植面积11万亩，产量31万吨；发展优质蔬菜基地1100亩，新增蔬菜产量3600吨；发展春提早秋延后特色优质蔬菜3000亩。水果种植面积5万余亩，以柑橘类为主；新发展优质水果1100亩。园林花卉苗木提质增效520亩。全年五季组织发放蚕4002张，产茧146吨。改造低产、老弱桑树10万株，管护桑树2600余亩。

【林业】 2016年，贡井区森林覆盖率继续保持年1%的递增速度，达31.31%。完成营造林0.6万亩，其中新造林0.53万亩；新增森林面积0.65万亩，新增森林蓄积量0.89万立方米，林地保有量达9733公顷以上，森林保有量达8744公顷以上。新发展油茶0.3万亩，在五宝镇高林村、莲花村、平房村、大同村、凤翔村、保证村6个村实施城乡绿化造林（种植油茶），2013—2016年全区共新发展油茶面积达1.3万亩。完成国有森林管护0.13万亩，落实森林管护面积13.81万亩。全年实现林业总产值3.72亿元，其中林业旅游与休闲服务产业产值1.3亿元，农民人均从林业获得收入580元以上；完成固定资产投资7500万元。加强林权管理服务机构建设，开展"回头看"工作，做好林权纠纷调处。继续推进林权流转交易平台建设，规范流转管理，不断培育新型林业经营主体。全年办理林木采伐51份，采伐林木181立方米，森林采伐消耗控制在10951立方米以内。

【畜牧业】 2016年，贡井区生猪出栏28万头、肉兔出栏595.58万只、家禽出栏375.05万只，肉类总产量3.43万吨、牛奶产量0.799万吨。推进特驱集团20个生猪标准化养殖场建设，已发展19户，完成全年任务的95%，其中4户已完成主体工程，年产值达1000万元。严格畜禽养殖场"瘦肉精"监管，全年共检测养殖场415家、样品2472个，检测结果均为阴性；检测三聚氰胺和黄氨类41份，检测结果均为阴性；完成各类畜禽血清学监测430头（只）份，完成病原学采样840份，开展到场到户流行病学调查67场次。

【水产业】 2016年，贡井区水产品产量12200吨，比上年增长5.26%；投放鱼种3253吨；实现产值2.95亿元，比上年增长7.6%。在五宝镇、成佳镇、桥头镇等乡（镇）开展日常管理技术、鱼病防治、科学用药等技术培训5期,培训1800余人次,发放技术资料1800余份。引进"中科三号"、台湾泥鳅等名特优水产养殖新品种,在鱼苗引进、成鱼生产、鱼病防治等方面开展技术指导,提高养殖综合效益。全年共组织开展集中执法检查4次,出动执法人员15人次、车辆4台次,销毁三层刺网50余张,没收渔获物12千克并就地放生;加强渔船安全监管,维护正常作业秩序,全年渔业船舶安全责任事故为零;开展非法捕捞专项整治行动,严厉打击电、毒、炸、地笼网等非法捕鱼行为;在长土镇和桥头镇进行天然水域增殖放流活动,人工放流白鲢、鳙鱼约5000千克。全年完成水产品监督抽检样品16个,风险监测样品65个,抽检合格率均为100%。

【统筹城乡与新型城镇化】 2016年,贡井区深化城乡建设用地增减挂钩改革试点,探索建立宅基地有偿退出机制,已受理566户农户宅基地退出复耕申请,其中对已完成拆除复耕工作的116户农户待省上验收通过后进行补偿,另外对其余450户农户宅基地进行现场测绘并逐个对地块核实图斑。深化户籍制度改革,大力推行城镇居住证制度,全区共办理农转非迁入城镇户口543人,其中征地拆迁339人、市外迁入集体户6人、市外投靠购房198人,基本建立了以合法稳定住所为基本条件、以经常居住地登记为基本形式的户口迁移登记制度,同时建立了人口基础信息库,实现跨部门、跨地区信息整合共享,推进治理体系和治理能力现代化。

【新农村建设】 2016年,贡井区幸福美丽新村建设项目涉及成佳镇兴隆村、龙潭镇万坪村等10个乡(镇)11个村95个村民小组4667户15439人,建设内容为修建村组及入户便道等干道30千米,安装天然气102户,在11个项目村建设垃圾回收设施(垃圾池)37处,新建文体广场4个、4100平方米等,同时在11个项目村实施"雪亮工程",安装监控摄像头62处,配套建设监控系统。此外,计划发展花卉、苗木、蔬菜等特色产业1500余亩。整个项目计划总投资6228.69万元,其中安排省级财政幸福美丽新村建设资金600万元、区级财政配套资金300万元、整合项目资金1107.14万元、社会投入3811.02万元、农户筹资筹劳410.53万元。

【扶贫攻坚】 2016年,贡井区完善脱贫攻坚组织保障体系、政策制度体系和责任体系,为推进脱贫攻坚奠定了组织基础。按照市委提出的基本全部脱贫要求,将目标任务及时分解下达到乡(镇)。按照"一户一策,因贫施策"原则,建立扶贫对象脱贫需求、帮扶措施、脱贫责任、帮扶落实4本台账,绘制路线图,倒排工期,挂图作战。一是实施产业就业扶贫工程。以财政资金为引导,吸引社会资金1.5亿元发展乡村旅游示范基地(园区)18个,带动200余户贫困户实现脱贫;落实专项资金549万元支持2495户贫困户发展力所能及的种养殖业;举办"就业脱贫春风行动下乡招聘会",为贫困户提供岗位700余个;落实220个农村公益类岗位,专项解决贫困户就业问题,实现近800人脱贫。二是实施政策兜底保障工程,将1634户1831名建档立卡贫困户纳入最低生活保障范围,实现"两线合一";发放特困人群各类政策性兜底资金240余万元,受益贫困人口1532人次。三是实施医疗教育扶贫工程,统筹新农合基金,为7034名贫困人口购买重大疾病医疗保险;区属医疗卫生机构为3903名贫困人口减免一般诊疗费4.9万元,发放医疗救助卡150张;发放助学金、免除学杂费共46.36万元,支持516名贫困学生完成学业。四是实施住房安居扶贫工程,将全区180户554名搬迁对象分解落实到乡(镇)、村(组)和贫困户,如期实现全面开工,已完工4户;全面启动农村贫困户危(旧)房改造,将695户需要实施改造的贫困户全部纳入计划,已开工168户。五是实施基础设施扶贫工程。以脱贫攻坚引领农村基础设施建设,已完成县、乡、村道路建设70余千米;实施小型农田水利工程建设34处,新建、整治渠系11.53千米;改造五宝等3个乡(镇)13个村43个组的农村电网,受益贫困户324户。

【乡村旅游】 2016年,贡井区推进乡村旅游转型升级。一是着力打造独具特色的乡村旅游,依托省道305线和北环路花卉、园林、生态果蔬、健康水产等休闲观光农业及莲花—牛尾森林资源,重点打造了花香田园、五彩荷园、溪谷农庄等一批新型观光农业示范项目,逐步构建起都市近郊休闲观光乡村旅游带和都市远郊生态休闲度假旅游带。二是加快旅游标准化建设,打造乡村旅游品牌,七星湖生态园建成国家2A级旅游景区,建成星级农家乐及乡村酒店20家(其中五星级农家乐和乡村酒店各1家),凯基度假酒店等5家农家乐及乡村酒店被评定为"中国乡村旅游金牌农家乐"并被列入国家"乡村旅游千千万万品牌",固胜村被评定为"中国乡村旅游模范村",建设镇被评定为"四川省乡村旅游特色乡镇"。三是强化乡村旅游宣传推介,连续举办了11届自贡市乡村旅游节,先后分别在UU163网站、自贡在线举办自贡第十一届乡村旅游节暨川南旅游联盟联席会及全区2016乡村旅游年活动宣传,贡井区乡村旅游品牌享誉川南。四是以"四带五基地"产业为主要载体,打造以优质水果、生态蔬菜、健康水产、花卉园林、川南民居、农家乐和川南婚俗文化中心为主要载体的自贡市乡村旅游示范点,重点推进自贡市贡井现代都市生态农业公园、贡井区荷园休闲农庄、日月彩虹农业有限公司创意休闲农业园区以及莲花溪谷特色农林业旅游休闲区建设。自贡市贡井现代都市生态农业公园项目完成生态水产、水果、蔬菜产业各150亩并投产,沿湖景观完成园路和沿湖绿化12000平方米,溪流景观完成园路、园桥和景观绿化5500平方米,完成投资3200万元。

【农村科技】 2016年,贡井区引进蔬菜新品种黄瓜2个、南瓜1个、丝瓜1个、番茄1个(省农科院的品试),示范番茄嫁接技术栽培100亩、肥水一体化技术栽培300亩、避雨栽培技术1000亩。实现无公害蔬菜生产可追溯制。依托基层农技推广体系建设和新型职业农民培训,创建高产示范基地4个。整合涉农项目资金,实施高标准农田建设0.81万亩,推进山、水、田、林、路、沼等综合治理水平,不断提升粮食生产能力。通过采取土壤有机质提升、测土配方施肥、培肥地力等措施,不断提高耕地质量。

【农产品质量安全】 2016年,贡井区对无公害农产品基地、农业标准化示范基地的农产品实施农残快速检测85个样,合格率达100%;定期或不定期对市场、超市和农户的各类农产品进行抽检216个样,合格率达100%。

【惠农政策】 2016年,贡井区推进农业"三项补贴"等惠农政策。严格执行森林生态效益补偿和造林补贴等政策,27.02万元的生态补偿资金通过"一卡通"均按时足额兑现到农户手中。继续实施农机购置补贴工作,销售各类补贴机具259台,受益农户258户,兑付国家补贴资金20.6万元,兑付率达100%。政策性养殖保险和生猪价格保险试点工作有序开展。

【回乡创业之星选介】 杨承博,男,27岁,大专文化,自贡市天成畜禽养殖专业合作社养殖场场长,先后获得四川省就业训练中心"优秀创业者",共青团四川省委、四川省青年创业促进会"公益贡献奖"。2012年,杨承博在中国人民解放军某部服兵役两年,2014年12月退伍回家从事畜禽、特种水产养殖。杨承博参加了西南大学函授课程,获得畜牧兽医专科毕业证书,2015年通过国家统一考试,取得执业助理兽医师资格证书。2015 年 10 月，杨承博参与组建天成畜禽养殖专业合作社，任养殖场场长，管理天成蛋鸡养殖场，在龙潭镇将军村 8 组累计投入资金 1000 万元，建成占地近 26 亩、建筑面积近 8000 平方米，年存栏产蛋鸡 6 万羽，年育雏青年鸡 32 万羽，年产鸡蛋 1000 余吨，经营额达 1500 余万元的四川省蛋鸡养殖标准化示范场。养殖场先后获得“自贡市蛋鸡养殖标准化示范场”“自贡市安全生产标准化三级企业”“自贡市先进农民合作组织”称号。养殖场产品已通过无公害产品认证。

【主要领导人】 区委书记：鲜光鹏；区人大常委会主任：林勇；区长：黄劲；区政协主席：罗洪艳；分管农业副区长：陈伯於。

贡井区编写组

大 安 区

【基本情况】 2016 年，大安区辖 16 个乡（镇、街道），有农业人口 309958 人，有耕地面积 21.3 万亩。

【年度农业和农村经济运行】 2016 年，大安区实现农业总产值 236542 万元，增长 6.6%；农业增加值 142587 万元，增长 4%。农民年人均可支配收入 13074.3 元，增长 9%。

农业产业化发展。大安区培育市级以上龙头企业 16 家、农民合作社 117 家、家庭农场 80 个。按照“供销社+专合社（龙头企业）+社会能人+农民”的组建模式，组建何市镇和三多寨镇惠农供销社，引进社会资本组建自贡市汇民商业管理有限公司，开发本土电商平台，交易额累计达 500 万元以上。

农用地产权制度改革。大安区积极稳妥推行农村产权抵押融资，支持大安信用联社开展林权抵押贷款，已发放林权抵押贷款 2 笔、2300 万元，涉及林权面积 1120 亩。省级林权抵押贷款试点深入推进，发放经济林木（果）权抵押贷款 7040 万元。土地确权登记颁证工作顺利通过省级验收，流转土地 2 万余亩并实现动态管理。大安区三绿农村资金互助合作社累计发放贷款 76 笔、1977.6 万元，工商变更注册为合作制。积极探索土地托管服务改革，完成土地托管 5000 亩。全面推进深化土地要素配置和差别化用地机制改革。农村土地适度规模经营步伐进一步加快，全区新增流转土地 1065 亩，土地流转率达 18.93%。

【种植业】 2016 年，大安区粮食产量稳定在 10.7 万吨以上，增长 2.5%。新发展蔬菜 6000 亩。重点发展酿酒高粱产业项目，全区推广发展酿酒高粱 4.2 万亩，落实“高粱+再生高粱”生产模式 2.4 万亩，实现两季高粱亩产值 3218 元、亩纯收益 2417 元，新增社会收益 11323 万元，取得了明显的经济效益。探索并推广“高粱+再生高粱+冬大豆”的产业配套种植新模式 1200 亩，受到全省专家的好评。

【林业】 2016 年，大安区以香樟、银杏、红椿、香椿、桂花等为主的绿化树木、园林苗圃为发展重点，积极推进珍稀树木产业发展，在三多寨镇芦家村、龙斗村、八甲村，何市镇高庙村、三和村、百合村、黄桷村、廖家村、胡家村等地连片发展珍稀树木种植 6000 余亩，初步建成川南地区较具规模和示范效应的珍稀树木种植示范园。在东环线、何市、新民、三多寨、永嘉、牛佛栽植蜀台红香椿 4800 亩；在永嘉乡建成农业综合开发名优经济林核桃基地 1200 余亩，建成“川早 2 号”优质核桃育苗基地 400 亩，年产优质核桃苗木 10 万余株。

【水产业】 2016 年，大安区水产品产量 7420 吨，同比增长 3.9%；实现渔业经济总产值 1.836 亿元，同比增长 7.4%。开展天然水域和饮用水水库人工增殖放流，在沱江河、釜溪河人工增殖放流 10 万尾。完成 2016 年渔业标准化健康养殖项目、大安区采悠园农庄休闲渔业基地建设项目、2016 年自贡市水产业升级改造转变发展方式补助资金项目、2016 年市级财政专项资金水产健康养殖项目。完成《大安区水产区域发展规划》编制工作。引进推广白乌鱼、小龙虾、黄颡鱼名特优新品种 3 个，增收效果明显；全生态综合种养模式取得圆满成功。在牛佛镇示范稻鳅兼作 110 亩，亩收益在 0.8 万～1.4 万元之间，是普通稻田的 10 倍左右，为下一步大面积推广积累了丰富的经验。积极探索水产一二三产业融合发展，在泥鳅食品精深加工方面，牛佛镇紫藤农庄找到了深具卖点且色、香、味俱佳的方案和数字化配方，商标注册和条码申报工作有序推进；在休闲渔业方面，牛佛镇紫藤农庄、三绿水产建设集生产、观光、休闲、垂钓、餐饮、娱乐于一体的全生态花园式立体农业基地，吸引越来越多的城市居民到农村体验乡村生活和欣赏田园风光。

【新型城镇化】 2016 年，大安区编制完成全区 12 个乡（镇、场镇）规划。全面完成何市兴盛家园商住房、牛佛镇育才路商业步行街等小城镇重点工程，总建筑面积 9.1 万平方米。牛佛镇入选全国历史文化名镇和重点镇，三多寨镇被列为省级历史文化名镇。注重文脉传承，打造牛佛、三多寨古街古镇文化旅游，建设大山铺龙乡文化产业园区。

【新农村建设】 2016 年，大安区围绕“业兴、家富、人和、村美”幸福美丽新村建设目标，深入实施扶贫解困、产业提升、旧村改造、环境整治和文化传承“五大行动”，共争取省级财政项目资金 1650 万元，新建幸福美丽新村 20 个，续建 18 个；建成扶贫新村 4 个。完成何市镇阮家村、黄桷村，新店镇何院村 3 个新农村综合体建设，建成农民集中居住点 9 个，聚居农户 101 户、253 人；建成农家大院 3 个，实施村落民居改造提升 350 户；新建“1+6”村级活动阵地 5 个、农村文体活动广场 4 个。省级“幸福美丽新村示范县”建设年度任务通过省、市验收考核。创建市级“四好村”15 个、区级“四好村”26 个。新村道路、水、电、天然气、广播电视、宽带网络等基础设施全面改善、特色农业全面发展、人居环境全面改观、乡风文明全面提升。

【扶贫攻坚】 2016 年，大安区始终将脱贫攻坚作为最大的政治任务、民生工程和民心工程来抓，着力在精准施策上出实招、在精准推进上下实功、在精准落地上求实效，确保贫困群众得到有效帮扶、稳定增收、精准脱贫。

制定了“1 意见+1 规划+1 决定”，出台了《精准扶贫 2016 年 12 个扶贫专项工作推进方案》《深化涉农资金整合支持脱贫攻坚实施方案》《脱贫攻坚专项督查方案》《脱贫攻坚问责暂行办法》等系列文件，整合项目 138 个、资金 4.7 亿元用于脱贫攻坚，深入开展“六个一”帮扶和“321”结对帮扶，成立 26 个精准扶贫工作推进组。扶持发展种养特色项目 92 个，带动 1100 户、3600 人脱贫致富；创新“银政企+贫困户”模式，发动 110 户贫困户参与一体化肉鸡养殖项目，在全省脱贫攻坚简报刊发推广。全年完成易地扶贫搬迁 595 户、1444 人，新建、改造村道 120 千米，加快村文化室、卫生室标准化建设，全面解决贫困人口饮水安全问题，全面落实教育、卫生、民政等兜底政策。全年完成 3073 名贫困人口脱贫、4 个贫困村“摘帽”的省下达目标任务，在 2016 年脱贫攻坚省级验收考核中位列全省 72 个有扶贫任务的非贫困县第 7 名，被省委省政府表彰为“2016 年脱贫攻坚先进区县”；市上自加压力下达的 13 个贫困村“摘帽”、4574 名贫困人口脱贫任务达到退出标准，全区贫困发生率由 3%降至 1.39%。

【乡村旅游】 2016 年，大安区立足本区域耕地面积少、规模化难度大的实际，深度挖掘本土自然生态景观、传统民俗建筑、非物质文化遗产、民俗文化活动、特色农业产业、农村手工艺等特色资源,充分挖掘江姐故居、邓萍故居等红色文化以及三多古寨、牛佛古镇、高庙寨、朝天寺等地区文化资源,因地制宜发展乡村休闲旅游业。积极探索"旅游+""生态+"等模式,围绕种养、果蔬、民俗、文化等特色推进农、林、牧、渔与旅游、教育、文化、康养等产业深度融合。大力开展招商引资,先后引进希宇园林、鸿金玫瑰、凤鸣生态园林等企业开发集休闲、旅游和养生于一体的休闲观光项目。按照旅游资源、农业特色、民俗文化、手工艺品、基础条件等情况,分类推进大山铺镇江姐村红色旅游基地、何市镇高庙村雁溪谷生态观光园、团结镇朝天村"中国玫瑰海"、三多寨镇徐家村多福采摘园、永嘉乡核桃产业基地等乡村休闲旅游目的地建设。全区乡村旅游业吸引省内外游客30余万人次,带动周边1500户农户年均增收1300元。培育星级农家乐11家,打造江姐生态山庄特色餐饮品牌,从事乡村旅游经营的农户年均纯收入增长1000元以上。

【助农增收】 2016年,大安区按照中央、省、市委关于"三农"工作的重大决策部署,以农业供给侧结构性改革为主线,围绕脱贫攻坚年度目标,落实区委书记和区长负总责,区级各部门"一把手"按职能职责分条块各负其责,乡(镇)党委书记、乡(镇)长为辖区内农民增收工作第一责任人的责任体系。持续加大"三农"投入,不断夯实发展基础,稳步推进农村改革,大力发展现代农业,着力培育新产业新业态,扎实推进"四好村"创建,全面落实强农惠农政策,全区农业农村经济运行良好,全区农民年人均可支配收入达13074.3元,同比增长9%。

【四川省现代畜牧业建设重点县经验介绍】 2016年,大安区畜牧业总产值达10.94亿元,畜牧业人均现金收入达2884元。建成何市镇永丰村,庙坝镇庙坝村、柑子村畜牧循环经济园区1730亩,创建国家级标准化示范场1个、省级标准化示范场6个、市级标准化示范场16个。全年出栏生猪25.99万头、肉牛2.08万头、小家禽351.18万只、肉兔687.93万只。江苏立华牧业股份有限公司年出栏3500万羽肉鸡一体化项目为"十三五"大安区委区政府重点推动的"接二连三"农业产业化示范项目,也是大安区脱贫攻坚行动"生产发展减少一批"的主推项目,项目采用"银—政—企—农户"四方合作及"公司+合作社+农户"一体化发展模式,具有投资少、风险小、见效快、收益时间长的特点,适宜农户(特别是贫困户)一家一户发展养殖。截至2016年年底,全区发展肉鸡代养152户(其中贫困户104户),建成鸡棚244个,销售肉鸡233.2万羽,农户平均代养收益为2.9元/羽,已有82户贫困户完成鸡苗引进,62户贫困户已出栏销售,平均每户代养收入达2万元,参与项目的贫困户将实现当年脱贫致富。推广种植新型高产优质多年生饲用作物——玉淇淋草原原种及桂牧一号、黑麦草等优质牧草1.4万亩,促进"粮经"二元结构向"粮经饲"三元结构的转变,推动粮经饲统筹、种养加一体发展。开展集中治污,实现治污与增效共同提升,推行"种草养牛—牛粪转化为有机肥—沼液、有机肥还田种草""种草养牛—牛粪养蚯蚓—沼液还田种草""种草养牛—沼气发电—沼液还田种草"等种养结合循环发展模式,实现治污与产业良性发展。全区人工种草4000余亩,建成牛粪养殖蚯蚓生产基地80亩、生态有机蔬菜基地6800余亩,同时,探索牛粪挤压生产有机肥技术,实现粪污综合利用。大力实施"畜牧科技助农增收行动""畜牧科技入户"和"新型农民培训"等工程。与四川农业大学、省畜科院、省草科院等单位建立战略合作关系,构建"肉牛产业生态循环养殖技术创新战略联盟",加快畜牧科技成果转化和推广,鼓励发展新型饲用作物、调整种植业结构,推进全区草食性畜牧业健康持续发展。坚持"互动相融、种养结合、特色主导、园区发展"的发展思路,以畜禽养殖"五化"建设为目标,采取规划先行、政府引领、部门联动、社会参与等措施,大力发展肉牛、生猪、肉(蛋)鸡三大特色优势产业,积极发展肉羊、肉兔等草食产业,形成了具有丘区城郊特色的现代畜牧产业格局。全年发展年出栏20000羽以上的肉鸡养殖场(小区)158个、年出栏1000头肉猪以上的生猪养殖场(小区)5个、年出栏肉牛200头以上的肉牛养殖场(小区)2个。市、区共整合项目资金近800余万元,拉动金融和社会资本投入达14600余万元,主要用于肉牛园区水、电、路等基础设施建设,新修建水泥路10.2千米、储水池21口、380伏动力电5处,极大地改善了畜牧业基础设施,加速了全区现代畜牧业产业化进程。培育壮大双胞胎饲料有限公司、自贡市倍乐饲料有限公司、四川省吉星动物药业有限公司、四川金瑞克动物药业有限公司、自贡市天翔动物药业有限公司等生产加工企业,引进自贡立华养殖有限公司、四川特驱集团,发展四川鼎恒牛业有限公司、四川双河养殖有限公司、星大家庭农场等养殖生产经营主体,培育自贡市长明食品公司、自贡小河帮食品有限责任公司等加工、仓储、物流优势企业,形成从饲料(兽药)、畜禽养殖到加工、仓储、销售、物流的畜牧全产业链,促进了一二三产业有机融合。

【主要领导人】 区委书记:詹勇(9月止),张昭国(9月始);区人大常委会主任:邓国平(9月止),钟淳(11月始);区长:黄麟(9月止),杨斌(9月始);区政协主席:宋尔端(9月止),罗旭东(11月始);分管农业副区长:王行富(9月止),刘勇(11月始)。

大安区编写组

沿 滩 区

【基本情况】 2016年,沿滩区辖2乡11镇,辖区面积469.99平方千米,其中耕地面积25.86万亩,比上年减少0.5%,人均耕地面积0.79亩;基本农田23.3万亩。年末总人口39.28万人(户籍人口),减少0.51%;人口出生率1.06‰,增加1.06个千分点;人口自然增长率0.45‰,减少3.42个千分点。全区耕地有效灌面和保证灌面分别达耕地总面积的53.69%和42.92%;本地水资源总量22762万立方米,人均占有水资源量585立方米。有林业用地8344公顷,活立木总蓄积量271887立方米,森林覆盖率达28%。

2016年,全区GDP132.29亿元,增长10.3%,其中第一产业增加值16.49亿元,增长4%,农、林、牧、渔及农林牧渔服务业之比为13.71∶1.72∶8.9∶1.92∶0.23;第二产业增加值90.13亿元,增长12%(工业增加值84.48亿元,增长13%);第三产业增加值25.67亿元,增长8.5%。三次产业对经济增长的贡献率分别为5%、79.1%和15.9%。全年接待游客568.5万人,实现旅游综合收入25.21亿元。

公路通车里程689.85千米(其中乡村公路497.86千米),密度1467.8米/平方千米,17.65千米/万人。社会消费品零售总额52.61亿元,增长14.5%。地方公共财政预算总收入完成1.95亿元,增长11.6%;公共财政预算总支出15.5亿元,减少1.5%,其中农业投入2.46万元,占支出的15.87%。农业产业化龙头企业省级、市级分别为1家、17家。

有各类学校29所,在校学生34568人,教职工2058人,其中普通中学13所,在校学生8349人;小学13所,在校学生21863人;学龄儿童入学率99.4%,比上年减少0.6个百分点。有艺术表演团体1个,文化馆1个,公共图书馆1个。有卫生机构221个,病床位890张,卫生技术人员1238人。城乡居民养老保险参保人数143000人;新型农村合作医疗参合人数27.74万人,参合率99.88%。

【年度农业和农村经济运行】 2016年,沿滩区实现农业总产值26.48亿元,增长5%;农业增加值16.63亿元,增长4%。农民年人均可支配收入13175元,增长11.8%。全年整治病险水库13座;实施80个村"小农水"项目,新增有效灌面2.5万亩。

2016年沿滩区主要农产品产量

主要农产品	单位	产量	同比(%)
粮食	万吨	17.2	2.9
油料作物	万吨	0.9	4.6
蔬菜及食用菌	万吨	25.03	3.1
肉类	万吨	2.96	-0.9
猪肉	万吨	1.86	-2.7
牛肉	万吨	0.03	4.6
羊肉	万吨	0.12	4.2
家禽肉	万吨	0.43	2.9
兔肉	万吨	0.53	4.5
禽蛋	万吨	0.889	2.3
水产品	万吨	1.25	5.8

农业产业化发展。沿滩区突出产业区域化布局,加大对柑橘、花椒、蔬菜、花卉苗木、健康水产和规模畜禽养殖六大产业的招商引资力度,新引进业主大户12户,投资2.1亿元,新建沿滩玫瑰园、刘山樱花园、刘山智能蔬菜大棚、瓦市特种水产等产业基地0.51万亩,带动当地农户900余人就地务工。围绕"三园六基地",狠抓主导产业、龙头企业、示范基地、特色品牌和"一乡一业、一村一品"五个重点,全面推进"种加养、产加销"一体化经营,延伸农产品产业链条。全年完成固定资产投资22567万元,发展农民专合组织172个,18家龙头企业实现销售总收入140710万元,带动全区50541户农户参与经营。脱贫攻坚提速推进,15893名群众顺利脱贫。

农用地产权制度改革。沿滩区全面开展农村土地承包经营权确权颁证工作,完成13个乡(镇)的外业调绘与指界,确权登记土地37.67万亩,确权农户9.0338万户,确权登记成果获评省级优秀。在仙市镇马丘村试点开展农村产权"多权同确"工作,探索建立农村产权信息统筹管理机制,搭建农村产权三级流转服务信息平台,逐步实现农村产权共享信息上同一底图、在同一信息系统、在同一服务平台管理,为下一步开展农村产权规范流转、抵押融资打下了基础。稳步推进全省首批农村产权抵押融资试点,发放贷款2615万元。积极探索农村土地入股、宅基地有偿退出、工商资本参与农村产业发展等机制,城乡发展活力不断增强。

农产品品牌战略实施。沿滩区开展花椒、甜橙、蔬菜等无公害农产品认证,注册了"长寿""众康"等特色农产品品牌,提升了沿滩区农产品的知名度和效益。全区种植业无公害农产品整体认定13959亩,无公害水产品养殖认定区域覆盖8730亩。认证种植业无公害产品4个,申报3个;申报畜产品3个;认证绿色食品A级4个共6个品种;水产品无公害认证12个品种。

【种植业】 2016年,沿滩区粮食作物播种面积2.85万公顷,比上年增加161公顷,增长0.6%;油料作物播种面积0.35万公顷,比上年增加156公顷,增长4.6%;蔬菜及食用菌播种面积0.97万公顷,比上年增加257公顷,增长3%。全年粮食总产量16.73万吨,比上年增加4204吨,增长2.6%;油料产量0.86万吨,比上年增加462吨,增长5.7%;蔬菜及食用菌产量24.29万吨,比上年增加8108吨,增长3.5%。完成61个村的金土地项目,整理土地13.2万亩。

【林业】 2016年,沿滩区林地面积8344公顷,森林覆盖率达28%。育种育苗面积309公顷,造林面积1080公顷,幼林、成林抚育管理面积975公顷,零星植树168.85万株。

【畜牧业】 2016年,沿滩区肉类总产量2.96万吨,减少259吨,下降0.9%,其中猪、牛、羊肉产量1.95万吨,减少612吨,下降3%。生猪出栏25.7万头,减少11545头,下降4.3%;肉牛出栏0.23万头,增加73头,增长3.3%;肉羊出栏9.1万只,增加2688头,增长3%;家禽出栏294.26万只,增加63344只,增长2.2%。

【水产业】 2016年,沿滩区水产品养殖面积1269公顷,增加37公顷,其中池塘养殖854公顷、水库养殖358公顷;水产品产量1.25万吨,增长5.8%。

【农业机械化】 2016年,沿滩区办理农户购机补贴申请510份,受益农户500户,录入补贴机具510台,使用购机补贴资金指标42.74万元;通过区、镇、村逐级核实和银行"直补到卡"的方式结算补贴资金42.74万元并全部到位到户。新建提灌站5处5台259千瓦,重点维修改造提灌站9处9台490千瓦,维修机电提灌设备362台、4341千瓦。全年完成机耕31.78万亩、机播1.73万亩、机收11.04万亩、机电灌溉13.2万亩,修建农机化生产道路3千米。开展农机安全监督管理,登记联合收割机8台,年检(审)拖拉机3台,换发"05式"拖拉机号牌3副、到期拖拉机驾驶证4个,注销拖拉机号牌8副,全区农机作业未发生一起安全责任事故。

【新型城镇化】 2016年,沿滩区成功探索"四级居住"形态,仙市镇、邓关镇被列为全省"百镇建设行动"试点镇,小城镇建成区面积达23.6平方千米,建成场镇生活污水处理设施13处。城乡环境综合治理工作深入推进,农村生活垃圾治理工作通过国家验收,场镇卫生、市场秩序大为改观。累计投入民生资金47.5亿元,"60件民生实事"全部兑现。成功解决沙坪收费站整体搬迁和莲花"两厂"周边农户搬迁问题。

【新农村建设】 2016年,沿滩区幸福美丽新村建设提质扩面,文化、体育等公共服务加速延伸,建成一批新农村综合体、新村聚居点和新农家大院,覆盖13个乡(镇)113个村,聚居农户9151户,连续2年被评为"全省新农村示范县"。

【乡村旅游】 2016年,沿滩区举办了郁金香乡村旅游节、刘山樱花节、九洪西瓜节、仙市古镇金秋旅游节、中国灯城·梦幻田园草雕节、富全打谷文化周等乡村旅游系列活动20场,初步形成"乡乡有特色、月月有活动"的良好格局,"信步沿滩·美过周末"成为自贡市乡村旅游的重要名片。沿滩区"1+5"农业产业体系初具规模,建成20公里新农村示范长廊,百胜慢餐、刘山彩灯等特色园区相继崛起。探索出"园区变景区、农家变商家"的融合发展之路,"一产搭台、二产唱戏、三产出彩"的格局基本形成。全年累计接待游客532万余人次,实现旅游综合收入22.88亿元,同比增长10%。

【农村教育】 2016年,沿滩区全面落实"三免一补"政策,减免811名在园幼儿保教费、中等职业学校学生学费380人,资助普通高中学生453人、中等职业学校学生72人,为608名大学生发放生源地信用助学贷款430万元。

【农村文化】 2016年,沿滩区投资120万元,建成沿滩镇升坪街多功能社区运动场、村级农民体育健身工程5个、村级综合文化活动室4个;为10个村安装了体育健身设施,建成了基层公共文化服务网点;为154个农家书屋补充图书21560册。以“文明新盐都·快乐自贡人”为主题开展系列文化惠民演出和群众文化展演155场次,开展“送文化下乡”活动27次,放映农村公益电影1848场次。大力开展以“中国梦·沿滩情”为主题的创作活动。

【农村社会保障】 2016年,沿滩区养老保险参保人数160675人,比上年下降0.7%。新型农村合作医疗参合人数达27.74万人,参合率99.88%。全区保障性住房完成1500套,棚户区改造、公租房等保障性住房施工面积达11.18万平方米。

【农村留守儿童(学生)帮扶】 2016年,沿滩区共有留守学生8580名,占全区学生总数的31%,各校结合实际,采用不同形式与留守学生结对,帮扶率达100%。继续推进富全学校、联络小学、王井小学、九洪小学星级“留守学生之家”建设,为落实留守关爱工作提供了硬件保障。各校积极开展各类关爱留守学生活动,通过核心价值观教育、经典诵读、“送温暖”志愿活动等形式进一步将结对帮扶工作落到实处,让学生真正感到“留守而不孤独、温暖就在身边”。

【农产品质量安全监管】 2016年,沿滩区为强化食品安全监管,确保农产品质量安全,签订农产品质量安全承诺书172份、农产品质量安全监管工作责任书13份。扎实开展“瘦肉精”专项整治、农资打假专项整治等七大农产品质量安全专项整治。截至7月,累计检测农产品样品102批次,其中接受省(市)抽检7批次,未发现农兽药残留残超标,合格率为100%。检查活禽经营市场、集贸市场90家次,畜禽产品经营户1100户,屠宰场45个次,规模化养殖场1250家次,农产品生产经营企业和农民专业合作经济组织50家次。

【主要领导人】 区委书记:邹天才;区人大常委会主任:黄翠梅;区长:黄雪智;区政协主席:王朝华;分管农业副区长:龙中杰。

沿滩区编写组

荣县

【基本情况】 2016年,荣县辖27个乡(镇、街道),有农业人口53.7万人,有耕地面积59.81万亩,增长0.15%;基本农田51.54万亩,增长0.14%。

【年度农业和农村经济运行】 2016年,荣县实现农业总产值371009万元,增长4.2%;农业增加值257011万元,增长3.9%。农民年人均可支配收入13077元,增长9.1%。

农业产业化发展。荣县大力发展“菜—稻—菜”“麦—玉米—大豆”“玉米—辣椒—秋季菜”“玉米—大豆—冬季菜”“玉米—花生—秋马铃薯”“高粱+再生高粱(秋冬季菜)”等10余种粮经复合模式,丘陵区“千斤粮万元钱”和“吨粮田五千元”模式在全县大力推广。

【种植业】 2016年,荣县有耕地面积59.81万亩,农村劳动力35.96万人,人均耕地面积1.11亩。全年粮食播种面积108.92万亩,比上年增加0.06万亩,增长0.05%;粮食产量42.55万吨,比上年增加0.23万吨,增长0.54%。蔬菜播种面积27.53万亩,比上年减少0.17万亩,减少0.61%;产量60.59万吨,比上年增加0.13万吨,增长0.21%。水果种植面积15.12万亩,比上年增加0.14万亩,增长0.93%;产量14.74万吨,比上年增加0.48万吨,增长3.36%。茶叶种植面积9.42万亩,比上年增加0.34万亩,增长3.74%;产量11279吨,比上年增加701吨,增长6.62%。桑园面积4.5万亩,与上年持平;产茧1796吨,比上年增加96吨,增长1.73%。

【林业】 2016年,荣县有营造林4万亩,义务植树250万株,森林覆盖率达41.5%。实施国有林管护2.208万亩,补偿集体公益林18.661万亩;巩固退耕还林成果8.207万亩,完成巩固退耕还林成果后续产业建设2.138万亩,巩固林业自然保护区面积110公顷。全年办理林地征占用6宗、面积126.4亩,办理林权流转27宗、面积1578.4亩,办理林权抵押贷款12宗、面积12264.8亩、贷款1780万元,林权颁证纠错88宗,颁发(换发)林权证1089.6亩、51本。政策性森林保险投保面积22.23万亩,受理森林保险理赔799户、面积31073.77亩,赔偿损失1633.15万元,中央电视台对荣县森林保险工作进行了报道。全年实现林业总产值13.06亿元,农民人均林业收入1641元。

【畜牧业】 2016年,荣县生猪存栏45.09万头、出栏66.77万头,山羊存栏21.85万只、出栏32.74万只,家禽存栏285.29万只、出栏669.58万只,肉兔存栏216.53万只、出栏1184.36万只;生猪等主要畜禽规模养殖比重达80%以上,以DLY为主的生猪良种面达93%以上(其中羊三杂面85%),肉牛良种及杂交改良面,肉羊良种及杂交改良面以及禽、兔良种面分别达75%、96%、93%、93%。选育、建立黑山羊高繁品系,四川麻鸭保种与开发利用取得明显进展,基本形成了斯格、DLY、PIC生猪和伊普吕、伊拉肉兔良繁供应体系。全县有标准化规模养殖场(小区)186个,先后建成国家级示范场2个、省级示范场14个、市级示范场26个。发展万亩以上的“畜—沼—菜(果、茶、粮、草、药)”等种养循环园区21个,100里现代农业示范长廊初具规模。培育发展畜牧产业化龙头企业53家,其中国家级重点龙头企业1家、省级重点龙头企业4家;培育畜牧专业合作社52个,其中国家级示范社2个、省级示范社7个,覆盖适度规模户达75%;培育家庭牧场40个、养殖大户8650户、畜牧业经纪人3196人。

【水产业】 2016年,荣县渔业生产平稳发展,渔政管理工作依法推进,全年无重大水产食品安全、渔船安全事故发生。全年水产品产量1.38万吨,较上年增长4.86%;实现渔业产值3.2亿元,渔业增加值同比增长5.2%。加强渔业安全监管和技术服务,依托上年现代农业示范区市级财政补助项目编印了《荣县稻田养鱼技术操作规程》,示范带动稻田综合种养殖5000亩,提高了稻谷和鱼类品质,发挥了良好的生态效应,促进了农民增收。完成水产品质量安全监督抽检工作20批次,抽检合格率达100%。指导荣县水产协会完成沙溪河流域4000余亩无公害水产品生产基地的复查换证工作,规范水产养殖示范基地及养殖大户的安全生产行为。管理天然河流的渔业资源,完成沙溪河刘家坝石堰至河口镇大桥渔业资源管理承包的公开招标,发挥养鱼水面的综合效益。

【扶贫攻坚】 2016年,荣县扶贫攻坚工作紧紧围绕贫困人口“一超”“两不愁、三保障”“三有”和贫困村“一低五有”“四个好”目标,突出“六个精准”,实施一个驻村工作组、一名驻村领导、一个帮扶单位、一名“第一书记”、一名农技员、一名帮扶责任人“六个一”帮扶机制;发动社会资源,开展百企帮百村、百干帮百户、百师帮百户、百医帮百户、百技帮百户“五百”帮扶工程,统筹整合力量,强力推进脱贫攻坚。截至2016年年底,全县21267人实现脱贫,10个贫困村实现退出。

【乡村旅游】 2016年,荣县围绕打造“一核四带”旅游产业的总体目标，大力发展乡村旅游产业，“一核”，即如来福城，以荣县大佛为核心，依托全县深厚的佛文化资源，以“景城一体”“以佛为媒”“全域旅游”为发展理念，开展空间旅游功能布局，深度挖掘佛文化内涵，重点发展文化再现、养生素食、佛教音乐演出、特色旅游商品、禅修养生、民间工艺、特色美食等业态，打造以佛祖文化为核心、独具文化魅力和地方特色的大佛文化城；“四带”，即山水休闲度假观光带、现代休闲观光农业示范带、地质科普旅游带、历史人文旅游体验带，分别依托全县山水旅游资源、现代农业园区、自贡世界地质公园核心区优势、佛文化和吴玉章故居及周边资源，开发集观光、养生、休闲度假、儿童游乐、农耕体验、健身、探古寻迹、红色教育等于一体的旅游观光带。

【四川省现代农业建设示范县经验介绍】 2016 年，荣县现代农业建设思路主要概括为“粮经复合、种养循环、产业融合、机制创新”，其中粮经复合方面以改善土地地力、提高土地利用率为重点，大力发展“菜—稻—菜”“麦—玉米—大豆”“玉米—辣椒—秋季菜”“玉米—大豆—冬季菜”“玉米—花生—秋马铃薯”“高粱+再生高粱(秋冬季菜)”等 10 余种粮经复合模式，丘陵区“千斤粮万元钱”和“吨粮田五千元”模式在全县大力推广。种养循环方面坚持“每建设一个养殖场(小区)便配套一片特色种植业、每发展一片特色种植业便配套一个养殖场(小区)”的模式，每个养殖(场)小区严格按标准修建沼气池，实行雨污和干湿分离，将污水进入沼气池发酵后的沼液沼渣用于农业生产，粪便生产成有机肥或者发酵后发展种植业，把粪污处理无害化升级为粪污利用资源化，通过畜—沼—菜(果、粮、草)等种养循环逐步减少化肥使用量，全面提升生态种养业发展水平。产业融合方面做大做强产业链，着力推进一二三产业融合发展。一是抓好“接二”，围绕农业产业基础，做实原料生产和产品初、深加工，达到降低生产成本和提升产品附加值的目的。二是着力“连三”，大力推进农超对接、农餐对接和休闲旅游观光农业等新兴业态，整合县内资源，规范发展“互联网+”和农村电商平台。在机制创新方面，全县实施全省深化农村改革综合实施区建设，把深化农村改革和建设现代农业示范县有机结合，在转变生产、经营和服务方式上，在制度建设和配套机制上开拓创新，力争探索和总结出至少一套可供借鉴和推广的经验。

【回乡创业之星选介】 赖世雄，高山镇棬子坪村人，1989 年到广东省打工，2012 年回乡成立了自贡新雄风陶瓷制造有限公司，专业生产陶制园林砖、古建筑砖、劈开砖等多种烧结砖。公司注册资本 1000 万元，有员工 92 人，均为当地的劳动力，极大地解决了周边农村富余劳动力和失地农民的就业问题。公司占地面积 3.5 万平方米，固定资产 2000 余万元，已申请 2 项发明专利(用河道淤泥做原料制砖、陶质保水透水砖)，公司在首届中国江北建筑陶瓷行业评选活动中被评为“知名品牌”和“质量信用企业”。赖世雄积极参与扶贫攻坚工作，近 3 年来对贫困户给予资金和物资扶助共 30 万元，并长期资助高山镇黄桷湾村特困生 1 名，帮助其顺利考进大学。

黄竞波，27 岁，双古镇人。2012 年大学毕业后在一家游戏开发公司工作，每天两点一线的机械生活激发了其回乡创业的念头。2012 年年底，黄竞波回乡接手自家茶厂。经过市场研究，黄竞波决心引入互联网思维，通过“互联网+”走出了产销一体化的道路。黄竞波经营的春兰茶厂承担了当地茶产区 3/5 的茶叶收购量，带动农户 2000 户以上，并已成功加入“阿里巴巴”实力商家计划，成为“阿里巴巴”的推荐供应商。黄竞波还与沿海的出口贸易公司达成协议，把自贡的茶叶卖到世界各地。

吴熙洲，荣县人，吴熙洲和欧晓燕夫妻二人经过 10 余年的打拼积累了一定资金后回乡创业，于 2014 年注册成立了荣县锦蒙食品有限责任公司，注册资本 500 万元，有员工 50 余人。公司旗下生产的苦荞茶系列、糖果系列、方便及膨化类系列产品已销售到全国各个一级和二级市场，产品市场占有率不断提升，年产值达 3000 余万元，实现税利 200 余万元。随着经营规模的不断增长，公司新招聘员工达 60 余人，就地解决了周边剩余劳动力就业问题，一年为员工增收达 100 万元以上，员工月收入在 3500~4000 元。公司被评为“食品示范企业”和“产品信得过企业”。

【主要领导人】 县委书记：荣全(8 月止)，韩明祝(9 月始)；县人大常委会主任：宋成文；县长：韩明祝(10 月止)，郑小清(11 月始)；县政协主席：邹崇霞；分管农业副县长：邓明(8 月止)，王茂莎(9 月始)。

荣县编写组

富顺县

【基本情况】 2016 年，富顺县辖 26 个乡(镇、街道)，有农业总人口 67.65 万人，有耕地面积 76.2 万亩，增长 1.7%；基本农田 81.8 万亩。

2016 年，全县 GDP242.56 亿元，增长 8.6%，其中第一产业增加值 42.11 亿元，增长 3.9%；第二产业增加值 128.51 亿元，增长 10%；第三产业增加值 71.94 亿元，增长 8.8%。三次产业结构比由上年 17.7∶53.1∶29.2 调整为 17.3∶53∶29.7。全社会固定资产投资 126.64 亿元，增长 10.39%。社会消费品零售总额 108.99 亿元，增长 11.2%。

【年度农业和农村经济运行】 2016 年，富顺县实现农业总产值 69.25 亿元，增长 7.7%；农业增加值 41.8 亿元，增长 3.8%。农村居民年人均可支配收入 13260 元，增长 10%。

农业产业化及农用地产权制度改革。富顺县新培育县级以上龙头企业 8 家，其中洛源食品被新确认为省级重点龙头企业；新发展专业合作社 57 个，新增县级以上农民专合社 16 家(其中省级示范社 6 家)；新注册家庭农场 219 家，培育省级示范场 9 个；新发展专业大户 300 户。同步推进“七权”同确，完成 26 个乡(镇)、315 个村、4326 个组、21.17 万户农户农村土地承包经营权确权登记。县财政出资 2300 万元设立风险补偿基金，为新型农业经营主体提供增信和融资担保；率先在全省推出“助保贷”信贷业务，率先在自贡市推出农行“惠农贷”、信用联社“支农贷”、“富农贷”和邮储银行“惠农产权贷”等信贷业务，全年发放“支农贷”贷款 7800 万元，“富农贷”贷款 34 笔、3760 万元，“惠农贷”贷款 103 笔、3097 万元，“惠农产权”贷 20 笔、601 万元。

【种植业】 2016 年，富顺县新建甜橙基地 453 公顷，总面积达 1707 公顷，实现产值 1.58 亿元；建成富世 · 互助现代农业主导产业园区、永年现代农业综合园区、面积 2001 公顷，推进狮市 · 骑龙现代农业三产融合园建设；建设辣椒标准化基地 333 公顷，四季豆、无筋豆等蔬菜基地 333 公顷；建成中稻—再生稻产业基地面积 3.01 万公顷，其中再生稻有收面积 2.92 万公顷，总产量 7.38 万吨；建成宝庆—万寿、长滩—石道蓄留再生高粱示范片基地面积 1454 公顷，产量 5100 余吨。在代寺镇、互助镇分别建成水稻、柑橘 IPM 绿色防控示范园区，示范推广带药移栽、二化螟性诱剂、杀虫灯、黄板、纹曲宁、禾生绿源、免疫诱抗等生物农药和激健减量控害技术面积 6670 公顷，实施病虫害绿色防控面积1200公顷。粮食作物播种面积7.08万公顷,产量50.68万吨,比上年增长1.4%。

【林业】 2016年,富顺县森林面积3.07万公顷,森林覆盖率达35.4%,比上年提高0.2个百分点。退耕还林46.69公顷,管护天然林2067.7公顷,续建退耕还林面积9358公顷;实施重点公益林抚育、病虫害防治4935.8公顷、管护3148.24公顷,森林抚育总面积达5682公顷。"绿地"行动绿化城乡道路25千米,栽植黑杨、巨桉26万余株。义务植树112万株,全年人工造林2011公顷。投资5.3亿元,实施巩固退耕还林成果后续产业种植项目1457.92公顷,亿草园、千丘综合体、华南农业科技、鑫睿茯苓种植等林业综合开发项目399.13公顷。全年有害生物防治面积1334公顷。全年林业公安出警85起,破获各类涉林案件18起,处罚18人。

【畜牧业】 2016年,富顺县实施30万头生猪产业化生态循环经济、10万头生猪产业化等重大项目建设,全县三元生猪杂交改良面达95%,主要畜禽规模养殖面达70%。创建示范场6个,其中国家级示范场1个。全年出栏生猪63.72万头、肉羊48.31万只、家禽887.91万只(其中白鹅600万只)、肉牛1.18万头、肉兔1695.87万只,肉类总产量8.81万吨,禽蛋产量1.3万吨。实施猪口蹄疫、牛口蹄疫、羊口蹄疫、猪瘟、高致病性蓝耳病、禽流感等免疫1025.94万头只;狂犬病免疫犬只3.51万只,捕犬2806只。

【水产业】 2016年,富顺县投放鱼苗4925吨,水产养殖面积2278公顷,水产品产量1.89万吨(其中淡水养殖产量1.76万吨、淡水捕捞产量1235吨),实现渔业总产值3.51亿元。开展基层水产技术推广,遴选水产技术指导人员18名,培育水产科技示范户90户,带动水产养殖户900户,推广异育银鲫"中科3号"、长丰鲢鱼、斑点叉尾鮰优良品种和水产养殖节能减排技术、稻田综合种养技术。新申报无公害水产基地1个、无公害水产品4个,无公害复查换证基地2个、水产品13个。在镇溪河等天然水域增殖放流南方鲇、翘嘴鲌等鱼苗14万余尾。全年渔政管理查处渔业行政案件7起,年检、年审渔业船舶616艘。

【农村水利】 2016年,富顺县"清水行动"投资150万元,完成打捞沱江、镇溪河、釜溪河等重点河流180余千米水面漂浮物。全年水利投资9.09亿元,实施大坡上水库、农村安全饮水、县乡污水处理、病险水库除险加固、小型农田水利等工程项目,新建、整治水利工程307处,新增灌面556.95公顷,解决了1.2万名贫困人口的饮水问题,全县有效灌面达2.24万公顷,蓄水0.81亿立方米,完成水土流失治理面积4468.9公顷。

【农业机械化】 2016年,富顺县完成机耕4.95万公顷次、机播2915公顷、机收1.82万公顷、机械半机械植保面积5万公顷次,小麦、玉米、水稻等机械半机械脱粒量达43.4万吨,加工农副产品30.46万吨。财政补贴1784户农户128.67万元,购置农机具1818台。新增提灌机械335台、2190千瓦,修复、改造提灌机具1319台、1.34万千瓦,机电提水量1603万立方米。全县农机总动力达28.63万千瓦,比上年减少3.2%。

【幸福美丽新村建设】 2016年,富顺县投资1.82亿元,新建幸福美丽新村18个镇、42个村,新建、改造农房957户,建成农村廉租房289户、村级服务中心23个。投资3.57亿元,实施17个示范村和4个综合体建设,新建"1+6"公共服务中心15个、广场16个。建成洗马10万头+德康30万头生猪、50万只黑山羊、100万只白鹅、60万只蛋鸡、3335公顷无公害蔬菜等种养殖基地,巩固1.33万公顷甜橙和1.33万公顷笋竹产业基地。新建和改造县乡道51千米,新(改)建村道103千米,建成高标准基本农田2601.3公顷,新增、改善和恢复灌面1240.62公顷,琵琶220千伏变电站完成主体工程,新建和改造10千伏线路93.4千米,319个行政村建成"宽带乡村"。创建省级"四好村"5个。

【扶贫攻坚】 2016年,富顺县创新建立结对帮扶"54321"机制和县内党政机关、事业干部全员参与的帮扶组织体系,实现贫困村、贫困人口全覆盖。率先在全省选派优秀年轻干部到贫困村担任"第一书记"。在全市率先制定精准扶贫攻坚《实施意见》,坚持用项目的实施强力推进脱贫攻坚。融资1.9亿元对34个贫困村村道进行统一规划建设,新(改)建贫困村道路142千米。全面建成15个贫困村"1+6"公共服务中心。全年发放扶贫生产生活扶贫款3.3亿元,对全县农民人均收入贡献622.6元,增长158%。17个贫困村、10050名贫困户达到脱贫"摘帽"标准,分别完成省下达任务的340%和176.9%。

【供销合作】 2016年,富顺县新发展农民专业合作社5个,规范农民专业合作社2个,规范农村社区综合服务社10个,新建"美丽乡村生活超市"1个,吸纳新型基层组织成员社2个,新建基层社1个,改造农资综合经营服务阵地1个。供销系统有73个成员单位,其中成员社7个、县属公司及社会企业类成员社12个、加盟企业1个、专业合作社53个,实现经营服务总额13亿元、销售总额7.2亿元、消费品零售额4.76亿元、农资供应总额6908万元、农副产品收购总额4.33亿元、再生资源回收总额7310万元;实现利润总额840.2万元,助农人均增收21.5元。

【劳务开发】 2016年,富顺县有农村劳动力54.5万人,转移劳动力达37万人,其中就地转移9.5万人、向外输出27.5万人;劳务总收入达61.5亿元,农业人口人均劳务收入达7321元,比上年人均增加853元,同比增长13.2%,拉动农村居民年人均可支配收入增长7.1%。全年财政发放转移性收入总计达17487万元,比上年增加2610万元,同比增长17.5%,农民收入人均增加49.2元,拉动农村居民年人均可支配收入增长0.4%。

【主要领导人】 县委书记:邹登权;县人大常委会主任:郭洁;县长:曹友良;县政协主席:程刚远;分管农业副县长:曾平。

富顺县编写组

攀枝花市

【基本情况】 2016年,攀枝花市辖44个乡(镇)、351个村,其中自来水受益村173个、通有线电视村249个、通宽带村276个。有农业人口155446户、550022人,农村劳动力338781人,其中农业从业人员233812人,转移输出劳动力9184人。有耕地面积75007公顷,其中水田28836公顷、旱地46170公顷、水浇地1657公顷,陡坡25度以上的陡坡耕地面积2529.93公顷。有园地面积37352公顷,林地面积

445889 公顷，草地面积 34508 公顷，设施农业用地面积 3693 公顷。

【年度农业和农村经济运行】 2016 年，攀枝花市农村用电量 20882 万千瓦时；农用化肥施用量 2.91 万吨；农用塑料薄膜使用量 3115 吨，其中地膜使用量 2707 吨，地膜覆盖面积 10882.33 公顷；农用柴油使用量 9792 吨，农药使用量 1293 吨；乡村水电站 39 个，装机容量 5 万千瓦，发电量 8757 万千瓦时。

农业产业化发展。攀枝花市注册农民专业合作社达到 1157 个，增加 175 个，增长 18.42%；家庭农场 355 家，增加 112 家，增长 46%，其中，新增省级农民专业合作社示范社 9 个、国家农民专业合作社示范社 11 家，获得省批准第二批省级示范家庭农场 10 个。完成新申报的 28 家龙头企业的材料审核，组织符合条件的企业开展"新三板"挂牌重点后备企业的申报。

农产品营销。攀枝花市组织相关企业参加了第五届国际茶博会、第四届南博会、第十六届西博会、第十四届农交会和第四届农博会，在成都市举办了第二届 26 度芒果汇宣传推介活动，在北京市等地开展了以"阳光花城、金色芒果"为主题的系列芒果营销活动；组织锐华农业、26 度果园、攀乡经贸、半坡咖啡等企业参加市内大型会议，开展农产品展示、品鉴活动 10 余次。在第十四届农交会上，攀枝花芒果获得"2016 年全国名优果品区域公用品牌"称号。组织企业参加香港美食博览会，对接在哈萨克斯坦举办的攀枝花市特色农产品展示展销活动。锐华农业生产的芒果出口新加坡、加拿大、俄罗斯等国家 12 批次，合计 172.8 吨，销售金额达 40 万美元。

【种植业】 2016 年，攀枝花市粮食作物播种面积 42503 公顷，比上年增加 841 公顷；粮食产量 22.91 万吨，比上年增加 0.46 万吨，圆满完成了农业厅下达的粮食生产任务。小春粮食作物播种面积 12788 公顷，比上年增加 324 公顷；产量 3.64 万吨，比上年增加 0.01 万吨，其中小麦面积 5470 公顷，产量 1.81 万吨，比上年减少 700 吨；豌豆面积 4253.5 公顷，产量 0.65 万吨，比上年增加 400 吨；胡豆面积 686.53 公顷，产量 0.11 万吨，比上年减少 26 吨；马铃薯面积 497 公顷，产量 0.28 万吨，比上年增加 147 吨；大麦面积 236 公顷，产量 0.04 万吨，与上年持平；油菜面积 1628 公顷，产量 0.25 万吨，比上年增加 115 吨；其他粮食播种面积 1645 公顷，产量 0.73 万吨，比上年增加 257 吨。

大春粮食作物播种面积 29715 公顷，比上年增加 507 公顷，增长 1.49%；产量 19.27 万吨，比上年增加 0.46 万吨，增长 2.4%。水稻面积 14348 公顷，比上年增加 69 公顷；产量 12.16 万吨，比上年增加 0.2 万吨。玉米播种面积 12912 公顷，比上年增加 403 公顷；产量 6.54 万吨，比上年增加 0.24 万吨。薯类面积 1220 公顷，比上年增加 35 公顷；产量 0.3 万吨，比上年增加 0.01 万吨；豆类播种面积 1001 公顷，主要为大豆，产量 0.22 万吨，与上年持平。其他经济作物中，花生播种面积 760 公顷，产量 0.11 万吨，与上年持平。甘蔗种植面积 391 公顷，比上年减少 249 公顷；产量 4.63 万吨，比上年减少 3.04 万吨。烟叶种植面积 7590 公顷，比上年减少 569 公顷；产量 1.55 万吨，比上年减少 0.14 万吨。全年创建 9 个万亩粮食高产创建示范片，其中米易县创建水稻万亩高产示范片 7 个、玉米万亩高产示范片 1 个、小麦万亩高产示范片 1 个，项目区比大面积田块增产 2%以上。核心示范区比大面积田块增产 10%，选用优质杂交水稻花香 7 号、花香 1618 等，采用强化栽培措施，水稻最高单产突破 15.04 吨/公顷。仁和区创建高产示范片面积 2666 公顷，其中水稻 666 公顷、玉米 2000 公顷。

全市蔬菜种植面积 14627 公顷，产量 74.74 万吨，分别比上年增加 707 公顷、4.86 万吨，其中商品菜地面积 11823 公顷，产量 62.74 万吨；季节菜地早春蔬菜面积 9200 公顷（含设施蔬菜栽培面积 4400 公顷），产量 46.3 万吨，比上年增加 3 万吨；自食菜地面积 2804 公顷，产量 11.99 万吨。完成经过农业厅批复认定的米易湾丘—白马现代农业蔬菜示范区等 19 个万亩示范区建设。开展甜瓜、茄子、苦瓜的嫁接试验示范及推广工作，其中嫁接茄子苗面积 100 公顷，甜瓜、苦瓜苗各 10 公顷，辣椒苗 3.33 公顷。

全市水果种植面积 34955.8 公顷，比上年增加 2955.8 公顷，产量 26.88 万吨，比上年增加 4.06 万吨（增加的主要为桑葚）。芒果种植面积增加 788.67 公顷，总面积达 22122 公顷；产量 10.94 万吨，比上年增加 0.35 万吨；实现产值 6 亿元，比上年增加 1 亿元。枇杷种植面积 1971 公顷，产量 1.02 万吨，比上年增加 0.28 万吨。石榴种植面积 635.9 公顷，产量 1.39 万吨，比上年增加 0.09 万吨。梨、桃等产量比上年分别增加 0.08 万吨、0.11 万吨。西瓜种植面积 759 公顷，增加 26 公顷；产量 3.2 万吨，增加 0.1 万吨。樱桃种植面积 1000 公顷；产量 0.56 万吨，比上年增加 0.11 万吨。2 个农业部热作标准化示范园通过认定，即米易县金硕香芒果专业合作社的芒果标准化示范园和东区希望农业公司的莲雾标准化生产示范园，全市部级热作示范园累计达 15 个。完成仁和区务本芒果万亩现代农业示范片、中坝万亩芒果现代农业示范片、米易县草场万亩芒果现代农业示范片、黄草—宗树湾万亩樱桃现代农业示范片、盐边县惠民万亩蚕桑现代农业示范片 5 个现代特色效益农业标准化基地建设，总面积达 3333.33 公顷。申报项目 16 个，督促检查、指导批复项目 15 个，实施项目 13 个。东区花舞人间被认定为省级农业主题公园、米易县青松林被认定为农业公园；完成 4 个现代农庄的建设方案编制。

植物检疫。分别设立稻水象甲、红火蚁、柑橘溃疡病、柑橘黄龙病等监测点，其中稻水象甲 10 个、红火蚁 2 个、柑橘黄龙病 2 个、溃疡病 2 个，实行定期监测和定时上报制。建立柑橘黄龙病和红火蚁防控示范区，全年未发生稻水象甲、柑橘大实蝇、苹果枝枯病、玉米坏死病等检疫性有害生物。市植检站与周边市（州）初步建立了检疫性有害生物信息互通和联防联控机制，为防止有害生物的传入搭建了有效的监控平台。全年完成培训 530 人次，其中专业技术人员 60 余人次、种苗生产经营户 110 余户、果蔬种植大户 320 余户、农业公司（专合社）40 余家。

病虫害防治。全年农作物病虫害专业化统防统治实施比例达 31.5%（目标任务为 30%），主要农作物绿色防控覆盖率达 22%（目标任务为 20%），农药使用量增长率为 1.4%（目标任务为不超过 1.5%）。全年农作物病虫草鼠害总体呈中等发生，累计发生面积 65006.66 公顷，防治面积 10162 公顷，挽回损失 2.72 万吨，实际损失 0.47 万吨。其中，病害累计发生 14373.33 公顷，防治面积 33780 公顷；虫害累计发生 17360 公顷，防治面积 28966.66 公顷；农田鼠害累计发生 8593.33 公顷，防治面积 9866.66 公顷；农田草害累计发生 23946.66 公顷，防治面积 28133.33 公顷。全年开展病虫害趋势会商 2 次，发布了《2016 年小春作物病虫发生趋势预报》和《2016 年大春作物病虫发生趋势预报》；开展病虫害田间调查 20 余次，发布病虫害趋势预报 4 期，预报准确率达 90%以上。培训基层群众测报员 130 人次，印发技术资料 200 余份；培训农民 1600 余人次，印发各类技术资料 2000 余份。全市参与共建的专业化服务组织有 15 个，参与共建的新型农业经营主体有 20 个。创建统防统治与绿色防控融合示范区 12 个,核心示范区面积 1333 公顷,辐射带动面积 6666.66 公顷。

农药市场监管。全年开展农药市场专项检查 2 次,对农药销售门市进行了 2 次抽样送检,共抽取 100 个农药样品,其中省级农药样品 50 个、市级农药样品 50 个。全市各级农药执法部门共开展农药市场执法 1200 余次,出动执法人员 700 余人次,检查农药门市 1800 余家次,检查农药产品 5000 余个次,未发现违法销售高毒、高残农药行为;查出标签违规农药品种 16 个,责令其限期整改。全年开展农药法律法规培训 3 期,培训农药经营户 600 余户,发放农药政策法规宣传资料 3000 余份;培训农民 3500 余人次,发放农药施用技术资料 6000 余份;发放农药公告 800 余份。

农产品安全监测。全年完成蔬菜、水果、茶叶、鱼 4 类农产品质量安全监测 16 批次、样品 400 个,检测参数 12110 个,其中,在米易县、仁和区、盐边县蔬菜主产区实施专项监测 4 批次、样品 190 个,检测参数 7600 个。抽检米易枇杷、葡萄、火龙果、芒果、大田石榴、盐边桑葚、西瓜等特色水果 7 批次,样品 100 个、检测参数 4000 个。抽检国胜春茶和秋茶样品 20 个,检测参数 240 个。开展水产品监测 4 批次、检测样品 120 个,检测参数 360 个。结合省种植业产品长期定位监测任务,抽检土壤样品 60 个,检测参数 360 个。完成社会委托检测 7 批次、样品 19 个,出具检验报告 19 份。完成各项例行、专项、监督监测任务 20 批次,抽检样品 1270 个,检测参数 25742 个,完成农业厅下达的各项农产品质量安全监测任务。

【蚕桑生产】 2016 年,攀枝花市发放蚕种 88580 盒,生产蚕茧 0.34 万吨,蚕茧均价 50.6 元千克,比上年上涨 16.1 元/千克,价格上涨 46%。全市蚕农蚕茧收入 17345 万元。全市鲜桑果外销、果汁加工和桑果干累计销售 1.66 万吨(折合鲜果),农民桑果销售收入实现 8100 万元。蚕业综合产值突破 2.54 亿元,比上年增加 6500 万元。盐边县采取新的管理模式和激励机制、推广新的雄蚕品种、使用方格簇上茧、仪器评级、化蛹选茧收购、鲜茧塑料篮堆新技术六大改革创新举措,蚕茧质量明显提升,干茧质量跃上新台阶,居全省前茅。引进 17 个果桑品种,试验筛选出嘉陵 30 号、云桑 2 号、无核大 10、台湾果桑、伦教、白玉 6 个品种进行推广。中丝集团公司与攀枝花市政府签订战略合作框架协议、与盐边县天成丝绸公司签订战略重组意向协议。4 月 29 日,盐边县"中国果桑之乡"成功授牌。桑葚红酒厂一期建成并投产,四川四喜农业开发有限公司桑葚果酒生产一期已建成投产,生产桑葚果酒 0.1 万吨。

【畜牧业】 2016 年,攀枝花市生猪出栏 59.39 万头,猪肉产量 3.89 万吨;肉牛出栏 2.73 万头,牛肉产量 0.33 万吨;羊出栏 28.12 万只,羊肉产量 0.49 万吨,增长 3.2%;家禽出栏 399.82 万只,禽肉产量 0.6 万吨;兔出栏 14.72 万只,兔肉产量 0.02 万吨。全市畜禽良种覆盖率达 93%,生猪三元杂交比例达 76%,肉牛、肉羊良种及杂交改良面分别达 25%、60%,禽兔良种面达 97%;生猪外三元杂交面比上年提高 3 个百分点以上,牛、羊良种及杂交改良面均同比提高 4 个百分点。全市有种畜禽场 6 个,其中种猪场 2 个、种兔场 1 个、种牛场 1 个、种羊场 4 个(祖代场 2 个、父母代场 2 个)。

人工饲草基地建设。市畜牧站申请资金 1.3 万元,购买多花黑麦草、白三叶等牧草种子 1100 千克,无偿提供给农户开展种草养畜,推进全市人工饲草基地建设。

动物防疫。全市落实到位动物防疫经费 524.7908 万元,其中市级工作运转经费 50 万元、强制免疫市级配套经费 15.7852 万元、村级防疫员市级补助经费 109.19 万元、县(区)349.8156 万元;中央基层动物防疫工作补助经费 29.91 万元(不包含扩权县)已全额下拨相关县(区)。省财政下达全市重大动物疫病强制免疫疫苗补助经费 621.33 万元。全市组织到位重大动物疫病疫苗经费 526.175 万元,分别购买猪瘟脾淋弱毒活疫苗 147 万毫升,猪 O 型口蹄疫苗 217.5 万毫升,牛、羊口蹄疫苗 150 万毫升,牛口蹄疫三价疫苗 7.5 万头份,高致病性禽流感疫苗 315.5 万毫升,H5—H9 疫苗 226 万毫升,高致病性禽流感—鸡新城疫二联疫苗 365 万羽份,猪瘟应免 48.2 万头,猪(牛、羊)口蹄疫应免 108.59 万头(只),猪蓝耳病应免 48.2 万头,禽流感应免 323 万羽,鸡新城疫应免 291.1 万羽,免疫密度均达 100%。

人畜共患病和常规动物疫病防控。全年购买了价值 10.7305 万元的人畜共患病疫苗,分别为狂犬病疫苗 1 万只份、猪细小病毒 0.1 万毫升、猪伪狂犬 0.1 万毫升、仔猪副伤寒 2.3 万头份、猪三联 2.9 万头份、牛出败 0.1 万毫升、羊传染性胸膜肺炎 8.1 万只份、气肿疽 0.05 万毫升、羊三联 1.9 万毫升、新城疫Ⅵ系 202 万羽、炭疽芽孢苗 0.1 万毫升、山羊痘 22.4 万只份等疫苗。全年免疫狂犬病犬只 27438 只,其中农村犬只免疫密度为 19.6%。开展人畜共患病牛羊布病监测 1044 头(只)、奶牛结核病监测 38 头、血吸虫病监测 100 头份,监测结果均为阴性。同时,开展猪Ⅱ型链球菌病临床观察。

动物疫病流调监测。全市调查畜禽 753 万头(只、羽)次、753 个养殖场次,其中发病 215 个场次,发病畜禽 70662 头(只、羽),发病率为 9.4%;死亡 1396 头(只、羽),死亡率为 1.97%。春防共抽样监测猪、牛、羊、禽血清样品 2340 份;秋防共抽样猪、牛、羊、禽血清样品 2400 份,抗体合格率均达到农业部规定的 70%以上要求。

重大动物疫病病原学监测。全年组织送样 883 份,其中检测小反刍 123 份,阳性 15 份,阳性率为 12.2%;羊传胸 50 份,阳性 5 份,阳性率为 10%;禽流感 155 份,阳性 2 份,阳性率为 1.29%;新城疫 55 份,阳性 1 份,阳性率为 1.81%;口蹄疫 350 份,阳性 5 份,阳性率为 1.4%;猪瘟 75 份,阳性 10 份,阳性率为 13.3%;高致病性猪蓝耳病 75 份,均为阴性。开展市级活禽交易市场禽流感病原学监测 330 份样、H7N9 流感监测 150 份,监测结果均为阴性。

畜产品检疫。全年定期不定期地对规模养殖场、散养户开展免疫抗体监测,发放抗体检测金标卡 11200 张(猪瘟 2800 张、口蹄疫 2800 张、高致病性猪蓝耳病 2800 张、禽流感 2800 张)。全市养殖环节无害化处理病害猪 3100 头,屠宰环节无害化处理病害猪及产品(折合)482.9 头。开展了《动物防疫法》《农产品质量安全法》《四川省动物防疫法实施办法》等法律法规宣传,全年培训官方兽医 333 人次;出动执法人员 430 余人次、车辆 113 台次;与辖区内的 104 家规模养殖场(养殖小区)签订了《动物规模养殖场(小区)动物防疫和动物卫生安全责任书》,未发现违法行为,同时对全市 23 家屠宰场、104 家养殖场(养殖小区)等单位和个人进行备案登记。全年产地检疫生猪 22.7054 万头、牛(羊)9.6902 万头(只)、家禽 215.6893 万羽,产地检疫申报受理率达 100%。下发 68100 张"瘦肉精"检测卡,做好抽检及监管工作,保障畜产品质量安全。屠宰检疫生猪 23.8528 万头、牛(羊)0.636 万头(只)、家禽 38.1416 万羽;抽检待宰生猪尿样 17967 份,其中盐酸克伦特罗 7096 份、莱克多巴胺 5436 份、沙丁胺醇 5435 份,检测结果全部为阴性。

兽药检测。全年采集送省检兽药样品 20 批次,其中水产用兽药样品 2 批次。每月组织执法人员依据农业厅下发的假劣兽药名录对辖区内兽药经营户和养殖场进行检查，累计开展检查10批次，均未发现有销售、使用假劣兽药的违法行为。

动物诊疗机构专项检查。全市出动车辆13台次、人员38人次，对全市动物诊疗机构进行专项检查，对管理人员开展法律、法规和有关政策规定的宣传、讲解和告知工作。全市检查动物诊疗机构6家，未发现违规行为。

越南走私生猪专项行动。根据农业厅《全省生猪调运和屠宰监管电视电话会议》精神和《四川省动物卫生监督所关于严查越南走私生猪行动的紧急通知》的要求，开展越南走私生猪专项检查督查。在屠宰场、养殖场、乡（镇）兽医站及检疫报检点等场所张贴公告500份，向养殖户、贩运户、企业业主发放手执公告1500份，从严执法、以罚促管，规范生猪调运及屠宰监管行为。

【水产业】 2016年，攀枝花市水产养殖面积3567公顷，水产品总产量达29447吨，其中捕捞产量755吨、养殖产量28692吨，水产苗种213450万尾，总产量增加822吨；实现渔业总产值4.1亿元，全市农民人均渔业收入达到800元以上。

渔政管理。市渔政站办理一般程序渔政执法案件2件，办结率100%；渔船年度登记率100%、检验率95%，全年渔船安全事故零发生。禁渔期间累计出动宣传车、船60余台次，印发、张贴宣传资料2230份，开展媒体宣传18次，张贴标语400余条；开展专项执法检查90余次，出动执法检查人员450余人次，收缴电捕鱼器18台（套），查处违规捕捞船22艘，没收并放生江河野生鱼28.2千克，收缴销毁违规网具18张，行政处罚10余人。春季禁渔查处违法捕捞、销售渔获物的案件次数和渔获物数量较上年分别上升227%、51%，溪河电、毒、炸鱼现象杜绝。全年开展10个品种鱼类增殖放流163.1532万尾，价值约602.94万元。全市下达渔船油补资金202.88万元，其中盐边县110.75万元，米易县82.4045万元，市级、西区、仁和区9.7255万元，已足额发放到位。

取消网箱养鱼工作。按照市委市政府的总体部署和要求，全面完成二滩库区网箱养鱼取缔工作，发放宣传资料2465份；与954户养殖户签订了网箱拆除协议，拆除网箱50782口，销售存鱼17018.0435吨。

【农业机械化】 2016年，攀枝花市农机总动力达66万千瓦，主要农作物机耕面积33733.34公顷、机收面积1133.34公顷、机插机播面积200公顷，机电灌溉面积19533.34公顷，主要农作物耕种收综合机械化水平达49.35%，比上年增长0.15%。鼓励现有农机户进行跨区作业，发放跨区作业证50张，全市进行跨区作业的农机具达151台，台均作业面积7.33公顷，实现台均年收入2.61万元。

农村提灌设施建设。全年提灌保灌面积达16006.67公顷，提水3464万立方米；高效节水灌面达18340公顷。新建固定提灌站34座、42台、633.9千瓦，其中太阳能提灌站12座、270.3千瓦；新增提灌控灌设备80台、855.4千瓦；维修、改造提灌设备336台（套）、5496千瓦。新增和改善灌面1013公顷，新增节水灌面2380公顷；新建12座太阳能提灌站。全年投入省级太阳能提灌建设资金750万元，其中专项资金450万元、现代农业推进项目（太阳能提灌项目）资金300万元，计划建设11座，其中盐边县4座、米易县2座、仁和区4座、东区1座，竣工4座，在建2座。全年新建、维修农机化生产道路246.55千米（其中村组道路107.58千米、田间机耕道117.91千米、入户便民道21.06千米），修建桥涵6座，投入资金7473.17元（其中国家投入6517.17万元）。投入省级现代农业推进项目农机化生产道路建设项目资金100万元，其中仁和区50万元、盐边县50万元。全年培训农机化技术、管理人员1534人，其中培训拖拉机驾驶员734人，比上年增加351人。

农机管理。市农牧局和各县（区）签订安全生产目标责任书5份，各县（区）农机监理站（所）与各乡（镇）签订安全生产目标责任书44份，各乡（镇）与农机手签订安全生产目标责任书5031份。全年注销拖拉机3391台、拖拉机驾驶证7本，新上号牌206副，新办驾驶证730本，办理到期换证545本，培训拖拉机驾驶员821名；年检拖拉机1626台、联合收割机9台，年检率达65.2%。开展了86次道路交通安全联合执法检查活动；开展农机安全宣传54场次，受益人数达1.4万人次；发放农机安全宣传资料2.8万份，向44个乡（镇）、352个行政村免费发放《农业机械安全生产科普知识挂图》各1套，发送手机短信1.3万条，增强农机手的安全生产意识。检查各型拖拉机235台次、拖拉机驾驶员235人、其他农业机械87台次，纠正违章行为46起。全市开展农业机械安全生产隐患排查联合检查8次，检查拖拉机143台、微型耕整机321台、其他农业机械425台，查处非法改装拖拉机和微型耕整机15台、不符合国家强制标准微型耕整机8台、不符合相关标准青饲料切碎机13台。

【高标准农田建设】 2016年，攀枝花市建成高标准农田1586.66公顷，其中改田1133.33公顷、改土453.33公顷。其具体工程为：田型调整646.66公顷，修筑田土埂总长度67千米，培肥地力3133.33公顷，新建农田排灌渠65条、112千米，整治山坪塘1座、拦水坝2处、提灌站1座，建设机耕道29千米，建设庭园400公顷；积造有机肥32万吨，秸秆还田4000公顷；完成投资3600万元（其中财政投资3000万元、农户自筹和其他投资600万元），农民投工投劳40万个。全年推广配方施肥技术62666.67公顷、应用配方肥60000公顷，发放施肥建议卡10万余份，建立“3414”试验小区、2+X试验11个。各县（区）均建立化验室开展化验工作。指导服务农户8.1万户。

【农村能源建设】 2016年，攀枝花市新建沼气集中供气项目3处（供气农户220户），推广农村太阳能热水器1万平方米，改建省柴灶3000台。2016年省级财政投资农村能源项目建设专项资金114.4万元，用于建设米易3处沼气集中供气项目。

【农民负担监管】 2016年，攀枝花市下发了《关于开展农民负担监管检查的通知》和《关于开展全市农民负担监管工作和涉农乱收费专项治理工作检查的通知》，全市农村基层涉农收费公示到乡率达100%，到村、社率达95%以上，收费公示面达100%。严格按照《四川省人民政府办公厅关于进一步做好农民负担监管工作的意见》《攀枝花市村民“一事一议”筹资筹劳管理试行办法》和各县（区）村级公益事业建设“一事一议”财政奖补资金管理办法等文件要求，对各县（区）村级组织“一事一议”筹资筹劳议事原则、议事范围、议事程序、申报审批、资金管理、审计监督等做出了明确规定，要求把农户每年的筹资投劳情况在“农民权益义务监督卡”上登记，全年未发生一起涉农恶性案（事）件及违纪违规行为，农业领域无非法集资事件发生。全年发生农村土地承包经营纠纷261起，其中调解260起；直接处理农村土地承包经营纠纷信访1起，处理群工局转市长信箱群众来信3件，接待各种性质的农民上访12起、17人次。

【惠农政策】 2016年，攀枝花市根据《财政部关于调整完善农业三项补贴政策的指导意见》《四川省调整完善农业三项补贴政策实施方案》要求，结合全市工作实际，会同市财政局研究制定了详细实施方案，于6月底完成耕地地力保护补贴工作。全市涉及耕地地力保护补贴的农户有 137193 户,享受耕地地力保护补贴面积为 26177.72 公顷,通过"一折通"全部发放到农户手中,实现了在全市范围将农业"三项补贴"合并为农业支持保护补贴(调整为支持耕地地力保护和粮食适度规模经营)的政策目标。7 月,市政府启动政策性芒果价格指数保险试点工作,全市承保政策性芒果价格指数保险 98.36 公顷(其中仁和区 75.15 公顷、东区 6.6 公顷、西区 6.6 公顷、米易县 9.88 公顷),实现保费收入 362295.06 元,为农户提供价格风险保障 442 万元。全年完成农机购置补贴 210.287 万元,补贴各类机具 779 台(套),受益农户 815 户,结算 97.962 万元,占完成资金的 46.58%,补贴资金率达 95%以上。

【农广校招生与培训】 2016 年,攀枝花市农广校招生 101 人,其中仁和区农广校 40 名、盐边县农广校 61 名,毕业人数为 46 人。举办农民田间学校培训 10 个班、5000 余人次,全部采用田间式教学方式,深入到田间地头,进行手把手式辅导,专业涉及全市农业各大特色产业。与盐边县天成丝绸公司在盐边 7 个乡(镇)开展蚕丝培训工作,在米易县草场乡碗厂村开展枇杷、樱桃种植技术和牛羊养殖防疫技术培训工作。

【农资市场管理】 2016 年,攀枝花市共出动执法人员 1413 人次,检查农资企业 5706 家次,整顿农资市场 636 个次,查处案件 34 起,查获假劣农资 53 千克、金额 0.54 万元,发放宣传资料 0.78 万份。开展兽用抗菌药、"三鱼两药"、生猪屠宰"扫雷"、"瘦肉精"、生鲜乳、农资打假 6 个专项整治行动。全市查处问题 44 起,责令整改 35 起,发放宣传材料 8087 份。全年解决种子纠纷事件 21 起,办结率达 100%;出动执法车辆 96 车次、执法人员 360 人次,检查种子经营门市 2100 个次,开具《行政处罚(当场)决定书》2 份、《没收违法物品清单》1 份,查收非法种子 50 千克,责令 16 户种子经营户下架并停止销售未经审定或引种的玉米种子 430 千克,挽回经济损失 19.92 万元。全年委托和抽检种子样品 340 个,不合格样品 9 个,种子合格率达 97.3%;对 350 户种子经营人员进行种子法律法规和农业基础知识培训及相关考试,实行种子经营培训合格上岗制度,培训 360 人次,发放资料 3000 余份。

【农业防灾救灾】 2015 年 12 月 3 日—2016 年 3 月 21 日,攀枝花市先后 4 次出现强降温、降雪过程,对农业生产造成较大影响。全市低温冻害受灾面积累计达 1373.33 公顷,直接经济损失 1458 万元,主要受灾作物为豌豆、菜豆、枇杷、芒果、樱桃等。整个汛期全市农作物累计受灾 9573.33 公顷,成灾 7333.33 公顷,绝收 1286.66 公顷;损毁机耕道 627 千米、提灌站 144 处、鱼塘 298 口 44.74 公顷、农田 866.67 公顷,冲毁大量圈舍,造成大牲畜(猪、牛、羊等)死亡 1960 头(只),小家禽(鸡、鸭、鹅等)死亡 8973 只,累计造成农业经济损失 3.58 亿元。"9·19"洪涝灾害争取省级救灾资金 500 万元。强化汛期应急值守,实行 24 小时值班制,确保 24 小时通讯畅通,在第一时间掌握灾情、及时通报情况,确保灾情得到及时处理,灾害得到有序应对。通过短信、微信等方式及时将气象信息发送至各县(区)农牧局、龙头企业及农民专业合作社,确保第一时间了解气象信息,做好预防工作。

【"互联网+农业"】 2016 年,攀枝花市按照省政府办公厅《关于印发四川省 2016 年"互联网+"重点工作方案的通知》要求,结合《攀枝花市电子商务发展规划》,市农牧局制订了"互联网+农业"工作方案。全年农产品电商销售额达 15.2 亿元,其中芒果、石榴电商销售额达 10 亿元。

【主要领导人】 市委书记:张剡;市人大常委会主任:谢道全;市长:李建勤;市政协主席:单荣;分管农业副市长:李仁杰。

攀枝花市编写组

东 区

【基本情况】 2016 年,东区辖 1 个镇 9 个街道,辖区面积 167 平方千米,是四川省通往华南、东南沿海、沿边口岸的最近点,为"南丝绸之路"上重要的交通枢纽和商贸物资集散地。

【农业产业化发展】 2016 年,东区推荐示范家庭农场、示范农民专业合作社 2 家,指导创建热作标准化示范园 1 个;指导 2 家农民专业合作社成功申报 2016 年农民专业合作社建设项目资金共计 100 万元。

【农用地产权制度改革】 2016 年,东区农村土地承包经营权确权登记收尾工作基本完成,除银江镇阿署达村和沙坝村等个别村社外,其他村社的确权登记工作已全部结束,数据库录入和信息管理平台建设已接近尾声。农村产权流转交易平台运行良好,通过东区农村产权交易信息网及时收集和发布农村产权流转交易信息和相关法规政策信息 20 余条,进一步规范了农村产权流转交易行为。以银江镇弄弄沟村一社、沙坝村四社和华山村渡口社为试点单位的农村集体资产股份制改革试点工作正式启动。

【都市现代农业】 2016 年,东区制定了《东区促进都市现代农业发展奖励扶持办法实施细则》,指导符合条件的 6 家经营主体企业申报 2015 年奖励,已组织相关部门对项目进行了现场核查。指导希望农业有限公司、26 度果园方案进行方案编制并争取现代农业示范项目资金共 200 万元;指导申报 2017 年热作技术推广项目 1 个。

2016 年东区省级农业产业化重点龙头企业名单

企业名称	注册资金(万元)	法人代表	示范等级	行业分类	主营产品
攀枝花立新养殖开发有限公司	1100	邢晓艳	省级	农业	鸡蛋销售、蛋鸡养殖等
攀枝花干热河谷生物工程有限公司	500	秦刚	省级	农业	咖啡制品等
攀枝花市俊贤农业开发有限公司	1000	何兴华	省级	农业	果树种植、苗木销售

2016 年东区省级(及以上)示范农民专业合作经济组织名单

合作组织名称	注册资金(万元)	法人代表	示范等级	行业分类	主营产品
攀枝花市东区安科枣专业合作社	440	曹安国	国家级	农业	枣类等果品
攀枝花市翔棋芒果种植专业合作社	65.665	杨顺棋	省级	农业	芒果等果品

【农田水利】 2016年，东区整合农业、水务、新农村建设、农业综合开发、村级公益事业“一事一议”财政奖补项目等涉农资金860万元，先后启动阿署达高效节水项目、太阳能提灌站建设、沙坝村太阳能提灌站建设、华山村节水灌溉基础设施建设、弄弄沟村和五道河村机耕道硬化工程等10余个基础设施建设项目。

【动物及其制品检疫】 2016年，东区通过全程、全方位的跟踪检查，确保动物及其制品检疫全面到位，让百姓吃上放心肉。一是强化宰前检疫查证验物和健康检查，对检疫不合格的动物严禁入场屠宰并及时进行隔离观察。二是屠宰环节实行同步检疫，做到该检部位必检并留有检疫痕迹。三是加强市场监管。严禁无检疫证明、无检疫印章、无产品合格印章的动物及其制品上市销售。四是开展市场复检，对上市销售的动物及其制品进行随机抽查检疫，确保百姓“菜篮子”安全。全年共检疫生猪113867头、牛(马)4774头(匹)、羊3658只、活禽和白条禽264390只、冻制品3454731千克、腌腊制品2949510千克、出境犬只9只，产地检疫开展面达100%，屠宰检疫率达100%，耳标证明回收率达100%，不合格畜禽产品无害化处理率达100%。

【动物防疫】 2016年，东区采取法律宣传与市场监管并重的方式确保了全区无动物疫情发生。一是通过加大动物防疫法律法规的宣传力度，让养殖户、经营户充分认识到动物防疫工作的重要性和后果的严重性，提高其履行防疫义务的自觉性。二是严格按照“五统一”和“五不漏”的原则及《免疫标识管理办法》开展免费强制免疫工作，免疫密度达100%。三是加强疫病监测及流行病学调查。全年共采集猪瘟血清样本160份、猪口蹄疫血清样本160份、猪蓝耳病血清样本160份、禽流感血清样本180份，共采集猪组织样品90份、鸡组织样本70份、鸡泄殖腔棉拭子样品160份，养殖环节共抽样送检肉鸡115只、鸡蛋600枚，屠宰检疫环节共抽样送检241份(其中猪肉样品116份、牛羊肉样品15份、鸡肉样品90份、鸡蛋样品30份)。全区农产品质量安全抽检合格率达100%。

【新农村建设】 2016年，东区完成银江镇五道河村、密地村2个幸福美丽新村建设；编制《东区2016年幸福美丽新村建设工作要点》和《东区2016年幸福美丽新村基础设施建设项目实施方案》，拟投入资金400余万元，实施6个幸福美丽新村基础设施建设项目，主要涵盖“雪亮工程”、新村聚居点亮化、道路硬化、公共文化活动广场等项目；完成《东区2016—2020年幸福美丽新村建设目标任务计划规划》等4个方案的编制并获得相关部门批复。完成6个新村建设项目的前期设计，其中5个项目已完成立项，1个项目已完成立项备案，预计2017年1月所有项目能完成工程建设及资料收集整理，同时完成区内自查验收，上报自查报告并迎接省、市级检查验收。

【扶贫攻坚】 2016年，东区完成扶低工作8个专项方案的整理申报，其中牵头制订了基础设施等3个专项工程方案；完成扶低工作中农村低收入群体的区级审核；完成农村低收入人户“一户一策”方案制定。完成对口乡支援盐边县共和乡中小学校2015年度建设项目资金支付，除集镇改造项目质保金10万元待支付外。

【农村科技】 2016年，东区完成新型职业农民培训100人。1—4月，开展芒果春季管理、花期调控、水肥管理等技术培训270余人次，动物春季防疫技术培训60人次。5月，在银江镇双龙滩村、五道河村、攀枝花村开展芒果幼果期管理技术培训3期，培训160人次。6月，在银江镇双龙滩村和弄弄沟村开展芒果夏季管理、病虫害防治、肥水管理、除草等技术培训2期，培训100人次。7月，在银江镇双龙滩村、五道河村开展细菌性角斑病防治、芒果采摘等技术培训2期，培训70人次。8—9月，分别开展芒果采前管理培训各2期。抓紧实施基层农技推广体系建设项目，以芒果、冬枣、咖啡、莲雾、山羊养殖等主导产业为重点，以农民专业合作社基地建设和示范户培育为手段，新建银江镇双龙滩村芒果示范基地1个，培育核心示范户20户，定期开展技术培训和现场指导，带动农户120余户；共举办农民实用技术培训12期，培训人数400余人次，发放各项技术资料500余册，有力促进了主导产业的发展，提高了种养殖效益，带动了农户增产增收。

【农村交通】 2016年，东区根据《四川省交通厅公路局关于调查农村公路建设需求的通知》《攀枝花市交通运输局关于转发〈四川省交通运输厅关于申报2016—2020年普通省道提档升级建设项目的通知〉的通知》等文件要求，结合东区实际，上报了里程分别为2.7千米和0.8千米的银江镇双龙滩村(双龙水库公路接口至四社原保管室路口)、五道河村(建设里程0.8千米)2条道路建设计划。银江镇村道改善工程投资535万元，改善阿署达村、沙坝村、双龙滩村3条村道10.5千米。完成2015年水毁恢复工程建设后续收尾工作，共投入资金46万元。

【农产品质量安全监管】 2016年，东区指导希望农业有限公司、干热河谷生物工程公司、翔棋芒果专业合作社筹备申报无公害及绿色食品认证；每个季度定期对立新养殖开发公司的无公害产品进行例行检查，重点检查蛋鸡场。开展农资市场专项整治3次，向各农资、兽药的生产、经营、使用单位印发相关法律法规宣传资料100余份，与养殖户签订《畜产品质量安全生产承诺书》50余份。向省、市检测机构抽样送检水果、蔬菜样品36份，畜禽样品200余份，兽药样品90份。制订了《东区2016年生猪“瘦肉精”专项监测计划》，开展屠宰环节“瘦肉精”抽样检测和养殖环节“瘦肉精”拉网式检测，共检测5060头份，检测结果均为阴性，有力地保障了肉质食品的质量安全。

【花舞人间农业主题公园建设】 2016年，东区花舞人间农业主题公园已完成土地平整、果树移植、采摘体验区升级改造、百花园、水肥一体农业科技项目和太阳能提灌等建设；完成实施方案编制和科普观光大棚、高山牧场初步设计等；完成百花园建设工作。

【主要领导人】 区委书记：罗军；区人大常委会主任：何先春；区长：杨礼文；区政协主席：张华凯；分管农业副区长：汪雪林。

东区编写组

西 区

【基本情况】 2016年，西区辖7个乡(镇、街道)，有农业人口1.01万人，有耕地面积1089公顷、基本农田297公顷。

【年度农业和农村经济运行】 2016年，西区实现农业总产值18668万元，增长5.2%；农业增加值9582万元，增长4%。农民年人均可支配收入16007元，增长9%。

农用地产权制度改革。攀枝花市除试点县米易县外，西区在全市率先完成农村土地承包经营权确权工作，确权登记面积1565.5公顷，其中家庭承包地面积1014.06公顷、自留地面积67公顷、只登记不确权面积484.382公顷。

【种植业】 2016年，西区种植水稻、小麦、玉米等粮食作物577公顷，产量2631吨，同比增长0.3%。

黑鸡枞种植。2016年，恒业现代农业投资1150万元，在格里坪镇金家村新建黑鸡枞种植基地1.33公顷、黑鸡枞菌包生产车间3000平方米,已投入试生产;建设深加工厂房3000平方米,已完成生产设备安装。全年建成10个黑鸡枞种植大棚,产量200吨。

蔬菜种植。全年蔬菜种植面积157公顷,与上年持平;产量10105吨,同比增长1.9%,其中,叶菜类面积38公顷,产量4080吨;黄瓜、南瓜等瓜果类面积22公顷,产量780吨;茄子、番茄、辣椒等茄果类面积27公顷,产量1079吨;大葱等葱蒜类面积4公顷,产量136吨;四季豆、豇豆等菜用豆类面积18公顷,产量651吨。

水果种植。全年水果种植面积886公顷,产量3475吨,同比增长6.1%。全区水果种植以芒果为主,主要分布在格里坪镇庄上村、新庄村、滥坝村、苦荞村,种植面积749公顷,与上年持平;产量2113吨,比上年增加94吨。

【林业】 2016年,西区实施天然林资源保护工程森林管护面积4220公顷,其中国有林1095.8公顷(西区15.6公顷、苏保区1080.2公顷)、集体林3124.5公顷,补偿集体公益林生态效益3125公顷,兑现政策资金69.13万元,涉及1598户、5189人。完成退耕还林检查验收和政策兑现及2015年、2016年巩固退耕还林成果专项建设种养殖任务,已顺利通过省级复查验收。

退耕还林后续产业项目省级复查。退耕还林后续产业省级复查组实地复查西区2014年退耕还林后续产业种养殖项目,其中种植项目栽植特色经果林60公顷(芒果、花椒),养殖项目修建禽、畜圈舍2210平方米,复查组重点检查了种植项目的面积实施率、植苗成活率、抚育管护率以及养殖项目的圈舍质量、面积合格率等,通过汇总统计,面积实施率达100%,质量合格率达100%,顺利通过复查。

国家森林城市创建。全面完成各项创森工作目标任务。深入推进尖山生态脆弱区植被恢复一期项目建设,计划投资700万元,项目施工中标金额为549万元,计划在尖山13.33公顷的生态恢复区划分13个小班,栽植桉树、三角梅、清香木、黄花槐、凤凰树等苗木27000余株。截至2016年年底,完成林间健身梯步、水池、管网等配套设施的主体工程建设,初步形成了集休闲、健身、吸氧、观光、科普于一体的山地森林公园骨架;完成二期项目建设方案编制、作业设计、评审等前期工作。推进西佛山石漠化土地综合治理项目,区政府投入1500万元,用于景区石漠化治理、生态环境修复及部分道路建设,绿化土地26.7公顷,在成林地区规划建设游步道、栈道。全区森林覆盖率达43.75%,建成区绿化覆盖率达40.95%,人均公共绿地面积达10.34平方米。

林业产业。丽新园艺花卉基地建有展示大棚1个,建成并投产大棚12个,形成年培育花卉100万盆、产值4500万元的产业规模,吸纳周边60名村民就业。通过花卉基地的就业带动,庄上村农民人均年增收1500元。2016年,丽新园艺成功申报为省级龙头企业。大力发展磂磂鸡林下养殖产业,达到年存栏30000羽的规模,借助甲鸟牧业公司营销网络系统成功入驻西南片区沃尔玛超市直销。区农林畜牧局将山药发展与苏保护区清理有害藤蔓生物工作相结合,指导格里坪镇格里坪村采种苏铁野生山药进行人工培育,选育出品质优良、口感好的山药品种进行规模种植;成立农兴山药种植专业合作社,注册“苏铁山药”品牌。截至2016年年底,入社农户30户,带动农户120余户,推广种植面积达33.3公顷,实现年产值300万元。建立以锐华、农果、宗展三大农业企业为主导,合作社、种植大户和农户参与的梅子箐优质芒果种植基地,种植面积达666.7公顷,年产芒果2500吨,实现年产值1500万元。在格里坪镇大麦地村、竹林坡村发展花椒产业,种植花椒320余公顷,挂果66.7余公顷,实现年产值1000余万元。

林政执法。严厉打击非法占用林地等涉林违法行为,全年查处涉林案件27件,对24人、3家企业作做出了林业行政处罚,收缴罚款4.7万余元、木材11.5立方米。

林地和林木采伐督查。林业厅检查组监督检查了西区2015年度林地和林木采伐限额执行情况,检查组听取了西区林地和林木采伐管理情况汇报,调阅了林地和林木采伐管理档案资料,抽取了金沙江金沙水电站“三通一平”工程、攀枝花西区竹林坡(大麦地)50兆瓦林光互补光伏项目、汉白玉文化工艺品生产加工项目3个林地征占项目以及观音岩饮水工程、金沙水电站2个征地项目的林木采伐现地核实,相关工作执行情况良好。

森林防火。继续推行农事用火电话申报和批复制度,引导农户形成先申报后用火的理念,规范农事用火管理,审批用火申报28起。组织扑火队在村社省界、县(区)边界地段、集中坟场、重点企业、苏铁自然保护区等重点地段开设防火隔离带10条,割草53公顷。全年发生火情火警34起,其中森林火灾5起,当日扑灭率达100%,火情火警发生次数比上年同期下降17%,未发生较大及以上森林火灾,苏铁自然保护区、创森项目区及重要生态景观区未发生延烧24小时以上未有效控制的火灾,未发生扑救人员及群众伤亡事故。

【畜牧业】 2016年,西区生猪出栏18449头,同比下降6.5%;生猪存栏11977头,同比下降8.3%;大家畜出栏197头,同比下降1.5%;羊出栏1814只,同比增长10%;家禽出栏573587只,同比增长0.7%。禽肉产量818吨,同比增长1%;禽蛋产量1487吨,同比增长1%;肉类产量2094吨,同比下降3.5%。全年实现畜牧业总产值8445万元,同比增长1.3%。

春秋两季动物集中强制免疫。区农林畜牧局坚持“五统一、五不漏”原则,做到应免尽免,不留空白死角。经市、区交叉检查,全区猪瘟、猪蓝耳病、牲畜口蹄疫、高致病性禽流感、鸡新城疫、山羊痘、小反刍兽疫等免疫密度均达100%,牲畜免疫标识佩戴率达100%,猪瘟、高致病性猪蓝耳病、牲畜口蹄疫、高致病性禽流感、鸡新城疫、小反刍兽疫的免疫抗体滴度均达到农业部规定的70%以上的标准。

免疫抗体、人畜共患病防控、布病监测。动物疫病预防控制中心对全区春、秋两季免疫质量开展了评估,采集血清样品725份,其中在4个50头以上生猪养殖户采集猪血清样品100份、4个蛋鸡场采集鸡血清样品250份;在格里坪镇竹林坡村、大麦地村、金家村、苦荞村、格里坪村采集猪血清样品90份、鸡血清样品205份、羊血清样品50份、水禽血清样品30份。检测结果显示,猪瘟、牲畜口蹄疫、鸡新城疫、高致病性猪蓝耳病、高致病性禽流感5种疫病的免疫抗体滴度均达到农业部规定的70%以上的标准。对辖区内的养羊大户开展布病监测,采集血清样品40份,其中牛血清3份、羊血清37份,检测结果均为阴性。

动物疫病监测、流行病学调查。采集猪淋巴结155份、鸡咽喉拭子(泄殖腔拭子)30份,经省、市检测,结果均为阴性。开展定点流行病学调查工作,选取2户养猪大户、2个蛋鸡场、1户养羊大户、1个自然村和1个动物诊疗点作为定点流行病学调查点,每月进行数据汇总1次并上报农业部和市疫病预防控制中心,同时及时分析总结流行病学调查信息,评估风险,掌握全区流行病学防控成效。

疫情监测、处置。完善重大动物疫情应急处置实施方案,强化应急防控机制,规范程序,储备物资,提升应急处置能力。加强村级疫情报告及镇兽医站疫情报告管理，充分发挥村防疫员和动物疫情观察员作用，以“早发现、早报告、早诊断、严处置”为目标，及时发现和消除疫情隐患。强化应急值守，一旦发现疑似疫情，认真核查，果断处置，及时消除隐患，减少损失，降低影响。

屠宰监管。区动物卫生监督所组织河门口生猪定点屠宰场业主、驻场监管人员、屠场管理人员及生猪长途贩运户观看中央电视台《新闻 1+1》栏目《走私食品，如入无人之境?》节目，要求屠宰场业主切实落实主体责任，严格执行《生猪屠宰管理条例》等相关法律法规，建立健全屠宰环节质量安全内控制度，完善生猪入场查验登记、“瘦肉精”自检、品质检验、生猪产品出场记录等制度；驻场检疫员和屠场管理人员共同严把入场关，认真检查入场生猪临床健康状况和检疫证明、耳标佩戴情况，严禁未经检验检疫和检验检疫不合格的病死生猪入场；外省贩运生猪必须经指定通道查验后方能入场，坚决杜绝走私猪入场，确保全区肉质食品安全。区农林畜牧局每周坚持突击检查辖区内 4 家宰羊点、7 家宰牛点，检查待宰牛、羊健康状况、来源，屠宰点卫生、消毒及病媒生物防治情况；向屠宰户宣传法律法规知识，让其守法经营。全年开展突击检查 62 次，出动工作人员 205 人次，未发现屠宰加工病死牛、羊的情况。

【水产业】 2016 年，西区开展禁渔期宣传活动，张贴和发放禁渔期通告 200 余份，及时处理鱼类突发死亡事件 4 起；协助、监督金沙水电站和荣科生物有限公司放流岩原鲤、白甲鲤、长薄鳅等金沙江濒危鱼类 30 余万尾，丰富和补充了金沙江中游攀枝花段珍稀鱼类资源。

【幸福美丽新村建设】 2016 年，西区落实幸福美丽新村建设专项资金项目总投资 265.33 万元，其中省级财政专项资金 200 万元、市级资金 34 万元、农户自筹资金 31.33 万元。建成幸福美丽新村 2 个，完成旧村落基础设施改造建设点 4 个，包含道路、文化院坝、农房改造、农村环境综合治理等，涉及 256 户，各项目全部建设完成。

【生态葡萄康养农庄建设】 2016 年，西区邀请攀枝花市农林科学研究院专家现场指导格里坪镇格里坪村生态葡萄康养农庄建设。专家针对生态葡萄园管理和葡萄病虫害防治、施肥等生产技术问题对农户进行了指导，帮助业主提升葡萄种植技术和水平，推动标准化葡萄园建设取得进展。截至 2016 年年底，生态葡萄康养农庄完成葡萄长廊搭建、葡萄采摘大棚建设，建成半自动水肥一体化系统，实现自动滴灌，高效节水；完成水库进出通道硬化、水库坝基改造和部分水库清淤工作；农庄农房建设方案策划及施工设计工作基本完成。葡萄康养农庄建设带动周边农户 40 户，种植葡萄面积约 4.67 公顷。

【农畜产品质量安全监管】 2016 年，西区组织开展拉网式检查 6 次，检查兽药店 23 家次、农资店 15 家次、饲料店 25 家次，出动人员 180 人次，发放农产品质量安全法律法规宣传资料 500 份，未发现假冒伪劣、过期兽药、饲料、农资销售情况。全年开展蔬菜农残检测 3 次，共计采样 30 份，检查合格率达 100%；检疫生猪 45349 头，销毁不合格生猪 165.5 头、生猪产品 0.09 吨（折合 1 头）；检疫禽类及产品 35 万余羽，销毁不合格禽类 20 羽；市场检疫牛（马）2200 余头（匹）、羊 4800 余只，未发现不合格产品。

【“百草枯”专项检查】 2016 年 7 月 1 日起，根据农业部、工业和信息化部、质检总局第 1745 号公告的规定，禁止“百草枯”水剂在国内销售和使用。7 月 20 日，区农林畜牧局会同攀枝花市农牧局植检站相关人员开展专项检查，逐一检查辖区内 7 家农药经营户，未发现违法行为，针对检查中发现的农药销售台账建立不规范、不完善等问题，现场责令其整改；向农药经营摊点宣传经营法规，指导安全用药知识，提高农药经营摊点的质量安全意识；向农资市场经营户、生产基地和格里坪镇及各村发放《关于禁止销售和使用百草枯的通告》100 余份。

【农机监管】 2016 年，西区年检各种拖拉机 10 台，年检率达 100%，按规定注销 3 年未年检的拖拉机 11 台，签订安全生产责任书 10 份，办理拖拉机登记 1 台，换发驾驶证及行驶证 5 起。检查农用拖拉机安全驾驶情况 12 次，出动车辆 12 台次，未发现违法违规现象。开展农机执法行动 12 起，出动人员 42 人次。开展农机安全宣传 100 人次，发放宣传材料 2000 份。全年未发生农机交通安全事故，农机安全生产平稳运行。

【“双联”和“走基层”活动】 2016 年，西区扎实开展党员“双报到”及志愿服务，坚持每月组织党员到格里坪镇庄上村开展志愿服务 1 次。全年走访慰问困难党员、群众 41 人次，赠送米、油、棉衣、棉被等生活物资，价值 0.8 万元。开展扶贫解困帮扶行动，为庄上村 2 户低保户送去 200 只鸡苗，指导其发展产业。邀请专家现场指导格里坪镇大麦地村、竹林坡村开展青花椒锈病防治，制订防治方案，协调市林业局、市森防站调用山地四轮摩托打药机，投入防治资金 5 万余元，助力两村花椒产业发展。开启“绿色通道”服务，为格里坪镇经堂村一社、五社农网改造工作提供优质、快捷服务，解决片区用电问题，惠及农户 140 余户。

【职业技能培训】 2016 年，西区举办了新型职业农民培训班，农民专业合作社、家庭农场、种养大户负责人 17 人参加培训。组织开展芒果种植管理、青花椒锈病防治、新型职业农民等农技培训 16 期，培训 1000 余人次。

【主要领导人】 区委书记：龙勇；区人大常委会主任：叶勇；区长：卢瑜；区政协主席：袁大勇；分管农业副区长：张林。

西区编写组

仁 和 区

【基本情况】 2016 年，仁和区辖 8 乡 6 镇 1 个街道，辖区面积 1727 平方千米，其中耕地面积 15.18 万亩，比上年减少 0.2%，人均耕地面积 0.66 亩；基本农田 18.415 万亩。年末总人口 23.16 万人（户籍人口）；人口出生率 7.4‰，增加 2 个千分点；人口自然增长率 2.58‰，减少 0.01 个千分点。本地水资源总量 4.65 亿立方米，人均占有水资源量 1710 立方米。有森林面积约 10.01 万公顷，有林地面积约 12.61 万公顷，活立木总蓄积量 8038878 万立方米，森林覆盖率达 58%。

2016 年，全区 GDP215.6 亿元，增长 9.1%。完成区本级固定资产投资 115 亿元，增长 24.2%。区本级一般公共预算收入完成 5.85 亿元，增长 6.99%。

【年度农业和农村经济运行】 2016 年，仁和区实现农业总产值 16.85 亿元，同比增长 4%；农业增加值 10.09 亿元，同比增长 4.2%。城乡居民年人均可支配收入分别达 28997 元、14708 元，分别增长 8.6%、9.8%。

农业产业化发展。仁和区对 23 家省、市级重点龙头企业（其中省级 4 家、市级 19 家）的运行情况进行动态监管。全区经工商登记注册的农民合作社 317 家、家庭农场 95 家。组织申报合作社扶持资金共计 171.5 万元，已全部下拨至部分专业合作社及家庭农场。

农用地产权制度改革。仁和区落实农村土地承包经营权确权登记试点登记资金584.26万元,已使用394.12万元,确权登记成果获得专家组验收。接待来电、来人上访、咨询156起。

【种植业】 2016年,仁和区粮食产量6.61万吨,同比增长1.13%。蔬菜产量25.23万吨,同比增长4.5%。水果产量9.77万吨,同比增长8.21%。

全年共出动执法人员229人次,检查种子经营门市567个次,查收非法种子53.53千克,货值0.95万元,挽回经济损失10.215万元。开出《行政处罚(当场)决定书》14份、《没收违法物品清单》14份,解决农民种子投诉纠纷7起,争取1.74万元的种子补偿款。开展农药市场执法检查34次,出动人员102人次,检查13个乡(镇)农药经营网点124个,检查农药品种342个。

重大病虫害防治监测。全区共建立病虫害控制示范区5个,面积2000亩,其中芒果示范区3个、面积1500亩,石榴示范区1个、面积300亩,蔬菜示范区1个,面积200亩;重点示范户180户。全年通过协同办公平台发布病虫害趋势预报防治简报8期、病虫害预报防治电视预报6期,通过四川省植保短信平台发布病虫害防治信息11期,组织技术人员开展病虫害防治现场指导46次。

植物检疫。全年开展种子市场检疫检查6次、苗木调运检疫10次、农产品市场检疫检查4次,签发检疫要求书5份;建立3个稻水象甲监测点,开展稻田调查4次,调查面积1615亩;对在农村范围内的园林苗圃场周围的农田进行红火蚁普查调查,普查农田、果园2440亩。

【畜牧业】 2016年,仁和区生猪出栏18.45万头,同比减少2.8%;牛出栏1.04万头,同比增长0.1%;羊出栏9.34万只,同比增长3.5%;家禽出栏136.72万只,同比增长2.6%。全区禽蛋产量3751吨;牛奶产量30吨;肉类总产量1.74万吨,同比减少0.5%。落实动物防疫、检疫等各项经费86.6106万元,猪瘟、猪高致病性蓝耳病、猪牛羊口蹄疫、山羊痘、禽流感、新城疫免疫率均达100%,猪、牛、羊耳标佩带率、回收率均达100%;产地检疫率、市场检疫率、屠宰检疫率、运输检疫率均达100%,检疫申报率、受理率均达100%,产地检疫合格证明回收率达100%。全年出动执法人员300余人次,检查兽药经营户42家,抽检兽药4批次,未发现经营人用药、违禁药品以及销售假冒伪劣药品及无证无照经营情况。强化养殖场管理,全年排查规模养殖场(户)260家(户)次,出动执法人员90余人次,监测生猪745头、肉牛153头、肉羊701只,监测结果均为阴性。

【现代农业推进工程项目建设】 2016年,仁和区现代农业推进工程项目总投资1290.6136万元,大龙潭乡3.003千米道路项目启动了比选工作,平地镇2千米道路施工有序推进,大田镇0.69千米道路已完成工程量的50%;大田镇67亩新栽及嫁接石榴项目已组织镇级验收,大龙潭乡512亩新建芒果基地项目已通过乡村级验收;总发乡芒果新技术示范800亩已定植120.5亩,启动了啊喇乡3300亩优质小水果培优提升增效项目招投标工作;启动了立新村柠檬山庄景观项目打造工程。仁和区现代农业建设示范县(2016—2018年)实施方案于11月获得批复。

【农业机械化】 2016年,仁和区新建机耕道81.41千米,总投资2724万元。共办理拖拉机入户82台,补换证20台,变更21台,过户94台,注销1575台,拖拉机驾驶员到期换证133人,新办拖拉机驾驶证222人。开展路检、路查10天,检查拖拉机38台次,纠正和劝阻交通违法行为33人次,与拖拉机车主签订《农机安全责任书》737份;检审拖拉机737台,开展农机安全宣传7次,发放宣传资料1400余份,发送农机安全信息1000余条,拖拉机及驾驶人员档案归档6988台次。

【新农村建设】 2016年,仁和区投入幸福美丽新村建设资金2533.58万元,涉及项目96个,其中,产业发展项目9个,投资677.61万元;基础设施项目30个,投资1045.12万元;村落民居项目10个,投资77万元;公共服务项目45个,投资675.1万元;其他项目2个,投资58.75万元。

【扶贫攻坚】 2016年,仁和区按照“六个精准”“五个一批”的要求,整合投入资金5825万元,全面实施贫困村产业及基础设施到村到户项目61个,完成易地扶贫搬迁56户、218人,实现脱贫解困1556人,大龙潭乡干坝子村、平地镇波西村、务本乡大火山村退出贫困村序列。投入资金2533万元,在10个贫困村实施幸福美丽新村、彝家新寨建设项目,乌东德、金沙、银江等水电站建设移民安置工作顺利推进。

【农村科技】 2016年,仁和区农业技术推广服务培训项目共举办水果、粮食、土肥等技术培训162期,培训人员11156余人次,发放培训资料1.19万余份。其中,开展防疫检疫知识宣传培训5期,培训206人次;举办粮食蔬菜技术培训班5期,培训320人次;举办水果和土肥相关技术培训21期,培训农户2000余人次;举办农民实用技术培训1期,培训400人次;举办生物病虫害防治技术培训29期,培训3530人次。

新品种引种。引进特色香米新品种7个,在中坝乡和啊喇乡布置试验点3个,筛选出1~2个品种进行示范推广。引进蔬菜新品种9个,在啊喇、大田、同德、大龙潭4个乡(镇)布置试验点5个,筛选1个品种进行示范推广。引进水果新品种22个,其中梨4个、樱桃8个、桃10个。

绿色防控技术推广。完成2015年小麦病虫害防治补助项目,在啊喇、平地等小麦主产乡(镇)实施小麦病虫害防治示范1万亩,推广绿色防控技术,采购示范药剂360千克,受益农户2063户。完成2015年粮食生产能力提升工程农作物病虫害绿色防控示范,在同德、平地等乡(镇)开展芒果、水稻、蔬菜病虫害绿色防控示范12000万亩,发放示范农药1120千克。建设示范片4个,示范面积4万亩,布置试验点15个。2016年度国家级项目采集、分析土壤样品300个,开发专家咨询系统软件1套,购置软件应用触摸屏2台。

【农村生态建设与环境保护】 2016年,仁和区有序推进普达片区、莲花村片区市政管网建设,创建全省农村污水治理示范县。推进城乡生态文明建设,治理水土流失面积41平方千米,生态修复15平方千米,空气质量达标率为98%。深化“五创联动”和城乡环境综合治理,创建花园家庭、花园农家乐4个,通过第二轮国家卫生城市复审验收、国家园林城市省级验收。治理村庄357个。实施“两建四改五通”,新建庭院经济65户,新建沼气池30口,改厨50户、改厕48户、改圈59户、改危房36户,通路389户、通电话20户、通电视20户。严格水源污染治理,全年清理河道周边垃圾5.3吨,检测水库水质20次;不定期对仁和区河段大河环境卫生开展检查20次。

【农业补贴】 2016年,仁和区兑现耕地地力保护补贴资金1080.25万元,补贴面积96538.42亩,受益124214人;农民享受农机购置补贴95.274万元,增加机具792台(套),受益农户767户。

【农产品质量安全监管】 2016年,仁和区定期对上市蔬菜进行抽样检测,全年检测蔬菜、水果、食用菌样品1493个,样品农药残留和非食用物质残留合格率均达100%。定期配合省、市农产品质量监管部门对区农产品批发市场、农产品基地的蔬菜和肉类进行8次抽样,共取样230个。

【农业综合开发土地治理项目】 2016年，仁和区农业综合开发土地治理项目改良土壤0.58万亩，推广生物肥料试验示范面积0.1万亩，采集、测定土壤样品100个。完成机耕道路面硬化工程17.7456千米，引水渠整治工程25.271千米，瓦窑大沟整治工程6.3千米。修建提灌站2个，完成荒山造林面积130亩，实施小河流域治理工程1.2千米。布德镇土地平整项目整理土地507亩，建设灌溉与排水工程7.2千米、田间生产道路5.57千米。

【抗洪救灾】 2016年9月19日，仁和区遭受强降雨、局部特大暴雨诱发群发性山洪及滑坡等自然灾害，各种农作物普遍受不同程度暴雨灾害，受灾严重的有大田镇、啊喇乡等乡(镇)。全区农作物受灾面积3977.06公顷，成灾面积3235.38公顷，绝收面积395.21公顷；损毁机耕道475.43千米，鱼塘277口、411806.7平方米，人饮工程水池404处；冲毁农田12104.41亩；大牲畜死亡1763头，小家禽死亡7721只，造成经济损失约26042.3万元。灾情发生后，仁和区委区政府及时发放下达农业生产救灾资金300万元，组织啊喇乡、大田镇等12个乡(镇)进行生产自救。

【"一事一议"政策】 2016年，仁和区编制《攀枝花市仁和区村级公益事业建设"一事一议"财政奖补项目管理(暂行)办法(修订征求意见稿)》。全年实施村民"一事一议"筹资筹劳项目14个，总投资1017.67万元(财政奖补金额640.51万元)，其中村内道路项目11个、水利项目1个、文化活动场所2个，项目涉及8个乡(镇)、884户、2796人，村民筹资14.07万元，均控制在省定限额人均筹资50元以内。

【渔政管理】 2016年，仁和区出动检查车次25次，检查水产品质量40余次，签订《水产品质量安全生产承诺书》《渔船安全生产责任书》《渔船安全生产责任告知书》72余份，张贴公告200余份。检测样品30个，药物残留合格率均达100%。

【民生工程】 2016年，仁和区202项民生工程、20件民生大事全面完成，改造棚户区1000户，建成保障性住房766套；新建农村廉租房31套，改造农村危房714户；发放城乡低保金2385万元、城乡医疗救助金634万元；新建提灌站23座、25台、368.4千瓦，改造3座、66千瓦，修复15座、180千瓦，总投资1165万元，新增有效灌面6800亩，恢复改善灌面2400亩；实施退耕还林面积29159.6亩，发放补助资金458.44万元；享受计划生育奖励扶助1933人，奖励金额185.568万元。落实农村学生公用经费、住宿制贫困学生生活补助、贫困住宿学生免费肉食补助、营养改善计划等资金2670万元。平地镇创建为"国家卫生乡镇"。乡(镇)广播站建设全面完成，"村村响""户户通"实现有效覆盖。

【主要领导人】 区委书记：任礁军；区人大常委会主任：谭进；区长：李春华；区政协主席：孙永发；分管农业副区长：唐旭光。

仁和区编写组

米易县

【基本情况】 2016年，米易县辖7镇(其中普威镇为少数民族镇)5乡87个村(其中38个少数民族村)826个村民小组。有耕地面积39.396万亩，增长61%；基本农田27.7485万亩，增长19.87%。年末总人口221365人，其中非农业人口31424人，占总人口的14.2%；农业人口189941人，占总人口的85.8%。全年出生人口3195人，人口出生率14‰；死亡人口1515人，人口死亡率6.8‰。县城建成区面积6.5平方千米，城镇化率达41.4%。

2016年，全县GDP143.6亿元，增长10%，其中第一产业增加值12.9亿元，增长4.5%；第二产业增加值94.9亿元，增长11.3%；第三产业增加值35.8亿元，增长9%。完成地方财政收入9.29亿元。社会消费品零售总额33.2亿元，增长11%。县域经济综合评价排名全省第41位。

县、乡、村公路里程1352.28千米，其中县道234.77千米、乡道177.39千米、村道916.79千米。有普通高中1所，初级中学5所，单设小学2所，乡(镇)中心校12所，小学教学点41个，幼儿园33所(公办12所、民办21所)，附属幼儿园24所，中等职业学校1所；教职工2094人；小学生14355人，初中生7454人，高中生3316人，幼儿6393人，中职学生2375人。有艺术表演团体10个，文化馆1个，公共图书馆1个。有无线广播电台1座，节目3套；电视台1座，节目2套。有医疗卫生机构181个，其中医院5个、基层医疗卫生机构173个、乡(镇)卫生院12个、社区卫生服务中心1个、村卫生室169个(规范设置村卫生室102个)；编制病床位1089张，实有病床位870张，每千人拥有病床位3.81张；卫生人员1634人，卫生技术人员1207人。新型农村合作医疗参合率达99.88%，再创历史新高。被评为2016年度国家级和省级免费孕前优生健康检查项目临床检验室间质评优秀单位。

【年度农业和农村经济运行】 2016年，米易县实现农业总产值52.28亿元，增长1.7%；农业增加值29.41亿元，增长1.5%。城镇居民年人均可支配收入29538元，增长8.5%；农村居民年人均可支配收入14448元，增长9.5%。

农业产业化发展。米易县有农业产业化龙头企业22家(其中省级龙头企业5家)，培育发展农民专合社266家、家庭农场112家，新增专合社49家、家庭农场32家，规范提升20家，恢复重建改造提升基层供销社5个，四川省首家农民专业合作社会计服务中心建成投用，农业产业化经营带动农户面达80%以上，初步形成了市场牵龙头、带基地、连农户、促产业的产业化发展格局。

2016年米易县省级农业产业化重点龙头企业名单

企业名称	注册资金(万元)	法人代表	示范等级	年度产值(亿元)	行业分类	主营产品
米易县万民农牧有限责任公司	500	万启明	省级	1.4	农业	生猪饲料
攀枝花市捷茂中药材种植有限公司	2000	马晓华	省级	0.57	农业	当归、柴胡
米易华森糖业有限责任公司	5000	张家华	省级	0.98	农业	甘蔗
四川益满达渔业有限公司	3000	黄坪	省级	0.25	农业	饲料、苗种
米易县绿生农业开发有限责任公司	2000	刘斌	省级	6.6	农业	蔬菜

2016 年米易县省级(及以上)示范农民专业合作经济组织名单

合作组织名称	注册资金(万元)	法人代表	示范等级	年度产值(万元)	行业分类	主营产品
米易县绿怡果蔬种植专业合作社	1000	冷天华	国家级	77.6	种植业	蔬菜
米易县普威果业专业合作社	655	钟天康	省级	891.6	种植业	水果
米易县小三峡芒果种植专业合作社	1146	廖庭松	省级	29.78	种植业	水果
米易县绿园蔬菜种植专业合作社	242.5	邱乾丽	省级	213.64	种植业	蔬菜
米易县鑫农果蔬种植专业合作社	738.6	曾茂宏	省级	330	种植业	蔬菜
米易县黄草樱桃种植专业合作社	200	孔文军	省级	1597	种植业	水果
米易县水晶观烤烟综合服务专业合作社	133.5	查绍华	省级	142.27	农业服务	农机服务
米易县攀越枇杷种植专业合作社	798.3	曾绍斌	国家级	1200	种植业	水果
米易县润民种植专业合作社	46.24	刘思学	省级	150	种植业	蔬菜
米易县安顺果蔬种植专业合作社	1300	李安顺	省级	700	种植业	蔬菜、水果
米易县仙山核桃种植专业合作社	363.5	郭友文	省级	370	种植业	坚果

2016 年米易县家庭农场经营情况统计表(前 10 位)

家庭农场名称	注册资金(万元)	法人代表	年度产值(万元)	行业分类	主营产品
米易县江西沟双红家庭农场	300	周少敏	110	种植业	蔬菜
米易县卧马林种羊养殖家庭农场	100	杨万友	45	养殖业	羊
米易县新盛芒果园家庭农场	10	苏国虎	100	种植业	水果
米易县兴林芒果种植家庭农场	200	刘兴林	162.5	种植业	水果
米易县天文家庭农场	80	邹天文	138.66	养殖业	鸡
米易县奇宇果园家庭农场	100	陈文	66	种植业	水果
米易县何氏家庭农场	40	何文华	50.07	种植业	水果
米易县王文才家庭农场	60	王文才	106	种养殖业	水果、鱼、畜禽
米易县佰亩园家庭农场	200	刘天林	100	种植业	蔬菜、水果
米易县绿鑫园家庭农场	150	夏跃忠	120	种植业	蔬菜

【种植业】 2016 年,米易县粮食总产量 9.033 万吨,增长 4.1%。蔬菜种植面积 8.61 万亩,产量 34.78 万吨,其中早春蔬菜收获面积 6.5 万亩,产量 26.58 万吨;秋延蔬菜收获面积 2.11 万亩,产量 8.2 万吨,实现销售产值 2 亿元。全县果园面积 155250 亩,总产量 81040 吨,其中,芒果园 73155 亩,产量 28376 吨;枇杷园 23595 亩,产量 8010 吨;樱桃园 14250 亩,产量 3656 吨;梨园 13035 亩,产量 13116 吨;桃园 14625 亩,产量 8705 吨;柑橘园 2655 亩,产量 1576 吨;葡萄园 2640 亩,产量 8797 吨;香蕉园 2715 亩,产量 1814 吨;火龙果园 2745 亩,产量 3483 吨。

【林业】 2016 年,米易县继续围绕林业产业重点县打造、生态修复工程实施、创建国家森林城市县级任务落实、脱贫攻坚等重点开展林业各项工作,全面完成年度目标任务。全县森林覆盖率 62.79%,森林蓄积量 1365.96 万立方米,实现林业产值 13 亿元。积极争取上级林业资金 3900 万元,完成林业投入 4600 万元。投资 700 万元实施生态治理 31.6131 公顷,投资 824 万元落实新一轮退耕还林工程 1.03 万亩。管护国有林 217.98 平方千米,兑现管护资金 105.6 万元。

【畜牧业】 2016 年,米易县实施牛羊规模化养殖、肉牛标准化生产基地县、财政现代农业肉羊养殖等项目,深入开展草食牲畜标准化养殖示范,发展适度规模肉牛养殖户 44 户、适度规模肉羊养殖户 114 户,建成标准化规模养殖小区 6 个。扎实开展春、秋两季重大动物疫病防控工作,开展动物疫病、人畜共患病流行病学调查和抽样监测,清理整顿生猪定点屠宰场,保障畜牧业生产健康发展。重大疫病免疫工作做到应免尽免,七大动物疫病免疫密度均达 100%,免疫抗体血清抽样合格率达 70%以上,奶牛结核病、血吸虫病和布病等抽样监测结果均为阴性。

【水产业】 2016 年,米易县养殖水域面积 1.6 万亩,其中池塘(包括山坪塘)5370 亩、湖泊(二滩库区)7105 亩、溪河 300 亩、水库 3225 亩、稻田 5 亩。全年水产品产量 12700 吨,比上年减少 8.3%,其中养殖产量 12400 吨;网箱养殖产量减少 1150 吨;捕捞产量 300 吨,与上年基本持平。生产苗种20亿尾,与上年持平;渔业产值2.1亿元,比上年减少4.1%。新发展溪河养殖4家,累计推广发展31家,溪河养殖总产量80吨,同比增长12%。全面完成339户养殖户19721口网箱的拆除工作,其中得石镇10684口、白坡乡9037口;养殖户339户,其中得石镇196户、白坡乡143户。

【统筹城乡与新型城镇化】 2016年,米易县成立了由县长任领导小组组长,分管副县长任副组长,住建、财政、人社、国土、公安等相关部门,乡(镇)为成员单位的新型城镇化工作领导小组。成立了新型城镇化工作领导小组办公室,确定了专职工作人员及联系方式,建立了新型城镇化建设工作简报、新型城镇化建设调查表定期上报制度。将加快推进新型城镇化工作写入县委县政府工作任务报告,纳入政府重大工作部署。制订了《米易县2016年加快推进新型城镇化重点工作实施方案》,对重大任务目标进行了分解,明确了责任分工,建立了重点督办项目每月报送制度和目标考核管理办法,确保工作落实。

《米易县县域村镇体系规划和城市总体规划(2015—2030年)》通过审批,编制完成了《米易县龙潭风景名胜区总体规划(2015—2030)》,《米易县农产品加工园区控制性详细规划》,龙阳丽园二期、迷阳森林、迷阳湖桥河东公园段景观、米易县汽车客运站、智仁乐康养度假、新山旅游村寨等规划;编制完成了草场乡顶针新村、垭口镇安全村大龙潭新村、得石镇大田新村等8个新村规划方案。建立了《城乡规划专家咨询制度》《进一步加强项目规划管理程序的意见》等制度,将规划执行情况纳入地方政府主要领导经济责任审计。紧紧围绕"建设阳光时尚花园城、打造康养度假目的地"的目标,坚持"花园城市、公园县城"的总体定位,全力推进城市建设,完成迷阳湖大桥、老干部活动中心、城北皮划艇尾水渠出水口河滩环境整治、旅游服务中心至岐黄养生大院人行道、健身驿站节点景观改造、河西人才公寓装修、花城景观打造、迷阳湖大桥亮化、迷阳湖大桥暨公安局片区旧城改造市政基础设施、草场河环境整治、商务办公区车区停车场改造11个工程项目建设。有序推进省道米中段复线及贤家新区城市干道、克朗风情水街、克朗基础设施、中海外迷易森林、海棠蓝湾山体公园及医疗中心、生态美食城6个项目建设。启动克朗新区D-07号地块滑坡治理、迎宾大道滨河公厕工程、儿童主题公园冲毁修复工程建设。完成米易县攀莲镇铁建路片区棚户区改造(一期)主体工程并通过验收,有序开展站前广场一、二期和城中街片区已征收房屋拆除工作,抓紧推进站前广场(一期)9#楼设计工作。扎实推进国家重点镇、省级"百镇建设"试点工作,完成丙谷镇集镇道路幼儿园段、集镇道路、路灯安装工程、人行道改造项目,有序推进丙谷污水处理厂项目,审查通过白马老街方案并启动建设。启动新村聚居点建设2个。

高度重视保障性安居工程建设,切实解决城镇低收入群体住房困难问题。一是完成棚户区和"城中村"改造贷款融资3.01亿元,开工建设青皮、水塘、克朗3个省级"城中村"棚户区改造项目,实施棚户区改造1084户,总投资约3.3亿元,其中米投集团公司申请农发行建设基金1500万元、争取上级专项资金2008万元。二是加强保障性住房管理。发放公共租赁房屋租赁补贴54户127人11.45万元,完成全县公共租赁住房不动产登记证办理,制定出台《米易县已购经济适用住房上市交易实施细则》。三是有序推进农村危房改造工作,完成房屋拆除重建169户、维修加固515户。

房地产开发平稳有序,尚品国际、龙阳丽园一期、岐黄养生大院、宏坤中央公园、海棠蓝湾一标段等城市开发项目全面建成并陆续投入使用;中海外迷阳森林、龙阳丽园二期工程顺利推进。全年累计受理购买普通商品房期房及二手房补贴申请共计3000余件。房地产从业人数256人,同比增长22%;建筑业增加值5.61亿元,同比增长18.9%。申请补贴金额约4900万元;开始第一批补贴2400万元的发放工作。新包装招商引资项目3个,新包装并履约1个招商项目,实现招商引资4000万元;城镇化率达41.7%,同比增长1.2%。

注重城乡统筹,提升城镇化发展质量。一是加强禁止违法建设宣传力度。举办全县"两违"整治知识竞赛和演讲比赛,县级各部门、各乡(镇)共计5000余人参加,为"两违"整治营造了良好的舆论氛围。利用电视台、手机报等多次宣传相关制度文件,对违法建设拆除情况进行曝光,为整治工作创造有利的舆论环境。二是加大对城乡违章违法建设检查整治力度。与乡镇和有关部门加强沟通协调与配合,全年累计处理群众来信来访70余件,发出整改通知书115份,拆除违章建(构)筑物32起、3482平方米;完成200户"平改坡"改造工作;立案查处违法建设案件7起,处以罚款9万元。大力加强城镇基础设施建设。以项目为载体,以成昆复线建设为契机,加快推进南部新城和草场克朗新区、贤家新区城市基础设施建设,逐步完善和改造城北、河西新区基础设施建设。全年涉及城镇基础设施建设项目共11个,计划总投资3.6亿元,其中完工道路985米、完工雨污管网1.5千米。按照"公园县城定位",大力推进城市绿化,建成区地表面积渗透比例45.6%,县城建成区面积6平方千米,绿化覆盖面积235.2公顷,绿地面积211.47公顷,建成区绿地率达39.2%。

【新农村建设】 2016年,米易县坚持"规划引领、政府引导、群众主体、分类指导"的原则,不断创新幸福美丽新村投、建、管体制机制,投入上做到坚持政府引导,农民主体,社会参与,多方投资,共建共享;建设上做到整体规划,统合资源,聚集合力,有序推进;管理上实行县乡指导,一村一策,以村为主,多元参与,共建共管,形成了群众工作六步法、新村建设四机制,使幸福美丽新村建设工作常态化。全县建成了一批集镇融入型、阳光康养型、农业观光型、乡村旅游型、扶贫开发型新村,实现了新村建设从无序散建到集中规划的转变、从二元发展到城乡一体的统筹、从人居改善到功能配套的演进,由"物的新农村"向"人的新农村"迈进,切实让农民"住上好房子、过上好日子、养成好习惯",多次获得省市相关领导肯定和好评,走在了全市新村建设的前列。

建成幸福美丽新村14个,累计建成新村聚居点66个、旅游新村6个、新农村综合体4个,改造提升幸福美丽新村34个;创建县级"四好村"23个、市级"四好村"16个,申创省级"四好村"15个;87个行政村农民夜校建设全面完成。同步建设新村道路10.26千米,整治渠道2.5千米,绿化用地350平方米,在道路沿线种植绿化苗木240株,安装太阳能路灯15盏,新村基础设施综合完成率达90%。在建的新村和建成的新村分别成立了建设管理委员会和业主管理委员会,积极推进乡村环境综合治理。结合新村建设,完成7个村"1+6"村级公共服务活动中心改造和扩建工程并投入使用。利用村级公共服务阵地设施普遍开展便民服务、群众文化活动和新型农民培训,幸福美丽新村新型农民培训率达90%以上。

【扶贫攻坚】 2016年,米易县召开全县脱贫攻坚工作大会5次,专题研究脱贫攻坚工作30余次。通过召开县委常委会、政府常务会等形式及时传达学习中央、省、市全会精神和脱贫攻坚相关工作要求,切实把县、乡、村干部群众的思想和行动统一到脱贫攻坚工作大局上来。加大政策宣传,充分利用报纸、电视、手机报、微信等平台载体多层面、多角度、多方位宣传中央、省、市脱贫攻坚政策举措,充分展示在全县脱贫攻坚中涌现出的先进典型,增强群众脱贫的自觉性和主动性;在《四川日报》《攀枝花日报》刊登经验文章15篇,在米易电视台、米易手机报开设对话米易(脱贫攻坚)专栏,解读政策、展示成效、宣传典型,形成人人关心扶贫、关注扶贫、参与扶贫的浓厚氛围。

完善机制,推进力度持续加大。一是组织领导到位。实行县乡党委、政府主要领导任组长的"双组长"责任制,建立了脱贫攻坚议事机制,定期或不定期召开专题会通报工作进展情况,及时研究解决相关困难和问题。全县抽调11名优秀年轻后备干部、增编4名人员、选派本单位精干力量到县脱贫攻坚领导小组办公室,及时充实脱贫攻坚工作力量。二是责任落实到位。层层签订责任书,分解落实脱贫攻坚目标任务,县级部门、单位、驻县单位、县内企业等93个单位均参与扶贫帮扶,实现全县机关、企事业单位干部职工帮扶贫困户全覆盖,确保全县87个行政村均有1~2个帮扶部门、每户贫困户至少有1名县级帮扶责任人和1名乡(镇)帮扶责任人并建立了责任台账。三是帮扶机制到位。拓展"五个一"帮扶机制,12个乡(镇)均有1名县级领导联系,25个贫困村均有1名县级领导、1个驻村工作组、1名"第一书记"、1名农技服务人员,在全市率先为每个贫困村增设1名村委会主任助理(必须是贫困户大中专毕业生),协助开展脱贫攻坚工作。四是蹲点督导到位。按照省、市要求和全县脱贫攻坚蹲点调研督导方案,县级领导带队深入乡(镇)、25个贫困村和插花贫困户家中开展蹲点督导,重点对标脱贫要求督导帮扶机制、帮扶方案、项目实施及政策落实情况。五是评估检查到位。组建由挂村县领导带队,帮扶部门牵头的12个评估检查小组,按照"不落一村,不漏一户"的要求,全覆盖完成自查评估。

围绕"一超过、两不愁",精准施策确保收入。全年投入中央、省、市财政专项扶贫资金1594万元,县级财政安排资金8004.39万元,含"一事一议"财政奖补资金1528.06万元,重点用于贫困户增收产业、住房改善、扶贫小额信贷、助学帮扶、能力提升以及贫困村人饮安全、农田水利设施等项目建设。一是抓产业,促增收,确保"两不愁"。县级财政按照900元/人的标准扶持贫困户发展"短平快"增收产业;市(县)帮扶部门投入资金1500万元为贫困户购买生产生活物资;下拨25个贫困村贫困户产业扶持周转金500万元,用于村集体经和贫困户产业发展;实施省级财政资产收益扶贫项目,投入资金400万元支持企业或专合组织发展,采取贫困户入股企业或专合组织的形式,按6%的比例获取年度保底分红和务工劳务收入;整合资金415.4万元扶持贫困户发展特色水果、蔬菜以及修建圈舍,共发展芒果、枇杷、樱桃、油桃等特色水果基地10780亩,优化提升11060亩,初步形成218400亩特色水果产业基地,养猪5620头,养牛1258头。因地制宜扶持贫困户通过净种或林下套种方式种植叶菜类、豆类、萝卜、芋类、山药、茄果等山地特色蔬菜5100亩,发展肉牛标准化生产基地5个、肉牛适度规模养殖户20户,改(扩)建标准化牛舍1400平方米,引进川中黑山羊73只并分发到全县25个贫困村,发展适度规模山羊养殖户93户。开展种植、养殖技术及电子商务等方面的培训,贫困户参与技能技术培训1万余人次。在2016年脱贫的8个贫困村成立了核桃、枇杷、樱桃、细甲鱼等种养专业合作社。二是先行试点电商扶贫产业。米易县申报为省级、国家级电子商务进农村综合示范县,争取项目资金2500万元。依托特色产业,优化发展环境,完善功能支撑,大力发展电子商务产业体系,形成了"大众创业、万众创新"的新格局。2015年先行试点在黄草村(贫困村)建立了黄草村电子商务进农村示范点,主要为农户销售黄草樱桃而服务,2016年通过中心销售黄草樱桃带动农户增收300万元,受益农户达400户(其中贫困户64户),直接帮助贫困户增收近50余万元。三是落实政策兜底,防止贫困人员掉队。落实好"两线合一"低保政策,已核定纳入低保贫困群众923户、2553人,按照3251元/人/年的标准进行补差,为128名贫困残疾人争取到特殊生活补贴,帮助低保贫困群众发展产业。

围绕"三保障",落实政策不打折扣。一是锁定住房安全有保障目标抓落实。加大住房建设力度,统一设计《米易县建档立卡贫困户农房新建图集》供贫困户建房参考。全县共有592户危房需要新建、564户住房功能需要完善,其中2016年343户脱贫贫困户危房重建工作、320户住房功能完善工作已全面启动,2016年脱贫贫困户房屋建设全面完工,春节前全部达到入住条件。全年下达米易县易地扶贫搬迁目标任务96户、360人,已启动了267户、1052人的搬迁建设,开工率达到预计目标任务的292%,2016年脱贫贫困户易地搬迁房屋在2016年年底前全部达到入住条件。在脱贫示范村草场乡仙山村建设新村聚居点1个,涉及农户27户(其中贫困户12户),在年底前已全部完工并入住。二是锁定义务教育有保障目标抓落实。加大对贫困户适龄儿童排查力度,确保学生不因家庭贫穷而辍学,建档立卡贫困户义务教育阶段子女入学率达100%。大力实施教育扶贫计划,投入22.65万元完成对贫困户家庭子女从幼儿园到大学的全程资助。积极推荐23名贫困户子女纳入百工技师工程,免费就读成都机电工程学院并补助生活费450元/月,切实阻断贫困代际传递。及时设立教育扶贫基金,已筹资188.67万元,继续完善基金管理办法,切实解决贫困家庭子女就学中的特殊困难和问题。三是锁定基本医疗有保障目标抓落实。建档立卡贫困人口新农合参合率实现100%,切实发挥新农合对贫困人口医疗费用支付的主体作用,出台了《米易县建档立卡贫困人口医疗保障实施方案》,落实"七免三补助"政策,确保在县域内定点医疗机构就医的贫困人口个人承担的政策范围内住院医疗费用零支付,贫困人口县域内住院自付费用控制在10%以内。全面开展糖尿病、高血压、重性精神病、70岁及以上老年人健康体检等12项基本公共卫生服务项目,完成建档立卡贫困妇女660人的"两癌"免费筛查。及时设立卫生扶贫基金,已筹资180.63万元,继续完善基金管理办法,切实解决建档立卡贫困户就医中的特殊困难和问题。

围绕"四个好",亮点工作成效明显。一是项目拉动。始终把完善贫困村基础设施作为脱贫攻坚的重要抓手,出台了《关于规范统一脱贫攻坚项目补助标准的通知》,建立项目争取、实施、监管机制,健全政府、群众、社会等多方筹资机制,各级各类可再分配的涉农、惠农、民生资金统一由县脱贫攻坚领导小组办公室统筹安排,以不低于60%的比例优先安排到贫困村和贫困户,重点用于贫困村道路、水利、电力、卫生室、文化室、通信网络等项目建设;充分抓住省、市领导和市直部门、市级单位联系指导25个贫困村契机,积极汇报对接,争取并整合各类资金31593.76万元,统筹安排用于贫困村、贫困户项目建设。投资12600万元的麻楠路、南七路已建成投用,投资13211.9万元的白坡乡大中型水库移民避险解困项目、投资4900万元的米会路、投资7000余万元的二滩环湖路16.2千米硬化和9.5千米断头路修复、投资1650万元的30千米村道等项目有序推进。二是资金撬动。及时出台了《米易县扶贫小额信贷指导意见》,与县农业银行、农商银行签订了扶贫小额信贷合作协议,由县财政将871万元小额信贷风险补偿基金存入两家合作银行基金专户，根据对贫困户评级授信结果，向贫困户发放免抵押免担保、财政贴息3年的贷款，每户可贷款2万~5万元，用于发展各类增收产业项目，解决群众产业发展资金短缺难题。实施危房新建和功能完善信贷，引导县域金融机构向建档立卡贫困户发放住房建设贷款，与县农业银行、县农商银行分别签订《贫困户住房建设和住房功能完善贷款合作协议》，为建档立卡贫困户提供免担保免抵押3年、县级财政贴息还本的建房贷款，县财政将风险补偿基金存入合作银行基金专户，按照1∶10的比例放大贷款，极大缓解了财政资金压力，已发放住房信贷资金1613.8万元，按照危房新建每户6万元，住房功能完善每户4000元/项、7000元/两项、10000元/三项的补助标准对贫困户予以支持。三是产业联动。重点借力四川省第七届乡村文化旅游节在米易县举办的契机，投入5000余万元打造新山梯田景观及沿线参观路线，有力带动新山傈僳族贫困群众早日脱贫。四是实施精准脱贫示范创建工程。确定示范村1个、示范户250户、党员示范户30户、党员示范项目25个。推广草场乡仙山村贫困户入股合作社分红、普威镇西番村“支部+公司+农户”新型发展、白马镇黄草村房屋新建促进乡村旅游发展等先进典型脱贫模式，涌现出了草场乡仙山村支部书记、普威镇农技人员等引领脱贫攻坚的先进代表。“四好村”各项活动有序推进，每个贫困村均制定了村规民约并上墙，均开展了星级农户评选活动，结合城乡环境综合治理，配置有垃圾处理设施，每个贫困村村“两委”均无违纪违规现象发生。

抓实脱贫攻坚任务督促检查。在坚持明察暗访的基础上，出台了“两随机一公开”督查检查机制，实行督查内容、督查人员随机督查，督查结果公开。将脱贫攻坚工作纳入乡（镇）、部门目标绩效考核，将脱贫攻坚工作督查结果应用于干部选拔使用、考核评优等方面，推动各项工作落到实处。

【乡村旅游】 2016年，米易县建成农村民办养老场所25家（有床位1080张）、农村社区老年人日间照料中心30个、农村幸福院17个，构建了集“阳光、运动、度假、养生、养老、养心、养性”于一体的康养旅游产业发展体系，米易“阳光康养”知名度日渐提升。围绕打造“米易线路”、推出“米易味道”、发展“米易产品”、聚焦“米易客人”配套完善基础设施，全方位提升米易乡村旅游的综合能力和管理服务水平，建成国家3A级旅游景区1个、国家2A级旅游景区3个、乡村旅游观光采摘景点6个、旅游新村6个、乡村酒店70家。承办了四川省第七届乡村文化旅游节（冬季）暨2016攀枝花欢乐阳光节，米易县创建为省级乡村旅游示范县、省级旅游度假区。

【助农增收】 2016年，米易县切实履行农民增收工作县委书记、县长负责制，县政府与乡（镇）签订了年度农民增收、新村建设、烤烟生产等综合目标责任书，定期召开经济运行分析例会和农民增收分析例会，凝聚了助农增收工作的向心力和执行力。下发了《米易县2016年度目标任务》《米易县2016年主要农业指标任务》《米易县2016年农民增收工作考核办法》等系列文件，把助农增收工作纳入乡（镇）和部门“一把手”工程和年度专项目标考核，建立了季度考核通报、半年工作评议、年度末位述职、绩效结果运用等工作机制，确保助农增收工作责任落实和目标实现。围绕年度农业发展目标，全县确定了14个投资11.5亿元的政府投资涉农重点项目和22个投资8.53亿元的涉农民生工程，覆盖全县12个乡（镇），部分项目集中成片投入，互为整合实施，叠加效益明显。推动农业设施与新村建设互融共建，促进一三产业互动发展，切实改善农村面貌，转变农业发展方式，增加农民收入。发挥财政资金示范和杠杆作用，完成财政投入2150万元，拉动农户和社会资金投入1亿元以上，加快幸福美丽新村建设；设立风险补偿基金，推进农村产权抵押融资试点、扶贫小额信贷，撬动县域金融机构发放涉农信贷资金3473万元，发放农村产权抵押融资试点、扶贫小额信贷4537.7万元，加快农村产权制度改革的步伐；研究制定不良信贷处置机制，降低信贷风险损失，增强金融机构支持“三农”发展的积极性和主动性，进一步扩大融资规模，县域金融机构涉农贷款余额达30.42亿元，实现了财政投入拉动乘数效应。

农民财产性收入大幅增加。以集体林权制度改革、农村土地承包经营权、农村集体建设用地使用权、农村宅基地使用权的确权登记颁证成果为基础，建立了县、乡、村三级农村产权流转交易服务体系，规范农户的土地（林地）流转、抵押，房屋出租行为，让农村产权“本本变本钱”、“资源变资本”。全县土地流转面积3.687万亩，涉及农户4600户；年度新村建设项目村中至少有2户以上农户有土地流转、房屋出租等经营行为。

夯实农业发展基础，力促增收后劲。新建小水池65口、堤防4.6千米，整治沟渠河道27.5千米，节水灌溉1.3万亩；打造高标准农田1.35万亩；实施贫困村人饮安全项目蓄水池建设43口、取水池建设18口，整治沟渠15.9千米，铺设安全饮水管道67.6千米，对全县11个省级贫困村的6座水库、3处小塘坝、25.4千米小沟渠进行维修养护，全面完成市级下达的目标任务。全力推进县乡道路畅通工程，推进二滩环湖路、米会路建设，不断健全覆盖县内通达、连接外部的交通运输网络。米会路竣工并投入使用，建成通村公路45千米，二滩环湖路16.2千米硬化和9.5千米断头路修复工程加快推进，超额完成目标任务。健全县、乡、村三级道路运行管护和安全检查机制，确保道路畅通整洁和运行安全。

【稳步推进农民转移就业和创业】 2016年，米易县各乡（镇）劳动保障站（所）持续开展农村劳动力转移输出调查录入，利用职业技术学校等资源平台有针对性地开展专题培训3668人次、农民实用技术培训10105人次。不断健全县、乡（镇）、职业技术学校等资源信息平台，组织开展“就业援助月”“春风行动”等就业服务专项活动和各类用工招聘活动。全面落实农民工、失地农民就业创业政策和金融扶持政策，落实农民工企业务工社保补贴政策，人社、总工会等部门坚持开展农民工集体工资协商制度，与工业企业及农民工用工企业签订了农民工工资协商合同，保障农民工劳动工资正常增长；建立政府投资工程农民工工资保证金制度，维护农民工的合法权益。

【农村电子商务平台建设】 2016年，米易县申报为2016年省级、国家级电子商务进农村综合示范县，获得2500万元的项目资金支持和“四川电商十强县”等荣誉。建成米易县电子商务孵化中心、乡（镇）电子商务服务站、村级电子商务服务点等10余个电商项目及攀西特色水果网电子商务平台，发展百果鲜、攀枝花市二十六度电子商务有限公司、米小e、老高山、攀越枇杷、爱米易等电商（微商）主体50余家，农特产品网络销售额达5500余万元，增长213.7%。

【四川省现代农业林业建设重点县经验介绍】 2016年，米易县成立了现代林业重点县建设领导小组。同时，成立了米易核桃产业发展领导小组办公室，全力推动核桃产业发展。形成了《米易县2016—2018年现代林业重点县建设实施规划》《米易县2016年现代林业产业发展资金项目实施方案》并及时上报攀枝花市林业局。项目建设地点涉及全县10个乡（镇）13个村，其中11个为贫困村，建设期为1

年,项目总投资649.2万元,其中申请省级财政资金200万元,在11个贫困村安排资金169.57万元,占项目总投资的84.7%;整合其他资金和投工投劳自筹等资金449.2万元,占项目总投资的68%,发挥了项目资金的示范撬动效应。共规划建设现代林业产业基地4950亩,其中新造2836亩、低改2114亩;建设蓄水池700立方米、林区便道6千米。一是新建基地2836亩,已完成整地挖穴、苗木准备工作,完成定植1153亩(湾丘青山543亩、撒莲金花塘400亩、白马棕树湾210亩),其余部分在11月全面完成植苗,其中撒莲金花塘400亩为2016年度示范基地。二是低改2114亩,其中已完成950亩(得石草坝550亩、丙谷牛棚400亩),1164亩已做好了准备工作,各项目乡(镇)已联系好穗条,已组织好嫁接改造技术员,将在2017年1月—3月完成。三是700立方米的蓄水池已全部建成,林区道路已完成3千米(新山乡),余下3千米建设顺利推进。四是草场乡仙山村核桃基地的核桃分拣、配送、包装、仓储中心300平方米厂房已建成,配备有烘烤机2台、剥壳清洗一体机1台及其他设备。五是开展核桃栽植、嫁接等技术培训班2期、24班次,参加培训2080余人次,印发核桃栽培及病虫害防治技术手册2500余册。结合全县实用技术大比武活动,举办了米易县林业局核桃嫁接、修剪技术比武和核桃实用技术培训,以"比武"的方式进行现场操作加专家解说,培训效果良好。

【2016年度"三农"工作先进经验介绍】 2016年,米易县紧紧围绕"争当全面建成小康社会排头兵"的奋斗目标,坚定"农业富县"战略,坚持以现代农业为取向,以农民增收为核心,以新村建设为载体,以产业发展为支撑,深入推进农业农村体制改革,不断夯实农业农村发展基础,农村经济实力和农业发展活力持续增强,国家现代农业示范区、马鞍山水库等重大涉农项目建设有序推进,8.9万亩的农村土地整治项目获得立项,取消二滩库区网箱养鱼工作圆满完成,普威烟草基地建设工作通过国家验收,青松林农业公园入围首批省级示范农业主题公园名单,米易县先后被列为全国农田水利设施产权制度改革和创新运行管护机制试点县、国家农村土地承包经营权确权登记试点县、省级农村产权抵押融资试点县、省级现代特色农业产业基地强县、省级小农水重点县、省级农民增收新产业新业态示范县、全省促进民营经济发展先进县。

一是调优做强特色产业,夯实农民增收基础。按照种植规模化、生产集约化、营销品牌化的目标,优化产业布局、调整产业结构,做大做强五大特色产业,全年粮食产量9.04万吨,增长4.21%;蔬菜种植面积6.5万亩,产量26.58万吨,增长11.87%,外销22.88万吨,实现销售收入10.28亿元,增长40.54%;芒果、枇杷等特色水果总产量5.1万吨,核桃鲜果产量1.04万吨,实现林果业产值5.4亿元;种植烤烟5.6万亩,收购烟叶13.33万担,实现收入1.75亿元;标准化畜禽养殖场(小区)达172个,生猪、牛、羊、家禽出栏量分别为16.6万头、0.95万头、9.2万只、45.56万只。二是配套完善基础设施,发展后劲不断增强。新建及整治机耕道30千米、渠道79千米,实施高效节水灌溉6700亩,新建大型蓄水池24口;新建堤防4千米,治理河道5千米,疏浚河道1千米;新建沼气池350户;农用机械总动力达22.84万千瓦,实现了田、渠、路"三网"配套,水、肥、机"三力"提升,强力助推农业农村经济发展。三是落实科技创新转化,提升农业经营水平。构建农林水畜基层综合服务体系和农业社会化服务综合平台,选派25名县(乡)农技人员驻村指导,农业科技入户率达90%以上;争取财政资金8460万元,投入产业基地、新型农业经营主体培育、农业技术推广等建设,全县农业科技转化率达60%以上,有效提升了农业经营水平。同时,建立质量安全过程(主体)追溯企业32家,获得"三品一标"农产品认证44个,"阳光米易"农产品品牌销售率达74.3%,米易农产品市场知名度和竞争力进一步提高。

整合资金,统筹兼顾,加大"三农"投入力度。整合国家现代农业园区试点、大中型水利、幸福美丽新村等农业项目,积极争取上级项目资金,汇聚项目财力,不断夯实促农增收后劲。建立"三农"财政投入逐年适当增长机制,全县共统筹涉农财政资金91405万元,同比增加2135万元,增长1.02%;充分发挥财政资金示范和杠杆作用,引导社会资金投入1亿元以上参与农业农村建设。

农村产权制度改革进一步深化。全国农田水利产权制度和创新运行管护机制改革的4个试点村已完成颁证。制定出台《米易县农村产权抵押融资管理办法》等系列文件,积极开展林权、土地流转收益、土地承包经营权抵押贷款,共发放各类农村产权抵押融资信贷31笔、1082万元。

完善强农惠农政策配套措施。建立健全财政转移支付机制和监督机制,实行转移支付"一卡(折)通"直补到户,确保农村低保、社会救助、合作医疗、耕地地力保护补贴、农机购置补贴、退耕还林补助、农业保险、教育补贴等各项强农惠农政策补助资金及时足额到位,累计发放各类强农惠农资金16851万元。

【回乡创业之星选介】 孔维军,男,汉族,中共党员,白马镇黄草村人。2007年开始在河北、山西、汶川、康定等地务工;2012年,孔维军返乡组建了黄草樱桃种植合作社、米易县老高山农业科技有限公司,通过"市场+公司+基地+合作社+农户"的模式从供应链的源头做起,实施基地统防统管,将规范化种植、标准化采摘、分拣、品牌化运营及冷链物流系统建设融为一体,打造黄草森林樱桃品牌。2016年,基地黄草樱桃比其他产区下树价每千克高4元,直接增收300万元,带领全村100户、317名贫困人员脱贫。2016年,孔维军带领团队参加了第二届"中国创翼"青年创业创新大赛并获得四川省第三名,同时代表四川省参加全国农民工专项赛决赛,获得三等奖。孔维军先后获得全国农村青年致富带头人、四川省农民工返乡创业代表、攀枝市优秀青年、攀枝花市优秀共产党员等称号。

向顺富,男,汉族,大专文化,中共党员,湾丘乡热水村人。2015年,向顺富创立了米易县绿阳农业科技有限公司,是米易县唯一一家集种植、技术、农资、销售于一体的农业公司。公司建有种植基地,聘请芒果和葡萄方面的专家为农户免费进行技术指导。公司合作乡(镇)达3个以上,有合作农户400余户,遍及米易县及周边县城,技术指导芒果面积达20000余亩、葡萄面积达1500余亩。公司已在全国各大水果市场建立了销售点,并与外省的销售公司达成了合作关系,注册了商标,建立了电商销售网络。

【主要领导人】 县委书记:王飏;县人大常委会主任:董明远;县长:许军峰;县政协主席:王万华;分管农业副县长:熊玉兰。

米易县编写组

盐边县

【基本情况】 2016年,盐边县辖4镇12乡164个村826个村民小组7个居民委员会,辖区面积3269.45平方千米,其中耕地面积21.51万亩,增长94.18%;基本农田23.04万亩,与上年持平。年末总人口21.01万人(户籍人口),其中农业人口18.21万人,占总人口的86.7%。森林覆盖率62.16%。

2016年,全县GDP124.07亿元,同比增长8.5%,其中第一产业增加值9.75亿元,增长4.3%;第二产业增加值93.36亿元,增长9.1%;第三产业增加值20.96亿元,增长7.5%。三次产业对经济增长的贡献率分别为4%、81.1%、14.8%。

公路通车里程1843.5千米,其中乡村公路1390.9千米,密度563米/平方千米,87千米/万人。社会消费品零售额16.66亿元,同比增长10.7%。地方财政一般预算总收入完成8.44亿元,同比增长9.16%;财政一般预算支出14.26亿元,同比减少7.25%。全年农业投入2.63亿元,占总支出的18.47%。农业产业化龙头企业省级、市级分别为5家、21家。

有中小学校23所,在职教职工1855人,在校中小学生23771人,其中小学生14402人、中学生9369人;小学、初中适龄儿童、少年入学率分别达100%和98.09%,小学生、初中生毕业率分别达99.97%和99.66%,残疾儿童少年入学率达85.48%。有文化馆1个,公共图书馆10个,电视台1座。有各级各类医疗卫生机构29个,病床位832张,卫生技术人员744人。

【年度农业和农村经济运行】 2016年,盐边县实现农业总产值19.24亿元,同比增长4.31%;农业增加值9.88亿元,同比增长4.25%。农村居民年人均可支配收入13022元,同比增长9.4%。特色水果、现代畜牧、特色蚕桑、设施蔬菜、现代林业五大主导产业持续健康发展。农产品质量安全抽检合格率达100%,乡(镇)农产品质量安全服务站挂牌覆盖率达100%。全年完成测土配方施肥推广面积23700万平方米次,完成高标准农田建设330万平方米(投入资金1500万元);完成病虫害绿色防控3933.3万平方米次。全县机械化水平达46%。

2016年盐边县主要农产品产量

主要农产品	单位	产量	同比(%)
粮食	万吨	6.91	0.33
水果	万吨	5.59	67.99
蔬菜	万吨	13.05	6.02
肉类	万吨	1.74	-1.48
水产品	万吨	1.35	15.76
蚕桑	吨	18935	15
茶叶	吨	82	1.23

农业产业化发展。盐边县不断加大新型农业经营主体培育力度。全县有农业龙头企业26家,其中省级5家、市级21家;发展农民专业合作社467家,其中国家级示范合作社4家、省级示范合作社15家;成立家庭农场110家。

农用地产权制度改革。盐边县完成15个乡(镇)、162个行政村、1个涉农居委会、807个村民小组农村土地承包经营权的摸底调查,已调查承包方约44258户,完成外业调查14个乡(镇)、156个行政村、1个涉农居委会、777个村民小组,调查承包地面积约为15.58万亩、开荒地面积约为22.5万亩、自留地面积约为3700亩。除红格镇暂缓确权外,其余乡(镇)均在进行一轮、二轮公示。

农产品品牌战略实施。盐边县获得无公害农产品基地整体认证10879.05万平方米;"三品一标"农产品认证24个,其中绿色食品13个、无公害农产品5个、无公害畜产品1个、有机食品1个、农产品地理标志产品4个。

【出口芒果质量安全示范区工作】 2016年,盐边县成立了出口芒果质量安全示范区建设领导小组,制定了《盐边县出口芒果质量安全示范区的实施意见》《盐边县出口芒果质量安全示范区建设方案》等制度规范。强化检验监测体系建设,建立了县级农产品质量安全监督检验检测站和农产品质量安全监督管理办公室,涉及芒果种植的11个乡(镇)均建立了农产品质量安全检测服务站,村级设立了农产品快速检测室,形成了县、乡、村三级监管全覆盖。建立健全责任制,对县级各成员单位、芒果种植乡(镇)出口示范区建设工作实行年度目标绩效考核。按照《国家级出口食品农产品质量安全示范区考核实施办法》相关要求,不断规范和完善各类管理体系,建立健全出口芒果质量安全标准化体系、农业化学投入品控制体系、疫情疫病监测控制体系、芒果出口质量安全可追溯体系、出口芒果质量安全监控评估预警体系、企业质量安全诚信体系。建成盐边县农产品质量安全追溯网平台,已有4个农业主体、8个农产品进入系统。完善种植基地、生产加工、包装、运输记录,实现对农产品质量安全的有效追溯。

【重大动物疫情防治】 2016年,盐边县切实加强重大动物疫病防控组织管理体系建设,按照《盐边县防治重大动物疫病应急预案》《盐边县防治高致病性禽流感应急预案》《盐边县防治口蹄疫应急预案》要求,促进重大动物疫病防控工作的开展和落实。认真抓好动物防疫工作,全年共免疫猪口蹄疫、猪瘟、猪蓝耳病35万头,免疫密度达100%;牛口蹄疫5.41万头,免疫密度达100%;羊口蹄疫50.7万只,免疫密度达100%;鸡禽流感173.1万羽,免疫密度达100%;鸡新城疫159.9万羽,免疫密度达100%。全县动物防疫密度达100%,免疫质量达70%以上,全年无重大动物疫情发生。

【重大植物疫情防治】 2016年,盐边县贯彻"预防为主,综合防治"及"绿色植保、公共植保"的植保工作方针,重点抓好粮食和蔬菜、果树病虫害防控和植物检疫工作。全年共发生病虫害26066.7万平方米次,防治36133.3万平方米次,挽回损失12398万千克;病虫害综合防治面积20000万平方米次,机防面积13333.3万平方米次,其中专业化统防统治面积12666.6万平方米次、绿色防控面积3933.3万平方米次。全年无重大植物疫情发生。

【农业机械化】 2016年,盐边县完成农机购置补贴69.026万元,补贴机具510台。争取省级项目资金250万元,在国胜乡梭罗村、小坪村新建太阳能提灌站2座。开展全县农机安全生产大检查和农机打假专项治理行动,共检查农机经营单位25个次,整顿农机市场4次。全年共检审拖拉机478台,办理农机保险478台,办理拖拉机报废542台,新注册登记65台。全年无重大农机安全事故发生。

【农村科技】 2016年,盐边县大力实施良种工程,加强良种推广应用力度,共计推广水稻、玉米、马铃薯等主要农作物优良品种50个以上,全县主要农作物良种覆盖率达90%以上。加强种子(种苗)质量监管,全县种子质量抽检合格率达98%。建成畜禽良种扩繁场5个,其中2个取得省级扩繁场资格;建成牛冷冻精液配送站1个、牛冷冻精液配种点3个,引进西门塔尔牛、安格斯牛等优良肉牛品种及建昌黑山羊、简阳大耳羊、川中黑山羊、杜泊羊等优良肉羊品种,通过人工授精或本交方式进行杂交改良、良种扩繁,养殖小区基本实现自繁自养和品种良种化。全县畜禽良种推广面牛达62.8%、羊达94.7%,良种化率显著提高。聘请上级专家并充分利用本地专业技术力量,加大特色种养殖业、农村能源、农业机械和测土配方施肥等实用技术培训,全年完成农业实用技术培训20000余人次、新型职业农民培训28人。

【农村能源建设】 2016年,盐边县实施户用沼气池建设项目,投入资金170万元,其中中央预算内资金80万元、农民自筹90万元,新建沼气池400口。截至2016年年底,全县投入使用的沼气池数量已达3.53万口,占适宜建池农户总数的78.44%。

【农业执法】 2016年,盐边县深入开展以农资为重点的执法打假工作,对16个乡(镇)农资经营户进行了监督检查,共出动执法检查人员130人,检查农资经营户260余次。全年办结农业投入品行政处罚案件6件,罚款0.883万元;自主抽样送检农药样品30个、兽药样品5个,其中5个农药样品为假劣产品,均予以处罚;行政调解农业投入品使用纠纷数10起,有效维护了农业生产安全和农民利益。

【"一事一议"项目】 2016年,盐边县投入"一事一议"、农业综合开发等项目资金2230万元,其中财政奖补资金1433.21万元,其他筹资筹劳、社会捐助等资金796.79万元,共计实施项目73个,涉及16个乡(镇)59个行政村,建设机耕便民道137.62千米。

【四川省现代畜牧业建设重点县经验介绍】 2016年,盐边县现代农业畜牧业重点县肉羊养殖项目总投资315万元,其中省级财政补助150万元、项目户自筹165万元,在红宝乡、鳡鱼乡、格萨拉乡、红果乡、箐河乡、国胜乡6个乡16个贫困村实施,建成肉羊标准化养殖示范户75户,建设标准化圈舍(包括产房)4500平方米,配套建设饲料(草)房375平方米、消毒室375平方米、粪污处理池375平方米。肉羊标准化规模养殖场(小区)建设项目投资140万元,改(扩)建标准化圈舍2000平方米,建设沼气池(化粪池)100立方米,干粪堆积场100平方米,消毒室、兽医室、饲料房、草料房等配套设施500平方米。2016年现代农业生产发展养牛项目总投资1275.9万元,发展年出栏20头牛以上的适度规模标准化专业大户85户,新建标准化圈舍12750平方米。抓好动物防疫工作,全年无重大动物疫情发生,动物防疫密度达100%,免疫抗体合格率达75%以上。全年完成畜牧兽医实用技术培训2万人次,新引进优质肉羊品种4个、肉牛品种2个。

【主要领导人】 县委书记:王岩辞;县人大常委会主任:任平;县长:谭兴忠;县政协主席:肖方敏;分管农业副县长:朱林光。

盐边县编写组

泸州市

【基本情况】 2016年,泸州市辖15乡108镇21个街道,辖区面积1.22万平方千米,其中耕地面积615.74万亩,比上年减少0.12%,人均耕地面积1.21亩,基本农田486.6万亩。年末总人口508.27万人(户籍人口);人口出生率9.41‰,减少1.55个千分点;人口自然增长率3.97‰,减少1.11个千分点。水资源总量60.59亿立方米,人均水资源量1407立方米。林业用地55.8万公顷,有林地面积50.9万公顷,活立木总蓄积量3049万立方米,森林覆盖率50.2%。

2016年,全市GDP1481.91亿元,增长9.5%,其中第一产业增加值178.07亿元,增长3.9%;第二产业增加值875.77亿元,增长10.4%;第三产业增加值428.08亿元,增长10%。三次产业对经济增长的贡献率分别为5.1%、65.4%和29.5%。劳务输出159.63万人,收入246.459亿元。全年接待游客3916.76万人,实现旅游总收入331.3亿元,其中乡村旅游收入170亿元。

公路通车里程13731.042千米(其中农村公路12460千米),密度114.4千米/百平方千米,33.2千米/万人。社会消费品零售总额637.15亿元,增长13.8%。地方一般公共预算总收入完成138.7亿元,增长10.2%;一般公共预算总支出337.2亿元,增长10.9%,其中农林水支出49.8亿元,占支出的14.8%。金融机构各项存款余额2182.71亿元,比上年初增长18.97%;各项贷款余额1281.90亿元,比年初增长17.29%。全年农业保费收入1.84亿元,增长9.5%,处理各项赔款和给付金额8496万元,减少7.2%。完成农业产业化项目137个,完成投资80.6亿元。农业产业化龙头企业国家级、省级、市级、县级分别为1家、31家、234家、102家。

有各级各类学校1909所,在校学生957925人,教职工50924人。其中普通高校5所,在校本(专)科学生48353人,增长0.94%;普通高中26所,在校学生79074人;中等职业学校19所,全日制中等职业学校学生53349人;特殊教育学校7所,特殊教育学校学生828人;初中193所,在校学生182807人;小学944所(含村小校点),在校学生404755人;幼儿园631所,在园幼儿146631人,学龄儿童入学率99.95%,提高0.2个百分点。完成省级以上科技成果10项,9项科技成果获省级及以上科技进步奖。有文化馆8个,公共图书馆9个,博物馆1个。有卫生机构4559个,病床位26642张,卫生技术人员22803人。

【年度农业和农村经济运行】 2016年,泸州市实现农林牧渔及服务业总产值298.62亿元,增长3.7%;农业增加值180.86亿元,增长4%。农村居民年人均可支配收入12450元,增长9.6%。

农业产业化发展。泸州市紧紧围绕优质稻、高粱、蔬菜、烤烟、特色水果、特早茶、生猪、肉牛八大农业优势产业,坚持高起点规划、区域化布局、规模化发展,邀请中国农业科学院编制《泸州市现代农业发展规划(2014—2025)》以及《泸州市国家现代农业示范区发展规划》等8个专项规划。加大现代农业产业培育,加快推进"互联网+现代农业"发展融合,建成了一批现代农业产业基地或产业集群,基本形成"大基地+大产业"的现代农业格局,形成了长沱两江晚熟荔枝龙眼产业带、赤水河精品鲜食柑橘产业带、中国特早茶产业带、川南反季节蔬菜产业带。特色经济作物产业发展全省领先,以蔬菜为主导产业的江阳区被省政府命名为全省现代农业示范县(区);合江县以特色水果荔枝、真龙柚为主导产业,纳溪区以茶叶为主导产业被命名为现代农业重点县;古蔺县和叙永县以柑橘为主导产业被命名为全省现代农业产业基地强县。农业厅将全省茶叶开采和蔬菜品尝活动永久落户纳溪区和江阳区。

农用地产权制度改革。泸州市基本完成农村产权确权登记颁证工作,积极推进农村集体资产股份制改革试点,全面推行"一改三化"模式,全市所有行政村均成立了村集体资产经营管理有限公司。10月25日,全省发展村集体经济助推脱贫攻坚现场推进会在泸州市召开,市委书记蒋辅义就全市"一改三化"发展农村集体经济模式在大会作经验交流。积极培育和发展农村产权流转交易市场体系,规范农村产权交易行为,各县(区)已建立农村产权流转交易平台,全市流转土地面积70余万亩。其中,在泸县积极探索农村宅基地制度改革试点,已初步探索出乡村文化旅游、新农村综合体建设、易地扶贫、新社区建设、生态搬迁5条改革路径,农村住房抵押贷款改革试点、综合改革试验区试点等工作稳步推进。

2016年泸州市主要农产品产量

主要农产品	单位	产量	同比(%)
粮食	万吨	205.58	1.36
其中水稻	万吨	121.32	1.56
小麦	万吨	8.42	-7.32
玉米	万吨	26.77	2.84
马铃薯	万吨	18.95	3.56
油菜籽	万吨	4.27	3.74
蔬菜	万吨	240	4.3
水果	万吨	55	8.7
肉类	万吨	33.58	-1.9
猪肉	万吨	25.14	-3.4
牛肉	万吨	0.95	3.3
羊肉	万吨	0.77	3.4
禽蛋	万吨	4.32	1.2
水产品	万吨	7.86	5.3
茶叶	万吨	1.2	15.2

农产品品牌战略实施。泸州市新认证"三品一标"农产品4个,累计认证"三品一标"农产品184个。合江荔枝、泸州桂圆获得全国区域优势品牌50强称号;地理标志认证品牌"泸州桂圆""合江荔枝"在中国农产品区域公用品牌价值评估中分别为6.04亿元和2.45亿元。打造了"合江荔枝""泸州桂圆""纳溪特早茶""赤水河甜橙""泸州长江大地菜""古蔺麻辣鸡""蔺乡丫杈猪""乐道子鸡"等区域特色品牌。"纳溪特早茶"入选中欧互认地理标志农产品序列;"瀚源有机茶"获得四川著名商标称号,"泸州造"农产品知名度、美誉度不断提升。

现代农业园区建设。泸州市按照"建设大园区,突出大示范;发展大产业,实现大融合;培育大龙头,深化大合作"的建设思路,以现代粮食、现代园艺、现代畜牧三大产业为示范主导产业,引进国家级龙头企业广东温氏集团、山东寿光蔬菜产业集团、中国海升果汁控股有限公司、深圳农产品股份有限公司,打造江阳区董允坝、龙马潭区走马慈竹、纳溪区智慧三江、泸县潮河龙眼、合江县长江村、叙永县现代柑橘产业园、古蔺县现代柑橘产业园、中国柑橘博览园等休闲农庄10个,省级示范农业主题公园6个。合江县长江村现代农业示范园区、江阳区董允坝现代农业示范园区、纳溪区大旺现代农业示范园区获得"四川省现代农业(林业)示范园区"称号。4月28日,四川首届蔬菜品赏会在江阳区董允坝国家现代农业示范园区开幕。

【种植业】 2016年,泸州市粮食作物种植面积554.87万亩,减少1.16万亩;总产量205.58万吨,比上年增产2.76万吨,增长1.36%,实现十连增。油菜播栽面积33.76万亩,较上年增加0.7万亩;油菜籽总产量4.27万吨,比上年增产1.54万吨。粮食单产比上年提高5.73千克,提高1.57%。种植优质稻180万亩、酿酒高粱70万亩、优质蔬菜105万亩、水果180.8万亩、茶叶40.5万亩、中药材21万亩,蔬菜产量243.1万吨、水果产量55万吨,均创历史新高;荔枝、龙眼面积、产量均占全省的90%以上;酿酒高粱面积居全省第1位;蔬菜、水稻、柑橘、特早茶产业发展均处于四川省领先行列。

【林业】 2016年,泸州市实现林业社会总产值192.4亿元,农民人均林业收入1953元。完成营造林41.57万亩,实施森林管护373.75万亩,巩固退耕还林成果61.47万亩,实施新一轮退耕地还林3.21万亩。采伐林木17.7万立方米,占下达采伐限额的28%。查处各类林业行政案件504件,罚款122.03万元,没收木材880.34立方米、野生动物1328只,行政处罚516人次,全年未发生破坏野生动植物资源的重特大案件。义务植树998.62万株。新增森林面积6000公顷、森林蓄积40.2万立方米,全市森林覆盖率达50.2%。国家森林火灾高风险区综合治理项目获得国家林业局审批,争取资金2903万元。6月16日—9月20日,国家林业局南方航空护林总站卡-32森林消防直升机入驻泸州,开创了全省夏季航空护林的先河。全年森林火灾损失率为零、林业有害生物成灾率为零。

【畜牧业】 2016年,泸州市出栏生猪351.1万头,同比减少4.1%;出栏肉牛8.1万头,增长3.2%;出栏肉羊49.6万只,增长3.4%;出栏家禽3662.7万只,增长2.7%;肉类总产量33.58万吨,减少1.9%;禽蛋产量4.3万吨,增长1.2%。全年畜牧业产值达116.3亿元,同比增长2.5%,占农业总产值的39%;畜牧业增加值57.3亿元,同比增长1.9%。有部、省级畜禽标准化示范场38家、各类标准化规模养殖场848个(新增68个),以生猪为主的畜禽规模养殖比例达74.2%,同比提升2.2个百分点,高于全省平均水平。泸县巨星50万头生猪一体化项目、泸州温氏100万头生猪一体化项目、古蔺郎多多肉牛示范园区项目、古蔺丫杈猪保种场建设项目、叙永东牛种草养牛基地项目、叙永景盛黑山羊基地项目6个重点项目投入资金2.2亿元。加强与正大集团、深圳华大基因农业集团等国内知名企业的对接,完成正大泸州3000万肉鸡产业链、华大丫杈猪选育项目考察对接等前期工作。古蔺丫叉猪核心育种场建成。全市生猪、肉牛、肉羊、家禽、兔杂交改良面分别达89.5%、75%、96%、94.5%、95.5%。

【水产业】 2016年,泸州市渔业总产值10.9亿元,比上年增长11%;渔业增加值6.8亿元,比上年增长14%。全市水产养殖面积7758公顷;水产品总产量达7.9万吨,比上年增加3986吨,增长5.3%,其中捕捞产量2306吨、养殖产量76252吨。创建农业部水产健康养殖示范场3个。全年共开展渔政执法检查820余次,渔政部门和长航公安开展联合执法行动11次,禁渔期长航公安共立(破)案10起,临时刑拘2人,取保候审13人,行政处罚11人,收缴和销毁三无船和电鱼船11艘,没收渔获物170千克,销毁违规网具1060张,收缴电鱼工具44台(套)。开展渔业安全生产检查285次,检查江河渔业船舶245艘次、江河网箱养殖36个,全年未发生一起渔业安全事故。加强渔政管理,全市1023艘渔船全部完成"三证合一"信息采集工作,船检率达100%,江阳区保护区长江段在线系统监控系统工程已建成,完成赤水河合江县境内渔民转产转业试点;协助泸州市渡改桥业主单位通过保护区渔业环境影响评价报告评审,其中13座桥梁通过省级初评、4座桥梁通过农业部终审。

【农村水利】 2016年,泸州市重点水利项目完成投资近16亿元。水生态文明城市建设完成投资17.7亿元,完成目标的295%;累计完成投资87.7亿元,完成计划总投资的115%。着力完善和落实"三条红线"制度,完善了覆盖市、县、乡(镇)三级行政区域的水资源管理控制指标考核体系并将考核结果纳入市对县(区)政府的综合目标考核体系。合江锁口水库完成投资1亿元,叙永倒流河水库完成投资5389万元,古蔺观文水库完成投资1.05亿元,叙永纳坪水库完成投资7800万元,古蔺朝门水库完成投资7000万元。全面完成27座病险水库除险加固工程。投入农村饮水安全建设资金9346万元,新建农村供水工程793处,解决22936名贫困人口的饮水安全问题,同时改善了22997名贫困人口的饮水问题。综合治理水土流失面积221.9平方千米,市水务局被评为四川省水土保持设施验收工作先进单位。泸州市2016年农田水利基本建设绩效考核获得全省第二名,农建综合管理项目考核获得全省第三名。

全市推进重点小流域水污染防治,编制了《泸州市沱江水体达标方案》,涉及饮用水水源保护、城镇生活污染治理、畜禽养殖污染防治、流域综合治理等方面,其中泸县乡(镇)集中式饮用水水源保护工程等3个项目已启动前期工作。新建乡(镇)污水处理厂9座,改造乡(镇)污水管网50余千米,建成新村聚居点污水处理示范项目50个。开展乡(镇)集中式饮用水水源地保护状况专题调研,编制了《乡镇集中式饮用水水源保护规划》,重点对纳溪区打古镇工农水库、泸县潮河镇里程滩水库等水质不达标的乡(镇)集中式饮用水水源地开展综合整治,重新划定乡(镇)集中式饮用水水源保护区87个。

【农业机械化】 2016年,泸州市农机总动力达210万千瓦,减少1.7%,其中,柴油机动力111.72万千瓦;汽油机动力128.25万千瓦,同比增长30.2%;电动机动力85.53万千瓦,同比增长10.3%;农业机械原值达14.16亿元,同比增长3.13%。全年共完成机耕238670公顷,增加9270公顷,增长4%;机播30750公顷,增加10430公顷,增长51.33%;机收93320公顷,增加14000公顷,增长17.65%,主要农作物耕种收机械化水平达46.7%。全市农机化总投入2.23亿元,减少18.31%;农机化经营总收入15.46亿元,增长12.93%;农机化经营总利润1.75亿元,增长23.24%。全市有农机化作业服务组织76个,从业人员3351人,分别比上年增加7%和减少3.5%;农机户达118909户,比上年增长5.6%;农机化作业服务专业户4602户,农机专业户占农机户总数的5.4%。全市农村农机从业人员达14.9万人,比上年增长6.4%。新建提灌站24座,改造提灌站35座,全市提灌站拥有量达1019座,机电提水灌溉面积达110.69万亩。全年开展农机执法检查86次,注册大中型拖拉机12台,转入34台,报废、注销拖拉机190台,转出197台,过户139台;年检运输型拖拉机2360台,年检率达54%;新办拖拉机驾驶证259个,转入106人,注销875人,转出79人,期满换证1015人。

【统筹城乡与新型城镇化】 2016年,泸州市按照"山水绿色、宜居宜业、区域中心、中国酒城"的定位推进城市发展,中心城区面积达136平方千米,总人口达136万人。泸县撤县设泸川区和合江县、古蔺县撤县设市工作有序推进,泸县被列为省宜居县城行动计划县,古蔺县被列为全国县城基础设施投融资体制改革试点县,纳溪区大渡口镇、合江县九支镇被列入全国建制镇示范试点镇。打造国家级重点镇13个、万人以上重点镇12个,龙马潭区大冲头村等3个村被评为"全国美丽宜居村庄"。泸县、合江县、叙永县、古蔺县县城建成区面积59.2平方千米,总人口达63.3万人。大力推进农村路网、水网、电网、污水处理、党群服务中心建设,着力构建城乡一体的基础设施和公共服务体系。江阳区、龙马潭区、纳溪区、泸县实现城乡全域通公交车,合江县、叙永县、古蔺县基本实现行政村通硬化路、油路。新建农村饮水安全工程949处,全面解决全市7个区(县)人畜饮水安全问题。共投入幸福美丽新村建设资金22.44亿元,建成幸福美丽新村250个。

【农村扶贫和移民工作】 2016年,泸州市编制了"十三五"脱贫攻坚规划,出台了易地扶贫搬迁、产业扶贫、医疗扶贫、教育扶贫、低保兜底、就业促进、保险扶贫7个实施细则,实施扶贫专项年度计划18个、扶贫项目179个大项。全年完成投资约223亿元,实现66688名农村贫困人口脱贫、75个贫困村退出。全年累计向上级争取各类移民后扶资金4782万元,强力推进移民整村推进建设、特殊困难移民、库区和移民安置区农田水利、道路交通设施、房屋维修改造、产业发展等后扶项目。泸州市建设扶贫新村66个,开工建设易地搬迁安置点133个,涉及农户6571户;开工改造危房12504户。

【乡村旅游】 2016年,泸州市乡村旅游接待游客达2300万人次左右,同比增长14.3%;实现乡村旅游总收入170亿元,同比增长10.4%。龙桥文化生态园创建为国家4A级旅游景区,龙洄酒庄、太山研学旅行基地等4个景区创建为国家3A级旅游景区,纳溪梦里水乡田园度假农场、启玉葡萄庄园等3个景区创建为国家2A级旅游景区。创建省级乡村旅游特色乡(镇)2个、省级乡村旅游精品村寨3个、省级旅游扶贫示范村3个,创建三星级乡村酒店3家、二星级乡村酒店4家、三星级农家乐10家、二星级农家乐9家。积极探索乡村旅游合作社新模式,成立叙永县水潦彝族乡岔河乡村旅游专业合作社、叙永县画稿广木乡村旅游专业合作社、古蔺县二郎镇柏杨坝农业旅游专业合作社。纳溪区获得"全国休闲农业与乡村旅游示范县"称号。举办了2016中国(泸州)首届农产品交易博览会、2016四川省首届蔬菜品赏会、2016江阳区丹林梨花节、2016第四届四川茶叶开采活动周、合江县2016年荔枝生态旅游节、2016第五届泸县潮河金秋龙眼节、2016古蔺县双沙菜花节、2016年泸州·古蔺马蹄甜橙采摘月、2016第二届合江生态杨梅节、2016年古蔺"春华秋实·花果山村"脆红李采摘节、2016年古蔺马嘶茶文化节等节会活动。

【农村科技】 2016年,泸州市组织申报国家级、省级农业科技项目28项,立项18项,立项经费940万元;实施国家级、省级、市级农业科技项目64项,实现产值47.21亿元,新增产值12.61亿元。积极组织实施江阳区、泸县、合江县、纳溪区4个省级新农村示范片农业科技园区建设,4个园区着力开展产学研合作和农业集成技术组装配套,建立核心区7520亩、示范区13.67万亩、辐射区16.51万亩,引进、示范推广新品种8个、新技术9项、新模式3种,开发新产品2个,培训农民达4.36万人次;选派(在位)科技特派员240人(其中法人科技特派员15人),组建科技特派员团队8个,开展各类培训1400余场次,参培农民达4.97万人次,发放技术资料11.78万份,引进新品种60种,推广新技术53项,建立利益共同体15个、专合组织23个;实施科技开发项目25项,项目总投资2575万元,实现利润近1063万元。董允坝现代农业创新创业孵化园、荔乡星创、乌蒙山区特色农业星创天地获得国家"星创天地"认定。选派"三区"科技人才23人到贫困地区开展科技扶贫工作,搭建泸州科技扶贫服务平台,筹建四川科技扶贫在线泸州运管中心,开展平台运行培训4次,收集办理平台咨询信息746条。组织实施省级科技扶贫项目13项、科技扶贫服务平台建设项目3项。积极推进中药材、林竹、高山蔬菜、优质粮油等科技扶贫示范基地建设,建立科技扶贫示范基地5个、专合组织2

个，推广新品种10个、新技术14项，种植中药材3000余亩、有机水稻12000亩，精准带动省、市、县科技扶贫示范户贫困群众1601人。

【农村教育】 2016年，泸州市共计投入18.33亿元改善中小学、幼儿园基础办学条件，共开工建设幼儿园19所、义务教育教学用房21.21万平方米，改造运动场7.54万平方米，恢复村级办学点1个，建设农村教师周转宿舍1161套、40600平方米。全年评估验收教育均衡乡（镇）16个，"三校一园"格局初步形成。江阳区、龙马潭区通过全国义务教育基本均衡县评估认定，纳溪区通过义务教育均衡发展省级督导评估。全部免除义务教育阶段58.75万名学生学杂费、书本费和作业本费，减免民族待遇县在园幼儿保教费4.39万名、非民族地区贫困家庭在园幼儿1.39万名，免除3.29万名高中阶段学生学费，资助高中阶段学生3.98万名、地方属高校家庭经济困难学生2800名。划拨营养改善计划资金2.2378亿元，叙永县、古蔺县、合江县的712所农村义务教育学校、279735名在校学生受益。设立教育精准扶贫专项资金，对建档立卡贫困家庭高中阶段学生按照2000元/年/生的标准给予生活补助，全面免除建档立卡贫困家庭承担的教辅资料、商业险等费用8.8万人次、734.9万元。藏区"9+3"毕业生就业率达100%。

【农村文化】 2016年，泸州市7个县（区）文化馆全部通过全国第四次文化馆评估定级，其中合江县文化馆、泸县文化馆被评为一级文化馆，江阳区、龙马潭区、纳溪区、叙永县、古蔺县文化馆被评为二级馆。全市共有农村演艺队伍254家，从业人员达3000余人。持续开展"醉美泸州·百姓舞台"、"送文化下乡"、"非遗"进校园、文化扶贫、法治宣传、全民阅读、免费开放等文化惠民活动，服务群众逾200万人次。完成行政村农民体育健身工程建设80个，累计完成1027个，覆盖率达70%。创作了200余件反映农村生活的作品。实施"户户通"46871户，其中建档立卡贫困户19069户。

【农村卫生】 2016年，泸州市投入3670万元，改造所有乡（镇）卫生院（社区卫生服务中心）"一站、一馆、三区"阵地和200个重点村卫生室，建成38个贫困村甲级村卫生室、20个乡（镇）卫生院职工周转房。国家、省卫生计生委先后多次调研泸州市全民预防保健工作并给予了高度肯定。全年完成体检192.75万人（其中建档立卡贫困人口体检16.31万人），建档率达100%；开展中医体质辨识150.92万人；新发现高血压患者5.24万人、糖尿病患者1.57万人；实施"2+1"精准管理21.81万人。在全省率先实行"四个100%工程"，启动"乡聘村用"试点工作。全市拟脱贫的96个村村卫生室业务用房面积全部达标，均配置有符合资质的乡村医生和标准医疗设备。

【农村法制建设】 2016年，泸州市深入推进农村法治建设，开展"法律服务进千村"、法律人士"以案释法"、小纠纷"随手调"、"坝坝讲法"、"一村（社区）一法律顾问"等活动。实施乡村普法"六个一"，累计开展法治文艺演出83场次，发放普法读物26万余册、便民法律服务卡1.5万余张，办理法律援助案件3745件。开展农民工专项讨薪活动，受理933名农民工讨薪申请，涉案金额达2073万元。新建驻东莞法律援助工作站，累计建成驻中山、贵阳、昆明、东莞4个省外工作站。

【农村交通】 2016年，泸州市大力实施交通扶贫攻坚大会战工程，全面开工建设渡改桥攻坚项目。新（改）建农村公路804.9千米，其中通乡公路513.7千米，完成全年任务的642%；通村公路291.2千米，完成全年任务的162%。渡改桥攻坚项目已建成7座，开工建设33座，加快前期工作5座，进行方案研究1座。城乡客运一体化快速推进，江阳区已实现全域通公交；龙马潭区、纳溪区、泸县新增公交化改造线路28条，投入车辆217辆。启动实施农村客运"村村通"专项工程，新增建制村通客车20个，全市128个乡（镇）、1624个行政村建制村通客车率均达91.87%；完成124辆农村客运车辆提档升级，超目标任务的46%。截至2016年年底，全市公路总里程达13731千米，其中农村公路里程12460.6千米，占总里程的90.74%；建制村通达率和乡（镇）通畅率均达100%，建制村通畅率达97.55%。有农村客运车辆1581辆、农村客运班线558条，年客运量3300.74万人次，旅客周转量173628.06万人千米。

【农村社会保障】 2016年，泸州市巩固医疗保险参保扩面，落实全面参保登记制度。实行"一个制度、两档缴费、群众自愿、自主选择"原则，将个人缴费标准分设两档，一档为90元/人/年，二档为220元/人/年。城乡居民基本养老保险农村户籍参保人数157.49万人，参保率94.6%；被征地农民养老保险参保人数11.9409万人，占总人数的89%。大力实施医疗扶贫政策，建档立卡农村贫困人口县城内住院医疗费用实现"零支付"。全年建档立卡农村贫困人口县城内住院75965人次，医疗总费用22458万元，其中医保报销16513万元，减轻贫困人口个人负担医疗费用5945万元。

【农村留守家庭（儿童、学生）帮扶】 2016年，泸州市妇联为帮扶村古蔺县德耀镇红光村先后送去扶贫产业发展金16万元，慰问贫困户129户、贫困学生116人，送去慰问金共计51800元。同时，携手市关工委、泸州美琪教育集团送去价值2万余元的爱心物品和3节素质教育体验课。市妇联耗资14万元以购买公共服务的方式开展"浓浓家之爱"公益系列活动，通过亲子活动、公益讲座、节日主题联欢、家庭才艺秀、义卖等公益活动让更多的家庭和孩子从中受益。全市各级妇联组织和妇儿工委成员单位结对关爱留守儿童3000余人，筹集儿童学习、生活日常用品价值70余万元，发放宣传资料5万余份。

【农产品质量安全监管】 2016年，泸州市农产品检测平均合格率达99.2%以上。农产品质量安全追溯平台建设初具雏形，120家农产品生产经营企业纳入主体追溯，13家农产品生产经营企业纳入过程追溯。开展省级风险监测抽检样品775个，总体合格率达98.8%。全市累计认证"三品一标"农产品184个，其中认证无公害农产品130个、绿色食品32个、有机食品14个、农产品地理标志8个。全年抽检水产品460批次，其中监督抽样100批次、风险抽样360批次，合格率均达100%；开展水产品质量检查200余人次，检查水产专业合作社、水产苗种生产大户、江河船型网箱养殖设施等60余家次。农业部在全市进行产地抽检各类水产品样品22个，合格率达100%。

【农村市场体系建设】 2016年，泸州市建成县级电子商务运营中心7个、县级物流配送中心5个、乡（镇）级电子商务便民服务站144个、村级电子商务便民服务点730个，电子商务交易额达190亿元，同比增长45%。泸州市创建为省级电子商务示范城市，江阳区创建为省级电子商务示范基地，叙永县获批为国家级电子商务进农村综合示范县，古蔺县被表彰为四川电商发展十强县。截至2016年年底，全市银行业金融机构涉农贷款余额572.79亿元，增长15.87%，涉农贷款占全市各项贷款比重的44.68%。全年发放支农再贷款余额6.2亿元。

【涉农招商引资】 2016年，泸州市新履约投资额3000万元及以上市外、国内招商引资农业项目35个，项目投资总额达64.36亿元，协议引资额达63.72亿元，当年到位资金59.4亿元（含续建）。其中，投资额在1亿元及以上的项目有9个，即重庆巴马农业投资泸州（泸县)现代农业产业园项目、广东温氏集团投资合江生猪养殖项目、重庆映水集团投资(泸州)合江黑山羊加工及养殖基地项目、京鸿控股投资(泸州)龙马潭区柑橘博览园项目、广州盈通公司投资(泸州)江阳水产养殖基地建设项目、广东温氏集团投资纳溪区生猪养殖项目、云南康顺畜禽养殖有限公司投资古蔺县肉牛产业园区项目、陕西海升果业公司投资叙永县柑橘生产示范基地建设项目、陕西海升果业投资古蔺县柑橘示范园项目。

【劳务开发及先进典型选介】 2016年,泸州市农村劳动力转移输出159.63万人,其中男性88.89万人、女性70.74万人;省内输出72.56万人、省外输出87.07万人;实现劳务总收入246.459亿元。城镇新增农村劳动力转移就业5.8万人。开展农民工在岗培训2.5万人、品牌培训0.22万人、农村劳动力技能培训5.523万人。返乡创业农民工1.4079万人,返乡创办企业8646家,建立农民工创业园区(基地)23个,吸纳就业5.6325万人。

陈丽琼,女,汉族,生于1987年8月,叙永县后山镇高楼村人。2006年,陈丽琼进入浙江机械厂,2014年1月在当地党委政府的帮助和支持下回乡创办后山丽群种养殖专合社,通过发展肉牛、油茶、辣椒等产业吸纳农户广泛参与,带领群众发展增收,成为高楼村脱贫致富带头人。截至10月,合作社累计出栏肉牛50头,种植油茶300亩,并套种200亩辣椒和50亩南瓜,就近吸纳农民70人就业。陈丽琼先后捐资10万余元为家乡修建公路,吸纳63户农户就业。指导165人养牛技术,185人油茶、辣椒种植技术和田间管理技术,帮助13户建成油茶、辣椒种植基地,支持13户修起两层楼的小洋楼。2016年,陈丽琼被表彰为“四川省创业明星”。

【农村大事记】 1月13日,国土资源部副部长张得霖,省委常委、省委农工委主任李昌平到泸州市调研精准扶贫工作。市委书记蒋辅义,市长刘强,市委常委、常务副市长曹俊杰,市委常委、市委农工委主任李晓宇陪同调研。

4月6日,农业厅副厅长祝钧检查全市农业综合执法改革工作,市委常委、市委农工委主任李晓宇陪同检查。

5月17日—18日,省检察院检察长邓川带队的省脱贫攻坚督导组对古蔺县脱贫攻坚工作进行了督查,市长刘强,市委常委、市委农工委主任李晓宇陪同督查。

6月11日—13日,国家林业局政策法规司司长王洪杰对泸州市现代林业发展工作进行了调研,市委常委、市委农工委主任李晓宇陪同调研。

6月28日—29日,国家烟草专卖局财务司副司长罗明德一行对古叙烟草新村和烟区水源性工程建设进行了督查,市委常委、市委农工委主任李晓宇陪同督查。

7月12日,农业部党组副书记、副部长余欣荣,农业厅厅长任永昌一行对全市农业信息化工作进行了专题调研,市委书记蒋辅义陪同调研。

7月21日—22日,中央农村工作领导小组副组长、中央农办主任、中央财办副主任唐仁健以及省委常委、省委农工委主任曲木史哈调研全市农村土地制度改革试点和乡村旅游等三产融合工作情况。市委书记蒋辅义,市委常委、市委农工委主任李晓宇陪同调研。

8月10日—11日,市委书记蒋辅义、市长刘强、市委常委李晓宇出席了全市易地扶贫搬迁工作现场会并参观了泸县、合江县、叙永县、古蔺县易地扶贫搬迁建设现场。

10月24日—25日,市委书记蒋辅义在全省发展农村集体经济助推脱贫攻坚现场推进会上代表市委市政府作经验交流发言。

11月5日,由农业部和云南省人民政府共同主办的第十四届中国国际农产品交易会在云南省昆明市开幕,副市长张文军出席活动并向与会嘉宾推介泸州优质农产品。邓氏土特产公司生产的盛康宝桂圆获得该届农交会金奖。

11月6日—8日,农业部种植业管理司副司长陈友权调研泸州市甜橙产业发展情况,农业厅党组成员、总经济师肖小余,市政府副秘书长康江陪同调研。

12月27日—28日,四川省基础教育信息化暨88个贫困县教育信息化推动精准扶贫现场会在纳溪区召开。教育厅党组书记、厅长朱世宏,市长刘强,副市长马宗慧出席。

12月4日,国家林业局第四调研组长,国际竹藤中心主任助理、财务处处长陈瑞国率专家组莅临泸州市纳溪区调研竹产业发展。

12月5日—6日,2016年四川省林业扶贫暨统计工作会在泸州市召开。

【主要领导人】 市委书记:蒋辅义;市人大常委会主任:陈雁;市长:刘强;市政协主席:喻双;分管农业副市长:张文军。

泸州市编写组

江 阳 区

【基本情况】 2016年,江阳区辖18个乡(镇、街道),有农业人口10.82万人,有耕地面积45.1万亩,减少0.1%;基本农田35.58万亩,与上年持平。

【年度农业和农村经济运行】 2016年,江阳区实现农业总产值344614万元,增长3.91%;农业增加值214692万元,增长5.18%。农民年人均可支配收入15266元,增长9.6%。

农业产业化发展。江阳区加快农业经营体系创新,坚持把加快培育专业大户、家庭农场、专合组织、龙头企业等新型农业经营主体作为增加农民收入的重要抓手,新培育省级重点龙头企业1家、省级示范农场3家。全区各类新型经营主体累计带动农户4万余户,发展订单基地18万亩,农产品订单覆盖面达70%,订单销售量达60%以上。

2016年江阳区省级(及以上)农业产业化重点龙头企业名单

企业名称	注册资金(万元)	法人代表	示范等级	年度产值(万元)	行业分类	主营产品
泸州老窖集团有限责任公司	867400	张良	国家级	1263600	农产品加工业	高、中、低档白酒
泸州川穗粮油有限公司	3050	杨玉权	省级	3760	农产品加工业	“方山”系列大米
泸州市邓氏土特产品有限公司	6404	邓自高	省级	3624	农产品加工业	桂圆、荔枝等
泸州绿阳现代农业发展有限公司	31200	郭斌	省级	3800	农产品加工业	蔬菜、水果、家禽、家畜

2016 年江阳区省级示范农民专业合作经济组织名单

合作组织名称	注册资金(万元)	法人代表	示范等级	年度产值(万元)	行业分类	主营产品
泸州市江阳区方山瓢梨协会	1000	先永富	省级	5120	农产品加工业	瓢梨、瓢梨酒
泸州市江阳区江北特种水产养殖协会	1100	李申学	省级	1600	养殖业	江团、翘壳、岩原鲤、中华胭脂鱼、甲鱼
泸州市江阳区君诚果蔬专业合作社	390	唐绍奎	省级	575	种植业	蔬菜、水果
泸州市江阳区联益花木专业合作社	6400	韩勇	省级	1283	种植业	花木
泸州市江阳区鑫江种植专业合作社	1177	陈凤平	省级	589	种养殖业	杨梅、生猪、水产
泸州市江阳区董允坝蔬果专业合作社	2176	宋小兰	省级	800	种养殖业	蔬菜、水产、粮食

2016 年江阳区家庭农场经营情况统计表(前 10 位)

家庭农场名称	注册资金(万元)	法人代表	年度产值(万元)	行业分类	主营产品
江阳区黄舣镇范毓全果园苗圃农场	30	范毓全	40	种植业	桂圆
江阳区一方水土家庭农场	90	李申学	42	养殖业	江团、翘壳、岩原鲤、中华胭脂鱼、甲鱼
江阳区甜蜜家庭农场	60	田生楷	7.3	种植业	红心猕猴桃、杨梅
江阳区果果红家庭农场	60	陈凤平	35	种养殖业	杨梅、生猪、鱼类
江阳区黄舣镇红永家庭农场	20	余伟	29	种植业	葡萄
江阳区梁山上家庭农场	30	雷益富	10	种植业	水稻
江阳区壹果园家庭农场	20	朱宗敏	16	种植业	无花果
江阳区丰果园家庭农场	30	程科良	36	种植业	黄花梨、荔枝
江阳区王洪军家庭农场	20	王洪军	11	种植业	粮食
江阳区代成水果家庭农场	26	洪代成	15	种植业	桂圆、荔枝

农用地产权制度改革。江阳区加快推进农村产权制度改革，“七权同确”工作基本完成，农村土地承包经营权确权登记工作率先接受省上考核验收，被农业厅通报表扬为“农村土地承包经营权确权登记颁证工作先进单位”。借助区政府公众信息网建立农村产权流转信息平台，重点开展农村土地承包经营权流转指导服务，累计流转土地 8.7 万亩。强化政策支撑，落实农村土地流转收益保证贷款，设立现代农业发展基金 1500 万元，撬动农业担保贷款 7500 万元，发放支农贷款 2400 万元。出台《江阳区农村土地承包经营权流转备案登记办法》《江阳区农村土地流转收益评估办法》等文件，进一步规范农村土地流转，为农业适度规模经营和增加农民财产性收入奠定了基础。

【种植业】 2016 年，江阳区农业产值实现 21.7739 亿元，同比增加 0.5821 亿元，增长 2.67%。粮食播种面积 46.7 万亩，同比基本持平；产量 21.24 万吨，同比增长 0.21%。小春粮食播种面积 7.07 万亩，同比下降 2.79%；产量 1.25 万吨，同比下降 2.55%。大春粮食播种面积 39.63 万亩，同比增长 0.54%；产量 19.99 万吨，同比增长 0.38%。油料作物种植面积 3.93 万亩，同比增长 2.32%；产量 0.52 万吨，同比增长 2.54%，其中油菜种植面积 3.5 万亩，同比增长 2.4%，产量 0.43 万吨，同比增长 2.57%。蔬菜种植面积 23.6 万亩，同比增长 0.43%；产量 63.6 万吨，同比增长 0.16%；总产值 11.3 亿元，同比增长 0.71%。水果种植面积 14.88 万亩，同比增长 0.95%，其中龙眼总面积 6.03 万亩，同比增长 2.2%；投产面积 13.52 万亩，同比增长 0.07%；产量 6.91 万吨，同比减少 5.21%；实现产值 3.7 亿元，同比减少 0.53%。

【林业】 2016 年，江阳区林业用地面积 15.78 万亩，其中国有林地 0.39 万亩；活立木总蓄积量 41.82 万立方米；林木绿化率达 38.75%。全年实现林业总产值 16.05 亿元，其中旅游休闲服务产业产值 5.83 亿元。实施国有林管护 6300 亩、集体公益林生态补偿 7.1 万亩，兑现生态补偿资金 104.73 万元；营造林 1.036 万亩。全民义务植树 128 万株，参加义务植树 34.16 万人，义务植树尽责率达 96.1%。

【畜牧业】 2016 年，江阳区畜牧业实现产值 8.602 亿元。生猪出栏 30.455 万头，同比增长 0.13%；家禽出栏 276.23 万只，同比增长 1.72%；肉羊出栏 3.62 万只，同比增长 3.66%；肉兔出栏 24.97 万只，同比增长 1.78%。新(改、扩)建畜禽养殖圈舍约 15000 平方米，新建年出栏 1000 头以上优质生猪标准化规模养殖场 5 个。全年产地检疫生猪 2.68 万头、家禽 27.25 万只；屠宰检疫生猪 9.78 万头，家禽 111.96 万只，牛、羊 0.81 万头(只)，产地检疫和屠宰申报检疫率均达 100%。对检出的病害动物、不合格动物产品全部按照规定进行了无害化处理，其中养殖环节无害化处理生猪 2034 头，屠宰检疫环节无害化处理不合格畜禽产品 24.75 吨。

【水产业】 2016 年，江阳区有水产专业合作社 8 个(其中市级示范片区有专业合作社3个),共有社员168户,养殖规模达1558亩,年产量920吨,产值达1277万元;有水产养殖大户68户、水产龙头企业2家。全年水产品总产量8352吨,渔业经济总产值达11323万元。发展稻田养鱼面积105810亩、无公害养殖面积12000亩、名优特鱼类养殖面积56000亩,生产鱼苗2080万尾、鱼种1582万尾。检验、检疫水产品1900吨,水产品质量安全抽检合格率达100%,全年无水产品质量安全事故发生。渔政立案办结率达100%,渔业船舶年审率达100%。

【统筹城乡与新型城镇化】 2016年,江阳区张坝滨江路景观工程、泸州生态体育公园工程全面完工。瑞丰东路、春景下路等4条市政道路建成通车,长江现代城至柏木溪段滨江路建设加快推进,主城区道路“白加黑”改造升级全面启动。白招牌广场、龙驰路停车场竣工并投入使用,华阳佳美源和沙茜农贸市场建成运营,环球生活广场、夜知味美食广场主体工程完工。着力规范小区物业管理,高标准整治“三无院落”。集中力量开展城市突出问题专项整治,完成主城区街道风貌示范整治,拆除违法建筑近20万平方米。全国文明城市创建扎实推进,国家健康城市建设取得阶段性成效。完成弥陀、方山镇域规划编制,邻玉酒文化特色产业园通过省级详规调整。分水岭镇被列入全市新型城镇化试点,丹林场镇主干道全面完工,通滩老街一期改造工程基本完成。全年新开工集镇建设项目17个,新增城镇建成区面积4.5平方千米,转移农业人口14033人。加快城镇通道建设,泰二路、泰兆路、弥分路改造工程竣工并通车,隆纳高速方山互通及连接线、产城大道弥陀平交及下穿通道、江北片干线及联网道路建设全面推进。淘汰落后产能28万吨,万元GDP能耗下降3.6%,主要污染物节能减排任务全面完成。集中开展扬尘污染专项治理,全域推行秸秆禁烧,基本完成城市建成区“煤改气”整治。在全市率先启动农村污水处理设施建设试点,新建石寨镇、弥陀镇污水处理厂,黄舣镇马道子村、永兴村等8个农村污水处理站竣工并投运。城南污水处理厂及截污干管完成建设,城区污水管网工程加快推进。强化国土资源管理,全面禁止河道采砂,治理水土流失面积1.98万亩,创建为国家国土资源节约集约示范区。农村集体资产股份合作制改革试点启动。

【新农村建设】 2016年,江阳区整合资源建设幸福美丽新村。编制了《江阳区全域新农村建设总体规划》,新启动6个幸福美丽新村建设,高标准打造分水岭镇董允坝新村综合体。通过“建、改、保”等方式,全区累计建成幸福美丽新村35个、新村聚居点55个、“1+6”村级公共服务中心35个,成为全市新村建设的典范。同步开展“四好村”创建活动,创建省级“四好村”16个、市级“四好村”20个。

【扶贫攻坚】 2016年,江阳区把脱贫攻坚作为民生“一号工程”,全面落实“三个一批”政策,精准实施产业扶贫、低保扶贫和医疗扶贫。设立各类救助基金650万元,安排扶贫专项资金2800万元,筹集社会资金405万元。着力提升扶贫对象自我发展能力,促进外出就业1382人。严格执行扶贫对象“两线合一”政策,低保实现应保尽保。大力推进扶贫对象预防保健、医疗参保等“五个100%”,实现县域就医“零支付”。全力实施安居、通信等5项精准扶贫工程,全面完成752户建档立卡贫困户危房改造,贫困家庭电视信号实现“户户通”。在全市率先完成全面脱贫攻坚任务,率先开展农村集体经济发展试点,分水岭镇董允坝村被确定为全省发展农村集体经济助推脱贫攻坚现场推进会参观点,其“一园三创”的村集体经济发展经验得到与会领导和来宾的高度肯定。

【乡村旅游】 2016年,江阳区推进董允坝国家现代农业示范区、江阳区全国休闲农业与乡村旅游示范带、醉美江湾乡村旅游带提升、邻玉甜蜜公园生态农庄、丹林镇梨花旅游新村、环方山城郊旅游示范带等项目建设。完成黄舣镇最美乡村公路修复建设;完善丹林镇梨花村、黄舣镇马道子村、董允坝现代农业示范基地等乡村旅游点的步游道、停车场、旅游厕所等配套服务设施;指导各乡村旅游点新建农家乐。董允坝国家现代农业示范园创建为国家3A级旅游景区,通滩米溪沟创建为四川省乡村旅游特色业态,分水镇董允坝村创建为四川省精品村寨,董允坝景区内的静湖人家农家乐、民慧生态农家乐、聚贤山庄3家农家乐创建为2星级农家乐。举办了丹林梨花节、董允坝蔬菜节、张坝罗湾桂圆节等,吸引大量外地游客前往参观、游览和购物,节会活动的举办地为当地农民提供了新增就业机会。2016年,全区接待乡村旅游游客588万人次,实现乡村旅游收入23亿元。

【助农增收】 2016年,江阳区贯彻落实农民增收区委书记、区长责任制,扎实抓好农民增收基层统计工作,切实提升基层调查员、记账户业务水平,组织开展统计调查业务培训300人次。坚持就业与创业并举,扩大劳务输出,巩固提升农民务工收入,全年外出务工13.18万人,实现务工总收入34亿元,同比增长12.5%。加大返乡创业政策落实力度,举办“技能培训+创业培训”班11次、260人。建立返乡农民工创业担保贷款绿色通道,发放农民工创业者贷款512万元。推进农村电子商务建设,累计建成镇、村两级电子商务服务网点80个。2016年,全区农村居民年人均可支配收入达15266元,增长9.6%。

【四川省现代农业建设示范县经验介绍】 2016年,江阳区董允坝国家现代农业示范园区建设示范作用明显,园区规划总面积2.3万亩,以宜泸渝高速为横轴,分为南北两区,规划布局“八区一带”(“八区”,即研发展示区、种植推广区、水生蔬菜区、环境涵养区、创业孵化区、新村示范区、农庄体验区、电商物流区;“一带”,即名优水果带)。以“全国一流、全省第一”的标准,按照“开发科技化、管理智能化、生产景观化、物流电商化、组织市场化”的思路,着力打造全国现代农业示范区、长江上游“四化同步”先行区、川滇黔渝“农业旅游”样板区,着力建成中国西部“粮心”。园区依托山东寿光蔬菜产业控股集团实验栽种番茄、茄子、黄瓜、辣椒等47个蔬菜新品种,引进荷兰吊架栽培、西班牙多层无机质水培、以色列无土栽培、物联网自动控制、物理和生物病虫害绿色防治等先进技术;建成了科技研发中心、农产品交易中心、检验检测中心、电子商务中心、物联网远程控制系统和农产品质量追溯体系等配套设施,“蔬菜大棚”变身“智能工厂”,实施精细化、标准化、科学化生产,实现蔬菜种植优质、高产,助力智慧农业发展,打造四川一流、川南第一蔬菜产业品牌。南区核心区4400亩已全面建成,其中大棚200亩;北区建成1000余亩,示范带动作用明显。“互联网+现代农业”工作突出。江阳区依托泸州市江阳区董允坝国家现代农业示范园区,牵手山东寿光蔬菜产业控股集团,全区“互联网+现代农业”工作取得突出成效。成功举办四川省首届蔬菜品赏会和四川省蔬菜发展论坛。

【重点乡镇选介】 邻玉街道,位于泸州市南部,泸州机场坐落于境内,省道308线贯穿全境,长江在境内流经里程14千米,水、陆、空交通方便。辖区面积17.44平方千米,辖4个行政村和1个社区,常住人口2.2万人。邻玉街道是全国群众体育先进单位、市级最佳文明单位、市级和谐社区建设先进单位、市级义务教育示范乡镇。2016

年,邻玉街道地区生产总值增速为9.9%;社会消费品零售总额增速为13.9%;规模以上工业增加值增速为11.4%;服务业增加值增速为9.9%;固定资产投资完成13.29亿元;一般预算收入完成2481万元,比上年同期增长12.8%;农民人均纯收入18721元。邻玉街道打破传统小农生产模式,基本形成了“一村一品”的助农增收格局。建成全省首批无公害蔬菜基地3000亩,发展花卉苗木830亩,新培育优质大五星枇杷基地800亩,有生猪规模养殖户12家、规模蛋鸡养殖场2家。通过实施“一建六改造”、统筹城乡发展项目大力打造新农村,先锋村成为全省首批新农村建设试点村,兴隆村成为市、区统筹城乡发展试点村。

分水岭镇,位于泸州东南部,距泸州城区11千米,川渝、泸赤高速穿境而过,泰二路、弥分路贯穿全镇,董允坝互通出口2015年建成通车。东邻合江县佛荫镇、尧坝镇,南接泸州市纳溪区龙车镇,北壤泸州市江阳区泰安镇、黄舣镇、弥陀镇,是江阳、纳溪、合江3区(县)边缘结合部,是董允坝国家现代农业示范园区所在地。辖区面积69平方千米,辖10个行政村和1个社区,总人口3.7万人。是全国“亿万农民健身活动”先进乡镇、“科普惠农兴村”先进单位、省级“文化先进乡镇”、小城镇试点乡镇,是著名的“非遗之乡、英雄之乡、名人之乡”。2016年,分水岭镇创建为“蔬式生活”主体公园。有国家级非物质文化遗产分水油纸伞,省级非物质文化遗产烧火龙和市级非物质文化遗产滩滩酒;有抗日阵亡将士纪念碑和一级战斗英雄张映鑫烈陵园;有琼瑶故乡泸南中学遗址、三国名臣董允之墓等,具有深厚的历史文化底蕴,老街的大部分建筑距今已有200余年的历史。全镇森林覆盖率为43.8%。

华阳街道,位于长、沱两江交汇夹角地带,东临泸州城区,南沿长江,西与方山镇毗邻,北靠沱江与况场镇接壤。辖区面积42平方千米。华阳街道将现代农业与乡村旅游相结合,初步建成以乡村休闲旅游产业为主导,以“山上名优水果,山下绿色蔬菜,庭院生态养殖”为特色的升级版幸福美丽新村。华阳街道土地肥沃,物产丰富,蔬菜长青,瓜果常熟,西岸村蔬菜种植面积近15000亩,大棚面积约3000亩,产量达7万余吨,产值过亿元,申请注册了“大佛岩”无公害蔬菜商标品牌。近年来,华阳街道先后获得“全国休闲农业与乡村旅游示范点”“全省乡村旅游示范乡镇”“全省创先争优先进基层党组织”“四川省乡村旅游示范街道”“四川省‘金熊猫’奖先进单位”“全省六好基层关工委先进单位”等称号。

黄舣镇,地处泸州东南近郊,距泸州城区12千米。辖区面积65.35平方千米,其中集镇面积3平方千米,辖7个村、2个社区,97个农业合作社,户籍人口4.0395万人,城镇常住人口2.1万人,是泸州酒业园区所在地,是“名酒名园名区”项目核心区。近年来,黄舣镇按照“三产联动,产村相融”的发展思路,“名酒名园名区”项目区三大产业(白酒产业、现代农业、乡村旅游业)联动发展。先后获得“四川省记一等功公务员集体”“四川省大调解先进单位”“四川省五十百千城乡环境整治示范乡镇”“四川省卫生乡镇、档案省级示范镇”“全国休闲农业乡村旅游示范点”“省级乡村旅游示范镇”等称号。2016年,全镇GDP达到31.5亿元,一般公共财政收入完成2975万元。

【主要领导人】 区委书记:付小平;区人大常委会主任:张敏;区长:杨长缨;区政协主席:张旭光;分管农业副区长:陈波。

江阳区编写组

龙马潭区

【基本情况】 2016年,龙马潭区辖6镇6个街道44个村584个村民小组45个社区512个居民小组,辖区面积333平方千米,其中耕地面积22.16万亩,减少6.49%;基本农田10.56万亩。有户籍人口36.76万人,常住人口37.33万人,农业总人口19.65万人。

【年度农业和农村经济运行】 2016年,龙马潭区实现农业总产值177500万元,增长3.67%;农业增加值104100万元,增长3.84%。农村居民年人均可支配收入16212元,比上年增加1374元,比全市平均水平高出3726元,年人均可支配收入居全市第一位。全年粮食总产量7.89万吨,增长2.94%。

【全省幸福美丽新村建设示范县经验介绍】 2016年,龙马潭区紧紧围绕“统筹城乡富民发展”战略,以农民持续稳定增收为目标,加快推进幸福美丽新村建设,走特色、精品、高效的城郊型现代农业发展之路。围绕2个贫困村“摘帽”、解贫2289人的目标,强力集中攻坚,确保贫困户实现“一超过两不愁三保障”“三有”“四个好”,确保贫困村实现“一低五有”。

深入推进幸福美丽新村建设,夯实促农增收基础。一是投入5000余万元改善新村基础设施条件,其中,投入1000万元,改造泸富路罗汉至特兴段道路5千米;投入2000万余元,改造三溪口水库渠道30千米,改善了农户生产条件;投入1500万元,推进长安、金龙等6个镇农村安全饮水工程建设;投入300万余元,在长安镇长春新村进行土地整理,改善贫困村贫困户生产条件;投入550万元,进行农网改造。二是加快建设幸福美丽新村示范点。为巩固扶贫成果,投入1200余万元,推进以省级贫困村双加镇大冲头村为主的幸福美丽新村示范点“十里渔湾”项目建设,涉及产业升级、基础设施改造及民居住房条件改善等,建设内容包括新建道路、绿化、风貌整治、配套设施、引进名优鱼养殖品种等。投入1000余万元,提档升级走马慈竹现代农业示范园区,慈竹新村段三环路2千米白加黑道路建设已完成,形成园区道路环线,完成园区500亩茵红李、100亩蓝莓种植;以皇石坝屋基为核心进行农家院落改造,打造民居民宿旅游,完成园区金夫人婚纱摄影基地500亩土地流转工作。三是狠抓现代农业项目建设。突出抓好“空港生态农旅体验区”乡村旅游线建设,其中“十里渔湾”、中国柑橘文化博览园、天一农庄旅游建设项目、简氏乡村有机农业生态园等项目加快建设。全年引进企业投资的一二三产业相融合的现代农业项目投资达3.2亿元,有效带动了幸福美丽新村建设,推进了农业产业转型升级,实现了农户增收。四是着力新村建设助推脱贫攻坚。全区将幸福美丽新村建设与脱贫攻坚有机结合,投入财政资金3000余万元在省级贫困村长安镇长春村、金龙镇曹坝村改善新村基础设施,通过改造贫困村级阵地、其中新建产业道路7.2千米、改造公交环线3千米、新建产业基地200亩、改造贫困户危房70余户、风貌改造150余户、改厨改厕42户、新建和改造廉租房550平方米,改善了贫困户的居住、出行、用水、用电等基础条件和人居环境质量,推进了贫困村农业产业发展,已带动2989人脱贫。

深化农村改革,优化农村居民收入结构。一是出台了《关于贯彻〈深化农村改革综合性实施方案〉的实施意见》,通过深化户籍制度改革、全面推行居住证制度、完善新型职业农民培训和技能培训等相关政策,做好农民工就业政策咨询、就业信息发布、职业技能培训和职业介绍服务,促进农民工创业就业;完善企业工资集体协商和支付保障机制,加强对用人单位支付劳动报酬情况的监督检查,提高了农村居民工资性收入。二是深入推进农村产权制度改革,推进农村集体建设用地使用权、土地承包经营权确权登记颁证,完善农村产权流转交易平台建设,推进农村土地规范有序流转,全年流转土地3.4万亩,有效提高了农民财产性收入;深入推进财政支农资金形成资产股权量化改革试点和农村集体资产股份制改革试点,大力支持发展新型农村集体经济,特兴镇走马村、双加镇大冲头村成为全省农村集体经济发展推进会现场参观点。三是扩大调整种粮农民直接补贴政策试点;完善经营性土地出让制度,落实工业用地招标拍卖制度等推进征地制度改革;不断完善社会保障体系,全面落实社会保险政策待遇,完善社会救助帮扶政策,持续增加农民收入;创新扶贫开发体制机制,加强脱贫攻坚,整合项目资金,在长安镇长春村、金龙镇曹坝村等地实施产业扶贫,帮助有劳动意愿和有劳动能力的扶贫对象发展种养殖业增收。

发展新型业态,有效拓宽促农增收渠道。一是出台了《加快构建新型农业经营体系改革方案》,发展农民专合社176家、家庭农场40家,建成镇(村)级电商服务站点17个、社区农产品体验店13个,有效提高了农村居民经营性收入。二是加强农业招商引资,大力发展农业产业化龙头企业和农民专合组织,带动农民增收。2016年,完成农业招商项目5亿元。新增市级重点龙头企业3家、市级重点农民专业合作组织2家,泸州市四维禽业有限公司成功创建为省级重点农业产业化龙头企业。三是积极支持乡村旅游、农产品产地初加工、农村养老服务等新兴产业发展,创造更多的就业机会增加农民收入。突出酿酒高粱、特色蔬菜、龙马乌鸡、健康水产四大特色优势产业,全年发展酿酒高粱8万亩、特色蔬菜10万亩、健康水产养殖2.6万亩,龙马乌鸡出栏300万只。发展以科技博览、观光采摘、体验农耕、休闲度假为依托的乡村旅游业,持续深入打造胡市镇金山印象、双加镇新渔村垂钓、金夫人婚纱摄影和中颐农庄乡村旅游新业态,特兴镇走马村成功申报"2016年省级乡村旅游特色精品村寨",走马慈竹乡村旅游区申请创建国家2A级旅游区。四是强化市场配置资源的基础性作用,坚持特色化、标准化、品牌化"三化发展",引导农业企业和农民群众大力发展设施农业。全区发展以钢架大棚、日光温室、节水灌溉、遮阳网覆盖等为重点的设施农业5460亩,其中集中连片发展4200亩;建成各类优质农产品基地30个,其中5个获批为市级以上农业标准化生产基地。全区累计注册农产品商标12个(其中省级著名商标2个),获得无公害农产品认证8个、绿色食品认证5个、有机农产品认证7个。五是在积极发展农村电商的同时,由政府搭台,积极组织龙头企业、专业合作社参加各地农业展会,组织参加农博会、商博会,举办九狮柚采摘节、高粱节、桂圆采摘节、农游会等活动,拓宽农产品销售渠道,增加农民收入。

全力脱贫攻坚,确保实现同步小康。一是建立健全党政"一把手"为第一责任人的脱贫攻坚工作责任机制,分别以区委书记、区长、区委副书记为带头人,整合"四大家"力量帮扶贫困村、贫困户。创新开展"六位一体"帮扶,即确保每个镇(街道)有1名区级以上领导干部、1个以上帮扶单位、1名以上驻村农技员、1个农村危房改造指导监督组,贫困村另有1个驻村工作组和1名"第一书记";每户贫困户均有1名区级部门干部、1名镇(街道)干部、1名村干部帮扶联系,实现贫困户帮扶全覆盖。调整修改了《龙马潭区街镇和区级部门扶贫攻坚工作目标考核办法》《干部驻村帮扶考核办法》,将脱贫攻坚工作情况纳入年终目标考核并实行"一票否决"制,层层压实脱贫攻坚责任。实施"一户一台账"制度,根据贫困户实际情况制定具体帮扶措施,开展"个性化"精准帮扶。二是由区纪委监察局牵头,会同区委区政府目督办抽调相关人员组成3个督查组,围绕脱贫攻坚相关责任单位及责任人履行职责情况紧盯项目进展、资金管理使用、帮扶责任落实、"四个好"的推进落实等内容,每10天进行一次严格督查,严肃问责,积极推进精准扶贫。10月,区纪委组织全区80余名纪检干部逐村逐户进行"一对一、网格化、全覆盖"督查,梳理出近800条问题并进行整改。11月开展了"回头看"工作,确保脱贫攻坚落到实处。三是将计划脱贫的4495人精准落实到"三个一批",即扶持生产和就业发展一批1609人、医疗救助扶持一批1547人、低保政策兜底一批1339人,其中扶持生产和就业发展一批将省级财政安排的260万元专项扶贫资金按人均1000元的标准全部用于贫困户发展产业,并整合省、市财政专项扶贫资金90万元设立产业扶持周转金,支持贫困户发展种养殖业。引导区内工商企业吸纳贫困户就业,明确帮扶部门帮助贫困户至少发展一种致富产业。医疗救助扶持一批,实施健康扶贫"四百工程",扶贫对象区内住院实现"零支付"。3月31日前未联网报销的,贫困户个人应报销的医疗费用由区医保局提取住院数据信息进行清理,会同区民政、区财政、保险公司核算报销金额,再将报销费用汇入其个人银行账户;4月1日—8月31日已联网报销的,贫困户个人承担10%的医疗费用由区民政直接汇入其个人银行账户;从9月1日起,贫困户个人承担的10%医疗费用由定点医院垫付,定点医院再同区民政局结算,个人不再支付任何费用。低保政策兜底一批,2016年计划脱贫人口中符合低保政策的有1339人,已全部纳入农村低保救助范围,实现"应保尽保"。从2016年起,将农村低保保障标准提高到每人每年3200元,实现保障标准和脱贫标准"两线合一"。四是制定了《泸州市龙马潭区贫困村、贫困户退出验收考核办法》和《泸州市龙马潭区贫困村、贫困户退出验收考核实施方案》,开展了由区级领导带队,各帮扶部门参与的退出验收自查全覆盖工作,对标补短,查漏补缺,在"一超""两不愁""三保障""三有""四好"方面补足了短板。邀请四川农业大学作为第三方评估机构、对全区脱贫攻坚工作进行考核评估,确保了2个贫困村913户贫困户、2289名贫困人口顺利退出。

【主要领导人】 区委书记:刘光明;区人大常委会主任:吴文涛;区长:靳地胜;区政协主席:叶长青;分管农业副区长:胡兴成。

龙马潭区编写组

纳 溪 区

【基本情况】 2016年,纳溪区辖15个乡(镇、街道),有农业人口20.15万人,有耕地面积38944公顷。

【年度农业和农村经济运行】 2016年,纳溪区实现农业总产值333893万元,增长8.91%;农业增加值206642万元,增长3.9%。农民年人均可支配收入13823元,增长9.7%。

农业产业化发展。纳溪区新增护国陈醋、竹韵等省级产业化龙头企业3家,省级示范专合社3个。引进温氏集团司建立"精深加工—生产废料—林下种养—回归竹林"循环经济产业链,提供就业岗位2300余个,带动当地8000余户农户发展林竹产业,农民户均增收1200余元。

2016 年纳溪区省级农业产业化重点龙头企业名单

企业名称	注册资金(万元)	法人代表	示范等级	年度产值(万元)	行业分类	主营产品
四川银鸽竹浆纸业有限公司	27000	罗建平	省级	25000	林业加工	竹浆纸
泸州市纳溪区民强生态农业科技开发有限公司	600	何生涛	省级	6000	种植业	水果
泸州华明酒业集团有限公司	10000	丁维伦	省级	30000	种植业加工	酒
四川瀚源有机茶业有限公司	1000	李爱民	省级	5800	种植业	茶叶
四川省茂源食品有限公司	650	杨茂富	省级	5000	种植业加工	面(粮食)
泸州金土地种业有限公司	10000	刘农清	省级	6100	种植业	粮食、生物肥料等
四川省泸州市太山生态农业有限公	1000	徐嘉忆	省级	5600	种植业	水稻(粮食)
泸州护国陈醋股份有限公司	500	欧俊模	省级	5280	种植业加工	醋
泸州市纳溪区竹韵贸易有限公司	5000	周蓉	省级	15000	林业加工	竹工艺品

2016 年纳溪区省级示范农民专业合作经济组织名单

合作组织名称	注册资金(万元)	法人代表	示范等级	年度产值(万元)	行业分类	主营产品
泸州市田园乐生猪专业合作社	500	余春梅	省级	4500	养殖业	生猪
泸州市纳溪区凤林虫草鸡养殖专业合作社	575	申光平	省级	567	养殖业	土鸡、鸡蛋
泸州纳溪天仙洞枇杷专业合作社	18	杨香俊	省级	2112	种植业	枇杷
泸州市纳溪区天仙生猪营销专业合作社	1180	罗伟强	省级	5000	养殖业	生猪
泸州市纳溪区金锋名特优鱼种专业合作社	106	伍群	省级	600	养殖业	鱼种
泸州市纳溪区高优茶叶专业合作社	706	周世庆	省级	620	种植业	茶业
泸州市纳溪区元利竹笋专业合作社	660	戴晓宇	省级	559	种植业	竹笋
泸州市纳溪区翠园竹业专业合作社	10	刘小平	省级	837	林业	竹片

2016 年纳溪区省级家庭农场经营情况统计表(前 4 位)

家庭农场名称	法人代表	示范等级	年度产值(万元)	行业分类	主营产品
泸州市纳溪区天仙镇向世家庭农场	向省辉	省级	90	种植业	黄金梨
泸州市纳溪区天仙镇枇杷生态家庭农场	杨香俊	省级	85	种植业	枇杷
纳溪区护国镇刘玉明家庭农场	杨祚分	省级	95	种植业	茶叶
泸州市纳溪区棉花坡镇世川家庭农场	唐世川	省级	126	种植业	葡萄

【**种植业**】 2016 年,纳溪区粮油播种面积 51.43 万亩,其中优质稻种植面积 25.98 万亩,高粱种植面积 8.51 万亩,水稻、玉米、高粱示范创建面积达 6 万亩,建成高标准农田 3.653 万亩,实现粮油总产量 21.74 万吨。茶叶种植总面积达 30 万亩,投产面积 18 万亩,产量 1.5 万吨(其中名优茶 9000 吨),实现茶产业综合产值 30 亿元;有茶叶省级农业产业化龙头企业 1 家、市级龙头企业 5 家,省级茶叶示范合作社 3 家、市级茶叶示范社 6 家,家庭农场 20 个;“纳溪特早茶”入选《全国名特优新农产品目录》,“那溪那山”在中国(四川)第五届国际茶业博览会获得金奖,“翰源雪芽”获得“领航迪泰杯”北京国际茶业展茶叶产品评选推介活动金奖,纳溪区获得了“全国特色茶旅资源区”称号。全区水果种植面积 13 万亩,产量 4.9 万吨,实现产值 3.95 亿元;新发展名优水果 4000 亩,全区优质水果面积达 7 万亩;开展护国柚酸化治理和品质提升试验示范工程,新建枇杷苗木繁育基地 50 亩。蔬菜播种面积 11.16 万亩,产量 22.25 万吨;新建高标准蔬菜基地 2000 余亩;推动白节镇现代农业(蔬菜)万亩示范区、“智慧三江”现代农业示范园建设,建设现代农业蔬菜万亩示范区 1 个;在省级贫困村龙车镇鼓楼村建成全区第一个高山蔬菜基地,推动当地脱贫攻坚工作;泸州市纳溪区玉金蔬菜专业合作社荣获“省级示范专合社”称号。推进“三品一标”农产品认证,全区有无公害农产品 25 个、有机食品 55 个、绿色食品 7 个、国家地理标志保护认证农产品 5 个。

与四川省农科院、四川农业大学、西南大学等签订长期合作协议,把纳溪区建成茶叶新品种试验示范基地和新技术的重要转化基地,邀请国内外知名茶学专家开展会诊指导、技术交流和技术培训。依托新型职业农民培训、基层农技推广体系改革与建设项目、农村实用技术培训、农业产业技术扶贫等,培育农业科技示范户528户,培训基层农技人员170人、新型职业农民108人、农村实用技术人才6000人;分期分批完成10个贫困村驻村农技员及贫困村村委主要负责人培训100余人次,发放培训资料1000余份。深入基层开展技术指导3000余次,服务群众20万余人次。

【林业】 2016年,纳溪区有林地面积50094.61公顷,森林覆盖率达43.71%,林木绿化率达55.13%,实现林业总产值43.9亿元,农民人均从林业获得收入3220元。纳溪区获得“全国十三大杂竹县”“全国绿化造林先进县”“中国特色竹乡”“四川省现代林业建设重点县(区)”“四川省林业产业强县”“四川省林业产业5强续培县”“中国森林养生基地”“中国林业产业突出贡献奖”“四川省林业产业工作先进集体”等称号。

凤凰湖国家湿地公园总体规划通过国家林业局专家评审,被列为国家湿地公园建设试点单位。积极配合开展《竹产业规划》编制工作,新建竹基地1.33万亩,累计建成竹基地76.6万亩;改造低产低效林3.97万亩,在白节镇大旺发展竹林(毛竹)示范园区1万亩。新增森林面积0.52万亩,新增森林蓄积1.5万立方米,林木绿化率增加0.2个百分点。实施天保工程森林管护2.98万亩,落实上级下达的2016年天保工程资金93.39万元,签订森林管护合同2975份,完成2.13万亩森林生态效益补偿,完成对天保工程一次性安置人员的社会保险补贴发放工作。巩固退耕还林成果专项建设,加强对5.25万亩退耕还林、7.6万亩配套荒山造林(含封山育林)的管理,新一轮3700亩退耕还林任务全面完成。有林下规模养殖户3300余户,建成以林下鸡、林下茶、林下菌为主的林下种养殖基地22万亩,累计发展林下茶6.55万亩。打造建设桢楠、香樟、桂花基地,发展珍稀树木0.5万亩,累计建成珍稀树木基地8.7万亩。培育鉴定和转化推广林业科技创新成果,成功选育“育云溪1号”香樟,并被省林木品种审定委员会认定为林木良种,在全区乃至全国推广种植。编制完成《纳溪区林业有害生物普查实施方案》并顺利通过省、市专家评审,成功完成全国第三次林业有害生物普查。全年完成无公害无污染生物防治和人工防治1.9463万亩,防治率达99.4%,无公害防治率98%。产地检疫率达100%,成灾率为零。

召开有关森林防火会议180次,与村民签订防火责任书8.89万份,播放森林防火广播电视宣传100次,出动宣传车550车次,张贴防火通告1000张,书写防火标语310幅,印发宣传单30余万张,发放森林防火宣传年历3.5万张。全区发生火情2起,过火面积16.7亩,损失面积15.7亩,无森林火灾刑事案件发生,连续50年无重特大森林火灾发生。全区未发生毁林开垦案件以及破坏生态环境建设案件。

全年森林公安共出动警力200余人次、警车80台次,受理森林刑事案件16件,刑事拘留3人,网上追逃1人,逮捕2人。开展“林地整治专项行动”,与区检察院、区法院在上马镇联合组织开展涉林案件公审公判大会,稳定了林区社会治安秩序。

【畜牧业】 2016年,纳溪区出栏生猪49.75万头、家禽427.4113万只、兔235.2377万只、肉牛0.6663万头、肉羊3.0091万只,肉类总产量4.7519万吨、禽蛋产量3386吨,实现畜牧业总产值17.3亿元。全区有养蜂户168户,养殖中蜂2300群、西蜂1165群,年产蜂蜜40余吨,实现年产值近300万元。新创建省级生猪标准化养殖示范场3个、市级生猪标准化养殖示范场1个,市级肉羊标准化养殖示范场1个,市级中蜂标准化养殖示范场1个;乐道子林下鸡养殖基地成功创建为国家级农业综合标准化养殖示范区。成功引进广东温氏集团股份食品有限公司西南养猪分公司,公司100万头优质生猪一体化产业项目进展顺利,护国大营种猪场即将建设完成并投产;与温氏合作,建成家庭农场23个,在10个贫困村建成养猪场10个,进行收益扶贫试点。“乐道子”林下鸡屠宰冷加工项目建成投产。

全区有畜禽养殖家庭农场66个、畜禽养殖专业合作社100个、畜禽规模养殖场(小区)及适度规模养殖户166户;在天仙、大渡、合面等镇率先启动家庭农场试点,全区已有44户养殖户注册成立家庭农场。获得无公害农产品5个、绿色食品5个、有机食品6个、地理标志产品2个。

全年免疫猪瘟67.04万头、猪蓝耳病37.04万头、猪口蹄疫67.04万头;鸡禽流感275.4万羽、鸭禽流感79.1万羽、鹅禽流感6.1万羽、鸡新城疫321.4万羽;注射狂犬病疫苗0.98万只、小反刍兽疫1.304万头。免疫密度达100%,耳标佩带率达100%,畜禽圈舍消毒面积567.2万平方米。完成区、镇、村三级疫情监测网络体系建设,完成畜产品“瘦肉精”、生鲜乳“三聚氰胺”、黄曲霉素监测,检测合格率均为100%。完成四川省2016年突发重大动物疫情应急处置应急演练。开展生猪屠宰“扫雷行动”、兽用抗菌药专项整治及“瘦肉精”专项整治,未发现使用“瘦肉精”、三聚氰胺等违禁物质的违法行为。全年未发生重大畜禽产品质量安全事故。

【现代渔业】 2016年,纳溪区采取网箱养殖、河沟生态养殖、稻田养殖等方式推动现代渔业发展。全年投放渔种1530吨(其中稻田养鱼7.2万亩),生产大规格鱼种950万尾,育苗3100万尾;水产品总量7610吨,实现渔业经济总值达1.1亿元。泸州市纳溪区晒鱼滩水产养殖专合社创建成为农业部健康养殖示范场,生产的晒鱼滩鲤鱼、鲫鱼、长吻鮠及中华倒刺鲃获得绿色食品认证。

【脱贫攻坚】 2016年,纳溪区始终把脱贫攻坚作为一项重大政治任务和第一民生工程来抓,成立了脱贫攻坚指挥部,全面推进脱贫攻坚工作,区委农工办增设1名副主任,专职负责脱贫攻坚工作;成立扶贫移民服务中心,增设8名事业编制,抽调16人和区委农工办一起集中办公;主要区领导定期下村开展蹲点督导、现场办公,对发现的问题第一时间提出整改。全面落实党政“一把手”负总责工作制,层层签订责任书、立下“军令状”,把脱贫攻坚纳入综合目标考核,实行“一票否决”制。建立网格化帮扶管理体系,10名区级领导、10个区级部门结对帮扶10个贫困村,全区下派“第一书记”26名、驻村农技员10名、驻村工作组10个,党员干部与贫困户建立“1+1”和“N+1”结对帮扶模式,“六个一”帮扶实现全覆盖;创新“五个一”帮扶举措,2016年完成999户、3257人脱贫,4个贫困村退出。全区农业产业扶贫投入专项资金2048.6万元,其中争取省级以上投入资金1015万元、市级投入资金465万元、区级投入资金388.8万元、其他资金179.8万元。在贫困村打造休闲农庄4个,申报省级示范农业主题公园2个。在贫困村中大力培育新型农业经营主体,新注册农民合作社8个、家庭农场7个、种养大户11户。

【乡村旅游】 2016年,纳溪区重点推进护国运动文化园区、欢乐派海滩公园、鼓楼山旅游区、“智慧三江”现代农业产业园等项目建设,全年完成投资总额88100万元。凤凰湖旅游区全面启动周边景观建设工作,已完成停车场和道路建设;云溪温泉林海旅游区成功创建为国家4A级旅游景区,完善了标识、环卫设施等旅游接待服务设施;“智慧三江”现代农业产业园完成葡萄园、草莓园土地平整、栽种及产业大棚(一期)建设,栽种西瓜、桃、李子等水果300余亩,启动产业新村、现代蔬菜产业园建设前期工作;鼓楼山旅游区完成寨门修复,完成清平寨和步游道的修建、维护和清理以及相关土地流转;护国运动文化园区完成博物馆管网等基础设施建设完善工作,拓宽进出旅游通道,升级改造护国战争纪念馆布展环境和内容,改善周边及护国公园环境。引进北京威宝创意旅游公司一期投资1000万元建设花田酒地七彩玻璃栈道项目,已动工建设;与深圳文旅健康投资公司签订合作协议,拟投资30亿元打造以长江湿地新城为中心的文化旅游综合体以及升级打造天仙硐景区为国家5A级景区等一批文化旅游开发项目。在继续巩固周边市(州)游客市场的同时,扩展成渝等地区为宣传营销范围,辐射半径300平方千米,通过网络、电视、广播、手机等宣传平台宣传纳溪旅游;按照游客共享的思路,对接当地旅行社、旅游景区等旅游企业,构建旅游线路,打造外部游客通道;举办了四川第四届茶叶开采周活动、花田酒地漂流摇滚音乐节、智慧三江 · 瓜果飘香 第二届葡萄采摘季等活动,提升纳溪区旅游的影响力和知名度。花田酒地和云溪温泉成功创建为国家4A级旅游景区,护国运动文化园区、龙涧酒庄、太山研学旅行基地、泸州欢乐派海滩公园4个景区成功创建为国家3A级旅游景区,启玉葡萄庄园、梦里水乡田园度假农场、乌木水寨3个景区成功创建为国家2A级旅游景区;酒镇酒庄成功创建为省级旅游度假区;纳溪区入选国家全域旅游示范区创建名单并成功创建为四川省旅游强区。

【非物质文化遗产】 2016年,泸州市非遗项目——"老卤匠肖鸭子"生产基地落户渠坝镇;协助泸州市委宣传部完成非遗进校园的教材编写工作,其中纳溪区非遗项目——纳溪民歌和蝴蝶画进入泸州市非遗进校园教材;组织泸州市非遗专家研讨杨师白马鸡传统技艺和纳溪傩戏两个非遗项目,撰写了文字材料,拍摄了相关申报片。

【农村文化】 2016年,纳溪区开展"科技、文化、卫生"三下乡文艺演出活动,书写春联5000余幅,赠送各类致富资料和科普法律资料信息2万余份,歌舞、快板、小品、民俗展演等节目吸引了近5000名观众。在护国镇绍坝小学举行"关爱留守儿童春风行动",为留守学生送去温暖,传递爱心。在大渡口镇平桥村文化广场举行"文化扶贫攻坚"民俗展演活动。利用重阳节契机,在棉花坡镇敬老院开展"九九重阳节浓浓敬老情"活动。在护国镇大理小学举行"关爱留守儿童暖冬行动"。

【2016年度农民增收工作先进经验介绍】 2016年,纳溪区紧盯农民增收工作目标,开拓创新,改革攻坚,努力增加农民工资性收入、经营性收入、财产性收入和转移性收入。全区农村居民年人均可支配收入达13823元,增长9.7%,纳溪区获评为全省农民增收先进县区。

启动建设100万头生猪一体化项目,建成生猪家庭农场6家,在建28家,采取"五统一"和"托养"模式保证养殖户收益。坚持特色兴区发展战略,做优现代农业,加快农民增收步伐。一是特色产业富农。依托林、茶、竹、果、米、酒、醋七大特色产业,建成特早茶基地27.5万亩、林竹基地80万亩、珍稀苗木基地5.7万亩、特色经果林6万亩,全区农业总产值达33.4亿元。二是新兴业态惠农。发展乡村旅游新业态,建成国家4A级旅游景区3个,凤凰湖景区被列为国家级湿地公园试点单位。全年乡村旅游接待游客360万人次,实现乡村旅游总收入5.9亿元,带动特色农副产品及纪念品销售收入2.9亿元。三是电商发展兴农。推进"互联网+农业",建成纳溪特产电商中心,成功与阿里巴巴签约合作,实现"网货下乡"和"农产品进城"双向流通功能。建成镇、村级电商服务站点101个,农副产品上网销售率达85%,网上销售额达8520万元。

以园区建设为核心助推产业集群发展,为农民创业就业增容、扩面、提质,全年农村居民工资性收入达6084.06元,比上年增加475元,增长8.5%。一是建园区促创业。坚持创新驱动,创建中国乡村旅游、中国酒镇酒庄等6个创新创业孵化园区,4个省(市)高校毕业生创业园区,搭建创业就业交流互助平台28个,提供就业岗位近1万个,新增农村就业人数6600余人。二是抓重点促就业。围绕脱贫攻坚,着力就业扶持,举办定向和专场招聘会,开发劳动保障协理、保洁、保安等公益性岗位,吸纳安置建档立卡贫困户648人就业,实现了"就业一人,脱贫一户"目标。三是兴科技促提升。建成现代农业研究所、院士工作站、西南柑橘研究所等5所研究站所,涉农部门引进研究生15人,成立农产品经纪人协会5个,培育农产品经纪人214人。

抢抓列入全省农村改革综合试验区建设契机,着力农村改革,激发农村活力。一是实施产权制度改革。深入推进农村土地所有权、承包权、经营权"三权分置",全区农村承包地确权10.28万户,宅基地和农房"两权合一"不动产登记确权工作有序推进。采取"代管"模式,将36座小型水库委托镇代管,经济效益显著提升。二是开展财政支农项目资产收益扶贫试点。在凤林虫草鸡、高优茶叶等5个专合社开展财政支农项目资产收益扶贫试点,实现资金变股金、农民变股民,高优茶叶合作社的20户贫困户成为全市首批享受分红的贫困群众。三是发展村集体经济。按照"一改三化"发展思路,全区201个村(社区)均成立了村集体公司,大渡口镇平桥村、天仙镇银罗村成为全省发展农村集体经济助推脱贫攻坚现场推进会参观点。采取村级结余资金债权投资区国资公司模式消除"空壳村",村级组织的"造血"功能全面增强。四是改革融资机制。探索以土地流转经营预期收益作保证获得贷款模式,发放土地流转收益保证贷款3000万元、农村产权抵押融资贷款300万元。启动农村资金互助组织试点,组建田园乐农村资金互助合作社,筹资500万元,农村融资难问题进一步破解。

优先保障区财政对农业农村的投入,确保力度不减、总量递增。一是加大财政投入。全年农林水、就业、医疗卫生等民生支出19.5亿元,占地方公共财政预算总支出的78.23%。二是落实政策补贴。严格落实各项强农惠农政策,发放农业支持保护补贴到户资金4975万元,政策性农业保险实现"应保尽保"。三是夯实农村基础。全区所有行政村通水泥路,解决农村安全饮水问题14.33万人,成功创建省级"四好村"9个。"智慧三江"现代农业示范园初具雏形。整合资金1.45亿元投入脱贫攻坚,实施涉农打捆项目28个,就近解决农村劳动力就业1800余人,带动农民人均增收1300余元。

【主要领导人】 区委书记:徐利;区人大常委会主任:詹忠平;区长:谭荣兵;区政协主席:朱太成;分管农业副区长:陈小平。

纳溪区编写组

泸　县

【基本情况】 2016年,泸县辖20个乡(镇、街道),有农业总人口92.7万人,有耕地面积84853.31公顷,增长88.06%;基本农田127.28万亩,减少0.12%。

【年度农业和农村经济运行】 2016年,泸县实现农业总产值799767万元,增长3.87%;农业增加值482008万元,增长4.1%。农民年人均可支配收入 13805 元,增长 9.8%。粮食总产量 54.3426 万吨,增长 1.95%。

农业产业化发展。泸县坚持工业招商理念,引进和培育市级以上产业化龙头企业 35 家。按照"产加销"全链条一体化发展要求,积极推进"十个万亩生产基地、两个产地集配中心、一个百亿加工园区"建设。2016 年,全县产业化龙头企业实现产值 42 亿元,带动就业创业农户 12.6 万户。

【林业】 2016 年,泸县森林面积 197.95 万亩,完成森林管护 10.88 万亩、营造林 3.7 万亩、新造林 0.5 万亩,巩固退耕还林成果 7.2 万亩;新增森林面积 0.25 万亩,新增森林蓄积 1 万立方米,活立木蓄积量达 53.18 万立方米,森林覆盖率增长 0.1%。引进落户项目市外投资 3000 万元,引进林业项目 2 个。全年实现林业总产值 16.5 亿元,其中林业旅游和休闲服务产业产值 6.3 亿元;农民人均从林业获得收入 1160 元。

2016 年泸县省级农业产业化重点龙头企业名单

企业名称	法人代表	示范等级	行业分类	主营产品
泸州刘氏食品有限公司	宋正中	省级	食品	食品
四川泸州龙城粮油购销有限公司	杨永明	省级	食品	粮油
四川天之骄子实业有限公司	罗柏林	省级	酒业	酒类
泸州凯乐名豪酒业有限公司	周德文	省级	酒业	酒类
泸州陈年窖酒厂	陈太均	省级	酒业	酒类

2016 年泸县省级(及以上)示范农民专业合作经济组织名单

合作组织名称	注册资金(万元)	法人代表	示范等级	年度产值(万元)	行业分类	主营产品
泸县科裕果业专业合作社	315	武万琼	国家级	580	特色产业	龙眼
泸县蜀汉天府种粮专业合作社	700	刘道国	省级	320	粮食生产	水稻水产
泸县秋桂园林专业合作社	510	胡代秋	省级	323	苗木	苗木
泸县太伏镇龙马祠种养殖专业合作社	1032	李鹏飞	省级	350	特色产业	水果、中药材
泸县嘉渔水产专业合作社	1206	廖贤德	省级	130	水产养殖	水产品

2016 年泸县家庭农场经营情况统计表(前 10 位)

家庭农场名称	注册资金(万元)	法人代表	年度产值(万元)	行业分类	主营产品
泸县永青家庭农场	500	张超权	517	特色种养殖	水产品、水果
泸县鑫睿粮食蔬菜家庭农场	5	邱青兵	208	特色产业	蔬菜、水果
泸县得胜镇果田花乡家庭农场	100	林德莉	268	特色产业	水果
泸县程鹏家庭农场	100	彭玉芳	385	特色产业	水果
泸县石桥镇兴盛家庭农场	5	郑国君	100	苗木	花木、水果
泸县清泉家庭农场	20	肖学清	150	特色产业	水果
泸县新颖种植家庭农场	50	游成斌	304	特色产业	水果
泸县毗卢镇名晟家庭农场	0.3	李柱高	197	特色产业	蔬菜、水果
泸县佳禾苑家庭农场	10	游世强	70	特色产业	水果、蔬菜
泸县金丰收家庭农场	270	郑小英	120	特色种养殖	水果、生猪

【乡村旅游】 2016 年,泸县乡村旅游接待游客 205 万人次,同比增长 19.7%;实现乡村旅游收入 10.25 亿元,同比增长 18.6%。龙桥文化生态园完成游客中心、停车场、游步道、自行车道、电瓶车道等基础设施建设,成功创建为国家 4A 级景区、"全国休闲农业与乡村旅游示范点"、"中国美丽乡村"、"中国乡村旅游模范村"。道林沟景区保护性规划通过泸州市专家审查委员会审查,旅游开发总规、景观设计完成审查,景区景观、游步道等基础设施建设按照程序有序推进,完成景点连接线公路建设 3 千米,升级改造景区内农家乐 3 家。举办首届龙桥百花洲赏花节、第四届雨坛彩龙民俗文化节、第七届云锦山梨花节等活动,泸县乡村旅游知名度不断提升。县域内有四星级乡村酒店 1 家、三星级农家乐 6 家。福集镇小马滩村、潮河镇后湾村、立石镇玉龙村创建为"省级乡村旅游示范村";玉蟾街道龙桥社区被

评为“中国乡村旅游模范村”；玉蟾山庄被评为“中国乡村旅游金牌农家乐”，福集镇锦绣农庄创建为三星级农家乐。

【扶贫攻坚】 2016年，泸县按照“先谋快动、动则必成”要求，全面推进脱贫攻坚，取得了阶段性成效，达到了整县脱贫“摘帽”的标准，其中19个贫困村、3495户贫困户、10022名贫困人口高质量完成退出。

住房保障集中攻坚，提前实现目标。省上下达泸县易地扶贫搬迁任务为191户、449人，泸县四年任务一年完成，实际搬迁882户、2087人，工作经验在全省进行推广。一是坚持“三项优先”，倒排确定对象。为快速准确确定最困难、最需要搬迁的贫困户，对申报对象通过打分倒排法确定。对无子女无赡养人的老年贫困户以及全家丧失劳动能力、无经济来源的特困户优先，对长期无房户、D级危房户优先，对自愿遵守搬迁政策签订搬迁协议的优先，确定优先项目相应评分分值，通过村委会核实，村民代表大会公开评分，按镇为单位倒排确定名单。二是突出“三个协商”，重“民意”精准实施。协商选定安置方式，政府提供兜底养老的公寓安置、宜居宜业的小区安置、共建共享的新村安置、盘活存量的现房安置4种模式由农户自主选择。协商确定建设选址，政府组织职能部门针对1个安置点筛选出2~3个拟建点，供搬迁户商议选择，再根据多数人意见确定正式搬迁点。协商推进项目建设，采用“搬迁户委托，村“两委”组织，摇号确定施工队伍”的方式联户打捆，整体推进；责令部门主动服务安置点建设，开辟绿色通道，简化办事流程，做到程序服从进度；县、镇、村、户全程参与项目建设管理，抓实“四书四监督”关键环节，确保项目工程推进快、建得好。三是坚守“三条底线”，控“标准”减轻负担。坚守面积底线，按照上限控制、综合平衡的思路，因户施策，严守标准，适当调减3人以上多人户住房面积，保障搬迁户基本生产生活需求，确保人均住房面积不超过25平方米。坚守成本底线，引导材料供应商微利供货，督促建筑施工单位加强工程管理，把房屋主体建设成本平均控制在950元/平方米左右；10户以上的聚居点由县财政出资，其他散居点由帮扶单位出资，集中采购电视、沙发、餐桌等生活设施。坚守取费底线，出台脱贫攻坚要素保障文件，对水、电、路、气、网等配套设施建设实行保本或者救助性安装，确保取费“能免则免、能减则减”，全县减免相关费用达1200余万元。四是完善“三类配套”，统“项目”整合资源。综合配套基础设施，统规统建生产生活设施，把水、电、路、气、网建设任务分配到主管局，作为政治任务倒排工期，挂图作战，限期配套，确保实效。综合配套特色产业，探索形成了“1+N”的产业配套模式，即“搬迁户+种养殖（植）园”的特色经济发展模式，“搬迁户+土地资源利用”的易地盘活模式，“搬迁户+业主经营”的资产入股分红模式，“搬迁户+劳务转移”的非农就业模式，确保“搬得出、稳得住、能致富”。综合配套基本服务，划定基本公共服务半径，对距离学校、医院等机构在1.5千米范围以外的安置点配套建设医疗卫生室、文化活动室、幼儿园等基本公共服务设施；对在安置点1.5千米范围内有相应设施的不再重复建设，节约资源，就近配套，确保搬迁户在合理范围享受到良好的公共服务。

发动社会各界参与，形成脱贫攻坚合力。县委县政府把社会扶贫作为“八大扶贫攻坚行动”之一，成功构建了专项扶贫、行业扶贫、社会扶贫互为补充的大扶贫格局。县委县政府主要领导多次召开专题会议研究社会扶贫工作，县政府将社会扶贫列入脱贫攻坚目标考核体系，出台了《泸县人民政府办公室关于深入动员社会力量参与扶贫开发的实施意见》。包装推荐脱贫项目，各镇（街道）收集脱贫短板，编制爱心脱贫项目库供社会各界选择。扶贫募捐实行条块分工负责制，上下联动推进，县级行业部门（系统）负责本行业系统内机关企事业单位和经济、社会组织的募捐组织和发动，各镇（街道）负责本区域范围的募捐组织和发动。通过协调上级媒体聚焦泸县，县级媒体联动报道，积极引导社会各界爱心力量参与“扶贫日”系列活动。在栋梁工程活动和全国第三个“扶贫日”活动期间，向各类企业、在外商会、在外成功人士发出扶贫捐赠倡议书5000份。相关县级部门利用安全检查、党建宣传等工作机会向企业宣传脱贫攻坚政策，推荐爱心脱贫项目。各镇（街道）动员各界助力脱贫攻坚。工商联、基金会等主动到其他市（州）商会开展扶贫动员活动，动员在外成功人士返乡创业。“扶贫日”活动期间，全县共计收到捐赠款2800万元。开展“扶贫一日行”活动，由县直机关工委组织，对全县建档立卡贫困户实施慰问活动，共计发放棉被21450床、棉衣4万件。开展“百企联百村”活动，重点做好泸州市“百企联百村”第一批共21家企业（商会）对泸县17个贫困村联村帮扶服务工作，帮扶企业累计捐赠219.5万元，帮助贫困村改善基础设施、实施危房改造等，同时开展技术培训、扶贫助学、吸纳就业等开发式帮扶；县投资促进局、县经开区等部门动员20家园区企业与贫困村、贫困户开展结对帮扶。开展“志愿服务进万家”活动，组织了45支志愿者服务队伍，组建了龙城义工协会等公益义工团队，慰问病残特困户，关爱贫困留守儿童生活学习情况，帮助贫困户修建住房并捐赠饮水机、电风扇等基本生活用品。开展“栋梁工程扶贫助学”活动，动员机关干部、企事业单位、社会爱心人士捐赠134.64万元，帮助447名贫困学子圆了大学梦。

乘势而上，巩固成效，助推小康建设。对13650户、40042名脱贫人口脱贫成效开展“回头看”，对稳定脱贫对象继续给予适当支持，返贫对象由行业部门归口补短板重点扶持；对新增贫困户建立县级台账动态管理给予帮扶；重点对7737户、21492名达标贫困人口和21个达标贫困村深化精准帮扶，确保所有贫困户年人均纯收入超过3500元，全面解决其看病难问题，确保义务教育阶段学生不因贫失学，每户都有安全住房，严格按照退出标准和程序高质量完成退出。

产业扶贫项目。围绕“一村一品”发展主导产业，每个贫困村基本都有自己的主导产业。安排农业种养殖产业扶贫项目6个，总投入4534.68万元，其中县级以上政府性投入1496.2万元、其他资金投入3038.48万元。完成产业扶贫优质稻绿色攻关模式项目实施面积1万亩、蔬菜种植4000亩、水果种植3800亩、中药材种植6000亩，发展生猪1.85万头、特色小家禽20万只。依托四川巨星农业龙头企业采取“公司+农户”模式在方洞镇庆丰村发展生猪寄养，建设村合作社集中养殖小区5个和贫困户猪场10户，打造年出栏5万头优质生猪寄养示范片，成为了庆丰村的支柱产业。贫困户寄养猪场全部建成并投产7户，村集中养殖小区建成4个（已投产3个）。贫困户自建寄养猪场年可出栏生猪500头，年收益在5万~10万元左右，实现“半年脱贫、一年致富”；5个养猪小区年可出栏生猪1.5万头，年收益在150万元左右，部分贫困户作为饲养员进入小区务工，年获得工资性收入3万元左右，达到“一年脱贫、两年致富”。

贫困村新型农业经营主体。贫困村大力培育种养大户、家庭农场、农民合作社等新型农业经营主体，引领和带动贫困户发展优质稻、特色水果、生猪、特色小家禽等增收致富产业。在贫困村培育发展农业产业化龙头企业1家、农民合作社35个、家庭农场35家、种养大户92户，新型农业经营主体带动贫困户842户，其中，以刘氏泡菜原料生产和天凤黑木耳生产为示范重点，采取“龙头企业+合作社

+家庭农场(农户)”经营模式帮助贫困村建立种植基地500亩以上,带动贫困村、贫困户发展订单生产并提供就业岗位,增加了贫困户收入。

【深入推进宅基地制度改革】 2016年,泸县明确1名副县长和政协副主席专抓宅基地改革工作,组建了专门工作机构。在玉蟾街道龙桥社区、天兴镇分别打造了龙桥文化生态园、田坝村示范点,先行探索。重点完善不同区域、不同类别的农村宅基地退出保障机制,初步形成了“乡村文化旅游、新农村综合体建设、易地扶贫、新社区建设、生态搬迁”5条改革路径。启动泸县农村土地征收、集体经营性建设用地入市试点改革,建立农村集体经营性建设用地入市制度和兼顾国家、集体、个人的土地增值收益分配机制,已完成方案审定及动员部署工作,计划于2017年11月全面完成。

【启动农民住房财产权抵押贷款试点】 2016年,泸县成立了由县长任组长、分管金融工作的副县长任副组长、县级相关部门主要负责人为成员的县农民住房财产权抵押贷款试点工作小组,试点银行业金融机构也成立了领导小组,负责研究制定信贷政策。制订印发了《泸县农民住房财产权抵押贷款试点实施方案》,试点银行业金融机构制订了相应贷款实施方案。由县财政局出资500万元设立农民住房财产权抵押贷款风险补偿基金,用于补偿分担自然灾害等不可抗力形成的风险以及抵押物处置后不足以弥补本金损失的贷款风险,损失分担比例为发放贷款的试点金融机构承担50%,风险补偿基金承担50%。截至11月,全县农民住房财产权抵押贷款试点业务已发放贷款7笔,共计239万元;办理抵押登记5户,共计111万元;在贷款5笔,余额228万元。

【全力推进供销社改革试点】 2016年,泸县建立了县级化肥淡季商业储备制度,实行财政贴息、供销社储备,年储备化肥1万吨以上,确保了农资供应不断档脱销。县农资配送中心开展对专业合作社、家庭农场、种植大户直供配送农资商品服务。庄稼医院提供测土配方施肥、科学用药及植保天气预报、病虫害预报等服务,既管供又管用,有效解决了农村面源污染,促进农产品提质增效。制定了泸县龙眼、青花椒生产技术规程和包装、贮运技术要求等标准体系,创新二维码生产过程全覆盖。全面组织实施第八批国家龙眼栽培综合标准化示范区等项目建设,有效提高了农产品质量安全水平。在建立县级特色农产品展示展销中心的基础上,在市城区、县城和重点镇开办农产品连锁配送店,为全县农产品生产企业和农民专业合作社搭建产销对接平台。依托泸州供销电子商务有限公司,启动村级电子商务服务站建设试点,全面推进农产品网上交易。

【实施城乡地籍信息整合改革】 2016年,泸县确定城乡地籍信息整合的目标与内容并制订了工作方案。以乡(镇)为单位,逐个开展农村宅基地、集体建设用地的外业调查和上图工作。通过外业补充调查方式获取空间坐标信息,核对各权利类型的实地界限,为地籍数据库建立提供了准确基础数据。建设完成城乡地籍一体化所有权数据库、使用权数据库、土地利用库数据库结构,对现有数据实现格式转换并且入库。城乡一体化地籍信息管理系统开发工作已完成并投入使用,分为项目管理、所有权管理等11个模块。

【农田水利设施产权制度改革和创新运行管护机制改革】 2016年,泸县在2014年小农水重点县项目区云锦镇云丰村进行建管一体化试点,整治渠道30.9千米、山坪塘5口,新建蓄水池4口,改造泵站2处,整治排灌渠1.5千米、田间道路2.5千米。以云锦镇云丰村村委会为项目法人,蓄水池以云丰村受益农户为项目法人,项目法人作为项目申报主体、出资主体、实施主体、监管主体、管护主体,实现了建设管理一体化。在云锦镇隆庆寨生态园试点新建新型太阳能提灌站1座,探索完善项目建设方式,项目总投资123万元,其中政府补助98万元、生态园业主投入25万元,改善灌面1300亩,实现了灌区的自动供水,有效改善了项目区的经济效益、生态效益和社会效益。2016年3月21日召开了全县小型水利工程确权颁证工作会议,安排部署了年度确权颁证工作阶段性计划,要求各镇按照时间节点做好确权颁证工作。在三溪口水库杨九灌区农民用水户协会进行试点开展农业水价综合改革,将农业水费收费权下放到农民用水协会,县级对协会给予资金补助和技术指导,扶持协会发展。积极探索以三溪口水库用水户协会等新型农业经营主体作为工程维修养护实施主体。在玉蝉街道龙华村流转土地上的水利工程试点采取承包的方式由泸州新大地农业生态有限公司进行经营和维护管理,同时满足了当地农民用水需求。

【2016年度农民增收工作先进经验介绍】 泸县是全国农村土地制度三项改革试点县。全县坚持以农业增效、农民增收为核心目标,扎实推进农业供给侧结构性改革。2016年,全县实现农业增加值48亿元;农村居民年人均可支配收入13956元,增长11%,高于全省平均水平1.7个百分点。

以绿色安全为目标,做优地方特色农产品。立足龙眼、生猪、优质稻、蔬菜等产业优势,实施产品联合、品牌联合、营销联合,推动泸县龙眼“中华名果”、四川奇奇食品等30余个省、市知名品牌抱团发展,成功打造“龙城土特产”主导品牌。建立农业投入品县、镇、村、企4级台账,农产品全过程记录台账,全域土壤管理台账,为绿色农业生产提供了技术支撑。成功申报国家地理标志产品认证2个,建设有机龙眼生产基地5万亩、高标准农田16万亩、现代农业示范区5个。推行以种养循环为主的高效农业发展模式,坚持“五统一”标准化生产,重点发展10万亩国标二级优质稻、30万头PIC生猪等专用农产品,积极发展“刘氏泡菜”等特色农产品,联合开发“赶黄草”等功能农产品。

以三产融合为路径,多渠道拓展农业功能。以“土地适度改造+股权流转+农业招商+公司运作”方式建成科技农场18个、代耕农庄50个、康养小镇8个。不断丰富“产业+旅游”“新村+旅游”“文化+旅游”等发展内涵,乡村旅游业加快发展。深入推进全省电子商务进农村综合示范县和供销社综合改革,建成县级电商孵化运营中心1个、镇级电商旗舰店20个、村级电商网点251个、冷链物流配送中心8个、新型基层供销社13个,构建起县域全覆盖的电商运营服务网络。2016年,全县电商营业额达15亿元,带动农民人均增收600元左右。

以深化改革为引领,培育农业农村发展新动力。坚持“大业主做小农业”“小农业创大市场”的发展理念,大力实施十个联合社、百个龙头企业、千个农场、万个大户“十百千万”培育工程。通过“政企校”联培和资质认证方式,培育职业农民、职业经纪人2260人;以配套设施投入“政企各半”等奖扶政策为引领,建成精细化农场(农庄)166个。结合农村土地制度改革试点,探索农村土地“三权分置”,搭建土地流转服务平台、监测系统和农村产权流转交易平台,大力推行土地集中经营、委托经营、股份经营。组建农资配送、农机作业、康健养老等社会化服务组织226个,通过农民互换并地、大户连片耕种、公司股份经营等方式规模流转土地35万亩。结合农村集体产权制度改革和农村土地改革试点,在行政村探索成立实体化集体经济组织，通过资金入股强产业、土地入股强服务、招商引资强实体等模式壮大集体经济。2016 年，全县成立实体化集体经济组织 251 个，新增村集体收入 5000 余万元。

以强基固本为抓手，全力助推脱贫奔康。坚持"全域统筹、科学规划"，大力实施农村道路交通、电网建设、安全饮水、污水处理和危房改造等"4+1"基础设施改善工程，实现农村基础提升、民生改善。近两年来，全县共投入资金近 20 亿元，全面实现水泥路"村村通"、D 级危房动态消除，新解决 48 万名农村人口饮水安全问题。按照贫困户"五个一批"和贫困村"六个着力"脱贫"摘帽"路径，统筹实施基础设施、新村建设、特色产业、能力提升、思想转化、社会保障、社会参与、基层组织建设"八大扶贫攻坚行动"，全县 3.1 万名贫困人口脱贫、40 个贫困村退出。积极探索并推广"川南水乡型""乡村驿站型""幸福农家型""集体农庄型"等新村建设模式，示范引领全县群众"住上好房子、过上好日子、养成好习惯、形成好风气"。2016 年，全县成功创建省级"四好村"32 个。

【全国粮食生产先进县经验介绍】 抓水稻高产高效创建。2016 年，泸县以玉蟾街道、福集（贫困村）、天兴、嘉明、喻寺、方洞、得胜、云龙、兆雅、太伏 10 个镇 28 个村 3 万亩百里示范长廊核心区和 20 个镇（街道）的 386 户种粮大户为重点，创建了 30 个万亩示范片，辐射带动水稻整县绿色高产高效创建工作。项目区全面推广"七统"集成科技，即统一良种统供、统一旱机秧统育、统一规范化统栽、统一施肥统配、统一病虫害统防、统一粒芽肥统施、统一技储统攻，30 个万亩示范区超高产强化栽培、机插秧、直播稻、配方肥、病虫害绿色防控等集成技术覆盖率达 82.3%。同时，与省级龙头企业泸州金土地公司签订订单收购合同面积 3.2 万亩，保证高于市场价 10%以上收购，平均每亩增收 250 元左右，带动全县发展部颁三级以上优质稻 57.5 万亩。2016 年 8 月 9 日，受农业厅委托，泸州市农业局组织有关专家对泸县承担的农业部水稻绿色高产高效创建项目进行了中稻测产验收，方洞、天兴、兆雅 3 个镇按照上、中、下等田挖方测产，共 9 个田块，平均亩产分别为 778.6 千克、703.1 千克和 605.4 千克；核定整县制项目区中稻高产创建平均亩产 668.9 千克，其中最高亩产为兆雅镇石龙村农户稻田，亩产 810.5 千克。核定整县制项目面积 31.51 万亩，中稻平均亩产 668.9 千克，再生稻平均亩产 151 千克，中稻再生稻平均亩产 819.9 千克，比非示范区亩增产 85.5 千克，增产稻谷 2694.11 万千克，增加产值 7435.7 万元。由于在项目区推广稻鸭共育、杀虫灯、性诱剂诱虫、生物农药控制病虫等无公害病虫害防治技术，大大减少了农药用量，每亩节支 20 元以上，项目区总节支 630.2 万元，项目实施实际增收节支 7245.9 万元。绿色高产高效模式增收情况。一是"中稻+再生稻+秋菜"水旱轮作模式。按照"二级优质稻+绿色生态种植+机械化耕种收+订单收购+精深加工+品牌直销"的"产加销一体化"模式，稻谷高于市场价 10%以上，平均每亩增收 250 元，再生稻平均每亩增收 150 元，儿菜和油菜平均每亩增收 400 元，共增加收入 160 余万元。二是高效"稻渔耦合"模式，在方洞镇示范区发展稻鳅专业化养殖 500 亩，引种台湾泥鳅养殖，泥鳅平均亩产 360 千克，产值 7800 元；稻谷平均亩产 630 千克，产值 1700 元，亩纯收益达 6000 元以上，共增收 300 余万元。三是高产高效"种养循环"模式，种植优质稻 2000 亩，饲养良繁母猪 100 头，平均每亩增收 800 元，增效 160 万元。

抓现代农业"5123"工程推进。在高粱产业没有项目支撑的情况下，通过项目捆绑筹集 10 万元购买"川糯粱 1 号""金糯粱 1 号"等优质高粱种子 3.6 吨发放到示范户手中，带动了高粱产业发展。完成正季高粱播种面积 9.64 万亩、再生高粱播种面积 3.6 万亩，超额完成目标任务。在嘉明镇护松村，海潮镇陈湾村，奇峰镇金鱼村，潮河镇潮河村、五谷寺村，牛滩镇天全村、寿尊村等地稳定发展高粱产业，促进种植户增产增收。项目区杂交高粱平均亩产达 421 千克，常规高粱平均亩产达 216 千克，杂交高粱价格为 3.5 元/千克，常规高粱价格为 4.8 元/千克，促进了农户增收。

抓措施落实。全县高产创建核心区种植"宜香 2115""内 5 优 828""宜香优 5979"和"川优 6203"等部颁二级优质稻 5.5 万亩；与省级龙头企业签订订单收购合同，带动全县发展部颁三级以上优质稻 57.5 万亩。将全县 20 个镇（街道）所有水稻种植大户、专业合作社和家庭农场纳入高产创建项目实施区域，积极支持土地流转，推行"播、栽、管、收"全程或者环节托管；在种粮补贴、农机购置补贴、农业基础设施建设、技术培训方面予以优先考虑，项目技物配套物资优先倾斜，着力培育粮食生产新型主体；新型主体水稻规模化种植面积为 3.53 万亩，比上年增加 1.43 万亩，完成目标任务的 158.9%。开展新技术推广及新品种试验示范，推广机插、机收全程机械化面积 4.5 万亩，直播稻面积 161 亩，机收中稻蓄留再生稻面积 21.2 万亩。通过召开全县水稻高产创建和新技术推广巡回现场观摩会，促进了相互交流学习借鉴。结合供给侧结构性改革，围绕种植业结构调整，组装配套以农业机械为载体的绿色生态环保、资源高效利用、生产效能提升技术模式。2016 年水稻绿色高产高效项目重点以"中稻+再生稻+秋菜（油菜）"水旱轮作、稻渔耦合、种养循环和"中稻+再生稻"四种模式为主，实现生产过程的全程机械化、精准化、信息化，提升了资源配置水平和利用效率。一是高产高效"中稻+再生稻+秋菜（油菜）"水旱轮作模式。在兆雅镇实施，面积 2000 亩，重点示范国标二级米优质稻、集中育秧、耕种收烘干、产品初加工一体化、"稻—稻—菜（油）"水旱轮作耕作模式。二是高效"稻渔耦合"模式。在方洞镇实施，面积 2000 亩，重点示范国标二级米优质稻、集中育秧、耕种收烘干一体化稻渔耦合耕作模式。三是高产高效"种养循环"模式。在嘉明镇实施，面积 2000 亩，重点示范国标二级米优质稻、集中育秧、耕种收烘干一体化绿色生态环保种养循环耕作模式。针对制约水稻生产的资源、技术、效益瓶颈，从品种选用、农机改进、高产高效技术试验等方面着手，开展了水稻机播、机插、直播稻和机收中稻蓄留再生稻等轻简栽培技术瓶颈攻关，开展了 23 个水稻品比试验、适应机收蓄留再生稻 9 个品种筛选试验等，促进农机农艺深度融合、良种良法配套，取得了重要进展。

抓行政推动。县委县政府高度重视粮食生产，多次召开大、小春及晚秋生产会，印发文件和下达目标任务。建立了强有力的领导机构，县政府成立了县长为组长、分管副县长为副组长和相关单位一把手为成员的粮食生产领导组，实行行政首长负责制。将粮食生产纳入政府目标考核，层层分解下达任务，县政府年初以文件形式将粮食种植面积、产量指标下达各镇，各镇再规划落实到村、社、农户，确保粮食种植面积稳定和目标明确，同时每年都把高产创建任务纳入农业农村经济发展目标考核，县、镇、村和部门内部层层签订目标责任书，实行逐级奖惩逗硬，形成了"行政单位+推广单位+示范农户"的多层联动模式。狠抓粮食生产关键环节的检查督促，县"四大班子"领导带队组成督查小组不定期深入镇、村巡回检查督促和指导。县目标办也适时开展专项督查，通报情况和进行评比等。认真落实惠民政策，增加粮食科技推广投入，每年除及时兑现粮食直补、农资综合补贴和良种补贴外,县政府还以具体行动积极支持粮食生产。

县农业局针对大、小春和晚秋生产关键阶段开展各类技术培训,通过开展"科技赶场"、印发技术资料和"明白纸"方式做到推广技术家喻户晓。在育秧、栽秧等关键环节,采取人员、时间、精力"三集中",分别派出督导队和技术指导组到项目区的村社和田间地头培训、督促、指导示范户推广应用集成高产技术,有力地确保了集成高产技术的到位率。按照"百亩攻关、千亩展示、万亩示范"的模式,采取"七抓、七统"措施,倾力打造中稻再生稻、高粱再生高粱两季高产创建百里示范长廊,成功实现了大样板、大辐射和大带动,挖掘了巨大增产潜力,2014—2016 年带动全县再生稻总产超亿斤和高粱总产的持续增长,继续保持了水稻总产、单产全省第一的地位,促进了粮食产量的连年增长。

【四川省现代畜牧业重点县经验介绍】 泸县是农业大县、畜牧业大县、生猪产业大县,先后创建为全国商品瘦肉型猪基地县、国家级无规定动物疫病区示范区、国家级生猪标准化养殖示范区、四川省精品农业(畜牧)示范区、四川省第三批现代畜牧业重点县、省级出口肉用猪质量安全示范区。按照现代畜牧业发展要求,全县坚持"机制创新、规模发展、健康养殖、产品安全"发展思路,以生猪、肉鸡、黑山羊产业为主导,基本形成了"专业化生产,一体化经营,社会化服务"的现代畜牧产业发展格局。2016 年,全县生猪存栏 79.24 万头,同比增长 1.2%;牛存栏 11125 头,同比增长 3.2%;羊存栏 97340 只,下降 8.6%。生猪出栏 109.32 万头,同比增长 1.32%;肉牛出栏 3200 头,同比增长 20.5%;羊出栏 15 万只,同比增长 1.5%。全年肉类总产量 105752 吨,同比增长 1.4%,其中猪肉产量 7.88 万吨,同比增长 1.32%。PIC 生猪三级繁育体系逐渐完善,建成 PIC 生猪标准化养殖场 288 个、养殖小区 132 个,生猪规模养殖比重达 72.6%;建成万头猪场 3 个,建成国家级生猪标准化示范场 3 个、省级生猪标准化示范场 2 个;有畜牧专合社 82 个,其中省级示范专合社 3 个、市级示范专合社 18 个。成功培育"蜀龙"仔猪、"世尊"猪肉、"太伏"火腿和"雨坛""龙腾""玉蟾"禽蛋等著名商标和知名畜禽品牌。

多龙头到大龙头的创新。2015 年 1 月 23 日,县政府与四川巨星企业集团有限公司(以下简称"四川巨星公司")正式签订 50 万头优质生猪产业化项目投资协议,项目预计总投资 10 亿元,力争用 4~5 年时间建成存栏 1000 头 PIC 祖代场 1 个、存栏 5000 头父母代种猪场 3~5 个、年出栏 1000 头生猪寄养场 500 个,建设 1 个集产业发展、项目培训、物资储运、检验检测等 4 个中心和 20 万吨饲料加工场于一体的泸县巨星公司。

养殖方式创新。推广巨星生猪寄养模式,公司与寄养户签订生猪寄养合同,全部实行巨星公司"七统一、一保障"的管理模式,寄养过程中责、权、利十分明晰,寄养户收入有保障,彻底改变了过去公司与农户的一次性买卖关系,把公司利益与农户利益紧密联系到一起。

技术创新。猪场建设设计以实用、节约为基本理念,种猪场建设按照国际现代化的标准设计;寄养户圈舍建设采用适合猪只生长,投入以实用、经济为主,使多数农户能进入生猪寄养行业。养殖模式改变以往常规的"三点模式"(种猪一点、仔猪培育一点、育肥猪一点)为"两点模式"(种猪一点、育肥猪一点),减少了仔猪培育环节,降低了猪只应激反应,提高了生猪存活率和养猪效益。

养殖用地储备创新。根据县政府与巨星公司签订的生猪产业化合作项目,结合泸县畜牧"十三五"发展规划,对每个镇提出了做好畜禽养殖用地储备的要求,全县共调整养殖用地 6700 余亩,为今后 5 年泸县现代畜牧业发展做好了必备的土地资源储备。

猪场建设由普通型向现代型转型升级。对老种猪场进行全封闭、全温控、全自动化改造,粪污处理采用水泡粪+大中型沼气工艺进行污染治理,污水通过处理后达到农业用水排放标准;对新建种猪场全部委托美国派斯通公司负责设计以及设备选型、建设管理,从而达到与国际水平接轨。寄养户圈舍全部采用水雾降温和地暖降温保暖设施,粪污处理全部采用"三分离两配套"(人畜分离、雨污分离、干湿分离,沼气池、沼液澄清池配套),养殖过程达到了设备设施化,改变了过去猪只因高温、低温影响发生疾病造成生长不良和死亡。

养殖方式由粗放型向精准型转型升级。按照种猪生产→仔猪繁育→商品猪饲养流程三级严格分开,做到精准养殖。巨星公司主要从事种猪生产及商品仔猪繁育,大大提高了种猪生产效率,能繁母猪的 PSY 由原来的不到 20 头提高到现在的 26 头。生猪寄养户专门从事商品猪养殖,技术由公司片区人员负责指导,每户生猪养殖数量从平均几十头上升到 1000 头(贫困户除外)。

养殖环境由污染型向环保型升级。对新建猪场一律先进行环境评价,猪场建设与污染设施建设必须做到"三同时",项目验收前必须先通过环控验收。对粪污治理和病死畜禽处理主要采取 4 个方面措施:一是积极引进有机肥生产企业对养殖过程中产生的粪、尿进行有机肥加工,变废为宝;二是引进项目,建立种养结合循环基地,通过管网将规模养殖场产生的沼液直接输送到蔬菜大棚,为生产有机蔬菜提供优质有机肥;三是鼓励适度规模养殖户租用农田种植藕、芋头、高笋等耗肥作物,实现种养结合;四是在牛滩新建 1 个年处理病死猪 1 万吨生产能力的无害化处理厂,建立与保险联动的运行机制,立足服务泸县,带动周边地区。

效益由风险型向稳定型升级。通过生猪寄养避免了生猪养殖由农户承担市场风险,农户收入得到了保障。自 2014 年 6 月开展生猪寄养以来,寄养户收入逐年提高。从生猪寄养情况来看,一个劳动力可管理 1 组(年出栏生猪 1000 头),按 2016 年 6 月全县寄养户平均收入水平 185 元/头计算,出栏 1000 头年收入可在 18.5 万元左右,经济效益可观。

【平安渔业示范县经验介绍】 2016 年,泸县围绕建设"平安泸县"的总体部署和开展"安全生产年"活动的工作要求,全面落实渔业安全生产责任制,建立健全基层渔业安全监管网络,夯实渔业安全生产基础,构建渔业安全管理长效机制,努力推动渔业安全形势持续稳定好转。有效落实渔船管理、船舶检验登记及船员培训、考试、发证制度,建立健全并严格执行渔业安全事故报告、统计和调查处理规定、渔业突发事件应急处置机制、24 小时应急值班等制度。完善渔业信息服务和突发事件应急指挥调度机制,配备渔船安全设备,制定和完善渔业安全生产和防灾减灾预案,积极推进渔业互助保险,进一步提高渔业突发事件应急、水上渔民救助和防灾减灾能力。加强渔业安全生产宣传教育和培训工作,组织开展各种形式的宣传教育活动,进一步提高广大干部职工和渔民对渔业安全法律法规及防灾减灾知识的知晓率,通过举办渔业船员培训班、渔民座谈会等形式重点加强安全生产法律法规学习和船员避碰规则等专项技能培训,提高渔民安全生产意识和技能。同时,结合创建活动主题,深入开展渔业安全生产重大事故警示教育活动,实现安全宣传入村进户到人。按照"属地管理、横向到边、纵向到底,任务到岗、责任到人"的要求,全面落实渔业安全生产责任制,县与镇、镇与村、村与渔船船主 100%签订渔业安全生产责任书,明确渔业安全生产第一责任人,将渔业生产经营管理单位、渔船船主的安全生产主体责任落到实处,渔船检验率和渔业船员持证上岗率达100%,确保不发生重大渔业安全事故。泸县成功创建为“平安渔业示范县”。2016年,全县水产品总产量3.44万吨,比上年增加1900吨,增长5.85%;实现渔业经济总产值4.5亿元,比上年增长5.4%,农民人均渔业增收52元。

【回乡创业之星选介】 李允顺,出生于得胜镇顺河一个普通农民家庭。李允顺初中还没毕业就独自到广东佛山一家塑料厂做搬运工,同时兼职学习机械、模具维修制作等技术工作。凭借着勤奋和一股韧劲,在短短3个月的时间里不仅掌握了当地语言,还被提拔为车间班长,此后又被提为车间组长、车间主管。2001年,李允顺开始创办第一家工厂——广协实业有限公司,从事轮椅产品制造。2006年,公司更名为广东省政兴塑料制品有限公司,公司制造的康复器械及配件已远销欧美发达国家并成为行业标杆和行业标准制定者。2008年,李允顺为进一步改善母校的软件实施和增加学校实验器械捐赠2万元;2014年出任佛山泸州商会会长,带领商会为家乡残疾人捐助康复器材价值60余万元,其中他个人捐赠就达40万余元。同年又独立出资40余万元,为得胜镇安乐村硬化乡村公路水泥路面1千米左右,为村民的出行带来了方便。2014年10月,李允顺创办的四川阿斯特医疗器械有限公司建成投产,位于泸县工业园区C区——即暨泸州市高新医药产业园区内,占地130亩,总投资2亿元,主要经营医疗康复器械及其相关配套产品。作为“归雁”经济的重点企业,公司被评为“泸州市十大高新企业之一”,受到了科技部领导的好评。公司拥有专业技术人员20余人、生产员工200余人,拥有先进的专业检测设备及严格的检验标准,并通过美国FDA13485及ISO9000质量管理体系认证,是西南地区最大的康复护理医疗器械专业生产企业,产品远销欧美、日本及东南亚等发达国家和地区。公司2016年销售额达6000万元,年产量达8万余台。

杨永清,福集镇万宝村人,中学毕业后到沿海打工创业。1998—2006年在广东粤海集团万事得服装有限公司务工,从普工做到组长、厂长、经理;2007—2008年,在广东明开公司生产销售服装;2009年—2015年2月,到浙江明升服装有限公司担任副总经理。2015年2月,他放弃浙江明升服装公司优厚的待遇和舒适的生活环境,毅然决定返乡创业,带头出资在泸县创业园区创办成立了四川明升服装有限公司。公司以“成为全球服装行业顶尖供应商”为愿景,通过提供一流的产品质量帮助合作伙伴成为行业冠军,建立了“诚信、品质、感恩为明升理念,勇敢、专注、担当为明升精神”的公司企业文化。截至2016年7月,公司有员工350余人,销售收入2500万元,缴纳税收200余万元,为促进泸县地方经济发展发挥了积极的带动作用。

【重点乡镇选介】 玉蟾街道,为泸县县城所在地,东邻得胜镇,西、北与福集镇相连,南与天兴镇、牛滩镇接壤,辖区面积79.5平方千米,辖10个社区12个行政村,总人口9.6468万人。濑溪河、九曲河、马溪河三河环绕,厦蓉高速公路、川黔铁路、国道321线贯穿全境,地理区位优势明显。辖区内有国家4A级旅游景区龙桥文化生态园、国家非物质文化遗产龙脑桥,国家3A级旅游景区“川南明珠”玉蟾山、玉蟾温泉国际度假区、宋代石刻博物馆等旅游资源,是国家生态乡镇、国家卫生县城、全国小城镇建设重点镇、全国休闲农业与乡村旅游示范点、全国美丽乡村、全国残疾人之家、全国综合减灾示范社区、四川省先进基层党组织。

2016年,玉蟾街道完成GDP37.26亿元,其中第一产业增加值2.31亿元、第二产业增加值18.72亿元、第三产业增加值16.24亿元;规模以上工业增加值完成12.35亿元;全社会固定资产投资完成59.19亿元;社会消费品零售总额完成14.93亿元;农民年人均纯收入14708元,城镇居民年人均可支配收入32062元;财政税收完成1.104亿元,其中地方财政一般预算收入6488万元。

多措并举,实现产城联动。一是农业经济新突破。2016年,玉蟾街道开展宅基地制度试点村有4个,宅基地拟退出复垦面积470.92亩,拆旧复垦农户529户、1907人;规划建设农民集中居住区4个,总面积84.44亩。水利工程完成蓄水237.7万立方米,整治山坪塘12口,维修、养护渠道22千米,起淤渠道15千米,新建蓄水池2口,加高加固囤水田坎500余处。完成白龙塔、马溪河2村定向财力转移支付资金项目——经作园荔枝、枇杷产业建设120亩,完成抗旱应急水源打井1口,投资30万元,解决人畜饮水问题250人;完成定向财力转移支付资金项目贫困户新建蓄水池17口,分散打井56口,投资21.05万元,解决人畜饮水问题232人;完成清平、龙桥社区长江水自来水水管安装,投资150余万元,解决4550人饮水困难问题。二是工业经济新发展。继续加强以产业集群发展为先导,坚持按照“优一强二壮三”的思路,帮助企业加快转型升级,依托经济开发区和医药园区积极开展招商引资和产业发展;积极培育规模以上工业企业,推进泸州国之酿酒业有限公司与北京红星股份有限公司抱团发展,提质增效。三是第三产业实现新跨越。加快推进以旅游业为龙头的现代服务业快速发展,2016年,龙桥文化生态园成功创建为国家级4A景区,国卫迎复审工作取得成功,为玉蟾街道旅游文化发展提供了强有力的辐射与示范支撑。街道利用玉蟾春会、白龙塔枇杷节、龙桥文化生态园荷花节等节日积极弘扬地方特色文化并与旅游项目结对发展,有效彰显了文旅融合的独特魅力,全年吸引游客约120余万人次,极大促进了地方经济发展。

狠抓落实,推动惠民工程。2016年,对已享受城乡低保待遇的2378户、2687人进行精准识别,取消不符合低保的城乡人员954户、1100人,全年共计发放低保金564万元。提供网上救助841人次;提供医疗救助57人次,发放救助金额14.62万元。通过街道民政专项经费临时救济(助)困难家庭442户,发放救济(助)金额48.46万元。为288名重点优抚对象发放抚恤金和生活补助金539.7万元,发放高龄老人补贴26.758万元,为392名五保老人发放保障金564.35万元。完成残疾人危房改造5户,安置残疾人就业16人,完成比例达114%;完成白内障患者复明手术10人,为266名精神病患者提供免费用药;为残疾人配发用品用具240余件。全年发放重度残疾人护理补贴696人,补助金额464250元;阳光家园计划残疾人托养服务(家庭)资助完成74人,补助金额44400元;实施残疾人创业补助3人,补助金额40000元;残疾人机动车燃油补助21人,补助金额7665元。完成城乡残疾人居家灵活就业310人,农村贫困残疾人改善生产生活45人,助残助学37人。全年城镇新增就业1600人,城镇失业人员再就业500人,就业困难人员再就业280人,就业登记2万人;开展青年劳动者技能培训230人、创业培训120人,促进高校毕业生实现创业18人;开展建档立卡农村贫困人员技能培训50人,促进成功创业380人,带动就业人数390人,失业保险新增扩面460人。

全力以赴,助推脱贫攻坚。玉蟾街道强化“五个一”驻村帮扶,建立了分片包村联系机制,将街道承担的重点扶贫专项建设任务分解落实到人,严格督查问责。2016年,街道有建档立卡贫困户801户、2498人,脱贫208户、634人。重点扶持白龙塔发展“枇杷经作园”63亩、扶持马溪河发展“荔枝经作园”70亩。深入开展低保精准识别和“两线合一”工作,建档立卡贫困户低保兜底587人,“两线合一”补贴资助建档立卡贫困户344人,116名残疾人享受残疾扶贫补贴13.86万元,94户残疾人享受3.2万元产业扶持;白龙塔、玉蟾、马溪河、黄金4个点46户136人易地扶贫搬迁全面入住;建档立卡贫困户农村危房改造任务215户全面完成,其中D级危房改造任务151户、C级危房改造任务64户。全年减免幼儿保教费57人,实施雨露计划20名,栋梁工程资助贫困学生30名,完成助学贷款申请300名;全面落实贫困人口“八免五补助”,开展医疗救助490人次,发放残疾人辅助用具108件,免费提供白内障康复手术7例。

因地制宜,打造旅游强镇。玉蟾街道辖区内文化旅游资源丰富,有国家4A级旅游景区——龙桥文化生态园、国家3A级旅游景区——川南明珠玉蟾山以及玉蟾温泉国际度假区、宋代石刻博物馆等多处旅游景点,玉蟾街道以龙桥文化生态园为发展龙头,倾力打造旅游形象名片,着力提升旅游服务水平。2016年,玉蟾街道完成总投资4亿元的项目攻坚任务,在龙桥生态园新建观光车道、游客接待中心、3A级标准厕所等各类服务设施;推进智慧景区建设,开通了微信公共信息服务平台,设置自助购票、电子刷卡、电子验票等系统;完善中、英、韩、日四种语言导视系统和各种公共信息,设置了具有文化特色的休憩设施;建立数字虚拟景区系统和电子商务平台,为游客免费提供网上浏览、在线预定、在线查询等便捷服务。

【主要领导人】 县委书记:薛学深;县人大常委会主任:颜习林;县长:肖刚;县政协主席:李镇;分管农业副县长:杜作文。

泸县编写组

合 江 县

【基本情况】 2016年,合江县辖2乡25镇,辖区面积2214平方千米,其中耕地面积107.3万亩,人均耕地面积1.4亩;基本农田83.9万亩。年末总人口90万人(户籍人口),其中农业人口70.5万人;出生人口8462人,人口出生率9.3‰,增加3个千分点;人口自然增长率2.6‰,减少2.9个千分点。全县耕地有效灌面44.78万亩,占耕地总面积的41.72%;本地水资源总量15.59亿立方米,人均占有水资源量1969立方米。林业用地204万亩,有林地面积219.31万亩,活立木总蓄积量614.11万立方米,森林覆盖率55.4%。

2016年,全县GDP178.1亿元,增长9.2%。三次产业结构比由上年的20.8∶43.3∶35.9调整为20.1∶43∶36.9,对经济增长的贡献率分别为8.5%、51.9%和39.6%。劳务输出27.12万人,收入40.88万元。全年接待游客650.3万人次,实现旅游收入42.2亿元,增长31.3%。

公路通车里程2208千米(其中乡村公路2088千米),密度943米/平方千米,22.9千米/万人。社会消费品零售总额87亿元,增长13.7%。地方公共财政预算总收入完成10亿元,增长18.8%;公共财政预算总支出39.6亿元,比上年增长9.3%,其中农业投入6.8亿元,增长10%。金融机构各项存款余额258.9亿元,增长18%;各项贷款余额116.3亿元,增长7.6%。全年农业保费收入1841.02万元,减少19.73%,处理各项赔款和给付金额842.49万元,增长8.99%。

有各类学校231所,在校学生16.3万人,教职工6187人,其中普通高校1所,在校学生4524人;普通中学26所,在校学生4万人;小学74所,在校学生7.83万人;小学学龄儿童入学率100%,初中升学率92.5%,高中升学率83.4%。有文化馆1个,公共图书馆1个(图书总藏量13.1万册),体育场馆71个。拥有电视发射机7部,有线数字电视用户58865户,比上年增加5336户;广播覆盖率达98.5%,电视覆盖率达99.6%。有医院、卫生院42个,病床位3655张,卫生技术人员4936人(其中执业/助理医师1581人)。农村居民最低生活保障人数23011人,城乡居民社会养老保险参保人数30.5万人,城乡居民基本医疗保险参保人数79.9万人。

【年度农业和农村经济运行】 2016年,合江县实现农业总产值604540万元,增长3.5%;农业增加值357370万元,增长3.7%。农民年人均可支配收入13157元,增长9.4%。

农业产业化发展。合江县落实专项资金200万元培育新型农业经营主体,全年新培育省级、市级龙头企业各2家,国家级示范专合社1家、省级4家、市级5家,省级示范家庭农场1家、市级3家。

农用地产权制度改革。合江县农村土地承包经营权确权登记工作完成年度任务并顺利通过验收,获得“优秀”等级;农村集体建设用地使用权和农村房屋产权实行房地合一不动产登记颁证,完成年度确权任务。县级农村产权流转交易体系和乡(镇)交易服务窗口建设初步完成,全年新增农村土地经营权流转5.79万亩。密溪乡真龙柚基地“黄谷保底、合作分利”、大桥镇蔬菜基地“整体流转、按需转包”、凤鸣镇金钗石斛基地“林地入股、产品分成”等土地流转新模式得到大力推广,流转土地10.67万亩、林地7.1万亩。

【种植业】 2016年,合江县粮食作物播种面积121.6万亩,增长0.1%;油料作物播种面积4.7万亩,增长1.2%;蔬菜播种面积16.4万亩,增长2.5%;药材播种面积1.1万亩,增长10.2%。粮食产量51.8万吨,增长0.6%,其中谷物类产量42.1万吨,下降0.2%;豆类产量1.1万吨,增长1.9%;薯类产量8.5万吨,增长4.3%。油料产量0.4万吨,增长1.7%,其中油菜籽产量0.3万吨,增长1.2%。合江荔枝入选《2015年度全国名特优新农产品目录》,获得“2016全国果菜产业百强地标品牌”“2016全国果菜产业十大最具影响力地标品牌”等称号。

【林业】 2016年,合江县有林地面积219.31万亩,活立木总蓄积量614.11万立方米,森林覆盖率达55.4%。对98.2万亩(其中国有林14.5万亩)森林实施管护,完成森林抚育3.52万亩;巩固退耕还林成果10.45万亩,新建竹产业基地2.3万亩、木质工业原料林基地2.2万亩。新建林下种植金钗石斛基地2万亩,其中集中成片高标准示范园区面积0.8万亩。全年木材产量1.8万立方米,减少26.9%。顺利通过全省第二轮现代林业重点县验收并授牌,被纳入全省第三轮现代林业重点县建设名单。

【畜牧业】 2016年,合江县启动温氏60万头生猪产业一体化项目建设,新改(扩)建畜禽标准化养殖小区(场)9个。全年生猪出栏74.3万头,减少4.2%;牛出栏0.3万头,增长14%;羊出栏18.2万只,增长5%;家禽出栏888.2万只,增长2.7%;兔出栏65万只,增长3.2%。全年肉类总产量6.9万吨,减少1.9%,其中猪肉产量5.3万吨,减少3.5%。禽蛋产量1.3万吨,增长0.9%。

【水产业】 2016年,合江县建成长江农业示范园水产养殖场,实施赤水河合江段捕捞渔民转产工作,有效保护赤水河珍稀特有鱼类资源和生态环境。开展增殖放流活动,投放岩原鲤3.5万尾、胭脂鱼3万尾、青波鱼3.5万尾、甲鱼等珍稀特有鱼类0.5万尾,共2300吨。全年水产品产量1.7万吨,增长1.7%。

【统筹城乡与新型城镇化】 2016年,合江县有常住人口70.75万人,比上年减少0.12万人,其中城镇人口26.6万人、农村人口44.1万人;城镇化率37.1%,比上年提高1.1个百分点。新增城镇建成区面积1平方千米。保障性安居工程竣工779套,其中棚户区改造568套、公租房181套;定向供应农民工公租房30套。城镇基础设施建设总投资8.37亿元,其中县城6.71亿元、小城镇1.63亿元、村庄0.03亿元。

【新农村建设】 2016年,合江县整合各类涉农资金和扶贫专项资金6.17亿元,完成易地扶贫搬迁632户、农村危房改造4306户,惠及19913人;新建通村硬化路208千米、通组硬化路64.5千米、入户道路133.3千米,整治山坪塘75口、蓄水池54口。结合"四好村"创建,改造提升40个农民新村,大桥镇长江村、白沙镇灵丹村等14个村创建为省级"四好村"。

【重点乡镇选介】 真龙镇,位于合江县城西郊,因盛产真龙柚而得名。真龙镇距县城8千米,沿江公路和赤水河穿境而过,交通便捷。全镇辖区面积47平方千米,辖9个村1个社区98个村民小组,人口2.3万人。真龙镇境内盛产水果,境内有集中成片上千株百年荔枝林,是川南地区最大的一片晚熟荔枝林;有上万亩真龙柚产业示范园,为川南地区独有,是中华名果奥运荔枝和获得农业博览会金奖"真龙柚"的原产地和主产区,素有"名优水果之镇"美誉。真龙镇真龙柚连续三年被评为四川省优质果品、四川省名牌农产品,先后获得1995年中国第二届农业博览会金奖、2014年四川农博会金奖、第八届西部国际博览会最畅销产品奖和最受欢迎产品奖。2015年,真龙柚主产区真龙镇瓦房村被农业部认定为第五批全国"一村一品"示范村。

【主要领导人】 县委书记:张季頫;县人大常委会主任:李林;县长:胥兴贵;县政协主席:王亚容;分管农业副县长:王波。

合江县编写组

叙永县

【基本情况】 2016年,叙永县辖25个乡(镇)231个行政村33个社区,辖区面积2977平方千米,有人口72.34万人,其中农业人口60.93万人。

【农年度农业和农村经济运行】 2016年,叙永县实现农业总产值35.82亿元,增长3.89%;农林牧渔业增加值21.82亿元,增长4.15%。农民年人均可支配收入9907元,增长9.8%,增幅居全市第一位。

农业产业化发展。叙永县新增市级以上产业化龙头企业6家(省级3家、市级3家),完成计划任务的200%;新增市级以上示范专合组织10个(省级1个、市级9个),完成计划任务的200%;新增市级以上示范性家庭农场6个(省级3个、市级3个),完成计划任务的120%。叙永县马岭粮油食品有限公司、泸州市川天食品有限公司、叙永县鸿艺粉业有限公司被评为全市农业产业化经营先进龙头企业;叙永县后山富邦生态养殖专业合作社、叙永县永兴养羊专业合作社、叙永县三合堂种植专业合作社、叙永县海涯甜橙专业合作社被泸州市农村工作暨脱贫攻坚领导小组评为全市先进农民合作组织;叙永县统富种养家庭农场、叙永县邑源养殖家庭农场、叙永县奉皇礼生态家庭农场被评为全市先进家庭农场。

【现代农业发展】 2016年,叙永县建成现代特色效益农业标准化基地1.8万亩,完成计划任务的120%;粮食总产量24.49万吨,完成计划任务的102.1%;酿酒高粱种植面积8万亩,完成计划任务的100%;优质蔬菜种植面积16.5万亩,完成计划任务的103.1%;名优水果种植面积11.35万亩,完成计划任务的103.2%;茶叶种植面积6.14万亩,完成计划任务的105.9%;烤烟种植面积72422亩,产量15.21万担,产量完成计划任务的101.4%。新(改、扩)建畜禽标准化养殖小区(场)10个,完成计划任务的125%;生猪出栏51.86万头,完成计划任务的108%。水产品总产量2450吨,完成计划任务的100%。新造林面积8.32万亩,完成计划任务的138.7%。

【贯彻落实惠农政策】 叙永县是国家扶贫开发工作重点县和乌蒙山区连片特困地区县、全国造林绿化先进县、全国"平安农机"示范县、全国优质烟叶生产先进县、四川省林业经济10强县、四川省竹林基地建设重点县、四川省第二轮新农村建设成片推进示范县、四川省粮经复合产业基地重点县、四川省现代畜牧业建设重点县,也是省、市领导帮扶联系定点县,是全省首批历史文化名城。2016年,叙永县制定了宣传贯彻落实惠农政策的方案,采取会议、宣传团、科技"三下乡"、报刊、广播、电视、印发宣传资料等多种形式深入乡村开展巡回宣讲和发放资料,做到惠农政策家喻户晓。全年计划贫困村"摘帽"20个、精准脱贫18000人,实际完成贫困村"摘帽"20个、精准脱贫18096人,分别完成目标任务的100%、100.53%。

【农业投入】 2016年,叙永县支农投入增长11%,向上争取涉农项目资金增长12%,超额完成年度目标任务。将当年可整合的各级农口部门项目资金的50%以上投入到重点支持区域;担保贷款总额不低于2015年省财政下达的粮食适度规模经营补贴金额,且对从事粮食生产和农业适度规模经营的新型农业经营主体的农业信贷担保余额达到总担保规模的70%以上。

【农村基础设施建设】 2016年,叙永县水生态文明城市建设完成投资2.24亿元,完成年度任务的127%。新增有效灌面0.76万亩,完成计划任务的102.7%;解决安全饮水18103人,完成计划任务的173.15%。新建通乡公路31.2千米、通村公路112.3千米。建成高标准基本农田2.105万亩,完成计划任务的100%。新增耕地0.19万亩,完成计划任务的100%。主要农作物耕种收综合农机化水平达41%;提水保灌面积11万亩,完成计划任务的102.8%。新建农村生活垃圾处理(池)195个,完成计划任务的100%;改造农村电网里程2996.7千米,完成计划任务的159.8%;完成农村贫困户危房改造2469户,完成计划任务的100%;完成新农村聚居点污水处理示范点计划建设4个,完成计划任务的100%。

【新农村建设】 2016年,泸州市下达叙永县实施的农业重点项目有24个,其中现代农业产业项目9个、新村建设项目2个、农业农村基础设施项目13个,年度计划投资129150万元,实际完成投资178976.56万元,完成计划任务的138.6%。全年创建新兴产业新型业态助农增收示范点1个,建成乡(镇)、村级电商服务网点143个。

按照"全域、全程、全面小康"的指导方针和"成片连线、扩面连片、整体推进、全面覆盖"的工作思路,注重"新村带产业、产业促新村",使产业和新村建设统筹协调发展,幸福美丽新村建设取得了显著成效。一是建成幸福美丽新村40个,完成投资14120万元。二是"两线、两点、两基地、两龙头"建设计划投资11660万元,实际完成投资12750万元,其中,"两线"即兴隆乡黄角坪村—水尾镇西溪村沿线,完成投资2050万元;赤水镇—水潦彝族乡沿线,完成投资2150万元。"两点"即正东镇普市村幸福美丽新村示范点,完成投资1700万元;水尾镇西溪村幸福美丽新村示范点,完成投资1900万元。"两基地”即水尾镇西溪村优质稻种植基地,完成投资 1350 万元,建立生态优质稻种植基地 500 亩;赤水河甜橙示范基地,完成投资 3000 万元,建成标准化甜橙生产示范基地 1000 亩。“两龙头”即叙永大土土生态农业发展有限公司投资 600 万元,采取“公司+农户+专合社”模式在适宜区域建成生态优质稻生产基地 2000 亩;陕西海升果业发展股份有限公司在石坝彝族乡堰塘村建成现代化高标准甜橙示范基地 1000 亩。

【主要领导人】 县委书记:陈景强;县人大常委会主任:张秋平;县长:唐杰;县政协主席:马刚;分管农业副县长:苏丹。

叙永县编写组

古 蔺 县

【基本情况】 2016 年,古蔺县辖 26 个乡(镇、街道),有农业人口 69.86 万人,有耕地面积 133.07 万亩,减少 0.13%;基本农田 35.32 万亩,减少 0.41%。

【年度农业和农村经济运行】 2016 年,古蔺县实现农业总产值 367603 万元,增长 3.68%;农业增加值 219873 万元,增长 4.04%。农民年人均可支配收入 10516 元,增长 9.5%。

农业产业化发展。古蔺县培育农业产业化龙头企业 28 家,家庭农场、农民专业合作社、专业大户等新型经营主体达 1214 家,以规划为指导、以政策为保障、以投入为支撑的现代农业发展新格局逐步形成。指导发展农民专合组织 28 家、家庭农场 13 家,全县注册登记的农民专业合作社达 1136 家、家庭农场达 187 家;推荐申报省级农民专业合作示范社 3 家,获得市级农民专业合作示范社命名 5 家;推荐申报省级家庭农场示范场 3 家,获得市级家庭农场示范场命名 5 家。

农用地产权制度改革。古蔺县农村土地承包经营权登记成果通过省上验收并被评为“优秀”等级,确权成果得到有效转化。全县规模流转土地 10.1 万亩。规范农村“三资”管理,全县 269 个行政村均实行了会计委托代理制,在大寨富民村、箭竹富强村、德跃红光村、马蹄马岭村、马嘶茶园村 5 个村开展农村“三资”清理登记试点。

2016 年古蔺县省级农业产业化重点龙头企业名单

企业名称	注册资金(万元)	法人代表	示范等级	年度产值(万元)	行业分类	主营产品
四川省郎多多畜牧业有限公司	5000	秦雪	省级	3000	畜牧业	肉牛
四川古蔺肝苏药业有限公司	9500	吴学丹	省级	7500	药业	肝苏颗粒

2016 年古蔺县省级(及以上)示范农民专业合作经济组织名单

合作组织名称	注册资金(万元)	法人代表	示范等级	年度产值(万元)	行业分类	主营产品
古蔺县神龙赶黄草种植专业合作社	2000	王进	国家级	2016	种植业	赶黄草
古蔺县马蹄甜橙专业合作社	500	李先华	国家级	1000	种植业	甜橙、椪柑
古蔺县蔺州三台土鸡专业合作社	142.33	唐兴桥	省级	12	养殖业	家禽
古蔺县永乐生猪养殖专业合作社	500	罗绪艳	省级	—	养殖业	生猪
古蔺县山源木瓜种植专业合作社	80	黄文松	省级	800	种植业	木瓜
古蔺县石屏乡印合经果林种植专业合作社	50	勾明强	省级	150	种植业	爱宕梨、奢香梨
古蔺县永乐镇永吉水果专业合作社	120	罗天伦	省级	1200	种植业	水果
古蔺县青龙蚕桑专业合作社	320	赵礼	省级	1100	种植业	桑树、桑蚕
古蔺县国科中农中药材种植专业合作社	309.9	祁勇	省级	200	种植业	中药材
古蔺县桂花乡现代林木种植专业合作社	668	徐永香	省级	70	种植业	竹、木、中药材
古蔺县光辉村桂园土鸡养殖专业合作社	800	张世银	省级	120	养殖业	土鸡

2016 年古蔺县家庭农场经营情况统计表(前 10 位)

家庭农场名称	注册资金(万元)	法人代表	年度产值(万元)	行业分类	主营产品
古蔺县黄荆乡五柱房家庭农场	50	黎云才	40	种养殖业	蜂蜜、竹笋
古蔺县椒园乡丽莎甜橙种植场	60	闫丽莎	30	种植业	甜橙
古蔺县护家乡王朝训家庭农场	80	王朝训	200	种养殖业	脆红李、牛
古蔺县永乐镇岩桑沟水果种植家庭农场	60	李兵	120	种植业	甜橙

续表

古蔺县大村镇关田坝葡萄种植专业合作社	50	郑光芬	75	种植加工业	葡萄、葡萄酒
古蔺县椒园乡茂源甜橙种植场	50	陈杰	60	种植业	甜橙
古蔺县龙山镇川越家庭农场	45	胡川通	30	养殖业	兔
古蔺县二郎镇龙滩花椒	30	杨辉	20	种植业	花椒
古蔺县永乐镇阮茂种植家庭农场	80	阮茂	60	种养殖业	老山蜜柚、生猪
古蔺县马蹄乡杨康家庭农场	60	杨康	20	养殖业	鸡

【种植业】 2016年,古蔺县粮食播种面积123万亩,产量25.505万吨,比上年增加0.51万吨,增长0.23%,粮食生产持续增产增收。投资1.2亿元在永乐、太平、二郎等乡(镇)栽植甜橙1万亩,投资580万元新建马蹄乡出口甜橙质量安全示范区1个;新发展古蔺镇芭蕉村等区域脆红李0.65万亩。蔬菜种植面积21.2万亩,产量50.88万吨,实现产值7.12亿元。着力改造低产茶园,发展茶叶4000亩,茶叶面积累计达3.9万亩,产值达0.84亿元。高粱种植面积10万亩。发展中药材3000亩,总面积达11万亩。成鱼起水1132吨,比上年增加53吨,增长4.9%,实现产值2134万元。

重点项目。一是着力高产示范创建。全县实施小麦、高粱、水稻高产创建示范6万亩,建成展示区8000亩。二是实施基本农田改造。完成丹桂、石宝、水口、太平等乡(镇)高标准农田建设2.2万亩,其中基本口粮田1.25万亩;投入中央及县财政配套资金240万元,完成龙山、护家2个乡(镇)2015年古蔺县岩溶地区石漠化综合治理田间工程,治理岩溶土地、石漠化土地面积54.5平方千米。三是改善农村基础设施。新(改)建农村泥结碎石路、硬化农村水泥路、乡村机耕道、生产便民道共245.6千米;投资86.2万余元,建成护家镇农场村玉龙提灌站、观文镇永安村提灌站,新增灌面3.1万余亩。四是加强农机推广示范。推广各类新机具859台(套),落实中央农机补贴资金74.24万元、县级配套补贴资金27.4248万元,完成机耕65万亩,主要农作物耕种收综合农机化水平达39%。

资源环境。一是实施测土配方施肥。全县推广测土配方施肥技术面积110万亩、配方肥施肥面积40万亩,化肥使用量年增长率小于0.4%;完成2013—2015年地力培肥物资采购900余吨,建立试验示范片14个,示范面积2.4万亩。二是综合利用畜禽粪污。全年有效处理肉牛排放粪污3.8万立方米,转运沼肥2.56万立方米、沼肥还田0.8万亩,沼肥还田量占畜禽粪污总排放量的67.3%。三是抓好秸秆焚烧治理。全县农村秸秆资源化利用率达82%。

上争外引。全年争取中央、省、市农业支持保护补贴、粮食生产能力配套措施建设、中央购机补贴等各项资金9436.4万元,引进古蔺县源丰农业科技开发有限公司投资建成大寨乡食用菌生产基地,引进成都华军食品有限公司和东懋农业发展有限公司采取"公司+农户"模式发展辣椒订单种植,引进古蔺县红光现代农牧科技有限公司投资建设德耀镇红光村集农业观光、种养殖等于一体的农牧科技示范园,引进四川原野生态发展有限公司投资建设桂花乡田坝村生态农业示范园,引进贵州源泉实业有限公司入驻椒园乡投资建设水田村生态农业示范园区。

产业扶贫。全县整合资金4700余万元,在34个贫困村栽植甜橙2480亩、脆红李6500亩、茶叶1000亩,种植蔬菜1.8万亩、优质稻3万亩、酿酒高粱2万亩。引导农民投资50余万元,在12个贫困村修建养鸡场12个,开展养殖技术培训15场次,带动农民养鸡1.65万余只,实现增收30万余元。在全县117个贫困村派驻了农技人员和科技特派员,将全年2/3的时间用于驻村指导帮扶产业脱贫工作。

农业安全。一是整顿农资市场。全县对农资市场种子、农药、肥料、兽药、饲料经营等开展多次专项治理,办理行政执法案件17件,案值近10余万元,行政复议率为零。二是加强检测防疫。农产品农残安全抽检合格率为99.5%,高密度免疫猪、牛、羊口蹄疫,猪瘟、猪蓝耳病、禽流感等病疫。三是狠抓案件查处。查处经营病死牛、生猪定点屠宰企业违反生猪定点屠宰相关规定等案件6起,无害化处理病害生猪和不可食用生猪215头。

【林业】 2016年,古蔺县完成营造林15万亩,巩固退耕还林成果15.8万亩,新增森林面积1.61万亩,森林覆盖率达50.62%。箭竹森林派出所获得全国一级公安派出所以及国家级执法示范单位称号;县森林公安局获得全省森林公安机关执法示范单位称号并获得市森林公安局记集体嘉奖一次;县林业局获得川黔渝3省(市)8县(市、区、局)护林联防协作先进集体、2016年四川省林业宣传工作先进集体、泸州市2016年度森林防火先进单位、2016年古蔺旅游产业发展先进集体等称号,深化集体林权制度改革、新一轮退耕还林ARCGIS应用、利用国内银行贷款开展国家储备林基地建设等多项工作在全省会议上进行了先进经验交流发言。

森林资源保护。完成国有林管护25.55万亩,补偿集体公益林122.27万亩,并于年底兑现生态效益补偿金;森林采伐消耗控制在7.74万立方米以内,严格控制在省控指标内;森林火灾损失率控制在0.1%以内,全年未发生影响较大的森林火灾;林业有害生物普查工作完成率为100%,林业有害生物成灾率控制在3%以内,全年未发生大的森林病虫灾害;扎实开展野生动植物保护工作,全面保护野生动植物生存环境,加强执法打击,确保野生动植物安全。

林业产业建设。全年实现林业总产值24.1亿元,其中林业旅游和休闲服务产业产值11.5亿元,农民人均从林业上获得收入1400元。新建短周期木质原料林2.4万亩,建设中药材产业0.5万亩;承担中央财政林业科技推广示范项目1项,建立汉源葡萄青椒(花椒品种)示范基地500亩;选育本地核桃良种"拇指蔺核"并通过四川省林木品种审定委员会良种认定;推进顺家山现代林业产业示范园建设:丰产培育1000亩核桃,林下养鸡3000只,林下种植500亩,完成省级森林食品基地申报并通过相关部门鉴定;启动"四川黄荆老林国家森林公园"申报,于8月完成《黄荆老林国家森林公园可行性研究报告》编写和《黄荆老林国家森林公园摄影集》《黄荆老林国家森林公园宣传片》制作,并上报国家林业局。

林权改革。利用"农村产改"的有利时机,不断推进、完善集体林权制度改革,林权流转、森林保险、林权抵押、纠纷调处等工作进展顺利。一是按照不动产登记的最新要求,全面做好林权登记的移交。二是配合农村土地纠纷调解办公室做好林权纠纷调查、协调、处理、回复等工作。三是完成经济林(果)权改革试点工作。制订了《古蔺县经济林(果)权抵押贷款改革实施方案》并上报林业厅审批;制订了《古蔺县经济林(果)权证管理暂行办法》《古蔺县经济林森林资源评估咨询管理办法》以及森林资源收储、经济林商业保险、经济林抵押贷款补贴等改革配套措施;对相关工作人员进行了业务培训,与金融、保险等部门进行了工作对接。四是完成了改革试点镇龙山镇的经果林颁证工作,颁证面积2000亩,完成林权抵押贷款730万元。五是创新生产经营机制,新发展家庭林场及种植大户17户。

【基础设施建设】 2016年,古蔺县新增有效灌面0.52万亩,解决安全饮水21006人,年度提水保灌面积5万亩。新建通乡公路65千米、通村公路230千米、安保工程52千米,改造农村电网2010千米。建成高标准基本农田1.853万亩,新增耕地0.19万亩,完成计划任务的100%。实施农村贫困户危房改造975户,建成农村生活垃圾处理池138个,建成新农村聚居点污水处理示范点3个。

【乌蒙新村建设】 2016年,古蔺县坚持把乌蒙新村建设作为脱贫攻坚的主战场,本着“攻下一个贫困村就是一个示范点”的要求,不断强化组织领导,凝聚发展力量,积极探索可复制、可推广的乌蒙新村建设模式,助力脱贫攻坚,推动经济社会可持续发展。古蔺县被列入全省幸福美丽新村示范县,

坚持传承历史文化,建设幸福美丽新农村。按照“县委统筹、乡镇主责”原则和脱贫攻坚“苦干三年、脱贫摘帽”的要求,对全县269个行政村建立幸福美丽新村建设台账,结合各村实际,进行统一规划、统一安排建设时序。从2016年起,计划用3年时间新建新村66个,改造提升旧村128个,确保到2018年年底实现幸福美丽新村全覆盖。规划秉持“宜聚则聚、宜散则散、依山傍水、错落有致”的原则,充分展现乌蒙山区农村应有的田园气息、乡土情怀和艺术价值,打造有历史记忆和文化传承的新村。

持续改善基础设施,补齐贫困村落最短板。坚持将新村建设作为解决区域发展基础“短板”的重要抓手,将乌蒙新村建设重点放在最贫困的村、最困难的户,优先解决贫困群众行路难、安居难、饮水难、用电难、增收难“五难”问题。建立“多个渠道进水、一个池子蓄水、一个方向放水”的资金投入机制,全面整合通村公路建设、安全饮水、危房改造、易地扶贫搬迁等各项涉农项目资金,集中打捆投入,做到“建成一个新村、改善一方条件、带动一片发展”。

推动产村融合发展,拓宽增收致富新渠道。坚持把培育发展新村主导产业作为先导性工程,围绕“生态畜牧、山地烤烟、优质果蔬茶、道地中药材”四大特色产业培育和贫困人口脱贫致富,因地制宜、因势利导,对全县269个村特别是117个贫困村分别制定和完善产业规划并统筹实施,推动一定区域内的新村产业特色化、规模化、品牌化发展,不断增强新村建设的内生动力、激活新村自身的造血功能。广泛建立企业、基地、农户“三位一体”的利益联结机制,帮助农民群众通过土地流转、入股分红、自主经营、进企务工等多个渠道获得收入,做到“村村有特色产业、户户有增收项目”。

创新农旅互动提升,打造可经营业态新村。按照“生态田园、红色古蔺”的总体定位,将新村建设与旅游发展相结合,在新村规划、设计、建设等环节融入可经营理念,大力发展乡村休闲度假旅游,打造“最乡村、醉田园”旅游示范精品,推动新村由“物态”向“业态”演进,做到不仅花钱建新村,更让新村“能找钱”,切实扭转新村建设大投入、低收益的观念。

【扶贫攻坚】 古蔺县是国家扶贫开发工作重点县、国家乌蒙山片区区域发展与扶贫攻坚重点县、四川省革命老区县和少数民族地区待遇县。截至2016年年底,全县有贫困村95个、贫困户13829户、贫困人口56452人,贫困发生率为7.3%。全县聚焦贫困对象精准扶贫、精准脱贫两条主线,深度融合“11186”年度脱贫攻坚总体设计落实(1个工作意见、1个实施方案、18个专项计划、6个帮扶行动方案),将22个计划退出贫困村、4751户19460名计划减贫人口全部纳入监测范围,对标补缺,确保脱贫实效。

聚焦“四大产业”,规模发展促脱贫。依托古蔺资源禀赋和产业基础,围绕“三线三片”(“三线”,即赤水河环线、蔺郎路线、省道309线;“三片”,即中东部片、南部片、西部片)规模化发展生态畜牧、山地烤烟、优质果蔬茶、道地中药材四大特色优势产业,为贫困群众稳定脱贫致富奔小康提供了坚实支撑。一是发展生态畜牧产业。投资2.56亿元,实施护家乡肉牛生态养殖园区、观文丫杈猪国家级保种场、古蔺县百亿肉牛产业全产业链三大重点项目建设,启动大寨富民、德耀燕岩、桂花香楠、黄荆原林、马嘶茶园等10个贫困村各1000头规模养猪场建设,创建省级标准化示范场1个、市级标准化示范场2个、县级标准化示范场10个,建成适度规模养殖场(户)2692家(户)、畜禽标准化规模养殖小区(场)696个。全县出栏生猪55万头、禽类350万只、肉牛3.5万头、肉羊8万只,实现畜牧业总产值18.7亿元,辐射贫困村37个、贫困户2450户。把肉牛作为畜牧业发展重点,聚力打造百亿生态肉牛扶贫产业,预计到2020年可实现年存栏优质肉牛40万头、出栏15万头、屠宰加工销售20万头,产值突破100亿元,带动3万户以上贫困户脱贫致富。二是发展山地烤烟产业。以省道309线、南部片、西部片为重点,规模化发展烤烟产业。全县常年发展烤烟7万余亩,产值达2亿元,辐射贫困村49个、贫困户256户。同时,推行“烟蔬轮作”模式,助农增收。三是发展优质果蔬茶产业。以赤水河环线、蔺郎路线、中东部片为重点,规模化发展甜橙、脆红李、牛皮茶、建新绿茶等优质果蔬茶产业。全县发展甜橙、脆红李等名优水果22.89万亩,魔芋、绿色高山蔬菜等精品蔬菜21.2万亩,牛皮茶、建新绿茶等特色茶叶4万余亩,总产值达0.65亿元,辐射贫困村22个、贫困户4863户。四是发展道地中药材产业。以南部片、西部片为重点,大力打造以赶黄草为主,金银花、“三木”药材等为辅的百亿中药材产业。赶黄草申请地理标志证明商标,赶黄草新资源食品认证待国家审批;全县规模化发展道地中药材10万余亩,预计2020年可扩大到15万亩以上,建成覆盖川滇黔渝的“乌蒙药库”中药材交易市场,辐射贫困村75个以上、贫困户3000户以上。

突出“四个带动”,抱团经营促脱贫。一是龙头企业带动。坚持以市场为导向,引进和培育龙头企业建设农业产业基地或园区,推行“企业+基地(园区)+农户(贫困户)”“企业+基地(园区)+专合社+农户(贫困户)”等发展模式,采取土地流转、土地入股、进基地(园区)务工等方式,帮助贫困群众实现多渠道增收。二是专合组织带动。通过政府引导、企业或能人领办等方式,由农民自发组织成立专业合作社,积极吸纳贫困群众入社,通过土地、劳动力等资源入股分红以及订单采购、赊销回购、保底收购、二次返利等方式,帮助贫困群众实现增收。全县有特色产业农民专业合作社58个,入社贫困户1276户。三是能人大户带动。组织动员农村致富能手、返乡创业人

员通过领办、创办产业项目等方式，带领当地贫困群众共同发展、共同致富。全县发展种养大户300余户，带动6600户贫困户发展种养殖业。四是资产收益带动。用好财政支农项目资产收益扶贫政策，将财政支农资金及财政扶贫资金投入村集体经济组织，定向补助企业建设生产厂房、基地和配套基础设施，形成的固定资产所有权归村集体，农户享有收益权，折资入股企业每年获得“保底分红+利润分成”，村集体再将股权收益优先量化到贫困群众，剩余部分量化到其他农户（或经村民同意后，村集体提留用于扩大再生产及公益设施建设），实现企业、村集体、农户“三赢”。

设立“两项基金”，高效运作促脱贫。一是设立产业扶持基金。由县财政全额投入，在全县所有贫困村均设立1项产业扶持基金，每村规模均超过30万元，总规模达3755万元，贫困户可申请1万元以下无息借款用于解决发展产业缺乏启动资金的问题，限期回收、滚动使用。在满足贫困户借款需求的基础上，村集体经济组织可按保值增值原则进行自主经营，或者采取量化入股、合作经营等方式打捆投入企业、专合社等获得收益。全县已累计发放产业扶贫基金4718户、2209万元。二是建立小额扶贫信贷分险基金。县政府分别与农商银行、农业银行、邮储银行签订小额扶贫信贷合作协议并开设小额扶贫信贷分险基金，银行根据分险基金规模，按1∶10比例放大贷款授信额度，通过评级授信，贫困户可申请5万元以下、免抵押、免担保的贷款用于发展增收产业，贷款利率全部由县财政给予贴息，发生的风险损失由分险基金与银行按照7∶3的比例共同承担。全县小额扶贫信贷分险基金规模达6000万元，累计发放小额扶贫信贷8782户、2亿元。三是建立基金管理及风险防控机制。制定《古蔺县贫困村产业扶持基金管理办法》《古蔺县扶贫小额信贷管理办法》等文件，明确基金运转程序和流程，对资金实行专人专账核算和县、乡、村三级公告公示制；充分发挥监察、审计、财政、扶贫等部门作用，对基金管理、发放、使用全程进行跟踪管理，确保资金安全。建立“风险防控小组+生产互助小组”机制，设立镇、村两级风险防控小组，负责贫困户信用等级评估并指导其把资金用在刀刃上，确保资金“放得出、收得回、有效益”、贫困户“能借款、能发展、能致富”。

【农村电子商务】 2016年，古蔺县按照“政府推动、商务主管、供销主抓、部门配合、企业主体、市场运作”要求，大力发展互联网+农业，促进电子商务与农村实体经济深度融合。全县已培育电子商务公司1家，建立电子商务平台1个，上线农产品58种，组建电子商务协会1个，新建电子商务运营中心1个，完成158个电子商务服务店（站）建设规划，建成80个镇（村）电子商务服务店（站）。

【回乡创业之星选介】 罗章明，男，汉族，古蔺县蔺川农业开发有限公司董事长。20世纪90年代，罗章明曾先后在广东等地区从事皮革加工事业，积累了人生的第一桶金。2000年，在国家大开发背景下，罗章明通过前期市场考察，毅然投身电器行业，10余年里，罗章明从一个小电器商发展成为古蔺县各类电器批发及销售的佼佼者，其经营的国美科达电器在各乡（镇）都建立了代理点，带动30余户电器商共谋发展，每年创税达百万余元，带动当地贫困人口40余户脱贫致富。2012年，罗章明开设古蔺特色旅店皇宫楼客栈，带动贫困家庭30余户就业，年创税60余万元。2015年，罗章明创建古蔺县蔺川农业开发有限公司，公司对箭竹乡大黑洞景区进行开发，预计总投资3.2亿元，已完成投资8000万元，景区于2016年8月开始营业，带动了本地村民百余人就业。2016年，大黑洞景区创收近千万元，创税近百万元。

明政，二郎镇文明村人。1990年参军入伍，2013年自主择业回乡。2014年冬天，明政注册的“淳甜农场”家庭式运营农村扶贫项目正式运营，当地村民每天都能按时领取到在农场清除杂木荒草的现金酬劳，仅荒地开垦、果苗栽植一项，当地村民户均投劳就能取得收入1万余元，有的高达近3万元。经过三年的努力，投资100余万元的淳甜农场已初具规模，明政又注册了四川淳绿生态农业开发有限公司，进一步发展种植业。淳甜农场因应发展所需，与二郎镇合作成立了二郎镇返乡创业孵化园区，较好地助推了政府的扶贫工作。农民通过土地流转户均年收入3000余元，当地劳动力（包括老人、留守妇女等）在农场务工人均年收入1.5万余元。通过孵化园区的积极争取，镇政府与村委会采取“一事一议”模式改造硬化村级公路4000米，新建机耕道7千米；农场与政府为31户贫困户改造了住房，添置了大牲畜，确保贫困户持续增收不返贫；农场协助政府因势利导，全村种植甜橙（政府送苗）600余亩、脆红李1000余亩，养殖肉牛400余头、生猪1000余头、家禽6000余只、活水生态鱼5000余千克。文明村在2016年全省脱贫攻坚考评工作中获得“优秀”等级，成功摘掉贫困村帽子。淳甜农场先后被泸州市评选为“创业示范园区”全市仅4家——古蔺县二郎镇返乡创业孵化园区，被泸州市命名为市科技型企业、市级先进示范农场；明政被公推为蔺州扶贫好人，被评为2016年度县、镇“七一”表彰的优秀共产党员，被推选为泸州市党代表，被二郎镇评选为“经济社会建设突出贡献模范”。

张赞，男，汉族，二郎镇龙滩村人。1993年中学毕业到上海打工，学习家电维修。张赞和朋友于2006年投资30万元打造出了国内第一家溶洞餐厅——赤水河公社，并于2007年5月1日正式开业；2010年，开始建设赤水河公社休闲部并于2011年5月1日落成开业。赤水河公社经营面积达1300余平方米，总投资300余万元，周边农民通过在赤水河公社务工或者种植绿色蔬菜卖到餐饮部，每年可增加收入超万元。张赞还帮助12户贫困户搬离了原本不通水和公路的原住地，赤水河公社成了有上百人口、水电保障、出行方便、收入有保障的幸福小区。张赞被推荐为古蔺县旅游协会副会长。2013年，张赞成立白杨坝农民促进协会，在协会的带领下，新修近2000米的促进路，将几条断头路接通，极大地改变了生产交通面貌。2014年7月1日，由111户村民自发组织，协会主导成立了柏杨坝种养专业合作社。合作社注册资金97.3206万元，惠及农户170余户、700余人，开发326亩土地，种植黄精80亩、花椒50亩、果桑10亩、甜橙260亩，水产养殖5亩。在县农业局的扶持下，修建抗旱水窖5口、500立方米，园区灌溉水管3千米，引水主管2千米，硬化园区生产便道3千米，极大地改善了园区旧貌，提高了抗自然灾害能力。2016年，合作社更名为“古蔺县二郎镇柏杨坝农业旅游专业合作社”，将原来单一的种养模式向农业旅游转变，将实体农业和农业旅游融合，结合园区毗邻美酒河景区的天然优势，让山区农业在实体农业的助推下，借助旅游这个大平台，逐步增加市场的知名度，最后达到农业、旅游融合的良性发展。合作社先后获得市级示范社、诚信示范单位等称号；张赞被评为泸州市“双创”十佳人物，2016年被推选为古蔺县人大代表。当地村民通过土地和资金入股，又在合作社务工获取报酬，人均增收5000元以上，10家低保户在合作社成立不到一年就实现脱贫。

【重点乡镇选介】 大寨苗族乡，辖区面积47平方千米，平均海拔1035米，辖3个行政村、21个村民小组，人口1645户、7525人，其中少数民族户428户、1950人。全乡有建档立卡贫困户340户、1370

人,2014—2016年已帮扶贫困户实现脱贫179户、779人。全乡水、电、路、房、通信网络等基础设施已基本建设完善,产业稳步发展,农民经济收入持续快速增加,各村村集体经济从无到有,已实现零的突破,村集体经济较多的村已突破15万元,贫困群众人均可支配收入达3485元,整体略高于省脱贫线,非贫困户人均可支配收入达12000余元。此外,全乡贫困户"两不愁、三保障"达标率已达90%,远高于全县平均水平。

脱贫攻坚。一是强化组织核心引领。建立以乡党委、政府为引领,各村支部为核心,村委会、村监委、经济社会组织、群团组织为重要支撑的"1+1+4"基层治理体系,制定乡村社干部小微权力清单、责任清单、服务清单和负面清单"四张清单",建立便民服务站、爱心超市等五大服务平台,强化党委、党支部抓经济发展、社会管理和服务群众三大职能,提升了群众对党组织的信任感和依赖感。二是发挥群众主体作用。以创建"四好村"为抓手,将每月17日确定为"全乡贫困户学习日",举办"农民夜校"定期组织群众学习,增强脱贫愿望和信心。成立苗家群众文艺队、党群志愿服务队等5支队伍,增强群众自我管理和服务能力。选取20户贫困户作为"四好新人",并设立了"四好新人"光荣墙,通过村规民约、苗族"踩山节"、扶贫文艺汇演等方式弘扬正能量,让群众物质和精神"同步脱贫"。创新建立"三色"动态监测机制,对照贫困户退出"两不愁、三保障"和贫困村退出"一低五有"的退出标准,将全乡340户贫困户和贫困村富民村的达标情况上墙公开公示,明确责任人,实时更新工作动态。

产业发展。一是用活资金。将产业扶持基金、贫困户产业周转金、小额扶贫信贷、到户扶贫资金、社会帮扶资金等有机整合,以量化入股、合作经营等方式投入龙头企业或合作社,增强龙头企业的引领带动力,组织群众抱团发展,实现帮扶效应最大化。二是激活资源。对土地、山林、山坪塘、荒滩等开展全面清理确权,把闲置的资源租赁给企业、专合社经营使用,预计每年可给各村创造经济效益20万元以上。三是盘活资产。结合乡村旅游建设,将大寨乡及各村资产融入龙头企业或各村集体资产经营管理,扶持和带动群众发展乡村旅游。构建"基地+公司+贫困户""村集体+公司+贫困户""公司+村集体"的利益联结机制,发展烤烟、中药材、甜柿、高山蔬菜、脆红李5个千亩特色产业,建成温氏生猪养殖基地、富硒乌骨鸡养殖场、生态黑猪放养园等4个示范养殖基地(大寨乡是古蔺县旅游示范片示范乡、乡村旅游重点乡,背靠4A级黄荆老林风景区,其中富民村为全国旅游扶贫重点村、四川省旅游扶贫示范村)。2016年,大寨乡游客接待量突破100万人次,实现旅游综合收入800万元以上。四是推行"特色农业+产品开发"模式。在短期增收方面,主要发展高山蔬菜(木耳和魔芋)、烤烟等绿色产品;在长效致富方面,由乡里组织技术培训,力争让每户贫困户至少掌握1门致富技能,主要发展袋装素毛肚、苗家手工艺品等旅游产品,确保贫困户短期可增收脱贫、长期可稳定致富。

幸福美丽新村建设。一是建立"三色"动态监测机制。把全村纳入易地搬迁和危房户的家庭情况、住房现状、改造方式、补助资金、帮扶责任人等全面公开,用绿色、黄色和白色动态标明进度情况,做到让帮扶干部心中有数、让群众一目了然。二是采取"六统一"模式推进聚居点建设。按照规划统一设计、土地统一流转、委托统一施工、材料统一采购、监督统一管理、服务统一提供的模式,邀请省旅游规划院和市规划设计员进行统一规划设计,完成土地流转400余亩,确保了各村施工进度和材料质量,解决了新村建设中普遍存在的重建设轻管理、重基础轻服务等问题,使得各村聚居点建设按时保质保量建成,让群众早日住上好房子。

【主要领导人】 县委书记:李万忠;县人大常委会主任:孙克刚;县长:陈廷俊;县政协主席:孙应举;分管农业副县长:杨玉峰。

古蔺县编写组

德 阳 市

【基本情况】 2016年,德阳市辖1区3市2县,辖区面积5911.2平方千米,其中耕地面积275.5万亩,比上年下降0.2%,人均耕地面积0.7亩,基本农田316万亩。年末总人口391.7万人(户籍人口),增长0.04%;人口出生率8.7‰,增加0.6个千分点;人口自然增长率4.3‰。全市耕地有效灌面达到耕地总面积的83.9%;本地水资源总量23.8亿立方米,人均占有水资源量607.6立方米。全市林地面积17.64万公顷,有林地13.4万公顷,活立木蓄积1413万立方米,森林覆盖率24.3%。

2016年,全市GDP1752.5亿元,同比增长8.4%。其中,第一产业增加值219.5亿元,同比增长3.6%,农、林、牧、渔及农林牧渔服务业增加值之比为49.3∶2.3∶42.7∶2.3∶3.4;第二产业增加值946.4亿元,同比增长9.2%(工业增加值899.5亿元,同比增长9.3%);第三产业增加值586.5亿元,同比增长9%。三次产业对经济增长的贡献率分别为5.53%、61.53%和32.94%。全年接待游客2585.96万人,实现旅游收入191亿元。

公路通车里程8163千米,其中等级公路7352千米、高速公路205.5千米;通公路村数1447个。一般公共预算收入完成100.1亿元,增长12.9%;一般公共预算支出227亿元,增长3.4%,其中农业(农林水事务)投入25.7亿元,占支出的11.3%。金融机构各项存款余额2327.7亿元,比年初增长11.7%;各项贷款余额1198.7亿元,比年初增长9.4%。全年农业保费收入1.3亿元,增长12.4%,处理各项赔款和给付金额6451.8万元,增长10.7%。农业产业化龙头企业国家级、省级、市级分别为1家、27家、242家。

有各类学校836所,在校学生517006人,教职工33093人,其中,普通高等学校6所,在校本(专)科学生88810人,增长22.7%;普通中学147所,在校学生128726人;小学352所,在校学生174777人;学龄儿童入学率100%。有艺术表演团体33个,文化馆7个,公共图书馆7个,博物馆10个。有卫生机构2708个,病床位21190张,卫生机构人员28024人。城乡居民基本养老保险参保人数140.68万人,参保率达91.07%。

【年度农业和农村经济运行】 2016年,德阳市出台了《德阳市农业农村经济发展"十三五"规划》。实现农业总产值388.3亿元,增长3.9%;农业增加值219.5亿元,增长3.6%;生猪、茶叶、猕猴桃、食用菌、伏季水果、蔬菜等特色优势农产品产量保持稳定增长。农村居民年人均可支配收入达13951元，增长9.1%。全市农产品质量抽检合格率比年初提高0.7个百分点；建成148个基层农业综合服务站。全市农机总动力新增3万千瓦，达202万千瓦；新增农业机械2566台（套）；主要农作物机械化综合作业水平达65%，比上年增加1个百分点。

农业产业化发展。德阳市新建农民合作组织279个、各类农民合作社联合社3家，农民合作组织总数达2300家，同比增加268家，其中国家级示范社14个、省级示范社79个、市级示范社160个。市级以上农业产业化重点龙头企业242家，同比增加7家；实现销售收入631亿元，同比增长8.9%。农民合作组织和龙头企业带动农户75万余户，带动面达76.3%，带动户年人均增收3500元左右。全市经工商登记注册的家庭农场达313家，同比增加121家。

2016年德阳市主要农产品产量

主要农产品	单位	产量	同比(%)
粮食	万吨	194.34	0.46
稻谷	万吨	108.28	0.19
小麦	万吨	40.18	0.02
油菜籽	万吨	16.94	-0.21
蔬菜	万吨	216.86	0.61
水果	万吨	28.57	3.97
肉类	万吨	37.1	-1.64
猪肉	万吨	23.3	-4.08
禽蛋	万吨	11.9	0.98
水产品	万吨	5.92	3.8
牛奶	万吨	1.1	3.95

农用地产权制度改革。德阳市6个县（市、区）农村土地承包经营权确权登记工作全部通过省上组织的专家组检查验收，其中什邡市获得95分的全省高分，确权登记工作质量位居全省前列，该次确权登记实测面积348.2万亩，比原来习惯面积增加58.2万亩，增长23.08%。土地流转面积达96万亩，占耕地总面积的37%。进一步扩大农村集体资产股份合作制改革试点范围，涉及52个乡（镇）335个村，全面完成清产核资、成员资格界定及股份量化各项工作。12月2日，成都、德阳两地签署了农村产权交易市场建设战略合作协议，在全省率先启动市级农村产权流转交易平台建设。什邡市和广汉市继续巩固扩大土地流转收益保证贷款试点，累计发放贷款20笔、5277万元。

农产品品牌战略实施。德阳市新注册农产品商标290件，同比增长11.63%，农产品商标总数达到2783件（其中地理标志证明商标3件）。有驰名商标2件、著名商标18件、知名商标55件。新认定四川省著名商标5件、德阳市知名商标3件。

【种植业】 2016年，德阳市农作物总播种面积达688.92万亩，其中粮食作物播种面积453.5万亩，增加0.18万亩；平均亩产429千克，亩均增产2千克；产量194.34万吨，增加0.88万吨，增长0.45%。建成粮油绿色高产高效创建万亩示范片41个。绵竹市、中江县被纳入省现代农业重点县建设范畴，罗江县被纳入省现代农业基地县建设范畴。

【林业】 2016年，德阳市有国有林场2个、省级森林公园3个、省级自然保护区1个、县级自然保护区1个、县级自然生态保护小区55个，自然保护区面积达6.7962万公顷；实现林业产业总产值49.4亿元。全年完成营造林10.03万亩，新增森林蓄积15.6万立方米，林木覆盖率提高0.09个百分点。启动大规模“绿化全川”行动，开展植树造林活动巩固国家森林城市创建成果。德阳市获得2018年“第八届中国月季展”主办权。停止天然林商业性采伐，全面保护天然林，常年管护森林面积134.7万亩。实施林业有害生物防治面积19.93万亩，成灾率控制在3‰以内。全市林业专合组织达125家。推广林业先进实用技术，培育鉴定和转化推广市级以上林业科技创新成果6项，主要造林树种良种使用率达60%以上。什邡市、绵竹市被纳入大熊猫国家公园建设区域。

【畜牧业】 2016年，德阳市生猪出栏348万头，同比增长0.15%；家禽出栏6510万只，同比增长2.5%；牛出栏9.5万头，同比增长2%；羊出栏25万只，同比增长2%；肉类总产量37.1万吨，同比减少1.64%。生猪外三元杂交面达64%，同比增长4个百分点，猪人工授精面达74%；肉牛改良配种5.1万头；肉羊良种及杂交面达96%，同比增长0.5%；肉鸡、肉鸭、肉鹅和肉兔良种面分别达97%、97%、98%、95%。在全市范围内启动动物检疫证章管理改革和动物检疫证章标志管理专项整改，大力推进动物卫生监督工作“痕迹化”和病害动物统一集中无害化处理，实现产地检疫开展面、检疫申报处理率、受理后检疫率和报告病死畜禽无害化处理监管率“四个100%”。旌阳区被纳入第三轮四川省现代畜牧业重点县建设行列，罗江县被纳入省现代畜牧业建设基地县建设行列。新（改、扩）建畜禽标准化养殖小区56个。

【水产业】 2016年，德阳市水产品总产量达5.92万吨，同比增加0.22万吨，增长3.8%；鱼种投放量达14400吨。大力发展鲈鱼、鲟鱼、泥鳅、大鲵、甲鱼、大闸蟹、小龙虾等特色水产品养殖，全市鲈鱼养殖面积达3000余亩，比上年增长100%；泥鳅养殖面积1500余亩，比上年增长50%；川内首家澳洲淡水龙虾成功移居德阳市，南美白对虾首次成功试养。新申报5家农业部水产健康养殖示范场。

【农村水利】 2016年，德阳市实施重点水利项目60个，总投资54.24亿元，完成年度投资13.66亿元，修复水毁工程2226处，建设高标准农田19.79万亩，新修加固堤防21.16千米，新增年节水能力3977万立方米。建设10个水文巡测站、3个中心水文站；建成各类供水工程3989处，解决3.49万名农村居民特别是1.37万名建卡贫困人口饮水安全问题。完成22座农村水电增效扩容改造，新增装机容量7860千瓦，新增年发电量3990万千瓦时。全市农田灌溉水有效利用系数提高到0.45。

【统筹城乡与新型城镇化】 2016年，德阳市着力构建“中心城区、卫星县城、卫星镇、幸福美丽新村”四位一体城镇体系，促进成德同城化和市县一体化发展。13个省级“百镇建设行动”试点镇完成基础设施和公共服务设施建设投资3.46亿元，就近就地吸纳转移农业人口1.54万人，带动全市小城镇完成基础设施和公共服务设施建设投资12.18亿元，就近就地吸纳转移农业人口2.83万人。建成农村劳动力资源及转移就业实名数据库，实现德阳公共招聘网城乡全覆盖。通过“户改八条”措施累计办理入户16393户、27946人，城镇化率达49.6%。

编制完成《中心城区提档升级专项规划》《旌湖两岸修建性详细

规划》。全面启动土地利用总体规划调整完善工作,编制完成市、县两级规划调整完善方案。不断完善"十三五"规划体系,深入推进"多规合一"试点,中江县完成省级"多规合一"全域规划试点和平台建设,绵竹市建成全省首个"多规合一"规划基础数据信息平台。开工建设农村住房 14479 户,竣工 13566 户(其中危房改造 2097 户);继续实施"百万安居工程建设行动",改造危旧房棚户区 10638 套(户),定向供应农民工公租房 688 套,完成率达 140%。新建、改造农村电网线路 263.746 千米,完成高标准农建示范区建设 6 个、8.48 万亩。建成各类供水工程 1418 处,解决 4.2 万名农村居民饮水安全问题。76 个乡(镇)、325 个行政村被授予"环境优美示范城镇乡村"称号。

【新农村建设】 2016 年,德阳市幸福美丽新村建设投入资金 7.6 亿元,其中市、县财政专项资金投入达 1.8 亿元,建成幸福美丽新村 300 个、新村聚居点 160 个。截至 2016 年年底,全市新农村建设累计总投入达 2017.3 亿元,累计建成幸福美丽新村 718 个,惠及农民群众 41.4 万户。成功创建首批省级"四好村"71 个、市级"四好村"176 个,建成"1+6"村级公共服务中心 431 个、幸福美丽新村(社区)文化院坝 331 个、农家书屋 1454 个、农民体育健身工程 456 处、农村垃圾回收点 1269 个。

【扶贫攻坚】 2016 年,德阳市安排 38 名市级领导、182 名县级领导、529 个市(县)部门和 4 万余名党员干部分别联系市级贫困村、贫困户。统筹落实市级财政扶贫资金 5410 万元,争取省财政扶贫资金 4503 万元,整合行业和社会扶贫资金 8200 万元(含以物折资),围绕精准扶贫全面开展脱贫攻坚工作,全市贫困人口由 2015 年年底的 7.61 万人减至 2016 年年底的 3.11 万人。完成省下达德阳市建档立卡贫困户危房改造任务 2097 户,完工 2733 户,完成目标任务的 131%;完成易地搬迁建房 69 户、地质灾害避险搬迁 300 户。新改(建)农村公路 417.25 千米,完成目标任务的 150%。投入 355.28 万元,解决 6292 名农村居民的饮水问题,其中建卡贫困人口 5418 人。全面落实扶贫小额信贷政策,开展贫困户授信评级,授信 11414 户,授信金额 2.18 亿元,累计向 3791 户建档立卡贫困户发放扶贫小额贷款 7590 万元、余额 5611 万元。

【乡村旅游】 2016 年,德阳市共有 A 级景区 9 个,其中以乡村旅游为主题的国家 4A 级景区 3 个(绵竹年画村景区、九龙山—麓棠山乡村旅游景区、白马关三国蜀汉文化旅游区),国家级农业旅游示范点 1 个(绵竹沿山乡村旅游观光带),国家级休闲农业与乡村旅游示范点 2 个;省级乡村旅游强县 1 个,省级乡村旅游示范县 2 个,省级乡村旅游示范镇(村)16 个,省级乡村旅游特色乡镇(精品村寨)5 个,省级旅游标准化示范县 3 个;示范企业 8 家,星级农家乐 91 家(其中五星级 1 家、四星级 31 家、三星级 41 家、二星级 18 家),乡村酒店 28 家(其中五星级 6 家、四星级 11 家、三星级 11 家)。

【农村科技】 2016 年,德阳市开发新产品 56 个,示范新品种 78 项,推广新技术、新模式 98 项,新增产值 5.23 亿元。水稻超高产攻关田亩产 834.81 千克,比上年增加 5.45 千克;核心区亩产 737.81 千克,比上年增加 35.5 千克;示范区平均亩产比上年增加 16.71 千克。推进科技扶贫,协调争取各类项目资金 40 余万元,组织专家、党员开展培训服务活动 180 余期次,1.5 万余人参训。油菜机收、机播关键技术研究集成取得重大突破,实现了"一机多能""一机多用",申请了 40 余个国家的 PCT 专利和 15 项国家专利。推进科技特派员创新创业,建成以省农科院植保所何忠全研究员为首席专家的德阳市韭菜专家大院,以西南交通大学生命科学与工程学院马超英教授为首席专家的德阳市中药材种植专家大院。绵竹市、旌阳区各承担 1 个农业部园艺作物标准化创建项目。全市共建成现代特色效益农业标准化基地 10 万亩。

【农村教育】 2016 年,德阳市建成市级教育城域网 1 个和县级教育城域网 5 个;有"宽带网络校校通"学校 202 所,通宽带学校 400 所,接入互联网学校比例达 100%。开展大学新生资助活动,共资助大学新生 7645 人,资助金额 4535.5 万元。2014—2016 年,"全面改薄"项目开工 179 个,已竣工 158 个。2016 年秋季学期,选择 6 所优质中高职院校 10 个专业,采取免学费、生活费、住校费和定向招生、定向培训、定向就业的方式,支持贫困家庭高中毕业生接受 1 年职业教育,帮助其掌握一门技能,实现"改变一人命运、小康一个家庭"的目的,全年共有 507 名学生就读"三免三定"计划。

【农村文化】 2016 年,德阳市开展"送文化下乡"等各类群众文艺演出 300 余场,观众人数达 20 万人次;开展各类大型全民阅读活动 12 次。完成农村公益电影放映 17288 场。解决 18230 个家庭收看电视问题,完成 107 个农村公共服务网点建设以及 12788 个自然村和 1435 个行政村的村村响、村村通运行维护任务。

【农村卫生】 2016 年,德阳市新型农村合作医疗参合人数 235.59 万人,参合率达 99.42%;按照人均 540 元的筹资标准,筹集新农合基金 131475.4961 万元,支出 117456.76 万元;政策补偿比为 76.25%,实际补偿比为 65.12%。99%的乡(镇)卫生院、100%的社区卫生服务中心设置了中医科(室)。新(改)建无害化卫生厕所 18.62 万户,农村无害化卫生厕所普及率达 78.19%;新增自来水受益人口 18.19 万人,农村自来水普及率达 83.86%。建成国家卫生镇 6 个、省级卫生镇 12 个、省级卫生村 85 个、市级卫生镇 14 个、市级卫生村 92 个。

【农村法制建设】 2016 年,德阳市深入开展"法律进乡村"活动,乡(镇、街道)全部设立了法律援助工作站和法治辅导站,村(社区)实现了法律顾问全覆盖。全年 243 支法律服务小分队进入村社开展法治宣传活动 1200 余场次,发放便民法律服务卡 6 万余张,组织村(社)"三委"干部、村(居)民代表集中学法 1860 余场次,培养村社"法律明白人"30871 人,开展外出务工和经商人员集中法治宣传教育 187 次,开展"亲情帮教大走访"1600 次、走访 4060 人次。全年村(社)法律顾问累计走访村(社)3900 余次,解答村(社)及其居民法律咨询 8500 余人次,提供专项法律服务 52 次,出具书面意见书 83 份,代理村(社)或辖区居民参与诉讼 190 次,开展村(社)普法讲座 1580 次,帮助村(社)调解纠纷 1200 起,引导通过诉讼途径解决纠纷 398 起,协助处理信访事项 88 件,提供法律援助 230 件。

【农村交通】 2016 年,德阳市共有农村公路 7483 千米,其中县道 1363 千米、乡道 2522 千米、村道 3598 千米,实现 100%的乡(镇)通沥青(水泥)路、100%的建制村通公路和 100%的建制村通水泥(沥青)路。全年共完成农村公路建设 417.25 千米,建成公路安全保障工程(路侧护栏)204 千米。全面启动农村客运"村村通"专项工程,完成 1 个乡(镇)、29 个农村建制村客运通村任务,全市农村客运乡(镇)通达率达 100%、村(社)通达率达 97.4%;有农村客运车辆 857 辆、农村客运站点 192 个、农村客运班线 235 条,其中开通城乡公交线路 46 条。

【涉农招商引资】 2016 年,德阳市 3000 万以上农业招商引资重大项目 23 个,比上年增长 35.29%;项目总投资 23.14 亿元,比上年减少 28.76%;到位资金 17.37 亿元,比上年增加 100.05%。

2016 年德阳市 3000 万元以上招商引资项目表

项目	总投资(万元)	投资内容	投资方	项目进度
四川博创动力(德阳—旌阳)崴螺山国际芳香养生观光产业园项目	10000	由崴螺山芳香主题花园、禅宗养老社区、特色农业种植示范区、花卉休闲度假景区组成,打造旅游风情小镇、芳香植物原料基地、小河村现代综合服务基地、芳香产品研发生产基地,启动创建国家 4A 级景区	四川博创动力设备有限公司	已投产
黑龙江农垦北大荒(德阳—旌阳)30 万吨稻谷及糙米加工项目	7900	项目占地面积 42 亩,总投资 7900 万元,主要建设稻谷仓储加工库房 1 万平方米、30 万吨稻谷及糙米加工生产线 1 条	黑龙江农垦北大荒商贸集团有限公司	已投产
天津客商(德阳—旌阳)食用菌种植基地项目	12400	属回乡创业投资。计划建设板房式食用菌生产房 8000 平方米、特种蔬菜种植大棚基地 50 亩	兰顺明	已投产
重庆客商(德阳—旌阳)农业旅游开发、农业观光、休闲、苗木花卉种植项目	8000	该项目由省外、宜宾及广汉等多名个体商人组建农业旅游开发有限公司,租用山坡地进行农业旅游开发,修建花卉观光区、养殖循环区、多功能广场、休闲体验区、农业科技专家大院、创业中心及其他附属设施	刘刚	已投产
福建客商(德阳—什邡)观光农业园项目	4800	修建观光农业园	詹惠	已投产
福建客商(德阳—什邡)农副产品粗加工生产线项目	5300	建设农副产品粗加工生产线	曹义	已投产
贵州客商(德阳—什邡)圣果科技—下院村观光农业生产综合体项目	4820	建设下院村观光农业生产综合体	龙兴江	正常运营
浙江客商(德阳—什邡)高品质黄背木耳繁育中心项目	4800	建设高品质黄背木耳繁育中心	张俊	已投产
江西客商(德阳—什邡)箭台村观光农业产业综合体项目	4865	修建箭台村观光农业产业综合体	张大兵	正常运营
广东客商(德阳—什邡)绿益州现代农业园区项目	6000	建设现代农业园区	周毅	已投产
河北客商(德阳—什邡)鑫源圣果观光农业项目	9000	观光农业	冯永生	正常运营
四川客商(德阳—绵竹)绵竹市板桥镇兴隆村苗木花卉种植基地项目	6380	种植面积 3200 亩,主要种植红霞杨	张长城	已投产
碧丰园农业旅游观光项目	6000	计划投资 6000 万元在原有基础上新建 100 亩大棚种植高端水果,新修荷塘 200 余亩并配套各种休闲、娱乐、餐饮设施	孔良万	已投产
绵阳客商(德阳—中江)菌类种植、销售项目	31000	菌类种植、销售	雷浩川、叶云凤	已投产
成都客商(德阳—中江)天堂村蔬菜种植项目	3000	蔬菜种植	杜洪荣	已投产
成都客商(德阳—中江)生姜、辣椒等绿色蔬菜基地建设和加工项目	10000	生姜、辣椒等绿色蔬菜基地建设和加工	王金雨	已投产
东莞秀臣生物科技(德阳—中江)魔芋种植及深加工项目	5000	魔芋种植及深加工	东莞秀臣生物科技有限公司	已投产
河南客商(德阳—中江)民主核桃初加工项目	3650	民主核桃初加工	朱保洲	已投产
四川泰丰源(德阳—罗江)花椒农业生态基地二期项目	9500	对青花椒基地进行扩种约 500 亩并逐步进行林下珍禽养殖	杨洪军、刘福林、左海全	已投产

续表

重庆客商(德阳—罗江)苗木花卉基地项目	15000	建设苗木花卉基地	谢向阳、刘玲	已投产
北京垄金源景观园林绿化(德阳—罗江)生态观光农业基地	5000	建设生态观光农业基地	北京垄金源景观园林绿化工程有限公司	已投产
北京星空农业科技(德阳—罗江)万亩油用牡丹项目	9000	栽植万亩油用牡丹	北京星空农业科技有限公司	已投产
北京丰田通商(德阳—经开区)蘑菇产业园项目(二期)	50000	种植小白蘑菇	丰田通商(中国)有限公司	厂房已基本建成

【农村社会保障】 2016年,德阳市城乡居民基本养老保险参保人数140.68万人,参保率达91.07%,完成目标任务的102.67%;缴费人数85.92万人,完成目标任务的102.54%;领取养老金待遇人数54.76万人,累计发放个人账户养老金4456.07万元、基础养老金48128.11万元。从2016年7月起,全市农村低保标准由2015年的3000元/年提高到3720元/年;已纳入低保31825人,其中2016年计划脱贫人口低保兜底对象26479人。

【农村生态建设及环境保护】 截至2016年年底,德阳市创建省级生态县(区)2个、省级生态工业园区1个、国家级生态乡镇14个、省级生态乡镇52个。完善和划定农村饮用水源地保护区,严格保护乡(镇)、村饮用水水源,防止农业生产、农民生活污染物对饮用水水源地的污染。结合幸福美丽新村建设,开展场镇生活污水、生活垃圾等污染综合整治,着力改善镇村人居环境。加强畜禽养殖污染综合整治,支持畜禽粪便无害化处理和综合利用。

【农村留守学生(儿童)帮扶】 2016年,德阳市有农村留守学生68355人。一是建立关爱工作长效机制。逐级建立全市留守学生(儿童)工作台账,定期完善留守学生(儿童)档案,重点对特殊困难留守学生(儿童)台账进行实时更新,初步建立留守学生大数据平台,实现留守学生数据动态更新、实时管理。二是促进"留守学生之家"提档升级。全市已建成"留守学生之家"227家,其中"星级留守学生之家"97家。通过实时更新、动态管理,在已建的227家"留守学生之家"广泛开展"放学两小时""快乐周末""集体生日""课业辅导"等各类关爱活动。三是常态化开展各类活动。持续开展留守学生(儿童)"圆梦"公益活动、"快乐留守·志愿行动"、德阳市关爱留守学生(儿童)夏令营、关爱留守学生(儿童)"暖冬行动"、"大手拉小手·关爱一帮一"、贫困留守学生(儿童)慰问活动等,着力推动关爱工作常态化开展。四是不断壮大关爱队伍。建立青年志愿者、教师志愿者、"五老"志愿者、巾帼志愿者等部门志愿服务队伍130余支,建立留守学生(儿童)心理服务、志愿者车队等专业志愿服务队伍10余支,常年为偏远地区的留守学生(儿童)开展心理辅导服务和义务支教。

【农产品质量安全监管】 2016年,德阳市先后开展农资打假、禁限用农药专项整治、兽用抗菌药专项整治、"三鱼两药"专项整治、生猪屠宰"扫雷"行动、"瘦肉精"专项整治和生鲜乳专项整治七大行动,全市共出动执法人员17648人次,检查生产经营单位9936家次,立案查处违法案件53件,发放宣传资料8.1万份,指导培训106场次、5500余人次。全市省级农产品质量安全例行监测合格率达99.2%,种子质量抽检合格率达97.4%,饲料产品质量合格率达99.5%,全市全年未发生重大农产品质量安全事件。

【劳务开发】 2016年,德阳市有农村劳动力资源176.78万人,转移就业119.07万人,实现劳务收入215.72亿元;返乡创业农民工9760人,创办企业7313家,吸纳就业2.26万人,实现产值38.98亿元。全年完成农民工就业技能培训15012人、岗位技能提升培训2369人、创业培训2552人、劳务品牌培训1826人,农民工劳动合同签订率达96.5%。全年受理农民个人投诉、举报案件1756件,依法为农民工追回工资2.11亿元,涉及农民工31057人;受理社会保险和缴纳社会保险费类案件88件,督促企业为516名劳动者参保缴费617.69万元。

【农村市场体系建设】 2016年,德阳市农村消费市场实现零售额241亿元,同比增长13.6%,增速比城镇消费市场高0.2个百分点。完成旌阳区孝泉镇重点商贸镇支持项目建设,罗江县略坪镇被列入2016年省级商贸重点镇支持范围,广汉市北新大弘冷链物流信息平台建设被纳入国家级冷链物流试点。全年7个农产品批发市场成交农产品60万吨,年交易额达27.2亿元;169个农贸市场交易总额实现54.8亿元,解决就业3.7万人。广汉中药材物流基地被中国仓储与配送协会、中国中药协会授予"全国中药材物流实验基地"称号;罗江县被纳入省级电子商务进农村试点县。截至2016年年底,全市共建立镇(村)电商网络服务站点800余个,实现农产品网络销售额近4亿元;参与农村电商商务近3万人,开展农村电商培训近100万人次,创造就业岗位2468个。全市年末涉农贷款余额685.48亿元,比年初增加28.33亿元;小额贷款公司对农业小微企业和农村居民贷款余额8.7亿元。建设助农取款点3724个,完成取款、转账、代理缴费等交易329万笔,金额16.7亿元。创建23个农村金融综合服务示范站、46个助农取款优质服务示范点、2个示范行社、6个县级刷卡无障碍示范街区。

从2016年起,提高水稻、玉米、小麦、马铃薯的投保额并降低费率,水稻和玉米单位保额提高到700元/亩,费率降低到4%。提高产粮大县三大粮食作物省级财政补贴比例,旌阳区、广汉市、绵竹市、中江县被确定为产粮大县。制定降低育肥猪价格指数保险方案,从2016年起纳入财政补贴范围,给予30%的保费补贴。截至2016年年底,全市(不含扩权县)农业保险各级财政补贴1359.47万元,增长20.17%。全年农业保险保费收入1.3亿元,同比增长16.07%。

【涉农节会会展】 2016年,德阳市共举办地区性特色展销活动10余项,各类参展企业达600余家,参展商品1000余种,吸引群众和游客近100万人次,展会成交金额近4000万元,促进全市消费超1亿元。全年累计组织近900家次企业开展"惠民购物全川行动"各类展会、促销活动1368场次,成交金额19.2亿元,促进消费增长128余亿元。组织82家次企业参加"川货全国行"活动,绵竹棚花农业公司的猕猴桃成功进入东北三省市场。

中国(德阳)进出口绿色农产品暨食品博览会。2016年3月12

日—16日，在德阳会展中心举办了2016中国（德阳）进出口绿色农产品暨食品博览会，展览面积24000平方米，参展企业400余家，折合标准展位近1000个；客流量约10万人次，其中中高端采购商及批发商近千人，总体销售额约1500万元左右，带动周边经济约0.87亿元左右。

【主要领导人】 市委书记：蒲波；市人大常委会主任：刘守培；市长：赵辉；市政协主席：刘哲；分管农业副市长：杨震。

德阳市编写组

旌阳区

【基本情况】 2016年，旌阳区辖19个乡（镇、街道），辖区面积648平方千米，其中耕地面积35.2万亩，人均耕地面积0.51亩；基本农田38.5192万亩。年末总人口69.74万人（户籍人口），增长0.8%；人口出生率9.45‰，增加0.8个千分点；人口自然增长率5.28‰，增加4.8个千分点。本地水资源总量1.89亿立方米，人均占有水资源量254立方米。林业用地7365.57公顷，活立木总蓄积量62.9132万立方米，森林覆盖率达21.6%。

2016年，全区GDP500.08亿元，增长8.2%，其中第一产业增加值30.13亿元，增长3.6%，农、林、牧、渔及农林牧渔服务业之比为45∶0.5∶46∶3.6∶4.9；第二产业增加值276.14亿元，增长8.1%（工业增加值268.36亿元，增长8.3%）；第三产业增加值193.81亿元，增长9%。三次产业对经济增长的贡献率分别为2.6%、57.6%和39.8%。劳务输出12.2176万人，收入21.623亿元。全年接待游客296.64万人，实现旅游总收入21.14亿元，其中乡村旅游收入9.11亿元。

全区公路通车里程810.052千米，其中高速公路29.6千米、国（省）道64.05千米、县道214.171千米、乡道175.688千米、村道324.965千米、专用道路1.578千米，密度1250.08米/平方千米，11.71千米/万人。社会消费品零售总额202.1亿元，增长13.5%。地方公共财政预算总收入完成12.35亿元，增长13.04%；公共财政预算支出23.27亿元，减少0.4%，其中农业投入2.586亿元，占支出的11.11%。金融机构各项存款余额305.19亿元，比上年初增长11.6%；各项贷款余额170.09亿元，比上年初增长12.35%，其中支持农业产业化发展龙头企业流动资金贷款0.6119亿元。全年农业保费收入0.18亿元，增长12.3%；处理各项赔款和给付金额12万元，增长100%。完成农业产业化项目1个，完成投资50万元。农业产业化龙头企业省级、市级分别为6家、55家。

有中小学校24所，在校学生14525人（含在园幼儿），在编教职工1087人，其中农村中学11所，在校学生2210人；农村小学13所，在校学生8044人；农村民办幼儿园7所，在园幼儿1408人。有艺术表演团体50个，文化馆1个，公共图书馆1个。有无线广播电台1座，节目1套；电视台1座，节目1套。农村地区移动电话用户总数达25.6万户，增长7.1%。有卫生机构503个，病床位1230张，卫生技术人员2190人。新型农村合作医疗参合人数216875人，参合率99%；城乡居民基本养老保险参保人数145147人，参保率99%；被征地农民养老保险参保人数918人。

【年度农业和农村经济运行】 2016年，旌阳区实现种植业总产值21.06亿元，增长2.47%；种植业增加值14.27亿元，增长2.59%；生猪、食用菌、伏季水果、蔬菜等特色优势农产品产量保持稳定增长。农村居民年人均可支配收入15570元，增长9.2%。农产品质量安全抽检合格率保持在97%以上；建成12个基层农业综合服务中心。

农业产业化发展。旌阳区培育农业产业化经营重点龙头企业15家，市级及以上农业产业化经营重点龙头企业在55家，其中省级6家；有农民专业合作经济组织488个，其中省级及以上示范社12个；家庭农场52家，龙头企业、专合组织、农村经纪人和农业生产大户带动农户11万户，促进农民户均增收1941元。规模以上农产品深加工企业年主营业务收入达75亿元。

2016年旌阳区主要农产品产量

主要农产品	单位	产量	同比（%）
粮食	万吨	22.55	0.1
稻谷	万吨	15.07	-0.1
小麦	万吨	5.17	-0.1
油菜籽	万吨	2.4	0.7
蔬菜	万吨	39.41	0
水果	万吨	2.1	3.6
肉类	万吨	5.894	-0.82
猪肉	万吨	3.2182	-4.13
禽蛋	万吨	2.0898	1.74
牛奶	万吨	0.3411	-7.31
水产品	万吨	1.44	1.41

农用地产权制度改革。旌阳区全面推进农村土地确权颁证登记。完成33.5万亩的农村土地确权登记工作并通过省级验收，获得“优秀”等级。细化落实农村土地承包地“三权分置”，加快推进区、乡两级农村产权交易所体系建设，放活土地经营权，积极运用农村土地确权颁证成果，以土地股份合作社为主流模式推进土地流转、土地入股、土地托管等多种形式适度规模经营。全区累计规模流转土地12.36亩，适度规模经营率达73%以上。引导农民发挥主体作用，全面摸清家底，分类登记，按照“民权民定、民事民管”原则，民主界定集体经济组织成员资格，做到明晰权属，确实权、颁铁证，全面推进“多权同确”。

农村集体资产股份合作制改革。旌阳区在德新镇、扬嘉镇开展试点的基础上，2016年全面铺开，于年底全面完成。进一步规范农村集体“三资”监管工作，开展村社财务培训，提高从业人员业务水平。同时，加强德阳市阳光惠农网“三资”查询平台的宣传推广和完善工作。

农产品品牌战略实施。旌阳区申报、认证无公害农产品37个、绿色食品14个、有机农产品3个，“三品一标”获证农产品主体生产记录档案建档率达100%。合作建立优质农产品品牌展示中心、旌阳区农业品牌专销店、旌阳区特色农产品体验馆、扬嘉味道专销店等农产品展销平台，集中展销全区优质农产品。

【种植业】 2016年，旌阳区小春粮食作物、油料作物播种面积共28.98万亩，大春粮食作物播种面积32.76万亩。在黄许镇、孝泉镇、双东镇完成粮油高产创建示范片10个，引进水稻、小麦、玉米、油菜和红薯共69个新品种（品系）进行试验示范，推广水稻机插秧15万亩。全年发布病虫害情报14期，综合防治病虫草鼠害405万亩次;建立水稻、蔬菜绿色防控示范区2个共2万亩,开展绿色防控61万亩次,占主要农作物病虫害防治总面积的30%,病虫害损失率控制在3%以内。加大推广和宣传力度,普及标准化生产知识,引导农户和生产组织按照粮油标准化从事生产、加工和销售,成功打造3万亩"千斤粮万元钱""吨粮田五千元"粮经复合现代农业产业基地。

2016年旌阳区省级农业产业化重点龙头企业名单

企业名称	注册资金(万元)	法人代表	示范等级	年度产值(万元)	行业分类	主营产品
德阳市洪国种养殖业发展有限公司	2426.3	杨洪国	省级	3289.2	养殖业	生猪
四川省旌晶食品有限公司	5648	陈德长	省级	5780	加工业	"晶晶"牌系列玉米粉
四川在生源面粉有限公司	7356	刘家上	省级	11588	加工业	面粉
德阳市明润农业开发有限公司	2095	兰顺明	省级	3251	种植业	木耳、羊肚菌等
德阳民丰禽业有限责任公司	2616	赵远炳	省级	3013	养殖业	禽苗
德阳市畜丰猪业有限公司	4800	左军	省级	4082	养殖业	生猪

2016年旌阳区省级(及以上)示范农民专业合作经济组织名单

合作组织名称	注册资金(万元)	法人代表	示范等级	年度产值(万元)	行业分类	主营业务
德阳市旌阳区瑞丰农业机械化专业合作社	25.3	刘述明	国家级	25	农业机械化	农业机械及技术推广
德阳双东龙凤山生态鸡养殖专业合作社	145.3	陈太木	国家级	1800	养殖业	生态鸡养殖、鸡苗销售
德阳市旌阳区双东镇东美枣种植专业合作社	891	雍安琼	省级	1500	种植业	东美枣种植
德阳三丰原肉产品专业合作社	1000	李顺荣	省级	1200	养殖业	家禽、生猪养殖
德阳市旌阳区宏德源生猪养殖技术服务专业合作社	160	何多富	省级	980	养殖业	生猪养殖、销售
德阳市旌阳区普度果蔬专业合作社	51	张帮非	省级	150	种植业	蔬菜、水果种植
德阳市旌阳区旌鑫农业种植专业合作社	210	邓绍龙	省级	60	种植业	蓝莓、桑椹、蔬菜种植
德阳市旌阳区水果沟鸡专业合作社	50	蔡光明	省级	200	养殖业	鸡养殖
德阳市旌阳区孝泉德源蔬菜专业合作社	208	唐章模	省级	390	种植业	蔬菜、粮食种植
德阳市旌阳区佳源无花果专业合作社	30	王友	省级	42	种植业	无花果种植
德阳市旌丰渔业专业合作社	600	李代全	省级	660	养殖业	淡水鱼养殖及技术服务
德阳市旌阳区双东镇东美蛋鸡养殖专业合作社	400	杨权	省级	1200	种养殖业	鸡、水果、蔬菜、苗木种养殖

2016年旌阳区家庭农场经营情况统计表(前10位)

家庭农场名称	注册资金(万元)	法人代表	年度产值(万元)	行业分类	主营业务
旌阳区悦悦家庭农场	40	刘培勇	180	种植业	粮食种植
旌阳区阳光森林家庭农场	20	廖勇	170	种植业	水果、蔬菜、花卉种植及销售
德阳吉庆家庭农场	200	杨玉吉	130	种植业	蔬菜、水果、苗木、粮食种植
德阳市旌阳区鑫阳种植家庭农场	10	杨应富	120	种植业	粮食种植及销售
德阳市天敏家庭农场	20	赵天敏	60	种植业	粮食、蔬菜种植

续表

德阳市旌阳区和合家庭农场	50	廖乾述	52	种植业	油桃、蔬菜种植
德阳市金锣桥种植家庭农场	5	陈曦	22	种植业	水果种植
旌阳区钰全家庭农场	20	廖述全	20	种植业	蔬菜、水果、水稻、小麦种植及销售
旌阳区生亮家庭农场	120	廖成亮	18	种植业	芦笋种植
德阳市旌阳区和泰家庭农场	50	陈行秀	17	种植业	油桃、蔬菜种植

【林业】 2016年,旌阳区制定并出台了《旌阳区林权抵押贷款改革试点实施方案》《旌阳区经济林木(果)权登记管理暂行办法》《旌阳区林地经营权流转证管理暂行办法》等政策性文件。新中镇作为旌阳区林权抵押贷款改革试点工作的首个试点乡(镇)取得成功。为14家企业(业主)颁发经济林木(果)权证16本,颁证面积达4500亩;中国邮储银行旌阳区支行与4家林业企业(业主)签订了首批信贷授信合同,授信总金额达820万元。完成巩固退耕还林成果专项建设任务1.7万亩,完成总投资148.5万元,退耕还林政策补助资金176万元全部兑现到户。发展特色经济作物1119亩、中药材116亩,实施品种改良改造734亩。办理临时占用林地项目1宗、面积1.6852公顷,报国家林业局批准征占用林地项目1宗、面积42.8718公顷,报林业厅批准征占用林地项目2宗、面积4.2107公顷。

【畜牧业】 2016年,旌阳区出栏生猪46.78万头、小家禽1825.57万只、肉牛0.63万头、肉羊0.8万只,禽蛋产量20898吨。新(改、扩)建标准化养殖小区(场)32个;新发展农民专业合作经济组织3个,规范发展6个;全年实现畜牧业总产值29.74亿元,占农业总产值的53.66%。发展正大生猪寄养模式养殖场6家。建成温氏肉鸡养殖大棚20个,新增出栏优质肉鸡60万只,发展林下生态肉鸡养殖合作农户40余户。开展"三品一标"畜产品创建,通过有机产品认证1个,通过无公害农产品现场审核和验收2个。优化销售渠道,引导景程禽业鹜鸭(蛋)、川荣跑山猪等优质畜禽产品登录金商客等电商平台,提升农户养殖效益。积极争取市级节能减排资金400万元,有序推进齐家堰流域畜禽养殖场污染治理。

【水产业】 2016年,旌阳区成鱼总产量1.44万吨,比上年增长1.41%;实现渔业经济总产值4.28万元、水产品总产值2.09亿元,农民人均渔业增收72元。名特新优产品得到长足发展,打造以鲈鱼(800亩)、甲鱼(200亩)、泥鳅(100亩)、叉尾鮰(200亩)等为重点的名特水产品养殖,力争到2020年形成优势养殖品种。

【农村水利】 2016年,旌阳区完成水利建设固定资产投资3.7亿余元,新增有效灌面9000亩,恢复改善灌面8600亩,新增节水灌面9000亩,新增年节水能力840.23万立方米;修复水毁工程1528.4米、机耕桥2座,更换斗闸门13台,维修斗闸门41台;维修养护堤防22千米、防洪闸5处、渠道37.4千米,重点加固维修堤防0.26米;新建及整治渠系92.18千米,整治山坪塘129口、石河堰50处,新建蓄水池128口、石河堰1处、泵站1处;开展水土保持综合治理6.27平方千米;解决2820名农村贫困人口饮水安全问题。实施柏隆镇、德新镇、新中镇中央计提项目和新中镇、和新镇"小农水"重点县项目的小型水利工程确权颁证工作,颁发产权证1.38万本,完成总体任务的80%,完成年初任务的100%。

【农业机械化】 2016年,旌阳区农机投资总额达2288万元,其中中央农机购置补贴资金617.905万元、农户自筹1670.095万元,补贴机具685台,555户农户受益;完成2015年省级农机推进项目。完成各类农业机械年检(审)1652台,核查上户148台。全区主要农作物综合机械化水平达76.3%,全年无重特大农机安全生产事故发生。

【统筹城乡与新型城镇化】 2016年,旌阳区完成试点镇基础设施建设投资5055万元、产业发展建设投资4.6亿元,完成小城镇基础设施建设投资2.05亿元,完成农房建设1306户。出台了《德阳市旌阳区2016年农村危房改造工作实施方案》,全年改造农村危房143户,其中建档立卡贫困户74户。孝泉镇正阳街居委会、双东镇金锣桥村成功入选第三批中国传统村落名录,成为全区首批被列入的传统村落。加快推进公共交通、农田水利、饮水安全、农村能源、电力通信等农村基础设施建设与提档升级,着力促进教育、医疗、就业等城乡公共服务均等化,大力推进城乡文体一体化发展。抓好统筹城乡发展示范,深化"百镇建设行动",推动孝泉镇、黄许镇、双东镇等区域重点镇建设,促进产镇相融。大力发展都市休闲观光农业,新中镇"赏荷月""赏花月"等活动相继举办,孝感镇闲逸红光农业产业园被评为全省首批示范农业主题公园,新中镇龙居村、城北镇圣风村分别获得国家级和省级乡村旅游示范村称号。

【新农村建设】 2016年,旌阳区争取上级财政资金2000万元,区级配套资金600万元,农户自筹资金309万元,用于孝感镇"闲逸红光"、扬嘉镇"农垦公园"、东湖乡"高槐咖啡"和"阳光森林"等都市现代农业引领区和省级幸福美丽新村建设。撬动社会资本2000余万元,用于崴螺山国际芳香养生观光产业园建设。整合各类涉农项目资金4372万元,进一步完善23个新建成的幸福美丽新村的基础设施,提升聚居点风貌和促进农业产业发展,巩固提升幸福美丽新村60个。完成3个村的"建改保"工作,区委区政府安排专项资金200万元,解决143户农村无房户、危房户和住房困难户的住房问题,全区新建农房511户,改造农房72户。扎实开展"四好村"创建工作,全年建成区级"四好村"20个、市级"四好村"14个、省级"四好村"10个。

【扶贫攻坚】 2016年,旌阳区将脱贫任务分解至各乡(镇),层层签订责任书、明确目标任务。制定了旌阳区基础设施建设等10个专项扶贫规划和17个专项扶贫计划,基础设施建设、危房改造、教育帮扶、新村建设、产业扶持、社会保障扶贫等项目按计划实施。引入有实力的业主参与农业产业发展,逐步形成"一村一品"特色产业,带动贫困户增收。新中核桃蓝莓、双东黑花生、和新辣椒、特色养殖跑山鸡、七彩山鸡、雪峰乌鸡已形成品牌,荷花节、芳香产业园、李花会、枇杷节等城郊特色农业旅游已初具雏形。以构建政府、市场、社会协同推进,社会力量踊跃参与的社会扶贫新常态为总目标,制订了《旌阳区深入动员社会力量参与扶贫开发实施方案》。印发《德阳市旌阳区扶贫小额信贷管理办法(试行)》,制定《德阳市旌阳区贫困村贫困户产业扶持周转金管理实施细则》,落实18个丘陵市级贫困村产业周转金,用于建立扶贫产业园、贫困户入股专合组织等方式支持村内农业产业发展。2016 年,全区减少贫困人口 3000 人,减贫率为100%;农业产业扶贫责任落实率达 100%,技术扶贫科技人员到位率达 100%。

【乡村旅游】 2016 年,旌阳区整合各类项目资金,着重完善孝泉古镇、西海生态小镇、和新寿香谷、勿忘我花海基地、荷韵龙居、东湖乡高槐村等景区旅游基础配套服务设施,新建 6 座旅游厕所。依托丘陵生态资源优势,打造全市首条集徒步、生态旅游、特色产业观光、果蔬采摘于一体的全长 17 千米的徒步健身路线,全年超 6000 人次参与徒步。

【农村科技】 2016 年,旌阳区紧紧围绕农业产业化建设,引进农业优质新品种 30 个、农业先进适用技术 8 项。以省农科院水稻高粱研究所为依托,建立优质粮油科技示范园 3000 余亩。依托省林科院的技术支撑,建立优质核桃新品种对比试验基地 1 个。推进农业科技专家大院和科技示范园区建设,建成农业科技专家大院 8 个和科技示范园区 10 个。加强科技特派员工作,有针对性地邀请 23 名专家开展技术培训 256 次,开展技术指导 13000 余人次。在四川省农科院、四川大学等专家教授的技术支持下,明润农业开展仿野生种植羊肚菌并获得成功,带动农户近 20 户,种植面积达 400 余亩。杂交水稻新品种德优 4727 被农业部办公厅确定为超级稻品种并被遴选为国家主导品种,这是继水稻高粱研究所在德阳市选育的德香 4103 之后再次获得国家超级稻品种称号的杂交水稻新品种。

【农村教育】 2016 年,旌阳区落实各类助学补助资金 4404.275 万元,义务教育阶段所有学生均享受"三免一补"政策。家庭经济困难幼儿减免保教费、高中及中等职业学生资助、生源地助学贷款、大学新生补助交通费等项目全面落实,学生资助体系实现从学前教育到高等教育全覆盖。引进 41 名教师分配到农村学校任教,城市到农村轮岗交流干部、教师 57 人,表彰扎根乡(镇)优秀教师 96 名,表彰"最美乡村教师"2 名。实施 20 所乡(镇)中小学校新(改、扩)建项目 26 个,总投资 1130 万元。

【农村文化】 2016 年,旌阳区在原来建成的 51 个文化院坝的基础上推出 5 个精品文化院坝进行建设,建成 14 个文化广场。完善 106 个村、60 余个社区文化活动室建设。推进 106 个农家(社区)书屋规范化建设,完成 58 处阅报栏试点建设,完成 5 个乡(镇)、40 个村、3094 人的文化广电扶贫工作,建成 11 个广播电视公共服务网点。

【农村卫生】 2016 年,旌阳区新型农村合作医疗参合 216875 人,参合率为 99%;人均筹资标准提高至 530 元;门诊费用报销比达 82.96%、政策范围内住院费用报销比达 66.43%,实际报销比达 49.08%。完善"先诊疗后结算"制度,设置 5 个丘陵基层乡(镇)卫生院贫困人口住院绿色通道和"一站式"综合服务窗口。与上海悦心健康集团及南怀瑾文教基金会联合开展全区市级贫困村乡村医生培训,对 42 个贫困村的 90 名乡村医生开展了针对内儿科理论、实践技能、基本公共卫生项目及新型农村合作医疗电脑操作等相关工作的业务培训。

【农村法制建设】 2016 年,旌阳区 11 个乡(镇)、4 个街道、200 余个村(社区)均聘请了专业法律顾问,协助审查重大决策和合同,开展法治讲课培训,办理有关法律事务,协助村(居)自治管理,提供法律咨询服务,调解矛盾纠纷。评选出"第三批法治示范乡镇"3 个、"依法治村(社区)示范村(社区)"51 个。

【农村留守儿童(学生)帮扶】 2016 年,旌阳区依托 41 所校内外"留守学生(儿童)之家"为主要阵地开展活动,利用"快乐留守 · 志愿行动"等项目开展以"晨曦之家""快乐成长 · 关爱一夏"等为主题的 51 期志愿服务活动,聘请心理学、绘画、写作等领域专业人士为留守学生开办各类课程,累计覆盖 1315 余人次,投入经费 5.97 万元。开展"留守学生圆梦""送温暖"等活动,为 200 名留守学生完成心愿,为 95 名留守学生送去慰问金 3.8 万元。开展"金秋圆梦——助你上大学"等公益助学项目,发放爱心助学金 6.4 万元,资助困难学生 21 人。推出 4 个"公益合伙人"项目,落实 4.199 万元及 60 名志愿者,帮助 170 余名留守儿童实现心愿。

【农村生态建设及环境保护】 2016 年,旌阳区修改完善《"十三五"生态文明建设规划纲要》,启动编制国家级生态文明建设先行示范区创建规划,创建市级生态村 3 个,推进完成 13 项生态文明体制改革。制订并下发了《2016 年〈水污染防治行动计划〉德阳市旌阳区工作方案》,完成水污染治理项目 10 个;加快推进污水处理设施建设,黄许镇污水处理厂于 8 月试运行,加快德新镇污水处理厂主体工程建设;牵头实施绵远河断面水质达标工程各项工作。全年共审批建设项目 87 个,实施登记备案 21 个,否定旌阳区大地养殖有限公司等 4 个不符合规划或环保要求的项目;立案查处环境违法行为 12 起,罚款数额共计 16.74 万元。

【农产品质量安全监管】 2016 年,旌阳区大力推广农业标准化生产技术,主要优势农产品标准化生产覆盖率达 90%以上。建立和完善区级农产品质量安全追溯平台,有 30 余家生产经营主体加入了追溯体系,实现对整个供应链各个环节的产品信息进行跟踪与追溯。对 16 家生产企业、11 个场镇 363 个经营门市进行了拉网式检查,市场检查面达 99.9%,合格率达 100%。全区"三品一标"农产品抽检合格率达 100%,蔬菜、水果、食用菌等农产品抽检合格率达 99.5%。全年完成农产品质量安全快速检测样品 1112 个,合格率达 99.8%。建立 500 个水稻重金属污染状况协同监测点,完成采集、制样、送检水稻样品、土壤样品各 500 个。

【农村金融与保险】 2016 年,旌阳区政策性农业保险涉及 11 个乡(镇),有 9.8 万名农户参保,保费总额达 1880.74 万元,比上年增长 23.1%,其中中央财政补贴 837.24 万元、省级财政补贴 373.21 万元、市级财政补贴 119.53 万元、区级财政补贴 138.35 万元、农户自缴 412.4 万元。全区种植业投保面积 46.23 万亩,比上年增加 7.95 万亩,增长 17.19%,保额 719.93 万元;养殖业投保育肥猪 38.51 万头、能繁母猪 1.18 万头、奶牛 0.02 万头,保额 1154.13 万元;林业投保公益林 0.7 万亩、商品林 5.19 万亩,比上年减少 0.2 万亩,减少 3.4%,保额 6.68 万元。坚持依法合规、科学合理理赔,做到了快查勘、快定损、快理赔,将国家惠民政策落到了实处。全年累计理赔 990.71 万元,受益农户达 1.7 万户。特色农业保险涉及 11 个乡(镇),财政补助资金 100 万元,特色蔬菜、特色水果投保面积 1.01 万亩,比上年减少 0.16 万亩,减少 15.84%,累计理赔 121.43 万元。

【涉农招商引资】 2016 年,旌阳区 3000 万元以上的农业招商引资重大项目 5 个,均为内资项目,比上年增长 66.66%;项目总投资 10.84 亿元,比上年增长 502.2%。协议资金 10.84 亿元,增长 502.2%;到位资金 2.7416 亿元,增长 301.41%。

【重点乡镇选介】 孝泉镇,位于旌阳区西北部,九寨沟旅游环线德茂公路穿境而过,辖区面积 52.5 平方千米,其中城镇建成区面积 3 平方千米,辖 11 个村、4 个居委会,共 14782 户、4.2 万人,城镇常住人口近 2 万人。孝泉镇历史悠久,文化底蕴深厚,是中国二十四孝之一——东汉大孝子姜诗的故里,孝文化、泉文化、伊斯兰文化相互交融,文物古迹众多,地下泉水资源丰富,生态环境优美。孝泉镇是国家级重点小城镇、国家级文明镇、国家级生态镇、省级历史文化名镇、环境优美示范镇、旅游商贸示范镇、“百镇建设试点行动”小城镇、德阳市统筹城乡区域重点镇,2016年入选四川文化创意型特色小镇。

【主要领导人】 区委书记:罗宗志(9月止),邓平(9月始);区人大常委会主任:徐蓉;区长:邓平(9月止),陈天航(9月始);区政协主席:梁仕全;分管农业副区长:龚军(9月止),袁敏(9月始)。

旌阳区编写组

广 汉 市

【基本情况】 2016年,广汉市辖2乡16镇,辖区面积548.68平方千米,其中耕地面积49.1万亩,人均耕地面积0.8亩;基本农田47.75万亩。年末总人口61.07万人(户籍人口),增长0.7%;人口出生率8.95‰,增加0.88个千分点;人口自然增长率0.99‰,增加0.84个千分点。全市耕地有效灌面和保证灌面分别达到耕地总面积的92%和81%;本地水资源总量2.31亿立方米,人均占有水资源量406立方米。有林业用地0.33万公顷,有林地面积0.29万公顷,活立木总蓄积量30万立方米,森林覆盖率达16.7%。

2016年,全市GDP355.7亿元,增长9.4%,其中第一产业增加值33.2亿元,增长3.7%,农、林、牧、渔及农林牧渔服务业之比为54.4∶0.4∶37.7∶3.7∶3.7;第二产业增加值213.9亿元,增长10.5%(工业产值203.3亿元,增长10.9%);第三产业增加值108.5亿元,增长9.0%。三次产业对经济增长的贡献率分别为3.7%、67.7%和28.6%。劳务输出169134人,收入296883万元。全年接待游客792.25万人,实现旅游总收入379000万元,其中乡村旅游收入102385万元。

公路通车里程1221.8千米(其中乡村公路1066.01千米),密度2271米/平方千米,20.3千米/万人。社会消费品零售总额146.5亿元,增长13.5%。地方公共财政预算总收入完成16.6亿元,增长13.5%;公共财政预算总支出32.1亿元,减少5.97%,其中农业投入46401万元,占支出的14.43%。金融机构各项存款余额451.33亿元,比上年初增长10.15%;各项贷款余额256.02亿元,比年初增长10.89%,其中支持农业产业化发展项目贷款76806万元。完成农业产业化项目5个,完成投资2435万元。农业产业化龙头企业省级、市级分别为6家、46家。

有各类学校89所,在校学生96754人,教职工5733人,其中普通高校3所,在校本(专)科学生36050人;普通中学27所,在校学生17900人;小学20所,在校学生24817人;学龄儿童入学率100%。1项科技成果获省级及以上科技进步奖。有艺术表演团体49个,文化馆1个,公共图书馆1个,博物馆1个。有卫生机构444个,病床位2995张,卫生技术人员2617人。新型农村合作医疗参合人数315000人,参合率99.56%;新型农村社会养老保险参保人数199000人,参保率100%;被征地农民养老保险参保人数110000人,占总人数的26.83%。

【年度农业和农村经济运行】 2016年,广汉市实现农业总产值57.89亿元,增长4%。农民年人均可支配收入15513元,增长9.2%。在粮食、生猪、蔬菜生产中,科技投入的占比或科技贡献率达27%。全市农产品质量抽检合格率比年初提高0.1个百分点;建成24个基层农业综合服务站。

农业产业化发展。广汉市服务型农民合作社达78个,占专合社总数的24%。土地托管服务的快速发展促进了全市农业向规模化生产、机械化作业、社会化服务和产业化经营的现代农业转变。

【种植业】 2016年,广汉市农作物复种面积110万亩,其中小春作物45万亩、大春作物65万亩;粮食作物播种面积70.5万亩,经济作物播种面积39.5万亩。全市蔬菜种植面积23.6万亩,产量54.3万吨,均较上年略有增长,平均销售价格与上年同期相比增长6%左右,增收5500万元;水果种植面积4.7万亩,产量4.8万吨,同比增收433万元;食用菌种植面积1360亩,产量1.54万吨;花木种植面积11900亩,同比增加近100亩;药材种植面积6130亩,增加100亩,增收34万元。蔬菜、水果大棚栽培面积3.15万亩(其中新增钢架大棚766.77亩),较上年增加500亩,新增流转土地1500亩。

2016年广汉市省级农业产业化重点龙头企业名单

企业名称	注册资金(万元)	法人代表	示范等级	年度产值(万元)	行业分类	主营业务
益海(广汉)粮油饲料有限公司	12600	吴会祥	省级	340000	农产品加工业	食用植物油
四川米老头食品工业有限公司	4200	杨晓勇	省级	36000	农产品加工业	米、麦食品
四川省川粮米业股份有限公司	1000	毛金水	省级	38600	农产品收储加工业	稻谷精加工业
四川省广汉熊家婆食品有限责任公司	500	黄晓辉	省级	10240	农产品加工业	禽畜腌腊制品
四川盛龙食品有限公司	200	龙会建	省级	38013	农产品加工业	生猪屠宰
广汉市康达食品有限公司	200	刘凤兴	省级	10390	农产品加工业	腌腊制品生产销售

2016年广汉市省级(及以上)示范农民专业合作经济组织名单

合作组织名称	注册资金(万元)	法人代表	示范等级	年度产值(万元)	行业分类	主营产品
广汉市锦花粮食种植专业合作社	423.9	黄明水	国家级	1280	种植业	谷物、小麦
广汉绿丰蔬菜种植专业合作社	800	李兴福	国家级	6340	种植业	蔬菜
广汉市新绿家禽生态养殖专业合作社	300	李光武	国家级	760	养殖业	鸡、蛋

续表

广汉市南兴镇农胜花木专业合作社	220	曾贤顺	国家级	2010	种植业	花卉、苗木
广汉市和兴永和农业技物配套服务专业合作社	111	王益金	国家级	490	种植业	农业全程服务
广汉市隆兴农副产品产销专业合作社	116.5	唐小勇	国家级	4520	营销	蔬菜
广汉市兴隆黄氏粮食种植专业合作社	180	秦丹丹	国家级	520	种植业	粮食
广汉市惠民农机作业专业合作社	771.08	廖兴华	省级	530	农技服务	农业全程服务
广汉市红堰水果专业合作社	611.9	汤集伟	省级	1810	种植业	水果
广汉市三水渔业专业合作社	325	舒军	省级	5410	种植业	鱼类
广汉市七玉草莓种植专业合作社	150	聂天乐	省级	320	种植业	草莓
广汉市一品田园专业合作社	400	陈厚刚	省级	430	种植业	葡萄
广汉市新发果蔬专业合作社	411	向元俊	省级	153	种植业	草莓、蓝莓

2016年广汉市家庭农场经营情况统计表(前10位)

家庭农场名称	注册资金(万元)	法人代表	年度产值(万元)	行业分类	主营产品
广汉市精良家庭农场	300	周太华	320	种植业	小麦、水稻
广汉市金穗丰家庭农场	150	杨萍	280	种植业	小麦、水稻
广汉市冷远家庭农场	260	冷小波	221	种植业	小麦、水稻
广汉市和兴金成家庭农场	200	刘汉成	220	种植业	小麦、水稻
广汉市超越家庭农场	200	曾令超	210	畜牧业	生猪
广汉市金色田园家庭农场	200	缪世壮	210	种植业	小麦、水稻
广汉市宏悦家庭农场	50	尹燕刚	200	种植业	小麦、水稻
广汉市乐丰家庭农场	200	冷辑龙	200	种植业	小麦、水稻
广汉市三水镇玉兴家庭农场	60	蒋玉兴	166	种植业	小麦、水稻
广汉市金轮镇宇航家庭农场	50	王德超	120	种养殖业	鹅、蔬菜

【林业】 2016年,广汉市管护绿化面积310万平方米;草拟了白鱼河生态屏障建设实施意见和初步方案,形成乔木、灌木等多层次林木体系,构筑广汉北部生态屏障。组织开展全民义务植树活动,共栽植墨西哥柏等各种苗木45万余株,绿化面积2000亩。开展沿山旅游景观打造和提升,实施松林镇虎型山景区绿化工程,栽植北美枫香、香樟、黄桷树、桂花等6万余株,进一步涵养水土、营造生态景观。推进城乡绿化建设,以路旁、水旁、街旁、院旁"四旁"绿化为重点,大力植绿造绿,完成道路、沟渠绿化172.6千米,完成场镇、聚居点绿化294.19亩。全年新增绿化面积约40万平方米,人均公共绿地面积达18平方米以上。加快发展生态旅游,开发自然生态与人文相结合的森林文化,提升广汉桃花节的质量和品牌效益。积极开展森林人家农家乐评选。

【畜牧业】 2016年,广汉市采取科技下乡入户现场指导、集中培训、参观交流学习等方式积极开展畜禽养殖标准化生产宣传,增强广大养殖户开展标准化养殖的积极性。畜禽养殖标准化扶持项目——广汉市年森养殖场获得广汉市2016年畜禽标准化养殖(肉牛)扶持项目资金116.22万元,其中争取中央补助资金50万元、自筹资金66.22万元。畜禽养殖标准化改扩建项目——广汉市花果新村奶牛标准化规模养殖场建设项目总投资170万元,其中争取中央资金80万元、自筹资金90万元。积极开展畜禽养殖标准化示范创建活动,制订《畜禽标准化规模养殖场创建工作方案》,组织畜牧技术人员对照验收标准和管理办法加大对规模养殖场的技术指导培训与监管力度,帮助规模养殖场完善硬件设施,建立健全养殖档案和各项管理制度,参与创建的养殖场精细化管理水平显著提高。全市部级标准化示范场达2个、省级标准化示范场达6个(新增2个)、市级标准化示范场达6个(全部为新增)。大力发展牛、羊等草食性动物养殖,着力提高牛、羊良种化水平,加快推进标准化规模养殖,完善技术服务、疫病防控,全面提升生产能力,全市肉牛存栏1.68万头,出栏1.31万头,同比分别增长5.78%、5.76%。及时、准确做好畜牧业生产月报、季报和年报上报与分析,按时完成全市畜牧业生产和畜产品市场价格动态监测周报与月报工作,部、省级畜禽监测工作通过农业厅考核并获得二等奖。依托松林、连山等乡(镇)发展特色果树,发展"畜—

沼—果”综合利用循环模式；依托西高、高坪、兴隆、金轮等乡（镇）蔬菜种植特色发展“畜—沼—蔬”循环模式；依托水稻主产区域，在连山、小汉推广“稻鸭共作”模式；依托慧强农牧有限公司，配套一定面积的综合性农、林、渔业生产区域，通过生物工程处理方式将畜禽粪便分别转化成有机肥料、生物蛋白、沼气能源等，配套用于周边的种养殖业，实现局部区域内资源循环、生态平衡。

【水产业】 2016 年，广汉市水产养殖面积 1.17 万亩，总产量达 12153 吨，同比增长 2.99%；实现渔业总产值 4.86 亿元，同比增长 1.78%。推介发布高产优质品种 4 个、新技术 3 项，培植渔业科技示范户 20 户，创建渔业科技示范基地 2 个，推广示范面积 2000 余亩，新增水产养殖面积 344 亩。名特优水产品养殖快速发展，高坪镇大鲵养殖专合社养殖大鲵苗种 1.6 万尾，年产大鲵 5000 千克；小汉镇、金轮镇、南丰镇鲈鱼养殖面积发展到 1100 余亩，年产鲈鱼 1000 余吨；三水镇中华绒毛蟹养殖面积达 250 亩，年产中华绒毛蟹 1.5 万千克；小龙虾养殖从松林镇发展到南丰镇、南兴镇，养殖面积增加到 230 亩；胭脂鱼、鲟鱼养殖由小汉镇发展到新丰镇、南兴镇、连山镇，新增养殖面积 300 余亩，养殖总面积达 1400 亩，年增产胭脂鱼 1 万千克、鲟鱼 4000 千克。全市名特优水产品产量占水产品总产量的 40%。

【统筹城乡与新型城镇化】 2016 年，广汉市依托总体规划，加快控规的编制和报审工作，力争实现全市城市建设用地范围内控规全覆盖。按照德阳市委提出的“五个协同”相关要求积极推进成德同城建设，配合完成天府大道北延线在广汉市域范围内的选线工作（包括道路线形及相关立交桥选址），协调原选址于北延线线形的新农村聚居点及企事业单位等重新进行选址和建设。根据天府大道北延线新线形，调整广汉市总体规划和各乡（镇）规划。坚持把创新驱动、转型升级作为加快工业发展的核心任务，狠抓技术进步和节能降耗，推动全市工业竞争力进一步提升。全市全年实施技术创新项目 46 项，投入 14 亿元，同比增长 7.34%；新增 2 家省级企业技术中心、4 家市级企业技术中心，全市国家级、省级、市级企业技术中心分别为 1 家、15 家、29 家。统筹建设城乡基础设施，城市提档升级改造项目韶山路、西湖路东段和西段全面完成；推进“四河八岸”景观治理工程，实施金雁水苑工程、鸭子河光彩工程、鸭子河（金雁桥—河顺大桥）景观工程和马牧河湿地公园建设；做好推进成德交通一体化工作，配合德阳市交通运输局做好地铁、轻轨规划、成绵高速扩容改造的方案设计以及天府大道北延线规划方案设计和项目实施工作。通过集中发展优势产业，加大技术创新投入，加快淘汰落后产能，不断加大传统产业技术改造，统筹推进城乡经济发展，增强统筹城乡发展动力。通过支持服务返乡农民工和农民企业家创业、强化就业困难人员就业援助、深入实施职业技能培训，着力推进城乡公共文化体育服务体系、医疗卫生服务体系、城乡教育均衡化发展。统筹城乡社会管理，维护城乡和谐稳定，将城市管理提档升级、城乡环境综合治理与统筹城乡发展三者有机结合，以城区重点抓、乡村同步抓构建空间全覆盖、领域全贯穿的城乡发展新局面，切实推进“四美广汉”建设进程。

【新农村建设】 2016 年，广汉市秉持新村建设与产业发展同步规划、同时推动的理念，着力打造“三带四基地”，使农民成为新农村建设的主力军和受益者。三水镇友谊村实施产村相融，统筹推进产业发展，全村共流转土地（含水面）3600 亩，实现旅游、种养殖业年产值 6000 余万元，村集体经济年收入达 40 余万元；松林镇红堰村在发展水果产业良性循环的同时统筹项目和民间资金实施旅游新村建设，通过农旅结合发展乡村旅游业，促农增收，利用土地增减挂钩项目资金建成新村聚居点（综合体）260 个、幸福美丽新村 74 个。

【扶贫攻坚】 2016 年，广汉市整合专项扶贫、行业扶贫、社会扶贫资金资源构建了大扶贫格局，通过“五个一批”脱贫攻坚行动将扶贫计划落实到户到人，精准帮扶到户到人。编制完成 5 个德阳市级贫困村新村扶贫规划建设方案及 16 个专项扶贫规划，帮助 4608 人实现脱贫，完成年度任务的 100.2%，脱贫退出考核通过省上验收并获得好评。牵头制订了《广汉市对口金阳县扶贫协作工作方案》，协调相关部门做好对口援建以及后勤保障、资料报送、宣传报道等工作，持续做好移民后期扶持和维稳工作。

【乡村旅游】 2016 年，广汉市以农家乐为代表的乡村旅游发展势头良好，有农家乐 97 家，累计营业面积逾 39 万平方米，其中星级农家乐 26 家（5 星级 1 家、4 星级 6 家、3 星级 7 家、2 星级 12 家）；拥有省级旅游示范乡镇、村（点）3 个，其中示范镇 1 个、示范村 2 个；有流转土地 100 亩以上的农庄 5 家，全市基本形成了具有一定规模和水平的旅游产业体系。全年乡村旅游接待游客 282 万人次，实现乡村旅游收入 10.2385 亿元，直接带动农民就业 4850 人、间接就业 13600 人。

【2016 年度农民增收工作先进经验介绍】 2016 年，广汉市作为全省增加农民财产性收入改革试点县，通过在三水镇友谊村进行农村集体经济股份制改革试点，成功探索出以清产核资、股份改造、统筹经营、融合发展为主要内容的“四步法”改革经验，注册了友谊村集体经济股份合作社，率先在全省取得突破。2015 年，广汉市被确定为全省农村集体资产股份合作制改革首批试点县，在总结友谊村试点成功的经验基础上，在三水、和兴、兴隆、西外 4 个乡（镇）所有行政村开展改革试点，2016 年在全市全面推开。通过机制创新、加大投入、深化改革、促农增收等措施积极推动休闲农业和乡村旅游、农村电子商务、土地托管等工作，农民收入结构得到优化，增收渠道有效拓宽，农民收入实现多元化。

借力财政杠杆，撬动多方资金投入。以盘活农村资产资源，培育农民增收新产业新业态示范县（市、区）创建为契机，积极创新农业农村发展投入机制。通过统筹整合涉农项目资金、综合运用奖补贴息政策等措施发挥财政资金的引导作用，吸引金融、社会资金投入，推进全市农业农村加快发展。2016 年，县级财政投入资金 900 万元，其中整合涉农项目资金 700 万元、财政专项资金 200 万元，撬动金融和社会资金总计 6700 万元。

强化项目建设，拓展农民增收渠道。一是充分利用农业资源、三星堆旅游文化资源和紧邻成都市、德阳市的交通区位优势，加大农旅、文旅融合力度，大力发展生态乡村文化旅游，促进农民增收致富。引导社会资金建设农旅项目，鼓励创业项目落地农旅产业，使社会力量成为农旅事业发展的主力军；依托桃花、草莓、渔业等农业特色优势资源，借助“智慧旅游”，利用网络、微博、微信等新兴媒体，策划组织好“保保节”、桃花节、油菜花节等系列活动，大力发展近郊休闲游，吸引了成都市、德阳市周边的游客前往休闲娱乐，旅游增收成效突出。二是推动农村电子商务创新发展。市邮政局在全市开办“邮乐购”“邮掌柜”等便民服务站 232 家，其中高坪镇 10 家；金土地农资公司“田田圈”电商项目在连山镇开展农村电商信息员培训会 2 次，培训信息员 80 余人，同时在连山镇建设农村电商服务点 14 个，基本覆盖全镇所有行政村。

稳妥推进土地托管，实现农业服务社会化。一是优选重点环节，强化政府引导。依托“三带四基地”农业发展规划，采取以奖代补、公开招标、竞争性磋商等方式，利用项目和市本级财政支农资金加大财政投入,积极探索以农机、植保、生态治理为重点,在水稻、小麦等生产科技含量高、技术难度大、推进现代农业作用明显、能够实现农机农艺融合、推进产业化发展的关键环节开展土地托管服务。依托农民专业合作社,全市完成水稻育、插秧托管服务面积6.25万亩,湿谷烘干托管服务面积1.5万吨,小麦、水稻病虫防治托管服务面积7.5万亩;建立秸秆收贮点13个,36个专合社参与秸秆收集打捆,服务面积10万亩次、2万余吨。二是培育新型经营主体,发展现代农业。建立新型托管经营主体名录档案,鼓励开展水稻工厂化育秧、农机、植保等生产性服务以及粮食烘干、蔬菜商品化处理、秸秆综合利用等产后服务,土地托管适度规模小麦、水稻种植生产节本增效达427元/亩。全市服务型农民合作社达78个,占专合社总数的24%。土地托管服务的快速发展促进了全市农业向规模化生产、机械化作业、社会化服务和产业化经营的现代农业转变。三是土地托管服务促进农业生产向社会化服务发展。全年托管土地开展稻田养鸭示范1000亩、太阳能杀虫灯示范1.2万亩、稻鱼(蟹)共生示范500亩。粮食基地的秧田螟虫防治全部采用性诱剂诱杀,推广施用有机肥4500吨,实施统防统治30万亩次、飞防示范5000亩,高效低毒农药使用全覆盖,粮食质量安全水平明显提升。

创新突破,积极推动农村文化创意产业发展。一是制定文化创意融合发展专项规划。出台了《广汉市推进文化创意和设计服务与相关产业融合发展专项行动计划(2014—2020年)》,将提升优势特色农业工程列为重点工程,大力发展休闲农业与乡村旅游,重点推进一批功能特色突出、文化内涵丰富的现代农业产业基地景区化项目建设,促进文化创意与优势特色农业的有机结合。二是完善公共文化设施和服务。积极夯实农村文化设施,加强幸福美丽新村文化院坝建设,精心打造南丰镇马世明版画特色院坝、南兴镇廖振咏特色文化院坝、松林镇杨刘庄院坝等特色农村文化院坝。完善文化院坝信息化服务功能,全年建设文化院坝智慧乡村综合信息服务平台36处。三是积极创办节庆活动。全力支持举办"保保节"、松林桃花节、西高油菜花节等富有地方特色的文化旅游节庆活动,形成具有产业带动效应的文化旅游节庆品牌,有效促进文化旅游发展。四是精心打造特色文化创意小镇。盘活闲置宅基地,创意设计,打造特色文化创意小镇。松林镇着力打造丘区新农村示范综合体,"东岭朝霞"新村聚居点立足松林花果之乡的特色举办"九大碗"民俗活动、柚子花养生季和松林生态品果美食节等农村民俗活动以及多彩松林·微摄影大赛、自行车骑游大赛、瑜伽健身运动等系列现代文化活动,将文化创意和特色农业融合发展,打造特色乡村旅游小镇,拓宽了农民的增收渠道,增加了农民务工收入和财产性收入。通过文化旅游、农业资源融合发展,松林镇新增农家乐8家,吸纳农民就近就业1500人以上,人均增收500元以上。红堰村村集体收入从打造前的每年6000元增加到近7万元。

优化干部素质,打造农村集体经济发展新引擎。通过整顿转化"软弱涣散"党组织,注重把有文化、懂经营且政治素质过硬、群众信任的农村优秀人才选拔培养为村"两委"负责人,在服务群众和发展农村经济中发挥领头雁的作用。全市村"两委"负责人中有高中以上文化、有经商办企业等经营管理经历的占村干部总数的60%以上。松林镇沙田村充分发挥村级党组织在推进农村基层治理和农民增收致富中的核心引领作用,采取"支部+产业"的方式与群众形成利益共融体,推广"订单农业""公司+农户""公司+农民合作组织+农户"等运作模式带领群众致富。

【四川省农村改革综合试验区经验介绍】 2016年,广汉市土地承包经营权改革全面推进。召开了2次全市确权登记工作推进会,完成核实纠错工作的乡(镇)有11个;完成农户土地承包合同签订工作的农业社有670个,占实际开展确权登记工作农业社总数(1576个)的43%;打印证书1.1万余本。土地承包经营权流转总面积12.65万亩,增加3.92万亩,同比增长45%,其中规范交易面积7.69万亩,流转金额6680万元。开展农村土地股份合作社创建工作,全市每个农业乡(镇)至少创建了1个土地股份合作社。

集体资产股份合作制改革继续深化。2016年,全市启动股份合作制改革工作的乡(镇)有13个,涉及114个村,其中完成成员资格界定的村有86个,占股改总村数的75%;完成清产核资的村有84个,占股改总村数的74%。三水镇友谊村完成2名去世成员、共计6000股、涉及4位继承人的农村集体资产股权继承权能改革试点工作。制订了《广汉市农村集体收益分配权改革试点方案》,探索以优化集体收益分配、保障农民合法权益、赋予农民更多财产权利的形式推进农村集体收益分配权改革试点。

耕地保护经济补贴试点有序开展。全市签订《耕地保护合同》718份,发放耕地保护补贴10.6005万元,涉及耕地面积2120.1亩。通过补贴发放,一方面激发了农户主动了解相关知识与"保耕地红线"等基本国策,强化了农民保护耕地的认知意识;另一方面,提高了农户主动举报违法占用耕地进行非农建设行为的积极性,促进了"要求农民保护"逐步向"农民要求保护"转变。

农村宅基地有偿退出机制改革试点稳妥推进。制订了《广汉市农村宅基地有偿退出机制改革试点方案》,明确了补偿标准。下一步,将在摸清试点村组情况后对符合条件并愿意拆除房屋且不再新建房屋的农户进行房屋丈量,对自愿参加宅基地有偿退出试点的农户签订补偿协议;统筹建设安置房,安置好退出宅基地农户。同时,成立村集体经济股份专业合作社,制定股份专合社章程。将统一退出的宅基地推向市场,利用增减挂钩在集镇周边建设商业街、综合市场,发展教育、养老等服务业,建设新村和商业综合体。

水利建设和管理新机制改革成效明显。在承担全国农田水利设施产权制度和创新运行管护机制等改革试点后,广汉市作为全省6个试点县之一,积极探索水利建设和管理新机制。针对农田水利设施建设组织难、投入难、管理难等问题,为适应土地使用权向专业大户流转后新的生产关系和生产力发展的要求,先后开展了农田水利设施使用权抵押融资贷款、引入社会资本开展公益性水利项目建设、专业大户与农民合办灌溉合作社、政府购买国有骨干工程维修养护服务和培育社会化服务组织等试点。通过改革试点,明晰了所有权,界定了管理权,明确了使用权,搞活了经营权,落实了管护主体和责任,建立健全了科学的管理体制和良性运行机制,确保了工程安全运行和效益的充分发挥。

农村产权交易服务中心市场体系基本建成。依托成都农村产权交易所搭建广汉市农村产权交易信息网,作为农村各类产权交易信息、农村改革信息、农村产权交易政策的信息公开平台,实现与成都农村产权交易所的资源共享。广汉市农村产权交易服务中心全年通过信息平台公布工作动态、政策法规等信息31条,公告农村土地产权交易信息802条,累计完成农村土地承包经营权800宗,流转面积8.48万亩,流转金额达7402元,亩均873元/年;累计完成农村资源型资产交易面积285.88亩,交易金额36.6万元;完成梅家堰小型水利设施使用权转让,引入社会资本120万元。通过规范流转交易,使农民得到了实惠,增加了农民财产性收入。

农村金融创新有效助力农村改革。充分发挥金融支持农村综合改革实验区建设的功能,积极运用支农再贷款等货币信贷工具引导辖区内银行机构不断增加涉农信贷投入。全市银行机构发放涉农贷款余额 202.78 亿元,较年初增长 11.28%,同比增长 13.51%。积极调动涉农银行机构的主观能动性,推广农村土地流转收益保证贷款等信贷产品的使用力度,加大农村信贷资源倾斜,降低融资成本,持续推进现代粮食示范基地建设发展。

【回乡创业之星选介】 廖晓燕,广汉市格瑞蔬菜专业合作社理事长。2009 年 11 月,廖晓燕放弃板式家具设计师及成都万嘉橱柜厂合伙人的身份回乡创业。2010 年 4 月,廖晓燕流转 30 亩河坝地作为种植基地,经过两年的筹备与调查,建立了广汉市返乡农民工生态农业创新创业园。园区占地 245 亩,建成高标准蔬菜种植大棚 70 亩、标准化蔬菜大田 150 余亩。园区建立了管委会,下设青年服务站、直配中心、各类服务协会等机构,为入孵项目全程免费提供技术、销售和"农事保姆"式管理指导服务,并为初创业者减免一年的土地租金。通过众筹方式,有效整合了大学生的专业知识和技术、返乡农民工的资金和农业种植经验,实现优势互补、捆绑创业、互利共赢。园区有 10 余个优良蔬菜品种项目入驻,产品销往全国各地和欧美等国家和地区,年产值达 130 余万元,解决劳动力 60 人,其中贫困劳动力 4 人。

【重点乡镇选介】 小汉镇,位于广汉市黄金走廊北端,为广汉市 6 个重点镇之一,辖区面积 50.8 平方千米,辖 16 个行政村和 2 个居委会,户籍人口 4.5 万人,城镇化率达 38.1%。国道 108 线、成绵高速、宝成铁路、成绵乐高铁客运专线穿境而过,交通十分便利。作为国家级高新区内工业重镇,全镇共有工业企业 268 家,其中规模及以上工业企业 41 家。2016 年,全镇实现工业总产值 121.7 亿元,同比增长 17.6%,其中规模以上企业实现工业产值 93.5 亿元,同比增长 18.8%;完成财政税收 4083 万元,同比增长 14.5%;完成固定资产投资 27.5 亿元,同比增长 16%;完成国内贸易额 9 亿元,同比增长 2.4%。是四川省小城镇建设试点镇、德阳市城乡统筹重点镇、四川省环境优美示范镇、全国创先争优先进基层党组织。

全镇规范发展专业合作社 6 个、家庭农场 2 个,完成村级公益事业建设项目 21 个,新建机井 13 口,硬化道路 3938 米、沟渠 3050 米,基础设施条件进一步改善,受益人口达 2.7 万人。全镇通过土地流转中心规范,流转土地 7300 亩,其中新增 1400 亩;发展适度规模种植户 45 户,其中种植规模在 50~500 亩的有 22 户、500~1000 亩的有 3 户、1000 亩以上的有 1 户。特色产业草莓种植面积进一步扩大,品种进一步优化,有力地促进了农民增收。

【主要领导人】 市委书记:苏刚;市人大常委会主任:蒲为;市长:张俊懿;市政协主席:林波;分管农业副市长:梁筱萍。

广汉市编写组

什 邡 市

【基本情况】 2016 年,什邡市辖 14 镇 2 个街道,辖区面积 820.3 平方千米,其中耕地面积 35.3085 万亩,比上年减少 630 亩,人均耕地面积 0.81 亩;基本农田 29.805 万亩。年末总人口 43.6 万人(户籍人口),增长 0.2%;人口出生率 9.23‰,增加 1.37 个千分点;人口自然增长率 1.72‰,增加 1.04 个千分点。全市耕地有效灌面达到耕地总面积的 88.3%;本地水资源总量 653 亿立方米,人均占有水资源量 1572 立方米。林业用地 4.298 万公顷,活立木总蓄积量 378.28 万立方米,森林覆盖率达 36.8%。

2016 年,全市 GDP250.62 亿元,增长 7%,其中第一产业增加值 27.35 亿元,增长 3.5%,农、林、牧、渔及农林牧渔服务业之比为 64.4 : 1.1 : 29.7 : 1.7 : 3.1;第二产业增加值 146.75 亿元,增长 7.1%(工业产值 469.6 亿元,增长 6%);第三产业产值 68.51 亿元,增长 8%。三次产业对经济增长的贡献率分别为 10.9%、55.4% 和 33.7%。

公路通车里程 1265 千米(其中乡村公路 1115 千米),密度 1510 米/平方千米。社会消费品零售总额 80.59 亿元,增长 13.2%。金融机构各项存款余额 256.87 亿元,比上年初增长 11%;各项贷款余额 132.45 亿元,比年初增长 5.2%。全年农业保费收入 1310 万元,本级财政补贴 188 万元处理各项赔款和给付金额 881 万元。农业产业化龙头企业省级、市级、县级分别为 5 家、36 家、50 家。

有各类学校 70 所,在校学生 40677 人,其中职业中学 1 所;普通中学 16 所,在校学生 12963 人;小学 29 所,在校学生 16423 人;学龄儿童入学率 100%。有卫生机构 33 个,病床位 2977 张,卫生技术人员 2415 人。

【年度农业和农村经济运行】 2016 年,什邡市实现农业总产值 46.14 亿元,增长 3.7%。粮油、蔬菜、雪茄烟、中药材、猕猴桃等特色优势农产品产量保持稳定增长。农村居民年人均可支配收入达 15479.8 元,增长 9.1%。

2016 年什邡市主要农产品产量

主要农产品	单位	产量	同比(%)
粮食	万吨	18.96	-0.9
稻谷	万吨	15.26	-0.8
小麦	万吨	2.51	-1.7
油菜籽	万吨	1.25	-3.6
蔬菜	万吨	38.76	1.8
水果	万吨	0.82	8.7
肉类	万吨	3.82	-2.3
猪肉	万吨	2.77	-4.2
禽蛋	万吨	1.51	-1.3
水产品	万吨	0.53	4
牛奶	万吨	0.1	1.4

农业产业化发展。什邡市建成以粮油、黄背木耳、大蒜、莴笋、西芹等为主导的特色产业基地,其中优质水稻基地 25 万亩、优质油菜基地 7 万亩、无公害蔬菜基地 25 万亩、食用菌基地 2.3 亿袋、中药材基地 5 万亩、猕猴桃基地 1 万亩,主要农作物优质商品率达 95%以上。建成马井、回澜蔬菜,洛水大蒜,湔氐食用菌、猕猴桃,隐峰川芎,蓥华、红白、冰川黄连等一批各具特色的优势农产品生产专业镇和专业村。建成万亩现代农业示范区 11 个,成为国家级无公害蔬菜生产示范基地县。

农用地产权制度改革。什邡市农村土地确权登记颁证完成 15 个镇(街道)、120个村、10.4万户的确权登记,土地实测地块55.3527万块,实测面积33.0025万亩。农村产权交易服务中心挂牌运行,制定了市建农村土地流转交易中心、镇建流转服务中心、村建流转信息站的工作框架。全年土地流转面积6.2495万亩,其中30亩以上的规模流转面积达5.4134万亩。为规模经营业主办理《什邡市农村土地经营权证》21本,累计发放土地流转收益保证贷款18笔、金额5197万元。成立南泉农民创业园暨什邡市闰丰土地流转专业合作社。

农产品品牌战略实施。什邡市围绕农业生产、经营、管理和农产品销售各环节建立健全农产品质量标准体系,大力培育农产品品牌和发展"三品一标"农产品。全市共获得"三品一标"农产品15个,其中有机农产品5个、绿色农产品3个、无公害农产品6个、地理标志农产品1个。国家质监总局发布《关于批准对龙山矿泉水等44个产品实施地理标志产品保护的公告》,批准红白豆腐干为地理标志保护产品,成为什邡市首个地理标志保护产品。

【种植业】 2016年,什邡市粮食作物播种面积39.28万亩,产量18.9万吨;油菜播种面积7.22万亩,油菜籽产量1.24万吨。蔬菜种植面积30.5万亩,产量84万吨,实现产值14.48亿元,比上年增加4.13亿元。种植食用菌2.3亿袋(其中黄背木耳2.2亿袋),总产量26.3万吨(鲜菌),实现销售收入10.8亿元。水果种植面积8800亩,产量6100吨,实现产值4800万元。中药材种植面积6.4万亩,产量9910吨,实现产值2.26亿元。茶叶采收面积5300亩,产量196吨,实现销售收入4700万元。烤烟种植2.2万亩,产量5500吨,实现销售收入1亿元。12月13日,什邡市全国新增1000亿斤粮食生产能力田间工程建设项目开工建设,项目总投资1500万元。

【林业】 2016年,什邡市启动大规模绿化全市工作,参加义务植树人数达30万余人次,植树90万余株。完成五大森林建设工程5943公顷,完成任务的110%,巩固了"国家森林城市"创建成果。持续做好天保工作,加强对27207公顷森林资源的管护。营造林0.91万亩,巩固退耕还林成果3万亩,林木育苗130亩;新增森林蓄积5.3万立方米,实现了林业双增目标。全市森林覆盖率达36.8%,比上年增长0.3%。全年实现林业总产值4.8亿元,其中第三产业生态旅游与休闲服务业产值1.8亿元。全年无较大森林火灾发生。有序推进大熊猫国家公园建设工作,全市拟纳入大熊猫国家公园建设面积21015.47公顷。

2016年什邡市省级农业产业化重点龙头企业名单

企业名称	注册资金(万元)	法人代表	示范等级	年度产值(万元)	行业分类	主营业务
四川蓝剑饮品集团有限公司	5000	郭一民	省级	150375	第一产业	天然植物蛋白饮料的生产和销售、天然矿泉水的生产和销售
四川道泉老坛酸菜股份有限公司	5000	周厚成	省级	17660	第一产业	蔬菜制品生产和销售
四川宇豪食品有限公司	500	曹勇	省级	700	第一产业	面粉及淀粉制品加工、生产、销售
四川省什邡市绿康源生态农业有限公司	300	官小榆	省级	3513	第一产业	生猪及其他产品销售
四川什邡但氏食品有限责任公司	300	但功禄	省级	2994	第一产业	豆制品的生产、销售;蔬菜制品的生产、销售

2016年什邡市省级(及以上)示范农民专业合作经济组织名单

合作组织名称	注册资金(万元)	法人代表	示范等级	年度产值(万元)	行业分类	主营产品
什邡市隐峰镇农产品专业合作社	400	段兆龙	国家级	1449.07	种植业	中药材
什邡市绿友农产品专业合作社	234	喻再军	国家级	863.73	种植业	蔬菜
什邡市鑫和川芎种植专业合作社	918	曹义	国家级	1237.33	种植业	川芎
什邡市沿山猕猴桃专业合作社	260	董官勇	省级	156.83	种植业	猕猴桃
什邡市马井金兴蔬菜专业合作社	136	卿开云	省级	115.2	种植业	蔬菜
什邡市天桥种植专业合作社	1363	陈义强	省级	1764.5	种植业	中药材、水果
什邡市六合家园种植专业合作社	1000	杨福善	省级	5326	种植业	代用茶
什邡市马祖镇农达养殖专业合作社	150	李志元	省级	—	养殖业	家禽类
什邡市大益种植专业合作社	130	吴功发	省级	1215	种植业	蔬菜
什邡市朝阳菌业专业合作社	230	廖继军	省级	915	种植业	食用菌
什邡市大汉仓农机专业合作社	100	何涛	省级	235	农业机械化	农机服务
什邡市碧源茶叶种植专业合作社	164.5	陈廷述	省级	741.48	种植业	茶叶
什邡市绿祥中药材种植专业合作社	265	李军	省级	—	种植业	中药材

【畜牧业】 2016年,什邡市实现畜牧业总产值17亿元。通过实行雨污分流和干湿分离模式规范生猪养殖粪污综合治理,推广"猪—沼—菜(果)"、稻鸭共作、林下养鸡、牛粪养蚯蚓等生态养殖模式,强化面源污染治理,促进资源与环境协调发展。狠抓畜产品质量安全监管,全市全年未出现重大肉食品安全事故。通过构建功能齐全、系统严密的市、镇、村、户四级动物疫病防控网络,确保了全市无重大动物疫病发生。

【水产业】 2016年,什邡市水产养殖面积191公顷,其中池塘养殖面积184公顷、水库养殖面积7公顷、稻田养鱼面积320亩;水产品总产量5253吨,比上年增加203吨;实现渔业经济总产值2.04亿元。推广养殖西伯利亚鲟、虹鳟、裂腹鱼(细甲鲤鱼)等名优主导品种,主推稻田综合种养、池塘节能减排、标准化养殖技术。

【农村水利】 2016年,什邡市完成农田水利建设投资52581.75万元,整治防渗田间渠道511.13千米,整治塘坝堰闸43处、新建7处,恢复灌面0.58万亩,改善灌面12.26万亩,年新增节水能力951万立方米。农村小水电站增效扩容改造项目涉及电站15座,总投资7823.61万元。治理水土流失面积23平方千米,完成投资580万元。八角水库工程大坝基础开挖重要隐蔽单元工程(高程890~908.5米)通过验收。

【统筹城乡发展】 2016年,什邡市以城市主体功能区规划为基础推进"多规合一",完成南泉镇、马祖镇、隐峰镇《集镇规划》修编和《什邡市马祖物流中心规划》编制。坚持城乡就业政策、服务、培训、援助"四统一",集中职业介绍、技能培训等资源向镇、村倾斜。积极争创民主法治示范村(社区),全年共申报创建什邡市民主法治示范村(社区)37个,其中南泉镇新桂村等11个村(社区)被评为德阳市民主法治示范村(社区)。推进法治乡村(社区)建设,师古镇、马祖镇获得省村民自治模范镇称号,京什社区获得省和谐社区称号。

【新农村建设】 2016年,什邡市全面提升幸福美丽新村建设水平,争取省级财政新农村建设专项资金510万元、德阳市级新村建设补助资金100万元、市本级配套资金1790万元,同时整合国土、农业、交通、林业等相关部门项目资金,实行打捆使用、重点投放,推进新村基础设施和公共服务设施建设,全年建成幸福美丽新村20个。截至2016年年底,全市累计建成幸福美丽新村69个,占行政村总数的56%。马祖镇马祖村获得四川省"十大幸福美丽新村"第一名。红白镇松林村、双盛镇白渔河村、湔氐镇龙泉村、马祖镇马祖村、隐峰镇黄龙村被授予省级"四好村"称号。湔氐镇食用菌协会被中国科协、财政部授予"全国科普惠农新村"称号。

【扶贫攻坚】 2016年,什邡市市本级安排扶贫专项资金664万元,通过基础设施建设推动产业发展,带动贫困户发展生产和就业,实现4700名农村贫困人口脱贫解困,全市农村贫困人口由12565人减至2770人,什邡市脱贫攻坚工作得到省、德阳市级考核验收组的一致好评。创新探索出的"扶贫超市"、医疗扶贫、网络扶贫等新路径、新方法得到省、市领导的充分肯定。德阳市首家"扶贫超市"在什邡市隐峰镇寿增村正式开门营业,"扶贫超市"工作经验被四川省级、德阳市级多家媒体报道。为贯彻落实省委、德阳市委部署和要求,有计划、有步骤地推进什邡市扶贫协作喜德县脱贫攻坚工作,什邡市政府与喜德县政府共同制定了2016—2020年扶贫协作脱贫攻坚总体框架协议,并举行了签约仪式。4月24日,国务院总理李克强到雅安市芦山县视察灾后重建工作时视察了包括什邡市对口援建的龙门乡等4个点位,李克强对发展重建走出的新路子和重建后的龙门乡的新面貌给予了充分肯定。11月25日,7户易地扶贫搬迁群众乔迁新居。

【乡村旅游】 2016年,什邡市有旅行社主社4家、旅行社分社11家、服务网点24家;市内有星级农家乐和乡村酒店共计50家,其中五星级乡村酒店4家、四星级农家乐18家、三星级农家乐28家。首届"南泉梦故乡情"泉语花香乡村文化旅游节在南泉镇甘泉凼·泉水公园举行;四川省第七届乡村旅游节什邡分会场、什邡第四届"吉祥格桑花,马祖祈福游"活动在马祖故里景区举行。红白镇、蓥华镇被评为省级旅游特色乡镇;马祖故里、红峡谷、冰川汽车露营获得2016年"最具活力景区"称号;蓥华山红峡谷·钟鼎寺景区创建为省级旅游度假区;什邡市被评为2016年四川旅游区县十强。

【农村卫生】 2016年,什邡市建立了以市级医疗机构为龙头、镇卫生院为重点、村卫生室为基础的三级医疗卫生服务网络。截至2016年年底,全市共有卫生院15所、社区卫生服务中心2个、社区卫生服务站1个、村卫生室289个。全年基层医疗机构门、急诊90.78万人次,住院2.38万人次。师古、南泉、隐峰3家镇(中心)卫生院被评为国家级"群众满意的乡镇卫生院"。

【农村交通】 2016年,什邡市落实农村公路改善提升及"三年攻坚"计划,投资8330万元,新(改)建湔红路(二期)等农村公路13条、61千米;投资670万元,完成金桂路等21条、14.62千米的农村公路安保工程(路侧护栏)安装。完成县道及以上公路日常管护和受损路产设施恢复投资122.03万余元,建成公路养护管理示范镇3个,文明路段117条、112.2千米,农村公路路面使用性能指数达88分。开行农村客运线路18条,改造农村客运公交化线路1条,城乡公交及农村客运通镇覆盖率及通村覆盖率均达100%。

【农村留守儿童帮扶】 2016年,什邡市有留守儿童2550人,其中单亲外出1076人、双亲外出1474人。团市委开展了全年性的"春、夏、秋、冬"四大留守儿童关爱品牌活动,包含春季——留守儿童新春慰问、夏季——"快乐暑期"夏令营、秋季——留守学生集体生日会、冬季——"暖冬一家亲"冬令营活动,共有600余名留守儿童受益。

【主要领导人】 市委书记:李卓(5月止),季涛(5月始);市人大常委会主任:鞠道志;市长:季涛(5月止),卿伟(7月始);市政协主席:殷萍;分管农业副市长:魏宇(9月止),赖朋(9月始)。

什邡市编写组

绵竹市

【基本情况】 2016年,绵竹市辖21个乡(镇、街道),有农业人口35.81万人,有耕地面积43.1万亩、基本农田42.3万亩。

【年度农业和农村经济运行】 2016年,绵竹市实现农业总产值7.96亿元,增长3.71%;农业增加值4.94亿元,增长3.72%。农民年人均可支配收入15456元,增长9.16%。粮食总产量28.19万吨,增长0.28%。

农业产业化发展。绵竹市围绕现代农业在规模化发展、规范化生产、现代装备上狠下功夫,以现代农业园区建设为载体加快发展玫瑰、猕猴桃、生猪、粮油、蔬菜等特色产业,做大做强农业基地。深化改革增活力,有序推进土地流转,抓好利益联结机制,大力发展特色农业、林业、畜牧业和乡村旅游业,通过"基地+合作社+农户""大园区+小业主""公司+家庭农场"等利益联结模式增加农民经营性收入和财产性收入。

2016年绵竹市省级农业产业化重点龙头企业名单

企业名称	注册资金(万元)	法人代表	示范登记	年度产值(万元)	行业分类	主营业务
四川邦禾农业科技有限公司	1200	刘建	省级	14477	养殖业	家禽养殖,粮食收购,生产、销售配合饲料、浓缩饲料
绵竹三溪香茗茶叶有限责任公司	107.4	范鸿儒	省级	2378.95	种植业	茶叶种植、生产、销售
四川省绵竹市富王粮油有限公司	2000	王清富	省级	9618	粮油加工	粮食收购,食用植物油生产、销售,大米生产、销售
四川省绵竹市恒丰粮油有限责任公司	200	罗明元	省级	3291	粮油加工	粮油加工、销售
银谷玫瑰科技有限公司	5000	张立成	省级	2224.6	玫瑰种植、加工	玫瑰销售、深加工

2016年绵竹市省级示范农民专业合作经济组织名单

合作组织名称	注册资金(万元)	法人代表	示范等级	年度产值(万元)	行业分类	主营产品
绵竹惠农养猪专业合作社	149.05	罗勇	省级	1250	养殖业	品种改良、养殖设备更新
绵竹龙凤养殖专业合作社	403.91	龙厚均	省级	62	养殖业	鸡、鸡蛋等销售

2016年绵竹市家庭农场经营情况统计表(前10位)

家庭农场名称	注册资金(万元)	法人代表	年度产值(万元)	行业分类	主营业务
绵竹市祈祥家庭农场有限公司	10	赵富忠	778	养殖业	生猪养殖
绵竹市板桥镇兴宇家庭农场	20	吴宇全	192.6	种植业	粮食种植
绵竹市东北镇葡丰园家庭农场	130	王文英	120	种植业	葡萄、蔬菜种植
绵竹市什地镇绿坤家庭农场	100	罗小英	120	种植业	葡萄、蔬菜种植
绵竹市兴隆镇广武家庭农场	50	杨广武	100	种植业	小麦、水稻种植
绵竹市富新镇富龙家庭农场	10	刘亮	96.6	种植业	粮食种植
绵竹市齐天镇永翔家庭农场	10	刘光均	90	种植业	谷物及经济作物种植
绵竹市东北镇千二家庭农场	199	李琴	85	种植业	花椒种植
绵竹市新市镇红俊家庭农场	20	魏天俊	81.2	种植业	水稻、小麦、蔬菜种植
绵竹市富新镇强友家庭农场	50	魏有强	62.13	种植业	草莓、谷物种植

农用地产权制度改革。绵竹市深化产权制度改革,发展壮大农村集体经济,全面推进确权登记颁证工作,顺利通过农村土地承包经营权确权登记省级验收。一是在东北镇天河村开展农村集体资产股份制改革试点,实现资源变股权、资金变股金、农民变股东。加快农村土地“三权分置”,发展适度规模经营,在落实农村土地集体所有权的基础上,稳定农户承包权,放活土地经营权,引导农村土地经营权规范有序流转,发展多种形式的农业适度规模经营。二是在公司与农户之间建立双赢的利益联结机制,增加农村居民财产性收入。盘活农村闲置资产发展新兴业态,通过“村民主导、政府引导、行业指导”的方式进行改造,政府对其进行适当补助,有效盘活了大量闲置农房资源发展第三产业,全村全年民宿产业创收64.8万元,经营户户均增收达2万元。

【种植业】 2016年,绵竹市建立万亩高产示范片10个,示范面积23.23万亩。高产创建示范区品种良种使用面积40.5万亩,良种覆盖率达99.2%;推广水稻超高产强化栽培3.5万亩、机插秧栽培5万亩、精确定量栽培技术1万亩、水稻机械化直播技术500亩,共计建设高标准农田3.88万亩。引进小麦新品种8个、油菜新品种12个、水稻新品种33个,开展了田间筛选试验。持续推进富王粮油三个“十万吨”项目建设,延伸粮油产业链条。

【畜牧业】 2016年,绵竹市加快落实德康公司“公司+家庭农场”发展计划,与60余户养殖户签订了代养合作协议,实施“公司+家庭农场”代养模式试验示范推广,有力地推动了生猪、小家畜禽标准化、规模化生产。全市生猪规模化养殖比重达76%,肉鸡规模化养殖比重达70%,蛋鸡规模化养殖比重达82%,均比上年提高了2个百分点。开展省、部级畜禽标准化示范场创建活动,兴隆镇鑫坤种植有限公司养猪场被评为市级示范场。依法开展动物检疫、动物防疫监督管理及动物、动物产品的调运落地监管等工作,对118家猪、牛、羊、肉禽、蛋鸡、兔等规模养殖场的养殖档案、制度执行等情况进行了执法检查;开展兽药监管及农业部公布的假兽药专项执法12次,对全市经营、使用企业及养殖场、养殖(户)进行拉网式检查。对全市6个(达标升级前26个)生猪定点屠宰场指派的官方兽医进行监管,监管率达100%;对全市374家养殖场(户)进行“瘦肉精”全覆盖监测,共监测1496家次,未发现瘦肉精使用情况。

【水产业】 2016年,绵竹市投放鱼种1581吨,水产品产量7000吨,实现渔业总产值19820万元,助农人均增收17.6元,其中名特优水产品产量3460吨,占水产品总量的49.4%。加强水产品质量安全监督抽查,全年抽样送检鱼样29个,完成风险快速检测鱼样60个,检测结果为全部合格。

【统筹城乡与新型城镇化】 2016年,绵竹市扎实推进孝德镇统筹城乡区域重点镇建设,计划2017年年底全部建成;抓好汉旺镇统筹城乡专项奖励资金项目建设,加强项目督导和资金监督;加快特色小城镇培育,九龙镇、土门镇成功入选四川省“十三五”特色小城镇。积极开展“村民自建”试点,全市小型农村基础设施“村民自建”项目总投资549万元,其中省级资金150万元、市级资金160万元、本级财政配套239万元,涉及13个乡(镇)23个村,新(改)建农村道路24千米、沟渠6.3千米、机井2口、山坪塘1座、健身广场9个、老年活动中心1个。加快城乡基础设施建设,实施孝德场镇、苏绵大道、玉妃路、景城一体便民惠民骑游系统等改造项目,改建了对金陵嘉园、茶盘街、一号桥两侧等地停车场、绿化广场,对商业场后街、大东街、吉家东巷等进行了改造完善。成兰铁路绵竹段路基工程基本完工,加快推进省道107线东二环南广场至富新路口、省道216线汉旺至广济段、省道419线东北至九龙段、国省干线公路连接线、金三路(孝德镇至土门镇)、德绵路迎宾大道的建设工作,完成乡道提升改善44.5千米、村道加宽改造13千米。

成立绵竹市新型城镇化工作领导小组,制订了《绵竹市2016年加快推进新型城镇化重点工作实施方案》,将目标任务层层分解落实到位,确保任务圆满完成。全市新增城镇人口2000人,共受理农村转移人口在城镇落户330人。城市基础设施建设投资2.5亿元,新增建成区面积0.2平方千米,完成棚户区改造1090户(含开工改造)。投资3800万元,实施“百镇建设行动”,新增城镇就业4500人;完成危房改造75户,其中孝德镇13户、新市镇47户、土门镇5户、玉泉镇1户、什地镇3户、板桥镇1户、富新镇2户、九龙镇2户、金花镇1户。

【新农村建设】 2016年,绵竹市建成幸福美丽新村77个。一是全力抓好重点示范村建设。坚持“不规划不设计、不设计不施工”的原则,采取科学编制规划、规范项目申报与评审、严格控制项目预算和审批、加强项目监管等措施建成金花镇云盖村、遵道镇秦家坎村、西南镇金隆村、土门镇麓棠村、富新镇文永村等各具特色的重点示范村。二是全面开展“四好村”创建活动。制订了《创建绵竹市市级“四好村”活动工作方案》和创建标准,明确了创建目标和任务,落实了工作责任,建立了工作机制。广泛动员和引导农户积极参与建设和开展创建活动,共创建省级“四好村”16个、市级“四好村”24个、县级“四好村”29个。三是推进村落民居建设。对成兰铁路沿线拆迁户、工业园区拆迁户等项目拆迁区农户按照县域新村建设总体规划和满足群众生产生活需要进行新村建设,新建农房155户。加大对传统村落民居的保护力度,继续实施“三建四改”工程和“年画上墙”工程,完善和提升民居内部功能,提升村民生活品质,完成农房改造248户,解决了16户无房户、危房户、住房困难户的居住问题。

【扶贫攻坚】 2016年,绵竹市大力推进专项扶贫、行业扶贫和社会扶贫,全年实现4900名建档立卡贫困户脱贫的目标任务。梳理出58条精准扶贫相关政策并印发了《精准扶贫惠农惠民政策摘编》,将扶贫政策措施落实到位。开展了涉及全国扶贫开发业务管理子系统、建档立卡贫困户档案归档、资金管理使用等内容乡(镇)的扶贫专干培训。开展“双联双帮”,派出2400余名干部对8682户建档立卡贫困户进行结对帮扶。开展“10·17”全国第三个“扶贫日”系列活动,通过现场摊位、展板、电视、短信、新媒体平台等方式宣传扶贫政策。

【乡村旅游】 2016年,绵竹市乡村旅游接待游客263万人次,占接待游客总人数的65.42%;实现乡村旅游收入22.21亿元,占旅游总收入的64.94%,乡村旅游促进农民人均增收2000余元。积极推进《绵竹市全域旅游总体规划》编制,统筹全市旅游产业布局,成功入围全国第二批全域旅游示范区创建名单。参加了北京文化旅游周推介活动,先后到上海、浙江、福建、深圳、江苏等地开展招商对接并取得重大突破。完成旅游招商5.5亿元、旅游项目投资6.5亿元,其中与上海文创公司签订了合作投资协议,共同打造九龙山景区“窑洞花香”项目,预计投资0.8亿元;成功招引森海水上乐园投资0.35亿元、悦浪滩水上乐园项目投资0.15亿元,并于夏季对外开放,填补了全市夏季旅游产品单一的空白;三溪艺术小镇项目到位资金0.5亿元,月季博览园有关基础设施配套前期工作顺利推进。与四川在线、四川新闻网、途牛网、同程网等多家网络媒体合作,着力打造微博、微信两大平台,借势社交网络扩大了节庆影响力。与成都市旅游协会、成都市旅游集散中心、四川省自驾游协会等合作,开通景区旅游直通车,推出一日游、二日游旅游线路。全力办好“梨花节、赏果节、年画节”三大传统节庆活动,举办“又见花开·奔跑绵竹”迷你马拉松赛以及“2016环龙门山骑游活动(绵竹站)暨中国旅游小姐骑游采风”等活动,有效提升了绵竹市节庆旅游品牌。

【四川省现代农业建设重点县情况介绍】 2016年,绵竹市加快推进新一轮现代农业重点县建设,编制了《四川省第三轮现代农业重点县建设绵竹现代农业重点县申报材料》,将水稻、蔬菜、特色水果、玫瑰确定为第三轮现代农业重点县建设主导产业。深入开展粮油高产创建活动,大力推广农业新品种、新技术,提高农机化水平,实现农机农艺有机结合。加快农业生产基础设施建设,提高农业综合生产能力,全市共投入52443万元用于推进农业综合开发土地治理、现代农业生产发展、全国新增1000亿斤粮食生产能力建设田间工程以及蔬菜产业基地建设等。巩固和发展全国休闲农业与乡村旅游示范县及中国玫瑰谷全国休闲农业与乡村建设示范点成果,加快特色产业发展,实现了园区变景区、产品变商品、农民变股民的目标。

【四川省现代林业重点县经验介绍】 2016年,绵竹市成功争取到全省新一轮现代林业重点县建设项目,计划以发展玫瑰特色经济林为主导产业,打造中国最大的玫瑰特色基地,计划投入资金19942.16万元。全年新植玫瑰3400亩,改造1377亩。继续抓好玫瑰种植基地建设,建成全球大马士革玫瑰主产区。深入推进林下资源开发,支持魔芋精深加工产业发展。持续开展农业社会化服务,推广农业新品种、新技术运用。扎实推进“院市合作”项目,提高现代农业发展科技水平。整合猕猴桃资源,加快推进猕猴桃实验室及冷链物流项目建设,提高猕猴桃市场竞争。推进“互联网+现代农业”,实施农业物联网示范,搭建农产品电子商务平台,把“绵竹造”推向外部市场。林业生态工程扎实实施,严格执行天然林商品性禁伐规定,实施国有林管护和森林生态效益补偿;完成退耕还林后续产业专项建设,加强退耕地管护,有效巩固退耕还林成果3万亩。造林绿化深入开展。完成义务植树114.2万株、营造林1.14万亩。编制绵竹市大规模绿化实施方案,下达年度采伐限额42313立方米,依法办理林地手续10宗、涉及面积6.19公顷,救助野生动物11次,核实保护区采矿权28个、探矿权18个,按省、市要求完成大熊猫国家公园建设相关工作,完成森林资源二类调查。积极推行"量价分离"评估制度和林木采伐权公开拍卖制度,完成林场改革实施方案的编制和上报。

2016年,绵竹市出台了《绵竹市现代林业重点县建设实施方案(2016—2018年)》和年度计划,成立了绵竹市现代林业重点县建设领导小组,多方位、多渠道筹措资金8263.2万元,圆满完成了年度任务。全年流转土地18000亩,新建大马士革玫瑰特色经济林基地3400亩,改造1377亩,新建20个良种育苗大棚,新发展林下种植1000亩。实现林业总产值18.8亿元,同比增长13.5%;农民人均林业收入达2385元,同比增长9.1%。绵竹市成功申报为"四川省森林食品基地",不断推进玫瑰品牌、生态旅游品牌打造,助农增收。

【回乡创业之星选介】 李伟,男,生于1986年,拱星镇高柏村人,为绵竹市华雨荣香食品有限公司负责人。2009年大学毕业后,李伟和朋友成立了成都君驿酒店管理有限公司,2012年和朋友一起做韩妆代购。2014年,李伟在绵竹市注册了"仁兄"食品品牌。2015年3月,李伟在其父亲家庭作坊的基础上创办了绵竹市华雨荣香食品有限公司,主要生产蛋酥花生及红酥、自研坚果等食品。公司成立之初,他在淘宝上一个月的销售量可达500余件。公司常年聘用当地农民20余人,带动村民共同致富奔小康。2015年10月,李伟加入了市政府引进的农村淘宝,成为合伙人。2016年,李伟新成立了绵竹阿拉丁电子商务有限公司,主要在淘宝及其他电商平台销售本地猕猴桃及农民自种农副产品;1月,李伟被绵竹市政府授予返乡"农民工创业明星"称号;3月,李伟获得"阿里巴巴农村淘宝全国百万英雄及全国十大全能王"称号。

【主要领导人】 市委书记:陈万见;市人大常委会主任:冯军;市长:邹远骏;市政协主席:侯光辉;分管农业副市长:张丽珂。

绵竹市编写组

中江县

【基本情况】 2016年,中江县辖16乡29镇,辖区面积2200平方千米,其中耕地面积152.8万亩、基本农田130.63万亩。年末总人口141.8万人(户籍人口),增长0.4%;人口出生率9.61‰,减少1.29个千分点;人口自然增长率2.21‰,减少1.02个千分点。全县耕地有效灌面和保证灌面分别达到耕地总面积的77.69%和49.85%;本地水资源总量4.79亿立方米,人均占有水资源量338.99立方米。有林业用地6.0277万公顷,有林地面积5.9446万公顷,活立木总蓄积量391.3186万立方米,森林覆盖率达28.9%,林木绿化率达40.72%。

2016年,全县GDP311.2亿元,增长8.5%,其中第一产业增加值79.5亿元,增长3.4%,农、林、牧、渔及农林牧渔服务业之比为42.5∶4.4∶50∶1∶2.1;第二产业增加值132.2亿元,增长10.3%(工业增加值118.8亿元,增长10.4%);第三产业增加值99.5亿元,增长10.5%。三次产业对经济增长的贡献率分别为11%、51.3%和37.7%。劳务输出49.9万人,收入48.4亿元。全年接待游客287.9万人,实现旅游总收入22.58亿元,其中乡村旅游收入12.92亿元。

公路通车里程2714.75千米(其中乡村公路2175.874千米),密度1315.9米/平方千米,18.958千米/万人。社会消费品零售总额152.8亿元,增长13.5%。地方公共财政预算总收入完成8.78亿元,增长13.14%;公共财政预算总支出49.65亿元,增长8.83%,其中农业投入30804万元,占支出的6.2%。金融机构各项存款余额353.55亿元,比上年初增长11.6%;各项贷款余额113.4亿元,比年初增长8.8%。全年农业保费收入0.4143亿元,增长16.83%,处理各项赔款和给付金额2867.9万元,增长8.1%。完成农业产业化项目14个,完成投资60518万元。农业产业化龙头企业国家级、省级、市级分别为1家、6家、32家。

有各类学校376所,在校学生155386人,教职工7436人,其中普通中学57所,在校学生43787人;小学196所,在校学生67787人;学龄儿童入学率100%。有艺术表演团体2个,文化馆1个,公共图书馆1个,博物馆1个。有无线广播电台1座,节目2套;电视台1座,节目2套。有卫生机构999个,病床位4554张,卫生技术人员2590人。新型农村合作医疗参合人数1101129人,参合率99.48%;城乡居民养老保险参保人数573425人,参保率86.06%;被征地农民养老保险参保人数54948人,占总人数的9.6%。

【年度农业和农村经济运行】 2016年,中江县实现农业总产值141.9亿元,增长3.6%;农业增加值79.5亿元,增长3.4%。农村居民年人均可支配收入达11948元,增长9.1%。全县农产品质量抽检合格率比年初提高2个百分点;建成45个基层农业综合服务站。

2016年中江县主要农产品产量

主要农产品	单位	产量	同比(%)
粮食	万吨	80.04	1.06
稻谷	万吨	25.46	0.9
小麦	万吨	19.3	-0.15
油菜籽	万吨	5.54	2.2
蔬菜	万吨	45.17	-0.22
水果	万吨	5.1	3.03
肉类	万吨	13.18	-1.5
猪肉	万吨	8.14	-4
禽蛋	万吨	4.89	0.9
水产品	万吨	8500	11.1
牛奶	万吨	0.55	0.2

农业产业化发展。中江县创建郪江黄颡鱼国家级水质种质资源保护区1个,农业部健康养殖示范场4个,农业部无公害水产品养殖基地2个,市、县级良种场各1个,泥鳅繁育基地2处,稻田综合种养基地1家,大鲵驯养基地3个,休闲垂钓基地4个。成立了德阳市首家水产品专业合作社、中江县第一家农民专业合作社——中江县众旺水产品专业合作社联合社。

农用地产权制度改革。中江县农村土地承包经营权确权工作涉及确权乡(镇)44个、村758个、社8509个(凯江镇因城市规划,全镇不进行确权登记,涉及2个村、17个社,已完成706个村(占总数的93%)、7843个社(占总数的92%)、农户336555户(占农村总户数的92%)的承包地的外业和内业调查工作,实测总面积为147.14万亩(占国土二调面积的96%以上),其中承包地136.15万亩(比二轮承包面积增加33.14万亩,增长32%)、自留地5.68万亩、机动地3.11万亩、四荒地0.12万亩、其他集体土地2.08万亩;实测地总块数为3720482块,其中承包地块数为3384786块。

【种植业】 2016年,中江县农作物播种面积271.7万亩,其中小春作物108万亩、大春作物163.7万亩。粮食作物播种面积198.93万亩,产量80.04万吨;油料作物播种面积39.09万亩,产量7.63万吨;蔬菜播种面积20.07万亩,产量45.17万吨,实现产值8.52亿元。生产食用菌3亿袋,总产量(含干菌)3万吨;中药材播栽面积10.81万亩,产量2.48万吨;水果产量5.1万吨。完成蚕种发放1.2万张,收购鲜茧350吨。44个农产品通过无公害农产品认证;四川德阳年丰食品有限公司生产的"纯乡菜"籽油(非转基因压榨工艺)(一级)获得绿色食品A级产品证书,获准使用绿色食品标识。

【林业】 2016年,中江县发展特色经济林产业12.9万亩,其中核桃干果林10.2万亩,形成了以核桃为主的干果林产业。巩固退耕还林成果7万亩;办理林木采伐审批574份,依法采伐林木9316立方米;审核上报永久性占用林地5起,审批临时占用林地6起,清理砖厂等临时占用林地4起,依法处罚非法使用林地1起。全年实施无公害药物防治面积0.8万亩、灯光诱杀防治面积11.6万亩,无公害防治率达100%,病虫测报准确率达99.74%,林业有害生物成灾率为0.06‰。全县共有20家野生动物养殖场办理了野生动物驯养繁殖许可证。

2016年中江县省级(及以上)农业产业化重点龙头企业名单

企业名称	注册资金(万元)	法人代表	示范等级	行业分类	主营产品
四川逢春制药有限公司	10000	黎黎	国家级	中药材加工	中药片剂、饮片
四川省奉献农业有限公司	400	谢朝维	省级	养殖业	生猪、蔬菜
四川来金燕食品有限公司	400	熊昌健	省级	食品加工	大豆制品
四川德阳市年丰食品有限公司	1100	王长严	省级	粮油加工	食用油
四川万凤粮油有限公司	1000	胡泽万	省级	粮油加工	大米、面粉
四川雄健实业有限公司	10080	陈明雄	省级	粮食加工	面粉、挂面

2016年中江县省级示范农民专业合作经济组织名单

合作组织名称	注册资金(万元)	法人代表	示范等级	年度产值(万元)	行业分类	主营产品
中江县富祥中药材专业合作社	200	吴德贵	省级	1354	中药材	中江丹参、中江白芍、桔梗
中江县润川核桃专业合作社	200	何俊瑶	省级	450	干果	核桃
中江县永强农机服务专业合作社	215	唐先品	省级	199.6	农机服务	农机服务

2016年中江县家庭农场经营情况统计表(前10位)

家庭农场名称	注册资金(万元)	法人代表	年度产值(万元)	行业分类	主营产品
中江县金海粮家庭农场	100	王玲	800	种植业	粮食
中江县家富家庭农场	30	颜家富	380	种植业	粮食
中江县富丽家园家庭农场	100	黄小明	350	养殖业	生猪
中江县良丰家庭农场	10	莫远超	500	种植业	食用菌
中江县嗑吧一族家庭农场	50	王开东	400	种植业	中药材
中江县富洋家庭农场	50	邓文富	100	种植业	粮食
中江县鑫轲家庭农场	15	黄艳燕	80	种植业	粮食
中江润凤家庭农场	50	杨运润	120	种植业	中药材
中江县冷海荣家庭农场	50	冷海荣	80	种植业	蔬菜
中江县晓林家庭农场	200	叶晓林	75	种植业	蔬菜

【畜牧业】 2016年,中江县出栏生猪113.75万头、牛5.84万头、羊20.56万只、禽1916.1万只、兔681.93万只;肉类总产量13.18万吨,禽蛋总产量4.89万吨;实现畜牧业产值81.26亿元,占农业总产值的57.27%。建成部级畜禽标准化示范场2个、省级畜禽标准化示范场6个。全年高致病性禽流感、高致病性猪蓝耳病、口蹄疫、猪瘟4种动物疫病群体免疫密度保持在95%以上,免疫抗体合格率保持在70%以上。

【水产业】 2016年,中江县水产养殖面积2958公顷,水产养殖产量8500吨,同比增长11%,实现年产值18260万元。全县宜渔水面11.8万亩,其中工程水面3.87万亩、河水水面0.51万亩、稻田水面7.42

万亩。有渔业从业人员10860人,其中专职渔民3021人、兼业渔民6958人,养殖大户213户。

【统筹城乡与新型城镇化】 2016年,中江县"多规合一"平台建设试点工作取得积极进展,完成《中江县城市总体规划》编制工作;仓山镇、龙台镇被列入四川省"十三五"特色小城镇发展规划;完成仓山、黄鹿等4个乡(镇)的控制性详规的编制工作,启动22个乡(镇)的总规修编和控制性详规编制工作。县城建成区面积达27平方千米,聚集人口27.4万人,新增城镇面积0.5平方千米,新增城镇人口约1万人,全县中心城区控规覆盖率达100%。实施城市基础设施建设项目37个,其中已完工27个、在建10个,完成投资约1.8亿元,占全年计划投资建设目标的100%。实施宜居县城建设试点,完成一环路东段、芍药大道入城、德中路入城口广场和成巴高速互通两侧绿化等城市提档升级工程,新建城区道路2千米、城西片区排水涵3千米,开工实施一环、二环路改造PPP项目。开工建设"6"字环道路改建工程、"三江六岸"景观灯光一期工程和桥亭街、谭家街、松山小区3个棚户区改造项目;数字化城市管理指挥平台进入调试阶段。深化国家重点镇、四川省百镇建设试点镇、市域重点镇建设,完成投资1.3亿元。全县危旧房棚户区改造年度目标任务为1129套,已全部开工建设,开工率达100%。推进户籍制度改革,截至2016年年底,全县共办理落实"农转非"7520人;建立流动人口信息申报点4130个,申报流动人口信息24157条,全面完成目标任务。

【新农村建设】 2016年,中江县争取省级美丽乡村示范村专项资金600万元、省级幸福美丽新村专项资金1700万元,2个省级幸福美丽乡村和12个新村基础设施建设有序推进。90个幸福美丽新村建设已全部完成,其中新建成幸福美丽新村16个、改造和完善基础设施幸福美丽新村74个;1400户农村廉租房建设全部完成。以集凤镇"四好"示范带、永太镇"四好"示范片为重点,全力推进全县"四好村"创建活动,全年建成县级"四好村"167个、市级"四好村"73个、省级"四好村"20个。扎实推进特色小城镇和幸福美丽新村建设,建成省级生态乡镇5个、美丽乡村9个、新村示范片1个、传统文化村落3个。

【扶贫攻坚】 2016年,中江县完成脱贫10232户、25045人,完成贫困村退出35个,贫困人口减贫率达74.3%;完成贫困户危房改造1981户。全县财政专项扶贫资金投入总额达6861万元,比上年增长68.2%;设立卫生扶贫基金1000万元,重点对贫困人口非住院治疗进行救助。实施111个村小型公共基础设施建设项目,建成村社道路516千米,改造、新建塘堰121口,整治渠道114千米。

【乡村旅游】 2016年,中江县举办了太安首届桃花节、2016四川花卉(果类)生态旅游节分会场暨中江第四届芍药赏花节、永太葡萄(西瓜)采摘节、仓山第二届古郪猕猴桃采摘节,累计接待各地游客约100万人次,实现直接旅游收入2.6亿元,拉动其他消费收入10.4亿元。太安桃花谷景区等乡村旅游示范点建设有序推进。

【重点乡镇选介】 集凤镇,地处中江县城西北面的龙泉山脉深丘区,毗邻成都、德阳、广汉等大中城市,距中江县城21千米、广汉市45千米、德阳市35千米、成都市90千米,成都"三绕"高速、德中快速通道、县道九高路(中广路)等贯穿全境,村村通水泥路,交通便捷。集凤镇依托良好的区位优势和交通条件,充分发挥自然资源优势,坚持"特色农业立镇,依靠科技兴镇、产村相融富镇,统筹城乡发展"战略,狠抓产业结构调整,积极推进产业区域化、一品多村规模化、农业现代化建设,做大做强芍药产业,逐步构建以一产业为依托、三产业为突破、一三产业互动、产村相融、城乡统筹发展的格局,促进了全镇经济的快速发展。2011年,集凤镇获得"中国芍药之乡"称号;2012年被命名为"全国一村一品示范村镇";2013年被列为"四川省百镇建设试点重点镇";2014年获得"四川省农业标准化芍药乡"称号,同年被住房城乡建设部确定为全国百强示范镇;2016年,石垭芍药谷被农业厅认定为"省级示范农业主题公园"。

集凤镇旅游资源丰富,"春赏芍花、夏尝野菌、秋品硕果、冬观雪景",观光旅游发展前景巨大。近年来,按照全县旅游发展规划,全镇充分发挥芍药花独特的观赏性,以花为媒,积极推进芍药谷4A级旅游景区建设,新建特色农家乐14家、乡村旅馆11家,游客接待容量大幅提高,带动就业350余人。2013—2016年连续四年举办"中国芍药之乡——芍药花生态旅游节",2016年累计接待观光旅客42.5万余人,实现镇内旅游消费收入1200万元,为农民增收开辟了新路径。

【主要领导人】 县委书记:周新;县人大常委会主任:陈立贵;县长:李霞;县政协主席:董易佳;分管农业副县长:唐静。

中江县编写组

罗 江 县

【基本情况】 2016年,罗江县辖10镇106个行政村25个社区,辖区面积447.87平方千米,其中耕地面积37.35万亩,人均耕地面积1.5亩;基本农田33.75万亩。年末总人口25.01万人,增加0.07万人;人口出生率8.84‰,人口自然增长率2.05‰。耕地有效灌溉面和保证灌溉面分别达到耕地总面积的52.3%和18.3%;本地水资源总量1.6亿立方米,人均占有水资源量641立方米。有林业用地8028万公顷,有林地面积7896.2万公顷,活立木总蓄积量37.72万立方米,森林覆盖率达39.87%。

2016年,全县GDP97.17亿元,增长10.5%,其中第一产业产值19.19亿元,增长3.6%;第二产业产值51.33亿元,增长13.7%;第三产业产值26.65亿元,增长8.3%。三次产业对经济增长的贡献率分别为7.3%、52.8%和27.4%。乡(镇)中小企业增加值64.08亿元,增长10.6%。劳务输出6.9万人,收入14亿元。全年接待游客321.32万人,实现旅游总收入18.47亿元,其中乡村旅游收入11.1亿元。

公路通车里程640.617千米(其中乡村公路577.262千米),密度1.43千米/平方千米,24千米/万人。社会消费品零售总额26.08亿元,增长13.3%。地方公共财政预算总收入完成7.47亿元,增长20.9%;公共财政预算总支出13.6亿元,增长3.6%,其中农业投入2.24亿元,占支出的16.5%。金融机构各项存款余额92.01亿元,比上年初增长3.3%;各项贷款余额49.22亿元,比年初增长10.9%,其中支持农业产业化发展项目贷款25.94亿元。处理各项赔款和给付金额1905万元。农业产业化龙头企业25家。

有各类学校60所,在校学生35478人,教职工2289人,其中普通高校2所,在校本(专)科学生12803人,增长6.5%;普通中学8所,在校学生7875人;小学18所,在校学生10452人;学龄儿童入学率100%。有艺术表演团体6个,文化馆1个,公共图书馆1个,博物馆5个。有无线广播电台1座,节目1套;电视台1座,节目1套。有卫生机构207个,病床位1053张,卫生技术人员601人。新型农村合作医疗参合人数169076人,参合率99.05%;城乡居民基本养老保险参保人数116947人,参保率95.2%;被征地农民养老保险参保人数

19562 人，占总人数的 100%。

【年度农业和农村经济运行】 2016 年，罗江县实现农林牧渔业总产值 19.8 亿元，比上年增长 3.8%。农民年人均可支配收入 12438 元，比上年增加 1132 元，增长 9.1%。全县农产品质量抽检合格率比年初增长 0.1%。

农业产业化发展。罗江县加强新型农民经营组织建设，引导组建土地股份合作社 5 家，其中新增 1 家。

农用地产权制度改革。罗江县完成农村土地承包经营权确权登记 10 个镇、101 个村、1098 个村民小组，登记农户 57010 户、涉及 168104 人；调查登记地块 511969 块，实测标准面积 337707 亩，顺利通过省级检查验收并获得“优秀”等级。完善农村集体“三资”信息化监管平台建设，得到了问政代表、特邀监察员的好评。开展以财务收支、村干部届满离任经济责任、农民负担、土地补偿费等为重点的专项审计，审计村组 591 个，审计金额 5452.71 万元。妥善处理 5 起 7 人次有关土地承包、惠农政策等方面的来信来访。

2016 年罗江县主要农产品产量

主要农产品	单位	产量	同比(%)
粮食	万吨	12.73	0.78
油料	万吨	3.8	2.69
蔬菜及食用菌	万吨	15.14	-0.45
园林水果	万吨	5.82	3.44
肉类	万吨	4.36	3.22
出栏生猪	万头	39.25	-3.97
出栏家禽	万只	530	3.63
禽蛋	吨	7976	1.46
牛奶	吨	554	26.2
水产品	万吨	1.21	4.3

2016 年罗江县省级(及以上)示范农民专业合作经济组织名单

合作组织名称	注册资金(万元)	法人代表	示范等级	年度产值(万元)	行业分类	主营产品
罗江县略坪蔬菜种植专业合作社	282.6	刘光华	国家级	360	种植业	蔬菜
罗江县建峰养殖专业合作社	180	甯秀英	国家级	824	养殖业	鸡
罗江县宝峰山枣子专业合作社	404.416	张瑞青	国家级	1200	种植业	贵妃枣
罗江县西蜀云峰水果专业合作社	138.8	黄友禄	国家级	954	种植业	蜜柚
罗江县天马山翠冠梨专业合作社	500	周忠	省级	898.72	种植业	翠冠梨
罗江县龙虎蔬菜种植专业合作社	253	杨通荣	省级	825	种植业	蔬菜
罗江县三合生态特种野猪养殖专业合作社	935.61	廖德芳	省级	99	养殖业	野猪
罗江县共鸣禽业专业合作社	445.5	武公银	省级	3000	养殖业	鸡
罗江县大霍山枣子专业合作社	312.05	米运达	省级	580	种植业	贵妃枣
罗江县拦河核桃种植专业合作社	165	周云光	省级	325	种植业	核桃
罗江县创益源核桃专业合作社	443.8	谢洪伟	省级	1256	种植业	核桃

【种植业】 2016 年，罗江县粮食作物播种面积 28.33 万亩，产量 13.3 万吨；油菜播种面积 19.89 万亩，产量 3.61 万吨；水果产量 5.82 万吨，新植果树 4600 亩；蔬菜种植面积 8.54 万亩，产量 18 万吨。新增规模化经营 0.62 万亩，建成高标准农田 0.47 万亩。建设现代特色效益农业标准化基地 1.1 万亩，主要农作物绿色防控覆盖率达 27%。建成农业示范基地 7 个、优质油菜核心示范区 1 万亩、优质稻核心示范区 1 万亩，培育青花椒 4670 亩、核桃 1580 亩，技改 150 亩。

【林业】 2016 年，罗江县实现林业总产值 0.34 亿元，比上年增长 3.3%。实施国有林管护 0.22 万亩，补偿集体公益林 4.22 万亩；完成林下经济开发 3000 亩。巩固退耕还林 2.55 万亩，完成营造林 1.4 万亩(含低效林改造)，义务植树 50 万株，推进古树名木普查，森林覆盖率达 39.87%。新培育贵妃枣 150 亩、优质梨 660 亩、青花椒 1570 亩、优质柑橘 3000 亩。强化特色农业产业带建设，在略坪镇培育蔬菜、羊肚菌等现代特色效益农业标准化基地 1.1 万亩，同时培育核桃 3000 亩、黑珍珠樱桃 300 亩、葡萄 300 亩、翠桃 300 亩。

【畜牧业】 2016 年，罗江县大力推进重点项目建设，加快产业发展。基层农技推广服务体系改革与建设、第二批现代农业推进工程、奶牛与肉羊标准化规模养殖场(小区)、畜禽良种推广和标准化养殖补助等 1300 万元项目资金争取到位，全面完成年度项目资金争取任务，完成 7 个县级重点项目建设，计划总投资 4200 万元，实际投资 4345 万元。新(改、扩)建标准化养殖场 43 个，发展适度规模养殖场 4029 个，新创省级标准化养殖示范场 2 个、家庭农场 146 个、畜牧电商 17 家。新增固定资产项目 2 个，全年入库固定资产投资 5100 万元，完成全年任务的 102%；招商引资项目 1 个，总投资 5200 万元，完成年度目标任务的 104%；上报招商引资信息 4 条，完成年度目标任务的 100%。利用生猪调出大县省级统筹奖励资金，在新盛、略坪等乡(镇)实施能繁母猪产业扶贫试点 72 户，创建形成了罗江特色的畜牧产业扶贫机制。在全县 36 个市级贫困村和其他插花扶贫村实施“千户万元能繁母猪脱贫攻坚”项目，确定了 850 户贫困户为实施主体，投入扶贫资金 212.5 万元；中标企业按照“三定二包”(定母猪、饲料品牌和免疫程序，包配种和仔猪回收)承诺,建立了基层畜牧技术员考核办法;49名基层畜牧兽医站技术人员已签订目标责任书,从产前、产中、产后3个重要环节为贫困群众提供全程免费"一对一"保姆式技术指导服务,力助项目实现脱贫"摘帽"和持续增收目标。

【水产业】 2016年,罗江县水产品产量12100吨,比上年增长4.3%。投放苗种4250吨,实现产值3.15亿元。完成水产品质量安全产地准出与可追溯示范建设项目,建成养殖生产环节在线视频监测示范点2个。建成水产标准化基地1240亩、优质种苗繁育基地360亩。全年实现渔业总产值1.37亿元,比上年增长12.8%。

【农村水利】 2016年,罗江县完成水利投资2450.98万元,整治干支渠道6.2千米,建设堤防7.9千米,新增有效灌面0.24万亩,恢复和改善灌面1.2万亩。实施中小河流整治秀水河防洪治理工程,投入资金1575万元,其中中央资金1451万元、省级资金124万元,治理河道5.9千米,综合治理范围内新建堤防7.9千米,疏浚河道0.52千米,项目建成后,保护农田0.5万亩;实施都江堰灌区续建配套与节水改造人民渠七期43#支渠整治项目,项目总投资680.79万元,其中中央资金545万元、县级配套资金135.79万元,整治渠道6.2千米,重建人行桥38座、机耕桥10座,新建管护道路1千米,新建了泄洪闸、便民梯步、放水洞等附属设施,项目实施后,新增有效灌面0.24万亩,改善灌面1.2万亩,新增年节水能力72万立方米,改善了白马关镇、略坪镇灌溉用水情况,新增粮食产量约120万千克;完成罗江县2015年度山洪灾害防治项目,项目总投资195.19万元,其中中央资金190万元、地方配套资金5.19万元。

【农业机械化】 2016年,罗江县完成机耕36.22万亩、机播2.58万亩、机收22.61万亩、农机化秸秆粉碎还田6.4万亩,主要农作物耕种收综合机械化水平达48.23%。补贴各类机具628台(套),受益农户516户;新增农机专合社2家,农机合作社完成作业1.63万亩;完成省级提灌专项项目7个,建设提灌站180千瓦,维护、更新、改造提灌站870台(套),1.62万千瓦,常年提水保灌面积16.2万亩。

【统筹城乡发展】 2016年,罗江县继续推进省级重点镇建设,金山镇被纳入省级重点镇和四川省百镇试点镇;白马关镇申报为美丽宜居小镇;白马关镇凤雏村申报为美丽宜居示范村庄;御营镇响石村、白马关镇白马村申报为中国传统村落。结合重点商贸镇建设,支持和鼓励社会资本对乡(镇)农贸市场进行改造和建设,四川和德投资在略坪镇建设的商贸中心建成投运,其中农贸市场1个、特色商业街1条。

【新农村建设】 2016年,罗江县按照"11127"幸福美丽新村建设总体规划,坚持"建改保"相结合的原则,确定了10个幸福美丽新村和1个市级示范点建设任务,重点在产业发展、环境整治、基础设施等方面下功夫。积极推进绵竹"年画上墙"工作,累计完成"年画上墙"4200余平方米,覆盖全县10个镇30个村,提升了新村建设整体水平。在新村建设过程中,坚持"农旅充分融合、三产互动结合",推广"小组微生"等做法,重点发展创意农业、养老服务、创意文化等新产业。截至2016年年底,已完成调元镇顺河村川菜文化长廊建设,开展了稻田(大地)艺术、稻草景观等试点项目建设。

【扶贫攻坚】 2016年,罗江县坚持精准滴灌原则,深入开展"三个一批"和实施"五大工程",制订印发了10个脱贫专项方案并稳步推进实施。全面完成"六有"系统建设和扶贫项目库建设阶段性工作,奠定了脱贫攻坚基础。继续坚持"支部领导实施、项目集中建园、资金成为股份"原则,突出脱贫成效,深化12个精准扶贫产业园建设;整合省、市扶贫项目资金1360万元,规划新建和在建精准扶贫产业园14个,依托特色产业发展为贫困户搭建持续稳定的增收平台,实现稳定、可持续增收。全面开展"七个一"活动,完成蹲点督导、评估检查、自查验收等,全年2809人实现脱贫。

【乡村旅游】 2016年,罗江县有A级景区2个、星级酒店1个、旅行社分社及服务网点8家、农家乐40余家(其中,四星级4家、三星级4家、二星级1家)。新引进三产项目2个,总投资达6300万元,引资到位资金5000万元。举办了第二届白马关庖汤节、"罗江县幸福罗江欢乐新春"第二届彩灯旅游节、庞统祠庙会、万安镇梨花节、鄢家镇柚花节、略坪镇葵花节、蟠龙镇枣子节等系列乡村旅游节庆及民俗活动,成功举办白马关山地自行车比赛、白马关旅游发展峰会等活动。全面推进香山鹭岛3A级景区温泉开发、山地车项目实施、跑马场、主体游乐园建设、小型动物园筹备等项目实施。白马关景区乐途户外的木屋茶吧、咖啡、海鲜烧烤、射箭馆,倒湾古镇的咖啡屋、智能点餐快捷主题餐厅,五丁谷的民宿、功夫茶房等新业态先后入驻,白马关景区顺利通过4A复核验收工作。

【农村科技】 2016年,罗江县实施绿色防控2.8万亩;完成现代农业粮经复合产业基地建设2个、共2万亩;落实万亩油菜高产创建示范片2个,示范面积2万余亩。整合利用各类涉农资金1734万元,建设农机化生产道路211千米,新建国债户用沼气池400余口;测土配方施肥39万亩,开展田间3414肥效试验2个、肥料利用率试验3个、蔬菜试验1个;秸秆还田、沃土栽培7万亩,地膜覆盖栽培6.56万亩;完成农业污染源普查,改造中低产田0.5万亩,沼液综合利用3万亩;完成新型职业农民培训139人,遴选科技示范户310户、技术指导员31名。启动水稻制种基地县项目,全年共落实种子基地面积5.1万亩,其中杂交水稻种子生产基地3万亩、杂交油菜种子生产基地2.1万亩;种子总产量达1039万千克,其中杂交水稻种子产量达782万千克,杂交油菜种子产量达256.5万千克;罗江县被授予"国家级杂交水稻种子生产基地"称号,成为首批国家级杂交水稻种子生产基地县之一。引进三红密柚、密糖柑、"爱媛38号"杂柑、大青李4个水果新品种和白雪实芹、半头红萝卜、碧绿翠莴笋、种都万吨早茄等7个蔬菜新品种,引进梨长枝多头高位换接新技术1项。组织开展果树及农作物技术管理县、乡两级培训30余期,培训5000余人次,发放资料18000余份,下乡指导800余人次。组织10个乡(镇)开展"科技之春"科普宣传月活动,组织各乡(镇)开展科技、文化、卫生"三下乡"活动共计30余次。

【农村教育】 2016年,上级财政补助罗江县义务教育公用经费1113万元。全年完成学前教育资助700人,资助金额73.176万元;为义务教育阶段学生全面免除学杂费、教科书费、作业本费共计1430.012万元;完成义务教育阶段家庭经济困难寄宿学生补助2858人,资助金额332.5万元;普通高中助学金项目资助学生1000人,资助金额191.6万元;免除普通高中学生学费800人,资助金额59.92万元;免除中等职业学校学生学费3733人,资助金额675.09万元;中等职业助学金资助学生779名,资助金额138.9万元;企业、社会团体及个人等面向师生设立奖学奖、助学金,资助1155人次,资助金额118.98万元。投入资金219余万元,实施"改薄"项目工程;投资63万余元,用于学前教育项目建设;投资近406万元,对全县中小学、幼儿园校舍进行维护。进城务工人员子女随迁就读入学率达100%。

【农村文化】 2016年,罗江县所有文化阵地坚持免费对外开放。全年发展地面数字电视用户612户,完成10个乡(镇)公共服务网点建设,电影"月月看"活动全年放映电影1340场次。开展"文化列车进园区、进景区、进学校、进企业、进乡村"文艺展演8场次、各类主题阅读活动6场次。辅导村、社区开展群众文化活动20余次,及时补充农家书屋、社区书屋出版物。建成农民健身工程3个、全民健身路径2条,完成2015年19个农民健身工程的检查验收工作。

【农村社会保障】 2016年,罗江县新增农村低保对象133户、176人,农村低保对象累计达3316户、4542人,累计保障55583人次,发放低保金1035.7万元,累计人均补差标准为186.3元/月。农村五保供养对象1633人,累计保障五保对象1.9519万人次,集中供养标准为400元/人/月,分散供养标准为300元/人/月,发放供养金640.9万元。继续推进城乡医疗救助一体化,全年累计救助1.26万人次,发放救助金559.7万元,其中大病救助1780人次、378.35万元,门诊救助1656人次、68万元,资助参保2708人、35.6万元,资助参合6478人、77.7万元。"7·22""8·8"暴雨洪涝灾害期间,妥善安置受灾困难群众1人,救助受灾群众30人;充实应急救援物资储备,下拨冬春生活救助金73万元,发放棉被1453床、棉衣1098件,救助1.07万人。新增孤儿3名,妥善安置10名孤儿到县福利中心生活,发放孤儿生活补助10.34万元。新建城乡社区老年人日间照料中心10个,发放百岁老人、90周岁以上老人高龄补贴45.53万元;分别为低收入家庭60岁以上失能老人、空巢老人和80周岁以上高龄老人提供居家养老服务4030人、4.1万人次。开展第四个全国"老年节"暨"敬老月"慰问活动,慰问贫困老人144户,慰问老年团体和养老福利机构4个,共发放慰问金6.66万元。开展慈善帮困助学活动,共资助贫困学生34名,发放助学金11.4万元。

【涉农招商引资】 2016年,罗江县3000万元以上的农业招商引资重大项目达17个,均为外资项目,比上年增长30.7%;协议资金7.58亿元;到位资金3.88亿元。

【主要领导人】 县委书记:徐光勇(8月止),曾长江(9月始);县人大常委会主任:唐华清(8月止),白光裕(9月始);县长:曾长江(8月止),李栋(9月始);县政协主席:白光裕(8月止),张胜虎(9月始);分管农业副县长:江涛(8月止),胡勇(9月始)。

罗江县编写组

绵阳市

【基本情况】 2016年,绵阳市辖3区5县1市,辖区面积20248.4平方千米,其中耕地面积422.85万亩。全市人口总户数209.66万户,户籍人口545.18万人。年末常住人口481.09万人,常住人口城镇化率达49.5%,比上年末提高1.5个百分点;当年出生人口46547人,死亡人口33667人,人口自然增长率2.4‰。森林覆盖率53%,比上年提高0.3个百分点。

2016年,全市GDP1830.42亿元,比上年增长8.3%(按可比价计算),其中第一产业增加值280.29亿元,增长3.9%;第二产业增加值896.04亿元,增长8.9%;第三产业增加值654.09亿元,增长9.5%。人均GDP 38202元,增长7.5%。三次产业结构比由上年的15.3∶50.5∶34.2调整为15.3∶49∶35.7。民营经济全年实现增加值1115.75亿元,增长8.6%,占全市经济总量的比重为61%,比上年提高0.9个百分点。全年接待游客总人数4206.11万人次,增长24.2%,其中国内旅游人数4205.6万人次,增长24.2%;入境旅游人数5083人次,减少29.7%。实现旅游总收入421.95亿元,增长22.8%,其中国内旅游收入421.84亿元,增长22.8%;旅游外汇收入171.57万美元,减少10.7%。

公路通车里程19919千米,铁路营业里程167千米,民航营运航线32条。全年公路客运周转量29.54亿人千米,减少12.9%;公路货运周转量71.07亿吨千米,增长7%;水运客运周转量182.79万人千米,增长40.1%。社会固定资产投资完成1269.97亿元,增长10%。社会消费品零售总额988.48亿元,增长12.4%,其中批发业实现零售额181.69亿元,增长14.3%;零售业实现零售额644.78亿元,增长11.4%;住宿业实现零售额18.98亿元,增长15.5%;餐饮业实现零售额143.03亿元,增长14.6%。按经营地分:城镇市场实现零售额660.36亿元,增长12.6%;乡村市场实现零售额328.12亿元,增长12.1%。金融机构人民币各项存款余额3181.69亿元,比上年末增长10.4%,比年初增加298.79亿元,其中住户存款1838.25亿元,比年初增加197.39亿元;各项贷款余额1667.43亿元,比上年末增长8.8%,比年初增加134.58亿元,其中住户贷款536.5亿元,比年初增加20.44亿元。全年各类保险保费收入92.87亿元,增长36.1%;各类保险赔款及期满给付支出38.11亿元,增长55.2%。有邮政局(所)447处,有固定电话用户86.42万户、移动电话用户521.24万户、互联网宽带用户127.46万户。

有各类学校1363所(不含高校、技工学校及职业培训机构),在校学生69.55万人,教职工5.2万人(其中专任教师4.35万人),其中,小学404所,在校学生26.04万人,小学学龄儿童入学率100%;普通中学226所,在校学生24.09万人;中等职业教育学校25所,在校学生4.87万人;学前教育在园幼儿14.48万人;高校14所,在校学生15.01万人。全年申报国家级科技项目落实无偿资金5597万元,申报省级科技项目落实无偿资金8991万元。申请专利10168件,专利授权4890件,其中发明专利申请量3914件,授权927件。拥有科技企业孵化器50个,其中国家级6个、省级11个。有公共图书馆10个,剧场、影剧院22个,博物馆、展览馆13个,省级文化产业示范基地5个,体育场(馆)16个。乡广播电视站264个,广播覆盖率99.37%,电视覆盖率99.56%,城区数字电视转换率100%。有卫生机构4371个(含社区卫生服务中心、村卫生室),病床位3.37万张,医院、卫生院技术人员2.44万人(其中执业/助理医师1.12万人,注册护士1.21万人)。

【年度农业及农村经济运行】 2016年,绵阳市实现农林牧渔业增加值286.1亿元,增长4%,其中农业增加值161.52亿元,增长4.1%;林业增加值10.18亿元,增长3%;牧业增加值98.05亿元,增长3.7%;渔业增加值10.54亿元,增长3.4%;农林牧渔服务业增加值5.8亿元,增长9.4%。农村居民年人均可支配收入达13504元,增长9.3%;农村居民年人均生活消费支出10684元,增长9.2%。认证"三品一标"农产品511个。全市休闲、康养、农旅结合等新型农业经营主体达1427家,营业总收入达21.48亿元。培育农村电商经营主体3420个,本地农产品网上交易额达12.9亿元。90个乡(镇)实现污水集中处理,农村生活垃圾集中处理率达60%以上。

农业产业化发展。绵阳市围绕"做大规模、做优品质、做响品牌"目标,着力优化产业产品结构、拓展农业产业链价值链、增强农业可持续发展能力。全市7个县(市、区)分别启动实施全国、全省现代农业示范区和第三轮全省现代农业重点县、现代畜牧业重点县、现代林业重点县建设,新建高标准农田37.45万亩,累计建成现代农业产业基地155个、205万亩,建成部、省、市三级标准规模化养殖场207个。全市市级以上龙头企业达445家,实现销售总收入416亿元;农民专业合作社达2960个;家庭农场达1960个;新型农业经营主体带动面达67%。

农用地产权制度改革。绵阳市农村土地承包经营权流转规范化管理与服务等10余项全国、全省改革试点示范顺利推进。农村集体土地、宅基地、集体建设用地使用权和农村土地承包经营权确权登记颁证工作基本完成,累计流转耕地113.43万亩、林地235.9万亩。县、乡、村三级产权服务体系基本建立,共建成农村产权交易中心6个、乡(镇)服务站点234个。安州区在全省率先完成小型水利体制改革试点。

【种植业】 2016年,绵阳市农作物总播种面积66.46万公顷,增长0.1%,其中粮食作物播种面积42.04万公顷,增长0.1%;油料作物播种面积14.1万公顷,与上年持平。粮食总产量223.75万吨,增产1.3%,单产增长1.1%,其中,大春粮食产量171.71万吨,增产1.7%;小春粮食产量52.04万吨,减产0.1%。稻谷产量100.48万吨,增产1.6%;小麦产量43.05万吨,减少1.2%;油料作物产量36.39万吨,增产0.6%;蔬菜及食用菌产量207万吨,增产0.8%。大力实施"沃野绵州"现代生态循环农业工程,增加绿色优质农产品供给,全市主要农作物绿色防控覆盖率达27.8%,专业化统防统治覆盖率达44.5%。

【林业】 2016年,绵阳市深入开展"大规模绿化绵州"行动,完成营造林面积32.9万亩,新增森林面积18.5万亩,森林覆盖率达53%,比上年提高0.3个百分点。成立全国首家地市级森林康养协会,建成市级森林康养示范基地8个,申报国家级、省级森林康养基地8个。利用国家到位资金2.61亿元,完成造林面积21967公顷。全市有自然保护区11个,面积32.82万公顷。绵阳市获得"国家森林城市"称号,绵阳三江湖国家湿地公园人工智能观测平台建设和湿地生态修复得到各界好评。

【畜牧业】 2016年,绵阳市生猪出栏361.54万头,减少4.1%;存栏235.25万头,减少2.4%。肉类总产量41.02万吨,减少1.3%,其中猪肉产量25.95万吨,减少3.3%。禽蛋产量14.36万吨,增长1%;牛奶产量2.12万吨,减少11.6%。

【农村水利】 2016年,绵阳市实有水利工程7.3万处,水利工程蓄引能力达26.02亿立方米,实际供水15.01亿立方米。耕地有效灌面21.87万公顷。加快推进武引二期灌区、开茂水库、沉水水库等重大水利工程建设,完成水利投资20.15亿元,新增有效灌面10.8万亩,解决21.8万人饮水安全问题。涪江干流、安昌河年均水质与上年持平,未发生明显变化,各断面年均水质均达到或优于相应水质类别标准;芙蓉溪仙鱼桥断面水质有所好转;凯江、通口河、梓江水质有所下降;鲁班水库年均水质类别为Ⅲ类,年均水质呈中营养状态,未发生明显变化。

【"四好村"创建】 2016年,绵阳市大力实施扶贫解困、产业提升、旧村改造、环境整治、文化传承"五大行动",扎实推进北川、平武、梓潼3个省级幸福美丽新村示范县和101个省级扶贫新村项目建设,全面推进省、市、县三级"四好村"创建。全市新建幸福美丽新村961个,累计建成1546个,占行政村总数的47%;成功创建省级"四好村"109个、市级"四好村"311个;10个村被列入第四批中国传统村落名录。

【农村社会保障】 2016年,绵阳市城乡居民社会养老保险参保人数221.63万人,新型农村合作医疗参合人数376.19万人;农村最低生活保障标准为260元/月,享受最低生活保障补助的农村居民16.59万人,下降1.1%。全市有社会福利收养性单位268个,床位3.53万张。

【主要领导人】 市委书记:彭宇行;市人大常委会主任:蒋仁富(10月止),马华(10月始);市长:刘超;市政协主席:张世虎(2月止),张锦明(2月始);分管农业常委:陈兴春(10月止),付康(10月始);分管农业副市长:经大忠。

绵阳市编写组

涪城区

【基本情况】 2016年,涪城区辖25个乡(镇、街道)。全年实现农业总产值29.32亿元,增长4.5%;农业增加值16.4亿元,增长3.8%。农民年人均可支配收入15192元,增长9.3%。

【农业产业化发展】 2016年,涪城区围绕优质蔬菜、生态养殖、花卉林果、生态旅游四大主导产业积极培育农业产业化龙头企业集群,促进新型农村经营主体发展扩大。全区农业产业项目入库114家,安排以奖代补扶持资金和配套资金548.4万元。区级以上农业产业化龙头企业达54家,其中省级5家、市级37家、区级12家;农民专合组织130个;家庭农场26个。

【农用地产权制度改革】 2016年,涪城区农村集体土地所有权、集体建设用地使用权、宅基地使用权、家庭承包土地经营权确权工作进入制证、颁证阶段,全年完成农村房屋所有权确权测绘3万余户。

【农产品品牌战略实施】 2016年,涪城区获得省以上名牌产品或著名、驰名商标的企业1家;获得绿色、有机、无公害产品认证的企业19家,农产品73个;通过IS9000、HACCP、GAP、GMP等质量体系认证的企业2家。组织18家企业54个特色农副产品参加绵阳市第四届乡村旅游节、涪城第十届乡村旅游节、绵阳名特优新暨绵阳造博览会,17家农业企业参加中国(四川)电子商务博览会,7家企业参加2015四川农业博览会暨成都国际都市现代农业博览会。

【幸福美丽新村建设】 2016年,涪城区建成幸福美丽新村30个、新村聚居点42个、新农村综合体2个,"1+6"村级公共服务中心建设率达100%,初步实现产村相融、一三产业互动发展,基础设施基本完善,公共服务设施提速增效。省第二轮成片推进新村示范片建设项目通过验收。杨关产业带成为涪城区现代农业展示区、新农村建设样板区和乡村旅游集聚区,被农业厅命名为"四川省现代农业示范园",列为"国家级现代农业科技园核心建设区"。

【农村基础设施建设】 2016年,涪城区新建、整治渠道140千米,修建蓄水池41口,整治小型水库4座,改造提灌站9处,整治山坪塘48口、河堰8处、排洪沟3.2千米,建设高产鱼塘150亩,治理水土流失面积6.67平方千米,新增农村饮水安全达标2.36万人;新建、完善农村道路260.3千米;新建高标准农田2.14万亩。全区耕地有效灌溉率达92%,城市公交车通村率达80%,乡(镇)、村通水泥路率均达

100%,农村污水处理率、垃圾收集和处理率均达90%以上。

【农村市场体系建设】 2016年,涪城区开展互联网知识培训,深入探索互联网助推涪城农业农村发展的新机制。与京东、蜀龙网等合作,食哈哈同城配送网、一件事三农电商平台、菜鸽子生鲜电子商务购物平台、田田园社区电商平台、妙季优鲜电商平台相继建成并投入使用。与天泰合作建成区级农村电商运营中心,在杨家镇、关帝镇建成镇级电商服务站2个,在各乡(镇)建成村级农村电商服务站46个,区、镇、村三级农村电商服务体系逐步形成并实现农村乡(镇)全覆盖。搭建"新农通"信息平台,近4万户农民用户加入"新农通",发送信息912条,其中区本级初审134条、新华社终审下发128条。

【农业招商引资】 2016年,涪城区通过"亲商、联商、跟商"等多种方式开展农业招商引资。全年引进农业招商引资项目6个,计划总投资14.1亿元,到位资金2.1亿元(含追加)。

【城乡建设用地增减挂钩项目有序推进】 2016年,涪城区首批"双挂钩"试点项目通过国土资源厅验收,整理出用地指标626.67亩,新增耕地2.45亩。包装申报二批次"双挂钩"项目9个,其中关帝镇、玉皇镇两个"双挂钩"项目批准立项并于11月正式启动实施。

【主要领导人】 区委书记:廖凯;区人大常委会主任:高峰;区长:江彬(5月止),姚永红(9月始);区政协主席:张晓丰;分管农业副区长:龙佳林(9月止),秦亚辉(9月始)。

涪城区编写组

游仙区

【基本情况】 2016年,游仙区辖22个乡(镇、街道),有农业人口27.32万人,有耕地面积37.4万亩,与上年持平;基本农田47万亩,与上年持平。

【年度农业和农村经济运行】 2016年,游仙区实现农业总产值48.92亿元,增长3.8%;农业增加值23.92亿元,增长3.7%。农民年人均可支配收入14435元,增长9.2%。

农业产业化发展。游仙区通过体制机制的不断创新,农村活力得以充分释放,农业产业化经营组织、龙头企业、农民合作组织等新型农业经营主体生机和活力不断增强,各类新型农业经营主体共带动农户20余万户(含省外),联结基地25万余亩(含省外),增幅达20%以上。

2016年游仙区省级农业产业化龙头企业名单

企业名称	注册资金(万元)	法人代表	示范等级	年度产值(万元)	行业分类	主营产品
四川金太阳畜牧饲料集团有限公司	3600	赵云强	省级	42000	加工业	饲料
四川绵阳市恒力通企业有限公司	1360	何奇	省级	3000	加工业	饲料
绵阳仙特米业有限公司	2913	张剑	省级	71300	加工业	粮油
绵阳市游仙茧丝绸有限公司	100	田佳	省级	11600	加工业	缫丝
绵阳市鲜绿果蔬有限公司	50	谢平	省级	6600	种植业	花卉
四川万亩田生态农业开发有限公司	1000	肖春	省级	1600	种植业	蔬菜

2016年游仙区省级(及以上)示范农民专业合作经济组织名单

合作组织名称	注册资金(万元)	法人代表	示范等级	年度产值(万元)	行业分类	主营产品
游仙区万山柏林玫瑰专业合作社	1000	何江	国家级	7500	种植业及加工业	玫瑰
游仙区联兴生猪专业合作社	500	刘雪华	国家级	1200	养殖业	生猪
游仙区仙力蚕业专业合作社	800	鲜玉章	省级	1300	养殖业及加工业	蚕茧
绵阳市游仙区国春芦笋专业合作社	200	杨国春	省级	1500	种植业	芦笋及菌类
游仙区国峰水果种植专业合作社	150	杨敏	省级	4500	种植业	水果
绵阳万亩田生态农业专业合作社	1200	肖春	省级	1300	种植业	蔬菜
绵阳市能仁农机服务专合社	150	王玉霞	省级	300	社会化服务业	农业机械
绵阳新有粮食作物种植专业合作社	35	文开银	省级	120	种植业及加工业	粮食等
绵阳鑫祥种养殖专业合作社	217	王平	省级	800	种养殖业	生猪、粮食
绵阳市联利木本油料专业合作社	1000	潘翠英	省级	6500	种植业	核桃
绵阳市游仙区止语种养殖专业合作社	800	黄鑫	省级	6500	种养殖业	林果

2016 年游仙区家庭农场经营情况统计表(前 8 位)

家庭农场名称	注册资金(万元)	法人代表	年度产值(万元)	行业分类	主营产品
绵阳市游仙区为民家庭农场	20	唐以全	240	种植业	粮食
绵阳市游仙区丹婷家庭农场	15	邓从怀	150	种植业	粮食
绵阳市老盐井家庭农场	20	张代胜	120	种养殖业	蔬菜、家禽
绵阳市游仙区金龙家庭农场	16	段加富	90	种养殖业	水果
绵阳市圣鼎家庭农场	25	曹明	110	林业及养殖业	林果
绵阳市游仙区果丹家庭农场	20	朱爽	80	种植业及加工业	牡丹
绵阳市良栖家庭农场	50	贾友成	300	种植业	蔬菜、水果
绵阳市坤平家庭农场	50	贾平义	60	种植业	水稻

【种植业】 2016 年,游仙区农作物总播种面积达 56735 公顷,同比增长 0.4%,其中粮食作物播种面积 35541 公顷,同比增长 0.2%。全年粮食总产量 224213 吨,同比增长 1.3%,其中小春粮食产量 49217 吨,下降 0.2%;大春粮食产量 174996 吨,增长 1.7%。小麦产量 39811 吨,下降 0.9%;稻谷产量 127694 吨,增长 1.8%;油料产量 35255 吨,增长 1.2%;蔬菜产量 196845 吨,增长 0.6%。

切实抓好农作物病虫害监测防控,通过网络、手机短信等发布《植保情报》、病虫害防治信息 8 期次,全区主要农作物病虫害损失率控制在 4%以下,主要农作物病虫害专业化统防统治面积 28 万亩,绿色防控示范面积 3.5 万亩。加强植物检疫执法,全年实施产地检疫 10769 亩,签发产地检疫合格证 76 份,检疫各类种子 2435600 千克、种苗 32 万株;实施调运检疫 14 批次,调运检疫各类种子 240765 千克、种苗 50 万株。规范证书管理和出证程序,共计签发省内植物检疫证书 52 份,调出各类种子 654406 千克、种苗 3000 株。

【林业】 2016 年,游仙区实有森林管护面积 6231 公顷,森林覆盖率达 28%;有自然保护区 1 个,面积 110.73 平方千米。全年零星植树 50 万株,木材产量 6719 立方米,竹材产量 700 吨;林木绿化率达 30.79%,活立木总蓄积量 142 万立方米。有上规模的产业基地 22 个,实现生态旅游收入 3.66 亿元。全年实现林业产值 1.42 亿元,增长 3.1%。依托梓棉乡、白蝉镇等地传统蚕桑产业建成省级万亩蚕桑产业示范片,实现产值 1.9 亿元。

天保工程。全区共完成天然林资源管护任务 9.34 万亩(其中国有林 1.23 万亩、集体公益林 8.11 万亩),聘请 39 名兼职护林员对 1.23 万亩国有林实施有效管护,8.11 万亩国家、省级集体公益林则由林权所有人自行实施有效管护,所有管护人员均与各乡(镇)政府签订了管护合同,项目资金拨付率为 100%。严格执行森林限额采伐,采伐限额执行率达 100%,采伐证审批核发率达 100%,木材运输证审批核发率达 100%。

退耕还林工程。全面落实退耕还林政策,完成退耕还林成果巩固 2.94 万亩,完成比例达 100%。退耕还林领导小组办公室组织相关单位对游仙区退耕还林工程及专项建设进行了督察以及涉农资金检查工作,对存在的问题进行了及时整改,使退耕还林政策得到了全面落实。

林业有害生物防治及森林植物检疫。全年共发生森林病虫害 11 万亩,其中对重点区域进行药物防治 1 万亩、开展灯光诱蛾 10 万亩,防治率达 100%,无公害防治率达 100%,成灾率为零。全年实施商品木材调运检疫 2084.46 立方米、竹材 1250.5 吨,苗木检疫 762825 万株,产地检疫 7 件,基地检疫 8 件,检疫率均达 100%。

绿化造林。全年完成营造林任务 3.1 万亩(其中新造 0.1 万亩、中幼林抚育 2.9 万亩、低效林改造 0.1 万亩),义务植树 50 万株。完成育苗 650 亩、400 万株,其中容器育苗 40 万株、大田育苗 360 万株。对全区种苗生产经营户进行了执法检查,对发现的问题及时发放了整改通知书。区林业局被省绿委命名为四川省绿化模范单位,新桥镇新跃村为四川省绿化示范村。

森林资源管护。严格执行森林采伐限额管理制度,认真贯彻"严管林"方针,严把林木采伐(采集)源头关,开通了网络办理系统并对乡镇林业员进行了专题培训,未超限额;严格征占用林地的审核管理,召开了以林地管理等为主要内容的森林资源林政管理工作会议,开展了林地清理执法检查、涉林违法行为专项查处,坚决遏制了林地资源的非法流失,制止和查处了违法使用林地行为。进一步深化林权改革,共办理林地流转备案和变更登记 3 宗,涉及林地 500 亩,流转协议金额 90 万元;办理林地占用 15 宗,占用面积 20.3877 公顷,其中长期征占用林地 9 宗、面积 18.8067 公顷,森林经营单位直接使用林地 3 宗、面积 2.7314 公顷,临时占用林地 3 宗、面积 1.4517 公顷。按照省、市要求,在省林业勘察设计院的协作下,完成林地变更调查工作。狠抓责任落实,严格野外火源管理,全年共接到森林火灾报警 45 起,处置火情 32 起,合计过火面积 10 公顷,无林木受损。

【畜牧业】 2016 年,游仙区实现畜牧业产值 20.18 亿元,增长 3.7%,占农林牧渔业总产值的 41.3%。全年出栏肉猪 311608 头,下降 4.2%;出栏小家禽 716.66 万只,基本与上年持平。全年肉类总产量 37103 吨,下降 2%;牛奶产量 4041 吨,下降 31%;禽蛋产量 10254 吨,与上年持平;蚕茧产量 6784 吨,基本与上年持平。生猪存栏 210595 头;牛存栏 30865 头,出栏 0.68 万头;羊出栏 6.25 万只,存栏 3.33 万只;兔出栏 87.3 万只,存栏 36.8 万只;家禽出栏 716.65 万只,存栏 368 万只。

畜禽规模养殖场(小区)建设。全区规模养殖小区达 39 个(生猪 37 个、家禽 2 个),其中标准化养殖小区 20 个,标准化养殖小区(场)数量占规模养殖小区(场)总数的 51.2%;以生猪等为主导产业的畜禽规模养殖比重达 62%,畜禽规模化、标准化养殖场已成为全区现代畜牧业发展的代表。创建部级示范场 3 个、省级示范场 3 个、市级示范场 12 个。

积极开展畜禽养殖污染整治。印发了《绵阳市游仙区畜禽养殖粪污综合利用管理制度》，成立绵阳市沃土生物科技有限公司，其利用畜禽粪便生产有机肥的加工厂已投产，年生产能力达 1 万吨以上；按照《畜禽规模养殖污染防治条例》《中华人民共和国水污染防治法》等法律法规，在全区规模养殖场发放张贴《游仙区畜禽养殖污染防治法规宣传》和《游仙区畜禽粪污综合利用技术指南》；严格执行《游仙区兴办畜禽养殖场管理办法》，做到污染治理设施与主体工程同时设计、同时施工、同时投产，确保新建养殖场不会成为新的污染点；依托畜禽养殖项目对 6 个养殖场的畜禽粪污处理设施进行了改造。

加强饲料等投入品监管。开展以“保障饲料安全，推进健康养殖”为主题的“饲料质量安全执法年”行动。加强检验监测，抽检养殖场(户)1122 个(户)，检测“瘦肉精”1403 份，结果均为阴性。加大宣传力度，提高饲料生产经营企业从业人员及广大养殖场(户)守法意识。加强对饲料经营企业的监管，8 家饲料经营企业完成备案。

大力实施种草养畜。实行科学规划、合理布局、分类指导，立足服务城市、富裕农村，在城市近郊和交通沿线的游仙、建华、魏城等乡(镇)种植大量优质牧草，实现草地资源合理配置，提高农业经济水平，走农牧结合的生态畜牧业发展之路。

【水产业】 2016 年，游仙区有中型水库 1 座、小(1)型水库 12 座、小(2)型水库 94 座、中型渠堰 2 处、山坪塘 7460 口、石河埝 237 处；有专业商品鱼基地 25 个，各类水产养殖水面 3394 公顷；有区级渔业协会 1 个，会员 180 个；有水产养殖专业合作社 12 个。全年水产品产量达 11680 吨，比上年增长 3.3%，其中淡水捕捞产量 194 吨、淡水养殖产量 11486 吨；实现渔业产值 2.06 亿元，增长 2.6%。

渔政执法。对全区水库、河道、水产养殖基地、水产品销售场所等进行执法巡查和检查，强化禁渔期对渔业资源的保护，加大对电鱼、毒鱼、非法捕捞等破坏渔业资源行为的查处。加强水产养殖环节监管，严禁使用违禁药物和不合格饲料，做到及时发现、及时制止、及时处理。全年共出动执法人员 600 余人次、执法车辆 120 余台次，巡回检查各类水产养殖场所、天然水域及各类鱼餐馆等，受理举报电话 30 余次，与养殖户签订《水产品质量安全生产目标管理责任书》150 余份，抽检水产品样品 37 批次，没收禁渔期非法捕捞江河野生鱼类 100 余千克，现场销毁网具 3 套，收缴电鱼工具 1 套。

渔业船舶专项整治。为全面贯彻落实省、市关于进一步加强水上交通安全和渔业船舶安全专项整治活动要求，对全区 17 艘机动渔业船舶实行“三证合一”换证检验，做到“一船一档”，对不符合安全生产条件、检验不合格、不按规程操作的渔船要求限期整改，进一步规范渔业船舶安全生产秩序，杜绝安全事故发生。

禁止施肥养鱼。贯彻区政府《关于全面禁止肥水养殖实施方案》的通知精神和《绵阳市游仙区水产养殖管理办法》，加大禁止施肥养鱼惩治力度，严禁向所有水库、塘堰等鱼类养殖水体投放各种有机、无机肥料和排放污水，特别对饮用水水源保护区严格管理，限制养殖方式，实行人放天养，强化水产投入品管理，从源头上杜绝有害物质流入，促进水域生态环境改善。大力推广健康生态养殖技术，在云凤、街子、建华、徐家等乡(镇)大力推广泥鳅、小龙虾、甲鱼等名特优品种的规模化、专业化和标准化生产，建成云凤镇 300 亩甲鱼及苗种繁育基地，徐家镇、东宣镇 200 亩小龙虾生产基地，建华乡 200 亩水产苗种繁育基地，街子镇 300 亩泥鳅养殖基地，“一村一品”格局逐渐形成。

【统筹城乡与新型城镇化】 2016 年，游仙区总人口 56.79 万人，城镇聚居人口约 28.95 万人，城镇建成区面积约 47.72 平方千米，城镇化率约为 50.97%。全区“一区三组团”的构架和“三横三纵三环”的交通路网已形成，东林、东宣、梓棉 3 个乡完成撤乡建镇。市政基础设施建设重点工程项目完成投资 5.2 亿元；经济试验区片区市政道路提升改造工程开工建设并完成投资 3.4 亿元，城南新区游仙自建居民小区二期基础设施竣工，三江大坝至老龙山绿道工程顺利完工。游仙军民融合产业园重点项目已启动建设。全年续建及新开工项目 33 个，完成投资 19390 万元；保障性安居工程开工建设 1402 套。争取省财政专项资金 500 万元，专项用于徐家镇基础设施、公共服务设施建设，已全面启动；实施农村危房改造 266 户，补助资金 153.1 万元；完成 14 个乡(镇)污水设施及管网建设。

【新农村建设】 2016 年，游仙区全域推进“业兴、家富、人和、村美”的幸福美丽新村建设，全年投入新农村建设资金 7.8 亿元(含社会资金)，按照“渠道不乱、用途不变”的原则，整合项目资金加强农村基础设施建设。建成幸福美丽新村 90 个，累计建成 142 个，占行政村总数的 61.7%。制订了《游仙区幸福美丽新村建设实施方案》，确定了以蔬菜、生猪养殖为主，配套花卉林果、乡村旅游，推进种养循环发展的产业发展模式。全区农业优良品种率达 95%，科技成果推广率达 65%。打造出八品猪肉、剑川甲鱼、大花蕙兰、丹桂植物油等“游仙造”农业品牌 21 个。

制订了《2015—2020 年农村廉租房建设计划和实施方案》，建成农村廉租房 410 户。积极推行“小规模、组团式、微田园、生态化”建设模式，以基础设施建设、公共服务设施完善、农房改造新建为重点，注重新建、改造、保护相结合，进行旧村落改造提升。以“绿化、净化、美化”为目标，集中连片开展农村环境综合治理，实施农村生活垃圾长效治理工程，扎实推进以“三建四改”为主的院落整治。魏城镇绣山村国家级传统村落项目已开始实施，投资 300 万元；东宣乡鱼泉村、刘家镇曾家垭村、玉河上方寺村、魏城镇铁炉村 4 个村落被列入第四批中国传统村落名录。街子镇岳家村、白蝉镇王家寨子村、新桥镇玉泉村入选第四批全国美丽宜居村庄。

【扶贫攻坚】 2016 年，游仙区把年人均纯收入低于 3500 元的家庭确定为贫困户，把贫困人口相对较多、无产业、无集体收入的 65 个行政村确定为贫困村(截至 2014 年年底，全区有 5315 户、10175 名贫困人口，2015 年实现脱贫 1965 户、3120 人)，截至 2016 年 6 月 30 日，全区有贫困户 2621 户、贫困人口 5366 人。在推进扶贫攻坚中，全区按照“有产业才有就业、有就业才能脱贫”的思路，坚持“因地制宜、因户施策、因人施计”，探索依托劳力、土地、房屋等资源，在贫困村内流转土地，引进社会责任感强、产业市场前景好、销售渠道畅通、种养殖技术成熟、产品附加值高的“小业主”带动贫困户参与产业发展，实现贫困户劳力货币化、产品商品化、土地和房屋资产化，以“小业主”引领“大扶贫”，让贫困户自力更生脱贫。两年来，全区 65 个贫困村引进 100 余位“小业主”，投资总额 1 亿余元，发展猕猴桃、核桃、中药材、葡萄种植等农业产业 3 万余亩，带领 2000 余户贫困家庭参与新型产业发展，实现增收脱贫。坚持保障与发展并重，制订了医疗救助、住房保障、民政兜底和产业发展、培训转移“五个一批”工作措施。制定了《游仙区扶贫开发攻坚规划(2015—2020 年)》，认真落实区级领导及区级部门(单位)联系指导贫困村工作，细化 2016 年脱贫攻坚工作分工及责任，创新“小业主、大扶贫”的产业脱贫模式，在全区范围内实现“造血式”扶贫。深入开展“扶贫日”系列活动，财政扶贫专户累计收到捐款 1989549.1 元。2016 年，全区实现 2600 人脱贫，20 个贫困村“摘帽”。

【乡村旅游】 2016年,游仙区按照《关于推进“全域旅游”发展的实施意见》的总体布局,借助游仙区位优势,着眼于实现人与自然和谐相处,巧借国家级生态农业旅游示范点和四川省乡村旅游示范区两大名片,大力发展休闲农业、观光农业、体验农业,以生态休闲旅游的效益支撑生态环境建设,以生态环境建设的成效推动生态休闲旅游的发展,推动一三产业有机融合。富乐花乡被确定为四川省首批农业主题公园,相继举办了蓝莓采摘节、凤凰荷花节、柏林葡萄乡村音乐会、东林世界国际月季博览园、街子国际兰花节等系列活动,成为绵阳乡村旅游新高地。全年累计接待游客360余万人次,实现经营总收入近10亿元。全区有4A级景区1个、2A级景区1个,星级酒店4家,商务酒店174家,星级农家乐(乡村酒店)20家,旅行社门市部及服务网点29家,乡村旅游建设项目23个(其中占地万亩以上项目2个、占地规模千亩以上项目11个),国家级传统村落5个,4A级旅游特色商品购物点1个,旅游名小吃8个,特色旅游商品5个系列共计20余种。全年通过微信平台发布旅游微信200条,每条微信点击均在1000次以上,吸引10万余人次游客到游仙区游览消费。组织开展16场乡村旅游节和“美丽游仙”活动;积极组织参加全国各地旅游交易会,提高了游仙乡村旅游的影响力和知名度。新桥镇新跃村被评为最美乡村,街子镇申报创建四川省乡村旅游特色乡(镇)、山水禾农庄申报创建乡村旅游农家乐园及花果人家特色经营点。全年组织开展旅游培训3次,参训人员达800人次左右。建成旅游厕所9座。

【农村科技】 2016年,游仙区大力推广稻、麦、油、玉米、蔬菜等优质良种,主要农作物良种覆盖率稳定在96%以上;落实测土配方施肥、农作物秸秆还田、病虫害综合防治等专业技术到户到田,组织各级农技人员集中开展技术培训,农业实用技术到位率稳定在80%以上。在魏城、徐家、刘家、观太、太平等乡(镇)建立油菜、水稻高产高效创建活动示范基地,其中油菜高产高效创建示范片3处,面积2.5万亩;水稻高产高效创建示范片2处,面积1.5万亩。

推进现代生态循环农业脱贫奔康示范村(点)项目建设。重点打造依托柏林镇洛水村7000吨畜禽粪污种养循环农业示范点和徐家镇鸿禧村1500头葛根山羊种养循环农业示范点建设2个项目,推进“大园区+小业主”发展模式,通过政策引导、业主带动、群众参与、合作社支撑等方式加快“园场”生态种养循环,推广“场—沼—园”模式。

【耕地地力保护补贴】 2016年,游仙区耕地地力保护补贴工作由村、社干部逐户核实相关信息和本年度补贴面积,乡(镇)对各村的补贴面积进行审核汇总后在乡(镇)和村两级分别进行了第一次公示。全区2016年地力保护补贴户数88131户,补贴面积348535.49亩,补贴标准为102.57元/亩,各乡(镇)在进行了第二次公示后将2016年度耕地地力保护补贴资金兑付到农户,全区通过信用社“一折通”共发放补贴资金35749285.19万元。

【2016年度“三农”工作先进经验介绍】 2016年,游仙区新增市级以上农业产业化龙头企业3家、市级农民专合组织2个;新发展农民专业合作社18个,总数达318个,其中国家级2个、省级5个、市级14个;新发展家庭农场35家,总数达173家,其中省级2家、市级4家、县级68家。大力构建以“龙头企业+基地+农户”“专合组织+基地+农户”模式为代表的利益联结机制,引导农民以土地、劳动力等形式入股参与产业基地建设,探索出“林权入股、合作开发”的祥瑞木本油料基地发展、“反租倒包、互助共赢”的果老源猕猴桃种植、“土地托管、集中盈利”的新有粮油种植、“品牌订单、提高收益”的金稗子水稻种植、“示范带动、共同发展”的洛水葡萄种植等新模式。新型农业经营主体经营面积占全区耕地总面积的42%以上,带动农户数突破农户总数的60%。

努力抓好农业发展方式转变。一是以适度规模经营为核心加快培育新型经营主体,全区各类经营主体在数量、科技含量、辐射带动能力方面得到较大幅度提升。二是坚持走安全高效绿色之路。化肥农药使用量实现零增长,肥料利用率、绿色防控覆盖率、农药利用率等得到有效提高;农产品质量安全治理体系逐步完善,粮油基地、蔬菜基地、水果基地、大型养殖基地逐步实施标准化生产。三是大力发展循环农业。坚持“绿色生态+循环农业”发展目标,以科学化、标准化和规模化相结合,统筹推进、全面发展,形成了“政府主导、行业自治、生态增效、农民增收”的发展机制,成功打造魏城镇七里现代循环农业示范园。

切实抓好农业农村基础设施建设。将农村乡村道路建设、机耕道建设、农田水利基础设施建设目标任务落实到部门和乡(镇)。全年基础设施建设共计投入资金8.73亿元(含社会资金),农村基础设施得到极大改善。投入水利建设项目资金1.24亿元,新增蓄水能力54.6万立方米,新增灌面0.9万亩,发展节水灌面0.8万亩,年新增节水能力142.3万立方米,新增供水受益人口3.7万人;修复水毁工程277处,渠道防渗43.3千米,清淤沟渠768千米,建设村镇供水站15处,维修塘坝237处,新建水池(水窖)183口。交通建设项目投入资金6.9亿元,建成农村公路改善里程73.4千米,改善村道、通村公路111千米,建成通村公路110千米、通组硬化道路302千米。全年共计投入开发资金5931万元,建成高标准农田1万亩,硬化衬砌排灌渠道44.8千米,提灌站技改2座,整治山坪塘28口,新建蓄水池6口,硬化田间道路20.3千米,改良土壤0.5万亩,农技培训5000人次。完成产业化财政补助项目5个。

农村综合改革各项工作顺利实施。一是成立绵阳市游仙区农村产权交易中心,进一步推进农村资产明晰化、资源资本化、要素市场化、农业产业化、主体多元化,实现了农村资产管理工作的科学化、公开化和高效化,降低了管理成本。二是搭建农村集体“三资”管理平台,促进了村(社区)由单纯抓财务管理向民主管理、民主监督转变,从重点抓资金管理向全面加强农村资金、资产、资源管理转变,全区农村财务管理工作驶入制度化、规范化轨道。三是建立土地流转及农村产权交易信息平台,强化市场力量对土地资源的主导作用,充分保障农民合法权益。四是农村土地确权工作顺利通过省级验收,有效保障了种地农民的合法权益。五是推行创新农业发展模式开展生态循环农业试点,有效减少因过度依赖化学肥料、农药、添加剂、饲料等对环境造成的污染破坏,有效遏制农业面源污染。六是创新河湖管理机制体制,建立河道管理“河长制”,成立水务警务室1个、水务警务工作站17个,调动328个单位组织、1876人参与河湖日常监督管理,落实巡河员全天候常态巡查,对全区水体实现全域监管。“河长制”改革经验在全国进行推广。七是创新实施“一项奖励、两项补贴”(即节水奖励、财政精准补贴、渠道维护补贴),充分发挥用水户协会“自我管理、自我服务、自我发展”功能。在柏林镇洛水村、魏城镇铁炉村、新桥镇新跃村开展农业水价综合改革推广工作,全区农业水费成本降低近40%,节水量达1423.81万立方米,新增粮食产量267.02万千克,农民人均增收96.45元,农民群众受益面不断扩大。全区水利改革经验被省委专期上报中央深改办。八是通过农业社会化服务体系改革试点建立公益性与经营性相结合的社会化服务体系，太平镇成立全市首家土地托管中心，石板镇成立全市首家家庭农场联盟，从产前、产中、产后提供全程服务。全区涉农社会化服务网点达到近200个（不含村级代理点）。同时，首创农业“一站式”服务中心，建成全省最大、绵阳市首家农业“一站式”服务中心，涵盖农机、农资、农技、农能等多种农业社会化服务，进一步汇聚了农业先进要素、整合农业优势资源，进一步创新了农业社会化服务机制，全面提升了农业社会化服务水平。

巧借外力，农民增收结构不断优化。一是借助乡（镇）政务服务中心，建立劳动力信息库，对农村剩余劳动力和企业用工需求进行双向登记和匹配，开展订单式培训、定向培训、委托式培训，使农民工由“劳务工”变“技术工”，不断增加农民工资性、财产性收入。全年外出务工人数达13.3万人，实现银行汇兑劳务收入18.1亿元。二是借助近郊优势，优化农业种养结构，因地制宜发展特色农家乐、各类零售商店等服务业，提高农民经营性收入。全区现有规模农家乐180余家、星级农家乐12家，日接待能力达2万人次以上，吸引附近农民直接就业2000余人、间接就业3.2万余人。三是借助“互联网+农业”新业态，让“田间”与“餐桌”直连，走上绿色发展之路，不断增加农户经营性收入。依托食哈哈、八品物流配送直销等电商网络，建成200个电商经营体和30个村级服务点及300个农产品销售网点。

【四川省农村综合改革乡（镇）经验介绍】 柏林镇是四川省农村综合改革试点乡（镇）之一，也是游仙区农村综合改革试点示范乡（镇）。

土地股权化试点。探索农村土地股权化是深化农村集体产权制度改革和创新财政投入方式改革的重要内容。柏林镇洛水村依托柏林水果种植合作联社在土地流转中探索“基础地租+入股分红”模式，把财政投入部分股权量化和在业主、农户、集体三方收益分配、风险防控、利益共享等方面进行探索尝试，农户以土地入股合作社，合作社每年年初保底支付农户基本地租每亩250元，剩余地租300元待产品销售核算后进行固定分红，在入股后的前3年，固定分红红利为入股本金金额加15%的红利，对已入股合作社的土地按照业主和财政补助各占一半的方式实施葡萄避雨棚项目，财政投入形成的资产由项目所在村的集体经济组织持有；项目投入后的3年内，业主按照财政投入资金的3%支付固定红利，2%由土地入股农户所有，1%由村集体所有，3年后，业主将3年平均产出增值效益的10%用于股份分红，农户和村集体各占5%，试点以土地入股的农户186户498亩，土地股权化完成后，农户亩年均增收150元以上，村集体年均增收5万元以上。

扶持村级集体经济发展试点。洛水村是四川省扶持村级集体经济发展试点村，洛水村股份经济合作社负责村集体资产经营管理，主要从事农业产业服务和合作经营。建立了葡萄烘干中心（次烘干能力2吨）；与四川生腾农业有限公司合作开发水上娱乐项目和田园民宿项目，其中合作社与公司共同投入10万元，新建2000平方米娱乐泳池并已投入运营。民宿项目计划投入200万元（其中村集体投入80万元、企业投入120万元），在葡萄园核心区修建田园民宿用房，由企业承包营运，村集体每年获取固定收益。

现代农业社会化服务试点。洛水村现代农业社会化服务超市以为生态循环农业服务为宗旨，坚持因地制宜、功能优先、经济适用、生态环保的原则，追求公益性服务和经营性效益的有机结合，最大限度地满足园区农业生产和居民生活服务等方面的多样化需求。超市由洛水农业科技有限公司和洛水葡萄产业合作社共同承建，按照“2+5+N”模式，线上线下2张网融合互动，集农资、农机、科技、信息、综合5类服务功能集于一体，围绕生态循环农业产前、产中、产后的“产供销”“一条龙”环节提供农机、农技、农资、信息、仓储、加工烘干、日用生活消费等综合服务。

【回乡创业之星选介】 罗文相，男，生于1976年，国家注册中药师，于1997年毕业于绵阳市中医药学校，短暂就职于绵阳市第三人民医院，于1998年3月辞职到广东省。在广东省期间先后从事过药品销售、药店药品零售，于2000年开始承包零售药店经营、独资开设零售药店。2014年，在太平镇党委的支持下，罗文相成立了绵阳市久红农业科技有限公司，以四川地道中药材种植为主要方向，2015年实现总产值160万元。公司开垦荒山坡300亩，修建沟渠2000米、田间道路2000米，精改塘堰5口。投资600余万元，种植紫丹参700余亩、瓜蒌200余亩、决明子300余亩，解决就业8000人次。公司以“三统一”的方式带动60余户农户种植瓜蒌200余亩、决明子100余亩，签订农民帮扶协议50余户。2015年，罗文相被绵阳市共青团评为“优秀创业青年”。2016年5月4日以“政府牵线搭桥，小业主带动大扶贫”罗文相个人事迹为题在《中国改革报》进行了报道；2016年7月18日，四川在线（绵阳频道）头条发表了以“太平镇罗文相特色产业助农脱贫摘帽”为主题的新闻报道；2016年8月，罗文相加入四川省返乡创业联盟，同时任川北分会产业部部长，任中国科技城创客俱乐部创业青年联谊委员会副主席；2016年9月7日，罗文相被绵阳电视台《新农村栏目》（龙门阵）频道专访（瓜蒌种植带动老百姓致富）特约报道；2016年11月3日，《绵阳日报》以“瓜蒌熟了腰包鼓了”为主题报道公司开展“小业主大脱贫”事迹；2016年12月，罗文相被省劳务开发暨农民工工作领导小组评为“全省返乡创业明星”。

【重点乡镇选介】 柏林镇，地处游仙区东北，距绵阳城区36千米，辖10个行政村1个社区，辖区面积42平方千米，有人口14378人，耕地1.7万亩。柏林镇毗邻绵广高速，绵梓路、小永路、安梓路及在建的绵苍高速等交通要道穿越其境，交通十分便捷，区位优势明显。镇内水系丰富，有2座小（1）型水库、3座小（2）型水库，系涪江支流魏柳河发源地，为四川省生态乡镇。建成5个村级电商服务点、2个镇级电商服务站。

推进产业园区化。以柏林镇统筹城乡、产村相融发展规划为引领，确立“大园区、小业主”理念，通过政策引导、业主带动、群众参与、合作社支撑等方式，全力推进农业园区建设。全镇4000亩葡萄园区、2000亩玫瑰园区、6000亩珍稀林木产业园区已基本建成，连接农户2000余户，取得了良好的经济效益，其中洛水生态葡萄园成功建设为省级现代农业产业示范园。引进亿冠林苹果育苗项目，总投资1.5亿元，首期投资3000万元已到位，培育基地正式建成投产，吸纳周边富余劳动力50余人就业。

推进收入多样化。近年来，柏林镇依托现代农业园区建设和生态特色种养业发展，营造了“创新创业、富民兴镇”的良好氛围。全镇群众在产业经营、土地流转、园区务工、合作社分红、财政转移补贴等方面实现收入多样化，农民年人均纯收入从2012年的不足7000余元提升到2016年的15890元，年均增长15%以上。

推进服务社区化。依托村部建立党群服务中心，综合设置代理代办、金融服务、农村卫生室、电商服务、超市等公共设施，建立日间照料中心和文化活动中心，整合公共资源，动员群众参与，形成农村特色的社区服务内容。辖区社会治安防控设施、措施不断完善；博爱文化广场、场镇电影院、镇文化活动中心全部建成并免费服务群众；

民间舞蹈队、唢呐队、舞狮队、戏曲队等文化队伍活跃乡间,社区化服务内容不断丰富。

推进村容景区化。依托百年教堂、洛水堰等文化古迹和葡萄、玫瑰、林业等产业园区建设,开发具有柏林特色的乡村旅游环线。"千颗心"农业公园主体部分建设已基本完成,园内基础设施完善,水电气保障到位,文化休闲设施齐备,生态环境优美,产业优势突出,"葡萄采摘节""圣诞祈福会"等旅游节庆活动丰富。成功举办首届柏林镇"玫瑰摄影大赛"、首届游仙区"葡萄音乐节"、首届游仙区"冬至民俗文化节"。

【主要领导人】 区委书记:江彬;区人大常委会主任:袁玉国;区长:陈华斌;区政协主席:姜曦;分管农业副区长:肖龙明(6月止),林檬(6月始)。

游仙区编写组

安 州 区

【基本情况】 2016年,安州区辖18个乡(镇、街道),有农业人口32.2万人,有耕地面积45.29万亩。

【年度农业和农村经济运行】 2016年,安州区实现农业总产值48.82亿元,增长3.87%。农民年人均可支配收入14152元,增长9.3%。

农业产业化发展。安州区经工商部门注册登记的农民专业合作社达495个,其中创建国家级示范社4个、省级示范社26个、市级示范社23个;28个农民专业合作社取得了"三品一标"认证,23个农民专业合作社注册了产品商标。培育家庭农场191个,其中省级示范场7个、市级示范场8个。

【种植业】 2016年,安州区农作物总播种面积96.3万亩,其中粮食作物播种面积59.85万亩,亩产427千克,总产量25.53万吨,粮食单产比上年增加7千克,增长1.57%。小麦面积12.29万亩,亩产302千克,总产量3.71万吨,亩产增加2千克,增长0.7%;总产量增加462吨,增长1.2%。水稻30.84万亩,亩产555千克,总产量17.13万吨,亩产比上年增加15千克,增长2.75%;总产量增加1361吨,增长0.8%。油菜面积23.33万亩,亩产162千克,总产量3.78万吨,亩产增加2千克,增长1.3%;总产量增加472吨,增长1.3%。

制种产业。安州区是国家级杂交水稻制种基地县、全国粮食生产先进单位,全区18个乡(镇)234个村中有13个乡(镇)143个村可以发展杂交水稻制种,面积达16万亩,占全区水田总面积的48.5%,常年制种基地面积稳定在4万亩左右,是全省重要的优质杂交水稻良种繁育基地。全年共有10家制种公司发展杂交水稻制种4.08万亩,亩产206千克,生产优质杂交水稻种子8400吨,产值约1.3亿元。

蔬菜产业。全年蔬菜种植面积13万亩,产量23万吨,实现产值2.7亿元。建成省级蔬菜万亩亿元示范区1个、蔬菜标准化栽培技术集成与示范基地14个,有集中连片标准种植示范区、核心种植示范区和辐射带动示范区。区内蔬菜种植主要以合作社种植为主,辐射带动农户种植。蔬菜良种普及率达100%,本地蔬菜供应保障率达70%,蔬菜采后加工比达35%。

水果产业。全区水果种植面积达4.7万亩,产量8.12万吨,实现产值10.63亿元,产品商品化处理率达80%以上。猕猴桃种植面积1.2万余亩,葡萄种植面积0.8万余亩,柑橘种植面积0.8万余亩,无花果种植面积0.3万余亩,桃种植面积0.2万余亩,全区20亩以上水果成规模种植基地面积达2.1万余亩,花城果乡被认定为万亩示范区。全区有安县红心猕猴桃种植专业合作社、安县塔水佳绿葡萄种植合作社、绵阳市拓普无花果种植专业合作社等8个水果种植专业合作社(其中市级以上专业合作社4家)和安县花荄镇果粒香家庭农场。依托龙头企业等新型农业生产经营主体不断壮大优势产业,已初步形成了水果产业龙头带基地、基地连农户、产供销一条龙的产业化格局。

中药材产业。全区中药材种植面积达17万亩,产量5.4万吨,实现产值5.9亿元,其中草本类药材16.5万亩、木本类药材0.5万亩,其中黄连种植面积4.7万亩、重楼种植面积1万亩、野生重楼种植面积4500亩,是亚洲最大的野生重楼种植基地。在全区11个乡(镇)建成中药材技术集成示范区8个、面积1.1万亩,标准化种植基地2.1万亩,零星种植14万亩,在高川乡天池村建设省级中药材万亩亿元示范区1个。中药材集中成片种植面积在200亩以上的有高川乡天池中药材种植专业合作社、千佛镇千佛山中药材种植专业合作社、沸水镇百草园中药材种植专业合作社、清泉镇安州世能中药材种植专业合作社、桑枣镇安县中川中药材种植专业合作社等为经营主体的中药材种植基地18个,种植面积8万亩。有较具规模的中药材加工企业6家,其中好医生药业集团、天雄药业有限责任公司年产值2000万元以上。全年加工中饮片及原药材20余种,销售2748吨,实现产值1.0894亿元。

【畜牧业】 2016年,安州区出栏生猪38.84万头,存栏21.5万头;有部级标准化示范场3个、省级标准化示范场7个、市级标准化示范场22个。全年禽蛋产量2.23万吨,有常年存栏500只以上蛋鸡养殖户425户。生猪三元杂交面达88.42%,禽良种面达93.23%,牛、羊、兔良种面达100%。全区畜禽养殖粪污利用率达64%。

【水产业】 2016年,安州区水域总面积9.67万亩,可养殖水面约3.73万亩,已养水面达3万亩;有江河鱼类36种,人工养殖的经济鱼类32种。全年水产品产量达2.17万吨,实现渔业总产值4.95亿元,同比增长9%。有农业部健康养殖示范场8个,是四川省水产养殖大县。

【乡村旅游】 2016年,安州区突出农旅紧密融合、统筹推进,着力构建一三产业良性互动、助农增收的新模式,已建成"花城果乡""猕猴桃走廊""幸福七里""百里菜花走廊""巴蜀鱼都"等农业产业观光区。全区休闲农业经营主体总数达186家,其中农家乐115家、休闲农庄51家、休闲渔庄2家、现代休闲农业基地景区18家。安州区创建为"四川省休闲农业与乡村旅游示范县",花荄、界牌、晓坝3个镇创建为"省级乡村旅游示范镇";桑枣镇松林村创建为"省级休闲农业乡村旅游示范村";花城果乡获得农业部景观创意优秀奖;花城果乡、七里农业示范区被授予全省首批省级农业主题公园称号;巴蜀渔都、猫儿沟农家乐被农业厅授予百家首批示范休闲农业山庄称号;巴蜀渔都、花城果乡被授予绵阳市首批魅力农家乐称号。

【农产品质量安全监管】 2016年,安州区严格按照"四个最严"和国家、省、市有关要求,认真贯彻落实全国食品安全城市创建和国家农产品质量安全县创建试点工作现场会精神,完善监管体系,增强监管能力。11月,顺利通过农业部渔业健康养殖示范县验收和四川省食品安全示范区省级评审;12月,被农业部命名为第一批国家农产品质量安全县。

【主要领导人】 区委书记:廖雪梅;区人大常委会主任:梁建;区长:李昊天;区政协主席:张忠贵(9月止),张奎(9月始);分管农业副区长:衡国钰(9月止),刘云相(9月始)。

安州区编写组

江 油 市

【基本情况】 2016年，江油市辖21镇19乡2个街道，辖区面积2719平方千米。江油市交通运输方便，距绵阳市30千米、距成都市150千米，宝成铁路、成绵乐城际高铁、绵广高速、绵江景观大道等横跨境内。

【乡村旅游】 2016年，江油市有全国重点文物保护单位——窦圌山云岩寺古建筑及“飞天藏”、老君山古硝洞遗址群、青林口古建筑群。作为李白文化精品旅游基地，大九寨国际旅游环线和三国蜀道文化国际旅游线的重要节点，李白文化、火药文化、红色文化、三国文化、道教文化在该地交相辉映，境内有窦圌山、乾元山、观雾山、涪江六峡等开放性景区(点)15个，其中国家4A级景区5个。“创意旅游”发展势头强劲，中国百合国际博览园做足“花”的文章，为国家林业局授牌的中国“百合公园”“国家森林公园”，也是全国最大的百合种球繁育基地；青莲国际诗歌小镇以深厚的文化积淀和丰富的古迹遗存组成了令人向往的“文化画卷”，见证着李白文化的传承和发扬；绵阳华夏历史文化科技产业园以华夏历史文明为主题，以“儒、释、道”文化为核心，深入挖掘中国传统文化精华，建成后将是西南地区规模最大的高科技产业园，成为文化旅游新坐标。全域文农林旅深度融合和现代服务业集聚发展走在全省前列，“2+5”农业产业体系基本构建，是全国蔬菜产业重点县、“中国獭兔之乡”，辛夷花传统栽培体系被列为中国重要农业文化遗产，“十大文农林旅融合示范区”“四条文农林旅示范带”和“两个休闲农业发展圈”初具规模，是中国优秀旅游城市、四川省历史文化名城、全国休闲农业与乡村旅游示范县、环境优美示范城市。

【主要领导人】 市委书记：李江(3月止)，周涛(4月始)；市人大常委会主任：冯钢；市长：马辉(9月止)，柳江(9月始)；市政协主席：范来山(9月止)，李平(9月始)；分管农业副市长：王军(9月止)，李海(9月始)。

江油市编写组

梓 潼 县

【基本情况】 2016年，梓潼县辖32个乡(镇)，辖区面积1442平方千米。梓潼县是中国“两弹城”遗址所在地，“两弹城”景区被列入“全国红色旅游经典景区”，先后被命名为“国防科技工业军工文化教育基地”、“全国社会科学普及基地”、“四川省爱国主义教育基地”、中国“两弹一星”红色文化社科普及基地、四川省“中共党史教育基地”、四川省“统一战线中国特色社会主义教育基地”。

【农业产业化发展】 2016年，梓潼县建成生态循环示范基地3个，新增蜜柚种植基地3万亩，新建“1100”生猪代养场65栋。新增家庭农场137个、农民专业合作社58个，实施追溯管理的生产经营主体达到10个。

【农产品品牌战略实施】 2016年，梓潼县认定无公害农产品29个、绿色食品10个、有机食品4个、地理标志产品2个，“天宝蜜柚”获得第十四届中国国际农产品交易会金奖。

【乡村旅游】 2016年，梓潼县大力发展文旅产业，坚持把文化旅游产业作为梓潼经济发展的重要抓手，推动全县旅游产业从景区旅游向全域旅游转变、单一业态向综合产业转变，逐步将文化旅游产业打造为全县支柱型产业。编制完成《剑门蜀道申报自然遗产和文化遗产保护规划》，七曲山景区供水工程、北山门、自驾车营地和“两弹”模型馆建成并投入使用，核心景区辐射功能不断加强。石牛华沙生态旅游度假村等乡村旅游项目加快推进，四川文化艺术学院梓潼校区一期全面开工，风情小镇初具雏形。举办第三届海峡两岸文昌文化交流活动、真味在梓潼等系列文化旅游节事活动。深入挖掘文昌文化、三国文化、汉唐文化、红色文化资源内涵，大力培育文旅融合产业，加快旅游产品打造，不断提升旅游产品品质。

【主要领导人】 县委书记：邹若力；县人大常委会主任：赵红钊；县长：周琳；县政协主席：胡登科；分管农业副县长：丁家洪。

梓潼县编写组

平 武 县

【基本情况】 2016年，平武县辖9镇16乡，辖区面积5974平方千米。平武县地理位置优越，是四川省旅游九环线九寨沟与黄龙景区的东进门户，九环线旅游公路贯穿全境，旅游交通十分便捷。

【脱贫攻坚】 2016年，平武县围绕旅游扶贫的发展目标，以绿色生态旅游为主线，以成立旅游合作社为抓手，通过鼓励村民以现金或闲置住房入股成为股东、提供就业岗位、搭建电商渠道等形式帮扶同村农户发展，探索出旅游扶贫的新路子。充分发挥财政扶贫专项资金对贫困群众持续稳定增收、尽快脱贫“摘帽”的拉动作用，取得了显著成效。全县已投入贫困户帮扶资金4884.54万元，通过实施生产就业发展一批、医疗卫生救助一批、易地扶贫搬迁一批、低保政策兜底一批“四个一批”等措施，1299户预脱贫户人均纯收入全部超过省定标准；投入贫困村“摘帽”资金1.26亿元，通村通组道路、水利等基础设施大为改善。年内计划“摘帽”的8个贫困村贫困发生率均低于3%，“五有”目标全部实现，制订了“四好村”创建实施方案并积极推进。针对建档立卡贫困户发展产业的需求，将70%的扶贫专项资金用于支持贫困户发展种养殖业、乡村旅游业等产业，已安排到户资金共计2628.3万元，其中直接补助到贫困户的1168.3万元、向贫困户提供无息借款的产业扶持基金1460万元。针对没有生产经营能力，难以通过自身发展实现增收脱贫的贫困户，县财政局创新扶贫资金管理举措，积极搭建“财政+企业+贫困户”平台，通过设立财政扶贫专项资金架起了龙头企业与贫困户携手发展的桥梁，为贫困户带来持续稳定的收益。在县财政局的协调下，各乡(镇)成立了扶贫投资收益理财合作社，主动与无经营能力、无劳动能力的贫困户对接，为其找到持续发展增收之路。对无法通过自身发展实现收益的贫困户，由乡(镇)扶贫投资理财合作社与贫困户签订协议，委托理财合作社代其将扶贫资金转入平武县旅游发展公司，按12%的利率每年固定分红，待贫困户脱贫后退还其本金，已与350户贫困户签订协议，投入资金29.2万元。部分贫困村通过村民大会讨论同意，将闲置资金投入平武县旅游发展公司，每年按8%的比例固定分红，待贫困村“摘帽”后，公司将基金返还给脱贫村。贫困村与平武县旅游发展公司签订协议资金达800万元。县财政局督促项目实施进度，梳理扶贫专项资金台账，严格规范报账程序，加强报账审核管理，确保专款专用,最大限度发挥扶贫专项资金效益。12月12日,绵阳市脱贫攻坚检查组到平武县检查指导脱贫攻坚工作,重点对2016年已"摘帽"的贫困村进行复核督查,检查组对全县脱贫攻坚各项工作给予了充分肯定。

【主要领导人】 县委书记:周涛;县人大常委会主任:何充;县长:李治平;县政协主席:廖玉平;分管农业副县长:熊仪江。

平武县编写组

北川羌族自治县

【基本情况】 2016年,北川羌族自治县辖23个乡(镇、街道),有农业总人口23.8万人,有耕地面积17.39万亩,与上年持平;基本农田18.75万亩,与上年持平。

【年度农业和农村经济运行】 2016年,北川羌族自治县实现农业总产值171318万元,增长6.41%;农业增加值105900万元,增长3.9%。农民年人均可支配收入10676.5元,增长10.7%。粮食总产量0.146万吨,增长0.01%。

农业产业化发展。北川羌族自治县新增市级龙头企业3家、省级龙头企业2家,新增市级专合社3个,新增家庭农场15个;农民专业合作社入社成员达5243户;市级以上龙头企业销售收入达10亿元。高山蔬菜种植面积达10万亩,茶叶采摘面积4.5万亩。全县以猕猴桃、枇杷、李子为主的2个省级专合社有水果基地2万亩;有生猪、土鸡、白山羊等规模场361家,畜禽产品初加工企业10余家。经工商部门注册登记的农民专合社达387个,其中国家级示范社1个、省级示范社9个、市级示范社7个、县级示范社12个;合作社注册资本39616.2万元,农民专业合作社入社成员达4065户,带动农户15686户。家庭农场达14个,种养大户606户,农村职业经理人达256名,建立了"龙头企业+专合组织+职业经理人+农民"的利益联结机制。全年农民年人均可支配收入达10676.5元,同比增长10.7%,被省委省政府评为"2016年度农民增收工作先进县"。

农用地产权制度改革。北川羌族自治县农村土地承包经营权确权颁证工作整体完成并成功通过省级验收。全县农房确权登记46471户,制证44529户,颁证30803户,确权颁证工作全面完成。打造农村集体经济升级版初见成效,全县311个村中126个村有集体经济,其中93个贫困村中55个村有集体经济,集体经济收入总额达244万元。集体林权确权颁证、农村小型水利确权颁证、农村道路确权颁证等工作顺利推进。

农产品品牌战略实施。北川羌族自治县制订了《关于整合农产品资源打造农产品品牌的方案》,项目资金共125万元,主要用于区域大商标(涵盖农产品、乡村旅游产品、民俗产品)的注册以及品牌策划、品牌营销推广、品牌下产品的包装设计制作、产品推介、平台公司开办。以茶叶、老腊肉、马槽酒、土鸡、马铃薯、高山蔬菜、豆腐干、小金黄玉米、魔芋、猕猴桃十大电商特色产品品牌为突破口,重点支持北川茶叶、北川老腊肉两个规模较大、基础较好的产业品牌进行品牌营销推广,相关企业均已制订了实施方案,由县委农办汇总审定后实施。同时,北川大商标——"大禹故里及图形(羊角花)"垄断性商标注册保护方案已形成,与第三方积极开展商标注册事宜的接洽工作。农业品牌打造。一是开展调查宣传。对涉农商标进行清理,建立了涉农商标台账,向企业宣传商标的重要性,鼓励企业创品牌和商标提档升级。二是完成农产品申报任务。安福魔芋、羌山农牧申报著名商标,丘处鸡、首佳申报知名商标,羌山雀舌申报省名牌产品、省质量奖、市质量奖;打造羌妹子、阿朵姑娘为北川特色农产品网店品牌;成功创建为省农产品质量安全监管示范县。全县共有苔子茶、花魔芋、白山羊3个地理标志产品,"三品一标"农产品总数达21个。依托本土平台,对中羌药材、生态猪肉、放养土鸡、白山羊、土蜂蜜、红心猕猴桃、高山蔬菜等农特产品进行整体品牌包装、营销推广和交易服务,全面打通农产品进城通道,提升农副产品附加值,促进农民增收致富。

【新农村建设】 2016年,北川羌族自治县被四川省确定为第三批省级幸福美丽新村建设示范县,财政厅下达全县2016年新农村建设示范县基准额度财政专项资金500万元、2016年新农村建设示范县财政专项资金(2017年示范县基准额度财政专项资金)450万元、2016年省级财政幸福美丽新村建设资金1200万元。2016年新农村建设示范县基准额度财政专项资金(500万元)项目涉及3个乡(镇)8个村,硬化道路8800米,新建生产便道3500米,新建蓄水池2口、200立方米,安装引水管道2000米,建设温控大棚500平方米、羊肚菌基地300亩及文化长廊,所有项目均已完成设计工程量的95%,其中安昌镇群联、金龟、石梯、宝林、高安和青片乡正河6个村完成县级项目验收,工程建设完成设计工程量的90%。2016年新农村建设示范县财政专项资金(2017年示范县基准额度财政专项资金450万元)项目涉及5个乡(镇)9个村,主要用于循环农业建设,新建生猪养殖场2个(1400平方米),沼气池1口、干粪处理池2口,肥水贮存池、调配池等35口,泵站2个;铺设输送管网14200米,建设生态温控大棚1000平方米,实施道路硬化1770米,工程建设已完成设计工程量的85%。2016年幸福美丽新村建设财政专项资金(1200万元)项目涉及18个乡(镇)18个村,实施硬化道路22881米,扩建道路8300米,新建生产便道1480米,新建蓄水池100立方米7口,安装引水管道2500米,建设"雪亮工程"监控探头58个和18个乡(镇)、村监控平台,工程建设已完成设计工程量的90%。经全县自查、市级复查及省幸福美丽新村示范县考核组11月底检查和考核,全年建成幸福美丽新村80个,累计建成幸福美丽新村121个。

为深入贯彻省委关于在全省开展"住上好房子、过上好日子、养成好习惯、形成好风气"为主要内容的"四好村"创建活动决策部署,县委县政府高度重视,围绕全面建成小康社会和脱贫攻坚目标任务,按照"业兴、家富、人和、村美"的基本要求,以幸福美丽新村建设"五大行动"和文明村镇创建为抓手,从9月起,在全县全面开展创建活动。一是加强领导,落实责任。县常委会专题研究部署,成立了县创建活动领导小组,明确了组织领导、责任部门、目标任务、责任措施、工作要求;各乡(镇)分别成立了领导小组,积极推进创建活动有力、有序开展。二是加强宣传,营造氛围。利用各种会议、宣传专栏、广播电视、宣传标语、宣传单等多种形式广泛宣传创建活动的重要意义、目标任务和工作要求,形成了政府主导、部门联动、群众参与的良好态势,制作"四好村"创建活动宣传栏23处、宣传标语30余幅,发放宣传资料2000余份,营造了浓厚的活动氛围。三是科学规划,制订方案。根据省委省政府《关于开展四好村创建活动的通知》精神,结合全县实际,组织有关部门、乡(镇)讨论、研究全县"四好村"创建工作,制订了《北川羌族自治县"四好村"创建活动方案》,各乡(镇)分别研究制订了活动方案,明确并细化目标任务。力争到2020年,全县95%以上的村建成县级"四好村",80%以上的村建成市级"四好村",65%以上的村建成省级"四好村"。四是因地制宜,分类指导。各乡(镇)、村根据自身实际情况制订切实可行的活动方案,根据不同情况进行分类指导,扎实推进创建活动。五是加强督查,严格考核。将创建活动开展情况纳入各级各部门年度目标考核、驻村帮扶单位"第一书记"年度述职考核,加强督查。六是建立通报制度,定期不定期地对创建活动开展情况进行通报。

【大力推广"互联网+农业"】 2016年,北川羌族自治县依托县级电子商务运营中心建成村淘服务点100余个,禹珍、禹露、羌山雀舌、丘处鸡、安福魔芋等涉农企业纷纷在淘宝、天猫建立销售平台,通过电商将产品销往广州和江浙等地。

【扶贫攻坚】 2016年,北川羌族自治县聚焦"两不愁、三保障""四个好""五个一批""六个精准",健全"五个一"帮扶机制,强力推进脱贫攻坚,全年完成脱贫"摘帽"18个村,1672户、4962名贫困人口减贫任务,贫困发生率降至5.3%。按照县委"品牌先导、绿色崛起、双创驱动、开放黏合"的战略部署,大力推进贫困村主导产业和农村基础设施建设,加强公共服务配套,开展C、D级危房改造和环境整治。认真做好坝底乡通坪村"五改三建"建设规划,强化群众主体作用,在充分尊重村民意愿的基础上,根据通坪村的实际情况,对村民的厨房、厕所、圈舍、院落、入户道路和环境等需建则建、需改则改、需治则治,引导广大村民积极推进新村建设,形成全体村民共同参与的强大合力。加大财政投入,引导和鼓励农民群众积极投工投劳,以民办公助、以奖代补、先建后补的方式大力推进"五改三建"项目建设。

【主要领导人】 县委书记:赖俊;县人大常委会主任:张周凯;县长:瞿永安;县政协主席:刘平安;分管农业副县长:李桂炳。

北川羌族自治县编写组

三台县

【基本情况】 2016年,三台县辖63个乡(镇、街道),有耕地面积119.1万亩。境内文物古迹和风景名胜众多,拥有3A级旅游景区1个、风景名胜区3处、旅游景点10余个。

【家庭农场发展势头强劲】 2016年,三台县为认真贯彻落实中央《关于全面深化农村改革加快推进农业现代化的若干意见》,采取多种措施,大力培育新型农业经营主体,促进家庭农场快速发展。一是加强宣传,积极引导。利用电视、网络、会议等宣传发展家庭农场的重要意义,发放家庭农场申办指南1200余份,鼓励村(社)干部、大中专学生、返乡农民工、种养大户等积极创办家庭农场。二是健全制度,规范管理。县农业局会同工商、财政等部门制定并印发了《三台县家庭农场管理办法》和《三台县县级示范农场评定办法》,县政府出台了《关于培育和发展家庭农场的意见》,进一步规范家庭农场经营行为,促进家庭农场健康发展。三是提高服务质量,强化技术培训。精简申办家庭农场程序,利用农村实用人才培训和职业农民培训共培训农场主、种养殖大户、大中专毕业生、返乡创业者等1000余人。四是加大扶持力度,提升发展潜力。全县先后有14个家庭农场获得省级财政农场建设专项资金140万元,对符合条件的237个家庭农场发放种粮大户补贴资金241万元,将政府购买公共服务项目优先安排家庭农场实施。截至2016年年底,全县通过工商注册的家庭农场共473个(粮油种植类246个、种养结合类98个、畜牧养殖类76个、经作类32个、水产类15个、其他6个),其中省级示范家庭农场8个、市级示范家庭农场12个、县级示范家庭农场30个;总注册资本金为17351万元,经营土地面积达3.31万亩,经营总收入达21758万元,家庭农场增收水平远高于普通农户。

【小型水利工程确权登记工作有序推进】 2016年,三台县小型水利工程确权登记工作在综改区7个乡(镇)、36个村进行了试点,通过统一设施调查摸底、统一确权基本原则、统一外业测绘制证、统一权属审核程序、统一权属公示方式、统一权证格式确保了小型水利工程的产权明晰、归属明确,从根本上改变了小型水利工程建成后"产权归属不定、管理责任不明"的现象。全年为综改区7个乡(镇)36个村发放小型水利工程所有权证341本、使用权证765本。

【规范实施农机购置补贴政策】 2016年,三台县贯彻落实省、市关于农机购置补贴的文件和会议精神,全年共使用中央农机购置补贴资金916.06万元。一是强化组织领导。成立了农机购置补贴工作领导小组,负责农机购置补贴政策的制定、监督检查,领导小组下设办公室,具体负责购机补贴的宣传、培训、监督、实施等工作。二是注重宣传服务。通过三台电视台、三台政务网、三台新闻网及三台在线等进行宣传报道,将农机购置补贴政策宣传到户、宣传到人,健全和完善了县农机购置补贴信息公开专栏。三是确保操作规范。县政府将购机补贴纳入对各乡(镇)农业服务中心年终目标考核,严格工作要求和纪律;各乡(镇)明确专人负责农机购置补贴工作,做到严格遵守相关规定,规范操作。

【主要领导人】 县委书记:赵迎春(9月止),马辉(9月始);县人大常委会主任:李蜀光(9月止),杨增辉(9月始);县长:吴明禹;县政协主席:苏才华;分管农业副县长:汤克斌。

三台县编写组

盐亭县

【基本情况】 2016年,盐亭县辖35个乡(镇、街道)。农民年人均可支配收入12913元,增长9.4%。

【种植业】 2016年,盐亭县大力发展特色农业产业,加快推进农业品牌化、特色化、规模化。全县农作物总播种面积123.98万亩,增长0.2%,其中粮食作物播种面积86.76万亩,增长0.3%;粮食总产量30.29万吨,增长1.4%。油料总产量3.73万吨,增长1%。

【扶贫攻坚】 2016年,盐亭县围绕贫困户脱贫"两不愁三保障三有"和贫困村退出"一低五有"标准,扎实推进中央、省、市政策落地落实,贫困地区面貌不断改善,贫困群众生活水平不断提高。县委县政府严格按照要求健全档案资料,规范脱贫攻坚系列制度,全面实行痕迹化管理。强化脱贫队伍建设,进一步稳定脱贫队伍,充实脱贫力量。全年完成脱贫4176人,脱贫攻坚工作阶段性成果明显。

【主要领导人】 县委书记:袁明;县人大常委会主任:何光明;县长:袁明(8月止),向赟(9月始);县政协主席:黄加伦;分管农业副县长:王梦阳。

盐亭县编写组

广　元　市

【基本情况】 2016年,广元市辖3区4县,辖区面积1.63万平方千米,是中国优秀旅游城市、国家卫生城市、国家森林城市、全国旅游标准化示范城市、中国人居环境范例奖城市、全国首批低碳发展突出贡献城市、中国温泉之乡、省级历史文化名城,是四川省旅游资源最富集的地区之一。

【新农村建设】 2016年,广元市已基本建成幸福美丽新村299个,涉及农户78334户,完成年度任务的124%;建成新村聚居点356个,建成扶贫新村202个,涉及农户43936户;完成"建改保"的村297个,其中新建农房9757户、改造农房15441户;解决无房户、危房户、住房困难户6564户,建成农村廉租房1182户,保护传统村落36个、传统村落民居2193户;311个村实施基础设施和公共服务建设,其中实现通组入户路硬化的行政村285个,实现水、电、气、宽带"四通"的行政村184个,建成"1+6"村级公共服务中活动中心255个。全市幸福美丽新村建设共投入资金243307万元,其中财政资金投入112462万元、农户投入80181万元、金融机构投入32498万元、社会资本投入18166万元。

基础设施日趋完善。大力实施山、水、田、林、路综合治理,抓好中低产田土改造和高标准农田建设,同步开展交通路网、集中供水、能源电力、广播电视、网络通信、垃圾处理、治污设施等建设,道路硬化率、入户率均达90%;边沟、路灯、标识牌等附属设施配套完善,养护管理机制健全,供水管网入户率、农民安全饮水率均达90%;清洁能源普及率达70%以上;通电率、通电话率、通宽带率达80%以上。

人居环境显著提升。大力实施建庭院、建入户路、建沼气池和改水、改厨、改厕、改圈"三建四改"工程;全面治理农村面源污染,推行"户集、村收、镇运、县处理"的农村垃圾集中收集处理模式;实施河渠沟塘治理,开展清河、清渠、清沟行动。全市"美丽乡村"示范工程建设累计开展"六清"活动4237次,落实"四改"家庭4117户,新配保洁人员152人,新增村庄绿化面积325881平方米。

地域特色逐渐彰显。民居建设做到应建必建、宜改则改、宜保则保,控制建设体量,不搞"高大上",既注重风貌塑造,更注重满足农民现代生活需要的内部功能配套,彰显川北民居"青瓦、灰墙、白屋脊、穿斗结构、美人靠、坡屋顶"的风格,村落民居建设尽可能保留村庄原始风貌,慎砍树、禁挖山、不填塘、少拆房,尽可能在原有村庄形态上改善农民生产生活条件。以历史传统、田园文化、农耕文明为基础,推广川北唢呐、川北舞狮、川北秧歌等民俗文化和麻柳刺绣、白花石刻、剑阁手杖等传统手工艺品,开发了米仓山茶叶、剑门关土鸡、朝天核桃等地理标志农产品,形成创意农业产业带。实行农旅结合,发展各具特色的乡村旅游,积极建设休闲农业重点乡(镇)、农业主题公园和休闲农业景点。

主导产业不断壮大。坚持基础配套,产业先行,建成"一村一品"示范村85个、特色产业专业村316个。坚持产村一体、园村相融,建成万亩亿元现代农业园区79个,建成全国绿色食品原料标准化基地165.6万亩。核桃、猕猴桃、茶叶、食用菌等特色产业突破性发展,"3+5"特色农业产业持续壮大。苍溪县成为国家现代农业示范区和乡村旅游与休闲农业示范县,青川县成为国家农业产业化示范基地,朝天区成为全国绿色食品原料(蔬菜)标准化生产基地。创建国家有机产品认证示范县2个,获得国家地理标志保护产品22个、中国驰名商标和四川名牌45个。

农民积极性高涨。通过抓点示范、政策激励、基础先行等办法调动群众建设幸福美丽新村的积极性。充分发挥村民自治、"一事一议"等基层议事规则,让农民真正自己做主,解决自己最关注、最急迫的问题,满足农民群众求美、求新、求幸福的愿望。大力宣传幸福美丽新村建设的意义、规划和政策,宣传各地的成功经验和典型案例,组织农民群众现场感受新变化、新面貌、新气象,激发他们的建设热情,广大群众主动参与创建的热情不断高涨,很多在外务工经商的农民不惜放弃手中的生意,千里迢迢赶回家乡参与幸福美丽新村建设。

公共服务更加完善。整合与群众密切相关的便民服务项目到公共服务中心,实行"一站式"服务。重视农村空心化、老龄化和"三留守"问题,大力推动家庭养老、日间照料中心和"留守儿童之家"建设。推动门诊统筹率先覆盖所有贫困地区,将贫困人口全部纳入重特大疾病救助范围,贫困村医疗条件得到切实改善。积极开展幸福美丽新村文化院坝建设,举办丰富多彩的农村文化活动。以"村规民约"为抓手,推进农村新型社区网格化管理和服务。全市建成"1+6"村级公共服务活动中心158个,新建和改造农村社区综合服务社210个、庄稼医院102个,各类经营服务网点总数达3500余个,覆盖了全市100%的乡(镇)和65%的村。

幸福美丽新村示范县建设顺利推进。启动实施旺苍县、青川县、利州区省级幸福美丽新村示范县建设。制定推进幸福美丽新村示范县建设意见,突出民居建设、基础设施建设、人居环境整治、产业提升和农村文化建设等重点工作。与脱贫攻坚相结合,保障幸福美丽新村示范县建设项目和幸福美丽新村建设项目重点向贫困地区倾斜。按照"缺啥补啥"的要求,提升产业发展和公共服务水平,加强农业科技创新和适用科技成果推广,改善农民群众的生产生活条件和居住环境,预计到2018年,示范县建设任务全面完成。

"四好村"创建工作全面启动。成立了广元市"四好村"创建活动工作领导小组,负责创建活动的牵头抓总、统筹协调和督促落实。研究制订五年总体方案、2016年"四好村"建设方案、考评办法和评分标准,力争到2020年,全市70%以上的村建成省级"四好村",80%以上的村建成市级"四好村",90%以上的村建成县级"四好村"。9月底,由8个常委带队,分赴4县3区和经济开发区对脱贫攻坚评估工作和"四好村"创建工作进行专项检查和指导。

【主要领导人】 市委书记:王菲;市人大常委会主任:李茂森;市长:邹自景;市政协主席:王振会;分管农业副市长:杨浩。

广元市编写组

利　州　区

【基本情况】 2016年,利州区辖3乡7镇8个街道,辖区面积1538.53平方千米。全年实现农业总产值9.25亿元,增长6.6%。

【种植业】 2016年,利州区粮食作物播种面积222540亩,增加2715

亩;产量 78093 吨,增长 3.6%。油料作物播种面积 29550 亩,油料总产量 3220 吨,其中油菜籽产量 2069 吨。蔬菜种植面积进一步增加,达 137865 亩,蔬菜总产量达 358628 吨。全年水果产量 29336 吨。

【林业】 2016 年,利州区林业资源保护工作和林业经济同步发展,全区森林覆盖率达 62.5%。新增现代林业产业基地 1.84 万亩,其中木竹原料林 1950 亩、木本油料林 1.57 万亩、其他特色经济林 750 亩。新栽核桃 3.05 万亩,产量 2.55 万吨,全区核桃总规模达 27.7 万亩。木质食用菌总产量达 4335 吨,新增香菇、木耳、灵芝等 500 万椴袋。

【畜牧业】 2016 年,利州区生猪出栏 26.8 万头,减少 2.4%;牛出栏 0.63 万头,减少 1.7%;羊出栏 1.96 万只,减少 0.3%;家禽出栏 139.76 万只,增长 0.7%;兔出栏 1.3 万只,减少 13%。全年肉类总产量 2.16 万吨,减少 1.8%。

【农村基础设施建设】 2016 年,利州区自来水受益村有 162 个,通有线电视村有 150 个,通宽带村有 122 个,通公交村有 78 个,垃圾集中处理村达 89 个,污水集中处理村达 25 个。全年农业机械总动力达 188810 千瓦,有效灌面 1300 公顷。

【主要领导人】 区委书记:刘襄渝;区人大常委会主任:白发才;区长:唐文辉;区政协主席:陈蕾;分管农业副区长:李兴鸿。

利州区编写组

昭 化 区

【基本情况】 2016 年,昭化区辖 29 个乡(镇、街道),有农业人口 21.84 万人,有耕地面积 42.01 万亩,增长 67.43%;基本农田 43.8 万亩。

【年度农业和农村经济运行】 2016 年,昭化区实现农业总产值 217458 万元,增长 7.6%;农业增加值 117659 万元,增长 4%。农民年人均可支配收入 9967 元,增长 13.7%。

农业产业化发展。昭化区坚持“壮大户、户改场、场入社、社接企”的新型农业经营主体发展路径,新引进农业企业 8 家,新培育省级重点农业产业化龙头企业 1 家(累计达 2 家);新建和规范农民专合社 57 家,新培育省级示范合作社 3 家;新发展家庭农场 100 家,其中省级示范农场 4 家、市级示范农场 4 家;新发展农业社会化服务超市 17 家;发展产业领军人 266 名,带动农民 4.2 万余人。在巩固优质粮油生产能力的基础上大力发展“4+2”特色产业,深化特色农业示范创建,加快培育“一乡一业”“一村一品”,推动“粮经饲”统筹、农林牧渔结合发展。农产品产地初加工能力不断提升,引导天垠农业公司和紫云、有益、文德等 6 家猕猴桃专业合作社建成冷藏库 600 余平方米,安装分选设施 15 套,增加冷藏保鲜能力近 2000 吨,形成了“产业基地+冷藏分选+加工包装”的农产品产地初加工模式。

农用地产权制度改革。昭化区积极推进农村产权制度改革,建立农业和农村体制改革台账,启动 3 个乡(镇)的农村集体资产股份合作制改革试点。成立区级农村产权交易中心和乡(镇、办)产权交易服务站,开展交易 5 宗。鼓励农民采取租赁、入股等方式流转土地、林地,新增流转土地 2.8 万亩,累计流转面积达 18.9 万亩,占耕地和可流转利用林地总面积的 22.8%,增长 17.5%。在明觉镇华峰村筹建了全区第一个农村资金互助社,设立农村产业发展扶持基金和农房贷款分险基金,农村金融制度创新取得新突破。

农产品品牌战略实施。昭化区新认证太宝米业、三禾真仙茄、三禾辣椒、三禾秋葵 4 个绿色食品,紫云猕猴桃、升达纤维板、壮牛配合饲料 3 个农产品获得“四川省名牌产品”称号;王家贡米、昭化韭黄获得地理标志保护产品称号。与区级相关部门配合,推出“昭化六特”农产品品牌,组织天垠、三禾等 8 家企业、1 个专合社参加了第四届中国西部四川农业博览会暨成都国际都市现代农业博览会,成交额达 2.075 亿余元。

【种植业】 2016 年,昭化区新增猕猴桃产量 0.5 万吨,新建连片 500 亩标准化基地 5 个,分别完成目标任务的 100%、125%。新增露地蔬菜产量 1.5 万吨,新建连片 500 亩标准化基地 4 个,分别完成目标任务的 167%、200%。新增种植食用菌 230 万袋,产量 2200 吨,分别完成目标任务的 115%、110%。新增核桃面积 2.1 万亩,产量 1.6 万吨,分别完成目标任务的 105%、107%。全面完成烤烟栽植任务 1.1 万亩,产量 2.3 万担,因受严重自然灾害影响,减产 20%以上。

【“4+2”特色产业提质增效】 2016 年,昭化区粮油产量 14.92 万吨,增长 0.11 万吨,4.8 万亩水稻基地被认定为全国绿色食品原料标准化生产基地,获得了 2015 年度四川粮食生产“丰收杯”奖。生猪“1211”代养模式持续推进,肉羊良种扩繁场工程及土鸡产销对接全面启动,被授予“全省畜牧业重点县”称号。渔业产业快速发展,提升生态渔业养殖面积 1.2 万亩,完成目标任务的 141%;水产品总产量 1.4 万吨,居全市第一位,跻身四川省 20 个现代渔业重点县行列。猕猴桃产业发展提质增效,通过第七批全国农业标准化示范区考核,创建为猕猴桃栽培标准化示范区。蔬菜产业效益着力提升,茄瓜类等生鲜蔬菜进驻北京新发地批发市场并直供港台。“全国林下经济示范县”建设巩固提升,森林生态旅游和林下经济快速发展。

【新农村建设】 2016 年,昭化区突出规划引领,高标准编制了《昭化区第三轮省级幸福美丽新村示范县总体规划》和新型村庄、产业发展等 4 个专项规划;突出贫困村脱贫“摘帽”,编制了《昭化区 2016 年省级财政幸福美丽新村建设专项资金项目实施方案》并在朝沙片幸福美丽新村和脱贫摘帽的扶贫新村内实施;突出政策保障,参与出台了《昭化区农村土坯房改造新建补助方案》《昭化区易地扶贫搬迁项目资金管理办法》2 个文件及实施方案;突出组织推动,召开了启动大会,印发了目标任务通知,建立了督查指导工作机构。整合各类项目,按照非建卡贫困户 2 万元/户、非易地搬迁贫困户 2 万元/人,易地搬迁贫困户 2.5 万元/人的标准给予新建或改造建房补助,统筹推进幸福美丽新村和扶贫新村建设,《实施新村扶贫,助推精准脱贫——广元市昭化区强力推进农房建设》工作经验在全市农委系统作经验交流。全年新建和改造聚居点 76 个、基本建成幸福美丽新村 36 个、建成扶贫新村 20 个,分别完成目标任务的 168.9%、100%、100%。建成区级“四好村”73 个,上报市级“四好村”53 个、省级“四好村”32 个。昭化区被评为四川省第二轮新农村建设优秀示范县(区)。

【扶贫攻坚】 2016 年,昭化区按照“因村施策”“一村一策”原则,指导盘活农村撂荒土地、闲置农房、集体林权等资产资源,大力发展集体经济,消除了 63 个集体经济“空壳村”,退出的 21 个贫困村集体经济年人均累计收入超过 6 元,总额均超过 1 万元以上。区委农工委联系帮扶太公镇双庙村、朱贞村并修订完善了村发展规划,先后协调解决资金 238 万元,加宽两村道路 6.1 千米,硬化 3.3 千米,整治山坪塘 5 口、微水池 12 口,搭建土鸡养殖圈舍 23 栋,引进企业流转土地 200 亩,改造民居 28 户,安装污水管网 1500 米;整合林业资金栽植藤椒 1000 亩;启动贫困户建房 43 户。

【乡村旅游】 2016 年,昭化区新建以果蔬采摘、农耕体验、亲子游乐为主的天雄关休闲农庄 700 余亩,建成集休闲度假、乡村民宿体验于一体的牛头村旅游村寨1个,新打造和提升牛头人家、老码头等特色乡村旅游业态12家、民宿达标户5家,发展“昭化六特”旅游农产品展示展销厅(店)13个。

【助农增收基础设施建设】 2016年,昭化区继续坚持县级领导联乡联产业、部门帮村、干部帮户的“三联”工作机制和农村工作统筹协调工作机制,实行涉农部门、乡(镇、街道)主要领导“三农”工作和农民增收工作第一责任人制度。出台了《广元市昭化区统筹整合使用财政涉农资金实施意见》及相关文件。全年区本级公共财政支出投入“三农”7121万元,增长8.04%;争取到位省级以上“三农”项目投入资金73298万元,增长21.3%。全年成功签约农业项目16个,签约资金13亿元,其中投资额在500万元以上的业主比上年增长15.3%。全区实现农民年人均可支配收入9967元,同比增长13.7%。完成固定资产投资4100万元,完成目标任务的205%。全年实际到位项目4个,到位财政补助资金1230万元,完成目标任务(调减数)的100%。大寨水库、梅岭关水库建设快速推进,完成水库除险加固工程8座,整治山坪塘223座;新增灌面0.22万亩,恢复灌面0.68万亩;新建农村饮水安全工程5处,农村住户集中供水率达77.8%,自来水普及率达65%。新建村(社)公路152千米,通村公路硬化率达100%。开工土地整理项目2个、土地增减挂钩项目1个,新建高标准农田1.2万亩。

【农村法制】 2016年,昭化区制订了年度学法计划,落实普法工作责任制,做到年初有安排、半年有检查、年终有总结。信访维稳责任落实,无越级上访和集访事件发生,全年无安全事故发生。

【农民增收新产业新业态省级示范县(区)创建】 2016年,昭化区成功跻身全省25个县(市、区)、全市首个省级盘活农村资产资源培育农民增收新产业新业态示范县(市、区)创建行列,以“四个三”为抓手,助推新产业新业态快速发展,即三产融合,拓宽产业发展新渠道;三区联动,开辟产业升级新路径;三资入股,创新产业经营新方式;三方合力,构建产业富民新机制,其经验被《四川农村日报》《广元日报》等广泛报道,被省、市农村工作通报刊发并在全省进行推广。

【主要领导人】 区委书记:陈正永;区人大常委会主任:贾小玲;区长:龙兆学;区政协主席:石含玖;分管农业副区长:付健。

昭化区编写组

朝天区

【基本情况】 2016年,朝天区辖25个乡(镇、街道),有农业人口18.9967万人,有耕地面积22.6万亩、基本农田11万亩。

【年度农业和农村经济运行】 2016年,朝天区实现农业总产值155271万元;农业增加值78871万元,增长4%。农民年人均可支配收入9576元,增长10.3%。

农业产业化发展。朝天区新建立13个藤椒种植专业合作社。通过土地托管经营、裕兴公司控股等方式,按照“公司+基地+合作社+农户”模式,积极参与藤椒种植、加工、销售全产业链服务,有力地推动了农业产业化经营。

【种植业】 2016年,朝天区有耕地面积32724公顷。全年粮食播种面积25688公顷,粮食总产量10.42万吨,同比增长0.27%。油料播种面积3982公顷,增长0.2%;产量6479吨,同比增长1.1%。

【林业】 2016年,朝天区大力实施生态林示范工程、天然林资源保护和退耕还林工程,营林造林1000公顷,森林覆盖率达59.5%。全年实现林业产值1351万元,比上年增长6.4%。

【畜牧水产业】 2016年,朝天区出栏土鸡157.52万只、生猪20.83万头,产茧885吨;实现畜牧业产值45761万元,比上年增长6%。水产品产量225吨,实现渔业产值295万元,比上年增长1.9%。

2016年朝天区省级农业产业化重点龙头企业名单

企业名称	注册资金(万元)	法人代表	示范等级	年度产值(万元)	行业分类	主营产品
四川金田农业科技有限公司	3000	邓天菊	省级	5000	种植业及加工业	新鲜蔬菜、气调保鲜蔬菜、酱腌菜、脱水蔬菜
四川天冠生态农牧有限公司	1200	汪志聪	省级	11200	养殖业	商品鸡、鸡苗、鸡蛋

2016年朝天区省级示范农民专业合作经济组织名单

合作组织名称	注册资金(万元)	法人代表	示范等级	年度产值(万元)	行业分类	主营产品
广元市朝天区李家坝蔬菜专业合作社	30	刘贤科	省级	276	种植业	蔬菜
广元市朝天区宣河乡核桃专业合作社	3	赵丕洪	省级	1427	种植业	核桃
广元市朝天区花石食用菌专业合作社	10.2	张正林	省级	168	种植业	食用菌
广元市朝天区岳家核桃专业合作社	5	张习红	省级	1176	种植业	核桃
广元市朝天区平溪蔬菜专业合作社	150	严大琼	省级	2164	种植业	蔬菜
广元市朝天区中子蔬菜专业合作社	30	张玉广	省级	298	种植业	蔬菜
广元市朝天区三和土鸡专业合作社	10	任政东	省级	94	养殖业	土鸡
广元市朝天区两河口惠农蔬菜专业合作社	50	彭善华	省级	150	种植业	蔬菜
广元市朝天区临溪蔬菜专业合作社	5.2	罗应江	省级	127	种植业	蔬菜

2016 年朝天区家庭农场经营情况统计表

家庭农场名称	注册资金(万元)	法人代表	行业分类	主营产品
广元市陶园农场	100	舒兴国	种养殖业、乡村旅游	蔬菜、土鸡、农家乐
朝天区天星农场	100	刘德全	种植业	核桃、魔芋
朝天区昌洲农场	120	姚昌洲	种植业	山葵、蔬菜
广元市黎勤生态家庭农场	120	郭明华	种养殖业	水产、水果
朝天区友有家庭农场有限公司	200	张秀军	种植业	水果
朝天区宏藤家庭农场	100	黄军	种养殖业	蔬菜、牛
朝天区羊木镇绿色蔬果农场	200	王朝坤	种植业	蔬菜
广元市兰明家庭农场有限公司	500	孙小明	种植业	果蔬
广元市得莲家庭农场	200	向德勇	养殖业	羊(禽)
广元市潜逸堂家庭农场有限公司	300	徐云堂	种养业	水产、小水果
朝天区文安乡蒿坝村嘉源农场	180	张岚	种养殖业	—
朝天区朝天镇镕得家庭农场	100	赵小蓉	养殖业	生猪
朝天区煜鑫农场	120	侯丽	种养殖业	肉兔、果蔬
朝天区蒲家乡富山家庭农场	200	张文清	种植业	—
朝天区吉庆家庭农场	200	冯德志	种植业	蔬菜、水果
广元市白云家庭农场	200	赵崇毅	种养殖业、乡村旅游	—
广元宜进宜家家庭农场	200	贾代军	种植业	核桃
朝天区花果飘香农场	150	李长兵	种植业	水果
广元市川鑫源家庭农场有限公司	600	郑永川	养殖业	土鸡
朝天区羊木镇恒昌养殖农场	400	胡堂林	养殖业	—
朝天区羊木银岭惠发养殖农场	300	刘治惠	养殖业	—
朝天区亮亮特色种养殖家庭农场	100	刘继国	种植业	—

【统筹城乡与新型城镇化】 2016 年,朝天区城乡规划体系逐步完善,全面启动《广元市城市总体规划朝天区分区规划》和《朝天区城市控制性详细规划》修编工作,累计完成 20 个乡(镇)控详规编制和 214 个行政村"强村行动"暨幸福美丽新村规划编制。城市建设提质扩容,小中坝旧城改造、草房沟新区开发有序推进,陵江西路、朝天时代广场、"羊木水香"等项目加快建设,北出口道路全面竣工,小峨眉公园全面开放。全区城镇化率提高 1.69 个百分点,达 33.99%。

【新农村建设】 2016 年,朝天区深入实施扶贫解困、产业提升、旧村改造、环境整治和文化传承"五大行动",统筹做好基础设施建设、公共服务配套和社会管理创新,高起点、高标准、高质量全面建成覆盖 3 个乡(镇)8 个村 33 个组 1570 户的"李(家)—汪(家)—麻(柳)"新农村示范片,将年度贫困村建设同步纳入新农村建设,完成 27 个扶贫新村建设。同时,结合现代农业园区和乡村旅游发展,加大面上新农村建设和新村扶贫工作,建成新村聚居点 42 个、农村廉租房 45 户、幸福美丽新村 15 个,分别完成市下达目标的 110%、100%、125%。

【扶贫攻坚】 2016 年,朝天区始终坚持将加大投入作为决胜脱贫攻坚的基本保障,按照"多个渠道进水、一个池子蓄水、一个龙头放水"的理念,自加压力、提高标准,有效统筹整合各类项目资金,不断加大对贫困村、贫困户的扶持投入力度,充分发挥财政投入的主导作用,促进贫困村、贫困群众脱真贫、真脱贫。坚持统筹统揽,促进筹资方式大转变。强化政府责任,社会协同发力,坚持大整合、大投入的思路,统筹整合财政、社会、民间投入资金,围绕"缺什么补什么"制定"需求清单",资金投入实现从过去"有多少钱办多少事"到"对照标准、按需筹钱、按需实施"的大转变,不断拓宽资金筹措渠道。一是整合财政投入。全区累计投入各类专项扶贫项目资金 4.97 亿元,其中 2016 年共整合涉农项目资金 1.35 亿元、区本级财政贷款 12 亿元,为脱贫攻坚提供了强有力的资金需求保障。二是争取社会投入。加强与国机集团、省委编办、铁投集团、四川工程职业技术学院等国家、省、市帮扶单位对接联系,争取各类资金 3976 万元,实施各类扶贫项目 50 余个。三是引导民间投入。积极主动衔接引进有实力的企业、民间组织、商界成功人士帮扶贫困村和贫困户,共收到社会组织、爱心企业和爱心人士捐赠现金、物资 2509.8 万元。围绕贫困村"一低五有”退出标准和贫困户“一超六有”脱贫标准,重点加大基础设施、产业发展、公共服务、兜底保障等方面投入力度,全面激发贫困群众内生动力,增强贫困群众自我发展能力。一是加大基础设施投入。道路建设上,全年投入1.02亿元,硬化通村通组道路255千米,贫困村通村公路硬化率达100%、通组公路硬化率达86%。安全饮水上,全年投入2872.68万元,修建供水工程666处,切实解决了8830名贫困人口安全饮水困难。生活用电上,全年投入368.97万元,64个贫困村线路改造实现全覆盖,贫困户均有安全用电。住房保障上,按照易地扶贫搬迁方式,制定“搬迁菜单”,实行差异化补助,人均补助标准分为5万元、4万元、3万元、2.5万元、2万元并修建廉租房;加大农村危旧房改造力度,将C级危房维修加固补助标准从0.85万元/户提高到1.5万元/户,D级危房重建补助标准从2万元/户提高到2.5万元/户。二是坚持产业同步投入。区财政每年打捆使用涉农项目资金5000万元以上,集中用于农业产业发展和现代农业园区建设;安排财政资金910万元,对2014年、2015年脱贫群众分别按4000元、3000元的标准用于产业发展奖补。同时,为当年计划脱贫的每个贫困村安排了专项扶贫资金、产业发展周转金,为贫困户提供扶贫小额信贷支持,保障产业发展资金需求,增强贫困户“造血”功能。三是不断完善公共服务。硬件设施上,区财政投入448万元,新建或改造提升标准化卫生室、文化室27个;区财政投入332万元,新建区级应急广播平台1个、广播“村村响”工程35处、电视“户户通”4518户;投入4350万元,加快推进“宽带乡村”和无线网络基站建设,27个贫困村3G、4G通信网络实现全覆盖。医疗保障上,区财政投入418.6万元,提高贫困群众就医报账比例,实现区内住院个人医疗费用“零支付”;投入330万元,全面落实贫困人口新农合个人缴费部分由财政全额代缴政策。四是提高兜底保障标准。坚持“两线合一”,提高农村低保兜底补助标准,重点低保对象标准为3100元/年/人,一般低保对象标准为1800元/年/人。

坚持严查严管,促进资金效益大提升。一是建立监管制度。制定出台《朝天区财政专项扶贫资金县级财政报账制和统筹整合用于脱贫攻坚的财政涉农资金区级项目主管部门报账制实施细则》,建立健全扶贫资金审批、划拨、使用全程管理制度,设立扶贫资金专户,实行专户储存、专账核算、专人管理、封闭运行,确保专款专用。二是构建监督体系。实行扶贫资金项目公告公示制度,加强对扶贫项目、资金的跟踪监督,着力构建纪检监察、财政审计、媒体舆论等监督体系,让扶贫资金在阳光下运行。三是加大监管力度。全年组织纪检、监察、财政、审计、扶贫等部门开展扶贫资金专项督查6批次,实行常态化监督检查,确保项目资金安全有效使用、廉洁扶贫,发挥资金最大效益。

【乡村旅游】 2016年,朝天区加快曾家山中国农业公园、中国中医药康养旅游示范基地和多彩曾家山建设,扎实推进中子镇印坪村、蒲家乡罗圈岩村、沙河镇唐家村省级旅游扶贫示范村创建,打造特色小镇、美丽村庄、休闲农庄和田园综合体,积极发展民宿经济、森林康养等新业态,持续举办朝天核桃文化旅游节、曾家山避暑节和沙河樱桃品尝周、汪家蓝莓节、雪溪脆李节等特色乡村文化旅游节会活动,积极促进旅游企业收购贫困户农特产品,拓宽贫困人口增收渠道。全年乡村旅游带动贫困人口就业人数达300余人,受益贫困人口达1000余人,促进旅游地区贫困农民人均增收400余元。

【2016年度农民增收工作先进经验介绍】 2016年,朝天区农村居民年人均可支配收入实现9576元,同比增长11%,增幅较全市、全省、全国平均水平分别高出0.7、1.1和2.6个百分点,增幅位居全省同类(组别)县区前列、全市县(区)第一。

“三个到位”强保障。一是认识到位。始终把助农增收作为“三农”工作的重中之重来抓,区委常委会、区政府常务会坚持每个季度专题研究农民增收工作。二是领导到位。把农民增收工作纳入区级部门、乡(镇)综合目标绩效管理。县级干部每人联系1个乡(镇)、1个贫困村和至少1户贫困户,区“四大班子”分管和联系农业农村工作的县级干部每人牵建1~2个农业特色产业。三是投入到位。每年整合项目投入新村和园区建设资金达1亿元以上,安排财政资金1000万元以上用于扶持和培育新型农业经营主体;区财政为每个村每年安排5万元的服务群众经费预算和4万元的工作保障经费预算。

“四种载体”促增收。一是突出产业发展,增加农民经营性收入。不断推进核桃、蔬菜、畜牧、食用菌、蚕桑五大农业特色产业提质增效,因地制宜发展小水果、藤椒、魔芋等特色产业。积极发展休闲农业与乡村旅游,广泛吸纳农村劳动力就近就地就业,带动农特产品就地转化增值,多渠道增加农民收入。二是狠抓就业培训,增加农民劳务性收入。与德阳安装技师学院建立职业培训互助合作机制,开展送培训“上门”和“菜单式”培训,逐步实现乡(镇)全覆盖;与四川工程职业技术学院建立“职教联盟”,提供免费教育,对口打造机械加工等专业品牌,实现学生毕业即就业。三是逗硬兑现政策,增加农民转移性收入。提高农村低保兜底补助标准,重点低保对象标准为3100元/年/人,一般低保对象标准为1800元/年/人。全面兑现各类政策性惠农补贴补助,确保各项转移性收入及时足额到位。四是深化农村改革,增加农民财产性收入。朝天区农村集体资产股份合作制试点扎实推进,出台了《朝天区农村集体资产股份合作制试点工作方案》,中子镇枣树村、沙河镇望云村、宣河乡清泉村3个村的试点工作全面展开。林权抵押贷款试点改革不断深化,已发放林权证27本,授信2450万元,发放抵押贷款1560万元,将藤椒作为新品种纳入试点。富珉农村资金互助社累计发放借款235.5万元,收回借款10万元,借款余额225.5万元,清收利息10.5万元,助推了核桃、藤椒产业持续发展。供销合作社综合改革试点围绕新村、农业园区和农村社区建设创新农业产业化服务方式,跟进发展庄稼医院、社区综合服务社、社会化服务超市。市级深化农村改革综合试验区加快制订实施方案。

“三大建设”夯基础。一是坚持点面结合,推进全域新村建设。坚持每年新建一条百里新农村示范片,累计建成五条百里新村走廊,覆盖全区69%的行政村、56%的农户。加快推进“四好村”创建,逐步把贫困村建成幸福美丽新村。加大农村危旧房改造力度,为实现全域新村奠定坚实基础。二是坚持示范引领,推进现代农业园区建设。坚持每年建设1个万亩现代农业园区,累计建成7个现代农业园区,促进了产业集群集聚发展,带动园区内及周边农户增收20%以上。三是坚持路水为先,推进农田水利基本建设。大力争取并实施农村公路、土地整理、“小农水”、安全人饮等项目,全区100%的乡(镇)99%的村通油路或水泥路,农村安全人饮解决率达95%,农村电网升级改造率达80%以上,通信网络交叉覆盖率达98%以上,70%以上的行政村通宽带网络。

“三项监测”抓统计。一是全面开展农村居民收入统计监测。在全市率先开展乡、村两级农村居民收入统计监测,每半年通报1次监测结果并与年度目标绩效考评挂钩。二是全面开展乡(镇)经济综合实力评价。对全区25个乡(镇)经济综合实力进行评价,每年通报一次评价结果并与乡(镇)年度综合目标绩效考评挂钩。三是全面开展全面小康村统计监测。对全区行政村全面小康实现度进行统计监测,每年通报1次监测结果并与先进村评选挂钩。

【四川省现代林业建设重点县经验介绍】 朝天区是典型的盆周山区,是省政府确定的第三轮现代林业建设重点县。2016年以来,为强力推进现代林业重点县建设工作,朝天区调整充实工作领导小组,科学编制了《2016—2018年现代林业重点县建设实施方案》,明确了全区现代林业重点县建设的总体目标,计划到2018年,全区建成3个"万亩林亿元钱"示范片,现代林业基地面积达40万亩,建成省级现代林业产业示范园区1个;核桃产量达6万吨,年加工核桃能力达4.2万吨,产品精深加工和综合利用率达70%以上;新增省级和国家级农民专业合作社各1个,建成林产品跨区域物流中心1个,新增省级森林生态旅游和森林康养示范基地各1个。计划到2018年,全区林业总产值达56亿元以上,农民人均林业收入达6000元以上。截至2016年年底,全区现代林业产业基地面积达34万亩。成功开发了风味烘焙桃仁、核桃油、核桃原浆、核桃酱等精深产品,年加工能力达1万吨,加大了越龄食品等入园核桃加工企业的扶持力度,促使企业生产能力不断加强。启动建设临溪乡党家村、麻柳乡天星洞村等标准化核桃示范基地,中子现代核桃产业示范园成功创建为省级现代林业示范园区,中子核桃基地被国家林业局评定为国家级核桃示范基地。同时,在基地建设过程中加强科技支撑,形成了区有科研所、乡(镇)有科技服务队、村有科技服务站、组有科技服务点的科技服务体系。全年林业综合产值达45亿元,农民人均林业收入突破5500元。

【主要领导人】 区委书记:蔡邦银;区人大常委会主任:梁黎;区长:伏玉琼;区政协主席:张晓春;分管农业副区长:杨晓波(8月止),苏科年(8月始)。

朝天区编写组

旺苍县

【基本情况】 2016年,旺苍县辖38个乡(镇、街道),有农业人口44.99万人,有耕地面积69.6万亩;基本农田56.6万亩,减少3.3%。

【年度农业和农村经济运行】 2016年,旺苍县实现农业总产值271100万元,增长5.3%;农业增加值159500万元,增长3.6%。农民年人均可支配收入9886元,增长9.6%。

农业产业化发展。旺苍县建成现代农业园区、"一村一品"专业示范村、"一乡一业"专业示范乡(镇)、生态循环经济示范片210个,产业基地标准化率达85%。大力培育新型农业经营主体,加快"1+3"新型农业经营体系建设,新引进龙头企业1家(旺苍县隆华渔业有限公司),新培育销售收入过亿元企业1家(旺苍县柏林畜禽发展有限公司),四川亿明生物科技有限公司被新评定为省级重点龙头企业;新建和规范发展农民专合组织99个,培育新型农场212家,新评定县级龙头企业5家、县级示范农民合作社10个,新培育种养大户56户,建成农业社会化服务超市30家,形成茶叶、魔芋、中药材、特色水产等龙头企业、农民合作社、家庭农场和专业大户多级突破、梯次发力的支撑体系,与5.86万户农户形成了更加稳定的利益链条和增收机制。旺苍县兴燕核桃、秦巴山区瓜果种植、显春核桃、绿源魔芋、黄梁农机5个专业合作社被评为市级示范社;旺苍县九龙乡翠菊、飞凤山茶业、五权镇卫东茶叶、燕子枝波4家家庭农场被评为市级示范家庭农场,五权镇铜钱茶叶家庭农场等5家家庭农场被评为省级示范家庭农场。旺苍县在全市2015年县(区)新型农业经营主体培育工作考核中获得第一名。

农用地产权制度改革。旺苍县农村产权确权工作有序推进,农村承包土地确权颁证、"小农水"设施确权颁证、集体使用土地确权颁证实现全覆盖;农村集体建设用地(含农户宅基地)确权登记完成70758户,占年度目标任务的100%,走在全市前列。农村产权交易网络规范运行,县土地流转交易平台、乡(镇)交易服务站、村信息员三级农村产权交易市场网络高效运行,全年实现交易额80余万元,共流转耕地、林地102.1万亩,加快了农村土地向现代农业园区、产业发展基地、新型农业经营主体集聚。大力推开集体资产量化折股试点,全面完成黄洋镇黄洋村、农建乡农建村、白水镇建国村3个村的改革试点,为全县全域推广积累了经验,探索出了新模式。农村资金互助社高效运转,募集股本金232万元,还本付息、资金回笼管理规范,运作良好,首次实现社员人均分红3000元。

农产品品牌战略实施。旺苍县成功举办米仓山第六届采茶节、米仓山茶叶乌鲁木齐和喀什推介会。积极参加全省农博会等重大农产品展销推介活动,成功签约商贸协议资金4.5亿元,引进旺苍县隆华渔业有限公司淡水养殖开发等重大农业项目7个,投资达12.2亿元,同比增长15.6%。旺苍县鼓城纯粮酒厂生产的"鼓城山及图"被评为四川省著名商标;普济镇黄花山核桃获得国家A级绿色食品认证;旺苍县全国有机农产品示范县创建工作顺利通过专家组验收;英萃镇国林坡、普济黄花山等5个合作社被认定为"服务精准扶贫林下经济及绿色产业全国示范基地",米仓山红茶、广元黄茶等5个茶产品分别在第五届中国四川国际茶业博览会、蒙顶山杯斗茶大赛、第十一届国际茗茶评比、第四届四川农博会上获得金奖和"最喜爱茶叶品牌"称号。米仓山绿茶及加工服务分别获得省级标准化、中经质量管理两大体系认证,"米仓山"商标外观设计被授予国家专利权;"米仓山"茶入选《2015年度全国名特优新农产品目录》。

"三园一体"创新建设扩面提质。旺苍县整合涉农项目13个、投入1.08亿元,强势推进"三园"联动全覆盖和巩固提升三合、农建现代农业园区建设,围绕茶叶、核桃、畜牧、中药材县域特色优势支柱产业和其他短平快脱贫增收产业,加大万亩亿元以上现代农业产业园、百亩以上"一村一品"示范园、户均1亩以上特色微庭园建设力度,推动形成"大产业园+小示范园+特色微庭园"大小微联动、长中短结合、产加销一体产业扶贫发展格局。建成化龙现代农业园区、"一村一品"示范园区17个、特色微庭园2940个,新引进龙头企业2家,建设标准化养殖小区6个,培育种养合作社5个,高标准综合管护茶园1万亩,新建绿茶基地1万亩、黄茶2000亩、核桃5500亩;硬化园区主干道8千米,新建田间耕作道12.3千米,土地整形1300亩,浆砌堡坎1500平方米、蓄水池80口,新建渠道5.6千米。旺苍县三合生态黄茶观光园被农业厅认定为省级示范农业主题公园;旺苍县天台、农建等3个现代农业园区被评为广元市现代农业园区;木门三合村被农业部认定为全国"一村一品"示范村;旺苍县横石牧业、顺明养殖场被评为省级畜禽养殖标准化示范场。

【粮食产量实现"十四连增"】 2016年,旺苍县借力"金土地"项目扩面、素质培训增效、科技支撑提质,大力推进粮经复合种植、生态技术推广、耕地营养配餐同步实施,粮食生产记录再次刷新,稻谷产量6.69万吨,增长3.3%;小麦产量3.67万吨,增长0.1%;玉米产量

5.75万吨,增长4.9%;豆类产量0.56万吨,增长0.5%;薯类折粮4.14万吨,增长5.4%。粮食产量20.83万吨,增长3.5%,实现"十四连增"。花生产量3962吨,增长0.3%;油菜籽产量11253吨,增长0.2%。油料作物产量1.52万吨,增长0.23%。

【"四大主导"产业换挡升级】 2016年,旺苍县借力现代林业、现代农业建设重点县项目,围绕茶叶、核桃、畜牧、杜仲四大主导产业,优化产业结构,加快推进特色产业换挡升级,大力发展特色林下经济、特色旅游、生态体验等现代种养业。全年生猪出栏42.76万头、羊出栏5.16万只、牛出栏0.92万头、小家禽出栏181万只,分别增长-5.5%、3%、3.7%和2%;肉类总产量3.45万吨、禽蛋产量3935吨,分别增长-4.5%和3.2%。新建和提升绿茶、黄茶、核桃、中药材面积8.5万亩,标准化面积达7.5万亩,品种改良5万亩;茶叶总产量3738吨,增长11.7%;核桃种植面积稳居全省县(区)第一位,产量6548吨,增长12%。以杜仲为主的道地中药材产量1.15万吨,增长0.2%。烟叶产量272吨,魔芋产量4.9万吨,蔬菜产量20.29万吨,干鲜混合食用菌产量4077吨,优质水果产量3.74万吨。英萃镇核桃基地被国家林业局认定为第二批国家级核桃示范基地,旺苍县成功创建为四川现代农业、现代林业建设重点县。

【新型城镇化】 2016年,旺苍县深化户籍制度改革,率先在园区综合建设、城镇规模扩容、创业示范基地、示范一条街等区域建立激励机制,引导农民"带土进城、带林入镇"变身城镇居民,全年1470户农民举家迁入城镇,新型城镇化率提高0.85个百分点。扶持大众创新、万众创业,大力发展乡村旅游、农副产品加工等新业态,加快农村劳动力向二、三产业领域转入,全县新增就业6481人,有力促进了城乡劳动力资源有效转化;转移农村劳动力16.8万人,实现劳务收入46.5亿元,助农增收3000余元。

【新农村建设】 2016年,旺苍县借势全省第三批新村建设示范县项目,围绕"两翼一体"幸福美丽新村建设总体布局,彰显川北民居特色,坚持"建、改、保"并举,同步推进幸福美丽新村示范县、扶贫新村、美丽乡村、新农村综合体、"四好村"创建、"五位一体"建设,打造幸福"川北农家",突出"适度规模、组团式、生态化、微田园"理念,保持"前庭后院、瓜果菜园、鸡犬之声、鸟语花香"田园风光,推行"三化"建设模式。全县建成幸福美丽新村34个、扶贫新村23个、新农村综合体2个,创建省级、市级、县级"四好村"65个,配套建设健身广场1200平方米、环境绿化2.3万平方米和"微田园""林田园"13.34万平方米,改造危旧房1296户,新(改)建农房1640户,新建农村廉租房35套,完成民居风貌塑造1.22万户,全域农村面貌焕然一新。高阳镇虎垭村新村建设"建改保"新模式被省委农工委《农村工作》专题刊发并在全省推广。

【扶贫攻坚】 2016年,旺苍县大力开展易地扶贫搬迁、产业扶持、精神文明建设等脱贫奔康"六化"行动,进一步丰富"33455"综合治贫新模式,突出感恩、自强、法治"三大教育"和扶德、扶智、扶贫"三大帮扶",严格"六个精准"要求,抓细抓实"五个一批",深入实施"13项重点工作",全年实现精准减贫9042万人,全县贫困发生率降至7.06%。五红村安置点搬迁安置脱贫的经验做法在全国2016年扶贫日减贫与发展论坛易地搬迁平行论坛上作主旨演讲;五红村易地搬迁的实践与探索、农建村发展新型经营主体带动贫困户增收的主要做法作为秦巴山区脱贫攻坚(贫困村摘帽)现场推进会实地观摩典型经验交流。在全县29个乡(镇)建成互助社2394个,在10个村实施农村小额扶贫贷款创新试点,按照1∶10的比例撬动放大信贷功效,有效破解了脱贫户"缺少发展资金"的难题,全县累计发放扶贫小额信贷资金1.45亿元,实现贫困户受益全覆盖;农村扶贫小额保险已覆盖全县所有行政村,参保人数达20.6万人,累计有效规避了1100余户贫困家庭致贫、返贫零发生。全县收取政策性农业保险保费1795.95万元,理赔450.31万元,筑实了脱贫增收"最后一道保障线"。创新发展贫困村集体经济"旺苍经验"在全省作交流发言,旺苍县坚持"四化联动"着力发展壮大贫困村村级集体经济的主要做法在省委组织部《天府先锋》刊发,"梦圆资金互助社互助社圆农民致富梦""推进农村资金互助合作社新发展""旺苍模式"在全省深化合作社综合改革工作座谈会上作交流发言。

【"六网"配套建设大改善】 2016年,旺苍县坚持以"项目年"为抓手,大力实施推行"项目+民生"基础建设模式,充分发挥"农村公路建设年"声势,加快推进农村水、电、路、林、土、讯"六网"配套建设,大力实施畜牧、扶贫、林业、高标准农田、山区林业综合开发等关联民生项目共23个。投资3.9亿元,新建高标准农田2.1万亩,新增有效灌面60亩,整治渠道67.9千米,新建蓄水池354口,整治山坪塘57口,新增节水灌面3560亩,恢复和改善灌面3640亩;农业机械总动力达28.4万千瓦,增长2.9%;新建通村公路511千米,全县通公路村占行政村的比例达100%,通油路和水泥路的村占行政村的比例达96%,农民脱贫致富基础条件得到极大改善。

【农村科技】 2016年,旺苍县农业科技人员"双创"改革试点工作探索出"1+6"科技扶贫体系,切实提升了脱贫攻坚质效,全省科技扶贫现场会在旺苍县召开。旺苍县农业技术推广中心获得全国农业牧渔业丰收二等奖,旺苍县被农业部评为全国100名县级先进信息员。

【农村社会保障】 2016年,旺苍县新型农村合作医疗参合率达99.18%,住院费用报销比达77.5%;城乡居民健康档案规范化电子建档率达97.7%,家庭医生签约式服务率达89%。扶贫小额保险参保人数累计增加14.38万人,覆盖人数累计达40.2万人次。城乡居民养老保险覆盖16.3万人。城乡低保对象参保率达100%,农村低保月保障27570人,人均月补助标准达150元。

【农产品质量安全监管】 2016年,旺苍县进一步丰富"全省农产品质量监管示范县"内涵,坚持"产出来"与"管出来"并举,创建农产品质量安全监管示范乡镇2个、示范村2个。成立农产品产地环境监测预警站(国控点监测点位数)98个,农产品质量安全抽检合格率达99%,全年无一起重大农产品质量安全事件发生。

【主要领导人】 县委书记:刘亚洲;县人大常委会主任:朱桂桦;县长:余飞宇;县政协主席:赵俊科;分管农业副县长:谭江。

旺苍县编写组

剑阁县

【基本情况】 2016年,剑阁县辖23镇34乡,辖区面积3204平方千米,素有"蜀北屏障、两川咽喉"之称,集奇特的自然景观与厚重的历史文化于一体。

【农村水利】 2016年,剑阁县小农水重点县项目规划在长岭、演圣、吼狮、金仙4个乡(镇)26个村及25个精准贫困村实施,计划新建和整治渠道105.56千米,整治山坪塘345口,新建蓄水池60口。截至2016年年底,新建和整治渠道105.56千米,整治山坪塘345口,新建蓄水池60口,已全面完成项目建设任务。11月8日,武引二期剑阁灌区工程项目开工建设,该工程项目是四川省"再造一个都江堰灌区”的重要组成部分，延伸到剑阁县有两条支渠、四条斗渠，全长 73 千米，其中元山段 12 千米，覆盖元山片区 5 个乡（镇）近 50 个村，改善灌面 8.2 万亩，解决安全饮水 6 万余人，总投资 1.84 亿元。

【扶贫攻坚】 2016 年，剑阁县有贫困村 163 个、贫困户 20955 户、贫困人口 61148 人。全县把脱贫攻坚作为履行职能的重中之重，不断探索助推精准扶贫精准脱贫的方法和路径，全力助推脱贫攻坚。围绕脱贫攻坚工作的总体部署，深入调研协商，通过专题调研、视察、座谈、协商等方式收集反馈群众迫切需求，真实反映事关贫困群众切身利益的具体问题。整合资源、多方联动，鼓励和支持工商联及无党派人士把助力脱贫攻坚作为履职重点，使精准扶贫项目取得实实在在的成效。县政协常委仇禹正投资近 2 亿元兴建的“剑门黑牛”企业增加就业岗位 80 余个，带动周边群众发展种养业。全县政协派出 30 名干部对接联系贫困户 68 户，组织 42 家企业结对帮扶 26 个贫困村，协调落实土地整理、村组道路通畅工程等项目；注重产业扶持，帮助因病致贫贫困户按程序申领低保，帮助联系贫困户到企业务工。截至 2016 年 11 月底，县政协组织政协委员深入贫困村、贫困户开展调研慰问 20 余次，指导帮助制定产业发展、基础设施建设等规划 7 个，组织实施总投资 60 万元的农村安全饮水工程，开展农村种养技术培训 200 余人次，为贫困户捐赠价值 7 万余元的农用物资、6000 余元的其他物资。

【主要领导人】 县委书记：向永东；县人大常委会主任：侯宏；县长：张世忠；县政协主席：孔金山；分管农业副县长：张晓军。

剑阁县编写组

青川县

【基本情况】 2016 年，青川县辖 11 镇 25 乡（其中 2 个少数民族乡），辖区面积 3271 平方千米，是国家生态功能区，森林覆盖率达 71.9%。

【扶贫攻坚】 2016 年，青川县累计减少贫困户 3906 户、贫困人口 11724 人，贫困发生率降为 8.2%。全县把培育产业作为推动脱贫攻坚的根本出路，依托生态资源禀赋，坚持生态立县、绿色崛起的发展思路，举生态旗、打生态牌、走生态路，建成八大农业产业化示范园区，形成名优绿茶、绿色山珍、木本油料、风景银杏、道地药材、生态养殖六大特色农业产业发展新格局，农业总产值年均增长 12.5%。建成茶叶基地 25 万亩，发展黑木耳 2800 万棒（袋）、香菇 6200 万袋、竹荪 5500 亩、羊肚菌 3500 亩，总产值超过 15 亿元。其中，贫困群众发展椴木木耳 300 万棒、香菇 400 万棒（袋）、林下套种魔芋及药材 3000 亩，贫困户从生态农业产业发展中人均增收 1200 元以上。

发展全域旅游助推脱贫攻坚。全县已建成唐家河、青溪古城、东河口、县城国家 4A 级旅游景区 4 个，建成国家级生态旅游示范区 1 个、国家级水利风景区 1 个、国家地质公园 1 个，举办“中国 · 青川生态旅游目的地建设研讨会”“中国 · 白龙湖搏鱼大赛”，启动实施龙门雪山国际森林旅游度假区、大熊猫国家公园等一批重大旅游项目。成为首批国家全域旅游示范区创建单位和四川省第三批旅游标准化示范县，是全国最具魅力生态旅游县、国家生态旅游示范区，获得中国国家旅游 · 劲旅奖 2016 年度最佳生态旅游目的地奖（第一名）。2016 年，全县接待游客突破 500 万人次。围绕“吃住行游购娱”“商养学闲情奇”，大力发展相关配套产业，全县贫困户发展农家乐 130 余户，从旅游产业中获得人均收入达 700 元以上。

农村电商带动贫困群众增收。青川县创建为“商务部电子商务进农村综合示范县”和“国家供销总社电子商务进农村试点县”，入选“2016 四川电商十强县”。建立电商扶贫“4+1”（产业基地、资金互助社、电商服务示范站、物流快递+贫困户）青川模式，实现了农业增效、农民增收、农村发展。截至 2016 年年底，全县发展电商企业 31 家、个体网商 300 余家、农业专合组织 120 个、物流企业 21 家。全年电商交易额突破 2.5 亿元，带动 2041 户建卡贫困户户均增收 5718 元。

基础设施建设破解制约瓶颈。全年新建通村公路 1070 千米，实现村村通硬化路，初步形成铁路、高速公路、国省干线、农村公路和水运全面发展的综合交通运输体系。截至 2016 年年底，全县已建成各类水利工程 9311 处，曲河水库建设进展顺利，新增灌面 1200 亩，引蓄水能力达 40 万立方米；实施中小河流治理项目 15 个，新建堤防 131 千米。新建、硬化通村通社道路 193 千米、连户路 410 千米，改造农村电网 3.5 万户，建成生态庭院 2225 个，对减贫户实现全覆盖。

【主要领导人】 县委书记：罗云；县人大常委会主任：殷扶炯；县长：刘自强；县政协主席：杨政国；分管农业副县长：范正勇。

青川县编写组

苍溪县

【基本情况】 2016 年，苍溪县辖 39 个乡（镇、街道），有农业人口 65.43 万人，有耕地面积 130.1 万亩，与上年持平。

【年度农业和农村经济运行】 2016 年，苍溪县实现农业总产值 508172.7512 万元，增长 5.3%；农业增加值 296298 万元，增长 3.8%。农民年人均可支配收入 9939 元，增长 9.8%。

农业产业化发展。苍溪县坚持“大园区带小庭院”，加速特色农业产业发展，推进全域园区建设，新建三会、寻乐书岩 2 个园区，带动户办庭院超过 10 万户。建成优质粮油基地 30 万亩、万亩粮油产业现代农业园区 2 个、万亩特色产业园区 12 个。着力构建红心猕猴桃和肉牛羊土鸡水产业、中药材产业、苍溪雪梨等 “1+3”特色农业产业体系，大力推进猕猴桃百亿产业融合发展项目。培育农产品精深加工龙头企业 24 家，年加工农产品 16 万余吨；开发加工农产品品种 30 余个，特色农产品加工业增加值增长 12% 以上。利用“公司+基地+农户”模式和“订单农业”生产模式带动农户从事农业产业化经营，人均增收 1530 元。

2016 年苍溪县省级农业产业化重点龙头企业名单

企业名称	注册资金（万元）	法人代表	示范等级	年度产值（万元）	行业分类	主营产品
四川省苍溪县面业有限责任公司	427.1	王传平	省级	17698	农副产品加工	大米、面粉
四川欣鸿宇食品发展有限公司	6000	魏建平	省级	81895	畜禽屠宰	猪肉
四川省苍溪漓山粮油有限公司	1500	张映德	省级	22051	农副产品加工	大米、面粉、挂面等

续表

四川毅力猕猴桃产业有限公司	3000	邓毅	省级	24460	农副食品加工	猕猴桃鲜果、果酒
苍溪县猕猴桃食品有限责任公司	200	梁兴玉	省级	24302	饮料制造	猕猴桃鲜果、饮料
四川华朴现代农业股份有限公司	25830	王贵	省级	3193.394	种植业、加工业	猕猴桃鲜果、饮料

2016年苍溪县省级(及以上)示范农民专业合作经济组织名单

合作组织名称	注册资金(万元)	法人代表	示范等级	年度产值(万元)	行业分类	主营产品
苍溪县红猕王绿色果合作社	200	张强	省级	5000	种植业	猕猴桃
苍溪县红果猕猴桃合作社	200	梁兴玉	省级	4793.95	农林牧渔业	猕猴桃
苍溪县川明参合作社	200	黄广	省级	580	种植业	川明参
苍溪县协力生猪专业合作社	200	白淑芳	省级	100	养殖业	仔猪、商品猪
苍溪县友谊猕猴桃专业合作社	480	任晓松	省级	128	种植业	猕猴桃
苍溪县米丘林梨芋专业合作社	105	王若颖	省级	228	种养殖业	苍溪梨、猕猴桃
苍溪县同创生猪专业合作社	200	罗统政	省级	150	养殖业	仔猪、商品猪
苍溪县大获蔬菜果品专业合作社	200	李勋祥	省级	200	种植业	蔬菜果品
苍溪县云峰雪梨协会	200	李奉发	省级	200	种植业	苍溪梨
苍溪县深蓝猪业专业合作社	200	姜仕华	国家级	100	养殖业	仔猪、商品猪

2016年苍溪县家庭农场经营情况统计表(前10位)

家庭农场名称	注册资金(万元)	法人代表	年度产值(万元)	行业分类	主营产品
苍溪县芳兰肉鸽养殖家庭农场	60	李兰芳	78.6	养殖业	肉鸽
苍溪县永宁永弘家庭农场	60	刘燕	73.88	种植业	粮油
苍溪县幸福宜家家庭农场	30	杨亮亮	87.57	种植业	粮油、畜牧产品
苍溪县鸳溪镇学堂李氏家庭农场	150	李泽沛	148.23	种养殖业	猪、羊、牛、鸡、核桃
苍溪县桓沣家庭农场	5	杜志良	121.56	养殖业	肉羊
进惠家庭农场	100	白峻华	120	种植业	食用菌、蔬菜
苍溪县山清家庭农场	600	张绍太	56.8	种养殖业	核桃、蔬菜、土鸡、种植技术服务
苍溪县永宁镇金洞村食为天家庭农场	43	阳光均	95	种植业	粮油
苍溪县东溪镇快乐家庭农场	10	罗通华	86.12	种植业	猕猴桃
苍溪县东青镇德忠家庭农场	60	寇德忠	63	种植业	粮油

【种植业】 2016年,苍溪县粮食作物播种面积在100万亩左右,油料作物播种面积在30万亩左右,粮食产量在36万吨左右,油料产量在5万吨左右。新增蔬菜播种面积3000亩,总产量达42万吨。新增特色经作产业基地面积12.05万亩,其中中药材种植基地8万亩。先后被列为“全国1000亿斤粮食生产重点县”“全省100亿斤粮食生产核心县”,获得省政府全省粮食生产“丰收杯”奖项,被评为全国粮食生产先进县。

猕猴桃产业。全县累计发展红心猕猴桃基地乡(镇)27个、专业村50个、核心示范园18个、科研基地2个,种植总面积达33.09万亩,年产量约8万吨,实现产值约12亿元。创建成省级出口猕猴桃安全示范区并启动了国家级出口猕猴桃质量安全示范区创建,红心猕桃获得有机食品认证、绿色食品认证、无公害食品认证和欧盟认证,获得了出口基地备案,注册为国家地理标志证明商标并成功创建为中国驰名商标。

苍溪梨产业。按照“早熟梨抢市场,中熟梨接链条,晚熟梨保品牌”的发展思路,形成了东、中、南部早、中、晚熟梨生产区,发展梨基地乡(镇)6个、重点乡(镇)4个、专业村50个,基本建成万亩梨示范片2个、千亩以上梨示范园2个,截至2016年年底,全县累计种植苍溪梨16.5万亩,年产量10.3万吨,年产值达3.1亿元。同时,大力推广“梨—芋—菜”“梨—芋—药”等套作模式,套种魔芋面积达13000亩,梨园套作亩收入突破1万元。苍溪梨注册为国家地理证明商标,先后获得四川名特产、中国名优特产、中国地方特产、中国十大名梨、中国驰名商标等称号。

【林业】 2016年,苍溪县有林业用地11.2347万公顷,活立木总蓄积量897.5万立方米,森林覆盖率达48.5%。天保二期工程管护重点公益林74.07万亩、国有林1.52万亩。巩固历年退耕还林成果10.22万亩,完成年度新增退耕还林任务0.5万亩、中央财政补贴造林2.3万亩、天保公益林建设0.2万亩、集体中幼林抚育2万亩,实施低产低效林改造2.2万亩。新建核桃、银杏等林产业基地3.2万亩,发展林下种养2.3万亩,全年实现林业总产值28.77亿元,农民林业人均收入1763元。县林业和园林局紧紧围绕"绿山富民奔小康"目标,做好绿、富、美"三篇文章"。启动创建园林县城,完成县城南出口(高速公路出口至嘉陵江大桥头)景观绿化综合整治3.6千米、老城滨江路绿化带改造升级补植补栽时令鲜花6万余盆、麦冬1.5万平方米。建立县城鲜花更新培育机制,在县城主要节点常年摆放鲜花。严格落实保护和发展森林资源责任制,依法审批采伐林木22313.5立方米,审核审批使用林地项目8宗、15.2574公顷,森林火灾损失率、林业有害生物成灾率分别控制在0.1‰和3‰以内,涉林案件查处率达100%。

【畜牧业】 2016年,苍溪县出栏生猪105.7万头、肉牛3.26万头、羊5.03万只、兔68.5万只、土鸡550万只,分别完成目标任务的105.7%、112.4%、118%、137%、110%;存栏兔195.7万只,与上年同期持平。新(改、扩)建养殖小区16个,完成目标任务的133%;主要畜禽适度规模养殖比例提高5%,完成目标任务的250%;农民人均畜牧业可支配收入增加75元,完成目标任务的150%。人工种草0.98万亩、推广优质饲用玉米12.53万亩、饲料青贮氨化1.767万吨,分别完成目标任务的108.9%、113.9%、110.4%。规范建设标准化猪人工授精站3个、牛冷配改良站(点)3个,分别完成目标任务的150%、150%;规范建设良种母牛繁育场2个、种羊场1个、种鸡场1个,分别完成目标任务的200%、100%、100%。

加快推进温氏60万头优质生猪产业一体化项目,完成温氏公司总部办公大楼、30万吨饲料厂选址和红线测定;鸳溪镇七宝村、永宁镇笔山村仔猪繁育场建设完成工程量的60%;完成歧坪镇爱国村、白鹤乡工农村仔猪繁育场土地流转;启动80户合作托养户圈舍建设,其中完工42户,填栏1.2万头。出台了《关于进一步加快推进土鸡产业发展的意见》;在广南高速苍阆段设置剑门关土鸡户外广告牌1个;成立了苍溪县土鸡协会,建立电商平台2个;9月28日—30日举行了剑门关土鸡重庆推介会,效果良好。起草了《关于突破性发展肉牛产业的意见》,成立了工作领导小组,分解下达了目标任务;完成龙王镇、雍河乡、唤马镇现代农业生产发展(肉牛)项目工程量的80%,新增肉牛标准化规模养殖场50户、肉羊标准化规模养殖场20户。

推进畜禽标准化圈舍建设,推广母猪产床、保育栏、温控、粪污处理等设施设备1万套以上,实现圈舍建设标准化、设施设备现代化、粪污处理无害化;元坝尚绿肉牛养殖场、陵江廷顺蛋鸡养殖场创建为省级畜禽标准化示范养殖场;开展无公害畜产品认证,建立畜产品质量认证和监测体系,已申报1家养殖场创建无公害畜产品产地和产品认证。

【水产业】 2016年,苍溪县委县政府确立了"十三五"期间"32111"发展战略,加快推进现代渔业大县建设,力争2020年全县水产品总产量达5万吨,产值达10亿元。一是加快3场建设,即亭子水利枢纽工程繁育增殖放流场、依托插江保护区建设1个中华鳖原种场、建设1个岩原鲤原种场。二是依托2江(嘉陵江、宋江)打造观光休闲渔家乐、池塘水产精养。三是以河西走廊、五龙一线为重点打造10万亩稻虾、稻鱼、稻鳖等粮经复合生态养殖。四是以亭子湖、东河梯级电站水面、大型库堰水面发展10万亩江河生鲜鱼养殖。

全县养殖水面达10万亩,已建成以草、鲫、鲤、鲢鳙为主,中华鳖、泥鳅、小龙虾、暹罗鳄、鸭嘴鲟等特色养殖为辅的养殖格局,其中中华鳖为特色水产优势品种。新建水产养殖联合社1家、专业合作社10余家,创建部级水产健康养殖示范场1家,申报注册"插江缘"牌中华鳖商标1个。全年投放苗种1280万尾,水产品总产量达1.35万吨,渔业产值达2.5亿元,渔业已经成为全县农业经济重要的组成部分。

【乡村旅游】 2016年,苍溪县紧扣"醉美梨乡,水墨苍溪"主题,依托幸福美丽新村、现代农业园区建设,着力培育农耕体验、康养休闲、生态观光、民宿度假等乡村旅游新业态。建成全省知名休闲农业与乡村旅游示范点61个、全国最美休闲乡村1个、省级乡村旅游示范镇5个、省级乡村旅游示范村12个、省级休闲农业与乡村旅游园8个、休闲农业与乡村旅游点336个。苍溪梨文化博览园成功创建为4A级景区。借势四川省乡村文化旅游节的成功举办,围绕"醉美梨乡,水墨苍溪"的形象定位,着力打造全域乡村旅游,展现了乡村旅游与农业、体育、文化、康养、森林、民宿等的有机融合。全年接待乡村旅游游客427.24万人次,实现乡村旅游收入18.45亿元。全县共建成A级旅游景区8个、国家级森林公园1个、国家级水利风景区1个、5A级特色旅游商品购物点1家、四星级酒店1家,成功创建为全国休闲农业与乡村旅游示范县。

规划引领,全域发力。对全县216处旅游资源进行了分类、评估并完成全域乡村旅游规划,重点对"百里香雪海""花海田园·河西印象"2条精品线路,三会农业园区、寻乐书岩、青龙园区、阿拉丁乡村俱乐部等8个特色乡村旅游园,九龙山、云台山、亭子湖3个旅游度假区进行了规划,初步形成了"梨乡画廊"的乡村旅游大格局。正式启动7个项目,拟在2017年创建2个4A级、3个3A级景区,实现乡村旅游全域发力。

项目支撑,全力推进。全年签约旅游项目10亿元,到位资金5亿元;策划"梨乡画廊"旅游扶贫基金5亿元,已入围旅游优质项目;策划并指导47个旅游项目进入前期包装并实现招商引资,已有11个项目纳入2017年度启动建设;梳理18个优质项目纳入川陕革命老区振兴规划资金争取盘子。县财政整合近25亿元投入百里香雪海、三会农业园区、寻乐书岩等景区建设;引进北京光合文旅、东方园等旅游企业到苍溪县考察并初步确定合作关系。

突出特色,打造精品。推出了农业景区、文化景区、花卉景区、民宿酒店、树尖餐厅、水上娱乐、乡村体验、森林康养8类特色旅游产品,开发了山野菜系、川北十八碗、东河河鲜、梨花宴等特色菜品以及高锶矿泉水、猕猴桃系列、根雕、真丝挂毯、唤马剪纸等系列旅游商品。带动全县2万余人间接从事旅游产业,实现旅游业人均纯收入1340元。

【2016年度"三农"工作先进经验介绍】 2016年,苍溪县认真落实党的十八届五中、六中全会精神和中央、省、市"三农"工作决策部署,务实创新、奋发进取,"三农"工作成效明显。全年实现农业增加值31.1亿元,增长4%;农民年人均纯收入10134元,增加1086元,增长12%。被授予全国出口猕猴桃质量安全示范县、电子商务进农村综合示范县和全省现代农业重点县、现代农业示范县称号,3项工作得到省委书记王东明的肯定性批示,13项工作在全国、省、市召开的涉农会议上作经验交流。

着力建强组织体系。建立由县委书记、县长任组长的农村工作领导小组,1名县委副书记主抓扶贫攻坚,1名县委常委和1名副县长分管“三农”工作;县委书记、县长深入乡(镇)、村(组)和农户调研50天以上,分管领导调研70天以上;县“四大班子”成员每人联系1个乡(镇)和1个贫困村,主要领导和分管联系领导每人主抓1~2个产业项目;县委县政府全年召开农业和农村工作专题会议16次。把“三农”工作纳入乡(镇)和县级有关部门综合目标管理并作为“单项考核”指标。落实农民增收县委书记、县长负责制,强化乡(镇)党委书记、乡(镇)长负责制和涉农部门责任制,持续开展年度“三农”工作先进集体、先进个人评选表彰活动。

全力推进精准脱贫攻坚。按照“五个一批”,实施21个专项扶贫计划,落实“七个一”驻村帮扶、责任清单、验收考核“三大机制”,建立财政、金融、社会和个人“四轮驱动”多元投入体系,成立5个巡回督导暗访组,顺利完成44个村退出、16036人脱贫任务。

着力夯实农业发展基础。加快推进重点抗旱水源和省级“小农水”项目建设,建成供水工程747处,新增有效灌面1.1万亩;新建农村公路396千米,硬化村组道路449千米,通村公路硬化率达100%,通组道路硬化率超过40%;新建高标准农田4.45万亩,新(改)建田间作业道507千米;新建农村户用沼气池1000口;新(改)建机电提灌站41处,全县农机化水平达60.2%。

聚力建设幸福美丽新村。深化“四好村”创建,实施房前屋后庭园化、村落民居整洁化、产业发展特色化、公共服务体系化、基层治理法治化、新风培育常态化“六化”行动,建成幸福美丽新村63个、市(县)级新农村建设示范片各2个、新农村综合体1个、聚居点58个、廉租房597套、生态家园户1万户。初步建成省级“四好村”70个。

大力促进农业科技推广。与清华大学、北京大学等38所高校和科研机构签订合作协议170项,实现创新成果56项。引进高层次人才46名,聘请56名专家学者担任特聘专家或技术顾问,建立院士(专家)工作站1个、创新团队4个。实施农技推广项目17个,建成试验示范基地13个,农作物新品种运用率达98%。

多元加大投入力度。一是本级财政投入持续增加。财政支出重点向农业农村倾斜,确保总量和增量均有提高;预算内固定资产投资重点用于农业基础设施建设,确保总量和比重均有提高;土地出让收益重点投向农业土地开发、农田水利建设,确保足额提取、定向使用。全年县本级财政支农投入比重比上年增长25%。二是涉农项目整合持续倾斜。出台《苍溪县深化和规范涉农资金整合工作办法》,坚持“项目主导、农户主体”,建立“财政项目+业主投入、农户投入、社会投入、金融支持”相配套的“1+4”农业融资体系。全年整合涉农项目资金3.3亿元,引导工商和社会资本投入7.5亿元。三是金融支农力度不断加大。全年金融机构累计发放涉农贷款66.1亿元,增长10.63%。开办政策性农业保险险种11个,创新开展红心猕猴桃等政策性农业保险试点工作,参保农户达50.45万户,共支付政策性农业保险赔款1706万元,赔付率达55.8%。

全面深化产权制度改革。建成农村产权流转交易分中心,完成农村土地承包经营权、集体林权、集体土地所有权、集体建设用地使用权确权颁证工作,颁发农村小型水利工程产权证1506本。农村房屋所有权确权颁证、农村集体资产股份制改造加快试点。全县推进“农地经营权资本转化”经验在全省“两权”抵押贷款试点现场推进会上作交流发言。做活“农地经营权资本转化”,发放农村承包土地经营权抵押贷款854笔、2.02亿元。

力推猕猴桃供给侧改革。着力改结构,缩小传统低效产业种植面积,新建基地3.2万亩;着力改品种,优化红肉、黄肉、绿肉品种布局;着力改产品,新开发酵素、含片等深加工产品30余种;着力改营销,举办首届“国际订货会”和“采摘节”,建成全国首个红心猕猴桃期货交易平台,开通“京东苍溪馆”,年销售鲜果1万吨。2016年,全县猕猴桃实现行业综合产值30亿元,红心猕猴桃供给侧改革经验被中央电视台《新闻联播》头条播报。

构建新型农业经营体系。新发展农民专合社89家、家庭农场280家、社会化服务超市55家。构建“1+3”新型农业经营体系,创新“大园区+小业主”“一折两保加分红”“双股分红”等利益联结机制,带动流转耕地28万亩、林地4.35万亩。白驿镇岫云生态农产品专业合作社创新“远山结亲、以购代捐”扶贫模式被《人民日报》报道。

蹚出集体经济发展新路。出台扶持集体经济发展政策措施,探索推行“一社两化三盘活”发展模式。“一社”,即村“两委”领办专业合作社发展特色产业和乡村旅游;“两化”,即推行财政支农资金化、村集体资产股权量化,增加集体经济收入;“三盘活”,即盘活集体资产、资源和资金,通过出租、转让、抵押等方式壮大集体经济。

创新“三大金融扶贫机制”。创新“农村产权抵押贷款+扶贫再贷款”“扶贫小额贷款+农村保险”“债贷结合+拼盘整合”机制,7家涉农金融、保险、担保机构共推出6种信贷产品,共发放小额贷款2.41亿元、扶贫再贷款2.2亿元,支付赔款4120余万元。争取发行全国首支易地扶贫搬迁项目收益债10亿元,成功申贷易地扶贫搬迁政策性贷款5.1亿元。

【四川省现代农业建设示范县经验介绍】 2016年,苍溪县坚持“创新、协调、绿色、开放、共享”的发展理念,树立尊重自然、顺应自然、保护自然的生态文明理念,以农业产业、资源环境、农村社会可持续发展为目标,强力推进现代农业示范县建设。

以全域园区为载体,壮大特色产业的“示范田”。探索出“一园五区相融”模式,即一个园区就是集特色产业集中发展区、高标准农田建设示范区、新型农村社区、乡村生态景区、农村改革试验区于一体的“三农”综合体。坚持“一园一主业、多园一主业、园园有特色”的发展思路,大力发展猕猴桃百亿领军产业、生猪肉牛羊土鸡水产百亿主导产业、中药材及林下经济百亿特色产业、雪梨等小水果传统优势产业,新建中药材基地2.4万亩、以银杏为重点的珍稀树木基地1.6万亩,发展林下种养基地2.2万亩。新建三会农业园区,启动寻乐书岩园区建设,新建标准化产业基地5.6万亩。巩固提升已建成园区,投资3100万元,完善双龙园区内道路、渠系和3个农户聚居点配套设施建设。

以三产融合为抓手,拓宽提高效益的“产业链”。一是大力推进农企结合。狠抓猕猴桃百亿产业融合发展项目,建成了中国红心猕猴桃交易中心、会展中心、文化广场、猕都大道等工程项目和猕猴桃10万吨分选中心、2万吨冷链仓储中心、2万吨精深加工厂。新开工10万吨苍溪梨现代产业链建设项目,促进产业上档升级。二是大力推进农旅文结合。围绕全域乡村旅游发展,全面启动省级旅游扶贫示范区和旅游扶贫示范村创建工作,签约梨乡画廊生态旅游度假区等6个旅游项目。立足苍溪生态农业和庭园文化优势,围绕“醉美梨乡·水墨苍溪”的定位,大力发展“绿色农业+生态环境+民俗文化、红军文化、道教文化+休闲旅游”多元特色乡村旅游。三是大力推进全域“互联网+”。开工建设电商综合服务中心,开通8条京东物流配送线路,建成“京东苍溪特色馆”及京东村级电商合作点186个。发展电商368家,年销售特色农产品近万吨。农村电商覆盖率每年增长 15%，农产品电商销售额增长 20%以上。四是大力推进品牌创建。实施“区域品牌+企业品牌”战略，打造“一颗红心”“梨山粮油”“梁公子”“四川毅力”等企业品牌，全县特色农产品品牌化销售率达 75%以上。建成全国首个红心猕猴桃交易会展中心和期货交易平台，成功举办第二届苍溪红心猕猴桃国际订货会、第六届全国猕猴桃研讨会暨第二届苍溪红心猕猴桃采摘节，推动四川华朴公司在“新三板”挂牌上市并成为全国猕猴桃产业第一股。全年申报认证绿色食品 2 个、无公害农产品 2 个，猕猴桃新品种“红昇”通过省农作物新品种审定，新品种“脆雪梨”通过省农作物新品种认定。苍溪雪梨栽培系统被认定为中国重要农业文化遗产。苍溪县特色农产品先后组团参加四川西博会、昆明农交会、江苏品博会、江西第九届绿色博览会，品牌影响力显著提升。

探索村集体经济发展模式。突出物业经济、资源经济、服务经济、产业经济、股份合作经济“五条路径”，探索和推行“一社两化三盘活”村级集体经济模式，得到副省长王铭晖的肯定并在全省深化农村改革助推精准扶贫现场推进会上作经验交流。2016 年，全县 44 个省定贫困村实现集体经济经营性收入 66.9 万元，均达到人均 6 元以上标准。

以绿色发展为重点，形成种养循环的“立体网”。一是科学制定种养产业规划。以沼气工程等项目为纽带，大力推广“畜—沼—果”“畜—沼—菜”等发展模式。加大农业废弃物资源化利用力度，发展有机肥加工、规模生物天然气等新兴产业，推广秸秆还田覆盖技术，农作物秸秆综合利用率年增长 6 个百分点。在规划建设的幸福美丽新村中合理布局建设规模种养殖基地，配套建设沼气新村联户集中供气工程，实现农牧循环、产村相融。二是加大畜禽养殖废弃物处理技术推广力度。引导畜禽粪便收集处理中心充分利用畜禽粪便与辅料混合、充氧发酵、干燥工艺处理，制成无味、高效的有机肥料，真正实现粪便资源化、商品化。建造不同规模的沼气池实施养殖场户污水治理，有效处理粪污水，实现能源化。全县病死畜禽无害化处理率达 100%。三是着力探索养殖废弃物还田机制建设。鼓励发展家庭农场、实行种养殖配套消纳的小循环模式。大力探索推进沼液社会化配送服务机制，在县域或重点乡（镇）成立沼液配送服务组织，在大型规模养殖场自主配备沼液运送车辆，引导企业（合作社、个人）开展社会化服务，构建乡（镇）区域中循环、县域大循环的养殖废弃物资源利用格局。四是生产安全放心农产品。开展“出口猕猴桃质量安全示范区”“国家农产品质量安全县”创建，全县有双认证农产品质量安全检验检测站 1 个，建立村级农产品质量安全监测点 100 个，全县规模化种养企业生产记录档案建档率达 100%、屠宰企业规范化管理率均达 100%。

【回乡创业之星选介】 罗洪怀，黄猫乡君寨村人。1998 年在成都市成立了四川春蕾石材有限公司，通过多年的努力，包揽了成都市所有州际酒店的石材装修供给，一跃成为西南片区石材行业的龙头。罗洪怀在做强做大企业的同时，每年为家乡解决劳务用工上千人并提供资金、技术鼓励乡亲自主创业。2014 年 12 月，罗洪斥资 5000 万元，成立了四川省黄猫垭农业生物科技发展有限公司，公司总部位于黄猫乡君寨村二组，是集高端水果和经济林木研发、培育、种植、经营和销售以及观光休闲农业、红色旅游开发于一体的现代农业综合经济体。引进省农科院最新选育成功的优质高端白肉枇杷和获得国家金奖的霞翠脆桃作为主导产业，形成以产业发展为基础、以开发乡村红色旅游为重点的“产业旅游一体化”发展体系。

公司计划投资 1 亿元，分 2 步完成万亩现代农业产业园建设，采取土地租金加农户二次分红的方式流转土地，第一年按 300 元/亩、第二年按 400 元/亩、第三年及以后按 500 元/亩的方式逐年支付农户土地租金，水果投产后公司抽取税后利润的 10%，按流转土地的面积比例让利于农户。2015 年 3 月，公司一期投资 3500 万元，流转土地 3000 亩（实际改土 3500 亩），栽种白肉枇杷 1500 亩（近 9 万株），巴山脆桃系列产品桃 1500 亩（9 万余株），猕猴桃 200 亩，黄金梨、脆李和杏子等水果 10 亩；在园区道路、跨村道路及山坡栽种观赏桃花 10 万余株。一期栽种的白肉枇杷将在 2018 年进入试果期，2020 年进入盛果期；栽种的巴山脆桃系列产品已于 2016 年试果，2018 年将进入盛果期。2016 年，公司雇用固定工人 26 人、临时劳动力 9890 个（共发放工人工资 200 余万元）。公司成立白肉枇杷专业合作社，吸纳社员 106 户，由农户提供土地，公司提供种苗、农资、技术和田间管理，投产后根据市场行情按保底价回购，税后利润按入社土地面积与农户 5∶5 的比例分红。同时，公司为产业园内及周边农户免费发放果苗并提供管理技术。

公司计划在 2020 年前完成第二期投资 6500 万元，建成万亩现代农业产业园，除扩大特色水果的种植面积外，还将发展中药材种植以及肉牛、黄羊、大鲵、黄辣丁养殖等农副产业，规划于 2017 年年底栽种观赏桃花 150 万～200 万株（囊括目前的所有观赏桃花品种），打造川北最大的桃花观赏基地。

2014 年年底，公司投资 2000 余万元，修建星级乡村旅游接待中心 1 处；投资 400 万元，修建红豆杉农民文化休闲广场，完成桃花岛、桃花大道、桃花长廊等景点的桃树栽种。计划于 2016 年年底启动乡村旅游和红色旅游 4A 级景区建设，总投资额 2.2 亿元，2022 年年底完成全部规划，主要着力于打造川北最大的桃花观赏基地，打造梅花谷、樱花沟、红枫坡、映山红广场等观赏植物主题景点，打造狮子寨、象鼻山、盘龙寨、双峰山等自然景观，打造蹇家大院、李家院等川北民俗文化古村落，打造千年银杏、弹痕松等千年古树景点；打造从梅子滩到穿心店约 10 千米的激情漂流和亲水平台以及十八滩景点。为大力发展红色乡村旅游，争取资金项目支持，罗洪四处奔走，经过多方共同努力，黄猫垭红色旅游 4A 级景区项目被广元市委市政府立项。

2015 年 6 月，为打破制约黄猫垭经济发展的交通瓶颈，罗洪怀个人斥资近 700 万元，打通黄猫垭至旺苍木门高速公路入口的快速通道（长 14.6 千米，大部分路段宽 8 米的土坯路），修建跨村道路及园区道路 20 余千米（土坯路），修建山坪塘 3 口、微水池 13 口、渠系 8 千米。

在罗洪怀的倡导下，黄猫籍企业家于 2015 年 2 月成立了黄猫垭商会，已有会员 102 位。作为商会会长，罗洪怀成功回引李雄国、邓泽浩等 12 位企业家回乡创业、建设家乡。同时，罗洪怀还利用自身人脉资源优势，与四川省产业和金融促进会会长单位四川超宇集团公司达成初步合作协议，共同开发黄猫垭红色旅游资源、发展现代农业园区，四川超宇集团承诺对口帮扶黄猫乡贫困村黄猫村；与全球 500 强企业沃尔玛超市集团达成的白肉枇杷和霞脆脆桃列优质水果供应协议；与四川省农科院达成将公司产业园作为科研推广基地的协议；与县科协达成将公司产业园作为科普教育基地的协议。

【主要领导人】 县委书记：张寿于；县人大常委会主任：冯明；县长：杨祖斌；县政协主席：王天会；分管农业副县长：谢龙飞。

苍溪县编写组

遂宁市

【基本情况】 2016年,遂宁市辖105个乡(镇),辖区面积5300平方千米,其中耕地面积230.8万亩,人均耕地面积0.82亩。年末总人口377.93万人(户籍人口);人口出生率8.96‰,人口自然增长率4.17‰。有林业用地13.83万公顷,有林地面积7.45万公顷,活立木总蓄积量906.9万立方米,森林覆盖率达31.3%。

2016年,全市GDP1008.45亿元,增长9.1%,其中第一产业增加值153.62亿元,增长3.7%,农、林、牧、渔及农林牧渔服务业之比为46.6∶3.6∶44.3∶3.6∶1.9;第二产业增加值561.68亿元,增长9.7%(工业产值475.6亿元,增长10.2%);第三产业增加值293.15亿元,增长11%。三次产业对经济增长的贡献率分别为6.3%、59.4%和34.3%。全年接待游客3931.81万人,实现旅游收入310.01亿元。

公路通车里程312千米(其中乡村公路132千米)。社会消费品零售总额470.39亿元,增长13.2%。地方公共财政预算总收入完成105.8亿元,增长9.7%;公共财政预算总支出258.46亿元,增长8.8%。金融机构各项存款余额1376.76亿元,比上年初增长16%;各项贷款余额820.2亿元,比年初增长10.7%。全年处理各项赔款和给付金额13.6万元,增长47.7%。

有各类学校855所,在校学生42.05万人,教职工3.43万人,其中普通高校1所,在校本(专)科学生1.07万人;普通中学190所,在校学生7.46万人;小学202所,在校学生16.6万人;学龄儿童入学率99.8%。完成省级以上科技成果57项,5项科技成果获省级及以上科技进步奖。有艺术表演团体1个,文化馆6个,公共图书馆6个,博物馆5个。有卫生机构3846个,卫生技术人员15594人。新型农村合作医疗参合人数71.46万人,新型农村社会养老保险参保人数102.46万人。

【年度农业和农村经济运行】 2016年,遂宁市实现农业总产值270.54亿元,增长3.8%,农业增加值153.62亿元,增长3.7%。农民年人均可支配收入12423元,增长9.2%。积极发展"互联网+农业"新业态,筹建电商创业孵化园和体验中心,启动北斗户联网农村电子商务产业项目,全市农产品电商企业达32家。

农业产业化发展。遂宁市围绕特色优势产业基地建设大力发展新型农业经营主体,全市共培育市级以上农业产业化龙头企业159家(其中国家级4家、省级30家),发展各类农民合作组织1891个、家庭农场892家、专业大户4700余户。

农产品品牌战略实施。遂宁市以农业品牌建设为攻势,有力提升市场占有率。一是品牌建设有效推进。大力实施"区域品牌+企业品牌"战略,做优做强"遂宁鲜"公用品牌。已有49家会员单位授权使用"遂宁鲜"标识,"遂宁鲜"品牌效应凸显。全市认证无公害农产品377个、绿色食品81个、有机食品28个、国家地理标志产品11个,"三品一标"农产品认证数量位居全省前列。二是品牌宣传推介扎实开展。充分利用新闻媒体、展会、电子商务、直销网点、户外广告、"荷花仙子"暨"遂宁鲜"形象代言人评选等平台开展了一系列"遂宁鲜"品牌宣传推介活动,"遂宁鲜"品牌知名度和影响力不断提升,得到省领导的充分肯定和社会各界的高度评价。三是营销市场不断拓展。建立"遂宁鲜"一级电商官方平台1个,"遂宁鲜"线下展示馆4个,"遂宁鲜"APP、微信公众号、手机商城12家,拥有实现线上线下有机融合的"遂宁鲜"品牌产品500余个,销售量同比增加50%以上。

2016年遂宁市主要农产品产量

主要农产品	单位	产量	同比(%)
粮食	万吨	160.81	0.7
水稻	万吨	47.1	1
小麦	万吨	35.18	-0.4
油菜籽	万吨	16.04	1
蔬菜	万吨	105.94	1
水果	万吨	4.3	-2.1
肉类	万吨	31.61	-2.4
猪肉	万吨	25.1	-3.7
牛肉	万吨	1.06	3.8
羊肉	万吨	1.18	3.3
禽肉	万吨	3.45	2.8
禽蛋	万吨	9.55	1.2
水产品	万吨	5.35	4.9
牛奶	万吨	0.16	-46.8

现代农业园区建设。一是按照"镇园结合、产村相融、一体发展"思路,遂宁市推进现代农业园区建设,着力将其打造成产业现代化、新村示范化、设施一体化、配套服务便捷化的新园区,成为实现全面小康的先行区、示范区,园区内主导产业面积达16.4万亩。启动了全长173千米、串联5个县(区)的现代农业园区一体化大环线建设,辐射24个乡(镇)、224个行政村,建成后将带动发展现代农业产业基地39.2万亩,受益人口42.5万人,带动25个扶贫村、10206名贫困人口脱贫致富,已完工32千米。二是建成现代特色效益农业标准化基地10万亩、标准化蔬菜基地5.7万亩、标准化柑橘基地2.8万亩,种植中药材13万亩;建成畜禽标准化养殖小区80个、畜禽养殖大户271户、养殖合作社37个、家庭牧场77个;认证无公害水产品养殖基地27个,建成水产规模养殖示范基地33个。

【畜牧业】 2016年,遂宁市被确定为全省现代畜牧业发展试点市,成为全省生猪产业发展的排头兵。扎实推进畜牧业提档升级,规范绿色生猪发展,新建绿色生猪养殖备案场10个,出栏优质生猪265.7万头,占全市生猪出栏总量的70.6%。加快优质禽兔产业扩张,新发展肉鸡规模养殖场23个,出栏优质肉鸡1315万只。建设肉兔规模养殖场23个,出栏肉兔39.3万只。牛(羊)产业快速发展,新增肉牛标准化养殖场26个,出栏肉牛1687头;新发展养羊大户142户,出栏肉羊2.05万只。

【新农村建设】 2016年,遂宁市按照“业兴、家富、人和、村美”的要求,以助农增收、脱贫致富为核心,把新农村综合体和聚居点建设、旧村落改造提升、传统村庄院落民居保护作为基本形式,着力打造具有历史记忆、地域特色、民俗特点、乡村情趣的幸福美丽新村。按照中、省决策部署和市委市政府“三年脱贫攻坚、二年巩固提升”的总体安排,积极抓住易地扶贫搬迁建设大好时机,统筹推进扶贫村新村聚居点建设,全年建成幸福美丽新村250个,完成目标任务的104%;完成扶贫新村建设90个,完成目标任务的114%;建成农村廉租房1358套,完成目标任务的100%。省级幸福美丽新村建设项目强力推进,部分项目建设已接近尾声。

【主要领导人】 市委书记:赵世勇;市人大常委会主任:刘云;市长:杨自力;市政协主席:刘德福;分管农业副市长:雷云。

遂宁市编写组

船山区

【基本情况】 2016年,船山区辖10个乡(镇、街道),有农业人口20.49万人,有耕地面积23.4万亩、基本农田0.84万亩。

【年度农业和农村经济运行】 2016年,船山区实现农业总产值18500万元。农民年人均可支配收入12837元,增长9.2%。粮食总产量13.15万吨,增长1%。

农业产业化发展。船山区出台了《关于加快构建新型农业经营体系的意见》,建立起以专业大户、家庭农场为基础,农民合作社为纽带,龙头企业为引领的新型农业经营主体多元化培育机制,通过“外引内培”的方式,培育市级以上产业化龙头企业35家、农民合作组织165家、家庭农场82家。引导农业产业化龙头企业采取订单、股份合作、利润返还等多种形式,与农民专业合作社、农户建立紧密利益联结机制;引导园区成熟企业到32个贫困村发展产业基地,切实带动贫困户增收致富。截至2016年年底,全区涉农资金打捆试点工作完成省级下达打捆资金累计3.5亿元,安排农业项目158个,通过项目资金的杠杆作用促进现代农业产业发展。

农用地产权制度改革。船山区将确权、用权、活权作为推进以明晰农村财产权利和要素市场化的努力方向,全面实施农村“七权”同确,充分赋予农民更多的财产权利。搭建“三级交易、四级服务”农村产权交易平台,实现了全区农村产权交易服务全覆盖。2015—2016年,共办理农村产权抵押贷款4269万元。推动土地创新流转,鼓励村委会或农民合作社采取土地规模流转、土地入股分红等方式累计流转土地13.15万亩,发展适度规模经营,同时,明确流转费用按照动态递增或者以实物计价,既保障了群众长远利益,又实现了土地所有权、承包权、经营权、管理权“四权并行”。

“3+10”农业发展全域园区化体系初步形成。船山区全年引进“十里荷画”旅游景区、果岭水乡、叠溪谷珍稀彩林、牛樟产业化扶贫等农业产业化项目11个,协议投资14亿元,实际完成投资6.03亿元,新建特色产业基地2.43万亩。启动永兴镇牛樟、河沙镇田藕、复桥镇蓝莓等特色连片产业项目5个。创建国家级健康水产养殖示范场4家。船山区获得遂宁市“现代农业园区建设先进集体”称号。

2016年船山区省级(及以上)农业产业化重点龙头企业名单

企业名称	注册资金(万元)	法人代表	示范等级	行业分类	主营产品
四川高金食品股份有限公司	10000	金翔宇	国家级	农业	鲜冻猪肉高低温肉制品、罐头食品
四川回春堂药业连锁有限公司	2000	梁山	国家级	种植业	中药饮片、中药保健品
四川美宁食品有限公司	3700	唐和林	国家级	农业	肉类罐头、果蔬罐头、冷鲜肉
四川可士可果业股份有限公司	18100	张兴菊	省级	种植业	NFC鲜冷橙汁、柑橘树苗、鲜果
四川渴望生物科技有限公司	1000	补忠华	省级	农业	阿莫西林粉、健胃散
四川省环亚生物科技有限公司	500	赵志毅	省级	农业	饲料、生猪
四川省齐全饲料有限责任公司	3518	童其全	省级	农业	配合饲料
四川省遂宁市南大食品有限公司	5000	禹玉光	省级	农业	猪肉及猪副产品
四川省兴宇生物科技有限公司	5000	夏绪祥	省级	农业	“晶蕊”有机无机复混肥
四川颐康实业有限公司	2549.19	李佳朋	省级	农业	方便餐
遂宁市松涛园林工程有限公司	50000	舒勤	省级	农业	苗木、花卉、种苗
遂宁市银发白芷产业有限公司	1000	王家银	省级	农业	GAP基地白芷
遂宁市三丰食品有限公司	1000	邓江宁	省级	农业	冷鲜肉

【基础设施建设】 2016年,船山区共建设高标准基本农田0.84万亩,新增粮食规模化经营面积0.3万亩,新建现代特色效益农业标准化基地2万亩,新建农村户用沼气池227口,完成高金大型沼气工程建设1处、沼气集中供气项目2处。全年完成县乡公路升级改造16千米、村道建设20千米、产业道路建设41.78千米,新建园区骨干道路4.75千米、园区生产便道37.67千米。全区共完成各类水利建设项目204处,解决安全饮水0.8万人;新建及整治渠道62.66千米,整治山坪塘108座、石河堰11处,新建蓄水池41口;治理水土流失面积6.83平方千米,新增、恢复、改善各类灌面1.419万亩;新增节水能力350万立方米,新增供水能力48万立方米,保证全区水稻栽插、春灌用水。建立船山区水质检测中心,完善水质监测体系。完成《遂宁市船山区水土保持规划(2015—2030年)》编制并通过技术评审。将梓桐沟水库建设项目列入《四川省“十三五”水利发展规划》,成为全省40座大中型重点水库项目之一。获得全市“农田水利建设先进集

体”称号。

【幸福美丽新村建设】 2016年,船山区以易地扶贫搬迁统揽幸福美丽新村建设,将易地扶贫搬迁点建设与幸福美丽新村规划有机结合,同步启动三年易地搬迁建设任务,促进幸福美丽新村建设提速上档。一是全面贯彻落实省、市幸福美丽新村建设工作部署,坚持“科学规划、分类指导”和全域、全程、全覆盖原则,突出产村相融理念,准确把握“建改保”要求,全面启动幸福美丽新村建设项目50个,完成28个。实施农房风貌整治、庭院美化900余户,解决无房户、危房户、住房困难户250户,建成农村廉租房212户。二是围绕“新型村庄体系构建、新型农村聚居区构建、新型村庄特色风貌构建、农业产业发展高效集约构建”的目标,大力实施新农村建设示范片工程、农村环境治理工程、农村危房改造工程、农房风貌整治工程。在永兴镇、河沙镇、桂花镇启动第一批易地扶贫搬迁工程,92户新建农房已全面开工建设,在其余7个乡(镇)启动第二批工程建设;启动农村危房改造工程532户,完成农村危房改造285户。三是实施“四好村”创建工作。出台《创建“四好村”活动工作方案》,成立四好村创建工作领导小组,创建省级“四好村”2个、市级“四好村”22个、区级“四好村”23个。

【脱贫攻坚】 2016年,船山区紧扣“两不愁、三保障”和“四个好”目标,全面落实“六个精准”“五个一批”要求,瞄准脱贫攻坚中的重点和难点,依托现代农业园区建设,创新产业扶贫园区化发展机制,推进扶贫资金整合投入机制,重点支持农业基础设施建设、特色农业产业发展、易地扶贫搬迁项目建设,为精准脱贫提供了强力支撑。全区实现8个贫困村顺利退出、4070名贫困人口如期脱贫。

不断完善攻坚机制。全区以“精准扶贫、精准脱贫”为基本方略,以33个贫困村(含国开区联升村)、21558名贫困人口(含国开区)为重点,编制出台《船山区11个专项扶贫方案》《船山区脱贫攻坚工作考核办法》等8个制度性文件,下发了《船山区脱贫攻坚工作制度的补充通知》,建立系列工作制度,明确脱贫攻坚任务,细化责任分工,为扎实推进脱贫攻坚工作提供了坚实的方向指引。

积极开展贫困村“四好村”创建,率先启动贫困村创建“四好村”活动,将2016年脱贫“摘帽”的8个贫困村全部纳入“四好村”创建范围,让贫困户“住上好房子、过上好日子、养成好习惯、形成好风气”。抓好产业扶贫,根据各乡镇特点,引进业主开发建设规模产业,实现贫困户就近就业,增加农民资产性收入和就业收入,在桂花镇4个贫困村流转土地6200亩,建设可士可甜橙产业园;在永兴镇3个贫困村流转土地4500亩,建立台湾牛樟产业园;在河沙镇建立万亩莲藕产业园;在复桥镇建立千亩蓝莓产业园。实施“五个一”帮扶,全区36名县级领导、64个区直部门、千余名党员干部进村入户走访调研,分析掌握致贫原因,帮助村“两委”制订和实施脱贫计划,帮助贫困户理思路、出主意、想对策,量体裁衣制定脱贫措施,实现贫困户结对帮扶全覆盖;建立贫困户明白卡、明白册、家庭收支明细“三本台账”,突出痕迹管理,对贫困户脱贫进程实时监测;组织开展“10·17”扶贫日活动,引导非公企业、社会团体与贫困村签订村企共建协议书,筹集善款87万元,实现帮扶企业对贫困村全覆盖,进一步扩大企业脱贫攻坚的社会影响力。

【乡村旅游】 2016年,船山区委区政府大力发展现代文旅产业,按照打造旅游康养基地的战略定位,结合全区旅游业发展实际,把发展乡村旅游业作为重要抓手,依托市区同城、地处成渝交通枢纽节点、农业园区化、都市农业等优势,大力推进“旅游+农业”,延伸旅游产业链条,促进了乡村旅游业蓬勃发展。全年乡村旅游接待人数228.68万人次,占全区旅游总人数的32.3%,乡村旅游经营综合收入16.5亿元,占全区旅游总收入的29.6%。

旅游资源有效整合。为开拓乡村旅游市场,区旅游局整合A级景区、农家乐、旅游商品生产企业以及规模农业产业园等,打造了以“春季踏青、夏季观荷、秋季采摘、冬季养生”为特色的龙老复康养休闲游、荷博园十里荷画赏荷踏青观光游、唐桂新现代农业体验游等自驾乡村旅游线路;整合旅行社、乡村旅游景点、媒体平台等宣传资源,构建宣传、营销渠道,开展乡村旅游营销;大力挖掘乡村旅游生态、休闲、观光和农耕文化价值,围绕园区建景区,依托新村建景点,积极开发乡村旅游项目,紧密对接全省乡村旅游新标准体系,完成永河仁生态田园观光、唐桂农家生活体验、龙老复康体休闲养生3条精品旅游线路的道路提升。全面推进“十里荷画”4A级景区打造,加快愿望小村、荷塘月色等一系列景点建设和园内乡村旅游业态提升,形成独具船山特色的乡村旅游品牌。

旅游品牌初步形成。一是树立典型、以点带面,开展乡村旅游品牌创建工作,申报特色乡镇1家,创建精品村寨1家、特色业态经营点2家、精品特色业态经营点2家、星级农家乐2家。二是依托现有的乡村旅游资源,举办仁里罗家桥桃花节、唐家乡骑游节、老池乡红提节等乡村旅游节庆活动,以品牌创建带动乡村旅游发展。

旅游产品不断丰富。依托和利用观音文化、民俗文化、农业种植等特色资源,深入推进农耕文化、休闲农业、观光农业、生态旅游业态的融合发展。支持具备一定规模的农林企业依托苗木花卉、果林等资源发展休闲观光、采摘垂钓、餐饮住宿等多种形式的旅游产品,培育了观音素麻花、可士可甜橙、巴蜀红提、凌泉山、桃子龙舞等旅游产品。

旅游扶贫有序推进。建立和完善旅游扶贫基础数据库,对已被纳入国家乡村旅游扶贫工程的6个贫困村、区属A级景区、星级农家乐、旅游品牌等开展全面摸底调查,认真探索旅游扶贫发展道路,创建省级旅游扶贫示范村1个、民宿达标户2户。组织涉旅企业、各界社会人士开展“脱贫攻坚·旅游行业在行动”系列帮扶活动,在老池乡店子村开展结对帮扶活动,为贫困村、贫困户引进项目3个,引进资金1000余万元,送去物资、资金10余万元。老池乡店子村47户、90名贫困人口实现37户、58人脱贫。

旅游助农增收作用逐步发挥。一是成立专业合作社,打造乡村旅游产业链,带动农民就业创业,不断提高农民收入水平。二是以乡村旅游资源为基础,因地制宜优化观光农业产品结构,帮助农民增收致富。2016年,全区乡村旅游业带动农民人均增收200余元。

【助农增收】 2016年,船山区把农民增收作为“三农”工作核心,强化落实农民增收责任制,制定出台《遂宁市船山区农业农村工作考核办法》,多措并举促进农民增收。全区农村居民年人均可支配收入达12840元,增长9.2%,获得全市“农民增收工作先进集体”称号。

严格落实责任。确立了农民增收工作区委书记、区长负责制,成立了以书记、区长为组长,区委常委、区统战部部长,副区长为副组长,相关部门一把手为成员的船山区农民增收工作领导小组,切实明确农民增收工作主体责任,确保工作落到实处。进一步强化了乡(镇)党委书记助农增收的首位责任,年初对农民增收工作进行了安排部署,制订工作方案,细化目标任务,完善助农增收考核办法,定期督促检查,加大对乡(镇)和相关部门的考核奖惩力度,每季度召开专题工作会通报和部署农民增收工作,确保农民增收工作有序推进、落到实处。

政策助农增收。一是严格落实中央、省级粮食直补、良种补贴、农资综合补贴、农机购置补贴、退耕还林还草补贴、扶贫补贴等强农惠农政策。二是继续扩大农村各项社会保险范围,继续提高新农合财政补助标准,实现农村低保应保尽保,为产业发展和农民增收保驾护航。三是持续增加农村教育投入,落实农村义务教育投入"两免一补"政策和中等教育农村学生学费减免政策。四是保障财政资金投入,2016年省级财政打捆下达农业项目计划总投资16725.07万元,其中财政资金投入9281.3万元(省级打捆资金投入8578.7万元、市级财政投入100万元、区级财政投入602.6万元)、整合相关涉农项目资金投入4061.2万元(整合省级及以上涉农项目资金4044.8万元、市级涉农项目资金8.2万元、县级涉农项目资金8.2万元),共计整合涉农项目39个,全区基础建设类项目综合进度达到全年目标任务的80%,其余项目加紧施工建设,拨款进度达到95%。

创业兴业促增长。一是积极培育新型农业经营主体,明确建立以专业大户、家庭农场为基础,农民合作社为纽带,龙头企业为引领的新型农业经营主体多元化培育机制。全区新发展农民专业合作社51个、家庭农场17家、专业大户23户,创建省级农业产业化龙头企业1家、市级农业产业化龙头企业4家,新培育省级示范农民专业合作社1个、省级示范家庭农场2个、市级示范家庭农场2个。全区共有市级产业化龙头企业35家(其中国家级3家、省级12家)、市级示范农民合作组织16个。二是充分依托龙头企业,不断完善"企业+合作社+农户+土地入股+二次分红""企业+农户"订单式保底收购等利益联结机制,大力推广齐全"四六开零风险"、高金零风险寄养、可士可二八分成、扶贫资金联建等利益联结模式。积极试点股权量化利益联结模式,选择在翔泰肉兔专合社、琪源养殖专合社开展涉农项目资金股权量化探索。三是支持农民转移就业和创业。在提升服务水平、加强技能培训、增加就业岗位上下功夫,努力保障农民工资性收入持续增长。持续开展技能培训、创业培训和订单式输出培训。完善农民工就业信息服务平台,有效整合信息资源,为农民工外出务工进行分类指导和提供信息服务,充分保障农村富余劳动力准确择地择业。实施"三化联动"战略,大力发展农副产品加工业、农业社会化服务业和乡村旅游业等相关二、三产业,增加农村劳动力容纳能力。"十里荷花仙境"项目建设有序推进,先后举办了唐家蔬菜采摘节、荷花博览园开园、老池红提采摘节等活动。鼓励和扶持返乡创业、下乡创业,大力发展新型农业经营主体,增加本地就业岗位,合理解决随农村耕地集约化进程加快而涌现的农村剩余劳动力就地就近就业问题。

改革创新促增收。坚持把农业农村改革作为"三农"工作的新引擎,完成产权制度改革、涉农项目打捆整合、扩权强镇等农村改革39项。一是全面实施"七权"同确。全区完成林权确权登记17.85万宗,颁证5.42万本,登记率达100%;完成土地承包经营权确权登记承包农户5.51万户(承包耕地面积30.48万亩),颁证4.49万本,登记率达97.67%;完成农村宅基地外业实测6.37万户、地籍调查5.82万户,发放权属证书4.83万本,登记率达100%;完成确权数据库建设及档案装订工作并通过市国土局验收;完成农房信息资料收集5.3万户,完成农房产权确权登记4.5万户,颁证2.5万户;在全市率先启动农村小型水利确权颁证工作,完成128个行政村的确权颁证公示,登记率达94%。二是加速确权成果转化。成功探索出租赁流转、股份合作和信托流转三种土地经营权放活模式,引导农户土地承包经营权向专业大户、家庭农场、农民合作社、龙头企业等主体有序流转,发展适度规模经营。充分利用市、区、镇、村四级农村产权交易网络,加快推动农村产权交易,全区共完成产权交易22宗,流转土地9189.755亩。遂州信用合作联社累计办理农村产权抵押贷款1669万元,大幅度增加了农民财产性收入。

【主要领导人】 区委书记:曹斌;区人大常委会主任:蒲体德;区长:韩麟;区政协主席:卢赐义;分管农业副区长:郑良。

船山区编写组

安 居 区

【基本情况】 2016年,安居区辖21个乡(镇、街道),有农业人口72.76万人,有耕地面积43265公顷,减少0.1%。

【年度农业和农村经济运行】 2016年,安居区实现农业总产值76.2亿元,增长3.7%;农业增加值43.3亿元,增长3.6%。农民年人均可支配收入12105元,增长9.1%。

2016年安居区省级农业产业化重点龙头企业名单

企业名称	注册资金(万元)	法人代表	示范等级	年度产值(万元)	行业分类	主营产品
四川普升农业发展有限公司	1000	冯建国	省级	390	养殖业	美系商品猪
遂宁辛农民粮油有限公司	2000	吕长兵	省级	5600	食用油加工	食用油
遂宁市龙婷生态农业有限公司	2500	张天伦	省级	800	种植业	葡萄

2016年安居区省级(及以上)示范农民专业合作经济组织名单

合作组织名称	注册资金(万元)	法人代表	示范等级	年度产值(万元)	行业分类	主营产品
遂宁市安居区安牧绿色生猪专业合作社	550	罗浩	国家级	600	养殖业	商品猪
遂宁市安居区恒邦生猪专业合作社	100	冯建兴	省级	60	养殖业	黑猪、美系商品猪
遂宁市安居区治臣生猪专业合作社	86	潘松	省级	200	养殖业	商品猪
遂宁市安居区雨彤生猪养殖农民专业合作社	1050	蔡洲	省级	560	养殖业	商品猪
遂宁市安居区忠态养兔专业合作社	250	熊高忠	省级	500	养殖业	肉兔、獭兔

2016年安居区家庭农场经营情况统计表(前9位)

家庭农场名称	注册资金(万元)	法人代表	年度产值(万元)	行业分类	主营业务
遂宁市安居区绍兵家庭农场	50	旷绍兵	18	种养殖业	水稻、蔬菜、水果种植与销售
遂宁市安居区新欣瑞合养殖家庭农场	100	王文富	120	种养殖业	肉牛养殖、销售;谷物种植、销售;餐饮服务;农业旅游观光服务
遂宁市安居区龙亭生态山庄家庭农场	1000	张天伦	40	种养殖业	蔬菜、水果、谷物种植与销售;家禽、家畜、水产品养殖与销售;餐饮服务
遂宁市妙思种植家庭农场	1080	文术明	45	种养殖业	农业观光旅游;餐饮服务、住宿;水果、蔬菜种植与销售;葡萄酒销售
遂宁市安居区奉光荣种植家庭农场	60	奉光荣	67	种养殖业	谷物、蔬菜、水果种植与销售
遂宁市安居区红房子家庭农场	500	张国平	400	种养殖业	蔬菜种植、销售;生猪养殖、销售
遂宁市安居区红刚家庭农场	150	艾全兵	5	种养殖业	肉兔养殖、销售;核桃种植、销售
遂宁市安居区泽松家庭农场	1300	王道军	320	种养殖业	家禽、水产养殖与销售;蔬菜、水果种植与销售
遂宁市安居区开心果家庭农场	100	喻茂安	—	种养殖业	水产养殖、销售

农业产业化发展。安居区强化绿色畜禽基地建设,新(改、扩)建畜禽标准化养殖小区14个,建成绿色畜禽养殖基地36个。

农用地产权制度改革。安居区全年完成农村产权流转交易30宗、面积16324亩。制定《农村土地承包经营权有序流转发展农业适度规模经营的意见》,进一步规范了土地流转程序及要求,有序引导新增土地流转2785亩。确定磨溪镇老木垭村先行试点开展农村集体资产股份合作制改革并制订试点实施方案。

【种植业】 2016年,安居区完成优质粮油基地大小春粮油高产高效创建10万亩。采取"企业+基地+专业组织+农户"等模式建立粮油订单生产基地50万亩,帮助企业完善利益联接机制,带动全区粮油作物播种135.6万亩,其中粮食作物播种124.4万亩,总产量43.14万吨。全区蔬菜种植面积达13.6万亩,产量35万吨;在"安三线"沿线三家、安居、大安等乡(镇)建成绿色蔬菜基地0.5万亩。葡萄、草莓、桃等水果采摘产业持续发展,基地规模不断扩大,全年新建水果基地1.5万亩,水果种植规模达19.2万亩(其中柑橘10.5万亩、早熟梨6.8万亩、其他1.9万亩),产量6.6万吨,产值2.3亿元。

【林业】 2016年,安居区紧紧围绕"生态安居、活力安居、幸福安居"的发展目标,以产业为先导,以项目为载体,开展营造林与森林资源保护等工作,推动全区林业快速发展。全区有森林面积31980公顷,森林蓄积量99万立方米,森林覆盖率达30.44%。2015—2016年,全区新增森林面积0.34万亩,新增活立木总蓄积量10万立方米。全年营造林3.67万亩,零星植树100万株,实现林业收入13.8亿元。

【畜牧业】 2016年,安居区出栏生猪119.67万头、肉牛1.19万头、肉羊8.44万只、家禽505.77万只、肉兔112.36万只,肉类总产量9.72万吨,实现畜牧业产值3.14亿元,同比增长6.2%。

【水产业】 2016年,安居区塘库堰养鱼2554公顷,稻田养鱼6810公顷,生产鱼苗4.97亿尾、稚鳖1.2万只、鱼种1700吨、观赏鱼3万条。投放鱼种1720吨,水产品总产量1.76万吨,实现渔业经济总产值4.123亿元。截至2016年年底,全区有无公害水产品基地、农业部水产健康养殖示范场各5个,29个品种获得无公害产品称号;无公害养殖面积达1225.58公顷,无公害水产品产量占水产品总量的40%以上。

【新农村建设】 2016年,安居区以"业兴、家富、人和、村美"为要求,全面加快"蓝天白云、青山绿水、瓜熟稻香、鸡犬相闻"的幸福美丽新村建设步伐。按照"全域、全程、全面小康"和城乡一体化的要求,坚持"镇园结合、产村相融、一体发展"的思路,建立健全幸福美丽新村规划管理机制,高标准、高规格编制完善《2015—2020年幸福美丽新村建设总体规划》,为幸福美丽新村建设提供了蓝本。出台了《2016年安居区幸福美丽新村建设实施方案》,完成60个幸福美丽新村建设目标任务。

【扶贫攻坚】 2016年,安居区按照"一片一片规划、一片一片推进、一片一片脱贫"的原则,共规划18个小连片扶贫开发区域,启动5个涉及23个村的小连片整村脱贫。一是基层支部联建。以小片区为单位,跨村组建片区党总支,选准总支书记牵头负责小连片的项目管理、总体规划等工作,形成"片区总支+各村支部"的管理新模式。二是基础设施联网。道路通村畅乡,社道路、连户路基本成形,通畅率达100%。水利连片共享,全面解决人畜饮水安全和生产用水问题。电网全面改造,实现城乡同网同价。宽带稳步铺设,实现15户以上的聚居点全面通宽带网络。三是新村建设联规。把新农村建设和易地扶贫搬迁连片规划,因地制宜连片推进易地搬迁和新农村建设,已全面开工建设25个行政村、23个易地搬迁集中安置点和27个易地搬迁分散安置点,易地搬迁建档立卡贫困户784户,确保实现"两不愁、三保障、四个好"的目标。四是社会保障联动。整合社会保障措施,全面实现"两线合一",贫困医疗报付比例提高到90%,新型农村合作医疗参保率达95%,将符合条件的贫困家庭全部纳入农村低保,对通过资助、救助等方式予以政策扶持或兜底后仍然无法脱贫的特殊贫困户予以再兜底。五是产业发展联片。每个片区因地制宜培育1~2个特色产业扶贫示范带,采取"公司+基地+农户""支部+协会+农户"等模式实现一体化经营,确保片区内农民有主导增收产业。六是干部群众联心。充分发挥各级领导干部的带头引领作用,心贴心服务、手拉手帮扶、实打实办事,让每个片区形成一个坚强的脱贫集体,共同脱贫致富。

【乡村旅游】 2016年,安居区深入实施旅游扶贫、重点项目建设、品牌创建等各项工作,努力打造"湖光山色、禅游安居"文化旅游品牌。以现代农业产业园区为抓手,打造了金龟子生态农业园、天伦葡萄产业园、妙思家庭农场、永正现代农业项目、梦幻游乐场、永荣中药材产业园等一批精品乡村旅游项目。全年乡村旅游接待游客 191.16 万人次，同比增长 20.6%；实现旅游收入 15.2 亿元，同比增长 22.3%，实现了乡村旅游跨越式发展。

【助农增收】 2016 年，安居区是全国粮食丰产工程试点县(区)、全国粮食生产先进县(区)、全国产油大县(区)、全国蔬菜产业重点县(区)、全国生猪调出大县(区)、全国现代农业示范县 50 个规范区之一，四川省新农村建设成片推进示范县(区)，有国家卫生城市、全区绿化模范城市、中国绿色名区等多张国家级名片。全区以建设"都市农业新典范、有机食品示范区"为抓手，以精准扶贫为重点，以农民增收、农业增效为目标，以建设三大水利工程为龙头，以落实强农惠农政策、加快脱贫攻坚为核心，积极调整农业产业结构，加快农业产业化基地建设，不断拓展农民增收渠道，切实增加农民收入，农民年人均纯收入达 12105 元，同比增长 9.1%。

【主要领导人】 区委书记：雷云；区人大常委会主任：马胜康(1 月止)，邓立(2 月始)；区长：施瑞昶(1 月止)，管昭(7 月始)；区政协主席：王启林(1 月止)，李劲(2 月始)；分管农业副区长：高敬东(1 月止)，舒玉明(8 月始)。

安居区编写组

射洪县

【基本情况】 2016 年，射洪县辖 32 个乡(镇、街道)，有农业人口 71.07 万人，有耕地面积 61.75 万亩，与上年持平。

【年度农业和农村经济运行】 2016 年，射洪县实现农业总产值 712579 万元，增长 3.9%；农业增加值 432400 万元，增长 3.9%。农民年人均可支配收入 12999 元，增长 9.2%。粮食总产量 43.93 万吨，增长 0.3%。

2016 年射洪县省级农业产业化重点龙头企业名单

企业名称	注册资金(万元)	法人代表	示范等级	年度产值(万元)	行业分类	主营产品
四川玉冠农业股份有限公司	15000	杨国凡	省级	40000	养殖业	白羽肉鸡
射洪金柠农业开发有限责任公司	1080	李鸿儒	省级	2000	种植业	柠檬
射洪县峻原农业有限责任公司	5000	赵刚	省级	12600	种养殖业	清见、不知火、野山猪、黑鸡、黑鸡蛋
四川五斗米食品开发有限公司	1000	王顺嗨	省级	19200	食品加工	调味品
四川蜀兴种业有限责任公司	3300	杨树国	省级	8700	种植业	水稻制种
射洪县食品有限公司	600	陈明权	省级	14000	食品加工	猪肉
射洪县超强肉类食品有限责任公司	5000	韩开超	省级	17000	食品加工	鲜冻猪肉、猪副产品

2016 年射洪县省级(及以上)示范农民专业合作经济组织名单

合作组织名称	注册资金(万元)	法人代表	示范等级	年度产值(万元)	行业分类	主营产品
射洪县正果养殖专业合作社	1200	葛兴书	部级	4915.8	农牧业	生猪
射洪县新农界养猪专业合作社	2530	余祥君	部级	1622	农牧业	生猪
太阳湖核桃专业合作社	2317.4	田平	部级	500	种植业	核桃
中力园食用菌专业合作社	800	吴如山	部级	780	种植业	杏鲍菇
射洪县保全养殖专业合作社	100	李鸿儒	省级	563	农牧业	生猪
射洪县金鹤乡才子滩养猪专业合作社	500	韩强	省级	1381	养殖业	生猪
射洪县泰益肉牛养殖专业合作社	2880.98	于霞	省级	4756	养殖业	肉牛
射洪县柠巨力柠檬专业合作社	100	李鸿儒	省级	1500	农业	柠檬
广兴榨菜专业合作社	30	钱培新	省级	500	种植业	榨菜
柳塘莲藕种植专业合作社	200.8	税国勇	省级	800	种植业	莲藕
潜源养殖专业合作社	129.9	郑泽贵	省级	860	种养殖业	莲藕、淡水鱼
正果养殖专业合作社	1202.5	郑大兴	部级	2000	养殖业	鸡及鸡蛋、生猪

2016年射洪县家庭农场经营情况统计表(前8位)

家庭农场名称	注册资金(万元)	法人代表	年度产值(万元)	行业分类	主营业务
射洪状元坟家庭农场	30	何贵文	12	种植业	果树栽培、水果销售
射洪县仁和镇柿子湾种植家庭农场	50	冯光伦	60	种植业	谷物、核桃、林木种植及销售
射洪县种通家庭农场	100	李作军	150	畜牧业	生猪养殖、销售
射洪县洋溪镇古佛飞宏生态种养殖家庭农场	80	柯飞	120	畜牧业、种植业	牛、羊、鸡等家禽养殖及销售
射洪稷香家庭农场	50	朱其安	60	种植业	粮食作物、油料作物、水果、蔬菜种植及销售
射洪县杰源家庭农场	100	尤桂华	70	种植业	水稻、小麦、油菜、玉米种植及销售
射洪县富发家庭农场	80	罗长林	130	畜牧业	生猪养殖、销售
射洪县春熙家庭农场	50	田英	23	种植业	谷物、油菜种植及销售

农业产业化发展。射洪县共有龙头企业46家,其中省级及以上7家;家庭农场146家,其中省级家庭农场4家;专业大户7145户;农民合作社410个,其中省级农民合作社11个。

农用地产权制度改革。射洪县全面完成土地承包经营权确权登记颁证签字确认、纠纷调解、档案管理等工作,实际完成调查测绘32个乡(镇、街道)588个村6317个组196609户。农村集体建设用地使用权登记颁证、农村宅基地使用权确权颁证工作全面完成,共颁发农村集体土地所有权证7091宗、集体建设用地使用权证1132宗、农村宅基地使用权证25万宗。妥善处理农村房屋确权登记历史遗留问题,对符合颁证条件的应颁尽颁,办理农村房屋权属登记发证35万宗,登记面积4000余万平方米,完成率达94.9%,完成市下达目标任务,位于全省前列。出台了《关于印发〈射洪县关于进一步扩大农村集体资产股份合作制改革试点实施方案〉的通知》,在2015年进行3个试点村的基础上,全县安排50个村进一步开展改革试点,同时编印《射洪县农村集体资产股份合作制改革试点资料汇编》200册,做到了资产折股量化、股份配置到人、股份合作社规范建立、股权证颁发到位。

【种植业】 2016年,射洪县农作物播种面积10.73万公顷,增长0.1%,其中粮食作物播种面积8.4万公顷,增长0.6%。粮食产量43.93万吨,增加0.13万吨,增长0.3%,其中水稻10.51万吨,增长0.25%。油料作物播种面积16.12万亩,增长0.6%;产量2.81万吨,增长2%,其中油菜播种面积11.07万亩,产量1.99万吨,比上年增长2.1%。蔬菜播种面积9.71万亩,增长1.5%;产量10.05万吨,比上年增长2.9%。水果面积14.99万亩,产量4万吨,比上年增长0.44%。棉花产量0.36万吨,比上年减少1.5%。药材播种面积0.71万亩,增长2%;产量0.19万吨,比上年增长2.7%。

【林业】 2016年,射洪县深入推进30万亩经济林基地建设。全县共营造林3万亩,植树200余万株,6.22万亩退耕地还林成果得到巩固,改造低产低效商品林1.45万亩;发展育苗基地0.2万亩,新发展核桃、香桂、青花椒等高效经济林1.5万亩,其中青花椒0.4万亩、核桃0.8万亩、花卉苗木0.3万亩。

【畜牧业】 2016年,射洪县生猪出栏87.21万头,下降3.6%;牛出栏3.36万头,增长4%;羊出栏10.3万只,增长4.%;家禽出栏649.87万只,增长2.3%。生猪存栏55.35万头,下降2.1%。全年肉类总产量8.09万吨,下降2.1%,其中猪肉产量6.1万吨,下降3.6%;牛肉产量0.54万吨,增长3.9%;羊肉产量0.25万吨,增长3.8%;禽肉产量1.04万吨,增长3%。禽蛋产量2.44万吨,增长1.2%。

【水产业】 2016年,射洪县水产养殖面积0.16万顷,水产品产量1.09万吨,增长6.8%。渔业总资产达2.35亿元,增长4.5%;农林牧渔服务业总产值1.25亿元,增长5.2%。成立水产技术推广站31个,建成水产科技试验示范基地2个,打造水产养殖示范户62户,示范带动辐射户512户;申报省级无公害水产品基地1个、农业部健康养殖场1个,新增水产养殖基地1000亩,带动全县养殖水面不断扩大。

【统筹城乡与新型城镇化】 2016年,射洪县大力实施绿色城镇建设行动,组团式、开放式城镇总体规划和涪江千亿产业带规划全面完成,县城区人口由28万人增加到34万人,建成区面积由28平方千米拓展到36平方千米,形成"一主两副、一带五轴"的城镇体系空间格局。一是狠抓规划编制,注重加强管理。按照"突出特色,培育优势,拓展发展空间,提高区域效能"的要求,坚持小城镇建设与新农村建设、特色产业布局和城乡风貌整治工作相结合,建立和完善城乡规划管理体制和监管网络,着力实现城乡规划全覆盖。二是突出基础设施建设,完善小城镇功能。积极推进供电、供水、供气、公交、污水和垃圾处理设施等资源向农村延伸,增强小城镇综合承载和辐射带动能力。加快启动沱牌镇、金华镇、太和镇3个全国重点镇建设规划,优先支持重点小城镇发展,着力建设集约高效、功能完善、环境友好、特色鲜明的新型城镇。全县高速公路通车里程56千米,新(改)建县、乡、村公路592千米,农村客运网络覆盖率达95%。308个县级以上重点项目相继开工建设,累计完成投资720亿元。三是开展社会资本参与农村水利、公路、通信、文化等基础设施和公共服务设施建设、管护和运营改革试点。探索农村基础设施和公共服务设施村民自选、自建、自管、自用机制,切实增强乡(镇)发展活力,夯实推进新型城镇化的底部基础。

【新农村建设】 2016年,射洪县按照"培育中心村、改造镇中村、提升特色村、迁移高山村"的思路,规划、建设一批人口相对集中、设施相对配套、公共服务相对完善的农民集中居住区。以中心村为主体,大力实施宅基地整理,积极整合自然村,推动农村人口、产业的相对集聚。完善拆迁安置机制，妥善解决撤村建居地区遗留问题。深入推进村庄整治建设，拓展整治建设内涵，加强农村生态环境建设。加强农村生活污水、垃圾、农业面源污染等治理，推进村庄、庭院绿化和生态乡村建设。以生态旅游型、主题开发型、产业聚集型、文化传承型为发展方向，打造一批彰显个性、体现特色的风情村庄和示范村，努力构建幸福美丽新村，累计建成幸福美丽新村103个，惠及农民群众1.25万户。成立了射洪县"四好村"创建活动领导小组，出台了《关于印发〈创建"四好村"活动工作方案〉的通知》，制定了《射洪县县级"四好村"创建考评试行办法》，对乡（镇）进行了创建准备工作督导检查，全面实施"四好村"创建，2016年成功创建首批省级"四好村"15个、市级"四好村"68个、县级"四好村"121个。紧扣"法治有序、德治有效、自治有力"目标，推进"三治融合"，深化"六联机制"，不断完善基层治理体系和增强基层治理能力，健全村党组织领导的村民自治机制，探索村民自治的有效实现形式，建立务实管用的村务监督机制。深入开展以法律法规、村规民约等为重点的农村法治建设，依法加强农村寺庙管理，推动形成群众安居乐业、社会安定有序的良好局势。

【扶贫攻坚】 2016年，射洪县认真贯彻落实中央和省、市脱贫攻坚战略部署，大力开展基础设施建设、主导产业发展、新型经营主体培育、贫困村村级集体经济股份合作制改革等攻坚行动，整合各类扶贫资金5.69亿元，实现18个贫困村脱贫"摘帽"，2831户贫困户7710名贫困人口（含净减贫人口7621人、新增贫困人口89人）脱贫销号，贫困发生率下降到2.4%，圆满完成省、市、县三级验收考核，取得了脱贫攻坚战的首胜。省、市明察暗访组和验收考核组对全县在实践中总结形成的"摸底排除法""四步工作法""交叉提名法"等精准识别办法以及光伏扶贫、电商扶贫、农事服务超市扶贫等产业扶贫模式和贫困户退出验收的"四方算账"办法等成功做法给予了高度评价。全县壮大集体经济、共振脱贫攻坚等工作在全省作经验交流发言，扶贫小额贷款覆盖率居全省第一位。

【乡村旅游】 2016年，射洪县立足乡村旅游文化特色，以"百A百星"创建为契机，打造乡村旅游精品，全年乡村旅游接待游客296.3万人，实现旅游收入20.9亿元，同比分别增长23.9%、28.2%。一是旅游节会活动丰富多彩。遂宁市首届乡村旅游节暨桃花节、金华山"三月三"庙会、官升镇首届荷花节等节庆活动的开展带动了射洪县乡村旅游的发展。春节期间，中华侏罗纪探秘旅游区"迎新春仿真恐龙科普展"，螺湖半岛"逛灯会、玩游艇、乘热气球、看飞人"大型迎春灯会，金华山道观举办的各类祈福活动，万象农庄、龙泉山庄等星级农家乐引进真人CS、小型晚会等吸引了大批市民和游客参与，使射洪县乡村旅游更具特色，内容更丰富。二是品牌创建取得实效。全县建成省级乡村旅游示范镇5个、示范村6个，星级农家乐（乡村酒店）30家。射洪县被授予"全国最美乡村创建先进县"称号。太和镇、太和镇磨嘴村分别申报省级乡村旅游特色乡镇和精品村寨，豪客山庄、银盛苑申报乡村旅游精品特色业态，龙泉山庄、四季田园申报乡村旅游特色业态，万林四季田园、桃花山桃花园申报四星级农家乐。三是旅游扶贫工作有序开展。完成万林乡牵牛山村省级旅游扶贫示范村创建，四季田园、万象农庄民宿达标户创建县级评审并上报市旅游局，确保2016年创建示范村1个、民宿达标户2户。实地调研储备文升乡广龙村为2017年旅游扶贫示范村。制订"十三五"扶贫规划和年度扶贫计划。

【2016年度"三农"工作先进经验介绍】 2016年，射洪县全面贯彻落实党的十八大、十八届三中、四中、五中、六中全会和习近平总书记系列重要讲话精神以及中央、省、市、县"一号文件"和农村工作会议精神，坚持"领先发展、率先跨越"的发展战略，按照稳粮增收、提质增效、创新驱动的总要求，把握经济发展新常态，以脱贫攻坚为统领，以加快推进农业供给侧结构性改革为主线，以农民增收为核心，以幸福美丽新村建设为载体，以现代农业园区建设为突破口，深化农村综合改革，切实转变农业发展方式，调整优化产业结构，强化基础设施建设，完善新型农业经营体系，创新农村社会管理，持续加大农业投入，农业基础地位得到进一步强化，农村经济得到快速发展，着力推进一二三产业融合，农民收入持续稳定增长，民生得到了持续改善，社会继续保持和谐稳定，农业农村工作实现了"十三五"开门红。全年实现农林牧渔业总产值71.25亿元，增长3.9%，其中农业总产值29.92亿元，增长5.1%；林业总产值2.31亿元，增长5.5%；牧业总产值28.94亿元，增长2.4%；渔业总产值2.35亿元，增长4.5%；农林牧渔服务业总产值1.25亿元，增长5.2%。射洪县被表彰为2016年度全省"三农工作先进县"和"农民增收工作先进县"。

推进农业产业化发展。重点扶持培育一批农业产业化龙头企业、专业大户、家庭农场、农民合作组织等新型农业经营主体，进一步完善利益分享机制，努力探索企业经营、集体经营、家庭经营、合作经营等共同发展新模式，充分发挥新型农业经营主体积极带动作用。创新农业经营服务体系，支持新型农业经营主体开展社会化服务，推广"农事服务超市"，积极发展农机作业、维修、租赁等社会化服务，推行合作式、订单式、托管式等服务模式。大力实施农业品牌战略，创建和打造一批以中国驰名商标、国家地理标志产品、国家专利产品、有机食品、绿色食品、无公害农产品等为主的高端农产品。

强化农业基础设施建设。严格保护耕地和基本农田，加强农田水利基础设施建设，大力推进中低产田改造、高标准农田建设和农村土地综合整治，推进农业综合开发，实施好国家千亿斤粮食生产能力建设，不断提升粮食生产能力。加快推进群英水库等骨干水利工程建设，统筹抓好小微型水利工程建设，加快病险水库除险加固，进一步实施农村饮水安全工程，提高农民生产生活保障能力和防洪减灾应急水平。大力推广测土配方施肥技术，实施有机质提升工程，不断提高耕地质量。加快养殖设施标准化改造。改善农业技术装备条件，大力提高机械化水平。

加快现代农业园区建设。坚持"镇园结合、产村相融、一体发展"的思路，继续用市场经济的理念、改革的思路和创新的办法抓好现代农业园区建设，重点推进国家农业科技园区建设和遂宁现代农业园区一体化大环线射洪段建设，做好园区内特色产业发展、基础设施建设、新村建设、公共服务配套设施等，着力建设产业现代化、新村示范化、设施一体化、配套服务便捷化的现代农业园区。高标准打造沱牌现代农业园、瞿河百亿农产品生产加工园、洋溪田园新农庄、金鹤超强绿色农牧示范园等精品示范园区，积极创建塔子山—双溪现代林业产业园，依托玉冠农业、峻原农业等龙头企业打造百里绿色农业园。

【2016年度农民增收工作先进经验介绍】 2016年，射洪县按照省委办公厅、省政府办公厅《关于加强农民增收工作县（市、区）委书记和县（市、区）长负责制考核工作的通知》及市政府办《关于进一步加强城乡居民收入调查工作的通知》和市委办公室、市政府办公室《关于印发〈遂宁市农民增收工作考核办法〉的通知》文件精神，切实践行"创新、协调、绿色、开放、共享"的发展新理念，始终坚持把农民增收

放在"三农"工作的核心位置,强化落实农民增收党政"一把手"责任制,加快发展特色规模产业,积极培育新兴产业新兴业态,不断完善农业基础设施,千方百计提升农村劳动力职业技能和拓宽转移就业渠道,不断增加农民经营性、财产性、政策性和劳务收入。2016 年,全县农民年人均可支配收入达 12999 元,增长 9.2%,绝对值位居全市第一位。一是强化农民增收工作责任。坚持农民增收工作乡(镇)党委书记、乡(镇)长责任制,出台了《关于切实抓好 2016 年农民增收工作的意见》和《关于分解落实 2016 年度加强农民增收工作县(市、区)委书记和县(市、区)长负责制考核工作目标任务的通知》《关于印发射洪县农民增收工作考核办法的通知》文件,加大定期督查和考核奖惩力度,增强乡(镇)党委、政府"一把手"和县直部门抓好农民增收的责任感和主动性。二是努力拓宽农民增收渠道。大力推进农业产业化,积极发展农产品加工业,完善龙头企业寄托生产、土地入股、收益保底、产值分成、二次返利等利益联结机制。抓好农民就业创业工作,增加工资性收入,完善和落实促进创业、带动就业的政策措施,加快新型职业农民培训,开展农村实用技术培训 35 万人次、青年农村劳动者技能培训 330 人、品牌培训 175 人。三是大力培育农民增收新型业态。积极开展省级电子商务进农村综合示范县项目,利用闲置荒地建设农村电子商务服务站点、农村电商物流配送站点,培育电商示范企业 2 家以上,建成电子商务服务中心 1 个、电子商务创业孵化中心 1 个、电子商务物流配送中心 2 个、线下特色展示馆 1 个、乡村电商服务站(点)115 个,培训人员 1200 人次。全年电子商务交易额达 33 亿元,解决返乡农民工就业累计 1.9 万人次,带动农民增收 3385 万元。加强农村养老服务建设,对全县乡(镇)敬老院进行维修改造、提档升级,重点打造金华、青岗、凤来等一批区域性养老院;充分利用农村闲置资源,新建或改(扩)建城乡日间照料中心,全年农村养老从业人员达 1000 人以上,带动农民(贫困户)增收 100 元以上。

【四川省现代农业建设示范县经验介绍】 射洪县是省政府确立的新一轮现代农业示范县,2016 年是启动示范县建设的第一年。全县紧紧围绕年度规划建设目标,致力创建新理念、新业态、新水平的射洪现代农业新形象,打造标准高、功能全、生态好的射洪现代农业新高地,树立主导产业突出、种养循环紧密、三产融合发展的射洪现代农业新标杆,发挥优势,突出特色,狠抓关键,抢时争先。一是主导产业规模发展。按照射洪县新一轮现代农业示范县建设实施方案(2016—2018)要求,县委县政府坚持做大做强"2+2"主导产业不动摇,完善发展机制,突出主体培育,优化区域布局,强化三产融合,推进蔬菜产业连片扩面、柑橘产业规模扩张、种养循环紧密结合,蔬菜、水果、生猪、白羽肉鸡"2+2"主导产业特色更加鲜明、区域影响力更加凸显。二是基地建设提档升级。以柑橘、蔬菜核心园区和规模养殖场为重点,现代农业产业基地建设突出基础设施、科技装备、种养技术的综合建设、完善和配套。三是推进产业适度规模经营,全县实现土地流转面积 23.1 万亩,比上年增加 1.5 万亩,适度规模经营率提高 10%以上。四是农业机械化水平快速提升。全县农机拥有量达 18.6 万台(套),新增 1.1 万台(套),比上年同期增长 7.8%;农机总动力达 29.2 万千瓦,新增 1 万千瓦,比上年同期增长 3.7%,其中新购置农机 1353 台(套),完成投资 465.69 万元,兑现国家补贴 300 万元。五是农业信息化技术应用广泛。射洪县是省级电子商务进农村综合示范县。全县把电子商务作为"互联网+"的重要内容和"大众创业、万众创新"的重要基础,大力实施"互联网+农村""互联网+农产品"战略,大力推动"农产品进城,工业品下乡"商贸流通,提升农产品产业价值。六是"双品牌"战略成效显著。依托"遂宁鲜"区域公共品牌,打造射洪农业品牌和农产品品牌。2016 年,全县农产品注册商标达 40 个,其中 3 个获得省著名商标,蜀珍柠檬获得四川名牌认证;新申报认证无公害农产品 1 个、绿色食品 1 个、有机食品 2 个;完成"三品一标"农产品新认证 6 个,创建"遂宁鲜"区域特色农业品牌 11 个;2 个产品获得金奖,2 家涉农企业获得授权使用"遂宁鲜"区域公共品牌。

【主要领导人】 县委书记:蒲从双;县人大常委会主任:税清亮;县长:张韬;县政协主席:李晓曦;分管农业副县长:王勇。

射洪县编写组

蓬溪县

【基本情况】 2016 年,蓬溪县辖 15 乡 16 镇 30 个街道,辖区面积 1251 平方千米,其中耕地面积 89.57 万亩。年末户籍人口 72.49 万人,人口出生率 10.62‰,人口自然增长率 6.22‰。森林覆盖率达 40.4%。蓬溪县是"中国革命老区"、丘区产粮大县、优质油料基地县、生猪调出大县、全省现代农业产业(食用菌)基地强县,是省级文化先进县和省级平安县、全省第二批扩权强县试点县,有"中国书画之乡""五史之乡""古壁画艺术之乡"等多项美誉。

2016 年,全县 GDP132.53 亿元,增长 8.3%,其中第一产业增加值 33.5 亿元,增长 3.9%;第二产业增加值 60.29 亿元,增长 9.7%;第三产业增加值 38.74 亿元,增长 10.2%。一二三次产业对经济增长的贡献率分别为 25.3%、45.5%、29.2%。劳动力转移输出 25.7 万人,劳务收入 34.9 亿元。

社会消费品零售总额 60.83 亿元,增长 13.2%。公共财政预算收入完成 4.67 亿元,增长 23.5%;公共财政预算支出 32.21 亿元,增长 16.4%。金融机构各项存款余额 178.72 亿元,增长 18.12%;各项贷款余额 87.87 亿元,增长 14.6%。

【年度农业和农村经济运行】 2016 年,蓬溪县实现农业总产值 59.85 亿元,同比增长 4%,其中种植业实现产值 26.88 亿元,增长 5.2%;林业实现产值 2.23 亿元,同比增长 5.6%;畜牧业实现产值 27.48 亿元,同比增长 2.5%;渔业实现产值 2.16 亿元,同比增长 4.5%;农林牧渔服务业实现产值 1.1 亿元,同比增长 5.4%;生猪、食用菌、伏季水果、蔬菜等特色优势农产品产量保持稳定增长。农民年人均可支配收入达 12032 元,同比增长 9.3%。全县农产品质量抽检合格率比年初提高 3 个百分点;建成 31 个基层农业综合服务站。

农业产业化发展。蓬溪县大力发展"一个龙头企业+一个主打产品+一个现代农业园+一条示范带+一个专合组织+专业大户+一个产业基地+一个销售网络"的产业化经营格局,实现农业发展、农民增收。引进投资 10 亿元以上的国家级龙头企业 3 家,重点培育建兴林业、通德农牧、红鑫福、琪英菌业、汇强油脂、珠穆朗玛等规模龙头企业,打造年销售收入上 10 亿元的多元化、产加销一体化、骨干型、外向型龙头企业 3 家。培育农业产业化省级龙头企业 4 家、市级龙头企业 27 家、县级龙头企业 95 家,总数达 126 家,比上年增长 4.1%;发展农民专合组织 529 个、家庭农场(经工商登记注册)261 个、专业大户 8710 户,同比分别增长 14%、40%、48%;各类经营主体带动 67%的以上农户增收,同比增加 3 个百分点。全县规模化特色优势产业基地累计达 56 个,增加 3 个。更新、改造、维修提灌机具

8000 台次，新增提水灌溉设备 1400 台(套)；主要农作物耕种收综合机械化水平达 54%以上。

2016 年蓬溪县主要农产品产量

主要农产品	单位	产量	同比(%)
粮食	万吨	34.86	0.8
稻谷	万吨	11.91	0.7
小麦	万吨	6.95	-0.4
油菜	万吨	3.46	0.6
蔬菜	万吨	22.51	2.4
水果	万吨	3.13	2.7
肉类	万吨	5.28	-1.9
猪肉	万吨	3.92	-3.6
禽蛋	万吨	1.76	1.5
牛奶	万吨	0.01	-14.5

农产品品牌战略实施。蓬溪县累计认证优质双孢蘑菇等无公害农产品 58 个、“香叶尖茶叶”等绿色食品 4 个、“九叶青花椒”等有机食品 4 个，获得国家地理标志产品 4 个、中国著名品牌 1 个。全县无公害农产品覆盖面达 74%，订单农业覆盖面达 62%。矮晚柚、蓬溪仙桃、观音茶、食用菌、PIC 生猪制品在北京、上海等 50 余个大中城市设立营销专柜(点)51 个，与 100 余家超市开展农超对接。

现代农业园区建设。蓬溪县按照“成片连线、扩面连片、整体推进、全面覆盖”的工作思路，积极推进三大现代农业园区建设，以三大核心示范区为重点，推动全域国家现代农业示范区建设，天福红江农旅结合示范区发展优质粮油、菌菜、经果林、水产等特色产业 5 万亩，建成生态循环规模生猪养殖场 3 个、年出栏生猪 20 万头，园区以蔬菜、食用菌为主的农产品冷链物流已辐射贵州、江苏、山东、成都、绵阳等地，天福万象农业博览园、智慧农庄体验园、长坪 · 狮山新村等农业旅游项目集中亮相 2016 全市旅发会并获得好评；进一步优化大石宝梵现代农业示范区沿线主导产业布局，推进特色产业循环综合利用、规模拓展、改造升级，发展菌菜 1.5 万亩、柑橘 1.5 万亩、青花椒 2 万亩、生猪 25 万头、小家畜禽 150 万头(只)；任隆高升仙桃产业示范区建成各类产业道路 50 千米、渠系 75 千米、蓄水池 60 口，新建和整治提灌站 8 处、山坪塘 24 口，实施高标准农田建设 2 万亩，引进农业企业 10 家，培育农民专合组织 35 家、家庭农场 58 家、专业大户 248 户，带动园区发展以仙桃为主的经果林 5 万亩，建成省级粮油高产创建示范基地 1 万亩。以“三大园区”为核心辐射带动周边乡(镇)，全县现代农业一体化大环线特色产业得到快速发展。

【种养殖业】 2016 年，蓬溪县粮食产量 34.86 万吨，增长 0.8%；油料作物产量 4.8655 万吨，增长 0.5%；水果产量 3.13 万吨，增长 2.7%；蔬菜产量 22.51 万吨，增长 2.4%。全年出栏生猪 56.1 万头，减少 3.6%；肉类总产量 5.28 万吨，减少 1.9%。种养殖业良种覆盖面达 85%。

【农村水利】 2016 年，蓬溪县完成病险水库整治 11 座，新建(在建)水库 2 座(含武引工程白鹤林水库、鲤鱼岩水库)，新建、整治塘堰 300 口，修复水毁工程 160 处，新增蓄水能力 190 万立方米，新增灌面 2 万亩，新增供水受益人口 1.2 万人；建设村镇供水工程 39 处，新建堤防 5.8 千米，渠道清淤 300 千米，新增恢复改善灌面 5.6 万亩，改造中低产田土 2.2 万亩。建设高标准农田 2.2274 万亩，其中基本口粮田建设项目 0.4074 万亩、农业综合开发项目 1.82 万亩。

【新农村建设】 2016 年，蓬溪县按照“业兴、家富、人和、村美”的要求，探索新村治理机制，进一步提升“两统三自”的新村管理内涵，促进新村与产业融合互动、协调发展。新建新村聚居点 4 个，打造新村综合体 1 个、省级幸福美丽新村 60 个，保护传统村落 1 个、传统民居 30 户；完成“雪亮”工程 50 个；完成“建改保”村 60 个，新建农房 786 户，改造农房 1813 户，完成廉租房建设 350 户。

【乡村旅游】 2016 年，蓬溪县紧紧围绕“六大兴市计划”和“四大发展思路”，形成了国道 318 线(含城区、赤文路沿线)、国道 350 线、县道蓬红线 3 个乡村旅游带基本格局，构建了“住农家、品美食、观书法、赏仙画、享健康”的乡村旅游产品体系。全县创建省级乡村旅游示范乡镇 4 个、示范村 5 个，星级农家乐(乡村酒店)25 家。乡村旅游年接待能力达 500 万人次，总收入达 4.5 亿元以上，直接从业人数超过 1000 人，间接从业人数突破 1 万人。

【主要领导人】 县委书记：张向福；县人大常委会主任：黄元章；县长：肖霞；县政协主席：张璋；分管农业副县长：唐志强。

蓬溪县编写组

大 英 县

【基本情况】 2016 年，大英县辖 11 个乡(镇)336 个村(社区)，辖区面积 703 平方千米，其中耕地面积 317001 亩(水田 9082 亩、旱地 22270 亩)，基本农田 46.6095 万亩。年末总人口 55.4 万人，增长 0.2%，其中乡村人口 44.5 万人，乡村劳动力 25.83 万人；乡村从业人员 23.69 万人，其中男性从业人员 12.59 万人、女性从业人员 11.1 万人；常住人口 48.58 万人，城镇化率 37%。森林覆盖率达 25.01%。

2016 年，全县 GDP142.33 亿元，比上年增长 8.4%，增速分别高于全国、全省平均水平 1.7 和 0.7 个百分点，其中第一产业实现增加值 24.48 亿元，增长 3.9%，对经济增长的贡献率达 7.8%，拉动经济增长 0.66 个百分点；第二产业实现增加值 78.57 亿元，增长 8.9%，对经济的增长贡献率达 65.7%，拉动经济增长 5.52 个百分点；第三产业实现增加值 39.28 亿元，增长 10.1%，对经济增长的贡献率达 26.5%，拉动经济增长 2.23 个百分点。三次产业结构比由上年的 16.6∶61.4∶22 调整为 17.2∶55.2∶27.6。农村劳动力转移输出 19.59 万人，劳务收入 30.5 亿元。

地方一般公共预算收入 5.72 亿元，增长 21.2%，其中税收收入 3.78 亿元，增长 7.1%；地方一般公共预算支出 21.26 亿元，增长 2.1%。税收收入占地方一般公共预算收入的比重达 66.1%，同比回落 5 个百分点；地方一般公共预算收入占 GDP 的比重达 4.02%，比上年增长 0.2 个百分点。金融机构各项存款余额 141.74 亿元，比上年末增长 10.1%，其中居民储蓄存款 104.26 亿元，比上年末增长 13.5%。各项贷款余额 89.09 亿元，比上年末增长 6.9%，其中工业贷款 30.45 亿元，比上年末下降 2.8%；农业贷款 32.5 亿元，比上年末增长 20.3%；商业贷款 7.47 亿元，比上年末下降 18.8%。完成全社会固定资产投资 183.52 亿元，增长 12.1%。社会消费品零售总额 56.32 亿元，同比增长 13.1%。按经营地统计，城镇消费品零售额 43.57 亿元，增长 13.1%；乡村消费品零售额 12.75 亿元，增长 13.2%。

公路运输货运周转量55428万吨千米,增长6.8%;公路运输客运年周转量26457万人千米,减少15.4%。境内公路总里程1445千米,等级公路1418千米,其中高速公路33千米。路通乡、通村率均达100%,境内有2个火车站。

普通中学在校学生16308人,中等职业教育学校在校学生2820人。拥有国家级高新技术企业12家、省级创新型企业8家,全年高新技术产业实现总产值26亿元;建设省级企业技术中心3家、市级企业技术中心4家,产学研合作协议达20项。全年申请专利252件,其中发明专利44件。有医疗卫生机构446个,病床位1860张,卫生技术人员1396人(执业医师815人)。

【年度农业和农村经济运行】 2016年,大英县实现农林牧渔业总产值406782万元,增长3.9%,其中种植业产值187245万元,增长5.3%;林业产值15456万元,增长5.5%;牧业产值180360万元,增长2.4%;渔业产值15396万元,增长4.4%;农林牧渔服务业产值8324万元,增长5.2%,占农业总产值的2%。农业经济结构比由上年的45.8∶3.7∶44.8∶3.7∶1.9调整为52.7∶4.5∶36.4∶4.1∶2.3。农民年人均可支配收入12306元,增长9.3%。

农业产业化发展。大英县培育省级产业化龙头企业1家、市级龙头企业3家,新发展农民专合组织18个、家庭农场20家、家庭牧场8家,全县已累计培育省级、市级龙头企业24家,发展农民专合组织229个、家庭农场121家、家庭牧场50家。

农用地产权制度改革。大英县农村房屋所有权、农村宅基地使用权、农村土地承包经营权确权颁证工作通过市上检查验收。全年完成房屋所有权证制证42043个、宅基地使用权证制证73537个、土地承包经营权证制证97209个,完成林权登记制度改革"回头看",农村小型水利工程确权划界工作全面开展。探索村集体资产入股增值模式,通过土地整理、确权登记等方式将新增集体土地折资入股发展新型农业经营主体,获取分红利润,实现集体资产保值增值、增加农民收入。河边镇星花村将整理后新增的30余亩土地入股欣裕粮油种植专业农场,实现村集体增收2.5万元。天保镇龙咀子村对撂荒地进行统一整理,鼓励贫困户参与经营管理,按村集体20%、土地承包人20%、贫困户60%的比例分成。创新资本联投、生产联营、经营联动、效益联赢、风险联控"五联模式",成立以激活政府、农户、村"两委"、工商资本、国有农业开发公司五大农业发展主体利益联结为核心的产联式合作社试点4个,涉及土地8400余亩,受益农户11347人,实现人均增收1840元。

现代农业园区建设。大英县整合县国土、交通、农业、水利等项目8个,投入资金1.1亿元,整理土地14250亩,建成高标准农田12070亩,新建生产便道8.1千米、机耕道48.7千米、入户路18.7千米,整治排灌渠道25.3千米、蓄水池34口,建设塘、堰24口,新栽种中药材6665亩、蔬菜820亩、草莓采摘园86亩,改良水果基地2682亩、水产养殖区6个(202亩),建成粮油基地2320亩。在园区核心区赵坝村新建乡村旅游点1处,在军辉家庭农场配套提升乡村旅游点1处,新建成农业观光采摘园6个、休闲农庄1个。引进农业企业或业主10家,项目投资合计3000万元以上,分化再流转土地2500余亩,种植猕猴桃等特色果蔬,建成钢架连栋大棚300余亩、节能灌溉设施150余亩。

【种植业】 2016年,大英县农作物播种总面积95.7万亩,与上年持平,其中粮食作物播种面积69.41万亩,增长0.2%;油料作物播种面积13.84万亩,增长1.2%;蔬菜播种面积5.45万亩,下降2%。全年粮食总产量25.76万吨,增长0.6%;油料作物总产量2.56万吨,增长2.6%;蔬菜总产量10.76万吨,下降2.2%。

【林业】 2016年,大英县完成重点工程营造林38000亩,其中完成造林补贴项目5000亩、珍贵树种用材林产业基地建设项目4000亩、森林抚育建设项目20000亩。完成2015年度专项建设9536亩,其中新建特色经果林2000亩、发展工业原料林1000亩、实施品种改良及低产改造6536亩。全县4.61万亩退耕还林通过国家阶段验收,面积保存率、保存面积合格率及成林率均达100%。在粮食物流园植树点栽植红叶杨1100余株,绿化里程2.5千米。完成隆盛至遂宁段快捷通道一、二标段的绿化,在快捷通道两侧栽植麦冬14.5万平方米,绿化通道7.26千米。在通仙乡通仙桥村、卓筒井镇花牌湾村等8个村有针对性地开展核桃高接换优3000亩;在隆盛镇三家店村、金元镇洞湾村、蓬莱镇南泉村等10个村实施低效林改造2500亩,栽植香椿、栾树20万株,竹子6万株。

【畜牧业】 2016年,大英县生猪出栏52.96万头,下降3.9%;牛出栏5523头,增长3.8%;羊出栏7.16万只,增长1.7%;家禽出栏380.47万只,增长0.9%。肉类总产量5.26万吨,实现畜牧业产值24.18亿元,农民人均畜牧业可支配收入增加65元。新建适度规模生猪养殖场14家,新注册家庭牧场8家、畜禽专合社7个;新建成年出栏100只以上标准化山羊养殖场141个,其中年出栏1000只以上规模场5个;利用撂荒地种植多年生黑麦草、墨西哥玉米等饲草7600亩。全年免疫猪口蹄疫、猪瘟各65.18万头,免疫猪蓝耳病63.46万头、牛口蹄疫1.94万头、羊口蹄疫7.85万只、小反刍兽疫7.25万只、禽流感202.51万羽,免疫抗体合格率均达70%以上,达到部级标准。加强人畜共患病防控,监测羊布病425份、牛9份,牛结核病9份,监测结果均为阴性。狂犬病防控共计免疫犬2.7805万只,免疫率达98.29%;扑杀流浪犬447只,保持零发病、零感染"双零"目标。全年共计产地检疫生猪56.16万头、牛(羊)7.36万头(只)、禽220.1万羽,屠宰检疫动物产品2.13万吨,产地检疫、屠宰检疫申报率和受理率均达100%,耳标回收率达100%。"瘦肉精"例行监测合格率达100%。

【水产业】 2016年,大英县投放鱼种1260吨,水产品总产量8700吨;实现渔业产值15396万元,增长4.4%。实施渔业互保工作,购买渔业保险98份。加强渔业保护执法检查,全年开展渔政联合执法18次,完成65艘渔业船舶登记、检验工作,登记检验率达100%,渔政执法案件办结率达100%,无渔业船舶事故发生。

【农业机械化】 2016年,大英县扎实推进农机购置补贴,全县新增耕种收农业机械990台(套),中央资金结算进度达100%,农机合作社作业面积达5.2万亩,完成目标任务的104%。主要农作物耕种收综合机械化水平达48.2%,年度提水保灌面积在10万亩以上。新建农村户用沼气池600口,新建沼气工程4处。

【新农村建设】 2016年,大英县建成幸福美丽新村42个,完成年度计划的120%,其中省级贫困村13个,涉及贫困户992户、贫困人口2250人;建成新村聚居点10个,涉及贫困户112户、贫困人口314人;改造农村危房295户、2.36万平方米,新建廉租房120户。完成入户道路建设26.25千米,硬化生态院坝1.5万平方米,清理乱搭乱建210户。建成集中式污水处理点20个、养殖大户粪污治理设施24套,总处理规模达2050立方米/天;配置人力垃圾收集车27辆、村级机动三轮清运车11辆、垃圾桶50个。全县创建生态村40个、生态家园100个;创建市级"四好村"45个、县级"四好村"67个;建成村邮站80个，完成年度任务的100%。新(改)建村级医疗卫生室38个、文化室31个，被评为全省2016年度幸福美丽新村优秀示范县。

【扶贫攻坚】 2016年，大英县紧扣“两不愁、三保障”和“四个好”目标，全面落实“六个精准”“五个一批”要求，瞄准脱贫攻坚中的重点和难点，依托现代农业园区建设，创新产业扶贫园区化发展机制，推进扶贫资金整合投入机制，重点支持农业基础设施建设、特色农业产业发展、易地扶贫搬迁项目建设，发展订单农业、电商农业，培育农村职业经理人，为精准脱贫提供了强力支撑。建成现代特色效益农业标准化基地2万亩，完成目标任务的100%；新增蔬菜基地0.45万亩、设施蔬菜210亩，新发展优质柑橘基地0.25万亩。全年实现9个贫困村顺利退出、5345名贫困人口如期脱贫。

【乡村旅游】 2016年，大英县实现乡村旅游收入18.03亿元。积极打造“中国健康旅游养生”品牌，编制健康旅游养生规划，室内黑泥馆、漂浮馆内装方案进一步优化完善。浪漫地中海项目游客集散中心主体工程完工，启动核心区人造天空和泰坦尼克博物馆等装饰装修、景区入口建设；武船重工泰坦尼克项目组船体设备建造基本完成。军辉农场、恬园乡村、香薰花海等乡村旅游项目已建成并对外开放，绿山微湖生态农庄项目建设加快推进。

【助农增收】 2016年，大英县认真落实农民增收县委书记、县长负责制，成立了以县委书记、县长为组长，分管常委、副县长为副组长的农民增收工作领导小组，建立了大英县农民增收工作联席会议制度，实行县级部门联系帮扶乡(镇)、干部结对帮扶到户办法，制定了《大英县2016年促进农民增收实施方案》《大英县农民增收工作考核办法》，每季度召开了联席会议，开展督查和业务培训5次。全县第一产业增加值实现23.89亿元，增长4.02%；农村居民年人均可支配收入达12306元，增速9.3%，在全市排名第一位。

【农村科技】 2016年，大英县引进粮油新品种集中展示53个，推广粮油新品种12个，推广水稻旱育秧集中育秧、水稻机插秧育秧及插秧、水稻直播、玉米增密覆膜移栽等实用技术8项。坚持主导产业与优势产业平衡发展，进一步优化农业功能分区布局，着力优质水果、蔬菜、粮油、中药材、水产等特色优势产业发展。以蓬莱—玉峰—象山—智水—河边片区的优质粮油产业极为重点，新培育种粮大户10户，新增粮食规模化经营面积0.8万亩；以蓬莱—卓筒井—河边片区的优质水果产业极为重点，新增柑橘种植面积0.25万亩，改良4个柑橘品种共计0.18万亩；以象山—蓬莱—隆盛—回马片区的绿色蔬菜产业极为重点，新增城市保障性蔬菜基地0.6万亩。以项目为支撑，有序推进粮油高产创建、粮食生产能力提升、高标准农田等项目建设，建成油菜高产高效示范片1片，辐射带动全县油菜增产2.96%。通过田型调整、地力培肥、给排配套、陡改平以及机耕道修建、提升机械化作业等手段扎实推进高标准农田等项目建设，建成高标准农田4.4万亩，推广测土配方施肥70万亩。

【主要领导人】 县委书记：蒋喻新；县人大常委会主任：付华勤；县长：胡铭超；县政协主席：张钰；分管农业副县长：杜锐。

大英县编写组

内 江 市

【基本情况】 2016年，内江市辖4乡103镇14个街道，辖区面积5384.7198平方千米，耕地面积411.756万亩，比上年增长0.039%，人均耕地面积0.95亩；基本农田保护面积320.41万亩。年末总人口420.06万人(户籍人口)，减少0.09%；人口出生率12.57‰，减少0.2个千分点；人口自然增长率2.72‰，减少0.3个千分点。全市耕地有效灌面和保证灌面分别达到耕地总面积的47.27%和34.8%；本地水资源总量13.71亿立方米，人均占有水资源量367立方米。有林业用地10.55万公顷，有林地面积9.92万公顷，活立木总蓄积量730万立方米，森林覆盖率33.76%。

2016年，全市第一产业增加值204.52亿元，增长4%，农、林、牧、渔及农林牧渔服务业之比为45.97：3.4：42.42：6.55：1.66；第二产业增加值765.52亿元，增长8.6%(工业产值684亿元，增长8.2%)；第三产业增加值327.63亿元，增长8.3%，三次产业对经济增长的贡献率分别为8%、66.1%和25.9%。劳务输出117.02万人，收入186.05万元。全年接待游客3539.16万人次，实现旅游总收入216.06亿元，其中乡村旅游收入81.19亿元。

公路通车里程10288千米(其中乡村公路9610千米)，密度1900米/平方千米，24.33千米/万人。全市115个乡(镇)均通客车，2071个行政村中已有1949个村通客车，通达率为94.1%。社会消费品零售总额460.5亿元，增长12.7%。金融机构各项存款余额1370.29亿元，比上年初增长13.76%；各项贷款余额732.17亿元，比年初增长6.3%，其中支持农业产业化发展项目贷款3978928.33万元。全年农业保费收入0.97亿元，增长1.33%；处理各项赔款和给付金额6633.1万元，增长76%。农业产业化龙头企业国家级、省级、市级、县级分别为1家、32家、98家、160家。

有各类学校1168所，在校学生568253人，教职工36591人，其中普通高校4所，在校本(专)科学生42136人，增长3.82%；普通中学180所，在校学生161499人；小学280所，在校学生231648人；学龄儿童入学率100%。有艺术表演团体5个，文化馆6个，公共图书馆4个，博物馆4个。有无线广播电台5座，节目5套；电视台4座，节目6套。有卫生机构2288个，病床位5926张，卫生技术人员4435人。新型农村社会养老保险参保人数298919人，参保率99.82%。

【年度农业和农村经济运行】 2016年，内江市实现农业总产值357.42亿元，增长3.8%。生猪、茶叶、猕猴桃、食用菌、伏季水果、蔬菜等特色优势农产品产量保持稳定增长。农民年人均可支配收入达11428元，增长9.7%。全市农产品质量抽检合格率比年初提高0.6个百分点；建成113个基层农业综合服务站。威远县和隆昌县已通过国家义务教育均衡发展验收，市中区于12月顺利通过省级义务教育均衡发展检查验收。完善落实农民工随迁子女受教育政策，基本解决进城务工人员随迁子女受教育问题。引进江苏融伦公司建成全省首家大宗农产品电商平台——农融网·天府农场，实现交易额6.9亿元。

农用地产权制度改革。截至2016年年底，内江市累计完成107个乡(镇)、1945个村的农村土地承包经营权确权登记面积429.3万亩,5个县(区)均通过省上验收并获得“优秀”等级,其中市中区被农业厅评为农村土地承包经营权确权登记颁证工作先进单位。全市农村集体产权制度改革工作将于2017年启动,市中区于2015年开展了农村集体股份制改革试点工作,按照“试点先行”的原则,在永安镇、朝阳镇、凌家镇、龙门镇、史家镇共选择了6个村进行试点,在其他县(区)选择2个具备条件的村先行试点,将于2017年完成改革任务。

2016年内江市主要农产品产量

主要农产品	单位	产量	同比(%)
粮食	万吨	156.8	1.16
稻谷	万吨	65.49	1.46
小麦	万吨	16	-3.26
油菜籽	万吨	8.33	4.52
蔬菜	万吨	279.17	6.27
水果	万吨	42.82	2.6
肉类	万吨	28.36	-2.6
猪肉	万吨	21.11	-4.1
禽蛋	万吨	4.9	1.3
水产品	万吨	10.89	5.23
牛奶	万吨	0.86	0.5

农产品品牌战略实施。10月14日,内江市确定了“甜城味”区域公用品牌和标识图案。12月19日,成功注册“甜城味.com”“甜城味.cn”“甜城味.中国”“甜城味.商标”等中文域名,覆盖常用中文域名网络访问途径。在第十六届中国西部国际博览会上推出了品牌LOGO、宣传语等。

现代农业园区建设。内江市市中区永安现代农业示范园区建设面积1.3万亩,涉及6个镇、20个行政村,其中核心示范区域面积5000亩,涉及9个行政村,总投资1.15亿元,园区有特种水产、生态休闲、良种畜禽、精品果蔬4个优势特色产业功能区,重点发展水产、畜牧、果蔬、园林、旅游、农产品加工及物流等产业。资中县银山现代农业园区以银山镇、公民镇、明心寺镇为核心,涉及金紫铺、铜锣坝、三块石等45个村,规划面积10万亩、核心区1.2万亩、示范区3万亩、辐射区6万亩,着力建设“一带六业三中心”(“一带”,即现代农民新村带;“六业”,即特色林果产业、设施蔬菜产业、特种水产业、优势畜牧产业、乡村休闲产业和优质粮油产业;“三中心”,即管理展示培训信息中心、蔬菜水果花卉苗木集散中心和沱江渔文化中心)。内江市东兴区中丘区长江现代农业示范区依托范长江旅游园区大力发展休闲、观光、体验、科技等现代农业,园区流转土地6102亩,有业主11家,下一步将打造占地500余亩的生态农业运动休闲公园、占地100亩的现代农业蔬果博览园等。威远县镇西食品工业集聚区位于镇西场镇东南方向,是以四川省“多点多极”、内江市“工业主导”以及威远县“工业强县”发展战略为依据打造的以特色农产品深加工为主的集聚区,集聚区计划总投资20亿元,建成集收购、储存、加工、销售、研发及产品检测、食品物流集散于一体的特色食品工业集聚区和川南绿色食品加工示范基地,园区已入驻威宝公司、黄老五公司、金四方果业、川老妈公司、缔铂酒业、洋龙酒业6家企业。

2016年内江市省级(及以上)农业产业化重点龙头企业名单

企业名称	法人代表	示范等级	年度产值(万元)	行业分类
四川省福元肉类食品有限公司	黄进之	国家级	92342	农业
四川省内江金鑫畜禽有限公司	邢红飞	省级	7805	农业
四川省德福隆实业有限公司	唐禄强	省级	11224	农业
内江市东马禽业有限责任公司	明金贵	省级	3042.1	农业
内江市飞龙米业有限公司	尤英	省级	3580.9	农业
四川佳美食品工业有限公司	李瑞城	省级	6950	农业
四川省内江市松林丝绸有限责任公司	罗刚	省级	36961.63	农业
四川兵牌农业有限公司	邓兵	省级	5840	农业
四川省隆昌都英羽绒有限公司	倪益均	省级	30459	农业
四川普嘉特饲料有限公司	汪载翔	省级	4062	农业
四川省隆昌县禽苗市场开发有限责任公司	林泽宗	省级	1501	农业
资中县宏和丝绸有限公司	姚小彬	省级	14013	农业
四川资中莱源食品有限公司	曹邦国	省级	6897.58	农业
内江市汉丰农业科技发展有限公司	舒强	省级	5802	农业
四川汇源农业产业化集团有限公司	雷辉容	省级	11241	农业

续表

四川康弘牧业科技有限公司	朱强	省级	9020.93	农业
资中县银山鸿展工业有限责任公司	杨聪	省级	117731	农业
资中永辉生态农业有限公司	周建辉	省级	3875.12	农业
四川运达粮油工业有限公司	甘德斌	省级	12589	农业
四川内江威宝食品有限公司	周正洪	省级	13395	农业
四川缔铂酒业有限公司	王国友	省级	5364	农业
黄老五食品股份有限公司	万郁	省级	8800	农业
四川省复立茶业有限公司	曾成民	省级	8200	农业
威远县金四方果业有限责任公司	游勇	省级	5000	农业
四川任源牧业有限公司	王占纯	省级	10485.64	农业
四川省资中县唐源粮油有限责任公司	唐泽	省级	18435	农业
四川省博航农牧有限责任公司	陈维义	省级	7924	农业
内江市雅馨粮油有限公司	王浩	省级	9238	农业
四川均益农牧业有限公司	谢治国	省级	4685	农业
四川百胜药业有限公司	罗明	省级	5755.83	农业
四川弘升药业有限公司	朱万刚	省级	5857	农业
四川省威远泉威食品有限责任公司	张云杰	省级	5635	农业

2016 年内江市省级(及以上)示范农民专业合作经济组织名单

合作组织名称	法人代表	示范等级	年度产值(万元)	主营产品
内江市市中区茂源柠檬专业合作社	王红云	省级	1694	柠檬
内江市市中区江龙水产养殖专业合作社	吴俊	省级	1130	白乌鱼、粮食鱼
内江市市中区宏福缘榨菜种植专业合作社	刘廷芬	省级	1932.3	榨菜
内江市市中区王新友油菜籽专业合作社	王新友	省级	1689	菜籽油、雅馨大豆油
市中区兴利农养鱼农民专业合作	刘刚	省级	455.92	泥鳅、黄颡鱼
市中区乡渔水产养殖专业合作社	李进	省级	1130	锦鲤、热带鱼
内江市市中区建坤婉珍种植农民专业合作社	马婉珍	国家级	1800	酱腌菜
内江市市中区众民鳝鱼养殖专业合作社	任超	省级	1130	鳝鱼
内江市市中区宣明韭菜专业合作社	黄正培	省级	495.8	韭菜
内江市东兴区宏展粮油专业合作社	胡洪兵	省级	4211	黄谷、小麦、玉米、油菜籽等粮油
内江市东兴区科利养殖专业合作社	易尊莲	省级	1610	南方大口鲢、叉尾鮰
内江市巨林麻竹种植专业合作社	邱勇	省级	1486.6	麻竹笋尖、麻竹笋筒、麻竹笋片
内江市东兴区和众养鸡专业合作社	罗贤菊	省级	153.74	商品种苗、商品肉鸡
内江市东兴区富胜养殖专业合作社	刘左权	省级	660	肉鸡
内江市东兴区海椒协会	谢志中	省级	990	辣椒
资中县归德镇翠溪血橙农民专业合作社	王裕成	省级	1515.1	资中血橙

续表

资中县三块石养猪农民专业合作社	朱志勇	省级	2895.43	生猪
资中县公民镇柠源养猪农民专业合作社	简金柱	省级	723.85	生猪
资中县普旺养猪农民专业合作社	钟代刚	省级	1997.84	生猪
资中县宋家镇顺达养猪农民专业合作社	罗建军	省级	9002	生猪
资中县不知火农民专业合作社	钟庆方	省级	1548.12	不知火
资中县龙江镇绿江蔬菜农民专业合作社	刘平均	省级	512	蔬菜
资中县梨园蔬菜农民专业合作社	邓刚	省级	1182.1	蔬菜
资中县球溪河三江鲶鱼渔业农民专业合作社	张刚	省级	159.05	鲶鱼
资中县齐达康养猪农民专业合作社	陈小勇	省级	13278	生猪
资中县惠民猪业农民专业合作社	刘宇亮	省级	1236	生猪
隆昌县蚕桑协会	曾从高	省级	860	蚕茧及果桑
隆昌县禽苗服务协会	叶顶富	省级	2.53	隆昌麻鸭
隆昌县水产协会	曾德清	省级	—	—
隆昌县培红核桃种植农民专业合作社	林正兰	省级	3024	核桃苗、农用物资
隆昌县胡家镇金湖种养殖农民专业合作社	李荣志	省级	787.9	四大家鱼、桂花鸡、麻鸭、生猪、风味辣豇豆、红油豆腐乳、剁姜水豆豉、牛肉油豆豉
隆昌县天源牲畜养殖农民专业合作社	赖道怀	省级	1823	生猪、水产品
隆昌县文英杏叶树种植植保农民专业合作社	郑文英	省级	256	绿化苗木、柑橘,生猪、鱼、家禽等
隆昌县山古坊豆类种植农民专业合作社	郑兴明	省级	14.76	大豆、花生、辣椒
威远宏扬苗木种植农民专业合作社	崔扬	省级	538	苗木、花卉
威远县向家岭无花果种植农民专业合作社	游斌	省级	2590	无花果
威远县典醉桑椹种植农民专业合作社	张艳	省级	825	种苗、桑椹
威远县协力果业种植农民专业合作社	罗开森	省级	583	柠檬、枇杷、核桃
威远县周萝卜蔬菜种植专业合作社	王书明	省级	4950	萝卜、青菜、大头菜
威远县团鱼凼特种水产养殖农民专业合作社	余儒华	省级	1646.14	中华鳖
威远县新兴七星椒农民专业合作社	刘平	省级	556	威特牌七星椒
威远县富强茶业农民专业合作社	钟群	省级	3204	茶树种植业
威远复立茶叶专业合作社	曾秀琴	省级	2523	沐春复立茶

2016年内江市家庭农场经营情况统计表(前10位)

家庭农场名称	注册资金(万元)	法人代表	年度产值(万元)	行业分类	主营产品
隆昌县云君蔬菜种植家庭农场	300	喻俗容	215	种养殖业	葡萄、蔬菜、鱼
隆昌县富炜家庭农场	120	彭良富	87	种养殖业	鱼、鸡、水果
东兴区燕巢家庭农场	100	徐冲	40	种植业	树莓
资中县国辉种植家庭农场	60	张国辉	130	种植业	经济林木
东兴区杨春家庭农场	50	李德容	60	种植业	油用牡丹、李子等

续表

威远县汉玉生猪养殖家庭农场	50	汤自明	450	畜牧业	生猪
威远县华威生猪养殖家庭农场	50	何欧	100	畜牧业	生猪
市中区合家缘养殖家庭农场	40	何永钢	40	养殖业	龙虾
市中区青冈岭种植家庭农场	10	余均莲	50	种植业	桃子、李子、柑橘
资中县盘石种植家庭农场	5	杨明增	80	种植业	经济林木

【种植业】 2016年，内江市粮食作物播种面积462.96万亩，产量156.8万吨，比上年增长1.79万吨，实现“十连增”。水果种植面积65.71万亩，产量54.73万吨；蔬菜种植面积109.95万亩，产量280.91万吨；油菜种植面积56.76万亩，产量8.32万吨；中药材种植面积3.28万亩，产量1.97万吨；茶叶产量0.25万吨。

【林业】 2016年，内江市实现林业总产值13.87亿元，农民人均从林业获得收入856元。威远县被认定为四川省第二轮现代林业重点县，资中县成功申报四川省第三轮现代林业重点县。指导扶持县（区）发展万亩以上产业示范片5个，建设林业特色村5个。野生动物驯养繁殖实现年产值2756万元。新建和升级森林公园3个，实现林业旅游与休闲服务收入8亿元。林业电子商务实现销售收入0.136亿元。

林业资源核查。继续推进森林资源二类调查，资中县森林资源二类调查工作通过林业厅验收，市中区、东兴区、威远县、隆昌县顺利推进。林地变更调查工作全面完成，县（区）均通过检查验收。完成冬季水鸟分布图和候鸟迁徙路线的绘制，新增鸟类监测点2处。

林业资源保护。全年办理征占用林地项目23个，使用林地面积42.8公顷，收取森林植被恢复费452万元。发放采伐证1755份，限额采伐4.2万立方米。全年查处林业行政案件123起，查处率100%。

森林病虫害防治。全年森林病虫害发生面积7.2万亩，无公害防治率达100%，林业有害生物成灾率控制在3‰以内。种苗产地检疫率98%。

森林公安。全年接处警283起，出动警力1869人次，受理各类涉林案件114件（其中刑事案件6起），侦破查处率达100%，打击处罚违法犯罪人员173人，收缴林木树木67立方米、野生植物30株、野生动物500余千克，罚没款37.6万元，为国家、集体、个人挽回经济损失300余万元。资中县宋家镇雷氏祠村非法占用林地案为内江市庭审实质化试点公开审理的首起刑事案件。

森林防火。全年排查并整治火灾隐患38起，处理违规用火人员16人，查处火案刑事案件1起。发生森林火灾1起，损失率控制在0.1‰以内。

【畜牧业】 2016年，内江市生猪出栏300.5万头；牛、羊、家禽、兔分别出栏4.23万头、60.5万只、2787.26万只、1452.97万只，同比分别增长-4.1%、2.8%、2.5%、2%、1.6%。肉类总产量、牛奶产量、禽蛋产量、蜂蜜产量分别达28.36万吨、0.86万吨、4.9万吨、973吨，同比分别增长-2.6%、0.5%、1.3%、5.4%。

【水产业】 2016年，内江市养殖水面4.07万公顷（其中稻田养鱼30680公顷），水产品总产量10.9万吨，增加5413吨，同比增长5.23%，其中名特优新水产品产量4.74万吨，实现渔业经济总产值34.63亿元，同比增长11.94%。内江师范学院长江上游鱼类资源保护与利用实验室被认定为内江市首个省级重点实验室。成功研究出了沱江花泥鳅（沙鳅）孵化、养殖全套技术。

【农村水利】 2016年，内江市编制印发了《内江市水利发展“十三五”规划（2016—2020年）》和“外抢、内蓄”水资源规划和相关工程布局；以绿色发展、沱江流域综合治理为牵引，统筹推进全市水务发展，研商形成《沱江流域（内江）综合治理水务方案》，批准实施了《内江水土保持规划（2015—2020）》《大规模绿化内江水系绿化方案》，包装完成了沱江流域综合治理和黄河湖水生态建设示范区水利项目。在国家保172个大型重点水利项目、压减中小项目投入的政策环境下，全市中小水利项目仍争取到位中央、省级资金2.37亿元。资中河库联网工程成功挤入全国40个、全省4个试点项目并得到7000万元资金支持，向家坝灌区一期工程可研报告进入国家审批可研、全面开工准备、局部实施建设的关键阶段。资中县两河口水库大坝枢纽相关工程开工建设，东兴区联合水库、隆昌县长桥水库工程顺利推进。突出水利扶贫和产水配套，将水利项目向贫困村和新村重点倾斜，分别在全市116个贫困村、44个幸福美丽新村落实农田水利项目建设资金9622.2万元和4683.78万元。

【农业机械化】 2016年，内江市完成机耕282.65万亩、机播69.86万亩、机收145.61万亩，四大粮油作物综合机械率达48.25%，比上年提高7.05个百分点。完成农机购置补贴资金213.44万元，共补贴各类农机具2316台，其中耕整地机械2052台、收获机械90台、田间管理机械8台、收获后处理机械126台、农产品初加工机械15台、畜牧水产养殖机械21台、拖拉机4台，全市2251户农户及组织收益。

【统筹城乡发展】 2016年，内江市坚持从改革入手推进城乡统筹，深入实施“两化”互动、城乡统筹发展战略，积极稳妥推进农村产权制度改革及配套改革，探索丘陵地区统筹城乡发展新路子，推行“三自一引”、“五步工作法”、“三化”模式、“三换”模式、“三统三保”模式等内江经验，农村产权制度改革有序推进，农业社会化服务水平逐步提升，改革试点试验区建设效果显著，其中“三换”模式被纳入2016年全国农村改革十大案例。市中区全国第二批农村改革试验区试验任务顺利通过了国家中期评估，获得了省委常委、省委农工委主任曲木史哈的充分肯定；市中区、东兴区成功获批为全省首批农村改革综合试验区；市中区、东兴区、资中县省级农村产权抵押融资试点工作走在全省试点县前列，提前超额完成年度目标任务；“内江市创新推进供销合作社综合改革试点”“威远县‘农业BOT模式’促进土地适度规模经营”“市中区积极探索农村电子商务发展新路径”等改革案例入选省委农工委、省委改革办编印的《四川农村改革新探索》并上报中央改革办。资中县孟塘镇建华村《练家祠堂》和《练翰轩》被住房城乡建设部评为第二批田园建筑优秀实例三等奖。

【新农村建设】 2016年，内江市建成幸福美丽新村300个，占全市行政村总数的17.9%；完成“建保改”全覆盖365个村，占全市行政村总数的21.8%;基本建成市中区黄河湖、东兴区高梁镇、资中县公民银山、威远县连界镇、隆昌县快速通道5个新村重点片。顺利完成省级新村扶贫项目任务,建成扶贫新村84个,完成财政投资5899万元,促进了新村脱贫攻坚能力的持续提升。结合"一增一减一治"实施方案扎实开展村民院落"摆顺、扫干净"场镇、聚居点"定点定向停车"等专项行动,全年共建设垃圾处理点300个、饮水安全工程1064处,农村环境进一步净化、绿化、美化。启动"四好村"创建,成功创建首批省级"四好村"32个、市级"四好村"169个、县(区)级"四好村"299个,实现了"四好村"创建工作的良好开局。

【扶贫攻坚】 2016年,内江市共计验收确认脱贫人口24409人,完成目标任务的100.67%,其中市中区2063人,完成目标任务的100.88%;东兴区4623人,完成目标任务的100.65%;资中县8766人,完成目标任务的100.38%;隆昌县4262人,完成目标任务的101.5%;威远县4695人,完成目标任务的100.38%。全市贫困人口由9.5万人下降到7.05万人,贫困发生率由2.9%下降到2.2%。全市共计验收确认退出贫困村63个,完成目标任务的100%,其中市中区4个、东兴区15个、资中县18个、隆昌县10个、威远县16个,全市贫困村由301个下降到238个。17个扶贫专项2016年工作计划目标任务全面完成。全年完成财政专项扶贫项目投资17309.71万元,帮助贫困户发展种植业11851亩、水产养殖1880.2亩、小家禽畜养殖24.58万只;完成贫困户种养殖技术培训25294人次。全市完成移民后期扶持项目资金投入5326.95万元,完成市政府下达目标任务的124%;完成移民实用技术培训4947人次,完成市政府下达目标任务的166%。

精准扶贫。全市先后召开了4次精准扶贫碰头会及工作推进会,提供高产栽培技术,赠送甘蔗种7吨、花生种160千克、内江黑猪8头,"六一"前夕为贫困儿童送去了价值4000余元的书包、学习用具。

技术扶贫。积极参与农业厅组织的"万名科技人员进万村开展技术扶贫行动",派出19名科技人员到3县2区19个贫困村驻村蹲点,共帮扶贫困户1513户,开展技术培训70次,培训2351人,发放技术资料4313份,赠送粮油种子361千克、种苗8800株,帮助制定产业发展规划19份,培养示范户19户。

【乡村旅游】 2016年,内江市围绕市中区尚腾新村、东兴区范长江文化、隆昌三古之旅、威远无花果产业、资中银山国家现代农业科技园区等打造一批集种植加工、科研教育、休闲观光于一体的现代农业景区。截至2016年年底,全市发展休闲农业经营单位364家。制发了《内江市2016年乡村旅游工作要点》,确定了20个适合发展乡村旅游的贫困村。重点推进市中区永安镇"尚腾新村"、东兴区新店乡"天荷瀑布"、资中县银山镇"花芊谷"、隆昌县普润镇"花漫水乡"、威远县两河镇"银花山庄"5个重点乡村旅游提升示范项目。成功创建省级乡村旅游提升示范项目1个、特色乡镇1个、精品村寨1个,四星级乡村酒店2家,四星级农家乐4家、三星级农家乐3家,省级旅游扶贫示范村2个、乡村民宿达标户10户。市中区朝阳镇黄桷桥村、东兴区新店乡双流村、隆昌县普润镇汪家村、威远县观英滩镇竹塘村、资中县兴隆街镇兴松村5个村作为旅游扶贫示范村创建单位,为每个村拨付旅游扶贫专项资金20万元共计100万元用于旅游基础设施建设。

【农村危房改造及农村安居工程建设】 2016年,四川省住房城乡建设厅分2次下达内江市农村危房改造任务3569户,已竣工3705户(C级874户、D级2392户),竣工率达103.8%。其中,市中区614户、东兴区638户、资中县746户(超出目标任务136户)、威远县269户、隆昌县1438户。住房城乡建设厅下达全市实施百万安居工程农房建设任务16000户,已完成16837户,完成投资148845.3万元,超额完成目标任务。

【农村科技】 2016年,内江市推广川中黑山羊、内5优317等新品种和肉羊综合养殖技术、水稻机插秧等新技术55项,在种植业、畜牧业、水果业、林业、水产业等方面推广示范良种良法。新建莲塘混养白乌鱼、无公害草莓种植、白鹤林等农业科技示范基地11个,引进、推广了一大批新品种、新技术,培育壮大了一批农业产业化龙头企业。组织实施重大农业科技攻关,实施新一轮"肉鸡现代产业链关键技术集成研究与产业化示范"和"木本油料毛叶山桐子良种选育"等省、市重大农业科技攻关项目23项,水稻恢复系的选育与利用多项成果达到国际、国内先进水平,特种水产科研、品种、发展规模全省领先。加快农业科技园区核心区基础建设和项目建设,园区(含示范区)实现销售收入3.52亿元,完成项目投资6.8亿元,培育主导产业省级龙头企业1家、市级龙头企业2家、农业科技型企业2家,打造研发及技术支撑平台2个,开展技术示范4项。核心区带动农民年人均可支配收入达1.5万元,示范区带动人均可支配收入达1.2万元。"优质抗病杂交水稻骨干亲本内香不育系创制与应用"项目通过国家级成果鉴定,总体达到国际先进水平;"高原粳型胞质内香籼稻新不育系的选育"项目获得四川省科技进步一等奖;"小麦—簇毛麦远缘新种质创制及应用"项目获得国家技术发明奖二等奖;内麦系列品种选育与推广项目获得农业部丰收三等奖和内江市科学技术进步一等奖;合作参与的"炮制辣椒新品种选育及栽培技术集成"获得四川省科学技术进步二等奖。攻破了水稻不育系研究中难以将高配合力、高制种产量、高抗稻瘟病三优良性状聚合于一体的技术瓶颈,自育出杂交水稻新组合"千乡优416"。新选育内油543等2个优势组合进入国家、省级区域试验。水稻、小麦、油菜、水产、蔬菜、林果、畜牧等专家结合项目先后多次针对农技干部和示范户、种养大户开展技术培训,同时配合县区成立农民夜校,开展科技(科普)培训600人次。

【农村文化】 2016年,内江市建成村文化室63个,每个村文化室均建有室内室外活动场所,配有1套广播器材、1套文化器材、宣传阅报栏及1500册以上的图书。建设乡(镇)广播电视公共服务网点83个,每个服务网点均建立健全了公示服务制度、服务内容、服务时限,为群众安装有线、无线、卫星广播电视接收设施,为电视"户户通"和广播"村村响"提供维护服务,实现了20户以上的村广播电视"村村通"。落实资金597.5万元,新建广播"村村响"411个。共计落实资金337.6万元,完成了1673个农家书屋出版物补充更新工作,为每个书屋补充更新60种以上的书刊。其中,市中区154个、东兴区428个、资中县391个、威远县320个、隆昌县365个、经开区15个。开展放映员政治素质和业务能力专项培训3期,为公益电影放映奠定了扎实的队伍基础;完善数字化监管平台功能,更新监管手持终端手机,确保放映过程的全监管;强化日常督查,确保放映场次真实。全年放映公益电影20168场,观影人次达150余万人次,超额完成全年放映目标任务。

【农村卫生】 2016年,内江市深入开展"建设群众满意的乡镇卫生院"活动,白马中心卫生院、椑木中心卫生院、田家中心卫生院、球溪中心卫生院和新店中心卫生院被国家卫生计生委评为2014—2015

年度建设群众满意的乡镇卫生院。市和县区共投入520万元，加强贫困村标准村卫生室建设，63个脱贫村全部建成标准化村卫生室，配备了合格的乡村医生。继续实施农村孕产妇住院分娩补助、农村育龄妇女增补叶酸及预防艾滋病、梅毒和乙肝母婴传播等重大公共卫生妇幼项目。开展市内农村孕产妇住院分娩补助项目出院即报工作，全年农村孕产妇住院分娩22593名，住院分娩率达99.94%，补助资金1129.65万元。全市新型农村合作医疗人均筹资540元，参合农民个人年缴费120元，各级财政年补助420元，共筹资167708.09万元，补偿635.53万人次，补偿支出142737.07万元，其中门诊补偿494.2204万人次，补偿支出31657.19万元；住院补偿46.6563万人次，补偿支出104304.76万元，资金使用率达88.44%；参合病人住院实际补偿比达65.41%，政策范围内住院费用报销比达77.46%。开展22种重大疾病医疗保障工作，定点医疗机构救治的重大疾病患者实际补偿比达77.16%。新农合大病保险人均筹资21.6元，全市筹资6456.07万元，理赔4606人共2587.99万元。全市农村计划生育家庭奖励扶助对象33708人(其中国奖对象31965人、省奖对象1743人)，发放奖励扶助3235.968万元；计划生育特别扶助对象3642人(伤残家庭1569人、死亡家庭2073人)，发放奖扶扶金1996.92万元；独生子女父母奖励对象108544.5户，其中农村独生子女父母家庭90020户，共兑付1302.534万元。

【农村交通】 2016年，内江市共投入10.8亿元，新(改)建农村公路1002.9千米，其中县(乡)公路318.7千米、通村公路684.2千米，分别完成民生工程和民生实事目标任务的354.1%和760.2%；渡改公路桥4座，完成目标任务的400%。全市贫困村共完成县(乡)道改善工程96.1千米、农村村级公路209千米，实现2016年计划退出63个贫困村通硬化路的脱贫目标。各县(区)分别采取了片区经营(市中区)，分线路、分区域经营(东兴区)，以班线+环线经营(资中县)，分片区+城镇公交经营(威远县)，以班线+小区域经营(隆昌县)，结合延伸线路、定线循环运行等灵活多样的适合农村客运发展的经营模式保障广大村民乘车需求和经营者利益，提高客运班车覆盖范围。全市115个乡(镇)均已通客车，2071个行政村中已通客车的达1949个，通达率为94%。全市有农村客运企业28家、农村客运线路319条，投放农村客运车辆1171辆，平均日发班次5246班，每日旅客运输量均达10万余人次，农村旅客运输量达4740万人，农村旅客周转量达103598万人千米，基本满足了农村群众的出行需求。

【农村社会保障】 2016年，内江市累计支出农村低保资金1.9亿元，累计保障125.63万人次，累计月人均补助151元，实现了动态管理下的“应保尽保”的目标。全力资助农村困难群众参加基本医疗保险，医疗救助政策范围内住院自付费用在年度救助限额内的救助比例达71%，有效缓解了农村贫困家庭就医难和因病致贫的问题。全市农村敬老院数达162所并已全部纳入事业单位法人登记，有五保供养人员36466人、敬老院管理及工作人员667人。全年实施临时困难救助15493户次，发放救助资金1314.63万元。建成农村日间照料中心21个，农村幸福院108个，通过购买服务方式，为困难家庭失能老人和80周岁以上老人提供居家养老服务。

【大规模绿化内江行动】 2016年，内江市召开大规模绿化内江行动动员会，安排部署大规模绿化内江行动相关工作，与各县(区)政府和市级相关部门签订了大规模绿化内江行动目标责任书(2016—2020年)。编制完成《大规模绿化内江行动总体规划(2016—2020年)》，出台了《内江市人民政府办公室关于印发大规模绿化内江行动方案的通知》《内江市人民政府办公室关于印发全市今秋明春造林绿化行动实施方案的通知》。市绿化委员会举行了大规模绿化内江行动暨2016年市直机关秋冬季义务植树活动，林业厅领导、市“四套班子”领导、市绿化委员会成员单位职工、驻内部队官兵等300余人参加。

【农村留守儿童(学生)帮扶】 2016年，内江市继续做好农村留守儿童(学生)关心关爱工作，建立了农村留守儿童学生专门档案，加强留守学生管理；成立了“农村留守学生之家”，积极开展教育关爱行动；开展志愿者服务和心理辅导等系列帮扶活动，为留守学生提供健康保健、心理辅导、法制教育等服务。

【农产品质量安全监管】 2016年，四川省农业厅对内江市农产品质量安全进行例行监测和专项监测，共抽取农产品(蔬菜、食用菌、水果、鸡蛋、猪肉等)样品830个，监测合格率达100%；畜产品中“瘦肉精”等违禁物质抽样检查10.78万头份，持续保持零检出率。加大生鲜乳质量安全监测力度，重点监测三聚氰胺、黄曲霉毒素B1，检测牛奶296个批次，未检测出三聚氰胺、黄曲霉毒素B1等有毒有害物质。全年无重大农产品质量安全事故发生。

【劳务开发】 2016年，内江市转移输出农村劳动力117.02万人，实名登记入库117.02万人(其中市内25.79万人、市外省内35.43万人、省外55.74万人、外派劳务0.05万人)，增加0.69万人，增长0.59%；实现劳务收入186.05亿元，增长7%左右。农民工回流1.96万人，占外出农民工总数的1.67%，减少5.77万人，下降74.64%。新增返乡创业人数3802人，新增返乡创办企业473家，其中规模企业21家；新引进投资总额142.43亿元，新增返乡创办企业吸纳就业1.15万人。完成劳务品牌培训1941人，完成全年目标任务的104.92%。全年调处劳务纠纷453件，为农民工挽回经济损失9488.06万元。

【主要领导人】 市委书记：马波；市人大常委会主任：李发强；市长：任晓春；市政协主席：戴震；分管农业副市长：田文平。

内江市编写组

市中区

【基本情况】 2016年，市中区辖12个乡(镇、街道)，有农业人口28.5万人，有耕地面积26.3万亩，与上年持平；基本农田23.25万亩，与上年持平。

【年度农业和农村经济运行】 2016年，市中区实现农业总产值30.89亿元，增长3.7%；农业增加值16.5亿元，增长3.9%。农民年人均可支配收入12810元，增长9.2%。

农业产业化发展。市中区共培育各类农业经营组织289个(其中国家、省、市三级示范龙头企业和专业合作社共42个)、种养大户3488户，实现总产值26.5亿元，带动区内外15.6万户农户参与新型农业经营，农民人均增收500余元。

【新农村建设】 2016年，市中区紧紧围绕“业兴、家富、人和、村美”建设目标，倡导“小规模、组团式、生态化”和“微田园”等做法，整体推进交通、水利、能源、信息、生态环保等美丽新村建设，全面改善农村居民生产生活条件。全区建成幸福美丽新村29个，完成投资9828万元，完成计划总投资的130.2%，惠及农户1821户、6159人。为加强农村精神文明和物质文明建设，大力开展以“住上好房子、过上好日子、养成好习惯、形成好风气”为主要内容的“四好村”创建活动，成功创建省级“四好村”4个，申报市级“四好村”21个。

【助农增收】 推进产业基地建设。2016年，市中区以万亩柑橘示范、优质畜禽养殖、万亩特种水产养殖、万亩竹产业“四大产业基地”为抓手，打造“果盘子”“菜篮子”“花园子”基地，推进农业供给侧结构性改革。在永安、朝阳、凌家等乡（镇）将聚土起垄的高标准建园、树盘单株聚土的普通建园、原地高接换种的品质改良三种方式相结合，集中连片打造柑橘产业示范片1.8万亩；在龙门、凤鸣、龚家等乡（镇）扩大小家禽、蛋（肉）鸡养殖规模的同时以君亮畜禽、梁氏养鸡、青年养殖场等为行业代表推广家禽散养、林下养殖等循环农业、生态农业，提高全区优质畜禽养殖规模和效益；在永安、伏龙等乡（镇）以永安白乌鱼、乡渔观赏鱼、伏龙中华鳗鳅等特种水产为主导品牌，强化环境安全监管，抓好农产品品牌创建，推广永安白乌鱼、江龙鱼，建成万亩优质特种水产养殖基地；在沱江河、黄河湖、寿溪河、桂溪河等水域周边涵养水源区结合“绿化中区”、省级森林城市创建、沱江干流（流域）绿化等建设打造万亩竹产业发展基地。邀请省林科院联合编制《市中区沱江右岸万亩竹产业发展规划》，在白马、史家、朝阳等镇涉及流域栽植雷竹2000余亩。

促进产业深度融合。紧紧围绕农业供给侧结构性改革主题，在整合农业生产要素和提高生产经营组织化上寻找突破口，把培育新型农业经营主体作为主攻方向，重点抓好“两朵玫瑰、一片草原”“两座公园、一个基地”“两个4A级景区、一片乐园”产业融合发展项目建设，着力发展新产业、新模式、新业态，努力培育农村发展新动能，实现农业“好吃、好耍、好赚钱”目标。一是规划启动50平方千米的产业融合示范园区建设，包括永安朝阳精品水果示范片、黄河湖乡村旅游示范片、凌家农副产品加工示范片、伏龙龙门农文旅融合示范片、靖民龚家全安生态农业示范片5个融合发展示范片。二是将“四好村”创建与16个幸福美丽新村建设、文明村创建、“践行十爱·德耀甜城”主题活动等相结合，重点创建省级“四好村”31个、市级“四好村”38个、区级“四好村”46个。三是以农村改革为内生动力，深入推进全国农村改革试验区建设，做好国家级改革试验区终期验收工作，创新农村发展新机制，为农村供给侧结构性改革提供新动能。深化“三化”“三换”“三生”等新模式新机制，解决村民有土地无收益、村集体有资产无资金、农民有劳力无收入的“三无”问题。

创新工作推进机制。为促进涉农项目的有效整合，成立了内江市市中区农业产业发展及基础设施建设规划委员会，负责编制农业农村发展建设规划及年度实施方案，加强涉农项目整合和统筹协调力度，完善涉农项目整合和统筹工作机制。坚持“上争外引”，积极对接上级各行业部门，争取项目、资金支持和倾斜，全年争取上级专项基金约15亿元。充分利用农村改革、产业融合、返乡创业等国家级示范牌子，完善人才引进机制和招商对接机制，推进实施“回家工程”“汉安英才”“归雁计划”三大工程，引导农村人才、农民工等返乡创业，支持农业农村发展。

【扶贫攻坚】 2016年，市中区聚焦“两不愁、三保障”“四个好”目标，强力推进“五个一批”“六个精准”，坚持工作机制到位、规划编制到位、政策落实到位、帮扶措施到位、资金保障到位、痕迹管理到位“六个到位”，突出抓好农村改革、产业融合、返乡创业、“四好村”创建、基层党建与脱贫攻坚的结合，探索出“两集中、三权六化”“三借三还”的脱贫攻坚精准扶贫长效机制，脱贫攻坚工作有力有序推进。结合农村改革，推行财政资金集中投入、贫困户集中受益，产权股份化资本化、经营权集中化产业化、收益权明晰化持续化的“两集中、三权六化”收益扶贫模式，在全区全面推广，建立了农户与社会资本利益联结机制，促进了贫困户持续增收。全面完成2016年度141户易地扶贫搬迁和500套危房改造任务，彻底解决了部分贫困户住房难题。实现了4个贫困村退出和742户、2045名贫困群众如期脱贫的目标，全区贫困村由19个减少为15个，贫困人口由14561人减少为3785人，贫困发生率由4.9%降至1.2%。各项脱贫攻坚目标任务顺利通过省、市考核验收，受到了省脱贫攻坚考核验收组的充分肯定。

【乡村旅游】 2016年，市中区深度挖掘农耕文化、民俗文化、历史文化资源，以文化价值为取向大力发展乡村旅游，打造旅游商品，扩宽农民增收渠道，推进一二三产业融合发展。一是大力发展乡村休闲旅游。坚持农文旅融合发展，大力实施“21111”乡村旅游富民工程，推进川南大草原、五彩牛桥、永博农业公园、白鹤湾生态旅游度假村、旮旯沟等一批乡村旅游景点建设，全力打造“成渝乡村旅游样板区”。全区创建乡村旅游省级示范乡（镇）、示范村各3个，农家乐58家，举办白鹤湾荷花节、永安葡萄节、朝阳柑橘节、靖民板栗节等节庆活动50余次，全年乡村旅游直接收入达1.3亿元，永安镇尚腾新村被农业部评为“中国美丽休闲乡村”。二是推电子商务进农村。市中区成功创建为“全省电子商务进农村示范区”，建成区级电商集聚区1个、村级电商服务站112个、电商示范镇2个、电商示范村6个，农村电商带动300余人就业创业，为村民提供代买代卖服务3.6万笔，实现农产品网络交易额1.34亿元。积极与阿里巴巴对接并正式签约，建成区级运营中心和菜鸟物流中心，成功招募“村淘”合伙人30名、淘帮手16名。三是打造特色小镇（村）。启动尚腾文旅小镇、甜城玫瑰小镇、伏龙烙画小镇、朝阳柑橘小镇、龙门糖业文化小镇等一批特色小镇建设。凤鸣乡龙洞新村引驻内江永博农产品物流有限公司开发占地3000亩的永博农业公园；永安镇石板村吸引外出成功人士李顺洪返乡创业，发展白鹤湾特色民宿体验项目；靖民镇长安村利用寿溪河沿岸良好的生态环境发展核心景区为40公顷的“长安乐园”项目；全安镇伍祠村围绕300亩荷花基地建设农家乐，开发“荷花宴”“莲心茶”等特色农业产品。

【2016年度“三农”工作先进经验介绍】 2016年，市中区紧紧围绕建设幸福美丽中区、率先全面建成小康的奋斗目标，按照“1357”工作思路，充分发挥区位优势，进一步转变农业发展方式，创新农业经营模式，拓宽农民增收渠道，全面提升农业农村发展水平。获得了“全国农村产业融合发展试点示范县（区）”“全国结合新型城镇化开展支持农民工等人员返乡创业试点县（区）”称号，被评为全省“三农”工作先进县（区），农业农村工作再上新台阶。

全区累计投入各类资金105.87亿元，构建起完善的交通网络、农田水利、公共服务基础设施体系，有效提升了农业农村的发展承载力。一是交通体系内通外畅。新（改）建通乡、通村公路652千米，公路通村率达100%、通组率达75%，在全市率先实现了“村村通”，客运通乡率和通村率分别达100%和80%，所有乡（镇）均被纳入主城区“半小时经济圈”。二是农田水利基础建设扎实。建成高标准农田4.5万亩，整治小型病险水库12座，新增蓄水能力580万立方米，新增有效灌面2.32万亩，新建和改造河堤13.2千米。三是农村公共服务均衡配套。全区“1+6”公共服务中心实现村村全覆盖，建成农村垃圾池（库）426处、农村垃圾无害化处理点3个，累计完成改水、改厨、改厕、改圈1.56万户，新（改）建城乡低压线路750千米，解决了农村地区 2.43 万户、9 万余人的安全饮水问题。

发挥城郊型农业特点,坚持"精、特、优"发展,围绕特色抓产业,围绕产业强龙头,围绕龙头建基地,着力构建新型农业经营体系。一是发展农业适度规模经营。成功打造 1.3 万亩以特色水产养殖、良种畜禽、精品果蔬和生态休闲为主的国家级现代农业园区,建成特种水产示范园区 8000 亩、林业科技示范园区 1 万亩、现代畜牧园区 3 个,建成韭菜、榨菜、柑橘、核桃、苗木 5 个万亩基地和 55 个畜禽、果蔬、水产、林木特色产业基地,初步形成了环区 80 千米的现代农业产业整合圈层和城乡融合圈层。二是打造本土区域品牌。整合资源,全力打造"甜城乡土"区域品牌,市中区成功创建为"中国白乌鱼之乡",拥有西南最大的观赏鱼基地,"优丽可"柠檬、"吽吩"韭菜、"正园"葡萄、"莲挚道"莲米、汉安夏布绣、"德福隆"优质种猪等特色名优品牌闻名全国。全区拥有农特产品 40 余种,注册农产品商标 31 个,获得国家地理标志认证产品 2 个、省级农产品绿色品牌认证产品 7 个、市级非物质农产品品牌 2 个。

【四川省农村改革综合试验区经验介绍】 2016 年以来,市中区坚持"三自一引"工作思路,紧扣国家级、省级改革任务,以壮大农村集体经济、推进适度规模经营为主线,农村改革在多个方面取得了阶段性成果。推进农村产权制度改革,发放各类农村产权证 10 万余本。推动集体股改,完成 99 个村的清产核资、成员界定、股权量化和工商注册等工作。在 5 个村试点开展财政支农资金"补改投、投转股",支持农村集体经济发展。积极探索土地经营权退出,形成了退出换现金、换股份、换保障"三换"做法,累计退出土地 454.38 亩并被纳入"2016 年中国改革十大案例"。组建农村产权交易服务中心,全区共流转土地 6.8 万亩,举办了全国农村土地制度改革与适度规模经营专题研讨班。成立农村合作经济组织联合会,推进生产、销售、信用"三位一体"供销合作社综合改革,吸纳 100 余户新型农村经营主体和集体经济股份合作社参与。推动土地承包经营权抵押融资,出台"一方案五办法",发放贷款 2124 万元;新组建江龙水产、君亮养殖 2 家农村资金互助社,共发放互助贷款 1600 余万元。强化基层党建,建立新型经营主体党组织 23 个。全年农村居民年人均可支配收入达 12805 元,高于城市居民收入增长 1 个百分点,城乡差距逐步缩小。

【主要领导人】 区委书记:蒋学东;区人大常委会主任:张晓亮;区长:陈伦;区政协主席:黄文勇;分管农业副区长:柳永胜。

市中区编写组

东 兴 区

【基本情况】 2016 年,东兴区辖 29 个乡(镇、街道),有农业总人口 614690 人,有耕地面积 98.958 万亩,减少 0.12%;基本农田 80.71 万亩,减少 0.47%。

【年度农业和农村经济运行】 2016 年,东兴区实现农业总产值 841637.3212 万元,增长 3.9%;农业增加值 489191 万元,增长 4.1%。农民年人均可支配收入 12347 元,增长 9.3%。

农业产业化发展。东兴区休闲渔业产业初步发展,全区共发展休闲渔业基地 10 家。重点推进沙坝养殖专业合作社休闲渔业基地建设,第一期工程基本建成生态甲鱼养殖区、休闲垂钓区、有机果蔬采摘区等,充分发挥休闲渔业功能,让人们玩水、观景,直接参与戏鱼、钓鱼、吃鱼的全过程,尽情享受"世外桃源"式的田园风光和渔家乐游。该基地全部建成后,年均可接待游客达 3 万余人次,年均收入 3000 万元左右。

【种植业】 2016 年,东兴区粮食播种面积 98.5 万亩,产量 33.7 万吨。油菜播种面积 15.3 万亩,产量 2.38 万吨。蔬菜种植面积 38.54 万亩,产量 59.62 万吨,实现产值 7.24 亿元。水果种植面积 14.37 万亩(其中柑橘面积 3.4 万亩),产量 9.14 万吨,实现产值 2.09 亿元。引进四川千丰农业科技公司在高梁镇芋河村发展砂仁种植基地 3000 亩,新建砂仁加工厂房及砂仁粗加工生产线 1 条。

【林业】 2016 年,东兴区引进万丰鼎盛种植专业合作社投入资金 120 万元,在新店镇上糖房村带动农户发展花椒面积 4000 亩。结合绕城高速重点打造节点绿化,在高桥街道双烈村引进和平盛兴种植专业合作社投入资金 70 万元,流转土地 350 亩,种植桃树,并在桃树四周栽植桂花、红叶李,推动乡村绿化发展。按照"政府组织发动、企业发放苗木、农户提供土地"模式,重点围绕"一带、两库、三片"重点区域布局,以大清流河沿河乡(镇)、联合水库及团结水库周边等区域为重点,集群化发展毛叶山桐子产业。发挥全国第二大蒲葵基地示范效应,以大清流河沿岸的郭北、杨家等 8 个乡(镇)为重点,狠抓蒲葵良种繁育和优质种苗生产能力建设,依托"家扬蒲葵"省级合作示范社品牌优势,积极探索苗圃、葵扇、葵叶、蒲葵树、工艺品、观光旅游等复合经营。

2016 年东兴区家庭农场经营情况统计表(前 10 位)

家庭农场名称	注册资金(万元)	法人代表	年度产值(万元)	行业分类	主营产品
内江市东兴区怡兴生猪养殖家庭农场	100	罗兰	196	养殖业	生猪
内江市东兴区陈燕生猪养殖家庭农场	180	陈燕	119	养殖业	生猪
内江市东兴区余艳群养殖家庭农场	50	余艳群	18	养殖业	肉羊
内江市东兴区秀迪生猪养殖家庭农场	50	张优全	86	养殖业	生猪
内江市玉帛羊养殖家庭农场	210	徐玉良	144	养殖业	肉羊
内江市东兴区杨春家庭农场	50	李德容	—	种植业	李子、核桃等
内江市东兴区双新生猪养殖家庭农场	10	钟秀英	780	养殖业	生猪
内江市东兴区春火养殖家庭农场	500	王小桃	289	养殖业	生猪
内江市东兴区农哥种养殖家庭农场	99	张勇	41	种养业	生猪
内江市东兴区菩提树下果蔬种植家庭农场	20	夏秀奎	24	种植业	水果、蔬菜

【畜牧业】 2016年,东兴区按照环保部西南督查中心要求按期完成四川弘济生态养殖有限公司石子猪场的关停搬迁工作要求,共计搬迁转运大小猪只2398头。第二轮现代畜牧业重点县建设工作获得省政府认定授牌。牛、羊发展快速推进,已成为全区畜牧业新的增长点,全年肉牛出栏2.32万头,同比增长1.9%;羊出栏12.07万只,同比增长2.6%。发展各类畜禽规模养殖小区(场)3204个,其中生猪2605个,同比增加17个;肉鸡468个,同比增加3个;牛69个,同比增加3个;羊62个,同比增加2个;生猪、肉鸡规模化养殖比重分别为72%、61%。

【水产业】 2016年,东兴区水产养殖面积15万余亩,水产品产量31440吨,比上年增加650吨,增长2%;实现渔业经济总产值6.23亿元,比上年增加4508万元,同比增长7.8%。创建部级水产健康养殖示范场7家、无公害水产品养殖基地9家。

通过政策引导、技术引进,帮助养殖专业合作社发展黑斑蛙养殖。郭北镇铭扬养殖专业合作社流转土地160亩,经过3年的精心驯养和管理,探索出了稻田生态黑斑蛙养殖模式,逐渐创建了“公司+基地+农户”经营管理方式,带动3户农户养殖黑斑蛙。2016年,全区发展黑斑蛙养殖220余亩,平均亩产达到1500斤左右,可上市成品蛙达150吨,可实现产值750万元,主要销往成都、重庆等周边省(市)。

名特优养殖数量和面积进一步扩大。东兴区把新品种、新技术引进和推广作为渔业工作的重点来抓,引导养鱼大户引进台湾泥鳅、黄颡鱼、南方鲇、叉尾鮰、鲈鱼、白乌鳢、小龙虾、黑斑蛙等名优新品种并在石子、同福、椑木、高桥、双桥、顺河等重点渔业乡(镇)推广养殖,进一步优化调整了养殖品种结构,使渔业提质增效。全年名特优水产品产量14510吨,占水产品总产量的46%,实现历史新高,继续名列全市前茅。

规模养殖发展迅速。大力开发宜渔水面,扩大现有养殖池塘规模,努力提高项目的质量档次和示范功能,着力搭建现代渔业发展平台。鼓励养殖水面向大户流转,规模大户成为渔业先进生产力的代表,示范带动效果明显;全区30亩以上规模养殖户183户,其中100亩以上连片大户39户。内江田园水产养殖有限公司、内江市东兴区财政水产养殖专业合作社、内江雅特水产养殖专业合作社、内江市东兴区沙坝养殖专业合作社开展生态甲鱼养殖,共投放甲鱼幼苗10万只,养殖面积620余亩。

水蛭养殖在全市首获成功。石子镇天罡养殖专业合作社于2014年开始引进水蛭人工养殖项目,经过3年的实验,2亩水蛭养殖基地的750余千克水蛭已进入成品期,标志着东兴区引进水蛭养殖获得成功。

水产业扶贫。一是强化技术培训。积极组织水产专家到贫困村开展水产养殖技术扶贫培训会,全年共举办培训5期,200余人参加培训。二是财政投资创收。将140万元财政专项资金对口安排到贫困村,试点投资收益扶贫水产养殖项目,其中小河口镇安排90万元资金折成45股,量化分配给红林村15户贫困户,红林村水产养殖专合社与项目业主签订14年的承包合同,按年收取土地流转租金及项目固定资产承包费,并按每股每年1080元红利分配给贫困户;永兴镇安排50万元,10户贫困户与水产养殖专合社签订合同,每年从利润中提取3万元作为石滩村10户贫困户的红利,每户每年可分红3000元。三是专合社吸股增收。依托红林、水阔鱼香水产专合社,推行“专合社+基地+农户+统一管理+统一销售”产业化经营模式,吸纳36户贫困村民采取土地、资金入股方式入社,发展水产400亩,预计实现集体经济收入1.1万元。

加强产地水产品质量安全监管,强化渔业安全生产监督。加大水产投入和水域环境景观整治力度,严厉打击渔用兽药、饲料和水产苗种的制假、售假行为,全力净化水产品投入市场。全年组织开展渔政执法检查79次,出动执法人员316人次,发放各类宣传资料约500份,完成“三证合一”证书换发渔船基础数据采集工作,进一步维护了渔业生产秩序。

【扶贫攻坚】 2016年是打赢脱贫攻坚战的首战之年,东兴区各级各部门聚焦“两不愁、三保障”和“四个好”目标,高频率研究部署、高密度督查督导、高规格配强力量、高强度压实责任,超额完成了年度目标任务。全年实现精准减贫4593人,超市上下达任务0.6个百分点,全部达到国家“两不愁三保障”和省“一超六有”的脱贫标准;实现精准退出贫困村15个,完成率达100%,全部达到国家和省“一低五有”的退出标准。全区剩余贫困村62个、贫困人口13377人,贫困发生率从6.4%降至1.89%。一是高度重视。调整充实脱贫攻坚领导小组力量,落实区委书记、区长任“双组长”,区人大常委会主任、区政协主席以及区委政府副职任副组长的责任制,严格落实“一周一会商、一周一调度、一周一通报”制度,区委区政府主要领导经常过问、督促脱贫攻坚工作,区委区政府分管负责人做到每周至少3次集中研究脱贫攻坚工作,有力保障了各项工作顺利推进。全年组织开展全区性的专项督查和评估检查11次,区级带队领导亲自挂帅,各部门主要负责人认真参与,保障了各项工作的落实。二是精准谋划攻坚。编制完成基础设施建设、农业产业、工业产业等17个扶贫专项2016年工作计划并组织实施,营造了举全区之力抓脱贫攻坚的良好氛围和工作格局。编制了《2016年财政专项扶贫资金项目实施方案》,因户施策,实施房屋改造、优质水果蔬菜种植、良种家畜家禽养殖等扶持项目,共投入2400余万元,惠及23个乡(镇)、32个贫困村、贫困户2026户、贫困人口6007人。三是狠抓工作落实。按照“四个一批”行动计划,对全区建档立卡贫困人口帮扶措施逐一细化分类并狠抓落实。全年扶持生产和就业发展一批2018人;实施易地扶贫搬迁一批929人,春节前已全部入住;低保政策兜底一批4820人,提前实现低保线与脱贫线“两线合一”;医疗救助扶持一批3183人得到保障,对全区建档立卡贫困户发放“就医优惠证”,贫困人口县域内住院政策范围内的个人医疗费用实现“零支付”。狠抓“五个一”帮扶,建立了区级领导、区直部门(单位)联系指导贫困村的精准脱贫工作制度,全区77个贫困村均落实了区级领导、区级联系指导部门;建立了“贫困村为重点、扶贫到户到人”的工作机制,选派优秀机关干部到77个贫困村任“第一书记”,选派党员干部232名,组成77个驻村工作组,为每个贫困村配备1名驻村农技员,实现了驻村帮扶全覆盖,确保了各项工作落到实处、有序推进。四是广泛开展宣传。制作了贫困现状图、致贫原因分析图等脱贫攻坚“5张图”,在乡(镇)和贫困村实施挂图作战。发放脱贫攻坚工作手册和政策指南1.3万余册,让广大帮扶干部真正熟练掌握脱贫攻坚政策。为每个贫困户制作了明白卡、制发了工资条,向所有建档立卡贫困户发放脱贫攻坚工作口袋书6500余份并由“第一书记”组织贫困群众集中学习,引导其活学活用,依托国家政策“轻装上阵”,早日脱贫。五是积极改革创新。大力推广“三权六化”投资收益扶贫模式,先后利用省、市财政扶贫资金项目在郭北镇亢家村、大治乡土主村、柳桥镇长桥村等12个乡(镇)12个村实施投资收益扶贫项目,投入项目资金872.2万元，股权量化收益贫困户 425 户、1359 人。筹资 3210 万元，设立教育扶贫救助基金、卫生扶贫救助基金、贫困户特别救助基金、扶贫小额信贷分险基金、贫困村产业扶持基金"五支基金"，确保了惠民扶持政策全覆盖、无死角，缓解了制约贫困户产业发展、村集体经济壮大的资金瓶颈。积极引进业主或鼓励外出人才返乡创业，建成天荷旅游度假区、上塘坊青花椒基地等一大批旅游、产业扶贫园区（基地），在支付土地租金的同时建立将固定比例利润用于参与土地流转农户分红机制，增加农户财产性收入；引导业主与镇（村）达成优先使用本地劳动力特别是贫困户劳动力的协议，增加农户工资性收入；鼓励业主转型发展下游加工业，参照"反租倒包"模式，将成熟的产业基地（如桑园、花椒园）等分片委托给农户管理，增加农户生产经营性收入，多措并举，保障贫困户长远脱贫、稳定脱贫。

【乡村旅游】 2016 年，东兴区大力实施"旅游兴区"发展战略，坚持"农旅融合、以农促旅、以旅强农"方针，充分发挥旅游产业的关联带动作用，不断丰富和拓展乡村旅游的内涵，将乡村旅游发展全面融入社会主义新农村建设，建成以田家镇范长江文化旅游园区、新店乡天荷旅游度假区、高梁镇杨岭村荷花谷、双才镇隆新苑、中山镇桃花园、高桥街道怡景轩、东兴街道仁和花园等为代表的乡村旅游景区（点）。全区有省级乡村旅游示范乡（镇）3 个、省级乡村旅游示范村 1 个、省级乡村旅游特色经营点 3 个；星级农家乐（乡村酒店）20 余家；乡村旅游从业人员 20000 余人。2016 年，全区乡村旅游共接待游客 480 万人次，实现旅游收入 8.7 亿元，同比增长 28%，占全区旅游总收入的 19%。

坚持政府主导，凝聚合力促发展。把乡村旅游作为"产业兴区"和幸福美丽新村建设的重要抓手，与社会主义新农村建设有机结合，纳入国民经济发展总体规划，先后出台了加快乡村旅游业发展的实施意见和道路交通、城乡环境治理、基础设施建设等政策规定，乡村旅游产业发展的工作体制和运行机制进一步健全。同时，高效整合旅游、国土、住建、农林、水务、交通、电力等部门力量，广泛吸纳社会力量参与乡村旅游建设与发展，形成了政府主导、市场主体、社会参与的乡村旅游发展格局。

坚持规划引领，夯实基础促创建。坚持以《内江市东兴区旅游发展规划》为指导，突出"科学布局、注重特色、差异发展"的原则，统筹制定乡村旅游分布、产业定位、市场营销等规划，同步实施水、电、气、路、讯等基础设施建设，全区乡村基本实现"五通"，其中 90%以上的乡村道路实现硬化；导游牌、停车场、旅游厕所、游客中心、标志牌等硬件设施完备，增强了乡村旅游业的发展后劲。同时，大力推进以核心景区为龙头、大千文化为特色、休闲养生为主导、土特产销售为补充的乡村旅游产业体系建设，传统乡村旅游经营逐步过渡到差异化、特色化、规范化、标准化发展轨道，游客的多元化、个性化旅游需求得到有效满足。

坚持品牌战略，狠抓营销促影响。充分利用丰富的乡村旅游资源，深入挖掘民风民俗，顺应节假日调整、近郊游、自驾游消费增长的趋势，做足休闲、避暑、观光、体验型乡村旅游的文章，以新店天荷旅游景区、高梁荷花谷、双才隆新苑、中山桃花园四大景点为支撑，一批区位优势突出、特色鲜明的农家乐快速发展。同时，依托大千文化旅游产业园和范长江文化旅游园区 2 个国家 4A 级景区，扩大对外宣传促销，积极参加国际国内旅游交易会、西博会等 30 余场次，主动加强与成都、重庆、自贡、宜宾、泸州、资阳等主要客源市场的对接，推进渝西川东 7 县（区）区域合作和资源共享；主动将优势旅游资源推介纳入省、市旅游宣传大潮，加强与省内外主流媒体的合作，多渠道、全方位开展宣传营销，全区乡村旅游宣传的放大效应日益显现，知名度和影响力不断提高。

坚持优化服务，加强管理促提升。围绕"吃住行游购娱"六大基本要素和"商养学闲情奇"六大发展要素以及游客多元化旅游服务需求，采取走出去考察学习、请进来举办培训等方式方法培训乡村旅游从业人员，改进经营管理方式，全面提升从业人员素质。同时，注重发挥行业自律功能，指导有条件的乡村成立旅游协会和旅游合作社，加强乡村旅游内部管理，增强发展乡村旅游的内生动力，全区已成立旅游合作社 2 个、旅游协会 4 个。以贯彻落实《旅游法》为契机，大力开展旅游市场整治专项行动 20 余次，推行规范化、标准化、人性化旅游服务。健全和完善旅游安全应急预案，构建游客紧急救援响应联动机制，组织实施应急演练 8 次。提升完善乡村旅游点安全防护设备设施 300 余处，确保了乡村旅游安全、文明、有序发展。

坚持城乡统筹，美化环境促建设。坚持把乡村旅游发展与社会主义新农村建设相结合，乡村旅游点认真落实"严格保护、合理开发、永续利用"的方针，有效保持周边建筑与自然景观、文物古迹的协调性。在建设过程中，注重彰显民族地域特色，注重生态环境保护，通过移植本地适宜树种全面提高乡村旅游点绿化覆盖率。同时，大力实施城乡风貌塑造工程，扎实开展城乡环境综合治理，农村"脏、乱、差"状况得到明显改善，乡村面貌得到较大提升，"镇亮、村美、民富"的乡村旅游示范点逐渐形成，旅游接待环境日益优化。

坚持文化兴旅，文旅互动促振兴。全区牢牢把握旅游的文化属性和文化的旅游功能，全力推动文化和旅游产业融合互动。积极组织推出荷花节、桃花节、葡萄草莓采摘节等旅游节庆活动，将文化元素融入休闲度假旅游、生态旅游、红色旅游、文化旅游等产品中，充分展示大千故里、文化东兴的旅游魅力，吸引并留住了大量游客，带动了旅游二次消费，有力助推了全区乡村旅游产业发展振兴。

坚持群众参与，合力兴旅促共荣。全区充分调动广大群众参与发展旅游业的积极性、主动性和创造性，整体联动、合力兴旅，形成了全社会关心旅游、支持旅游、参与旅游的崭新局面，真正实现了"全民旅游"，为全区旅游产业又一次"井喷"式发展提供了坚实的人力保障。

【四川省农村改革综合试验区经验介绍】 2016 年 2 月，东兴区获批为省级农村改革综合试验区。根据省农业和农村体制改革专项小组《关于印发〈四川省农村改革综合试验区实施方案〉的通知》精神，制订了《东兴区实施全省农村改革综合试验区建设总体方案》，突出围绕农村集体产权制度、农业经营制度、农业支持保护制度、城乡发展一体化体制机制、农村社会治理制度和扶贫开发脱贫攻坚体制机制六大领域先行先试，计划通过 2 年的系统集成性试验形成一批可复制、能推广到全市、全省、全国的农村改革经验。全区承担省上部署农村改革试点试验任务共 17 项，各项试点试验已全面启动并有序推进。

作为全省农村改革综合试验区之一，东兴区积极探索"三级联动、组合抵押"模式，试点试验农村产权抵押融资。坚持以完善机制、规范程序、合理运行为目标，在完善农村产权确权颁证的基础上，进一步加强农村产权交易体系建设，健全融资风险防控补偿机制，开展以农村土地经营权抵押融资为主的农村产权抵押融资，与邮储银行东兴支行加强"政银合作"，已累计发放农村产权抵押融资贷款 2882 万元，极大地解决了新型农业经营主体融资难问题，改善了农村融资环境,降低了融资成本。同时,在农村产权抵押融资制度化、规范化方面开展探索。一是加强组织领导。成立了由区委书记、区长为组长,区委区政府分管领导为副组长,农工委、统筹委、农林、国土、房管、水务、财政、金融办等涉农部门为成员的省级农村改革综合试验区工作推进领导小组,建立了农村产权抵押融资试点试验工作联席会议制度,定期组织召开专题会议,研究解决工作中的重大问题,确保了全区农村产权抵押融资试点试验工作顺利开展。二是完善确权颁证。加快开展农村土地承包经营权、林权、集体土地所有权、集体建设用地使用权、农村房屋所有权"五权同确"工作,明晰了产权归属;开展"定向确权",按照"先易后难,分类指导"的原则,优先对农村产权抵押贷款意愿较强的农户和经营主体进行定向确权并颁发相关产权证书;积极探索"三权分置",即设立农村土地所有权归集体、承包权归农户、经营权可流转的"三权分置"模式,探索土地经营权直接抵押贷款。三是规范制度流程设计。结合中央、省、市政策,研究制订了《东兴区农村产权抵押融资试点工作方案》,完善土地经营权证登记管理、价值评估、抵押登记等相关办法,规范融资客户推荐、贷款业务申请、委托专家评估、银行贷款审查审批、抵押登记办理、贷款发放六步农村产权抵押融资业务流程。四是搭建交易服务平台。建立"区有管委会、镇有站、村有点"的三级联动产权交易服务体系,区上成立农村产权交易监督管理委员会,在全区 29 个乡(镇、街道)组建了农村产权流转服务站,在乡(镇)便民服务中心设立了农村产权流转服务窗口,村上配齐农村产权流转信息员,做好政策咨询服务、流转信息(资料)收集报送、流转合同(备案)、流转纠纷调解等工作,依托市农村产权交易中心实现联网运行、网上交易,为贷款抵押物处置、抵押权利的实现提供保障。五是创新产权抵押方式。以"土地经营权+地上附着物+构筑物"等组合抵押方式申请贷款,放大农村资产资源效应,破解单纯以土地经营权抵押贷款额度低的困境。六是健全产权价值评估机制。从农业、林业、水务、国土等部门选聘经验丰富、业务精湛的专业人员组成农村产权评估专家小组,建立价值评估专家库,按产权类别随机抽取评估专家,按照"客观公正、科学合理、公开透明"的原则开展农村产权评估。对数额较大或资产复杂的,在全市范围内公开选聘评估专家进行实地考察评估或委托专业评估公司进行评估,确保评估的科学性、精准性。七是强化风险防控。在融资客户筛选上尽量选择信誉高、经营状况好的新型农业经营主体,构建"借款主体+金融机构+政府"共担体系,设立 300 万元抵押融资风险补偿金,一旦因逾期不能还贷发生损失时,按照 3∶7 的比例分别由邮储银行东兴支行和区政府承担,在实施风险补偿金代偿后,遵照"账销案存"原则,联合向借款人追偿,在处置抵押产权后再归还风险补偿资金。八是完善农村信用体系建设。将农户和规模经营业主的信用信息纳入中国人民银行征信系统,准确把握借款人的基本情况,为农村产权抵押融资提供信息支撑。加强银政合作,共同推动信用乡(镇)、信用村建设,为农村产权抵押融资营造良好的信用环境。

农村产权抵押融资试点工作对于形成产权明晰、价值明确、流转便捷、融资高效、资源市场化配置的农村产权融资及配套制度体系,有效盘活农村"沉睡"资产,大幅增加农民财产性收入,充分满足现代农业发展的金融服务需求等方面均具有重大意义,特别是对解决专业大户、家庭农场、农民合作社、农业企业及农村集体经济组织等新型农业经营主体在生产、经营过程中出现的融资难问题成效显著。同时,也为进一步深化农村金融服务改革创新、实现农村产权抵押担保权能、推动金融更好地服务农村经济发展起到了很好的推动作用。

【回乡创业之星选介】 李安潮,石子镇新屋村人。30 年前,李安潮考入内蒙古科技大学,大学期间李安潮就开始和同学一起尝试经商。1993 年,李安潮从内蒙古科技大学毕业后被分配到一家国企上班,后来又到攀枝花、武汉、云南等地工作。2014 年 6 月,李安潮毅然返乡创业,牵头成立了内江市东兴区沙坝养殖专业合作社,流转土地近千亩,发展集生态种植、养殖与休闲观光于一体的现代农业。合作社重点发展生态循环种养殖项目,收购秸秆进行综合利用,将农作物秸秆和牧草制成畜牧原料,发展畜牧循环养殖项目,即利用新鲜的牧草和秸秆饲料养殖鱼、牛、鸡、猪;用畜牧养殖的排泄物养殖蚯蚓,利用蚯蚓粪有机肥和微生物改良土壤,种植牧草和生态水果、蔬菜;用蚯蚓、野生小杂鱼、田螺作为饵料养殖高端水产(如甲鱼、鲈鱼等)、土鸡、土鸭。

该综合性生态观光农业基地已投资上千万元,辐射新屋村和谷嘴村 2 个村,种植果树 3 万株以及香樟、梅花等观赏花卉和四季蔬菜等。发展水产养殖基地 300 亩,养殖甲鱼、虾、青蛙和家鱼等,同时发展跑山鸡等生态有机养殖。基地修建了水上高尔夫练习场、射箭场等休闲项目区,通过流转土地和提供岗位带动当地 300 余户农户致富,解决就业 100 余人。

【主要领导人】 区委书记:黄俊伟;区人大常委会主任:罗代金;区长:徐炼英;区政协主席:黄真桥;分管农业副区长:李万勇。

东兴区编写组

资 中 县

【基本情况】 2016 年,资中县辖 33 个乡(镇、街道),有农业人口 108.77 万人,有耕地面积 87.8 万亩,与上年持平;基本农田 103.22 万亩,与上年持平。

【年度农业和农村经济运行】 2016 年,资中县实现农业总产值 114.18 亿元,增长 4%;农业增加值 66.73 亿元,增长 4.2%。农民年人均可支配收入 12291 元,增长 9.4%。

农业产业化发展。资中县注册各类农民专业合作社 388 个、家庭农场 516 个,获评国家级示范合作社 1 个、省级 17 个、市级 33 个。

农用地产权制度改革。资中县持续深入推进以农村土地承包经营权、集体土地所有权、集体建设用地(含宅基地)使用权、房屋所有权、小型水利设施所有权、林权"六权"确权登记颁证为主要内容的农村产权制度改革。从 10 月开始,全县农村产权制度改革各权属确权登记成果陆续接受省、市相关部门验收并全部获评为"优秀"等级,已初步建立起归属清晰、保护严格、流转顺畅的农村产权制度。农村土地承包经营权确权登记成果在全市率先通过省级验收,为全市其他县(区)顺利通过验收积累了经验,得到市领导的高度肯定;小型水利工程确权登记工作在全省水利确权会上做经验交流。全县农用地 218.75 万亩,其中二轮承包耕地总面积 81.66 万亩。农村土地承包经营权实际完成总面积 1757.2 平方千米的 1∶1000 比例尺航摄工作,处理影像资料 7486 幅;完成 780 个行政村 7523 个组的资料收集、农户指界、实地测绘等外业入户调查工作(暂缓确权的 21 个村 58 个组除外),公示审核 7523 个组内业资料;录入农户信息数据 32.41 万户,占全县二轮承包耕地农村家庭总户数的 102.5%;建立登记簿 32.41 万户,占农户总数的 97.16%;登记确权地块 355.52 万块,总面积 149.13 万亩。农村集体土地所有权完成确权登记 3.07 万宗、面积 161.24 万平方米；农村集体建设用地（含宅基地）使用权完成确权登记 37.47 万宗，其中宅基地及集体建设用地 34.40 万宗、集体土地 3.07 万宗；农村房屋所有权完成房屋测绘 31.96 万户，总面积 5028.65 万平方米；林权完成农村集体和个人林权确权登记 20.21 万户、75.65 万宗、面积 39.43 万亩；小型水利设施确权明晰水利工程产权 1.95 万处、面积 4.16 万亩。成立了内江市农村产权交易中心资中分中心，设有镇流转服务站、村级流转信息员，建立起县、镇、村三级流转服务体系，开通农村产权交易网，为交易双方提供信息发布、价格评估、合同指导、交易鉴证、备案登记和纠纷调解等服务。根据《内江市农村产权流转交易市场体系建设实施意见》和《内江市农村产权交易管理办法》要求，配套土地承包经营权流转管理办法，实行流转费预付和流转保证金制度，推动农村土地高效规范流转。截至 2016 年年底，全县挂牌土地 139 宗、1.69 万亩，成交 121 宗、1.31 万亩，成交金额 1.25 亿元。出台农村产权融资风险补偿政策，建立借款主体、金融机构、县政府共同分担的融资风险机制，大力开展农村产权抵押融资试点工作，支持农场主、专业合作社等新型农业经营主体发展。截至 2016 年年底，累计发放农村产权抵押融资贷款 13 笔、1130 万元。

农产品品牌战略实施。资中县狠抓"三品一标"农产品认证登记工作，全县"三品一标"农产品总量达 104 个，新增 11 个，其中国家地理标志产品 5 个，居全国县级第二位，资中县获得地理标志保护产品省级示范区称号。资中县不知火、中露枇杷、金洪清见、张妈鲶鱼等 24 个产品获得绿色食品认证。兴隆街镇群联蔬菜种植农民专业合作社等 30 家企业生产的黄瓜、番茄、辣椒、茄子等 75 个产品获得无公害农产品标志，资中县被评定为无公害农产品整体认证县。

【种植业】 2016 年，资中县粮食作物播种面积 155.04 万亩，粮食产量达 53.02 万吨，比上年增加 0.41 万吨，超额完成增量 0.35 万吨任务，实现"十连增"。油料作物种植面积 28.21 万亩，产量 4 万吨，增长 2.5%，其中花生 9.07 万亩，产量 1.21 万吨；油菜籽 19.14 万亩，产量 2.8 万吨。蔬菜种植面积 26.3 万亩，产量 64 万吨，增长 3.7%。水果产量 24.8 万吨，增长 6.35%。利用订单种植和寄养经营模式发展蔬菜 1.5 万亩、水果 3 万亩。完成现代特色效益农业标准化基地建设 2.32 万亩，其中资中血橙标准化基地 10879 亩、不知火标准化基地 3171 亩、蔬菜标准化基地 9150 亩。

农业基础设施建设。2015 年现代农业生产发展项目建设高标准农田 1.85 万亩，田型调整 4000 亩，坡改梯 450 亩，砌筑地埂 51.4 千米，新建、整治排灌渠 130.77 千米、山坪塘 349 口、蓄水池 255 口、石河堰 12 口，新建田间生产路 194.31 千米，新建、整治机耕道 3.6 千米，整治提灌设施 18 座，地力培肥 1.39 万亩。

农作物病虫害防治和植物检疫。全年主要农作物病虫害发生面积 192.38 万亩次，防治 245.09 亩次，挽回粮、油、果、蔬等损失 25287.2 吨。全年播发病虫害情报 19 期、约 800 份，预报准确率达 98.1%。推广绿色防控技术面积 78.6 万亩次，主要作物绿色防控覆盖率达 42.8%；专业化统防统治覆盖率达 41.8%，病虫害危害损失控制在 1%以下；农药使用量比上年减少 14.76 吨，实现了化学农药使用零增长的目标。加强产地和调运检疫，完成两杂种子产地检疫 2800 亩、62 万千克，柑橘苗木产地检疫 600 亩、368 万株。加强稻水象甲的防控阻截工作，保证病情不扩散、不危害，保障全县农业生产安全。

【林业】 2016 年，资中县管护森林资源 47 万余亩，其中国有林 4.74 万余亩；新增森林面积 0.52 万亩，巩固退耕还林成果 12.04 万亩；营造林 2.55 万亩，其中抚育中幼林 2 万亩、成片造林 0.55 万亩；新造速丰林 0.16 万亩、干果 0.2 万亩；全民义务植树 60 万株；育苗 1000 亩，产苗 1600 万株；补偿集体公益林 14.74 万亩；新发展特色水果 3.5 万亩。全县共有 19.46 万亩公益林、51.59 万亩商品林参加森林保险，参保率达 100%。新建特色专业村 1 个，新发展林业产业基地 3 万亩，发展林下经济 0.3 万亩。全县林业产值达 18.17 亿元，稳居全市第一位；生态旅游与休闲产业收入 2.7774 亿元。农林局与 33 个镇签订了管护合同，所涉镇（村）与林农签订了管护合同，发放天保公益林补偿金 227.41 万元并全部兑现到农户。

全县森林采伐消耗控制在指标范围内；全年收取森林植被恢复费 182.7258 万元，坚持专款专用。新增森林蓄积 27189 立方米，活立木蓄积达 2618027 立方米，森林覆盖率达 35%。清理林业行政审批许可，完善案件登记、查处制度，建立林业案件公示、信息反馈制度，实行错案追究制度，加大对乱砍滥伐、乱占林地、偷拉盗运等违法行为的查处力度，维护林区安全稳定。全年立案林业刑事案件 6 起，破案 6 起；办理行政执法案件 119 起，查处 119 起，罚款 5.89 万元。全年共计发生森林病虫害 22180 亩，防治 19330 亩，其中实施飞机防治松墨天牛 10500 亩（作业面积 15000 亩），无公害防治率达 100%，成灾率为零。全年实施种苗产地检疫 665 亩，产地检疫种苗 480 余万株，产地检疫率达 94%；预测发生面积 23500 亩，测报准确率达 94.4%，均达到四川省"四率"指标标准。

森林防火。加强专业扑火队伍建设，专业扑火队员扩充至 60 人。10 个重点林区镇、县国营林场相应组建了应急扑火队，其中重点示范镇新桥镇有民兵扑火队员 21 人、村级扑火队员 163 人，金李井镇有应急扑火队员 32 人、村级扑火队员 282 人。全县共签订各种森林防火责任书 532 份、林区坟主责任书 3680 份、野外作业人员安全生产责任书 150 余份，对林区特殊人员进行了调查、登记，检查隐患 7 起并全部整改。全县各级共召开森林防火会议 106 场次，发布森林防火手机短信 8 万余条，刷写岩标 6 千余条，发放森林防火通知书 12 万张、森林防火通告 1 万份、中小学生森林防火宣传手册 5000 余册、防火宣传手提袋 5000 个，新修建防火宣传墙 3 块，给中小学生上防火知识课 180 余次，出动防火宣传车 280 余车次，张挂宣传标语 180 余幅，更新宣传碑标语 21 座。

科技兴林。一是组建了专业技术协会，积极引导农民加入协会，使其在协会的指导下接受协会的技术服务和管理经营服务，提高单位面积产量，增加收益。二是突出林学会的主导作用，利用林学会广泛开展各种科技咨询、科学研究、科技推广，为农民带去新的知识和先进的种植技术。三是加大科技宣传力度，加强对农民技术培训，增加县电视台《农民朋友》栏目的播放次数，增大《农业简报》的刊发数量，扩大指导范围。全县已在资中电视台《农民朋友》栏目开设专题讲座 13 次，印发农业简报 30 期，下发各种林业技术资料 9000 份；科技人员进行现场、广播等林业技术授课 500 余次，授听人数达 10 余万人次。

【畜牧业】 2016 年，资中县生猪存栏 75 万头，出栏 102.73 万头，同比增长 2.42%；出栏牛 7684 万头，同比增长 25.29%；出栏山羊 22.35 万只，同比增长 3.45%；出栏家禽 774.36 万只，同比增长 1.29%；出栏肉兔 557.32 万只，同比增长 0.58%；肉类总产量 9.69 万吨，同比增长 2.35%。有畜禽标准化养殖场（小区）147 个，其中生猪 86 个；新建成生猪适度规模标准化养殖场 8 个，500 头以上生猪规模出栏比重达 29.5%,同比增加 4.87 个百分点;家禽、肉牛、肉羊、肉兔规模出栏比重分别达 57%、93%、89%、86%。新创建市级畜禽标准化示范场 4 个,部省级、市级示范场累计分别达 12 个、11 个;经县工商局登记注册的畜牧养殖家庭农场达 285 户、畜牧业专业合作社 139 个,均居全市第一位;有国家级重点龙头企业 1 家、省(市)级龙头企业 5 家,其中年销售收入过亿元的有 2 家,畅达牧业有限公司在新桥镇投资 5000 余万元新建养牛场 6000 余平方米。

大力实施畜牧科技扶贫。按照全县整体扶贫攻坚战略,组织县农林局畜牧科技专家对扶贫村进行实地调研,结合贫困村的地理位置、气候条件和村情、民意,有针对性地制订畜牧产业发展规划。同时,县农林局组建科技扶贫专家服务团,负责政策宣传、信息传递、技术指导、项目实施等工作。

动物防疫检疫。按照"政府保密度、部门保质量"和"五统一""五不漏"的要求,完善县、乡镇、村三级动物防疫体系,签订动物防疫目标责任书,切实做好疫苗采购、使用规划、疫苗领取、免疫档案等工作,规范重大动物疫病防疫物资管理。全年免疫禽流感 621.33 万只、新城疫 386.38 万只、口蹄疫 91.63 万头(只)、猪瘟 91.63 万头、高致病性猪蓝耳病 40 万头,重大动物疫病免疫率达 100%,全县无重大动物疫病发生。

现代畜牧业示范园区和生猪重点村建设。资中县公民镇现代畜牧园区已累计投入资金 5246 万元,建设生猪圈舍 19000 平方米,有沼气池 3410 立方米、干粪堆积场 1960 平方米、氧化池容积 3800 立方米,存栏生猪 11470 头(其中能繁母猪 2118 头),入驻园区业主 22 家。在龙江镇联溪村实施生猪养殖重点村建设项目,已建设规模养殖户 6 户,修建猪场 4420 平方米、沼气池 352 立方米,存栏生猪 3825 头(其中能繁母猪 293 头)。

兽药饲料安全监管。集中开展以"瘦肉精"为重点的全面大检查,每季度对年出栏生猪 50 头、存栏肉牛 10 头、存栏肉羊 20 只以上的适度规模户(场)开展 1 次"瘦肉精"抽查式监测,共检测养殖户 1899 户,养殖环节共检测样本 5697 头(只),未发现使用"瘦肉精"的行为。所有规模养殖场(户)严格实行畜产品安全制度,防疫、消毒、兽药、饲料使用等环节都由畜牧兽医专业人员指导,饲养管理规程由专业人员把关,确保饲养环节科学安全。进一步规范兽药饲料市场秩序,严格执行禁用药、兽药休药期制度。加大对饲料兽药企业的监管,开展"优质兽药出厂、放心兽药入户"活动,确保畜禽投入品安全。全年培训兽药经营户 202 户、饲料经营户 310 户。

【水产业】 2016 年,资中县水产品总产量 3.466 万吨(其中名特优水产品产量 1.53 万吨),增长 2%;实现渔业经济总产值 7.041 亿元,增长 14.8%;生产水花鱼苗 1.46 亿尾。开展水产技术咨询培训 160 人次,上报重要信息 20 条;渔政案件处理结案率达 100%,水产养殖、苗种许可证换发率分别达 98%、100%;水产品质量安全抽查、送检样品 60 个,达标率达 100%。发展各类养殖面积 17.36 万亩,发展休闲渔业基地 2 个。

科技兴渔。全县创新渔业科技服务机制,大力开展渔业科技培训、推广普及工作,围绕全市"千斤粮万元钱"的目标,积极开展"稻、鱼、果""鱼、藕""稻、鱼、菜"等稻田综合种养殖模式。全年共开展科技下乡、街头宣传等活动 8 次,发放宣传资料 1200 余份,开展新型职业农民(水产班)培训 40 人,帮助养殖户解决技术难题 30 余次,现场技术指导、咨询 100 余人次。球溪河三江鲶鱼渔业农民专业合作社升级为国家农民专业合作社示范社。

渔政管理。成立了渔业安全生产领导小组,切实加强对渔业安全生产的领导;层层建立渔业安全生产责任制,签订了安全生产责任书;认真分析安全形势,组织开展全县渔业安全生产监督检查;制定和贯彻落实渔业船舶水上突发事件应急预案,坚决遏制重特大事故发生;抓好船员培训,船员必须经培训考试合格后才能持证驾船;强力推进捕捞渔民船东互保,化解安全风险;严格执行国家禁渔期制度,采取更加有力的措施实现了"江中无捕捞渔船,停靠岸边的渔业船舶中无捕捞工具,各水产品市场、宾馆、餐馆无野生鱼类销售"的预期目标。全年共组织召开安全生产会议 26 次,开展街头、码头安全宣传 5 次,开展安全生产月咨询活动 1 次,悬挂宣传标语 10 幅,发放资料 1000 余份,接待咨询群众 500 余人次;开展渔业安全检查 77 次,出动人员 210 余人次。禁渔期共出动渔政执法人员 150 人次,检查船 52 艘次,车辆 20 台次,水产品市场 10 次,宾馆、餐馆、饭店 50 家,天然水域 21 次,查处违规(捕捞)行为 4 起,没收渔获物 15 千克,有效保护了天然水域渔业资源。

水产品质量安全。加强水产品生产过程的质量控制,积极推行水产健康养殖示范场、无公害水产品养殖基地、现代渔业园区建设;加强泥鳅、黄颡鱼、南方大口鲶等特色水产品种和适合国内市场消费的大宗品种的质量监管,严防有质量隐患的初级水产品流入市场;加强苗种许可获证企业、无公害获证企业、健康养殖示范场、现代渔业园区等监督管理,督促规模以上生产企业设立食品安全管理机构,完善内检员制度,明确分管负责人,落实相应工作制度;加强对水产养殖各环节使用禁用药物和有毒有害物质的查处力度,切实解决水产品质量存在的突出问题;严格实施产地检疫,配合部、省、市三级完成水产品质量监督抽检任务。全年开展水产品质量安全检查 45 次,发放宣传资料 3000 份,抽检、送检样品 60 个,合格率达 100%。

【特色优势产业发展壮大】 2016 年,资中县资中血橙种植面积达 16 万亩,产量达 9 万余吨,实现产值 2.8 亿元,资中县已成为全国种植规模最大、产量最多的血橙基地。以资中冬尖为主的优质加工型蔬菜、设施反季节蔬菜和时令蔬菜种植面积达 26 万亩,总产量 63 万吨。在孟塘镇、走马镇、龙江镇、苏家湾镇和球溪镇新发展蔬菜 0.915 万亩。全县新(改)建优质蚕桑基地 2000 亩,总面积达 4 万亩;积极推广小蚕共育技术,蚕桑产业化收入达 2.48 亿元。

【统筹城乡发展】 2016 年,资中县在新桥镇东升村实施城乡统筹综合示范项目 1 个,支持"公司+基地+(合作社)农户"的 BOT 模式发展种养殖生态循环农业项目,流转土地 1070 亩,带动周边 200 余户农户增收致富。

城乡饮水统筹顺利推进。在全省率先实行城乡饮水统筹的情况下,2016 年进一步加大《资中县城乡饮水统筹办法》实施力度,按照"统筹规划,分片供水,联通调剂,城乡同价"的原则,全面完成双河、铁佛、狮子、双龙水厂的建设及其管网延伸,建设管网 400 余千米,覆盖全县 29 个镇。编制完善了《资中县"十三五"农村饮水安全巩固提升规划和实施方案》,完善了运行管理机构和机制,县兴民水务投资有限责任公司已全面接管 4 个分水厂的运行管理,各水厂运行正常,已发展用户 1 万余户。加大水厂的回购工作,启动县城水厂的改扩建工作和两河口水库前期工作,建设城北水库联网输水工程管网 30 千米,其中隧洞 8 千米、埋管 22 千米。

【乡村旅游】 2016 年,资中县信天游旅行社等 6 家涉旅企业通过市级旅游标准化示范企业验收,顺通大酒店通过省级旅游标准化示范企业验收。完成罗泉古镇等 5 座旅游厕所建设。乡村旅游"四+7"

示范项目格局基本形成。“四”指四个大的乡村旅游项目,一是内江国家农业科技园区乡村旅游示范项目,包括内江农科院银山基地(银山农旅特色小镇PPP项目、内江农科院花芊谷基地、万亩血橙示范基地、中建材集团的“智慧农业”项目、远乡田园乡村旅游项目、水舞花谷项目、黑溜宝百合花基地7个与内江国家农业科技园区建设相关的项目,即“+7”),涉及银山、明心寺、水南、公民等镇。二是资中县鱼溪镇响水滩休闲农业旅游区项目。该项目按照“一谷二带三心四区”的总体布局,总投资22500万元,总规划面积约9000亩,其中一期占地1200亩,计划投资12000万元。已完成规划、项目选址、土地预审,正在办理节能审查和环评审批;已投入3200万用于一期现代农业、进出道路、水利等基础设施建设,完成300亩采摘园果树种植,全自动滴灌系统安装和8千米游步道建设工作有序推进。三是资中县高楼镇原耕部落乡村旅游项目。该项目主要位于高楼镇麻柳河倒石桥至三河电站段,总规划面积3.23平方千米,总投资2.1亿元,带动当地就业和创业、合作2800余人。已完成项目旅游规划,完成一期土地流转500亩,已租赁麻柳河沿河两岸7.5千米荒山,实现部分绿化,已补植银杏、柳树3000余株,生态鲶鱼池建设等农业基础设施工作有序推进。四是文江乡村风情旅游区。项目规划面积33.71平方千米,依托文江省级新农村建设示范片及沱江风光,将其打造成集农耕文化体验、沱江水上健身、乡村风情度假于一体的城郊休闲型、景区依托型的国家级乡村旅游目的地,重点规划建设“三园、三镇、一廊”。文江省级新农村建设示范片已通过省级检查验收,文江乡村风情旅游区核心区—杨柳滩村新村改造已基本建成。重龙镇已与资中县浪涛客运有限公司等签订文江、杨柳滩乡村旅游投资协议,相关审批手续完善工作顺利推进。

引进鱼溪镇大石山生态养生观光园和球溪镇五里沟生态观光园2个返乡创业农旅项目,其中大石山生态养生观光园位于鱼溪镇红莲村,集药膳、生态养生、药材花卉乡村游及临湖生态餐厅于一体,规划用地1080亩,总投资42580万元,其中一期计划300亩,用于中药材种植,已流转土地300亩,种植赤芍150亩、白芍100亩、桔梗套种50亩、白术套种150亩。五里沟生态观光园位于球溪镇,总规划面积3500亩,总投资4.5亿元,主要规划区域为民宿区、种植园观景区、养殖观赏区、养殖观赏区、活动比赛区,将其建设成为集科研、种植、养殖、旅游休闲于一体的绿色生态园和现代农业园,项目建设内容和效益分析的编制和调研工作顺利推进。重龙山·白云山省级风景名胜区总体规划编制工作有序进行。

旅游扶贫初显成效。全县确定规划旅游扶贫重点村6个、贫困户305户、贫困人口906人,其中示范村1个,并根据各村综合因素,分别确定了景区带动型、旅游商品型、乡村旅游发展型的旅游扶贫模式;确定民宿旅游达标户4户、旅游扶贫示范村1个、旅游生态停车场6个。6个旅游扶贫重点村专项规划已出初步成果,已完成旅游扶贫示范村、旅游生态停车场和民宿旅游达标户建设动员工作;争取示范村创建资金70万元,新建“水映双桥”农家乐(位于旅游扶贫示范村)并已形成接待能力,解决就业岗位50个,就业人员年人均增加收入1.5万元;全年接待游客5万人次,实现旅游收入300万元。

旅游宣传营销效果显著。先后举办了首届中国资中血橙文化节暨血橙之乡文化旅游论坛、骝马镇窑厂村“精准扶贫”乡村旅游节、龙结镇米粮村秀咏农场血橙采摘节活动、银山镇现代农业园区首届菊花展,宋家镇首届千年梨乡旅游文化节等节庆活动,进一步展现了资中旅游文化,扩大了资中在外的知名度和美誉度。

【农村科技】 2016年,资中县组织186名县、乡农技人员到省农广校、四川农业大学、省农科院、内江市农广校参加农技知识培训;组织开展乡(镇)农技人员大小春技术培训600人次、农产品质量安全知识培训550人次、病虫害绿色防控知识培训500人次、果树生产技术培训400人次。根据农时季节,通过进村入户技术培训和技术指导,以农村实用技术及相关知识培训为重点,共组织开展实用技术培训36000人次。围绕主导产业、开展主体培训培养农村科技致富带头人和新农村建设的中坚力量,共培训新型农民472人。以农村种养大户、科技示范户、农民经纪人、农民专合组织负责人为对象,培训种植业、畜牧、水产等新型职业农民378人。

水稻集中育秧项目在银山、明心寺、公民、双河、陈家等14个镇实施,面积8.032万亩,年均亩产556.2千克,较非项目区亩增加42.8千克,增长8.3%,总增产稻谷343.8万千克,总增纯收益1031.4万元。

【农村生态建设及环境保护】 2016年,资中县狠抓农村能源建设,全县新增农村沼气用户1300户,推广应用太阳能热水器1950立方米,完成生态环境治理工程3处,向周边农户150户供气。被省政府认定为内江市唯一的“四川省沼气化县”。

【项目补贴】 2016年,资中县耕地地力保护补贴项目补贴总面积82.5万亩,补贴总金额9668.35万元。实施小麦“一喷三防”项目,补助面积33万亩,补助金额165万元。

【农业保险】 2016年,资中县在全县33个乡(镇)开展水稻、玉米、油菜、马铃薯、小麦保险业务,投保面积分别为24.44万亩、41.5万亩、15.8万亩、6.25万亩、3.5万亩,理赔面积4.27万亩,理赔金额355.66万元。

【2016年度农民增收工作先进经验介绍】 园区示范引领作用进一步凸显。内江农业科技园区于2015年2月被科技部认定为国家农业科技园区,2016年核心区建设着重发展珍奇水果、精品蔬菜、名优家畜、奇异水产、乡村旅游五大产业,共计完成投资4.6亿元,实现销售收入5.9亿元。园区核心区已入驻企业14家,流转土地1.1万亩,示范带动发展水果、蔬菜、水产等土地达10余万亩,吸引游客达100万人次,带动周边农户21891户,农民年人均可支配收入达1.5万元以上,远远高于全县平均水平。园区累计完成投促项目9个,累计投资达13.1亿元。

农村电商强力助推农民增收。资中县以全国电子商务进农村综合示范县项目建设为契机,依靠丰富的农产品资源。一是积极致力于基础设施改造,完善农村地区电商创业条件,全县102个贫困村实现道路村村通,助农自动取款点、电网改造实现全覆盖,农村宽带使用率实现全覆盖。二是加强电商人才培养。组织开展电商精准扶贫专题培训,指导新开网店,帮助贫困户实现脱贫。9月底前完成全县33个镇的贫困户电商专题培训1500余人次。针对残疾人提供上门培训服务,帮助“纸片人”周波等20余名残疾人实现创业脱贫愿望。三是网店销售扶持。建立网店与贫困村、贫困户结对帮扶机制,形成“一店带一村、带多户”的脱贫模式,全县400余个网店与贫困户建立帮扶对子2000余对,带动贫困户脱贫;建立电商营销体系,提高产品附加值,2016年上半年血橙网销均价达3元/千克,帮助贫困种植户增收1000元以上。四川京川购电子商务有限公司已完成33个镇级、137个村级服务站点建设,累计开展各类培训345期,培训人员31000人次,孵化网店、微店300余个。培育根兴食品、沁霖食品、弘升药业、宏和丝绸等共计25家企业建立网站进行网上销售,全县农业电子商务交易额达3.7亿元。

农民增收新产业新业态示范县创建通过省级验收。5月,资中县启动四川省农民增收新产业新业态示范县创建工作。全县积极筹集资金1.29亿元,其中县财政投入1600万元、整合财政涉农项目资金2360万元、引导企业和业主等社会资金投入8940万元。农村电子商务、休闲农业和乡村旅游、土地托管服务三大项目区盘活农村资源50处以上,促进了村级集体经济发展。孟塘镇孟古粮油专合社增收12.5万元;明心寺镇民心种植农民专业合作社增收10.8万元;兴隆街镇双桥村集体有房产3处、1120平方米,总投入115余万元,村集体收取租金7360元/年,村民年人均增收20元以上。

财政投入逐年增加。全县共计投入"三农"财政资金8.8亿元,比上年同期增加1.848亿元,增长21%。同时,按照"整合项目、聚集资金、整体打造、综合示范、集中成片、整体推进"的总体要求,共整合各类支农项目资金约4亿元,支持现代农业生产发展、中央财政小型农田水利重点县建设等项目,项目区实现"洪涝能排、雨水能蓄、干旱能灌",改善了农业生产基础设施;支持内江国家农业科技园区建设,园区内种植、养殖、旅游、餐饮等各类产业得到快速发展,体现了涉农资金整合的规模效益。

粮食生产再创佳绩。按照"突出主作、发挥优势、连线成片"的原则,开展小麦、油菜等大宗粮油作物高产高效示范,重点推广优新品种和高产配套综合技术,示范推广小型农业机械耕种收技术,提高作物单产水平,充分发挥示范带动作用,带动大面积增产增收。共创建小麦高产万亩示范片1个、花生高产高效万亩示范片2个,通过良种统供、技术统训、物资统配、病虫害统防实现了大样板、大辐射、大带动。全县粮食亩产提高2.96%,为实现粮食生产"十连增"奠定了坚实基础。

【四川省现代林业建设重点县经验介绍】 2016年5月13日,资中县被列为全省现代林业建设重点县。全县按照省政府对现代林业建设重点县提出的总体要求、目标任务、建设重点和保障措施,根据《四川省林业厅四川省发展和改革委四川省财政厅关于推进新一轮现代林业重点县建设的实施意见》精神,成立了以县长任组长,县委副书记、常务副县长、分管副县长等任副组长,相关部门负责人及涉及相关镇党委书记为成员的资中县现代林业重点县建设领导小组,主要负责组织领导、统筹协调全县现代林业重点县建设工作。按照立足林业产业发展,落实产业基地建设,转变林农经济发展方式,促进林农脱贫致富,带动新农村建设,实现资中林业产业跨越式发展的总体思路,编制完成了《资中县现代林业重点县建设方案(2016—2018年)》及《资中县现代林业重点县2016年实施方案》,明确了总体目标,细化了年度目标。全年抚育木质原料林0.7万亩,建设林区便道3.5千米;新造木质原料林0.5万亩;发展林下中药材种植0.5万亩;发展林下养鸡6万余只,林下野猪、肉牛等特种养殖0.1万头;助推资中县嘉富木业有限责任公司升级为省级林业产业化龙头企业并完成技术改造,全面完成年度实施方案各项建设任务。

【回乡创业之星选介】 陈晓波,放弃在上海的高薪工作于2015年3月返乡成立了四川资州仔食品有限公司,公司注册资金100万元,成员均是80后年轻人。公司致力于四川地方传统小吃的工业化、产业化,采用线上线下相结合方式推广兔子面、麻辣兔丁,产品在淘宝、微信等多个网络平台销售,同时全面入驻周边县(市)各大超市,受到了广大消费者的一致好评。陈晓波于2015年年底获得"内江市返乡创业明星"称号。

【主要领导人】 县委书记:张伟;县人大常委会主任:张明;县长:林双全;县政协主席:曾祥超;分管农业副县长:吴小平。

资中县编写组

威 远 县

【基本情况】 2016年,威远县辖20镇313个村61个居民委员会,辖区面积1289平方千米,其中耕地面积83.33万亩。年末总人口72.8万人,减少0.14%;人口出生率12.1‰,比上年增加5.4个千分点;人口自然增长率2.9‰,比上年增加5.9个千分点。全县有效灌面面积32220公顷,保证灌面面积19900公顷;本地水资源总量4.688亿立方米,人均占有水资源量643立方米。有林业用地4.15万公顷,有林地面积4万公顷,活立木总蓄积量382万立方米,森林覆盖率达40.2%。

2016年,全县GDP317.36亿元,增长7.7%,其中第一产业产值42.63亿元,增长8.99%;第二产业产值211.4亿元,增长5.09%(工业产值206.13亿元,增长4.93%);第三产业产值68.32亿元,增长16.94%。劳务输出17.49万人,收入27.95亿元。

公路通车里程4569千米(其中村道3382千米),密度3544米/平方千米,62.76千米/万人。社会消费品零售总额84.97亿元,增长12.67%。地方公共财政预算一般收入完成7.01亿元,减少6.85%;地方公共一般预算支出30.98亿元,增长4%,其中农业投入4.47亿元,占支出的14.44%。金融机构各项存款余额210.93亿元,增长11.28%;各项贷款余额151.9亿元,增长2.96%。农业产业化龙头企业省级、市级、县级分别为8家、12家、95家。

有各类学校93所,在校学生66651人,教职工5204人,其中职业中学3所,在校学生3158人;普通中学36所,在校学生26270人;小学54所,在校学生37233人;学龄儿童入学率100%。5项科技成果获得市级及以上科技进步奖。有艺术表演团体1个,文化馆1个,公共图书馆1个,博物馆1个。有无线广播电台1座,节目1套;电视台1座,节目1套。有卫生机构511个,病床位3556张,医院职工4158人、乡村医生674人。

【年度农业和农村经济运行】 2016年,威远县实现农业总产值73.35亿元,增长9.1%;农业增加值43.06亿元,增长3.9%。农民年人均可支配收入12932元,增长9.13%。全年综合治理水土流失面积46820公顷。

农业产业化发展。威远县在确权颁证的基础上,通过农村产权交易流转服务体系和农村金融体制改革推进农业多种形式的适度规模经营,不断推动现代农业示范基地、龙头企业自建基地、订单基地等建设,种养基地规模不断壮大。一是扶持金四方、万成、久润泰等业主在贡威路新农村示范片东部(两界路、界靖路沿线)成片新发展无花果0.73万亩。二是在稳定粮食种植面积的基础上,持续扩大特色产业规模。建成设施蔬菜、柠檬(3个)、大头菜、香葱、白萝卜、无花果、辣椒等9个现代农业产业万亩示范区,续建新店镇—向义镇现代农业蔬菜万亩示范区、严陵镇—界牌镇现代农业蔬菜万亩示范区和3个无花果"万亩林亿元钱"综合示范区。2016年,全县农业产业化组织生产基地种植面积达57.7万亩(其中规模龙头企业带动农户发展种植基地33.24万亩),饲养牲畜51万头,饲养禽类350万只,水产养殖水面面积2.3万亩。三是以现代畜牧业示范园区和畜禽重点村建设为切入点,大力推广"串珠式"生猪养殖模式、"种养结合、自流灌溉”循环经济和“三方联动”寄养模式，建成“猪—沼—果(蔬、林)”种养结合循环经济养殖场58个，发展生猪“寄养”模式10户。四是以现代渔业基地建设为重点，推广稻田综合养殖技术5020亩，培育渔业科技试验示范基地1个，建成水产品质量安全监管信息平台和质量安全可追溯管理平台，建立示范点2个。五是举办了首届中国无花果产业大会，来自国内外的专家、产业合作伙伴共200余人参会，威远本土无花果生产商与沃尔玛、家乐福、伊藤洋华堂等达成了合作意向。积极参加第四届四川农业博览会，参展单位11个、产品200余种，现场签约农产品贸易、“千村千企”对接合同3个，与省投资促进局、省旅游发展委、省经济和信息化委等有关部门衔接包装农业招商引资项目15个。龙头企业不断壮大。全县通过大力扶持龙头企业、强力推进农业产业化项目招商引资、积极鼓励扶持引导龙头企业发展电子商务等措施促进龙头企业不断壮大。2016年，四川百胜药业有限公司、四川省威远泉威食品有限公司、四川任源牧业有限公司3家企业成功递补为省级重点龙头企业，内江市享寿水产品有限公司、四川金园农业发展有限公司、四川省美源润生态农业发展有限公司、四川久润泰科技有限公司4家企业成功申报为市级重点龙头企业。全县农业产业化龙头企业达95家，其中省级龙头企业8家、市级龙头企业(含省级)20家，龙头企业实现销售总收入17.5亿元，其中销售收入在1亿~10亿元的龙头企业有3家、2000万~1亿元的龙头企业有22家、500万~2000万元的龙头企业有31家。扶持农民专合组织发展。威远县把发展农民专业合作社和专业大户作为推进农业产业化经营、助农增收的重要手段，将其纳入对县级相关部门和各乡镇的农业目标考核，有力促进了全县农民专业合作经济组织的持续稳定发展。威远县云峰新科种植农民专业合作社、威远县众赢葛根种植农民专业合作社、威远县南强无花果种植农民专业合作社、威远县金石湾水稻种植农民专业合作社4个农民专业合作经济组织成功申报为市级示范农民专业合作经济组织，全县农民专业合作经济组织达286个。推荐省、市示范专业合作经济组织进入省财政农民合作社项目信息库。积极培育家庭农场。按照县委县政府《关于大力发展家庭农场的实施意见》要求，在项目、财政、金融、示范奖励4个方面加大对家庭农场的支持。截至2016年年底，全县累计注册登记家庭农场186个(农业种植类65个、林业55个、畜牧业42个、水产类25个)，其中新登记注册41个，威远县四方绿源蔬菜种植家庭农场和威远县青云渔业养殖家庭农场被评为内江市优秀家庭农场。

2016年威远县家庭农场经营情况统计表(前10位)

家庭农场名称	法人代表	行业分类	主营业务	经营规模
威远县鹏胜苗木家庭农场	张胜	林业	苗木种植业	350亩
威远县汉玉生猪养殖家庭农场	汤自明	畜牧业	生猪养殖	2000头
威远县梓韵生猪养殖家庭农场	杨炳华	畜牧业	生猪养殖及饲料销售	2000头
威远县向义镇远祥园艺家庭农场	杨源槐	林业	苗木、花卉种植经营	105亩
威远县向义大冲种植家庭农场	王国友	种植业	种植桑果、养蚕	108亩
威远县绿色香果家庭农场	林敬昆	林业	无花果种植业	183亩
威远县绿盈家庭农场	郭根良	林业	无花果种植业	145亩
威远县黄荆沟镇国强林木种植家庭农场	罗国强	林业	林木种植业	775亩
威远县露地甲鱼养殖家庭农场	卜星铭	水产业	特种水产养殖	47亩
威远县渤澄水产养殖家庭农场	胡晓芳	水产业	水产养殖(黄颡鱼)	50亩

农用地产权制度改革。威远县20个镇324个村(含涉农社区)已基本完成确权登记颁证相关工作，在确权颁证的基础上积极盘活农村资源资产，通过农村产权交易流转服务体系引导农村土地经营权规范有序流转。截至2016年年底，全县承包经营权流转总面积达10.33万亩，占耕地总面积的23.33%，总金额5150.05万元，其中在农村产权公开交易市场挂牌流转土地超过5600亩，总金额1684.236万元(2016年度在公开交易市场挂牌流转土地1585.12亩，总金额285.9万元)。在农村产权改革成功的基础上，积极探索农村金融体制改革，全年累计办理农村产权抵押融资贷款7笔，发放贷款1120万元。建立工商企业流转农用地风险保证金制度，共筹集工商企业流转农用地风险保证金200万元。

农产品品牌战略实施。威远县注册农产品商标85个，其中“威宝及图”为中国驰名商标，“周萝卜”“沐春”“百胜”获得省著名商标，“任源”“川老妈”“金四方”为市知名商标。全县无公害农产品产地整体认定面积37.78万亩，认证无公害农产品13个、绿色食品6个、有机转化产品1个，新店七星椒、镇西白萝卜、复立茶叶、威远无花果获得农产品地理标志保护认证，威远县申报为“中国无花果之乡”。完善农业质量标准体系建设，积极创建省级农产品质量安全监管示范县。积极组织特色农产品参加展览、展销、农产品交易会，开展了年度创牌表彰、品牌评选等活动。

【种植业】 2016年，威远县在稳定粮油生产的基础上，大力发展现代农业。一是稳步发展农业生产。全县粮食作物播种面积95.09万亩，产量31.42万吨，新增粮食规模化经营面积0.21万亩；油菜播种面积11.13万亩，产量1.61万吨；蔬菜种植面积31.25万亩，产量81.33万吨；水果产量8.11万吨。二是特色产业提质增效。以设施蔬菜产业为核心，在严陵、新店、向义、界牌、镇西等镇狠抓“四新”示范和“六良”配套，实现种植结构、品种结构、品质结构“三优化”，建成现代特色效益农业标准化基地2.42万亩。三季鲜食玉米播种面积5.1万余亩，平均亩产达2510千克，比上年增加38千克，亩增收136.8元。再生稻有收面积在7万亩以上，单产达85.5千克，比上年增加10千克,亩增收25元。建成万亩马铃薯高产示范片2个、面积2.8万亩,川芋10号、川芋56等马铃薯高产示范主推品种推广率达50%以上,经测产验收,马铃薯平均亩产1720.3千克,较大面积亩产增加775.3千克,增加82%,按单价2.5元计算,新增亩产值3876.5元。

【林业】 2016年,威远县共计营造林4万亩,人工造林1.3万亩、中幼林抚育2.7万亩。一是全年共调运140万株苗木,人工造林1.3万亩,其中在严陵、新店、界牌、靖和、连界等镇发展以无花果、核桃、栀子、佛手、桑树等为主的经济林0.7万亩;在连界、黄荆沟、新场、两河、观英滩等镇发展以美国红枫、桂花、银杏、红椿等为主的生态林0.6万亩;在新场、观英滩、小河等镇发展以巨桉、杉木为主的速丰林0.27万亩。二是中幼林抚育2.7万亩,在新场、越溪、连界、黄荆沟、观音滩、小河、新店、界牌、向义等镇共计对0.4万亩巨桉、0.2万亩湿地松、0.3万亩香樟、0.8万亩核桃、1万亩无花果开展森林抚育。三是积极开展春秋植树造林和全民义务植树,全县义务植树参加人数达到10万人次、植树50万株。

万亩无花果产业示范片融合发展。全年无花果万亩产业示范片完成提质扩面7360亩,完成大环线区域内1.25万亩的补植补造。基本完成万亩无花果园区基础设施建设,建成无花果广场和研究所。引进推广无花果新品种50个,优选108B和121E等4个适合威远本地栽植的新品种。金四方果业与德国捷克纳食品集团公司合作的"营养能量制品和医药中间体"精深加工项目一期工程、美润源公司"无花果固体饮料"生产线项目、久润泰公司"无花果酶和酵素类"生产线项目相继建成并投产。在坚持市场导向的基础上,以威远无花果公园为中心,逐步打造形成了以凤翔"十里荷塘"、大冲桑葚紫薇采摘园、白石桂圆采摘园、四方新村及新农村综合体、南强无花果第二采摘区、中坝古村落、帽塘葡萄采摘园等为支撑的无花果产业带休闲旅游节点,实现"产区变景区、田园变公园、产品变商品"。

大力发展林下经济。在新店、界牌、龙会等镇的无花果、桑树、核桃等基地林下发展蔬菜、花生、大豆、桔梗等经济作物7500亩,既增加了林农收入,又减少了除草和疏松土壤耗费的人工。

【畜牧业】 2016年,威远县出栏生猪54.2万头、牛0.51万头、羊20.35万只,畜产品产量增加1000吨。根据种植区土地粪污消纳能力合理布局畜禽养殖规模,大力推广"种养结合"的畜牧经济循环发展新模式,形成"粮—经—饲"三元种植结构,采用沼气发电、有机肥加工等方式构建"猪—沼—果—蔬—花"多种综合利用模式。新(改、扩)建畜禽养殖小区(场)11个,建成种养结合示范点1个,实施生猪养殖大型沼气工程项目1个,续建现代畜牧业示范园区1个,3个无害化收集点投入运行并兑现病死畜禽集中无害化处理有关资金75万元,13个生猪屠宰资格审核清理工作全面完成。

【水产业】 2016年,威远县水产品总产量2.59万吨,增加520吨;名特优新水产品产量9220吨。重点推广甲鱼、泥鳅生态养殖技术和稻田综合养殖技术,新增稻田养鱼120亩,推广泥鳅生态养殖技术1510亩、甲鱼仿生态养殖技术1510亩。紧紧围绕甲鱼深加工,抓好生态甲鱼养殖开发,推广鱼鳖混养模式,扶持形成"一县一品"特色。

【"一村一品"特色产业发展】 2016年,威远县有蔬菜专业镇向义镇、茶叶专业镇小河镇、柠檬专业镇东联镇、无花果专业镇界牌镇4个特色专业镇,4个专业镇农民年人均可支配收入达13530元,同比增加1993元,增长17.3%。有"一村一品"特色专业村22个,专业村农民人均纯收入达13850元,同比增加1397元,增长11.2%;22个"一村一品"专业村包括蔬菜、水果、茶叶、桑蚕、生猪、甘蔗等主导产业,其中种植业型的主导产业种植面积35060亩,养殖业型的主导产业养殖生猪11900头。全县"一村一品"的发展对区域主导产业培植、农产品市场销售和农业增效、农民增收带动作用日益增强,其中向义镇被农业部评为全国第二批"一村一品"示范乡镇,界牌镇南强村成功申报为全国"一村一品"示范村。

界牌镇无花果种植面积达6000余亩,产值超过1亿元,占农林牧渔业总产值的48.1%;培育无花果加工规模龙头企业1家、种植专合社3家、适度规模经营户32户,在"龙头企业+基地+专合社+农户"等模式下带动农户3500余户,形成了"一镇一业"的发展格局。通过发展精深加工,培育市级农业产业化重点龙头企业——四川久润泰科技有限公司,公司建成无花果酵素生产线,生产线最大年加工无花果2万吨,一定程度上解决了无花果青果的销路问题,公司自10月正式投产以来已累计实现产值3600万元。同时,通过发展休闲旅游,打造了以无花果产业为中心的大环线农村休闲旅游节点近10个,促进了一二三产业融合发展。

新店镇民付村共有耕地面积1354亩,全村从事早仔姜种植的农户有483户,占农户总数的78.9%。2016年,全村早子姜产业收入达5410万元,占专业村经济总收入的78.3%,民付村成为威远县早仔姜种植的核心区域,种植面积近千亩,产品远销国内各大中城市并出口韩国、日本等。全村农民人均纯收入达18500元,比全镇平均水平高出5020元。

【新农村建设】 2016年,威远县在充分尊重农户意愿的前提下,全面推行民办公助方式,实行先建后补、以奖代补,加大涉农资金的整合力度,将年度脱贫计划村全部纳入幸福美丽新村建设范围。共投入建设资金23324万元,其中投入财政专项资金1660万元,建成幸福美丽新村66个。一是采取"新建、改造、保护"相结合的方式对古村落、老院落等进行改造提升。突出"乡愁",展现时代记忆,打造各美其美、各具特色的村庄聚落景观;二是对22个贫困村实施扶贫新村建设,开展基础设施建设、公共服务和环境整治并配套实施"三建四改"工程;三是在贫困村的荒山(坡)、半山地、庭院等区域发展经济林果,指导贫困户选择能融入全村发展的主导产业,力争每个贫困村形成1~2个优势特色产业。

重点项目建设成效显著。一是农业产业稳步发展。建成中药材基地2000亩、香樟基地3000亩、栀子花基地500亩、核桃基地1000亩,建成青山水厂1个,农业电商村级服务站4个,花朝门、贺氏农庄等特色农业休闲庄园2个。二是特色产业优势明显。结合当地民俗习惯,建成的农业休闲旅游业态充分融入了"乡愁"元素。知青之家、崔氏文化等乡村历史符号被继承和发扬。三是基础设施不断完善。重点片区全面提升基础设施建设,着力解决群众最迫切的行路难、生产难、吃水难等问题,打捆涉农项目资金5028万元,建成村道36千米、便民路60千米、渠系5千米、砖砌田埂8千米、供水站2个、堰塘14口、垃圾池2个,解决了2980户农户的安全饮水问题。四是新村建设成效明显。在各村要道及人员密集地、公共区域等均建有垃圾池或设置有垃圾箱(桶),聘请专门保洁员负责村内公路、便民路、主干道、集贸市场、公厕、公共区域等范围内的卫生保洁,村办公场所、集贸市场内均建有公厕,各农户院内户外由各社社长监督卫生保洁,确保村内、户外环境舒适,卫生整洁。农户自来水入户率达95%,部分农户用上了天然气。五是"四好村"创建稳步推进。组织实施“四好村”创建活动，通过实施山水田林路综合治理、城乡环境综合提升、发展壮大农业产业、创新机制、强化保障及创办农民夜校等举措，2016年全县成功申报省级“四好村”8个、市级“四好村”37个。六是开展高速公路沿线整治。组织实施内威荣高速公路沿线环境综合治理，按照婆城民居、仿古民居、红房民居3种风格对内威荣高速公路沿线农房进行改造提升和保护性建设，共涉及农户1255户，对相对集中的35个院落实施了旧村改造。

【扶贫攻坚】 2016年，威远县按照“六个精准”基本要求，着力实施精准扶贫。全年完成9个镇25个贫困村“摘帽”、4677人脱贫，其中实施完成产业扶持一批3750人、低保政策兜底一批612人、医疗救助一批4416人，改造贫困户危房536户(C级244户、D级292户)。一是推进基础设施建设。完成19个贫困村36千米村道建设，完成12个贫困村42千米的联网路、29个贫困村84千米的通组入户路规划；整治病害水库1座，新建(整治)山坪塘12座、渠道14.93千米，新增恢复蓄引提水能力26.4万立方米，新增灌面480亩，通过集中和分散供水工程解决671名贫困人口饮水问题；改造农村低压线路20千米；新增宽带覆盖2个村，完成6个移动基站建设。完成地质灾害避险搬迁安置120户并通过验收。二是推进产业扶贫。投入项目资金3741万元，用于贫困村农业产业发展和生态建设，扶持贫困户养殖小家禽3.5万只，种植樱桃500亩，培养示范户76户，引进新品种112个，集中开展技术培训310次，发放技术培训资料4万余份。建立贫困村商业网点60个，村级覆盖率达95%。三是推进社会扶贫。完成贫困人口免费健康体检，贫困人口住院就医1304人次，新农合报销共计优惠11.97万元，医疗机构减免2.11万元，医疗救助4.75万元，对2966名建档立卡贫困人口实施低保政策兜底。实现农村低保线和扶贫线“两线合一”，发放农村低保对象特殊生活补贴57.37万元；对628名残疾人扶贫对象发放差额补助金32.55万元；对625名建档立卡贫困学生发放各类补贴75.53万元。

【乡村旅游】 2016年，威远县积极开发现代农业的各种功能，发展有一定规模和影响的休闲农业经营主体(含农家乐、乡村酒店、农业园区、乡村景点等)共40个，其中威远县无花果公园被认定为四川省省级示范农业主题公园。新建成枳壳、佛手公园、竹塘村花朝门、荣胜村贺氏农庄等农业休闲节点。积极举办枇杷采摘节、樱桃采摘节、蓝莓采摘节、葡萄采摘节、无花果采摘节等各类农业节庆活动，其中第三届无花果采摘节期间接待游客20余万人次，交易额达320万元，带动相关产业增加收入达3000万元以上。

【助农增收】 2016年，威远县农村居民年人均可支配收入达12932元，增加1082元，增长9.13%。一是切实加强县委书记、县长负责制，加大对农民增收工作的保障力度，形成了齐抓共管的格局。二是持续加大“三农”财政投入力度，确保农业投入只增不减。落实强农惠农富农政策补贴，提高农民转移性收入。补贴2015年地力保护资金5872万余元，补贴种粮大户15万元，收取政策性保费173万元。三是构建利益联结机制，带动农户持续增收。全县95家农业产业化龙头企业和286家农民专业合作社按照“龙头企业+专合组织+农户”“基地+专合组织+龙头企业”等模式形成了每个产业都有龙头企业、农民专合社带动的良好局面。全县龙头企业有从业人员7305人，同比增加75人，增长1%；带动农户12.74万余户，带动面达63.1%；龙头企业带动农民人均纯收入增加630元，占当地农民人均纯收入增量的60%以上；农民专业合作组织带动农户85200户，带动农户人均增收600余元。四是支持农民转移就业和创业，建立机制，确保农民工工资增长。完善了农民工综合信息查询系统和农村劳动力实名登记系统；以返乡创业就业为重点，成立了返乡创业“回家工程”服务中心，编制了《威远县返乡创业政策汇编》和《威远县返乡创业十条措施》，发放返乡创业贷款450万元、返乡创业补贴136万元。连续举办14期家政服务职业技能培训班，培训学员达412人。全年实现劳务收入27.95亿元。

【农村电子商务】 2016年，威远县推行“互联网+农产品”，拓宽农产品销售渠道。引导专合社、个体工商户、龙头企业推行电商销售模式，推进农产品上线销售。全县市级以上农业经营主体达36个，均上线交易，交易额达1.26亿元；建成农业电子商务示范乡镇1个(镇西镇)、示范村2个(向义镇大冲村、白石村)。实施“农村淘宝”和“赶场小站”双轮驱动战略，推进县域内农村地区开展网络代购，共建成镇(村)级服务站点212个，其中镇级24个、村级188个。全年“农村淘宝”和“易田网购”实现10万余笔订单，交易额超过1亿元。威远樱桃网络销售量达1500余千克，占全县樱桃销售总量的50%。

【重点乡镇选介】 界牌镇，位于威远县东南部，与自贡市接壤，距威远县城16千米、自贡市区9千米。全镇辖15个行政村和1个社区，辖区面积45.28平方千米，总人口3.1万人，为全省第二批小城镇建设试点镇。近年来，界牌镇大力实施农业供给侧结构性改革，通过实施“农业BOT”模式，集中连片发展无花果种植6000余亩，成为万亩无花果产业示范片的核心区域；通过培育产业化龙头企业，发展无花果生产、加工、销售，不断延伸产业链；通过建设大环线农村休闲旅游节点，使无花果产业与文化、休闲旅游有机结合，在高标准规划布局下，无花果全产业链初步建成，一二三产业融合发展成效显著。一是以集中连片种植夯实产业基础。把“农业BOT”模式与精细化“小业主家庭经营”模式相结合，集中连片建设无花果规模化种植基地6000余亩，发展无花果龙头企业1家、种植专合社3家、家庭经营小业主32家，在“公司+基地+专合社+农户”等模式下带动农户3500余户，形成了“多村一品、一镇一业”的发展格局，其中南强村2015年被农业部评为全国“一村一品”(无花果种植)示范村。同时，按照“产业发展到哪里，基础设施配套到哪里”的思路，打捆涉农项目资金，高标准建设无花果产业带基础设施，示范片内的道路、旱地、水田、庭院等基础设施得到全面提升。二是以精深加工提升产业层次。引进久润泰公司建成了无花果酵素生产线，既生产保底收购1元/千克的加工果、鲜销5元以上/千克的商品果，又生产适合大众消费的酵素乳酸菌饮料，还生产占领市场高端的1655元/1000毫升的酵素原液。此外，通过校企合作计划，支持久润泰公司建立无花果产品研发实验室，以技术入股的方式与中科院等院校专家合作开发新产品。三是以休闲旅游延伸产业链。紧紧围绕全县“果香川东南、最美在威远”的南部新农村乡村休闲农业规划，把无花果产业与乡村自然风光、当地知青文化等要素有机结合，打造了以无花果产业为中心的大环线农村休闲旅游节点，初步建成了印子山无花果广场、南强村无花果采摘园、中坝村葡萄采摘园、中坝古村落、知青之家纪念馆、知青食堂等一批农旅项目。

【主要领导人】 县委书记：罗平；县人大常委会主任：周功会；县长：马炬；县政协主席：刘浑源；分管农业副县长：蔡虎城。

威远县编写组

隆 昌 县

【基本情况】 2016年,隆昌县辖19个乡(镇、街道),有农业人口56.985万人,有耕地面积69.457万亩,减少0.12%;基本农田51.58万亩,增长7.5%。

【年度农业和农村经济运行】 2016年,隆昌县实现农业总产值54.82亿元,增长3.8%;农业增加值30.87亿元,增长3.9%。农民年人均可支配收入12478元,增长9.3%。

2016年隆昌县主要农产品产量

主要农产品	单位	产量	同比(%)
粮食	万吨	28.02	2.9
水稻	万吨	18.22	5.7
玉米	万吨	3.43	3.4
油料	万吨	1.14	4.4
油菜籽	万吨	0.89	5.3
蔬菜	万吨	41.01	5
水果	万吨	3.69	3.9

农业产业化发展。隆昌县培育家庭农场169家、专合社252个、规模以上龙头企业35家,加快推进农产品产地初加工。

【种植业】 2016年,隆昌县粮食作物播种面积48826公顷,增加174公顷;油料作物播种面积6030公顷,增加115公顷;蔬菜播种面积9165公顷,增加399公顷。粮食总产量28.02万吨,同比增长2.9%,其中夏粮2.43万吨,减少2.4%;秋粮25.59万吨,增长5.4%;水稻18.22万吨,增长5.7%;玉米3.43万吨,增长3.4%。

【林业】 2016年,隆昌县以增加林农收入为核心,以生态绿化、林业产业、林业重点工程项目建设、森林资源保护等工作为重点,完成天然林保护工程建设19.78万亩,营造林1.5万亩,义务植树40万株,新育苗300亩,培育各类苗木312万株。以打造万亩核桃、万亩油茶、万亩麻竹为目标,突出发展核桃、油茶、麻竹、林下经济等特色林产业,新建核桃、油茶基地6000亩,木本油料产业基地达3.3万亩。

【畜牧业】 2016年,隆昌县实现畜牧业总产值22.64亿元,增长2.8%;实现畜牧业增加值11.35亿元,增长2.8%。全年出栏肥猪435398头,下降4.6%;生猪存栏318058头,下降2.4%;大牲畜存栏11175头,下降1.8%;小家禽畜出栏825.82万只,增长2.8%。加强云顶天堂现代畜牧园区建设,实施标准化、规模化畜禽养殖小区建设,发展牛、羊等草食动物养殖。

【水产业】 2016年,隆昌县大力实施水产特色化养殖,重点发展泥鳅、湘云鲫、锦鲤、乌鱼等特种水产养殖。全年水产养殖面积2050公顷,水产品产量3.1万吨,增长1.6%。全年实现渔业产值5亿元,增长7.5%;渔业增加值3.2亿元,增长7.5%。

【新农村建设】 2016年,隆昌县坚持"一盘棋"思路打造特色新村,突出产村相融,投入17641万元(其中财政资金1600万元),重点向13个贫困村倾斜,扎实推进扶贫新村建设,全面完成58个幸福美丽新村、1个市级重点示范片建设任务,实现了主导产业连片发展、村落民居品质提升、基础设施更加完善、公共服务更加惠民。金鹅镇古宇村、龙市镇普照村等村被评为"省级环境优美示范村",云顶镇丁家凼村被列入省级传统村落名录,普润镇汪家村被评为中国乡村旅游模范村,创建首批省级"四好村"9个、市级"四好村"48个。快速通道沿线建成的"七彩园""花漫水乡""蝶恋花""北城印象"等产村相融、农旅结合的新村示范片成效初显。

【扶贫攻坚】 2016年,隆昌县深入贯彻落实国家、省、市精准扶贫战略,牢牢把握新阶段脱贫攻坚总体要求,聚焦精准扶贫、精准脱贫,因地制宜制定扶贫措施,坚持创新改革,积极探索丘陵地区解决"插花式"贫困的新路子。全年帮助贫困户发展种植业1785亩、水产养殖750亩,帮助贫困人员就业268人,向全县8006户贫困户发放《就医优惠证》,实施易地扶贫搬迁291户、755人,实现低保线和扶贫线"两线合一"。全年落实扶贫资金1480万元,设立了贫困村产业扶持、特殊困难家庭救助、教育救助、卫生扶贫救助、扶贫小额信贷分险"五支基金"。全年实现10个贫困村退出,4199名贫困人口脱贫,全县贫困发生率降至2.64%。

【助农增收】 2016年,隆昌县紧紧围绕农民增收年度目标,着力培育农业增长新动力,打造农民增收新引擎,促农增收取得了新成效。一是落实责任,健全工作机制,促进农民增收工作常态化。针对重点区域、薄弱环节和支撑产业算好"时间账""任务账"和"增收来源账",制定切实可行的农民增收措施。加大对农民增收潜力大、效果好的新兴产业(如乡村旅游业、林下经济、生态产业)的资金扶持,探索财政投入形成的资产量化为农民或农民合作组织成员股份机制以及产权抵押融资等机制,增加农民财产性收入。二是整合资金,提高使用效益,确保财政"三农"投入长效化。通过支出增量调整和加大转移支付力度初步形成了以重点支持粮食生产、促进农民增收、发展现代农业、推进农村改革等为主要内容的财政支持"三农"政策框架体系,县级财全年政落实农林水事务资金3.38亿元,同比增长21.1%。三是突出特色,围绕主攻方向,实现农民增收工作具体化。围绕优质水稻、水产、水禽、精品蔬菜、经济林果和乡村旅游六大主导产业,建设北部万亩稻鱼核心示范区、万亩木本油料产业示范片和万亩果蔬、万亩柑橘、万亩粮经复合等示范园区和基地,全县新增特色效益农业标准化基地2.1万亩。乡村休闲旅游势头迅猛,形成馥巍农业、万花谷、北城印象、田园牧歌等40余个休闲节点,全年实现乡村旅游收入16.85亿元,增长12.3%。实施国家级电子商务进农村综合示范县建设,建立"中国禽苗网""鹅江在线"等本土电商平台15个,培育电商服务点58个、涉农电商企业214家,实现农村电商交易额1.4亿元。搭建就业创业平台,建成返乡创业园区5个,吸纳就业4288人;举办"春风行动"下乡招聘会19场及精准扶贫专场招聘会21场,设立26个返乡创业及劳务开发示范基地,2016年,全县转移输出农村劳动力22.829万人,实现劳务收入35.84亿元。

【四川省现代农业建设示范县经验介绍】 2016年,隆昌县抓住全省现代农业示范县建设契机,启动了"12345"现代农业产业提升行动,编制了现代农业示范县和万亩木本油料产业示范片总体发展规划,将稻田综合种养、休闲农业等三条产业带连片规划,按照"中国鱼米之乡"建设目标,在金鹅、普润等19个镇(街道)、113个村建设占地10万亩,集稻鱼基础设施、苗种培育、成鱼养殖、鱼博览馆、稻田艺术、渔文化景观等于一体的"稻+鱼"特色产业工程,2020年建成后,项目区预计将节本增效3.63亿元。打捆省现代农业示范县、高标准农田建设等项目资金有序推进田网、路网、管网工程建设,邀请西南大学、省水产研究所共建水产科研教学实习基地、省稻鳅耦合示范片。与通威公司合作探索底排污、生态排水、渔业机械自动化等种养新技术,采取“公司+基地+合作社+农户”方式辐射带动村民发展种养殖业。推行“稻鱼兼作”“稻鳅兼作”“稻鳖兼作”等稻田养鱼、鱼养稻生态综合种养新模式,延伸稻鱼产、供、加、销等产业链条,建设“鱼文化博览馆”和“稻田艺术”体验观光园,开展稻渔观光、休闲、垂钓等乡村体验活动,深度推进“稻+鱼”一二三产业融合发展。

【主要领导人】 县委书记:张勇;县人大常委会主任:李萍;县长:尹忠;县政协主席:王正芬;分管农业副县长:万晓燕。

隆昌县编写组

乐 山 市

【基本情况】 2016年,乐山市辖11个县(市、区),辖区面积1.28万平方千米,是中国优秀旅游城市、国家历史文化名城、国家园林城市、国家级旅游业改革创新先行区、国家全域旅游示范区创建市、国家服务业综合改革试点市。

【年度农业和农村经济运行】 2016年,乐山市大力转变农业发展方式,举办首届茶博会,新建成现代特色效益农业标准化基地13万亩,新发展农民专业合作社334个、家庭农场328家,认证“三品一标”农产品89个,粮食总产量110.7万吨。深入实施全民参保计划,稳步提高低保、优抚、退休人员养老金待遇等标准。推进医药卫生体制综合改革,公立医疗机构全面取消药品加成。深化百万安居工程建设行动,建成保障性安居工程住房13758套,完成省下达任务的179%。加强生态环境保护,综合治理水土流失面积273平方千米,岷江出境断面水质取得突破性改善。沐川、峨边、马边3个县被纳入国家重点生态功能区,大瓦山湿地公园跻身国家湿地公园行列,全市森林覆盖率达56.39%。乐山市被表彰为全国“六五”普法先进单位,连续四届荣获全国双拥模范城称号。全市创建市级“四好村”378个。开放合作纵深拓展,组团参加西博会、中外知名企业四川行、川商返乡发展大会等活动,引进到位市外内资560亿元,实际利用外资5500万美元,分别完成年度目标任务的112%、110%。

农用地产权制度改革。乐山市土地承包经营权确权登记颁证工作全面完成,新增土地流转面积3万亩,总面积达56万亩。启动实施不动产统一登记制度,颁发不动产权证书9979本。

【统筹城乡和新型城镇化】 2016年,乐山市坚持把项目作为稳增长、调结构、补短板的重要抓手,制订重点推进项目挂图作战工作方案和重大项目三年攻坚实施方案,新入库500万元以上项目1149个。23个省列重大项目完成投资163.9亿元,38个挂图作战项目完成投资187.3亿元,分别完成计划任务的132.3%、106.4%。乐沙城际生态大道、仁沐新高速仁井段建成通车,万达广场、峨眉山黄湾小镇建成并开放。全市城镇化进程持续加快,新增城镇建成区面积4.35平方千米,城镇化率达48.7%。开展各类促销活动600余场次,电商交易额增长30%,网络零售额增长25%;商品住房销售面积增长30%。坚持把改革创新贯穿于经济社会各个领域,新出台专项改革方案34项,13项国家部委改革试点、26项省级改革试点取得积极进展,申报为国家服务业综合改革试点市。全面完成“十项民生工程”和22件民生大事,群众生活进一步改善。狠抓就业创业工作,城镇新增就业4.96万人,城镇登记失业率控制在4.1%以内。全年城镇居民年人均可支配收入28583元,增长8.4%;农村居民年人均可支配收入12749元,增长9.4%。

【扶贫攻坚】 2016年,乐山市坚持把脱贫攻坚作为头等大事来抓,累计整合投入各类扶贫资金76.7亿元,实现了41个省定贫困村、98个市列贫困村退出,3.5万名贫困人口脱贫,脱贫“摘帽”首战告捷。大力改善贫困地区基础设施条件,完成彝家新寨住房建设1750户、易地扶贫搬迁9261人,改造建档立卡贫困户危房4919户。创新开展“百企帮百村”活动,市内464家企业(合作社)与469个贫困村结成帮扶对子。探索资产收益、投资收益、理财收益、金融造血扶贫等模式,设立脱贫攻坚专项基金100亿元,发放支农再贷款3.9亿元、扶贫再贷款1.2亿元、扶贫小额信贷1.9亿元。设立教育扶贫救助基金,新建“一村一幼”155所,解决彝区3204名学生“两人一铺”问题,3县1区全部执行15年免费教育政策。全面落实贫困人口医疗救助政策,新建村卫生室161个,设立卫生扶贫救助基金,实现贫困人口县域内住院政策范围费用零支付。强化政策兜底,实现低保线、贫困线“两线合一”,对3679名建档立卡困难群众实施居家和集中救助帮扶。对口援助理塘县工作圆满结束,启动对口援助美姑县和市内对口援彝工作。

【乡村旅游】 2016年,乐山市把旅游作为服务业的龙头产业、主导产业来培育,举办了第三届旅博会、2016环中国国际公路自行车赛、峨眉山国际登山节、佛光花海音乐节、申遗20周年纪念活动等大型文旅活动,四川旅博天地创建为国家4A级景区。全市接待国内外游客4380万人次,增长11.7%;实现旅游综合收入625.7亿元,增长25.3%。

【农村教育】 2016年,乐山市市中区、五通桥区、夹江县3个区(县)通过国家级义务教育均衡发展达标验收。新建农村教师周转房451套、农村中小学学生宿舍3万平方米,接收16144名进城务工随迁子女就近免试入学。

【主要领导人】 市委书记:彭琳;市人大常委会主任:赖淑芳;市长:张彤;市政协主席:易凡;分管农业副市长:伍定。

乐山市编写组

市 中 区

【基本情况】 2016年,市中区辖32个乡(镇、街道),有农业人口25.88万人,有耕地面积18.64万亩,减少0.9%;基本农田30.01万亩,减少0.1%。

【年度农业和农村经济运行】 2016年,市中区实现农业总产值359291万元,增长4%;农业增加值200191万元,增长4%。农民年人均可支配收入14733元,增长9.6%。

农业产业化发展。市中区新增省级农业龙头企业1家,省、市级农业龙头企业总数达32家;新建农民专业合作社60个,总数达364个;新增家庭农场10个,总数达29个,有会员1.8万户,带动农户6.06万户,农业产业化经营带动面达73%。

农产品品牌战略实施。市中区共认证无公害农产品84个、有机产品(含转换产品)27个、地理标志产品1个,推广新技术、新模式10项。"三品"基地认证面积占总面积的比重为100%。

【种植业】 2016年,市中区粮食播种面积22.96万亩,产量9.7万吨,实现产值2.9亿元,其中水稻15.84万亩,产量8.13万吨;玉米2.46万亩,产量8269吨;红薯1.86万亩,产量3339吨;大豆1749亩,产量149吨;马铃薯1.49万亩,产量3471吨;豌豆6075亩,产量514吨;胡豆5321亩,产量454吨。油菜播种面积6.06万亩,产量7549吨。蔬菜(瓜果)种植面积10.14万亩,产值7.01亿元。

2016年市中区省级农业产业化重点龙头企业名单

企业名称	法人代表	示范等级	年度产值(万元)	主营产品
乐山吉象人造林制品有限公司	林子潽	省级	28850	中密度纤维板
乐山市继东饲料有限公司	李群英	省级	7330	饲料
四川罗城牛肉食品有限公司	苏荣聪	省级	11784	肉类(牛)
四川锡成天然食品有限公司	巫锡成	省级	30500	冻干双孢蘑菇
四川禹伽茶业科技有限公司	周亚东	省级	3080	茶多酚

2016年市中区省级示范农民专业合作经济组织名单

合作组织名称	法人代表	示范等级	主营产品
乐山市市中区罗城回民牛业专业合作社	苏荣章	省级	肉牛
乐山市中区继东渔业专业合作社	易继东	省级	鱼类
乐山市中区龙滩渔业专业合作社	缪树强	省级	大口鲶鱼苗、商品鱼
乐山市中区兴旺畜牧专业合作社	魏树洪	省级	生猪

2016年市中区家庭农场经营情况统计表(前10位)

家庭农场名称	注册资金(万元)	法人代表	年度产值(万元)	行业分类	主营产品
乐山市市中区乐土家庭农场	1000	吴霜艺	170	种植业	葡萄
乐山市市中区正康家庭农场	800	陈跃	1000	种养结合	水果、生猪
乐山市市中区润康家庭农场	500	黄小柯	1200	种养结合	花卉苗木、畜禽
乐山市市中区缘心家庭农场	500	陈小刚	100	种植业	苗木
乐山市市中区友爱秀峰家庭农场	320	阚清荣	200	种养结合	果树、畜禽
乐山市市中区梓苑家庭农场	300	周惠芳	300	种养结合	果树、苗木、水产
乐山市市中区李建华家庭农场	300	李建华	350	种养结合	苗木、畜禽
乐山市市中区三丰家庭农场	300	张小炎	100	种养结合	水产、果树
乐山市市中区金林家庭农场	200	刘伟林	25	种植业	稻米
乐山市市中区志诚家庭农场	200	陈建兵	140	种养结合	水产、果树

【林业】 2016年,市中区森林蓄积量增长3万立方米,林地保有量达44.37万亩,森林覆盖率增长0.4%,达到36.96%。一是大力开展植树造林。继续打造九峰镇棕桥村苦笋、白马镇珍稀树种和茅桥镇核桃3个产地基地;以"点、线、面"相结合方式推进品种改良,在平兴乡、迎阳乡、关庙乡、青平镇等地发展无性系杉木集中示范种植苗木94万株,采购杉木苗50万株免费发放给林农进行"四旁"种植。全年义务植树35万株,造林10000亩,管护国有林0.37万亩,巩固退耕还林成果9万亩,实施退耕还林成果后续产业品种改良9888.2亩、丰产措施24563.6亩。二是强化林地保护管理。严格执行"十三五"期间年森林采伐限额管理要求,森林采伐总消耗量控制在125578立方米,全县林地面积保持在44.37万亩以上。三是积极开展病虫害生物防治。森林病虫害成灾率控制在3‰以内,无公害防治率达80%以上,种苗产地检疫率达90%以上。全年产地检疫3260亩,调运检疫苗木400万株、木材1.187万立方米。四是开展野生动物保护。全年共审理野生动物驯养、经营许可12件,新办上报5件,救助国家二级保护动物鹰1只、猫头鹰3只、其他"三有"(有益、有经济价

值、有科学研究价值)动物10余只(条)。

【畜牧业】 2016年,市中区生猪出栏35.1万头、牛出栏3576头、羊出栏5096只、禽出栏706.21万羽、兔出栏364.1万只,肉类总产量40948吨,禽蛋产量24535吨,牛奶产量1051吨;实现畜牧业产值15.81亿元,同比增长9.6%。全区主要畜禽适度规模养殖面达81%以上。全年免疫密度达100%,全年无重大动物疫病发生。生猪定点屠宰率达100%。完成二元杂交母猪换种3003头,生猪三元杂交改良面提高到73.6%。新创建部级标准化示范场1个、省级标准化示范场1个。

【水产业】 2016年,市中区新增水产养殖面积600亩,水产品产量3.4万吨,实现渔业产值4.4亿元,增长6%。增殖投放长吻鮠珍稀鱼类鱼种7.5万尾。有水产无公害基地2个,认证面积1.53万亩。

【农村水利】 2016年,市中区投资2.47亿元,完成高中—山珍水库灌区"五小水利"及生态治理等14个项目建设,治理水土流失面积15平方千米,新增有效灌面0.5万亩,恢复改善灌面1.6万亩。建成苏稽水口片区集中供水工程,解决全区5个乡(镇)10.3281万人的饮水安全问题;建设渠网20.7千米。新建固定机电提灌站3处,维修改造固定机电提灌站75处,维修各类提灌机械660台次,新增提水控灌设备51台(套)。

【统筹城乡与新型城镇化】 2016年,市中区深化区(县)规划与市域规划相统一、城镇规划与新村规划相协调、详细规划与专项规划相匹配的认识,主动对接国家和省新型城镇化规划,深度融合城市总体规划、产业发展规划、交通发展规划和土地利用规划等,编制了《乐山市市中区新型城镇化发展规划(2013—2020)》,进一步明确了当前和今后一段时期全市新型城镇化发展的方向、路径、重点和目标。全年完成新村建设总体规划、23个乡(镇)总体规划及控制性详细规划、47个行政村总体规划、82个村民聚集点修建性详细规划,乡(镇)集镇规划达到全覆盖。

促进产业发展,增强城镇就业吸纳能力。全年服务业增加值完成99.88亿元,同比增长8.6%,增速排名全市第一位,高于全市平均水平1.4个百分点,服务业增加值占GDP的比重为43.82%,比上年同期增加1.5个百分点。社会消费品零售总额158.97亿元,同比增长13%。全区工业累计完成投资39.8亿元,技改投资累计完成26.2亿元,规模以上工业增加值增速为9.4%。全年实现建筑业总产值39.6亿元,房地产开发投资完成83.5亿元,新增城镇人口9177人。扎实开展就业培训,完成农村劳动力转移培训500人次,农作物栽培、平面设计、室内设计等实用技术培训200人次,新型职业农民培训300人。

加快城镇基础设施建设。加快推进城市道路交通、防洪排涝、垃圾污水处理、生态园林、电力通信、公共服务设施等基础设施项目建设。全力做好面厂街等断节路改造工作。以打造"绿色乐山,生态嘉州"为城市建设工作核心,积极开展乐山中心城区城市地下综合管廊和海绵城市建设。以建设宜居宜业宜游美丽城市为目标,加快产业结构转型升级,科学优化城市规划布局,加强生态环境保护和治理。抓好青江新区、岷江东岸、苏稽新区建设,引导教育、医疗、文体等公共服务设施向苏稽新区、青江新区等城市新区布局。加快建设集教育科研、文化体育、古镇旅游于一体的苏稽新区步伐,推动大学城、文化馆、体育馆、科技馆、规划馆、博物馆"一城五馆"向苏稽新区集中,加大苏稽新区征地拆迁工作。全年新增城镇建成区面积0.76平方千米。

进一步改善城乡居民居住条件。全年完成1273户公共租赁住房申请家庭的审核、公示、摇号安置工作和1200户公共租赁住房申请家庭的审核工作;推进建设青衣人家廉租房、青衣人家公租房、青衣人家限价房、玉和苑公租房、玉和苑廉租房、顺江廉租房、顺江经适房和顺江统建还房8个保障性住房项目8218套共69.49万平方米;发放廉租住房租赁补贴362户,金额461655元。全年完成签约11个棚改项目共494户38790平方米,竣工304套,建筑面积3.61万平方米。完成危房改造目标任务155户,补助116.25万元。

继续推进"百镇建设行动"。全区有土主镇和茅桥镇两个全国重点镇,两镇充分利用全国重点镇、省级百镇建设试点镇相关政策支持,积极发挥区位、交通和资源优势,全面提高城镇化质量,加快转变城镇化发展方式。全年共争取省级小城镇建设专项资金500万元用于土主镇小城镇建设。区本级财政安排384万元用于两镇集镇基础设施建设,100万元用于乡镇污水处理站第三方运营管理。

【幸福美丽新村建设】 2016年,市中区紧紧围绕"业兴、家富、人和、村美"幸福美丽新村的总体要求,积极推行"小规模、组团式、微田园、生态化"建设模式,制订了《2016—2020年市中区幸福美丽新村建设行动专项改革方案》《2016年幸福美丽新村建设项目实施方案》。完成全福镇总体规划以及2个村庄、17个聚居点的规划编制,童家镇开化村、杨湾乡刘浩村新村聚居点主体工程建成竣工,棉竹镇石桥冲村、杨湾乡灵官村等25个幸福美丽新村建设加快推进。

【扶贫攻坚】 2016年,市中区在省、市的统一安排和部署下,从2014年扶贫工作建档立卡识别开始,以实事求是为唯一要求,突出"三个强化",精准"再识别"摸准、摸实贫困人口情况。一是强化政策培训。针对省、市关于精准识别工作会议精神和有关政策,扶贫移民局组织各乡(镇、街道)领导、具体工作人员传达和学习,吃透政策,做到心中有底。二是强化责任落实。强化乡(镇、街道)党委和政府的主体作用,将精准识别责任压紧、压实。三是强化精准到户。以帮扶和挂联干部为基础,进村入户开展核实工作,确保建档立卡贫困户识别精准。将精准帮扶贯穿脱贫攻坚始终,以干部帮扶为基础、以强化宣传为手段、以产业发展为主线、以政策落地为保障开展精准帮扶。

以干部帮扶为基础,确保帮扶到位。一是调整帮扶干部,实现全区建档立卡贫困户帮扶全覆盖,并对帮扶干部工作任务进行了明确。同时,帮扶干部在开展挂联帮扶工作时每月填报建档立卡贫困户"因户施策"动态管理台账表,利用大数据分析平台实时掌握全区建档立卡贫困户脱贫短板,认真分析并加以弥补,确保全区已脱贫人口稳定脱贫。二是确保25个市列贫困村"五个一"全覆盖,即1名县级领导、1个驻村帮扶工作组、1名"第一书记"、1名挂联科级干部、1名专业技术人员。三是强化帮扶干部培训。多次组织帮扶干部开展培训并将培训内容刻制成光碟,确保对每名干部培训到位。以强化宣传为手段,在区级主流媒体设立《脱贫攻坚同步小康》和《感恩奋进》专栏;深入挖掘扶贫工作中的感人事迹,树立脱贫攻坚典型任务。四是带动贫困户发展产业。投入423万元实施肉牛代养模式,覆盖贫困户124户,户均年增收3070元;投入257万元,撬动龙头企业投入257万元实施资产收益股权量化,覆盖贫困户126户,户均年增收1200元;大力推广扶贫小额信贷,实施委托发展模式,户均年增收2570元。五是强化政策兜底。在全市率先实现贫困线和低保线"两线合一"。六是强化扶贫工作管理。坚持"脱贫不脱政策、脱贫不脱帮扶、脱贫不脱项目"的"三不脱"原则,严格比照"两不愁、三保障"和"四个好"工作要求,严密组织核查,实时掌握动态,及时帮扶到位,确保脱贫攻坚成效巩固提升,杜绝出现"数字脱贫"现象。由区委督查室、区政府督查室、区纪委、区委巡察办牵头,多次对全区脱贫攻坚工作开展督查巡察,对工作拖沓、敷衍塞责的单位和个人进行了诫勉谈话和组织纪律处理。

聚焦工作重点,专项工作取得实效。一是住房安全有保障。2016年,全区脱贫的1310户均有安全住房,32户易地扶贫搬迁户已完成住房建设并具备入住条件。二是产业扶贫强落实。全年农业产业扶贫专项计划总投资6220.86万元,截至2016年年底,实际到位资金6205.86万元(其中项目实施保证金15万元)。三是教育扶贫全覆盖。全区建档立卡学生总计495人,初审生源地助学贷款材料153户,完成贷款约110万元,帮助153名贫困大学生顺利跨入了大学校门;积极筹措贫困大学生资助金73万元,共资助贫困大学生401人,实现了教育扶贫全覆盖。四是社会保障强兜底。从10月1日起,全面提高低保线至3390元/人/年,月人均补助水平达209元/月,高于市上下达的目标任务,实现"两线合一",916名建档立卡贫困户全部享受低保政策兜底。农村五保分散供养标准实现同步提高,月人均增长28元,全年累计增加投入36万元。通过医保补结算、民政救助(含手工结算和一站式结算)、大病补助、医疗机构退费等手段将1535人次未脱贫人口在区域内住院个人费用全部控制在10%以内,并将全区减贫的2495名贫困人口全部纳入重特大疾病救助范围。五是小额信贷增收益。全区共安排1088万元设立扶贫小额信贷风险补偿资金,评级授信2871户,发放扶贫小额贷款2130万元,涉及贫困户494户,次年户均增收达2400元。六是社会扶贫强帮扶。深入开展"百企帮百村"行动,促进长仪阀门、豪森锅具等16家民营企业与25个市列贫困村签订了结对帮扶及共建协议;建立"爱心家庭"结对帮扶机制,全区共结对"爱心爸妈""爱心家庭"150对;组织机关事业单位爱心捐款20万元,用于充实医疗教育扶贫基金,解决特殊困难家庭医疗和教育方面存在的突出问题。七是对口援助献力量。成立援彝工作领导小组,组建了市对口帮扶峨边县工作小组(前线指挥部),选派党政优秀干部、农业技术专家、教育医疗专业人才等28人组建成帮扶队伍,进一步夯实了对口帮扶队伍力量。

全区减少贫困人口2495人,退出市列贫困村17个,全面完成计划脱贫任务。制发了《市中区易地扶贫搬迁实施细则》,对搬迁对象进行再识别复核,细化明确了补助标准,全区有易地扶贫搬迁贫困户72户,工程已全部开工建设。

【乡村旅游】 2016年,市中区以《市中区旅游总体规划》《市中区旅游业发展"十三五"规划纲要》等为统领,启动《市中区乡村旅游规划》的编制工作,配合推进大佛景区度假区创建工作。苏稽特色小镇项目打造工作有序推进。新增农家乐13家,省级星级农家乐4家、省级特色精品农家乐园3家,总数达200余家,其中规模以上"农家乐"65家,占全市总量的30%;完成16家涉旅场所厕所A级打造,实现厕所服务标准的提档升级。坚持"政府宣传形象,企业营销产品"的工作思路和"统一宣传、捆绑促销"的操作方法,组织乌木苑、金鹰山庄、天工开物景区以及苏稽跷脚牛肉协会等乡村旅游点参加第三届四川国际旅游交易博览会;组织企业参加旅行商"一对一"洽谈合作,宣传市中区旅游业。利用网络媒体宣传造势,引导企业建立微信平台进行个性化营销;借助乐山旅游政务网、新乐山等网络媒体开辟旅游专栏和播放产品营销广告。举办"金鹰荷花节""烤羊肉节""荔枝采摘节""草莓采摘节""西瓜采摘活动""平兴赏薰衣草"等活动,配合旅游摄影、美食大赛等系列子活动,打造市中区旅游热点,提高市中区旅游的知名度和美誉度。以悦来"潘家园农场"项目、剑峰乡"归田园居"项目、苏稽"海棠香山"项目为代表,引导、实施"旅游+农业""旅游+扶贫""旅游+养生""旅游+休闲",开发水上旅游、山地探险、民俗演艺等新产品,发展有特色、有品牌、成体系的旅游商品。

【助农增收】 2016年,市中区贯彻落实农民增收工作县(市、区)委书记和县(市、区)长负责制。一是健全工作机制。区委区政府把农民增收摆在"三农"工作的核心位置,认真贯彻落实农民增收区委书记、区长和部门"一把手"负责制,成立了以区委书记、区长为组长,分管副书记、副区长为副组长,相关涉农部门为成员单位的农民增收工作领导小组,召开区委常委会和区政府常务会专题研究农民增收工作5次,开展农民增收工作季度研究、分析、评比,找差距、添措施、促后进。二是明确工作职责。区委区政府将农民增收工作纳入全区综合目标,对乡(镇)党委、政府、部门"一把手"进行考核,形成了上下联动、齐抓共管、合力推进的工作格局。三是农民增收监测体系机构健全,资金到位,做到记录统计完整准确。加大对城乡一体化调查点记账户的指导力度,增强记账户的责任感、荣誉感,确保记账的及时性、准确性和真实性。

加大财政对"三农"的投入。全年本级财政投入"三农"资金5173万元,比上年增长10%,其中财政农业支农支出占本级一般预算支出的比重达27.06%,比上年增长12%。

继续深化农村改革。一是农村土地确权颁证稳步推进。全面完成23个乡(镇)208092亩土地确权的外业调绘、成果公示和签字确认并通过农业厅检查验收,确权证书已进入制作阶段。二是做好林权纠纷调处。全年处理林业纠纷信访案件53起(含遗留案件);调查待作出行政裁决的林权纠纷案件6起,涉及4个乡(镇)、100余人。三是加快土地流转进程。全区新增流转土地面积1680亩,流转收入260万元,共流转农村土地6.5万亩,占耕地总面积的30.7%,流转率居全市第一位。全年流转林地3.66万亩,林地流转面积占集体林地面积的8.48%。1—3季度农村居民人均财产性收入302.7元,同比增加52.5元,增长21%。

劳务经济稳步提升。全年完成农民实用技术人才培训11万人次、农村青年劳动者技能培训720人、创业培训1120人、就业困难人员就业培训1200人,完成农村劳动力就业转移100.2万人次。加大劳动保障监察执法力度,开展农民工工资支付专项检查4次,受理举报投诉324件,为2207名劳动者追回劳动报酬876万元;行政处理劳动案件10件,依法保障城乡劳动者合法性收入,全年无损害农民利益的事件发生。

全面落实强农惠农富农政策各项惠农补贴政策。全年兑付耕地地力保护补贴1900万元、退耕还林补贴692万元、品种改良补贴395万元、丰产措施补贴491万元,政策性农业保险180万元,政策性水产养殖保险1020万元。加强全区涉农资金监督管理力度,无违纪问题发生。

【农村科技】 2016年,市中区开展田型调整366亩,实施土壤培肥面积6000亩。完成推广测土配方施肥技术35万亩,其中配方肥应用面积30万亩。改造中低产田1.1万亩,建设高标准农田8200亩,完成绿色防控面积5.2万亩。

【回乡创业之星选介】 李国祥,47岁,九峰镇明月村返乡农民工,明月村村主任。2004年,李国祥离开家乡到九寨沟景区从事导游工作,2011年在各级政府的鼓励和支持下,依托家乡紧邻大佛景区的地理优势以及自身外出务工的资本积累，李国祥创办了鼎承旅行社，从事导游讲解等旅游服务，共吸纳100余人就业，人均月收入达4000余元；2012年，李国祥创办了“禅缘”旅游产品购物中心，吸纳30余名周边村镇失地农民就业，人均月收入3000余元；2013年再次筹资300余万元创办了星州酒店，吸纳周边本地村民20余人就业，人均月收入2000余元。近两年，李国祥每年出资8万余元承包村内50余亩闲置耕地，招用本村留守人员进行有机稻谷种植，增加村民收入。在李国祥的带动下，3名村民创办了自己的饭店、工艺品加工店铺、旅游纪念品店铺，帮助17户村民摆设小摊位，实现自主创业。在自身发展壮大的同时，李国祥积极帮助家乡发展，出资10余万元支持村(组)道路建设，每逢佳节慰问困难群众、老年人、留守妇女等。2016年，李国祥被评为乐山市返乡创业明星。

【重点乡镇选介】 苏稽镇，位于乐山市中心城区西部，东邻青衣江，与通江镇、棉竹镇隔江相望，南邻水口镇、平兴乡，西与峨眉山市符溪镇接壤，北连杨湾乡与夹江县相望，是连接名山(峨眉山)、名佛(乐山大佛)、名人(郭沫若故居)的交通枢纽。全镇辖区面积40.85平方千米，总人口3.7万人。2016年，苏稽镇实现生产总值12.07亿元，固定资产投资同比增长13%，农民年人均可支配收入达15618元，粮食总产量达7597吨。特色古镇项目、海棠香山森林公园特色村庄项目全面启动。为全省首批试点小城镇、全省重点示范镇，是国家级农业科技生态园区所在地，被列入“全省乡镇经济综合实力500强”，获得了四川省“亿万农民健身活动先进乡镇”和乐山市“创建全国绿化模范城市先进集体”等一系列称号。

【主要领导人】 区委书记：陈有波；区人大常委会主任：肖兴军；区长：许天毅；区政协主席：杨建钊；分管农业副区长：尹秀英。

市中区编写组

五通桥区

【基本情况】 2016年，五通桥区辖11镇1乡，辖区面积474平方千米。五通桥区依山傍水、榕荫披覆，两河碧水四季如镜，被誉为“龙舟之乡”“水上运动之乡”。

【年度农业和农村经济运行】 2016年，五通桥区全面完成生猪标准化养殖等项目建设，出栏生猪28万头、家禽376万只。义务教育均衡发展通过国家验收，全面免除普通高中学生学费，实施政府购买学前教育服务。蔡金镇创建为国家级卫生乡镇。改造提升文化馆、图书馆，建成村级文化之家206个、农民体育健身工程40个。

农业产业化发展。五通桥区新培育家庭农场、专合组织等新型农业经营主体53个，产业化带动农户面达77.5%。柑橘、杏林李、茶叶等特色产业加快发展，新增特色农业标准化基地2.15万亩，“艳阳天”打造生态农业观光园700亩，“芽芝春”新建标准化生态茶园800亩，花木科技园被评为省级农业示范主题公园。

农用地产权制度改革。五通桥区完成农村承包地确权25万亩并通过省级验收。启动农村股份制合作试点，新增土地流转面积2380亩。

【种植业】 2016年，五通桥区发放惠农资金3203.2万元，全面完成水稻万亩高产创建项目建设，粮食总产量稳定在8.5万吨。新增蔬菜种植面积1000余亩，全年蔬菜总产值达6.5亿元。

【统筹城乡与新型城镇化】 2016年，五通桥区投入7500万元完成中心城区17千米道路黑化及人行道改造，弱电管网建设全面完成。实施特色商业街提升、文化特色小镇整体风貌改造等工程，岷江现代农产品综合交易市场等项目竣工并投入使用。投入200余万元，对西坝连接线、茶花路、岷江大道、国道213沿线等主要路段绿化带进行升级维护。城市建成区面积扩展到17.21平方千米，城镇化率达54.4%。“农转非”4320人。新增城镇就业5856人，城镇登记失业率控制在3.9%以内。城镇居民、农村居民年人均可支配收入分别达28914元、12539元，分别增长8.5%、9.8%。

【新农村建设】 2016年，五通桥区编制完成《“四好村”创建活动工作方案》，扎实推进“四好村”创建工作。新启动3个幸福美丽新村建设项目，6个幸福美丽新村基础设施建设项目顺利推进。实施水、电、气、光纤、路“五通”工程，解决1700人的安全饮水问题，农村自来水供给率达70%。完成151千米乡(镇)天然气管网铺设，新增农村供气3000户。改造农村危房29户，行政村光缆通达率达100%。

【扶贫攻坚】 2016年，五通桥区整合财政资金9928万元，完善贫困村“村村通”、人饮等配套基础设施建设。实施产业扶贫767户，发放扶贫小额信贷498户、2279.4万元，贫困户直接增收114万元。实施医疗救助1275人次，贫困户基本医疗参保率达100%。完成易地扶贫搬迁任务，实施贫困户住房重建、维修改造530户。脱贫攻坚工作通过省、市验收考核，29个市列贫困村达标退出，全年减贫549户、1322人。

【乡村旅游】 2016年，五通桥区举办了第20届龙舟文化节、乡村旅游国际论坛等大型文旅活动，远成·文旅城水上乐园、中国根书艺术馆建成开业，桥滩特色街区等“四个特色品牌”创建工作扎实推进。大力发展集采摘、观光、农家乐、美食于一体的乡村旅游，恒苑山庄等6家星级农家乐被评为中国乡村金牌农家乐。全年接待游客326万人次，实现旅游综合收入42亿元，分别增长11%、25%。

【农村交通】 2016年，国道213线(省道104线)五通桥城区过境公路完成主体工程，五犍沐快速公路(五通桥段)完成路基工程7.9千米，岷江航电老木孔枢纽、双漩坝渡改桥、青五路、进港大道延伸线(一期)等项目前期工作加快推进。全年完成县、乡道提升改造94.9千米，村道提升改造147.6千米。

【农村法制建设】 2016年，五通桥区深入推进“法律七进”工作，创建市级示范点4个，新增市级法治示范乡(镇)1个、市级依法治村(社区)示范点2个，四望关法治广场被命名为首批市级“法治教育基地”。实现法律顾问制度基层单位全覆盖，“六五”普法工作获得省委省政府表彰。

【农村社会保障】 2016年，五通桥区全面完成72项民生工程、14件民生大事，民生支出占一般公共预算支出的73.9%。为3700名失能老人和高龄老人提供居家养老服务。城乡居民社会养老保险覆盖8万余人，发放低保金3704.88万元，五保集中供养率达62%。筹集资金124万元开展“送温暖”活动，发放棉被3927床、保暖内衣5844套；筹集资金330万元，为170名建档立卡贫困户实施集中和居家救助。

【农村生态建设及环境保护】 2016年，五通桥区主要河流岷江五通桥段水质保持Ⅲ类标准，茫溪河河面漂浮物得到有效控制。建成农村饮水安全水质检测中心，城区饮用水质量监测得到持续强化。推进绿色细胞工程，植树造林60万株，治理水土流失面积10.8平方千米，全区耕地保有量稳定在23.83万亩。

【主要领导人】 区委书记：张国清；区人大常委会主任：王读红；区长：成定彬；区政协主席：宿建军；分管农业副区长：任罡。

五通桥区编写组

沙湾区

【基本情况】 2016年,沙湾区辖8镇5乡1个街道,辖区面积618.89平方千米。全年接待游客266.24万人次(其中乡村旅游接待游客200万人次),同比增长13.45%;实现旅游总收入28.29亿元,增加值为5.85亿元,同比增长26.08%。

【扶贫攻坚】 2016年12月19日—21日,根据四川省委、四川省人民政府安排,省级脱贫攻坚第十三验收考核工作组组长、省直机关工委机关党委书记陈发清率队到沙湾区对脱贫攻坚工作进行验收考核。省验收组分为2个组,通过现场抽签的方式从全区有建档立卡贫困户的村中随机抽取了铜茨乡龙柱村、太平镇付塘村、龚嘴镇杨岗村、轸溪乡双山村进行检查验收考核,走访128户当年脱贫贫困户,通过实地入户调查了解,随机抽取贫困户,入户面谈、询问、查阅村里档案资料、听取汇报、对非建档立卡贫困户进行集中访谈等方式详细检查了各贫困村“五有一低于”、“五个一”帮扶、贫困户年人均纯收入、“两不愁、三保障、三个有、四个好”等情况,查阅了沙湾区脱贫攻坚自查评估等相关文件资料并召开座谈会听取了区委区政府脱贫攻坚工作情况汇报。验收考核组一致认为,沙湾区委区政府对脱贫攻坚工作高度重视,认真贯彻落实了中央和省、市要求,坚持把脱贫攻坚工作作为决战决胜全面小康的重要举措,把脱贫攻坚工作摆上重要位置,探索了新路子和好做法,形成了“321”结对帮扶模式。沙湾区扶贫工作对产业发展、基础设施、就业促进、文化惠民、社会保障、易地搬迁等实行“一个计划、一名领导、一支队伍、一套方案、一抓到底”。在脱贫攻坚工作中,区、乡(镇)、村各级干部深入基层扎实开展工作,得到了农户的广泛认同。

对口帮扶金口河区。金口河区金河镇曙光村“农民夜校”正式成立并开课,首堂课邀请了市(区)农业局专家讲授养猪技术。首批“农民夜校”参训学员共计53人,发放养猪技术手册60本,书包、笔和笔记本53套,小礼品53份,“开办一所脱贫夜校”是沙湾区对口帮扶工作组实施的“八个一行动计划”之一。帮扶工作组和金河镇党委政府扎实开办首期教学,力争使参学贫困群众学有所获。一是组织管理规范化。制定了夜校职责、学员守则、管理考核办法等制度,对学员实行学分制考核,保证教学进度和学员参学率。夜校的教学质量和成效同时接受帮扶工作组和镇党委的监督、指导和评估、考核。二是教学形式多样化。灵活采取专题讲座、案例分析、网络课堂、实地演示等方式组织教学,开展技能比武和学习能手评选,使农民学员既能收获理论知识,又能掌握种养殖等实用技术。三是后勤保障科学化。将原曙光村学校改建成的民俗广场搭建成夜校教学活动场地;从农业等部门和乡(镇)的领导干部、技术专家、致富能人中抽出20人组成兼职教师队伍,安排课程40学时;从对口帮扶资金中落实50万元,为夜校办学提供财力保障。立足“扶贫先扶志,扶贫必扶智”,沙湾区对口帮扶工作组深入金口河区,进村入户开展调研,组织协调多方支持和帮助,为“农民夜校”的开办融入新的元素,以乡土人才、技术专家为夜校教师主力,以种养殖技术、扶贫政策为主要教学内容,积极在贫困村打造“农民夜校”品牌,力争建设集宣传方针路线政策、思想励志、农业实用技术推广、农民就业等于一体的具有农村特色的学校,助力金口河区脱贫攻坚。

【主要领导人】 区委书记:袁仕伦;区人大常委会主任:文明;区长:左小林;区政协主席:黄大敏;分管农业副区长:王旭东。

沙湾区编写组

金口河区

【基本情况】 2016年,金口河区辖4乡2镇(其中2个彝族乡)4个社区41个村296个村民小组,辖区面积598平方千米,其中耕地面积5.496万亩,减少0.05%;基本农田4.99万亩,与上年持平。年末总人口48902人,人口出生率10.78‰,人口自然增长率3.4‰。森林面积33956.16公顷,森林覆盖率达56.72%。

2016年,全区GDP32.913亿元,增长4.2%,其中第一产业产值1.9194亿元,增长3.6%;第二产业产值24.9805亿元,增长4%(工业产值增长2.8%);第三产业产值6.0131亿元,增长5.1%。

全社会固定资产投资完成24.4258亿元,减少16.9%。地方公共财政预算收入完成18480万元,增长25.66%。社会消费品零售总额8.5456亿元,增长11.9%。金融机构各项存款余额15.6498亿元,增长10.7%;各项贷款余额3.0144亿元,减少22.1%。

【年度农业和农业经济运行】 2016年,金口河区实现农业总产值3.2亿元,同比增长6%。城镇居民年人均可支配收入达28397元,增长8.4%;农村居民年人均可支配收入达11933元,增长9.46%。

2016年金河口区主要农产品产量

主要农产品	单位	产量	同比(%)
粮食	万吨	1.09	1.3
稻谷	万吨	0.026	-43.7
小麦	万吨	0.0107	-63.9
油菜籽	万吨	0.009	持平
蔬菜	万吨	1.24	10.88
水果	万吨	0.0127	12.08
肉类	万吨	0.2981	2.65
猪肉	万吨	0.2516	0.84
禽蛋	万吨	0.0621	17.39
水产品	万吨	0.0067	3.07
茶叶	万吨	0.0132	11.7

农业产业化发展。金口河区新发展农民专业合作社27个、家庭农场13家、标准化农民专业合作社1个,新培育省级示范场1家。全区农业产业化经营带动农户7202户,带动面达72%,农业产业化收入达3.7亿元。

农用地产权制度改革。金口河区完成6个乡(镇)、40个村、281个村民小组、9397户农户的农村土地承包经营权确权登记颁证工作,并以92.5分的“优秀”等级顺利通过省专家组的技术验收。全年有序开展土地流转14000亩,其中流转到专业合作社9000亩、流转到家庭农场3000亩、流转到其他2000亩。

农产品品牌战略实施。金口河区实施“基地+品牌”战略,新建油用牡丹、核桃、特色水果等产业2.3万亩,新申报有机食用菌产品2个。组织四川君益赫农业发展有限公司参展全国海拔最高的有机绿茶中国茶乡峨眉山国际茶文化博览交易会,“金口玉芽”获得峨眉山杯第十一届国际名茶金奖。

【农业基础设施建设】 2016年,金口河区大力实施“五小水利”工程，启动官村堤防等工程建设，完成提水保灌、农业标准化基地建设1万余亩，治理水土流失面积10平方千米。完成500亩粮食生产能力提升工程坡改梯及配套措施建设，建设机耕便民道13千米。

【现代农业项目建设】 2016年，金口河区完成现代特色效益农业标准化基地建设5000亩。志成农业公司新建养殖基地3000平方米，养蜂900余桶，修建办公及生产用房1800平方米，预计2017年2月完成投资150万元；青山养殖合作社新建标准化养殖示范基地项目，新建羊圈80余平方米，购买羊种150只、牛种16头，完成投资60万元；同鑫生态养殖场新建项目新建羊舍700平方米，存栏羊150余只，完成投资130万元；金辉养殖合作社肉牛标准化养殖示范基地建设项目新建标准化圈舍2500平方米，引进能繁母牛130头；完成金海丰肉牛生态养殖场建设项目，新建牛舍及堆粪场1500余平方米、办公用房100余平方米，存栏肉牛133头，建成沼气池300立方米，完成投资205万元；天然中药材加工厂建设项目新建中药材加工厂房、保鲜库房、办公区等，计划投资500万元，已完成投资150万元。

【扶贫攻坚】 2016年，金口河区始终把精准脱贫作为全区最重要的政治任务、最大的民生工程，瞄准“两不愁、三保障”和“四个好”目标，倒排工期，挂图作战，首战告捷，682户建档立卡贫困户住房条件得到改善，水、电、路、通信等基础设施全面配套，农村安全饮水、通信网络、电视、广播实现全覆盖，群众生产生活条件极大改善。创新“四大资产扶贫模式”，带动500余户贫困户户均增收3000余元，经验做法得到省委书记王东明的肯定性批示。贫困户医疗费用实现零支付，特困群众基本养老、医保实现全覆盖，贫困学生实现零失学、零辍学。农村低保标准线与国贫线实现“两线合一”，标准提升至3400元。321户贫困户、885名贫困人口实现脱贫，超额完成省定目标50人，全区贫困发生率降至5.56%，贫困人口减少至2091人。

【农村科技】 2016年，金口河区完成7个试验示范农业产业基地建设，其中农业科技试验示范基地2个、现代畜牧业基地5个。遴选科技示范户125户。主推玉米品种9个，推广玉米地膜覆盖栽培技术1项。

【农村生态建设及环境保护】 2016年，金口河区全面完成减排任务，区域环境噪声、城乡饮用水水源和大渡河出入境断面水质全部达标。有序推进迎新、曙光等10个行政村省级农村生活污水治理试点，完善农村生活垃圾处理机制，新建垃圾池143个，农村面源污染得到有效治理，农村环境更加整洁。积极推动绿化金口河行动，完成植树造林、森林抚育2万余亩，全区森林覆盖率达56.72%。大瓦山国家湿地公园建设顺利通过验收，成为乐山市唯一的国家湿地公园。

【农产品质量安全监管】 2016年，金口河区开展农产品农药残留检测323个次，未发现有农残超标；开展“瘦肉精”专项整治工作，出动执法人员52人次、车辆12车次，监测规模养殖场35个，监测盐酸克伦特罗630份、莱克多巴胺630份、沙丁胺醇630份，监测结果均为阴性；开展农资市场检查36次，检查种子经营门点23个、兽药经营门市4家，清查整顿兽药市场3个，查处涉嫌禁止经营使用农药案1起；监测规模养殖场35个。全年产地检疫生猪2.5万头、牛500头、羊0.5万只、禽9万羽，产地检疫率均达100%；屠宰检疫生猪2.1万头，检疫出病害猪肉并进行无害化处理0.75万千克。全年未发生农产品质量安全事故。

【农机监管】 2016年，金口河区共发送农机安全宣传短信10条、950人次，开展农机安全学习会3次，现场解答群众提问10次，发放宣传资料850份；排查各类农机安全隐患2起，检查农业机械15台（套），整治农机安全隐患2起；年检拖拉机7台，核发拖拉机驾驶证5人，转籍过户拖拉机5台；签订安全责任书和安全承诺书48份，确保农机事故率、重伤率和死亡率均控制在最低限度，全年无重大农机事故发生。

【农业惠民政策】 2016年，金口河区共兑现耕地地力保护资金233.8万元、种粮大户补贴0.75万元、购机补贴1.306万元、生猪良种补贴9万元。落实培训资金30万元，举办中药材种植技术、养殖技术、蔬菜（魔芋）种植技术等培训班3个，培训学员110人。

【主要领导人】 区委书记：张建红；区人大常委会主任：周碧洪；区长：段俊辉；区政协主席：胡宗义；分管农业副区长：朱泠。

金口河区编写组

峨眉山市

【基本情况】 2016年，峨眉山市辖12镇6乡，辖区面积1183平方千米，是连接成都、川南、攀西三大经济区的重要城市。

【年度农业和农村经济运行】 2016年，峨眉山市持续提升农村基础设施，建成高标准农田1.1万亩、村（组）道路84千米。申报无公害及绿色食品认证12个。深入推进农村面源污染整治，龙池、罗目等5个乡（镇）污水处理站竣工投运，农村环境进一步优化；建成幸福美丽新村25个，普兴乡和仙牙村创建为四川省乡村旅游特色乡镇、精品村寨。累计投入民生资金15.8亿元，占一般公共预算支出的65.2%，全面完成“十大民生工程”。全力落实“7件民生实事”，完成双龙路改造等5件民生实事。强化社会保障，为11520名困难家庭老人提供居家养老服务。免费放映农村公益电影3101场。

【种植业】 2016年，峨眉山市茶、菜两大特色产业种植面积均超过20万亩，综合产值分别达35亿元和15亿元，产业化经营带动面达73.1%。获得全国绿色食品原料（茶叶）标准化生产基地称号。

【统筹城乡与新型城镇化】 2016年，峨眉山市以环境提升为重点，实施城市增绿添美工程，完成佛光南路立面改造及跃进渠城区段、东湖公园、城区重要节点亮化工程，提升峨眉河滨河景观及生态环境，改造市民中心广场和主干道绿化，新增城市绿化面积15万平方米，城市绿化率达41.5%。整治城市环境，完成杆管线迁改项目23个，启动旧城区污水和排水管网系统改造；开展降尘、控烟专项行动，空气优良天数达270天。加大私搭乱建整治力度，累计拆除户外广告、雨棚和违法建筑6.7万平方米，市容环境进一步改善。借助“挂图作战”和“三年交通大会战”之机，完善城市基础设施，建成新平大道一期等道路12条，完成名山中路扩宽改造，西环线二期加快推进，启动秀湖片区、城西片区等6条道路建设，投运新能源公交车42辆，城市交通更加通畅，市民出行更加便捷。加大城市骨干交通建设，川零公路、嘉峨路等项目加快推进，完成成昆铁路复线成峨段主体工程，配合推进成昆铁路峨米段、连乐铁路建设及峨汉高速公路开工前期准备工作。三水厂改（扩）建工程竣工并投运，完成二水厂取水口迁建；改造农村危房70户、危旧房棚户区1064套。全面实施公办高中（职中）学生免费教育，新增城区公立幼儿园1所，峨眉二中初中部综合楼、峨眉四小扩建一期工程竣工。新建全民健身工程23个。城镇新增就业7931人，城镇登记失业率为4.3%。城镇和农村居民年人均可支配收入分别为29257元、14665元，分别增长8.4%和9.5%。

【乡村旅游】 2016年,峨眉山市释放山城统筹管理红利,修编《峨眉山市城市总体规划》《峨眉山风景区总体规划》,明确"一核三环四片、多景多区支撑"的发展新格局,旅游发展方向更加明晰。提升旅游产品,峨眉旅游度假区进一步提档升级,获得"艾蒂亚"中国最佳旅游开发区称号。金顶十方普贤维修工程竣工,黄湾小镇开镇迎客,罗目漂流成为夏季旅游亮点。峨眉山(黄川)国际旅游度假区建设快速推进,康养禅修中心、佛禅养生产品开发全面加快,旅博天地创建为国家4A级景区。山城联动全面整治旅游市场,规范宗教场所商业活动和农房建设行为,有效遏制拉客宰客、"不合理低价游"、私搭乱建等乱象,旅游环境持续优化。全年接待游客1203.3万人次,实现旅游综合收入205.4亿元,同比分别增长10.5%和24.5%。

【扶贫攻坚】 2016年,峨眉山市坚持把脱贫攻坚作为最大的民生工程予以推进,制订了10个《峨眉山市扶贫专项推进方案》、16个《峨眉山市扶贫专项2016年工作计划》,出台了"五个一批"帮扶政策,整合投入各类扶贫资金8800万元,推进产业扶贫、基础完善、教育扶持和医疗保障措施落实落地。竹叶青、峨胜等30家企业结对帮扶30个贫困村,完成27个贫困村电信网络建设,解决就业700余人。全年完成3226人脱贫、14个贫困村退出,易地扶贫搬迁216户、719人,超额完成年度目标任务,顺利通过省脱贫攻坚检查。落实专项资金500万元,助力马边彝族自治县脱贫攻坚。

【农村卫生】 2016年,峨眉山市提升医疗卫生服务水平,佛光医院竣工开诊,完成符溪、龙门2个卫生院迁建和桂花桥等7个乡(镇)卫生院中医馆建设。依托市人民医院、市中医院,对口托管龙池、双福等5所乡(镇)卫生院,群众看病贵、看病难问题得到有效缓解。

【主要领导人】 市委书记:陈长明;市人大常委会主任:辜廷齐;市长:吴小怡;市政协主席:周健;分管农业副市长:谢建平。

峨眉山市编写组

犍为县

【基本情况】 2016年,犍为县辖30个乡(镇、街道),有农业人口418970人,有耕地面积40.17万亩,与上年持平;基本农田30.56万亩,与上年持平。

【年度农业和农村经济运行】 2016年,犍为县实现农业总产值420698万元,增长11.7%;农业增加值249268万元,增长4.3%。农民年人均可支配收入12377元,增长9.4%。

农业产业化发展。犍为县以培育专业大户、家庭农场、农民专业合作社等新型农业经营主体为重点,以农业增效和农民增收为目标,围绕现有优势产业培育发展龙头企业、专合组织、家庭农场、企业业主等农业经营带动主体,积极开展农业招商引资,引导农村土地经营权有序规模流转,加快优势农产品基地建设,加快推进农业适度规模经营,推进家庭经营、集体经营、合作经营、企业经营等共同发展的农业经营方式创新,大力发展新兴产业新型业态,推动全县农业产业化经营和现代农业发展。市级以上龙头企业销售收入增长率达12%;新增注册专合社40家、家庭农场80家,分别增长14.3%、200%。全县工商注册专业合作社达310家(其中国家级示范社4家、省级示范社4家、市级示范社9家)、家庭农场达130家;新申报省级农业产业化经营重点龙头企业1家,全县农业产业化经营重点龙头企业达27家,全年实现销售收入14.5亿元,带动农户4.8万户,户均增收7500元,比上年增长14%。

【助农增收】 2016年,犍为县按照"三农"工作全年目标任务以农民增收为核心,坚持"创新投资年"工作主题,着力打造茉莉花全产业链、林浆纸全产业链,加快推进茉莉茶加工园区、国家现代农业示范区建设,大力发展生态观光业、特色效益农业,促进农业提质增效,稳定转移就业,深入开展扶贫攻坚,培育农民增收新型业态,进一步夯实基础,强化支撑,彰显特色,促进一二三产业融合发展,继续保持农民增收稳定增长。

明确任务,强化责任。坚持"一把手"负总责、亲自抓,分管领导具体抓,工作人员专门抓的工作机制。县委县政府高度重视农民增收工作,先后召开县委常委会、政府常务会专题研究;2016年年初县委农村工作会安排部署全年农村工作,将全年农民增收工作目标逐一分解到县级有关部门和乡(镇)并纳入目标考核,确保取得工作实效。

2016年犍为县省级(及以上)农业产业化重点龙头企业名单

企业名称	注册资金(万元)	法人代表	示范等级	年度产值(万元)	行业分类	主营产品
四川省犍为凤生纸业有限公司	12000	杨长林	国家级	54000	造纸	浆板、生活用纸
四川省炒花甘露茗茶有限公司	100	程刚	省级	5400	茶叶	绿茶、花茶系列

2016年犍为县省级(及以上)示范农民专业合作经济组织名单

合作组织名称	注册资金(万元)	法人代表	示范等级	年度产值(万元)	行业分类	主营产品
犍为县和凤生猪专合作社	665	郑承贵	国家级	7500	养殖业	生猪
犍为县智骋叶烟专合社	30	杨民智	国家级	2000	种植业	烟叶
犍为县众力养殖专合社	94	唐浩雨	国家级	500	养殖业	种鸭及鸭苗
犍为县畜源生猪生产专合社	600	喻涛	省级	2000	养殖业	生猪
犍为县清溪生猪生产专合社	150	刘首材	省级	3000	养殖业	生猪
犍为县鑫盛源生猪养殖专合社	400	汪自盛	省级	2500	养殖业	生猪

2016年犍为县家庭农场经营情况统计表(前11位)

家庭农场名称	法人代表	经营业务
犍为县遇仙湖家庭农场	喻敏	经济作物种植、家禽家畜散养、休闲垂钓、餐饮服务及农业观光服务
犍为田园雅集休闲家庭农场	喻涛	经济作物种植、家畜家禽散养、餐饮服务、休闲垂钓、农业观光服务
犍为县楠湾家庭农场	万天平	经济作物种植、家畜家禽散养、农产品加工、农业观光服务
犍为县果然好家庭农场	舒洪集	经济作物、粮食作物种植
犍为县祥旭家庭农场	李大旭	果树种植，家禽、家畜养殖
犍为县洪佑家庭农场	余洪东	经济作物、粮食作物、蔬菜种植，家禽家畜散养
犍为县陆壹陆家庭农场	余洋	蔬菜作物、经济作物、粮食作物种植及销售，家禽散养及销售
犍为县联创绿色家庭农场	刘建强	农作物种植及销售，家禽家畜散养
犍为县鸿森家庭农场	梁恩学	经济作物种植、家禽家畜散养
犍为县桔子小镇家庭农场	张文全	经济作物种植、家禽家畜养殖、农业观光服务
犍为县金井邓军家庭农场	邓军	经济作物种植、家禽家畜散养、农业观光服务

加强配合，通力协作。农民增收工作由县委书记、县长亲自负责，分管农业领导具体抓，定期召开农民增收工作例会分析、研究增收措施，县委农工办等相关部门和乡(镇)密切配合，各司其职；县统计局牵头8个乡(镇)、11个村，全力做好110户农村住户调查、粮食监测、生猪监测等工作的数据统计、分析，做到了户户有联系单位、联系人员；辅助调查员每月入户2次以上，补助每季度结算2次；记账户每天进行记账，确保了数据的科学合理性。

加大投入，夯实基础。全年县级农业支出11187.98万元，比上年增长5.17%；农业支出占预算的14.78%，比上年增长0.38%。各项惠农补贴政策全部落实到位，涉农资金监管制度健全，检查和审计工作到位。

加大土地流转力度，大力发展特色主导产业。全县土地流转面积11.15万亩，占耕地面积的比重高于全市1.2个百分点，其中林地流转面积占集体林地面积的比重约为5%，高于全市1个百分点。

支持农民转移就业和创业。全县完成农村劳动力转移就业年度目标任务，就业19.51万人，务工人员工资性收入人均增收922元，高于全市平均水平。

夯实基础，增添农民增收后劲。全县新增有效灌面0.7万亩，解决1.624万人的饮水安全问题；建成通村水泥路289千米，完成任务的190%。451千米村与村联网断节路和300千米村道“窄路变宽”工程抓紧施工。

【2016年度“三农”工作先进经验介绍】 2016年，犍为县高度重视“三农”工作，紧扣“创新投资年”工作主题，牢固树立“创新、协调、绿色、开放、共享”的发展理念，按照“示范引领、创新驱动”的思路，突出“转型升级、提质增效”，全面实施“五大行动”，加大对“三农”的投入力度，着力转方式、促发展，加快推进全县农业农村经济发展，全年县财政共投入“三农”资金1.5亿元，占财政总支出的8.3%，增量投入比上年增加4356万元；整合涉农项目资金0.74亿元，完成“三农”固定资产投资7亿元，农业基础条件明显改善，农民年人均可支配收入实现12450元，同比增长9.5%。

实施产业提升行动，打造特色产业名片。在稳定发展粮食、畜牧、林竹等传统产业和“犍为姜”优势产业的基础上，继续推进“茶叶跨江西拓”“茉莉花跨江东进”战略和中华茉莉种植园、茉莉茶加工园区建设，培育茉莉茶全产业链，推动特色产业集聚集群发展，争创“三乡一都”，建成万亩茉莉花、茶叶种植示范区2个，全县茶叶种植面积达22万亩、茉莉花种植面积达8万亩，稳定发展犍为姜5万亩。先后举办了“第二届茉莉花仙子艺术节”、四川·犍为茉莉茶山东济南推进会、全国花茶品鉴会等重要活动，成功创建为“中国茉莉之乡”“中国茶乡”“中国名茶之乡”“中国茉莉茶之都”和全国现代农业示范区。

实施新村建设行动，全域推进新村建设。2016年，四川省、乐山市下达犍为县幸福美丽新村建设任务为30个，涉及12个乡(镇)，其中市列贫困村2个。30个村辖区总面积132.3平方千米，共有267个村民小组、11752户、37620人，其中贫困户425户、贫困人口1140人。30个村按照“兴业、家富、人和、村美”的要求，紧紧围绕助农增收、脱贫致富，以新村建设为重点，以产业发展为支撑，全面实施扶贫解困、产业提升、旧村改造、环境整治和文化传承“五大行动”，着力建设幸福美丽新村。坚持因地制宜、规划先行、分类推进原则，充分考虑群众生产生活需要，宜聚则聚，宜散则散，将新建、改造、保护相结合，整体把握新建聚居点、旧村落改造提升和传统院落民居保护三种形式，统一规划、统一设计，全域推进幸福美丽新村建设。新建聚居点5个、农房242户，实施农房“三建四改”70户。新村聚居点的道路、供水、供电、排水、排污、光纤等生活设施由政府统一规划、统一实施、统一配合，加快集中供水、能源电力、广播电视、网络宽带等建设，30个村供电普及率、网络宽带普及率、移动电话覆盖率均达100%，村容村貌进一步提升。坚持产业先行、产村相融，围绕“两乡一都”目标，大力培育提升茉莉花、茉莉花茶主导产业，强化基础设施、公共服务、生态文明建设配套，全年完成投资16000万元，新发展茉莉花400亩，茶叶7660亩，柑橘、李子等优质水果和砂仁等特色经济作物12000亩，30个村茉莉、茶、姜总规模达15000亩，柑橘、李子等优质水果和砂仁等特色经济作物规模达21200亩，林竹规模达34100亩，新建沥青路3.87千米、水泥路64.16千米、便民路18.83千米，实施农网升级改造4个村，解决290户安全饮水问题，实施水库除险加固3座、水利工程维修养护9处，治理水土流失面积6.67平方千米，硬化道路205千米。建成幸福美丽新村30个，力争到2020年幸福美丽新村规划建设覆盖所有行政村，惠及农户95%以上。

实施脱贫攻坚行动，精准落实扶贫政策。全县有贫困户6126户、16555人，市列贫困村23个、县列贫困村31个。全县严格按照中央、省、市关于脱贫攻坚工作的决策部署，坚持“优先发展、整体推进”“输血与造血”相结合的工作思路，运用十大扶贫政策措施精准发力、攻坚克难，建立了全覆盖联系、多元化投入、社会化参与等帮扶机制，形成了政府、市场、社会协同推进的扶贫攻坚格局，全县脱贫攻坚工作扎实有序推进。整合资金约7亿元,在贫困村新发展茉莉花1800亩、茶叶2000亩、犍为姜3600亩,实施交通、水利等区域性基础扶贫项目51个,在54个贫困村硬化村组道路94条、284.4千米;新建(整治)渠系148千米,新建蓄水池115口、水窖45口,接入有线电视2300户,完成贫困村电网改造67.7千米,实施易地扶贫搬迁966户、2607人,扶持贫困学生2891人次、564.8万元,代缴城乡基本医疗保险289万元,为138名贫困患者开设"家庭病床",实施"救急难"救助2419人次。全县累计整合投入各类扶贫攻坚专项资金10亿元,实现1990户、5341人脱贫,实施精准扶贫项目60个。

实施改革创新行动,创新机制助推发展。引导鼓励农村土地经营权有序流转,加快推进农业适度规模经营,制订出台了《关于深化农村改革放活土地经营权的实施方案》,完成农村土地承包经营权确权登记颁证工作,建立县级农村产权交易服务平台,全县耕地流转面积达12.55万亩,其中30亩以上规模流转面积达8.4万亩。深化林权制度改革,林权交易平台完成林权交易1宗;进一步推进林权交易的公平、透明,实现林权交易的信息化、便捷化,切实维护林农权益。出台了《犍为县促进电子商务发展奖励扶持办法(试行)》,组织专业合作社进行农村电子商务知识培训,专业合作社农产品实现线上线下销售,拓展了特色农产品销售渠道。

【主要领导人】 县委书记:王策鸿;县人大常委会主任:韩广琦;县长:陈建东;县政协主席:余德金;分管农业副县长:陈光勇。

犍为县编写组

井 研 县

【基本情况】 2016年,井研县辖17镇10乡,辖区面积841平方千米。井研县山川秀美、人杰地灵,苍雄神奇的龙泉山脉,蜿蜒幽曲的茫溪河,灿烂辉煌的历史文明孕育其间,素有"天府灵秀"之赞誉。

【农业产业化发展】 2016年,井研县推进农旅互动发展,现代农业百里产业环线建设加快推进,建成杂交柑橘基地2万亩。大力培育多元新型农业经营主体,新增农民专合社21个、家庭农场22家。发展粮经复合种植,建成粮经复合产业基地5万亩、高标准农田2.9万亩。全年粮食总产量稳定在21.8万吨以上,出栏生猪74.9万头以上,全国产粮大县和生猪调出大县地位进一步巩固。

【农用地产权制度改革】 2016年,井研县抓好省级农村改革综合试验区建设,全面完成农村土地承包经营权确权颁证工作;建立农村产权交易平台,累计发放农村土地承包经营权抵押贷款157笔、2.03亿元。采取"大园区+小业主"抱团发展模式推进农村土地流转适度规模经营,集益柑橘、千佛蔬菜、分全水产等现代农业园区加快拓展,新增土地流转1万亩,流转比例达30.2%。完成高滩乡等3个乡(镇)土地整理项目,新增耕地指标3870亩。

【统筹城乡与新型城镇化】 2016年,井研县编制了县城区控制性详规和城市设计方案,形成"一城两新区"的城市框架布局。着力新区建设,开工建设幸福大道二期、城南大道等市政道路,实施迎宾大道、乐井路路面整治及景观打造工程。加快旧城改造,中心滨河区棚改项目主体工程完工,马呷桥改建工程、县城景观整治工程(一期)竣工并投入使用。加快智慧城市建设,建成"千兆小区"2个。全年完成城市建设投资5.18亿元,县城区面积拓展到8.8平方千米。建成幸福美丽新村15个,改造农村危房765户。深入推进城乡环境综合治理,依法拆除户外广告1.5万个、违章建筑面积3000平方米。启动东复路、井分路等9条县(乡)公路改造工程建设,完成村(组)道路建设242千米。城镇新增就业4183人,城镇登记失业率控制在3.41%以内。创建省级卫生乡镇4个、省级卫生村20个,完成20个村卫生室标准化建设。城乡居民健康档案规范化电子建档率达97.8%。石马分干渠建成投用,毛坝水库灌区节水改造主体工程竣工。

【扶贫攻坚】 2016年,井研县按照非重点县一流工作标准完成周坡镇石马村、天云乡两河村2个省定贫困村和11个市列贫困村"摘帽",实现982户、2923名贫困人口脱贫,高质量通过省、市考核和第三方评估。在全市率先建立脱贫攻坚指挥中心,建成研城镇、周坡镇2个脱贫幸福村,首期入住特殊贫困群众44人。整合涉农项目资金1.67亿元,打捆投入贫困村、贫困户。创新产业帮扶模式,引导新型农业经营主体带动发展致富产业,实现3224户贫困户产业全覆盖。着力改善建档立卡贫困户居住条件,完成易地扶贫搬迁105户、295人。实行低保线与扶贫线"两线合一",设立贫困医疗救助、贫困教育救助等5个专项基金。

【乡村旅游】 2016年,井研县实施特色品牌创建工程,"成都战役·首战遗址"竹园红色经典小镇、蒲亭新村·中国农民画村等特色镇、特色村项目加快推进,"一乡(镇)一品""一村一品"加快培育。举办首届井研·中国农民画乡艺术节。正式签约国际盐湖城特种旅游度假区项目,建成四川省钓鱼运动协会库钓基地和竞赛训练基地,举办2016井研全国库钓邀请赛暨全省库钓冠军赛和第二届采果节等活动。实施乡村旅游提升工程,建成星级农家乐10家。

【农村科技】 2016年,井研县加快实施创新驱动,深化产学研合作对接,以蓝雁、哈哥等产业龙头企业为带动,建成生猪、肉兔产业技术研究院,引进集成转化新技术15项。华象林产被认定为四川省省级企业技术中心。深入开展校县合作,推广农业新技术42项、新品种15个。

【农村教育】 2016年,井研县优化教育资源,井师附小整体迁入井研中学旧址,维修、改造学校7所,研城小学创建为全国校园足球特色建设学校,小学"五率"、初中"四率"全面达标,高考招考工作超额完成目标任务。

【农村法制建设】 2016年,井研县安排资金近1亿元,化解征地拆迁、环境保护、信访维稳等一系列历史遗留问题。深入推进"平安井研"建设,建立立体化社会治安防控体系,在全市率先完成"雪亮工程"建设试点。深入推进"网格化"服务,受理各类事项2.5万件,群众对社会治安满意率位居全省第35位、全市第3位。创建为"全省六五普法先进县"。抓好安全生产和防灾减灾体系建设,创建省级安全社区4个,全县未发生一起较大以上安全生产事故。

【农村社会保障】 2016年,井研县投入资金3.98亿元,实施70个民生子项目和20件民生大事。城乡居民基本养老保险覆盖人数达19.1万人,参保缴费人数达10.5万人。开展城乡低保普查识别,取缔低保对象6670人。健全养老服务体系,建成区域养老服务中心3个、城乡社区日间照料中心10个、农村幸福院14个,为10760人提供居家养老服务。

【农村生态建设及环境保护】 2016年,井研县编制完成《茫溪河流域水污染防治"十三五"规划》,统筹有序推进茫溪河综合治理。启动茫溪河补水暨生态湿地和马踏镇等18个乡(镇)污水处理站建设,启动建设4座拦河水坝治淤改造工程。在全市率先全面取缔茫溪河流域禁养区内养鸭场94家，对52家企业进行排污整治，茫溪河水质逐步改善。实施"绿秀井研"工程，新增绿化造林6.5万亩，森林覆盖率达38.6%，井研县创建为"四川省现代林业重点县"。

【主要领导人】 县委书记：周华荣；县人大常委会主任：鲁志杰；县长：刘勇；县政协主席：杜宏；分管农业副县长：李源源。

井研县编写组

夹 江 县

【基本情况】 2016年，夹江县辖22个乡（镇），辖区面积749平方千米。夹江县自古为"蜀之良邑"，物产丰富，山川俊秀，历史文化厚重，有"峨眉前山"之美誉。

【年度农业和农村经济运行】 2016年，夹江县畜牧业产值9.6亿元，增长9.5%。培育壮大新型农业经营主体，新增农民专业合作社70个，同比增长29.63%；全县农业产业化率达71%。加强防汛抗旱、防灾减灾工作。推进国家公共文化服务体系示范区创建，承办中国文联"送欢乐下基层"活动，建成体育健身工程20个。开展农村食品安全"扫雷"行动，确保群众舌尖上的安全。建成农村电商"e集市"200个，通过全国电商进农村示范县验收，全县电商网络交易额达18.56亿元，增长41%。获评为全省民营经济发展先进县、农民增收工作先进县，创建为全省农产品质量安全监管示范县。

农用地产权制度改革。夹江县全面完成土地承包经营权确权登记工作，发放农村产权抵押融资贷款1751万元，依法规范有偿流转农村产权3.2万余亩并入选"四川法治蓝皮书"。启动实施不动产登记制度，颁发不动产权证书973本。

农产品品牌战略实施。夹江县推进国家知识产权强县工程试点，经开区建成为"四川省知名品牌创建示范区"。申报专利170件，其中发明专利37件；新增省著名商标3件、四川名牌11个，夹江书画纸注册为地理标志证明商标。全县"三品一标"农产品覆盖率达63.4%。

【种植业】 2016年，夹江县粮食总产量11.36万吨，增长2.7%。改造高标准农田1.66万亩，建成油菜、小麦、水稻万亩示范片4个。推进农业"三带三区"发展，建成标准化基地2万亩。全年实现蔬菜产值6.26亿元，增长3.8%；茶叶产值12.49亿元，增长4.7%，再次获评为全国重点产茶县。

【统筹城乡与新型城镇化】 2016年，夹江县修编了城市总体规划，编制了滨江新区详细设计和北街片区城市设计方案，启动"青衣绿道"建设前期工作。征用土地1570亩，拆迁房屋328户，新建城市道路3千米，新增城镇建成区面积0.5平方千米，城镇化率提高1.5个百分点，达41.2%。打通体育路、杨公堰、交通街等断节路，新建供水管网50千米、污水管网5千米，新增临时停车泊位1219个，改建公共厕所7座。加快察院街片区、北街片区棚户区改造，基本建成"和谐三号"保障性安居工程。专项整治入城大货车（过境客车）、非法运营电动三（四）轮车，拆除户外广告牌2400块、违法建筑5万余平方米，城区秩序逐步改善。编制天福茶缘小镇、千佛禅意小镇规划，启动农耕湿地公园设计。配合推进成昆铁路扩能改造，整治省道215线乐夹段、国道245线夹峨段，改建木华路、夹青路、三青路、吴永路、南龙路等县（乡）道57.7千米，新（改）建村（社）道105.2千米。推进四个特色品牌创建，深化"百镇建设行动"。投入资金1亿元，建成幸福美丽新村25个，创建省级"四好村"34个、市级"四好村"71个。城镇新增就业3932人，城镇登记失业率3.96%，农村劳动力转移就业10.62万人次。城镇居民年人均可支配收入29048元，增长8.5%；农村居民年人均可支配收入14333元，增长9.5%。完善县、乡、村三级便民服务体系，办结县长热线、县长信箱来电来信2200件，办结率达100%。

【扶贫攻坚】 2016年，夹江县整合投入扶贫资金1.6亿元，易地搬迁531人，改造农村危房227户。推进低保线、贫困线"两线合一"和贫困人口"十免四补"，实现建档立卡贫困户县内就医零支付。开展"百企帮百村""统战扶贫"等活动，推广资产收益、金融"造血"扶贫等模式，全县91家企业与72个贫困村结对帮扶。全县顺利通过省级脱贫攻坚验收，15个贫困村、873贫困户、2557名贫困人口实现脱贫"摘帽"。

【乡村旅游】 2016年，夹江县编制了千佛岩·东风堰景区总体规划和修建性详规，天福观光茶园二期等项目竣工，举办了系列乡村旅游节庆活动。全年接待游客354.16万人次，增长19.94%；实现旅游综合收入40.24亿元，增长29.4%。

【农村教育与卫生】 2016年，夹江县投入教育资金3.67亿元，资助学生2.5万人次。改造薄弱学校4所，义务教育均衡发展通过教育部验收。巩固县级公立医院改革成果，深化分级诊疗制度，创建国家级重点专科2个，建成村卫生室18个。获评为省妇幼健康优质服务示范县。

【农村社会保障】 2016年，夹江县全面完成"十项民生工程"和22件民生大事。全县城乡居民养老保险覆盖14.68万人，基本医疗保险覆盖率达97.1%。残疾人量体裁衣式个性化服务（以下简称"量服"）工作进度进入全省前列，获评为全省量服工作示范县、开放量服试点县、残疾人辅具适配全覆盖试点县。

【农村生态建设及环境保护】 2016年，夹江县强化饮用水水源管理保护和地下水污染防治，开展金牛河、马村河小流域和农村面源污染治理。落实城乡土地增减挂钩项目土地指标3600余亩。治理水土流失面积17平方千米，修复生态13平方千米。实施"绿秀夹江"行动，升级改造巨桉林1万亩，全县森林覆盖率达37.7%。

【招商引资】 2016年，夹江县广泛开展项目对接和精准招商，借助首届全球川商返乡发展大会、中外知名企业四川行、旅博会、西博会、茶博会等重大投资活动平台，全年签约重大项目13个，拟投资117.2亿元。

【主要领导人】 县委书记：龚德勤；县人大常委会主任：张晋锐；县长：袁月；县政协主席：林建国；分管农业副县长：胡超。

夹江县编写组

沐 川 县

【基本情况】 2016年，沐川县辖19个乡（镇），辖区面积1408平方千米。全县有黑熊谷森林公园和黄丹溶洞风景区2个省级森林公园，联袂形成了峨眉山、乐山大佛"山在峨眉、佛在乐山、洞在黄丹"黄金旅游路线。

【年度农业和农村经济运行】 2016年，沐川县转变农业发展方式，新（改）建特色产业基地4.1万亩，发展生态水产3050吨，出栏林下特色养殖352万只。"三品一标"农产品认（换）证12个；新发展新型农业经营主体215个。炭库乡石碑村获评为“全国一村一品”茶叶示范村。完成9项民生工程及18件民生大事。调整提高最低工资、城乡低保、农村五保供养标准。实施贫困户子女十五年免费教育和高中全免学费政策,改(扩)建校舍、运动场2.7万平方米。推进基本医疗卫生服务均等化,完成3个乡卫生院改(扩)建及周转房项目。推进公共文化服务体系建设,建成农村服务网点15个、文化室35个,解决2851户贫困户“收视难”问题。大力发展电子商务,建成“绿购”农产品销售平台,乡级、村级电商服务覆盖率均达100%。组团参加“川货全国行”活动,组织12家农特产品企业进驻乐山市大型超市。

【统筹城乡与新型城镇化】 2016年,沐川县坚持新区建设和老城提升并举,完成金川棚改、县养老中心等项目,推进白鹭洲安置房、竹林巷棚改等项目建设,提升城市居住环境和管理水平,城镇化率达31.9%。加强特色集镇建设,重点推进箭板镇顺河古街“中国传统村落”项目和舟坝镇“四川百镇建设试点”项目建设。全县建设幸福美丽新村15个、新村聚居点10个,创建省级“四好村”10个、市级“四好村”27个。新增城镇就业1981人,转移输出农村劳动力9.1万人。城镇、农村居民年人均可支配收入分别达25487元、11974元,分别增长8.3%、9.3%。

【扶贫攻坚】 2016年,沐川县组建了“四大片区”推进组及7个工作推进组,省、市、县三级下派帮扶干部379名,全县3000余名干部、近万名党员与所有贫困户实现结对帮扶。整合投入4.78亿元,完成农村公路建设340千米,新(改)建农村危房1300户,完成易地扶贫搬迁536户,解决安全饮水112个村,实施农网改造18个村,通宽带183个村。以“百企帮百村”活动为载体,带动发展种植基地5.5万亩,养殖畜禽22.8万头(只),惠及农户1.2万户。完成教育资助3389人、低保兜底2335人,帮助贫困劳动者就业3723人,贫困人口基本医疗保险参保率达100%。发放扶贫小额信贷7227.4万元、创业贷款82万元。全年实现7个贫困村退出,减贫5162人,全县贫困发生率降至6.14%,脱贫攻坚实现首战告捷。

【乡村旅游】 2016年,沐川县举办了“2016沐川文化旅游经济周”活动。全年接待游客135.6万人次,实现旅游综合收入9.63亿元,分别增长21.4%和29.2%。沐府山庄创建为全市首家五星级乡村酒店,沐川县创建为“四川省乡村旅游强县”。

【农村交通】 2016年,沐川县坚持交通先行,开工建设五犍沐快速公路沐川段。建设县、乡公路89千米,县、乡道硬化率达100%,通村公路硬化率达73%。

【农村生态建设及环境保护】 2016年,沐川县推进“造林绿化”行动,全县森林蓄积量增长17万立方米。推进“母亲河”保护行动,重点流域主要考核断面水质稳定达到Ⅲ类标准。建成沐源、竹海、舟坝、黄丹4个省级水利风景区。沐川县创建为“四川省节水型社会建设重点县”。

【主要领导人】 县委书记:鲁力;县人大常委会主任:胥大齐;县长:余斌;县政协主席:刘凤枢;分管农业副县长:周霆。

沐川县编写组

峨边彝族自治县

【基本情况】 2016年,峨边彝族自治县辖6镇13乡,辖区面积2395.5平方千米。全县有世界级景点6个、国家级景点20个。

【森林防火】 2016年,峨边彝族自治县总投资为953.5万元的四川省首个森林试点防火项目——峨边彝族自治县森林防火视频监控试点项目建设范围从川南林业局611林场到617林场(勒乌乡、哈曲乡、黑竹沟镇、万坪乡、新林乡),覆盖面积达510平方千米。2015年11月招标成功,2016年11月由川南林业局承建完成16个点的防火视频监控安装工作以及森林防火指挥部、监控中心多功能会议室的建设。项目通过远程控制,对掌握灾情进度、初起状况、现场指挥、调度都起到了关键性的作用,不仅为现场防火指挥工作提供了决策依据,更重要的是为指挥抢险救灾工作争取了宝贵的时间,将森林火灾损失率降到最低。

【扶贫攻坚】 2016年,峨边彝族自治县在脱贫攻坚任务艰巨、交通扶贫任务重的情况下,坚持问题导向,扭住重点工作,把交通攻坚放在首位,以“一高一铁”为主干、“四路两桥”为经脉、通村通组路为毛细血管的交通路网大格局逐步形成,交通道路建设成效明显。

【主要领导人】 县委书记:谭焰;县人大常委会主任:胡光;县长:栗那针尔;县政协主席:巫新华;分管农业副县长:谢世华。

峨边彝族自治县编写组

马边彝族自治县

【基本情况】 2016年,马边彝族自治县辖20个乡(镇),辖区面积2304平方千米,是国家扶贫开发重点县、大小凉山综合扶贫开发县、乌蒙山片区区域发展与扶贫开发规划实施县。

【扶贫攻坚】 2016年12月17日,2016年脱贫攻坚省级验收考核抽查马边座谈会在马边彝族自治县召开。2016年度全省脱贫攻坚省级验收考核第65组赴马边抽查工作分组对马边县的脱贫攻坚工作和在脱贫攻坚工作中取得的成绩予以了充分肯定。民建镇兴隆村和永红乡五马村2个贫困村达到省级脱贫标准,可按程序退出,所抽查的往年脱贫户和当年脱贫户均达到脱贫标准。

对口帮扶。为加快推进峨眉山市对口帮扶马边彝族自治县援助项目,12月19日—21日,峨眉山市对口帮扶马边工作队队员、县住建局局长助理李全到县扶贫移民局、县发改局、县农业局、烟峰镇、建设乡进行4个村6个项目前期工作的对接和交流。烟峰镇烟峰社区茶园改造项目总投资454万元,其中整合峨眉山市对口帮扶资金227万元、扶贫移民局专项资金107万元、烟峰镇(村组)专项资金120万元用于峨眉山市对口帮扶项目援建,已进入资金落实和发改立项阶段。建设乡高石头村新建桶装矿泉水厂、藤椒基地、猕猴桃基地3个项目共投入对口帮扶资金318万元,其中桶装矿泉水厂新建项目可行性还存在难度,藤椒基地新建项目和猕猴桃基地新建项目同县政协副主席、建设乡乡长阿支批尔,高石头村“第一书记”郭利华进行了项目对接和座谈交流并提出了改进意见,已进入方案审核和资金整合阶段。梅子坝乡梅子坝村新(改)建青梅产业项目投入对口帮扶资金246万元,将结合梅子坝村总体规划共同打造“世外梅林”,已进入详细规划和初步设计阶段。荞坝乡茶叶村茶园改造项目投入对口帮扶资金186万元,将结合马边彝族自治县茶产业生态旅游扶贫试点总体规划进行茶叶村茶园基地升级改造,已完成项目概念性规划编制工作。

【主要领导人】 县委书记:郭正强;县人大常委会主任:阿库拉蒙;县长:沙万强;县政协主席:孙燕平;分管农业副县长:饶刚。

马边彝族自治县编写组

南充市

【基本情况】 2016年，南充市辖3区5县1市。南充市历史文化悠久、旅游资源独特，自然人文景观达到300余处，拥有全国历史文化名城、省级历史文化名城各1座，全国重点文物保护单位8处，省级文物保护单位11处，市级文物保护单位47处。

【年度农业和农村经济运行】 2016年，南充市农林牧渔业总产值598.8亿元，同比增长4.1%，其中第一产业增加值354.98亿元，增长3.7%。农村居民年人均可支配收入达11273元，同比增长9.5%，增幅比全省平均水平高0.2个百分点。新增渔业基地4000亩，新增名优品种5000吨，水产品产量11.68万吨。南充市在全省率先出台了供销社综合改革实施方案，制定基层供销社新建及工商登记注册办法，新建、改造和升级基层供销社130个。出台了农业保险指导意见，完成生猪目标价格指数保险14万头，蔬菜、水果、中药材和小家禽等特色农业保险5.6万亩、35万只，实现保费收入1.9亿元。新建大型沼气工程7处，新建沼气集中供气项目25处，供气农户达1723户。

农业产业化发展。南充市新增农民专业合作社1741个，总数达6012个，其中省级示范社新增16个，总数达93个，市级示范社新增94个，总数达363个；规范发展合作社151个，合作社入社成员和带动农户达69.8万户，占全市农户总数的41%。统一组织产品销售达80%的合作社有1479个，统一采购投入品达80%的合作社有1460个；拥有注册商标的合作社有668个，拥有产品质量认证的合作社有402个；实施标准化生产的合作社有1306个，建立标准化生产基地53.7万亩；开展"农超对接"的合作社475个。全市具备农业部认定标准的家庭农场3579家、专业大户14977户。

农用地产权制度改革。西充县开展中央批复的农村土地承包经营权抵押融资试点，办理土地承包经营权等抵押贷款21笔、1.76亿元。南部县办理林权抵押贷款3500万元。阆中市保宁街道全部9个社区以及顺庆、营山、南部各选择1个村开展农村集体资产股份合作制改革试点。南部县快乐川娃众康资本金互助社和西充县阳光农业农民专业合作社开展资金互助合作试点，发展社员239人，发放借款235万元。

农产品品牌战略实施。南充市共申报无公害农产品、地理标志农产品认证32个，全市无公害农产品产地认证302376公顷；申报绿色、有机食品认证30个，实现有机（绿色）食品销售收入28.1亿元，西充县创建为"全国有机产品认证示范县"。

【农业机械化】 2016年，南充市农机总动力达273.52万千瓦，增长4%；完成机耕543万亩、机播75万亩、机收199万亩，主要农作物耕种收综合机械化水平达43%。新建电灌站33处、36台、1206千瓦，新增提水控灌设备1528台（套）、13210千瓦，修复提灌设备6976台、70147千瓦。新修机耕路387.12千米、田间生产路893.55千米；调整田土型10.68万亩，修筑田地埂337.2千米。引导农民及农业服务组织购买补贴机具25405台（套），完成农机购置补贴中央资金实施额度2644万元，农机购置补贴中央资金结算进度达92%。新培育农机专业合作社49个，总数达166个，农机合作社作业面积达132万亩。全市共有在册拖拉机12668台，联合收割机116台（其中当年注册登记64台）；农机驾驶操作人员9526人，其中当年新办523人。全市共核发拖拉机年检标志8184张，年检率达65%。

【种植业】 2016年，南充市粮食播种面积860.1万亩，粮食总产量315.2万吨，连续14年位居全省第一，增加3.1万吨，增长1%。油菜籽播种面积132.4万亩，产量24.9万吨。发蚕种51万张，产茧1530万千克，实现茧款收入4.7亿元、综合开发收入6亿元，蚕桑总产值达10.7亿元。新培育规模养殖大户300户，嫁接改良桑园5万亩，推广优良簇具50万片，新建高产高效生态蚕桑基地3万亩。全市共新建水果基地14.8万亩，水果产量达84万吨，其中柑橘基地8万亩，产量62万吨；新建商品蔬菜基地1.1万亩，产量112.7万吨；新建中药材基地0.9万亩，产量27万吨。

【林业】 2016年，南充市森林资源面积达750万亩，森林蓄积达2900万立方米，森林覆盖率达39.96%。全年林业总产值达155.6亿元，其中林业旅游与休闲服务产业产值达26.2亿元，农民人均从林业获得收入1429元。

生态建设。"两大工程"建设有序推进，6.45万亩国有林管护责任落实到山头地块、落实到人，责任书签订率达100%。兑现补偿集体公益林292万亩。兑现前一轮退耕还林政策补助62.55万亩，兑现资金7819.28万元。实施新一轮退耕还林任务面积1.02万亩。顺利通过天然林资源保护和退耕还林两大工程省级复查，各项检查指标达到国、省要求。全年完成营造林总面积28.2万亩，其中人工造林10万亩、中幼林抚育13.2万亩、低产低效林改造5万亩。义务植树198万人次，累计达325万株；培育苗木2950亩，产苗1450万株。建设珍稀树木基地1.4万亩，完成嘉陵江绿色生态走廊造林1.6万亩（其中重点基地建设6200亩）、速丰林造林2万亩。编制完成《大规模绿化全市构筑嘉陵江中游生态屏障总体规划》。

资源保护。严格实行森林防火"谁主管、谁负责"，从县（市、区）到乡（镇）、村（社）、林场层层签订责任书并纳入年度目标考核。全年共发生森林火灾7次，过火面积6.1公顷，受损森林面积3.6公顷，火灾损失率控制在0.1‰以内。严格林木林地管理，全市共办结各类建设项目使用林地审核审批手续58件，使用林地面积182公顷，缴纳森林植被恢复费3800万元。严格执行森林采伐限额管理制度，实行林木采伐许可证统一机打和网上预存采伐限额全省联网，加强对全市木材经营加工企业的监督检查。组织实施林业有害生物防治113.66万亩，在仪陇、营山、阆中等县实施飞机防治12万亩。对全市36.82万亩松林组织开展松材线虫病调查，做好松墨天牛调查与除治工作。先后组织开展代号为"绿剑2016"的川东北森林公安联合整治行动、"森林火案查处专项行动"、"林地行动"、"净网行动"等一系列专项行动，共侦办各类涉林案件364件（其中森林刑事案件36件），查处林业行政案件（含野生动物行政案件）328件，共打击处理各类违法犯罪人员384人次，为国家、集体和个人挽回经济损失共计1320余万元。

林业改革。制订了《南充市国有林场改革实施方案》，出台了《南充市林权抵押贷款改革试点实施方案》，试点县（西充县）启动林权抵押贷款改革试点，办理《经济林木（果）权证》《林地经营权流转证》,组建村级农民互助担保合作社,金融机构发放贷款1000万元以上。

林业科技。着力加强林业科技研究和推广力度,共实施科技创新项目3个。对串福核桃优良品种选育进行适应性、病虫害、挂果率等观测,向国家林业局申请了串福核桃品种权保护;对全市油用牡丹栽植开展了全面试验,掌握了油用牡丹在南充市生长发育的关键因素。《四川核桃产地土壤质量安全与风险评价研究》项目获得省科技进步三等奖。选派两位高级工程师作为科技特派员以及16名林业科技人员到贫困乡村开展林业科技结对帮扶。积极开展"千乡万村送林技"活动,利用科技下乡和科技文化宣传周活动开展林业科技培训及技术咨询服务。完成核桃干果、竹笋鲜品、花椒、森林蔬菜土壤抽样和检测共计300个批次。

【畜牧业】 2016年,南充市出栏生猪625.23万头、肉牛14.96万头、山羊196.72万只、家禽6112.36万只,全年肉类总产量60.59万吨,禽蛋总产量21.25万吨。

【农村水利】 2016年,南充市争取中央、省级水利投资补助13.57亿元,超出年度目标任务的93.9%,累计完成投资20.26亿元。治理中小河流5条,综合治理河道17.5千米;实施农村饮水安全巩固提升工程10591处,受益人口23.1万人;启动建设嘉陵江干流防洪堤4段、13.45千米;除险加固新出险小型病险水库65座;治理水土流失面积180.46平方千米;修复水毁工程4545处,新修防渗渠道1349千米,新修(维护)塘坝(堰闸)789处,新修(维护)水池(水窖)1398处,维修泵站110座,新增灌面18.22万亩、恢复改善灌面20.67万亩,新增节水灌面16万亩,全面完成8个中央财政小农水重点县项目建设;新建万亩农建综合示范片10个、15.76万亩。完成高标准农田建设任务56.08万亩(其中新建高标准农田示范区20.8万亩),新建农田排灌渠系650.55千米,建蓄水池338口、提灌站45座、囤水田144口,新建和整治山坪塘235座。

项目建设。升钟水库灌区二期工程已开工13个标段,完成16个标段招投标工作;仪陇油房沟水库已全面完工;营山金鸡沟水库已完成坝基开挖、进场公路、场地平整、管理房建设等;高坪双叉河水库启动可研审查。

民生水利。8个县(市、区)中央财政小农水重点县建设项目完成投资2.35亿元,新增(恢复)灌面7.2万亩,新增(改善)节水灌面和旱涝保收面积7.72万亩。南部县范家沟水库、嘉陵区文家沟水库主体工程已基本完工;阆中五马水库已完成基础开挖,仪陇七一水库进行导流隧洞开挖和进场道路施工。南部县、嘉陵区等5个县(市、区)抗旱应急工程已全面完成,新建抗旱应急备用井122眼、引调提水工程35处。阆中、南部等5个节水型社会重点县五年建设任务基本完成。

防汛抗旱。全市防汛工作严格按照"责任落实到位、隐患排查到位、物资储备到位、应急演练到位、实时监测到位"五个到位工作要求,坚持早研究、早部署、早落实,圆满完成防汛工作任务。2016年,南充市防汛抗旱指挥部办公室被省政府防汛抗旱指挥部、人力资源和社会保障厅授予"四川省防汛抗旱先进集体"称号。一是责任落实到位,不留死角。落实防汛首长责任制,于5月5日在《南充日报》公示了全市防汛重点部位责任人名单,接受社会监督。逐级签订2016年防汛安全目标责任书,落实了10座大中型水库、399座小型水库、31个受山洪威胁区域和沿江城镇防汛责任人,建立责任台账。二是隐患排查到位,不留盲点。牵头组成9个工作组,汛前、汛中扎实开展2次防汛隐患排查。各县(市、区)防汛指挥部也开展了为期1个月的汛前拉网式检查,对排查出的113处防汛隐患点、主城区14处内涝隐患点建立台账并逐一落实整治措施。三是物资储备到位,有备无患。全年落实防汛抢险队伍952支、抢险人员31233名,储备麻袋0.7万条、编织袋46.07万条、铅丝47.6吨、桩木51.5立方米、砂石料8.06万立方米、橡皮舟19艘、冲锋舟67艘、机动船89艘、救生衣1.25万件,抢险物资总价值921万元。四是应急演练到位,招之能战。7月16日,市防指在仪陇县举办了全市防汛抢险综合应急演练,各县(市、区)防汛重点乡(镇)结合地区特点对一线监测预警责任人进行了中小规模演练。五是实时监测到位,全面掌控。在汛期严格落实24小时值班制度。印发《南充市防汛会商及信息发布规程》,对汛期信息发布范围、方式作了明确规定。全市县级山洪灾害防治预警平台共发布预警信息254次、预警短信72470条,涉及相关预警责任人14531人,无线预警广播启动330次,避免人员伤亡270人,减灾成效显著。

农田水利。编制完成全市"十三五"农建综合示范区建设规划,全面完成10个万亩高标准农田水利基本建设综合示范区建设,面积15.76万亩。除顺庆区外的2016年度8个中、省财政维修养护项目县已全面完成。9个中央财政小农水重点县通过财政厅、水利厅资金绩效考评,取得1优8良的优异成绩。

【现代农业示范区建设】 2016年,南充市3区1县国家现代农业示范区特色产业基地规模持续扩张,新建规模特色种植基地15万亩、规模养殖小区21个;示范区200万亩耕地确权颁证工作全面完成;农业融资、保险深入推进,新型农业经营主体培育不断壮大。现代农业专题招商顺利开展,在西博会期间成功召开现代农业投资推介暨项目签约仪式推介项目100个,签约31个,签约总金额达128.7亿元。

【国家现代农业改革与建设试点示范区建设】 2016年,南充市国家现代农业改革与建设试点示范区(顺庆、高坪、嘉陵和西充县3区1县)大力推进4个百公里现代循环农业示范带建设,实现土地适度规模经营达64.7%、粮食产量增加21%、农民人均纯收入年均增长15%,分别高出预期目标24.7、1和5个百分点。西充县省级农村改革综合试验区按照抓好"四大体系、五个重点、三个结合"的思路,探索发展农村土地股份合作社220个;推动土地规模流转36万亩,占全县耕地面积的48%,为建设西部现代农业公园和全国有机食品第一县打开了局面。南充市农村改革发展暨精准脱贫试验示范区(蓬安县)探索土地合作、农机合作、种养融合发展模式,建成6个"玉—豆—草"千亩示范基地,发展现代循环种养基地2万亩,其余各县(市、区)也按照制订的农村综合改革试验区实施方案全力推进。

【新农村建设】 2016年,南充市坚持"改、建、保"结合,分类推进新村聚居点、旧村"三建五改"和新农村综合体等幸福美丽新村建设。全市9个县(市、区)新完成551个村(超出计划目标51个,含378个贫困村,超出省定目标95个)的幸福美丽新村建设,为1.3万余户住房困难群众解决了安居问题。其中,顺庆、高坪、仪陇、营山、蓬安5个新农村建设成片推进示范县新建聚居点77个,实施旧村改造64个。仪陇县福临乡建华村等85个村被省委省政府命名为首批省级"四好村"。

【农村扶贫和移民工作】 2016年,南充市创新"政府引导+龙头带动+农民主体+金融支持+专合组织"五位一体的方式建设脱贫奔康农民产业园,引领有生产经营能力的精准贫困户入园发展产业;创新

"9+5"督查暗访机制,成立9个专项督查组和5个暗访组进村入户全程录像录音开展暗访,并以《每日快报》及时通报督查暗访情况,对发现的问题及时反馈、限期整改、定期回访,对整改不达标的严肃问责。国务院扶贫办《扶贫信息》、省委办公厅《参阅信息》《工作情况交流》以及《人民日报》《四川日报》等媒体多次对南充市脱贫攻坚经验做法进行刊载和报道;全国扶贫督查与信息工作培训班于9月5日—8日在南充市举办,来自中央办公厅、国务院扶贫办,北京、上海、河北、山西、辽宁等全国32个省(自治区、直辖市)以及省内各市(州)相关部门的100余人参加了培训。

扶贫攻坚。投入专项扶贫资金10.68亿元,其中到位中央、省级专项财政扶贫资金5.59亿元,市、县两级投入专项扶贫资金5.09亿元。年初省下达的全年减贫任务数为134507人、市定减贫任务数为136000人,全市实际减贫139800人,完成年度目标任务的104%;年初省下达的贫困村退出任务数为298个、市定退出任务数为317个,全市实际退出贫困村326个,完成年度目标任务的109%。精准识别方面,扎实开展精准识别"回头看",通过"六步四审两公示一公告"方式净核减97658人。帮扶机制方面,全市实现285名县级干部、650个帮扶单位、1290个驻村工作组、1290名"第一书记"、1350名驻村农技员"五个一"全覆盖。生产就业方面,累计完成技能培训8.5万人次,帮助2.3万名贫困群众实现转移就业。住房安全方面,完成贫困户危房改造1.5万套,搬迁转移8900户。社会保障方面,将全市农村低保线从2280元/年提高到2880元/年以上,南部、蓬安2县按每人每年3100元的省定低保补差新标准全额补差,提前实现"两线合一"。医疗救助方面,将医保统筹标准由120元提高到150元,确保贫困群众个人县内医疗费用支出控制在10%以内。生态补偿方面,实施退耕还林90.55万亩,完成天然林管护298.95万亩,兑现集体公益林补偿4100万元、退耕还林政策补偿7819万元,带动2.1万户贫困户、6万余名贫困人口脱贫。教育脱贫方面,新(改)建学校294所,对建档立卡贫困家庭中职一二年级学生发放每人每期500元的生活补助,对新入学的全日制本(专)科学生按每人每年4000元的标准给予学费和生活补助。基础设施方面,全市100%的村、80%的社通硬化路,农村安全饮水覆盖率达100%。产业扶贫方面,坚持因地制宜,探索发展"脱贫奔康产业园",大力发展脱贫增收产业,全市在退出的326个贫困村均已建成"脱贫奔康产业园",带动2.5万户贫困户入园发展,户均增收1.2万元以上。

移民安置与后扶。升钟二期、阆中解元、西充九龙潭、仪陇油房沟等在建水利水电工程共完成移民投资3.2亿元,较上年增加近1亿元;完成征地2897.75亩、房屋拆迁4.87万平方米,安置移民4598人;稳步有序推进高坪双叉河、武引工程蓬船灌区、亭子口二期等拟建水库移民安置前期工作;全省第一批移民避险解困试点县蓬安、营山2县共完成专项资金投入4963万元,其中蓬安县完成投入3340万元、营山县完成投入1623万元。移民后扶工作始终坚持"属地管理""动态管理"原则,对不应继续享受直发直补政策的3295名人员进行动态核减,现有移民后扶人口119704人,及时足额发放移民后扶资金6854万元,移民生产发展项目、基本口粮田建设、基础设施建设、饮水安全等受益人数均超过2015年。

社会扶贫。商务部、工业和信息化部和中国电子信息集团,25个省级部门(单位),144个市级部门(单位)以及914个县(市、区)级机关(单位)挂职蹲点干部1224人;赴定点帮扶点考察调研16850人次;落实定点扶贫项目资金42823万元(其中国家机关877万元、省直机关8005万元、市级机关9889万元、县级机关24052万元);帮助引进资金51607万元、项目2234个。举办各类培训班1795期,培训人员138663人次;资助贫困学生2210人;组织劳务输出28709人次,实现劳务收入51021万元。在全市1290个贫困村共实施希望工程、产业扶贫、人饮工程、卫生扶贫、教育扶贫、劳务扶贫、村道公路建设、基础设施建设等各类项目3219个,受益贫困人口达6万余人。利用电视、报纸以及车载广告等多种媒介开展扶贫开发和"扶贫日"活动宣传,共收到社会捐款、捐物3100余万元。大力组织开展关爱留守学生(儿童)"童伴计划"试点和资助贫困大学生行动、民营企业助贫行、"博爱送万家"活动以及"百工技师"培训等一系列社会帮扶项目,促进贫困家庭脱贫致富。

【农村科技】 2016年,南充市新审定品种13个,获得省级成果奖励3项,在本市推广成果示范2.65余万亩,培训农民4200余人次。涌现出"十二五"省农作物及畜禽育种攻关显著成效先进个人、市三八红旗手等省、市先进个人8名。

【农产品质量安全监管】 2016年,南充市411个乡均建有农产品质量安全监管服务站,设置快速检查室411个,配备检测设备420套,全面建成市、县、乡三级农产品质量安全监管体系,构建了全市农产品质量安全追溯网络。全市40%以上的种养企业利用物联网技术、智能化大棚、智能养殖设施设备等进行农牧业生产,40%以上的重点农业生产企业基本实现产品信息全程可追溯,实现了农产品安全信息化的监控管理。

【主要领导人】 市委书记:宋朝华;市人大常委会主任:袁险峰;市长:吴群刚;市政协主席:吴小可;分管农业副市长:林建国。

南充市编写组

顺庆区

【基本情况】 2016年,顺庆区辖18个乡(镇)11个街道81个社区(其中4个涉农社区)231个行政村,辖区面积555.5平方千米,其中耕地面积12644公顷。年末总人口65.92万人,其中农业人口25.7万人。

2016年,全区GDP315.54亿元,增长9.41%,其中第一产业增加值27.51亿元,增长7.04%;第二产业增加值69.9亿元,增长16.54%(规模以上工业增加值增长18.22%);第三产业增加值31.49亿元,增长18.52%。三次产业结构比为7.42∶44.3∶48.5。地方一般公共财政预算收入完成13.34亿元,增长8.9%;地方一般公共财政预算支出30.6亿元,增长9.44%。全社会固定资产完成263.29亿元,增长9.16%,其中农村固定资产完成5.8亿元。

公路通车里程1623千米,其中高速公路30千米、国道18千米、县道160千米、乡道128千米、村(社)道1287千米,乡村公路通达率、通乡路硬化率、通村公里硬化率均达100%。

有区属各类学校213所(其中私立学校152所),在校学生11.15万人,教师0.73万人;学龄儿童入学率100%,义务教育普及率100%。有区属医疗卫生机构975个,其中民营医院29个、乡(镇)卫生院20个、村级卫生服务站246个、社区卫生服务站38个、国营医院636个、厂矿学校医疗机构6个;病床位8853张;卫生技术人员9952人。新型农村合作医疗参合率达98%以上。

【年度农业及农村经济运行】 2016年,顺庆区实现农业总产值40.5亿元,增长11.14%。农民年人均可支配收入达14463元,增长

9.3%。新创建国家驰名商标1个,认证绿色、有机农产品12个,面积1万亩。有乡(镇)敬老院24个,集中供养率达50.2%。农村社会养老保险实现应保尽保。

农业产业化发展。顺庆区着力培育新型农业经营主体,新招引投资500万元、带动农户100户以上的龙头企业6家,创建省级重点龙头企业1家、市级重点龙头企业5家、市级示范农民专业合作经济组织11个,新发展农民专业合作经济组织50个、家庭农场100个、农民职业经理人100人、规模以上种养专业大户和业主213户,加快了农业产业化进程,提高了农业产业化经营水平。

农用地产权制度改革。顺庆区在完成全区19个乡(镇、涉农街道)、236个村的农村产权分类确权颁证工作的基础上,进一步巩固农村产权"七权"确权登记颁证成果,加快推进农村产权交易进程,实现农村产权交易314宗。建成顺庆区农村产权交易中心1个、乡(镇)产权交易服务站18个、村产权交易服务点236个,实现了农村产权交易区、乡(镇)、村三级联动。纵深推进农村土地流转收益保证贷款进程,在总结推广农村土地流转收益保证贷款经验的基础上,制定出台了《顺庆区农村产权抵押融资总体方案》《南充市顺庆区农村土地经营权抵押登记暂行办法》《南充市顺庆区农村土地经营权证管理暂行办法》等配套文件,全域推进农村产权抵押贷款融资进程,累计实现产权抵押贷款1.7亿元,有效解决了农村投融资难题。

现代农业园区建设。顺庆区以国家现代农业示范区建设为契机,以农民产业园建设为载体,在巩固提升已建园区及产业基地的基础上,完成重点建设项目16个,新建蔬菜、水果、核桃、中药材及珍稀林木基地17300亩,填充金台至大林、大林至搬罾断档带产业5500亩,改造、提升设施蔬菜产业园1500亩,改(扩)建千头肉羊基地2个,打造养羊专业村4个,建成大林、搬罾土地规范流转示范点2个、农村综合改革发展试验区2个。

【种植业】 2016年,顺庆区粮食产量14.23万吨,同比增长1.79%。油料产量1.66万吨,同比增长1.84%。蔬菜产量332.32万吨,同比增长4.12%。

【畜牧业】 2016年,顺庆区出栏生猪31.97万头、肉牛0.71万头、肉兔159.96万只、肉羊13.65万只、小家禽506.69万只,除肉羊出栏量增长6.23%外,其余主要畜产品出栏量均有不同程度下降。全年肉类总产量2.57万吨,禽蛋产量2.08万吨,同比分别增长2.7%、-23.56%。

【幸福美丽新村建设】 2016年,顺庆区按照"业兴、家富、人和、村美"的要求,以科学规划为龙头,以产村相融为要求,坚持"建改保"结合,加快推进幸福美丽新村建设进程。全年共计向上争取新农村建设资金2100万元,新建幸福美丽新村34个、农村廉租房226套,完善"1+6"村级公共服务中心34个。

【推进增加农民财产性收入试点】 2016年,顺庆区围绕"强引导、扩渠道、重防控、建体系"总体思路,在总结推广增加农民财产性收入试点经验的基础上,不断探索增加农民财产性收入的新途径、新措施、新机制,实现了农民财产性收入大幅增长。全区农民财产性收入人均达697元,增长17.5%。

【创新农村集体资产管理机制】 2016年,顺庆区试行将财政投入的项目资金、奖补资金等纳入农村集体资产管理,推进农村集体资产股份量化试点,加强与新型农业经营主体的股份合作,增加农民资产股份化分红收益。全年股份量化农村集体资产2.7亿元,实现农民股份分红收益670万元。

【健全农业担保体系】 2016年,顺庆区坚持"政府搭台、银保合作"的农村金融服务模式,建立健全农村小额担保机构,拓宽农村特别是贫困村、贫困户融资贷款途径。设立500万元扶贫贷款及特色农业保险风险基金,鼓励金融和保险机构加大对贫困村、贫困户产业发展的资金支持和特色农业保险支持。全年累计实现产权抵押贷款1.7亿元、农业政策性保险收入605.52万元、特色农业保险费收入55.1万元。

【农村重点项目建设全力推进】 2016年,顺庆区完成农业项目投资10余亿元,其中区本级财政支农投入资金0.6亿元,整合交通、建设、扶贫等涉农项目资金2亿余元,撬动社会资金投入7亿余元,完成农业农村重点项目5类、16个大项目建设。

【主要领导人】 区委书记:朱华;区人大常委会主任:陈琳;区长:刘松;区政协主席:吴斌;分管农业副区长:李献丰。

顺庆区编写组

高坪区

【基本情况】 2016年,高坪区辖25个乡(镇)7个街道,辖区面积806平方千米,素有川北"鱼米之乡""丝绸之乡""中国甜橙之乡"的美誉。

【农业产业化发展】 2016年,高坪区以龙头企业、专合组织为重点,大力培育新型农业经营主体,助力脱贫攻坚,促进农民增收。完成省、市级农业产业化龙头企业和农民专业合作社的监测申报工作,新培育省级农业产业化龙头企业4家(四川本味农业产业有限公司、南充大唐农业开发有限公司、四川仲帮种业有限公司、四川蓝灵现代农业股份有限公司),全区共有省、市级农业产业化龙头企业31家,其中省级8家、市级23家;农民专业合作社330个,其中国家级示范社1个、省级示范社12个、市级示范社29个;家庭农场40家;种养大户77户。

【农产品品牌战略实施】 2016年,高坪区溪头乡循环农业省级标准化示范区建设有序推进;在溪头、江陵等乡(镇)新建标准化柑橘基地5000亩。全区共有涉农注册商标102件(新注册优质农产品商标16个),其中中国驰名商标1件、四川省著名商标6件、南充市知名商标11件。通过验收的国家级农业标准化示范基地1个(南充冬菜)、省级农业标准化示范基地2个(果州脐橙、马家乡现代农业),提升了全区优质农产品的市场形象和经济效益。11月8日—14日,组织烟山味业、过江龙食品、大唐农业、蓝灵现代、荣生农业等9家省、市级龙头企业的30余个系列90余个品种的优质农产品参加了第四届农博会,展示了良好的企业形象和产品形象,扩大了全区优质农产品的影响力和市场占有份额。

【扶贫攻坚】 2016年,高坪区创建省级"四好村"1个、市级"四好村"42个、区级"四好村"90个,有效推进了贫困村的脱贫和发展。全区拟脱贫"摘帽"的21个贫困村的村级集体经济收入均超过了省级人均6元标准,21个贫困村退出工作并通过省级考核验收。

帮扶贫困村实现"摘帽",贫困人口脱贫。为有序推进永安镇先锋村脱贫攻坚工作,2015年组建了脱贫攻坚工作领导小组,向先锋村派驻了"第一书记"和驻村工作组,落实了干部职工结对联系帮扶,制订了先锋村脱贫规划,开展了项目攻坚,做到了"五落实"(领导落实、人员落实、责任落实、措施落实、工作落实),推动了先锋村贫困户发展与增收。一是改善基础设施。新建村(组)道路1.6千米、产业道路1.5千米、入户路4.1千米,解决了贫困群众出行难与农产品运输难问题;新建集中供水站1处,解决了全村120户(包括全部贫困户)人畜饮用水难题。二是发展致富产业。新发展塔罗科血橙基地200亩、套作蔬菜150亩,解决了农民长期稳定增收难题。三是实施户改工程。完成9户精准贫困户的户改工程,完成危房重建、无房户住房新建工作。四是完善村级公共服务设施配套建设。新建村级卫生站、文化书屋、村民活动中心并配套文化体育健身、医疗卫生设施设备。五是建章立制,开展"四个"评比活动。开展民主法治教育和道德讲堂、十大孝星、环境卫生评比活动,建立了评比活动奖惩机制,确保脱贫攻坚首战告捷,实现先锋村"摘帽"、15户贫困户脱贫,减贫46人。

【助农增收】 2016年,高坪区积极培育主导产业,发展特色农业,扩大劳务输出,努力增加农民经营性和财产性收入,农民收入增长步入了快车道。全区农村居民年人均可支配收入达10911元,同比增长9.2%,增速排名全市第7位,在全省中低收入组综合排名第20位。

强化财政资金保障,积极开展政策性农业保险、森林保险,大力探索特色农业保险,降低了农业生产风险和市场风险,确保了农民减产不减收。全区共承保水稻12.95万亩、玉米7万亩、油菜2.56万亩,承保育肥猪237886头、能繁母猪13671头;探索开展了蔬菜、柑橘、花椒等特色农业保险,共收取保费1249.88万元,赔付1097.9万元,有效保障了农民增收。

【主要领导人】 区委书记:韩伦红;区人大常委会主任:杨天武;区长:袁华兵;区政协主席:傅天贵;分管农业副区长:任贤明。

高坪区编写组

嘉陵区

【基本情况】 2016年,嘉陵区辖40个乡(镇、街道),有农业人口53.8万人,有耕地面积82.18万亩、基本农田66.14万亩。

【年度农业和农村经济运行】 2016年,嘉陵区实现农业总产值59.4亿元,增长3.89%;农业增加值34.89亿元,增长3.8%。农民年人均可支配收入9961元,增长9.7%。

农业产业化发展。嘉陵区大力拓展现代农业基地规模,按照"专业化、区域化、特色化、规模化"要求,建成优质粮油基地10万亩、蚕桑基地2.1万亩、蔬菜基地2.4万亩、柑橘基地6万亩,出栏生猪54.6万头、山羊35万只、小家禽120万羽。

【种植业】 2016年,嘉陵区粮食播种面积568770亩,产量33万吨,同比增长0.1%;稻谷产量11.68万吨,同比增长0.47%;小麦总产量6.32万吨,同比减少2.57%;油菜总产量2.34吨,同比增长2.97%;蔬菜产量19.86万吨,同比增长3.22%;水果产量4.83万吨,同比增长0.33%。按照"规模化、规范化、标准化"的要求,建设柑橘基地2.5万亩,新建专业蔬菜基地1500亩,改建原有落后蔬菜基地4000亩。

2016年嘉陵区省级(及以上)农业产业化重点龙头企业名单

企业名称	注册资金(万元)	法人代表	示范等级	年度产值(亿元)	行业分类	主营产品
天兆猪业股份有限公司	3512	余平	国家级	6.38	生产加工业	纯种猪、二杂种猪、冷鲜肉
南充广丰农业科技有限公司	1800	张一飞	省级	0.43	生产加工业	有机蔬菜、菌类、种苗

2016年嘉陵区省级(及以上)示范农民专业合作经济组织名单

合作组织名称	注册资金(万元)	法人代表	示范等级	年度产值(万元)	行业分类	主营产品
南充市嘉陵区世纪阳光生态农业合作社	1000	包春芳	国家级	1300	农业生产销售	蔬菜、生态鱼
南充市嘉陵区大通蔬菜专业合作社	500	冯婷	国家级	1100	农业生产销售	蔬菜
南充市嘉陵区利民生态水果专业合作社	358	李洪	省级	363	农业生产销售	葡萄、柑橘农技服务
南充市嘉陵金福大地生态农业专业合作社	456	杜和平	省级	366	农业生产销售	有机蔬菜、藏香猪、山羊、珍稀花木
大观利民精果专业合作社	700	王明远	省级	240	农业生产销售	柠檬、柑橘
南充市嘉陵区隆腾果蔬专业合作社	600	何志全	省级	92	农业生产销售	柑橘、柚子
南充市嘉陵区溢力种养殖专业合作社	385	唐敏	省级	90	农业生产销售	淡水鱼、鸽子、苗木

【林业】 2016年,嘉陵区林地总面积32734.3公顷(林地变更调查数据),其中有林地31082.34公顷、疏林地186.02公顷、灌木林地59.24公顷(特灌56.92公顷)、未成林地409.47公顷、宜林地997.23公顷。全区森林面积35149.26公顷,森林覆盖率达29.79%;活立木总蓄积量1988405立方米,森林蓄积量1593150立方米。退耕还林配套项目顺利通过省级检查验收。林业厅先后对全区2012年退耕还林配套荒山造林(1500亩)、2014年巩固退耕还林成果专项建设和2014年中央财政造林补贴项目(5000亩)进行了检查验收,造林面积保存率和保存面积合格率均达到合格,通过省级核查验收。核实退耕还林面积88602亩,落实2016年度退耕还林补助资金1107.53万元,兑付面积88602亩,足额兑付2016年度生态效益补助资金。核实公益林面积387322亩,兑付面积387322亩,兑付补偿金额571.3

万元。强化生态建设,对历年来的退耕还林、荒山造林和天保公益林造林补植3000余亩,补植各种苗木40万余株;完成凤垭山景区红枫、银杏等珍贵彩林树种、大树栽植2000余株。2015年、2016年森林植被恢复项目造林面积1000余亩,嘉陵江绿色生态走廊建设造林面积700余亩。巩固退耕还林成果造林5127亩,其中工业原料林1376亩、特色经果林750亩、低效林改造3001亩。完成林地变更调查最新一张图成果(现状)数据库和林地变更调查变化数据库,顺利通过林业厅成果验收。加强涉林违法案件的查处力度,共查处各类林业案件13件。加强森林防火宣传和处置,发放宣传资料2万余份,扑灭森林火灾30起,没有发生重特大森林火灾和人员伤亡事故。加强林业有害生物测报与防治工作,完成仿生制剂防治6.57万亩、人工防治9.56万亩。检疫各类苗木164.1万株。有害生物普查涉及36种主要寄主植物,内外业调查工作均已结束。

【畜牧业】 2016年,嘉陵区出栏生猪54.6万头;出栏山羊35.73万只,新增出栏0.56万只,同比增长1.59%。肉类总产量5.73万吨,其中猪肉产量4.1万吨;禽蛋产量1.22万吨,牛奶产量740吨。完成大观猪场大型沼气工程,新建发酵池1000立方米、储气罐500立方米,200户农户用上了清洁能源;启动建设金兆、裕兴猪场大型沼气工程,完成华兴和大同2处集中供气项目主体工程。加强产地检疫,全年检疫生猪37.5万头、家禽5.3万羽、牛(羊)1.98万头(只);无害化处理病害生猪2000余头。加强屠宰检疫,落实屠宰检疫申报制度,报检点实行24小时值班制度,屠宰检疫生猪14.1万头,无害化处理病害生猪16头。

【水产业】 2016年,嘉陵区水产养殖面积800公顷;渔业产量6500吨,同比增长5.6%,其中淡水捕捞156吨、淡水养殖6344吨;总产值9425万元。培育高产水产养殖示范基地3个、290亩,成立渔业专业合作社3个。完成2015年基层水产技术推广体系改革与建设项目物化补助项目。

【扶贫攻坚】 2016年,嘉陵区以省委《关于集中力量打赢扶贫开发攻坚战,确保同步全面建成小康社会的决定》为指导,举全区之力推进脱贫攻坚,取得了较好成效,全区贫困人口脱贫16704人。

聚焦"五有一低",加快贫困村退出步伐。着力建设"交通互联网",实现了全区所有行政村村村通水泥路的目标。加快建设农村文化室,新(改)建村级文化室92个,新建文化墙43处,配备文化服务设备、器材140余套。着力提高医疗服务能力,新(改)建标准化村级卫生室83个,并按2万元/个的标准配齐所需医疗设施设备,配齐村医78名,落实村卫生室公共卫生工作经费137.28万元、医疗就诊经费85.8万元。着力保障通信达标,与移动、联通、电信和广电沟通协作,143个贫困村均开通了通信和网络。盘活闲置资产,推广"合作社+支部+农户""龙头企业+贫困村+农户"等产业模式,开辟农户和集体"双参与双增收"的产业路子,有效增加集体经济收入。年度脱贫村集体经济年收入全部达到人均6元以上。

聚焦"两不愁三保障",确保贫困群众吃住无忧。精准实施低保政策兜底8947户、9910人,解决了完全丧失劳动生产能力的贫困户的基本温饱问题。实施"十万庭院改造提升行动",引导和帮助有劳动力的贫困户自主发展产业,实现户均增收5000元。整合产业周转金打包入股龙头企业,采取"政府+企业+农民+政策"联营分红模式,带动1万余名缺乏生产能力的贫困群众每年稳定增收2000元左右。定向开发扶贫公益性岗位400余个,为特别困难的429个贫困家庭提供劳动岗位,保障稳定增收。协调工业园区建立"扶贫车间",对口招用327名建档立卡贫困劳动力就业。大力实施扶贫创业行动,开展各类涉农培训,实现贫困人口转移就业1176人。扎实推进安居行动,启动157户、523人易地搬迁安置。通过租用闲置农房和集中建房等方式解决128户特困无房户的居住问题。投资5508万元,完成农村危房改造3287户。落实义务教育阶段贫困学生教育扶持政策措施,全区义务教育阶段学生无1名因贫辍学。积极落实基本医疗扶贫政策,新农合参合率达100%,贫困户个人参保费由财政代缴,拟脱贫和未脱贫人口区域内住院政策范围内医疗费用实现"零支付";设立医疗救助基金300万元,对部分贫困户进行特殊救助;落实医疗扶持18375人,兑付资金3617万元,对儿童白血病和肺结核等13种重特大疾病进行救助。

聚焦产业发展,增强扶贫造血新功能。坚持全域规划、科学布局,引领富民产业发展。立足脱贫攻坚决战全胜大局,承接传统优势,对接省市重大项目,遵循绿色生态理念,科学布局新村和产业发展,制定了全区"一江三河"现代种植业发展规划,着力打造嘉陵江流域桑蔬产业示范园、循环脱贫奔康产业园等5个现代农业园区产业基地35万亩,大力发展以优质果蔬、茶桑、柠檬、生猪和新业态为主导的现代农业。同时,配套出台产业扶持政策和目标责任督查考核办法,确保规划落实到位,基本实现"一村一品,一乡一业"的产业格局。

聚焦"四个好",引导贫困群众革陋立新。对标"住上好房子、过上好日子、养成好习惯、形成好风气",切实改变农村落后面貌。启动157户易地搬迁项目,解决128户特困无房户的居住问题,完成C级、D级危房改造3287户,实施"五改三建"4900户,确保贫困户住上安全房。广泛开展"摆顺扫干净、勤劳致富、孝老爱亲、诚信感恩、遵纪守法"五星级农户创评活动,充分调动了贫困户自我脱贫的积极性、主动性,在全区上下营造了"自立自强、脱贫致富"的浓厚氛围。

聚焦社会扶贫,形成脱贫攻坚合力。一是上级部门和区外单位定点帮扶。国家工信部、省直机关工委、省移动公司、西华大学和15个市直部门(单位)投入资金(以物折资)5300余万元改善贫困户生产生活条件,助力产业发展,资助贫困学生244人。二是区内驻村帮扶。88个区级部门帮扶143个贫困村,直接投入资金(以物折资)2317万元。4285名干部职工与20680户贫困户结对,维修村支部活动室20处,新修村道公路桥2座、村道30千米、石河堰3座,维修山坪塘21口;发展经果林2000余亩,发放鸡苗5万余只,"送温暖"200万元。三是社会扶贫。31家企业参与开展"万企帮万村"活动,与贫困村签订蔬菜收购合同,解决贫困户就业问题,帮助贫困村改善基础设施,资助546名困难群众子女上学。区红十字会组织开展博爱家园活动,发放棉衣、棉被、米、油3000余件(套),发放捐赠物资20万元。

聚焦责任传导,强化脱贫攻坚实效。进一步强化乡(镇)党委、政府主体责任,建立党政"双组长"对本地扶贫工作负总责制,履行主体责任,村支"两委"履行直接责任,进一步强化"五个一"帮扶力量和"17个专项"扶贫责任。实行"三个同责"制度,即脱贫攻坚工作实行县级领导与所联系的乡镇党政同责,17个专项分管领导和主管部门与乡(镇)党政同责,"五个一"帮扶责任人与乡(镇)党政同责。落实31名县级领导蹲点督导、12个行业部门专项督查和区脱贫办4个分片综合督查的"三级督查"机制,做到每日一督查、每周一调度、半月一通报、每月一排名。区纪委牵头成立明察暗访组,不定期开展巡回督查,对成绩显著的6人优先提拔,对工作不力的4人进行免职处理。

【乡村旅游】 2016年，嘉陵区狠抓旅游重点项目建设，开展有针对性的宣传促销，加强旅游政风行风建设，促进旅游业持续快速健康发展。全年各旅游景区共接待游客475.32万人次，实现旅游收入28.68亿元，同比分别增长29%和32%。旅游重点项目建设进展顺利，完善了《嘉陵区十三五旅游发展规划》《凤垭山旅游区总体规划》《嘉陵区旅游扶贫规划》《三溪口乡村旅游规划》，投资18000万元用于改善凤垭山风景区的基础设施和提升景观效果。招商引资实现新突破，与广西桑界文化发展有限公司、四川尚好茶业有限公司签订了《西河流域万亩茶桑基地建设》框架协议，拟投资10亿元，按照“以农促产、以产兴业、产业一体”发展思路打造绿色生态西河流域旅游景区，带动辐射10余个乡（镇）农业生态化、产业化、绿色化、新型城镇化相融合，支撑桑叶、茶等旅游商品做强品牌；与安岳县金色柠檬专业合作社联合社签订了《嘉陵区十万亩柠檬基地建设》框架协议，拟投资5亿元在曲水河流域、吉安河流域新建柠檬基地5万亩，打造特色乡村景区。继续推进大通镇梓橦庙村国家3A级乡村旅游区创建，投资350万元进行基础设施建设，新建生态停车场2个、旅游厕所4个。完成一立镇三溪口村、塘湾村，大通镇芝麻湾村的旅游扶贫示范村项目规划，产业培育进入实施阶段。

【助农增收】 2016年，嘉陵区强化涉农资金整合，投入资金达26亿元，其中整合各类涉农资金2.4亿元，有力保障了助农增收各项工作顺利推进。大力实施“交通互联网”工程，打造半小时经济圈，全区通村水泥路里程达3160千米。大力实施“水利互联网”工程，加快升钟二期工程建设，启动3座小（1）型水库建设，文家沟水库新建工程全面完工。2016年中央财政小型农田水利重点县建设项目全部完成，新增节水能力238万立方米。建成供水工程1963处，受益人口64912人。实施幸福美丽新村建设项目，改善了农村人居环境，有效解决了贫困户住房问题。坚持“大产业为引领、小产业全覆盖、庭院经济到农户”的理念，优化产业结构和布局，新建柑橘基地5000亩、专业蔬菜基地3500亩。抓好农业“短平快”项目，以市场需求为导向，引导农民开展“十万庭院经济”行动，在房前屋后补栽优质果树25万株、饲养小家禽500万羽。培育主体助力增收，新增种养专合社258个。建成畜禽（生猪、牛、小家禽等）养殖和种植业脱贫奔康产业园103个，吸纳贫困户8000余户入园（入股），带动入园贫困户人均增收2000元以上。

深入挖掘增收潜力，拓宽增收渠道。坚持三产互动，促进农民就近就业增收。围绕汽车汽配、丝纺服装、食品药品等支柱产业，新增就业岗位1.5万个。加快新型城镇化进程，推进“接二连三”发展，吸纳2.5万户农户进入场镇从事农副产品加工、特色农副产品销售和以乡村酒店（农家乐）为主的乡村旅游业。顺应市场用工需求，整合培训资源，开展定点、定岗、订单培训，培训农民6万人次，转移劳动力23万人，实现劳务收入46亿元。深化农村改革，促进财产性增收，发放农业补贴6500万元；加快推进农村“七权”确权颁证工作，为增加农民财产性收入打下了坚实基础。提高供销社服务“三农”能力，兴办农村社区综合服务社34个、庄稼医院63个、再生资源回收站点34个、各类经营服务网点493个。

落实精准扶贫政策，助农增收脱贫。对接国、省、市重点项目规划，立足乡村实际，通过实施产业发展、劳动力转移、政策兜底、社会扶贫等帮扶措施帮助贫困户脱贫。充实统计部门和乡（镇）统计队伍，加强统计从业人员业务培训，提高了农村统计调查工作人员的业务素质和工作水平，确保农民增收统计数据真实准确。全年农民年人均可支配收入达9661元，同比增长9.7%，实现了持续稳定增收，嘉陵区获评“全省农民增收工作先进县”。

【2016年度“三农”工作先进经验介绍】 2016年，嘉陵区按照全面建成小康社会的总体要求，突出精准扶贫、产业培育、农村改革、新村建设、基础配套、社会服务六大重点，主动作为，全面攻坚，获评为“全省三农工作先进县”。

整体推进产业发展。大力实施农产品提质增效工程，建成区农产品质量安全监测站和产业基地农产品质量安全追溯系统，推广新品种118个、新技术12项，认证有机、绿色农产品7个，认证有机农产品基地5000亩。完成农民实用技术培训6.5万人次。中国农夫商城、天天买菜网等电商平台成功运行。

着力夯实基础设施。坚持产业发展、新村建设、基础设施配套“三同步”，全面改善农村生产生活条件。集中力量完成全区水利互联网和交通互联网规划。升钟水库二期工程完成投资4.03亿元。中央小型农田水利重点县工程全面竣工，新增有效灌面1.8万亩、节水灌面0.8万亩。创建农建综合示范片2万亩。抓好农田水利基本建设，增强农业发展后劲，实施全国新增1000亿斤粮食生产能力田间工程建设项目、巩固退耕还林成果基本口粮田建设项目，在华兴、吉安、龙岭等乡（镇）建设高标准农田2.5万余亩。推广农机新机具、新技术，提高农业机械化水平，完成农机购置补贴专项资金105.6万元，投入农技购置资金352余万元，农民自筹资金246.4余万元，农民购置各类补贴机具758台。新建乡村水泥公路360千米，实现了村村通水泥路。建成幸福美丽新村48个，新建新村聚居点10个。完善39个“1+N”村级公共服务阵地和服务体系建设，新（改）建村级文化室92个、卫生室83个。在22个乡（镇）建成污水处理站。评选“五星级”文明农户5000户，申报省级“四好村”4个、市级“四好村”43个。

切实推进农村改革。全面完成农村产权“七权”确权登记工作，建立区、乡农村产权流转交易中心（服务站），规模流转土地3万余亩。招引广西桑界等农业龙头企业5家，扶持发展金色宁都柠檬、裕兴种养等专业合作社48家，新培育家庭农场主和业主大户650家、职业农民和农民经纪人503人，带动农户5万户。综合运用财政和货币政策，争取金融机构加大对“三农”的信贷投入，全年发放小额产业信贷资金7000万元。扩大优势产业和特色产业保险覆盖面，全年保险理赔1200万元。建成30个脱贫奔康生猪养殖场。

强化工作保障力度。区政府印发农村项目攻坚、精准脱贫、综合改革等系列配套文件18份，区本级财政资金支农投入4.07亿元，增幅26%，支农投入占区财政总收入的12.2%。

【回乡创业之星选介】 何开元，华兴乡人，54岁，初中文化，南充市嘉陵区宏态农业有限公司法人代表、宏态农业专合社联合社理事长。何开元于1990年外出务工，2010年返乡创业，先后牵头组建了宏态农业、山奇、众鑫、胭脂红、元英5个专业合作社以及宏态农业合作社联合社，经营范围涉及生猪、土鸡、生态鱼养殖，奈维林娜、沃柑、大雅、金秋砂糖橘、胭脂脆桃、夏满蜜桃、脆红李、青脆李等多个优质果品的种植、销售。合作社成员超过1000户，流转土地5680亩，标准化栽植柑橘4680亩、胭脂脆桃500亩、夏满蜜桃500亩，年可出栏生猪10000头、土鸡10万只。合作社先后被评为区级、市级、省级农民专业合作示范社。何开元积极响应各级扶贫号召，带动扶持贫困户318户实现增收脱贫。2016年，何开元被评为南充市“感动南充十大新闻人物”。

【重点乡镇选介】 李渡镇，地处嘉陵区东南，毗连嘉陵江，原名羊耳场，建于公元1世纪，前址在羊口村，明末毁于兵祸。清乾隆年间，迁于现址重建。1992年设镇，因李姓渡人在码头为嘉陵江东西两岸群众义务摆渡而得名。全镇辖区面积35.2平方千米，辖望水庙村、邓家湾村、东方井村、嘉民居委会等18个行政村及富民居委会、龙头桥居委会、保沙庙居委会、汉塘居委会5个社区居委会；总耕地面积14000亩，其中水田8200亩；总人口2.91万人，其中农业人口1.9万人。李渡镇交通便捷，距嘉陵城区30千米，国道212线、在建的省道青九路从南北、东西两个方向纵贯全境；李渡码头是全省最大的内河码头。场镇面积3.5平方千米，有酒店5家、商店200余家、街道22条、各类企业53家。李渡镇致力发展现代农业，已打造了一条现代农业精品产业带，流转土地5000亩发展油茶树、翠冠梨、核桃等经果林和观光休闲农业。李渡镇是全国群众文化先进单位，高跷舞狮、民间剪纸2个项目入选市级非物质文化遗产。全镇有高完中1所、单设初中1所、小学3所、幼儿园9所，在校学生9600余人。李渡医院是嘉陵区乡(镇)中唯一一家二级甲等医院，18个村级单位均有村级卫生站。阁老坟村是明代父子宰相陈以勤、陈于陛的故里，现存的一品诰命夫人坟遗址已启动省级文化保护单位申报工作。李渡码头文化有2000余年的历史，2010年曾在羊口河挖掘出新石器时代的陶器碎片。中国人民解放军胡炳云少将出生于现李渡镇龙头桥居委会所在地。李渡镇于1995年被列入100个小城镇试点单位，2016年被列入四川省“十三五”规划特色文化创意小镇并被授予四川省基层老体协先进乡镇称号。

【主要领导人】 区委书记：廖伦志；区人大常委会主任：戚辉；区长：史燚；区政协主席：白青云；分管农业副区长：申庆超。

嘉陵区编写组

阆中市

【基本情况】 2016年，阆中市辖46个乡(镇)4个街道，辖区面积1887平方千米，是全国历史文化名城、国家级生态示范市、中国优秀旅游城市、世界千年古县、中国春节文化之乡，素有“阆苑仙境，风水宝地”之美誉。

【扶贫攻坚】 2016年，阆中市人力资源和社会保障局出台了《阆中市就业精准扶贫方案》和《关于贯彻落实“省人社厅进一步做好就业扶贫九条措施”的实施方案》。市人社局和就业局专门成立了以局长为组长、分管领导和就业局局长为副组长的精准扶贫领导小组，安排两名专职联络员分片联系所有乡(镇)的就业扶贫工作，市就业局成立了就业扶贫领导小组、结对帮扶工作领导小组、驻村工作组并抽派工会主席到扶贫村担任“第一书记”。市就业局所有职工与扶贫村贫困家庭结对帮扶，每名职工至少帮扶一户贫困户并将帮扶结对安排形成文件发到村(社)和贫困家庭接受监督。制订帮扶计划，设计制作了《就业扶贫工作推进表》《就业精准扶贫帮扶卡》《就业扶贫攻坚推进表》《就业扶贫培训表》《公益性岗位安置表》《创业帮扶表》《转移就业表》《职业介绍情况表》等一系列台账，引入“清单工作法”，对工作清单实施及时督促。全面落实就业扶贫方案，首先是“摸清家底”，投入6万余元，将全市4万余名精准扶贫对象录入“四川省就业信息管理系统”，掌握了有就业创业愿望和能力的精准扶贫对象人数并以此为依据调整了工作方案。其次是开展就业和创业培训，前三季度，阆中市人社局已在各贫困村开展技能和创业培训28期，培训人员1155人，其中创业培训122人；开展招聘会17场，415人达成就业意向。为贫困户发放创业贷款220万元，开发贫困村公益性岗位200个，33个“摘帽”村的185名贫困人员就业并享受岗位补贴。市就业局建立了“就业扶贫微信群”、“SYB创业QQ群”、“创业项目数据库”、“网上就业服务大厅”、“阆中就业群”公众号等，为全市贫困户就业提供支撑大平台。市供电公司制订增容及整改计划，2016年仅思依片区就新增低电压变台14台，新增变压器容量1000千伏安；新增10千伏线路12千米，新增400伏线路22千米，改造老旧线路16千米。

【主要领导人】 市委书记：张斌；市人大常委会主任：杜永龙；市长：杨德宇；市政协主席：陈绍荣；分管农业副市长：刘勇。

阆中市编写组

南部县

【基本情况】 2016年，南部县辖73个乡(镇、街道)，有农业人口105.9万人，有耕地面积83.7万亩，增长1.5%；基本农田81.7万亩，增长1%。

【年度农业和农村经济运行】 2016年，南部县实现农业总产值920000万元，增长8%；农业增加值565000万元，增长5.4%。农民年人均可支配收入11161元，增长13%。

农用地产权制度改革。南部县围绕全面完成农村产权确权登记颁证工作目标任务，制订了工作方案、工作计划，落实了保障措施和工作责任。分级召开了农村产权确权登记颁证工作推进会，加强对乡(镇)分管负责人、业务总负责人进行法规政策、工作流程、矛盾调处、质量要求业务培训。利用广播电视、各种会议、宣传专栏、宣传资料、热线电话、短信平台等多方式宣传《南部县农村产权制度改革确权登记颁证工作有关问题的指导意见》《南部县农村产权制度改革确权登记颁证政策指导》中的重点法规、政策要求、工作任务、工作流程、确权方式，做到家喻户晓、人人皆知。地籍测绘作业单位在全县73个乡(镇)全域推进“七权”外业测量调绘工作，入户进地开展实地测量调绘、勾图制图、登记造册工作和基础信息录入建立数据库工作，在全面完成摸底调查、全域航拍、集体林权颁证、集体土地所有权颁证工作的基础上，近60个乡(镇)完成了农村承包地、农村房屋、集体建设用地、农村宅基地、小型水利工程、集体财产的测量、调绘、登记工作，已完成“七权”同确工作总量的85%。一是围绕建立“归属清晰、还权赋能、流转顺畅、保护严格”的农村产权制度改革目标，加快确权颁证工作，加强对倒排工期“作战图”的进度督查，保障农户签字确认率在90%以上、数据信息符合率在95%以上、地块面积误差率在5%以下、权源资料合法率达100%的质量标准。二是按照县委县政府《关于建立农村产权流转交易融资平台的通知》要求，县、乡、村农村产权流转交易服务中心、分中心、服务站已全面建立，并保障县、乡、村三级联网的农村综合产权流转交易平台有效运转，有序推进土地依法、自愿、有偿流转，设置农村产权流转交易融资品种11类，开展了以林权为重点的农村产权抵押融资试点，实现农村各类产权抵押融资3900万元，流转土地经营权35.5万亩。三是继续开展农村资金互助社建设和特色农业保险试点工作，为全面推进提供经验。四是积极推动开展村集体经济收入试点。确定碑院镇大佛村为村集体经济收入试点村，充分利用闲置的集体财产资源积极发展物业经济,大佛村向社会出租闲置办公用房 2 间,年租金 3500 元。闲置会议室和球场已与旅游发展公司达成租赁协议,年收入在 15000 元左右。

【种植业】 2016 年,南部县在大堰、碑院等乡(镇)新栽植脆香甜柚、橙类等水果 3500 亩,在三官、定水等乡(镇)培育脆香甜柚嫁接苗 20 万株;在大王、流马等乡(镇)高换、嫁接果树 2500 亩;在火峰、定水等乡(镇)新建脆香甜柚、葡萄示范片 3500 亩;巩固提升四龙、碧龙等乡(镇)脆香甜柚基地 8500 亩,开展果树春夏两季管理技术培训 1960 人次。在盘龙、谢河等乡(镇)完成 5000 亩蔬菜种植基地规划及配套基础设施建设。新建商品蔬菜基地 2600 亩,发展错季蔬菜 5300 亩、果套菜 2700 亩,在盘龙、老鸦等乡(镇)巩固发展商品蔬菜基地 7300 亩、莲藕基地 5500 亩。优质蚕桑基地基本形成,有桑树 8.5 万亩、0.8 亿株,其中果桑 5000 亩;春、夏两季共发放蚕种 2.1 万张,生产蚕茧 70 万千克,全县蚕桑农民直接收入 2240 万元。在大堰、定水等乡(镇)新建白芷、白芨、黄精生产基地 0.55 万亩;在楠木、永红等乡(镇)巩固发展金银花、丹参、白芷等生产基地 3.2 万亩;在大堰乡、楠木镇建设中药材核心示范片 0.35 万亩,推广果、桑、林套药 1.5 万亩。

【畜牧业】 2016 年,南部县以 PIC 肉猪、牛羊为重点,在黄金、王家等乡(镇)新建标准化规模养殖小区 9 个,新发展专合组织 8 个,新引进优质种猪、种牛、种羊 2660 余头(只)。

【以资金投入为导向,争取项目支持】 2016 年,南部县积极对接上级主管部门,加大项目申报力度,主动争取相关部门对南部县的资金支持,努力实现向上争取资金的新突破。已争取省级资金支持 2407 万元,其中省级财政幸福美丽新村建设项目资金 2000 万元、农村承包土地确权颁证专项资金 407 万元。严格按照规定的范围、内容和要求对涉农资金安排使用情况进行深入细致的清理,严格对照检查范围对发现的涉农资金违规违纪问题按照时间节点及时上报并及时落实整改。

【新农村建设】 2016 年,南部县以扶贫开发统揽农村工作,继续着眼于新型工业化、信息化、城镇化和农业现代化同步推进,把幸福美丽新村建设同全面建成小康社会结合起来,切实做好精准扶贫帮扶工作;着力传统村落民居的保护利用,积极推进农村廉租房建设;不断调整农村产业结构,发展适度规模经营,不断推动农业产业转型升级;着力推进基础设施进村入户,加快改善农村人居环境,提高农村居民生活质量。全县建成幸福美丽新村 71 个(其中整村推进贫困村 56 个、非贫困村 15 个),配套建设农村廉租房 610 套。

【扶贫攻坚】 2016 年,南部县认真贯彻落实中央、省、市、县扶贫工作会议精神,按照"六个精准""四个坚持"和"五个一批"的要求,落实"五个一"帮扶措施,从人力、物力和财力确保帮扶效果。扎实做好对五灵乡大堰坎村的扶贫开发工作,一是推选年富力强的干部到帮扶村担任村支部"第一书记",下派干部实行全脱产制。二是做好精准识别工作。锁定贫困户 104 户,制定和完善了挂联贫困村、贫困户的精准脱贫规划,落实"三议"群众工作法,及时组织实施农业产业脱贫项目。三是做实扶贫帮扶工作。班子成员每周至少一天、驻村工作队每周至少两天、职工每半月至少一天到帮联村研究工作、走访群众。班子成员多次深入贫困村实地调研,研究帮扶计划,落实产业扶贫规划。四是发展"四小工程"培育到户产业。分户规划落实小庭院、小养殖、小作坊、小买卖"四小工程",让 10339 户贫困户每户至少有 1 个增收项目,解决其当年增收问题。引进温氏集团等龙头企业带动,采取土地入股、畜禽托养等方式在全县集中建成了以蚕桑和速生林、脆香甜柚为主的水果业、有机鱼和肉鸡养殖三大脱贫奔康产业园,把千家万户的"小"变成了"一乡一品、一村一业"的"大",让贫困群众长远致富有了支撑。2016 年计划脱贫的 7420 户贫困家庭人均纯收入都将超过 3280 元。

按照"一低七有"目标,五灵乡大堰坎村已下达"贫困村退出"计划。一是按照脱贫攻坚工作的指导思想和目标任务,在特色产业发展、基础设施建设、美丽乡村建设、公共服务保障等方面帮助帮联村争取必要支持。二是驻村干部积极主动协助村"两委"班子、各组组长做好脱贫攻坚工作,找准重心,打赢帮扶村脱贫攻坚战。三是按照扶贫先扶志的原则,帮联干部走村入户,从思想上帮助贫困户淡化"贫困意识",鼓励和引导其摒弃"等、靠、要"的思想,增强自尊心、自信心和进取心,努力提高其内生发展能力,增强贫困户的造血功能,断掉穷根、开掘富源。

【主要领导人】 县委书记:张根生;县人大常委会主任:胡修云;县长:任爱民;县政协主席:时春英;分管农业副县长:邓彪。

南部县编写组

西充县

【基本情况】 2016 年,西充县辖 44 个乡(镇、街道),有耕地面积 37907 公顷,增长 0.3%。全年农业保费收入 3256 万元,增长 13.8%;处理各项赔款和给付金额 2361 万元,增长 30.1%。

【年度农业和农村经济运行】 2016 年,西充县实现农业总产值 52.47 亿元,增长 4.2%;农业增加值 31.68 亿元。农民年人均可支配收入 10033 元,增长 9.7%。全县农产品质量抽检合格率 99.8%;建成 49 个基层农业综合服务站。

农业产业化发展。西充县完成农业产业化项目 123 个,完成投资 15.7 亿元。持续发展"2+4"特色产业,全县有规模以上农业产业化经营龙头企业 115 家,新培育明和、航粒香等省级农业龙头企业 3 家,农业产业化龙头企业省级、市级、县级分别为 5 家、39 家、68 家;各类农民专业合作组织 490 个、家庭农场(专业大户)1130 家(户)。

农用地产权制度改革。西充县完成 44 个乡(镇)的确权颁证工作,确权农户 150333 户,规模流转土地 26 万亩,培育各类新型农业经营主体 1618 家。组建农业投融资担保公司 4 家,成立农村金融服务站 2 个;收集发布农村各类产权流转交易信息 460 条,完成交易 137 笔、7250 万元;开展产权价值评估 28 宗,标的 3.6 亿元。完成 31 个信用乡(镇)、473 个信用村、16.34 万户信用农户评级授信。全年完成各类产权抵押贷款 2.1 亿元。

农产品品牌战略实施。西充县新建有机食品生产基地 2 万亩,新增有机转换认证企业 5 家(其中拓展认证基地 1 个、加工基地 1 个)、面积 1 万亩,全县已建成有机食品生产基地 100 个、面积达 16.3 万亩,100 个产品获得有机认证或有机转换认证。全年出栏有机畜禽 50 万头(只),有机农业总产值达 30 亿元。采购和配送生物农药 50 万元,购买有机肥 1000 吨,采购安装频振式杀虫灯 250 盏。开展有机基地质量巡查 200 余批次,全年累计抽样 180 余次,共计抽取果蔬、笋菌、畜禽等样品 1980 个,检测合格率均达 99.8%。成功举办国际有机农业联盟第二届亚洲大会暨中国有机农业(西充)峰会,国际有机农业运动联盟授予西充县为“亚洲有机农业技术研发中心”。航粒香米业有限公司生产的“航粒香”有机米荣获十四届中国国际农产品交易会参展农产品金奖。培育国省特色品牌31个、国家地理标志保护产品5个,西充县创建为“国家有机产品认证示范区”。

现代农业园区建设。西充县实施有机农业现代公园建设发展战略,全年实现农业总产值52.47亿元,同比增长4.2%。积极推进国家现代农业园区提档升级,龙滩河流域综合开发项目已启动仁和、凤和、双凤3个乡(镇)24个村7800亩旱地柑橘产业基地建设;青龙湖3000亩高标准柑橘示范园完成区域发展、产业发展规划编制;百公里香桃产业园区累计完成投资8500万元,完成覆盖10个乡(镇)74个村共4万亩香桃栽植任务。全面启动古紫义路5000亩柑橘园区的定点画线打窝、施肥栽植工作,积极推进龙滩河7000亩旱柑橘和罐垭乡3000亩柑橘产业带建设。启动台湾农业创业园核心园区太平转山河村前期1000亩规划。建设义青观、嘉禾兴、古太片10万亩香桃、龙滩河10万亩柑橘等万亩亿元标准化园区13个,规模化建设畜禽养殖园26个。

【种植业】 2016年,西充县在10个乡(镇)、37个村新建高标准农田4.8206万亩。粮食作物播种面积125.5万亩,粮油总产量39.68万吨。经济作物播种面积40.5万亩,其中辣椒10万亩、花生7万亩、棉花3万亩、饲料(饲草)5万亩、中药材和特种种植0.5万亩。在古楼、太平、金源、李桥等10个乡(镇)74个村栽植香桃4万亩,同时套种绿豆、辣椒、大豆、花生等2.5万亩;在中岭、义兴、青狮、观凤、太平、岱林等乡(镇)繁育二荆条辣椒苗200亩,培育壮苗6000万株;在金山乡、永清乡推动红薯拓展基地建设,启动红薯规范栽植5000亩;在义和、常林等地实施“菜篮子”工程,新建专业蔬菜基地2000亩,在义和、莲池改造提升建成蔬菜标准园1000亩,引进新品种38个。

【林业】 2016年,西充县完成造林1.2万亩、森林抚育2万亩,造林及林改500亩,栽植杨树、香椿、栾树12万株,引进项目资金2911.23万元。义务植树活动共计栽植各类苗木10万余株。引进四川今晨农副产品有限公司投资1亿元,在鸣龙、金源、同德等乡(镇)完成一期投资,栽植青花椒5000亩。全年完成40千米绿道行道树栽植工程和新村聚居点200余亩的绿化美化工程,栽植青花椒、油牡丹、柑橘8000亩。

【畜牧业】 2016年,西充县继续推行生猪标准化、规模化养殖。全年肉类总产量5.85万吨,其中猪肉产量4.73万吨。全年出栏生猪67.58万头、牛0.71万头、羊10.35万只,存栏生猪51.69万头、牛1.78万头、羊11.17万只。在金泉、东太等乡(镇)创建省级标准化示范场肉羊基地1个,带动农户养殖山羊20万只;温氏集团30万头生猪产业一体化项目完成选址和300户养殖户圈舍位置选择工作。实施生态土鸡养殖建设项目,全年发展小家禽(畜)500余万只(头)。

【蚕业】 2016年,西充县新(改)建桑园0.7万亩,嫁接桑树0.5万亩;发放蚕种6.63万张,产茧225万千克,蚕农茧款收入8550万元。发展100亩以上的专业化示范大户(家庭农场)13户(个)、蚕业合作社3个。全年优良果桑改良率达85%,引种优良果桑1590亩;引导蚕农购置纸板方格蔟3万片、小蚕自动共育设备2套;培训蚕农1200人次。全面完成鸣龙核心示范区2500亩标准化桑园建设与改良,完成示范区45千米排水渠、15千米产业便道、1.6千米水泥路、500平方米小蚕共育室、13000平方米蚕房、52000平方米蚕台等养蚕设施建设;完成扶君蚕桑文化体验和展示中心、小蚕共育室、大蚕房5235平方米建设以及果桑改良1200亩。加速青禾桑业科技有限公司蚕桑综合开发核心示范基地项目建设。招引宝马河六福种养殖专业合作社落户中南,已建成优质桑园300亩,新育优质桑苗200万株,修建现代化智能养蚕房1000平方米、产业便道4千米。成功承办全省果桑生产经营现场会、全市蚕桑产业发展推进会、市蚕学会。

【农村水利】 2016年,西充县海贝水库完成可研报告编制,高院水库进入国省计划,百福寺水库确定了建设和投资主体。莲池乡西河防洪治理工程完工,晋城镇潆溪河、双凤镇西河防洪治理工程加快推进,岱林芦溪河防洪治理工程完成招投标。农业水价综合改革示范项目共新建渠道33.95千米,整治渠道20千米,完成14座病险水库除险加固。2016年中央小型农田水利重点县建设项目新建渠道21.49千米,整治渠道14.81千米,改造泵站4处,整治石河堰7处、山坪塘21口,新建蓄水池73口,建设高效灌溉工程2652亩。新建农村安全饮水工程62处,整治改造管网延伸50余处,总投资700余万元。

【新农村建设】 2016年,西充县大力实施幸福美丽新村建设和开展“四好村”创建,观凤嘉和兴、多扶老林沟、太平李子湾等14个新村聚居点建设有序推进,新建农房286套,39个(856户)异地搬迁聚居点基本建成。实施旧村整体提升改造70个,改造民居5183套。灵活“建、改、租、换”等模式,建成农村廉租房370套;3871户建档立卡贫困户中的危房户基本住房安全问题得到全面解决。完成1000平方米水质净化浮岛修建,2千米巡护步道青石板铺贴,200个界桩、3个界碑安设;整治路肩6.5千米,硬化社道公路2千米。

【扶贫与移民工作】 2016年,西充县扶贫工作紧紧围绕到2017年实现全县贫困人口基本脱贫目标,制定出台了8个综合性文件,召开了8次全县脱贫攻坚大会,开展了10次业务培训,组建了6个督导组。精准锁定建档立卡贫困人口23231户,将信息录入全省“六有”系统,在南充市率先实现两个系统数据统一。全年共争取到位扶贫移民项目资金4607万元,脱贫解困8290人。新建村(社)道路29千米、产业路61千米,整治山坪塘72口,安全饮水实现全覆盖。分类开展农业实用技术、就要技能等培训,培训贫困群众2700人次。加强贫困地区的乡风文明教育和贫困户的感恩教育,发送手机信息9.8万条,编印工作简报55期,播出电视新闻65条。实施危房改造3877户,易地扶贫搬迁集中安置482户、981人,分散安置518户、1201人,2745户贫困户住房安全隐患得到有效排除,新(改)建农村房屋3.9万平方米。将农村低保最低补助标准调整为每月240元,对无其他收入来源的贫困低保人口每人补发特殊生活补贴520元,对享受低保的残疾人每人特发生活补贴720元,有效保障了贫困家庭最低生活水平。在青龙乡、双洛乡等10个乡(镇)40余个村社实施移民项目,修建道路12.5千米,整治山坪塘1口,发展产业1320亩,移民脱贫解困368人。九龙潭水库还房工程建设已进入还房分配登记阶段,升钟二期工程前期工作已启动,圆满完成武引工程西充段(涉及东岱、祥龙、同德、高院4个乡镇11个村)的实物调查。为106户贫困户赠送鸡、鸭、鹅6000只。

【乡村旅游】 2016年,西充县完成充国香桃源景区古楼二村、过江楼村2座旅游厕所、4000平方米停车场、30个垃圾桶、40个休闲座椅、400米游步道等基础设施建设;完成百福寺森林公园景区规划,积极协调交运局、凤凰文化投资公司进行道路改造、环山公路路基工程、停车设施、部分生活接待设施建设。凤凰谷旅游度假区项目完成用地场平、水上公园设备采购、配套乡村五星级酒店建设,改造冲浪池、环流河、游客接待中心等水上娱乐项目,7月22日成功开园,已累计接待游客近2万人,实现收入约100万元。张澜故里4A级旅游景区完成复核迎检软件资料编写,完成故居月台、标识标牌、绿化美化、应急平台、LED显示屏、提灌站等项目建设;完成多福古镇、张澜故里、纪信故里、百科园、玫瑰花谷、双龙桥等景区13座星级厕所建设,新建古楼桃花源厕所2座、青龙湖蚕华山省级乡村旅游示范点厕所5座;建成老家湾、过江楼、赵家庙、新书房山、白鹤观等旅游扶贫示范村5个,制作实木农家乐牌匾26个,完成古楼、双龙桥民俗达标户创建40个。幸福美丽乡村旅游示范带项目完成莲池镇灵宝宫村,双洛乡老家湾村,多扶镇老林沟村、破头山村、黄竹坝村,晋城镇白鹤观村、观凤嘉和兴生态农业产业园等总体规划以及部分村落交通、新农村聚居点等修规和施工设计;完成双洛乡老家湾村农家乐援建、环万年山道路景观绿化、休憩设施、停车场建设;青龙湖休闲旅游度假区项目改建游客接待中心1处、新建停车场2500平方米、生态公共卫生间5个、登山游步道5000米及沿途休憩设施,建成自行车绿道5000米、滨湖木栈道4100米、观景台5处等相关配套设施。

【农村科技】 2016年,西充县扎实开展科普宣传,承办了南充市文化科技卫生"三下乡"启动仪式、南充市科技活动周等大型活动;在纪信广场、太平镇、多扶小学、库楼坝社区等地开展科普宣传5次,举办讲座12场次,展出科技展板20张,发放宣传资料5000余份;联合西华师范大学团委在凤鸣镇小学开展"科技活动周之科普进校园"活动。以"双创"为引领,积极开展科技服务行动,培育通光光缆、宏森有机等创新型(成长型)企业6家,培育万宇生物、懋森生物高新技术企业2家;加快筹建西充县科技孵化中心,示范推广有机牛奶猪、有机香葵鸡等畜优新品种、新技术15个,实施PJSY型机械式停车设备关键技术研发等重大科技成果转化3项,完成申请专利178件(其中发明专利35件)。

【农村教育】 2016年,西充县争取到位学前教育发展、义务教育保障机制、"全面改薄"和职业教育质量提升、科技园区建设等国、省专项资金10486.07万元。东风路幼儿园启动建设,西充中学多扶校区基本建成;完成槐树初中等"全面薄改"项目27个、学前教育项目4个,建成校舍及附属设施3.1万平方米;双凤中学、青狮小学农村初中改造工程进展顺利,配置"班班通"设备102套、功能室60间。全面落实国家助学政策,累计发放各类资助资金2079万余元,免除普通高中家庭经济困难学生学费4173人、609.9万元,中等职业学校学生学费2677人、509万余元,发放义务教育阶段寄宿制困难学生生活补助5900名、622万余元,资助学前"三儿"1300人、125.3万元,完成"一免一减"3.4万人、113万余元。大力开展地方财政助学,资助特困师生616人、100万元。设立教育扶贫救助基金,着力解决建档立卡贫困家庭学生就学困难。实施农村教师支持计划,选派30名城区学校优秀教师到农村薄弱学校进行为期1年的支教;启动乡村学校从教30年教师荣誉证书资格审核工作,审核上报2586人次。出台教体科系统乡(镇)工作补贴考核发放指导意见。

【农村文化、卫生与法制建设】 2016年,西充县有农家书屋及社区书屋621个;开展文化下乡等演出120场次,观看人数达7.2万人。新(改)建乡(镇)卫生院4所、标准化村卫生室43所,成功创建为全国基层中医药工作先进单位。有农村卫生院45所,实有床位748张、卫生技术人员424人。大力推行社会网格化管理,扎实开展"法律七进"活动,"六五普法"工作通过验收,西充县创建成为全省法制先进县、全国法制治县创建活动先进县。

【农村交通】 2016年,西充县有农村客运班线52条,建成32个农村客运站点。农村公路建设完成投资5280万元,改造通乡公路66千米,新建村道173千米,建成园区道路71.5千米。桥梁改建整治工程投资575万元,完成鸣龙镇白岩寺桥、宏桥乡同心桥2座桥梁建设,车龙乡文滩桥、双凤镇红栋子桥、鸣龙镇加龙观桥、义和乡高家坝桥、岱林乡任家坝桥完成主体工程建设。

【农村社会保障】 2016年,西充县新型农村合作医疗参合率达99.8%;城乡低保覆盖8.5万人,实施大病医疗救助2.6万人。实施棚户区改造14个,改造农村危房1.07万户,新建保障性住房4038套,拆迁还房130万平方米,实施地质灾害避险搬迁370户;解决29.5万人的安全饮水问题;帮扶"空巢老人"5.9万人;新(改)建乡(镇)敬老院14所。

【农村生态建设及环境保护】 2016年,西充县建成7处污水处理站,升级改造3个乡(镇)污水处理站,排查17个乡(镇)污水处理站损坏设施设备并按要求更换安装。扎实开展西充河流域内16个乡(镇)162个行政村的环境综合整治工作,"河长""段长"每日巡河检查并每周上报相关情况,组织打捞河道漂浮物100余次,清运各类垃圾200余吨。开展关停养猪场的普查和复核工作,进一步优化畜禽养殖禁养区、适养区划分范围。争取省级资金300万元,启动青狮镇、西碾乡、凤鸣镇场镇饮用水水源地环境整治项目,全年完成40个乡(镇)集中式饮用水水源地水质采样监测2次。开通西充县环境保护局门户网站、微信公众号等新媒体账号,与移动公司签订短信平台合作协议,坚持每天在LED屏幕滚动播放环保信息;利用"4·22"世界地球日、"6·5"世界环境日等纪念日、"12·5"国家宪法日组织开展以"改善环境质量,推动绿色发展"为主题的万人签名活动,设置宣传站6处次、群众投诉点3处次,发放环保法律法规彩页及宣传手册5000余份、环保袋1000个、环保宣传围裙500条、环保知识和法规汇编书籍500套,发送短信5000余条,制作、播发电视宣传资料2000分钟,现场宣传6000余人次,积极营造人人关心环境、参与环保的大氛围。

【主要领导人】 县委书记:陈泽斌;县人大常委会主任:张伟;县长:孙骏;县政协主席:付杰修;分管农业副县长:何德清。

西充县编写组

仪 陇 县

【基本情况】 2016年,仪陇县辖57个乡(镇)935个村(居委会)6203个村民小组,辖区面积1971平方千米,其中耕地面积64.37万亩,与上年持平;基本农田31.77万亩,与上年持平。有农业总人口87.81万人。森林覆盖率37.3%。

【年度农业和农村经济运行】 2016年,仪陇县实现农业总产值954494万元,增长5.5%;农业增加值375212万元,增长4.43%。农民年人均可支配收入10046元,增长11%。

农用地产权制度改革。仪陇县推进"七权"确权登记颁证工作,农村土地承包经营权确权登记工作通过省专家组验收。积极推进土地规模流转,新增土地流转面积2.1万亩,土地流转总面积达23.2万亩;流转林地1000亩。修订完善农村"三资"管理制度,升级村级财务管理系统,建立农村"三资"网络化监管平台。

【种植业】 2016年,仪陇县粮油作物种植面积分别达125万亩、34万亩,产量分别达49.8万吨、6.3万吨。新发展柑橘、脆红李等水果2万亩,招引千亩果业大户15户;高标准栽植核桃等特色干果5000

亩、木本中药材4300亩。43万亩全国绿色食品原料标准化生产基地再次通过国家认证,新增规模化基地2.5万亩。

【林业】 2016年,仪陇县有效巩固退耕还林成果11.8万亩,天然林保护工程顺利通过国家检查;林木采伐限额控制在省控指标30%以内,依法审核上报征占林地102.67公顷。全年依法查处各类破坏森林资源和非法捕捉野生动植物案件38件,其中刑事案件6件。

【畜牧业】 2016年,仪陇县生猪产业持续健康发展,温氏集团福临8万头种猪场建成投产,新发展千头育肥猪托养场70处,累计达302处;引进新希望集团发展年产20万头生猪产业扶贫项目,先期试点建设千头托养场10处。新建标准化、规模化养牛场36个,200头以上标准化养牛场5个。仪陇县成功创建为"国家獭兔综合养殖标准化示范区"并被确定为"川北獭兔"育种基地、全国畜牧业绿色发展示范县。实施农产品质量安全"3+3+3"战略,着力健全"三大体系"、严把"三大关口"、强化"三大保障",实现全程监管,全年无重大农产品质量安全事故和动植物疫病发生,获得"全国现代植保示范县"称号。

【农村水利】 2016年,仪陇县油房沟水库下闸试蓄水,七一水库实现导流洞贯通、正坝基开挖;油房沟水厂完成80%的输配水管网铺装。新建、整治142个贫困村的"五小水利"工程,解决当年脱贫的3149户、11186人的饮水安全问题;8座新出险小(2)型水库加固、文星场镇河堤治理、日兴等12个场镇污水处理站全面竣工;亭子口灌区前期工作第一阶段任务全面完成。

【新农村建设】 2016年,仪陇县按照"业兴、家富、人和、村美"的总体要求,将幸福美丽新村建设与精准扶贫、精准脱贫相结合,新建"四好村"100个,其中扶贫新村82个;硬化入户便民路534千米、作业便道100千米;新建(整治)石河堰28处、渠系78.7千米,改造小型灌溉泵站11处,兴修小微水利1211处;建设高标准农田2.6万亩;建设中小型沼气集中供气站8处,1365户户用沼气CCER项目通过国家发展改革委验收并全部进入国内碳交易市场,巩固了仪陇县"全省沼气化县"的建设成果。仪陇县被确定为全省新农村连片建设示范县。

【扶贫攻坚】 2016年,仪陇县农业银行、农商银行等4家金融机构共向建档立卡贫困户发放扶贫小额贷款7092笔、2.76亿元。新发展村级扶贫互助社9个,总数达50个,发放借款达5300万元,有效解决了村级发展资金短缺、金融服务覆盖面不足、贫困户贷款难等问题。大力开展农村电子商务、乡村旅游、土地托管建设,仪陇县被确定为"全省盘活农村资产资源助农增收新产业新业态示范县"。

【农村科技】 2016年,仪陇县积极鼓励农业科技人员参与农业产业发展,被确定为省级激励农业科技人员创新创业改革试点县。双胜核桃湾核桃产业园被列为四川省林业科技扶贫示范点,林业核桃技术周年工作历在全省推广,良种核桃推广示范面积达2000亩。围绕"四新""六良",大力推广新品种、新技术,全县水稻旱育秧及抛秧面积达20万亩,玉米、花生、蔬菜地膜覆盖节水抗旱栽培面积达25万亩,粮药、粮菜套作面积达12万亩,测土配方施肥面积达135万亩;补贴农用机具7018台(套),完成机耕45万亩次、机收15万亩次。邀请全国著名"三农"专家卢水生和西南大学等学院教授开展新型职业农民培训5000余人次,组织现场培训2.8万余人次。

【主要领导人】 县委书记:陈科;县人大常委会主任:郑元勤;县长:郭宗海;县政协主席:李俊;分管农业副县长:陈智。

仪陇县编写组

营山县

【基本情况】 2016年,营山县辖53个乡(镇)1个街道657个行政村29个居民委员会5848个社,是全国粮食生产先进县、国家商品粮基地县、优质生猪战略保障基地县、生猪调出大县、珍贵树种示范县。

【年度农业和农村经济运行】 2016年,营山县实现农林牧渔业总产值62.1亿元,增长5.6%;农业增加值28.1亿元,增长3.9%。农村居民年人均可支配收入达10228元,增长9.7%。全年水产养殖面积16.55万亩,产量达1.15万吨,实现产值1.61亿元。建成通村水泥路1730千米、产业道路600千米。探索黑山羊、核桃特色农业保险品种,实现中央、省政策性保险目录内产业参保率达91%以上。

农业产业化发展。一是家庭农场建设。营山县共登记注册家庭农场451个,其中种植业类36个、畜牧类349个、林业类39个、水产类27个,同比增长36%。开展示范家庭农场创建活动,新增省级示范家庭农场4家。二是农民合作社建设。共登记注册农民合作社580个,其中农业类156个、林业类66个、畜牧类277个、渔业类50个、服务业类25个、蚕桑类5个、手工类1个,比上年同期增长29%。营山原野黑山羊养殖专业合作社、营山县繁荣牲畜养殖专业合作社等10家县级示范专业合作社申报创建市级示范合作社,全县省级示范合作社达8家。三是扶持发展通旺、铖宇等龙头企业28家,发展各类专合组织448家、家庭农场及业主大户877家,带动农户10.1万户,农民年人均增收850元以上。

农用地产权制度改革。营山县加快推进全县53个乡(镇)657个村5848个社231959户农户"七权"颁证工作,农村土地承包经营权确权颁证工作顺利接受省专家组验收,取得了较好的成绩。建成农村产权交易中心、农村土地仲裁庭、农村经营承包地交易中心,流转土地1.2万亩。

农产品品牌战略实施。营山县完成4家无公害农产品认定复查换证工作,配合完成营山盛农农业发展公司、诚宇农牧2家公司申报绿色产品,实现绿色产品"零"的突破。营山县繁荣牲畜养殖专业合作社、四川勃源生态农牧开发有限公司营山分公司、四川铖宇农牧有限公司3家单位申报无公害畜产品认证,四川省绿辰生态农业发展有限公司、四川润丰肉食品有限公司2家单位通过无公害认证复查,营山县原野黑山羊养殖专业合作社获得无公害产品认证,全县无公害经营主体认证数量达18家。全县农产品种植业获得无公害产地整体认定,完成"田园之恋"血橙、"山润蓬山"核桃2个特色农产品有机转换认证,黑山羊获得国家地理活体证明商标,开发"通宝"牛肉、润丰蔬菜等省、市名牌产品20个。

【种植业】 2016年,营山县粮食作物播种面积95.4万亩(大春65.4万亩),产量37.9万吨(大春粮食产量29.7万吨),产值达11.39亿元。油料作物播种面积32.3万亩,产量4.96万吨,实现产值3.44亿元。蔬菜及食用菌种植面积30.8万亩,产量36.96万吨,实现产值13.5亿元;中药材种植面积2.32万亩,增加3821亩,新增中药材专业合作社9个。通过开展现场示范、"技术走基层"、印发技术资料等活动,展示优质高产新品种42个,示范轻简化栽培技术5项(即水稻的机插、人工直播、油菜的机播、水稻油菜的机收和无人机病虫害的统防统治)、0.4万亩,为粮油实现双增提供了技术保障。核心示范效果明显,在6个乡(镇)连片建设小麦、油菜、水稻、玉米高产创建示范片,示范区平均亩产小麦440.6千克、油菜182千克、水稻586.7千克、玉米 617 千克，带动全县粮油平均单产提高 4 千克以上。防灾减灾持续向好，通过建立病虫害测报点，开展病虫害情专业会商，发布植保情报，开展综合防控、绿色防控示范，政府购买植保服务等实现了病虫害损失率控制在 4%以下的防治目标。

高标准农田建设。通过整合高标准粮田建设等项目，对有发展潜力的特色优势产业基地进行了改造升级，全年集中建设田间耕作道 43.91 千米、排灌渠 26.72 千米、小型水利工程 21 处，调型田土 2906 亩，在全县范围内新增高产稳产农田 17773 亩。

农业产业基地建设。优质粮油产业稳步发展，在粮油主产区建成优质粮油基地 29 万亩，占全县粮油播种面积的 22%，其中优质水稻基地 2 万亩、优质小麦基地 5 万亩、优质油菜基地 10 万亩、优质玉米基地 5 万亩、优质大豆基地 2 万亩、优质马铃薯基地 5 万亩，实现了优质粮油在平坝主产区全覆盖。优质水果产业稳步发展，全年新植各类优质果树 5000 亩、伏季水果 3000 亩；种植红心猕猴桃、红心蜜柚和南香柑橘等新品种 500 株，推广 LS 地布覆盖、柑橘幼树免剪栽培、水肥药一体化灌溉、生物防控等果品生产新技术；实施冰糖柚高接换种 1.5 万株、柑橘高接换种 3.2 万株；建立育苗基地 2 处、50 亩，培育砧木苗 20 万株，培育袋装嫁接苗塔罗科“血橙 8 号”10 万株，编写和印发果树栽培管理技术资料 5000 余份。全年果品产量 5.3 万吨(其中柑橘 4.5 万吨)，实现产值 1.86 亿元。优质蔬菜产业稳步发展，依托农业龙头企业、专合社、生产大户在城南、星火等乡(镇)新(改)建蔬菜专业生产基地 1000 亩，创建蔬菜标准园 550 亩，新品种、新技术示范 5000 亩，培育 100 亩以上生产主体 13 个、产销主体 1 个，新建专业合作社 7 个。

蚕桑。全县有养蚕乡(镇)12 个、市级蚕桑基地乡(镇)3 个、县级蚕桑基地乡(镇)5 个、蚕桑专业村 16 个、蚕桑专合组织 7 个、养蚕农户 2500 余户，有桑园 40000 亩、桑树 2000 余万株，全年发放蚕种 8000 张，产茧 28 万千克，蚕农蚕桑收入达 700 余万元。建设从回龙镇萝卜山村至清水乡红岩村的“十里蚕桑产业带”，面积达 3000 亩。在回龙镇团山村、木桠镇铜鼓村、双溪乡凤君村、通天乡木罗村等集中成片栽植桑园 1000 余亩，嫁接改良桑树 1000 余亩。抓好以养蚕大户为重点的养蚕配套实施建设，完善桑园水、路、渠等建设，建设养蚕大棚 200 平方米、标准化小蚕共育室 50 平方米、消毒池 50 口。把规模养殖大户培育目标任务分解落实到乡(镇)、村(社)、具体农户。推广“分户栽桑、分户管桑、集中养蚕”“以桑入股、按股分红”等多种桑园流转方式，发展以专业大户、家庭农场等为生产主体的适度规模经营，提高农户经营水平。依托县农牧业局新型职业农民培育培训工作，培育业主大户 13 户。争取市上项目资金和县上支农资金，对新培育业主大户给予 5000~10000 元的补助，对年养蚕 10 张以上的农户奖励现金 300 元，对年养蚕 15 张以上的农户奖励现金 500 元，对年养蚕 20 张以上的农户奖励现金 1000 元。同时，无偿为蚕农提供蚕种和蚕药。

抓好清水乡顶子村“百亩桑葚采摘园”建设，建好桑果园水、路、沟渠配套设施。在清水乡顶子村建设标准化蚕桑生产示范点，组织带动周边乡(镇)、村(社)开展统防统消 1000 亩，配方施肥 1000 亩，建设高产园区 500 亩，全面落实了桑园生产标准化管理措施。重点围绕小蚕饲养、大蚕饲育、省力化饲育、上簇管理、蚕桑综合利用五个方面开展技术培训 300 人次。依托县农牧业局新型职业农民培育培训工作，在清水、回龙 2 个乡(镇)培训蚕桑种养大户 20 人。利用农村闲置村小学教室和外出务工户房屋规划建设省力化蚕台。全局 8 名技术干部每人联系 10 户蚕桑科技示范户，每户科技示范户辐射带动 20 户农户。大力发展“桑+菜”“桑+禽”“桑+粮”“桑+经”“桑+药”等套作（套养）模式，提高土地利用率和复种指数，增加农民综合收入。抓住清水湖湿地公园发展乡村旅游的机遇，按照果桑“适度发展”的要求，在清水乡新栽植果桑 200 亩，嫁接果桑 100 亩，开展了桑果市场分析调研，对下一年的桑果上市销售做好准备。

植物检疫。以稻水象甲、柑橘溃疡病、柑橘大实蝇监测为重点，抓好柑橘黄龙病、黄瓜绿斑驳花叶病毒病、番茄溃疡病、四纹豆象、红火蚁、水稻白叶枯病等疫情监测，共计完成监测对象 10 个，完成监测调查面积 2.5 万亩次；开展种子、苗木调运检疫备案 420 批次 50 千克，果品市场检疫检查 101 批次 100 万千克，除稻水象甲外，未发现其他检疫性有害生物。针对稻水象甲发生早、范围广的严峻态势，狠抓监测、阻截、防控工作。印发了《关于切实加强稻水象甲普查与防控工作的通知》《营山县开展稻水象甲监测与防控技术方案》，全县确定重点监测点 20 个，出动监测人员 1600 人次，普查乡(镇)53 个，监测发生乡(镇)29 个，发生面积 8.1 万亩，比上年增加发生乡(镇)1 个，增加发生面积 4.3 万亩。通过专题培训、市场检查、植物检疫宣传月活动等，大力开展植物检疫法规宣传，共举办种子、种苗生产经营人员法规培训 5 期 300 人次、现场咨询 20 场次 3500 人次、稻水象甲发生区乡(镇)农技人员培训 2 期 300 人次、电视宣传 2 期、手机短信宣传 3 期 1000 余条次，发放宣传资料 5 万份。

【林业】 2016 年，营山县创建为全国珍贵树种培育示范县、第三批四川省现代林业产业重点县、国家珍贵树种培育示范县、全省绿化模范县等，并创建了清水湖国家级湿地公园(试点)、望龙湖省级湿地公园等，生态建设进一步增强，生态文明进一步凸显。一是坚持建设与管理并重，稳步推进大生态建设。持续推进“两大工程”，推进天然林保护 33.5 万亩，巩固退耕还林成果 8.88 万亩，完成新一轮退耕还林 1 万亩；按期兑现森林生态效益补偿基金和退耕还林补助资金。围绕打造标美示范路和森林绿色通道，完成 150 千米干线公路森林通道绿化；精心打造县城西月湖公园、翠屏山公园、宝珍花园、白鹭湿地公园等一批城区精品公园，实现县城 360 公顷园林绿化全覆盖；完成骆市、回龙等场镇和 40 个新农村聚居点绿化工程。大力推进全民生态建设，义务植树 6 万株以上，营造了人人关心、支持、参与建设生态家园的良好氛围。严格保护森林资源，严厉打击破坏森林资源行为，全年侦办涉林行政案件 48 件、刑事案件 6 件，刑拘 1 人，为国家、集体和个人挽回直接经济损失近 68 万元。科学应对涉林自然灾害，落实各种专项经费 100 万元，增配森林防火器材 100 余台(套)，补充巡防人员 2500 余人；对全县重点林区实施飞机防治森林病虫害作业，有效保护了森林资源。二是坚持巩固与提升并重，加快推进大林业建设。大力发展优质核桃产业，全县规划“十三五”期间规模发展核桃 20 万亩以上，以大庙万亩核桃产业园为核心，在大庙、骆市、老林、消水等乡(镇)新发展优质核桃 2 万亩，加快百里羊果产业环线建设进程。大力发展珍贵树种和速丰林产业，以现代农业示范园区为中心，在济川、城南、福源、茶盘等重点乡(镇)建成香樟、红椿、桢楠等珍贵树种示范基地 1.5 万亩，在福源、渌井、回龙等重点乡(镇)建设以红叶杨、巨桉、桤木等为主的速丰林示范基地 1 万亩。大力发展特色林业经济，以景弘制药、博浩生态、生隆农业等龙头企业、专合组织和家庭林场为支撑大力发展中药材 1.2 万亩、花椒 1.5 万亩。三是坚持保护与利用并重，扎实开展大湿地建设。围绕打造国内独具特色的乡村海绵家园示范基地、乡村湿地先行示范区、现代湿地生态经济试验示范区的目标定位,加快推进清水湖国家湿地公园试点项目建设,编制了清水湖湿地公园总体概念设计和一期大型林泽建设初步设计。项目规划建设十大保护工程,其中建设湿地功能区5个、湿地宣教中心1200平方米、湿地文化广场6000平方米、各类道路49.2千米、林泽和水生植物园等湿地景观3000亩,建成后将成为川东北第二大人工库塘湿地,对保护营山县城唯一饮用水源安全和库区生态安全具有重要的战略意义。湿地大道工程已于10月顺利开工,大型林泽、湿地博物馆等工程加快推进。

【畜牧业】 2016年,营山县出栏肉猪74.6万头、肉牛1.9万头、肉羊39.5万只、肉禽741万只、肉兔83万只,分别比上年同期增长-3.79%、4.4%、3.67%、2.92%、1.22%;生猪、牛、山羊、家禽、兔存栏分别为57.3万头、5.58万头、20.7万只、357万只、12.6万只,比上年同期分别增长-2.39%、-1.85%、-1.19%、-2.19%、2.44%;肉类和禽蛋产量分别达7.24万吨和1.85万吨,畜牧产值达34.43亿元,同比分别增长-2.05%、1.65%和6.27%。其中肉牛、肉羊出栏量增幅明显,分别增长4.4%和3.67%。积极推进政策性农业保险,实施育肥猪价格指数保险。

项目建设。围绕第三轮现代畜牧业重点县建设,按照高产、高效、生态、安全的要求,认真落实现代畜牧业重点县发展规划和工作方案要求,全力推进第三轮现代畜牧业重点县建设,努力打造现代畜牧经济强县。一是肉牛标准化生产基地县建设项目。在东升、骆市、安固3个乡(镇)建设3个年出栏500头以上的肉牛标准化牛场,新建标准化牛舍8000平方米,引进母牛200头,建设3个肉牛冷配站点。在小桥镇新建年出栏肉牛1000头肉牛场、标准化牛圈舍8000平方米。二是肉羊标准化建设项目。新建6个肉羊标准化羊场,改(扩)建标准化羊圈舍3600平方米,建设沼气池、化粪池600立方米,建设干粪堆码棚6间、清毒池6口、消毒间6间、兽医室6间、药浴池6口、无害化处理坑6口,配套建设了雨污分流、干稀分离等生产设施,完善了生产防疫制度,通过了县级相关部门的验收。三是畜禽良种工程项目。进一步建立原种场、扩繁场、商品场相互配套的繁育体系,完善人工授精改良网络,全面实现良种化。生猪三元杂交面、肉牛良种及杂交改良面、肉羊良种及杂交改良面、禽、兔等主导产业的良种面分别达95%、58%、94%、99%、100%,全年完成生猪人工授精配种4万窝次。四是生猪标准化规模养殖场建设项目。铖宇农牧万头养猪场新建标准化猪舍1.5万平方米,新建标准化猪场23个。

黑山羊发展。科学编制《营山县黑山羊产业发展规划(2015—2025年)》,以大庙为轴心,新建黑山羊规模养殖场105个,其中3000只以上羊场1户、2000只以上羊场2户、1000只以上羊场4户、100~300只羊场98户,面积达10.3万平方米。新建沼气池等治污设施9468立方米,新增黑山羊3.9万只。建成肉羊标准化规模养殖场6个,改(扩)建标准化羊圈舍3600平方米,建设沼气池、化粪池600立方米。

招商引资。招引温氏集团进入营山县发展生猪产业。与温氏集团签订投资协议,温氏集团计划用5年时间投资8亿元在营山县发展生猪一体化产业项目,建设500家年出栏1000头生猪的家庭农场,全县年出栏肉猪增加50万头。

"双认证"工作。营山县农产品质量安全检验检测站顺利通过"双认证",获得农产品质量安全检测机构考核合格证书和检验检测机构资质认定证书。

【农村水利】 2016年,营山县规划投资5.68亿元在老林、玲珑、龙伏、木顶之间新建金鸡沟中型水库1座,已完成枢纽工程进场道路和导流洞建设、枢纽工程管理房区域场平、大坝两岸坝肩开挖、取水洞出口方向洞挖和王家沟隧洞开挖140米及衬砌以及王家沟隧洞石方开挖、水库移民安置工作的60%,累计完成投资21980万元。嘉陵江引水工程进度加快,完成可研阶段地勘及可研报告编制,专题报告及可研均已完成审查及批复,累计投资3100万元。对安化乡、朗池镇、蓼叶镇等14座水库大坝、溢洪道、放水设施进行整治,累计完成投资2168万元。

脱贫攻坚水利项目有序推进。小农水项目涉及的20个脱贫村已新建渠道21.9千米,整治渠道12.3千米、山坪塘75座、石河堰2处,改造泵站2处,新建蓄水池83口,累计完成投资1957万元;小微水利维修养护项目全面完工,累计完成投资610万元,整治山坪塘33座,新建蓄水池46口;5座病险水库除险加固已全面完成建设任务,累计完成投资655万元;解决33个贫困村和52个乡(镇)340个行政村(含乡、镇、街道、社区)的3758户12542名"插花"贫困户的饮水安全问题,累计完成投资3100万元。

水土保持工作逐步推进。投资625万元,全面完成2015年顶子项目坡耕地水土流失综合治理工程项目,综合治理坡耕地1790亩,建设蓄水池33口、沉沙凼33个、截(排)水沟11.11千米、田间道路10.73千米。投资1250万元,全面启动银鸽项目区2016年坡耕地水土流失综合治理项目,在清水乡银鸽村、丰产乡白马村、法堂乡大田村治理水土流失面积3570亩,配套蓄水池、截排水水沟、沉沙凼、田间生产道路等工程措施,已完成工程投资的95%以上。总投资约5000万元,进一步完善水土保持"十三五"规划,规划治理水土流失面积129.8平方千米,配套完成山坪塘、蓄水池、沉沙池、截排水沟建设。

幸福水库管理。一是重点工程项目建设。加快金鸡沟水库工程建设工作,完成征地移民安置工作的90%,完成枢纽工程进场道路、导流洞和引水隧洞建设以及枢纽工程管理房区域场平,已启动大坝两岸坝肩开挖,完成王家沟隧洞开挖,累计完成工程总投资28800万元。抓好幸福水库中型灌区节水配套改造项目,工程静态总投资1518.82万元,批复整治幸福水库灌区北干渠明渠16758.8米,整治暗渠415米,新建渡槽206米、渠系建筑物204座,计划总工期24个月,已完成总工程量的95%。抓好蒋家大湾、肖家沟、李家沟水库和张家沟水库除险加固工程建设工作,已完成总工程量的70%;张家沟水库除险加固工程建设工作已完成大坝充填灌浆、外坡整形、溢洪道边坡护坡等工作。二是切实加强饮用水源水环境综合治理。加强水利、渔业和水环境保护等法律、法规的宣传,全年出动宣传车21次,发放宣传资料1100余份,张贴环境保护通告130余份,制作各类宣传警示牌13个,现场处理水事纠纷3起,进一步提高了库区周边群众的水环境保护意识。在水库水环境治理方面,突出抓好库区日常保洁、供水源水保护、供水工程周边环境整治、水库管护区整治、水库养殖治理、排污管理、水土流失治理与水土保持、鱼类保护等工作,向幸福水库施撒生石灰32砘、实施面积1100余亩。加强水库水面污染治理,分别对幸福、茶盘、盐井、凉水井等四座水库一、二级水源保护区水面杂物进行了全面的清理,开展幸福水库大面积环境整治垃圾清理14次,全年共清理垃圾120余吨。进一步加强水渔政巡查工作,全年共处理水政案件6起,拆除私自搭建网箱1处、非法围堰3处。三是全力做好春灌防汛工作。筹集资金对千里渠大堆沙和塌方进行工程整治,先后对盐井、茶盘等水库陆续开闸放水。做好汛前检查，落实防汛物资，各工程管理站加强大坝安全监测设施、渠道垮方、水毁工程、雨情水情测报工作。坚持检查签字备案制，对发现的问题及时上报和处理，逐项落实了整改措施。四是全面加强安全稳定工作。认真落实安全稳定工作行政首长负责制和分管领导“一岗双责制”，将安全稳定目标分解细化到各股、站、办、队和员工，与各级干部签订各类安全生产责任书68份，与各客运船、农用生产船驾长分别签订安全生产目标管理责任书、承诺书25份，全年全共排查出安全隐患56处(其中工程安全隐患45处，水上安全隐患8处，电力、消防、内保隐患3处)并已全部整改结束，共投入90万余元。

【农业机械化】 2016年，营山县完成机耕76万亩次、机收30.7万亩，全县主要农作物耕种收综合机械化水平达47.16%。维修各类提灌机具790台(套)、6910千瓦；新建电力提灌站4处、275.5千瓦，新增灌面0.23万亩。完成购机补贴资金510万元，推广各类新机具6200台。农机化示范县建设有序开展，建成8500亩水稻全程机械化核心示范区、3500亩油菜全程机械化示范区各1个。全年培训农业机械操作能手3338人次；新建乡村机耕道305千米。

农机购置补贴。一是加大宣传力度。充分利用电视台、报刊等媒体广泛宣传农机购置补贴政策。二是举办示范演示会。到双流、回龙、老林、东升、济川、骆市、西桥、星火、新店、消水等乡(镇)举办机耕、机播、机插、机收示范演示现场会24次。三是增设销售网点。在中心场镇和部分乡(镇)增设销售点40余个，有效缓解了农民“购机难”问题。四是加强维修服务。增设维修网点4个，有效缓解了机具“维修难”问题。五是严格执行购机补贴惠农政策，加强监督检查。严格执行“全价购机，直补到卡”补贴方式和国务院“三个禁止”、农机购置补贴管理“四项制度”和农业部规定的“八个不得”的要求，对购机补贴对象实行100%核查。

电力提灌站维修改造。全年积极向上争取资金100万元，新建茶盘乡罐坪村、骆市镇牵牛村、新店镇千坵村村、黄渡镇兰武村4处提灌站，装机容量共计275.5千瓦，新增、恢复灌面2300余亩，有效解决了春耕秋耕生产用水需求。

农机化示范县建设。重点抓好水稻全程机械化示范基地建设，以济川乡向坝村，东升镇深井村，骆市镇洞庭村、建通村，西桥镇荣华村为核心大力实施水稻全程机械化，核心示范区内水稻机插秧面积达8500余亩，全县机插秧面积达1.5万亩。抓好油菜全程机械化示范基地建设，在济川乡向坝村、合兴村、东岳村，东升镇深井村、玉帝村，骆市镇建通村、洞庭村实施油菜全程机械化面积达3500余亩。

农机专业合作组织标准化建设。重点培育营山县上都农机专业合作社，建设成为全省示范农机专业合作社，拥有农业机械45台(套)，可实现水稻、油菜机耕、机播、机收全程机械化作业。在农机化核心示范区内开展机耕作业3000余亩，水稻机插秧作业1000余亩，油菜机播作业2000余亩，水稻、油菜机收作业3500余亩，农机作业服务收入达70余万元。

农机技能培训。一是利用农机购置补贴项目对新购买补贴机具的农户进行农机操作与维修培训，采取随到随学的方法共培训农机操作能手1000余名。二是举办农用车驾驶员培训班，共培训农机驾驶操作手200人。三是依托新型农民培育、农技推广体系建设、冬春农机科技大培训，对耕整机、插秧机、收割机和电力提灌站操作人员进行操作和维修技能培训，共培训3338人次。

农机安全生产监管。主要领导履行安全第一责任人职责，坚持“一岗双责”。一是签订了安全目标责任书，细化分解了目标任务，明确了主要领导、分管领导、安全监管人员的职责。二是集中在会展中心进行宣传活动2次，发放宣传资料5500余份，全年共发送安全教育短信22次。三是扎实开展农机安全生产“百日安全、“安全生产大检查”、“道路交通安全综合专项整治”和“安全生产月”等活动。四是抓好拖拉机年检(审)工作，严格依法依规对拖拉机进行了检验。

【新农村建设】 2016年，营山县重点实施新村综合体建设3个、聚居点120个，建成新村综合体2个、聚居点96个、“1+N”村级公共服务中心116个，实施旧村落改造和传统院落修缮保护1266户。实施产村相融，坚持“小规模、组团式、微田园、生态化”，因地制宜引导群众发展优质粮油3.25万亩、精品蔬菜2100亩、特色果品1650亩，建成观光采摘园120亩、乡村休闲农家乐11家。强化新村管护，落实专项补助，保障新村日常管护，建立健全管理制度，构建了“民选、民决、民管、民督”的新村民主管理体系，增强了群众自我管理、自我教育、自我服务和自我监督的意识。

【扶贫攻坚】 2016年，营山县层层签订军令状，级级压实分解目标责任，顺排时间，倒排工期，精准发力抓落实，不脱贫、不脱钩，切实把扶贫主体责任担起来；实行项目进度情况每日一通报，对存在的问题列出清单，挂图作战，圆满实现了全县18293名贫困人口脱贫、33个贫困村退出的目标任务。

基础设施方面。一是优惠政策。省财政对村道水泥路建设每千米下拨资金25万元，县财政每千米再补助25万元；危房改造除按政策享受补助外，县本级财政安排专项资金增加补助标准，其中C级增加1万元/户、D级增加1.9万元/户；对大病保险进行报销，积极整合资金，提高补偿比例，实现贫困人口县内就医零支付。二是合力攻坚。调整充实脱贫攻坚指挥部，下设脱贫办，多部门联合成立6个工作组，压实责任，推进脱贫攻坚；整合农业、交通、水利、扶贫等项目资金，开展省、市、县部门定点帮扶工作，极大地改善了贫困村的基础条件，促进了贫困群众脱贫致富；积极开展“人大代表、政协委员在行动”活动，围绕“扶贫济困，奉献爱心”主题开展“扶贫日”活动。三是保证质量。创新贫困群众自我参与、自我监督、自我管理的群众参与机制，对项目进度、质量随时监督；成立17个常态化督查组，对53个乡(镇)开展常态化督查，确保项目建设按时、按质、按量完工。

产业发展方面。建立多村连片脱贫奔康产业带，在贫困村建立脱贫奔康产业园，实现了2016年33个退出贫困村均有集体经济收入，同时实现了人均6元以上的目标；创新利益连接机制，推行“园区经济+贫困户”“归雁经济+贫困户”“庭院经济+贫困户”“集体经济+贫困户”4种模式，既盘活了资源，又拓宽了增收渠道，实现了贫困群众脱贫增收；积极制定完善小额信贷扶贫政策，对全县建档立卡贫困户全面评级授信，为贫困户发放小额信贷近2亿元。

群众精神面貌。一是干群关系进一步密切。县级领导分片联系、帮扶部门定点帮扶、驻村工作队驻村帮扶、驻村农技人员点对点实施技术指导，驻村“第一书记”建强基层组织，干部深入贫困群众家中开展帮扶慰问，为贫困群众落实帮扶措施，指导贫困群众脱贫增收，进一步密切了干群关系。二是劳动致富意识进一步增强，积极开展感恩孝道教育，深入开展评选活动、感恩孝道宣讲活动，通过新旧对比，激发了贫困群众学会感恩、懂得感恩、脱贫致富的内生动力。三是庭院风貌进一步改善。指导群众修订村规民约，倡导文明、节俭、礼貌新风尚，大力开展了清洁家园、美化庭院、告别陋习“三个”行动，“摆顺扫干净”的习惯已经形成。

【农村科技】 2016年，营山县引进、推广农业新品种60个，新技术

30项。全年派出60名专业技术人员在120个村培育600户科技示范户,为每户示范户提供300元左右的物化补助,带动农户12000农户。利用广播、电视、手机等现代传媒发布植保情报15期、电视预报6期、植保短信18期;开展县、乡、村生产现场会、培训会150余场次;办板报、专栏200余期次;印发单页技术材料20余万份。全年新培育和发展3个种植、植保、销售、农机专业合作社,进一步壮大了农技推广队伍。通过对基地、业主大户实施耕种物资奖补,鼓励其开展科技承包,进行新品种、新技术、新模式、新机制"四新"示范,推进良种、良法、良壤、良制、良机、良灌"六良"配套,实现了科技推广与农户的有效衔接。水稻、油菜农业和农机融合,"千斤粮万元钱""吨粮田五千元"粮经复合模式,水稻旱育秧、杂糯间栽、玉米营养团育苗、地膜覆盖、配方施肥、果树LS地布覆盖、标准园建设等技术得到大面积推广应用。

【农产品质量安全监管】 2016年,营山县建立了县→乡→村→业主、合作社、种植大户的纵向管理和农业、市场监管、商务、公安等横向联合监管机制,加强和充实了执法监管力量。对全县53个乡(镇)补发农残速测药剂,与乡(镇)签订农产品质量安全责任书,对农产品质量安全监管站负责人及农残速测检测人员进行集中培训,进一步提高了监管人员的业务水平。编印《营山县农产品标准化生产技术手册》2000余册和《农产品标准化生产技术明白纸》20万份,颁布柑橘、蔬菜等13个地方标准,构建土壤污染预警平台。在农事关键时节结合农产品质量安全监管工作,针对性地开展农业投入品专项整治,集中检查农药、肥料、种子门市280余个次,生产企业73余家次,立案查处种子案件3起、劣质农药案件3起。

【农民负担监管】 2016年,营山县积极开展村级公益事业建设"一事一议"财政奖补工作,成立了村级公益事业"一事一议"财政奖补项目考核验收工作组,采取听取汇报、查阅资料、走访群众、座谈讨论、实地查看的方式,对全县53个乡(镇)2015年村级公益事业"一事一议"财政奖补187个项目村进行了抽查验收;制订了2016年村级公益事业"一事一议"财政奖补项目实施方案,组织召开全县"一事一议"财政奖补工作会议,印发2016年"一事一议"财政奖补工作手册及其填表说明和财务核算意见,指导"一事一议"筹资筹劳和项目实施,落实财政奖补资金4400万元。下发《农民权益义务监督手册》22万册。对2015年度涉农资金和项目以及扶贫项目进行专项整治,对发现的有关问题及时纠正整改,于11月底顺利通过省级检查验收。

【村级财务管理】 2016年,营山县推行村级会计委托代理服务制度,新增5个乡(镇)推行村级会计委托代理服务中心制度,截至2016年11月底,全县35个乡(镇)305个村实现了财务管理信息化、规范化和制度化。开展农村集体资产清产核资工作,截至2016年11月底,全县53个乡(镇)655个村已基本结束清产核资工作。

【惠农项目】 2016年,营山县围绕国、省投资政策,产业政策和全县农业发展需求,积极谋划、编报、储备项目,由主要领导亲自带队向上争取项目,全年共完成项目编报20个,争取项目资金12180.75万元。通过举办各类政策宣传会、技术培训会,发放宣传资料,开展惠农政策监督检查,及时兑现落实农业支持保护补贴资金8453.75万元。全年完成粮油高产创建6万亩、高标准粮田建设17773亩、户用沼气建设534口、大中型沼气建设1处,新村集中供气点12处已完成项目财评工作,项目总投资487.48万元,其中省财政资金364万元、自筹123.48万元。建设乡(镇)农业服务中心业务及办公用房42处。在项目实施管理过程中,认真落实"四制"(项目法人责任制、招标投标制、工程质量监理制、合同管理制),规范项目质量责任主体各方的建设行为,从严监管资金,做到专款专用,确保资金安全、质量安全、人员安全。

【主要领导人】 县委书记:黄金盛;县人大常委会主任:斯顺平;县长:罗明远;县政协主席:蔡良斌;分管农业副县长:何峥。

营山县编写组

蓬安县

【基本情况】 2016年,蓬安县辖24乡15镇,辖区面积1332平方千米,其中耕地面积45.29万亩,比上年增长0.01%,人均耕地面积0.8亩;基本农田3.9万亩。年末总人口73万人,人口出生率8‰,减少0.49‰;人口自然增长率1.9‰,减少0.81‰。全县耕地有效灌面达到耕地总面积的67.3%;本地水资源总量13.49亿立方米,人均占有水资源量195.2立方米。有林业总面积43858公顷,活立木总蓄积量2847881万立方米,森林覆盖率达32.9%。

2016年,全县GDP141.8亿元,增长8.1%,其中第一产业增加值37.6亿元,增长3.8%,农、林、牧、渔及农林牧渔服务业之比为47.7∶0.8∶46.1∶4.3∶1.1;第二产业增加值65.4亿元,增长9.6%;第三产业增加值38.3亿元,增长10%。三次产业对经济增长的贡献率分别为12.9%、55.8%和31.3%。劳务输出23.3万人,实现劳务收入22亿元。全年接待游客317万人,实现旅游收入28.8亿元。

公路通车里程2249千米,其中乡村公路1532千米,密度28.7千米/万人。社会消费品零售总额51.9亿元,增长12.2%。地方公共财政预算总收入完成5.4亿元,增长18%;公共财政预算总支出37.3亿元,增长24.6%,其中农业投入7.8亿元,占支出的20.9%。金融机构各项存款余额185.7亿元,比上年初增长11.6%;各项贷款余额61.9亿元,比年初减少0.4亿元。全年农业保费收入2433万元,增长7%,其中处理各项赔款和给付金额1390万元。完成农业产业化项目14个,完成投资1.32亿元。

有各类学校156所,在校学生70784人,教职工4860人,其中普通中学19所,在校学生23824人;小学54所,在校学生33097人;学龄儿童入学率100%。有艺术表演团体1个、文化馆1个、公共图书馆1个。有无线广播电台1座,节目7套;电视台1座,节目4套。有卫生机构53个,病床位2629张,卫生技术人员2012人。新型农村合作医疗参合人数56.56万人,参合率99.07%;新型农村社会养老保险参保人数28.9万人,参保率67%;被征地农民养老保险参保人数4869人。

【种植业】 2016年,蓬安县实施粮油绿色高产高效创建项目,建设万亩示范片26万亩,其中水稻12万亩、玉米10万亩、小麦1万亩、油菜2万亩、花生1万亩。培育种粮大户200户,推广粮油作物轻简化栽培技术4万亩。全县粮油总产量达38.6万吨,比上年增长3%,其中粮食产量33.2万吨,比上年增长3%;油料产量4.56万吨,比上年增长3.4%。

柑橘基地建设。以打造50平方千米现代农业示范园区中的相如镇万亩柑橘示范区为重点,在相如、锦屏、利溪、正源、龙云、三坝等乡(镇)集中新栽柑橘营养桶装苗24万株、面积5300亩;巩固提升

2009 年以来新建的幼年果园 3.5 万亩,全县幼年果园规模经营率达 70%。招引业主 26 个,在柑橘重点村组建专合社 50 个。

蔬菜基地建设。完成城乡保障性菜地建设,16 个蔬菜基地乡(镇)建立专业蔬菜生产基地 5.5 万亩。全县蔬菜面积达 29.9 万亩,蔬菜产量达 31.7 万吨。新(改)建专业蔬菜基地 2500 亩,建成蔬菜标准园 500 亩,引进蔬菜新品种 10 个,完成蔬菜新品种、新技术引进试验和示范推广 8500 亩,培育 100 亩以上生产主体 10 个。

【林业】 2016 年,蓬安县完成巩固退耕还林成果专项建设低产低效林改造任务 435 公顷、嘉陵江沿岸绿化造林 200 公顷,打造南大梁高速蓬安段山体绿化风貌人工造林 130 公顷,完成森林抚育面积 340 公顷,建设珍稀林木和速丰林基地 130 公顷,完成低产低效林改造任务 800 公顷,集中成片和零星栽植核桃约 4700 公顷。全县林木绿化覆盖率达 37.5%。蓬安县被评为省级绿化模范县。

【畜牧业】 2016 年,蓬安县生猪存栏 41.2 万头,同比增长 17%;生猪出栏 63.1 万头,同比增长 19.8%。牛存栏 4.7 万头,同比增长 71.4%;牛出栏 1.8 万头,同比增长 8.9%。羊存栏 14.4 万只,同比增长 13.2%;羊出栏 20.4 万只,同比增长 27.8%。小家禽存栏 709.6 万只,同比增长 6.6%;小家禽出栏 561.7 万只,同比增长 1.8%。肉类总产量 49042 吨,同比增长 1.4%;禽蛋总产量 34323.6 吨,同比增长 1.9%。全县登记备案新建标准化养殖场区 41 个(其中生猪 31 个、牛 5 个、羊 5 个),新增圈舍面积 5.2 万余平方米,完成投资 1.9 亿元。依托龙头企业推广肉猪托养模式,托养户达 38 户,实现托养生猪出栏 8.9 万头,户均增收 20 万元。

【水产业】 2016 年,蓬安县渔业养殖面积达 21570 亩,水产品产量达 11240 吨,实现渔业总产值 2.1 亿元。全县新增稻田养鱼面积 1000 亩,新增池塘标准化改造面积 300 亩。有渔业基地乡(镇)16 个,建设现代渔业基地 1 个。

【统筹城乡与新型城镇化】 2016 年,蓬安县凤凰新城基本建成,凤凰大道、凤凰大桥、抚琴大道南延线等 10 余条城市道路投入使用,枫丹白露、亿林龙城、碧桂园等高品质商住小区相继开发,县城建成区面积拓展至 15 平方千米。徐家镇被列为全国重点镇,利溪镇被纳入全省百镇建设试点镇。南大梁、巴广渝高速公路蓬安段建成通车,火车站完成技改升级并实现动车停靠,蓬安县融入南充“半小时经济圈”、成渝“两小时经济圈”。省道 203 线升级为国道,汽车客运新站投入运营,行政村水泥路基本实现村村通。新农村建设明显加快,建成幸福美丽新村 117 个、新村聚居点 53 个。农村生活垃圾治理工作通过国家验收,统筹实施中央财政“小农水”、新增千亿斤粮食生产能力等农田水利基本建设项目,农村生产生活条件持续改善。

【扶贫攻坚】 2016 年,蓬安县把发展集体经济作为增强农业发展后劲、改善农村基础设施和保护农民合法权益的重要抓手,以贫困退出村为重点,以增强集体经济实力为目标,积极探索多种发展模式,实现全县贫困村个个有集体资产、退出村个个有达标收入的工作目标,为脱贫攻坚首战首胜奠定了坚实基础。

扎实做好“三项工作”,吹响农村集体经济发展号角。针对全县农村集体经济发展任务不清、责任不明、群众意愿不强的问题,通过强化目标引领,进一步理顺政府、部门和群众三方责任,为农村集体经济加快发展提供了坚强保障。一是目标驱动。2016 年年初,县委县政府联合下发了《关于发展壮大村级集体经济的通知》,强调了发展农村集体经济对增加农民收入、助力脱贫攻坚和实现全面小康的重要意义,明确了全县农村集体经济要有科学的发展规划、有稳定的收入来源、有较强的经济实力和有健全的监管机制“四有”发展目标,为全县农村集体经济发展指明了方向。二是压实责任。构建职能明确、权责清晰的工作机制是实现全县农村集体经济发展目标的根本保障。通过提高脱贫攻坚在乡(镇)、部门年度考核分值的方式,进一步健全了发展农村集体经济党政主体、组织部门主导、职能部门主扶和镇村主抓的“四主”责任体系,通过与县、乡、村层层签订责任状,帮扶部门、责任乡(镇)和驻村工作组逐项分解任务书,确保了农村集体经济发展任务快速落地落实。三是夯实主体。发展农村集体经济,主体是农民,关键在干部。面临农村部分干部群众不愿发展、不会发展、不敢发展村集体经济的现状,结合脱贫攻坚要求,通过领导包片、部门包村、干部包户等形式多次召开乡村干部会、群众座谈会,教育干部增强主动担当、主动发展意识,引导群众破除“等、靠、要”思想,充分调动了干部群众的发展积极性。

充分发挥“头羊效应”,把准农村集体经济发展方向。针对全县农村集体经济发展人才少、技术缺、市场小的困境,加强人才选拔培育,进一步配强调优农村人才结构,为农村集体经济加快发展注入了强大动能。一是优选一批“带头人”。通过整治软弱涣散村级班子、从县级单位抽调驻村干部等方式整顿后进村党组织 29 个,调整村“两委”干部 51 名,选派“第一书记”、农技员 171 名,带领群众因地制宜规划产业,积极整合“沉睡资源”,充分激发了农村的内生动力。二是招引一批“领路人”。结合“双创活动”“归雁计划”,围绕农业企业、专业合作社、种养殖大户等发展“领路人”,全年招引农业龙头企业 5 家,发展专业合作社 483 个,培育家庭农场 46 家,辐射和带动群众致富。三是培养一批“致富人”。围绕产业发展、农技服务、农村电商等重点,通过组织乡村干部、经营主体负责人开展示范培训、专题讲座等活动,培养出一批懂市场、会技术、善于发展集体经济的致富能人。

探索推广“四种模式”,激发农村集体经济发展活力。针对全县农村集体经济收入低、底子薄、发展难的瓶颈,通过加大改革创新力度、进一步理顺农村集体产权关系,为农村集体经济加快发展开辟了有效渠道。一是以地生财。村“两委”在征得农户同意的基础上,推进农村土地集中流转,实现土地规模化、集约化经营,通过发展农机农技服务、农资农用采购、仓储加工运输等农村服务业拓宽集体经济收入门路。巨龙镇羊角嘴村通过创办农机专业合作社推行农机合作模式,采取农民土地自愿入股、年终分红的方式将 2000 余亩水稻集中经营,实现水稻种植全程机械化,有效解决了农村土地撂荒和劳动力严重不足问题。2016 年,村集体实现收入 10 万元,带动农户人均增收 1500 元左右。二是以旅聚财。通过充分利用农村自然禀赋,大力发展乡村度假、观光采摘、农家餐饮等农旅项目,拓展集体经济收入来源。三是以资增财。通过整合财政扶贫专项资金或扶贫产业周转资金,在充分尊重群众意愿的基础上,采取集体统一投资、资产量化到户的方式,提升集体经济综合实力。四是以企创财。通过村“两委”牵头创办或引进农业龙头企业、脱贫奔康产业园和农民专业合作社等经营主体,探索“合作社+农户+基地”“产业园+农户+基地”等以股份合作为主要内容的集体所有制有效实现形式,培育集体经济增收新载体。

【乡村旅游】 2016 年,蓬安县完成编制《蓬安县脱贫攻坚旅游专项实施方案》,启动编制《蓬安县乡村旅游总体发展规划》。投资100亿元,建设相如湖旅游度假区。完成占地面积3000余亩、投资6650万元的漫滩湿地公园一期建设。举办了南充市第八届乡村文化旅游节蓬安县第七届嘉陵江放牛节开幕式暨中央电视台《美丽乡村快乐行走进蓬安》活动。

【助农增收】 2016年,蓬安县高度重视农民增收工作,全面深化农村改革,大力培育特色产业,不断夯实基础设施,加快建设美丽新村,深入落实各项强农惠农政策,确保了农民持续稳步增收,农民年人均可支配收入达12605元,同比增长9.5%。

多渠道发展助农增收。一是持续推进生猪"三百"工程。新建标准化养殖场区41个,创建省级畜禽标准化养殖示范场2家,全县生猪出栏63.1万头。二是扶持推进柑橘"三年提升工程"。以百平方米农业示范园区为核心,集中新栽柑橘营养桶装苗24万株、5300亩;巩固提升幼年果园3.5万亩;招引业主26个,组建柑橘专合社50个,成立了蓬安县邦帮果业农民专业合作社联合社,新栽优质核桃5050亩。三是稳步发展蚕桑产业。围绕四万亩百里叶桑产业带和千亩果桑旅游观光环线长廊,新栽果桑2000余亩,嫁接良桑2000亩,培育规模养殖大户20户。发放蚕种3.8万张,产茧114万千克。四是加快发展蔬菜产业。引进蔬菜新品种10个,试验和推广新品种、新技术0.9万亩,培育100亩以上生产主体10个,新(改)建专业蔬菜基地2500亩,改造提升蔬菜标准园500亩,建成专业蔬菜生产基地5.5万亩,全县蔬菜产量达31.7万吨。

脱贫攻坚助农发展。在省、市主管部门的指导下,蓬安县坚持以脱贫"摘帽"为目标,认真贯彻落实中央、省、市、县脱贫攻坚会议精神,以建档立卡贫困群众和大中型水库移民最直接、最关心、最现实的利益问题为切入点,以培植特色产业、改善生产条件、增加群众收入为重点,筹集资金6.9亿元(其中扶贫专项资金1.8亿元),推动脱贫攻坚工作再精准、再强化、再落实,圆满完成了县"摘帽"、村退出、户脱贫的年度目标任务,17333人顺利脱贫、55个贫困村顺利退出,全县贫困发生率降至2.64%,所有乡、村均建有达标卫生院(村卫生室)、标准中心校、便民服务中心、村文化室,村集体经济收入全部做实,所有行政村通水泥路,通信网络实现全覆盖,脱贫户吃穿问题得到有效解决,家家用上安全电、吃上安全水、打电话畅通、看电视清晰,基本医疗、义务教育、安全住房得到可靠保障。

夯实基础助农增效。一是新村建设全面推进。突出"一村一特色,一乡一样板,建改保要融合,乡愁要留住",以新村聚居点和"五改三建"为主,将2017年拟退出的贫困村纳入幸福美丽新村建设范畴,统筹实施易地扶贫搬迁、危房改造项目,全面改善农村面貌。全年完成投资3.3亿元以上,其中财政投入1.5亿元以上、农户投入6284万元,建成幸福美丽新村55个。新建聚居点21个、村级公共服务活动中心55个、农房1062座,实施"五改三建"2153户、危房改造4984户,减少无房户、危房户和住房困难户1167户,进一步完善了村内道路、产业、水利、电力、通信等基础设施,加快贫困村、贫困户脱贫步伐,确保按期脱贫。二是农村基础设施持续改善。实施新增1000亿斤粮食生产能力、产油大县、巩固退耕还林成果基本口粮田等项目,建设高产稳产粮田3.9万亩。完成绿化造林4.07万亩、低效林改造1.67万亩、育苗300亩,实施嘉陵江绿色生态走廊绿化2000余亩,栽植油用牡丹600亩。新建、整治渠道173.4千米、提灌站23处,新增有效灌面1.91万亩;新建饮水工程56处,解决30992人的饮水安全问题;完成5座病险水库除险加固,完成河舒镇清溪河防洪治理主体工程和抗旱应急水源工程、2016年"小农水"重点县等民生项目建设,综合治理利溪镇伍家河小流域水土流失面积15.9平方千米。

深化改革助农提质。一是加快农村产权确权颁证。小型水利工程和集体林权确权颁证全面完成,39个乡(镇)、583个村、4632个村民小组农村土地承包经营权确权登记成果通过省上验收。二是全面建成农村产权交易平台。在县政务服务大厅设立农村产权交易独立服务窗口,县、乡(镇)、村三级农村产权流转交易平台硬件已建成并正式投入运行。三是全面推进南充市农村改革暨精准脱贫试验示范区建设。积极探索推广"校地合作、市县共建"模式,启动并推进南充市农村改革暨精准脱贫试验示范区建设,协同市级部门完成农村综合改革实施方案编制,产业、新村等专项方案制订工作有序推进,农业融资担保公司于6月底投入运行。引进四川农业大学技术力量,按照"最新技术、最优品种、最好材料、最佳人才、最低价格、最大效益"原则,通过科技合作、技术培训、信息交流等方式,在蓬安设立博士工作站,常驻种养技术专家4名,全程指导发展"玉(玉米)—豆(大豆)—草(牧草)—畜(肉羊)"种养循环农业,建成千亩"玉—豆—草—畜"示范基地4个,建设羊圈2.5万平方米,饲养优质肉羊1.5万只。四是加快培育新型农业经营主体。依托农业政策优势和农村闲置土地资源,流转土地14.31万亩。通过整村流转、整体规划、成片建设的方式,成功签约农业产业化龙头企业6家,全县累计培育龙头企业60余家(其中省级龙头企业2家、市级10家);新增农民专业合作社118家、家庭农场46家,总量分别达480家、80家,创建省级示范合作社2家、省级家庭农场1家、市级示范合作社8家、市级示范家庭农场3家。同时,以68个新型农业经营主体为载体,深入开展结对帮扶工作,带动贫困村、贫困户发展增收富民产业,加快脱贫步伐。五是开展财政资金投入合作社形成资产的量化试点。以柳滩乡信香种养农民专业合作社为载体,积极探索财政资金投入合作社形成资产的量化试点。依托幸福美丽新村示范县项目,财政投入80万元,在碧溪乡白银坝村新建羊圈1000平方米,形成的资产纳入集体资产管理,以每股1000元折股平均量化到全体村民(贫困户另赠1股),羊圈再以每年2万元的价格出租给养殖合作社养羊,每户贫困户年可获得租金分红100元左右。

依法治理保障发展。落实依法治国战略目标,全面推进依法治县、治乡(镇),确保农村社会稳定。一是开展农村普法教育。各乡(镇)、各村开展"六五"普法教育,聘请专家、组织普法宣讲员对各村(社区)居民进行了《宪法》等法律法规普及,提高了村民法制意识。分片区培训村(社区)"三职"干部,增强基层干部法治观念、法治为民意识和依法办事能力。二是深化农村网格化服务管理。按照"一村一格""一格一员"布局网格化要求,实现39个乡(镇)647个村(社区)网格化服务管理"全覆盖",新增659名网格员。三是加强矛盾排查调处。健全依法维护群众利益和化解纠纷机制,办好"十件实事",强化法制为民,坚持"属地管理、分级负责"的原则,及时梳理排查出矛盾纠纷,依法综合运用各种手段进行调解,实现了小事不出村、大事不出乡(镇),确保了农村社会和谐稳定。

【主要领导人】 县委书记:蒲国;县人大常委会主任:何林忠;县长:崔竹君;县政协主席:刘晓林;分管农业副县长:石昆仑。

蓬安县编写组

宜 宾 市

【基本情况】 2016年,宜宾市辖2区8县,面积1.33万平方千米,是中国历史文化名城、中国优秀旅游城市和中国最佳文化生态旅游城市,是四川省内同时具备"铁公水空"综合立体交通网络的区域中心城市之一。

【农产品品牌战略实施】 2016年,由中国品牌建设促进会、经济日报社、中国资产评估协会、中国国际贸促会等联合举办的"2016年中国品牌价值评价信息发布会"在北京市举行,会上发布了2016年品牌价值评价榜单,南溪豆腐干以884亿元的品牌强度、85.79亿元的品牌价值位列加工食品类地理标志产品第4位,排名比上年上升2位,品牌价值提高9.6亿元,是宜宾市唯一入选该榜单的加工食品类品牌。

【现代农业园区建设】 2016年,长宁县"三大产业园"暨电子商务产业园、大学生及返乡民工创新创业孵化园、竹海土特产及金丝楠精品展示园在温州商城正式开园。

【种植业】 2016年,宜宾市粮食播种面积587.63万亩,产量221.86万吨,增长1.17%;油料作物播栽面积82.43万亩,产量11.22万吨,增长6.33%。有序推进川茶产业融合发展标准化示范基地建设,选育的"天府红1号"和"天府红2号"通过省级茶树新品种审定。全市茶园总面积达108.63万亩,其中投产面积89.2万亩,茶叶产量5.92万吨,同比增长17%;茶叶鲜叶产值达24.75亿元,同比增长13%。开展蚕桑产业扶贫技术指导,狠抓优质桑蚕茧生产技术规程系列标准的示范和推广培训。全市标准桑园面积达45万亩,发种43万张,实现蚕桑农业综合产值14.5亿元,蚕农茧款收入6.6亿元。全市收购烟叶16.22万担,实现烟叶产值1.77亿元,烟农种烟总收入2亿元,实现烟叶税收3891万元。高县着力优化茶叶产业布局,依托龙头企业带动全县4.3万户茶农致富增收。长宁竹荪(长宁长裙竹荪)为国家地理标志保护产品,划定长宁县行政区域为保护区域,标志着长宁县国家地理标志保护产品数量实现了零的突破。

【森林防火】 2016年,宜宾市各级各部门遵循"创新、协调、绿色、开放、共享"发展理念,森林防火工作取得了一定成效,主要表现在三个方面:一是切实加强了森林防火工作的领导。二是有效提高了防火管理水平。三是有效壮大了森林消防力量。全市共发生森林火灾14起,比上年减少3起,减少27.3%;过火面积21.69%公顷,受害面积4.9公顷;火灾损失率为0.086%,比上年同期减少37%,均为一般性森林火灾,无人员伤亡,实现了无较大森林火灾发生的目标。

【乡村旅游】 2016年,住房城乡建设部等7部局联合公布了第四批"中国传统村落名录"名单,宜宾县横江镇民主社区、江安县夕佳山镇坝上村、屏山县龙华镇汇龙社区3个村落入选。宜宾市拥有世界级、国家级、省级风景名胜区34处,是中国优秀旅游城市、中国最佳文化生态旅游城市、四川新五大精品旅游区之一。

【农村生态建设及环境保护】 2016年,宜宾市委出台了《关于进一步推进绿色发展建设美丽宜宾的决定》,提出宜宾市将把推进绿色发展贯穿建设川南区域中心大城市和全面建成小康社会全过程,以绿色产业为支撑,以严守生态环保红线为底线,以培育绿色文化为追求,以安全、健康、和谐、美丽、幸福为目标,加快建设拥有发达绿色经济、优美城乡环境、宜人生态人居、繁荣生态文化,人与自然和谐相处的长江上游绿色发展示范市,筑牢长江上游生态屏障。以"三江九河"生态功能区为重点,加速宜林荒山、荒坡、荒丘、荒滩造林绿化全覆盖;打造以翠屏区、临港区、南溪区和宜宾县为主的绿色福利核心区,打造环长江森林康养景观休闲带和环城高速森林生态景观带二环,建成深丘低山森林生态功能保育区、中丘楔谷现代林业生态产业聚集发展区和平坝浅丘特色经济效益林休闲体验区三区,构建县城区森林网络、农村森林网络、道路森林网络和水系森林网络四网,创建兴文石海、金沙水海、田园茶海和四季花海等五大生态休闲旅游名片,开展"百万农户种千万棵树"活动;实施沿江沿河沿路生态林带绿化工程建设,大力发展特色经济林产业,连片建成10个兼具生态和经济效益的生态景观林、特色经果林、速生丰产林、珍贵用材林等"万亩林亿元钱"示范园区,加强森林资源保护和合理利用,加强江河湿地修复治理、脆弱地区生态治理、生物多样性保护。

【农村市场体系建设】 2016年,宜宾市出台了《宜宾市电子商务发展扶持办法(试行)》,计划每年从市本级财政预算的商贸流通及服务业发展资金和物流业发展专项资金中整合1000万元用于支持培育壮大本土平台、电子商务交易额上台阶、电商集聚发展、电子商务进农村、电商示范创建、人才培训等。已建成翠屏区电商产业园、筠连县电商孵化园等5家电商产业园,推动长宁县、宜宾县、江安县、高县、珙县电商集聚区建设;在宜宾市176个乡(镇)建立农村电子商务服务站(点)386个。举办了电子商务扶贫专业技术人才研修班,宜宾市首次将电子商务与扶贫培训活动相结合,来自宜宾市11个县(区)(含临港)的100名从事电商运营的专业骨干,各类产业园区、孵化园、贫困乡(镇)、村农业专业合作社等电商运营负责人等参加了为期6天的专业培训,课程涵盖传统企业的电商发展路径、农产品电商营销和品牌培育等内容。1—9月,全市电子商务网络交易额达109.46亿元,同比增长34.26%;网络零售额达13.99亿元,同比增长23.71%,在全省总排名比上年上升1位,综合排名全省第7位。

【主要领导人】 市委书记:刘中伯;市人大常委会主任:陆振华;市长:杜紫平;市政协主席:吕晓莉(10月提名);分管农业副市长:李敏。

宜宾市编写组

翠 屏 区

【基本情况】 2016年,翠屏区辖24个乡(镇、街道),有农业人口42.47万人,有耕地面积31.21万亩,增长1%。

【年度农业和农村经济运行】 2016年,翠屏区实现农业总产值397658万元,增长3.5%;农业增加值237601万元,增长3.8%。农民年人均可支配收入14623元,增长9.8%。

壮大新型林业经营主体,培育都市林业加快发展的新动能。翠屏区大力发展森林生态旅游,广泛发展"森林人家""林家乐"和"竹家

遂宁市安居区

黄峨古镇

2016年，安居区以“业兴、家富、人和、村美”为要求，全面加快“蓝天白云、青山绿水、瓜熟稻香、鸡犬相闻”的幸福美丽新村建设步伐。按照“全域、全程、全面小康”和城乡一体化的要求，坚持“镇园结合、产村相融、一体发展”的思路，建立健全幸福美丽新村规划管理机制，高标准、高规格编制完善《2015—2020年幸福美丽新村建设总体规划》，为幸福美丽新村建设提供了蓝本。出台了《2016年安居区幸福美丽新村建设实施方案》，完成60个幸福美丽新村建设目标任务。

2016年，安居区按照“一片一片规划、一片一片推进、一片一片脱贫”的原则，共规划18个小连片扶贫开发区域，启动5个涉及23个村的小连片整村脱贫。一是基层支部联建。以小片区为单位，跨村组建片区党总支，选准总支书记牵头负责小连片的项目管理、总体规划等工作，形成“片区总支＋各村支部”的管理新模式。二是基础设施联网。道路通村畅乡，社道路、连户路基本成形，通畅率达100%。水利连片共享，全面解决人畜饮水安全和生产用水问题。电网全面改造，实现城乡同网同价。宽带稳步铺设，实现15户以上的聚居点全面通宽带网络。三是新村建设联规。把新农村建设和易地扶贫搬迁连片规划，因地制宜连片推进易地搬迁和新农村建设，已全面开工建设25个行政村、23个易地搬迁集中安置点和27个易地搬迁分散安置点，易地搬迁建档立卡贫困户784户，确保实现“两不愁、三保障、四个好”的目标。四是社会保障联动。整合社会保障措施，全面实现“两线合一”，贫困医疗报付比例提高到90%，新型农村合作医疗参保率达95%，将符合条件的贫困家庭全部纳入农村低保，对通过资助、救助等方式予以政策扶持或兜底后仍然无法脱贫的特殊贫困户予以再兜底。五是产业发展联片。每个片区因地制宜培育1～2个特色产业扶贫示范带，采取“公司＋基地＋农户”“支部＋协会＋农户”等模式实现一体化经营，确保片区内农民有主导增收产业。六是干部群众联心。充分发挥各级领导干部的带头引领作用，心贴心服务、手拉手帮扶、实打实办事，让每个片区形成一个坚强的脱贫集体，共同脱贫致富。

鹭岛鸟语湿地公园

七彩明珠景区

遂宁市首届芍药花节赏花人潮

遂宁市乡村旅游节开幕式

玉丰镇陈坝村新村聚居点

聚贤镇木桶井村新村聚居点

聚贤镇石板凳村新村聚居点

磨溪镇新村一角

玉丰镇新农村综合体一角

玉丰镇鸡头寺村新村风貌

分水镇大型沼气工程

玉丰镇鸡头寺村新农村综合体

观音镇荒草堰村农建现场

石洞镇芦茅沟村农建现场

石洞镇明觉寺村农建现场

四川香林（国际）现代农业有限公司葡萄种植基地

遂宁市龙婷生态农业有限公司葡萄种植基地

四川永正生态农业有限责任公司脆桃种植基地

遂宁市祉香生态农业开发有限公司藤椒种植基地

三家镇水稻种植基地

遂宁市船山区

区委书记曹斌（中）到永河现代农业产业园区调研

基础设施建设进一步加强。物流港完成基础设施建设投资 8 亿元，物流主题园竣工并实现开园；圣莲岛生态停车场开工建设。加快实施旧城改造。完成县、乡公路改造 91.69 千米。积极推进中环线船山段、遂宁至大英快捷通道、遂宁至蓬溪快捷通道（船山段）三大综合交通枢纽建设 16.5 千米，总投资约 12.71 亿元。加快改善贫困村道路，累计增设村道错车道 145 处，完成全区 12 个贫困村村道建设 36.31 千米。

新型城镇化深入推进。按照省、市关于实施"百镇建设行动"的总体部署，全区积极实施"百镇建设试点行动"，其中永兴镇黑化道路 1.5 千米，增添路灯 40 盏，建设管网 3.7 千米，新增绿地 1 亩；龙凤镇完成城镇供水站和生活污水处理站的技改升级工作。同时，持续开展绿色城镇建设，在复桥镇、河沙镇、桂花镇等乡（镇）完成道路整治和人行道铺装 1.2 千米，改造雨污管网 2.1 千米，安装路灯 60 盏。

幸福美丽新村加快建设。大力挖掘乡村旅游生态、休闲、观光和农耕文化价值，积极开发乡村旅游项目，完成永河生态田园观光、唐桂农家生活体验、龙老复康体休闲养生 3 条精品旅游线路道路提升工作。出台《创建"四好村"活动工作方案》，成立"四好村"创建工作领导小组，率先建成一批省级、市级、区级"四好村"，全区已成功创建省级"四好村"15 个、市级"四好村"23 个、区级"四好村"23 个。累计建成幸福美丽新村 28 个，解决无房户、危房户、住房困难户 250 户，建成农村廉租房 212 套。

永兴镇大面沟村新村聚居点

桂花镇漆家桥村桂香社区

新桥镇高字库村

河沙镇板桥村

唐家乡东山村

复桥镇冬春村草莓产业基地

河沙镇板桥村莲藕喜获丰收

唐家乡东山村可士可柑橘种植基地

中国西部现代物流港远成物流中心

中国西部现代物流港铁路物流园

国道 350 线河沙段大修现场

省道 205 线城区过境段改线工程施工现场

新建成的南三公路

永河现代农业产业园区主干道

成南高速公路船山段

遂渝快速铁路

国道 318 线保升段

遂渝高速复桥互通

改造后的河鸣路

改造后的国道 318 线

建设中的中环线仁里段

圣平岛大桥效果图

射　洪　县

大龙山水库

2016年，射洪县按照"培育中心村、改造镇中村、提升特色村、迁移高山村"的思路，规划、建设一批人口相对集中、设施相对配套、公共服务相对完善的农民集中居住区。以中心村为主体，大力实施宅基地整理，积极整合自然村，推动农村人口、产业的相对集聚。完善拆迁安置机制，妥善解决撤村建居地区遗留问题。深入推进村庄整治建设，拓展整治建设内涵，加强农村生态环境建设。加强农村生活污水、垃圾、农业面源污染等治理，推进村庄、庭院绿化和生态乡村建设。以生态旅游型、主题开发型、产业聚集型、文化传承型为发展方向，打造一批彰显个性、体现特色的风情村庄和示范村，努力构建幸福美丽新村，累计建成幸福美丽新村103个，惠及农民群众1.25万户。成立了射洪县"四好村"创建活动领导小组，出台了《关于印发〈创建"四好村"活动工作方案〉的通知》，制定了《射洪县县级"四好村"创建考评试行办法》，对乡（镇）进行了创建准备工作督导检查，全面实施"四好村"创建，2016年成功创建首批省级"四好村"15个、市级"四好村"68个、县级"四好村"121个。紧扣"法治有序、德治有效、自治有力"目标，推进"三治融合"，深化"六联机制"，不断完善基层治理体系和增强基层治理能力，健全村党组织领导的村民自治机制，探索村民自治的有效实现形式，建立务实管用的村务监督机制。深入开展以法律法规、村规民约等为重点的农村法治建设，依法加强农村寺庙管理，推动形成群众安居乐业、社会安定有序的良好局势。

明星镇新貌

乡村新貌

春到西山坪

黄家堰新村聚居点

张豪湾湾涪江水，清枧绿悠悠

国家重点保护野生动物梅花鹿养殖基地

肉牛养殖基地

林业科技人员为核桃种植大户讲解方块芽接技术要点

现代设施农业

秋收的喜悦

瞿河乡高家沟村柑橘喜获丰收

机收现场

蓬 溪 县

天福万象农博园

天福镇狮山村新村聚居点

新村农民笑开颜

蓬溪县位于四川盆地中部偏东，属丘陵区类型，距成都市 180 千米。全县辖 15 个乡 16 个镇 30 个街道，辖区面积 1251 平方千米，有耕地面积 89.57 万亩，森林覆盖率 40.4%。年末户籍人口 72.49 万人，人口出生率 10.62‰，人口自然增长率 6.22‰。蓬溪县是"中国革命老区"、丘区产粮大县、优质油料基地县、生猪调出大县、全省现代农业产业（食用菌）基地强县，是省级文化先进县、省级平安县、全省第二批扩权强县试点县，有"中国书画之乡""五史之乡""古壁画艺术之乡"等多项美誉。

2016年，全县GDP132.53亿元，增长8.3%，其中第一产业增加值33.5亿元，增长 3.9%；第二产业增加值 60.29 亿元，增长 9.7%；第三产业增加值 38.74 亿元，增长 10.2%。一二三产业对全县经济增长的贡献率分别为 25.3%、45.5%、29.2%。农民年人均纯收入达 12032 元，增长 9.3%，增幅居全市第一。劳动力转移输出 25.7 万人，实现劳务收入 34.9 亿元。

全县粮食总产量 34.86 万吨，增长 0.8%；油料作物产量 4.8655 万吨，增长 0.5%；水果产量 3.13 万吨，增长 2.7%；蔬菜产量 22.51 万吨，增长 2.4%。出栏生猪 56.1 万头，减少 3.6%；肉类总产量 5.28 万吨，减少 1.9%。种养殖业良种覆盖面达 85%，无公害农产品覆盖面达 74%，订单农业覆盖面达 62%。社会消费品零售总额 60.83 亿元，增长 13.2%。公共财政预算收入完成 4.67 亿元，增长 23.5%；公共财政预算支出 32.21 亿元，增长 16.4%。金融机构各项存款余额 178.72 亿元，增长 18.12%；各项贷款余额 87.87 亿元，增长 14.6%。

幸福美丽新村——常乐镇拱市村

大 英 县

2016 年，大英县建成幸福美丽新村 42 个，完成年度计划的 120%，其中省级贫困村 13 个，涉及贫困户 992 户、贫困人口 2250 人；建成新村聚居点 10 个，涉及贫困户 112 户、贫困人口 314 人；改造农村危房 295 户、2.36 万平方米，新建廉租房 120 户。完成入户道路建设 26.25 千米，硬化生态院坝 1.5 万平方米，清理乱搭乱建 210 户。建成集中式污水处理点 20 个、养殖大户粪污治理设施 24 套，总处理规模达 2050 立方米 / 天；配置人力垃圾收集车 27 辆、村级机动三轮清运车 11 辆、垃圾桶 50 个。全县创建生态村 40 个、生态家园 100 个；创建市级"四好村" 45 个、县级"四好村" 67 个；建成村邮站 80 个，完成年度任务的 100%。新（改）建村级医疗卫生室 38 个、文化室 31 个，被评为全省 2016 年度幸福美丽新村优秀示范县。

2016 年，大英县紧扣"两不愁、三保障"和"四个好"目标，全面落实"六个精准""五个一批"要求，瞄准脱贫攻坚中的重点和难点，依托现代农业园区建设，创新产业扶贫园区化发展机制，推进扶贫资金整合投入机制，重点支持农业基础设施建设、特色农业产业发展、易地扶贫搬迁项目建设，发展订单农业、电商农业，培育农村职业经理人，为精准脱贫提供了强力支撑。建成现代特色效益农业标准化基地 2 万亩，完成目标任务的 100%；新增蔬菜基地 0.45 万亩、设施蔬菜 210 亩，新发展优质柑橘基地 0.25 万亩。全年实现 9 个贫困村顺利退出、5345 名贫困人口如期脱贫。

2016 年，大英县认真落实农民增收县委书记、县长负责制，成立了以县委书记、县长为组长，分管常委、副县长为副组长的农民增收工作领导小组，建立了大英县农民增收工作联席会议制度，实行县级部门联系帮扶乡（镇）、干部结对帮扶到户办法，制定了《大英县 2016 年促进农民增收实施方案》《大英县农民增收工作考核办法》，每季度召开了联席会议，开展督查和业务培训 5 次。全县第一产业增加值实现 23.89 亿元，增长 4.02%；农村居民年人均可支配收入达 12306 元，增速 9.3%，在全市排名第一位。

天保镇新农村风貌

新村聚居点——卓筒井镇骑龙寨小区

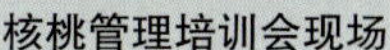

核桃管理培训会现场

义务植树活动

核桃管理现场

指导贫困村进行花椒管理

林下种植

林下养殖

木材加工

野生动物驯养繁殖

河边镇太华村养殖基地

金元镇端祥村卓筒跑山鸡养殖基地

河边镇柠檬种植基地

蓬莱镇万亩甜橙种植基地

回马镇萝卜喜获丰收

金元镇洞湾村莲藕种植基地

河边镇双石村土地整治

河边镇葛藤村土地整治

通仙乡洋溪村提灌站

河边镇星花村土地整治

隆盛镇白寨村田型调整

蓬莱镇吊脚楼村柑橘种植基地

象山镇白角滩村蔬菜标准化示范基地

内江市市中区

2016年，市中区紧紧围绕建设幸福美丽中区、率先全面建成小康的奋斗目标，按照“1357”工作思路，充分发挥区位优势，进一步转变农业发展方式，创新农业经营模式，拓宽农民增收渠道，全面提升农业农村发展水平。获得了“全国农村产业融合发展试点示范县（区）”“全国结合新型城镇化开展支持农民工等人员返乡创业试点县（区）”称号，被评为全省“三农”工作先进县（区），农业农村工作再上新台阶。

全区累计投入各类资金105.87亿元，构建起完善的交通网络、农田水利、公共服务基础设施体系，有效提升了农业农村的发展承载力。一是交通体系内通外畅。新（改）建通乡、通村公路652千米，公路通村率达100%、通组率达75%，在全市率先实现了“村村通”，客运通乡率和通村率分别达100%和80%，所有乡（镇）均被纳入主城区“半小时经济圈”。二是农田水利基础建设扎实。建成高标准农田4.5万亩，整治小型病险水库12座，新增蓄水能力580万立方米，新增有效灌面2.32万亩，新建和改造河堤13.2千米。三是农村公共服务均衡配套。全区“1+6”公共服务中心实现村村全覆盖，建成农村垃圾池（库）426处、农村垃圾无害化处理点3个，累计完成改水、改厨、改厕、改圈1.56万户，新（改）建城乡低压线路750千米，解决了农村地区2.43万户、9万余人的安全饮水问题。

发挥城郊型农业特点，坚持“精、特、优”发展，围绕特色抓产业，围绕产业强龙头，围绕龙头建基地，着力构建新型农业经营体系。一是壮大新型农业经营主体。全区共培养各类农业经营组织289个（其中国家、省、市三级示范龙头企业和专业合作社共42个）、种养大户3488户，实现总产值26.5亿元，带动区内外15.6万户农户参与新型农业经营，农民人均增收500余元。二是发展农业适度规模经营。成功打造1.3万亩以特色水产养殖、良种畜禽、精品果蔬和生态休闲为主的国家级现代农业园区，建成特种水产示范园区8000亩、林业科技示范园区1万亩、现代畜牧园区3个，建成韭菜、榨菜、柑橘、核桃、苗木5个万亩基地和55个畜禽、果蔬、水产、林木特色产业基地，初步形成了环区80千米的现代农业产业整合圈层和城乡融合圈层。三是打造本土区域品牌。整合资源，全力打造“甜城乡土”区域品牌，市中区成功创建为“中国白乌鱼之乡”，拥有西南最大的观赏鱼基地，“优丽可”柠檬、“吽吤”韭菜、“正园”葡萄、“莲挚道”莲米、汉安夏布绣、“德福隆”优质种猪等特色名优品牌闻名全国。全区拥有农特产品40余种，注册农产品商标31个，获得国家地理标志认证产品2个、省级农产品绿色品牌认证产品7个、市级非物质农产品品牌2个。

龚家镇金龟湖

朝阳镇洪家寺村民居

新村综合体——永安镇尚腾新村

永安镇石板村

朝阳镇蚂蟥桥

城乡“党建联姻”活动启动仪式

市级、区级领导与老师到全安镇中心校少年宫交流辅导学生

全市首个电子商务示范村农村电子商务服务站建成运营

四川电视台宣传报道汉安夏布绣

农技专家到村开展农业科技知识讲座

沱江中心校乡村少年宫成果展示暨第七届校园文化艺术节闭幕式

全安镇中心校少年宫二胡教学活动

永安镇石板村白鹤湾"浑水摸鱼过端午"主题活动

永安镇尚腾新村游客络绎不绝

朝阳镇洪家寺村幸福美丽文化院坝

白马镇白马街社区幸福美丽文化院坝

内江林圣公司三禾水产养殖基地（南美对虾）开捕仪式

永安镇尚腾新村马术基地

观赏鱼养殖基地

永安镇葡萄种植基地

朝阳镇雷丰果业种植基地

资　中　县

资中文庙

内江农业科技园区于2015年2月被科技部认定为国家农业科技园区，2016年核心区建设着重发展珍奇水果、精品蔬菜、名优家畜、奇异水产、乡村旅游五大产业，共计完成投资4.6亿元，实现销售收入5.9亿元。园区核心区已入驻企业14家，流转土地1.1万亩，示范带动发展水果、蔬菜、水产等土地达10余万亩，吸引游客达100万人次，带动周边农户21891户，农民人均可支配收入达1.5万元以上，远远高于全县平均水平。园区累计完成投促项目9个，累计投资达13.1亿元。

农村电商强力助推农民增收。资中县以全国电子商务进农村综合示范县项目建设为契机，一是完善农村地区电商创业条件，全县102个贫困村实现道路村村通，助农自动取款点、电网改造实现全覆盖，农村宽带使用率实现全覆盖。二是组织开展电商精准扶贫专题培训，指导新开网店。9月底前完成全县33个镇的贫困户电商专题培训1500余人次。针对残疾人提供上门培训服务，帮助“纸片人”周波等20余名残疾人实现创业脱贫愿望。三是建立网店与贫困村、贫困户结对帮扶机制，形成“一店带一村、带多户”的脱贫模式，全县400余个网店与贫困户建立帮扶对子2000余对，带动贫困户脱贫；建立电商营销体系，提高产品附加值，2016年上半年血橙网销均价达3元/千克，帮助贫困种植户增收1000元以上。四川京川购电子商务有限公司已完成33个镇级、137个村级服务站点建设，累计开展各类培训345期，培训人员31000人次，孵化网店、微店300余个。培育根兴食品、沁霖食品、弘升药业、宏和丝绸等共计25家企业建立网站进行网上销售，全县农业电子商务交易额达3.7亿元。

农民增收新产业新业态示范县创建通过省级验收。5月，资中县启动四川省农民增收新产业新业态示范县创建工作。全县积极筹集资金1.29亿元，其中县财政投入1600万元、整合财政涉农项目资金2360万元、引导企业和业主等社会资金投入8940万元。农村电子商务、休闲农业和乡村旅游、土地托管服务三大项目区盘活农村资源50处以上。孟塘镇孟古粮油专合社增收12.5万元；

资中武庙

重龙阁

状元街

重龙镇杨柳滩新村

明心寺镇民心种植农民专业合作社增收 10.8 万元；兴隆街镇双桥村集体有房产 3 处、1120 平方米，总投入 115 余万元，村集体收取租金 7360 元 / 年，村民年人均增收 20 元以上。

财政投入逐年增加。全县共计投入“三农”财政资金 8.8 亿元，比上年同期增加 1.848 亿元，增长 21%。共整合各类支农项目资金约 4 亿元，支持现代农业生产发展、中央财政小型农田水利重点县建设等项目，项目区实现“洪涝能排、雨水能蓄、干旱能灌”；支持内江国家农业科技园区建设，园区内种植、养殖、旅游、餐饮等各类产业得到快速发展。

粮食生产再创佳绩。按照“突出主作、发挥优势、连线成片”的原则，开展小麦、油菜等大宗粮油作物高产高效示范，重点推广优新品种和高产配套综合技术，示范推广小型农业机械耕种收技术。共创建小麦高产万亩示范片 1 个、花生高产高效万亩示范片 2 个，通过良种统供、技术统训、物资统配、病虫害统防实现了大样板、大辐射、大带动。全县粮食亩产提高 2.96%，为实现粮食生产“十连增”奠定了坚实基础。

高楼镇不知火种植基地

资中县绿之源生态农业开发有限公司番茄种植基地

银山镇蔬菜大棚

甘露镇枇杷种植基地

果桑种植基地

银山镇现代农业设施番茄种植基地

资中县梨园蔬菜农民专业合作社冬尖种植基地

孟塘镇梨园村加工型蔬菜种植基地

绿之源公司设施蔬菜种植基地

建成后的球溪张妈鲶鱼养殖基地

资中永辉生态农业有限公司生猪养殖基地

以资中冬尖为主导产品的汇源系列产品

"黑溜宝"生态猪肉资中专卖店开业仪式

鹏达猪场智能养殖区

资中县福元肉类食品有限公司养殖场

放养的"黑溜宝"猪

鹏达托佩克生猪原种场

隆 昌 县

2016 年，隆昌县坚持“一盘棋”思路打造特色新村，突出产村相融，投入 17641 万元（其中财政资金 1600 万元），重点向 13 个贫困村倾斜，扎实推进扶贫新村建设，全面完成 58 个幸福美丽新村、1 个市级重点示范片建设任务，实现了主导产业连片发展、村落民居品质提升、基础设施更加完善、公共服务更加惠民。金鹅镇古宇村、龙市镇普照村等村被评为“省级环境优美示范村”，云顶镇丁家凼村被列入省级传统村落，普润镇汪家村被评为中国乡村旅游模范村，创建首批省级“四好村”9 个、市级“四好村”48 个。快速通道沿线建成的“七彩园”“花漫水乡”“蝶恋花”“北城印象”等产村相融、农旅结合的新村示范片成效初显。

2016 年，隆昌县深入贯彻落实国家、省、市精准扶贫战略，牢牢把握新阶段脱贫攻坚总体要求，聚焦精准扶贫、精准脱贫，因地制宜制定扶贫措施，坚持创新改革，积极探索丘陵地区解决“插花式”贫困的新路子。全年帮助贫困户发展种植业 1785 亩、水产养殖 750 亩，帮助贫困人员就业 268 人，向全县 8006 户贫困户发放《就医优惠证》，实施易地扶贫搬迁 291 户、755 人，实现低保线和扶贫线“两线合一”。全年落实扶贫资金 1480 万元，设立了贫困村产业扶持、特殊困难家庭救助、教育救助、卫生扶贫救助、扶贫小额信贷分险“五支基金”。全年实现 10 个贫困村退出，4199 名贫困人口脱贫，全县贫困发生率降至 2.64%。

2016 年，隆昌县抓住全省现代农业示范县建设契机，启动了“12345”现代农业产业提升行动，编制了现代农业示范县和万亩木本油料产业示范片总体发展规划，将稻田综合种养、休闲农业等三条产业带连片规划，按照“中国鱼米之乡”建设目标，在金鹅、普润等 19 个镇（街道）、113 个村建设占地 10 万亩，集稻鱼基础设施、苗种培育、成鱼养殖、鱼博览馆、稻田艺术、渔文化景观等于一体的“稻 + 鱼”特色产业工程，2020 年建成后，项目区预计将节本增效 3.63 亿元。打捆省现代农业示范县、高标准农田建设等项目资金有序推进田网、路网、管网工程建设，邀请西南大学、省水产研究所共建水产科研教学实习基地、省稻鳅耦合示范片。与通威公司合作探索底排污、生态排水、渔业机械自动化等种养新技术，采取“公司 + 基地 + 合作社 + 农户”方式辐射带动村民发展种养殖业。三是延长发展链条。推行“稻鱼兼作”“稻鳅兼作”“稻鳖兼作”等稻田养鱼、鱼养稻生态综合种养新模式，延伸稻鱼产、供、加、销等产业链条，建设“鱼文化博览馆”和“稻田艺术”体验观光园，开展稻渔观光、休闲、垂钓等乡村体验活动，深度推进“稻 + 鱼”一二三产业融合发展。

入城线远景

金鹅镇古宇新村

李市镇三合新村

胡家镇石龙村新村聚居点

响石镇群乐村石牌坊大门

徽派民居、水乡新村

村民娱乐健身生活广场

“结对认亲，爱心帮扶”贫困户义诊活动

“四好村”主题教育活动

全国“扶贫日”隆昌县宣传活动

隆昌县农业技术进村扶贫培训

普润镇电子商务服务中心张佛村服务站

“道德模范故事巡讲”走进社区

成渝客专快速通道

农产品推介活动

龙市镇德树生态农庄

胡家镇合兴村杏叶树养殖专业合作社养殖的放养鸡

普润镇蝶恋花园区

太空育种蔬菜

育苗大棚

云峰工业园

犍为县

农业部副部长张桃林（中）参观犍为县茉莉花种植基地

省委常委、省纪委书记王雁飞（右二）调研犍为县现代农业建设项目

2016年，犍为县牢固树立"创新、协调、绿色、开放、共享"的发展理念，紧扣"创新投资年"工作主题，按照"示范引领、创新驱动"的思路，突出"转型升级、提质增效"，全面实施"五大行动"，切实加大"三农"投入力度，着力转方式促发展。全年共投入"三农"资金1.5亿元，占县财政总支出的8.3%，增量投入比上年增加4356万元；整合涉农项目资金0.74亿元，完成"三农"固定资产投资7亿元；农民年人均可支配收入实现13010元，同比增长11.4%。

一、实施产业提升行动，打造特色产业名片

在稳定发展粮食、畜牧、林竹等传统产业和犍为姜等优势产业的基础上，继续推进"茶叶跨江西拓""茉莉花跨江东进"发展战略和中华茉莉种植园、茉莉茶加工园区建设，培育茉莉茶全产业链，推动特色产业集中集聚发展，积极争创"三乡一都"。建成万亩茉莉花、

乐山市人大常委会主任赖淑芳（右二）调研和平新居

住房城乡建设厅副厅长樊晟（中）调研古村落保护情况

县委书记、犍为县总河长、岷江（犍为县段）河长王策鸿（右一）率水务、环保部门负责人开展岷江河巡河工作

县长陈建东（右一）深入新民镇、大兴乡调研脱贫攻坚工作

茶叶种植示范区 2 个，全县茶叶种植面积达 22 万亩、茉莉花种植面积达 8 万亩，稳定发展犍为姜 5 万亩。成功举办第二届茉莉花艺术节、四川·犍为茉莉茶山东济南推进会、全国花茶品鉴会等重要活动，极大提升了犍为茉莉茶的品牌知名度和对外影响力。犍为县创建为“中国茉莉之乡”“中国茶乡”“中国名茶之乡”“中国茉莉茶之都”和全国现代农业示范区。

二、实施主体培育行动，培育壮大经营主体

以培育专业大户、家庭农场、农民专业合作社等新型经营主体为重点，以农业增效和农民增收为目标，积极开展农业招商引资，引导农村土地经营权有序规模流转，加快优势农产品基地建设，加快推进农业适度规模经营，促进农业经营方式创新，大力培育新兴产业和新型业态，推动全县农业产业化经营和现代农业发展。全县工商注册专业合作社达 310 个（其中国家级示范社 4 个、省级示范社 4 个、市级示范社 9 个），家庭农场达 130 家；新申报省级农业产业化经营重点龙头企业 1 家，全县农业产业化经营重点龙头企业达 27 家，全年实现销售收入 14.5 亿元，带动农户 4.8 万户，户均增收 7500 元，比上年增长 14%。

三、实施新村建设行动，全域推进新村建设

以幸福美丽新村建设统揽全县农业农村工作，按照“业兴、家富、人和、村美”的幸福美丽新村建设要求，坚持产业先行、产村相融，围绕“三乡一都”目标，大力培育提升茉莉花、茶等主导产业，强化基础设施、公共服务、生态文明建设配套，全面实施新村建设扶贫解困、产业提升、旧村改造、环境整治、文化传承“五大行动”，全年完成投资 16000 万元，建成幸福美丽新村 30 个，新发展茶叶 7660 亩、茉莉花 400 亩，柑橘、李子等优质水果和砂仁等特色经济作物 12000 亩，新建聚居点 5 个、农房 242 户，实施“三建四改”农房 70 户，硬化 3.5 米宽水泥路 64.16 千米、便民路 18.83 千米，实施农网升级改造 4 个村，实施水库除险加固 3 座、水利工程维修养护 9 处，治理水土流失面积 6.67 平方千米，解决 290 户农户的安全饮水问题。

四、实施脱贫攻坚行动，精准落实扶贫政策

严格按照中央、省、市关于脱贫攻坚工作的决策部署，坚持“优先发展、整体推进”、“输血”与“造血”相结合的工作思路，狠抓十大扶贫政策措施落地落实，精准发力、攻坚克难，建立了全覆盖联系、多元化投入、社会化参与等帮扶机制，形成了“政府、市场、社会协同推进”的工作格局，全县脱贫攻坚工作扎实有序推进。整合资金约 7 亿元，在贫困村新发展茉莉花 1800 亩、茶叶 2000 亩、犍为姜 3600 亩，实施交通、水利等区域性基础扶贫项目 51 个，全县 54 个贫困村硬化村组道路 94 条、284.4 千米；新建（整治）渠系 148 千米，新建蓄水池 115 口、水窖 45 口，接入有线电视 2300 户，完成贫困村电网改造 67.7 千米；实施易地扶贫搬迁 966 户、2607 人；扶持贫困学生 2891 人次、564.8 万元，代缴城乡基本医疗保险 289 万元，为 138 名贫困患者开设“家庭病床”，实施“救急难”救助 2419 人次。全年已退出市列贫困村 7 个，脱贫 1990 户、5341 人。

五、实施改革创新行动，创新机制助推发展

完成农村土地承包经营权确权登记颁证工作，建立了县级农村产权交易服务平台，全县耕地流转面积达 12.55 万亩，其中 30 亩以上流转面积达 8.4 万亩。深化林权制度改革，进一步推进林权交易的公平、透明，林权交易平台成功完成林权交易 1 宗，实现林权交易的信息化、便捷化，切实维护林农权益。出台《犍为县促进电子商务发展奖励扶持办法（试行）》（犍府函〔2016〕30 号），组织专业合作社开展农村电子商务知识培训，专业合作社产品在市供销社系统电子商务平台成功进行线上线下销售，拓展了特色农产品销售渠道。

金石井镇梯田

金石井柑橘采摘节吸引游人来

金石井镇团结村柑橘喜获丰收

石溪镇联盟村猕猴桃产业连片发展

金石井镇稻田庆丰收

寿保乡金楠山谷

新盛乡果然好家庭农场

西 充 县

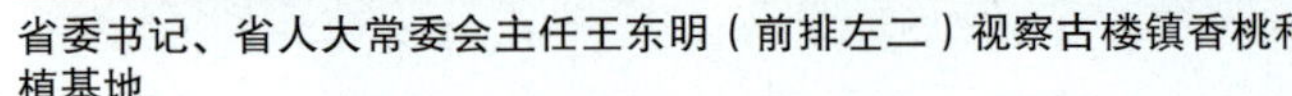
省委书记、省人大常委会主任王东明（前排左二）视察古楼镇香桃种植基地

省政协主席柯尊平（前排右三）在百科公司视察

近年来，西充县认真落实中央"五大发展理念"，全面贯彻省委"三大发展战略"和省第十一次党代会精神，以创新农业社会化服务为支撑，全域推进"中国有机食品第一县"建设，农业供给质量、综合效益和竞争能力明显提升。

全面推进县、乡、村三级农技服务网络建设，派驻园区（贫困村）农技员 97 名。一是推行"政府购买、专业服务"模式，招引龙兴、航粒香等公司参与产业经营全程服务，覆盖面达 10 万亩以上。二是主体培育扩规模。将土地适度规模流转与规模经营相结合，创新"户改场、场联社、社入企、企接市"的新型经营主体发展模式，规模流转土地 31.5 万亩，培育各类新型农业经营主体 2300 余家，建成现代农业园区 35 万亩（其中有机农业基地 16.3 万亩）。三是机制创新增效益。推广"两统两返""五方联动""五统一分"等生产托管型服务模式，引导 4.2 万户农户参与现代农业发展，户均增收 5000 元以上。

以国家现代农业科技园为载体，与德国、以色列、中国台湾等国家和地区及各类院校、科研单位开展常态化技术交流，组建"首席专家 + 行业专家 + 一线专家"技术服务团队，建成现代农业科技示范基地 47 个、专家大院 35 个。发展智慧农业，以"智能化、

时任省委副书记刘国中（中）、农业厅厅长祝春秀（左一）到西充县参加全省产业扶贫工作推进会

南充市委书记宋朝华（前排左一）到西充县检查工作

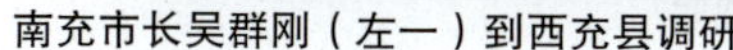
南充市长吴群刚（左一）到西充县调研

省发展改革委副主任邓长金（右三）视察西充县

自动化、可视化”为方向，充分运用“互联网 +”技术建成智慧农业示范基地 5 万亩，近 100 家农业企业实现联网服务，全县农业科技贡献率达 60% 以上，成为了亚洲有机农业技术研发中心。补齐设施短板，加强农业新品种、新装备、新技术的引进和应用，全县农机普及率达 65% 以上，全年开展社会化服务 20 万亩次。

按照操作有规范、过程有记录、产品有标识、市场有监管、质量可追溯的“四有一可”生产标准，全县“三品一标”农产品全部被纳入二维码追溯管理，主要农产品抽检合格率达 100%。严格过程监督，建立县、乡、村、企“四级联动”的质量监管体系，实现农业全程监管、产品质监“双认证”，西充县成功创建为国家有机食品认证示范县，荣获“首批国家农产品质量安全县”称号。

创建特色品牌。推行区域公用品牌、企业产品品牌“双品牌”管理制度，创建“好充食”区域公用品牌，培育有机产品知名商标 63 个。搭建营销平台，推广高端配送、会员营销、订单直销等营销方式，建成一线城市直销旗舰店 15 家、配送中心 200 个。构建营销网络，加快国家电子商务进农村、新农新城等项目建设，深入实施“全企入网、全民触网、电商示范”三大工程，创建“有田有家”“好充食”等农村电商品牌 20 个，农村电商市场交易额突破 50 亿元。

加大财政支农投入力度，转变财政资金投入方式，实施“拨改投、补改投”；组建支农基金，强化与社会资本合作，近五年来共撬动金融资本和社会资本近 45 亿元投向农业农村。加大融资力度，构建“政、银、担、保、投”（政府主导，银行信贷跟进，投资公司示范带动，农担公司、保险公司护航）融资模式，发放各类涉农贷款 30 亿元，其中土地承包经营权抵押贷款 3.4 亿元。强化风险防范，设立风险担保基金，组建政府、银行和基金公司共同参与的监管小组，全程监管各类涉农资金使用情况。开展特色农业保险和农产品目标价格指数保险试点，降低农业风险。

西充县将认真贯彻落实省委书记王东明在西充调研时的重要指示精神，以构建新型农业社会化服务体系为依托，加快有机农业五大中心建设，力争到 2020 年全县有机农业认证基地达 20 万亩，有机农业年产值突破 60 亿元，建成辐射全国的有机食

南充市副市长林建国（前排右四）到西充县视察桃博园建设情况

南充市人大农委主任委员何晓林（右三）到香桃园区视察

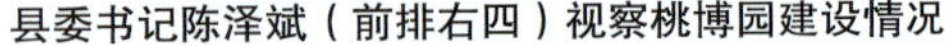

县委书记陈泽斌（前排右四）视察桃博园建设情况

县长孙骏（前排左一）到龙滩河视察

品供给地。一是建成亚洲知名的有机农产品研发中心。抢抓成为亚洲有机农业技术研发中心的机遇，推广“研发孵化基地在内、生产加工基地在外，教育培训机构在内、技术应用推广基地在外”的科技型“农业总部”模式，建成国际有机农业运动联盟亚洲培训基地。二是建成全国领先的农业科技创新中心。创建国家有机农业科研基地，搭建集科研基地、示范基地、设施农业、信息服务等于一体的农业科技创新平台，建成有机农业高新技术基地 2 万亩，农业科技贡献率和高新技术推广面达 70% 以上。三是建成西南地区有机农产品价格发布中心。争取西南地区有机农产品价格发布权，建立完善的有机农产品价格形成机制，开设价格指数统一发布网站，实现与全国各地相关部门、企业、市场的无缝对接。四是建成国家级有机农业标准制定中心。深化国家农产品质量安全县建设，争取国家有机农业标准制定权，编制发布西充有机农产品地方生产标准 90 个、加工标准 5 个、国家级有机农业标准 1 ~ 2 项，成为国家有机认证示范县联盟基地、有机产业技术创新联盟基地、西部有机农业认证中心。五是建成全国有机农产品交易集散中心。实施“互联网 +”战略，形成以“龙头企业 + 专合组织 + 家庭农场”的生产组织模式，建成以“区域品牌为主导、企业品牌为支撑”的名优品牌集群，构建以“一线城市旗舰店为主导、多种营销模式为支撑”的交易集散体系。

四川龙兴农业科技有限公司大棚蔬菜种植基地

西充县金科种养殖有限公司种植基地

航粒香水稻种植基地

明和农博园

百科公司有机生活公园

蓬安县

国务院扶贫开发领导小组第 15 督查组组长、国土资源部副部长张德霖（中）带领督查组到蓬安县开展脱贫攻坚督查工作

蓬安县位于四川省东北部、嘉陵江中游，属川陕革命老区，是西汉大辞赋家司马相如的故里。全县辖区面积 1332 平方千米，辖 39 个乡（镇）647 个村（社区），总人口 73 万人，其中农业人口 56.3 万人。

蓬安县历史悠久，人杰地灵。春秋系巴国地，秦系巴郡，汉初置安汉县，公元 507 年置相如县，明太祖洪武年间设蓬州，1913 年改蓬州为蓬安。唐代诗人元稹、书法家颜真卿、画家吴道子、宋代大文豪苏东坡等古圣先贤在该地留有宝贵的文化遗迹，孕育了农学家蓝梦九，哲学家伍非百，藏学家张怡荪，数学家、物理学家魏时珍，革命先烈王白与等一大批杰出人物。

省委常委、省委农工委主任曲木史哈（左三）到相如镇牛毛漩村督导脱贫攻坚工作

农业厅厅长祝春秀（右四）到杨家镇伏岭村督查脱贫攻坚时详细了解产业发展情况

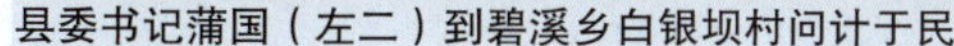
县委书记蒲国（左二）到碧溪乡白银坝村问计于民

县长崔竹君（右二）到徐家镇唐家祠村慰问贫困户

蓬安区位独特，交通便捷。蓬安距成都 230 千米、重庆 200 千米，距南充主城区和高坪机场仅 30 分钟车程，紧密融入成渝“两小时经济圈”和南充“半小时经济圈”。境内国道 318 线（南燕—罗家—济渡—兴旺）、244 线（原省道 203 线茶亭—徐家段、相如—河舒—新园—龙蚕）和省道 101 线（群乐—巨龙—锦屏—相如）、206 线（鲜店—诸家—徐家—金甲—相如—锦屏—长梁—正源）、305 线（原省道 204 线睦坝—巨龙—锦屏—相如）纵横交错，南大梁高速在河舒和利溪设有两个互通通道，巴南广高速在福德设立了互通通道，蓬安火车站实现动车停靠，嘉陵江水运上通广元、下达重庆，初步形成对外大联通、对内大循环的交通网络体系。

蓬安资源丰富，要素充足。蓬安县域水资源总量超过 40 亿立方米。嘉陵江蓬安流长 89 千米，水质达到地表水Ⅱ类水域水质标准。境内建有马回、金溪两座水电站，总装机容量 23.8 万千瓦，年发电量 11 亿千瓦时。西南油气田输气管道在蓬安设有出口，日供气能力 50 万立方米。四川核电站首选厂址落户三坝乡。蓬安发展要素保障有力，发展前景极为广阔。

蓬安产业兴旺，基础坚实。蓬安拥有南充市 9 县（市、区）唯一的县属省级工业园区，被纳入全省重点培育的 500 亿产业园区。已入驻四川嘉宝、南充佳美等工业企业 74 家，初步形成以机械冶金、丝纺服装、农产品加工为主导的产业发展格局。蓬安县是全国新增千亿斤粮食生产能力重点县、国家优质商品猪战略保障基地县、四川省“现代农业产业基地强县培育县”，素有“中国锦橙第一县”的美誉。河舒豆腐被列入国家地理标志产品保护名录。蓬安县城是“四川省历史文化名城”，嘉陵第一桑梓景区是国家 4A 级旅游景区，大型史诗歌舞剧《相如长歌》、嘉陵江民俗风情剧《蜀红》、周子古镇、“百牛渡江”生态奇观等文化旅游品牌国、省闻名。

扶贫攻坚驻村工作组到杨家镇伏岭村贫困户家中了解情况

农业厅下派驻村“第一书记”范景胜（左一）走访贫困户

柑橘喜获丰收

机械化耕种

远销韩国的中坝萝卜

回乡创业（土鸡养殖）

杨家镇伏岭村困贫户将黑山羊托养在标准化养殖基地并在企业打工

“百牛渡江”生态奇观

蓬安一江两岸

月亮岛

财神楼

长梁春色

广 安 市

副市长陈全禄（中）出席在岳池县白庙镇举行的 2016 年"科技之春"科普活动月启动仪式并讲话

2016 年，广安市辖 80 乡 91 镇 11 个街道，辖区面积 6339.2 平方千米，其中耕地面积 461.67 万亩，基本农田 372 万亩。年末总人口 467.24 万人（户籍人口）。本地水资源总量 26.14 亿立方米，人均占有水资源量 805 立方米。有林业用地 324 万公顷，有林地面积 306 万公顷，活立木总蓄积量 796 万立方米，森林覆盖率 40.5%。

2016 年，全市 GDP1078.6 亿元，增长 7.9%，其中第一产业增加值 170.2 亿元，增长 2.9%，农、林、牧、渔及农林牧渔服务业之比为 55.4 ：2.9 ：36 ：3.8 ：1.9；第二产业增加值 557 亿元，增长 8.6%（工业产值 435.9 亿元，增长 8%）；第三产业增加值 351.4 亿元，增长 9.1%。三次产业对经济增长的贡献率分别为 6%、56.8% 和 37.2%。劳务输出 155.5 万人，收入 223.28 亿元。全年接待游客 3436.47 万人，实现旅游收入 302.01 亿元，其中乡村旅游收入 60.6 亿元。

社会消费品零售总额 468.8 亿元，增长 13.4%。地方公共财政预算总收入完成 64.2 亿元，增长 17.7%；公共财政预算总支出 243.6 亿元，增长 9.4%。金融机构各项存款余额 1663.6 亿元，比上年初增长 16.72%；各项贷款余额 639.14 亿元，比年初增长 9.78%，其中涉农贷款余额 351.2 亿元。全年处理各项赔款和给付金额 4127.91 万元，较上年下降 7.39%。农业产业化龙头企业国家级、省级、市级、县级分别为 1 家、20 家、59 家、152 家。

有各类学校 1219 所，在校学生 625311 人，教职工 40029 人，其中普通高校 1 所，在校专科学生 9165 人，增长 0.38%；普通中学 470 所，在校学生 219361 人；小学 199 所，在校学生 246824 人；学龄儿童入学率 99.51%，提高 0.29 个百分点。完成省级以上科技成果 150 项，3 项科技成果获省级及以上科技进步奖。有艺术表演团体 22 个，文化馆 7 个，公共图书馆 7 个，博物馆 4 个。有卫生机构 3361 个，病床位 4794 张，卫生技术人员 4039 人。新型农村合作医疗参合人数 347.7 万人，参合率 99.84%。

2016 年，广安市实现农业总产值 294.8 亿元，增长 2.5%，全年全市农业增加值达 173.5 亿元，增长 3%。农民年人均可支配收入达 12479 元，增长 9.7%。在粮食、生猪、蔬菜生产中，科技投入占比达 56.1%。全市农产品质量抽检合格率比年初提高 0.6 个百分点；建成 181 个基层农业综合服务站。

大规模绿化广安行动暨秋季造林绿化启动仪式

广安国际红色马拉松赛

华蓥山梨花节“滑竿抬幺妹”大赛

协兴生态文化旅游园区佛手山新村文艺演出

秧歌舞

华蓥市明月镇卫生院

丰收的喜悦

柠檬种植基地防虫灯安装现场

邻水县林下养鸡

岳池县粽粑乡大龙山花椒喜获丰收

岳池县绿鸿源花椒产业基地

武胜县现代农业园区设施蔬菜栽培基地——工厂化育苗

广安区龙安乡勇敢村大纭山产业基地

邻水县农建现场

武胜县三溪镇观音桥新村点即将投入使用的人工湿地污水处理系统

广安区产业扶贫基地建设现场

邻水县标准化规模养猪场

华蓥市海棠博览园

岳池县白庙镇瞿家店村古家大院

中国十大最美乡村——武胜县百坪乡甜橙新村

前锋区代市镇岳庙村

华蓥市梨花新村

枣山园区红庙办事处玉屏湖新村

岳池县石垭镇张口楼新村

广安区农村信息网络平台

新村新生活

乡（镇）公办幼儿园

敬老院的幸福生活

岳 池 县

副省长王铭晖（左二）到岳池县蹲点督导脱贫攻坚工作

岳池县位于四川省东部，东与广安市广安区相邻，东南与华蓥市毗邻，南与重庆市合川区接壤，西南与武胜县相连，西北与南充市嘉陵区交界，北与南充市高坪区毗连，东北与蓬安县相倚，隶属于小平故里——广安市。辖区面积 1479 平方千米，辖 43 个乡（镇）1 个管委会，总人口 119.08 万人，城镇人口、在家农村人口、外出农村人口分别约占 1/3。城镇人口中，县城人口 22 万人，乡（镇、场镇）人口近 20 万人。2016 年，全县实现地方生产总值 203.6 亿元，增长 8.2%；农村居民人均可支配收入达 12579 元，增长 9.7%。

川东粮仓。属典型中亚热带季风湿润气候区，年日照时数 1117.4 小时，年平均气温 16.9℃，年总降水量 1455.7 毫米。是粮油、生猪产出大县，全国 500 个、全省 30 个年产亿斤商品粮基地县之一，连续 8 次获得"全国粮食生产先进县"称号。黄龙贡米、莲桥米粉、杨门豆干远近闻名。以核桃、藤椒为主的北部山区 100 平方千米干果产业园和集休闲、旅游、观光于一体的 100 平方千米东部现代都市农业园区加速形成，传统农业大县向现代农业强县阔步迈进。

西部药都。抢抓省委省政府"打造千亿医药产业"发展机遇，打造西部最成熟专业的医药产业园区。园区建成面积达 13 平方千米，入驻生物制药、医疗器械、药用包材、医贸物流等企业 32 家。2016 年实现产值 26 亿元，创利税 2 亿元，综合实力居四川省前十位。

文化名县。南宋诗人陆游曾旅居岳池并写下脍炙人口的诗篇《岳池农家》，岳池县成为史可考证的中国农家乐发源地，被评为"中国农家乐之源"。岳池先民善于评弹说唱创作表演，盘子等 20 余类曲艺种类得到传承，灯戏曾进进入中南海演出，荷叶《秋江》赴法国演出获得金奖，高亭、被单戏被列入四川省首批非物质文化遗产名录，"岳池高亭""岳池被单戏"等农家曲艺深受广大群众喜爱，被授予西部首个"中国曲艺之乡"称号，已连续举办五届岳池农家文化旅游节、承办三届"岳池杯・中国曲艺之乡曲艺大赛"，岳池农家文化旅游节被评为"中国・四川十大名节"。

旅游胜地。域内有享有"川东第一湖"之称的翠湖，有天然"森林氧吧"金城山，有古朴典雅的文庙、白塔、千佛寺、顾县古镇等。

时任林业厅厅长尧斯丹（左一）到岳池县调研大龙山花椒种植工作

广安市委书记侯晓春（前排左一）到岳池县调研

时任广安市长罗增斌（左三）到岳池县调研水利工程建设情况

广安市政协主席肖雷（前排右二）到岳池县调研水利工程建设情况

水利厅副厅长张强言（前排左二）到岳池县检查重点水利工程建设情况

县委书记郑鹏程（前排左二）调研产业发展情况

大棚葡萄培育基地

优质油菜种植基地

大棚蔬菜

无公害豇豆种植基地

北城乡藤椒种植基地

西溪镇双龙寨村小蚕共育

油菜“蜜蜂授粉与病虫害绿色防控”集成技术推广

石垭镇“千斤粮万元钱”高效粮经复合产业基地示范区

同兴镇水稻带药移栽技术推广

“银城花海”

广安市农业局工作人员到岳池县检查杂交水稻种子生产情况

九龙镇辣椒工厂化育苗

水稻工厂化育秧

“天下第一窖”——岳池特曲

宜宾市翠屏区宋家镇

红高粱节活动现场

宋家镇2015年撤乡设镇，是典型的农业大镇，位于翠屏区东南部，全镇辖区面积58.2平方千米，有耕地面积2.415万亩、林地面积1.5万亩，总人口29676人、户数7717户，其中农业人口28802人、非农业人口874人。李（庄）—牟（坪）路、宜（宾）—长（宁）旅游公路穿境而过。距市区30千米，场镇面积约1平方千米。2016年，全镇国内生产总值完成2.6亿元，增长12%；农民人均纯收入14500元，增长11%。

启动宋家镇总体规划和控制性详细规划，以旧镇为依托，规划形成“一心、两轴、四区”的结构形式。“一心”，即集镇中心广场区；“两轴”，即南部居住新区门户的南北向发展轴线，镇区中部贯穿东西向的发展轴线；“四区”，即西部生产服务区、南部门户居住区、中心行政商业区、东部教育医疗综合居住区。实施场镇原垃圾场封场和新建垃圾转运站建设项目，争取中央预算和地方配套资金900万元，完成宋家敬老院建设，推动西红路、工农街、兴盛街市政设施建设。实施农产品产地集配中心建设，完成农贸市场主体工程建设，逐步规范农贸市场。实施道路交通建设，在胡坝、大地、红旗、石坪等村实施通畅工程18千米。

工业占比不断加大。扶持发展宏野食品厂、兴国曲药厂、金丝楠木加工厂等区属规上企业3家。境内长江工业园起步区项目建成标准化厂房4栋，引进金可食品、宜宾友正等企业入驻；以丘陵农业公园、洋坪农业科技园为中心，辐射带动周边村社发展现代农业旅游观光业，建成星级农家乐5家。首亮农业科技示范园集中流转土地6000亩，规划总投资3亿元，打造集观光旅游示范区、高标准农田优质专用粮示范区、现代特色养殖示范区、特色蔬果产业开发示范区、花卉苗木种植示范区于一体的都市现代农业科技示范园。丘陵农业公园，完成与达沃农业公司招商引资工作，签订投资总额1.5亿元，建设以木本油料种植为核心，产村融合，集养生、旅游、度假区于一体的新农村综合体。丘陵蛋鸡养殖基地全年实现产值1300万元，为周边农户提供就业岗位，带动发展养殖大户5户。丘陵柑橘种植基地，进一步加强与省农科院合作，不断提升基地科学管理水平，确保达到三年见效益。

继续巩固国家级生态镇创建成果，加大投入，持续完善提升基础设施。投入项目资金200万元，建立健全“户分类，村收集，镇转运，区处理”的环卫管理模式。

全面完成扶贫攻坚工作。注重建立“企业＋专合社＋农户＋贫困户”的长效稳定的助农增收利益联结机制。全年完成扶贫解困 84户、342人。整合投入财政扶贫资金826.54万元，扶持和帮助390户建卡贫困户和12户贫困残疾户发展肉牛、水产养殖和甜橙种植等产业，帮助53户贫困户新建或维修整治住房；大力实施扶贫基础设施建设，硬化村社道路5千米，整治机耕道5.8千米，建设生产道路17千米，维修水利设施8处。省定贫困村胡坝村建卡贫困户实现全部脱贫，建成标准化甜橙基地800亩、标准化竹笋基地300亩，改善基础设施及产业区硬件设施，打造乡村旅游品牌形象。

邻水县

2016 年，邻水县粮食播种面积约 140 万亩，产量 46.2 万吨，实现“十连增”。持续推进粮油作物高产创建，在丰禾、九龙、袁市等 30 个粮食重点乡（镇）集中成片建成水稻万亩示范区和玉米万亩高产示范区 32 个、6.5 万亩。油菜播种面积 16.6 万亩，产量 3.31 万吨，同比增长 40%。引导盛世种业等专合组织发展适度规模经营 2.1 万亩。特色产业扩面提质，新发展脐橙 3.5 万余亩，改建万亩柑橘园 1 个，打造标准果园 10 个，全县以脐橙为主的柑橘产量 14.5 万吨，实现产值 5.8 亿元。种植蔬菜 45 万亩，产量 80 万吨，产值超过 10 亿元。

2016 年，邻水县出栏生猪 86.81 万头、家禽 705 万只、肉牛 1.8 万头、肉羊 10.1 万只、肉兔 53 万只，实现畜牧业年产值 19.23 亿元。狠抓大洪河、御临河生态修复保护，淘汰、取缔或搬迁 25 个乡（镇）257 个牲畜养殖场，引进重庆正大 30 万头生猪产业链建设项目，畜牧发展方式更加环保、更加生态、科技含量及附加值更高。

2016 年，邻水县大力开展“绿化邻水”行动，在甘坝乡、华蓥乡新建县级义务植树基地 2 个，营造林 4.9 万亩，全县森林覆盖率达 41.1%，实现林业年产值 19.5 亿元。邻水县被林业厅、省发展改革委认定为第二轮现代林业重点县。

2016 年，邻水县打造了缪氏庄园、金谷源、北京万氏草莓园、临水缘等适度规模经营示范园区；鼓励和支持有条件的农民专业合作社发展农业社会化服务，形成了以盛世种业为代表的农业社会化服务团队。引进重庆正大农牧集团，按照托管保底、合资兜底等利益联结方式投资 28 亿元开展肥猪养殖项目。全县共注册农民专业合作社 676 个，其中国家级示范社 5 个、省级示范社 20 个、市级示范社 21 个；培育家庭农场 30 家、龙头企业 29 家。

2016 年，邻水县紧紧围绕“两不愁、三保障”“四个好”工作目标，全县上下干群合力、众志成城，大打脱贫攻坚仗，取得了明显成效。一是幸福美丽新村有效推进。全年建成幸福美丽新村 74 个、农村廉租房 434 套，实施“五改三建”582 户，配套建设新村雨污分流工程等洁净水工程 5 处、垃圾池 116 个。全域推进“四好村”创建，成功创建省级“四好村”79 个、市级“四好村”105 个、县级“四好村”131 个。二是农村基础设施大幅改善。整合扶贫资金 6.53 亿元，新建通村公路 310 千米、机耕便民道 407 千米；整治院落 60 个；整治水库 1 座、山坪塘 80 口、病险水库 5 座，新修蓄水池 131 口；新建和整治渠道 42.32 千米，新建石河堰 9 处、泵站 4 处；安装供水管道 370 千米，解决了 7740 户贫困户 23110 人的饮水安全问题。在丰禾、九龙、黎家等 36 个乡（镇）109 个村下达移民项目 167 个，重点解决 4425 名困难移民群众和 110 个移民贫困村群众的生产生活问题。

庭院绿化

改造后的罗家湾外景

改造后的罗家湾农户住房

改造后的观音镇杨家湾

改造后的柑子镇岐山湾

新村风貌

钰锦现代农业园区辣椒种植基地

钰锦现代农业园区豇豆种植基地

优质水稻种植基地

葡萄种植基地

石滓乡大步口村脐橙良种繁育苗木基地

石滓镇万亩脐橙标准化园区

缪氏庄园葡萄

西瓜种植基地

农家菜地

柳塘大河坝脐橙示范基地间作蔬菜

再生稻种植基地

新农村风貌

四川名牌农产品——邻水脐橙

农泉专业合作社种植的毛豆

标准化养殖场

大棚蔬菜种植基地

观音镇倒朝门村碾子湾

武 胜 县

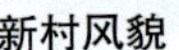

新村风貌

白坪乡高洞新村民居

种植业。2016 年，武胜县粮食播种面积 94.63 万亩，产量 34.24 万吨，其中大春粮食播种面积 66.43 万亩，产量 28.57 万吨 %（水稻播种面积 30.97 万亩，产量 17.25 万吨；玉米播种面积 12.71 万亩，产量 4.99 万吨；豆类播种面积 14.77 万亩，产量 2.01 万吨；薯类播种面积 27.26 万亩，产量 8.02 万吨）；小春粮食播种面积 28.2 万亩，产量 5.67 万吨（小麦播种面积 7.7 万亩，产量 1.61 万吨；马铃薯播种面积 19.88 万亩，产量 3.86 万吨）。油料作物播种面积 17.28 万亩，油料产量 2.19 万吨。

林业。2016 年，武胜县完成营造林 2.76 万亩，新增森林蓄积 1.891 万立方米，森林覆盖率达 40.67%。落实天保森林管护面积 13.45 万亩，巩固退耕还林成果面积 8.7 万亩。"洁净水"行动完成人工造林 0.51 万亩；完成森林抚育 0.5 万亩。新建现代林业产业基地 1.71 万亩，其中泡桐、香椿短周期木质工业原料林等 0.47 万亩；特色经济林基地 1.24 万亩，其中核桃 0.55 万亩、花椒 0.04 万亩、柠檬 0.36 万亩、其他 0.29 万亩。

三溪镇大田观景平台

飞龙镇卢山村张家院子

畜牧业。2016年，武胜县出栏生猪95.9294万头，存栏80.2424万头，其中能繁母猪存栏8.7544万头；出栏肉牛1.179万头，存栏1.4692万头；出栏肉羊9.2031万只，存栏5.3912万只；出栏家禽724.1211万只，存栏575.4993万只；出栏肉兔147.2839万只，存栏46.3299万只。全年实现畜牧业产值29.5794亿元。建成年出栏肉猪1000～9999头的标准化规模养殖场4个、500～999头的标准化规模养殖场1个；年出栏肉禽10000只以上的标准化规模养殖场2个、出栏肉牛100头以上的标准化规模养殖场3个、出栏肉羊300只以上的标准化规模养殖场1个。

水产业。2016年，武胜县依托丰富的水面资源，加大科技兴渔力度，形成了龙头企业带头、业主牵动、农户参与的生产格局。全年水产品总产量2.2万吨，实现渔业经济总产值3.7亿元；新建渔业基地1个。

统筹城乡与新型城镇化。2016年，武胜县着力城区建设，县人防工程、二污处理厂及配套管网工程、乡（镇）污水处理站新改扩项目、乡（镇）配套污水管网工程、街子产业新城污水处理厂及配套管网工程、县城旧城区改造、市政道路、自来水二厂等一批重大项目有序推进，城市功能有机衔接，基础设施不断优化，人居环境有效改善。落实"注重三大功能，突出

白坪乡白坪村

飞龙镇卢山村

幸福美丽新村

游客体验采摘乐趣

三大特色，创新三大机制”总体要求，梯次推进9个市定特色小城镇和20个县定特色小城镇建设，建成特色街区5条、污水处理站27个、农贸市场9座、休闲广场6处、公办幼儿园15所、标准化厕所29座、垃圾中转站5座，硬化黑化亮化道路10千米，一批特色鲜明的商贸、工业和旅游镇逐步形成。

新农村建设。2016年，武胜县围绕全面建成小康社会和脱贫攻坚目标任务，按照省委省政府提出的建设“业兴、家富、人和、村美”的总体要求，以促进农民增收为核心，以改善农村条件为重点，以美化农村环境为关键，扎实推进“四好村”建设。全县建成幸福美丽新村128个，成功创建省级“四好村”23个、市级“四好村”82个、县级“四好村”98个。

乡村旅游。2016年，武胜县把发展乡村文化旅游作为新农村建设的新亮点、农民增收的着力点、城乡统筹的突破点来抓，乡村旅游发展迅猛。成功创建为四川省乡村旅游扶贫示范区，发展乡村旅游扶贫示范村5个（梅托村、大石村、农林村、石桥沟村、隘口村）、乡村旅游民宿达标户16户；白坪—飞龙乡村旅游度假区被国家旅游局确定为全国旅游扶贫示范项目；飞龙镇莲花坪村、三溪镇观音桥村、中心镇环江村创建为中国传统村落。全县乡村旅游接待游客386万人次，乡村旅游已成为全县旅游的新亮点和农民增收的重要渠道。

旅游文化大院

农村基础设施不断完善

乡村旅游蓬勃发展

现代农业园区公共服务中心

“洁净水”工程

自行车骑游赛

品牌建设

乡村旅游文化节

产村相融

礼品西瓜种植基地

现代农业示范园区

葡萄种植基地

万亩标准化蔬菜种植基地

四川省农村专业技术协会

全国农村科普示范基地

四川省农村专业技术协会（以下简称“农技协”）是在农村自发兴起，由特定农产品生产者自己兴办、管理并开展专业性技术经济服务的合作性质的农民组织。

发展概况

四川省是农技协的重要发源地之一。四川省农技协发端于20世纪80年代初，最早在郫县、达县（今达州市达州区）盘石乡等地先后产生了养蜂协会、西瓜协会等一批早期农技协，主要从事农村实用技术协作和技术服务。20世纪90年代进入成长阶段，农技协向技术经济实体过渡，围绕主导产业涌现出了组织规模较大、经营较好的大型农技协、十佳农技协和百强农技协，1995年重庆成为直辖市前，全省农技协数量达1.4万个，位居全国第一。进入21世纪后，农技协的发展迈入了新阶段，出现了“公司＋协会＋会员”“协会＋会员＋学会”和“协会＋基地＋会员”等多种经营模式，成为农业科技的聚集点和扩散点、农村社会化服务体系的中坚力量、发展农村经济的重要载体。历经30余年的发展，截至2016年年底，全省农技协总数达8803个；有市级农技协联合会12个、县级农技协联合会49个、乡（镇）农技协联合会63个，全省农技协会员数约282万户，带动农户682万户；年度总产值629亿元，实现销售收入493亿元，其中销售收入逾2亿元的有52个，1亿~2亿元的86个。

发展现状

四川省农技协是中国特色社会主义市场经济发展的产物，也是农民群众的伟大创举，是农村制度变革和经济社会发展的必然结果，在助推全省农村经济发展、农村科普事业进步、农村实用人才培养、农技推广社会化服务等方面发挥了重要作用。

“农技协＋合作社”经营模式

“农技协＋研究所”经营模式

注入农村经济增长强大动力。农技协作为四川农村经济发展的重要载体，围绕主导产业发展实体经济，已成为地方支柱产业发展的重要力量。截至 2016 年年底，全省 3366 个农技协发展成为集经济技术于一体的实体型协会，会员农户人均年收入（2013–2015）较非会员农户高 28% 以上。2016 年 5 月 27 日，省农技协第一个专委会鹌鹑专委会在眉山市挂牌成立。鹌鹑专委会运营至今，严格按照章程规范发展，建立起了比较完善的组织构架，同时，紧扣产业发展要求，联络同行、整合资源，制定切实可行的工作目标，在养殖技术标准制定、延长产业链以及产业精准扶贫方面均开展了卓有成效的探索。2017 年 7 月 3 日，省农技协柠檬专委会在安岳县成立，成为全国首个柠檬专委会，专委会将以安岳县为中心，整合全省柠檬种植户、生产加工企业及科研力量，共同促进柠檬的标准化生产。

推动农村科普工作健康发展。农技协已成为四川农村科普工作的重要阵地，各地农技协以实施"科普惠农兴村计划"为重点，兴建科普 "站、栏、员"，引进和推广新技术、新品种，着力提高农村劳动者种养殖技能和科学素质。2009—2017 年，全省共有 830 个农技协、378 个农村科普示范基地、222 名农村科普带头人获得中央财政奖补，奖补资金逾 2.3 亿元。

培养农村实用人才队伍。农技协把培育农村重点科技人才作为发展的关键，广泛开展农村技术培训、技术服务、技术咨询等活动，培养了一大批"田秀才""土专家"等农村实用人才。2016 年，全省各级农技协共举办实用技术培训班 3.4 万期，培训农村劳动力 391 万人次。2017 年 1 月，省农技协承办的四川省首届乡土人才创新创业大赛吸引了来自全省的 105 名选手参加决赛，共评选出金奖 10 名、银奖 20 名、铜奖 30 名，为农村实用人才发展树立了典型。2017 年 9 月，省农技协围绕如何促进农技协转型升级、加快发展农村电商及服务农村新一轮深化改革等关键问题开展了 2 期 14 个专题培训，邀请了中国农技协、省农科院等单位的专家学者和首届乡土人才大赛的金奖得主现场授课，21 个市（州）近 400 名基层农技协骨干参加了培训。

推动农技推广社会化服务。农技协着眼于引进和推广农村实用技术，以专家学者为主体、以承接政府购买服务为契机，组织专家学者和实用人才深入开展农技推广服务，为广大农户提供新品种新技术研发、试验示范和推广服务。四川省蒲江春柑种植和流通技术交流中心、四川省科协春柑技术专家服务团队通过"走出去""请进来"的方式广泛开展春柑技术培训交流和产销合作，加快了春柑产业提档升级的发展步伐。德阳市完善农民专家科技服务团评价激励机制，激励服务团成员参与到农技培训、精准扶贫等工作中。巴中市农技协承接政府职能，涉及扶贫攻坚、产业扩建、畜牧草场建设、乡村旅游、农业标准良田、部分行业标准制定等多个项目。乐山市农技协联合会积极承接乐山市人社局委托的农民职称评审职能，开展农民专业技术职称评定工作，2016 年共评（认）定中、高级农技师 87 人，开展无公害农产品、绿色食品、有机食品和农产品地理标志认证申报等工作。

服务农村"互联网 +"创新创业。各地农技协探索运用"互联网 +"模式，抓好科技培训、产品营销等环节，涌现出了"互联网 + 农业""互联网 + 科普"等有效经验，激励广大农户创新创业。省农技协会同《四川科技报》创办了"天府农产品交易网"，助力 2000 余家农技协拓展销售，解决贫困户农产品销售渠道不畅的难题。泸州、眉山、广元、巴中等地一批农技协或建立自己的网络销售平台、发展微商，或入驻大型网络平台天猫、京东等，眉山的竹编，广元的木耳、蜂蜜，巴中的银耳，攀枝花的石榴等一大批土特产品建立起新的销售渠道，覆盖更广的消费群体。各地还继续推动"科技 110 小分队""农民教农民""党员流动科普服务队""大学生村干部任科普使者"等多种农技服务形式，不断提升农技服务的效能和水平。

省科协党组书记、副主席王万锟（右一）为乡土人才大赛获奖选手颁奖

四川省科协原党组书记、省农技协理事长李洪福（左三）调研“农技协 + 电子商务”发展情况

四川省科协原党组书记、省农技协理事长李洪福（左二）到盐亭县川椒王子青花椒种植基地调研

四川省科协原党组书记、省农技协理事长李洪福（左二）到大英县调研“农技协 + 现代观光农业”发展情况

四川省科协原党组书记、省农技协理事长李洪福（左一）到无花果基地调研

2017 年四川省科协系统扶贫暨农技协培训班

达 州 市

资源优势突出

达州市位于四川省东部，辖4县1市3区，辖区面积1.66万平方千米，总人口700万人，其中农业人口540万人，地处川、渝、陕接合部和长江上游成渝经济带，是四川省对外开放的"东大门"和四川省重点建设的百万人口区域中心城市，是全省的人口大市、农业大市、资源富市、工业重镇、交通枢纽和全国闻名的革命老区，素有"中国气都、巴人故里"美誉。达州市现有耕地面积456万亩，人均耕地面积0.66亩。2016年，全市农业增加值实现276.2亿元，粮食总产量292.5万吨，肉类总产量52万吨，农民年人均纯收入11718元。

交通四通八达。达州是西部地区大经济圈的地理中心。河市"3E级"机场直飞北京、上海、广州、深圳等城市；襄渝铁路、达成铁路、达万铁路往来有序，居西南第三位；达巴高速、达渝高速、达成高速、达陕高速及国道318线、210线纵横全境，达州市已成为大西南、大西北、中部地区的交通枢纽和四川省通江达海的东通道。

资源蕴藏丰富。达州境内资源富集，物产丰饶，气候适宜，具有发展农业得天独厚的条件，享有"四乡三都两基地"美誉。盛产粮油、苎麻、茶叶、油橄榄、中药材，有富硒茶叶60万亩，被誉为"中国富硒茶之都"；全国30%的苎麻面积、产量使之成为名副其实的"中国苎麻之乡"；有全国最大的醪糟生产企业——四川东柳醪糟；有"液体黄金"之称的油橄榄种植面积近10万亩，开江县被誉为"中国油橄榄之都"。天然气、煤、石灰石、石膏、富钾卤水等28种矿产资源储量十分丰富，仅天然气资源储量就高达3.8万亿立方米，探明储量7000亿立方米，全国最大的整装海相天然气田让达州市被称为"中国气都"。达州境内天然气附产硫磺达400万吨，将建成亚洲最大的硫磺产品生产研发中心。

土壤富硒优势明显。硒是一种微量元素，达州土壤硒含量大于0.4毫米/千克，可广泛应用于富硒农产品的生产。研发达州富硒农产品对延缓衰老、辅助癌症具有广阔前景。达州土壤因富含硒而闻名，为打造中国富硒农产品基地奠定了较好的基础。

环境不断优化。达州市本着"开放即发展、招商即发展"的观念，努力营造"重商、亲商、安商、富商"的良好环境，让企业享受到最好的要素保障、最优的政策扶持、最佳的政务服务。出台了关于加快承接产业转移和规范入园工业项目收费行为等相关文件，制定了财政扶持、税收扶持、金融促进、要素支持等政策措施，成立了市投资公司和中小企业担保公司等投融资机构，为产业转移提供最优惠的政策环境。切实加强机关作风和行政效能建设，建立完善了重大项目"绿色通道"，为产业转移营造优质高效的政务环境。

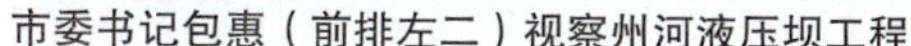

市委书记包惠（前排左二）视察州河液压坝工程

市长郭亨孝（右一）视察州河液压坝工程

现代农业快速发展

近年来，达州市以脱贫攻坚为统领、以农民增收为核心，突出乡村振兴战略，深入推进农业供给侧结构性改革，建设农建综合示范区，加快发展现代农业，进行了一系列的实践与探索，特色现代农业呈“四化”快速发展态势。

特色产业基地逐步规模化。全市突出富硒、绿色、生态、有机特色，特色优势产业带和区域布局初步形成。全市粮食产量达292万吨，居全省第二位；油料产量达33万吨，居全省第一位。特色种植业已建成国家级、省级现代农业示范园区及万亩亿元示范区30个，优质富硒茶叶、渠县黄花、中药材等特色农业种植面积达250万亩，其中“一牌三化”（品牌＋专业化、标准化、规模化）基地100万亩、设施农业10万亩。现代特色畜禽业实现肉类总产量52万吨，优质生猪、蜀宣花牛、旧院黑鸡、开江鹅鸭等一批特色养殖业的养殖规模和品牌影响力快速提升。

农产品加工业逐步精深化。达州市加快发展农产品加工贸易，企业规模、加工水平、产品质量和市场竞争力不断增强，带动农户增收能力不断提升。全市有农产品加工企业近300家，其中国家级2家、省级24家，年产值近200亿元，销售收入上亿元的企业有25家。已建成通川、大竹、渠县、开江等“设施一流、功能完善、服务高效”的农产品加工集中区4个，入驻重点企业70家，初步实现农产品加工企业集聚、集群发展，加工贸易企业的现代管理水平、品牌意识、质量安全、科技含量、精深加工能力快速提升。全市农产品加工率上升至45%，农民从农产品精深加工产业链中获利更多。

农产品贸易逐步国际化。达州农产品除满足本地居民消费之外多数进入流通市场，商品率达60%，产品远销至成都、西安、北京、上海、重庆等地，仅重庆市场达州农产品年销售额就达20亿元。电子商务发展迅速，“农村淘宝”、“互联网＋”、电子商务平台等实现网购网销农产品交易额13.6亿元。农产品进出品贸易快速增长，2016年实现贸易额3.6亿美元，四川花萼绿色食品常年签约欧盟订单1100万欧元。东柳醪糟、玉祝麻业、瑞丰木业公司产品已出口美国、俄罗斯、日本以及欧盟等国家和地区。

优势农产品逐步品牌化。全市制定完善农业名优品牌创建的支持、奖励和保护政策，不断强化农业生产、加工、销售等各个环节的标准化制定、环境治理与质量监管，品牌创建卓有成效。积极创建“达人味”“富硒达州”农产品区域公用品牌，已创建中国驰名商标4个、国家地理标志产品29个、国家生态原产地保护产品21个（居全省第一位），有机、绿色、无公害产品累计达181个。

油橄榄种植基地

苎麻种植基地

道地中药材种植基地

白芷种植基地

通川区金石镇优质粮油产业基地

宣汉县毛坝镇高山脆李产业园

旧院黑鸡

蜀宣花牛

开江县优质粮油产业基地

新村风貌

易地扶贫搬迁安置点

大竹县清河古镇

达川区石桥古镇

开江宝塔

万源市鱼泉山

宣汉县百里峡

渠县賨人谷景区

渠县賨人谷七彩湖

油用牡丹观光园

大巴山国家地质公园

宣 汉 县

基础设施建设。宣汉县改造县、乡道路 150.8 千米，硬化村道公路 452.1 千米，实施道路安保工程 120 千米；东乡枢纽客运站启动建设，普（光）厂（溪）路加快建设，樊（哙）城（口）路完成维修整治，双（河）马（渡）路、宣（汉）清（溪）路、上（峡）杨（柳关）路实现升级改造。白岩滩水库面板工程竣工投用，除险加固水库 10 座，整治山坪塘 36 口，新建饮水安全工程 145 处，解决 4.2 万人饮水安全问题。完成 87 个行政村农网改造，65 个行政村通宽带。交通、国土、农业和综合管理工作均获得全市农田水利基本建设"甘露杯"。

脱贫攻坚。全县扶贫开发强力推进，编制完成《宣汉县"十三五"脱贫攻坚规划》，率先在全省建成精准扶贫云平台，创建为"省级旅游扶贫示范区"，巴山大峡谷景区被评为全国"景区带村"旅游扶贫示范项目。投入扶贫资金 18.7 亿元，发放小额扶贫信贷资金 2.57 亿元；完成易地扶贫搬迁 8228 人、农村危房改造 2775 户。实现 55 个贫困村退出、39792 人脱贫，年度脱贫人数居全省首位，顺利通过国家、省、市督查、评估和验收。

社会事业。全年培育科技成果 10 项，获得市政府科技进步奖 4 项。县职教园区一期、宣汉二中高中部扩建等项目完成主体施工。巴文化考古完成第四次发掘，罗家坝遗址被列入国家"十三五"重大遗址名单，庙安乡龙潭河村、马渡乡百丈村被列入第四批中国传统村落名录。县中医院迁建工程门诊大楼主体封顶，县医院急救综合大楼项目前期工作有序推进；"两孩"政策全面落实。全民健身活动广泛开展，宣汉县奥运健儿刘本英首夺残奥会冠军，承办了全国武术太极拳公开赛、全市第十二届老年人运动会。

农村改革。深化农业科技人员创新创业，着力打破身份、区域两大障碍，强化扶持奖励政策落实，动员鼓励县内外在职农业科技人员以技术入股、带薪兼职参与领办创办经济实体。已有 281 名农业科技人员领办创办经济实体 124 个，有效带动 3.5 万户农户增收。大力推行"六权同确"，积极探索"136"和"127"农民土地入股分红模式新机制，通过转包、出租、互换、股份合作等形式流转土地 14 万亩，发展明月、七里、茶河、巴山大峡谷等现代农业基地，促进了规模化、集约化发展，实现了业主与农户"双赢"。积极探索"土地托管""牛托养""牛寄养"等脱贫攻坚新模式，创造推广"养殖场供牛、贫困户领养、利润 2 ：8 分成"的牛寄养，"贫困户供牛、养殖场养牛、利润 5 ：5 分成"的牛托管，"贫困户共同出资、合伙经营"的联合养殖等模式，解决了贫困户缺资金、缺技术、缺劳力等实际问题。已发展脱贫示范户 620 户，贫困户通过养牛年户均增收达 1500 元以上。

幸福美丽新村建设。按照"业兴、家富、人和、村美"的幸福美丽新村建设总要求，遵循"新村带产业，产业促新村"的思路，

达州市委书记包惠（前排左二）到渡口土家族乡甜竹村、三墩土家族乡大窝村蹲点督导脱贫攻坚工作

达州市长郭亨孝（左二）到渡口土家族乡、三墩土家族乡等偏远乡（镇）调研重大水利工程及脱贫攻坚工作

县委书记唐廷教（右三）到巴山大峡谷景区督查旅游扶贫开发项目建设情况

县长冯永刚（前）到天台、五宝、土黄等乡（镇）调研产业发展、易地扶贫搬迁、基础设施建设等工作

大力实施扶贫解困、产业提升、旧村改造、环境整治和文化传承“五大行动”，坚持“缺啥补啥”和新建、改造、保护、配套廉租房建设相结合的原则，创新推行“农村按揭房”模式（即由财政补贴交首付，农民土地流转费和入园务工抵农房余款），解决贫困村农民的住房难问题。全面建成龙泉土家族乡罗盘村等 50 个幸福美丽新村，茶河镇圣水村、岭岗村，红岭镇界湾村等 5 个新村聚居点，解决农村无房户、危房户、住房困难户基本住房问题 475 户。

生态环境保护。严格落实节能减排目标责任制，四项主要污染物指标超额完成市下达任务，环境空气质量优良天数达 90.1%。县城污水处理厂提标扩能工程加快前期工作，黄石污水处理站加快建设，南坝、胡家污水处理厂建成投用。“五治”工程纵深推进，土黄镇被评为“省级环境优美示范镇”，君塘镇被评为“中国美丽乡村建设示范镇”。深入推进西部地区生态文明示范工程试点建设，新造林 4.7 万亩，森林覆盖率达 60.1%。

全域旅游。巴山大峡谷、峨城山创建为国家 4A 级景区，马渡关石林、庙安花果山、圣水桃园、香炉山创建为国家 3A 级景区，全县 A 级景区数量跃居全市第一位。巴山大峡谷景区建设全面展开，快速通道开工建设，景区内环线全线贯通，桑树坪次入口、桃溪谷、罗盘顶、渡口风情小镇等项目加快推进，《梦回巴国》大型歌舞剧目启动制作。洋烈水乡基础配套不断完善，米岩花海加快建设，红三十三军纪念馆被列入全国红色旅游经典景区名录。全年实现旅游综合收入 21.1 亿元，增长 31%。按照全域旅游实施战略，完成国家森林公园总体规划编制，成功创建峨城竹海国家 4A 级风景区。生态旅游年接待能力达 100 万人次，年产值已突破 4.5 亿元。

宣汉县脱贫攻坚领导小组 2017 年第三次（扩大）会议

宣汉县 2017 年重点招商引资项目集中签约仪式

毛坝镇天坪村高山脆李种植基地

双河镇蓝莓谷

胡家镇鸭池村党群连心广场

胡家镇芦笋种植基地观景平台

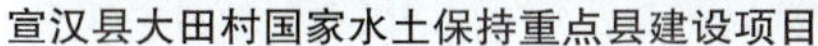

宣汉县大田村国家水土保持重点县建设项目

巴山大峡谷景区

胡家镇鸭池村党员先锋走廊

渠 县

省妇联主席吴旭（中）到汇东乡白蜡村调研"巾帼脱贫行动"与"妈妈家"建设情况

达州市委书记包惠（前排右二）到渠县调研项目建设、产业发展等工作情况

渠县位于四川省东部，达州市西南部，地处四市结合部、渠江流域核心区，是典型的丘陵山区人口大县、农业大县。全县辖区面积 2018 平方千米，辖 60 个乡（镇）566 个行政村（社区），总人口 150 万人，居全省第三位，享有"中国汉阙之乡""中国竹编艺术之乡""中国黄花之乡"的美誉。

历史悠久。早在新石器时期，这片土地上便有了人类活动。殷商时期，賨人建都于现土溪镇城坝村。公元前 314 年，秦置宕渠县。公元 216 年，蜀汉置宕渠郡。公元 522 年，梁置北宕渠郡。公元 537 年，改置渠州。公元 1376 年，明撤渠州改置渠县，沿用至今。

文化灿烂。境内有 6 处 7 尊汉阙，数量居全国之首。"巴渝舞""竹枝歌""耍锣鼓"等民间艺术独具魅力。三汇彩亭会、刘氏竹编 2006 年被列为国家级非物质文化遗产。呷酒酿造历史悠久，賨人文化、汉代文化、三国文化、红色文化和新农村及民间民俗文化耀眼夺目。

达州市长郭亨孝（右三）到渠县就经济稳增长工作开展专题调研

时任达州市委常委、市总工会主席陈中华（右一）一行到岩峰镇回龙村看望慰问贫困群众

县委书记荀小莉（左一）带队到青丝乡、板桥乡、汇东乡开展脱贫攻坚专题调研

县长王飞虎（中）到万寿乡调研易地搬迁项目建设情况

资源丰富。渠县土地肥沃、四季分明，年均降水量约 1120 毫米，无霜期 315 天左右，年日照时数约 1360 小时。境内有各种生物 300 余种，黄花品质优良，是全国生猪调出大县、国家商品粮基地县。渠县矿产资源居川东之首，现已探明矿产资源 23 种。岩盐分布 750 平方千米，已探明储量 1.17 亿吨，地质储量达 1050 亿吨。石灰石储量 12 亿吨，碳酸钙含量在 90% 以上，属全国三大富矿之一。石膏储量 1.16 亿吨，煤资源储量 9252 万吨。天然气、钾盐、锶矿、磷铁矿、石英砂、膨润土等储量也极为丰富。水资源储量 8.57 亿立方米，水能资源储量 19.16 万千瓦。

地灵人杰。渠县山川秀美、人才辈出，孕育出先秦早期道家鼻祖鹖冠子、东汉车骑将军冯绲、蜀国镇北大将王平、大成国皇帝李雄等一批历史人物。在中国革命和建设进程中，涌现出于桑、胡春浦、杨正才、李长林、胡永柱、雍国泰、杨牧、周啸天、李学明、贺享雍等一大批杰出人物。全国共有 2300 余名渠县人在各行各业担任县处（团）级以上领导职务。

区位独特。渠县地处成渝经济区渝广达经济带中心区，达州、广安、南充、巴中四市结合部，渠江流域核心区，渠江穿境而过，境内通航里程达 283 千米，上接秦巴、下连重庆，是川东重要的交通枢纽。

优势明显。襄渝铁路纵贯南北，达成铁路横贯东西，国省干道、县乡公路纵横交错。2013 年 10 月，南充—渠县—梁平高速公路竣工通车。2015 年 10 月，达州—巴中铁路竣工通车。渠县积极支持成都—南充—达州高铁建设和达州—营山、平昌—渠县—广安高速公路建设，同步建成 9 条高速互通连接网。加快国道 318 线绕城快速通道（含渠江四桥）、连接南北城区黄花大道和流江河北岸生态滨江走廊建设，整体推进渠江航道四级升三级改造工程，着力实施“5+1”现代特色农业提质工程，扎实抓好“4+3”工业提质工程建设和“三大行动计划”，精心打造成渝西结合部物流中心。渠县的交通优势、区位优势、发展优势日益凸显。

近年来，渠县牢固树立“创新、协调、绿色、开放、共享”的发展理念，按照“五位一体”总体布局和“四个全面”战略布局，紧扣“打赢脱贫奔康攻坚战、建设幸福美丽新渠县”的发展主题，坚持“站高谋远、加快发展、脱贫奔康”的工作基调，聚全县之才、集全县之智、举全县之力，正朝着“四川经济强县、四川生态强县、四川文化强县”的宏伟目标阔步迈进。

中滩乡天山村幸福美丽新村

渠南乡万亩标准化果园

拱市乡万亩核桃种植基地

渠南乡现代农业示范园（火龙果）

望江乡发展肉牛养殖引导群众脱贫致富

生猪标准化养殖场

渠南乡新村走廊

平安乡木岭村建成后的标准化山坪塘

爱国主义教育基地——红色渠县纪念园

新建成的南大梁高速公路

城乡快速通道——渠（城）汇（三汇）路

全国第二批农村改革试验区
全省幸福美丽新村建设示范区
全省农产品质量安全监管示范区

巴中市巴州区

省委书记、省人大常委会主任王东明（中）到水宁寺镇龙台村调研

区委书记张平阳（中）、区长杨波（前排左一）调研农村重点项目建设情况

巴中市巴州区始终把脱贫攻坚作为首要任务，面对经济下行压力不断加大、环境约束日益趋紧的严峻形势，主动适应经济发展新常态，紧扣农民增收主题，以统筹城乡发展为统揽，以深化农村改革为动力，以巴山新居建设为载体，以城乡基础建设为支撑，以发展特色主导产业为突破，不断拓展农民增收致富渠道，全区农村改革和农业农村工作取得了可喜成就。

2016 年，全区粮食作物播种面积 78 万亩，总产量实现 28 万吨；油料作物播种面积 11.87 万亩，产量 1.95 万吨。新建现代特色效益农业标准化基地 4.27 万亩，建成 18 个畜禽标准化养殖场。全年培育专业大户 325 户、家庭农场 81 家、农民专合社 256 家、规模以上龙业企业 26 家（其中市级龙头企业 3 家），共带动农户近 4 万户。完成“三品一标”创建 67 个。巴州区被省政府认定为“四川省农产品质量安全监管示范县”。成功创建省级生态农业示范园 1 个、中国乡村旅游模范村 1 个、全国乡村旅游扶贫重点村 31 个，全年实现旅游收入 35 亿元。2016 年，全区农民人均可支配收入达 10020 元，同比增长 9.5%。

2016 年，全区共启动建设中心村 89 个、“小组团”聚居点 277 个，改造农户住房 15372 户（其中廉租房 820 户），并同步配套基础设施、公共服务，全区计划总投入 196756 万元。农村综合改革在全区 29 个乡（镇、街道）全面铺开，形成了 55 项制度成果，顺利通过国家试验区工作中期评估。探索建立协会、企业、农户三种管护模式，完善农民财产权实现形式等做法，被国家层面评价为“可以为修改《农村土地承包法》和《土地管理法》提供重要实践依据”；在水宁寺镇枇杷村试行整合国土“三大项目”统筹建设巴山新居的做法得到国务院副总理汪洋的肯定并在全国推广。

花溪乡新庙村

珍稀苗木种植基地

山水化湖景区

清江镇巾字村

水宁寺镇三皇村

花溪乡明山村

苏山新居全貌

清风大道

公路森林走廊

村道环线

全省脱贫攻坚先进县（区）
全省农村改革综合试验区
全省农产品质量安全监管示范区

巴中市恩阳区

区委书记梁津华（中排左一）调研脱贫攻坚工作

区长王清平（中）督导易地扶贫搬迁项目

巴中市恩阳区按照"四新恩阳"发展定位，以脱贫攻坚为总揽，以深化农村改革为动力，以增加农民收入为核心，以"四好村"创建为载体，突出绿色价值再造理念，全面实施"五大行动"，结合农村危房改造、易地扶贫搬迁、城乡土地增减挂钩等项目，正确引导农民主动建设巴山新居，推动贫困户脱贫、贫困村"摘帽"，加快推进幸福美丽新村建设。结合脱贫攻坚"十三五"规划、乡（镇）土地利用总体规划、"大农业"发展规划、基础设施建设规划和生态旅游规划，编制完成《巴中市恩阳区幸福美丽新村示范区（十三五）建设规划》，共完成中心村规划18个、聚居点规划285个（其中贫困村119个），至2020年全区规划建成中心村24个、聚居点400个。建成明阳—柳林、观音井—下八庙等统筹城乡示范片2个，建成幸福美丽新村73个（其中启动扶贫新村42个，建成43个）；解决贫困群众安全住房7153户、26160人，实现对2016年预脱贫户住房问题全解决、全覆盖。

全区脱贫攻坚暨农村工作会

大力发展优质粮油、品质果蔬、特色养殖，八大特色农业园区扩面提质，新增优质粮油基地2万亩、巴药基地3.6万亩、优质果蔬6.5万亩，全年实现农业增加值15.05亿元，增长3.9%。引进和培育龙头企业19家、专业合作社310个，培训新型职业农民300人，农业产业链条不断延伸。深入推进农业品牌建设，“恩阳芦笋”地理标志申报通过评审，4家合作社被认定为省级示范社，5个产品获得绿色食品认证，10个产品获得无公害农产品认证，4家企业获得“有机产品转换认证”，新增“三品一标”农产品14个。新建、改造农贸市场6个。启动16个乡（镇）集镇污水处理站建设，其中6个已建成主体工程。裕博食品批发城A组团投入运营，“裕博到家”电子商务服务平台、柳林区域配送中心、渔溪中药材物流中心等一批服务业项目竣工投产，新增限上商贸企业6家、规模以上服务企业6家。举办了荷花观赏、葡萄、芦笋采摘等系列乡村旅游活动，全年共接待游客260万人次，实现旅游综合收入20.8亿元。2016年，全区农村居民人均可支配收入达10177元，同比增长9.7%，有力推动了贫困户脱贫、贫困村“摘帽”，实现了农业增产、农民增收、农村增效。

恩阳区“三农”工作得到省、市领导的充分肯定，其中贫困户增收“5+”模式和集体经济改革做法在全省大会作经验交流。恩阳区被评为2016年全省脱贫攻坚先进县（区）、全省农产品质量安全监管示范区。

上八庙镇来凤村合院新居

上八庙镇窖垭村新居

柳林镇桅杆垭新村

群乐镇新河新村

下八庙镇凤凰包新村

下八庙镇钱库新村

三汇镇四合院村农家书屋

新村卫生室

幸福美丽新村运动场

柳林镇钟家坝村农村电商

柳林镇罐子沟村荷花节

柳林镇旅游扶贫新村——罐子沟村

观音井镇万寿村肉牛养殖基地

游客入园采摘葡萄

九镇乡粮油种植基地

舞凤乡宝石村水蛭养殖基地

司城街道碧石村桃子种植基地

芦笋产业基地

巴中市恩阳区财政局

区委书记梁津华（中）到群乐镇朱家沟村督导脱贫攻坚工作

区长王清平（中）到恩阳区调研

巴中市恩阳区财政局紧紧围绕市、区扶贫攻坚，加快发展，全面小康战略部署，以脱贫攻坚为统揽，围绕"钱怎么筹、钱怎么用、钱怎么管"等关键环节，主动作为，深入谋划，各项工作稳步推进，成效显著。

深度挖潜增收，促进经济增长。密切关注当前财税经济形势，加强重点企业、重点行业监测，创新征管举措，努力实现全年收入预期目标。2017 年上半年，全区地方一般公共预算收入完成 31650 万元，占年初预算的 57.5%，增长 20.1%，收入进度和增速分别比全市快 5.3 个、12.8 个百分点，居全市第一位，保持了连续四年的高速增长。全区一般公共预算支出完成 195122 万元，比上年同期增长 20.3%，执行进度比全市快 8.8 个百分点，其中用于教育、医疗卫生、社会保障和就业、保障性住房等与民生相关的支出为 147317 万元，占全区一般公共预算支出的 75.5%。累计拨付"十项民生工程"和"20 件民生实事"资金 50868 万元，占年初目标计划的 50.7%。上半年，到位上级财政转移支付补助 20.88 亿元，已实际形成支出 15.86 亿元，资金使用率达 76%。收回财政结余资金 4163 万元，调入预算稳定调节基金 6600 万元，用于教育扶贫等重点项目。争取到位新增政府债券 3.5 亿元、置换债券 7.65 亿元，为重大基础设施建设、民生改善等提供了资金保障。

局长岳永国（中）走访易地扶贫搬迁政策落实情况

推行股权量化，壮大贫困村集体经济

上门办理人大常委会和政协议案提案

“为民理财促发展·务实清廉惠民生”演讲比赛

创新扶贫机制，保障重点项目建设。上半年，区本级年初预算安排扶贫开发资金6668万元，财政专项扶贫支出占公共预算收入的比重高于30%。整合中央和省、市、区涉农项目26类43项，整合资金45420万元，到位资金24476万元。“四项扶贫基金”新增6460万元，规模累计达到15228万元。统筹安排资金16.52亿元，支持脱贫攻坚、黄石盘水库、国省干道改造、机场快速通道、城区闸坝工程、外环路一期等重点项目建设。落实资金0.75亿元，培育多元化经营主体，推动农业和旅游、健康养老深度融合。积极培育替代财源，安排资金0.35亿元，支持冷链物流公共服务平台、川东北农产品交易中心、现代粮食物流产业园、乡（村）电商服务站（点）等服务业项目建设。筹集资金0.34亿元，兑现招商引资优惠政策和“房十条”优惠政策4601户、11122万元，有效促进了经济增长。选派5名机关干部任“第一书记”，对口帮扶3个贫困村和2个非贫困村；58名机关干部结对帮扶226个贫困家庭，实现驻村帮扶全覆盖。

深化财税改革，提高理财水平。进一步完善基本支出定额标准体系和财政项目支出绩效评价指标体系，继续推进预算执行动态监控。包装推介PPP项目9个，总投资52.23亿元，其中开工项目6个，总投资35.89亿元（已完成投资7.25亿元）；列入财政部PPP项目库3个，总投资17.75亿元。申报2017年省级示范项目3个，其中医养园PPP建设项目被列为财政部第三批示范项目。上半年，“三公”经费支出676万元，同比减少13%。投资评审易地扶贫搬迁项目节约1441万元，其他项目节约8254万元。政府集中采购项目节约财政资金204万元，两宗PPP项目节约资金2550万元。组织开展各项监督检查10余次，发现违规问题资金5810万元，滞留资金1946万元，追缴国库197万元。

区财政局支持建设的恩阳大道何家坝段

区财政局支持建设的川东IT产业园

区财政局支持建设的四川好彩头食品生产基地

巴中市恩阳区交通运输局

巴中市恩阳区交通运输局始终把交通运输发展作为支持脱贫攻坚的主战场，围绕扶贫攻坚和幸福美丽新村建设，按照"公路围着产业转，产业围着公路建"的原则，竞进提质，升级增效，为全区脱贫奔康当好了先行，提供了支撑。自2014年以来，累计完成交通建设投资86.5亿元，巴中机场开工建设，巴广渝高速公路即将建成通车，建成城区干环线公路27千米，升级国、省干线公路172千米，完成14个乡（镇）过境公路黑化，新改建县乡联网路173.9千米，建成通村公路835.1千米、巴山新居和产业园区配套道路151.8千米，100%的乡（镇）和行政村通水泥（油）路，川东北综合交通新枢纽已初步形成。组建农村客运运营公司4家，开行农村客运班线77条，建立区、乡（镇）、村三级物流网络体系。全区交通行业扶贫已新建连片扶贫开发道路293.6千米，改造62个贫困村道路196.2千米，巴山新居水泥（油）路通达率达100%，整治山坪塘11口；帮助挂联村建成莲藕基地300亩、大棚蔬菜50亩、果蔬基地360亩、年出栏200头以上生猪养殖场2个，已帮助帮扶村52户贫困户实现脱贫。

局长张彬（中）现场解决贫困村道路建设问题

恩阳新大桥

恩阳大道

恩阳玉山公路

巴中市国土资源局恩阳分局

局长陈军（左二）到玉井乡细椏村调研扶贫工作

明阳镇高店子新村

巴中市国土资源局恩阳分局紧扣保资源、促发展、防地灾、抓项目、维权益、惠民生工作主线，切实转作风、重实效、强推进。2016年，国土资源工作取得全市综合目标考核、全市单项目标考核、区直管部门目标考核、市国土资源局党风廉政建设考核“四个第一”的优异成绩。为国土资源部在巴中市举办的土地政策支持扶贫开发及易地扶贫搬迁培训班和国土资源厅在巴中市举办的全省国土资源助推脱贫攻坚政策业务培训班提供了观摩现场。成功迎接17个批次市、县领导亲临学习考察。

2016年，全年报征各类建设用地2002亩；出让土地26宗、1897亩，获得土地出让收益20.67亿元，占全市土地出让收益的38.6%，位居全市第一，为新区经济发展提供了强有力的要素保障；实施增减挂钩项目13个，取得挂钩周转指标566亩、结余指标477亩，流转结余指标440亩，获得流转交易收益1.1亿元，有效盘活了农村土地资源；竣工农民集中居住区18处、安置房969套，开工建设农民集中居住区7处、安置房442套，叠加实施避让搬迁项目，实施搬迁1184户，有效改善了农村生产生活条件；实施土地整理项目13个，整理规模16.8万亩，新增耕地1.51万亩，取得新增耕地占补平衡指标3058亩，切实改善了农业生产条件；连续三年实现全区耕地保有量61.5万亩、基本农田54万亩面积不减少、质量不降低的目标；成功打造下八庙镇钱库村、凤凰包村“三大国土项目”助推脱贫示范点。恩阳区运用“三大国土项目”助推脱贫攻坚的做法和经验在全省乃至全国推广学习借鉴。

地质灾害治理

全省"三农"工作先进县
全省幸福美丽新村建设示范县
全省现代农牧业建设重点县

南 江 县

巴中市副市长、县委书记刘凯（中）到乡（镇）督导脱贫攻坚工作

县长李善君（右二）深入贫困村调研产业发展情况

2016 年，南江县按照"生态立县、旅游强县、绿色崛起、同步小康"的总体思路，深入推进农村改革，不断创新"三农"发展机制，强化农村基础设施建设，加快建设"业兴、家富、人和、村美"的幸福美丽新村，全县农业农村经济保持了良好发展态势。全年实现农业总产值 48.9 亿元，同比增长 12.7%；农民人均纯收入达 10265 元，同比增长 14%，被评为 2016 年度全省"三农"工作先进县。

建立投入长效机制，不断增加"三农"投入。2016 年，全县有效整合涉农项目资金 25 类、14.63 亿元。完成农村公路改善工程 8 条 124.9 千米、通村通畅工程 16 条 70 千米；加快"五小水利"工程建设，新建蓄水池 160 口，改造渠道 420 千米；实施土地整理 1.6 万亩，新建农村沼气池 6200 口，发展太阳能用户 2100 户。

红光镇幸福美丽新村

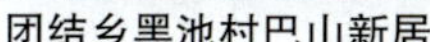

团结乡黑池村巴山新居

八庙乡普照寺村易地扶贫搬迁聚居点

高标准编制规划，加快推进“四好”幸福美丽新村建设。高标准编制完成《县域村镇体系规划》《县域新村总体规划》以及6个重点镇、10个特色镇、25个一般乡镇、120个幸福美丽新村规划，350个新村规划，780个聚居点规划，758个基础、产业、公共服务等各类专项规划。近年来，全县已累计完成9个片区、381个村连片开发，全面建成普照寺、红沙线、元顶子、长滩—玉湖、白鹤—东坝等幸福美丽新村，城乡一体格局初步形成。

大力实施旅游强县战略，加快培育秦巴山片区绿色经济增长极。依托农村绿水青山、田园风光、乡土文化等资源大力发展休闲度假、旅游观光等，帮助农民致富增收，乡村旅游成为农村新兴支柱产业。全县旅游收入年均增长25%以上，全域旅游、四季旅游格局初步形成。

大力发展绿色产业，建设西部地区重要的绿色农产品供应基地。按照“南茶、北羊、中蔬（菜）粮（油）”的思路，以“一环两园”为核心，建成五个百里产业长廊，全县特色产业基地达140万亩。立足富硒和生态的独特优势，大力发展有机农业，已认定无公害农产品生产基地42万亩，云顶茗兰、南江黄羊、米仓山牌核桃等88个农产品获得“三品一标”认证。有效探索出了“龙头带动型”“合作社带动型”“订单＋信贷型”等订单农业模式。

红四乡石岩村新村聚居点

桥亭乡银堡新村新居风貌

万寿菊种植技术现场培训会

南江镇白鹤村产村相融

扎实精准扶贫，助推脱贫攻坚。以核桃、南江黄羊、巴山土鸡、万寿菊、中药材等产业发展种养大户、家庭农场为基础，手把手对贫困户进行技术培训。成立扶贫村种养合作社，按照贫困户、贫困村"七有"的减贫标准，确保贫困村如期脱贫"摘帽"。通过结对共建行动，推动精准扶贫、指导乡村治理、回引创业。全年完成 47 个村 1.6367 万人的脱贫目标任务，贫困人口降至 4.16 万人，贫困发生率降至 7.49%。探索出"借羊还羊，扶持发展"模式，已有 5000 余户 2 万余人依靠发展南江黄羊产业增收致富。全县共有农业专业化龙头企业 84 家、家庭农（牧）场 342 个、专合组织 686 个，成为带领农民致富奔康的领头雁。

紧抓省级电子商务进农村综合示范项目实施，依托阿里巴巴、"淘宝网"等第三方服务平台开设特色农产品旗舰店、特产商城等网店，搭建县电子商务孵化服务中心，积极培育光雾米业、四川北牧南江黄羊集团、南江土产果品公司等电商企业。2016 年，全县新增规上服务业 8 家、线上商贸企业 7 家、电商企业 100 家，实现服务业增加值 5.22 亿元，同比增长 10.5%。

全面加快农村产权制度改革，不断增强农民增收内生动力。紧紧扭住确权颁证、平台运行、产权交易三大重点，在基本完成"八权一股"颁证工作的基础上，搭建县农村产权交易、产权评估、土地收储"三个中心"，"八权一股"确权颁证工作基本完成。2016 年全县累计完成土地流转 2.4 万亩、林地流转 4 万亩，促进土地适度规模经营。

土地整治后的产业新村——黑潭乡南鹰村

茶园采茶

金银花产业带

下两镇瓦坪村新植茶叶带

和平乡鲁班村猕猴桃园

水产养殖

国家电子商务进农村综合示范县
全国农村集体“三资”管理示范县
全省农民增收工作先进县

通　江　县

县委书记孙辉（左三）督查易地扶贫搬迁工作

县长王军（右二）调研农村产业发展情况

通江县始终把促进农民增收作为“三农”工作的重要目标，深入推进农业供给侧结构性改革，大力实施通江银耳“倍增计划”，实施茶叶和核桃产业“双百工程”和巴药产业行动计划，加快实施“新网工程”，全方位、深层次、多渠道挖掘农民增收潜力，切实增加农民收入。2016 年，全县农民人均可支配收入达 9863 元，同比增长 9.9%，被评为全省“农民增收工作先进县”，成功创建为国家电子商务进农村综合示范县。

深入开展以“四个好”为目标的幸福美丽新村建设，大力发展文化旅游和康养产业，成功创建国家级生态乡镇 1 个、省级生态乡镇 26 个、市级生态村 217 个；21 个村被省委省政府命名为省级“四好村”，34 个村被市委市政府命名为市级“四好村”。成功创建为全省旅游扶贫示范区、省级乡村旅游强县，空山天盆景区创建为国家 4A 级旅游景区。

全县首个乡村俱乐部——得汉城乡村俱乐部成立

永安镇得汉城村省第十一次党代会宣讲大会

铁佛镇小岭子村

坚持精准脱贫与连片扶贫双轮驱动，全力实施“六大扶贫工程”，47 个贫困村如期“销号”，19825 名贫困人口实现稳定脱贫。“股权量化”资产收益扶贫模式、“5+1”金融扶贫模式和“四联四统”党建扶贫模式先后被中央电视台《新闻联播》《人民日报》报道，脱贫攻坚先进经验在全省交流。

石牛咀新区

民胜镇方山村夏荷美景

周子坪社区夜景

新村美景

杨柏乡潘家河村易地扶贫搬迁安置点

诺水河镇梓潼村产业发展基地

茶叶种植基地

特色产业发展

广纳镇龙家扁村猕猴桃种植基地

油菜种植基地

银杏产业

诺水河河堤治理工程

现代农业产业发展

全国休闲农业和乡村旅游示范县
全 国 有 机 产 品 认 证 示 范 县
全 省 现 代 农 业 示 范 县

平 昌 县

县委书记蒲开文（中）督查脱贫攻坚工作

县长李余良（左三）调研脱贫攻坚工作

平昌县始终保持专注发展定力，坚持以交通水利为重点加快构建基础设施网络，以特色农业产业园区建设着力构建现代产业体系，以改革开放为抓手增强县域发展活力，以脱贫攻坚为统揽持续保障改善民生，奋力推动农业大县向农业强县跨越。2016 年，全县农村居民人均可支配收入达 9928 元，增长 9.8%。

坚持规模与效益并重着力发展现代农业，稳定发展粮油、畜禽等传统农业。2016 年，全县粮食播种面积 110.17 万亩，粮食总产量 38.98 万吨，实现"十三连增"；油菜播种面积 28.83 万亩；总产量 3.75 万吨。建基地、延链条、创品牌，着力发展特色产业，新发展茶叶 8 万亩、巴药 2.48 万亩、花椒 11.7 万亩、核桃 3.2 万亩、水产 2.3 万亩、莲藕 2.1 万亩，六大特色产业突破 60 万亩；建成 1 万亩以上茶叶基地乡（镇）9 个、1 万亩以上花椒基地乡（镇）8 个、5000 亩以上核桃基地乡（镇）3 个、5000 亩以上药材基地乡（镇）6 个；加快茶叶、花椒、水产、中药材加工集中区建设，培育农产品加工企业 34 家，培育康坪香米、碧峰蕊芽等 13 个绿色品牌，"平昌青花椒"国家地理标志产品保护正式获批，平昌县获得了"全国十大魅力茶乡""全省现代农业示范县""全国有机产品认证示范县"等称号。大力发展电子商务和物流业，深化与阿里巴巴、京东、北京国联等知名电商合作，首批 104 个农村淘宝服务站投入运行，全面开通"乡村物流班车"，积极申报国家级电子商务进农村综合示范县，获得了"四川省城乡物流共同配送试点县"称号。

坚持把乡村旅游作为脱贫攻坚的重要抓手，成功申报南天门、三十二梁为国家 4A 级旅游景区，全县国家 4A 级旅游景区达到 5 个；建成省级乡村旅游示范乡镇 6 个、省级乡村旅游示范村 14 个、市级最美新村 4 个、首批省级园林新村 1 个；坚持农旅、文旅、渔旅融合，大力发展休闲观光农业，建成三十二梁、驷马水乡三产互动示范带，新建茶旅融合示范区 2 个、渔旅融合示范区 1 个、果旅融合示范区 2 个，发展三产互动型企业 35 家，开办农家乐、小卖部 800 余家；成功举办四川省第七届乡村文化旅游节（分会场）、茶旅节、巴人文化节等节会活动，承办了全省乡村旅游与旅游扶贫工作培训会。2016 年，全县接待游客 428.12 万人次，实现旅游综合收入 33.52 亿元。获得了"全国休闲农业和乡村旅游示范县"称号。

白衣镇渔村钓鱼文化节

平昌县第二届葡萄文化节

坚持“业兴、家富、人和、村美”原则和“住上好房子、过上好日子、养成好习惯、形成好风气”目标，大力开展幸福美丽新村建设和“四好村”创建工作，新建中心村5个、聚居点116个、幸福美丽新村117个、农村廉租房590套，完成农村危旧房改造1.58万户，易地扶贫搬迁1586户、5837人；创新“三合院、四合院”新村建设模式，建成三合院15栋、四合院4栋；创建省级“四好村”18个、市级“四好村”44个、县级“四好村”85个。

实施回引创业带动，出台扶持办法，设立创业基金，定期举办“创业论坛”回引创业报告会，通过回引创业培育新型农业经营主体，带动贫困户发展产业，成功回引1000万元以上项目58个，兑现回引创业补助资金5000万元。新增规模流转土地5.6万亩。新建畜禽标准化养殖场11个、林下养殖示范片2个，高标准建成现代农业园区5个，发展省级龙头企业3家、市级32家，培育农民专合社607家、家庭农场57家、种养大户220户，示范带动18.1万人。

镇龙山国家森林公园五峰林海景区

牛角坑景区

镇龙山国家森林公园

鹿鸣镇茶叶产业示范园

灵山镇莲藕种植基地

花椒种植基地

油菜种植基地

灵山镇民意村水产业蓬勃发展

青凤镇蛋鸡养殖基地

得胜镇茶场

泥龙镇牛角坑水产养殖基地

灵山镇梯田

驷马镇元峰省级农业科技园

南江县扶贫和移民工作局

南江县扶贫和移民工作局认真贯彻落实中央、省、市、县脱贫攻坚决策部署，围绕“一个目标、两个提前、三个统筹、四个清单、五个机制”的“12345”总体思路，聚焦“45个村、1.2万人”年度攻坚目标，严格对标“双七有应试”，下足“绣花”功夫，全力以赴做好“必答题”，务实创新做好“加分题”，确保不落下一户一人。按照“走出一条秦巴山区脱贫攻坚、绿色发展的新路子”的总体要求，聚焦脱贫目标，强化“五式”举措（推行“清单式”攻坚，补齐基础短板；推行“网格式”帮扶，压实脱贫责任；推行“链条式”发展，培育增收产业；推行“模板式”管理，精准动态调整；推行“民主式”治理，强化精神扶贫），形成强大攻势，先后承办了全省易地扶贫搬迁工作现场会、全省深化供销合作社综合改革现场会、森林康养产业扶贫现场会，顺利通过国家易地扶贫搬迁考核并获得高度评价。探索建立的以“两本台账、三个清单、四大机制”为主要内容的“234”脱贫攻坚模式被省、市作为脱贫攻坚落地经验推广；坚持“不超标、不豪华、不闲置”“搬得准、搬得顺、搬得富”及“政府主导、市场主力、群众主体”的“三不三搬三为主”原则和“五档差异化”补助方式，创新推动易地扶贫搬迁工作；探索建立的“三三”分类攻坚机制被作为巴中特色经验在全省贫困县摘帽工作现场推进会上推广，受到省委副书记邓小刚的充分肯定。

局长何大宏（左一）深入基层调研精准扶贫政策落实情况

局机关下派“第一书记”程锐（右二）到贫困户家中进行扶贫政策宣传

致富带头人为党员群众现场授课

万寿菊产业带

东榆镇桥坝新村

“借羊还羊”项目带动贫困户发展成为养殖大户

乐”,扶持壮大林业龙头企业,做强森林生态旅游。北域以金秋湖环线为主,重点培育了金兰花谷、九洲油茶、绿浪园林、雨辰风铃谷、凤凰香谷等主题园区;南域以宜长线为主,建成茶山桂海、梦里水乡、镜湖桃源等主题园区。培育林业产业化龙头企业3家,其中省级2家、国家级1家。举办了首届兰花节、镜湖桃源品鉴会、早茶节、栀子花节、骑行节等林业节庆赛事活动,吸引游客20万人次,带动消费3000万元。

【种植业】 2016年,翠屏区农作物播种面积48700公顷,增长0.75%,其中粮食作物播种面积32606.7公顷,减少0.79%;产量21.55万吨,增长1.2%。油料作物播种面积4880公顷,增长6.28%;产量1.21万吨,增长4.6%。按照省上“百亩核心攻关、千亩展示示范、万亩辐射带动”的要求,累计实施面积11760公顷,建立万亩示范片3个、面积2000公顷。在南广镇和李庄镇合建示范片1个,在李端镇和宋家镇各建立示范片1个,在宋家镇洋坪村建立“旌优127”优质水稻基地73公顷,经现场测产,万亩示范片水稻平均亩产635.52千克,最高亩产676.13千克;万亩示范片再生稻平均亩产128.71千克,基地两季平均亩产764.23千克,示范片总产达2.292万吨,亩产值2109.3元,总产值达6327.82万元。全年核定耕地地力保护补贴面积19578公顷,兑付补贴资金37875422.49元。

着力推进翠屏区价调基金城市保供蔬菜基地建设项目(一期),获得宜宾市价格调节基金361万元,用于在明威乡和菜坝镇新建城市保供蔬菜基地200公顷。全力抓好2016年翠屏区城市保供蔬菜基地建设,获得宜宾市果蔬财政专项扶持资金20万元,用于支持宜宾万宜粮油专合社在宋家镇新建设施化生产基地4公顷。全年蔬菜播种面积9600公顷,增长3.1%;产量277607吨,增长5.3%。

全区水果种植面积4961公顷,增长2.76%;产量73673吨,增长5.7%。全年改造低产果园80公顷,完善提升水果产业基地1个(牟坪镇农兴村)。通过土地整理,实施果园地布覆盖133公顷,引进自行式果园施肥机6台。巩固提升了李庄安石田之星农庄草莓采摘园、宗场罗彪家庭农场等一批特色水果新型经营主体。

按照“一主两辅、全域融合”的思路,以建设北域环金秋湖区域茶产业综合体为重点,以“创建精准茶园、创新茶产业链、创意茶文化”为主线,打造区域精品“茶叶全产业链”。全区茶叶专业合作社达14家,探索建立了“茶农入社、社企建厂,就地注册、独立经营,独立核算、按股分红”的“茶叶加工企业+合作社+茶农”的股份制利益联结机制。2月24日,第九届“中国·宜宾早茶节”开幕,早茶节翠屏区开园采茶仪式在金坪镇早茶基地举行。5月5日,区长李强率农林畜牧局相关人员出席了“2016·第五届中国(四川)国际茶博会”开幕式,川茶集团、满园春茶业、张扬茶业等多家茶企参展。全区有茶园面积5376公顷,增长2.5%;采摘3780公顷,增长14.1%;茶叶产量2426吨,增长12.3%。

2016年翠屏区省级(及以上)产业化龙头企业名单

企业名称	注册资金(万元)	法人代表	示范等级	年度产值(万元)	行业分类	主营产品
四川省茶业集团股份有限公司	20800	颜泽文	国家级	163500	农业	茶叶及茶食品
四川省和久农业集团有限公司	5000	钟燕华	省级	110000	农业	酿酒原粮、食用大米
四川宜宾碎米芽菜有限公司	2800	郭毅	省级	14360	农业	芽菜系列
四川省宜宾市叙府酒业股份有限公司	10000	陈泽军	省级	101020	食品业	白酒
宜宾黄桷庄粮油集团有限公司	2700	周玉敏	省级	20396.13	加工业	粮油制品
宜宾市久顺食品有限公司	3000	朱顺平	省级	15720	农业	绿色猪肉制品

2016年翠屏区省级(及以上)示范农民专业合作经济组织名单

专合组织名称	注册资金(万元)	法人代表	示范等级	年度产值(万元)	行业分类	主营产品
宜宾市翠屏区明清茶叶专业合作社	300	彭子权	国家级	502	农业	茶叶
宜宾市翠屏区留诚养殖专业合作社	1101.38	陈伟	国家级	645	畜牧业	鸡
宜宾市翠屏区兴荣水产养殖专业合作社	732	王伦银	国家级	3360	渔业	水产品
宜宾市翠屏区鸿鑫种植养殖专业合作社	395.64	胡红	国家级	85	林业	林木、禽类
宜宾市翠屏区凉姜乡水果协会	0.3	张荣友	省级	5.2	农业	小水果
宜宾市翠屏区牟坪镇群星优质水稻专业合作社	0.35	张加林	省级	5	农业	种子、肥料、农药、粮食收购(水稻)
宜宾七星湖林业园林农牧专业合作社	200	刘勤	省级	750	林业	花卉、苗木
翠屏区裕农种植养殖专业合作社	30	黄水银	省级	83	农业	生姜、梨
宜宾市翠屏区远华养殖专业合作社	150	雷世琼	省级	420	畜牧业	乳鸽

续表

宜宾市翠屏区金秋茶叶专业合作社	150	刘小进	省级	605	林业	茶叶
宜宾市翠屏区翠仁黑豆专业合作社	8	王鸣超	省级	20	农业	豆类
宜宾市翠屏区容鑫葡萄专业合作社	800	罗彪	省级	1000	农业	葡萄
宜宾市益民花木农民专业合作社	30	朱家云	省级	200	农业	城市绿化苗木
宜宾市翠屏区鼎天养殖专业合作社	20	曹凤	省级	45	畜牧业	家禽
宜宾市翠屏区永昌农机农耕服务专业合作社	100	黄永章	省级	205	农业	农机服务

2016年翠屏区家庭农场经营情况统计表(前10位)

家庭农场名称	注册资金(万元)	法人代表	年度产值(万元)	行业分类	主营产品
宜宾市翠屏区李庄镇张正明家庭农场	60	张正明	380	种养结合	农家乐、蚕桑、家畜
宜宾翠屏区罗彪家庭农场	900	罗彪	50	种植业	葡萄、花卉
宜宾市翠屏区梨春苑家庭农场	90	张治国	60	种植业	水果
宜宾市翠屏区朱家花园家庭林场	350	朱家云	160	林业	苗木、花卉
宜宾市翠屏区祖莲家庭农场	50	刘祖莲	20	养殖业	特色林下鸡、禽蛋
宜宾市翠屏区陈荣家庭农场	80	陈荣	20	种养结合	生态甲鱼、水稻、蔬菜、水果
宜宾市翠屏区瑞果家庭农场	50	黄志强	15	种植业	水果
宜宾市翠屏区映山红家庭农场	30	谢仁芳	10	种植业	水果
宜宾市翠屏区五块家庭农场	30	陈洪兴	40	种养结合	水果、家畜
宜宾市翠屏区华缘家庭农场	18	唐昌华	20	种植业	水果

【畜牧业】 2016年,翠屏区出栏生猪42.2697万头。肉类总产量37208吨,禽蛋产量5542吨,奶类产量6175吨。生猪三元杂交改良面达93.95%,禽(蛋鸡)良种改良面达99.2%。全年实现畜牧业产值15.22亿元,农民畜牧业人均可支配收入达3205元,同比增加292元。扶持新建标准化养殖场(小区)20个,其中生猪6个、家禽6个、肉牛4个、肉羊4个。创建省级标准化示范场和市级标准化示范场各2个。动物疫病防控体系进一步健全,近五年未发生区域性重大动物疫情。畜产品质量安全得到有效保障,坚持用"四个最严"抓好畜产品质量安全监管,严厉查处违法违规经营,全年未发生畜产品质量安全事件。畜牧业产业化经营水平不断提高,全区有畜牧龙头企业13家,畜牧专合组织达146个。"一鸽九鼎""留诚"被认定为宜宾市知名商标。全年申报无公害畜产品6个,翠屏区兰特农业科技有限公司蛋鸡场、宜宾市茶缘牧业公司猪场和翠屏区银源祥养殖专合社养殖场通过省农产品安全检测中心无公害畜产品的现场审核。继续坚持集中免疫与实时免疫相结合,大力推进动物防疫工作"三个转移",加强口蹄疫、高致病性禽流感、猪瘟等重大动物疫病强制免疫,全年共免疫猪、牛、羊、禽等1000.35万头(只、羽)次。

【水产业】 2016年,翠屏区水产品总产量18270吨,同比增长7.34%;实现渔业经济总产值49800万元,同比增长9.33%。市级财政特色养殖业发展专项资金(特色水产发展)建设项目总投资200万元,发展稻渔生态种养殖基地20公顷、稻田养鱼100公顷。鼓励和支持水产养殖专业合作社发展,全区有水产养殖专业合作社18个,新成立水产养殖专业合作社2个,有社员950余人,专合社水产养殖面积600公顷,带动周边农民从事水产养殖800公顷。

【构建绿色农产品加工体系】 2016年,翠屏区总投资12.68亿元的川茶三产融合发展项目、总投资15.61亿元的申酉辰沉香资源开发三产融合项目和总投资1.1亿元的兰特农业智能化养鸡场建设项目有序推进并部分建成,宋家农产品加工区和国家农业科技园加工区建设加快推进,初步形成了以叙府酒业、和久集团为代表的粮油食品加工,以川茶、川红为代表的茶饮料加工,以久顺为代表的肉类食品精深加工,以碎米芽菜、戎陈坊、梦幻森林为代表的蔬菜(含林竹食品)加工四大特色种养殖业发展集群,碎米芽菜、天府龙芽、留诚香林绿壳蛋、一鸽九鼎鸽蛋、竹燕窝、南杨酸枣糖等绿色加工食品畅销全国,全区绿色食品饮料工业城市核心区的定位初步形成。

【统筹城乡与新型城镇化】 2016年,翠屏区按照中央、省、市户籍制度改革精神,制定了《宜宾市翠屏区人民政府关于进一步深化户籍制度改革工作的实施意见》,起草了征地区域户籍制度改革方案。按照"六个统筹"思路,确定都市农业发展定位,着力构建起"政府搭平台、企业谋开发、群众全参与"的"城乡联营"建设模式。大力实施农村公路大会战、国土整理全覆盖、农村"1+N"公共服务体系大提升等工程,整合实施高标准农田建设、农田水利基础建设、农村垃圾治理、生态环境保护、安全饮水等各类涉农项目,基本实现了农村"路网、水网、田网、林网"全覆盖,"电力、饮水、物流、通信"全通畅,文化教育卫生社会保障全配套。制定了《实施精准党建行动建设"三江一路"党建示范核心区建设的意见》《关于在村(社区)构建协商民主制度的实施意见》和《翠屏区村民议事会议事规则(试行)》,依法规范村

“两委”职责和村务决策程序,建立村民议事会制度,构建村党组织领导、村民(代表)会议或议事会决策、村委会执行、其他经济社会组织广泛参与的新型村级治理机制。深化党务、村务公开,引导农民群众自我管理、自我教育、自我服务。

【新农村建设】 2016年,翠屏区整合资金8.2279亿元,全面推进38个幸福美丽新村建设。以提升原有旧村落基础设施、环境卫生、微田园建设、公共服务设施为重点,投资650万元改造旧村7个,改造农房210户,新建农房66户。完成38个村1902户危房改造任务,人均住房面积达43平方米;解决农村廉租房99户。建设农村公路107.205千米、生产路5.725千米,整治田间道34.65千米。建设高标准农田2100亩,土地整治面积26353亩。“三建四改”项目建设庭院498户、入户路22750米、沼气池285口,改水830户、改厨710户、改圈727户、改厕331户。村社道硬化率、入户率均达90%以上,农村院落整治覆盖面达100%,垃圾无害化处理率达100%,污水无害化处理率达94%以上。11个省级财政新村完成投资975.4万元,占总投资的85%,新建农房256户、改造农房205户,配套基础公共服务项目125个。全区共创建省级“四好村”14个、市级“四好村”31个、区级“四好村”51个。

【扶贫攻坚】 2016年,翠屏区按照《〈翠屏区基础设施建设扶贫专项方案〉等9个扶贫专项方案》《17个扶贫专项2016年工作计划》《翠屏区财政专项扶贫资金项目监督管理和预防腐败工作方案》等相关文件精神,将扶贫小额信贷、易地搬迁、五大兜底、十个专项、17个工作计划、“雨露计划”等有序融入农村扶贫项目实施中。强化财政专项资金的引领作用和部门资金的整合力度,促使行业部门的项目资金投入到贫困村、贫困户(到户或享受到的资金不少于项目总投资的25%),保证贫困户享受项目资金达到户均3000~8000元,实现投入精准。结合省脱贫攻坚“六有”大数据平台建设,全区完成5296户18187人省脱贫攻坚“六有”大数据平台的户卡录入和2015年度建档立卡贫困户信息数据动态管理工作。全面落实“五个一”帮扶机制,层层落实帮扶责任,实现贫困村驻村工作队、贫困户帮扶责任人、机关干部结对帮扶、部门联系帮扶贫困村“四个全覆盖”和一村一名农技员“一个到位”。落实区级专项扶贫资金2881万元,扶持农村贫困对象脱贫6044人,完成菜坝镇水库村、明威乡明东村、南广镇七星村3个省定贫困村评估检查,实现水库村和明东村退出贫困村、七星村达到贫困村的退出标准。

【乡村旅游】 2016年,翠屏区乡村旅游接待游客800万人次,同比增长14%;实现旅游收入54亿元,同比增长29%。一是积极开展翠屏乡村旅游宣传营销,拓展旅游客源市场。策划精品旅游线路,加大宣传促销力度,推广翠屏休闲农业与乡村旅游。编制翠屏旅游宣传手册,投放《翠屏旅游画册》《翠屏旅游地图》《翠屏旅游线路手册》《哪吒故里游》等宣传资料。区旅游外侨局在节假日节前通过手机短信、微信开展节日旅游线路推荐。参加了市旅游外侨局组织的2016重庆都市旅游节暨城际旅游交易会、第三届四川国际旅游交易博览会、台湾中华两岸旅行协会来宜考察旅游推介会,策划组织了台湾嘉宾赴川旅游线路考察活动,重点推介了千年叙府、李庄古镇、流杯池公园、南广古镇、哪吒文化等旅游资源,极大地提高了翠屏区旅游的知名度。积极参与“中俄人文合作委员会旅游分委会第十三次会议”的考察接待活动。二是策划举办乡村旅游节庆活动,加快乡村旅游发展步伐。先后策划举办了邱场镇“首届风铃谷之肉肉盛宴”、金坪镇“2016年第九届中国·宜宾早茶节开园采摘活动”“2016年四川花卉(果类)生态旅游节分会场暨宜宾首届兰花节”、南广镇“‘镜湖桃源’桃花品鉴会”、赵场街道“2016四川花卉(果类)生态旅游节分会场暨翠屏区佛现山栀子花节”、牟坪镇“2016宜宾牟坪首届向阳花节”“首届乡村旅游品柑节”、李庄古镇2016年度第五届“中国李庄白肉文化节第一刀客”评选活动、明威乡“明威乡第二届骑行节”等节庆赛事活动。指导赵场佛现山景区、金坪金兰映月景区、思坡常生山水印象申报创建国家3A级旅游景区。完成李庄古镇、流杯池公园智慧景区建设并接入全省旅游应急管理平台。推行“政府搭平台、企业谋开发、群众全参与”的“城乡联营”建设模式,各类新兴休闲农业园区百花齐放,全区有金兰花谷、合盛茶庄、凤凰井生态园、镜湖桃源、乐活生态V谷、雨辰风铃谷、茶山桂海、梦里水乡、丘陵农业公园、燕山茶牧公园等休闲观光农庄(园)36个,农家乐240家,创建星级农家乐53家,李庄田之星农庄、赵场朱家花园被命名为省级休闲示范农庄,明威乡白塔村成功申报为四川省旅游扶贫示范村,金秋湖川茶集团科技园区被评为全国农业旅游示范点、四川省5A级旅游购物点、四川省旅游商品开发示范基地。借助四川文化旅游节在李庄举办的余温,加快推进“中国·李庄立体农业大观园”建设,全面完成“醉爱一公里”入口花园和绿化、梁林旧居升级打造,建成长江奇石馆、乌木雕琢馆等创意展示馆,加快引进田园风光展示区、农耕文化长廊、滨江景观长廊、农村生活体验、名人文化展示等业主,积极推进李庄古镇5A级风景旅游区建设。

【助农增收】 2016年,翠屏区实现农民年人均可支配收入14623元,增长9.3%。一是新型农业经营主体蓬勃发展。全区共培育新型农业经营主体1174家,基本覆盖全区所有行政村和主导产业,其中龙头企业61家(国家级1家、省级4家、市级24家、区级32家)、专业合作社531家(国家级4家、省级13家、市级15家)、家庭农场582家(其中示范性家庭农场126家)。二是产地加工形成特色发展集群。以打造宜宾市绿色农产品精深加工核心基地为目标,强力推进宋家农产品加工区和国家农业科技园加工区建设。依托川茶集团省级重点项目——川茶产业融合发展建设项目为支撑,通过创新经营和投融资模式延伸茶业产业链、开发茶业多功能、发展茶业新业态,积极推动茶叶由一产向二三产延伸,依托金秋湖早茶基地大力实施“茶”“旅”融合发展,走出了一条集生态茶园观光、茶叶采摘体验、特色茶餐品鉴、游湖垂钓观光、茶文化博览、茶艺表演、茶叶生产过程参观、茶产品展示展销等于一体的茶旅融合发展之路,实现了茶叶一二三次产业的有机融合。三是都市休闲观光农业悄然成型。按照农村向景区转变的思路,把发展都市休闲观光农业、实现一二三产业融合发展作为全区现代农业发展的总体目标定位,以农业为媒,主打“休闲农业和周末节假消费”品牌。印发了《关于加快推进翠屏区休闲农业发展的意见》,专题编制了《翠屏区都市特色效益农业规划(2015—2025)》,有效推进宜长路采摘观光乡村游、赵场佛现山—大洞沟—欢乐天地特色花卉游、凉姜—高店特色水果采摘游、金坪—邱场—明威早茶康养游、思坡生态文化游、陈塘关社区哪吒故里一日游等精品乡村旅游线路建设,打造了北域环金秋湖早茶之乡农业示范区、江南城乡联营特色农业示范区、西部蔬菜油料基地农业示范区、东部观光休闲农业示范区、七星山城市后花园都市农业示范区5个农业特色组团。四是农村电子商务发展突飞猛进。以宜宾电子商务产业园区为依托,打造全区农产品展示销售、企业培育平台,成功承办了四川省第二届电商峰会。截至2016年年底,园区已入驻电商企业及创业团队共45家,涵盖平台、服务、培训、融资、创意等产业链条,培育省级电子商务示范企业、创新企业5家,2015年、2016年连续两年被评为四川省电子商务示范基地。引导全区农特产品进入园区"O2O展示馆",引导传统生产型企业、专合社、种养殖大户入驻园区"宜+E产业谷",通过线上线下互动引流方式打造区域特色农产品的云平台和展示窗口。

【四川省农村改革综合实验区经验介绍】 2016年,翠屏区完成20个乡(镇、街道)258个村2090个村民小组108972户农户的土地承包经营权确权登记工作,确权登记耕地面积689341亩,颁证率达70%;农村小型水利工程确权登记率达96%;农房产权确权登记工作机构——区不动产登记中心完成机构组建和人员划转。制订了《宜宾市翠屏区农村集体资产股份合作制改革试点实施方案》,在象鼻街道方水村、南广镇金坪村等条件较成熟的社启动区级农村集体资产股份合作制改革试点。一是不断完善新型农业经营体系。创新财政支持新型农业经营主体发展资金"改基金"(产业发展基金和周转金)、"改担保"(融资平台、企业互助基金、风险分摊基金)、"改补贴"(贷款贴息贴费)方式,"倒租+务工""合作社代管分成""土地入股""龙头企业+合作社+农户""种植大户+经济组织+农户"等产业化经营和利益链接机制和模式,引进新型农业经营主体62家,流转耕地3.17万亩、林地9.05万亩,大力发展适度规模经营,带动生产要素向新型农业经营主体集聚。制订了《宜宾市翠屏区财政支农资金形成资产股权量化改革试点方案》,在3个专合社和1个村民小组开展试点,形成资产量化金额993万元,量化到户1103户,户均量化0.9万元。二是落实健全农业支持保护制度。制定了《宜宾市翠屏区激励农业科技人员创新创业专项改革试点方案》和《实施细则》,明确了10个方面的激励政策,农业科技人员创新创业活力进一步激发。按照"政府+企业+银行"三方合作思路出台了农业业主融资风险补偿基金和贴息贴费奖补办法,健全农村产权流转担保服务体系,引导银行创新各类涉农贷款产品,建立涉农贷款绿色通道。

【四川省现代林业建设重点县经验介绍】 2016年,翠屏区新增森林面积2185公顷、森林蓄积58300立方米,林地保有量达31280公顷,森林面积达46954公顷,森林蓄积达104.2万立方米,森林覆盖率达41.5%,营造林24667公顷,培育现代林竹产业基地667公顷。全年实现林业总产值27.56亿元,实现林业旅游与休闲服务产业收入2.62亿元,农民人均从林业获得收入1668元。3月13日,宜宾市绿化委员会在翠屏区举行了"开展大规模绿化全市行动,建设国家森林城市"大型义务植树活动,共栽种大果红花油茶生苗2000余株、面积约4公顷。全年参与植树达41.2万人次,累计植树170万余棵。继续推进国家天然林保护工程和退耕还林工程建设。全年补偿公益林面积14589公顷,第一轮退耕还林政策直补3600公顷;国有林管护即天然林保护工程二期管护面积2229公顷。一是以特色经济林基地建设为林业供给侧改革重点,加快现代林业产业基地建设。围绕"建设都市型现代林业"主线,抓好"生态林业、民生林业"两个工作重点,着力构建木本油料林、速生丰产林、花卉及森林旅游、林地立体经营四大现代林业产业基地,实现林业商贸强区目标,加快现代林业产业发展。突出"木本油料(油樟+油茶)、生态旅游康养"两大特色,以林油产业+森林康养为主导产业,打造森林康养产业基地,按照"定向培育、突出特色、引导市场"的理念,采用"油茶+茶叶""油樟+茶叶""珍稀苗木+中药材"等林地立体种植模式做好"万亩林亿元钱"示范区建设。完成示范区建设1万亩,其中核心示范区0.2万亩、辐射区0.8亩。加强林区基础设施建设,建设林区道路80余千米、蓄水设施69口,完成明威乡民凉村太阳能光伏提灌站建设1座。以赵场、南广、金坪等乡(镇)为重点,建成以油茶为主的森林食品基地0.5万亩。对原建油樟特色经济林1.8万亩和油茶木本油料林0.22万亩进行抚育管理,新建油樟特色经济林0.35万亩,油樟林总面积达10万亩,进一步促进林农增产增收、林业增效。在北片环金秋湖明威、邱场、金坪3个乡(镇)建设现代林业产业发展示范园区取得阶段性成果。二是以"万亩林亿元钱"为目标开展林下地综合利用,提升林地综合效益。按照"合理密度、生态循环"的原则,科学开展林禽、林畜等林下养殖,做大做强"翠屏林下鸡"品牌。全区已建成常年存栏土鸡7500只林下养鸡小区15个、鸡舍48080万余平方米(含放养运动场),年林下禽出栏量突破50万只,林下养羊4000余只,实现总产值4000余万元。全年发展林下培育茶叶6000余亩、花卉500余亩,引导香妹专合社在金坪镇罗家村林下种植羊肚菌和红菇40余亩并获得成功,实现产值50余万元。明威鸿鑫专合社、金坪香妹专合社林下种植西瓜500余亩,实现产值200余万元。

【回乡创业之星选介】 顾凤,明威乡明威村人。2000年,顾凤到亲属家打工,后改行做了销售。2006年,顾凤拿出打工积累的"第一桶金"在成都市成立了东佳建材有限公司,从事建材经营。2014年年初,顾凤联合几户农户成立了新隆种植专业合作社并担任首任理事长,合作社有社员157户。合作社在明威乡流转土地3080亩,投入300余万元,建成茶园基地1500余亩,栽植红豆杉、连香树、美国红枫等5000余株,茶树、沉香树基地已初步建成,后续的精深加工产业链延伸规划建设加紧推进。一年来,合作社农户数量增加到157户,吸引北京投资商注册成立了宜宾市申酉辰明威农业发展有限公司。新隆种植专业合作社和申酉辰公司共投资4900余万元,以"公司+合作社+家庭农场+农户"的形式流转土地7500余亩,种植沉香树2500亩、有机茶1200亩,当年实现产值210万元,社员实现劳务收入167万元,户均增收10600元。

【重点乡镇选介】 明威乡,位于翠屏区西北部,东临邱场镇、南与金坪镇、象鼻街道相连,西接宜宾县双谊乡,北靠宜宾县永兴镇,辖4个农业村、6个农村社区、1个城镇社区、98个农业社、3个城镇居民小组,总户数5572户,总人口16729人。明威乡政府所在地距宜宾市中区20千米,设有内宜高速公路出口,交通方便。全乡辖区面积66.7平方千米,其中耕地面积约1.57万亩;自然资源丰富,森林面积2560公顷,林地面积2686.67公顷,森林覆盖率达56.7%,水域面积36公顷。文化底蕴深厚,古时叙州府两大书院之一的侯岗书院即坐落于此。明威乡属浅丘地形,海拔平均高度在360米左右,相对高差约100米,水源丰富,林木苍翠,是天然无污染的远郊生态农业乡。全乡始终坚持"生态立乡"理念,成功创建为国家级生态乡镇、国家级卫生乡镇,被评为四川省最美乡村。

2016年,明威乡全面加强经济建设、政治建设、文化建设、社会建设、生态文明建设和党的建设,发展生态经济。全乡实现GDP 2.07亿元,较2011年增加7500万元,年均增长9.4%;全社会固定资产投资完成29500万元,较2011年增加2.58亿元,年均增长51.5%;农村居民年人均可支配收入11831元,较2011年增加5536元,增长13.4%。全面完成上级下达的经济考核指标,民生工程任务超额完成。

精准党建引领脱贫攻坚。针对贫困村自我发展能力弱、造血功能差等问题,坚持"抓精准党建引领脱贫攻坚"的工作思路,积极探索"三建三带"模式,着力把党建优势转化为发展优势,把组织资源转化为脱贫资源,走出一条党建扶贫新路子——建党员合作社带贫困户脱贫、建脱贫党总支带产业发展、建幸福和谐大家庭带新风尚。2016年完成231户、907人的脱贫任务,民东村顺利退出省定贫困村行列。

“三转一引”发展现代农业。抢抓翠屏区被确定为全省农村改革综合试验区的契机,坚持以问题为导向,立足自身自然资源优势和近郊区位优势,创新“整村社转为合作社、散户转为家庭农场、传统农民转为职业农民,引入工商资本进农村”的“三转一引”模式培育新型农业经营主体,推动农业产业结构调整和农业适度规模经营,发展现代农业助农增收。全乡共培育农民合作社36家,其中国家级示范合作社3家、省级合作社1家;发展家庭农场65家;培育职业农民队伍500余人;引入工商资本2.1亿元,共建农业龙头企业2家。全乡农民年人均可支配收入连续三年增速超过12%,带动236户、875人脱贫。

基础设施建设。建立基础设施建设竞争机制,按照“谁投资,谁收益,谁主动,谁先建”的原则,有序推进农村公路、饮水工程、农田水利等基础设施建设。基础设施明显改善,硬化公路通车里程达316千米,全面建成“一环七射八连通”的“三个十分钟”路网,实现80%的农户和100%的社通硬化路,胜利大桥和开山溪大桥建成通车。新建和维修整治山坪塘76口,新建屯水田坎1.5千米,新建提灌站3个、管道30千米、渠道11千米,开展坡改梯1000亩,建成生产道20千米,农业生产条件大幅提升。建成安全饮水管网46千米,新增天然气管道15千米,群众生活条件改善明显。新农村建设初显成效,建成新农村聚居点9个,入住500户,覆盖80%的行政村,并形成以村民自治为主体的新村管理体制。完成场镇升级改造,新建成街道1000米,场镇面积扩大1.5倍,完成明湖公园、岗坪古道、特色仿古街、侯岗文化广场建设,精品小场镇雏形初显。生态环境得到优化,坚定生态明威发展方向,投入2万元建立生态补偿和保护机制。

场镇综合治理。以“创建国家级卫生乡镇”为标准,立足于发展生态明威扎实开展工作。在全乡开展“五乱”治理行动,集中整治工地乱象,规范建筑材料堆放,推行围栏作业。以“抓市场管理规范,抓食品经营秩序规范,抓户外广告及店招统一规范,抓市场监督管理规范”为重点开展市场整治,在市场“规范化、秩序化、清洁化、优美化”上下功夫,形成长效机制,使市场更加繁荣。在全乡广泛开展“我参与、我出力、我分享”治理风貌活动,对场镇房屋进行立面清理。

【主要领导人】 区委书记:曾从钦;区人大常委会主任:程政;区长:李强;区政协主席:黄继军;分管农业副区长:张艳丽。

翠屏区编写组

南 溪 区

【基本情况】 2016年,南溪区辖7镇6乡2个街道207个村34个社区,辖区面积704.42平方千米,其中耕地面积49.06万亩,增长82.6%;基本农田30.67万亩,增长0.01%。有常住人口43.78万人,人口出生率11.92‰,人口自然增长率4.35‰,符合政策生育率76.66%,圆满完成市上下达的各项人口计划指标。

2016年,全区GDP1167350万元,增长8.5%,人均GDP34133元,增加2475元,增长7.9%,其中第一产业增加值221465万元,增长3.6%;第二产业增加值611347万元,增长9.4%;第三产业增加值334538万元,增长10.3%。三次产业对经济增长的贡献率分别为15.6%、19.8%和64.6%。三次产业结构比由上年的19.3∶55.1∶25.6调整为19∶52.4∶28.6。全社会固定资产投资完成101.1亿元,年均增速11.5%。社会消费品零售总额61.2亿元,增速位居全市第一位。

有小学19所,在校学生27729人;普通中学18所,在校学生20451人;中等职业教育学校1所,在校学生5563人。有卫生计生机构476个,其中区级医疗机构4个、区级卫生单位2个、社会办医院6个、村卫生室371个、诊所61个、乡(镇)卫生和计划生育办公室15个;病床位1837张,每千人口拥有编制病床位3.79张;在职人员1285人,其中注册医师633人、注册护士596人、农村医生404人。

【年度农业及农村经济运行】 2016年,南溪区实现农林牧渔业总产值381860万元,增长3.5%,其中农业产值192521万元,增长4.2%。城镇居民年人均可支配收入达27850元;农村居民年人均可支配收入达13021元,高于全市平均水平。农用化肥施用量(折纯)8375吨,减少4.8%;农村用电量6956万千瓦时,增长4.5%。“淘南溪”电子商务平台启动建设,在全区建立区级农村淘宝服务中心1个、村淘服务站53个和村级邮政服务站99个,实现了“网货下乡”和“农产品上行”的双向流通机制。进一步加强农民负担日常管理,落实惠农政策,全年审核各村级农村“一事一议”财政奖补资金申报项目90余个。对全区210个村1556个社81640户农户25万余亩耕地进行补贴,补贴标准为125.1元/亩,补贴金额达3100余万元。

农业产业化发展。南溪区新增规模以上农产品加工企业2家,全区规模以上农产品加工企业发展到42家,其中省级龙头企业3家、市级以上龙头企业24家,带动农户8.6万户。发展专合组织290个,其中市级示范社30家、省级示范社6家、国家级示范社2家,直接带动农户达80%以上,专合组织营销额达11亿元;工商注册家庭农场180家。按照“7+3”农业产业体系大力推广“大园区+专合社+小业主”“新村+农庄+基地”的生产力布局模式。出台了《南溪区脱贫攻坚支持新型经营主体发展的实施细则》,安排财政资金2000万元用于产业扶贫兜底。10万亩绿色蔬菜瓜果基地发展成熟,10万亩工业原料林全面建成,南溪四川白鹅等特色养殖规模不断壮大,初步建成鲜销蔬菜、休闲农业、精深加工三大基地。按照省、市“两个带动”要求,依托九龙食品产业园建设,大力发展豆腐干、畜禽、蔬菜、白酒等特色优势产业。帮助企业积极争取2016年度农业产业化发展专项资金和新型农业经营主体培育资金,扶持新型经营主体做大做强。

农用地产权制度改革。南溪区印发了《南溪区2016年深化农业和农村体制改革工作要点》,建立了2016年农村改革工作台账,将22项改革工作任务细化到13个责任部门和15个乡(镇、街道)。全区农村土地承包经营权流转面积达41303亩,已整体完成并通过验收,为“优秀”等级;完成3457处小型水利工程确权颁证工作,达到应确权颁证总数的94%;农房确权工作有序推进,做到应确尽确。区级产权交易中心机构建成并投入运行,所有乡(镇、街道)均建立了服务站,各村均明确了联络员。安排财政支农资金132万元开展股权量化改革试点,已在部分省级专合社和长兴镇开展试点。印发了《宜宾市南溪区完善和深化集体林权制度改革实施方案》,全力推进林业现代化发展,取得了阶段性成果。印发了《关于进一步规范农村土地经营权有序流转推进农业适度规模经营的实施意见》,规范土地流转合同签订和备案制度。财政投入风险保证金200万元,银行按照1∶10的比例放大贷款支持农业产业发展。全年共接待调处农村土地承包来信来访纠纷500件次。

2016 年南溪区主要农产品产量

主要农产品	产量(吨)	同比(%)
粮食	173410	2
谷物	142181	0.8
稻谷	119934	1.3
小麦	3782	-22.8
玉米	15244	4.3
高粱	3221	2.8
豆类	12956	6
薯类	18273	8.8
油料	7513	4.3
油菜籽	5488	3.5
甘蔗	2960	-1.3
烟叶	831	0.3
蔬菜	453766	-22.5
茶叶	161	-19.5
园林水果	41657	8.5

2016 年南溪区主要畜产品产量和牲畜存栏情况

指标	计量单位	绝对数	同比(%)
肉类总产量	吨	37910	-1.6
猪、牛、羊肉产量	吨	29059	-2.7
猪肉	吨	27739	-3.1
猪出栏	头	394772	-3
牛出栏	头	2821	3.7
羊出栏	只	79321	0.8
家禽出栏	只	5673157	3.3
兔出栏	只	530612	5
禽蛋产量	吨	3420	0
牛存栏	头	15709	-1.9
猪存栏	头	210259	-2.6
羊存栏	只	57455	-3.8

农产品品牌战略实施。南溪区制定无公害和绿色蔬菜生产技术规程各 20 个,通过无公害农产品认证 23 个、绿色食品认证 26 个(其中蔬菜品种认证 5 个)。“南溪白鹅”获得工商总局地理标志证明商标和质检总局地理标志保护产品称号。

【种植业】 2016 年,南溪区粮食作物种植面积 26738 亩,增加 225 亩;粮食总产量 173410 吨,增长 2%,其中夏粮产量 15733 吨,增长 0.2%;秋粮产量 157677 吨,增长 2.2%。全年谷物产量 142181 吨,增长 0.8%。经济作物中,油料产量 7513 吨,增长 4.3%。全区蔬菜基地面积达 13.8 万亩(其中以菜—稻—菜为主要种植模式的鲜菜基地 9.5 万亩、净作蔬菜基地 4.3 万亩),年蔬菜种植面积达 29.31 万亩,鲜菜总产量 64.01 万吨,实现产值 9.37 亿元,农民年人均种菜收入达 2756 元。全年蔬菜加工产值达 2.5 亿元,就地转移农村劳动力 2000 人;新引进蔬菜基地建设业主 12 家,流转土地 5000 余亩。价调基金城市保障性蔬菜基地建设项目新建基地 0.52 万亩,深化提升 1.06 万亩,全面完成年度任务。各类水果面积达 8.9 万亩,产量 7.85 万吨,果农水果收入 1.86 亿元;新发展塔罗科血橙 600 亩。桑树面积 9300 亩,发放蚕种 6560 张,产茧 235.2 吨,实现蚕茧收入 590.7 万元,蚕农蚕桑综合收入 1096.7 万元。茶叶种植面积 1.09 万亩,茶产量 210 吨,茶农综合收入 2650 万元。土烟种植面积 4050 亩,土烟产量 1410 吨,烟农综合收入 2245 万元。重点培育蔬果、畜禽、花卉苗木等特色优势产业,形成“一村一品”专业村 25 个。

全年出动执法人员 200 人次、执法车辆 150 台次,检查农资经营企业(户)200 家(户)、种子品种 200 个,数量 5 万千克;检查肥料 30 余个批次,数量 40 万千克;检查农药品种 1100 个,数量 2 万千克;共受理农资案件 17 起并全部结案,没收假劣种子 120 千克、农药 100 千克,涉案金额 2.82 万元,为农民挽回经济损失 26.9 万元。

【林业】 2016 年,南溪区林业用地面积 19066 公顷,其中商品林 9787.28 公顷、公益林 9278.72 公顷;森林资源蓄积 882668 立方米,林木蓄积净增长量 0.73 万立方米,林木绿化率达 40.08%,为四川省二级防火区县、宜宾市重点防火林区。全年完成营造林面积 3.6 万亩,其中中央投资的造林面积 1.04 万亩(退耕还林工程营造林面积 0.2 万亩、天保工程营造林面积 0.2 万亩)。全区累计实施工业原料林 10 万亩、环城绿廊建设 1.91 万亩,全年实现林业总产值 14.2 亿元,其中林业旅游与休闲服务产业产值 2.5 亿元;实现林业招商引资 2000 万元,带动社会资金投入 1.5 亿元,农民人均从林业中获得可支配收入 1326 元,先后获得“全市优秀森林防火指挥部”“‘十二五’宜宾市森林防火先进集体”等称号。

在大观、刘家、长兴等地完成营造林建设 3.6 万亩,其中竹林基地 0.5 万亩(成片)、木质原料林 1.2 万亩、特色经果林 0.7 万亩、低改 1.2 万亩。完成森林食品精深加工基地建设 0.5 万亩。在马家、大观、大坪等地推广宽窄行栽植新技术,种植以红豆杉、桢楠、香椿、油茶等为主的新品种 1000 亩,建成标准化育苗面积 150 亩,完成林下经济示范基地建设 1000 亩。

全区实施森林保险面积 30 万亩。开展平安林区建设,完成国有林管护 26658 亩、松毛虫防治 300 亩、无公害防治 400 亩,林业有害生物成灾率控制在 0.3‰范围内。修订完善了森林火灾应急预案,加强防火通道、防火物资建设,强化森林防火值班备勤,森林火灾成灾率控制在 0.01‰范围内。打击林业犯罪行为,收缴林业行政罚款 29.48 万元,责令补种树木 6373 株,收回林地 2395 平方米,为国家挽回经济损失 100 余万元。

深入开展林权制度配套改革,出台了《宜宾市南溪区经济林木(果)权登记管理暂行办法》《宜宾市南溪区林地经营权流转登记管理暂行办法》等配套办法,累计抵押林地 3857.55 亩,涉及 1610 余万元,完成编制《2016 湿地公园保护管理能力建设实施方案》并通过市林业局核准;完成编制《宜宾市南溪区国有林场改革实施方案》。完善林业项目报账和资金兑现流程,出台了《南溪区林业局林业项目和资金部门管理暂行规定》《南溪区林业局林业项目部门检查验收暂行办法》《南溪区林业局公务费用报销所需资料暂行规定》《南溪区林业局项目管理“十不得”暂行规定》等规定。

投资13亿元分步推进南溪段长江生态综合治理建设,新建环长江景观大道和凤凰大道,新增绿化景观带5.8千米。实施道路景观提升工程,沿快速通道、乡通道建成道路景观绿化带346.5千米,全区道路可视范围内宜绿地段绿化率达90%以上。"创森"工作有序推进,着力打造城市周边生态景观,建设约7000亩的长江花海公园、滨江湿地公园等城市绿地,启动云台山湿地公园建设,新增绿化景观100余处,城市建成区绿地面积达116万平方米,绿地率达30.2%。聘请北京林业大学专家对马家红豆杉森林康养基地进行规划完善,将红豆杉森林康养基地规模扩展至12000亩,分三期建设,已推广种植红豆杉达6060亩,实现年接待休闲度假20余万人次,带动实现旅游收入1000余万元。

【畜牧业】 2016年,南溪区畜禽养殖重点以白鹅、生猪、美蛙等特色生态养殖为主,生猪存栏21.72万头,出栏41.9万头;牛存栏1.64万头,出栏2943头;羊存栏6.2万只,出栏8.18万只;家禽出栏582万只,其中四川白鹅出栏350万只。全年肉类总产量37910吨,减少1.6%;实现畜牧业产值16.2亿元,畜牧业发展增速达8%以上,农民人均牧业增收180元。全年免疫牛2.29万头、羊2.73万只、高致病性禽流感178.42万羽、猪瘟31.9万头、高致病性猪蓝耳病31.9万头、鸡新城疫82.48万羽,重大动物疫病强制免疫密度常年保持在90%以上,免疫抗体合格率达70%以上。设立25个动物疫病定点监测点,采样送检755份,结果均达到国家规定标准。全年分别免疫注射狂犬病城市犬368只、农村犬1.48万只,免疫率分别达100%、92.91%。牛(羊)布病血清检测共211份,检测结果全部呈阴性。无炭疽、猪链球菌病和牛羊布鲁氏菌病、结核病发生。严格执行申报检疫制度、跨省调运畜禽"指定通道"准入制度和检疫规程,对进场屠宰的生猪进行查证验物、查验免疫标识、检测"瘦肉精"和疫病检查,严把生猪宰前检疫、宰后监督关。全区生猪以乡为单位的产地检疫开展面达100%,进场屠宰的生猪检疫率达100%,出证率达100%,无害化处理率达100%。

加强规模养殖场的监督管理。指导养殖场(户)建立健全各种管理制度,完善饲料、兽药使用记录,建立生产档案;对规模养殖场进行集中"瘦肉精"拉网式监测,共使用检测卡1.09万张,检测结果均为阴性;强化规模养殖场挂牌兽医责任制,确保防疫检疫等全方位监督服务到位。全区无违法添加非食用物质和禁用添加剂的情况。

开展饲料兽药专项整治。制订了《饲料专项整治方案》,加强对饲料生产、经营的监管。全年共随机抽取21个饲料样品进行技术指标和含量等检测,检测结果全部合格。制订《兽药市场专项整治方案》,开展兽药标签和说明书规范专项整治行动、兽药处方药和非处方药专项整治行动,与全区30家兽药经营企业签订了《承诺书》,严格兽药市场准入制度并开展农业部公布的假兽药检查。

省级食品安全示范区创建工作。深入宣传贯彻《食品安全法》;建立健全畜、水产品质量安全监管制度;指导养殖场、饲料兽药经营户、生猪屠宰场等完善软硬件设施设备,提升畜、水产品质量安全水平。2016年11月代表区委区政府接受省食品药品监管总局关于创建省食品安全示范区的检查(考核)并顺利通过。

生猪定点屠宰场清理整顿工作。制订了《宜宾市南溪区加强生猪定点屠宰清理整顿和监管工作实施方案》,会同区安监局、环保局、食药局、工商局等部门进行联合执法检查。截至9月1日,13家不合格生猪定点屠宰点全部关停,多数屠宰场已拆除屠宰设施。交易市场生猪产品经营户均持证销售新鲜猪肉,无跨区域或未经检疫检验的猪肉上市,生猪产品经营秩序良好。

重点项目建设。2013年度生猪标准化养殖场(小区)建设项目全面完成并通过市上验收;全面完成2013年生猪调出大县奖励资金项目。2014年项目总投资432万元,建成年出栏生猪1000~1999头的养殖场3个,年出栏生猪500~999头的养殖场1个,新增生猪出栏7000头;2014年生猪调出大县项目规划和2015年生猪调出大县项目编制工作有序推进。2015年市级现代畜牧示范建设项目总投资174万元,已全面完成并通过区级验收。2016年市级财政特色畜禽养殖建设项目总投资173.2万元,已完成项目进度的35%。

强化畜禽养殖面源污染的宣传和整治。加强对强盛畜牧养殖有限公司的整治,完成相关圈舍改造及粪污处理设施建设并通过市环保局验收。对清平养殖场、鸿盛养殖场等5家养殖场的畜禽粪污开展治理,完成10000头生猪减排工作。开展城市集中式饮用水水源保护区环境管理整治,水源保护区范围内无规模养殖场。

畜禽规模化、标准化发展迅速。新建畜禽标准化示范场8个,申报市级畜禽标准化示范场1个。全区生猪等主要畜禽规模养殖比重达63%以上,生猪良种面达85%以上。完成人工种草4.5万亩。新获得南溪区牛牛农业开发有限公司和南溪区臣宏生态白鹅养殖农场无公害畜产品认证2个、宜宾市宜南生态农业发展有限责任公司有机转换认证证书1个。新发展专合组织44个、家庭农场47家、畜牧合作社5个。

严格行政审批。全年新办理《水域滩涂养殖证》《动物防疫条件合格证》各2个;加大监督执法力度,共办理畜产品质量安全案件7件,其中查处饲料违法案件2起、兽药违法案件1起、动物卫生案件4起,已全部结案。

【水产业】 2016年,南溪区投放渔业苗种1160吨,水产品产量7847吨,增长5.3%,其中水产品养殖产量7767吨,增长4.3%;渔业经济总产值1.66亿元。在稳定四大家鱼常规水产产量的同时,持续发展泥鳅、甲鱼、黄颡鱼、美蛙等特色水产品养殖。优化渔业产业结构,因地制宜大力发展稻鱼养殖基地。全年新发展水产养殖面积1600亩,其中特色稻田养鱼面积1000亩。结合全区现代农业综合示范特色区建设,积极发展种养殖休闲渔业,打造绿色现代农业综合示范区特色水产养殖基地。全年无畜、水产品质量安全事件和区域性重大动物疫情发生。

大力开展渔业法律法规及渔业资源和水生野生动物保护、渔船安全生产、禁渔期等宣传活动,联合发布通告2次,张贴禁渔宣传横幅4条,发放宣传资料1500余份;组织开展巡查和执法200余人次,禁渔期出动检查车辆50余车次、执法快艇30余艇次,接受举报10起,查实举报2起。全年共查处违法案件6起并全部结案,没收并放流渔获物19.1千克,行政处罚6人,行政罚款0.31万元。

2013年、2014年机动渔船油料补贴共发放1142199.35元,其中2013年162999.8元、2014年979199.55元;完成渔业船舶"三证合一"改革的前期准备工作;配合市上开展"三江六岸"治理工作,强制取缔拆解的养殖船只进行拆解;完成全区162艘渔业船舶年度检验工作。

【农村水利】 2016年,南溪区新建和改造提灌站7座,维修、改造提灌设备510台、3970千瓦时,新增提水控灌设备145台、359千瓦时。全年完成机电提水732万立方米,常年保灌17.5万亩。兴建、维修、整治各类水利工程4526处,清淤渠道98.7千米,修复水毁工程1548处,新增有效灌面3.371万亩,发展节水灌面5.618万亩,恢复蓄水能力471.29万立方米,恢复改善灌面4万亩,新建人饮工程1处。深入贯彻落实"治水修路调结构",把改善民生作为水利脱贫攻坚工作的根本出发点和落脚点,围绕全区23个"摘帽"贫困村实际情况,实施饮水安全巩固提升工程、小型农田水利重点县项目、节水型社会重点县建设等水利项目,解决了954户贫困户饮水安全问题,切实改善了贫困村和贫困户的生产生活用水条件,确保贫困村、贫困户与全区同步全面建成小康社会。

全力推进龙滚滩水库建设。水库枢纽工程——取水隧洞(兼导流放空洞)完成尾水渠砼面板浇筑,隧洞具备倒流过洪条件,完成工作桥砼浇筑76立方米、洞身固结灌浆186米、出水渠石渣回填4900立方米、进出水渠衬护砼500立方米;大坝工程完成堆石体填筑2000立方米(至设计高程357米)、土工膜基座100米、左坝肩溪沟防护开挖和坝体石渣料回填15000立方米、帷幕灌浆500米、坝基清理和倒悬体处理,心墙料、坝壳料开采备料工作有序推进;溢洪道工程完成土石方开挖30000立方米、砼浇筑80立方米、边坡锚喷挂网支护1200平方米,完成临时度汛措施建设、防洪抢险应急演练、心墙料破碎系统安装及调试,协调解决工程变更问题,新建临时道路200米,进行鹅儿山粘土岩料破碎加工备料;补水工程和灌区工程已上网招标。全面完成库区征地和移民安置协议签订,搬迁安置30户,生产安置258人,导截流阶段移民安置工作通过市级、区级验收。

全面完成2016年贫困村及插花贫困户饮水安全项目建设,项目总投资1500万元,其中省级54万元、区级500万元、社会投入946万元,项目在全区15个乡(镇、街道)实施管网延伸工程34处,新建黄沙镇田兴集中供水工程1处,大口井、机井101处,对农村1.08万人的饮水安全进行了巩固提升。狠抓农村饮水安全巩固提升项目,完成汪家水站、九龙水站、江南水站3处巩固提升建设工程的市级批复,为2017年全面完成江南水站巩固提升工程建设打下了基础。在南溪、罗龙、刘家、仙临、江南、林丰、黄沙、石鼓和大坪9个乡(镇、街道)26个村实施省级小农水重点县建设,其中精准扶贫识别村12个,总投资2093.02万元,新建渠道31.35千米,整治渠道9.95千米、山坪塘110座、石河堰4处,新建石河堰12处,改造泵站4处,新建泵站6处,新建蓄水池17口。全面完成内口岩、龙透、余家洞、团结、蒙子冲和黑卤子6座新出险小型病险水库除险加固项目建设任务,巩固提升"清水工程"效果。总投资1687.19万元,整治大坝内坡、外坡、坝顶、溢洪道、放水设施,增设大坝渗漏、位移、水位观测设施和小型水库动态监管预警系统,保护下游3.47万亩耕地、8.53万人安全,恢复灌面0.78万亩,恢复供水能力442.62万立方米,保证了2.5万人的饮水需求。完成2016年第一批和第二批节水型社会重点县建设项目,总投资710万元,新建和整治渠道65.26千米,新建蓄水池5口,新增灌面7040亩,恢复和改善灌面1660亩。全面完成2015年中央农田水利维修养护项目、2015年农业综合开发项目和2016年绿色现代农业示范片项目,切实解决农田灌溉"最后一公里"问题。加强水毁工程修复和渠系清淤除障,确保春灌工作顺利进行。综合治理水土流失面积6平方千米,总投资483.1万元。在刘家镇、仙临镇、长兴镇实施金土地项目、巩固退耕还林成果基本口粮田建设项目、农业综合开发土地治理项目。

【农业机械化】 2016年,南溪区新增农业机械总动力0.59万千瓦,农业机械总动力达21.83万千瓦,比上年增长2.8%;新建机耕道122千米,机耕道总里程达1100余千米;耕种收综合机械化水平达39.82%。农机专合社进一步发展壮大,达到6个。完成农机购置补贴资金共计173万元,推广补贴各类农机具2348台(套),带动农民投入近500万元,直接受益农户2550户,推广水稻机械化插秧3500亩。年检农用拖拉机494台,新办驾驶证69个。

【新农村建设】 2016年,南溪区打造市级幸福美丽新村示范片。一是科学规划合理布局。结合长兴片区现代农业示范片建设,根据区域乡(镇)实际情况,规划编制《宜宾市南溪区长兴片区市级幸福美丽新村示范片三年规划(2016—2018)》。二是推进产业转化升级。在积极推进现代农业发展的同时,依托长兴、仙临、留宾、裴石特色农业产业,围绕"吃住行游娱"需求,大力延伸农业产业链,集传统农业、现代农业、休闲采摘、生态观光旅游于一体多向发展,推进传统农产品向绿色食品转变、农业基地向休闲旅游转变,努力实现农业产业历史性转变,促进市级幸福美丽新村示范片建设。三是强化项目资金整合。积极协调相关部门将农田水利、"一事一议"财政奖补、农村危房改造、新村建设、"村村通"、文体卫生等涉农项目结合起来,整合基础设施、动员社会事业、生产发展等资金集中向示范片区域投放,积极主动争取省、市专项资金,打好"组合拳",让示范片建设出成效、成亮点。

按照"业兴、家富、人和、村美"的目标要求,"城乡一体、农民主体、产业先行、美化环境、分类指导"的基本原则和"基础设施、产业发展、公共服务、社会管理"综合配套,按照《宜宾市南溪区推进幸福美丽新村建设总体行动方案(2014—2020)》要求,制订了《南溪区2016年幸福美丽新村建设实施方案》,33个幸福美丽新村建设扎实推进。实施"七大"行动,其中扶贫解困行动在精准性、实效性上下功夫,突出发展特色富民产业,抓实精准扶贫开发,着力解决贫困群众生产生活实际困难;积极实施产业提升行动,大力发展果蔬、畜禽、中药材、红高粱、花卉苗木等优势特色农业;加快实施旧村改造行动,重点在加强基础、完善公共服务、注重功能配套上下功夫,加大道路、安全饮水等基础设施建设,不断改善群众生产生活水平;继续实施环境整治行动,加大农村环境整治宣传力度,立足在长效机制的建立、培育养成良好习惯上下功夫,重点抓好垃圾清运和面源污染治理;开展文化传承行动,主要在发掘地域特色文化上下功夫,加大农村文化阵地建设,大力发展乡村文化,不断提升农民文明素养;大力完善党建惠民行动,完善农村基层党组织建设,推进依法治理新村,创新管理新村;开展权益保护行动,提高农户参与幸福美丽新村建设的积极性,依法保护农民的合法权益。

扎实推进示范区和扶贫新村建设。在新一轮市级幸福美丽新村示范区建设中,重点规划将长兴示范片作为2016—2018年市级幸福美丽新村示范区打造。2016年建设省级财政幸福美丽新村8个,省级补助专项资金700万元、区级财政投入48万元,各项目点全面推进建设。

继续实施农村廉租房建设。2016年省、市下达全区农村廉租房建设任务213户,出台了《南溪区2016年农村廉租房建设实施方案》,采取新建、改建、租赁三种方式结合统筹推进农村廉租房建设。

【扶贫攻坚】 2016年,南溪区有序推进8个扶贫新村建设。创新脱贫攻坚体制机制,推广金融扶贫、资产扶贫、社会扶贫新模式,构筑防范新路径。积极推进村企对接,探索"新型经营主体+贫困户"发展模式。牵头制定《南溪区"十三五"脱贫攻坚产业发展规划》、农业产业扶贫攻坚兜底政策及实施细则,建立助耕服务队,开展产业技术培训、全民阅读进乡村等活动。参与制订"1+11"脱贫攻坚方案,直接投入财政资金4000余万元,整合19类239个项目共1.25亿元投入贫困村发展,强力推进脱贫攻坚。狠抓帮扶户联系脱贫工作,落实“两供一回购”。积极对接帮扶仙临镇光明、金鱼、红坡、光荣4个村的帮扶户,共为贫困户送去扶贫资金11400元、帮扶物资折资计16500元、修建粮仓资金6384元,通过“造血式”帮扶,贫困户生产生活条件得到了明显改善。一是开展畜牧水产项目扶贫。根据贫困户养殖意愿和规划,将畜牧水产产业发展项目在贫困村打捆实施。2016年主要实施了2015年退耕还林后续产业发展项目、市级现代特色养殖项目、2015能繁母牛补贴试点项目等。二是进行畜牧水产技术帮扶。在选派省级农技员5人、市级农技员2人、区级农技员4人到贫困村开展帮扶的同时,成立了由40余人组成的白鹅技术服务队开展白鹅养殖技术服务,确保贫困户切实掌握白鹅养殖技术。三是培育大户带动脱贫。通过技术培训、规划和现场指导等措施,在贫困村大力培育养殖户,推进脱贫攻坚工作。四是在全区贫困村免费投放禽苗1万余只,折合资金15万余元,预计出栏后能促进人均增收1500元以上。五是协助各乡(镇、街道)政府有针对性地编制养殖扶贫规划并分批次对有一定劳动力、愿意从事养殖业的农户集中进行养殖技术培训,共开展各类技术培训43次,培训群众达2000余人次,发放各类技术资料2100余份。六是积极组织机关干部职工到大观镇开展“一对一”帮扶,共帮扶建卡贫困户49户,其中20户脱贫户已通过区相关部门验收检查。

【农村科技】 2016年,南溪区以现代农业项目为主体,整合粮食提升能力、粮经复合、退耕还林、农发高标准农田和蔬菜产业带等项目完成高标准农田建设2.51万亩,完成长兴片核心示范区建设1个、2.16万亩,完成投资8000余万元。省级现代农业示范县建设项目新建基地1.02万亩,完成深化提升4.06万亩,完成项目投资4000余万元。完成配方施肥推广面积60万亩,其中测土配方施肥30万亩。完成取土测样300个,“3414”田间试验、中微量元素试验、肥料利用率试验、“2+X”基础实验等10个,万亩示范片2个、村级示范10个,完成农户施肥情况跟踪调查200户,建立测土配方专家施肥系统1个,发放配方施肥建议卡10000份。继续组织开展“两杂”新品种的引进、品比试验和示范推广工作,共计引进水稻品种9个、玉米品种7个,在刘家镇大同村对玉米品种进行品比试验和示范展示,在大观镇农科所试验示范基地对水稻品种进行品比试验和示范展示,为确保粮食生产安全奠定了坚实基础。全年完成新型农民培育培训320人、各类农村实用技术培训119700万人次。全面完成2015年度基层农技推广服务体系建设项目;2016年度基层农技推广服务体系项目已编制完成实施方案。

植物检疫及病虫害防治。开展水稻、玉米、小麦、油菜、蔬菜、水果等主要粮经作物主要病虫害预测预报工作,全年发布病虫害预报28期,预报平均准确率达94.5%;农作物病虫害累计发生面积103.8万亩,防治面积122.87万亩次,防治面积占应治面积的96%,挽回产量损失72059吨,病虫危害实际损失7981吨,损失率为1.55%。截至2016年年底,全区有专业化防治组织63个,拥有机动喷雾器780台。全年开展病虫害专业化统防统治面积36.3万亩次,开展病虫害绿色防控示范面积7万亩,示范带动全区粮经作物共计开展病虫害绿色防控43.66万亩。

【农村文化】 2016年,南溪区完成10个贫困村综合文化服务中心项目建设,实现2016年拟退出贫困村全覆盖。建设中心书屋5个、公共电子阅报屏10个、村(社区)阅报栏20个、惠民书吧10个、乡(镇)出版物数字化发行网点1个。完成“户户通”工程1747户(其中地面数字电视1237户、直播卫星510户)、“村村响”工程8个行政村。县级应急广播平台建设已完成平台的整体部署和联调工作;完成13个广电公共服务网点、2个农村电影放映工程建设;争取中央投资支持广播电视高山无线发射台站基础设施建设资金160万元,用于改建第一山广播电视无线发射台基础设施。

【农村户用沼气池建设】 2016年,南溪区新增农村户用沼气池550口,全区农村户用沼气池拥有量达28773口,沼气池普及率为80.03%;对62个沼气服务网点进行整合,分5个片区进行管理,每个片区服务站覆盖农户近6000户;开展沼气池安全检查86次,发出整改通知书15份。

【农产品质量安全监管】 2016年,南溪区在成功创建四川省第三批批农产品质量监管示范县的基础上,进一步巩固提升农产品质量安全监管工作。一是指导和督促各乡(镇、街道)切实开展农产品质量安全监管,全面完成省(市、区)各级部署的农产品质量安全监管任务。二是对全区主要农产品生产基地以及蔬菜、水果等产业切实开展农产品质量安全日常巡查,对发现的质量安全问题提出了限期整改意见。三是落实省、市下达的农产品质量安全追溯任务,规划落实新增农产品质量安全追溯网点17个,全区与省、市农产品质量安全追溯平台衔接的追溯网点达25个,实现了农产品质量安全常年可追溯。四是开展农产品质量安全跟踪监测,全区共抽样检测农产品3220个,合格率达99.5%。五是切实开展农业投入品专项整治工作,对全区15个乡(镇)农残检测、主要生产基地、重点农业生产经营主体和农资经营市场(店)进行了专项检查和重点治理,净化了南溪农产品市场环境。

【主要领导人】 区委书记:肖敏;区人大常委会主任:刘吉斌;区长:李廷根;区政协主席:冯兵(12月止),余水情(12月始);分管农业副区长:潘伯根。

南溪区编写组

宜宾县

【基本情况】 2016年,宜宾县辖23镇3乡,辖区面积3034平方千米。境内名胜古迹众多,有省级森林公园1处、省级风景名胜区1处、市级风景名胜区1处;有国家级文物保护单位2处、省级文物保护单位7处、市级文物保护单位2处、县级文物保护单位36处。

【年度农业和农村经济运行】 2016年,宜宾县粮食总产量突破50万吨,连续4年获评为全国粮食生产先进县;连续10年被评为全国生猪调出大县。全面完成第二轮省级新农村建设成片推进示范县建设项目。市级以上重点农业龙头企业及专合组织净增73家,总数达104家。合什手工面等农产品获得国家地理标志产品称号。阿里巴巴“农村淘”项目正式启动,高场镇获批为市级电子商务示范乡镇。

农用地产权制度改革。宜宾县“七权同确”工作全力推进,累计流转农村土地19.2万亩、林地24.6万亩。全年发放农村产权抵押融资贷款4.5亿元,获批为全省农村产权抵押融资试点县和林权抵押贷款改革试点县。

【农村水、电、气、讯加速发展】 2016年,宜宾县累计投入24亿元,水利基础设施更加完善,城镇供水、农村居民及学校师生饮水安全条件得到有效改善;累计投资15亿元,新(改)建变电站22座、电力线路7900千米,骨干电网基本形成,城镇和农村电网全面改造升级;所有乡(镇)场镇通天然气并加速向农村聚居点延伸;累计新建通信基站418个,通讯质量稳步提升。

【统筹城乡与新型城镇化】 2016年,宜宾县累计投入市政基础设施建设资金15.9亿元,完成城乡建设投资155.3亿元。新增建成区面积10.1平方千米,总面积达43.8平方千米,城镇化率达45.2%,比2011年提高12.6个百分点。累计完成房地产投资110.7亿元,建筑业年产值从29.6亿元增长到67.7亿元。累计出让土地154宗、6.7万亩,实现土地出让收益38.3亿元。完成金沙新区控详规划、县域副中心战略规划等各类规划编制23个。投资4.9亿元,新(改)建市政道路27条;以滨江景观大道、金沙广场为核心的滨江公园建成投用;政务中心、文化中心、体育中心竣工并投入使用,一曼公园竣工并开放;建成金沙首座、城中央等一大批高品质商住小区。宜宾县获批为省级中小城市综合改革试点县,观音、白花申报全国重点镇,泥溪、高场获批为省级"十三五"特色小城镇。普安、双谊、王场、古柏、泥南完成乡改镇。扎实开展十大专项治理,累计升级改造农贸市场23个,实施城乡风貌整治25万平方米,依法拆除违章建筑10万余平方米。全县城镇居民年人均可支配收入达26355元,是2011年的1.6倍,年均增长10.9%;农村居民年人均可支配收入达13063元,是2011年的1.7倍,年均增长11.5%。累计新增城镇就业4.2万人,城镇登记失业率3.52%。扩权强镇改革经验在全省、全市推广。获批为全国首批农村公共服务运行维护标准化建设试点县、全国农村产权交易标准化试点县、全省首批农村改革综合试验区和首个省级现代林业产业发展综合试验区。

【扶贫攻坚】 2016年,宜宾县大力实施扶贫开发"七大创建",累计投入34.1亿元,新(改)建村道869千米,完成贫困户危房改造3390户,易地扶贫搬迁1020户3629人,减少贫困人口14万人,农村贫困发生率从16.8%下降到3.28%。创新扶贫模式,扎实推进产业扶贫行动,实现66个贫困村主导产业和新型农业经营主体全覆盖。

【文化旅游融合发展】 2016年,宜宾县建成26个乡(镇)综合文化站,所有村(社区)建有文化活动室。申报省级非物质文化遗产3个,横江镇获评为全国历史文化名镇。投资1180万元,完成赵一曼故居修缮并对外开放。西部藕海、四季花海等近郊旅游蓬勃发展,新联村被列为省级乡村旅游示范村。

【农村教育】 2016年,宜宾县累计投入教育、体育资金50亿元以上,占财政总支出的27%。累计投入7.1亿元,农村义务教育"4+1"工程318个项目建成并投入使用。全面实施义务教育"三免一补"政策,落实学生资助金达9亿元。宜宾县创建为国家级农村职业教育和成人教育示范县,获评为"全省教育工作先进县",连续两年获评为"全国群众体育工作先进县"。

【农村卫生】 2016年,宜宾县累计争取各类资金12亿元,全面改善城乡医疗卫生条件,基本公共卫生服务人群覆盖面达98%。获批为全国公立医院综合改革试点县、全国基层中医药先进县、全国妇幼健康服务先进县,县疾控中心创建为二级甲等疾控机构。

【农村交通】 2016年,宜宾县农村交通基础设施累计投资超过17亿元,建成县(乡)公路570余千米、通村通畅公路1400余千米;累计投资1.1亿元,安装道路波形护栏500余千米。

【农村生态建设及环境保护】 2016年,宜宾县创建为国家卫生县城和省级文明城市,创建高场镇凉山村等21个环境优美示范村。宜宾县创建为省级沼气化建设示范县。全县集中式饮用水水源水质达标率达98%以上,森林覆盖率达40%以上。

【农村社会保障】 2016年,宜宾县不断扩大社会保障覆盖面,累计发放养老金23.5亿元;发放优待金、抚恤补助、城乡低保、农村五保、医疗救助等资金5.13亿元,发放救灾资金6500万元。创建为第四轮省级敬老模范县。累计落实保障房源3847套、19.2万平方米,完成农村危房改造1.1万余户。

【主要领导人】 县委书记:丁应虎;县人大常委会主任:罗平;县长:刘海昌;县政协主席:钟建华;分管农业副县长:刘兴万。

宜宾县编写组

江安县

【基本情况】 2016年,江安县辖15镇3乡,辖区面积910平方千米。有国家重点文物保护单位、国家4A级旅游景区夕佳山古民居,省级森林公园连天山、青峰寺,省级文物保护单位国立剧专旧址、油榨坪祠堂、吴氏民居,省级历史文化名城——江安古镇。

【扶贫攻坚】 2016年,江安县桐梓镇七星村、底蓬镇大田村、阳春镇湾头村、留耕镇重新村、怡乐镇凉水村5个土地综合整治扶贫项目获得县发展和改革局批准立项,项目建设规模和内容为整理土地3110亩,总投资1190万元,资金来源为县级财政资金。通过实施土地平整、灌溉排水、田间道路等综合整治措施,将进一步提升项目区耕地质量等级,建成集中连片、设施配套、高产稳产、生态良好、抗灾能力强,与现代农业生产和经营方式相适应的高标准农田,切实改善贫困地区的农村生产生活条件,增加贫困地区农民收入。

贫困村产业规划要切合实际,因地制宜找准发展门路;发挥种养殖大户的示范引领作用,带动周边贫困户发展;产业发展要狠抓规模效应,着眼全村,以整村产业发展推动贫困户脱贫致富。11月14日,县委常委、宣传部部长蒋龙珍带队到铁清镇三界村指导该村精准扶贫工作。全村共有建档立卡贫困户67户、231人,占全村总人口的16.9%,贫困发生率为20%,是省级贫困村之一,村级经济基础十分薄弱。截至2016年年底,全村有贫困户47户、150人。12月22日,县政协主席黄明、副主席刘明芬率县政协办、县教育局工作人员一行20余人到省级贫困村四面山镇天佛村、普照村开展"走基层—送温暖"活动,对50余户贫困户分别进行了实地走访并为贫困户送去慰问金及粮油、大米等过冬物资。

【主要领导人】 县委书记:张明明;县人大常委会主任:赵文年;县长:朱莉;县政协主席:黄明;分管农业副县长:王文华。

江安县编写组

长宁县

【基本情况】 2016年,长宁县辖11镇7乡,辖区面积1000.2平方千米。长宁县旅游资源得天独厚,竹文化、酒文化、红色文化、民俗文化、洪漠文化源远流长。

【年度农业和农村经济运行】 2016年,长宁县流转农村土地面积15.8万亩,耕地流转率达39.7%。强化涉农金融保障,发放涉农贷款24.68亿元、林权抵押贷款1491万元。县级公立医院全部取消以药补医,医疗卫生水平明显提高。基本公共卫生服务均衡推进,创建为全国计划生育优质服务先进示范单位。公共文化服务体系日益完善。全年新增电商企业7家,建成县级服务中心1个、镇村服务点38个,实现电子商务交易额4亿元。

农业产业化发展。长宁县竹类食品、肉牛、土鸡、特色水产等优势产业加快发展并向二三产延伸,“万亩林亿元钱”模式在全省推广,创建为“全国绿色食品原料(水稻、玉米)标准化生产基地县”“四川省现代农业重点县”。长裙竹荪成功申报为国家地理标志保护产品,长宁县被评为“中国长裙竹荪之乡”。新型农业经营主体发展迅速,全县有农业产业化龙头企业29家、农民专合组织384家、家庭农(牧)场303家。

【种养殖业】 2016年,长宁县粮食种植面积52.32万亩,总产量21.31万吨。优质粮油、特色水果、林下种养、优质畜禽、珍稀水产等特色农业不断发展壮大,种植竹荪2.5万亩,粮油生产实现“五连增”。长宁县百亿优质肉牛综合开发项目全面竣工,全县肉牛存栏2.7万头。

【林业】 2016年,长宁县新造林27.67万亩,栽植桢楠、银杏等珍稀林木3.94万亩,全县森林面积达88.45万亩,其中2016年新增1.6万亩,森林覆盖率达58.95%,被评为“全国造林绿化百佳县”“全省建设长江上游生态屏障先进县”“省级生态县”。16个乡(镇)创建为“国家级生态乡镇”。

【统筹城乡与新型城镇化】 2016年,长宁县县城建成区面积8.37平方千米,常住人口9.28万人,城镇化率达42.5%。应急指挥和数字化城市管理中心投入使用,县城规划区街道黑化率达95%。获得“中国人居环境范例奖”“国家园林县城”等称号,“国家卫生县城”“全国文明县城”创建工作通过复检。特色小城镇建设有序推进,竹海镇被确定为全国重点镇,长宁镇入选“四川省百强乡镇”,双河镇被评为“省级历史文化名镇”。累计建成幸福美丽新村53个、新村(聚居点)31个,竹海镇农林村被评为“全国文明村”。安全饮水、农村电网、燃气下乡、“宽带乡村”等惠民工程全面实施,城乡环境综合治理工作深入推进,农村生活垃圾治理工作代表全市通过了国家10部委的考评验收。县城、乡(镇)、行政村及主干公路移动4G网络覆盖率达99.2%。截至2016年年底,全县累计投入民生工程资金36.55亿元,年均9.26%以上新增财力用于民生事业,城乡居民年人均可支配收入分别年均增长10.1%、11.7%。加大对高校毕业生、返乡农民工等群体创业就业扶持力度,城镇新增就业0.43万人,城镇登记失业率控制在4.2%以内。美丽县城“十大提升工程”启动建设,成贵高铁宜叙高速两站连接线项目基本形成通车能力,东山水库大坝填筑到坝顶高程。宜居县城公共设施升级改造、高铁新区市政建设等项目加快推进。房地产市场总体平稳,大坪综合体全面竣工,滨江国际、财富广场等城市综合体建设有序推进,全年完成房地产投资18亿元,销售面积41万平方米。扎实推进特色城镇建设,桃坪乡、古河镇、双河镇、下长镇等生态农业型、旅游休闲型、产城融合型、商贸物流型小城镇快速发展。市级幸福美丽新村建设示范片8个村全年投入财政资金536万元,撬动社会投资5482万元,基础设施、村庄建设、产业发展、公共服务等全面加强。启动实施了农村新风、农村居民健康档案服务等惠民工程,农村人居环境和农民生活质量不断提升。

【扶贫攻坚】 2016年,长宁县实施《“十三五”脱贫攻坚规划》,全年减贫4176人,省上下达2个贫困村退出的目标任务全面完成。全年投入财政专项扶贫资金3756.92万元,整合涉农项目资金1.9亿元,募集“扶贫日”爱心资金530万元,硬化贫困村通村公路81.2千米,实施贫困户危房改造959户、易地扶贫搬迁259户829人;发放扶贫小额信贷3259.38万元;深入实施“百企帮百村”行动,创新推出“股权量化”“电商营销”“肉牛异地寄养”等扶贫模式,以产业发展带动农户增收。全县累计投入财政专项扶贫资金8108.52万元,实现精准脱贫6.06万人,农村绝对贫困发生率下降到1.63%。

【乡村旅游】 2016年,长宁县新增国家A级旅游景区4个,其中七洞沟景区创建为国家4A级旅游景区,竹石林景区创建为国家3A级旅游景区和“省级生态旅游示范区”。新建成三星级标准以上酒店3家,新评五星级乡村酒店(农家乐)2家。举办了四川国际文化旅游节、四川花卉(果类)生态旅游节、第二届中国(四川)国际旅游投资大会暨首届川南(宜宾)分会等活动。被评为“全国休闲农业与乡村旅游示范县”“四川旅游强县”“四川乡村旅游强县”。七洞沟、藕花洲等旅游景区建成开放,蜀南花海、竹海龙峰等景区加快建设,蜀南金碧酒店、竹石林度假酒店、七洞沟大酒店正式运营,景区群和星级宾馆群逐渐形成。进入国家第二批全域旅游示范区(县)创建名单。梨花节、荷花节、打笋节等体验式旅游活动影响力不断扩大,全竹宴、淯江河鲜、富兴冷泉鱼、长宁凉糕等特色餐饮深受游客喜爱。曲艺节目《幺妹出嫁》被推荐参演全国非遗节目。

【农村教育】 2016年,长宁县农村义务教育“八大工程”全面完成,农村义务教育学生营养改善计划全面实施。花滩小学整体迁建,特殊教育学校、3所乡(镇)公办中心园建设等项目全面竣工。

【农村社会保障】 2016年,长宁县各项社会保险参保率稳中有升,城乡低保月标准分别从390元、220元提高到460元、270元。累计建成公(廉)租房2073套,完成棚户区改造1147户、农村危房改造5326户、保障性住房建设460套,实施地质灾害搬迁安置600户。建成城乡社区日间照料中心12个、区域性养老服务中心2个。城乡低保实现动态管理下的“应保尽保”。社会福利中心竣工并投入使用,残疾人综合服务中心主体工程完工。

【农村生态建设及环境保护】 2016年,长宁县实施《加快绿色发展建设美丽长宁的决定》,启动了“国家生态文明建设示范县”创建工作。强化国土空间用途管制,永久基本农田划定工作全面推进。完成土地整理项目4个,新增耕地面积3674.56亩。县城污水处理厂(二期)及长宁河流域乡(镇)污水处理厂项目有序推进,生活污水处理率达88.7%;城乡生活垃圾无害化处理率达100%。

【主要领导人】 县委书记:董茂成;县人大常委会主任:宋开云;县长:贾利华;县政协主席:周小平;分管农业副县长:王文华。

长宁县编写组

高 县

【基本情况】 2016年,高县辖12镇7乡,辖区面积1 323平方千米。全年接待游客340万人次,同比增长24.7%;实现旅游总收入13.14亿元(其中乡村旅游收入9.2亿元),同比增长32.45%。

【扶贫攻坚】 2016年,高县县委县政府高度重视脱贫攻坚工作,推出了一系列创新工作机制,其中“1+9”帮扶工作法、“包乡(镇)、包村、包户、包验收”的“四包到位、一包到底”责任考核倒逼机制和“同吃同住同发展包脱贫”的“三同一包”制度等创新机制和做法、经验有力推进了脱贫攻坚工作。

【首届农民运动会】 2016年12月4日—5日,高县“全民健康全面小康”首届农民运动会在庆符镇硕勋公园举行,全县19个乡(镇)代表队共665名运动员参加比赛。在农民运动会举办期间,设立了农运会特色商品展,共有来自19个乡(镇)的50余家企业和商家的100余个种类商品参展,主要包括茶叶、酒水饮料、板鸭、豆制品、有机果蔬、生态家禽等农特产品。该届运动会共设拔河、抢运丰收果、醉汉担酒、扭扁担、水磨豆腐和广场健身舞6个项目,来复镇、蕉村镇、双河乡、大窝镇、沙河镇、庆符镇、四烈乡、可久镇分获团体总分前八名。

【主要领导人】 县委书记:李康;县人大常委会主任:凌生平;县长:黄修国;县政协主席:廖益萍;分管农业副县长:何彬。

高县编写组

筠 连 县

【基本情况】 2016年,筠连县辖9乡(含3个苗族乡)9镇,辖区面积1256.35平方千米,其中耕地面积2.23万公顷,人均耕地面积0.76亩。年末总人口448803人(户籍人口),增加11127人;人口出生率11.05‰,减少0.18个千分点;人口自然增长率5.61‰,增加0.68个千分点。全县水资源总量10.57亿立方米,人均水资源占有量2399立方米。林业用地6.556万公顷,有林地6.1万公顷,森林蓄积量279万立方米,森林覆盖率达52.18%。

2016年,全县GDP119.85亿元,增长8.3%,其中第一产业增加值20.48亿元,增长3.8%(农、林、牧、渔占比分别为47.31∶5.32∶46.53∶0.84);第二产业增加值74.32亿元,增长9.3%(工业增加值71.16万元,增长9.5%);第三产业增加值25.05亿元,增长9%。三次产业对经济增长的贡献率分别为7.7%、70.7%和21.6%。劳务输出13万人,收入17亿元。全年接待游客163.52万人,实现旅游总收入10.79亿元,其中乡村旅游收入6.39亿元。

公路通车里程1438千米(其中等级公路1150千米),密度1.14千米/平方千米,32.04千米/万人。社会消费零售总额35.8亿元,增长12.8%。地方公共财政预算总收入完成6.02亿元,增长0.33%;公共财政预算支出24.49亿元,增长7.13%,其中农业投入4.12亿元,增长3.17%。金融机构各项存款余额81.04亿元,比年初增长17.93%;各项贷款余额46.07亿元,比年初增长3.06%,其中支持农业产业化发展项目贷款5.9亿元。全年农业保费收入1874.13万元,增加223.19万元;处理各项赔款和给付金额764.37万元,增加105.73万元。

有小学10所,普通中学34所,职业学校1所,特殊教育1所,幼儿园65所(其中公办幼儿园2所);在校学生60383人,其中小学生35050人(含特殊教育71人)、初中生16214人(含特殊教育12人)、普通高中生5982人、职业高中在校学生3137人;学龄儿童入学率100%。有艺术表演团体1个,文化馆1个,公共图书馆1个。有无广播电台10座,节目1套;有线广播电视用户23118户,其中数字电视用户23118户;广播综合覆盖率99%,电视综合覆盖率99%。有固定电话用户18030户,移动电话用户265330户,互联网注册上网用户57507户。有卫生机构376个,编制病床位1496张,卫生技术人员1362人。新型农村合作医疗参合人数37.41人,参合率98.6%;新型城乡居民社会养老保险参保人数11.83万人。

【年度农业和农村经济运行】 2016年,筠连县实现种植业总产值14.67亿元,增长3.6%;种植业增加值9.69亿元,增长3.7%;茶叶、烤烟、肉牛、生猪等特色优势农产品产量保持稳定增长。农民年人均可支配收入12846元,增长9.5%。

农业产业化发展。筠连县新增2家省级农业产业化龙头企业、3家省级示范专合社,全县有国家级示范专合社10家、省级农业产业化龙头企业4家、省级示范专合社10家。培育筠连县老外婆食品有限公司、筠连县乌蒙韵茶业有限公司等6家公司为市级农业龙头企业(含候补),培育筠连县伊甸园种养专合社、筠连县家家乐肉牛养殖专业合作社等6家合作社为市级示范专合社,全县有市级农业龙头企业11家、市级示范专合社19家。新培育县级家庭农场73个、县级种养大户96户。全年县级以上龙头企业销售总收入实现7.9亿元,涉农企业达143家、专合组织306户、家庭农场140个,带动农户7万余户。全年完成农业农村投资11.74亿元,新签约春风茶业基地示范园项目、年产万吨水粉新建项目,新包装武德乡万亩香桂种植及林下养殖基地建设项目等10个项目。向阳生态种养专业合作社、青山绿水茶叶专业合作社2家合作社被评为新型经营主体培育发展项目,获得发展资金30万元。

2016年筠连县主要农产品产量

主要农产品	单位	产量	同比(%)
粮食	万吨	15.5003	0.07
稻谷	万吨	4.2538	1.4
小麦	万吨	0.2796	-47.5
油菜籽	万吨	0.2114	5.1
蔬菜	万吨	12.73	4.34
水果	万吨	1.87	8
肉类	万吨	3.64	-1.7
猪肉	万吨	2.73	-3.6
禽蛋	万吨	0.18	1.6
水产品	万吨	0.16	5.96

农用地产权制度改革。筠连县整体完成全县农村土地经营权确权登记工作;小型水利工程应确权颁证8767处,已颁发证书8250处,确权颁证完成率达94.1%;可确权颁证农房5853件,已颁发农房所有权证书4169件,完成率达71.2%。健全农村产权流转交易体系,促进农村产权流转交易合理规范,全县累计完成农村土地流转2355.4公顷。创新农村金融改革,全年抵押林权1578.53公顷,发放抵押贷款余额7412万元;累计发放农村房屋产权抵押贷款1068户、金额12358万元,存量农房产权抵押贷款401户、贷款余额7842.87万元。创新农村金融服务,推行肉牛产业发展"1+N"联动机制,向金融机构发放扶贫再贷款1.4亿元、扶贫小额信贷5808万元,向新型农村经营主体发放贷款13961万元;累计发放"好牛贷""养牛贷"2.22亿元,支持7000余户发展肉牛养殖,其中带动2382户贫困户发展肉牛产业;发放"好茶贷"1575万元、"返乡创业贷"595万元。创新试点,印发《筠连县农村土地经营权流转收入保险试点方案》,办理全国保险行业"土地流转收入保险"第一单。深化供销社综合改革,开展基层供销社试点,发展综合服务社12个,建成农村综合服务社37个、农资连锁配送网点193个。创新集体资产改革,选择腾达镇春风村为改革试点村,成立农村集体资产股份合作制改革工作小组,春风村集体经济发展经历了从无到有、从发展到全面壮大、从负债到盈余之路。

现代农业园区建设。海瀛产城融合工业园位于筠连镇,规划面积6.3平方千米,距县城3千米。园区围绕农产品精深加工贸易产业链、产城融合发展建设山区特色农产品加工产业基地、川滇中小企业创新发展中心、四川宜宾南向开放开发产业新城,主要产业有茶叶深加工、果蔬加工、粮食加工、肉类加工、白酒酿造等,建成园区综合服务中心、仓储物流中心、创新创业园项目等,提升园区企业入驻承载能力和聚焦功能。截至2016年年底,园区入驻企业19家,其中新入驻企业2家、规模以上企业8家。双星茶业有限责任公司等6家企业进入省、市、县三级农产品质量安全可追溯平台。园区实现产值4.2亿元,增长20%;实现农产品加工业总产值5.8亿元,增长16%。

【种植业】 2016年,筠连县粮食作物播种面积3.44万公顷,产量15.5万吨,增长0.7%,其中小春粮食作物播种面积10793.33公顷,产量2.48万吨;大春粮食作物播种面积23560公顷,产量13.01万吨。

茶叶生产。全县茶园总面积13173公顷,增长1.05%,其中新发展茶园673.33公顷、茶园改造733.33公顷;茶叶总产量10602吨,其中绿茶6291吨、红茶2293吨、苦丁茶2018吨;实现茶叶综合总产值13.33亿元,增长6.63%。名优茶产量4083吨,增长16.72%;实现产值4.78亿元,增长3.56%。全县有茶农4.75万户、茶叶专业合作社18个(其中国家级示范社1个、省级示范社1个、市级示范社3个),社员1460个;茶叶加工企业69家,其中省级龙头企业3家、市级龙头企业4家、县级龙头企业9家。10月25日,筠连县被中国茶叶流通协会授予“2016年度中国茶业发展示范县”称号,筠连红茶获得第十六届中国(北京)国际茶博会金奖。筠连红茶证明商标的区域公用品牌价值为7.29亿元,筠连苦丁茶证明商标的区域公用品牌价值为3.99亿元。

特色农业。一是特色基地建设。全年建成特色基地1500公顷,其中红花米、红稗、小黑豆、山谷、藜麦等种植基地33.33公顷,脱毒马铃薯种植基地666.67公顷,油茶子、油菜籽等特色油料基地666.67公顷,糯玉米种植基地133.33公顷,全县累计建成红花米、红稗、小黑豆、脱毒马铃薯等特色粮食作物面积1466.67公顷,油茶子、油菜籽等特色油料作物733.33公顷。二是粮油综合体建设。建成3个粮油综合体,购买并安装使用谷物烘干机、榨油机,修建育苗大棚30个;高坎乡川林核桃种植专合社建成高标准育苗大棚1个。

烤烟生产。全县共签订烤烟种植电子合同729份,共落实并移栽烤烟1733.33公顷,涉及14个种烟乡(镇)60个村159个组烟农729户。全县共收购烟叶2831774.5千克(其中上等烟697517千克、中等烟2061016.5千克),支付收购资金6262.93万元,补贴烟农农特税1377.84万元,产前投入1060.7万元,烟农每公顷直接受益6119.4元。以“烟—蒿”“烟—粮”“烟—菜”模式发展轮作面积1.33万公顷。

【林业】 2016年,筠连县被认定为四川省第二轮现代林业重点县。全年完成成片新造林2533.33公顷,新增城镇绿地60公顷,巩固城郊防护林650公顷,新建生态林1520公顷、特色经济林2000公顷、现代竹产业基地2000公顷,县境内各级公路宜绿地段绿化率达90%以上。全年新增森林2500公顷,净增森林蓄积19100立方米。严格采伐审核审批,审批采伐办证蓄积量43691.7立方米。新增林地流转254.67公顷,发放新型林权抵押贷款67936公顷、4080万元;完成政策性森林保险31000公顷。培育壮大新型经营主体10户,建设家庭林场(公司),带动发展青蒿、漆树、香桂、苦竹、核桃、园林绿化珍贵树种,生产名贵家具和加工生产重竹竹地板。以四川省现代林业重点县建设为契机,发展林下种茶、种花、养鸡、中药材等高效立体农业。全县建成“万亩林亿元钱示范区”1个,发展生态林竹产业1.33万公顷。

【畜牧业】 2016年,筠连县出栏生猪38.85万头,减少3.5%;出栏肉牛4.46万头,增长6.6%;出栏羊0.81万只,增长1.4%;出栏肉兔24.33万只,增长0.3%。肉类总产量3.64万吨,减少1.7%,其中猪肉2.73万吨,减少3.6%;牛肉0.53万吨,增长6.6%;禽蛋0.18万吨,增长1.6%。生猪存栏24.99万头,牛存栏9.03万头。全年实现畜牧业总产值19亿元,增长3.56%;人均畜牧水产业纯收入2293元。“筠连粉条”“筠连黄牛”产品获批为国家地理标志保护产品。腾达镇春风综合体国家农业综合标准化示范区项目通过考核验收。

肉牛产业。以标准化、集约化、适度规模化为发展方向,以生态化小区建设为抓手,重点探索“山繁川育、藏牛于户”山区肉牛发展模式。全年共争取国家、省、市畜牧产业发展项目10个,已争取到位上级财政专项发展资金2137万元,已全面启动实施8个。2016年畜牧重点县建设项目涉及10个乡(镇),总投资601.08万元(其中财政投资300万元),建成标准化规模养牛场10个、标准化养牛小区4个;2016年肉牛基础母牛扩群增量项目涉及17个乡(镇)76个村,总投资500万元(其中财政投资500万元),建成圈舍16080平方米,基础母牛扩群增量项目产仔554头(其中改良犊牛502头、本地犊牛52头);2016年省级财政肉牛繁育基地建设项目涉及3个乡(镇)5个村,总投资743.6万元(其中省级170万元、市(县)170万元),建成存栏100头以上肉牛标准化规模养殖场2个、母牛标准化养殖小区4个和母牛标准化养殖家庭牧场14个(养殖规模均在50头以上);2016省级财政涉农资金整合以奖代补项目涉及2个乡(镇)2个村,总投资226万元(其中财政资金100万元,修建标准化养牛圈舍3960平方米);2016年省级财政支持农民专合社项目总投资105.28万元,其中财政资金60万元,由筠连县尖峰山种养专业合作社实施;2016年省级财政农业生产发展项目总投资1085.35万元,其中上级资金250万元、县级200万元,涉及3个乡(镇)8个村,建成标准化牛圈21615平方米;2016年市级财政扶持现代特色养殖业发展专项资金项目总投资131.7万元,其中财政资金65万元,涉及4个乡(镇)5个村,建成标准化圈舍1080平方米、特色渔业养殖基地3个(各养鱼塘1.33公顷);2016年省级财政专项扶贫定向转移支付资金项目总投资361.4万元,其中财政资金278万元,涉及所有贫困村,建成标准化牛圈共313户、13900平方米。

社院养牛研发合作。筠连县田园养牛专业合作与四川农业大学动物医学院签订了“川南山地黄牛(筠连黄牛)健康养殖成套技术示范”合作协议,主要进行川南山地黄牛(筠连黄牛)种质特性研究、中医治未病技术在肉牛生产上的应用、中草药饲料添加剂促进肉牛生产的应用研究、川南山地黄牛(筠连黄牛)健康养殖技术规程制定等研发。

【农村水利】 2016年,筠连县累计投入资金26264.7万元,其中中央10514.7万元、省级760万元、市级500万元、县级12540万元、群众自筹100万元、社会投入200万元、其他1650万元,新建、整治河道堤防371米,修复水毁水利工程230处,综合治理水土流失面积11平方千米,新增和恢复蓄引提水能力100万立方米,新增有效灌面400公顷,发展节水灌面166.67公顷。争取农村饮水安全巩固提升工程资金528万元,其中中央197万元、省级86万元、县级配套245万元,用于解决全县2016年度纳入计划“摘帽”的16个贫困村饮水安全问题,涉及建档立卡贫困人口3295人、插花贫困人口240人;改造水厂

3座，新建小型集中供水工程41处、分散供水工程39处，安装管道33.23万米。抗旱应急水源工程批复投资872.87万元，其中机井工程654.72万元、引调水工程218.15万元，新建机井14口、引调水工程1处，安装管道15.12千米；新增项目实施乡（镇）抗旱应急水量20.78万立方米，确保3.7万人、10.4公顷基本口粮田的应急供水。

【农业机械化】 2016年，筠连县共维修改造机电提灌设备326台、2181千瓦，机电提灌设备共提水760万立方米，灌田4133.33公顷，确保了春耕期间用水。新建乡村机耕便民路292.65千米，共投入2568万元。新增提灌机械115台、748千瓦，机耕面积1.67万作业公顷，全县耕种收综合机械化水平达26%。农机总动力达14.6万千瓦，增长2%。

【统筹城乡发展】 2016年4月，宜宾市城市规划勘察设计院完成《筠连县城中华街片区棚户区改造修建性详细规划》编制并按程序上报审批。中华街片区棚户区改造项目总规划约9公顷，涉及住户近1000户。北京通程泛华建筑工程顾问有限公司完成《筠州·印象建筑设计方案》编制，该项目位于县城腾川路以西、煤都大道以南，占地面积15964.6平方米，建筑面积58534.73平方米。四川宏图都市建筑设计有限公司完成《阳光府邸建筑设计方案》编制，该项目用地净面积21550平方米，总建筑面积为81236.67平方米，规划指标容积率为3.19，建筑密度18.67%，绿地率37%。创建农民增收新产业新业态示范区，在塘坝乡试点打造提升休闲农业和乡村旅游、民宿经济、农产品产地初加工、森林康养、农村电子商务。

【新农村建设】 2016年，筠连县“四美”幸福美丽新村建设投资18780万元，其中中央、省、市、县财政资金总投入1856万元，农户投入2596万元，金融投入11398万元，社会资本投入2930万元，启动幸福美丽新村建设39个，建成47个，累计建成幸福美丽新村87个。省级财政幸福美丽新村建设涉及15个乡（镇）17个村的17个聚居点，共175个项目，项目村大力推行民办公助，坚持新村建设与生产生活、公共服务、社会管理的综合配套，连片、整体、分类、有序实施。市级幸福美丽新村示范县建设把幸福美丽新村示范片建设与脱贫奔康有机结合，突出人居环境改造，产业发展、新村建设、基础设施和公共服务建设，建成筠连镇五凤村、五陵村、红江村3个新村聚居点，巩固提升筠连镇五丰村、前丰村、海丰村、顶峰村、联络村5个新村聚居点，建成标准化规模养殖场3个、适度规模肉牛养殖小区16个（肉牛存（出）栏5000头以上），共实施项目45个，投入资金12319.13万元，完成三年规划任务的40%。激活村集体经济发展，印发《关于加快推进农村集体经济发展增加村级集体收入的意见》，探索创新8大集体经济发展模式，为全县村集体经济创收。按照“四好村”创建要求，结合农村精神文明建设，在全县开展“农村妇女文明管家行动”，依托乡、村两级妇联组织引导农户争创“和谐家庭”“四好农家”“脱贫先进户”“洁美家庭”“卫生户”等，让群众过上好日子、养成好习惯、形成好风气，改善贫困群众生产生活条件，全面推进贫困地区幸福美丽新村建设。全年创建县级“四好村”70个、市级“四好村”29个、省级“四好村”17个。创新新农村建设模式，通过实施集道路网络化、饮水安全化、能源燃气化、环境整洁化、风貌统一化于一体的现代化新村聚居点建设实现投资分红。

【扶贫攻坚】 2016年，筠连县继续深入推进精准扶贫精准脱贫各项工作，大力实施“五个一批扶贫攻坚行动计划”“六大兜底方案”“10个扶贫专项方案”，全年县级投入11个“摘帽”村整村推进项目专项扶贫资金925万元；按每村15万元的标准投入集体经济发展资金共165万元；为61个贫困村产业注入扶持周转金2440万元；投入县级财政扶贫资金438.075万元，扶持插花贫困户发展产业和改善条件；参照贫困村产业扶持周转金标准，投入非贫困村贫困户产业扶持周转金540万元。全县金融机构累计发放“好牛贷”2.8亿元、“好茶贷”1851万元、“返乡创业贷”1890万元，向新型经营主体发放贷款19730万元，发放贫困户小额信贷6404.14万元。全年实现1594户6422人脱贫、11个贫困村退出“摘帽”的目标。创新资产扶贫模式，在筠连镇、高坎乡开展省级财政支农创新收益试点资金项目，构建资产扶贫机制。

【乡村旅游】 旅游品牌创建。一是推进旅游标准化建设，开展星级农家乐评定摸底，指导辖区内酒店（饭店）开展星级饭店、绿色饭店、主题饭店创建，按照标准化要求完善景区配套基础设施。二是围绕乡村旅游发展，培育精品村寨、特色乡村旅游经营业态，开展精品村寨、特色乡村旅游经营业态申报评定准备工作。全年评定星级农家乐10家，其中五星级1家、四星级3家、三星级1家、二星级5家；申报特色业态经营点5个，其中精品特色业态经营点4个、非精品特色业态经营点1个。

筠连旅游云平台创建。委托成都云途智旅打造筠连“旅游+电视台”微信公众平台，对全县各旅游景点、各类旅游企业开展全面采集、规范编辑，针对各个景区、各季节、各旅游节庆、促销活动等内容为筠连乡村旅游摄影网、“筠连天下”官方微信公众号提供完整的信息支撑。11月，筠连旅游微信公众平台——“筠连天下”投入运行。

川南旅游“一卡通”推进。由陕西翰阳实业集团旗下帅游电子商务有限公司负责实施，旨在整合川南旅游资源，进行整体营销、互利共赢的旅游宣传营销推广平台建设，致力于提升宜宾市乃至川南整体旅游市场的竞争力。全年发放川南旅游“一卡通”5000张。

岩溶风景名胜区总体规划。宜宾市城市规划勘察设计院完成《筠连县岩溶风景名胜区总体规划（范围调整）》编制，规划把风景区分为5个片区，总面积约138.18平方千米，以岩溶湖、岩溶峰丛为中心，以玉壶泉、羊子洞等为组成部分形成主景区范围，以仙人洞、潮涌泉、马家石林及独立景区为补充形成整个风景区范围。以生态农业观光、农耕体验、李子采摘体验、文化体验、休闲度假、民俗风情等为主要方式，成功申报全国休闲农业与乡村旅游示范点，全县生态观光区达1.33万公顷。

【农村科技】 2016年，筠连县出动科技人员295人次，开展科技宣传16次，举办科技培训22期、受训1.5万人次，技术咨询指导1.5万人次，免费义诊和健康咨询1万余人次。以项目扶持促进农业企业发展，双星茶业有限责任公司、农业局“食用菌（香菇）产业示范推广”2个科技创新项目获得科技创新资金30万元。依托四川蓝伯特生物科技有限公司发展竹子、生漆、青蒿三大产业，采取“公司+专合社+农户”模式，分别依托富农、常青园、农惠专合社负责基地发展，蓝伯特公司对接3个专合社、专合社联动广大农户，实现规模连片发展产业建设，带动农户规模种植青蒿133.33公顷、漆树4000公顷、竹3333.33公顷；引进香皂、笋丁生产线各1条，生产的青蒿系列产品（青蒿手工皂、青蒿精油皂、青蒿驱蚊皂、青蒿内衣皂）、竹笋系列产品（风味笋丁、俏笋尖等）成功进入市场。全年共受理省、市、县级科技项目99个。

【农村教育】 2016年，筠连县有乡（镇）中心幼儿园9所，其余各乡（镇）中心校及大部分村小均附设有学前班。全县幼儿学前三年入园率达80.5%。有乡（镇）中心校17所、基点校13所、农村小学146

所(其中乡中心校9所、基点校13所),小学入学率100%、辍学率0.01%、完成率99.95%,初中入学率99.56%、辍学率0.62%、完成率94.01%。少数民族在校生3429人,其中小学生2272人、初中生873人、普通高中生284人。

【农村文化】 2016年,筠连县有幸福美丽新村农家文化院坝22个、市级农村文化示范村5个、贫困村村级文化活动室45个、电子阅报屏12个,有农家书屋243个(其中市级示范农家书屋19个)。全面落实243个农家书屋和17个社区书屋免费开放政策,农家书屋每周开放20小时以上、社区书屋每周开放25小时以上。开展文化系统新春慰问演出、送文化进校园(社区)、送文化到贫困村活动90余场次,其中送文化到贫困村61场次,演出各类文艺节目600余个,观众人数20余万人次。免费放映公益电影3043场。

【农村卫生】 2016年,筠连县全面推进乡村卫生计生人员一体化改革工作,"村医乡聘"率达30%。公开招考卫生人才42名,引进卫生人才5名,签订农村定向培养医学生4人。全县居民基本医疗保险参保人数373547人(其中特殊人群51090人),筹集基金20487.63万元,支付14510.99万元。

【农村法制建设】 2016年,筠连县成立了依法治县建设法治筠连宣讲团到乡(镇)开展宣讲活动,宣讲执法、普法、用法先进事迹和先进典型,营造学法、用法、敬法、守法的浓厚社会氛围。组织依法治县成员单位等开展"法制七进"法制宣传,共开设法制课堂10场次,举办以案说法讲座6次。建立和完善创建标准和考核评价指标体系,深化"法治农家(家庭)""法治村(社区)""法治学校""法治企业""法治单位""法治乡(镇)"系列法治细胞工程创建活动,重点开展"依法治村示范村""学法用法示范单位""诚信守法示范企业"等民主法治创建活动。全年共开展法制宣传227场次,受教育163626人;编印并发放普法读物27种、26700余册,制作并发放普法用品25种、2700件,发布法治微博24条、法治微信62条、法治手机报27期;创编法治文艺作品16件,拍摄法治微电影3部,开展法治文艺演出42场次,放映法治电影180场次。

【农村交通】 2016年,筠连县有乡道268千米、通村水泥路1012千米,各类桥梁139座、总长3417延米,全县243个行政村均实现水泥路畅通。

交通运输厅于6月、10月共下达筠连县农村公路水泥路建设计划112.1千米,总投资9757万元,涉及11乡(镇)的28个村,已完成建设125千米,完成投资12500万元。交通运输厅下达筠连县农村公路改善工程计划39.8千米,涉及4个项目,总投资4776万元,已完成骑龙路沐爱镇至龙塘段6.9千米、顺武路顺景山至武德段7.6千米,完成投资1740万元。投入资金213万元,重点完成筠民路、横双路、水腾路、巡牛路、巡双路、龙蒿路及村道水毁的修复整治,其中乡(镇)汛期水毁公路修复投入资金80万元。

【涉农招商引资】 2016年,筠连县招商引资到位资金63.02亿元,其中到位省外资金42.15亿元。投资3000万元以上的涉农项目4个,分别为筠连县"在水一方"生态农场建设项目、幸福花卉农场建设项目、筠连5500亩青脆李套种茶业加工项目、佳乐富生猪养殖项目,总投资3.1亿元,均已竣工投产。

【农村社会保障】 2016年,筠连县城乡居民养老保险参保人数11.83万人,参保缴费人数4.14万人,发放养老金4644.67万元。新型农村合作医疗参合人数37.41万人,参合率达98.6%。

【农村生态建设及环境保护】 2016年,根据四川省级生态县的考核要求,筠连县完成7个基本条件的创建、36项技术指标的资料整理以及针对全县开展60项重点项目的资料筹备工作,于9月通过环境保护厅专家的技术核查。开展生态细胞创建,全年创建省级生态小区1个(双腾镇酸草自然生态小区)、市级生态村18个(武德乡冒鼓村、关津村、金门村、小寨村,筠连镇联络村、普高村、五凤村、五丰村,巡司镇黄坪村、西泉村、银星村,镇舟镇景阳村,联合苗族乡光明村,腾达镇新合村,维新镇东云村、平等村、西林村、周坪村)、县级生态村13个(巡司镇黄坪村、西泉村、银星村,维新镇东云村,筠连镇五凤村、五丰村、桂花村、柏杨村、白花村、旗隆村、前丰村、西牛村、水源村)、县级生态家园1695户。截至2016年年底,全县有省级生态村4个、市级生态村210个、县级生态村236个,命名生态家园48970户。

【农村留守儿童(学生)帮扶】 2016年1月,筠连县启动了"温暖守心·爱在冬日"关爱留守学生(儿童)活动,通过线上和线下方式募集暖冬爱心物资市值近20万元,帮助贫困留守学生(儿童)5000余名,发放冬季保暖靴、围巾、手套等暖冬物资3000余套,体育用品2000余套;帮扶贫困村留守学生251名,每名学生获得帮扶资金400元,为贫困学生温暖过冬提供了保障。7月,启动"七彩假期·快乐童年"暑期关爱留守儿童及贫困家庭子女志愿服务活动,共64支志愿服务队347名志愿者参与,覆盖79个行政村(全覆盖61个贫困村),为3000余名留守儿童提供志愿服务。全年新建"留守学生之家"5所,开展关爱留守学生"四点半课堂""七彩课堂",对放学后的留守学生开展课业辅导和文体活动。举办了"文化惠民,槐花飘香——关爱留守儿童文艺"演出,拉近了留守儿童与普通民众的距离;举办了"播撒法治阳光,关爱儿童成长"文艺演出,为留守儿童的健康成长架起了爱的桥梁。

【农产品质量安全监管】 2016年,筠连县第一批农产品农药残留例行抽检样品10个,其中蔬菜8个、水果1个、食用菌1个,检测合格率达100%;第二批农产品农药残留例行抽检样品13个,其中蔬菜12个、水果1个,检测合格率达100%;第三批农产品农药残留例行抽检样品12个,其中蔬菜10个、水果1个、食用菌1个,抽检合格率达100%。3月29日—30日,完成全县41个茶叶产地土样的抽取工作。9月12日—13日,完成粮食安全监测抽样64个。全年共出动执法人员280人次,检查农资经营单位225个次,查处违规农资销售案件15件,收缴违法资金3.2万余元。

【农村市场体系建设】 2016年,筠连县规范电子商务O2O农特产品展示大厅建设,在全县18个乡(镇)建有村级服务点245个,利用"去赶场"网络平台把地方土特产、民俗文化产品、特色生态食品销售到全国各地。组织涉农企业参加全国、全省性的商品交易会、博览会、广交会、展销会等8次。富农林业科技开发有限责任公司、红军源竹业开发有限公司2家公司争取市财政局2016年农业产业化发展贷款贴息项目,获得贷款贴息资金20万元。创建电子商务进农村示范县工作领导小组,印发相关政策,推进"企业触网"。

【主要领导人】 县委书记:王萍;县人大常委会主任:何跃;县长:刘朝平;县政协主席:黄静;分管农业副县长:徐劲松。

筠连县编写组

珙 县

【基本情况】 2016年,珙县辖11镇6乡(其中3个苗族乡)16个社区243个村1660个村民小组,辖区面积1149.5平方千米,其中耕地面积保有量3.45万公顷、基本农田面积稳定在2.81万公顷。年末总人口43.7533万人,人口自然增长率4.85‰。全县有各类林业用地面积84.7万亩,活立木总蓄积273.8万立方米,森林覆盖率达50.63%,绿化覆盖率达54.28%。公益林面积29.1万余亩,占林地面积的34.4%;商品林面积55.6万亩,占林地面积的65.6%。

2016年,全县GDP132.76亿元,增长8.4%,其中第一产业增加值18亿元,增长4%;第二产业增加值85亿元,增长9.1%;第三产业增加值30亿元,增长9%。三次产业结构比为13.5∶63.9∶22.6。

有158个公办校(园)点,有教师3157名,在校学生51831人。有医疗卫生机构455个,其中县、乡两级医疗卫生机构26个(县级9个、乡镇17个),村卫生室359个;病床位1839张,其中县级医疗保健机构1121张、乡(镇)卫生院478张;卫生技术人员2477人,其中执业医师(含执业助理医师)863人、执业护士1019人。

【年度农业和农村经济运行】 2016年,珙县实现农业总产值34亿元,增长4.5%;农业增加值18亿元,增长4%。农民年人均可支配收入达12939元,增长9.4%。

农业产业化发展。珙县加大新型农业经营主体培育,申报并获批省级示范社2个、省级示范场家庭农场3家;新增专业合作社74个,总数达361个;新增家庭农场69家,总数达271家。发展适度规模经营面积1.12602万亩,增加0.47万亩。引导农村土地经营权规范有序流转,健全土地流转服务平台和土地流转监测体系,实行乡(镇)农村土地流转备案制度,全年农村土地流转面积达4.9989万亩,流转资金478.5万元。

农用地产权制度改革。珙县农村土地承包经营权确权登记工作全面完成,农房所有权确权颁证率达70%以上,以94.6分(达到"优秀"标准)通过省级优质成果验收。农村小型水利设施所有权已确权颁证9296处,完成全县应确权水利设施总数的97%。

【种植业】 2016年,珙县粮食作物播种面积48.2835万亩,产量15.21万吨,比上年增长3.82%,其中小春粮食作物播种面积13.26万亩,产量1.779万吨,比上年减少0.536%;大春粮食作物播种面积35.0235万亩,产量13.431万吨,比上年增长4.4%(玉米13.569万亩,产量5.2277万吨;水稻11.919万亩,产量5.8641万吨;马铃薯4.8万亩,产量0.9005万吨;红薯3.39万亩,产量1.2793万吨;其他作物1.3455万亩,产量0.1594万吨)。油菜播种面积6.1215万亩,油菜籽产量0.5468万吨;花生播种面积2.034万亩,产量0.3929万吨;油料作物总产量比上年增长4.99%。

【林业】 2016年,珙县林地面积84.7万亩,占全县辖区面积的49.2%。活立木总蓄积量273.8万立方米,森林覆盖率达50.63%,绿化覆盖率达54.28%。全县公益林面积29.1万余亩,占林地面积的34.4%;商品林面积55.6万亩,占林地面积的65.6%。完成2015年巩固退耕还林成果基本口粮田建设工程并通过初步验收。全年实现林业总产值16.5586亿元,其中林业旅游收入3.9615亿元;农民人均从林业上获得收入1510元。

【畜牧业】 2016年,珙县生猪出栏40.89万头、存栏32.2万头,肉牛出栏2.69万头、存栏4.95万头,肉羊出栏1.21万只、存栏0.82万只,家禽出栏204.87万只、存栏215.43万只,肉兔出栏79.52万只、存栏23万只;禽蛋产量5503吨,肉类总产量36317吨。

【水产业】 2016年,珙县淡水捕捞鱼类703吨、虾蟹类13吨,淡水养殖鱼类6811吨、虾蟹类19吨。全年实现渔业总产值19.8767亿元,比上年增长3.5%。

【农业机械化】 2016年,珙县加大新机具推广力度,新增农机4089台次,全年农机总动力达11347千瓦,主要农作物耕种收综合机械化水平达36.05%;新建便民机耕道122千米,新增提灌机械115台(套)、690千瓦,完成提灌机具修复改造402台、2412千瓦,机电提水灌溉7.5万亩,开展农机化科技推广和教育培训800人次。开展"平安农机"创建、"百日安全生产"、"农机安全月"等专项行动,大力开展农机安全生产专项整治活动,全年共出动车辆14余台次、出动人员42人次,检查违章车辆23台,纠正违章车辆9台,发放传单、宣传画册、书籍1680余份,全年未发生重大农机安全事故。

【新农村建设】 2016年,珙县编制完善《幸福美丽新村示范县建设2016—2018规划》、42个幸福美丽新村规划、2016年第三轮幸福美丽新村示范片实施方案、19个省级财政幸福美丽新村(含18个扶贫新村)实施方案。建成幸福美丽新村示范片3个、省级财政幸福美丽新村19个、幸福美丽新村42个,在示范片核心区建立苗文化、蚕桑文化等展示馆。创建省级"四好村"13个、市级"四好村"43个、县级"四好村"52个。加快推进以"绿水青山·翡翠田园"项目为首的新农村综合体建设。

【扶贫攻坚】 2016年,珙县全面完成6624名贫困人口脱贫、13个贫困村退出任务,获得财政专项扶贫资金8326.2万元,安排脱贫农村贫困人口3998万元,每户6057.57元,完成目标任务的678.5%;县本级财政专项扶贫资金投入实际到位2599万元。依托珙县鹿鸣茶业有限公司组建珙县幸福茶农专合社,建立插花贫困户股权投资增收机制,创新实行贫困户"收益保底、按股分红"模式。探索支持贫困户增收新途径模式在《中国财政》宣传推广。

【乡村旅游】 2016年,珙县新(改)建旅游厕所6座,创建迎宾广场2A级旅游厕所和文化公园3A级旅游厕所各1座,争取厕所建设资金25万元。完成玉和乡旅游标牌标识的设计安装。完成《珙县"十三五"乡村旅游扶贫规划》和《珙县旅游产业发展"十三五"规划》的编制工作。开通"传奇珙州"新浪微博和微信公众号,制作千余册宣传画册、资料和名片。注册了"珙桐人家"商标。拟定《珙县乡村旅游精准扶贫实施方案》《珙县旅游扶贫2016年工作计划》。石碑乡红光村创建为市级乡村旅游示范村,下罗镇育贤村创建为县级乡村旅游示范村;创建民宿达标户8户、星级农家乐11家(四星级农家乐1家、三星级农家乐10家)、精品特色业态经营点2个和特色业态经营点3个。

【农村科技】 2016年,珙县推广测土配方施肥面积45万亩,建成测土配方施肥示范片10个、示范面积3万亩。启动珙县2016年现代农业生产发展(水稻)项目,中央、省、县财政投入1600万元,实现田网、渠网、路网"三网"配套,达到"田成方、土成型、渠成网、路相通、沟相连"的高标准农田建设标准。

【农村产权交易市场体系建设】 2016年,珙县制定并出台了《珙县农村产权交易体系建设实施方案》《珙县农村产权交易管理办法》《珙县农村产权价值评估管理办法(试行)》和《珙县农村产权收储中心运行管理办法(试行)》等文件。成立珙县农村产权交易服务中心,17个乡(镇)设立农村产权交易服务站,243个村(社区)设立农村产权交易信息员,形成了"县有中心、乡(镇)有站、村有信息员"三级联动的农村产权流转交易体系。创新农村抵(质)押担保方式,扩大集体林权、经济林木(果)权抵押贷款规模,推进农村土地承包经营权、农业生产及设施用房抵押贷款、农村土地流转收益保证贷款,探索集体经营性建设用地、农村房屋所有权抵押贷款。县财政设立农村产权抵押融资风险资金500万元,保障后期工作顺利开展,全年办理林权抵押登记41宗,抵押贷款21301.1万元。

【主要领导人】 县委书记:陈有树(9月止),叶盛(9月始);县人大常委会主任:翁毅;县长:叶盛(10月止),徐创军(12月始);县政协主席:孙怀勇;分管农业副县长:王小阳。

珙县编写组

兴 文 县

【基本情况】 2016年,兴文县辖15个乡(镇),辖区面积1373平方千米。全县GDP88亿元,是2011年的1.63倍,年均增长9.7%;一般公共预算收入完成6.83亿元,是2011年的2.44倍,年均增长19.5%;全社会固定资产投资105.8亿元,是2011年的2.86倍,年均增长23.4%;规模以上工业增加值年均增长12.3%;社会消费品零售总额47亿元,是2011年的2.13倍,年均增长13.8%。城镇居民年人均可支配收入25232元,是2011年的1.63倍,年均增长10.3%;农村居民年人均可支配收入11860元,是2011年的1.76倍,年均增长12%。

【农业产业化发展】 2016年,兴文县新培育龙头企业、农民专业合作社等新型农业经营主体462个,石海薯制品农民合作社获评为国家级示范农民合作组织,香山猕猴桃专业合作社联合社被评为"全国优秀农民合作社"。大力发展特色效益农业,以山地乌骨鸡、方竹笋、猕猴桃、富硒水稻、烤烟、蚕桑等为主的特色产业格局初步形成。创建为"省现代林业重点县",建成3个"万亩林亿元钱"示范区、2个万亩农业产业示范区、1个万亩粮经复合示范基地,粮食生产实现连续五年稳定增长。

【农用地产权制度改革】 2016年,兴文县推进农村产权制度改革,规范流转林地9.1万亩、土地7.5万亩;完成6848处小型水利工程确权登记。兴文县被列为全省农田水利设施产权制度改革试点县,获评为"全国百强林改典型县"。

【农产品品牌战略实施】 2016年,兴文县大力培育区域"大品牌",打造"食在石海"等地方特色品牌,培育"三品一标"农产品15个、四川名牌2个,兴文山地乌骨鸡、兴文方竹笋被列为国家地理标志保护产品。

【农村水利】 2016年,兴文县总投资11.89亿元的新坝水库已实现围堰截流;总投资2.28亿元的芭茅沟水库加快取水口隧洞、环库公路建设。建成供水工程800余处,解决27万名农村人口饮水安全问题,兴文县获评为"中央财政小农水建设重点县"。

【统筹城乡与新型城镇化】 2016年,兴文县创新实施"1215"智慧城镇综合管理,率先在全国实现县域智慧化城乡管理全覆盖,被列入全国第三批"智慧城市"试点。统筹推进"四创联动","国家卫生县城"创建工作顺利通过考核评估。持续开展交通秩序、"三场建设"、夜市摊点和违法违规乱建等专项整治行动,新建城南等5个农贸市场,中心城区"以街为市"的问题得到有效解决。深入开展城乡环境综合治理,建成县城垃圾填埋场和乡(镇)压缩式垃圾中转站6个。编制完成《兴文县城市总体规划》《兴文县城镇体系规划》《兴文县幸福美丽新村规划》,"三大组团"的县城布局基本形成。光明新城初具现代城市规模,人气、商气极大提升。旧城改造有序推进,市政功能不断完善,主要街道实现黑化亮化,放花溪综合治理、甘洞湾溶洞公园等一批公共服务项目相继完工并投入使用。太平镇等13个集镇开发成效显著,僰王山镇获评为"全国重点镇"。成功打造莲花镇高义村等79个幸福美丽新村,仙峰苗族乡群鱼村被评为"四川十大幸福美丽新村"。截至2016年年底,全县城乡建设累计投入72.65亿元,新增建成区面积6.9平方千米,城镇化率达36.04%,比2011年提高7.59个百分点。累计新增就业1.7万人,城镇登记失业率控制在3.62%以内。推进户籍管理制度改革,实现农业转移人口市民化"零门槛"。

【扶贫攻坚】 2016年,兴文县围绕"两不愁三保障"和"四个好"要求,明确了2018年实现14577户、50721名贫困群众全部脱贫,57个贫困村全部退出,贫困县"摘帽"的目标。制订了《兴文县基础设施建设扶贫专项方案》等17个实施计划,创新建立"三联三结三强"扶贫模式和"八个一"帮扶机制,细化"五个一批、六个精准"等脱贫政策措施。五星镇大同村"股权量化"、共乐镇毛村"一地生三金"、麒麟苗族乡德应村"笨鸟精神"、僰王山镇永寿村"永寿理念·永寿速度·永寿精神"等经验做法得到了省委省政府领导的充分肯定。全县贫困人口从2012年年初的84358人减少到2016年年底的26426人,11个重点贫困村退出,全县贫困发生率从20.53%下降到5.51%。出资1000万元建立农村脱贫"政银保"合作机制,设立2000万元的中小微企业互助发展基金和500万元的中小微企业发展基金。

【乡村旅游】 2016年,兴文县完成《兴文县旅游发展总体规划》《兴文石海国家地质公园总体规划》编制工作,洞藏酒庄、僰·苗文化公园等一批旅游项目竣工并投入使用,打造了石菊古地、生态王庄等一批乡村旅游景点,创建为"四川省生态旅游示范区""四川省乡村旅游示范县"。承办"2015中国·四川国际文化旅游节"兴文分会场各项活动,持续打造苗族花山节特色品牌,四川兴文猪儿粑节、兴文山地乌骨鸡文化节等特色节会激发乡村旅游活力,旅游接待人数和旅游收入连续五年实现双提升。大坝高装、苗族花山节和贾氏微刻分别被列入国家级和省级非物质文化遗产保护项目。

【农村卫生】 2016年,兴文县投入1.7亿元,完善县、乡、村三级医疗服务网络,县内就诊率由78%提高到90.6%,被列入全国公立医院医疗综合改革试点县。全面落实二孩政策,符合政策生育率达97.27%,人口自然增长率控制在6‰以内。

【农村社会保障】 2016年,兴文县城乡低保标准大幅提高,居民基本医疗保险、新型农村养老保险实现全覆盖。建成保障性住房2583套,改造棚户区住房2838套、农村危房9915户。兴文县获评为"全省敬老模范县"。

【农村生态建设及环境保护】 2016年,兴文县全面落实河(库)长制,完成11条(段)中小河流治理、县城污水处理厂二期主体工程及12个乡(镇)集中式污水处理设施建设,出境断面和饮用水源水质均达国家III类以上标准。全面开展节能减排降耗和大气、水、土壤等专项防治工作,环境突出问题得到有效整治。全年完成石漠化治理工程项目5个,实施土地整理项目30个。森林面积和森林蓄积实现双增长,森林覆盖率达48.79%,比2011年提高3.64个百分点。省级生态县创建通过技术核查,创建为"四川省绿化模范县",僰王山镇获得"中国绿色名镇"称号,仙峰苗族乡大元村被评为"全国生态文化村"。

【重大项目推进有力】 2016年,兴文县强力推进831个重点项目建设,完成投资332.9亿元。争取到中、省、市投资项目449个,无偿资金37.37亿元。改善提升县、乡道183.6千米,实施通村通畅工程720千米,县、乡道硬化率达100%,建制村通畅率达100%;农村义务教育校点通达率100%。投资6.29亿元，实施农村电网升级改造工程，覆盖全县259个村(社区)。"宽带乡村"工程已覆盖214个行政村，建成32个村级电商服务站。

【主要领导人】 县委书记:沈军;县人大常委会主任:陈凡;县长:张健;县政协主席:张红;分管农业副县长:赵仲康。

兴文县编写组

屏 山 县

【基本情况】 2016年，屏山县辖8镇7乡(其中2个彝族乡)，辖区面积1531平方千米。全年牧渔业总产值280886万元，增长3.45%，增速在全市排第六位，其中农林牧渔业产值增加160615万元，增长3.62%，增速在全市排名第八位。实现农业总产值137428万元，增长4.67%;实现农业增加值85291万元，增长4.75%。农村居民年人均可支配收入10708元，同比增长9.3%，增速在全市排第六位。

【种植业】 2016年，屏山县粮食作物播种面积27522公顷，减少1%;粮食总产量117041吨，增长0.7%，其中谷物面积17248公顷，减少7.3%;产量89337吨，减少3%。豆类面积2537公顷，增长1.8%;产量4021吨，增长3.2%。薯类面积7737公顷，增长15.6%;产量23683吨，增长17.1%。

经济作物播种面积12883吨，增长0.1%;总产量198973吨，增长2.8%。其中，油料作物面积4384公顷，增长1.7%;产量7642吨，增长12.6%。蔬菜及食用菌面积5855公顷，增长0.07%;产量96876吨，增长0.02%。烟叶面积1416公顷，减少15.3%;产量2349吨，减少18.4%。茶园面积13780公顷，增长2.5%;产量13300吨，增长15.7%。水果产量75000吨，增长4.1%。

【林业】 2016年，屏山县实现林业总产值20217万元，增长1.91%;实现林业增加值14453万元，增长1.9%。全县造林面积3780公顷，育种育苗42公顷，零星植树15万株。

【畜牧业】 2016年，屏山县实现畜牧业总产值118038万元，增长2.19%;实现畜牧业增加值57516万元，增长2.19%。生猪平均价格达20元/千克，同比增加6元/千克。其他各类畜牧出栏量均出现不同幅度的增长，其中肉用牛出栏14073头，增长2.4%;肉用羊出栏205601只，增长5.7%;家禽出栏1220266只，增长3.3%;肉用家兔出栏1384652只，增长5.1%。全年畜牧肉类总产量24457吨，减少2%。

【水产业】 2016年，屏山县实现渔业总产值1953万元，增长4.21%;实现渔业增加值1366万元，增长4.2%。加强对渔业生产的监管，强化水政执法和查处力度，全县渔业发展趋势良好。

【主要领导人】 县委书记:邱东林;县人大常委会主任:余湛;县长:李川;县政协主席:张华全;分管农业副县长:刘焰。

屏山县编写组

广 安 市

【基本情况】 2016年，广安市辖80乡91镇11个街道，辖区面积6339.2平方千米，其中耕地面积461.67万亩，基本农田372万亩。年末总人口467.24万人(户籍人口)。本地水资源总量26.14亿立方米，人均占有水资源量805立方米。有林业用地324万公顷，有林地面积306万公顷，活立木总蓄积量796万立方米，森林覆盖率40.5%。

2016年，全市GDP1078.6亿元，增长7.9%，其中第一产业增加值170.2亿元，增长2.9%，农、林、牧、渔及农林牧渔服务业之比为55.4∶2.9∶36∶3.8∶1.9;第二产业增加值557亿元，增长8.6%(工业产值435.9亿元，增长8%);第三产业增加值351.4亿元，增长9.1%。三次产业对经济增长的贡献率分别为6%、56.8%和37.2%。劳务输出155.5万人，收入223.28亿元。全年接待游客3436.47万人，实现旅游总收入302.01亿元，其中乡村旅游收入60.6亿元。

社会消费品零售总额468.8亿元，增长13.4%。地方公共财政预算总收入完成64.2亿元，增长17.7%;公共财政预算总支出243.6亿元，增长9.4%。金融机构各项存款余额1663.6亿元，比上年初增长16.72%;各项贷款余额639.14亿元，比年初增长9.78%，其中涉农贷款余额351.2亿元。全年处理各项赔款和给付金额4127.91万元，较上年下降7.39%。农业产业化龙头企业国家级、省级、市级、县级分别为1家、20家、59家、152家。

有各类学校1219所，在校学生625311人，教职工40029人，其中普通高校1所，在校专科学生9165人，增长0.38%;普通中学470所，在校学生219361人;小学199所，在校学生246824人;学龄儿童入学率99.51%，提高0.29个百分点。完成省级以上科技成果150项，3项科技成果获得省级及以上科技进步奖。有艺术表演团体22个，文化馆7个，公共图书馆7个，博物馆4个。有卫生机构3361个，病床位4794张，卫生技术人员4039人。新型农村合作医疗参合人数347.7万人，参合率99.84%。

【年度农业和农村经济运行】 2016年，广安市实现农业总产值294.8亿元，增长2.5%;农业增加值173.5亿元，增长3%。农民年人均可支配收入12479元，增长9.7%。在粮食、生猪、蔬菜生产中，科技投入占比达56.1%。全市农产品质量抽检合格率比年初提高0.6个百分点;建成181个基层农业综合服务站。

农业产业化发展。广安市初步建成"五大带状优质稻基地"100万亩，"八大柑橘产业带"48万亩，"五大优质菜区"42万亩，梨、葡萄等特色产业基地15万亩，总规模达205万亩;建成标准化规模畜禽养殖场(小区)5224个、各类渔业基地380余个。推动一二三产业融合发展，建成全国休闲农业和乡村旅游示范县1个、示范点3个，省级乡村旅游重点县2个，推出乡村旅游精品线路16条。新培育规模以上精深加工企业6家、初加工企业72家，建成农产品配送中心(企业)18个、农产品加工供应基地12个，农副产品加工业实现产值225亿元。新培育龙头企业12家、农民合作组织106家、家庭农场100家、专业大户200户，分别达222家、2071家、769家、3560户;新培育国家级林业重点龙头企业1家，全市省级重点龙头企业达20家、省级示范社达63个，市级示范龙头企业、农民合作组织分别达到59家，带动农户面64.9%以上。全市引进培育龙头加工企业68家，建成种养结合现代农业产业基地10万亩，建成农业信息化物联网示范点5个，覆盖面积达3万亩。充分利用临港大市场电子商务平台实施农产品上网工程,上网农产品达 23 个,网上营销额达 1000 万元。建成以市现代农业规划展示馆为核心,各县(市、区)现代农业规划展示馆为骨干,各园区信息网点为支撑的现代农业产业发展信息服务体系。

2016 年广安市主要农产品产量

主要农产品	单位	产量	同比(%)
粮食	万吨	191.57	1.1
水稻	万吨	103.89	1.4
小麦	万吨	14.3	-1.4
玉米	万吨	30.4	1.6
马铃薯	万吨	18.05	2.19
油菜籽	万吨	10.63	2.3
蔬菜	万吨	252.16	2.1
水果	万吨	20.29	1.2
肉类	万吨	33.79	-3.8
猪肉	万吨	27.59	-5.1
牛肉	万吨	0.59	3.2
羊肉	万吨	0.6	2.2
禽肉	万吨	42.47	2.2
兔肉	万吨	0.69	4.6
禽蛋	万吨	7.02	1.3
水产品	万吨	6.45	3.2
牛奶	万吨	0.28	-0.2

农用地产权制度改革。按照广安市委市政府的统一部署,全市 6 个县(市、区)及 3 个园区严格按照农村土地确权登记“九步工作法”积极开展工作。截至 2016 年年底,全市 182 个乡(镇)2808 个村 23252 个社 110.24 万户农户的土地确权登记工作基本结束,6 个县(市、区)及 3 个园区已通过检查验收并陆续开展颁证工作。

农产品品牌战略实施。广安市出台了《关于加快建设邓小平故里优质农产品“华蓥山”公用品牌的意见》,市优质农产品品牌建设领导小组制定了《邓小平故里优质农产品“华蓥山”公用品牌标识使用管理办法》《关于规范邓小平故里优质农产品“华蓥山”公用品牌包装的实施意见》。在市(县)城区、交通要道、农业园区公用品牌设立宣传广告、宣传石碑等 40 余处,在四川卫视《天气预报》栏目中插播的宣传广告取得较大影响。全市有农产品驰名商标 4 个、著名商标 17 个、知名商标 91 个,地理标志产品(保护产品、证明商标)12 个,使用邓小平故里优质农产品“华蓥山”公用品牌的企业达 118 家。新培育农产品(含畜牧、水产)商标 152 个,总商标数突破 2000 个,其中市级知名商标 94 个、四川省著名商标 16 个、中国驰名商标 4 个。建成广安优质农产品专卖店 10 个。全市“三品一标”农产品认证数量达 209 个,总产量 63.18 万吨。

现代农业园区建设。广安市创建省级现代农业示范园区 3 个,形成了一批以广安区万亩龙安柚示范园、前锋区现代农业示范园区、华蓥市优质梨示范园、岳池县三安现代农业综合示范园区、武胜县白坪—飞龙新农村示范区、邻水县丰禾现代农业示范园、缪氏庄园等为代表的现代农业园区,现代农业园核心区面积达 72.81 万亩。全市建成田网、路网、渠网“三网”配套产业基地面积 169.2 万亩,建设温室大棚 2.54 万亩,设施农业播种面积达 7.94 万亩,测土配方施肥占比达 80%以上,园区综合农机化水平突破 58%。引进推广水稻、柑橘、生猪、蔬菜等优质品种 120 余个,推广旱育秧 130 余万亩、机插秧工厂化育苗 1 万亩,水稻直播 3.52 万亩,柑橘大窝、大肥、大容器苗栽培技术推广面积占比达 90%。推广标准化生产示范面积达 100 余万亩,46 家种植企业参与开展农产品追溯试点,生猪质量安全追溯已全面实现。坚持全域规划,大力实施“111”工程,充分利用两河(大洪河、御临河)、两江(渠江、嘉陵江)、三山(华蓥山、明月山、铜锣山)形成的多元化立体气候和丰富多样的土壤类型,打破行政区划,重点实施现代农业“111”工程,建成一个产业环线、一个产业单元和一个产业连接带。全市“黑化”产业大道 390 千米,把各地现代农业园区进行无缝连接,形成了面积突破 100 万亩的超大型现代农业产业园区。

【种植业】 2016 年,广安市粮食总产量 191.57 万吨,蔬菜产量突破 252 万吨,柑橘总产量 45 万吨,蚕茧产量达 135 万千克。全市粮经复合型产业基地面积达 42 万亩,亩产超过 610 千克。蔬菜、蘑菇等高效作物均衡发展,“千斤粮万元钱”工程区亩均产值达到万元以上。高效生态循环农业面积达 21 万亩。

2016 年广安市省级农业产业化重点龙头企业名单

企业名称	注册资金(万元)	法人代表	示范等级	年度产值(万元)	行业分类	主营产品
四川广安伟业绿色园艺有限公司	1000	唐燕子	省级	1100	种植业	景观项目设计、园林绿植租售及果树、林木
广安聚丰贸易有限公司	500	罗光秀	省级	3700	农业	蔬菜
广安市布衣农业发展有限公司	500	黄波	省级	5000	农牧业	蔬菜、水果、鸡蛋、土鸡、挂面
广安和诚林业开发有限责任公司	800	黄志标	省级	6825	林业	青花椒
汇森林业股份有限公司	23411.7	唐新闻	省级	15830	林业	经济林
四川欧阳农业集团有限公司	2000	欧阳晓玲	省级	16021.4	生产加工	梨、柑、苗木、生态旅游

续表

华蓥市德嘉农业科技有限公司	200	李松满	省级	19825	生产加工	鲜食葡萄、白兰地葡萄酒
华蓥市超奇农产品有限公司	200	何少奇	省级	4158.95	生产加工	葡萄、柠檬
华蓥市新农科技开发有限公司	200	李天云	省级	1698.52	生产加工	花卉、苗木
四川省银丰食品有限公司	400	许斌	省级	3000	加工业	米粉加工
四川省岳池特曲酒业有限公司	1000	陈建国	省级	8632	制造业	白酒系列
岳池特驱种猪繁育有限公司	500	胡伟	省级	4515	养殖业	种猪繁育生产
四川安泰茧丝绸集团有限公司	5000	唐定云	省级	47000	纺织业	蚕茧、生丝、绸
广安天兆食品有限公司	3000	余定富	省级	10000	农副产品加工	白条肉
四川天瑞仁和生态农牧开发集团股份有限公司	9800	屈永强	省级	6000.15	深加工	藏香猪
武胜县醉巴斯麻辣牛肉食品有限责任公司	1000	李胜萍	省级	5000	精深加工	牛肉
广安万千集团有限公司	2000	鲁力	省级	167953	加工	饲料
邻水县柑桔产业开发有限公司	100	昌定益	省级	3400	种植业	柑橘
四川缪氏现代农业开发有限公司	500	缪敏	省级	4000	农业、服务业、加工业	葡萄、生猪
邻水县东鑫农业发展有限公司	100	包飞	省级	80	农业	脐橙加工

2016年广安市省级(及以上)示范农民专业合作经济组织名单

合作组织名称	注册资金(万元)	法人代表	示范等级	年度产值(万元)	行业分类	主营产品
岳池县三安食用菌专业合作社	921.9	周文利	国家级	2500	种植业	蔬菜
邻水县脐橙专业技术协会	50	包小东	省级	586	种植业	水果、蔬菜、苗木、花卉、中药材、植保服务
广安市广安区代市镇金堂植保专业合作社	50	曾传建	省级	30	农业	植保
武胜县十块田世纪甜橙专业合作社	50	刘开志	省级	450	种植业	甜橙
华蓥市黄花梨专业合作社	2000	欧阳晓玲	省级	3866.81	种植加工业	蜜梨
岳池县李二姐蔬菜专业合作社	360	李桂兰	省级	780	种植业	蔬菜
广安市广安区鲲鹏农业科技开发专业合作社	2000	张光维	省级	750	农业	蔬菜
邻水县九龙镇飞马家禽养殖专业合作社	800	兰文秀	省级	200	养殖业	鸭子、鹅
邻水县天宝柚子专业合作社	40.575	何正超	省级	187.8	种植业	矮晚柚果品
华蓥市德嘉葡萄专业合作社	2000	李松满	省级	3027	种植业加工业	葡萄、葡萄酒
武胜县街子甘霖村翠冠梨专业合作社	101.55	徐兴隆	省级	86	种植业	翠冠梨
邻水县超越畜禽养殖专业合作社	515	文强	省级	2580	养殖业	生猪
广安惠康蔬菜专业合作社	150	林兴元	国家级	1386	农业	蔬菜
岳池县益民蔬菜种植专业合作社	100.6	黄德容	省级	833	种植业	水果、蔬菜

续表

岳池县兴达养殖专业合作社	10	罗志干	省级	723	养殖业	生猪
邻水县利农山羊养殖专业合作社	320	林刚	省级	592.8	畜牧业	肉羊/羊肉
广安市广安区金锄头农机农艺专业合作社	737	黄勇	省级	630	农业	水稻
武胜县青岩甜橙专业合作社	100	彭锡成	省级	95	种植业	甜橙
邻水县包氏养蜂专业合作社	265	包德安	省级	355	养殖业	蜂产品
华蓥市新农种养殖专业合作社	1000	李天云	省级	1623.5	种植业	紫薇
岳池县金鑫农业专业合作社	3000	李红	省级	260	种植业	蔬菜、水果林木

2016年广安市家庭农场经营情况统计表(前10位)

家庭农场名称	注册资金(万元)	法人代表	年度产值(万元)	行业分类	主营产品
广安区熊元龙养殖家庭农场	200	熊元龙	400	养殖业	生猪
广安区严健生态家庭农场	200	严健	900	养殖业	生猪
广安市圆梦松针种养家庭农场	500	汪学琼	300	种植业	茶叶
华蓥市茅坪种植家庭农场	30	秦其发	50	养殖业	山羊、山鸡
邻水县凯达家庭农场	100	尹清梅	200	种养殖业	肉兔、核桃
武胜财富莲藕种植家庭农场	20	尹才富	50	种植业	莲藕
武胜县宝箴塞邓永豹养猪场	60	邓永豹	80	养殖业	生猪
武胜县璞真种植家庭农场	100	曹正明	62	种养植业	水果、蔬菜、水产
岳池县大佛蜀羊轩家庭农场	160	杨帆	273	种养殖业	山羊、水稻、柚子
岳池县大佛乡丰聚家庭农场	120	秦小艳	700	养殖业	生猪、仔猪、种猪

【林业】 2016年,广安市扎实开展集体林权制度改革"回头看",及时对漏登、错登、重登等问题进行核查纠错,完成林权证错登、漏登纠错5.53万本,涉及面积2.48万亩,新颁发、换发林权证15万本;调处林权纠纷154起,完善档案964卷。加大与成都市农村产权交易所的合作力度,积极搭建市、县林权流转交易平台,全市新增林权流转交易688宗、面积16.8万亩。有序推进林权抵押融资试点改革,在岳池县启动全省第二轮经济林木(果)权抵押贷款改革省级试点。制定出台了《广安市森林资源资产评估管理办法》,进一步优化了评估贷款程序。全市新增林权抵押贷款24笔、贷款4100余万元。全面贯彻落实省委省政府印发的《四川省国有林场改革实施方案》,研究出台了《关于加快推进国有林场改革的实施意见》,召开全市国有林场改革动员会议和培训会议,推动国有林场改革顺利推进。

【畜牧业】 2016年,广安市大力发展种猪场,新引进符合补助条件的外种母猪4254头、外种公猪176头,共兑现补助资金100.18万元,惠及近100个场(业主)。指导督促实施包括生猪、奶牛、肉牛在内的良种补贴项目,编写印发了养殖技术资料2000份,对养殖场、农户开展技术指导、咨询等活动80余次。推广优质肉牛、奶牛冻精1000余粒,推广优质生猪、山羊、家禽、家兔等优良品种8个。全年出栏生猪393.3万头、家禽3021.7万只、肉牛4.98万头、肉羊37.83万只、肉兔534.97万只,同比分别增长-5.1%、3.2%、2.2%、2.2%、2%;肉、蛋、奶产量分别为33.79万吨、7.1万吨、2839吨,同比分别增长-3.8%、2.5%、-0.9%。全市畜牧业实现产值119.6亿元,同比增长2.4%,占农业总产值的40.6%。生态养殖鸡鸭达860万只,扩大牧草和饲料作物种植面积75万亩。

【水产业】 2016年,广安市落实水产惠渔资金580万元,建设渔业基地10个,培育渔业专业大户9户,注册专业合作社4个,生产淡水鱼苗3.6亿尾,投放鱼种1.42万吨,实现水产品产量6.44万吨,实现渔业经济总产值11.49亿元。引进推广新品种6个、新技术5个,发放水产技术宣传资料4.12万份,举办水产渔政培训班28期、2600人次。落实渔船安全生产责任,开展渔业船舶检验登记,开展"百日安全生产"、汛期渔业安全风险隐患排查、冬季渔业船舶安全大检查等一系列渔船安全执法检查活动,举办渔业安全培训22期,培训人员3800人次,整治隐患渔船4只,查处渔船违章作业36起。开展水产养殖质量、渔用物资打假、违法添加非食用物质和滥用食品添加剂等专项整治行动,检查养殖场站342户次、加工流通环节152户次,成功创建农业部水产健康养殖场6个、无公害水产品基地2个。严格执行捕捞许可、水生野生动物保护和春季禁渔制度,加强水产种质资源保护区建设,严厉打击电鱼、炸鱼、毒鱼等非法捕捞行为,开展涉渔影响评价2起,查处非法捕捞36起,收缴电捕鱼器26台,没收非法网具113件。积极开展江河人工增殖放流活动,向天然水域投放鱼种514万尾。

【农村水利】 2016年,广安市水利项目开工56个,完工51个,完成投资约16.3亿元,完成目标任务的271.6%。回龙寺、猫儿沟、龙滩、向阳桥、应家沟5座中型水库建设稳步推进,其中回龙寺水库完成导流洞开挖、溢洪道开挖、大坝基础开挖等工作,累计完成投资1.65亿元;猫儿沟水库导流隧洞全面完成,已具备过水能力,围堰填筑达到度汛高程,累计完成投资约1.1亿元;龙滩水库进场公路、施工导流隧洞工程有序推进,累计完成投资约1.02亿元;向阳桥水库施工临时工程全面完成;应家沟水库完成齿槽开挖,累计完成投资1.2亿元。渠江白塔、腰鼓溪、明月堤防建设全面完工,海棠溪、罗渡、中和堤防分别完成工程形象进度的95%、90%、98%。在建8个中小河流治理项目完成6个。

【农业机械化】 2016年,广安市完成机耕340万亩、水稻机械化育插秧50万亩、水稻机收165万亩,主要农作物耕种收综合机械化水平达60%。截至12月30日,农机购置补贴系统共补贴机具17942台(套),补贴资金1210.532万元,受益农户(组织)1.55万户(个),资金结算进度为94%。新增农机合作社2个,总数达46个,合作社作业总面积达58.7万亩。广安市获得省农田水利基本建设"李冰杯"农机项目二等奖。新建(硬化)乡村机耕便民道2034千米,其中村组道路407千米、田间机耕道875千米、入户便民道752千米,全市机耕便民道总里程达15341千米。全市田间通达率达80%,其中现代农业产业园区通达率超过90%。全年共培训农机技术人员5400人次,其中农机管理人员280人次、农机技术人员525人次、农机操作人员4420人、农机监理人员175人。

【统筹城乡与新型城镇化】 2016年,广安市深入贯彻落实中央、省、市新型城镇化工作会议精神,强化"顶层设计",做实"全域规划",狠抓项目实施,加强督办考核,坚持政策创新,加快体制机制改革,城镇空间布局不断优化,城镇综合承载能力和综合管理水平不断提高,城镇人居环境不断美化,城镇文化内涵不断丰富。全年新拓展城区面积13平方千米,城镇化率提高1.6个百分点;城镇常住人口增加4.5万人。完成房地产开发投资258.22亿元,实现建筑业总产值443亿元;完成城乡市政基础设施和公共服务设施建设投资36.4亿元,带动小城镇市政基础设施建设投资21.4亿元。开工建设保障性住房和改造城镇危旧房棚户区21724套,争取到位中央、省级专项资金6亿元;开工建设农村安居工程16580户,其中实施农村危房改造5917户。完成建档立卡贫困户危房改造5058户,有力助推3个"摘帽"县及全市145个贫困村、50001人减贫脱贫。

【新农村建设】 2016年,广安市坚持"业兴、家富、人和、村美"的发展目标,整体推进幸福美丽新村建设,向上争取省级财政幸福美丽新村建设专项资金、"一事一议"美丽乡村建设试点补助资金、第三轮幸福美丽新村建设示范县基准额度财政专项资金共14014万元,同比增长47.5%。整合新村基础配套设施、美丽乡村、易地扶贫、危房改造等各级项目资金85872万元,建成幸福美丽新村411个(扶贫新村176个)、农村廉租房3516套,解决无房户、危房户、住房困难户4121户,保护传统村落20个、传统民居1843户,建成"1+6"村级公共服务活动中心252个。加大优化资源配置力度,创新完善体制机制,推进幸福美丽新村示范县(前锋区)建设,全年共投入幸福美丽新村建设示范县建设资金共2091.7万元,其中省级财政幸福美丽新村建设专项资金500万元、整合涉农项目资金1306.7万元、区本级财政投入285万元。围绕全面建成小康社会和脱贫攻坚目标任务,以"住上好房子、过上好日子、养成好习惯、形成好风气"为目标,深入开展"四好村"创建工作,创建省级"四好村"58个、市级"四好村"431个、县级"四好村"656个。

【扶贫攻坚】 2016年,广安市委市政府深入领会中央、省级脱贫攻坚精神,坚决贯彻落实中央、省级决策部署,把脱贫攻坚作为最大的政治任务来完成,作为最重要的民生工程来落实,全市上下万众一心,众志成城,按照"广安要在全省树立旗帜和标杆"的工作要求,发扬"逢山开路、遇水架桥、披荆斩棘、勇往直前"的广安精神,以决战决胜、首战必胜的信心和决心,举全党全社会之力,精准施策、精准发力,实现了坚决打赢脱贫攻坚首战的任务。全年共争取到位财政扶贫移民专项资金12.2亿元(其中财政专项扶贫资金7亿元、移民后扶资金5.2亿元)、行业扶贫资金69.8亿元,高质量如期完成广安区、前锋区、华蓥市3个县(区)全省首批"摘帽"、145个贫困村退出、50001名贫困人口的脱贫任务。广安市脱贫攻坚工作多次得到省委省政府领导的肯定,广安市探索的精准扶贫痕迹管理经验在全省推广。

【乡村旅游】 2016年,广安市开展金融支持旅游扶贫,督促和引导金融机构在旅游扶贫项目资金支持、农村金融产品和服务方式创新、农村金融基础设施建设等方面加大扶持力度,全市13家金融机构与34个旅游扶贫项目建立了主办行关系,达成各类融资协议5600万元,安放各类自助机具30台。争取中央旅游基础设施建设基金200万元、2016年省级旅游扶贫专项资金180万元,统筹市级资金173万元,专门用于旅游扶贫,对旅游扶贫重点村基础配套设施建设、旅游扶贫品牌创建等进行补助。

将旅游扶贫纳入干部培训内容,通过"请进来,走出去",先后举办旅游市场营销与商品开发、乡村旅游扶贫、乡村旅游从业人员、旅游行政管理人员等培训班9次,培训1031人次;重点针对贫困县、乡(镇)的党政分管领导、旅游局局长等旅游管理干部以及旅游扶贫重点村"第一书记"进行培训,帮助提升其发展理念,为全市旅游扶贫工作提供了人才储备;针对重点扶贫村的致富带头人组织专门培训,组织其到中国台湾参加乡村旅游扶贫学习

新评定乡村旅游特色乡镇3个、乡村旅游精品村寨2个、精品乡村旅游特色业态17个、乡村旅游特色业态18个,华蓥市君兰天下生态文化园被评定为五星级乡村酒店,新评定四星级农家乐6家、三星级农家乐10家、二星级农家乐6家、一星级农家乐1家。创建旅游扶贫示范村23个、乡村民宿达标户60户,武胜县成功创建为省级旅游扶贫示范区。

【农村科技】 2016年,广安市制订了《广安市科技扶贫2016年工作计划》,争取上级科技扶贫资金1022万元,省级科技扶贫示范村、省级科技扶贫示范户一对一精准帮扶率达100%。引进推广新品种101个、新技术77个。选派自然人科技特派员150人、法人科技特派员1个和省、市36名专家到县(市、区)开展"三区"科技人员专项行动,培训农业技术推广骨干4000人次,建立农业科技试验示范基地24个,推动了农业结构调整和特色优势农业产业化发展。促成华蓥德嘉农业科技有限公司与法国公司合作开展鲜食葡萄非商品果酿制白兰地项目,对于推动农业产业化具有导向和示范作用。联合相关部门开展了"送科技下乡"、"科技之春"科普月、科技活动周3次科普宣传活动。紧紧围绕现代农业示范园区、粮油高产创建示范片为重点,建立水稻、玉米、柑橘、葡萄、蔬菜、茶叶绿色防控示范园区48万亩,带动绿色防控推广面积达147.05万亩,绿色防控覆盖率达25.51%。全市农作物病虫害专业化统防统治组织达297个,新购日作业60亩以上的植保机械211台,拥有植保无人机30余台。全年水稻、小麦、玉米3种主要农作物病虫害专业化统防统治面积达115.3万亩次,占种植面积的36.49%。举办安全用药技术培训班25期次,培训3500余人次。全市农药使用量(制剂量)799.41吨,比上年减少110.73吨,减少12.16%。全市稻水象甲发生面积10643.6亩,重点对越冬代成虫进行了防治,施药防治面积达27094.4亩。

【农村教育】 2016年,广安市印发了《乡村教师支持计划实施办法

(2015—2020年)》,30名优秀农村教师获得“四川省农村义务教育学校教师贡献奖”荣誉称号,每人获得奖金2000元;9月6日,市教育体育局表扬乡村优秀教师100名、优秀教师30名;组织全市1604名中小学教师参加全省高级职称评审,286名符合具体标准条件并在农村从教30年的中小学教师直接推荐评审。进一步完善学生资助体系,建立健全了从学前教育到高等教育全覆盖的家庭经济困难学生资助工作体系,全市发放各类助学金7.47亿元,惠及学生51万余人次,贷款规模位居全省第二位。

【农村文化】 2016年,广安市新建中心书屋14个、阅报栏253个、贫困村文化室246个,为2751个农家(社区)书屋补充更新图书。大力实施广播电视“户户通”工程,新建广播“村村响”工程26个、县级应急广播平台2个、电视“户户通”2.4万户,有效解决了农村群众收听收看广播电视难问题。深入实施农村公益电影放映工程,放映农村公益电影3.3万场,观看群众达100余万人。推进公益文化设施免费开放常态化,县、乡、村三级公共文化场馆累计接待参观人数67.8万人次,图书借阅累计达45.9万册次。组织开展全民读书节、“送文化下乡”、文化惠民扶贫演出、文艺调演、美术书法、摄影联展等文化活动230余场,观众累计达10余万人。

【农村卫生】 2016年,广安市有乡(镇)卫生院174个、村卫生室2774个;乡(镇)卫生院实有病床位4794张;卫生技术人员4039人,其中执业(助理)医师1874人、注册护士1102人。全面落实国家基本和重大公共卫生服务项目,大力推行乡村(社区)医生签约服务制度,服务率达86%;累计建立居民电子健康档案310.23万份,规范化建档率达95.2%;高血压患者健康管理率达70%,糖尿病患者健康管理率达59.8%。全面推进新农合扩面提标,新型农村合作医疗参合人数347.7万人,参合率达99.84%;住院累计补偿39.08万人次,政策范围内报销比达77.61%,实际补偿比达65.63%;累计向18141人次参合患者支付大病保险资金7647.76万元。稳步推进18种单病种定额付费支付方式改革,实施单病种定额付费管理11521人次,支付补偿费用1442.86万元。

【农村生态建设及环境保护】 2016年,广安市按照做好农村生态建设及环境保护工作要求,重点围绕嘉陵江、渠江流域内76个重点污染源和70个超标水体点位深化重点流域污染整治,整治效果显著,嘉陵江水质长期稳定保持在二类水质,渠江水质稳定达三类水质。加强生态补偿监测,每月对嘉陵江、渠江5个断面实施生态水质补偿。开展水环境专项执法检查,全面排查整治水污染物排放企业,重点加强畜禽养殖场管控,严格处理直排或超标排污行为,全市清理排查出禁养区内畜禽养殖场348家,取缔搬迁302家。建立环境违法行为“曝光台”,及时公开执法检查中发现的环境违法行为和处理措施。依法取缔关闭9家装备水平低、环保设施差的重污染小企业,对16家废水排放违法企业实施了责令整改和立案查处,共处罚金57.1609万元。

【农村留守儿童(学生)帮扶】 2016年,广安市民政局等五部门联合转发了《民政部教育部公安部关于开展农村留守儿童摸底排查工作的通知》,市、县、乡、村四级联动,对全市6个县(市、区)、171个乡(镇)进行摸底排查,共摸排出农村留守儿童63487人,其中男性34550人、女性28937人。市民政局、市综治办等八部门联合转发了《民政部关于在全国开展农村留守儿童“合力监护、相伴成长”关爱保护专项行动的通知》,全面启动“合力监护、相伴成长”农村留守儿童关爱保护专项行动,通过落实家庭监护责任、控辍保学责任、户口登记责任和依法打击遗弃行为等重点任务切实兜住农村留守儿童人身安全底线。市委市政府成立了以主要领导为名誉主任、分管领导为主任的关爱留守学生工作委员会,动员社会各界人士加入留守学生关爱队伍,壮大党员志愿者、青年志愿者、巾帼志愿者、“五老”志愿者等志愿者力量。建立留守学生台账,建好互助帮扶小组,建好“留守学生之家”、学校少年宫。

【农产品质量安全监管】 2016年,广安市农业系统认真贯彻落实“四个最严”总要求,坚持“产出来”和“管出来”两手抓、标准化生产和执法监管两手硬,积极履行职责,全面加强监管,确保了全市农产品例行监测总体合格率达99%以上,全年未发生重大农产品质量安全事件,农产品质量安全呈现总体平稳、持续向好的发展态势。扎实开展农产品质量安全省级、市级例行监测和快速抽检等工作,省级例行监测种植业产品和畜禽产品610个,合格率达99.2%;市级加大对蔬菜、食用菌等农产品的监督抽检力度,抽检种植业产品360个,合格率达100%;快速检测畜禽产品15.4万个,合格率达100%。2月,广安市被省政府认定为四川省农产品质量安全监管示范市;12月,邻水县被农业部认定为第一批国家农产品质量安全县;岳池县和华蓥市被推荐为第二批国家农产品质量安全县创建单位。先后制定了《黄龙米》等地方标准35项、《无公害生猪饲养技术规程》等生产技术规程95项,推广农业标准(生产技术规程)150余项。持续深入开展农资打假、禁限用农药、生猪屠宰等七大专项整治行动,全年查处问题251起,涉及金额47.31万元;责令整改242起,立案查处110起,挽回经济损失226.82万元。

【主要领导人】 市委书记:侯晓春;市人大常委会主任:余仪;市长:罗增斌;市政协主席:刘凤成;分管农业副市长:刘和斌。

广安市编写组

广 安 区

【基本情况】 2016年,广安区辖36个乡(镇、街道),有农业人口53万人,有耕地面积82.66万亩,减少0.12%;基本农田69.97万亩,减少0.67%。

【年度农业和农村经济运行】 2016年,广安区实现农业总产值44.2亿元,增长2.7%;农业增加值21.5亿元,增长3.4%。农民年人均可支配收入12106元,增长10%。

农业产业化发展。广安区规模以上农业产业化龙头企业达14家,培育农民专业合作社236个、家庭农场36个,带动农户5.1万户,年生产总值达1.68亿元。

2016年广安区家庭农场经营情况统计表(前7位)

家庭农场名称	注册资金(万元)	法人代表	年度产值(万元)	行业分类	主营产品
广安市广安区家庭农场农家乐	35	唐小蓉	2	种养殖业	龙安柚、土鸡
宁冬梅柠檬园	30	宁冬梅	7.5	种植业	柠檬

续表

广安市广安区大有乡黄万荣家庭农场	30	黄万荣	35	种植业	粮食蔬菜
广安阿熊生态农业种植家庭农场	200	熊志刚	0	种植业	沃柑
广安市广安区恒升原生态种养殖农场	80	李荣	40	种养殖业	水果、鸡
广安市广安区兴胜养殖家庭农场	50	刘昌林	85	养殖业	鸭、鱼、虾
广安市广安区东岳乡丰都村玉丰家庭农场	180	张启金	150	种养殖业	猪、水稻、蔬菜

【林业】 2016年，广安区林业总产值达11.28亿元，比上年增长20%；农民从林业获得收入1720元，比上年增长8.86%；向上争取到位资金3046万元，完成固定资产投资13000万元，全面完成固定资产项目投资入库16900万元。全年营造林5.9万亩，育苗600亩；建立乡（镇）义务植树基地31个，40万人次参加义务植树160余万株，新增森林面积1.28万亩，新增森林蓄积2.23万立方米，森林覆盖率达38.5%。在濛溪河、七一水库治理工作中扎实开展生态修复，完成人工造林0.7万亩、森林抚育0.5万亩、低产低效林改造1万亩，全面完成目标任务。大力推进现代林业产业发展，建成悦来万亩核桃示范基地、恒升“万亩林亿元钱”花椒示范基地、蒲莲核桃省级科技项目示范基地，形成广花核桃产业带、广肖核桃产业带、恒升花椒产业示范区，全区林业产业基地达7.7万亩，其中核桃产业基地6万亩、花椒产业基地1.7万亩。广安区被省政府纳入第三轮现代林业产业重点县建设之列，严格实行“三到场五把关”制度，全面完成2016年建设任务，共栽植核桃0.4万亩、花椒0.2万亩并落实了管护责任，大力发展林下经济1.5万亩，新发展专业合作社4家。林业工程规范有序实施，与各乡（镇、街道）签订巩固退耕还林成果质量保证责任书30份，巩固退耕还林面积10.21万亩；与各乡（镇、街道）签订天然林资源保护工程目标责任书27份，落实管护面积10.18万亩，其中管护集体公益林10.07万亩、国有林0.11万亩。森林病虫害得到有效防控，林业有害生物成灾率控制在3‰以内；调运检疫木材1000立方米、竹材200立方米、苗木40万株，办理检疫证120份；全年无森林火灾事故发生，森林火灾损失率控制在0.1‰以内。

【畜牧业】 2016年，广安区出栏生猪64.7万头、家禽503.3万只、肉牛0.52万头、肉羊1.7万只、肉兔72.1万只，分别完成全年目标任务的104.12%、100.67%、101.68%、101.02%、100.15%。完成畜牧业固定资产投资14500万元，完成目标任务的100%。拆除关闭畜禽规模养殖场12个，完成目标任务的100%。在崇望乡东升村进行生态猪养殖试点，示范场占地面积17.94亩，建设生态猪圈舍1200平方米、降解床700平方米，饲养生态猪70余头，投资130万元，试点工作已通过相关部门验收，顺利完成广安市生态猪养殖试点示范任务。全区有畜禽养殖预留用地37处，面积约4500亩，有效解决了土地红线对畜禽养殖的影响。利用财政专项扶贫项目资金203.566万元对全区26个乡（镇）36个贫困村实施精准规划，规划发展生猪1266头、肉牛2头、肉羊717只、家禽40585只、兔79只，建设围栏39户。全年免疫注射猪瘟疫苗、猪口蹄疫苗、高致病性猪蓝耳病疫苗共48.83万头，注射牛口蹄疫苗2.614万头、羊口蹄疫苗1.922万只、山羊小反刍兽疫疫苗0.78万只，免疫鸡新城疫312.79万羽、禽流感401.2万羽，口蹄疫、猪瘟、高致病性猪蓝耳病、鸡新城疫、禽流感免疫密度均达100%；使用消毒药5197千克，消毒面积达496万平方米，消毒面达100%，确保了全区清净无疫。

【水产业】 2016年，广安区水产品产量7612吨，有一定规模的主要养殖品种达11个，名优水产品养殖面积达20145亩。新增100亩以上养殖区7个，其中200亩以上养殖区2个。全区水产品流通产值达1800万元，休闲渔业产值达2400万元，水产（仓储）运输产值达1400万元。

【新农村建设】 2016年，广安区按照全面建成小康社会的总体目标，紧紧围绕脱贫攻坚任务，以贫困村和贫困户为重点，注重宣传动员、规划引导、功能吸引、政策激励，坚持产村相融、整体推进，大力推进幸福美丽新村建设。累计建成幸福美丽新村122个，惠及农民群众40余万人，“业兴、家富、人和、村美”的幸福美丽新村建设新格局已初步形成。

一是以幸福美丽新村建设为统揽，做到基础、产业、公共服务一盘棋规划。在规划布局上树立“小规模、组团式、微田园”建设理念，坚持“宜建则建，宜改则改，宜保必保”原则，因地制宜分类推进新建新村、老院落改造和传统院落保护。在房屋主体建设上做到“一楼一底、青砖琉瓦；穿逗结构，座脊加盖；鸡犬相闻，前庭后院；步道连接，栽果种菜；传承文化，生态低碳；室外特色，室内美观”。同时，根据新村生产力、区域环境承载力以及区域经济总体布局科学规划现代农业发展，配套规划交通、水利、沼气、信息网络、市场等基础设施和“1+6”村级公共服务活动中心。

二是以幸福美丽新村建设为载体，做到国家、社会、个人组装式投入。探索建立了“政府主导、农民主体、项目整合、信贷扶持、社会参与”的多元化投入机制，累计投入幸福美丽新村建设资金12亿元。加大政府投入引导，投入财政资金2.4亿元，对新村建设实行不同标准的以奖代补，同时，打捆叠加异地扶贫搬迁、农村危房改造、通达通畅等近20项涉农项目资金实行集中投入。通过政府奖补引导、金融信贷支持、税费减免等优惠政策，引导农民自筹资金8.15亿元用于新村建设，占总投入的60%以上。鼓励农行、信用社、邮政储蓄等金融部门放宽信贷限制，合力支持幸福美丽新村建设。

三是以幸福美丽新村建设带动新农村建设其他各项工作，做到基础设施先行、公共服务前置、产业培育同步。围绕幸福美丽新村建设，提前配套道路、水利、通信等基础设施，联结生活路、延长生产路，改善生产生活条件，实现新村建设基础先行；超前配套和完善村级卫生站、活动室、农家书屋、健身设施、便民超市等公共服务设施。加快发展现代农业，做大做强龙安柚、优质粮油、蔬菜、生猪等主导产业，切实增加农民收入。在产业发展上，推行“大园区、小业主”发展模式，在产业标准上坚持“深沟高垄，四网配套；优选良种，大苗移栽；大窝大肥，规模成片，无缝衔接；种养循环，有机生态；标准第一，打造品牌”。

四是以幸福美丽新村建设为接点，做到新农村建设集中连片、滚动式扩面。按照“乡（镇）互通、村村相联、院落畅达”的目标，建点连线扩面，渐次滚动发展，做到新农村规划“建成一片、巩固提升一片、影响带动一片”。规划建设的幸福美丽新村涉及26个乡(镇)136个村,辖区面积近120平方千米,惠及农民40余万人,占全区农业人口的40%,幸福美丽新村建设由点到线、由线到片、由片到面不断推进。

【扶贫攻坚】 广安区是国家扶贫开发重点扶持区、秦巴山区特殊类贫困区,有贫困村136个、贫困户16807户、贫困人口54483人。全区按照“树旗帜立标杆”要求,高质量推进脱贫攻坚,贫困发生率从9%降至1.46%,贫困户年人均纯收入达4900元,通过省级检查验收。

高标准建设基础,实现农村面貌大改观。围绕“两年任务一年完成”目标,坚持易地搬迁与乡村旅游、美丽新村、产业发展相结合,实行规划选址、户型设计、建设标准、工程验收“四统一”,建成全市体量最大,涉及3753户、10694人、124个新村的易地扶贫搬迁工程。每个集中安置点配套10万元产业发展资金,确保稳步致富。投资11亿元,建设快速通道50千米,辐射7个乡(镇)120余个村。建成2座万吨供水厂,解决10余万名农村人口饮水困难,安全饮水全部达标。完善配套服务,优质电网、宽带通讯、广播电视、文化站、卫生室、电商平台等公共服务实现全覆盖。实施“四改三建”6723户。常态开展感恩奋进教育和农村环境治理,让群众“养成好习惯、形成好风气”。

高效益增加收入,实现脱贫致富快一步。为每个贫困村安排30万元的产业发展专项资金和10万~20万元的产业周转金,发放扶贫小额贷款2.05亿元,发展“长短结合”增收产业。建成龙安柚、柠檬、杨梅等产业基地7.6万亩,退出贫困村均形成1~2个长效产业。对创业实体给予10万元以内补贴。每个贫困村开发治安协管、老弱看护、护林保洁等公益岗位10个以上,每人每月补助300元。贫困技工在产业园区优先上岗,“摘帽”村有劳动能力的贫困家庭均实现至少1人就业。因地制宜发展“小养殖、小种植”。每村培育1名电商带头人,以电商平台拓宽收购渠道,推动工商资本进入农村,庭院经济收入占到总收入的10%以上。引进布衣农业等龙头企业以“公司+农户”“基地+农户”等模式助农增收,53.2%的贫困户通过土地流转、二次返利实现增收,“摘帽村”集体经济收入人均达10.93元。

高水平政策兜底,实现多维保障无死角。一是延伸教育保障。农村学校全部达到义务教育均衡发展验收标准,办学条件全面改善;实现帮扶贫困学生从学前教育到职业教育、高等教育全覆盖,无因贫辍学、因学返贫情况发生。二是拓展医疗保障。细化省市方案,出台医疗救助29条硬性政策,实现“十免四补助”、新农合、大病救助、特殊门诊补偿、住院免起付线、先诊疗后结算6个100%全覆盖。集中托养重病、重残特困人口。三是提高社会保障。率先实行低保、贫困“两线并轨”,将极度贫困户最低生活保障提高到每人每月300元,将临时救助限额提高到3000元。四是实施特别救助。设立500万元的特别救助专项资金,对遭遇突发灾难、重大疾病或其他原因导致生活困难、社会救助制度暂时无法覆盖或实施后仍然困难的家庭予以特别扶持。

高要求督办问责,实现工作推进超常规。一是建立“三项授权”督办机制。成立以区人大常委会主任为组长,区纪委书记、区组织部部长为副组长的督查组。区委授予督查组“三项权力”,即有权决定对因工作不力的科级及以下干部停职、有权启动问责、有权决定岗位调整。二是建立“三个挂钩”考核机制。出台脱贫攻坚考核奖惩办法和年度奖励实施细则,实行脱贫工作与绩效考核、评先评优、职级晋升“三挂钩”,强化正面激励。三是建立“四个一律”问责机制。对未完成脱贫任务的科级及以下干部一律就地免职;对责任单位、责任人绩效考核一律一票否决,取消其评先评优资格;村(组)干部在“两委”换届中一律不许提名为候选人;专业技术人员2年内一律不得晋升上一级专业技术职务。

【乡村旅游】 2016年,广安区按照“农旅结合、文旅互动”的发展理念,突出地方特色,以实施示范项目带动工程为抓手,努力促进乡村旅游走向特色化、规模化、品牌化、可持续化发展道路。建成省、市乡村旅游示范乡(镇)、村7个,农家乐30家,民宿达标户8户,成功打造龙安大云山农业公园、福城寨上桃花、彭家伴闲山庄、自力花卉基地等乡村旅游景点11个,做优龙安柚、柠檬、杨梅、花桥西瓜、盐皮蛋等乡村旅游商品19种。全年乡村旅游接待游客140万人次,实现旅游收入7亿元,乡村旅游业直接就业人数800人,拉动间接社会就业人数4000人。成功创建龙安乡革新村、大龙乡战斗村、悦来镇长岗村3个乡村旅游扶贫示范村。

【助农增收】 2016年,广安区继续深化农村改革,加快推进农业现代化进程,促进“农业增效、农民增收”再迈新台阶。全年农民年人均可支配收入达12106元,增长10%,被评为全省“农民增收工作先进县”。

整合资源,夯实助农增收基石。出台了《关于整合使用财政涉农资金的实施意见》,成立了涉农资金整合办。按照现代农业产业发展布局,统筹整合农业、林业、水利、扶贫、以工代赈、交通等涉农项目资金,撬动社会资本、群众投资投劳“捆绑式”投入农业基础建设,提升农业综合生产能力。2016年,投资11.8亿元的广恒快速通道加快建设,七一水库、恒升万吨水厂等一批重点项目加快推进,其中恒升万吨水厂运行良好,有效解决了场镇周边乡(镇)10万余人的安全饮水问题。全年完成高标准农田建设15000亩、机耕道建设103千米,新建及维修提灌站18座、塘坪堰215个,推广使用农业机械3120台;新修、整治山坪塘126口,新修蓄水池80口,渠系配套110千米,渠道防渗51千米;治理水土流失面积4.2平方千米,解决5.1万名农村人口饮水问题,整治病险水库6座,新增有效灌面1.6万亩、节水灌面1.1万亩。全年安排区本级财政预算2.67亿元投入农业,较上年增长40.36%。

突出特色,发展助农增收产业。坚持以市场需求为导向,突出粮油、龙安柚、蔬菜、畜禽四大主导产业,大力发展柠檬、核桃、杨梅等特色产业,增加农民务工收入。一是稳定发展优质粮油。2016年,新建粮经复合基地1.1万亩,全区粮经复合基地面积达26万亩,产量达33万吨,粮食产量实现“十连增”。举办全省2016年深化现代农业林业建设工作现场会、全市春耕生产暨高标准农田建设现场会、全市脱贫攻坚推进暨秋季农业生产现场会。二是突出发展龙安柚。坚持新建与改造提升相结合,新发展龙安柚产业基地1万亩,改造提升老基地2000亩,完善占地100亩的柚博览园1个,全区龙安柚产业基地面积达24.5万亩。成功举办了以“魅力广安·柚惑无限”为主题的龙安柚旅游文化节等节会。三是大力发展优质蔬菜。改(扩、建)优质蔬菜产业基地3.1万亩,巩固发展沿江万亩蔬菜示范片,全区优质蔬菜基地面积达16万亩,蔬菜复种面积达26万亩,生产商品菜65万吨,产值达9亿元。四是积极发展畜禽养殖。新(改、扩)建畜禽标准化养殖小区8个,主要畜禽适度规模养殖面提高2.1个百分点。建成“畜—沼—果(菜)”的循环经济规模养殖场126个。五是发展特色产业。按照“一村一品”特色效益农业发展思路,在白马、崇望等乡(镇)新发展柠檬3000亩,在石笋等乡(镇)发展杨梅2000亩,在兴平等乡(镇)发展晚熟柑橘1000亩,在白市镇发展白市柚1.5万亩,在杨坪等乡(镇)发展核桃2.3万亩,全区特色效益农业基地达

20 万亩。区林木种苗站获得国家林业局表彰的“全国生态建设突出贡献奖先进集体”称号。

创新机制，惠民政策助农增收。全面落实强农惠民政策，完善农村养老、医疗、最低生活保障制度和财政兜底制度，切实减轻农民负担。创新财政支农机制，出台发展现代农业的奖励激励措施，区财政每年安排预算资金 1000 万元扶持现代农业发展。出台农业招商引资优惠政策，成功招引兴泰农业、布衣农业等公司投资农业。以兴平镇为中心，规划建设 70 平方千米的休闲旅游农业园区，培育农旅产业、休闲农业、创意农业等助农增收新型业态。盘活农村“三资”，采用核定资产、制定量化方案、颁发股权凭证工作方法在龙安乡勇敢新村开展财政支农资金形成资产股权量化试点，量化资产 258 万元，采用“一少一多一倾斜”（集体分配少一点、群众分配多一点、适当向贫困户倾斜）的分配方法，村、组、村民按一定比例分配股权，按股分红，实现集体、财政、村民“三增收”。

【全力推进农村产权抵押融资试点工作】 2016 年，广安区继续以“多权同确”为抓手，以完善农村产权交易市场为重点，全力推进农村产权抵押融资试点工作。

一是党政重视，强化制度新保障。成立了区委书记任组长，区委副书记、区长及区级分管领导任副组长的农村产权抵押融资试点工作领导小组，多次召开专题会议，研究解决试点工作涉及的经费、人员、办公场地、工作推进等方面存在的问题。印发了《广安区关于开展农村产权抵押融资工作的意见》等 7 个配套文件，出台了 5 个有关联席会议、交易流程等方面的规章制度，使农村产权抵押融资试点工作走上了规范化、制度化轨道。

二是统筹兼顾，构建交易新体系。建立农村土地流转管理体系，加快推进“多权同确”。财政投入专项资金 5000 万元，快速推进农村土地、林地、宅基地、集体建设用地、小型水利工程等农村产权确权登记工作，全面完成土地确权 83.3 万亩、林权颁证 50 万亩、集体土地确权 147 万亩、宅基地确权 16.05 万亩、集体建设用地确权 121.8 万亩、小型水利工程确权 2590 处（完成 45%）。引导农村土地向新型主体集中流转，规模流转土地 29 万亩、林地 7.1 万亩，流转率分别为 34.9%、14.2%，通过规模流转建立起“公司+农户”“业主+农户”和贫困户以权属入股分红等模式。建立农村资产评估体系，形成“产权价值评估、诚信经营评估、风险评估”三位一体的综合评估模式，为百顺农业、农丰农业、布衣农业、严健养殖场等农业业主办理以土地经营权为主的多笔抵押融资贷款。建立农村产权交易体系，依托区公共资源交易中心、乡（镇）便民服务中心，搭建起涵盖区、乡、村三级的农村产权交易平台，不断健全农村产权收储中心、农村产权价值评估中心、农村产权处置中心，为农村产权交易提供了便捷查询、申请、登记、结算等服务。

三是先行先试，探索融资新模式。创新抵押方式，充分结合省、市农村产权抵押融资、土地收益保证贷款、小额贷款保证保险三种融资模式，积极探索“土地经营权+订单质押”“土地经营权+收益保证”“土地经营权+信用”等农村产权抵押融资贷款新形式，为农丰农业、百顺农业、布衣农业等公司融资 800 万元，辐射带动贫困户 1200 户。鼓励金融机构研发适合新型农业经营主体需要的金融产品，简化贷款流程，惠及更多农民，邮储银行广安区支行为广安区布衣农业发展有限公司等 10 家新型农业经营主体融资 600 万元，惠及贫困户 650 户。

四是创新优化，健全服务新机制。坚持从办事流程、资产处置、风险防控三处着力，不断提高农村抵押融资试点工作服务的广度和深度。一是建立绿色通道。简化贷款业务办理手续，提高服务效率，在要件齐全的情况下从贷前调查到审批发放 7 个工作日内办结完毕。二是创新金融服务。坚持“银农合作、银政结合”，组织金融机构深入富康农业发展有限公司等 50 余家新型农业经营主体实地考察，与 30 余户业主达成融资意向。三是防控融资风险。制定《农村产权抵押融资不良资产处置办法（试行）》，对无法正常偿还贷款本息的业主通过采取整合出租、挂牌转让、再流转等方式合理处置抵押资产；设立农村产权抵押融资风险补偿专项资金 500 万元，形成由借款主体、金融机构和担保机构共同承担贷款损失的风险分担机制。

【2016 年度“三农”工作先进经验介绍】 2016 年，广安区第一产业增加值实现 21.5 亿元，同比增长 3.4%；农民年人均可支配收入实现 12106 元，增长 10%。贫困人口减少 4366 人，实现 31 个贫困村“摘帽”，贫困发生率降至 1.2%；建成区级“四好村”118 个、市级“四好村”92 个、省级“四好村”44 个。成功承办了全国柑橘年会、全省农业基地强县现场会、全省中小型水库预警监测现场会、全省水务扶贫攻坚和水利支持幸福美丽新村建设现场会等大型会议。

聚焦脱贫攻坚，“三农”工作取得明显成效。制定了“一园五区两线”现代农业发展思路，统筹推进农业农村和脱贫攻坚工作。全区累计建成龙安柚基地 24.5 万亩、粮经复合产业基地 26 万亩、绿色蔬菜基地 16 万亩，建成投资 2.5 亿元的 10 万头生猪养殖场 1 个；建成勇敢、群策、白阳等幸福美丽新村 77 个，扶贫新村 37 个，实施易地扶贫搬迁 3753 户、10694 人，实施“四改三建”4723 户，新建农村廉租房 530 余套，切实改善农村人居环境。大龙乡果坝村被农业部评为美丽乡村，悦来镇、龙安勇敢村、大龙光明村、苏溪山泉村创建为四川省乡村旅游示范镇、村，广安区成为四川省首批旅游十强县。

整合各种资源，“三农”工作投入不断加强。统筹整合各类资金 7 亿元，全部用于贫困村、贫困户精准脱贫。撬动金融信贷助力脱贫攻坚，成功争取专项贷款 5.4 亿元，用于改善农村薄弱学校，解决群众安全饮水问题；发放 5 万元以下、3 年以内“免抵押、免担保”扶贫小额信用贷款 1.27 亿元，帮助贫困户发展产业增收。创新开展“百企联百村”、电商扶贫等十大行动，引领社会捐款捐物 7200 余万元，形成以财政资金撬动金融、社会、群众多元投入格局。28 名区级领导、103 个帮扶单位、136 个驻村工作组定点帮扶贫困村，1 万余名帮扶责任人结对帮扶贫困户，精准帮扶到户到人。

着力农村改革，体制机制创新带来空前红利。快速推进农村土地、林地、宅基地、集体建设用地、小型水利工程等农村产权多权同确，在全市率先完成农村土地承包经营权确权登记试点，创新颁发土地、林地产权流转经营权证。深化金融服务“三农”机制创新，建立区、乡、村三级农村产权交易平台，开展农村产权抵押融资和党员信用快贷试点，以土地、林地经营权流转抵押贷款 753 万元，农村产权实现“本本变本钱”“资源变资本”，增加农民财产性收入。形成一批有影响力的小平家乡特色农产品品牌。每村形成 1～2 个长效产业，实现有稳定集体经济收入，2016 年“摘帽村”人均集体经济经营性收入达到 10.93 元。

【四川省现代农业建设重点县经验介绍】 2016 年，广安区坚持基地化建设、品牌化经营、规模化发展思路，全面贯彻落实“创新、协调、绿色、开放、共享”五大发展理念，深化农村改革，做优做强主导产业，加快推进农业产业化经营，推动一二三产业融合发展，大力实施现代农业重点县建设。

夯实基础配套，高效完成产业基地建设。不断加强产业基地建设,路网、管网、水网、电网配套,标准化产业基地面积较上年增长50%,进一步夯实了农业农村发展基础。大力推进生产程序标准化,完成龙安柚、粮油、蔬菜农业标准化生产技术制定,大力实施龙安柚、粮油、蔬菜高产高效示范园创建,推广落实标准化生产技术,扩大良种良法配套、标准化技术应用面。培育壮大新型农业经营主体,新引进龙头企业7家,龙头企业总数达27家;新发展专业合作社48家,农民专业合作社总数达340家,合作社成员总数达21253人,带动农户总数5.1万户,年生产总值达1.68亿元;全区30亩以上种粮大户达143户;新发展家庭农场23家,家庭农场总数达到56家,年产值1569万元。全区农村承包土地流转面积11.07万亩,占全区耕地面积的25.89%,涉及农户2.004万户,占全区农户总数的10.8%,土地适度规模经营率提高12.5个百分点。

强化信息应用,加快产业融合发展步伐。一是农业信息化应用水平持续提高。开通"12316"农业信息服务热线,建立区、乡(镇)、村三位一体的农业服务体系,实现全区31个乡(镇)农业综合信息服务全覆盖,提高农业技术推广服务能力。选择在条件好的专业合作社先行试点,利用遥感技术、定位系统、农业物联网技术建立苗情监测、病虫害监测等系统,进行平衡施肥、精准施药指导,探索建立智能化、精准化农业生产管理模式。利用"互联网+"大力发展农村电商,创新物流方式,广泛对接仁和春天、伊藤洋华堂、永辉超市等商场以及淘宝、天府云商等电子商务平台,实现自产自销传统模式向现代营销模式的升级转变。全区新建农村电子商务平台1个,引导7家农业公司、32家农民合作社、15家家庭农场、6家食品加工企业、3家农产品流通企业、3家农产品互联网企业实现网络销售额1000余万元,助农增收500元以上。二是农旅融合发展迅速。依托产业和新村优势,大力发展生态休闲体验农业,打造龙安柚品比博览园、大云山休闲旅游园区、布衣生态农业、杨梅体验农业等一批乡村旅游景区。全年乡村休闲旅游项目总产值达1亿元,综合产值年均增长超过10%。三是产业融合园区建设有序推进。大力实施"千亿示范"工程,新建、改造、提升现代农业万亩亿元示范区21个,其中新建万亩柑橘示范园5个、改(扩、建)5个,新建万亩蔬菜示范区8个、改(扩、建)3个,新建"万亩亿元"示范基地5个,全区现代农业产业基地面积达84.5万亩。富康农业龙安柚生态产业园柚子深加工项目一期工程已完成建设,实现了集商品化处理、贮藏保鲜、深加工、销售于一体的龙安柚立体化处理一条龙服务。

持续推进农业健康生态协调发展。一是推广无害化处理人畜粪便。推广"猪—沼—果(粮、菜)"循环农业生态模式,实施农户改厨、改厕、改圈,新建大型沼气池3处。因地制宜采取厌氧处理、土地消纳等方式推进人畜粪便无害化处理,提高废弃物资源化利用率,从源头上减少农村面源污染。二是推广秸秆综合利用。提高水稻等农作物机收作业水平,推广免耕覆盖沃土技术,引导农户采取堆沤发酵和过腹还田等方式,进行秸秆还田,提高秸秆能源化利用水平,提升土壤肥力。三是严控农药化肥使用。大力推广测土配方施肥技术,加大优质商品有机肥、高效缓释肥、复合微生物肥、水溶性肥料等新型肥料使用力度,减少和替代传统化学肥料。采取杂糯间栽、田坎玉米、田坎大豆、稻鸭共栖等方式,利用生物多样性防治病虫害,推广利用太阳能杀虫灯、诱捕器等新型物理技术,减少农药使用量,提高农作物抗病能力。全区化肥、农药利用率分别为37.5%、38.2%,农田废旧地膜回收率达80%,实现农业生产化肥农药使用量零增长。四是提升农产品质量水平。对全区蔬菜、水果例行抽样检测,农药残留合格率达97%以上,主要农产品质量安全合格率总体稳定在98%以上。全区通过四川省无公害农产品产地整体认定47.3万亩;有无公害农产品生产企业2家,有机食品转换证企业1家,绿色食品生产企业4家,农产品地理标志产品生产企业1家。

【回乡创业之星选介】 黄波,男,39岁,悦来镇人,广安布衣农业有限公司执行董事。2014年,黄波响应国家"万众创业,大众创新"的号召,创建了广安布衣农业有限公司。截至2016年年底,布衣公司旗下有布衣冷链配送中心、布衣蔬菜生产基地、布衣生态休闲观光农业园等12家分支机构,布衣有机肥加工厂、土鸡散养扶贫基地、布衣农产品加工园等项目建设加快推进。2016年,公司蔬菜等农副产品配送总量在6600吨以上,年销售额达6000余万元。公司积极探索"就地务工""项目合作""配股分红"等多种利益联接机制,重点提升产业辐射和拉动能力,增强村集体和农户"造血"机能。通过发展蔬菜种植、蛋鸡和土鸡养殖等项目辐射联结带动彭家、兴平等乡(镇)农户800余户,其中贫困户600余户,累计帮助农户增收500余万元。2016年年初,在黄波的倡导下,布衣公司与区教科体局携手联合制订了《广安"布衣农业助学金"实施方案》,设立"布衣农业助学金",每年资助100名义务教育阶段学生,每人每年发放500~1000元的助学金及学习用品。在黄波的带领下,布衣公司已发展为一家集果蔬种植、禽类水产养殖、保鲜贮藏、预包装加工、冷链配送、品牌营销等业务于一体的大型综合性现代化农业公司,是四川省农业产业化经营重点龙头企业、广安市商贸流通龙头企业、广安市扶贫开发龙头企业。黄波先后获得"四川省返乡创业明星""广安市优秀返乡农民企业家""广安十大扶贫好人"等荣誉。

游中杰,女,白马乡白马村人,广安市农丰农业开发有限责任公司董事长、广安区政协委员、广安市优秀返乡农民企业家,获得"2016年度四川省优秀农民工"称号。2014年,游中杰在白马村、石河村流转土地1000余亩从事柠檬种植,投资800余万元对沟、渠、田、林、路进行综合整理,改善了生产条件。注册成立百佳果蔬种植专业合作社,引导白马村及周边村120户贫困户加入专合社,为贫困群众脱贫搭建了致富平台,农户通过土地流转每年可获得土地租金每亩近600元,每年在基地内务工可实现人均增收1500余元。公司免费为贫困户提供苗木、技术和管理,引领带动白马村和周边村农户拓展柠檬种植规模,种植户实现人均增收1000元以上。为解决销售难问题,公司计划投资2000余万元分期建设3000吨柠檬储藏保鲜库,第一期1000吨已建成并投入使用,通过公司收购储藏和农户租赁储藏的方式延长了鲜果保质期,保证了果品质量,实现了公司与农户互惠双赢,切实提高了农户抗风险能力。

【重点乡镇选介】 花桥镇,位于广安城区西北46千米处,素有"广安北大门"之称,东接渠县,西邻营山县、蓬安县。辖27个行政村、2个社区,城镇面积2.5平方千米,有镇区人口3.8万人。国道318线、省道205线、巴广渝高速公路穿境而过,村村互通水泥路。全年引进投资项目2个,到位资金1500万元。是全国小城镇建设重点镇、全省百镇建设试点镇、全市特色商贸镇。

2016年,全镇实施"四改三建"308户、打机井389口;易地搬迁259户,其中集中建房点7个、112户,已全面完工并搬迁入住。发展党员示范工程18户、23人,通过发展生态养殖,带动400余人脱贫致富;对部分贫困户实施低保兜底44户、145人;金融扶贫已完成投资750万元。

贫困村方面。6个村均编制了脱贫规划,制订了减贫实施方案,签订了减贫责任书,完善了减贫人口需求统计表册、痕迹化管理等基础软件资料,保证了档案资料的准确性和完善性。全年6个村共到账扶贫专项资金717.5万元,其中省级100万元、市级45万元、区级362万元、小农水项目资金100万元、党员示范工程资金12万元、其他帮扶资金98.5万元。星火村美丽新村建设(62万元)、饮水工程(6.5万元)已全面动工,双峰村水利设施(10万元)已启动建设。严格执行考核机制,对"五个一"帮扶成员、驻村干部实行严格考核,确保脱贫工作落到实处,并定期开展蹲点督导,限期整改,对落实不力、思想懈怠的人员及时处理。6个贫困村均通过土地承包等形式发展集体经济。扶贫项目继续推进,在星火村、水寨村分别投入100万元、110万元扶贫项目资金,推动扶贫项目的整体推进。

贫困户方面。一是基本生活有保障。对照"一超七有"标准,对已脱贫和预脱贫的贫困户积极开展多次入户调查,2016年,贫困户人均纯收入达3100元以上。二是生活习惯有改善。为使贫困户自觉养成讲卫生、爱干净的良好生活习惯,由帮扶领导、驻村帮扶工作组、联系帮扶干部负责对各贫困户家中环境卫生进行整治。通过打造宣传具有典型代表性的示范户,起到了示范引领作用,改善了农户生活习惯。三是生产技能有提升。多次组织开展技能培训并在各村开办农民夜校,充分利用晚上、农闲等时间开展教育培训,帮助贫困户掌握农业技术、丰富技能素养、提升致富本领。全年救助因病返贫贫困户85户,补助金额15万元。

城镇建设。新建"318"线花桥境内花南路1.2千米,投资140余万元对花营路进行改造升级;启动场镇亮化工程,维修路灯80盏;进行绿化补植补栽100余株;投资6万元,维修整改公厕1座;建成日处理能力1000吨的污水处理厂1座;修建垃圾房、垃圾池30个;整治沙溪河堤防500米;在4个村中修建塘堰7口,解决农业生产灌溉用水问题。全面完善城镇路网、给排水、环卫、绿化、电力、通信等公用事业配套功能,大幅度提升小城镇综合承载能力和服务功能。

民生工程。2016年,全镇城镇新增就业200人,就业困难人员实现再就业10人,城乡残疾人居家灵活就业200人,城镇登记失业率控制在4%以内,开展农村青年技能培训80人、新型农民培训360人、农民实用技术培训8000人次。扶持农村贫困对象1645人,提供法律援助100人次,扶持农村贫困残疾人发展生产解困42人,为贫困残疾适配亟需的基本辅助器具15人。减免在园幼儿保教费209人,资助普通高中学生620人,实施农村义务教育学生营养改善计划。城市低保对象累计月人均补助标准为260元,农村低保对象累计月人均补助标准为150元。城乡居民健康档案规范化电子建档率达97%,完成2个村卫生室建设。完成危旧房和棚户区改造。在石鼓村、天一门社区修建日间照料中心,投资40余万元;投资500余万元修建敬老院,占地面积4125平方米,有床位240张。全镇共有低保对象1955户、2895人,其中农村低保户1329户、1674人,城镇低保户626户、1221人;全年共发放低保金712.71万元,其中农村343.69万元、城镇369.02万元。有五保对象193人,其中集中供养53人、分散供养140人,全年共发放五保资金82.38万元。有重点优抚对象112人,发放60岁以上退伍士兵老年生活补贴156人。

【主要领导人】 区委书记:文建平;区人大常委会主任:蒋成文(5月止),尹才宏(11月始);区长:吴荣胜;区政协主席:王冬霞(11月止),刘昌杰(11始);分管农业副区长:杜建璋。

广安区编写组

前锋区

【基本情况】 2016年,前锋区辖3乡8镇3个街道,辖区面积505.6平方千米,其中耕地面积32.7万亩,增长13.8%,人均耕地面积0.89亩。年末总人口36.9万人(户籍人口),增长0.3%。本地水资源总量25200亿立方米,可利用水资源20200万立方米。有林业用地20559.91公顷(其中有林地19680.41公顷、疏林和灌木林地531.53公顷、未成林造林地137.47公顷、固定苗圃地10.2公顷),活立木蓄积量106.8万立方米,森林覆盖率达53%。

2016年,全区GDP160.3亿元,增长7.7%,其中第一产业增加值14.6亿元,增长3.2%,农、林、牧、渔及农林牧渔服务业之比为24.1∶1.4∶66.8∶5.5∶2.2;第二产业增加值121.3亿元,增长7.9%(工业增加值10.6亿元,增长7.5%);第三产业增加值24.4亿元,增长9.4%。三次产业对经济增长的贡献率分别为3.9%、78.1%和18.1%。乡(镇)中小企业从业人员20.01万人。全年接待游客103万人次,实现旅游总收入76000万元,其中乡村旅游收入51000万元。

公路通车里程1334千米(其中乡村公路1099千米),密度2636米/平方千米,36.65千米/万人。社会消费品零售总额19.6亿元,增长13.4%。地方公共财政总支出18.995亿元,增长29.66%,其中农业投入54073万元,占总支出的28.5%。

有各类学校26所,在校学生34091人,教职工1854人,其中普通中学19所,在校学生12553人;小学19所,在校学生17241人;学龄儿童入学率100%。有艺术表演团体10个,文化馆1个,公共图书馆1个。有电视台1座,节目1套。有卫生机构21个,病床位1077张,卫生技术人员763人。新型农村合作医疗参合人数274114人,参合率99.85%;新型农村社会养老保险参保人数65800人;被征地农民养老保险参保人数289人。

【年度农业和农村经济运行】 2016年,前锋区出台了《中共广安市前锋区委农村工作领导小组关于大力培育新型农业经营主体放活土地经营权推进土地适度规模经营的意见》等政策文件。全区实现农业总产值25.3亿元,增长2.8%;农业增加值14.9亿元,增长3.3%;蔬菜、茶叶、黄花、青花椒、龙安柚、食用菌、伏季水果等特色优势农产品产量保持稳定增长。农民年人均可支配收入12581元,增长9.9%。全区农产品质量抽检合格率比年初提高0.1个百分点;建成11个基层农业综合服务站。

农用地产权制度改革。前锋区按照省级专家组验收提出的整改意见,开展农村土地承包经营权确权登记颁证审核确认工作,进一步审核完善农户土地确权信息资料,完善农户签字确认手续,逐级申报颁证。截至12月,全区开展农户土地确权信息资料审核完善工作的村有162个,涉及农户49645户;乡(镇)向区上申报颁证23个村、7774户,面积27673亩;完成制证18个村,涉及农户6056户,面积23081亩;颁发证书10个村、3020户,面积9331亩。

农产品品牌战略实施。前锋区新认证无公害农产品36个、绿色食品3个。青花椒、白市柚、"椿记"蔬菜等特色农产品远销中国香港、中国澳门以及俄罗斯、日本、英国等海外市场;红心火龙果、红芯王柚等农产品参加了在西安、福州、成都等地举办的农博会,获得消费者的一致好评。

现代农业园区建设。前锋区对农业园区2000余个大棚进行维修加固,加强园区公共基础设施维护,对灌溉主管网、垮塌沟渠进行维修,保障设施基地业主正常生产,确保园区正常供水需求。在试验展示区引进大吴风草、金丝瓜、香蕉西葫芦、冰菜、刀豆、蟠桃辣椒、话筒瓜等20余个新品种进行试验示范并取得初步效果;在蔬菜品比园引进西兰花、秋葵、豇豆、丝瓜、芹菜等蔬菜新品种25个。地热育苗、营养钵育苗、滴灌喷灌技术、茄子嫁接技术、苦瓜嫁接技术、防虫灯和防虫黄板生物防控、黄瓜和丝瓜悬藤落蔓高产技术等新技术进一步得到巩固实施,促进了园区产业增产增效。园区彩色花木产业、观光休闲产业逐步显现,紫薇产业基地、"花屿谷"观光园建成投产,吸引了近5万名游客前往观光休闲。园区指导部分专业合作社培育辣椒苗、儿菜苗3000余万株,优质藤椒苗600余万株,引领周边规模发展产业基地近3万亩;引导业主发展高钙菜、黄秋葵、白凤菜、血皮菜等特色蔬菜,不断发展壮大特色产业,提高产业效益。2016年,农业园区共实现产值3.7亿元,农民年人均可支配收入突破1.6万元。

2016年前锋区主要农产品产量

主要农产品	单位	产量	同比(%)
粮食	万吨	13.7	0.8
稻谷	万吨	8.1	2.5
小麦	万吨	0.9	-2.1
油菜籽	万吨	1.07	2.8
蔬菜	万吨	25.8	2.5
水果	万吨	0.87	1.1
肉类	万吨	2.05	-2.8
猪肉	万吨	1.61	-4.1
禽蛋	万吨	0.47	1.28
水产品	万吨	0.49	2.08
牛奶	万吨	0.02	-3.5

【种植业】 2016年,前锋区粮食作物播种面积33.31万亩,较上年增加0.12万亩,增长0.4%;粮食总产量13.7万吨,较上年增加0.2万吨,增长1.5%。小春粮食作物播种面积8.56万亩,较上年增加0.03万亩,增长0.35%;产量1.87万吨,较上年增加0.01万吨,增长0.5%。大春粮食作物播种面积24.75万亩,较上年增加0.1万亩,增长0.4%;产量11.82万吨,较上年增加0.18万吨,增长1.5%。全年蔬菜种植面积12.5万亩,总产量达25万吨,实现总产值5.2亿元,其中无公害蔬菜5万亩,无公害商品蔬菜产量7.28万吨。水果种植面积4.7万亩,改良柚树基地0.1万亩。

【林业】 2016年,前锋区有林业用地面积20559.91公顷,其中有林地19680.41公顷、疏林和灌木林地531.53公顷、未成林造林地137.47公顷、固定苗圃地10.2公顷,森林覆盖率达53%,活立木总蓄积量达106.8万立方米。全年共完成造林绿化面积3.36万亩,其中新造林1.36万亩、森林抚育0.5万亩、低产低效林改造1.5万亩;建成种苗基地4个、面积297亩,培育各类苗木约315万株。有林业产业基地1.3万亩,其中珍稀树木用材林基地0.2万亩,花椒、核桃等特色经济林基地0.8万亩。建设义务植树示范基地13个,义务栽植各类苗木75万余株。实施天保工程森林管护面积12.31万亩(含经济开发区),巩固退耕还林成果5.342万亩,经营管护国有林50974亩、集体公益林7.87万亩(含经济开发区)。"洁净水"行动完成人工造林0.4万亩、封山育林0.2万亩、森林抚育0.2万亩、低产低效林改造0.2万亩。石漠化综合治理项目完成人工造林6015亩、封山育林9627.35亩。完成华蓥山绿化彩化美化栽植林业项目任务2020亩;完成华蓥山旅游环线特色经果林基地建设5000亩;完成华蓥山生态修复工程2600亩,发展元宝枫产业基地1000亩;在"一路两特"范围内完成元宝枫、李子、桃等栽植674亩;在观塘镇、虎城镇新建毛叶山桐子育苗基地50余亩,全年出苗20万株。采取综合措施防治林业有害生物面积3.6万亩,防治率达96.8%,林业有害生物成灾率为零;全年无森林火灾发生。全年实现林业总产值5.91亿元,农民人均从林业上获得收入1288元。

【畜牧业】 2016年,前锋区出栏生猪26.62万头、家禽151.83万只、肉牛0.54万头、肉羊8.18万只、兔28.34万只,同比分别增长-4.1%、2.2%、2.4%、2.3%、0.8%。建有规范化饲养良种猪场3个;建有畜禽规模养殖场(小区)121个,其中标准化规模养殖小场(小区)76个,占总数的63%。

【水产业】 2016年,前锋区全面开展取缔肥水养鱼工作,引导水产养殖业主推行健康养殖模式;加强渔业资源增殖和保护,促进渔业资源的可持续发展,增加渔民收入,维护渠江河流域渔业生态平衡。8月,在渠江流域前锋段投放中华倒刺鲃等优质鱼种86万尾。全区实现渔业产量0.49万吨,产值达8500万元。

【农村水利】 2016年,前锋区有水库29座(含经开区),其中小(1)型水库4座、小(2)型水库25座;水库灌溉渠道438.22千米;山坪塘(石河堰)1586座、蓄水池1713口;小型水电站8处(其中龙滩渠道电站为国有电站),总装机容量32195千瓦,年发电量1.23亿千瓦时;泵站98处。有供水工程54处,其中乡(镇)供水站8处、农村集中供水点46处;分散机井53480口。

【农业机械化】 2016年,前锋区农机总动力达17.6198万千瓦。新建机电提灌站2处,新增提灌设备157台(套)。全年完成机耕22.8万亩,水稻机械化收割11.8万亩,占水稻总收获面积的85%;农业机械化作业水平达57.53%。

【统筹城乡与新型城镇化】 2016年,前锋区完善乡村人居环境综合治理机制,探索农村文化建设机制,健全乡村治理机制。加快场镇污水处理、垃圾处理、市民广场、公立幼儿园等公用设施建设,完善集镇功能,提升集镇形象,吸引周边农业转移人口就地就近落户。全区新拓展城区面积2平方千米,达到22.5平方千米;小城镇面积拓展1.2平方千米,达到11.2平方千米,城镇总面积达33.7平方千米。城镇水、电、气供应率均达95%以上。新开发建设房屋46万平方米,农村人均住房面积达40平方米。发展壮大建筑和房产开发企业,全区城乡建设共计完成固定资产投资增长24.4%,拉动经济社会发展的作用进一步增强。

【新农村建设】 2016年,前锋区共投入幸福美丽新村示范县建设资金3940.57万元,其中幸福美丽新村示范县建设专项资金500万元,整合交通、农业、扶贫、水务、文化等涉农项目资金2857.57万元,区本级财政投入583万元,建成幸福美丽新村35个。建成农民新村5个,新建房屋88户。积极开展农村环境综合治理,大力实施"三建四改"(建庭院、建入户路、建沼气池,改厨、改厕、改圈、改水),改造房屋1104户,打造独具特色的文化院落2个;建成农村廉租房5套。大力实施省级财政新村基础设施建设项目,建设安全饮水、集中供电、垃圾回收、绿化美化、节能环保、防灾减灾等基础设施,建设"1+

N”公共服务中心并配套村民图书室、“留守儿童之家”、医疗卫生、综治调解、文化体育等公共服务，全面提升农村公共服务水平。

【扶贫攻坚】 2016年，前锋区实现10个贫困村退出，建档立卡贫困户549户、1718人脱贫，实现乡乡有标准中心校、乡乡有达标卫生院。通过2014—2016年3年减贫工作，全区贫困发生率降至1.84%。

贫困村退出方面。2016年，全区已有10个村有集体经济收入，人均收入达到16.3元，最低村人均7.2元、最高村人均37.7元；10个村的通村公路均已拓宽至4.5米并油化；10个村已建成60平方米以上的标准化卫生室，均配置了基本医疗卫生服务需要设备和经卫生部门正式培训合格并取得行医资格的乡村医生或执业（助理）医师；10个村建成50平方米以上的文化室，室外均有文化活动场地、文化器材、广播器材、宣传栏，每村均打造了1个独具特色的文化大院，10个村活动室均已连通互联网。

贫困户脱贫方面。2016年，全区已脱贫户人均纯收入达7316元，人均粮食拥有量最低达255千克，每人每季均有3套以上衣服、2双以上鞋袜，冬季御寒衣服充裕，床上用品均达到2套（床）以上，棉被、被褥达到2套以上，洗漱用品均能满足日常生活需求；已脱贫的549户家庭有义务教育阶段学生177人，全部在校就读；已脱贫的549户家庭人口100%参加了新型农村合作医疗，全面落实“十免四补助”和大病保险报销政策，患大病住院的贫困群众均能享受大病医疗救助政策，已脱贫人口实现了基本医疗有保障；113户实施易地扶贫搬迁的脱贫户已入住；对纳入C、D级危房改造户的危房均进行了改造，10个已退出贫困村户户都实施了“五改三建”；549户已脱贫户均有安全饮用水，取水距离、水量、水质、供水率均能达到标准，均通生活用电，能满足照明、电视、电风扇、冰箱、洗衣机、电饭煲等日常生活用电需求，均实现广播全覆盖，通上了直播卫星、有线电视、地面数字电视。

按照“一村一品”的发展思路，以产业发展带动贫困村建设，推荐省级科技扶贫示范村2个、市级科技扶贫示范村1个、区级科技扶贫示范村4个。争取省级科技扶贫项目3个，扶贫项目资金210万元。

【乡村旅游】 2016年，前锋区依托扶贫攻坚工作，结合代市镇会龙村实际情况，科学编制了会龙桃源乡村旅游规划，打造集场地赛车、桃园观光、亲子采摘、特色垂钓于一体的乡村旅游项目和四川第二家、川东北首家场地越野赛车项目。“一路两特”旅游公路大佛寺街道曹家村、侯桥村路段建设加速推进，华蓥山西麓旅游公路光辉乡光辉村至广安煤矿路段的旅游公路已启动建设，涉及重点贫困村的旅游公路全面完成加宽黑化升级；连接逸国花乡的景区旅游公路已经全面完成，华蓥山沿线旅游环线公路建设全面推进。大力开展旅游项目推进工作，加强对光辉乡高岭村红色旅游文化院落打造，已开展院落修复、历史文化收集整理初步工作，将聘请设计团队进行专项规划设计。在大佛寺街道曹家村、桂兴镇新建村招引业主建设华蓥山西山森林公园项目，计划投资3亿元，打造集特色经果林、畜禽养殖场、山地特色生态农业种植基地、农耕文化体验区、青少年能力拓展基地、康养基地、玻璃吊桥、丛林穿越、温泉酒店、立体山体运动、生态牧场、仿真牧场、露营基地于一体的旅游项目，已就招商引资协议进行了初步磋商。

【农村文化】 2016年，前锋区完成74个村的“村村响”和10个乡（镇）的应急广播建设，为3217户群众接入了有线数字电视信号，为1197户群众安装了直播卫星设备；建成11个乡（镇）广播电视公共服务网点，在代市镇建成全区首个乡（镇）出版物数字化发行网点；新（改）建贫困村文化室50个，新建文化院坝17个、农村阅报栏50个；新建3个中心书屋和7个社区书屋并为223个农家书屋补充更新了1.338万册优质图书。所有乡（镇）综合文化站实现免费开放，为各乡（镇）综合文化站和50个村级文化活动室配置了相关文化设施设备。放映农村公益电影2556场，在贫困村开展文化惠民演出34场，新创编了《贫困村的幸福生活》《美好新家园》等群众文艺节目；开展“欢乐农家”大赛4场，在10个乡（镇）开展文化下乡巡回演出活动；开展“送图书下乡”活动，赠送图书3000余册；在代市镇会龙村举办了四川省“书香天府·2016年农民读书月”活动启动仪式。

【农村卫生】 2016年，前锋区巩固完善分级诊疗制度，全区县域内就诊率达95.8%。卫生扶贫取得阶段性成效，积极启动基层医疗机构达标建设，将标准化村卫生室建设范围扩大到全区所有行政村，区政府投入资金1100万元，新建、改建、维修并配齐全区205个行政村卫生室所需6700余台（件）设备，确保全区标准化村卫生室覆盖率达100%，高标准通过省、市验收。全面实施“十免四补助”“两保、三救助、三基金”等医疗救助行动，大力实施贫困人口公共卫生保障行动、医疗能力提升行动、卫生人才培植行动、生育秩序整治行动。爱国卫生运动工作再上新台阶，成功申报国家级卫生场镇（观阁镇）1个、省级卫生场镇（龙滩镇）1个、省级卫生村40个，实施农村改厕1789座，建区以来平均每年投入资金达40万元用于开展“除四害”工作。

【农村交通】 2016年，前锋区新建农村公路35千米，改造县（乡）道15千米，硬化通村公路20千米，加宽农村公路窄路30千米。截至2016年年底，全区有农村片区客运站4个、村级客运招呼站15个。

【农村生态建设及环境保护】 2016年，前锋区坚持“生态立区”战略，以发展生态高效农业为出发点，以遏制农业污染排放、减少化肥、农药投入为工作重点，在发展现代农业的同时，按照“管行业必须管环保、管业务必须管环保、管生产必须管环保”的工作要求，始终坚持“农业经济发展与环境保护并重，污染防治与生态保护并举”的原则，把农业环境保护工作作为根本任务，推进现代农业绿色健康发展。大力开展农业面源污染和养殖污染综合整治，开展绿色防控23万亩次，测土配方施肥30万亩，秸秆综合利用率达80%，新建联户沼气池2处。开展小河流域畜禽养殖污染整治，投入资金1000余万元，取缔龙滩河、芦溪河等河流及支流两岸各300米范围内规模化畜禽养殖企业4家，对其余未达标排放的养殖场采取转型、达标整治等分类整治措施。大力开展城乡环境污染综合治理，关闭龙滩河、驴溪河、廖家河等沿河流域两岸300米内16家污染严重的畜禽养殖企业；关闭观塘镇宏达养殖场、俊锋养猪专业合作社2个污染严重的养殖场；推进龙滩乡等6个乡（镇）污水处理站建设，虎城乡污水处理厂主体工程已建设完成。建立和完善生活垃圾收运管理制度，坚持实行“户收集、村集中、镇转运、县处理”的模式，新建观阁垃圾收运中转站1座。着力加强饮用水源保护，规范5个乡（镇）饮用水水源地保护措施，健全和完善饮用水水源地应急预案，依法取缔保护区内违法建设项目，各乡（镇）饮用水水源未出现水质产不达标现象。虎城乡等6个乡（镇）已通过省级生态乡镇技术核查，观塘农业园区、小井莲花村枳壳基地、逸国花乡生态旅游度假区、伍山农家乐生态旅游度假区等生态产业蓬勃发展。

【农村留守儿童（学生）帮扶】 2016年，前锋区大力实施关爱帮扶行动。2016年春节前夕，组织志愿者深入广兴镇茅垭村小、小井乡官家村小、桂兴镇界牌村小、代市镇天桥村小开展“老少牵手·温暖童心”活动,为偏远地区的135名留守学生送去衣服、帽子、围巾、手套、文具等生活、学习用品和节日的祝福;“六一”期间,在代市镇梨树村、广兴镇寨坪村、桂兴镇双村村等贫困村开展“金色童年快乐留守”庆“六一”系列活动,为留守儿童送去书包、饭盒、雨伞和学习、生活用品;举办以“青春与希望童在·关爱与守护并存”为主题的夏令营活动,通过参观邓小平故居、小平陈列馆培养留守儿童的爱国情操;组织前锋小学、铁路实验学校积极参加团市委举办的“爱心圆梦·你我同行”关爱留守儿童公益演出,营造了全社会关心关爱留守儿童的氛围。用好关爱资金,救助重病、特困青少年9名,通过“我要上大学”“雨露计划”“温暖计划”等项目资助贫困学生194名,开展“精准关爱·阳光成长”夏令营等活动关爱慰问留守儿童118名,共发放关爱资金35万元。广泛动员社会力量,充分动员各级关工委、共青团组织和社会力量为困难留守儿童筹集帮扶资金,寻找长期资助者,邀请心理学、教育学等专家定期疏导,形成共同关爱留守儿童的社会合力。区人社局为困难留守学生程鹏募集爱心资金8000余元,电商创业青年通过网上“轻松筹”为身处困境的重病儿童募集捐款7000余元;大佛寺街道与市义工联对接,为留守儿童寻找长期资助者,邀请专家对其进行心理疏导。积极建设关爱帮扶平台,积极打造“留守儿童之家”、乡村少年宫等各类关爱服务阵地,捐资建设“想家·爱心小屋”22所,帮助农村留守儿童通过视频免费与父母联系,促进留守儿童与父母的情感联系和亲情交流,满足留守儿童想家恋亲的心理诉求,惠及留守儿童4000余人。探索创新关爱帮扶新模式,通过购买社会化服务在代市镇梨树村实施“精准关爱·阳光成长”关爱项目,覆盖留守儿童42人,投入3万余元,通过亲情陪伴、课业辅导、兴趣培养、行为习惯养成等方式为留守儿童送去党政关怀、社会关爱。

【主要领导人】 区委书记:尹黎明;区人大常委会主任:罗金林;区长:米亮;区政协主席:帅晓东;分管农业副区长:张立文。

前锋区编写组

华蓥市

【基本情况】 2016年,华蓥市辖1乡9镇3个街道,辖区面积466平方千米,其中耕地面积21.6万亩,比上年减少0.01%,人均耕地面积0.86亩;基本农田14.2万亩。年末总人口36.8021万人(户籍人口),增长1%;人口出生率10.59‰,增加1.23个千分点;人口自然增长率4.57‰,增加1.5个千分点。全市耕地有效灌面和保证灌面分别达耕地总面积的60.79%和50.18%;本地水资源总量2.4亿立方米,人均占有水资源量676立方米。有林业用地2.23万公顷,有林地面积1.93万公顷,活立木总蓄积量133万立方米,森林覆盖率达49%。

2016年,全市GDP143.22亿元,增长7.9%,其中第一产业增加值11.96亿元,增长2.8%,农、林、牧、渔及农林牧渔服务业之比为54.3∶4.2∶36.2∶3.5∶1.8;第二产业增加值93.65亿元,增长8.3%(工业产值360.75亿元,增长17.5%);第三产业增加值37.6亿元,增长8.7%。三次产业对经济增长的贡献率分别为3%、68.1%和28.9%。全年接待游客683.9万人,实现总旅游收入590300万元,其中乡村旅游收入97125万元。

公路通车里程929.467千米(其中乡村公路860.501千米),密度1994.56米/平方千米,25.82千米/万人。社会消费品零售总额35亿元,增长12.6%。地方公共财政预算总收入完成6.82亿元,增长22.51%;公共财政预算总支出24.85亿元,增长5.91%,其中农业投入29308万元,占支出的11.79%。金融机构各项存款余额151.33亿元,比上年初增长8.74%;各项贷款余额71.75亿元,比年初增长6.69%,其中支持农业产业化发展项目贷款余额373505.3万元,当年投放贷款244216万元。全年农业保费收入0.0617亿元,增长4.9%,处理各项赔款和给付金额567.15万元,减少9.04%。完成农业产业化项目4个,完成投资2500万元。农业产业化龙头企业省级、市级、县级分别为4家、8家、32家。

有各类学校87所,在校学生53378人,教职工3713人,其中普通中学23所,在校学生19733人;小学13所,在校学生22879人;学龄儿童入学率99.02%,减少0.58个百分点。有艺术表演团体26个,文化馆1个,公共图书馆1个。有卫生机构191个,病床位1522张,卫生技术人员1910人。新型农村合作医疗参合人数244541人,参合率99.72%;城乡居民社会养老保险参保人数89500人;被征地农民养老保险参保人数10000人,占总人数的34.4%。

【年度农业和农村经济运行】 2016年,华蓥市实现农业总产值20.09亿元,增长2.7%;农业增加值12.18亿元,增长2.9%。在粮食、生猪、蔬菜生产中,科技投入的占比或科技贡献率达28%。农民年人均可支配收入达13376元,增长9.8%。全市农产品质量抽检合格率比年初提高9.8个百分点;建成13个基层农业综合服务站。按照“公司+基地+农户”“专合组织+农户+市场”等模式大力推进畜牧产业化发展。

2016年华蓥市主要农产品产量

主要农产品	单位	产量	同比(%)
粮食	万吨	10.3529	0.76
水稻	万吨	4.9481	0.87
小麦	万吨	0.8384	0
玉米	万吨	2.6391	1.38
马铃薯	万吨	0.4962	2.37
油菜籽	万吨	0.1601	0
蔬菜	万吨	28.7	1.5
水果	万吨	17.05	5.1
肉类	万吨	3.3	-4.4
猪肉	万吨	2.68	-4.02
牛肉	万吨	0.04	1.42
羊肉	万吨	0.06	2.34
禽肉	万吨	0.3	1.16
兔肉	万吨	0.2	4.71
禽蛋	万吨	0.3	-9.42
水产品	万吨	0.32	7
牛奶	万吨	0.036	-1.11

农用地产权制度改革。华蓥市完成土地确权登记面积190635.7655亩，颁发农村土地承包经营权证5000份，制作农村土地承包经营权证5000余册。

农产品品牌战略实施。华蓥市把培育和推广邓小平故里优质农产品“华蓥山”公用品牌作为发展华蓥特色产业的重要抓手，通过“龙头创、基地促、市场护、政策扶”的方式深度挖掘特色产品；坚持“政府引导，专合组织（企业）主体”原则，鼓励企业以品牌为纽带实行资产重组和生产要素整合，通过技术创新、产品创新和管理创新，积极打造区域品牌，争创名牌产品（企业）。鼓励业主、农户积极参加各类农产品展销会，开展多种形式的品牌展示、推介和宣传活动，着力将广安蜜梨、华蓥山葡萄创建为全省知名地域大品牌，成功打造“广安蜜梨”“情山妹儿”“蓥山红”等农产品品牌7个，“欧阳晓玲梨”获得中国驰名商标称号，“情山妹儿”获得四川省著名商标称号，“广安蜜梨”被认定为国家地理标志保护产品。广安蜜梨获得第十三届中国国际农产品交易会参展产品金奖和“全国50个具有较强影响力的果品区域公用品牌”称号。成功注册“华蓥山明豪野鸡”“华蓥山绿源鸡蛋”“华羽草鸡”等畜禽产品品牌8个，品牌效益明显。

现代农业园区建设。华蓥市稳步推进园区建设，全年完成省外到位资金2.53亿元，超目标任务253%；成功对上争取资金6571万元，超目标任务657.1%；园区农民年人均可支配收入1.64万元，高出全市平均水平22.3%。华蓥市优质梨示范园区被命名为“四川省现代农业（林业）示范园区”。华蓥市国家葡萄综合标准化示范区试点安装“视频小天网”生产过程监控系统5家，安装高清摄像头66个，实时监控葡萄生长和田间管护，逐步推广“3D漫游”，连接互联网，接受社会大众监督。示范区完成葡萄产业提档升级2400余亩，维修道路2千米、蓄水池5口、鱼塘2口、河道堡坎3处，修建管理房800平方米，河道清淤800米，园区产业、基础设施得到进一步完善；新引进永兴食用菌、梦佳苑、祝家坝蔬菜基地、深茂德等种养殖项目4个，投资总额约12.62亿元，固投到位资金1.03亿元，省外到位资金2.53亿元。全年开展培训19期，发放技术要点资料1000余份，惠及园区18个葡萄合作社和周边100余户农户。示范区在广渝高速广安段、华蓥段，沪蓉高速广安段投入大型户外广告3处；在广安及华蓥城区等周边城市各交通要道、人口聚居区域投放移动LED显示屏、公交车身广告、宣传海报等；制作“华蓥山葡萄熟了”视频宣传片进行葡萄销售氛围打造。在葡萄销售季节持续举办葡萄文化节九大主题活动，14个合作社共销售葡萄商品果61.47万千克，认领葡萄1320株，接待入园采摘观光游客20万余人次，实现销售收入636.6万元。指导园区绿源甲鱼、德嘉、蓥山红、金阳光等6家合作社与第三方农产品电商平台合作，充分利用电商平台的分销网络拓展全市葡萄等生鲜农产品的营销渠道，2016年实现销售收入近15万元。华蓥山国家葡萄综合标准化示范区建设项目通过考核验收。

【种植业】 2016年，华蓥市粮食作物播种面积32.715万亩，比上年增长0.1%；粮食产量10.580万吨，比上年增加3067吨，增长3.15%。结合“千万工程”集中示范片、农业机械化示范基地、粮油标准化生产示范片创建，在禄市、明月、永兴、阳和等乡（镇）开展大春粮食高产创建，建设粮经复合产业示范基地0.2万亩、粮油高产示范基地10万亩，其中水稻5万亩、玉米3万亩、马铃薯1万亩，大豆、油菜各0.5万亩。在阳和镇创建市级水稻人工直播核心示范片500亩，指导每个乡（镇）完成100亩；在禄市镇姚家塝村，华龙街道东方村、石堰墙村，永兴镇河心村，溪口镇平桥村，庆华镇黄桷村建立油菜示范片590亩。

2016年华蓥市省级示范农民专业合作经济组织名单

合作组织名称	注册资金（万元）	法人代表	示范等级	年度产值（万元）	行业分类	主营产品
华蓥市新科养殖专业合作社	96	余恒经	省级	160	种植业	有机水稻
华蓥市山地养鸡专业合作社	120	蔺茹新	省级	600	养殖业	肉鸡
华蓥市绿源生态甲鱼养殖专业合作社	240	祝茂均	省级	650	水产养殖	甲鱼
华蓥市新农民农机专业合作社	110	段成刚	省级	180	农机服务	水稻

全年新发展葡萄0.12万亩，在中国梨园新发展优质梨0.25万亩，改造低劣水果0.51万亩（其中葡萄提档升级改造0.28万亩，梨改造0.23万亩）；新改建葡萄、梨基地0.88万亩，完成全年任务的176%。围绕产业扶贫新发展柑橘1500亩，桃、李等其他水果1130亩，花卉2700亩；新建和改造特色效益农业产业基地0.48万亩，其中在禄市镇月亮坡村广安蜜梨基地新建特色效益农业梨产业基地0.25万亩，在禄市镇六水沟、山门口村广安蜜梨基地改造低劣梨0.23万亩；葡萄（梨）订单销售率达87%以上；新引进水果业主5户，新发展水果种植大户2户。全市水果种植面积约17.38万亩，年产量17.05万吨，实现产值8.93亿元，其中葡萄4.42万亩，产量4.3万吨，产值3.4亿元；梨6.45万亩，产量7.62万吨，产值3.05亿元；柑橘6.07万亩，产量4.96万吨，产值2.12亿元；农民人均增收203元。中国梨园新建100吨组装式冷藏库3个，新停车场已完工，月亮湖建设工作有序推进。全市共发展蔬菜18.1万亩，完成目标任务的113.1%，总产量约36.4万吨，实现产值8.12亿元，助农人均增收152元，其中发展设施蔬菜6200亩，产量1.6万吨，实现产值5620万元；建成优质蔬菜基地3.91万亩，完成目标任务的130.3%；新发展蔬菜种植大户6户。发展食用菌143万袋，重点打造了永兴、明月、阳和万亩蔬菜产业示范园。

【林业】 2016年，华蓥市完成义务植树70万株，新建义务植树基地1个、面积201.6亩。完成营造林3.6万亩，其中生态修复营造林1.25万亩。新建以油樟为主要树种的工业原料林1.1万亩、特色干果林0.15万亩、珍贵用材林0.3万亩；完成林业育苗300亩，其中容器育苗30亩。实施林业产业扶贫，完成对溪口镇1500亩油樟、观音溪镇850亩特色干果核桃的抚育管理，完成核桃低产小林品种改造600亩，新建庆华镇黄桷村油樟基地400亩。完成“一路两特”林业产业月亮坡村核桃巩固提升298亩、上坝桥村巨桉改造1258亩。完成德贷项目林区便道建设7.2千米。完成马尾松林现有林改造培育3333公顷，完成林下菊花种植250亩、林下养殖100亩。对天池湖周新拱桥至高二矿地段绿化断档缺陷地段实施绿化，栽植香樟、柳树等

1.8万余株。实施清溪河二期生态修复绿化200余亩。启动国有林场改革。完成林地确权登记主体任务,涉及宗地3400宗、面积24.7万亩、农户4.1万户。兑现退耕还林补助925.75万元,补偿森林生态效益基金186.7万元。配置18个单兵全套森林防火物资装备,更新森林防火宣传碑4座,建设砍伐防火隔离带230余千米,设立森林防火检查站(哨、卡)50个,建立防火水池60口,全年无重特大森林火灾、无人员伤亡事故发生。全市林业有害生物发生面积4.88万亩,防治面积4.746万亩,其中飞机防治1.3万亩,防治率达97.25%;无公害防治率达100%,成灾率为零,检疫率达100%。

【畜牧业】 2016年,华蓥市出栏生猪41.05万头、小家禽224.7万只、肉牛0.37万头、肉羊3.81万只、肉兔174.4万只,同比分别增长2.5%、3.6%、3%、2.59%、3.8%;实现畜牧业总产值9.55亿元,同比增长4.7%。

畜牧产业快速发展。一是品种优良化比重明显提高。坚持引种、自繁和杂交改良相结合,着力推进畜禽品种优良工程,提高畜禽优良品种比例。二是适度规模化养殖迅速推广。坚持走适度规模养殖发展道路,建成生猪规模养殖场、养殖小区。三是圈舍标准化建设有序推进。畜禽养殖设施、设备不断升级完善,生产管理制度、投入品监管制度、生产档案管理制度进一步规范健全,粪污污染得到有效控制,循环养殖模式全面推广,经济效益、社会效益显著提升。四是畜禽特色化养殖不断壮大。依托山地优势,大力发展草食畜禽,强力推进立体循环养殖,沿山精心打造林下生态循环种养带。在农业园区配套建设畜禽产业园,巩固发展华蓥山地种鸡、东云肉兔、三和肉牛养殖场等规范养殖场。五是畜产品安全化监管取得突破。圆满完成"春防"工作并成功迎接农业厅检查验收。强力推行动物及其产品申报检疫制度,有效防止外疫进入,确保了全市无疫病发生。

重大动物疫病得到有效控制。狠抓以高致病性禽流感、口蹄疫、猪瘟、高致病性猪蓝耳病为重点的动物疫病防制,强化畜禽基础免疫工作,布病防治开展有序。圈舍消毒全面彻底,在春季免疫注射的同时集中开展农村畜禽圈舍及环境的消毒工作。家禽H7N9流感剔除工作有序开展,拟定了2016年家禽H7N9流感剔除工作方案,于3月和9月分别开展了家禽H7N9流感剔除工作。检疫工作扎实开展,畜牧局对乡(镇、街道)畜牧站正副站长开展了动物免疫技术培训,对进一步规范全市村级防疫员免疫装备配置作了具体要求。落实兽药、饲料生产经营监管制度,加大对经营、使用环节执法监督力度,严查违法经营、使用行为并开展了集中专项整顿。做好动物防疫技术培训,7月11日—29日开展了动物防疫职业技能培训和竞赛,选拔推荐2名优秀选手参加广安市竞赛。开展了夏季动物疫病防控工作,参加了农业部举办的动物疫情应急管理培训和农业厅举办的畜牧知识更新培训。

【水产业】 2016年,华蓥市水产品总量达3212吨,实现渔业经济总产值0.49亿元。新建渔业基地2个,申报无公害水产基地1个、水产养殖品种药残抽检6个,申报水产品商标2个,全年渔业安全生产实现零事故。严格实行长江禁渔期制度,切实抓好春季禁渔工作。分别在全市贫困村及养殖业主鱼塘投放优质鱼苗30万尾。投资70万元,在华龙街道、观音溪、庆华等镇的14个村新增水产养殖面积170亩,其中池塘养殖面积130亩、稻田养殖面积40亩。

按照"开发一个品种,拓展一个区域,形成一个产业,致富一方群众"的发展思路,鼓励业主加大水产养殖业投入,大力发展渔业基地建设。新建休闲渔业养殖基地1处,投资800万元,占地260亩(印象山水养殖专业合作社)。实施池塘标准化改建1处(新农种养殖专业合作社),投资80万元,面积100亩。新建乌鱼养殖基地1处(双龙桥乌鱼养殖专业合作社),投资100万元,面积50亩。

渔业科技服务。农业局专门成立农业产业专家技术服务团水产专家技术服务组,全年共办举办渔业培训班3期、150人次,发放渔业技术资料1800份,培养渔业科技示范户6户。组织科技人员帮助养鱼户制订放养模式,帮助苗种采购,共协调购进鱼种50万尾,诊治鱼病30例。

渔业行政执法。一是做好渔业资源保护,严格实行渠江禁渔期制度,发放春季禁渔通告60份,实行定期和不定期巡逻检查,切实抓好春季禁渔工作,严厉打击电鱼、炸鱼、毒鱼等严重破坏渔业资源的违法行为。二是严格渔业船舶年审制度,有效保护渔业资源,确保了渔业船舶安全。三是组织渔民学习有关渔业安全工作的法律法规,与渔民签订安全责任书,确保了全年无安全事故发生。四是切实加强水产品质量安全监管。全年共出动执法人员120人次,对全市重点水产养殖场、餐馆、农贸市场进行突击检查。对绿源甲鱼养殖专业合作社、黄金白大闸蟹养殖专业合作社等重点养殖场加强水产品养殖投入品管理和水产品质量安全监管工作。

【农村水利】 2016年,华蓥市编制完成了《华蓥市十三五水利规划》《华蓥市2015—2030年水土保持规划》,修订完善了《华蓥市抢险预案》《蓥城抢险预案》《华蓥市渠江防洪抢险应急预案》。组织实施水保项目、堤防工程、人饮工程等项目,其中水保项目顺利通过验收。全市水利工作先后获得广安市人民政府颁发的水保项目二等奖,市水务局获得广安市水务局颁发的"农村饮水安全先进集体"等称号。天池湖申报为国家第十六批国家水利风景区。成功争取海绵城市试点项目,完成项目包装60余亿元。民生工程全面完成,其中整治山坪塘20座、病险水库3座,完成投资200余万元。

水保工程建设。实施2015年农发水保工程和2016年农发水保工程,顺利完成项目本级验收。2015年农发水保工程实施水土流失综合治理面积7平方千米,其中坡改梯405亩、经果林516亩、水保林1802.4亩、封禁治理3384.6亩、保土耕作4392亩;新建蓄水池10口、沉沙凼32个、排灌沟渠2.7千米、生产道路3.13千米,累计完成土石方开挖6.62万立方米,投工0.42万个。2016年农发水保项目水土流失治理任务为8平方千米,其中完成坡改梯305亩、经果林489亩、水保林2061亩、封禁治理2172亩、推行保土耕作6973亩;新建山坪塘1座、蓄水池10口、排灌沟渠2.43千米、沉沙凼25个、生产道路2.87千米,累计完成土石方10.15万立方米。完成总投资307.5万元,其中中央投资205万元、省级投资73.8万元、县级投资8.2万元、群众投劳折资20.5万元。

水利工程建设。猫儿沟水库完成导流(放空)隧洞、取水隧洞洞身砼浇筑、竖井一期砼浇筑,溢洪道、大坝基坑开挖完成,大坝趾板浇筑完成,大坝填筑20%,溢洪道溢流段砼浇筑完成80%。

农村安全饮水工程。农村安全饮水巩固提升项目——华龙、福星、牛草湾三大集中供水工程共安装管网51千米,改造小型供水工程12座,自来水入户安装2103户,解决8500余人安全饮水问题。2016年农村饮水巩固提升项目完成庆华镇三河村,观音溪镇高坪村、跳石沟村、骑龙村,明月镇刘家庙村、竹河村供水管网方案的初步设计,全面完成年度建设任务。国家已下达计划投资1149万元,用于改造农村供水管网,项目招投标前期工作已启动。

防汛抗旱工作。完成"6·29"水毁堤防工程建设并通过现场验收;溪口中小河流二期水文站建设基本完工;渠江明月场镇段防洪治理工程全面竣工,新建防洪堤1.044千米,修建溪口镇平桥村堤防500米,投资166万元。落实防汛责任,市防汛指挥部与各乡(镇、街道)主要负责人层层签订防汛责任书,对全市各山洪灾害点安排落实巡查人员和预警转移责任人,对全市水库均落实了管理责任人。修订完善了《华蓥市抢险预案》《蓥城抢险预案》《华蓥市渠江防洪抢险应急预案》,投资15万元增添购置了一大批防汛物资。加强汛期检查,多次组织人员对各乡(镇、街道)的防汛工作情况进行系统检查与指导,同时开展防汛应急大演练,确保了全市防汛安全。

依法治水。始终将水资源管理作为第一职责,坚守用水总量、用水效率、排污总量三条红线,依法治水实现新提升。一是加强水质监测。定期对华蓥市饮用水水源进行送检,完成了全市供水站水质监测,均达到安全饮水标准。二是加强水政执法。对省、市下放的行政审批事项进行了清理,开展了天池湖饮用水源地保护专项行动,加强水土流失预防监督工作。

水利改革。一是小型水利工程确权颁证稳步推进。充分利用“四权同确”测绘成果,完成全市小型水利工程调查摸底和实施方案编制工作,全面启动小型水利工程确权颁证工作。二是积极探索水利工程管理体制改革。积极探索集体管理、竞争发包管理、专业合作组织管理、专业管理公司管理、农村小型公益设施打包管理等多种管理模式,加快水利工程管理体制改革。三是推进农业水价综合改革。坚持政府和市场协同发力,以明晰水权、定额管理为前提,以创新水价机制和管理体制为动力,着力推进农业水价综合改革。

【农业机械化】 2016年,华蓥市按照农业厅、财政厅制定的《四川省2015—2017年度农业机械购置补贴政策实施指导意见》要求,继续抓好农机购置补贴政策落实,加强购置补贴项目资金管理。全年购机670台,农机购置补贴中央资金结算进度达100%,真正实现惠及于民。高度重视提灌站、机耕道建设,狠抓项目规划编制、项目设计预算、项目争取、项目比选、项目实施、项目资金监督管理等各环节工作落实,促进项目实施有序推进。新建提灌站4座,超额完成总任务的33%;新(改)建农村公路、机耕路、便民道215千米,超额完成总任务的7.5%。全年完成机耕18.56万亩、机收12.92万亩,主要农作物耕种收综合机械化率达62.36%。高度重视农机安全工作,深入落实安全工作责任制,加强农机安全工作组织领导、宣传教育,强化农机安全源头管理,严格拖拉机注册登记过户,定期开展农机安全隐患排查和安全检查工作,确保了全年农机安全无事故。

【统筹城乡与新型城镇化】 2016年,华蓥市大力实施新型城镇化,狠抓城乡规划建设任务落实,取得了一定成效。

坚持规划引领,不断完善城乡规划体系。一是加快规划编制。完成新一轮城市总规、海绵城市专项规划、蓥城地下管线普查修编与评审,全市规划设计更科学、更完善。二是狠抓项目选址。完成康养中心、工业园区农贸市场、城区货运停车场地等项目选址和地形测绘。全年办理选址意见书10件,总用地面积18.34万平方米。三是加强方案审批。完成总部经济大厦时代广场、金利源国际财富中心、铜堡二期棚户区改造项目等方案报批工作。全年审批设计方案21件,总建筑面积134万平方米。四是强化规划审批。召开城乡规划委员会会议4次,完成产学研综合体项目、华金润集团总部经济项目、工业园区农贸市场等多处总体概念性设计方案,完成华蓥良泰国际、泽达·翰林轩、工业园区港丽之秀服饰有限公司厂房等建设工程规划许可证办理。全年办理建设用地规划许可证17件,用地面积18.8万平方米;办理建设工程规划许可证57件,建筑面积84.3万平方米。五是完善新型建筑产业规划。完成15万平方米的精装房、10万平方米的绿色建筑、3万平方米的PC或重钢房屋、65套轻钢房屋、工业园区产学研项目新型建筑建设规划。

坚持基础先行,扎实推进城市建设。一是路网骨架基本形成。章光大道及连接线项目、文化支路混凝土路面、汪杜北支二路道路工程东段及工人新村道路已全面完工,清溪路延伸段街道已完工并通车,蓥西大道、红星三路延伸段及红星六路延伸段管网铺设、路基整形完成。二是重点项目全面推进。商会大厦、五星级酒店主体竣工,财富中心主体封顶,金融中心完成主体工程的70%。三是配套设施不断完善。安丙公园、城北公园主体建设全面完工,天上街市建设总体工程进度已达90%以上,花园坝污水管网清淤项目已全部完成,蓥城生活污水处理厂工程主体完工,西街和迎宾路等处边坡治理工程全面完成。

坚持统筹城乡,协调促成场镇建设。一是场镇基础设施逐步齐备。完成双河街道、禄市镇、天池镇等4个乡(镇)6座公厕建设,完成禄市镇小驴山污水处理站土建工程。二是新村扶贫建设进度加快。全面完成813户农村危旧房改造和1213户贫困户“五改三建”。三是特色集镇建设稳步推进。高兴镇、禄市镇、庆华镇等5个特色集镇建设进度均达到预期目标。

狠抓安居工程,稳步推动保障性住房建设。一是续建项目有序推进。城北城中村,射洪庙一期、二期,汪杜路,西街,迎宾路等7处34万平方米的保障房顺利竣工并交付使用。二是章广二期、清风桥、双龙桥、观音岩保障房工程完成工程量的50%,达到了预期目标,迎宾路新型结构住宅公租房项目已进场进行基础施工。三是棚户区改造任务总体完成。全年棚户区改造开工1166套,完成率达100%;建成1824套,竣工940套,分别完成目标任务的123.9%和84.7%。签订货币化安置协议268户,完成率达101.5%。

落实房产新政,有序促进房地产开发。一是进一步加快房地产开发进度。全年房地产开发投资26.1亿元,开工32万平方米,建成房屋主体面积27万平方米,竣工30万平方米,销售24.2万平方米。二是进一步做好房地产开发服务。分期办理了良泰国际、凤凰城、天翼荣耀城等项目预售许可证11件,批准预售面积53.1万平方米。

【新农村建设】 2016年,华蓥市坚持“产村相融、农旅结合、标准建设、成片推进”的建设思路,以“业兴、家富、人和、村美”为目标,建成高兴镇宋家垭村、阳和镇偏岩子村、明月镇明月村、华龙街道东方村等幸福美丽新村17个,建成各具特色的新村聚居点3个,惠及农户12193户。围绕“住上好房子、过上好日子、养成好习惯、形成好风气”,成功创建省级、市级、县级“四好村”13个、27个、27个。

【农村扶贫和移民工作】 2016年,华蓥市紧紧围绕“三年脱贫、两年巩固、一年致富”工作目标,坚持“四个严格”、锁定“五个重点”、注重“五个同步”,扎实推进“五个一批”和17个扶贫专项年度计划,整合投入资金4.2亿元,实施到村大项目100个、到户小项目6.7万个,顺利实现贫困县“摘帽”、6个贫困村达标退出、5428名贫困人口稳定脱贫目标。结合扶贫攻坚,在11个贫困村实施扶贫新村建设,助推6个贫困村脱贫“摘帽”,解决282户无房户、危房户、住房困难户住房问题,保护提升明月镇明月村传统民居30户,建成“1+6”村级公共服务活动中心3个。一是坚持把“保障吃穿+就医就学”作为最温馨的人文关怀、最直接有效的脱贫手段。坚持应兜尽兜、不落一户,将贫困对象低保保障标准调升至每人每月300元;确立“十一有”配套标准,坚决杜绝缺衣少被、家徒四壁现象。严格落实“三包”“五长”责任制,构建学前教育到大学教育全程帮扶体系,春秋两季资助1540名贫困生568万元,全市无一名因贫辍学学生。全面落实“十免四补助”、八个100%等政策,全面推行“先诊疗后结算、一站式报账”等医疗服务,贫困患者县域内医疗机构住院医疗费用实现全额报销,累计兑现医疗帮扶资金883万元,惠及4068人次。二是坚持把“发展产业+培训就业”作为最长效增收支撑、最根本的脱贫路子。探索“政府项目资产+贫困村/贫困户、村集体公司+贫困户”等模式,着力推进资源变资产、资金变股金、农民变股东,所有贫困村均有集体经济,其中6个退出贫困村人均集体经济收入达20元/年以上。推广“新型农业经营主体+贫困户”“庭院经济+贫困户”“农产品加工企业+贫困户”等现代农业生产组织形式,带动千家万户小农业进入千变万化的大市场,参与贫困户实现户均增收1780元以上。通过“定点培训+送培训上门”,使有劳动能力的2848名贫困对象至少掌握1门致富技能。依托电子信息产业、公益性岗位、扶贫劳务服务队等吸纳2848名贫困对象就业,有劳动能力的贫困对象就业率达100%。三是坚持把“生态搬迁+移民安置”作为最坚实的基础保障、最利长远的脱贫措施。全面完成贫困村农村公路畅通联网工程,6个贫困村骨干道路全部黑化。25个贫困村全面建成“1+6”村级公共服务活动中心,贫困村自来水普及率、供电保障率、广电网覆盖率、互联网覆盖率均达100%。推广“八统一”建设模式,完成易地扶贫搬迁482户、C/D级危房改造586户、“五改三建”1936户,所有建档立卡贫困对象安全住房保障率达100%。

猫儿沟水库建设工程征占用地总面积2038余亩,涉及农村移民搬迁安置140余户、890余人。一是完成邱家嘴村83户、铜鼓寨村39户、三河村12户移民户房屋拆迁、附属物及树竹清点工作,枢纽区和库区134户移民户全部完成搬迁,支付房屋、附属物及零星树木补偿及奖励款共计2700余万元。二是移民新村建设封顶30户,线路改迁完成投资12.8万元;邱家咀4组移民生产安置试点进行顺利,兑付征地补偿费及奖励资金2100余万元。三是天池湖水库后期扶持指标项目实施顺利,2015年库区基金项目和移民后期扶持专项资金项目全面完成,分别完成投资500余万元和1000余万元。第二批移民后期扶持专项资金824万元已完成招标,施工单位已进场施工。

【乡村旅游】 2016年,华蓥市紧紧围绕“工业城、旅游市”发展定位,以“把华蓥打造成为‘广安会客厅、重庆后花园’,建成全国知名旅游目的地”为总体目标,全市乡村旅游“吃、住、行、游、购、娱”六要素不断健全,乡村旅游的蓬勃发展带动了农村经济快速增长和农民收入大幅提高。一是产业重心逐步转移,乡村旅游快速成长。华蓥市紧紧围绕“新农村、新旅游、新体验、新风尚”的要求,大力发展乡村旅游,在依托优质果业示范基地和特色旅游资源的基础上,将发展乡村旅游与建设社会主义新农村紧密结合,开发了乡村观光休闲游、乡村生活体验游、乡村民俗风情游、乡村文化互动游等系列乡村旅游产品,成为促进农民增收、增加农业附加值、改变农村面貌的有效途径,成为拉动经济社会发展中速度快、消耗资源少、生机活力强的新的经济增长点。全年实现乡村旅游总收入9.77亿元,发展乡村旅游的行政村35个、重点乡村旅游贫困村6个,惠及农民群众15.7万人。二是旅游品牌特色凸显,乡村旅游日趋繁荣。重点培育了红岩、天池、禄市、双河、阳和、高兴、华龙等一批特色乡村旅游乡(镇),将赏花、采摘、垂钓、科普示范等一系列活动开发成为乡村旅游产品,逐步形成了以农业产业带动型、景区带动型、城郊休闲型、节庆活动型为主的乡村旅游发展模式。全市有全国农业旅游示范点1个(广安蜜梨度假村)、全国休闲农业与乡村旅游示范点1个(广安蜜梨度假村)、四川省乡村旅游示范(乡)镇4个(天池镇、高兴镇、红岩乡、华龙街道)、四川省乡村旅游特色镇1个(禄市镇)、四川省乡村旅游示范村3个(红岩乡高顶村、天池镇仁和村、禄市镇月亮坡村);星级农家乐22家(其中五星级乡村酒店1家、四星级农家乐4家)。三是特色林果初具规模,乡村旅游示范面广。依托独特的山地自然条件,以大力推进现代农业产业基地建设为重要抓手,大力发展乡村旅游,已重点打造出广安蜜梨基地、高兴阳和现代农业观光园(葡萄基地)、百万玫瑰·梦幻花海、君兰天下生态文化园、偏岩子新村、海棠博览园等极具影响与特色的乡村旅游节点。依托核心基地以点带面形成了规模化的农业产业带,建成20余平方千米的乡村旅游示范区,突出了体验农业生产过程、享受农村田园风貌、感受农家生活情趣的“乡土”内涵,集生态观光、农业产业化观光、休闲观光于一体的乡村旅游产业快速发展,初步形成了沿华蓥山脉“西部乡村休闲度假基地”。

【农村科技】 2016年,华蓥市水稻重点选用川优6203、宜香优2115、川香优198、F优498、花香7号等品种,大力推广水稻直播、旱育秧、强化栽培、优化定抛等实用技术;玉米重点选用川单189、正红505、雅玉30、川单455等品种,全面普及肥团育苗移栽技术,因地制宜抓好地膜覆盖膜侧集雨栽培技术的组装配套;大豆重点选用南豆12、南吐黑豆20等品种,推广“芋—玉米—豆”新三熟种植模式3万亩。全年良种推广率达98%以上,技术配套推广率达95%以上。

围绕水果、畜禽、优质粮油等特色产业,加强新品种、新技术宣传推广,加快推进农业由传统种植向精深加工转变,进一步提高农产品商品附加值,增强农业产业创新能力。“鲜食葡萄非商品果酿制白兰地精深加工技术集成研究与产业化示范”获得科技厅立项支持;德嘉农业科技公司与法国洛克沃德汉纳斯酒业公司签署了白兰地酒产销协议,成立了新型酒品研发、生产、销售基地,用科技创新强力助推华蓥农业“走出去”。华蓥市东云生态农业有限公司实施的“肉兔安全高效养殖关键技术集成与示范”项目为全市自愿养殖肉兔的贫困户免费提供兔苗、饲料、养殖笼具并派技术人员指导饲养,用科技帮助贫困户实现脱贫增收。全年共组织开展农业科普、技术培训9次,培训贫困对象712人次,集中宣传发放资料1万余份,捐赠图书2000余册、挂图500张,接受农业技术咨询100余人次,解决农业生产技术问题10余处,听众达500余人次,引进农业新品种16个,推广新技术13项。

【农村教育】 2016年,华蓥市成功创建为全国义务教育发展基本均衡县。创立教育扶贫“12345”工作法,近千名农村贫困学生实现资助帮扶全覆盖,资助金额达20万元。投入3000万元,建成学生食堂2万平方米,采用“4+0”“4+1”“4+2”模式在广安市率先全域实现食堂供餐,惠及学生1.7万人。实施义务教育全面“改薄”工程,对上争取资金达2.7亿元,投资3000万元,改建天池小学等学生塑胶运动场7万平方米。投资3000万元,建成禄市小学、高兴初中、庆华初中等教师周转房2万平方米,办学条件显著改善。大力实施学前教育三年行动计划,投入4000万元,建成禄市、阳和、高兴等9所乡(镇)中心幼儿园,普惠性公办幼儿园率先实现全覆盖。投资近1500万元,全面完成农村学校城域网改造升级和云平台试点建设工作。全年新招聘教师101人,考调教师37人,引进市外教师19人,全部分到农村学校任教，师资配置更加均衡。省级示范性普通高中统招公费生计划以50%以上的比例均衡分配到服务区内初中学校时向农村学校和薄弱学校倾斜。坚持“两为主”原则，就近就地解决1700名进城务工人员子女入学问题，保障教育公平。

【农村文化】 2016年，华蓥市不断完善文化基础设施，农村公共文化服务网络基本建成。规划建设25个村级文化活动室，新建25个戏台。为村文化室配送了价值25万元的文化器材，包括音响、电子琴、电脑（含桌椅）、锣、腰鼓、钗、手鼓、快板等文化设施设备；规划建设中心书屋5个、阅报栏25个、宣传栏25个、村广播室25个。开展华蓥市2016年文化惠民扶贫“四下乡”活动文艺演出25场次、2016年“四好村”创建活动文艺演出31场次，组队参加广安市“农博会”文艺演出。组织开展送书、送证、送电子图书下乡”活动，全年为农村学生送书1000余册，免费办理图书馆阅览证50余个。指导、帮助村（社区）组建舞蹈队、腰鼓队等业余文艺团队，开展文艺活动20余场次，引导和带动了全市群众文化活动的蓬勃开展。积极贯彻落实文化部、财政部免费开放要求，有序免费开放10个乡（镇）综合文化站，组织开展各类文化活动40余场次、各类培训40余场次，免费参观人数达5万人次。村落文化、院坝文化齐头并进，极大地丰富了群众的精神文化生活。

【农村卫生】 2016年，华蓥市有乡（镇）卫生院10家、村卫生室106个，乡村医生347人。全面启动实施农村居民大病保险，全市人均筹资标准达540元，参合人数244541人，参合率达99.72%；支出12657.42万元，占本年基金的95.57%，其中住院补偿8680.02万元、住院补偿34955人次，门诊及其他补偿3391.64万元、门诊及其他补偿789787人次，对1220人实施大病补偿585.76万元；政策范围内住院费用支付比例和实际住院费用支付比例分别达77.61%、65.74%。贫困人口参合率100%，贫困患者县域内住院（政策范围内）医疗费用全额报销，慢性病门诊维持诊疗个人支付占比控制在5%以内。参合农民补偿人数达531166人次，累计补偿金额达7654.83万元。兑现医疗救助资金560余万元，惠及贫困对象3991人次，贫困对象在县（乡）公立医疗机构住院费用中个人自付比例分别控制在7.5%、2.5%以内，免收贫困户患者一般诊疗费用4565人次、59043元。全市农村孕产妇住院分娩率达99.96%，农村孕产妇住院分娩健康教育普及率、知晓率均达100%以上。实施免费增补叶酸预防神经管缺陷项目，全年免费服用叶酸人数2530人，服用率达86.94%。全面完成全市20个村卫生室高标准规范化建设并投入使用，明月镇卫生院完成迁建并投入使用。全市共建立完整的居民健康档案274553份，累计体检274553人次，规范化电子建档率达98.54%。

【农村交通】 2016年，华蓥市农村公路里程达860.5千米（其中县道89.1千米、乡道36.6千米、村道725.7千米、专用公路9.1千米），农村公路里程占全市地方公路总里程的比例达92.58%，基本达到了“村村通水泥路、社社通公路”，超额完成了省、市下达的目标任务。全市城乡间公路通达率和客车通达率均为100%；行政村客运覆盖率达90%；农村客运车辆已发展到118辆，占全市客运车辆总数的81%；开行农村客运线路24条，占全市客运线路的69%；农村客运班次达到455班次，占全市客运班次的90%，基本实现“市区公交零距离乘换，乡村道路通客车”的目标。全年实施农村公路安保工程47千米，完善安全标志410块，按照“落实责任、保障投入、健全机制、平稳推进”的原则全面加强农村公路养护管理。

【涉农招商引资】 2016年，华蓥市3000万元以上的农业招商引资重大项目22个，均为内资项目，比上年增长5.6%；项目总投资13.8亿元，比上年增长4.3%。协议资金13.8亿元，增长3.6%，完成全年任务的46%；到位资金5.2亿元，增长3.1%，完成年度任务的17.3%。

【农村社会保障】 2016年，华蓥市城乡居民社会养老保险参保人数8.95万人，待遇领取人数4.33万人；参保缴费人数4.07万人，共征收保费853.41万元；发放城乡居民养老保险养老金3454.69万元，向上争取到位资金3539.02万元。全年累计统筹城乡社会养老保险关系转移193人，转移支出23.81万元。全市适龄参保贫困人员4857人，完成应保人数的100%，已拨付资金31.34万元。

【农村生态建设及环境保护】 2016年，华蓥市已建成7个省级生态乡镇、4个省级生态村、6个省级生态小区、2600余户生态家园，达到生态市建设基本条件。全市乡（镇）拟建13个污水处理厂，已建成11个，除古桥街道生活污水将接入城市污水处理厂外，污水处理厂建成率达84.6%，覆盖率达91.6%。推广“户集、村收、镇清运、市处置”的城乡一体生活垃圾集中收集无害化处置体系；加强农村集中式饮用水水源保护，10个乡（镇）集中式饮用水水源保护区已完成红岩乡罗家湾、高兴镇石门子、庆华镇牛草湾等6个水源地标识标牌的设置，2017年年底将完成剩余4个水源地标识标牌的设置。一级保护区内的污染源已被取缔，水源地水质每半年取样监测1次。溪口镇觉庵村、平桥村和渔槽村3个村成为农村环境连片综合整治打造示范点。

【农村留守儿童帮扶】 2016年，华蓥市有留守学生3531人，占在校学生总数的22.68%。全面开展留守儿童登记建档工作，完善留守儿童动态管理机制，及时更新留守儿童信息。发挥“家长学校”的作用，建立农村留守儿童家庭监护责任监督制度。加强农村留守儿童父母或其他监护人培训和教育，提高监护人对留守儿童监护的法律意识和能力。学校团委、工会等组织充分发挥联系、关爱、服务留守儿童的桥梁纽带作用，积极动员和凝聚社会力量参与留守儿童关爱服务。有针对性地开展“大手牵小手”结对帮扶活动，使他们得到全社会的关爱，健康成长。加强“留守儿童之家”等阵地建设，为留守儿童提供丰富多彩的文体活动、技能培训、沟通交流等自主活动，开展形式多样的关爱教育活动，让他们真正体会到“家”的温暖。关注留守儿童的思想动态、心理表现和情感发展，积极回应留守儿童心理诉求，对有异常表现的及时开展有针对性的心理疏导，加强师生情感沟通交流，努力弥补留守儿童家庭温暖的缺失。

【农产品质量安全监管】 2016年，华蓥市农产品质量安全监督检验检测站建设已全面完成，定性抽检农产品样品3000个，全市农产品质量抽检合格率比年初提高9.8个百分点。

【劳务开发及先进典型选介】 2016年，华蓥市有返乡农民工57881人，其中返乡创业农民工24人。对返乡农民工创办的企业新进员工进行了岗前培训，提升了员工素质。通过不断创新工作方法、简化办事流程、提高贷款额度和规模、扩大受益群体范围等系列措施，重点扶持返乡农民工创业，帮助他们解决后顾之忧。通过举办“春风行动”双选会、现场招聘会等形式，加强区域劳务合作。开展“送政策、送岗位、送培训”进乡（镇）和企业活动，加大政策落实力度，解决农民工就业问题。

彭祖应，2012年创办三和肉牛专业合作社，占地面积321亩，主要为种养殖业，带动就业314人，年收益300万元，吸纳用工人员大部分为农村劳动力。

【主要领导人】 市委书记:肖伟华;市人大常委会主任:刘光文;市长:谭焰;市政协主席:陈云栋;分管农业副市长:王治伟。

华蓥市编写组

岳池县

【基本情况】 2016年,岳池县辖21乡22镇,辖区面积1479平方千米,其中耕地面积126万亩,同比增长0.04%;人均耕地面积1.07亩。年末总人口117.4万人(户籍人口),减少0.6万人;人口出生率0.884‰,增长0.021%;人口自然增长率0.281%,增长0.035%。本地水资源总量5.7亿立方米,人均占有水资源量470立方米。有林业用地57.4086万亩,有林地面积54.501万亩,活立木总蓄积量109.2411万立方米,森林覆盖率达34.1%。

2016年,全县GDP203.6亿元,增长8.2%,其中第一产业增加值41亿元,增长2.7%,农、林、牧、渔及农林牧渔服务业产值之比为49.8∶1.8∶42.6∶4∶1.8;第二产业增加值93.2亿元,增长9.7%;第三产业增加值69.4亿元,增长9.4%。三次产业对经济增长的贡献率分别为6.8%、54.4%、38.8%。劳务输出38.65万人,收入59.62亿元。全年接待游客306.25万人,实现旅游总收入24.58亿元,其中乡村旅游收入13.15亿元。

公路通车里程3468.9千米(其中乡村公路3186.6千米),密度2345.4米/平方千米、29.5千米/万人。社会消费品零售总额102.7亿元,增长13.9%。地方公共财政预算总收入完成10.68亿元,增长16.8%;公共财政预算总支出48.58亿元,增长11.2%,其中农业投入8.37亿元,占支出的17.23%。金融机构各项存款余额318.13亿元,比上年末增长9.52%;各项贷款余额98亿元,比上年末增长5.75%。全县涉农贷款余额58.88亿元,占贷款总额的60.09%,比年初增加3.1亿元。全年农业保费收入0.32亿元,增长0.03亿元,其中处理各项赔款和给付金额1602.6万元,减少16.45万元。

有各类学校306所,其中公办普通高中4所,民办普通高中1所;公办单设初中12所;公办单设小学33所,民办单设小学15所;九年一贯制学校48所;公办中等职业学校1所,民办中等职业学校4所;特殊教育学校1所;公办幼儿园4所,民办幼儿园186所。学生总数145768人,其中普通高中学生15552人、义务教育阶段学生91184人、中等职业学生7850人、特殊教育学生123人、学前教育学生31509人;适龄儿童入学率100%。有艺术表演团体8个,文化馆1个,公共图书馆1个。电视台1座,节目1套。有医疗卫生机构64个,编制病床位2484张,卫生技术人员2350人。新型农村合作医疗参合人数89978人,参合率100%;城乡居民社会养老保险参保缴费人数12.84万人。

【年度农业和农村经济运行】 2016年,岳池县实现农林牧渔业总产值69.1亿元,增长2.3%;农林牧渔业增加值41.8亿元,增长2.8%。农村居民年人均可支配收入12579元,增长9.7%。

农业产业化发展。岳池县累计培育规模以上龙头企业52家,其中省级3家、市级21家;农民专合组织462家,其中省级9家、市级30家;累计培育"一村一品"专业村310个、专业乡(镇)3个。大力推动农产品产地初加工、精深加工,建成年加工20万吨大米的加工厂8个、年加工2万吨蔬菜的泡菜厂4个、年加工3万吨的油菜的籽植物油厂1个、冷库烘干房35座,完善"万村千乡"市场工程300余个,建成冷链物流队伍20余支,建有占地30亩的田头市场1个。改造提升"一园七基地"蔬菜产业基地26万亩,建成净作蔬菜示范区2万亩、粮经复合蔬菜示范区5万亩、林下蔬菜示范区1.5万亩。

2016年岳池县主要农产品产量

主要农产品	单位	产量	同比(%)
粮食	万吨	53.29	0.9
稻谷	万吨	32.2	0.8
小麦	万吨	4.9	-2.2
油菜籽	万吨	2.6	2.3
蔬菜	万吨	75	3.1
水果	万吨	5.4	2.8
肉类	万吨	7.6	-3.9
猪肉	万吨	6.3	-5.2
禽蛋	万吨	1.9	1.3
水产品	万吨	1.54	3
牛奶	万吨	0.06	-0.7

农用地产权制度改革。岳池县农村土地承包经营权、农村房屋、宅基地、集体建设用地等农村集体产权确权颁证工作基本完成。农村土地确权登记颁证工作已完成26.27万户,确权率达94.46%;颁发林权证5000余本;新增土地流转面积3.01万亩,流转总量达32万亩;发放农村机电提灌站产权证书259本;农村小型水利工程确权改革试点工作有序推进,发放各类产权证书110本。农村产权抵押融资贷款规模逐步扩大,农村产权抵押融资授信14户、980万元,发放贷款36笔、1767万元,累计发放贷款64笔、2938万元,余额49笔、1606.14万元。

农产品品牌战略实施。岳池县认证番茄、辣椒、柑橘等无公害农产品31个、99.26亩、102.48万吨,西瓜、花椰菜、大米、芦笋、山药等绿色食品20个、12415亩、22817吨,有机产品(葡萄)1995亩、2100吨,全县"三品一标"农产品认证面积达农产品种植总面积的51.5%。注册农产品商标1120个。

【种植业】 2016年,岳池县农作物种植总面积197.73万亩,其中粮食作物种植面积135.1万亩,产量53.18万吨;油料作物种植面积24.54万亩,产量3.08万吨;蔬菜面积32.3万亩,产量75.03万吨;水果面积5.5万亩,产量8.11万吨;药材面积10095亩,产量537吨;蚕桑发种27300张,产茧91.6万千克。提质扩面产业基地,围绕双百农业园区提档升级大小环线、九龙石垭"千万工程"粮经产业基地5.6万亩、优质蔬菜基地3.5万亩、现代农业产业标准示范基地1.6万亩、特色水果基地1.3万亩、水稻高产示范片7万亩、油菜高产示范片4万亩,新建北部山区干果基地1.84万亩。全年种植绿色水稻15万亩、优质蔬菜56万亩、优质水果5.5万亩、中药材5.1万亩、干果17万亩,配套发展循环农业1.7万亩。

【林业】 2016年,岳池县林业产业造林面积1707公顷,实现林业总产值11.3亿元。完成营造林面积2133公顷;完成新一轮退耕还林93公顷、荒山造林133公顷、天保工程公益林133公顷,巩固退耕还林成果后续产业种植面积 453 公顷，新增巩固退耕还林成果造林 467 公顷；建成林业产业基地 58 个、13267 公顷。采取“公司+基地+合作社+农户”等多种方式大力发展干果产业，引进林业企业及专合组织 67 个，建成干果产业基地 58 个、面积 16.99 万亩。培育四川绿鸿源生态农业开发有限公司、岳池县绿鑫生态种养殖专业合作社、岳池县大龙山花椒种植专业合作社、岳池县林典藤椒专业合作社等林业企业（合作组织），示范带动发展以核桃、花椒为主的特色干果产业，其中岳池县长田香藤椒种植专业合作社被认定为全国林业专业示范合作社，岳池县大龙山花椒种植专业合作社被认定为四川省林业专业示范合作社。

【畜牧业】 2016 年，岳池县分别出栏生猪、牛、羊、兔、家禽 90.67 万头、0.63 万头、4.59 万只、64.35 万只、692.39 万只，肉类总产量 7.55 万吨、禽蛋总产量 1.96 万吨，实现畜牧业产值 27.12 亿元。

【水产业】 2016 年，岳池县新建渔业基地 9 个，创建水产专业合作社 5 个，全县渔业养殖面积 46000 亩（不含稻田养鱼面积），水产品总产量 1.54 万吨，实现渔业产值 2.92 亿元，占农业总产值的 7.8%，农民人均渔业收入 430 元，专业化、规模化养殖效益明显。大力发展大口鲶、武昌鱼、青波、黄腊丁、澳虾、乌鳢、甲鱼等名优新水产养殖，名特优水产品产量达 5500 余吨，占水产品总产量的 37%。拥有各类捕捞渔船 157 艘。

2016 年岳池县家庭农场经营情况统计表（前 10 位）

家庭农场名称	注册资金（万元）	法人代表	年度产值（万元）	行业分类	主营业务
岳池县普安镇文昌寨生态家庭农场	2800	田洪树	600	种养殖业及加工业	农业、林业种植、鱼养殖、农家休闲、酿酒厂
岳池县白庙镇万兴家庭农场	1100	赵泽勇	200	养殖业	肉牛养殖及销售
岳池县大石乡三生有幸康养家庭农场	500	尹光华	120	种植业	粮食、水果、蔬菜种植
岳池县大石乡三桃园休闲家庭农场	500	杨均	130	种植业及旅游业	苗木、果树、蔬菜、旅游观光
岳池县石垭镇扬名生态家庭农场	200	杨纯明	40	种植业	葡萄、辣椒种植
岳池县普安镇鑫源土鸡家庭农场	110	李思珍	30	养殖业	土鸡养殖及销售
岳池县白庙镇发顺生态养殖家庭农场	110	肖华	28	养殖业	土鸡养殖及销售
岳池县坪滩镇龙洞水粟氏家庭农场	100	粟立君	25	养殖业	肉牛养殖及销售
岳池县龙孔镇歧源家庭农场	100	胡波	25	养殖业	种猪、育肥猪养殖
岳池县白庙镇雪平家庭农场	100	冯雪平	25	种植业	核桃种植及销售

【统筹城乡与新型城镇化】 2016 年，岳池县启动县城总规、老城区控制性详细规划、城东商贸物流园控制性详细规划修编并完成初步设计成果，编制农家文化旅游区规划与旅游脱贫示范片区发展规划。新开工房地产项目 15 个、56 万平方米，城镇面积达 56.4 平方千米（其中县城 22.9 平方千米、乡镇 33.5 平方千米），城镇化率达 35.7%。融入海绵城市和智慧城市建设理念，完成余家河公园和洗马河公园建设，采用 PPP 模式投资近 35 亿元开工建设城东新区姚家河公园、文体公园、龙湖公园、龙藏大道、土门路、地下综合管廊、锦绣新城、东城明珠棚改项目等 13 个重点项目。精心打造“欢乐原乡”文创公园，建设城市规划展示中心，市政功能进一步完善。开工建设保障性住房 3886 套，完成 D 级农村危房改造 678 户，启动实施 C 级农村危房改造 1718 户，分配公租房 433 套，真正让住房困难群众得到实惠。建成 7 座乡（镇）污水处理站和 22 所乡（镇）标准厕所，实现 17 个村庄生活垃圾有效治理，城乡环境进一步改善。

【新农村建设】 2016 年，岳池县投入资金 9093.7 万元用于基础设施及公共服务设施建设。建成幸福美丽新村 128 个，其中扶贫新村 52 个；建成农村廉租房 1295 套，改善了贫困村生产生活条件，调动了贫困户脱贫奔康、共建幸福美丽新村的主动性、积极性。深入开展“洁净水”行动，大力开展农村院落综合治理，加强垃圾池、排水渠等环卫设施建设，促进新村人居环境持续改善。

【脱贫攻坚】 2016 年，岳池县累计投入 9.4 亿元，完成易地扶贫搬迁 792 户、2867 人，危房改造 2552 户；帮助发展生产和就业 9975 人，实现了有劳动能力的贫困家庭每户有 1 人就业；将 1.5 万户、2.9 万人纳入低保兜底；新农合参合率达 100%，贫困户个人承担县域内合规住院医疗费用实现“零支付”。新建通村水泥路 130 千米、卫生室 25 个、文化室 47 个。制定《扶贫小额贷款三年规划》，全年累计发放扶贫小额信贷 5629 笔、27367 万元。共募集各类帮扶资金 4300 余万元，帮助贫困村改善基础设施、发展增收产业。为贫困户发放棉被 17048 床、棉大衣 15817 件，开办农民夜校 64 所。全年共完成 47 个贫困村 4419 户、14808 名贫困人口减贫任务，全县贫困发生率由 8.9%下降至 4.3%。探索“龙头企业+专合组织+贫困户”“龙头企业+村集体+贫困户”发展模式，新培育农业龙头企业、农民专业合作社、家庭农场等新型农业经营主体 100 余个，新增土地规模经营面积 5.11 万亩。

【乡村旅游】 2016 年，岳池县大力发展乡村旅游，重点推进文化旅游园区、现代农业园区休闲农业和乡村旅游项目建设，打造集农业示范、体验采摘、观光休闲等功能于一体的乡村旅游景区。围绕用好“中国农家乐之源”名片，坚持“农旅结合、文旅融合”的思路，大力发展以白庙农旅结合示范带、顾县马家健康旅游为重点的乡村旅游。全年举办白庙樱花节、排楼李花节、岳池农家旅游文化节等乡村旅游节会 11 次。创建省级乡村旅游示范村 3 个、民俗达标户 8 户；培育星级农家乐 3 家，指导培育乡村旅游特色业态 4 家；新开发旅游商品 2 种，培育旅游商标 8 个；新增完善乡村旅游标识标牌 100 套。全年乡村旅游接待人数达 194 万人次,实现收入 13.15 亿元。

【返乡创业之星选介】 陆思龙,生于 1990 年,2013 年毕业于成都理工大学广播影视学院。2015 年创建"银城花海"项目。该项目位于大石乡,紧邻广岳大道,交通便利,项目一期占地 400 余亩,其中包括花海观赏区、草坪活动区、儿童娱乐区、特色烧烤区、棋牌娱乐区、休闲垂钓区、生态果蔬区、亲子活动区、拓展训练区、花卉育苗区、观景餐厅,于 2016 年 9 月正式营业,通过近一年的运营,接纳游客近 10 万余人次,带动周边就业 60 余人。

夏艺,2011 年毕业于重庆电子工程学院土木工程系,先后在万科、天木集团工作,2015 年返乡创业。2016 年 3 月,夏艺成立了成都巨彩装饰有限公司,公司总投资 180 万元,是广安地区最大的家装整装公司,有管理人员 78 人,拉动了附近 30 家以上材料商的产业发展,解决了 200 余人的就业问题。

【主要领导人】 县委书记:郑鹏程;县人大常委会主任:曾邦才;县长:汤才勇(5 月止),谭云(6 月始);县政协主席:谢帮勇;分管农业副县长:姚长琼(9 月止),刘永红(10 月始)。

岳池县编写组

武 胜 县

【基本情况】 2016 年,武胜县辖 31 个乡(镇、街道),有农业人口 70.9 万人,有耕地面积 867825 亩,与上年基本持平;基本农田 5.1011 万公顷。

【年度农业和农村经济运行】 2016 年,武胜县实现农业总产值 657917 万元,增长 2.4%;农业增加值 389656 万元,增长 2.9%。农民年人均可支配收入 12596 元,增长 9.6%。

农业产业化发展。武胜县累计发展农业龙头企业 34 家,建立农民专业合作社 340 个,培育家庭农场 79 家,发展种养大户 2044 户。

2016 年武胜县家庭农场经营情况统计表(前 10 位)

家庭农场名称	注册资金(万元)	法人代表	年度产值(万元)	行业分类	主营产品
武胜县蜀洲种植家庭农场	100	刘恭秀	150	种植业	花木、水稻
武胜县洪轩家庭农场	1000	唐洪轩	250	种养殖业	粮果、生猪、肉牛
武胜县兴中种植家庭农场	50	刘兴中	80	种植业	水稻、莲藕
武胜县金银养殖家庭农场	500	石金银	200	养殖业	生猪
武胜县兴华养殖家庭农场	200	王兴雨	150	养殖业	生猪
武胜县民心养殖家庭农场	200	李春菊	100	养殖业	生猪
武胜县姐妹养殖家庭农场	100	谭利均	80	养殖业	生猪
武胜县晓燕养殖家庭农场	80	宋晓燕	200	养殖业	生猪
武胜县大平安养殖家庭农场	80	陈平	120	养殖业	生猪
武胜县泰旺养殖家庭农场	100	陈开太	280	养殖业	生猪

【种植业】 2016 年,武胜县粮食播种面积 94.63 万亩,产量 34.24 万吨,其中大春粮食播种面积 66.43 万亩,产量 28.57 万吨(水稻播种面积 30.97 万亩,产量 17.25 万吨;玉米播种面积 12.71 万亩,产量 4.99 万吨;豆类播种面积 14.77 万亩,产量 2.01 万吨;薯类播种面积 27.26 万亩,产量 8.02 万吨);小春粮食播种面积 28.2 万亩,产量 5.67 万吨(小麦播种面积 7.7 万亩,产量 1.61 万吨;马铃薯播种面积 19.88 万亩,产量 3.86 万吨)。油料作物播种面积 17.28 万亩,油料产量 2.19 万吨。

【林业】 2016 年,武胜县完成营造林 2.76 万亩,新增森林蓄积 1.891 万立方米,森林覆盖率达 40.67%。落实天保森林管护面积 13.45 万亩,巩固退耕还林成果面积 8.7 万亩。"洁净水"行动完成人工造林 0.51 万亩;完成森林抚育 0.5 万亩。新建现代林业产业基地 1.71 万亩,其中泡桐、香椿短周期木质工业原料林等 0.47 万亩;特色经济林基地 1.24 万亩,其中核桃 0.55 万亩、花椒 0.04 万亩、柠檬 0.36 万亩、其他 0.29 万亩。

【畜牧业】 2016 年,武胜县出栏生猪 95.9294 万头,存栏 80.2424 万头,其中能繁母猪存栏 8.7544 万头;出栏肉牛 1.179 万头,存栏 1.4692 万头;出栏肉羊 9.2031 万只,存栏 5.3912 万只;出栏家禽 724.1211 万只,存栏 575.4993 万只;出栏肉兔 147.2839 万只,存栏 46.3299 万只。全年实现畜牧业产值 29.5794 亿元。建成年出栏肉猪 1000~9999 头的标准化规模养殖场 4 个、500~999 头的标准化规模养殖场 1 个;年出栏肉禽 10000 只以上的标准化规模养殖场 2 个、出栏肉牛 100 头以上的标准化规模养殖场 3 个、出栏肉羊 300 只以上的标准化规模养殖场 1 个。

【水产业】 2016 年,武胜县依托丰富的水面资源加大科技兴渔力度,形成了龙头企业带头、业主牵动、农户参与的生产格局。全年水产品总产量 2.2 万吨,实现渔业经济总产值 3.7 亿元;新建渔业基地 1 个。

【统筹城乡与新型城镇化】 2016 年,武胜县着力城区建设,县人防工程、二污处理厂及配套管网工程、乡(镇)污水处理站新改扩项目、乡(镇)配套污水管网工程、街子产业新城污水处理厂及配套管网工程、县城旧城区改造、市政道路、自来水二厂等一批重大项目有序推进,城市功能有机衔接,基础设施不断优化,人居环境有效改善。落实"注重三大功能,突出三大特色,创新三大机制"总体要求,梯次推进 9 个市定特色小城镇和 20 个县定特色小城镇建设,建成特色街区 5 条、污水处理站 27 个、农贸市场 9 座、休闲广场 6 处、公办幼儿园 15 所、标准化厕所 29 座、垃圾中转站 5 座,硬化黑化亮化道路 10 千米,一批特色鲜明的商贸、工业和旅游镇逐步形成。

【新农村建设】 2016 年,武胜县围绕全面建成小康社会和脱贫攻坚目标任务,按照省委省政府提出的建设“业兴、家富、人和、村美”的总体要求,以促进农民增收为核心,以改善农村条件为重点,以美化农村环境为关键,扎实推进“四好村”建设。全县建成幸福美丽新村 128 个,成功创建省级“四好村”23 个、市级“四好村”82 个、县级“四好村”98 个。

【扶贫攻坚】 2016 年,武胜县严格按照“六个精准、五个一批”工作要求,不断推动脱贫攻坚工作取得新成效,全县减贫 9714 人,18 个贫困村顺利退出,贫困发生率下降至 4.3%,相继接受了省级验收考核抽查和第三方评估检查,脱贫成效获得好评。

实施五大举措,精准施策出实招。一是深化精准识别管理。充分运用“互联网+精准扶贫”模式,建立完善“六有”数据平台,构建县、乡、村扶贫信息网络,实现上下联动、资源共享、信息互通,做到人有名、户有卡、村有册、乡有薄、县有电子档案。按照扶贫资料档案化、精细化、程序化的思路,全面推行精准扶贫痕迹管理模式,建立《武胜县精准扶贫痕迹管理记录簿》,实现精准扶贫、精准脱贫痕迹可追溯、可查询、可评价、可问责,杜绝“数字脱贫”现象。探索建立“二维码”APP 平台,将贫困户和贫困村的基本情况全部生成“二维码”,通过微信“扫一扫”功能即时查询,实现管理便捷化、措施个性化、进度透明化、监督社会化,确保脱贫工作更加扎实有效。二是开展干部驻村帮扶。严格落实“五个一”驻村帮扶机制,每个贫困村都安排了 1 名县级领导联系,安排 142 个单位进行定点帮扶,组建了 133 个驻村工作组,从帮扶单位优选 133 名年轻党员干部到贫困村担任“第一书记”,派驻贫困村农业科技人员 133 名,133 个贫困村实现“五个一”驻村帮扶全覆盖。三是落实扶贫规划措施。按照“一低五有”贫困村退出标准和“一超过、两不愁、三保障、三有”贫困户脱贫标准,坚持问题导向,锁定目标、多措并举,综合施策、全力补短,推进基础设施建设、产业发展、新村建设、公共服务、生态扶贫规划“五到村”,落实助农增收、能力提升、生活改善、特殊救助、精神文明措施“五到户”。全县建成通村道路 170 千米,整治山坪塘 168 口,新增晚熟柑橘、特色蔬菜等产业 9050 亩,新建电商物流服务站 54 个、标准卫生室 30 个、文化室 31 个,打造 30 个文化院坝及文体活动广场。四是建立兜底保障机制。坚持政策兜底与特殊兜底相结合,依托低保、医保、大病救助等政策,切实保障贫困户基本的“衣食住行医”。对全县纳入低保政策兜底的 4368 名贫困群众人均补助 180 元/人/月,将农村最低生活保障标准每人每年 2280 元提高到 3120 元,实现农村最低生活保障标准与扶贫标准两线合一。同时,将特困供养人员、低保对象、贫困家庭人员全部纳入医疗救助范围,资助参合、参保 53086 人,参合率、参保率均达 100%。五是发挥群众主体作用。坚持以社会主义核心价值观为引领,常态化推进法律、卫生、科教等宣传教育,开展“最美家庭”“好媳妇”等创评活动,积极引导贫困户形成健康、文明、科学的好风气、好习惯,靠辛勤劳动改变贫困落后面貌。同时,按照“业兴、家富、人和、村美”的要求,扎实开展“四好村”创建活动,力争到 2020 年,全县 90%的行政村创建为县级“四好村”,75%的行政村创建为市级“四好村”,65%的行政村创建为省级“四好村”。

强化五大保障,精准推进下实功。一是强化责任保障。构建“县级领导带头带领、乡(镇)主体责任、部门及工作队帮扶责任、村‘第一书记’具体责任”的责任体系,逐级分解落实工作任务、压实工作责任。县与乡(镇)、乡(镇)与村层层签订脱贫攻坚责任书,逐级立下“军令状”。健全“片为重点、工作到村、扶贫到户”的工作机制,建立督查问责机制,实行“周督查通报”制度,制定责任追究办法,对脱贫攻坚实行严格的督查问责,确保分工明确、责任清晰、任务到人、考核到位,推动工作落实。二是强化投入保障。加大财政投入,县本级财政每年安排 3000 万元扶贫专项资金,新增财力优先保障扶贫专项资金增支需要。坚持以扶贫攻坚规划为引领,加大各类项目资金的统筹整合力度,重点推进涉农资金整合,对同一区域同步投入、集中使用。落实财政贴息政策,加大对贫困村农业产业化项目固定资产投资贷款财政贴息力度,开展农村危房改造信贷贴息试点,引导金融资本支持贫困村发展。大力推广政府和社会资本合作(PPP)模式,引导社会资本投向贫困地区。县财政安排贫困户“三建四改”和产业发展资金贷款 5000 万元,向上争取财政专项扶贫资金 3949 万元,整合各类涉农和民生资金 5215 万元,吸纳各类社会资金 4700 万元投入扶贫开发。三是强化组织保障。成立以县委县政府主要领导为组长的脱贫攻坚领导小组,负责全县扶贫开发工作的统筹、督查、考核。壮大扶贫工作力量,明确县扶贫移民办主任进县政府党组,为县扶贫移民办增加 6 个编制,从全县优选 6 名科级干部、13 名干部充实到县脱贫攻坚领导小组办公室,每个乡(镇)均配备 1 名专职扶贫干部。同时,县上分河东、河西两片成立县脱贫攻坚作战室,31 个乡(镇)和 133 个建档立卡贫困村分别建立乡(镇)、村脱贫攻坚作战室。四是强化社会保障。牢牢把握精准扶贫舆论导向,全方位、多层次、广角度地宣传报道全县精准扶贫政策、先进典型等情况,激发和调动全社会参与精准扶贫的热情和积极性。开展城乡党组织结对共建活动,组织 133 个机关、企事业单位、非公有制企业与贫困村结对帮扶。开展党员“爱心扶贫”行动,鼓励和支持党员参与扶贫志愿者行动,构建以党员为引领的扶贫志愿服务网络。积极引导社会扶贫,探索能人带动扶贫、大户帮助扶贫、招商引资扶贫、专合组织服务扶贫等社会扶贫模式,推动形成政府、市场、社会协同参与的大扶贫格局。五是强化改革保障。扎实推进农村改革,完成农村土地承包经营权确权颁证登记工作,配套建立农村产权交易体系,武胜县被确定为全国农村承包土地经营权抵押贷款试点县、全省农村改革综合试验区、全省农村集体资产股份合作制改革试点县、农村产权抵押融资试点县、财政支农资金形成资产股权量化改革试点县、激励农业科技人员创新创业试点县。

推进五项创新,精准落地见实效。一是推进民主党派扶贫。充分利用 7 个民主党派省委联系武胜的政治优势,开展“多党合作 · 同心共建 · 脱贫奔康”系列活动,探索完善“一党派一品牌一区域一领域一贫困村”共建模式,推行“一领导一联络小组一部门一联络员”工作机制,各民主党派省委共支援帮扶资金 1460 万元用于贫困村建设,帮助全县争取项目资金 2.8 亿元,帮助联系贫困村按照“一低十一有”(贫困发生率低于 3%,有集体经济、硬化公路、卫生室、文化室、通信网络、电商服务站、污水处理站、村史馆、同心广场、统战宣传展示、同心示范院落)标准实现高标准退出,打造了党派扶贫试点示范。二是推进电商扶贫。坚持以贫困村为对象,以持续增加贫困群众收入为核心,按照“政府领导、商务主管、部门配合、协会牵引、企业建设”的模式,依托武胜农副产品“网上集市”和“特色武胜 123”电商交易平台,落实“六个一举措”(建好一套电商扶贫工作机制、打造一个本土电商平台、包装一批特色农户产品、拓宽一个产品销售渠道、建设一批电商物流服务站、培训一批农村电商人才),大力发展农产品电子商务,推动农特产品进城、工业产品下乡,打造助农增收、精准脱贫“新引擎”。建成县级电商物流服务中心1个、乡(镇)级电商物流分中心5个、村级电商物流服务站54个。三是推进教育扶贫。充分利用省教育厅对口帮扶武胜契机,借助教育厅联系各大科研院校优势,积极对接省内各大高校,开展“校地联动、精准扶贫”,按照“救助一批贫困大学生、培训一批农村技能人才、选派一批乡风文明倡导者、发展一个校地合作项目”的工作思路,一个科研院校联系一个贫困村,扎实带动贫困村、贫困户脱贫致富,打造武胜县教育行业扶贫特色品牌。四是推进商会扶贫。按照“五个一”帮扶策略,引导重庆、成都、浙江等9个异地商会与9个贫困村结成帮扶对子,帮助贫困村发展增收产业、培养致富带头人、结对帮扶贫困人口、改善生产生活条件、带动村集体经济。云南武胜商会、成都武胜商会等商会为贫困村捐资助学、修路、修厕、发展产业,共计投资6005万元。五是推进人才扶贫。设立脱贫攻坚人才专项资金,通过高校人才引进、对口支援帮扶、院县合作等方式引进高层次人才11名,吸纳17名民主党派中青年骨干成员到武胜县挂职,公开招聘教育、卫生等专业技术人才500余名。大力实施“人才回引”工程,回引万隆镇飞来石村曹勇、鸣钟乡龙庙村刘安平、白坪乡蒋兴海等30余名在外能人返乡创业,发展果蔬种植、畜禽养殖产业,带动21个贫困村、850余户贫困户发展产业。

【乡村旅游】 2016年,武胜县把发展乡村文化旅游作为新农村建设的新亮点、农民增收的着力点、城乡统筹的突破点来抓,乡村旅游发展迅猛。成功创建为四川省乡村旅游扶贫示范区,发展乡村旅游扶贫示范村5个(梅托村、大石村、农林村、石桥沟村、隘口村)、乡村旅游民宿达标户16户;白坪—飞龙乡村旅游度假区被国家旅游局确定为全国旅游扶贫示范项目;飞龙镇莲花坪村、三溪镇观音桥村、中心镇环江村被列为中国传统村落名录。全县乡村旅游接待游客386万人次,乡村旅游已成为全县旅游的新亮点和农民增收的重要渠道。

【全国第二批农村改革试验区经验介绍】 2016年,武胜县以增加农民收入为核心,以破解“三农”发展难题为已任,坚持“创新、协调、绿色、开放、共享”发展理念,坚持深化农村改革主攻方向,明产权、搭平台、构体系、健机制,深化农村改革已有成果,探索农村改革新路径、新方法,深入推进农村各项改革,重点推进中、省、市农村改革试点,农村产权制度改革、放活土地经营权、培育新型农业经营主体、完善社会化服务体系和金融支持农业发展等改革效果明显。

农村产权制度改革。一是扎实推进农村土地承包经营权确权登记颁证工作,启动土地流转颁证抵押贷款试点改革,接访处理土地纠纷案件313件,完成全县各乡(镇)的一、二轮纠错确认签字工作并为136个组颁发了证书;农村集体林权制度改革再次进行全面清理核查,农村林权改革落实到位。二是印发了《武胜县农村产权流转交易市场体系建设方案》,农村产权交易体系基本建成,成立县级农村产权交易中心、农村产权价值评估中心,农村产权交易网站已通过成都市农村产权交易所开通运营;搭建三级联动信息平台,县上建立农村产权交易中心并设定了专门流转交易场所,各乡(镇)建立农村产权交易服务站,各村设立交易代办点。三是坚持“因地制宜、分类指导,公开公正、发扬民主,规范操作、保持稳定,封闭运行、风险可控”的原则,以“农村基本经营制度不动摇,理顺农村集体经济组织收益分配关系”为主线,以保护农村集体经济组织及其成员合法权益为核心,以明晰和保障农村集体资产的产权主体为重点,深入推进农村集体资产股份合作制改革。全县45个村已完成资产清理与成员界定工作,股权量化工作顺利推进。四是印发了《武胜县财政支农资金形成资产股权量化改革试点工作实施方案》,先后在新时代农机专业合作社、武胜县中太家禽养殖专业合作社、飞龙镇卢山村试点,成立股权量化工作小组,召开社员大会,通过量化程序、量化办法分类列出财政支农资金量及需要进行股权量化的量并制订了详细操作方案。

放活土地经营权,发展适度规模经营。一是工作机制不断创新。研究制定《武胜县农村土地流转经营权证登记管理办法》,探索建立农村土地所有权归集体、承包权归农户、经营权可流转的“三权分置”模式,最大限度放活农村土地经营权,全年办理土地流转经营权证76本。二是土地流转成绩突出。通过有偿使用、入股分红等方式,全县流转土地17.36万亩,涉及农户4.02万户。三是生产经营规模适度。建成万亩现代农业示范区3个,建成畜禽标准化规模养殖场(小区)189个、优质水果基地16.5万亩、优质蔬菜基地9.2万亩、渔业基地3个、无公害水产品基地1个、国家级水产健康养殖示范基地1处、蚕桑基地16个、蚕桑特色村19个、现代林业产业基地1.36万亩。依托产村相融建设,打造出宝箴塞旅游区和白坪—飞龙乡村旅游示范区。

新型农业经营主体发展。坚持“以农业园区和各类农业产业基地为重点,成熟一个发展一个,发展一个成功一个”的思路,采取政策引导、财政鼓励、银行支持等措施,结合农业科技推广、农业项目实施、农业产业化和现代农业园区建设等,着力抓好全县农业企业、农民专业合作社、家庭农场、专业大户等新型农业经营主体工作。建立“专业大户+基地”的家庭经营、“合作社+基地+农户”的合作经营、“龙头企业+基地+农户”或“龙头企业+合作社+基地+农户”的企业经营模式,采取“村委会+企业、合作社”“基地等村集体经济+农户”的集体经营推进村级集体经济展。在重点推广区域实现年农民人均纯收入高于全县30%以上。建立和完善新型农民培育机制、政策扶持机制和投入保障机制。出台了《武胜县促进现代农业发展奖补办法》,其中制定和完善返乡农民工创业规划和扶持政策,成立返乡农民工创业基地,创立农产品加工、营销企业和农业社会化服务组织,扶持有技能和经营能力的农民工返乡创办家庭农场、领办农民合作社。

农业社会化服务体系。充分发挥县、乡(镇)农业公益性服务机构作用,大力培育多种形式的农业经营性服务组织,深入开展以政府向农业经营性服务组织购买服务、定向委托、奖励补助等方式参与的农业公益性项目,健全覆盖全程、综合配套、便捷高效的社会化服务体系。一是农业生产经营服务体系不断完善。推行合作、订单、托管等方式,支持新型农业经营主体开展社会化服务。二是农业科技服务体系初见成果。开展农业科技服务,加快推进职业农民培训,累计完成培训20.6万人次。与四川农业大学等高校建立长期科技支撑战略合作关系和开展人才交流培训活动。三是农业信息服务体系初具雏形。推进城东商贸新区川渝合作农副产品加工园和电子商务产业园建设,发展农村电子商务。

农村金融改革。一是“三农”金融服务贴心农民。武胜信用联社成功改组农商银行,创新“三农”服务项目;引进中银富登村镇银行。县农业银行等金融机构创新信贷产品,争创农民贴心的金融机构。二是快速推进农村产权抵押融资试点工作扩点扩面,印发《扩大农村产权抵押融资试点工作的通知》。同时,结合全国农村承包土地经营权抵押贷款试点工作,引导鼓励邮储银行武胜支行、农行武胜支行、武胜农商银行、中银富登村镇银行4家金融机构参与农村产权抵押融资,实现农村产权抵押融资贷款192笔、11019万元。三是探索农村党员信用快贷。以飞龙镇梅托村、五家岩村和鸣钟乡龙庙村、小寨村为试点开展党员信用快贷工作，发放贷款 15 万元。

推进农业科技体制改革。坚持科技兴农、人才强农，建立完善与农业类高校、农业科研院所全方位、深层次、长时间合作机制。打破部门条块分割，有效整合科技资源，建立协同创新机制。加大农业科技人员培养培训力度，强化对科技人员的激励机制，鼓励科技人员创新创业，促进农业科技人才的更新和科研成果的转化。完善基层农技推广服务体系，探索公益性农技推广服务的多种实现形式。出台了《关于印发〈武胜县激励农业科技人员创新创业专项改革实施方案〉和〈武胜县激励农业科技人员创新创业实施细则〉的通知》。

农村基层治理机制。深入开展依法治村，完善村民自治章程和村规民约，健全村务公开、一事一议等协商民主决策机制，搭建农民参与村级事务平台。

【重点乡镇选介】 白坪乡，位于武胜县城东北部，是广安、武胜、岳池三地的中心结合部，国道 350 线、省道 304 线、遂广高速、岳武路于境内交汇，距县城 9 千米、遂广高速飞龙互通 1 千米、南渝高速入口 7 千米、兰海铁路羊城站 28 千米，是岳武广交通的枢纽、物资集散的桥梁。全乡辖 15 个行政村 1 个社区 149 个社，总户数 6348 户，总人口 23399 人，场镇常住人口 1786 人；辖区面积 27.9 平方千米，有耕地面积 12270 亩；下设 17 个党支部，有党员 615 人。白坪—飞龙乡村旅游度假区成功创建为全国 4A 级旅游景区；高洞村先后被评为四川省“环境优美示范村庄”、第三届四川省文明村镇，被中央电视台评为“全国十大最美乡村”，被住房城乡建设部评为“宜居村庄”。

飞龙镇，位于武胜县东北部，距县城 13 千米，东北面与岳池县乔家镇、朝阳乡交界，南与白坪乡接壤，西与三溪镇、鸣钟乡为邻，岳武路穿境而过，遂广高速纵贯全境。全镇辖 15 个村 1 个社区 157 个村（居）民小组，辖区面积 26.6 平方千米，有耕地面积 18465 亩；总人口 26253 人，其中非农业人口 3457 人。境内建有县属中型水库五排水库、小(2)型水库麻柳湾、长红水库，拥有县级以上重点文物保护单位——飞龙武庙、观音阁寺庙及“鸳鸯木井”等多处历史人文景观，吸引中央电视台等众多媒体前往采访报道；独具地方特色与民俗风味的“竹丝画帘”传承百年，享誉海内外。飞龙镇被文化部授予“中国民间艺术之乡”；地方特色产品飞龙镇太阳面、飞龙镇猪肝面远近闻名。

【主要领导人】 县委书记：毛加庆；县人大常委会主任：杨承林；县长：文阁；县政协主席：张利纯；分管农业副县长：刘勇。

武胜县编写组

邻水县

【基本情况】 2016 年，邻水县辖 24 乡 21 镇，辖区面积 1919 平方千米，其中耕地面积 62.17 万亩，比上年增长 0.05%，人均耕地面积 0.6 亩；基本农田 94.64 万亩。年末总人口 1042875 万人（户籍人口），增长 0.43%；人口出生率 9.41‰，增加 1 个千分点；人口自然增长率 3.58‰，增加 1 个千分点。全县耕地有效灌面和保证灌面分别达到耕地总面积的 65.26%和 31%；本地水资源总量 10.486 亿立方米，人均占有水资源量 1005 立方米。有林业用地 8.04 万公顷，有林地面积 6.96 万公顷，活立木总蓄积量 366.3 万立方米，森林覆盖率达 41.9%。

2016 年，全县 GDP211.9 亿元，增长 8.4%，其中第一产业增加值 41.6 亿元，增长 3.2%，农、林、牧、渔及农林牧渔服务业之比为 54 : 3 : 27 : 7 : 4；第二产业增加值 97.5 亿元，增长 4.3%（工业产值 211.9 亿元，增长 15.2%）；第三产业增加值 71.5 亿元，增长 14.1%。三次产业对经济增长的贡献率分别为 15.4%、61.3%和 23.3%。乡（镇）中小企业有从业人员 16748 人。全年接待游客 681.27 万人，实现旅游总收入 432167 万元，其中乡村旅游收入 97581 万元。

公路通车里程 3994.615 千米（其中乡村公路 3729.962 千米），密度 2074.68 米/平方千米，38.61 千米/万人。社会消费品零售总额 92.8 亿元，增长 13.7%。地方公共财政预算总收入完成 9.7 亿元，增长 18.5%；公共财政预算总支出 46.8288 亿元，增长 15.2%，其中农业投入 71452 万元，占支出的 15.3%。金融机构各项存款余额 23.58 亿元，比上年初增长 12%；各项贷款余额 99.34704 亿元，比年初增长 12.32%，其中支持农业产业化发展项目贷款 59.48.2 万元。全年农业保费收入 0.375 亿元，增长 16%，其中处理各项赔款和给付金额 1188 万元，增长 10%。农业产业化龙头企业省级、市级、县级分别为 3 家、7 家、15 家。

有各类学校 125 所，在校学生 133196 人，教职工 7972 人，其中普通中学 24 所，在校学生 36854 人；小学 34 所，在校学生 54973 人；学龄儿童入学率 98.63%，提高 0.13 个百分点。完成省级以上科技成果 9 项，1 项科技成果获得省级及以上科技进步奖。有艺术表演团体 3 个，文化馆 1 个，公共图书馆 1 个，博物馆 1 个。有卫生机构 61 个，病床位 2476 张，卫生技术人员 2764 人。新型农村合作医疗参合人数 84.93 人，参合率 99.94%；城乡居民养老保险参保人数 239946 人，参保率 98.5%；被征地农民养老保险参保人数 23.61 万人，占总人数的 5.6%。

【年度农业和农村经济运行】 2016 年，邻水县实现种植业总产值 39.71 亿元，增长 5.6%；种植业增加值 27.9.59 亿元，增长 10.3%。农民年人均可支配收入 12195 元，增长 9.7%。全县农产品质量抽检合格率比年初提高 1 个百分点；建成 1 个基层农业综合服务站。

农业产业化发展。邻水县打造了缪氏庄园、金谷源、北京万氏草莓园、临水缘等适度规模经营示范园区；鼓励和支持有条件的农民专业合作社发展农业社会化服务，形成了以盛世种业为代表的农业社会化服务团队。引进重庆正大农牧集团，按照托管保底、合资兜底等利益联结方式投资 28 亿元开展肥猪养殖项目。全县共注册农民专业合作社 676 个，其中国家级示范社 5 个、省级示范社 20 个、市级示范社 21 个；培育家庭农场 30 家、龙头企业 29 家。

农用地产权制度改革。邻水县农村集体林权确权登记颁证工作全面完成；农村土地承包经营权确权登记工作通过省上验收，成果达到“优秀”等级；农村集体土地所有权、集体建设用地使用权、宅基地使用权、小型水利所有权确权登记工作全面铺开。出台了《关于进一步扩大农村产权抵押融资试点范围实施方案》，将信用社、中银富登纳入农村产权抵押融资试点范围，鼓励和引导邮储银行将农村闲置房屋、土地等资产资源纳入抵押范围。

农产品品牌战略实施。邻水县将农产品品牌培育工程建设作为提高农业综合生产能力的重要手段，积极实施农产品品牌战略，强化品牌意识，开展品牌宣传。“邻水脐橙”先后通过国家质检总局地理标志产品保护认证、农业部地理标志产品认证和国家工商总局地理标志证明商标注册认证并成功申报为中国驰名商标。全县完成无公害农产品生产基地整体认证，培育认证无公害农产品 46 个、绿色食品 4 个、有机转换产品 3 个；累计培育注册农产品商标 98 个，其中四川省著名商标3个、广安市知名商标17个，形成了以黄泥牌再生稻、大丰生猪、御临牌龙须茶等为代表的一大批著名品牌，探索出了一条品牌富农、品牌强农的发展之路，有效促进了农业增效和农民增收。邻水县被认定为国家级农产品质量安全县。

【种植业】 2016年，邻水县粮食播种面积约140万亩，产量46.2万吨，实现"十连增"。持续推进粮油作物高产创建，在丰禾、九龙、袁市等30个粮食重点乡（镇）集中成片建成水稻万亩示范区和玉米万亩高产示范区32个、6.5万亩。油菜播种面积16.6万亩，产量3.31万吨，同比增长40%。引导盛世种业等专合组织发展适度规模经营2.1万亩。特色产业扩面提质，新发展脐橙3.5万余亩，改建万亩柑橘园1个，打造标准果园10个，全县以脐橙为主的柑橘产量14.5万吨，实现产值5.8亿元。蔬菜种植面积45万亩，产量80万吨，产值超过10亿元。

【畜牧业】 2016年，邻水县出栏生猪86.81万头、家禽705万只、肉牛1.8万头、肉羊10.1万只、肉兔53万只，实现畜牧业产值19.23亿元。狠抓大洪河、御临河生态修复保护，淘汰、取缔或搬迁25个乡（镇）257个牲畜养殖场，引进重庆正大30万头生猪产业链建设项目，畜牧发展方式更加环保、更加生态、科技含量及附加值更高。

【现代林业建设】 2016年，邻水县大力开展"绿化邻水"行动，在甘坝乡、华蓥乡新建县级义务植树基地2个，营造林4.9万亩，全县森林覆盖率达41.1%，实现林业年产值19.5亿元。邻水县被林业厅、省发展改革委认定为第二轮现代林业重点县。

【扶贫攻坚】 2016年，邻水县紧紧围绕"两不愁、三保障""四个好"工作目标，全县上下干群合力、众志成城，大打脱贫攻坚仗，取得了明显成效。一是幸福美丽新村有效推进。全年建成幸福美丽新村74个、农村廉租房434套，实施"五改三建"582户，配套建设新村雨污分流工程等洁净水工程5处、垃圾池116个。全域推进"四好村"创建，成功创建省级"四好村"79个、市级"四好村"105个、县级"四好村"131个。二是农村基础设施大幅改善。整合扶贫资金6.53亿元，新建通村公路310千米、机耕便民道407千米；整治院落60个；整治水库1座、山坪塘80口、病险水库5座，新修蓄水池131口；新建和整治渠道42.32千米，新建石河堰9处、泵站4处；安装供水管道370千米，解决了7740户贫困户23110人饮水安全问题。在丰禾、九龙、黎家等36个乡（镇）109个村下达移民项目167个，重点解决4425名困难移民群众和110个移民贫困村群众的生产生活问题。

【乡村旅游】 2016年，邻水县借助特色产业基地和文化新村注入旅游元素，深化产村相融，突出东槽高效生态农业、果蔬采摘、新村组团农家乐，西槽特色效益农业、自然观光、养生养老，大力发展乡村农旅产业，建成以柑子缪氏庄园、袁市"临水缘"、丰禾钰锦园、两河尧园为龙头的集休闲、住宿、餐饮于一体的乡村旅游示范园8个，以柳塘脐橙园区旅游骑游项目、伍昱洁农场、大棚农业体验区为重点的休闲农业示范区。相继举办了邻水梨花节、草莓节、葡萄节、脐橙节等节庆活动，将手掌木偶戏等农村传统文化发扬光大，将文化融入农业、融入旅游，乡村旅游的发展有效推动了全县农民收入渠道逐步由第一产业向一三产业联动发展转变。全年接待旅游人数达502.5万人，实现旅游收入43.2亿元。发展星级农家乐2家，开发旅游文化产品15种。培育文创产业单位270家，有从业人员近0.4万人；实现文创产业增加值约47800万元，占全县GDP的4.02%。

【农村市场体系建设】 2016年，邻水县示范打造村级电商服务站85个，搭建农产品网上交易平台5个，实现网上销售额2亿元。城南镇芭蕉村电商服务站依托京东、邮乐网、天虎云商等电商平台拓展农特产品销售渠道，与128户农户建立了供销合作关系，将芭蕉村的土鸡蛋、土鸡、腊肉、香肠等农副产品投放线上销售，每月交易量达1000余件，实现网络销售额近10万元，真正实现了足不出户就将农特产品销售出去，带动了农民增收，成为"互联网+农业"的一大亮点。

【主要领导人】 县委书记：赵璞；县人大常委会主任：黎均平；县长：黄永鸿；县政协主席：冯永斌；分管农业副县长：鲁崇兵。

邻水县编写组

达 州 市

【基本情况】 2016年，达州市辖164乡143镇8个街道，辖区面积16588平方千米，人均耕地面积55.05万公顷，基本农田40.9公顷。年末总人口683.6万人（户籍人口），增长4.23‰；人口出生率9.99‰，降低0.12个千分点；人口自然增长率4.23‰，降低0.1个千分点。有林业用地75.68万公顷，有林地面积64.87万公顷，活立木总蓄积量4502万立方米，森林覆盖率达42%。

2016年，全市GDP1447.08亿元，增长7.5%，其中第一产业增加值310.02亿元，增长4.1%，农、林、牧、渔及农林牧渔服务业之比为53.9∶3.1∶39∶2.5∶1.6；第二产业增加值601.2亿元，增长7.6%（工业产值505.47亿元，增长6.8%）；第三产业增加值535.87亿元，增长9.3%。三次产业对经济增长的贡献率分别为21.4%、41.6%和37%。劳务输出183.7265万人，收入2502600万元。全年接待游客1912万人次，实现旅游总收入完成140.8亿元，其中乡村旅游收入42.15亿元。

公路通车里程19154千米。地方公共财政总收入完成188.54亿元，增长11.2%；公共财政支出359.12亿元，增长10.7%，其中农林水支出59.9591亿元，增长11.37%。金融机构各项存款余额2624.98亿元，比上年初增长25.81%；各项贷款余额1077.62亿元，比年初增长15.96%，其中涉农贷款630.58亿元。全年农业保费收入1.88亿元，增长11.08%，处理各项赔款和给付金额25.89万元，增长39.05%。农业产业化龙头企业国家级、省级、市级、分别为2家、24家、115家。

有各类学校2701所，在校学生1013044人，教职工62389人，其中普通高校2所，在校本（专）科学生23647人，增长1.81%；普通中学383所，在校学生317025人；小学1522所，在校学生415932人；学龄儿童入学率100%。全市农业科技成果获得2016年度达州市科技进步奖6项，其中一等奖1项、二等奖2项、三等奖3项。授权农业专利16项。有艺术表演团体2个，文化馆8个，公共图书馆8个，博物馆7个。有广播电台7座，本地节目8套；电视台7座，本地节目8套。

有乡村医疗机构3327所，其中乡（镇）卫生院306所（中心卫生院66所）、村卫生室3021个；乡（镇）卫生院编制病床位数7828张。

新型农村合作医疗参合人数5191435人,参合率99.98%;城乡居民社会养老保险覆盖人数258万人,参保率89.86%;被征地农民养老保险参保人数8785人,占企业职工参保总人数的2%。

【年度农业和农村经济运行】 2016年,达州市实现农业总产值276.6亿元,增长4.3%;农业增加值310.02亿元,增长4.1%。农民年人均可支配收入11718元,增长9.6%。全市农产品质量抽检合格率比年初提高1个百分点;建成1204个基层农业综合服务站。

农业产业化发展。达州市培育市级以上龙头企业141家(其中国家级2家、省级24家、市级115家),其中新增省级龙头企业9家、市级12家,龙头企业实现销售总收入115.6亿元、利税10.35亿元;农民合作组织累计达2244个,其中新发展300个;家庭农场821家,其中新发展240家;专业大户551户。新建成马铃薯、水稻、油菜等现代种业示范基地7个,面积7万亩;新建成万亩粮油高产创建示范片47个、万亩亿元示范区10个,新建成特色产业基地10.6万亩。优质苎麻、富硒茶叶、渠县黄花等主导产业已发展到280万亩,其中专业化、标准化、规模化基地85.6万亩,设施农业10万亩。建成标准化养殖场150个、现代畜牧业养殖小区2600个(其中新发展100个),全年肉类总产量52万吨。

农用地产权制度改革。达州市全面完成全市农村土地承包经营权确权登记工作,其中通川区农村土地承包经营权确权颁证工作于1月9日率先通过省专家组验收,成为农村土地承包经营权确权登记颁证成果应用试点单位,开展互换并地试点;其余各县(市、区)于12月底全部通过专家组验收,确权登记成果数据全部入库。出台了《达州市农村土地承包经营权流转监测管理办法》,促进了农村土地承包经营权规范有序流转。出台了《达州市农村集体资产股份合作制改革试点方案》,在通川区、宣汉县率先开展农村集体资产股份合作制改革试点。

2016年达州市主要农产品产量

主要农产品	单位	产量	同比(%)
粮食	万吨	292.5	1.1
水稻	万吨	125.4	1.1
玉米	万吨	70.1	1.6
油菜籽	万吨	28.6	3
水果	万吨	3.26	4.6
肉类	万吨	48.96	-1.6
猪肉	万吨	32.83	-3.9
牛肉	万吨	4.42	3.8
羊肉	万吨	1.76	4.1
禽肉	万吨	9.53	3.6
禽蛋	万吨	10.02	1
水产品	万吨	9.3	2.1
牛奶	万吨	1.8	-7

2016年达州市省级(及以上)农业产业化重点龙头企业名单

企业名称	注册资金(万元)	法人代表	示范等级	年度产值(万元)	行业分类	主营产品
四川天王牧业有限公司	1000	张春蕾	省级	12365	养殖加工业	生猪
四川巴山雀舌名茶实业有限公司	10000	黄义玲	国家级	13129	种植加工业	茶叶
四川发荣林业产业有限公司	5000	罗刚	省级	16860	加工业	婴儿床
四川天予植物药业有限公司	2040	李选民	省级	31260	种植加工业	药材
万源市巴山食品有限公司	550	吴华	省级	12000	养殖加工业	旧院黑鸡
万源市立川食品综合开发有限公司	1000	聂立川	省级	4026	加工业	豆腐乳
万源市花萼绿色食品有限公司	1000	陈一学	省级	10987	种植加工业	树花菜
宣汉巴人地窖酒厂	3890	覃亚莉	省级	3172	加工业	白酒
宣汉锦宏蜀宣牧业有限公司	5000	陈勇	省级	3982	养殖加工业	肉牛
达州市桃花米业有限公司	1200	杨家政	省级	7000	种植加工业	大米
四川东柳醪糟有限责任公司	10000	唐祥华	国家级	61850	种植加工业	糯稻
四川省立川农业食品有限公司	2800	徐善军	省级	7219	种植加工业	豆类
大竹县顺鑫农业发展有限责任公司	2000	张增兵	省级	14347	种植加工业	大米
四川省益寿农业开发有限公司	200	刘昌奇	省级	3600	种植加工业	花生
四川玉竹麻业有限公司	880	张小祝	省级	9468	种植加工业	苎麻
四川竹海玉叶生态农业开发公司	2000	卫平	省级	13867	种植加工业	白茶

续表

四川省宕府王食品有限责任公司	1100	张清平	省级	11972	种植加工业	黄花
渠县通济油脂有限责任公司	3000	叶全	省级	16618	种植加工业	油菜
四川省润宇食品有限公司	12000	罗志源	省级	8542	养殖加工业	生猪
四川天源油橄榄有限公司	2155	何世勤	省级	10570	种植加工业	油橄榄
达州市山参葛业有限公司	1000	朱洪斌	省级	17200	种植加工业	葛根
开江县宝源白鹅开发有限责任公司	3118	魏代平	省级	11370	养殖加工业	白鹅
达州市宏隆肉类制品有限公司	3000	邓宏	省级	15500	加工业	肉牛
四川麦克福瑞制药有限公司	1018	熊廷兵	省级	10500	种植加工业	药材
达州市复兴市场开发有限公司	25000	郝成棋	省级	400000	物流	市场开发
达州市鑫源食品有限责任公司	2000	姚红	省级	26390	养殖加工业	生猪

2016 年达州市省级(及以上)示范农民专业合作经济组织名单

合作组织名称	注册资金(万元)	法人代表	示范等级	年度产值(万元)	行业分类	主营产品
达州市鸿缘菌业专业合作社	254	杨春	国家级	998	种植业	香菇
通川区绿新蔬菜种植专业合作社	100	郝怀明	省级	617	种植业	蔬菜
达州市通川区应三红红辣椒种植农民专业合作社	568	梁明华	省级	653	种植业	辣椒
达州市通川区安云蔬菜专业合作社	200	廖从云	省级	582	种植业	蔬菜
万源市诚信珍珠花菜专业合作社	130	庞烈芬	省级	1557	种植业	茶叶
万源市白羊茶叶专业合作社	581	胡运海	省级	542. 7	种植业	茶叶
万源市科发生猪养殖专业合作社	180	聂大波	省级	733	养殖业	生猪
万源市聚缘旧院黑鸡养殖专业合作社	100	王宇	省级	1314. 26	养殖业	黑鸡
万源市邱家坪蔬菜专业合作社	580	郭本菊	省级	1562	种植业	蔬菜
万源市石岗生猪养殖专业合作社	50	刘正明	省级	653	养殖业	生猪
万源市惠民茶叶专业合作社	20	张光明	省级	3520	种植业	茶叶
宣汉县滴水香菇专业合作社	932	叶茂	省级	2040	种植业	食用菌
宣汉县漆碑乡九苑茶叶专业合作社	100	汪才元	省级	316. 5648	种植业	茶叶
宣汉县蜀宣花牛养殖专业合作社	1000	廖文勇	省级	1236. 3	养殖业	肉牛
宣汉县庙安水果专业合作社	500	黄孝权	国家级	2162. 5	种植业	脆李
宣汉县春源茶业专业合作社	520	向敏	省级	735	种植业	茶叶
宣汉县山归源种植专业合作社	98	李永太	省级	827. 62	种植业	药材
宣汉县昌林中药材种植专业合作社	3300	杨昌林	省级	4528. 6	种植业	药材
宣汉县红岩养殖专业合作社	100	马培富	省级	1506. 3806	养殖业	黑山羊
达县米城大米专业合作社	100	吴传安	省级	1620	服务业	大米
达县永逸养殖专业合作社	1660	刘多益	省级	2300	养殖业	生猪
达县惠民生猪养殖专业合作社	3300	秦茂杰	省级	2450	养殖业	生猪

续表

达川区绿农蔬菜专业合作社	1760	何云淇	省级	1520	种植业	蔬菜
达县现代农业示范园区蔬菜产业协会	100	何渠华	省级	12700	种植业	蔬菜
达县龙丰高笋专业合作社	50	黎建波	省级	530	种植业	蔬菜
渠县三板柑橘农民专业合作社	600	楚龙	省级	1051.5	种植业	水果
渠县助民黄花农民专业合作社	200	张辉	省级	1560.3	种植业	黄花
渠县爱民红粮农民专业合作社	200	黄琼	省级	714.3	种植业	黄花
渠县屏西富民林果种植农民专合社	300	黄光辉	省级	305.6	种植业	花椒
渠县大帝羊业农民专业合作社	100	刘七八	省级	820	养殖业	羊
渠县民闹农机农民专业合作社	100	何坦	省级	685	服务业	农机
渠县永兴生猪养殖专业合作社	300	龚发鲜	省级	676	养殖业	生猪
大竹县林萍核桃农民专业合作社	501	邓林萍	省级	564.98	种植业	核桃
大竹县二郎乡新建椿芽专业合作社	200	彭虹军	省级	2350	种植业	香椿
大竹县鹏程果业农民专业合作社	288	朱鹏程	省级	1231	种植业	桃
大竹县益寿黑花生专业合作社	150	刘昌奇	省级	2234.6	种植业	花生
大竹县人和九叶青花椒专业合作社	128	徐辉	省级	562	种植业	花椒
大竹县金广地蔬菜专业合作社	50	刘志君	省级	506	种植业	蔬菜
大竹县态康生猪养殖专业合作社	500	桂义国	省级	618	养殖业	生猪
大竹县星火禽业农民专业合作社	100	张一云	省级	800	养殖业	家禽
开江县龙形山畜禽养殖专业合作社	100	林成令	省级	1132	养殖业	家禽
开江县龙腾银杏种植专业合作社	120	周元江	省级	780	种植业	银杏

2016 年达州市家庭农场经营情况统计表(前 10 位)

家庭农场名称	注册资金(万元)	法人代表	年度产值(万元)	行业分类	主营产品
大竹县丰顺达家庭农场	80	朱海军	176.6	畜牧业	生猪
通川区王亚平家庭农场	200	王亚军	105.5	畜牧业	蜂蜜
达川区芬芳家庭农场	100	蒋启芬	28.322	种植业	蔬菜、水果
万源市轻绿家庭农场	150	华建	111.823	种植业	葡萄、果苗
宣汉县李琼种养殖家庭农场	500	李琼	103.04	渔业	渔业
大竹县传平家庭农场	50	施传平	681.61	种植业	食用菌
渠县怡苑家庭农场	800	向守燕	146.8	种植业	果蔬育苗
开江县宜发家庭农场	100	秦永宜	68.77	种植业	蔬菜、水果
达县尚君家庭农场	200	吴尚君	348.5	种植业	水果
宣汉县苒苒家庭农场	100	邹阁	657.48	畜牧业	鸡

农产品品牌战略实施。达州市建成蔬菜标准园 24 个、茶叶果树标准园 20 个,新创建部级畜禽标准化示范场 10 个、市级 25 个。新增中国驰名商标 1 个(宕渠黄花)、国家生态原产地保护产品 12 个。获得“三品一标”农产品认证企业达 299 家。

现代农业园区建设。达州市整合各类财政资金 2.6 亿元,新建渠县现代农业示范园区和大竹县清水—庙坝现代农业示范园区 2 个省级园区,其中大竹县清水—庙坝现代农业示范园区总面积 4.79 万亩(以粮经作物为主),有国家级示范专业合作社 1 家、省级示范专业合作社1家,有农村电商平台3家、加工设备60余台(套)、设施滴灌1200亩;渠县省级现代农业示范园区总面积1.34万亩(以柑橘、柠檬为主),有省级龙头企业2家、农民专业合作社6家、家庭农场2个、益家信息社2个、电子商务4家,配套建设组装式果蔬冷藏库17座、果蔬全自动烘干线2条、柠檬产地初加工中心1个。

【种植业】 2016年,达州市粮食作物播种面积836.4万亩,产量292.5万吨,增加3.2万吨;油菜籽产量28.6万吨,增加0.8万吨,粮油总产量实现"十连增"。全市蔬菜种植面积超过139.9万亩,产量302.5万吨,实现产值133.4亿元。茶园总面积25.4万亩,产量1万吨,实现产值10.1亿元。水果总面积42.96万亩,产量44.1万吨,实现产值15.6亿元。油橄榄种植面积8.3万亩,产量2646吨,实现产值6800万元。木本药材种植面积16.8万余亩,产量1.7万余吨,实现产值2亿余元。香椿种植面积12.5万余亩。银杏种植面积16万亩,产量3588吨,实现产值3500万元。

【林业】 2016年,达州市天保二期工程下达的73万亩国有林管护和515万亩集体生态公益林补偿任务全部完成,66.58万亩退耕还林成果得到进一步巩固,5.5万亩新一轮退耕还林任务基本完成,万源、宣汉、达川、大竹国家木材战略储备林基地建设加快推进,国家下达的重点生态功能区植被恢复项目落地建成。大寨子公园二期建设加快推进,大竹县被全国绿化委员会命名表彰为"全国绿化模范单位",渠县柏水湖湿地公园被纳入国家级湿地公园试点。全市共完成营造林29.6万亩、育苗3000亩,完成通道绿化1090千米。大力发展工业原料林、特色经济林、森林食品和生态旅游"四大基地"建设,全市新(改)建林业产业基地21万亩,实现林业总产值125.6亿元,农民人均林业收入1769元,其中林下经济产值25亿元。积极推进现代林业重点县建设,通川区、开江县、渠县被省政府认定为新一轮(2016—2018年)现代林业建设重点县,实现现代林业重点县建设全覆盖。强力推进林业招商引资,市政府与成都达州商会签订了油用牡丹产业化项目投资合作框架协议,计划总投资120亿元,建设100万亩油用牡丹种植基地和生物科技产业园。切实加强林地管理,对全市2014年度建设项目使用林地情况开展监督检查,加强涉林矿山使用林地的监督管理,依法查处破坏森林资源的违法案件204起,破获森林刑事案件17起,挽回经济损失350万元。开展森林防火知识宣传和林业有害生物防治工作,利用"森林防火宣传月"活动开展森林防火宣传进林区、进社区、进校区活动。与市气象局建立森林火险气象会诊机制,在特殊气象时段播放天气预报的同时及时发布高森林火险天气预警信息和森林防火警示。加强林业有害生物监测防治工作,全市共清理枯死和疑似感染松材线虫病松树11.8万株。推进林业有害生物普查工作,调查面积400余万亩,发现未记录的病虫30余种。开展林改"回头看",全市共纠错林权证468本、纠错面积3.03万亩,调处林权纠纷924起、调处面积17.06万亩。开江县启动经济林木(果)权抵押贷款改革试点,市本级、大竹县、达川区、宣汉县被纳入全省集体林权流转交易平台建设范围,制订了《达州市集体林权流转交易中心建设方案》。市级国有林场改革方案编制完成并获得省批准,各县(市、区)完成国有林场改革方案的编制工作。

【畜牧业】 2016年,达州市生猪存栏347.6万头,出栏465万头;肉类总产量49万吨、禽蛋产量10万吨、奶产量18322吨,与上年基本持平。完成畜牧业产值200.2亿元,增长2.8%,农民人均畜牧业纯收入增加150元。全年牛存栏73.9万头,出栏35.99万头,为全省农区第一养牛大市,7个县(市、区)为全省肉牛基地县。

【水产业】 2016年,达州市养殖面积1.2万公顷,水产品产量达9.34万吨,实现渔业经济总产值14.5亿元,增速分别为1.66%、2.07%、7.74%;渔民人均收入1.4万元,渔业为农民增收390元。有农业部水产健康养殖示范场11家、省级原良种场3家、省无公害水产养殖基地1个,获得有机水产品标识1个。

【农村水利】 2016年,达州市争取水利资金6.7亿元,累计完成水利投入13.6亿元。新增农村供水受益人口20.3万人(其中贫困人口8.4万人),完成年度目标任务的101.5%;完成病险水库除险加固77座,完成年度目标任务的256.7%;新增蓄引提水能力510万立方米,完成年度目标任务的102%;新增(恢复)有效灌面10.45万亩,完成年度目标任务的122.9%;改善灌面14.2万亩,完成年度目标任务的118.3%;新增节水灌面9.6万亩(其中发展高效节水灌溉面积0.65万亩),完成年度目标任务的126.3%;治理水土流失面积131平方千米,完成全年目标任务的100.7%。

加快推进重点水利项目建设。宣汉土溪口水库工程已完成投资2亿元,完成"三通一平"及导流洞工程30%的工程量;万源固军水库工程已完成龙潭河特有水产保护区调整工作;州河环境综合整治液压升降坝工程已取得可研报告批复并开工建设;渠江达州城区防洪整治二期工程取得市发展改革委可研报告批复;白岩滩水库工程完成投资11000万元,完成年度投资目标任务的110%,大坝主体工程填筑已完工,大坝帷幕灌浆及竖井闸室金属结构安装、调试工作有序推进;寨子河水库工程完成投资5000万元,完成年度投资目标任务的100%,导流隧洞、泄洪隧洞和放空隧洞已全线贯通,沥青混凝土心墙填筑已达设计高程;刘家拱桥水库工程完成投资4100万元,完成年度投资目标任务的103%,大坝主体工程已完工;石峡子水库工程完成投资16000万元,完成年度投资目标任务的107%,放空隧洞、导流隧洞混凝土浇筑已全部完工,大坝渡汛高程已填筑至393米,右岸取水洞进口段已开挖,大坝趾板固结灌浆;双河口水库工程完成投资10000万元,完成年度投资目标任务的100%,"三通一平"、工程初步设计审批等工作有序推进;土地滩水库工程完成投资25500万元,完成年度投资目标任务的102%。

夯实水利基础设施建设。全年农建示范区整合涉水项目投资19263万元,在示范区内新建(整治)渠道481千米,整治山坪塘529口,新建蓄水池821口、农村饮水安全工程25处,新增节水灌面3.51万亩。全市累计完成投资9238万元,建成集中供水工程231处、分散供水工程502处,全面解决2016年"摘帽"贫困村8.4177万名建档立卡贫困人口饮水安全问题。整治新出险小型病险水库77座;完成通川区、达川区、渠县等6个小农水重点县年度建设任务;全面推进大竹县龙潭水库农发中灌项目以及开江县宝石桥水库等6个已建成中型灌区节水改造省级试点项目;维修养护小(2)型水库18座、山坪塘156口、渠道42千米。大力开展渠道清淤排障工作,投入资金1500余万元,发动受益群众投工投劳7.8万个,清淤干支渠280千米、田间渠道2047千米,修复水毁工程2075处。

抓好水生态文明建设。大力实施国家农发水保项目等水土保持工程,强化水土保持监督管理工作,共治理水土流失面积131平方千米。加大水利风景区保护开发力度,全力恢复冬屯水田面积,切实强化面源污染管控，有效推进河库联通工程建设，坚决取缔肥水养殖，不断改善水生态环境。

扎实做好防汛抗旱工作。加快推进中小河流治理项目建设，完成41个重点中小河流治理项目，综合治理河长134千米，新建堤防95.08千米，清淤疏浚河道95.86千米，新建护岸22.64千米。有序推进山洪灾害防治项目建设，完成全市584个山洪灾害点调查评价工作，新建水位站180个、雨量站130个。

【农业机械化】 2016年，达州市使用农机购置补贴资金2477.47万元，新增各型农机具34229台(套)。全市拥有拖拉机2076台、耕整机13.24万台(套)、播种机635台(套)、排灌动力机械22.51万台(套)、联合收割机1342台(套)、机动脱粒机11.33万台(套)，农机总动力达258万千瓦，主要农作物耕种收综合机械化水平达45%。新建农机化生产(便民)道路2971.1千米，新建和改造机电提灌站58座、58台、1786千瓦(其中建设标美化站51座、51台、1516千瓦)，建设机电灌溉示范区2个、1.6万亩，建设机械化节水灌溉工程12处、2350亩，恢复灌面7.61万亩，新增灌面2.92万亩，提水保灌面积达120.87万亩。

【统筹城乡与新型城镇化】 2016年，达州市以"建设川渝陕结合部区域中心城市和川东北经济区核心增长极"为目标，围绕以人的城镇化为核心，坚持规划引领，提升"四层架构"，实施"两化互动""双百工程"战略和中心城区带动战略，全市常住人口城镇化率增长1.55个百分点，增量居全省第四位，达42.42%；户籍人口城镇化率增长2.63个百分点，达29.88%。全力加快石桥镇、南坝镇、三汇镇、庙坝镇等17个省级试点镇建设(其中12个全国重点镇)，全年共完成基础设施建设投资7.14亿元、公共服务设施建设投资0.86亿元，就地吸纳农业人口2.49万人。宣汉县南坝镇被评为国家首批特色小城镇。全市棚户区改造项目开工建设25718户，开工率达101.27%；货币安置11255户，完成目标的134.79%；基本建成24845套，竣工21981套；共争取国开行、农发行棚户区改造授信共计90.61亿元，授信额度居全省全列。农村危房改造10980户已全部竣工。推动网格化服务管理体系建设，街道(乡、镇)、社区、村覆盖率分别达100%、100%、87.65%。

【新农村建设】 2016年，达州市幸福美丽新村建设目标任务为300个、扶贫新村为176个、农村廉租房为2735户。全市投入资金26.75亿元，建设扶贫新村176个，涉及农户47859户；建设幸福美丽新村300个，涉及农户68709户；新建农房5801户，改造农房14257户，解决无房户、危房户、住房困难户住房6377户；保护传统村落23个、传统民居493户，建成农村廉租房2764户；在309个村实施基础设施和公共服务建设项目，建成"1+6"村级公共服务中心301个，301个村硬化了通组入户路，300个村实现了水、电、气、宽带"四通"。投入资金6.11亿元，建设幸福美丽新村43个，新建聚居点12个，涉及农户446户；改造提升旧村落民居23个，涉及农户3487户；修缮保护传统村落民居3个，涉及农户126户。连片发展种植业5.35万亩，发展规模养殖户62户，建设标准化养殖小区13个，培育省级龙头企业1家、农民专合组织27家，注册家庭农场60家；硬化村(组)道路138.6千米，建设农田水利渠系52.86千米，建设"1+6"村级公共服务活动中心44个，建设农村廉租房250户。

【扶贫攻坚】 2016年，达州市实现149个贫困村整村脱贫"摘帽"、12.7653万名贫困人口脱贫。一是全年共利用11.72亿元"三大基金"参与扶贫开发建设。全年联系帮扶建档立卡贫困村828个，共投入帮扶资金4.58亿元(含协调、引进资金)，帮扶资助贫困大学生4371名(含职业技工校)，下派扶贫驻村干部2402人，选派贫困村"第一书记"828人。全年共争取社会扶贫项目8个，引进项目资金近2000余万元。宣汉县、万源市、渠县、达川区实施中央福利彩票公益金项目，完成总投资1.61亿元，组建村级互助社12个，整治村社道路210千米，解决1.9万人、1.5万头牲畜饮水难题。二是实施基建项目2342个，149个村新硬化通村公路518千米，村村实现通硬化路；12.76万人的饮水安全、生活用电问题得到全部解决；148个村实现宽带覆盖；帮助5.84万名生产发展扶持对象全部落实产业项目；617个贫困村建立了电商服务站点；启动实施了巴山大峡谷旅游综合扶贫开发项目，直接惠及2.3万名群众；实施贫困户危房改造10744户、易地扶贫搬迁2.86万人；新农合参合12.76万人。三是全年整合投入"10+7"扶贫专项资金59.94亿元用于全市扶贫；发放扶贫小额信贷3.3亿元；11.4万名机关事业单位干部和国企职工对口帮扶12.76万名贫困对象。全市有驻村农技员828人，开办培训班2263期，培训干部、技术人员和农用实用技术人才92676人次。在全市828个扶贫村开展精准扶贫"四送"活动，投入50余万元，为5.1万余名35~64岁的建档立卡贫困妇女分别赠送了保额为1万元的"两癌"保险。

【乡村旅游】 2016年，达州市积极争取国家旅游规划扶贫公益行动支持，宣汉县龙泉土家族乡鸡坪村、黄连村获得第一批旅游扶贫公益规划帮扶，黄连村旅游扶贫规划被认定为全国66个旅游规划扶贫示范成果之一。达川区龙会乡花石岩村、宣汉县茶河乡圣水村和清溪镇宏文村、大竹县朝阳乡木鱼村获得第二批旅游扶贫公益规划帮扶。

抓好乡村旅游品牌创建。大力实施乡村旅游提升行动，马渡石林旅游景区开发建设提升项目、赵家镇帝源生态旅游度假区提升项目被列为四川省乡村旅游提升发展示范项目。积极推进乡村旅游资源景观化，碧瑶庄园乡村旅游类景区基本建成，马渡关石林景区加快建设。大竹县朝阳乡创建为四川省乡村旅游特色乡镇，大竹县庙坝镇寨峰村、渠县渠南乡大山村、宣汉县龙泉土家族乡黄连村创建为四川省乡村旅游精品村寨，开江县红花山生态园等13家单位被列为四川省乡村旅游精品特色业态经营点，渠县南庭湘苑·音乐主题乐园等18家单位被列为四川省乡村旅游特色业态经营点。45家农家乐被评为星级农家乐，其中大竹县绿水竹度假村、月半湾农家乐2家农家乐被评为五星级农家乐；13家乡村酒店被评为星级乡村酒店，其中四星级乡村酒店9家。黄连村等成立了乡村旅游合作社。

加快乡村旅游扶贫项目建设。巴山大峡谷旅游扶贫综合开发项目被列入全国"景区带村"旅游扶贫示范项目、全国优选重点旅游项目，1月12日，巴山大峡谷旅游扶贫综合开发项目开工仪式在宣汉县渡口土家族乡举行。加快实施旅游扶贫"三个一"示范工程，针对集中连片特困地区旅游资源富集特点，梳理出适合发展旅游扶贫的建档立卡贫困村156个、贫困户15352户，涉及贫困人口44188人，38个旅游扶贫重点村3980贫困户、10800名贫困人口脱贫。推进旅游扶贫示范区、示范村、达标户"三级联创"，宣汉县创建为四川省旅游扶贫示范区，渠县渠南乡大山村等19个村创建为四川省旅游扶贫示范村，达川区柴火鸡农家乐等90个民宿创建为乡村民宿达标户。

优化乡村旅游发展环境。举办了四川省第七届乡村文化旅游节夏季版暨开江第三届荷花节。各地纷纷举办季节性的赏花采摘等乡村旅游活动,促进了三产融合。举办了乡村旅游、旅游扶贫等各类培训,乡村旅游服务水平进一步提升。

【农村科技】 2016年,达州市共承担和实施国、省、市科技扶贫产业类项目28项,项目资金960万元。启动"四川科技扶贫在线平台"建设,建立市级平台1个、县级平台7个。宣汉县成为全省首批激励农业科技人员创新创业改革试点县,已有280名农业科技人员参与创新创业,带动培养农村科技带头人、创业"明白"人、农村经纪人等1.5万余名,组建农业科技攻关团队66个,启动实施课题研发及创新推广项目64个,申请国家专利41个。"龙森神农""星创天地"被科技部认定为首批国家级"星创天地"。打造4个创新创业示范场地,为返乡农民、大学生、科技人员、职业农民提供创意创业空间、创业实训基地、导师指导、创业孵化等多项创新创业服务。

【农村教育】 2016年,达州市教育经费总投入89.57亿元,比上年增长10.47%。全市教育系统共实施教育重大项目224个,完成建筑面积33.84万平方米,累计完成投资4.09亿元,其中学前教育推进工程项目26个、农村中小学薄弱学校改造计划项目51个、农村初中校舍改造工程项目9个、农村中小学校舍抗震加固建设项目52个、薄弱普通高中改造计划项目4个、边远地区教师周转宿舍建设项目82个。全年实施农村义务教育营养改善计划的学校共有1664所,惠及学生46.34万人,其中采用食堂供餐的学校1335所,惠及学生34.61万人。全年完成教育助学工程项目14个,资助各级各类学生145.57万人次,资金15.38亿元。为1.35万名家庭经济困难大学新生办理生源地信用助学贷款10337.78万元,比上年增长75%。招考农村中小学"特设岗位计划"教师598人。继续实施"三区"支教计划,选派120名教师到偏远地区农村中小学和农村小学支教。实施农村教师生活补助政策,全市农村在编在岗教师最低补助标准为每人每月400元。完善乡村教师荣誉制度,从2016年起,对在农村乡(镇)及其以下中小学校从教工作男满30年、女满25年及以上的且在乡村学校退休的教师由县级政府颁发荣誉证书,发放荣誉金1万元。

【农村文化】 2016年,达州市建有312个乡(镇)综合文化站、2760个农家书屋、362个城乡文体广场、11个影剧院、57个乡村大舞台、354农民工文化驿站、333个"留守学生(儿童)之家"、2100个村文化室,安装广播"村村响"设备1544套、广播电视直播卫星32.2万户、有线电视用户94.4万户、地面数字接收设备4.7万套。新建乡(镇)农民体育健身工程2个、村级农民体育健身工程60个、退出贫困村农民体育健身工程示范点3个。市、县(市、区)、乡(镇、街道)、村(社区)四级公共文化设施全部免费开放。乡(镇)综合文化站和村文化活动室全年接待群众180万人次。举办"流动舞台进基层"文艺演出830场、"巴渠大讲坛"220场、"文化精品耀达城文化精品展"300场,受益群众1200万人次;万源市、宣汉县分别开展"国家西部文化下乡计划"演出312场、324场。全域开展"农民读书月"活动。"全国新农村文化艺术展演平台建设"被文化部、财政部授予第二批国家公共文化服务示范项目。全市分别创建全国、省级、市级文化先进县2个、2个、2个,全国、省级、市级民间文化艺术之乡1个、16个、20个,省级示范乡(镇)综合文化站19个。扎实开展达州市首批公共文化服务示范县(市、区)和示范乡镇创建。完成城坝遗址第三期、罗家坝遗址第四期考古发掘,共出土300余件战国及汉代文物。罗家坝遗址、城坝遗址、蜀道被纳入国家"十三五"期间大遗址项目库。罗家坝国家考古遗址公园及遗址博物馆项目得到国家文物局正式批复同意,防洪工程及冲沟治理工程获得国家补助资金4000余万元。万源市紫芸坪植茗灵园记遗址群、太平坎村民居群、嘉祐寺、三官场民居群、仁斋公—化米梁古道,宣汉县浪洋寺摩崖造像、罗家坝遗址,开江县开江陶牌坊,渠县城坝遗址、渠县汉阙、渠县文庙11处文物点纳入蜀道申遗范围。第一次可移动文物调查工作圆满收官并受到省级表彰。开展达州市第五批非遗项目申报工作,马渡山歌等15个非物质文化遗产项目被列入第五批达州市非物质文化遗产代表性项目名录。开展优秀传统文化进校园活动,举办非物质文化遗产项目展览60场,创办了通川区第四小学、达川区石桥中学、宣汉县昆池中学等一批优秀传统文化学习传承基地。

【农村卫生】 2016年,达州市有乡(镇)卫生院卫生技术人员7964人,注册乡村医生7790人。全市新农合参合人员519.15万人,参合率达99.73%,共筹集基金28.5亿元,政策范围报销比例(含大病医疗保险)为79.97%,住院实际补偿比例(含大病保险)为68.02%,形成了"政府得民心、百姓得保障、卫生得发展"的良好格局。继续实施中国预防性病艾滋病基金会"受艾滋病影响儿童社区关爱项目"第七期,争取资金27.5万余元,惠及城乡儿童143人。继续争取将农村妇女"两癌"筛查及救治纳入市政府民生工程,为1.4万名城乡贫困妇女免费提供"两癌"检查并救助72名"两癌"患者。

【农村法制建设】 2016年,达州市在省上推出的9项示范创建活动的基础上,创新开展了依法治医和民生计量诚信单位两项示范创建,形成了"9+2"示范创建体系。全市创建省级示范单位38个,其中省级法治示范县(市、区)1个、示范乡(镇)1个、示范村(社区)3个、示范机关2个、示范学校10个、示范企业8家、依法行政示范单位13个。充分发挥村规民约、市民公约、行业规约、团体章程等自律作用,加强对各类规约制定程序和内容的指导,强化对规约实施情况的监督,把规定转化为群众的自觉行为,推动基层治理规范化发展。达川区"315"群众工作法被中央政法委作为基层治理经验予以推广并编入了《四川法治蓝皮书2016》,在全国"两会"期间在北京举行了首发仪式,作为四川法治建设成果向全社会展示;万源市"约法三章推进基层治理"被纳入《四川法治蓝皮书2017》课题计划,作为2016年度全省依法治省工作经验展示交流;达川区推进法治建设、保障脱贫攻坚,宣汉县"五议四管三监督"村级依法治理模式等已被纳入省上基层治理创新课题计划。

【农村交通】 2016年,达州市实现312个乡(镇)客车通达率达100%,2822个行政村中已有2302个村通客车(新增332个),通达率为81.57%。有序推进4个县级客运站建设,建成投运30个乡(镇)客运站。完成县、乡道改造456.29千米,村道路建设702千米,路侧护栏建设72.05千米,渡改公路桥4座,渡改人行桥10座。交通精准脱贫攻坚力度空前,全年村道建设项目资金50%以上用于脱贫攻坚,全市149个"摘帽"贫困村村道已全部硬化畅通。

【涉农招商引资】 2016年,达州市3000万元以上的农业招商引资重大项目37个,均为市外国内资金项目,比上年增长37.04%;项目总投资159.53亿元,比上年增长70.8%;到位资金48.7亿元,增长2.3%。

2016 年达州市 3000 万元以上招商引资项目表

项目	总投资(亿元)	投资内容	投资方	项目进度
通川区红阳猕猴桃基地建设项目	1	建设500亩现代农业示范区,打造达巴高速路生态农业"观光长廊"	重庆市盈和农业科技有限公司	竣工投运
现代农业、乡村旅游示范基地建设项目	0.6	建设青脆李种植及乡村旅游等示范基地	四川桂森源生态农业开发有限公司	已建成
瑞福现代农业园建设项目	5	建设50亩桑枝食用菌生产展示大棚、1500亩特色水果种植基地	重庆绒枫农业科技有限公司	已建成
万源高山生态有机茶开发项目	3.5	新建200亩优质品种基地、2000亩标准示范有机茶园、10万亩有机标准茶园及2座加工厂	四川成都茶虫茶文化推广有限公司	有机茶苗种植基地建设中
万源生猪养殖加工循环产业链项目	10	建扩繁猪场10个,培育家庭农场500户,建成年产20万吨饲料加工厂	四川九硒农牧有限公司	已建成生猪养殖小区合作社和3个扩繁养猪场
蜀宣花牛深加工项目	12	建设1000亩杂交构树种植示范基地、蜀宣花牛科研繁育基地、杂交构树与蜀宣花牛产业化基地及种养结合生态农业观光园、农村电商产业园	北京京达商通实业投资有限公司	养殖园建设中
巴山茶博园建设项目	4.5	建设新型标准茶博园1个,调整完善原有茶园200亩,新建茶园800亩及基础设施,新建科研楼及茶叶深加工厂	四川绿源春茶叶有限公司	前期工作准备中
大竹县白茶良种茶园基地项目	6	建设白茶良种基地和深加工生产线	浙江金超实业有限公司	已种植白茶1000亩
渠县核桃种植基地建设项目	2.9	占地1000亩,栽植核桃树,间种甘蔗等	四川梦圆农业开发有限公司	已开工
渠县休闲观光农业产业园建设项目	8.6	建设茶园、果园、花圃、养猪场、酒庄、接待中心、休闲中心、停车场等,对核心区7座小型水库进行综合打造	四川博舜农业发展有限公司	已开工
渠县核桃种植基地建设项目	3.3	占地10000亩,种植蜀江2号核桃等	四川天尚核桃有限公司	已完工
渠县现代农业基地建设项目	3.2	新建农业观光、农业旅游、科普教育、蔬菜种植及深加工等农业基地	四川大智慧农业发展有限公司	已开工
开江县香椿产业化项目	4.7	种植面积约10万亩,建设香椿深加工厂及产品销售中心	四川鼎盛茶叶发展有限公司	已注册公司并种植香椿2000亩
开江县青脆李产业化项目	3	建设青脆李种植基地、深加工基地及产品销售中心	四川富农顺有限公司	已注册公司并种植青脆李1200亩
达州花卉种植项目	0.9	规划占地500余亩,种植蝴蝶兰,打造川东北蝴蝶兰交易中心	重庆云上科技有限公司	已投产
达州农业观光旅游度假项目	5	项目规划占地3000余亩,打造集花卉种植、旅游观光于一体的农业观光园	重庆寅生农业科技有限公司	项目已建成,开始接待游客
通川区青宁长梯生态旅游与循环农业示范园区项目	1.5	建设以畜禽养殖和粮食种植为主、兼顾瓜果蔬菜及花卉苗木种植的循环农业示范园,建设生态旅游和青少年教育基地	广东省蓝姆德信息技术有限公司	已开展土地流转和场平工作
达川区油牡丹产业项目	12	建设种植基地10万亩,新建年产50万吨木本油料作物专用肥料加工厂	四川宏义文化旅游发展股份有限公司	建设中

达川区洼泥沟旅游观光农业项目	3	建设集休闲观光、特色水果种植、生态鱼农业园区等内容于一体的观光农业项目	广元市帆舟食品有限责任公司	已开工
达川区水果深加工项目	2	进行安仁柚、清脆李、乌梅种植及深加工,建设周期2年	四川省亮箭饮料有限公司	已开工
达川区万亩现代灵芝产业园项目	3.5	新建万亩现代灵芝产业园	四川良苗农业有限公司	已开工
达川区生猪产业项目	4.7	建设生猪产业化项目	重庆天龙精细化工厂	已开工
达川区柑橘产业化精品示范园项目	1.3	种植优质晚熟柑橘,饲养猪、牛、鸡及农产品加工	成都客商张志兰	已建成
万源巴蜀红循环农业旅游观光项目	8	新建占地10亩的标准化茶叶加工厂、产品推介中心及茶文化广场,新建年加工1000吨有机富硒红茶标准化示范基地1000亩,新建营销直营店30个	浙江绿峰农林科技有限公司	观光园已完工,红茶生产线已投产,红茶示范基地在建
宣汉高峰岩森林生态产业基地建设项目	2.2	流转土地6000亩,建设年出栏驯化特种野猪30000头、驯化散养梅花鹿2000头的生态养殖园区及办公生活区、生态体验区、屠宰加工区和休闲观光区	四川铭远生态林业有限公司	建设中
大竹生猪养殖项目	4	建设万头能繁母猪养殖基地,建设辅助配套设施设备	北京云连乐牧有限公司	标准猪舍及基础设施建设中
大竹蛋鸡养殖项目	1.7	建设蛋鸡养殖基地	四川富康生态养殖有限公司	已投产
大竹金槐种植项目	2.2	种植2万亩金槐	四川槐金有限公司	已种植2千亩金槐
大竹砂仁种植项目	3.8	建设砂仁种植基地2万亩	重庆生财有限公司	已开工
大竹白茶种植项目	3.2	建设8000亩白茶种植基地,购置制茶设备及配套设施,新建厂房3000平方米	福建翠怡农业有限公司	基建工程已完工,已完成茶树种植
大竹白茶种植及加工项目	4	种植1万亩白茶,购置白茶加工设备,建设茶叶加工厂房	浙江安吉大泽坞茶叶有限公司	已完成茶树种植
大竹油牡丹产业化项目	8.7	建设油用牡丹种植示范基地3000亩,2018—2020年逐步建成10万亩	四川汉宫坊生物科技有限公司	已种植油牡丹1000亩
渠县10万亩油用牡丹产业化项目	8.7	建设4000亩油用牡丹种植示范基地,逐步建成10万亩油牡丹种植基地	四川汉宫坊生物科技有限公司	已开工
渠县核桃园建设项目	1.5	规划建设核桃园2537亩	四川天尚(达州)核桃园建设项目	已完工
渠县优质肉牛养殖项目	3.7	建设年出栏10000头、存栏5000头的能繁母牛养殖基地,8000亩规模生态种植示范区及集肉牛养殖、加工、销售于一体的循环经济示范基地	四川腾珑牧业集团有限公司	已开工
渠县种养殖建设项目	3.5	流转土地3000亩,种植火龙果、柑橘、青花椒等,养殖大闸蟹、小龙虾等特色水产品,打造一流休闲观光农业	四川聚发公司	已开工
渠县反季节柑橘建设项目	2.5	占地3600余亩,计划分五年建设冻库、办公房、厂房、接待中心、休闲中心、停车场等	四川橘源公司	已开工

【社会保障】 2016年,达州市城乡居民养老保险覆盖人数258万人(参保率90.68%),参保缴费人数130万人,分别完成目标任务106%和108%;基金总收入11.5亿元(其中参保缴费2亿元),领取待遇人数95.7万元,发放养老金8.7亿元;发放丧葬补助金2305万元;为17843名特殊群体人员代缴养老保险178万元;跨制度转移6318人次,制度衔接转移资金874万元。

【农村生态建设及环境保护】 2016年,达州市首次开展乡(镇)集中式饮用水源地环境状况评估,排查梳理了罗江库区饮用水源保护区存在的环境问题并提出了整改建议;在通川区檬双乡、梓桐乡、大竹县蒲包乡3个劣Ⅴ类乡镇集中式饮用水源地开展环境综合治理;全年核发涉水排污许可证5个。乡(镇)集中式饮用水水源地水质达标率为90%。全市主要河流水质稳中趋好,渠江出境断面(团堡岭断面)、城市控制断面(车家河)水质长期稳定在Ⅲ类,4个国家地表水考核断面水质达标率为100%。

【农村留守家庭(儿童)帮扶】 2016年,达州市投入35万元,建立"达州巧女"特色手工业、"巴山妹子"家政服务业、"绿色生态"种养业、"互联网+"等妇女居家灵活就业基地9个。投入6万元,实施"妇帮互助"农村留守妇女互助项目,组织引导农村妇女开展以增收致富、文化科技、文明新风、心理抚慰、普法维权为主要内容的互帮互助活动。投入3万元,实施"助力成长"留守流动儿童关爱项目,通过整合社会资源、牵手社会组织,对留守流动儿童进行社会主义核心价值观教育、感恩教育、红色教育等。

【农产品质量安全监管】 2016年,达州市加强产地环境治理,强化废旧农膜、秸秆、畜禽粪便综合利用,切断污染物进入农田的链条;严格投入品监管,深入开展化肥农药零增长行动和兽用抗菌药治理行动,推行统防统治、绿色防控等质量控制技术。聚焦非法添加、违禁使用、制假售假、私屠滥宰等突出问题,开展农产品质量安全专项治理行动。全面强化风险监测评估预警,制订农产品质量安全监测计划。深化农产品质量安全例行监测和监督抽查,深入实施农兽药残留、水产品药物残留、饲料及饲料添加剂监控计划。

【名优特新农产品】 蜀宣花牛。达州市3个县被列为牛羊标准化生产基地县,5个县被列为能繁母牛扩群增量项目县。2016年,全市存栏肉牛74万头,出栏36万头。

开江白鹅。是全国有名的优良地方水禽品种,获得"国家地理标志保护产品"称号,具有个大、毛质好、肉质嫩、产蛋率高、生长快的鲜明特点,是食品和服装加工的优质原料。全年存栏白鹅200万只,出栏300万只。

旧院黑鸡。因主产于万源市旧院镇而得名,鸡身似黑珍珠,蛋似绿宝石;鸡肉质细嫩清香,富含氨基酸和硒,味道鲜美,具有药用保健功效。全年存栏黑鸡200万只,出栏500万只。

苎麻。全市种植面积41.5万亩,占全国的35%左右。达州原麻品质在全国位居第一,苎麻天然织物产品具有品质好、档次高、透气性强等特点,倍受消费者欢迎,产品远销日本、韩国及欧美市场。

茶叶。达州市因土壤含富硒而闻名,是全国仅有的3个富硒茶区之一,种植面积60万亩。"巴山雀舌"富硒茶以"色绿、香高、味甘、形美"四绝著称,被评为中国驰名商标。

黄花。主产渠县,以色泽鲜亮、食味别致、香气馥郁、肉头肥厚而闻名,全市种植面积8.5万亩。渠县被誉为"中国黄花之乡",每年6月18日被定为黄花节。

脆李。国家地理标志保护产品,全市种植面积6万亩,产量达3万亩,果大、质脆味甜、口感佳、风味独特。

乌梅。主要分布在达川区,种植面积达8.6万亩,年产量7万吨,实现年产值1.8亿元。达川区被誉为"中国乌梅之乡",在百节镇建成乌梅科技示范园1000亩。

【劳务开发】 2016年,达州市转移输出农民工183.7265万人,劳务总收入250.26亿元;返乡创业1.2288万人,新增0.3002万人,回乡创办企业3326家。全市共有8名优秀农民工、3个创业先进示范基地、4个农民工工作先进集体获得国家、省、市表彰。

开展劳务品牌和创业培训。大力实施劳务品牌培训和农民工职业技能提升培训等专项培训计划,全年开展劳务品牌培训2760人,培训补贴资金400万元。

承办四川省第六届农民工技能大赛。12月,达州市承办了四川省第六届农民工技能大赛。该次大赛共有来自全省21个市(州)的158名选手参赛,设有包括电子商务、美发、中式烹调师、数控车工、钢筋工、汽车修理工、工具钳工、家政服务员8个竞赛项目。达州市参赛选手获得4个二等奖、2个三等奖,达州市代表团获得优秀组织一等奖以及团体优胜二等奖。

开展农民工工资支付专项检查活动。全市主动监察用人单位3089家,涉及劳动者大约17万人,追发劳动者工资待遇8337.15万元,其中农民工工资6767.42万元;处理劳务纠纷975起,挽回经济损失6221.38万元。

【主要领导人】 市委书记:包惠;市人大常委会主任:胥健;市长:郭亨孝;市政协主席:康莲英;分管农业副市长:王全兴。

达州市编写组

通川区

【基本情况】 2016年,通川区辖19个乡(镇)3个街道192个行政村81个社区,辖区面积900平方千米,其中耕地面积46.7895万亩,增长0.8419%。有人口约100万人,其中农业人口31.5308万人。

【年度农业和农村经济运行】 2016年,通川区实现农业总产值358277万元,增长3.76%;农业增加值220055万元,增长4.15%。农民年人均可支配收入14221元,增长8.15%。

农业产业化发展。通川区绿化造林3860亩,新建现代林业产业基地4700亩,其中核桃产业基地2900亩、油用牡丹基地8000亩、花椒产业基地1000亩。

农用地产权制度改革。通川区农村土地承包经营权确权颁证工作全面完成,确权登记家庭承包农户78146户,面积40.9万亩,已于1月9日通过省级专家组验收;集体林权确权颁证工作全面完成;磐石镇王家桥村和场坝村"六权同确"试点于2015年率先完成,总体完成"六权同确"目标任务的60%以上,其他"四权"确权工作稳步推进。6月13日,《四川日报》在头版重要位置以《创新"多权同确"破解"权属不清"让农村一草一木找到主人》为题对通川区农村改革"六权同确"工作进行了报道并在全省推广。在全省深化农村改革助推精准扶贫现场推进会暨农村土地确权登记工作总结会上,通川区被表彰为全省农村土地承包经营权确权登记颁证工作先进单位。

农村集体资产股份合作制改革试点。通川区作为农村集体资产股份合作制改革试点县,先后到南江县、广元市利州区、浙江省舟山市等地进行了实地考察,对动员部署、清核资产、成员界定、股份量化、健全制度等环节的先进经验和具体做法进行了调研学习。全区已制定《关于印发〈达州市通川区农村集体资产股份合作制改革试点工作方案〉的通知》,选定在北外镇张金村、犀牛山村、蒲家镇画眉村、金石镇四凡村进行改革试点,其中金石镇四凡村试点农户288户,944人符合股民资格,集体资产清产核资120.835万元,人均股金1280元。

2016年通川区家庭农场经营情况统计表(前10位)

家庭农场名称	注册资金(万元)	法人代表	年度产值(万元)	行业分类	主营产品
达州市通川区红碧家庭农场	50	张红碧	162	养殖业	蛋鸡
达州市通川区张光琼家庭农场	50	张光琼	150.7	养殖业	肉牛
达州市通川区桥文希慧家庭农场	150	何桥文	145	养殖业	肉牛
达州市通川区黄大洲家庭农场	50	黄大洲	113.5	养殖业	肉牛
达州市通川区王亚平家庭农场	200	王亚平	105.5	养殖业	蜂蜜
达州市通川区碑庙镇锣鼓坪聚丰家庭农场	100	袁鲁	105.3	养殖业	羊、鸡
达州市通川区秋玲家庭农场	50	徐珍	97.8	养殖业	生猪
达州市通川区任曾洪家庭农场	142	任曾洪	87.5	养殖业	山羊
达州市通川区钟官富家庭农场	113	杨兴全	64.6	养殖业	肉羊
达州市通川区落花溪生态农场	100	魏运宝	51.1	种植业	蔬菜、水果

农村资金互助合作社试点。通川区选定达州市通川区绿新蔬菜种植专业合作社为发起社,成立达州市通川区绿新农村资金互助合作社,注册资本200万元,入社农民社员20人。制订了《农村互助合作社试点工作实施方案》,召开2次专题会议讨论修改,完善试点社营运管理制度和风险防控机制,于2016年10月28日挂牌运营,已办理贷款业务8笔,共计发放贷款160万元,实现了规范化良性运行。

【种植业】 2016年,通川区粮食播种面积51.21万亩,产量20.5189万吨,其中大春粮食经济作物规范播栽面达95%以上。水稻播种面积稳定在16.12万亩以上,创建水稻高产高效示范片2.5万亩、玉米高产高效示范片1万亩、粮经高产高效复合种植模式示范区3万亩。政府购买集中育秧、病虫害统防等社会化服示范面积1000亩以上,全年病虫害防治面积占应防面积的95%以上,病虫害损失控制率在4%以下。主要农作物机耕播收等机械化作业水平达40%以上。培育种粮大户120户、家庭农场155家,家庭农场和专业大户共经营土地9370亩,占新型农业经营主体规模经营面积的80%。

【畜牧业】 2016年,通川区养殖畜禽21.12万头(只),共检测兽药、种畜禽、饲料添加剂326批次,检测“瘦肉精”等违禁药物6550份,无害化处理病害猪629头、病死家禽1.23万只、病害动物产品3412.2千克。全年免疫防控区驱治牲畜146.5万头(只)、家禽396.6万只,无害化处理检测结果为阳性的肉羊210只。全年立案查处行政处罚案件19件,其中5件移交法院处理,共处罚款3821.5元,挽回经济损失450余万元。

【水产业】 2016年,通川区共生产投放鱼种1350万尾,水产品产量3380吨,实现渔业生产总值4050万元。进行水产技术培训2次,培训养殖人员350人次以上。开展水产品安全检查,先后在北外镇刘家湾水库、磐石镇中兴水库、溪峡渔场现场抽取白鲢、草鱼、鲫鱼以及花鲢鲤30个样品对其氯霉素、孔雀石绿、五氯酚钠、喹乙醇、硝基呋喃类代谢物进行检测,均未检出上述违禁药品,合格率达100%。发展特色养鱼3000亩,生产成鱼2800吨,实现渔业产值3600余万元。发展休闲渔业基地3个,其中乡磐石镇月湖生态农业观光园等养殖规模达200余亩,年创产值近百万元。

【新农村建设】 2016年,通川区制订了《通川区2016年新村建设规划》和《“2016年省级财政幸福美丽新村建设项目”实施方案》,确定了全区2016年幸福美丽新村建设任务为幸福美丽新村20个、扶贫新村20个、新村聚居点8个、农村廉租房150套,上报区委区政府审定通过后于4月初分解下达任务到相关部门和乡(镇),截至2016年年底,20个幸福美丽新村和20个扶贫新村已建成,8个新村聚居点已建成,农村廉租房150套全面建成。全年共整合各级各类项目资金22270万元(其中扶贫新村15121万元),其中中央及省级资金4150万元(其中扶贫新村3595万元)、市级扶贫新村资金1840万元、区本级资金1500元(其中扶贫新村1000万元)、撬动金融部门投入3200万元(其中扶贫新村2200万元)、农民自筹投入11580万元(其中扶贫新村6486万元)。新村基础设施项目建成村(组)道路40千米、入户道路98千米、生产便道135千米,解决了1700户的安全饮水问题,建设渠系80千米,治理土地9500亩;新村产业项目已连片发展种植业16800亩(其中设施农业7300亩),培育规模养殖户65户(其中标准化养殖小区10个)。

“四好村”创建工作。一是强化组织领导,制订了《通川区开展“四好村”创建工作实施方案》,成立了工作领导小组,抽调相关单位人员组建了区“四好村”办公室。二是强化宣传引导,积极发挥报刊、广播、电视以及现代远程教育网络的作用,通过新闻报道、言论评论、工作通报、专题专访等多种形式大力宣传“四好村”创建活动的重要意义、目标任务和具体要求,营造了“四好村”创建活动的浓厚氛围。三是建立激励机制,充分发挥农民主体作用,激发基层干部群众参与创建活动的积极性、主动性。对评定为县级“四好村”的行政村,区政府给予每村2万元的以奖代补资金。四是强化督查考核。将“四好村”创建纳入各乡(镇)党委、政府年度目标绩效考核,区委督查室、区政府督查室,区“四好村”创建办定期对各地创建情况进行督查。全区已申报县级“四好村”40个、市级“四好村”30个。

【扶贫攻坚】 2016年，通川区始终把脱贫攻坚作为民生领域的头等政治任务抓紧抓实，紧紧围绕“率先全面建成小康社会”总体目标，以“念兹在兹、唯此为大”的责任担当，紧扣“两不愁、三保障、五有四个好”目标，坚持“三年集中攻坚、一年巩固提升”的工作思路，举全区之力向贫困宣战，全力确保2016年完成19个贫困村退出、9438名贫困人口脱贫，到2017年年底实现省定贫困县“摘帽”的工作目标。

统筹联动，全面凝聚脱贫攻坚整体合力。一是整体联动抓脱贫。大力构建“1部2片25组45队”的扶贫攻坚方阵，“1部”即成立全区脱贫攻坚指挥部，由区委政府主要领导担纲，“四大班子”领导齐上阵合力攻坚；“2片”即将全区23个乡(镇)办委划分为南部和北部两大片区，根据实际情况精准施策分类建设；“25组”即由25名区级领导具体担责，分别挂包联系1~2个贫困村，牵总统筹贫困村的帮扶资源和力量，实现村村均有强有力的扶贫工作组；“45队”即由区级部门作主体，组建45个贫困村驻村帮扶工作队，构建一级抓一级、层层抓落实、上下联动、齐抓共管的工作方阵。二是整合力量抓脱贫。完善“八个一”帮扶机制，积极争取省委党校、成都信息工程大学、四川航空工业局的帮扶指导，充分依托在京、在蓉、在渝、在粤、在滇等支乡联谊会，引入93家民营企业结对帮扶45个贫困村，68个城市社区、6个中心场镇社区及成都市西华门社区结对帮扶贫困村，全区建档立卡贫困户均有财政供养人员结对帮扶，实现了帮扶立体化覆盖。三是压实责任抓脱贫。详细制定45个贫困村、9713户贫困户、25838名贫困对象的脱贫“责任清单”以及区级部门帮扶“任务清单”和督导问题“整改清单”，强化区级领导的挂包责任、乡(镇)党委的主体责任和区级部门的帮扶责任，分年度制定脱贫奔康的“责任田”“时间表”和“路线图”，通过层层签订责任书、逐级立下军令状的方式传导脱贫攻坚压力、保障工作质效，形成了各司其职、合力攻坚的大扶贫工作格局。

综合施策，纵向推动脱贫攻坚加速延伸。精心编制“十三五”脱贫攻坚规划，出台《通川区十大扶贫专项行动》和《通川区17个扶贫专项工作计划》，确保扶贫政策全覆盖。基础设施扶贫方面，累计实施交通项目36个，建设里程达57.7千米；整治山坪塘130口，整修渠道35千米，新建蓄水池50口，5000人的饮水安全问题得到有效解决；改造110千瓦线路19千米、低压线路65.36千米，新建10千瓦线路53.64千米；投资1000万元开展广电宽带“村村通”工程，完成44个未通宽带行政村宽带覆盖。农业产业扶贫方面，建成现代农业产业基地8.12万亩，年出栏生猪41.13万头、肉羊4.5万只、肉牛2.71万头、家禽285万只，增加水产养殖面积225亩、增加产量180吨，创建省级示范农民专业合作社6个、市级示范家庭农场7个。工业产业扶贫方面，加大企业培育力度，强化农产品加工重点企业帮扶、帮助企业开拓市场，引导达州市农产品加工集中区的企业与通川区农村专合社建立供销机制，实现农产品就地转移转化。旅游扶贫方面，积极申办四川省乡村文化旅游节、达州市旅游发展大会，创建3个省级旅游扶贫示范村、20户民宿旅游达标户。商务扶贫方面，规划建设乡(镇)电商配送点5个、村级农村电商终端服务站点20个、省级现代服务业集聚区1个。农村土地整治专项扶贫方面，完成北山镇立马村、梓桐镇两河村、双龙镇重石村等16个省、市、区级财政投资的土地整理项目。科技扶贫方面，打造区级科技扶贫服务平台，建成区域综合性农业科技信息服务平台、科技培训中心和科技扶贫产业示范基地。新村建设扶贫方面，完成危房改造1335户，启动19个贫困村扶贫新村和6个新村聚居点建设。教育扶贫方面，推动区域内义务教育均衡发展，学前三年毛人园率和高中阶段毛入学率均达90%以上。贫困家庭技能培训和就业促进方面，开展技能培训700人、品牌培训100人，贫困家庭新增就业500人以上。生态建设扶贫方面，建成现代林业产业基地1.4万亩，完成规划的30%以上地质灾害隐患治理和搬迁避让工程。易地扶贫搬迁方面，实施易地扶贫搬迁1057人。医疗卫生计生扶贫方面，构建全区贫困人口疾病数据库和贫困人口就医数据库，对贫困人口实行精准医疗救助服务、“八免五补助”和先诊疗后结算制度。文化惠民扶贫方面，高标准建设19个“摘帽”贫困村文化活动室、电子阅报栏、农民健身工程和10个文化院坝。社会保障扶贫方面，低保标准低线达到300元/月，特困人员集中供养率达75%，政策内医疗救助比例达70%，实现困难家庭失能人员、高龄老人居家养老服务全覆盖，居民养老参保覆盖率达93%。社会扶贫方面，大力开展“万企帮万村”“关爱留守学生”“残疾人服务外包培训就业”等行动，评选表扬“十佳扶贫先进单位”“十大扶贫好人”“十佳帮扶企业”“十佳扶贫社团组织”。财政金融扶贫方面，2016年安排财政专项扶贫资金1500万元，年均递增50%。与达州市农商银行设立2500万元的产业扶贫风险补偿基金；与达州市商业银行签订金融扶贫开发合作协议，承诺3年内支持通川扶贫开发资金不低于15亿元。落实异地扶贫搬迁风险分散基金1630万元，相继设立产业发展基金、担保基金、教育救助基金、理疗救助基金、中小微企业发展基金以及风险基金，开展农村产权抵押融资试点，解决扶贫工作长效投入的难题。

靶向发力，横向撬动脱贫攻坚精准滴灌。以整户脱贫、整村退出为抓手，逐一分析致贫原因，大力实施脱贫攻坚“八大行动”，全力保障贫困村和贫困对象如期脱贫。累计投入资金3.3亿元，加快推进贫困村基础建设和产业发展，2016年计划退出的19个贫困村均达到“一低五有”标准。大力推进生产和就业扶贫行动，对8688名有劳动能力的贫困群众实施特色产业、庭院经济、利益联结和劳务经济“四大增收计划”。突出“一村一品”，在贫困村培育专业合作社37家、家庭农场33个；积极引导贫困户发展特色产业，规模发展标准化畜牧养殖小区24个，培育规模养殖户197户；扶持带动823户贫困户通过发展产业脱贫致富，推荐贫困户就业1380人；突出抓好农业示范园区建设，依托磐石都市农业体验区引进产业项目6个，积极发展体验农业和创意农业，培育龙头企业4家、专合组织50个、专业大户200户，发展特色果蔬5.5万亩、食用菌5885亩、中药材1800亩、花卉苗木1.4万亩、畜牧养殖5.8万头(只)，实现效益约11.2亿元。大力推进住房改善行动，启动总投资0.83亿元、346户的易地扶贫搬迁工程，完成贫困户“四改三建”(改水、改厨、改厕、改圈，建庭院、建浴室、建入户路)578户和19个“摘帽”村C、D级危房改造。大力推进政策兜底行动，从7月起，全面实行农村低保线和国家贫困线“两线合一”，9105名贫困人口实现低保兜底，贫困低保户保障水平高于3100元。深化教育扶贫，全面保障2628名贫困户子女受教育权，阻断贫困代际传递。大力推进救助扶持行动，完善大病救助体系，对6032名贫困人口实行“八免五补助”、新农合、大病救助、住院门槛费免除、先诊疗后结算五个全覆盖。大力推进集体经济培育行动，建立完善村集体利益分配机制，通过资源开发、土地流转等方式实现22个贫困村有稳定的集体经济收入来源，19个脱贫村均有1个专合社或农业企业。大力推进社会帮扶行动，与省委党校建立干部培训合作机制，对全区脱贫攻坚乡(镇)分管领导、“第一书记”、驻村工作组干部、驻村干部和村支部书记进行能力培训,派出信息技术部副主任李云辉到通川区挂职区委副书记。与成都信息工程大学签订校地合作框架协议,在电子商务、现代农业、旅游规划等新兴产业发展方面给予大力扶持,累计捐助资金物资达60余万元,派出1名副教授到区旅游局挂职副局长。四川航空工业局为结对帮扶村安云乡战马村编制发展规划并全力帮扶实施,93家民营企业和69个城市社区先后为帮扶村、贫困户捐赠物资资金达545余万元。大力开展扶贫扶志行动,建立互评管理机制,通过标语、干部走访等方式引导贫困群众树立主人翁意识,克服"贫困光荣""等靠要"等思想,变"要我脱贫"为"我要脱贫",形成感恩党、感恩社会、奋发有为的良好氛围。大力开展脱贫攻坚创新争优行动,深入开展"走基层送温暖"活动,以贫困村退出实际成果检验"两学一做"成效,严格落实"8+1"帮扶机制和创新开展脱贫攻坚现场评比机制,形成"比、学、赶、超"的浓厚氛围。

强化机制,全力保障脱贫攻坚落地见效。一是强化贫困户识别动态管理机制。创新"3366"精准识别工作法,坚持以户为单位,整体识别,通过"三比三看"严格做到"六进六出",即比家庭收入、看经济来源,比家庭资产、看消费水平,比家庭现状、看支出情况,明确界定了应该新进和取消贫困户资格的6种具体情况。全年清退不符合条件贫困人口11971人,真正实现了精准识别、群众认可。"3366"精准识别工作法获得省脱贫攻坚领导小组的肯定性批示并在全省推广。二是创新"八个一"精准帮扶机制。在全面落实省、市"五个一"帮扶机制的基础之上,创新拓展"三加一"帮扶机制,即一个城市社区结对帮扶一个贫困村、一个民营企业或社团组织结对帮扶一个贫困村,一名财政供养人员结对帮扶一个贫困户,每个贫困村有一名法律工作者。木龙村"第一书记"蒲正兰入围四川扶贫好人30强,其先进事迹被《人民日报》宣传报道。三是强化脱贫攻坚工作痕迹管理机制。为确保精准扶贫、精准脱贫过程的"可查询、可评价、可追溯、可追责",全面建立脱贫攻坚工作痕迹管理机制,夯实了基层基础档案支撑工作,统一建立了组织机构、贫困对象、致贫原因、帮扶措施、流程痕迹、脱贫成效、建房资料规范等工作台账。四是强化项目资金统筹整合机制。充分发挥扶贫资金的牵引作用,整合发改、财政、交通、农业、林业等行业部门专项资金,提高项目资金使用质量和效益。五是产业发展利益链接机制。在土地流转中大力推行"631"模式,"6",即实行土地流转、合同文本、入股分红、产业布局、后期管理、市场经营六个统一;"3",即增加土地流转、田间务工、入股分红3项收益;"1",就是延伸受益群众,即利用入股分红留存村组集体资金反哺未流转土地的贫困户。六是强化脱贫攻坚目标绩效管理机制。逐级签订脱贫攻坚年度目标责任书,对未完成年度脱贫攻坚目标任务的绩效考核实行"一票否决"制,对有关乡(镇)党委主要负责人先免职再查处,对涉及的挂包区级部门党组织主要负责人先停职再查处,由区级领导干部担任部门主要负责人的对分管领导先停职再查处。七是强化脱贫攻坚现场评比推进机制。按照"分类推进、双月评比、末位倒逼"的原则,将南部和北部乡(镇)分类,每两个月召开脱贫攻坚现场推进会,进行现场观摩、综合评比排名,末位村所涉党委书记及帮扶部门主要负责人向区脱贫攻坚领导小组递交书面整改方案,在下一次推进会上报告整改落实情况,对连续两次排名末位的乡(镇)及帮扶部门主要负责人逗硬问责,视其情况予以相应的纪律处分或组织处理。八是强化分类实施"三标配"工作机制。针对扶持生产和就业发展一批的贫困对象实行激励政策标配。针对易地扶贫搬迁一批、低保政策兜底一批、医疗救助扶持一批、灾后重建一批、教育资助解困一批的贫困对象实行特殊政策标配,到户到人全覆盖。针对贫困村"摘帽"刚性需求,在壮大集体经济、通村(组)硬化道路、安全用电、安全用水、文化室、卫生站、广播电视、宽带网络、村级活动阵地等方面实行基础建设标配。九是强化脱贫攻坚工作督查巡查机制。25名区级领导多次带队深入联系贫困村开展专项蹲点督导和评估检查,累计查找问题13大类98小项,经细化梳理后严格落实到相关责任部门整改办理;区脱贫攻坚督查巡查组采取定期督查巡查和随机暗访相结合的方式,组织区级相关部门开展针对性督查巡查4次,重点督查巡查2016年度减贫任务落实情况、"七个一批"落实情况、"8+1"驻村帮扶情况、"17个扶贫专项年度计划"对接落实情况、区域内扶贫项目实施情况、其他脱贫攻坚工作推进情况、党员干部在脱贫攻坚中的履职尽责情况、财政专项扶贫项目资金管理使用情况。十是强化脱贫攻坚"四个一律"问责机制。凡是帮扶对象不脱贫的,帮扶人员一律不脱钩;凡是年度扶贫工作没有走在前列的,当年一律不得评优、晋升和提拔;凡是在结对帮扶过程中弄虚作假、消极应付的,对有关干部一律进行严肃处理;凡是没有完成脱贫任务的乡(镇)和帮扶单位,有关责任人一律进行组织调整。

【乡村旅游】 2016年,通川区有星级酒店2家、星级农家乐(乡村酒店)30余家、旅行社及服务网点30余个。规划磐石都市农业体验区、罗江宜居旅游休闲区、秦巴植物博览园、双鱼湖、金石野生动物园建设,明月江·月湖生态农业观光园创建为国家3A级景区。"元九登高节"、月湖梦幻灯光节等节会吸引省内外游客20万余人,实现旅游收入2500余万元。

【助农增收】 2016年,通川区出台了《关于落实发展新理念促进农业现代化助推率先全面达小康进程的实施意见》,区委农村工作领导小组出台了《分解落实2016年助农增收工作目标责任的通知》《关于进一步做好农民增收工作的通知》,落实了农民增收工作书记、区长负责制和区级领导帮扶农民增收联系点责任制,建立了乡、村两级农民增收台账,将全区助农增收目标任务分解落实到各乡(镇)和区级有关部门。建立了由区委统一领导、党政齐抓共管、农委组织协调、农口部门各负其责和乡(镇)具体落实的工作机制。坚持农民增收工作月分析例会制和季度通报制,定期研究解决农民增收难题,指导监督具体工作落实情况。区委农工委、区委督查室、区政府督查室、统计局定期对该项工作进行专项督查,将考核结果纳入全年综合目标绩效考核。全年农村居民可支配收入为14500元,增长10.5%。财政"三农"投入达11.56亿元,其中"四区建设"整合上级财政资金2.26亿元、本级财政投入资金9.3亿元。

深化农村改革,增加农村居民财产性收入。全区土地流转适度规模经营新增面积达2万亩以上,扎实推进股权量化改革与农业产业链条延伸试点项目和资产收益扶贫试点茶店子优质蔬菜、水果基地项目,实施效果明显。达州市鸿缘食用菌业专业合作社将财政投资建设形成的固定资产120万元量化到184人,股权总份额184份,贫困户采用优先股方式量化股权36万元;普通成员量化股权84万元,2015年收益分红总额6.18万元。达州市通川区绿新蔬菜种植专业合作社将财政投资形成固定资产82.3万元,按照股金的比例量化到社员贫困户账户52户共52人,人均1.5万元。全区发放扶贫小额贷款2071.5万元,户数610户,其中个人贷款1451.5万元,户数405户;新型农业经营主体带动脱贫项目贷款10户、620万元,受益贫困户205户。创建达州市原味电子商务有限公司,新建县级农产品展示展销服务中心1个，经销特色农产品近2000种；新建乡（镇）级电子商务服务站10个、村级电子商务服务点50个，同10余家农民专合社、3家农产品加工企业签订订单合同；先后引导8家农民专合社建立了信息平台，实现了线下线上一体化经营。

现代农业发展。召开了全区现代农业发展工作专题会议，对现代农业发展目标任务、责任分工进行了细化，成立了通川区现代农业发展工作领导小组。对全区获得品牌认证经营主体、示范龙头企业、专合社、家庭农场及种养大户补助资金200余万元，在金石镇新建现代农业产业基地0.515万亩。监测合格省级龙头企业4家，发展农民专业合作社156个，培育家庭农场245家，6个家庭农场被命名为市级示范家庭农场，4个合作社被命名为市级示范专合组织；川汉子灯影牛肉、巴山脆李、绥定保丰大米、绿岛生态核桃获得地理标志产品认证。全区巩固发展蔬菜基地10万亩，巴山脆李、磐石草莓等名优水果6万亩，花卉苗木2万亩，优质水稻高产示范片2万余亩、优质油菜高产示范片2万余亩，高山优质核桃1万余亩。建成猕猴桃产业园区3000余亩，以蒲家镇为核心的1万亩种植基地初步建成。

农民转移就业和创业。查处劳动投诉举报案件41件。做好建设企业用工备案13家，落实农民工工资保障金制度，组织开展农民工工资支付情况专项检查3次、"春暖行动"专项行动1次，共检查用人单位620家，涉及劳动者1.3万余人；受理并立案查处劳动举报投诉案件41件，为劳动者追回被克扣、拖欠的工资和押金共计440万元，涉及劳动者396人。组织开展专场招聘会1次，发放春风卡等宣传资料3550份。通过乡（镇）社区信息发布平台、达州公共招聘网等媒体累计发放宣传资料4万余份、用工信息437条，提供就业岗位3893个。积极实施就业援助工程，统筹做好农村富余劳动力转移就业工作，全面推进创业带动就业工作的开展。开展2016年就业扶贫安云、金石专场招聘会，提供就业岗位570个，邀请企业26家，发放各类宣传资料2000余份，达成意向就业263人，其中建档立卡贫困户54人。

基础设施建设。坚持山、水、林、田、路综合治理，完成《通川区2016年农建综合示范区建设规划》，以农建综合示范区建设为重点，总投入3.8亿元，其中整合涉农项目资金2.1亿元，区本级投入0.5亿元，金融贷款0.3亿元，业主、企业投入0.82亿元，农民投入0.1亿元，新建蓄水池33口，整治山坪塘136口、渠道7.65千米、水库5座，解决人畜饮水4164人，新增灌面0.5万亩；完成通乡油路建设38.7千米、通村公路44千米、机耕生产道路143千米，建设高标准农田8000万亩，土地整理4200万亩，建成脱贫攻坚农建综合示范区1个。

强农惠农政策落实情况。落实调整农业"三项补贴"政策，全面落实农机购置补贴、退耕还林后续政策和农民工培训资金，加大农村基础设施建设的资金投入力度，大力改善农村生产生活条件。2016年直发各类补贴资金3405.13万元，其中退耕还林补贴资金190.5万元、耕地地力保护补贴资金2880.7万元、森林生态效益补偿基金223.93万元、农机购置补贴110万元。

【四川省现代农业林业建设重点县经验介绍】 2016年，通川区累计参加义务植树30万人次，植树150万株。制订了《今冬明春育造林绿化工作实施方案》和《大规模绿化通川活动方案》。全年完成营造林3.37万亩，其中中幼林抚育20000亩、造林补贴7000亩、现代林业产业基地4700亩、人工造林2000亩。全区森林覆盖率达35.6%，增长0.25%；林木蓄积量为145万立方米。

森林资源保护。一是深入开展"五乱治理"。在全区范围内集中开展治理"乱砍滥伐林木、偷拉盗运木材、乱征乱占林地、乱采滥挖野生植物、乱捕滥猎野生动物"专项行动，共接警50起，出动警车200台次、警力500人次，受理查处各类案件38起，收缴涉案木材109.18立方米，为国家挽回经济损失20余万元。二是抓实森林防火。全区共发生森林火灾3起，依法查处3起，过火面积均在1公顷以下，森林火灾损失率控制在0.1‰以内。严格落实森林防火责任制，区政府与乡（镇）办委、区林业局与83名护林员层层签订责任书。按照林业厅的要求，在贫困人口中选聘了80名生态护林员。召开森林防火专题会议61次，开展街头宣传30余次，发放宣传资料和宣传手册15000余份，进入校区及单位宣传10余次，书写宣传标语3000余幅。三是森林资源二类调查、林地变更工作稳步推进。森林资源二类调查工作于3月开始，5月外业工作结束转入内业计算工作，7月林业厅开始审核。林地变更工作于2015年12月开始进行外业调查，2016年5月外业调查结束转入内业整理工作，9月通过省级验收，11月通过国家林业局检查验收。四是严格林地报征。全区共办理征占用林地4批，共占用林地46.9807公顷（其中永久46.6997公顷、临时0.281公顷）。打击非法占用林地行为12起。

森林病虫害防治。区政府投入除治经费500万余元，择伐除治枯死及感染松树2.3万余株，皆伐除治面积776亩、8万余株，安全利用疫木4300余吨，全面完成2015年秋季疫木应急除治工作。一是完成2016年媒介昆虫综合防治。投入防治经费372万余元，在复兴、双龙、西外等9个乡（镇）开展松墨天牛综合防治，共设置立式饵木1000株，挂设专用诱捕器1100套，人工地面喷药12.5吨，投放生物天敌200万只，防治面积3.65万亩；实施飞机空中喷药4吨，防治4.77万亩，共综合防治8.42万亩。二是完成2016年枯死松树秋季普查工作。投入普查经费22万余元，采用无人机航空遥感监测及人工地面调查相结合的方法普查松林面积27万余亩，共发现枯死松树4264株、面积1.65万亩。将"6·4"风灾松树全部纳入2016年秋冬季枯死松树除治范围。三是完成全国第三次林业有害生物普查工作。投入普查经费93.5万元，开展外业调查4轮（重点地区达到6次以上），参加调查420人次，累计调查170余天，调查线路48条、1150千米，调查乡（镇）23个，调查样点568个、标准地102个、面积0.4万亩，代表面积75万亩，调查种实、果品、花卉、木材生产经营场所113个，调查寄主植物50种，调查有害生物133种，制作标本550件，拍摄有害生物生态照、标本照、工作照1200张，上传数据961条。全区普查数据已通过市级审查并上报国家林业局数据库。

林业产业建设。一是现代林业产业基地建设首战告捷。2016年，通川区被省政府确定为第三轮现代林业重点县，确定的建设主导产业为特色经济林。《通川区现代林业重点县建设实施方案（2016—2018）》《通川区2016年现代林业产业基地建设实施方案》已获批复实施。建成特色经济林产业基地4700亩（其中核桃基地2900亩、油用牡丹基地800亩、花椒基地1000亩），主要分布在碑庙镇、北山镇、金石镇、青宁乡、龙滩乡和双龙镇6个乡（镇）；新建生产便道11.5千米，新增蓄水3800立方米。二是油用牡丹产业基地建设进展有序。引进四川汉宫坊生物科技有限公司在碑庙镇、青宁乡流转土地6000余亩进行油用牡丹种植基地建设，栽植工作有序进行，已确定在魏兴镇工业集中区建设加工基地。三是林下种养殖业发展迅速。通过引进业主、农户建设等方式新建林下养殖基地，碑庙镇已建成梅花鹿特色养殖基地1000余亩，林下养鸡出栏量达10万余只，林下养蜂1000余箱。

【回乡创业之星选介】 黄黎,女,生于1976年。高中毕业后,黄黎先后到北京、上海、广州等地从事销售工作。2006年,黄黎在广东番禺创办了服装和皮具厂,掘得人生的第一桶金。2013年年底,黄黎在通川区进行了多方考察,在充分论证了地势、土壤、水质、光照、环境等种植要素后,决定在通川区江陵镇新农村创建晟源春芦笋生态种植基地,基地总规划1000亩,项目总投资3000万元,分三期完成,一期建设占地570亩,首期试验种植220亩,首期投资300余万元。经过两年多的建设,基地完成水、渠、路、电、塘、冷藏保鲜一体等基础设施建设,年产芦笋200吨,实现产值200余万元,产品已上架达州新世纪、多一多、世纪隆超市和老地方酒楼、小天鹅火锅店等知名餐饮企业,同时远销成都、重庆、广州等地。基地在取得初步效益的同时,还常年雇佣当地农民40余人,助农人均年增收达万元以上。2016年4月,黄黎在江陵镇棋盘村投资120万元新建基地300亩,新培育紫芦笋80亩,沟、渠、路和水池已建设完成。2015年,黄黎任达州市第四届人大代表和通川区第十届人大代表。

石正润,男,生于1976年,为达州市巨丰林业专业合作社法人。1993年高中毕业后,石正润独自到南江县从事农药生意。1999年,石正润到苍溪县龙山镇园林绿化有限公司务工,从一个苗木产业的门外汉变成了苗木经营管理的土专家。2011年6月14日,石正润领办成立达州市巨丰林业专合社,合作社成员户均增收近万元。2014年5月,合作社成员增加到103人,基地面积达300余亩,到2014年年底成员实现户均增收6000元以上,带动周边群众100余户,苗圃基地面积达400余亩,合作社年销售额达300万元。2015年,合作社带动碑庙镇、梓桐镇、碑庙镇、青宁乡、檬双乡等乡(镇)发展苗木群众400余户,年销售额突破500万元。2016年年底合作社成员扩大到158人,带动周边群众1000户,户均增收4000元以上,销售额突破600万元,产业基地扩大到500余亩,其苗木远销贵州省遵义市、陕西省汉中市等地。2016年,合作社被评为达州市市级合作组织。合作社每年带动农户务工3万人次,年培训苗木技术农户300人次,苗木产业发展到1000余亩,带动群众1000余户,其中贫困村农户300户以上,实现农户户均增收4500元以上。

徐兵,男,生于1971年,中共党员,为四川省个私协会副会长。1991—1994年,徐兵在重庆建院就读于工民建专业,2001—2016年先后在四川省星光钢结构有限公司、四川蓉都精诚建筑设有限责任公司务工。2014年11月,徐兵成立了达州市八口蓝莓种植专业合作社,合作社以“专业合作社+农户+贫困户”的形式形成利益联动机制,建立利益共享、风险共担的互助合作关系。合作社直接带动八口村69户贫困户及辐射带动乐云村、画眉村43户贫困户走上了致富道路,每年为八口村创造经济收入85万元,户均增收3600以上。徐兵于2016年8月创办了四川中蓝农业科技发展有限公司,任执行董事长,投资建设了八口村蓝莓为主的种植基地一期550亩、二期1600亩,打造秦巴蓝莓主题公园的4A级旅游景区重点项目为当地提供了大量的就业岗位,多次得到了各级政府的表彰奖励。2008年汶川地震发生后徐兵捐资5万元,为当地社区捐款修路修桥,方便了人们的日常生活;为敬老院的老人提供日常生活用品和水果蔬菜,捐物捐资8.3万元。

【重点乡镇选介】 北外镇,位于达州市中心城区北郊,东与磐石镇接壤,南与东城街道相依,西与西外镇、双龙镇、东岳乡交界,北与罗江镇相邻;达渝高速、省道218线纵贯南北,通村、通组公路覆盖全境,北外镇素有达城“北大门”之称。全镇辖5个社区居民委员会6个行政村53个村(居)民小组,总人口3.1523万人,辖区面积37413亩,森林覆盖率41.59%,水域覆盖率5.77%。境内犀牛山和凤凰山各坐东西,州河横贯南北,形成了“两山对峙,一水中流”的地貌特点,洲河沿岸的四坝(张家坝、韩家坝、徐家坝、高家坝)和两溪一江(苦竹溪、石龙溪和明月江)构成了一幅壮丽的山水画。全镇有王家山、石龙溪、苦竹溪、明月江等乡村旅游基地,有星级乡村旅游经营户23户。辖区有大小企业158家,其中规模以上企业6家;有大专院校1所、中小学6所。全镇以“特色品牌农业”和“乡村旅游”为推手,传统农业加快向现代化农业转型升级;以市区重点项目建设推进为契机,加快生产性服务业和生活性服务业发展。始终坚持举全镇之力按“五个一”工作机制有力有序有效地推进各项项目建设,滨江新区建设、西南职教园区建设、凤凰山隧道拆迁、汽车北站顺利推进,双河口水库、达宣快速通道建设已做好前期准备工作。北外镇先后获得“四川省优秀基层党组织”“省级创新争优示范镇”“省级卫生镇”“达州十大最美乡镇”“书画之乡”等称号。从2006年起连续10年获得全区综合目标考核第一名。

【主要领导人】 区委书记:杜海洋;区人大常委会主任:梅辉太;区长:张杰;区政协主席:何世清;分管农业副区长:庞福佑。

通川区编写组

达　川　区

【基本情况】 2016年,达川区辖24镇28乡2个街道,辖区面积2245平方千米。全区GDP192.6亿元。区级一般公共预算收入完成12亿元,一般公共预算支出达52.5亿元。达川商贸物流园区销售收入突破120亿元,创税5亿元。全年实现服务业增加值69亿元,增长9.7%。规模以上工业增加值29.6亿元,增长6.7%;全社会固定资产投资177.1亿元,增长13.8%;社会消费品零售总额109亿元,增长13.5%。

【年度农业和农村经济运行】 2016年,达川区农业“5+5”工程深入实施,粮食总产量50.3万吨,新建农建综合示范区3万亩。“达川安仁柚”获得国家农产品地理标志认证,达川乌梅、米城贡米被评为国家生态原产地产品。新培育省级示范专合社3家、示范家庭农场各3家,三江园获得“省级示范农业主题公园”称号。月亮湾家庭农场“黑宝石李”出口东南亚地区,实现达州市水果出口“零”的突破。

义务教育均衡发展高分通过省政府督导评估。9个土地整理、28个土地复垦和1个增减挂钩项目顺利实施,新增、恢复耕地3.1万亩,建成高标准农田4.8万亩。500千瓦宣达线、220千瓦柳亭线基本竣工,683个行政村实现无线网全覆盖。全年实现旅游收入20.5亿元。铁山综合开发旅游项目持续推进,百节乌梅山等十大乡村旅游景点初具规模。城区公立医院药品加成全面取消,改(扩)建乡(镇)卫生院18所。“九大民生工程”和“十件民生实事”全面完成,“十大民生救助制度”规范实施,救助困难群众10.2万人次,发放救助资金3346万元。城镇居民年人均可支配收入28141元,增长9.1%;农村居民年人均可支配收入达13029元,增长9.6%,被省委省政府授予“全省农民增收工作先进区”称号。

【农村水利】 2016年,达川区农田水利建设完成投资2.3亿元,整治山坪塘180口、病险水库23座,新建蓄水池262口,治理水土流失面积13.7平方千米,解决6.1万人饮水安全问题。

【统筹城乡与新型城镇化】 2016年,达川区城市空间加速拓展,三里坪城市新区B线、Ⅱ号干道和Ⅲ号干道北延线贯通,东环路等4条断头路打通。空港新区规划完善出炉,带动达州新机场建设全面提速。"城镇兴区"加速拓展,新型城镇化五年规划编制完成,翠屏山南片区、河市东片区控详规划加快完善。改建公交站台10个,市水务局人行天桥等一批市政设施如期建成,城市建成区面积扩大至22平方千米。改造棚户区568套,分配公租房1766套。"一带一路九个节点"亮化工程和达成铁路沿线环境综合整治全面完成。石桥百镇建设试点行动名列全市第一,新建幸福美丽新村70个、扶贫新村点51个,城镇化率达45%。创建省级生态乡(镇)5个,森林覆盖率、城市绿地率分别达33%和40%。

【扶贫攻坚】 2016年,达川区脱贫攻坚首战告捷,贫困村"七有"、贫困户"七保障"工作创新实施并被《四川日报》报道。科学制定"三大片区"脱贫攻坚暨区域发展规划,15个"双七"达标管理办法精准出台,32个村文化室、68个村卫生室建成投用。《超常推进脱贫攻坚工作二十条措施》强力推进,"5+1"机制落实,"六个一批"精准实施,易地扶贫搬迁工作顺利通过国家发展改革委专项稽察。集体经济持续壮大,庭院经济蓬勃发展,贫困人口人均增收350元,贫困发生率下降到5.3%。贫困人口"十免四补助"与医疗救助等政策有机衔接,低保保障线与国家扶贫线实现"两线合一"。达川区顺利通过省市脱贫攻坚考核验收和第三方评估,代表全省迎接国家第三方评估。

【农村文化】 2016年,达川区承办了四川省首届文化共享工程创新服务经验交流会和2016年全民终身学习活动周四川省总开幕式。"三百""三万"活动扎实开展,46个综合文化站图书阅览室建成并投用。省级非遗项目"翻山铰子"在中央电视台7套录制播出,戏曲小品《郭一刀》获得"中华颂"第七届全国小戏小品曲艺大赛优秀剧目奖。达川区创建为省级公共文化体系示范区。

【农村交通】 2016年,达川区建成村社道路1295千米,基本实现100%的乡(镇)、建制村(社)通水泥路。完成交通建设投资14.3亿元,打造"四好"农村公路示范段140千米,改善贫困村村道104千米,安装波形防护栏105千米。

【农村法制建设】 2016年,达川区"七五"普法工作顺利起步,"法律七进"工作深入开展,"1小时法律援助服务圈"日趋完善。全年矛盾纠纷化解率达97%,创建为全省和谐社区建设示范区和法治宣传教育先进区。

【主要领导人】 区委书记:许国斌;区人大常委会主任:孙忠;区长:向建平;区政协主席:叶祥金;分管农业副区长:庞启来。

达川区编写组

万 源 市

【基本情况】 2016年,万源市辖52个乡(镇),辖区面积4065平方千米。有国家地质公园1个、国家级自然保护区1个、3A级旅游景区2个、省级风景名胜区1个、省级森林公园1个、市级景区10个。

【年度农业和农村经济运行】 2016年,万源市推行分级诊疗,县域内就诊率达90%。建成县级应急广播平台,发放"户户通"5970套。兴达农资农村配送服务体系等项目建成并投运。创新实施"团圆工程",回引本土人才22名。60家企业入驻秦巴商贸物流园区,国家级电子商务进农村示范县项目落户万源市。开展依法治市"十大行动",创新开展村民自治和"约法三章"工作,创建达州市"法治示范乡镇"2个、"学法用法示范机关"2个。万源市获得"中国富硒名茶之乡"称号,创建为国家级生态原产地保护示范区、省级农产品质量安全监管示范县、省级有机产品认证示范创建区和省级村民自治模范县。

农业产业化发展。万源市深入实施种植业"百万亩"和养殖业"千百十"工程,新建茶叶、马铃薯、猕猴桃等特色产业基地20余万亩,建成旧院黑鸡、肉牛、生猪等规模养殖场50家,养殖小区22个,发展农民专合组织5个、家庭农场58家,培育国家级示范农民专业合作社1家、农产品加工区1个。

农用地产权制度改革。万源市农村土地确权登记工作通过省级验收;城乡建设用地增减挂钩项目成功招商;积极试点农村资金互助合作组织建设,挂牌成立乡(镇)基层供销合作社16个。

【统筹城乡与新型城镇化】 2016年,万源市银铁社区万三中地块改造、河西茶文化公园等项目开工建设,火车站棚户区改造、站前广场、环城公路等项目加快推进,东区棚改安置房、城区背街小巷路灯改造、城市重点街道亮化等项目基本完成,新增城镇面积1.4平方千米。"五治"工程纵深推进,新增城区停车场2处、停车位1474个,拆除违规建筑3427平方米。完成47个乡(镇)总体规划和61个贫困村新村聚居点规划编制,八台乡、石窝乡等撤乡设镇,旧院、石塘等重点小城镇加快建设,全市城镇化率达38.95%。建成幸福美丽新村40个、新村聚居点2个,创建省级特色小镇1个。发展升级大型商场3家、农贸市场3家,建成商贸镇1个。全年新增就业4625人,转移输出农村劳动力16万人。城镇居民年人均可支配收入23516元,增长8.6%;农民人均年可支配收入8217元,增长9.8%。

【扶贫攻坚】 2016年,万源市帮扶部门及社会各界共投入帮扶资金6000余万元,为贫困户办实事1700余件。坚持精准原则,严格精准识别,做到精准施策,扎实推进"六个一批"和"10+3"专项行动,开展贫困群众实用技术培训1940人次,提供公益性岗位1185个;完成易地扶贫搬迁1133户、3722人,农村危房改造585户;发放贫困寄宿生生活补助968.47万元;3007名建档立卡贫困群众实现贫困线和低保线"两线合一";在全省率先开展农村困难群体新农合再保险试点,贫困群众新农合参合率达100%。坚持"五个一律"原则,做到财政资金优先安排贫困地、新增财力90%用于贫困村,共安排财政专项扶贫资金7060万元,整合涉农资金1.39亿元,发放扶贫小额信贷8649万元、产业扶贫项目资金1948万元、产业扶持周转金1240万元,实现精准减贫13547人并顺利通过省、达州市级考核验收和第三方评估。争取中央建设基金4.6亿元、省农发行与国开行易地扶贫搬迁贷款9.23亿元、交通项目建设资金6.82亿元;争取国家债券资金36.5亿元,完成乡(镇)债务置换工作。

【乡村旅游】 2016年,万源市大力发展生态康养旅游产业,八台山、龙潭河、红军公园三大核心景区加快建设,鱼泉山、烟霞山、黑宝山、青滩河等特色景点和乡村旅游蓬勃发展。秦河乡三官场村被纳入国家级传统古村落名录;荔枝古道申报世界自然与文化遗产工作有序推进。举办大巴山第二届山地休闲旅游节,八台山景区通过国家4A级旅游景区省级验收,全市创建旅游扶贫示范村2个、乡村旅游特色农家乐4家,累计接待游客255.54万人次,实现旅游总收入19.28亿元。万源市获得"中国避暑养生休闲旅游最佳目的地"称号,创建为省级生态旅游示范区。

【农村教育】 2016年,万源市大力实施学前教育三年行动和义务教育"改薄"计划,万中白沙分校、太平一小分校和市职教中心等项目加快推进。全年发放教育资助资金2484万元,受益学生2.27万人。

【农村交通】 2016年,万源市加快推进国道347线长石至川渝界升级改造,建成通乡公路31.7千米,续建村道公路300千米,安装波形护栏50千米。固军水车坝、钟停庞家梁等7座桥梁加快建设,固军水库、李家梁水库前期工作有序推进,建成集中和分散供水工程366处,有效解决1.11万人的安全饮水问题。

【农村社会保障】 2016年,万源市棚户区改造工程新建2283套,续建8789套,货币化安置1180套,配建保障性住房1368套。城乡居民养老保险覆盖19.2万人,新型农村合作医疗参合率达99.5%。加强社会救助工作,发放低保金1.1亿元、医疗救助金2116万元、残疾人生活保障金1217万元。建成城乡日间照料中心11个,为2.7万人次提供居家养老服务。

【农村生态建设及环境保护】 2016年,万源市深入实施城乡绿化"六大工程",新增城市绿地4000平方米,完成营造林5.8万亩,巩固退耕还林成果12.6万亩,治理水土流失面积20平方千米。积极推进"生态细胞"建设,创建生态乡(镇)2个、省级环境优美示范乡镇(村庄)3个。完善城区污水管网,建成官渡、青花等乡(镇)污水处理厂4个。大力探索政府与社会资本合作模式,启动实施乡(镇)污水处理站、万源—八台快速通道等PPP项目。

【十件民生实事全部完成】 2016年,万源市政府承诺落实的十件民生实事基本完成,寨子河水库主体完工;溪口至丝罗公路基本建成;城区公交站牌建成投用,新建公交站点、站牌110个;新建、改造城市公共厕所13座;建成万源特色产品展示中心和农村淘宝村级服务站191个;建成农村教师周转宿舍680套;城区天然气长输管道项目完成选址意见书、土地复垦方案等前期工作;建成通信基站177个,开通宽带村112个;建成规范化乡(镇)便民服务中心3个;10个乡(镇)卫生院改(扩)建项目基本完成。

【主要领导人】 市委书记:吴晓勇;市人大常委会主任:刘家忠;市长:倪欣;市政协主席:杨晓波;分管农业副市长:李秋。

万源市编写组

宣 汉 县

【基本情况】 2016年,宣汉县辖27乡27镇77个社区,辖区面积4272平方千米,其中耕地面积90.48万亩,人均耕地面积0.68亩;基本农田56.26万亩。年末总人口132.34万人(户籍人口),增长0.33%;人口出生率10.14‰;人口自然增长率4.98‰,增长0.31个千分点。全县耕地有效灌面和保证灌面分别达到耕地总面积的71.4%和52.6%;本地水资源总量59.79亿立方米,人均占有水资源量4517立方米。森林面积25.6万公顷,森林覆盖率达60.1%。

2016年,全县GDP242.52亿元,增长8.4%,其中第一产业增加值59亿元,增长4.1%;第二产业增加值103.03亿元,增长10.1%;第三产业增加值80.5亿元,增长9.4%。三次产业对经济增长的贡献率分别为12.1%、51.8%和36.1%。全年接待游客510万人次,增长19.7%;实现旅游收入21.1亿元,增长31.06%。

公路通车里程5800千米。社会消费品零售总额117.33亿元,增长13.4%。地方公共财政预算总收入完成15.8亿元,增长8.5%;公共财政预算总支出61.83亿元,增长5.04%。金融机构各项存款余额312.86亿元,比上年初增长14.1%;各项贷款余额119.68亿元,比年初增长8.9%。农业产业化龙头企业省级、市级、县级分别为1家、19家、10家。

有各类学校629所,在校学生214086人,教职工9573人,其中普通中学68所,在校学生65010人;小学467所,在校学生91639人;学龄儿童入学率107.96%。全年实施科技项目17个,取得各类科技成果9项,累计推广新技术13项,引进新品种11个,建成各类科技示范基地6个。全年申请专利103件,授权专利85件。有公共图书馆1个,藏书10.1万册。有电视台1座,电视综合人口覆盖率达94.6%。有卫生机构943个,病床位3483张,卫生技术人员3601人。基本医疗保险参保人数121.27万人,新型农村合作医疗参合人数102.2万人。

【年度农业和农村经济运行】 2016年,宣汉县城镇居民年人均可支配收入达22477元,增长8.9%;农村居民年人均可支配收入达8221元,增长9.9%。全县城乡就业人员60.5万人。

农业产业化发展。宣汉县培育省级重点龙头企业3家,新发展专业合作社、家庭农场等新型农业经营主体251个。3万亩农建综合示范区全面建成,成功承办全市产业扶贫暨农建综合示范区建设现场推进会。全县有农业产业化龙头企业省级1家、市级19家、县级10家。

【种植业】 2016年,宣汉县粮食播种面积167万亩,总产量达60.09万吨,同比增长0.54%,实现"十连增",跃居全省第六位。全县水稻常年种植面积在50.5万亩。油菜播种面积44.97万亩,产量8.31万吨。马铃薯种植面积38.78万亩。药、果、茶、菌、油用牡丹等特色产业不断壮大,新发展中药材3.2万亩、脆李1万亩、茶叶0.7万亩、食用菌5000万袋、油用牡丹0.5万亩。持续推进整县制高产创建,创建玉米绿色高产高效示范面积30万亩,平均亩产633.5千克,其中1.36万亩玉米绿色高产高效示范带平均亩产达818.5千克,最高田块亩产突破1031.15千克,玉米产量居全县大春粮食作物产量第二位。

峰城玉米辐射示范到全县54个乡(镇),获得了农业部地理标志登记产品称号,连创西南和南方玉米高产纪录。积极探索峰城玉米机械化生产试验示范,推行峰城玉米规模化、规范化、农机化生产,提高玉米种植效益,为西南山地玉米提供机械化生产样板。依靠玉米行间优势,推行玉米行间套种灵芝和香菇,利用玉米秸秆(芯)种植黑木耳、香菇等食用菌,成功探索出"玉—菌"种植模式;利用废弃菌渣就地还田提高土壤肥力,实现玉米产业循环发展,提高玉米种植综合效益;通过玉米初(深)加工,集中示范推行优质玉米、鲜食玉米、青贮玉米和玉米副产物综合利用,推进峰城玉米标准化、产业化、品牌化发展;加速推进玉米产业转型升级,以青贮玉米示范基地建设为重点,高效推动粮牧融合,实现峰城玉米"种出高水平、卖出好价钱"。

【林业】 2016年,宣汉县完成营造林4.7万亩,完成任务的188%;义务植树450万株;溪河绿化165千米、公路绿化153千米,共栽植各类苗木1250万株;森林覆盖率达60.1%(包含四旁树等),森林蓄积量达2060万立方米。全年实施退耕还林工程0.5万亩、天保人工造林0.2万亩、中央财政补贴造林1万亩、中央财政补贴森林抚育3万亩。编制了《宣汉县生态扶贫2016年工作计划》《宣汉县2016年经果林产业发展实施方案》《巴山大峡谷快速通道和内环线沿线农特产业发展工作方案》等,新建产业基地6.71万亩,其中现代林业产业基地1.85万亩。新建万亩林亿元钱示范基地5个,总面积8900亩。全年林业产值达36.2亿元,林农人均收入达2650元。

【畜牧业】 2016年,宣汉县被确立为全省新一轮现代畜牧业重点县和全国畜牧业绿色示范创建县。全县出栏生猪83.03万头、肉牛10

头、肉羊27.38万只,同比分别增长-4.2%、4.7%、4.7%;肉类总产量达8.84万吨、禽蛋产量达1.13万吨、牛奶产量达1.74万吨,同比分别增长-1.5%、0.9%、-6.1%。蜀宣花牛存栏8.2万头。实现畜牧产值35.83亿元,占农业总产值的37.06%;农民人均畜牧业可支配收入增加55元。

【水产业】 2016年,宣汉县水产品总产量达2万吨,比上年增长2.31%,实现渔业经济总产值3.35亿元。全年投放鱼种3500吨,农民人均渔业收入430元,人均增收25元以上。严厉打击违反水产品质量安全行为,完成监督抽样15个、风险监测81个,合格率达100%。

【农村水利】 2016年,宣汉县共完成各类水利工程建设2856处,其中投入1232万元,除险加固四合头等6座重点小(2)型病险水库,恢复防汛库容9.81万立方米、兴利库容82.6万余立方米,恢复灌面97公顷。整治山坪塘81口、石河堰5处,新建蓄水池28口;新建渠道36.39千米,整治渠道13.39千米,新建排洪渠10千米,建成田间道36千米,田块修筑84公顷,地力保持72公顷,完成土石方300万立方米;新增蓄、引、提水能力472万立方米,新增有效灌面147公顷,新增节水灌面94公顷,改善灌面154公顷。新(改、扩)建供水工程145处,解决4.2万名农村人口饮水安全问题。

【统筹城乡与新型城镇化】 2016年,宣汉县商贸物流园初步建成,汽贸园加快建设,建材家居五金城一期主体工程竣工;新(改)建城乡农贸市场6个,培育年产值超亿元的流通企业3家,完成外贸出口创汇1867万美元。核心商圈加速壮大,巴人广场建成营业,金鼓广场服务功能不断完善。电子商务加快发展,电商产业园和农村淘宝开门运营,建成乡村服务站点150个,线上交易额突破1.2亿元。全年参加基本医疗保险人数121.27万人,新型农村合作医疗参合人数102.2万人。全县城镇居民年人均可支配收入22477元,增长8.9%;农村居民年人均可支配收入8221元,增长9.9%。

【农产品质量安全监管】 2016年,宣汉县农产品质量安全监管工作以抓监管、保民生、促和谐、创品牌为重点为创建国家农产品安全县打基础,县、乡抽样检测农产品10600个样(快速检测),合格率达99.2%;定量检测农产品农药残留、重金属样品共计600个,检测合格率为98.6%。建立农产品生产基地监管档案178家,在12家农产品生产企业建立农产品质量安全监管追溯系统,培训基地、种植户150人次;查处农产品生产基地、企业违规用药事件2起。全县累计通过无公害农产品产地整体认定56066.6公顷、无公害农产品32个、绿色食品认证3个,2016年新申报绿色食品2个、有机农产品认证1个、地理标志农产品登记保护4个。

【主要领导人】 县委书记:唐廷教;县人大常委会主任:张宗昭;县长:冯永刚;县政协主席:徐代琼;分管农业副县长:吴成(8月止),吴中凡(9月始)。

宣汉县编写组

大 竹 县

【基本情况】 2016年,大竹县辖47个乡(镇)3个街道,辖区面积2076平方千米。全县GDP283.56亿元,同比增长8.4%。地方公共财政收入12.35亿元,增长8.88%。规模以上工业增加值62.93亿元,增长10.8%。三次产业结构比调整为20.2∶46.9∶32.9。全社会固定资产投资270.08亿元,增长12.7%。服务业增加值93.25亿元,增长9.2%。社会消费品零售总额114.57亿元,增长13.1%。全社会各项存款余额达347.7亿元,增长16.17%;各项贷款余额达141.4亿元,增长17.07%。

【年度农业和农村经济运行】 2016年,大竹县城镇常住居民年人均可支配收入达26875元,增长9.2%;农村常住居民年人均可支配收入达14072元,增长9.5%。农业品牌化建设工作有序推进,新增无公害农产品6个、绿色食品续展认证2个。连续4年获评为全省农民增收工作先进县,农业“四区”建设获得全市一等奖。创建为全国国土资源节约集约模范县。全年民生支出33.88亿元,占地方公共财政总支出的72.5%。“9+8”民生工程、县城社区民生实事、实干惠民电视公开承诺践诺等惠民行动全面落实。完成乌木、双碑110千伏变电站增容改造和9个农网升级改造工程;“宽带乡村”工程深入实施,建成通信基站62座、干线28.6千米。举办群众文化活动24项次,开展送文化下乡活动204场,放映惠民电影4596场。

农业产业化发展。大竹县新建现代畜牧业养殖小区20个;新发展农民专业合作社66个、家庭农场24个,创建国家级专业合作社1个、省级示范家庭农场2个;新增省级龙头企业2家,全县17家龙头企业实现销售总收入22.2亿元。

农用地产权制度改革。大竹县扎实开展小型水利工程产权制度改革和创新运行管护机制试点,确权登记小型水利工程4435处;基本完成农村土地确权颁证工作。明月山农村资金互助合作社挂牌成立。

【种植业】 2016年,大竹县粮食生产持续稳定,总产量达54.1万吨,增长1.32%,实现“十连增”。大力开展高产示范创建,建成示范片5.3万亩。新发展香椿、糯稻、苎麻、白茶等特色产业2.4万亩。

【农村水利】 2016年,大竹县完成水利投资4.62亿元,实施各类水利工程建设3650处,完工3600处。建设村镇供水工程18处,新增供水受益人口3.6万人。新建高标准农田6.06万亩、生产便道568千米。新(改)建机电提灌站13座,新增有效灌面3300亩、高效节水灌面3000亩。建成石河—月华—东柳—朝阳3万亩农建综合示范区,获得全市一等奖。土地滩水库建设工程有序推进,石板沟水库、铁峰水库工程被纳入国家重点水源规划,河库连通工程被纳入水利部规划。大竹县获得全市水利建设“甘露杯”奖项。

【统筹城乡与新型城镇化】 2016年,大竹县加快推进以人为核心的新型城镇化,县城规模拓展到25.1平方千米,常住人口达25万人,新增城镇户籍人口1万人,城镇化率达40.25%,列入全省21个“宜居县城”和10个“海绵城市”建设试点县。加快城市建设,建成名豪国际广场、白塔水街光影水舞秀,室内体育馆投入使用,白塔公园、商贸物流园区启动建设,规划建设城市停车场。县人民医院医技综合大楼基本完工,县妇幼保健院与计生业务用房主体工程完工,群众文化艺术中心基础工程完工,县疾控中心结核病防治综合大楼及疾控业务用房建设项目有序推进。西门片区等旧城改造加快推进。“城市环境与景观提升工程”深入实施,城市亮化、绿化、美化水平有效提升。加快小城镇及新农村建设,启动庙坝、石桥铺、清河、杨家4个Ⅱ型小城市建设,13个重点镇建设有序推进。道路交通不断完善,南大梁高速全线通车,山后快速通道竹石线二期竣工通车,国道外迁二期完成路基工程,改造县、乡公路50千米,新(改、扩)建农村公路129.6千米。新增城镇就业5842人。

【新农村建设】 2016年,大竹县新(改、扩)建幸福美丽新村45个,打造石河—月华、李家—二郎幸福美丽新村示范区2个,创建省级

"四好村"9个、县级"四好村"75个,童家镇童家村入选国家传统村落名录。

【扶贫攻坚】 2016年,大竹县坚持目标导向、挂图作战,精准脱贫首战首胜。"现场评赛会"等工作经验获得省委、市委主要领导肯定并在《人民日报》《四川日报》等主流媒体宣传推介。全面落实"六个精准"要求,深入推进"六个一批""十大专项行动"和17个扶贫专项计划,全面对标"两不愁""三保障""四个好"和"一低五有",因村因户因人施策,实现18个贫困村"摘帽"、18374名贫困人口脱贫。建成达渝高速、南大梁高速、国道沿线万亩扶贫产业示范带3条,创建朝阳乡木鱼村、永胜乡茨竹村、川主乡宝堂村、城西乡九盘村省级旅游扶贫示范村4个。新建通村公路48.7千米,解决饮水安全4666人,新增"户户通"6035户、"村村响"19个村,实施农村电网改造升级工程67个村、"宽带乡村工程"42个村,易地扶贫搬迁4002人。坚持兜底保障,基本保障无缝覆盖,提高低保标准,实现低保标准和扶贫标准"两线合一",全年低保兜底保障3610人。教育、卫生等基本保障政策全面落实,免除1735名建档立卡贫困学生学杂费,"十免四补助"医疗扶贫政策全部到位。

【乡村旅游】 2016年,大竹县实现旅游综合收入22亿元。五峰山创建为国家4A级旅游景区、省级生态旅游示范区,朝阳乡创建为四川省乡村旅游特色乡镇,庙坝镇寨峰村创建为四川省乡村旅游精品村寨。承办第五届四川温泉旅游节,跻身全省全域旅游新生力前十强。

【农村卫生】 2016年,大竹县医疗卫生体制改革深入推进,分级诊疗格局基本形成,县内就诊率提高到90.27%。新型农村合作医疗参合率达99.98%,实现县内住院出院即报即销,住院实际补偿率提高到66.89%。县级公立医院取消药品加成让利群众1427万元。坚持计划生育基本国策,人口自然增长率为2.98‰。大竹县创建为全国妇幼健康优质服务示范县、全国计划生育优质服务先进县。

【农村生态建设及环境保护】 2016年,大竹县深入开展大气、水、土壤污染防治行动,完成周家平桥水库、石桥铺刘家坝水库和高明镇河流型水源地整治,启动蒲包乡集中式饮用水源地综合整治。关停乌木滩水库周边餐饮单位8家,停业整顿2家。强力推进"五治"工程,城乡环境卫生和秩序明显改善。实施天然林保护工程,巩固提升9.78万亩退耕还林成果,推进新一轮退耕还林1万亩,全县森林覆盖率达40.85%,创建为全国绿化模范县。

【农村市场体系建设】 2016年,大竹县金利多农产品综合市场、畜禽交易屠宰市场主体工程完工,升级改造乡(镇)农贸市场3个。电子商务集聚区入驻电商38家,建成农村电商服务站20个。

【主要领导人】 县委书记:何洪波;县人大常委会主任:蔡文华;县长:李志超;县政协主席:曾伟;分管农业副县长:刘杰。

大竹县编写组

渠 县

【基本情况】 2016年,渠县辖60个乡(镇、街道),有农业人口102.84万人,有耕地面积154.8万亩,增长0.02%;基本农田119.03万亩,增长0.04%。

【年度农业和农村经济运行】 2016年,渠县实现农业总产值1014119万元,增长3.9%;农业增加值620347万元,增长4.2%。农民年人均可支配收入12240元,增长9.7%。

农业产业化发展。渠县加快培育新型农业经营主体,新增省、市级农业龙头企业3家,农民专业合作社114家,家庭农场53家。

【种植业】 2016年,渠县粮食作物播种面积110510公顷,总产量552847吨,比上年增产3907吨,增长0.71%,其中小春粮食作物播种面积33464公顷,产量104994吨,比上年增产217吨,增长0.21%;大春粮食作物播种面积77046公顷,产量447853吨,比上年增产3690吨,增长0.83%(稻谷产量249991吨,增长0.52%;小麦产量59150吨,下降2.86%;玉米产量106170吨,增产1835吨,增长1.76%)。全年经济作物播种面积50407公顷,其中油料作物播种面积25732公顷,产量58271吨,比上年增长3.2%(油菜籽产量38056吨,增长5%;花生产量19501吨,与上年持平)。甘蔗产量11764吨,增长0.5%。中药材产量8632吨,比上年下降0.8%。茶叶产量280吨,比上年增产10吨。全县建成万亩粮油示范片8个(其中小麦3个、油菜1个、水稻2个、玉米2个),建成花生高产创建示范片1万亩、整社制高产高效示范片25个、粮经复合模式核心示范区2.5万亩。种植黄花10万亩,年产干花1.4万吨;新植柑橘7000亩,改良老果园5000亩,带动全县种植柑橘20万亩;改造(新建)常年蔬菜基地2000亩,带动全县种植蔬菜29万亩,产量58万吨。

【林业】 2016年,渠县实现林业产值28401万元,比上年增长5.7%。完成天然林资源保护二期工程森林管护37万亩,其中国有林7.5万亩、集体林29.5万亩。兑现退耕还林补助672.7万元。全年共完成营造林6.5万亩、城乡绿化及"四旁"植树27.3万株、育苗500亩、义务植树240万株,栽植樱花2471株,建立县级义务植树活动示范基地1个,栽植桢楠、紫薇、红梅1000株,建设林业产业基地60.3万亩,全县森林覆盖率达37%。查处林业行政案件31件,没收违法所得7500元、木材30立方米,罚款4.2万元,结案率达100%。开展病虫害统防统治3.7万亩,森林保险投保20.2万亩。

【畜牧业】 2016年,渠县生猪出栏951265头,比上年下降4.2%;肉牛出栏60268头,增长3.5%;肉羊出栏191382只,增长4.3%;家禽出栏11772983只,增长3.7%。肉类总产量95924吨,下降1.9%;禽蛋产量19696吨,增长0.9%;奶类产量510吨;畜牧业产值达39.87亿元,同比增长12.07%。全县畜牧专业合作经济组织达75个,适度规模养殖小区达552个(2016年新建标准化养殖小区55个)。开展畜牧产业精准扶贫,选派130名畜牧技术人员驻村入户开展技术培训843期,发放技术资料17276册,带动贫困户养猪8466头、牛1660头、羊3800只、禽93496只;推广"公司+支部+贫困户"和"公司+法人+贫困户"模式,发展生猪家庭农场63户,实现农民平均增收221元/头。渠县30万头生猪产业化生态循环经济园建设项目完成投资4.5亿元(企业自投4.48亿元、政府投资0.12亿元),李渡镇狮牌村10万头仔猪基地(存栏种猪4200余头)和渠南乡5万头种猪选育基地(选育种猪7862头)建成并投产,渠县特驱30万吨饲料厂竣工投产能力达30万吨/年。新增牛羊规模养殖场60个、年出栏肉牛20头以上的规模户257户,其中100头以上的养牛场26个;出栏肉羊100只以上养羊场158个。加强畜产品质量安全监管,畜禽免疫密度达100%,动物产地检疫面达100%,屠宰检疫率达100%,杜绝了不合格产品上市销售。严厉打击非法经营行为,查处案件80件,罚款金额81300元。

【水产业】 2016年,渠县共生产调运各类鱼苗15600万尾,投放鱼种2000吨,发展稻田养鱼8.6万亩、稻鱼轮作8600亩,新增稻(藕)鱼养殖面积1000亩,池塘养鱼12970亩,池塘标准化改造1000亩,水库养鱼11300亩。全年水产品产量19000吨,比上年增加387吨,增长 2.1%；实现渔业总产值 23050 万元，比上年增加 1265 万元，增长 5.8%，农民人均渔业增收 30 元。全面推进养殖水域滩涂规划，抓好渔政管理和渔业资源保护。编写养鱼技术资料 13750 份，培训人员 2300 人次。加大养殖结构、产品结构、产业结构调整，抓好无公害水产品养殖基地建设。全年发展休闲渔业垂钓场所 18 个，经营规模 980 亩，总投资 700 万元，吸纳劳动力 100 余人，共接待消费者 2.1 万余人次，经营收入超过 500 万元。开展渔政执法，全年办理江河捕捞许可证 595 个，办理苗种生产经营许可证 58 套、养殖证 82 套，苗种生产企业持证率达 100%，个体小型养殖场持证率达 95%，上市水产品检验率达 96%以上。查处各类渔政案件 33 件，查处电捕鱼 11 件，收缴捕鱼机 11 台、电瓶 15 台、电网 10 副，清理整顿“三无”船只 3 只，处罚教育 55 人次，渔船登记检验率达 100%。

【统筹城乡与新型城镇化】 2016 年，渠县坚持“两化”互动、统筹城乡发展战略。依据《渠县城市总体规划（2011—2030 年）》编制渠县西城区约 17 平方千米（建设用地 15 平方千米）控规和渠县火车站片区约 7.1 平方千米控规，开展城市地下综合管廊、城市消防、绿地系统、海绵城市、公共停车场等专项规划编制，为项目储备和融资贷款创造了有利条件。优化城市空间布局，加快推进文峰山公园、八濛山公园、沿渡坝湿地公园、“两江四岸”生态滨江走廊等生态敏感区专业设计工作，“两江四岸”生态滨江城市设计、汽贸城、建筑产业园、创意产业园、文化康养小镇等项目规划设计工作有序开展。

城市建设。一是加快城镇新区建设。继续抓好科华南城印象、迎宾 1 号、賨诚明珠、地旺广场、科华西城公馆、英伦城邦、融合时代中心、长德商贸城、科华君悦湾、艺峰名府等项目建设城市空间。全年完成房地产开发投资约 23 亿元，实现建筑业产值 50 亿元。拓展城镇新区面积 2.2 平方千米，吸纳农业转移人口 2.3 万人。二是加快城镇基础设施建设。投资 3 亿元，完成渠江东岸生态滨江走廊、八濛山公园步游道建设工程。计划总投资 4.1 亿元，推进棚户区四期县委党校至南城生命通道市政道路基础设施、渠城南城片区棚户区雨污水管网、渠县文峰山片区棚户区宕渠大道市政道路基础设施、渠城生命通道连接线黄花雕塑广场至四圣村棚户区道路、渠城东门码头至污水处理厂截污干管、文峰山公园市政道路等工程建设。启动渠江三桥至流江河北岸生态走廊建设工程、渠县流江河景观桥及引道工程、万兴广场地下停车场等和黄花大道、文峰山公园西路地下综合管廊项目建设。三是抓好公共服务设施建设。完成渠江三小扩建、天星三小幼儿园项目建设，大力推进县中医院迁建、渠县协和医院、渠县实验学校等项目建设，抓好县体育馆、县人民医院住院医技综合大楼、渠县医养结合健康养老机构、渠县精神病医院等建设项目前期工作。

新农村建设。启动县域新村总体规划修编工作，完成 48 个新村规划并按规划实施建设。结合新村扶贫和易地扶贫搬迁建设，科学设计 25 套川东农房建设方案，完成 2200 户易地扶贫搬迁建设。按照“业兴、家富、人和、村美”的要求，完成 50 个幸福美丽新村建设。

民生工程建设。实施棚户区改造 2949 户、货币化安置 314 户；实物配租保障性住房 507 套，完成租改售 45 套、人才公寓入住 34 户。政府投资一、二、三、四期工程形象进度分别达 85%、85%、70%、50%，累计完成投资 10.62 亿元；工业园 A 区棚户区改造工程形象进度达 20%，累计完成投资 0.08 亿元。文峰山公园、火车站、北大街等片区棚户区改造前期工作加快推进。全县建档立卡贫困户农村危房改造任务数为 1449 户，已开工 1449 户，竣工 1449 户；非建档立卡贫困户农村危房改造任务数为 1577 户，已开工 1577 户，竣工 790 户。渠城东城污水处理厂已竣工，临巴、有庆、中滩 3 个生活污水处理厂已开工建设，賨人谷风景区新建日处理 80 吨的生活垃圾压缩站 1 座、日处理污水 250 吨的生活污水处理站 1 座，农村场镇生活垃圾实行“户集、村收、乡运、县处理”。

环境污染治理。一是认真做好老污染源治理，削减污染物排量。投入资金 3700 万元，先后建成四川省川东农药化工有限公司、渠县新临江煤矿等老污染源生产废水处理设施以及新水泥（渠县）有限公司等企业废气治理设施。国电深能四川华蓥山发电有限公司投资 12421.5 万元开展污染治理，中铁二十三局集团川东水泥有限公司投资 214.7 万元、华新水泥（渠县）有限公司投资 2003 万元对氮氧化物和二氧化硫进行治理，均已全面完成。二是抓好工业企业废水治理。积极推进工业园区污水厂项目建设，健全园区配套设施。三是切实抓好畜禽养殖污染和农村面源污染治理，做好生态乡镇建设。科炬、殷吉明、银波、八仙桥、华升等规模化畜禽养殖企业开展污染治理，共投资近 300 万元新建污水处理设施对养殖废水进行处理。

【脱贫攻坚】 2016 年，渠县按照“打赢脱贫奔康攻坚战、建设幸福美丽新渠县”的总体要求，以深入开展党员干部“两学一做”活动为载体，以财政专项扶贫项目为抓手，以精准扶贫精准脱贫为目标，统一思想、明确责任、科学规划，认真实施精准扶贫项目，不断提高脱贫攻坚成效，围绕“两不愁、三保障、四个好”目标，深入开展“产业富民、电商扶贫、基础提升”三大行动，累计投入资金 13.8 亿元，实施项目 390 余个，6783 人的易地搬迁任务全面完成，19 个贫困村成功退出、20880 人顺利脱贫，先后通过国家、省、市 10 余次“大考”，实现了脱贫攻坚首战告捷。

“九比九看”倒逼落实。分季度、按片区召开“九比九看”现场推进会，让 130 个贫困村现场晒账、现场打分、综合排名，倒逼责任落实。通过比拼测评、逗硬考核，用结果进行汇报，让业绩替代发言，有效激发了党员干部投身脱贫攻坚主战场的积极性和主动性，实现了“村村有支柱产业、户户有致富能人”的可喜局面。

爱心扶贫集聚合力。引导社会各界开展“六个一”（认修一条路、认建一座桥、认挖一口塘、认盖一户房、认发展一片产业、认资助一个贫困孩子）爱心扶贫公益活动。累计接受社会认捐认助达 6.3 亿元，其中修路 64 千米，建桥 4 座，建房 15 户，新建（整治）山坪塘 74 口，建设“碧瑶庄园”1 座，发展天尚、盛果核桃 4 万亩，万学花椒 5 万亩，硕源果业 1 万亩，汉亭农业 1 万亩。

党建引领强效推进。通过“互联网+党建”规范攻坚言行，提振攻坚士气。实施“农村党建电商扶贫”计划，130 个贫困村全部建成电商服务点，主推“电商+产业基地”“电商+农业龙头企业”“电商+村党支部+贫困户”等模式，试点推行贫困群体二维码认证，实现扶贫、脱贫双向主体互动监督，强效推进脱贫攻坚。优化推广“城乡居民办事不出户 APP 服务”，得到中央组织部部长赵乐际、省委书记王东明的肯定性批示并被《人民日报内参》专题刊载。

“农民夜校”提升素养。在贫困村开设“农民夜校”，推行“菜单式”教学，积极培养新型农民、新型农业经营主体，大力开展家风、家教、家训活动，教育引导群众养成好习惯、形成好风气。130 所“农民夜校”累计授课 700 余场次，参训农民达 21 万人次，带动 2.3 万名贫困群众发展种养业、8000 余人实现再就业、600 余人开办农家乐（店），经验做法被人民网、《四川日报》宣传推介，受到省扶贫移民局的高度肯定。

电商扶贫助推脱贫。积极探索电商精准扶贫新路径、新模式,引导带动贫困群众发展电商,通过网络实现本地农特产品同消费群体无缝对接,破解农特产品销售难题,探索贫困群体脱贫致富新路子。积极引导农产品基地、加工企业应用电子商务推介销售柑橘、柠檬、黄花等特色产品,实现线下展示、线上交易、产销对接,达到农产品进城、工业品下乡的递进目标,夯实产业脱贫的坚实基础。

巾帼脱贫展露风采。深入开展巾帼脱贫行动,承办了全省巾帼脱贫现场推进会。大力实施现代农业、文化旅游、电子商务、家政服务四大"巾帼脱贫工程",带动1.5万余名贫困妇女实现就业增收、摆脱贫困。2016年,19名脱贫攻坚巾帼典型得到提拔重用,103名妇女被安排为党代表、人大代表、政协委员,激发了妇女群体的干事创业激情,形成了"妇女能顶半边天、脱贫攻坚我领先"的局面,营造了全社会参与脱贫攻坚的大格局。

"铁军"拔寨可圈可点。998名退役军人充实到村"两委"班子,既当指挥员、谋划者,又是战斗员、实践者,投身脱贫攻坚一线阵地。46名退役军人担任"第一书记",穿梭乡村、奔波农户,致力攻坚拔寨。相关事迹被中央电视台《新闻联播》头条播报,被《人民日报》内参和《四川日报》等主流媒体的深度推介。

【乡村旅游】 渠县作为旅游标准化示范县和乡村旅游示范县,有賨人谷景区、马鞍山城市休闲公园、碧瑶庄园、文庙、红色渠县纪念园、水韵花香、柏水湿地公园、八濛山公园、黄花生态观光苑等景区(点),其中国家4A级旅游景区1个(賨人谷景区)、乡村旅游示范乡镇9个、乡村旅游示范村16个;有欢丽天下旅行社、友联旅行社、春秋旅行社3家国内旅行社及南充山川旅行社、成都环球国际旅行社2家旅行社分社,旅游产业得到快速发展。2016年,渠县组织参加了四川省第五届大竹温泉节、四川省第七届乡村旅游节和中国大巴山第二届山地休闲旅游节以及西博会、旅交会、旅博会等宣传促销活动。賨人谷景区创建为省级旅游度假区,柏林湖创建为国家级湿地公园。指导万花谷举办首届郁金香节暨开园仪式、文崇镇谭坝新村举办第三届桃园赏春活动、新市乡举办"约会春天,赏花踏青"活动周、青龙乡举办"金色花海、魅力青龙"乡村旅游扶贫赏春活动等节庆活动,通过乡村生态旅游活动促进旅游扶贫、带动经济发展并以此为契机增加农民收入。举办了三季度全县脱贫攻坚促农旅融合发展现场推进会。完成旅游扶贫示范村、民宿达标户申报工作。完成旅游招商引资4.7亿元,其中碧瑶庄园1.8亿元、南庭湘苑音乐主题乐园8000万元、千叠湖度假村5000万元、汉亭休闲农业园3700万元。编制完成《渠县"十三五"旅游业发展规划》《全县乡村旅游总规》及《渠南片区乡村旅游详细规划》并通过专家评审。

【2016年"三农"工作先进经验介绍】 2016年,渠县认真贯彻省委省政府关于"三农"工作的系列决策部署,坚持"夯基础、兴产业、重改革、促脱贫"的工作思路,以脱贫攻坚为统揽,以农民增收为核心,以农建综合示范区为抓手,真抓实干、攻坚克难、锐意进取,"三农"工作实现了"十三五"良好开局。全县农村居民年人均可支配收入达12240元,增长9.7%,再次获得全省"三农"工作先进县称号。

围绕农民增收,加快农业农村发展。一是不断夯实发展基础。按照"四区合一"的要求,建成渠北—李馥农建综合示范区3.7万亩,带动全县新建高标准农田11.7万亩,新建和改造水利设施1850处,县、乡、村(社)道路930千米,实现田、水、路、林"四网"配套。强化基础设施建后管护利用,推行农村公路"三级联动、分级负责"、小农水"村+协会+灌溉小组(业主)"和农田水利设施承包经营管护机制,实现建管并重、良性运行。推进幸福美丽乡村建设,渠南乡大山村等10个村被命名为省级"四好村"。二是做大做强特色产业。大力实施"5+1"现代农业提质工程,积极引进工商资本进农村,因地制宜发展特色种养业,新建花椒等特色农业产业基地6万亩、现代畜牧养殖小区55个。大力发展农产品精深加工,引导农产品加工企业集群集聚发展,推动通济油脂等9家企业入驻园区,年产值达30亿元。做响渠县品牌,引进专业团队策划"渠字号"农产品,申报"渠香园""张呷酒"等知名商标10余件、驰名商标1件。三是积极培育新型业态。围绕"古賨国都、悠然渠县"的品牌定位,推进农旅、文旅融合发展,积极推介神秘临巴、农耕李馥、田园渠南、度假万寿等乡村旅游品牌,建成南庭湘苑、碧瑶庄园、秀岭春天等乡村旅游景点。依托"全国电子商务进农村综合示范县工程"项目大力发展农村电子商务,全县农产品电商交易额达1.5亿元。成功创建为省级农民增收新产业新业态示范县。

突出改革创新,激活内生发展动力。一是深化农村重点领域改革。全面完成农村土地承包经营权确权颁证工作,有序推进其余5项产权制度改革,"六权同确"取得阶段性成效。加快建设农村产权流转交易平台,300余家工商资本投入农业,规模经营土地20万亩,工商资本助力产业发展等改革举措得到省委改革办的充分肯定。二是创新项目资金整合机制。坚持项目资金向贫困村和农建综合示范区倾斜,提高资金使用效益。对涉农项目资金整合不到位的一律不予审批、一律不予资金拨付、一律不予竣工验收、一律不予决算审计,形成"多个渠道进水、一个池子蓄水、一个龙头放水"的投入新格局。三是创新民企利益联结机制。大力推广德康集团"公司+家庭农场""村支部(带头人)+公司+贫困户"等生猪养殖模式,创新万隆锦绣"土地租金+工资+订单保底+专合社返利"和通济油脂"订单种植、保护价收购、利润二次返还"利益联结机制,确保贫困户以产业周转金和小额贷款金入股企业分红,有效解决"产业联不到群众、群众融不进产业"的问题。

【四川省现代农业建设示范县经验介绍】 2016年,渠县在开展现代农业示范县建设中充分挖掘产业传统优势,不断优化农业产业结构,大力提升农业标准化、规模化、机械化、设施化、科技化、产业化水平。

强组织保障。一是组织领导。成立了现代农业示范县建设领导小组,负责统筹制定现代农业示范县发展规划、实施方案、目标管理等相关日常工作。二是政策扶持。印发了《关于加快发展现代农业的意见》《渠县2016—2020年黄花产业化发展实施意见》《关于鼓励支持农民工和农民企业家返乡创业的实施意见》等工作文件,从政策上确保示范县建设有序推进。三是财政投入。安排农业发展专项资金1500万元,成立了渠县农康农业投资开发有限公司。

重基地建设。依托现代农业示范县建设项目扶持业主改造柑橘标准果园3000亩,升级标准化果园1000亩,建设标准化柠檬基地1500亩,促进全县标准化示范基地面积达5.1万亩。建设柑橘容器育苗基地1个、蔬菜温室育苗基地1个、黄花母本园1个,累计培育良种柑橘容器苗30万株、黄花种苗1000万株、蔬菜种苗500万株,为全县果蔬产业基地建设提供了优质种苗。在渠南乡现代农业园建设农技科技试验示范基地2个,示范面积500亩;规划培育科技示范户1000户,示范推广温室育苗、设施栽培、物联网、水肥药一体化等新技术;扶持业主在中滩果园推广地布覆盖、猪沼果生态循环、病虫害绿色防控3项新技术、面积3000亩，在渠南花园柠檬基地推广果实套袋、冷藏保鲜2项新技术、面积5000亩。

抓融合发展。一是园区建设。重点抓好渠南现代农业产业融合示范园建设，高标准打造休闲观光和乡村旅游景区，配套建设果酒生产线、黄花自动化生产线和冷藏保鲜库、农产品烘干生产线，农产品干制加工能力达203吨/次，贮藏保鲜能力达1400吨/次。二是品牌打造。打造“渠县产”优势农产品，提高全县农产品市场竞争力，进一步强化“三品一标”产品证后监管和宣传推介，做强做响区域品牌和企业品牌。三是联网应用。扶持企业打造物联网监控系统，实时监测园区内生态环境数据，对园区内生产、管理进行手机远程控制。搭建特色产品网络销售平台，建设村级电商服务点、乡镇物流配送站。四是创新机制。推行“大园区+小业主”“公司+基地+农户”“公司+专业合作社+农户”等多种经营模式，探索完善合同订单、保护价收购、利益兜底、利润返还、收益分成、股份合作等多种利益联结形式。

【四川省现代林业建设重点县经验介绍】 2016年，渠县按照“因地制宜、突出优势”的原则，坚持“生态建设产业化，产业建设生态化”的发展道路，积极探索林业发展方式，优化产业布局，大力推进现代林业重点县建设。

组织领导。一是成立了以分管副县长任组长、相关部门为成员的渠县林业产业扶贫建设领导小组，下设办公室于县农林局，负责统筹协调全县现代林业产业体系建设。二是定期召开现代林业建设专题会议，分析现代林业发展取得的成效和存在的困难，进一步细化落实现代林业重点县建设各项任务，发现问题并及时解决。

基地规模。按照“南北两翼”的规划布局，全力打造10万亩花椒、10万亩核桃和10万亩工业原料林。截至2016年年底，全县已建成花椒产业基地9.7万亩、核桃产业基地5.8万亩，在华蓥山系依托林业工程项目建成以杨树、巨桉为主的工业原料林基地11万亩。

发展模式。一是推行“公司(专合组织)+基地+农户”模式。齐涛花椒种植生态园成片栽植花椒1000亩，示范带动拱市乡发展花椒5000余亩；万隆锦绣在李馥乡8个村流转土地集中连片建设花椒产业基地2万亩，为解决荒山荒坡、优化林业产业结构起到了示范作用。二是采用“公司全额出资+农民土地入股分红+专业合作社”的经营方式。盛果林业种植有限公司建成核桃示范基地1万亩，带动当地村民获得务工收入160万余元。三是采用“专业合作社+农民土地入股+体验采摘+休闲观光”的经营方式。渠县汉阙经济林木种植农民专业合作社栽植核桃、葡萄、胭脂桃等特色经果林6000亩，积极探索农村生态旅游新路子。四是采用“专业合作社+土地租金”的方式。渠县舒杨核桃种植农民专业合作社和渠县康辉核桃种植农民专业合作社在板桥乡和青龙乡种植核桃1700亩，为当地村民带来土地流转收入及务工收入120余万元。

【回乡创业之星选介】 2016年，渠县积极引导和鼓励返乡务工人员创业就业，不断建立健全系统完善的服务体系和政策体系，已有上万名返乡务工人员回乡创业。渠县工业园区内的光亚塑胶、东方顺发科技、乐仕达电子、鸿升达模具等一批电子信息企业法人均为回乡创办者，工业园区已初步形成集生产、研发、营销为一体的电子产业集群。“雁归经济”凸显，在工商准入、税收优惠减免、创业用地、住房保障、金融扶持、人才奖励补助、创业用水用电、产业扶持、创业补贴、技能培训、社会保险和医疗保障、户籍管理、子女入学等一系列优惠政策上得到全面落实，“一站式服务、并联式审批”得到社会认可。

雷镇，生于80年代，被称作“柠檬大王”。1996年，雷镇先后在委内瑞拉、巴西等国打工，成为一名船员。2010年，雷镇回到家乡开始了“柠檬”创业，其在渠南乡境内的亚博柠檬基地是川东北片区最大的柠檬种植基地，7000亩柠檬产业基地已有1/3正式挂果，毛收入上千万元，常年帮助解决当地农民就地务工50人，人均工资性收入近2万元。

王超，原本在外创业，因见家乡土地撂荒严重，心中便萌发了回乡投资建设经济林木的想法。2012年7月，王超决定在卷硐乡投资5000余万元，集中流转该乡逢春村、梨树村的3000余亩荒山坡地，全部栽植核桃等经济林木，打造核桃种植基地。王超注册成立了“渠县群辉经济林木种植农民专业合作社”，有社员近1000名。核桃丰产期除15%的鲜核桃上市销售外，其余的与蓝剑饮品集团有限公司签订了订单销售，由公司用作核桃奶及核桃油。养殖业发展方面，启动了高原雪山鸡和特种大耳羊的规模养殖，引领当地农户多渠道增收。王超开辟了多项创业，在水口乡汉亭村流转土地3000余亩，成立了汉亭农业观光旅游有限公司，打造了汉亭农业旅游观光园。

田迎春，年近40岁。2014年，揣着从深圳学到的制衣技术和管理经验，带着几名同样有创业梦想的同乡，在渠县工业园区创办了四川恒硕迪杰制衣有限公司，使300余名农民工实现就近就业。2016年，制衣公司生产规模已经扩大了10倍，将带动更多当地农民就地就业，满足就业人员照顾家庭、增加收入兼顾，实现“双赢”。

王德春，四川德铭电子科技公司董事长。在成立公司之前，王德春曾做过一线工人、门卫、搬运工、销售等。王德春于2000年在广东创办了1家电子公司，几经发展，企业生产能力初具规模。2011年，家乡的一次招商引资活动让王德春萌发了回乡发展的念头，王德春回乡创办了德铭电子科技公司，公司自投产以来，已开发各类规格品种100余个，年产能可达1000万台，提供就业岗位近200个，为渠县经济发展注入了新的活力。

【重点乡镇选介】 李渡镇，位于渠城东南，濒临渠江，距县城7千米。李渡镇因诗人李白出川宕渠摆渡而得名。全镇辖13个行政村和2个社区，总人口4.5万人，场镇为常住人口1.1万人。李渡镇交通便利，望石公路贯穿全境，境内有省道14千米、乡道16.8千米、村道280千米。场镇规模1平方千米，形成了8街布局，被命名为全省文化商贸旅游示范乡(镇)。特色产业以狮牌村为核心，集中连片发展红心琯溪蜜柚2000亩，带动种植优质火龙果150亩；有蔬菜基地500亩，“四季春水产”养殖泥鳅120亩；引进了华西德康集团10万头生猪养殖项目。推进区内110亩渠县工业园区重点项目建设，实施东城污水处理厂项目，开展渠江四桥前期工程建设。举办了第二次、第三次全国新农村文化艺术展演，繁荣农村文化事业。2015年，获得省委省政府“文明村镇”“四川省法治示范乡镇(街道)”称号；2016年，获得“四川省村民自治模范乡(镇)”称号。李渡镇将围绕“打赢脱贫奔康攻坚战、建设幸福美丽新渠县”发展主题，奋力朝着创建全省产村一体示范乡、全省新农村暨民俗文化基地、渠江流域小城镇、渠县生猪养殖基地阔步迈进。

中滩镇，地处渠城以西11千米，过境河流为中滩河，境内河长5.5千米，属浅丘地貌。全镇辖区面积19.6平方千米，有耕地面积1.43万亩，辖5个行政村和1个社区，总人口1.7万人。中滩镇区位优势明显,东与渠南乡、李渡乡接壤,南与鲜渡镇、嘉禾乡相通,西接有庆镇,北邻屏西乡,国道318线横穿全境,距渠县火车站18千米。全镇实现村村通水泥路。中滩石产资源丰富,出产的条石、片石远近闻名。中滩河风光秀丽,“天山蜜柚”享誉全市。寨坪村的佛教舍利塔文物保存良好。全镇培育农民专业合作社8个、家庭农场3个;建设省级“四好村”1个、幸福美丽新村3个;建设专业鸡场7个、专业猪场6个、养牛场1个;有鱼池20个,乌龟、甲鱼、虾综合养殖基地1个。开展土地流转2800亩,其中柑橘成片种植2000亩。依托天山幸福美丽新村建设,院落基本做到墙体新、道路畅、院坝净、无杂物,塑造民富、村美、人和的新村风貌。社会事业全面进步,村村建有卫生站,小学、中学入学率均达100%;场镇建设燃然一新,7500平方米农贸市场琳琅满目,实现“农民办事不出村”。2015年获得“四川省乡村旅游示范乡镇”称号;2016年先后获得“全国卫生乡镇”“全国文明乡镇”“达州市双拥先进单位”称号。中滩镇坚持“经济强镇、林牧富镇、旅游兴镇、环境立镇”发展战略,以全面建设小康社会为统揽,加快脱贫奔康建设步伐,统筹推进产业、经济、文化、环境和谐发展,奋力建设功能完善、富有特色的魅力乡镇。

【主要领导人】 县委书记:苟小莉;县人大常委会主任:何世斌;县长:王飞虎;县政协主席:李佳林;分管农业副县长:牟军。

渠县编写组

开江县

【基本情况】 2016年,开江县辖10镇10乡,辖区面积1033平方千米。全县地区生产总值111.9亿元,增长7.2%。规模以上工业增加值14.9亿元,增长6.6%。社会消费品零售总额57.2亿元,增长13.2%。地方一般公共预算收入完成4.55亿元,同口径增长10.1%。实现服务业增加值40.8亿元,增长9%。全社会固定资产投资完成115.1亿元,增长11.7%。

【年度农业和农村经济运行】 2016年,开江县粮油作物播种面积70.77万亩,实现粮油生产“九连增”。新建高标准农田1.2万亩,农机耕种收综合机械化水平达46%,名列全市第一位。大力实施现代农业“221”工程,万亩油橄榄、万亩银杏、万亩莲藕产业园初具规模,建成优质果蔬基地19.7万亩、省级水禽标准化示范场3个,年出栏白鹅、麻鸭800余万只,宝源白鹅扩繁场创建为全省唯一的部级水禽标准化示范场,开江麻鸭、开江白鹅获得国家地理标志证明商标。开江县创建为全省现代林业重点县、现代畜牧业重点县、农产品质量安全监管示范县。农村土地承包经营权确权登记工作通过省级验收。成功签约阿里巴巴农村淘宝项目,培育本土农村电商平台2个,建成村级服务点30个。打造莲花世界、黄金花海、橄榄庄园等乡村旅游精品景区,成功举办四川省第七届乡村文化旅游节暨四川·开江第三届荷花节,莲花世界创建为首批省级示范农业主题公园,全年实现旅游收入18.5亿元,增长25%。招引新能风电开发、佛韵莲香旅游农业综合开发、新农商综合体、餐厨垃圾无害化处理等投资额在5亿元以上项目7个;新签约项目16个,投资额102亿元,到位资金65.8亿元。修建农村教师周转房253套,新(改)建校舍1.1万平方米,实现优质资源“班班通”。县域“10+x”综合改革和农村“6+11”专项改革纵深推进,申报为全省基层供销合作社综合改革试点县、第二批林权抵押贷款试点县。城镇居民年人均可支配收入23881元,增长8.9%;农村居民年人均可支配收入12109元,增长9.6%。

【农村水利】 2016年,开江县动工建设水利工程700处,完成白岩河讲治、宝石段治理工程,治理水土流失面积6.83平方千米,整治病险水库5座,新增灌面1.1万亩,解决1.24万名农村人口饮水安全问题。

【统筹城乡与新型城镇化】 2016年,开江县170个重点项目完成投资73亿元,健康家电产业园、淇韵电子科技、东西城棚户区改造等7个投资2000万元以上项目开工建设,省道202线大中修、牛山寺公园一期、橄榄酒生产线等39个项目竣工投产(用),内陆计算器、城市综合体、职工活动中心等38个项目有序推进。高标准完成县城控制性详细规划编制和甘棠镇总规、控规修编。怡和路等5个市政道路工程竣工投用,牛山寺片区、复兴小学片区棚改工程有序推进,城市功能逐步完善,城镇化率提高0.9个百分点。全年实现城镇新增就业4953人、城镇失业人员再就业952人,城镇登记失业率控制在3.96%以内,城乡居民收入差距逐步缩小。

【新农村建设】 2016年,开江县新建新村聚居点10个,完成旧院改造9个、农村危房改造1428户,建成幸福美丽新村25个、“四好村”87个、市级环境优美示范村(社区)4个,创建为全省幸福美丽新村示范县,宝塔坝村被评为全国美丽宜居村庄。

【扶贫攻坚】 2016年,开江县大力实施“五大会战”,建立完善“三大平台”,全面推行“示范基地带动、新型农业经营主体带动、贫困户直贷”金融扶贫模式,设置助农取款服务点234个,整合各类项目资金13.57亿元,发放扶贫小额信贷、扶贫再贷款资金4.99亿元,金融扶贫工作进度走在全市前列。完成易地扶贫搬迁923户、2813人,实现12个贫困村退出、11143名贫困人口脱贫,贫困发生率降至4.79%。

【农村文化】 2016年,开江县实施村级文化室建设等公共文化服务项目7817个,开江羊肉格格、甘棠耍火龙等5个非遗项目被列入达州市第五批非物质文化遗产名录。

【农村卫生】 2016年,开江县城乡医疗卫生服务体系更加健全,基层医疗卫生机构按规定目录配备使用药物并实行零差率销售。城乡居民电子健康档案建档率达96.02%,新型农村合作医疗参合率达99.99%。

【农村交通】 2016年,开江县省道202线县城段外迁(北环线)新宁河至三里桥段初步贯通,省道201线县城至灵岩段升级改造工程、开梁快速飞云温泉隧道工程有序推进。全年改善农村公路96千米,完成渡改桥4座。

【农村生态建设及环境保护】 2016年,开江县“四个一”全民绿化工程深入实施,完成新一轮退耕还林1.2万亩,巩固退耕还林11.2万亩,全县森林覆盖率达41%。城乡环境“五治”更加深入,农村环境连片整治试点示范和规模化畜禽养殖污染治理不断加强,宝石桥库区生态环境保护稳步推进,上游酒厂治污设施设备完成安装,垃圾中转站全面修复,非法屠宰场依法关闭,完成库区1824户房屋调查摸底和拍照锁定工作。设置宝石湖一级饮用水源保护区和17个乡(镇)饮用水源保护区,库区出境水质首次达到Ⅱ类标准。

【农村社会保障】 2016年,开江县九大民生工程全面完成,改建敬老院1所,五保集中供养率达49%。城乡低保实现“应保尽保”,社会救助体系更加健全。

【主要领导人】 县委书记:罗建;县人大常委会主任:赵大立;县长:周建平;县政协主席:杜勇;分管农业副县长:龙有鹏。

开江县编写组

巴 中 市

【基本情况】 2016年,巴中市辖105乡82镇13个街道,辖区面积1.23平方千米,其中耕地面积15.48万公顷,人均耕地面积0.61亩,基本农田143.23万亩。年末总人口375.27万人(户籍人口),人口出生率10.39‰,增加1.59个千分点;人口自然增长率4.93‰,增加1.82个千分点。全市耕地有效灌面和保证灌面分别达到耕地总面积的92.47%和96.34%;本地水资源总量5.28亿立方米,人均占有水资源量140.7立方米。有林业用地18.9万公顷,有林地面积71.36万公顷,活立木总蓄积量4068万立方米,森林覆盖率58%。城镇化率39.1%,比上年提高1.58个百分点。

2016年,全市GDP544.66亿元,增长7.8%,其中第一产业增加值89.92亿元,增长3.7%;第二产业增加值253.94亿元,增长9.7%(工业产值156.03亿元,增长9.4%);第三产业增加值200.8亿元,增长7.3%。三次产业对经济增长的贡献率分别为8%、57.9%和34.1%。劳务输出169万人,收入207亿元。全年接待游客2170.27万人,实现旅游总收入166.73亿元,其中乡村旅游收入61.69亿元。

公路通车里程17184.5千米(其中乡村公路14495.8千米),密度40千米/百平方千米,45千米/万人;行政村客运班车通达率达48%。全年货物运输总量3078.2万吨,货物运输周转量406462万吨千米;旅客运输总量3280.1万人次,旅客运输周转量228680万人千米。社会消费品零售总额27.42亿元,增长13%。地方公共财政预算总收入44.29亿元,增长13.5%;公共财政预算总支出267.19亿元,增长8.6%,其中农业投入70.06亿元,占支出的26.2%。金融机构各项存款余额1145.8亿元,比上年初增长24.6%;各项贷款余额542.5亿元,比年初增长18.5%,其中支持农业产业化发展项目贷款2.54亿元。全年农业保费收入32亿元,增长19.4%,处理各项赔款和给付金额10.21亿元,增长31.7%。完成农业产业化项目169个,完成投资236.64亿元。农业产业化龙头企业国家级、省级、市级、县级分别为1家、25家、129家、198家。

有各类学校705所,在校学生52.64万人,教职工3.28万人,其中普通高校31所,在校本(专)科学生19443人;普通中学45所,在校学生86358人;小学203所,在校学生196457人;学龄儿童入学率100%。完成国家级科技项目2项、省级科技成果65项,引进和转化科技成果74项,科技成果转化产值21.7亿元。有艺术表演团体16个,文化馆201个,公共图书馆6个,博物馆11个。有卫生机构3234个,病床位16767张,卫生技术人员14936人。城乡居民医疗保险参保人数347.8万人,参保率92.68%;城乡居民养老保险参保人数达110.8万人,参保率29.53%;被征地农民养老保险参保人数5813人。

【年度农业和农村经济运行】 2016年,巴中市出台了65项涉农规划、政策。实现农业总产值170.66亿元,增长3.7%;农业增加值89.92亿元,增长3.7%;生猪、茶叶、猕猴桃、食用菌、伏季水果、蔬菜等特色优势农产品产量保持稳定增长。农村居民年人均可支配收入9969元,增长9.7%。在粮食、生猪、蔬菜生产中,科技投入的占比或科技贡献率达53.9%。全市农产品质量抽检合格率比年初提高3.4个百分点。"农技云"平台服务应用升级,农技宝移动终端服务农技人员达510人。落实《农业科技人员创新创业激励办法》,全市67名涉农事业科技人员离岗领办、创办新型经营主体。全市主要农作物耕种收综合机械化率达40.1%。围绕六大新产业新业态,实施"回引创业"工程,推动"大众创业·万众创新",引导在外成功人士返乡带动贫困群众创业就业,回引在外成功人士3556人,创办经济实体709个。

2016年巴中市主要农产品产量

主要农产品	单位	产量	同比(%)
粮食	万吨	173.24	1.4
水稻	万吨	41.07	1.1
小麦	万吨	24.2	0.9
玉米	万吨	57.34	1.67
马铃薯	万吨	14.8(原粮)	1
油菜籽	万吨	12.77	2.8
蔬菜	万吨	109.79	0.3
水果	万吨	5.53	2.8
肉类	万吨	30.61	-3
猪肉	万吨	24.87	-4.3
牛肉	万吨	2.67	3.5
羊肉	万吨	1.24	3.5
禽肉	万吨	1.72	3.4
兔肉	万吨	—	—
禽蛋	万吨	6.55	1.6
水产品	万吨	6.7	5.34

农业产业化发展。巴中市新建粮油高产高效万亩示范片58个、73万亩,高标准农田27.34万亩,万亩示范区9个。新增现代农业万亩示范区10个,新打造平昌云台—邱家茶文化旅游线、南江下两—元潭茶药结合产业带、平昌县青凤中药材康养基地。新建核桃基地15.1万亩、茶叶基地12.7万亩、巴药基地9.13万亩、畜禽标准化养殖场(小区)62个、生态水产养殖园区10个。新增市级以上重点龙头企业11家(省级7家),新发展农民专业合作社1332个、家庭农场394家、种养大户1139户。

农用地产权制度改革。巴中市农村土地确权颁证农户达52万户,占应颁农户总数的65%。借助土地储备中心或新组建成立农村土地流转(收储)服务中心,将有强烈流转意向的农村土地利用信托方式开展规模流转。以放活经营权为核心,进一步优化农村产权交易流转规程,制定出台林地、承包土地等农村产权指导价格目录,先后探索出先股后转、整村流转、产权信托流转、土地股份合作、土地资本化、组建资产经营公司等多种模式发展农业适度规模经营,全年新增流转耕地12万亩、林地6.77万亩。

农产品品牌战略实施。巴中市积极培育"一村一品"示范村镇,推进申报通江县三溪乡、平昌县云台镇龙尾村创建全国第六批"一村一品”示范村镇。组织76家新型农业经营主体和230余个系列产品参加第四届四川农业博览会,签约采购贸易项目20个、9.2亿元。成功推出“巴食巴适”综合性区域农产品公用品牌,组建了“巴食巴适”运营协会、旗舰店和直销店(铺)。巴中市被命名为“省级农产品产地无公害化市”,建设国家有机产品认证示范创建区1个、省级地理标志产品保护示范区2个;新获得“三品一标”农产品认证45个,累计达238个。“巴中云顶”等14个茶产品获得第五届中国(四川)国际茶业博览会名优茶评选金奖,名列全省第一位;“巴中云顶”被第四届中国茶叶博览会评为“有影响力的茶叶区域公用品牌”;5个茶叶产品获得第四届“国饮杯”全国茶叶评比一等奖。“巴中柞蚕蛹”通过国家地理标志认证,地理标志保护产品“通江银耳”“南江黄羊”入围2016年度中国品牌价值评价。四川省元顶子茶场生产的“云顶绿茶”“云顶红茶”、通江县空山马铃薯专业合作社生产的“空山马铃薯”进入名录库。

现代农业园区建设。巴州区生态农业科技示范园区、通江县通江银耳产业园区被命名为省级现代农业示范园区,通江县鹰歌葡萄庄园、南江县元顶子茶场、巴州区巴州生态农业科技示范园获得省级示范农业主题公园认定授牌。

2016年巴中市省级农业产业化重点龙头企业名单

企业名称	注册资金(万元)	法人代表	示范等级	年度产值(万元)	行业分类	主营产品
巴中精致现代农业开发有限公司	5000	何汶荃	省级	3143.86	生产加工业	猕猴桃、粮油、彩叶苗木等
巴中市忠友农业发展有限公司	1000	尤飞	省级	4720	生产加工业	蔬菜
巴中市茂鑫农业科技发展有限公司	50	陈茂	省级	2139.25	生产加工业	泡菜
四川省元顶子茶场	140	李林秀	省级	3347.37	生产加工业	云顶茶
通江县康源油脂有限公司	190	余斌	省级	2519	生产加工业	菜籽油
平昌县丰瑞农业科技有限公司	28000	邹泽	省级	16043.62	生产加工业	茶叶及产品

2016年巴中市家庭农场经营情况统计表(前10位)

家庭农场名称	注册资金(万元)	法人代表	年度产值(万元)	行业分类	主营产品
彭喻家庭农场	30	彭敏	51	生产加工业	畜禽、观光农业
石梯坎家庭农场	50	白支云	79.32	生产加工业	蔬菜、水果
来福家庭农场	400	赵敏	110	生产加工业	牛、羊、鸡、鱼
欣雨家庭农场	52	张华	236	生产加工业	生猪
美好家庭农场	200	朱键	75.1	生产加工业	水果、蔬菜、畜禽、生态农业观光
秀英家庭农场	150	刘秀英	65	生产加工业	青花椒
家柏青花椒种植家庭农场	200	谢家柏	32.28	生产加工业	青花椒
国华家庭农场	150	宠利琼	507	生产加工业	家禽、家畜、鱼类
卫香家庭农场	200	曾卫	116	生产加工业	鸡、羊、鱼、药材
天羽家庭农场	52	喻勇	117	生产加工业	生猪

【种植业】 2016年,巴中市粮食作物播种面积32.06万公顷,增长0.6%;油料作物播种面积7.11万公顷,增长0.8%;中草药材播种面积0.72万公顷,增长15.7%;蔬菜播种面积4.62万公顷,增长0.4%。全年粮食总产量173.27万吨,增长1.4%,其中小春粮食产量增长1.1%;大春粮食产量增长1.5%。经济作物中,油料作物产量14.41万吨,增长2.6%;蔬菜产量109.79万吨,增长0.3%;茶叶产量0.28万吨,增长3.2%;园林水果产量5.53万吨,增长2.8%;中草药材产量2.3万吨,增长17.8%。全市化肥使用量年度增长量控制比例≤0.6%,农药使用量增长率≤1%,病虫害损失率控制在3%以下。整体推进政府购买植保社会化服务试点,专业化统防统治覆盖率达40%,主要农作物绿色防控覆盖率达30%,秸秆综合利用率达85%,创建省级病虫害绿色防控示范县5个。

【林业】 2016年,巴中市全面完成114.7万亩国有林、361.9万亩集体公益林管护,巩固退耕还林成果52.6万亩,实施新一轮退耕还林7.88万亩,完成营造林51.88万亩,新增森林面积10.5万亩,新增森林蓄积40万立方米,森林覆盖率增加0.4个百分点,达到58%;林业总产值达149.5亿元,农民人均林业收入2341元。森林火灾损失率控制在0.1‰以内,林业有害生物成灾率在3‰以内。获得省政府2016年度农田水利基本建设“李冰杯”林业项目二等奖。

【畜牧业】 2016年,巴中市建成部省级畜禽标准化养殖场6家、林下养殖示范片10个。全年肉猪出栏352.61万头,牛出栏22.53万头,羊出栏82.39万只,家禽出栏1107.28万只;禽蛋产量6.55万吨,肉类总产量达30.62万吨。应免畜禽免疫密度、产地检疫率、病害产品无害化处理率、生猪定点屠宰资质清理面均达100%,无区域重大动植物疫情和农产品质量安全事故发生。

【水产业】 2016年,巴中市积极探索“以鱼还苗”机制,建成部级生态水产养殖示范场4家、省级生态水产养殖园区10个,全年水产养殖面积达1.51万公顷,水产品产量达6.59万吨。

【农村水利】 2016年,巴中市实施水务项目73个,争取到位资金14.3亿元,同比增长20%;完成水务投资34.6亿元,同比增长9.2%,获得2015—2016年国家水土保持重点工程建设先进单位称号、全省"李冰杯"竞赛水利项目二等奖。加快推进红鱼洞、黄石盘、二郎庙、双桥、天星桥、湾潭河、金台、方田坝等水库枢纽工程建设,寒溪寺、白花溪等7座小型水库进入水利部"十三五"项目规划,江家口、青峪口、青龙嘴等"2+6"大中型水库被列入国家"十三五"规划四川省水库建设项目。小农水重点县建设涉及58个项目村,整治山坪塘299座,新建微水池190口、渠道115千米,整治渠道47千米;建成1025处农村饮水安全工程,315处新建供水工程已投入运行。通江县获得"国家水土保持重点工程建设先进项目县"称号。

【新农村建设】 2016年,巴中市推动试点示范向整村整乡(镇)覆盖转移,由先易后难向先难后易特别是要道边、城周边向偏远地、吊角地"两边变两地"转移,以新建为主向"建、改、保"相结合特别是旧村改造转移,以"住上好房子"为主的物的新农村向"好房子、好日子、好习惯、好风气"齐抓的"四好村"转移。制定出台《关于扎实开展创建"四好村"活动的通知》《在巴山新居建设中倡导和弘扬新乡贤文化工作方案》《关于切实加强传统村落保护发展的指导意见》《巴中市市级"四好村"考评办法(试行)》。全市建成中心村21个、聚居点313个、扶贫新村215个,建成省级"四好村"95个、市级"四好村"174个。巴州区光辉镇白鹤山村,恩阳区登科街道办事处恩阳古镇,通江县洪口镇古宁寨村、龙凤场乡环山村、澌波乡苟家湾村、胜利乡大营村、胜利乡迪坪村、文胜乡白石寺村、毛浴乡迎春村,南江县朱公乡百坪村被列入第四批中国传统村落名录。

【乡村旅游】 2016年,巴中市乡村旅游实现了革命性突破,走出了一条"旅游+"的发展新路。一是以景区打造为重点,提升乡村旅游承载力。依托驷马水乡景区、五木南天门景区、灵山巴灵台景区等建成了一批省级乡村旅游示范乡镇、村。二是以特色产业为纽带,提升乡村旅游支撑力。形成驷马—五木—灵山—元山、驷马—白衣—双滩—喜神—牛角坑等多条现代农业休闲观光旅游带。三是以主体文化为内核,提升乡村旅游生命力。在乡村旅游中融入红色文化、巴人文化、亲水休闲、养生康养等内涵,对驷马水乡、三十二道梁、鹰歌葡萄庄园等特色乡村旅游景点进行了提质升档。四是以农民增收为根本,提升乡村旅游吸引力。开展"乡村民宿服务"培训,设计创新以土特产品为主的旅游产品,打造了正直大酥肉、镇龙罐罐汤、白衣全鱼宴等特色农家餐饮品牌,推出了白酒、茶叶、豆瓣、土鸡等系列特色旅游商品。恩阳区叶雕、通江县余氏竹编2件作品在"2016中国旅游商品大赛四川赛区预赛"中获得银奖,南江县光雾山红叶徽章、通江县亮雪剪纸、平昌县刘伯坚纪念徽章3件作品获得铜奖。平昌县和通江县举办了第七届四川乡村文化旅游节(春季版)分会场活动,南江县举办了第七届四川乡村文化旅游节(夏季版)分会场活动、第三届杜鹃花节、第十四届光雾山红叶节,巴州区举办了"5·19国家旅游日"巴中分会场活动等系列重大节庆活动。全市相继举办第二届巴中云顶茶文化旅游节、首届南江黄羊(成都)美食文化节及南江万寿菊文化节、平昌荷花节、恩阳芦笋节、通江巴药研讨会等大小农旅节会30余次,吸引观光度假游客300万人次。策划举办了首届中国四川光雾山冰雪节、通江旅游验客大赛、创意自拍大赛、通江梨园古村首届民俗文化节、平昌粽子节等系列营销节庆活动,策划了以光雾山—诺水河为代表的生态旅游、以川陕苏区首府为代表的红色旅游、以佛头山—江口水乡为代表的乡村旅游、以恩阳古镇—南龛石窟为代表的历史文化旅游等旅游精品线路,取得了较好的市场效益。

【扶贫攻坚】 2016年,巴中市确立了贫困村销号"一低七有"、贫困户脱贫"一超七有"的标准,建立了"巴中市精准扶贫数字管理系统",融合对接国、省信息平台和市级农业信息、民政救助、残疾人帮扶等平台,同步开通手机APP移动查询终端,对"六个精准""五个一批"等扶贫开发工作进行条块化反映、动态化掌控、精准化研判、透明化监督、信息化管理。探索出的"12345"项目资金监督管理工作法完善了"片为重点、工作到村、扶贫到户"的工作机制。全年开展劳动力转移培训6150人、实用技术培训5.79万人次,安置就业2.8万人。全市207名市(县)级领导挂联贫困村,组建驻村工作队699个,下派"第一书记"891名、农技人员699名,56737名党员结对帮扶贫困户,实现对贫困村、贫困户结对帮扶全覆盖。共引进帮扶项目1674个,协调争取各类帮扶资金1.73亿元,帮扶贫困群众12.8万户。完成易地扶贫搬迁1.1万户。全面完成省下达的215个贫困村销号、9.1017万名贫困人口脱贫的年度目标任务。

【农村教育】 2016年,巴中市编制完成《"十三五"教育发展规划》《教育扶贫专项2016年工作计划》《2016年城区公办幼儿园建设实施方案》。累计落实学校项目建设资金14.98亿元,新(改、扩)建校舍(运动场)22万平方米。建成班级多媒体教室1744间、录播教室22间,改造学校网络100余所,装备学生用计算机5404台,建设计算机网络教室106间,对"教学点数字资源全覆盖"项目进行软件升级改造。

【农村文化】 2016年,巴中市建成公共图书馆6个,图书总藏量达80.21万册;群众文化设施建设面积37.92万平方米。广播节目综合人口覆盖率达97.43%,电视节目综合覆盖率达99.26%,直播卫星用户22.13万户,有线电视入户率达29.32%。开展了民俗民宿、农耕文化体验活动,组织开展送文化下乡等系列宣传活动,不断丰富农民群众精神生活。

【农村卫生】 2016年,巴中市有乡(镇)卫生院230个、村级卫生室2444个。全年产妇住院分娩率达99.88%,孕妇死亡率12.33/10万,婴儿死亡率3.48‰,法定传染病报告发病率为252.93/10万,农村卫生厕所普及率达73.6%。国家卫生乡镇、省级卫生城市(县城)、卫生乡镇、卫生村覆盖率分别达4.28%、100%、35.29%、23.14%,国家卫生城市创建工作通过技术评估。

【农村法制建设】 2016年,巴中市以"法律七进"为载体,坚持面向基层、群众和服务对象,把向农民送法律、送政策、送技术作为一项常规性、长期性工作。加强农民专业合作组织、农业龙头企业等法制宣传教育,开展"法律进乡村"活动,探索"网格化"管理、"辖区制"管理等办法和措施。

【涉农招商引资】 2016年,巴中市3000万元以上的农业招商引资重大项目147个,均为内资项目,比上年增长38.68%;项目总投资221.5亿元,比上年增长5.9%。到位资金83.11亿元,增长31.6%。

【农村社会保障】 2016年,巴中市为31.83万名建档立卡贫困人口、14.76万名贫困人口代缴居民基本医疗、养老保险费,领取基础养老金86811人;出台系列医保扶贫特惠政策,为9.1万余人次报销住院费、特殊门诊医药费2669万元,贫困人口在县域内定点医疗机构住院发生的政策范围内的医疗费用报销比例达100%。

2016年巴中市3000万元以上招商引资项目表(部分)

项目	总投资(亿元)	投资内容	投资方
巴州现代农业示范园	6	建设标准化绿色有机蔬菜种植基地2000亩、标准化农业大棚500亩,配套建设巴山新居、形象展示、商务接待、餐饮会议、休闲度假、酒店住宿、花卉观光、产品展销等功能性设施载体	四川胜泽源农业投资有限公司
尚品农业产业观光园	1.8	占地1800亩,建设1000亩名贵珍稀苗木基地、观光园林和800亩红心猕猴桃产业基地并配套建设川东展示民居与旅游观光服务设施134套	四川尚品高地园林有限公司
生态农业产业示范基地	2.1	项目核心园区占地2300亩,建设优质果蔬(草莓、葡萄)种植基地与农业产业观光体	中智建设技术工程有限公司
青龙山农业种养殖与旅游观光园	0.35	占地300亩,建设年养殖土鸡100万只、出栏土鸡60万只的养殖场并配套建设现代农业旅游观光设施	巴中市天鑫科技种养殖公司
凌云生态农业产业基地	0.9	建设2000亩芦笋、4000亩有机蔬菜种植基地和1000亩年出栏20万只土鸡、2000头生猪的林下生态养殖场,对芦笋、蔬菜等农产品进行深加工	四川秦巴山珍食品有限公司
天香地权农场	2.5	新建竹类种植基地、鱼类养殖基地、水蛭养殖基地、万亩林下养殖基地及水蛭研发、畜禽加工基地	北京龙谷资本投资有限公司
化成玫瑰产业观光园	5	核心区建设1000亩玫瑰产业观光园,在周边乡(镇)种植40000亩玫瑰,在经开区配套建设玫瑰精油加工厂	北京三和五农业生物有限公司
三江隆玉生态农业	0.93	占地2000亩,建设年养殖牛(羊)近10000头(只)并种植优质牧草和坚果的大型养殖基地	巴中市隆玉农业开发有限公司
白庙乡透明农业	2	建设年产2万千克银耳、木耳以及6万千克干竹笋,年出栏20万只林下土鸡、万头土猪,种植万亩中药材、万亩坚果并为成都、西安、重庆等毗邻城市配送时令蔬菜和肉类食品的大型种养殖与农副产品深加工基地并搭建电子交易平台	吉林蔬菜公司、成都胜得文化传播有限公司
梁大湾生态农业养殖	0.8	占地500亩,建设年养殖西门达尔优质母牛500头牧场1座,配套建设乡村旅游观光与休闲垂钓设施	上海投资客商倪正新、回乡创业青年曾朝平
茗山农业综合发展	1	占地3000亩,建设集农村旅游、度假、休闲、垂钓和优质水果采摘于一体的现代农业观光园	四川铭州农业发展有限公司
广东温氏集团(巴中)30万头生猪产业一体化项目	3	规划用地1500亩,建设年产30万头生猪基地并配套建设行政办公中心、化验检测中心、技术服务中心、防疫室等	广东温氏集团
城郊农业观光园	2	占地3000亩以上,在天星桥水库库岸建设果蔬药种植基地和配套建设乡村旅游观光设施设备	重庆衡鸿生态农业开发有限公司
彩叶苗木繁育基地	0.52	建设彩叶苗木繁育中心2000平方米、核心示范区500亩、推广基地2500亩、15000亩高标准繁育基地和林下种养及休闲旅游项目	四川胜泽源农业投资有限公司、巴中七彩林业科技有限公司
10万亩皂角产业基地	3	在全区23个乡(镇)建设10万亩皂角产业种植基地	山东泰瑞药业有限公司、四川秦巴中药科技有限公司
10万亩丹参基地	2.5	在全区23个乡(镇)建设10万亩丹参产业种植基地	山东泰瑞药业有限公司、四川秦巴中药科技有限公司
油橄榄示范种植基地	0.65	占地3000亩,建设3000亩油橄榄标准化育苗、种植示范基地,配套建设集油橄榄鲜榨加工、附加产品开发、生态农产品销售于一体的现代农业综合园区	四川鼎科信息技术有限公司、四川一丘田农林科技有限公司
金碑土主种养殖	0.32	占地1000余亩,建设种植1000亩皂角、丹参、白花蛇草中药材基地,建设占地34亩年出栏6200头生猪的养殖场	巴中市巴州区双山种养殖专业合作社回乡创业青年苟荣、罗天翔

续表1

梓橦庙生态农业产业观光园	2.2	项目占地5000亩，前期以5000亩名贵中药材种植基地（皂角、丹参、白蜡、瞿麦、荆芥、桔梗、瓜蒌）与林下生态土鸡养殖基地建设为主产，后期建设集农村旅游度假、观光、休闲、康养、餐饮、娱乐于一体的生态产业观光园	四川珂浩荣生态农业有限公司、鑫和农业发展有限责任公司
油用牡丹产业园	3	建设标准化油用牡丹基地10000亩、猕猴桃种植基地5000亩、花卉苗木基地1500亩、牡丹油榨油厂1座、气调库1座及旅游观光休闲园，远景种植基地辐射周边乡（镇）	成都锦丰农业旅游发展有限公司
中药材种植基地	0.83	计划用地3000亩种植栀子、半夏、姜黄、防风、丹参、皂角等中药材，配套建设中药材烘干房及办公用房	成都亿洋中药材种植专业合作社
龙生绿缘家庭农场	0.32	建设600亩农业生态养殖基地，其中水产标准养殖塘400亩，苗圃、果园200亩以及林下养殖等	江苏龙生绿缘家庭农场
台湾高新果蔬基地	1.3	总面积3200亩，建设标准化有机水果温室大棚200个，种植红心火龙果、牛奶蜜枣、释迦、茂谷柑橘等，露天种植有机水果2800亩	台湾桃梨橙柿农业科技有限公司
牧业科研休闲度假中心	2.5	建设集波尔多山羊培育、养殖基地以及青饲料加工、冷链物流、菌种基地及旅游休闲娱乐于一体的综合项目	（北京）联佳鹏程科技有限公司
现代农业观光园	0.3	建设标准化竹柳基地200亩、芦笋基地500亩、花卉苗木基地150亩、中药材基地600亩、现代生态农业观光休闲园，远景种植基地辐射周边乡（镇）	成都高峰种植农民专业合作社
特色水果种植及精深加工	5	种植特色水果10000亩，其中核心示范区设施农业2000亩、辐射带动全区水果种植8000亩，建设冷冻冷藏气调库及深加工厂约50亩	国科现代农业开发有限公司
三汇综合农业开发	0.5	建设标准化10000只土鸡养殖场、1000亩以桑葚为主，以200亩中药材为辅的产业园、500吨桑葚深加工及仓储附属设施	安徽思达特企业管理咨询有限公司
三清庙蔬菜、水果种植基地	0.8	建设蔬菜、水果、药材种植基地，打造乡村旅游示范带	山东淄博市绍东农业开发有限公司
豪猪养殖基地	1.3	租赁林地10000亩、耕地300亩，与西南畜牧学院廖元才教授联合创建豪猪（箭猪）、土鸡、三黄鸡生态养殖基地，三年内年养猪规模达30000头，实现产值2亿元；建设生态养鱼及垂钓基地，打造乡村旅游示范带	重庆北碚生态养殖有限公司
“红圣”猕猴桃产业出口基地	2	租赁土地10000亩，以恩阳区玉井乡贾村、断垭村、观音村等自然村界形成的3个生态保育区的自然生态为间隔。罗家坪村为种植“红圣”猕猴桃主要园区；六村以种植山桃核，养殖牛、羊、土鸡为主，形成种草养牛、羊、鸡，粪便培肥土壤种果的生态农业模式，同时修建万吨气调库1座	海南省海口市梓文现代农业有限公司
恩阳柏梓山水土保持科技园	0.65	租赁土地1100亩，建设柑橘系列、本地桃、红心猕猴桃等产业基地	重庆永川蜀秀科技有限公司
光明农场	0.52	租赁土地1500亩，建设甲鱼、土鸡、土鸭养殖基地以及葡萄、猕猴桃产业园	浙江平湖光华水产养殖有限公司
紫荆园乡村旅游开发	1.3	租赁土地2300亩，打造绿化苗木、经济林木、花卉旅游观光带以及蔬菜采摘、水产垂钓体验示范园	重庆市樊宇林业发展有限公司
恩阳区玉山现代农业观光产业园	1.5	种植绿色蔬菜、水果，生态养殖多种水产品；栽植花卉、景观树，打造规模型的旅游观光村；建设旅游接待中心、养老中心、休闲娱乐管理中心	四川铧每农业科技有限公司
有机绿色蔬菜种植基地	0.5	租赁土地1700亩，建设蔬菜种植大棚、商品蔬菜基地、特色水果种植基地，发展生态养殖等配套设施	山东乐峰农业开发有限公司

续表2

猕猴桃示范园	0.36	种植红心猕猴桃2000亩,建设核心区示范片500亩、标准种植基地1500亩以及猕猴桃种植技术培训中心	新疆康元生物科技股份有限公司
芦笋及中药材种植基地	0.37	租赁土地1100亩,种植芦笋、川明参、佛手、金银花等多种药材,打造旅游观光、休闲娱乐、度假养老、会议接待等配套设施	山东丰裕农业开发有限公司
云盘高新种养殖基地	0.42	规划建设1500亩特色水果、花卉、名贵苗木种植基地及林下生态养殖	重庆合川胜怀现代农业有限公司
千亩猕猴桃种植基地	0.38	种植红心猕猴桃1000亩以上,建设现代农业观光示范园,打造以生态猕猴桃种植为特色的集观光、旅游、餐饮、娱乐于一体的现代农业观光旅游景区	沈阳市房屋拆迁有限公司(天润猕猴桃产业基地)
万亩中药材种植基地	1.2	在金土村、东山村建设栀子、金银花、黄芩等中药材核心种植区2000亩,辐射带动全乡种植达到万亩以上,以种植基地为载体建设旅游观光、休闲娱乐、会议接待中心等配套设施	重庆毅力集团有限公司
绿尚果蔬种植业	1.5	打造3000亩脆李、巨峰葡萄、柠檬等有机果蔬基地,配套建设科研技术培训中心	重庆永川绿尚果蔬种植有限公司
陈唐林下生态土鸡养殖	0.32	建设10000只土鸡养殖场、年出栏30万只土鸡种苗孵化场及20万只林下生态鸡养殖场,发展林下土鸡养殖大户10户	山西太原陈唐林下养殖有限公司
花卉苗木种植基地	0.35	打造"智慧农牧业",种植美国红火球紫薇、美国红叶紫薇、美国红火箭紫薇、飞雪紫叶紫薇、丹红紫叶紫薇、日本早樱、美国垂枝樱花、牡丹樱花、弗吉尼亚栎、娜塔栎、舒玛栎	陕西恒世农牧业开发有限公司
油橄榄种植基地	0.5	租赁土地2000亩,建设油橄榄规模型标准示范园500亩、小(2)型水库2座等配套设施	甘肃万事通农业开发有限公司
原乡农业开发	2	租赁土地4188亩,建设接待和展示中心、有机粮油种植、有机果蔬种植、林下有机养殖、净菜车间、畜禽圈舍、育苗玻璃温室大棚、普通种植大棚、提灌站、50KVA变压器等综合配套设施	新疆路德园林工程有限公司
桃园、花卉休闲观光中心	0.36	租赁土地2500亩,发展桃花、日本樱花、紫薇、金桂、红叶李、千层金、红叶石楠、撒金珊瑚、丁香等花卉种植基地,建设旅游观光、休闲养身园及相关配套设施	浙江立力尚成有限公司
智双种养殖	0.32	流转整理土地816亩,发展新西南早红桃、新西南晚红桃、映霜红、美翠、新黄肉桃、移栽台湾脆柿、汶川青皮脆李种植基地,建设休闲农家乐等配套设施	山东省智双农业科技有限公司
红心猕猴桃	0.33	流转土地674亩,发展300亩红心猕猴桃示范园,打造湿地现代观光农业产业,以原有的自然生态景观为基础,配置观赏性花草、树木等配套设施	陕西省新源农业科技开发有限公司
蔬菜示范基地	0.38	流转土地1300亩,建设500亩标准蔬菜示范园,种植优质水果350亩,发展水产养殖100亩,打造乡村旅游观光农业等配套设施	广东天世达农业科技有限公司
茶叶基地	0.72	建设5000亩生态茶叶示范园,辐射周边乡(镇)发展万亩茶叶基地,打造茶业休闲观光园	青岛科建建筑工程有限公司
拾豪生态农业	0.5	流转整理土地1000亩,建设年出栏生猪5000头、羊1000只及标准猪舍、羊舍、仓库、办公用房;种植黄芪、当归等中药材,种植柚子、核桃、鹅柑等果树及水产养殖和配套设施	甘肃拾豪生态农业开发有限公司
万安芦笋种植基地	0.38	租赁土地3000亩,建设标准化芦笋种植基地1500亩并辐射周边村社,栽植车厘子、青脆李、西瓜,打造鸡鸭养殖和垂钓于一体的绿色、休闲、观光、生态农业,建设蔬果冻库和农家乐等休闲场地,打造乡村旅游观光带等配套设施	北京亨达通农产品开发有限公司

续表3

九镇生态核桃发展基地	0.56	流转土地1100亩，发展云南优质生态核桃种植基地并辐射周边村社，打造乡村旅游观光带等配套设施	成都茂鑫农业开发有限公司
绿色水果种植基地	0.33	流转土地1000亩，建设标准化脆李种植基地、冬枣种植基地，打造绿色水果乡村旅游观光带等配套设施	南京事意利农业科技有限公司
清洲坝生态农业观光园	0.34	流转土地2200亩，建设标准化蔬菜大棚基地，种植特色有机蔬菜，2016年完成3个品种的有机蔬菜认证，发展优质粮油、稻田养鱼；建设标准水稻、玉米对比试验田；栽植特色花卉苗木；计划养殖生态猪1500头；打造观光农业示范园等配套设施	四川省川力水利电力建设有限公司
骡动山脆李园	1.48	租赁土地1500亩，建设标准脆李示范基地，打造旅游观光采摘体验等配套建设项目	武汉华邦农业开发有限公司
有机葡萄示范基地	0.42	流转土地1800亩，建设有机葡萄示范基地400亩，打造观光、休闲旅游带及配套设施	重庆恩渝果蔬农产品有限公司
生态农业科技产业开发	2	建设宾馆4500平方米，办公用房、厂房、圈舍2000平方米；发展观光农业500亩，建设观赏鸟散养场6000平方米、特种养殖基地5000平方米	四川省鼎恒建设工程有限公司
香港嘉创（巴中）农林综合经济产业园建设	7.4	流转产业基地10万亩，建设农林种植示范园、规模化特色养殖基地、休闲生态养老园，建设核桃、黄羊、木材产品深加工工厂及宾客接待集散区	香港嘉创发展有限公司

【农村生态建设及环境保护】 2016年，巴中市全面完成生态保护红线划定，落实污染物排放许可制，推进；气、水、土壤污染防治“三大行动计划”。完成32个乡（镇）生活污水处理站建设，完成1.09亿元中央农村节能减排资金项目建设；全面开展土壤环境质量调查和非正规垃圾堆放点的清理整治。完成《国家级生态文明建设示范市规划》编制并全面启动创建工作，通江县、平昌县、巴州区、恩阳区通过省级生态县（区）验收。进一步对强化自然保护区的生态环境监管。全年空气质量优良天数达标率达90%以上。

【农村留守儿童帮扶】 2016年，巴中市全面开展农村留守儿童摸底排查工作，排查出农村留守儿童80051人。建立健全留守儿童关爱保障机制，从常规化、简单化的监护向更加专业化、个性化的“精准关怀”转变，努力做到“一生一册”“一生一策”。进一步夯实阵地建设，建立心理咨询师资源库，落实经费保障，构建关爱机制，强化督查，努力营造重视、关心、支持关爱农村留守儿童工作的良好氛围和社会环境，促进留守儿童健康成长。

【农村市场体系建设】 2016年，巴中市扎实抓好农产品产地集配中心建设和农村资金互助组织试点，分别推荐申报恩阳区、平昌县实施第五批农产品集配项目和巴州区实施农村资金互助组织试点；平昌县第三批农产品集配中心建设项目顺利通过省级验收，恩阳区第四批农产品集配中心建设项目有序推进；巴州区、恩阳区农村资金互助组织试点项目顺利启动实施。设立基层农技推广服务机构388个，其中达到“五有”标准的农业综合服务站190个、畜牧服务站188个、水产服务站10个；建成农村电商平台286个，发展电商村或专业合作社48个，覆盖行政村353个，占行政村总数的15%。

【劳务开发】 2016年，巴中市坚持“四个精准”思路，通过市、县（区）、乡（镇）、村（社）四级联动，为14.712万名贫困劳动力建立“一库五单”，组织开展下乡进村培训7351人，转移就业3.3万人，鼓励本地企业吸纳2578人，开发公益性岗位安置1454人，兑现各项补贴1384万元，就业扶贫成效明显。充分发挥域外劳务基地、农民工服务站作用，先后邀请新疆建工集团等170余家异地用工单位到巴中市巡回举办农民工专场招聘会72场次，劳务输出169万人，收入207亿元。举办了第三届“返乡下乡创业之星”评选活动，筛选出池满平、陈彬等34名典型代表并进行公示评选。

【农村大事记】 4月1日，全省首部“大美乡村”村志——《凤凰庙村志》在巴中市出版。

4月15日，通江县空山天盆旅游景区通过全省4A级旅游景区资源质量评审，进入国家4A级旅游景区创建预备名单。

4月18日，四川省第七届乡村文化旅游节（春季）通江分会场、第二届巴中云顶茶文化旅游节在通江县石牛广场开幕。

4月19日—20日，省政协副主席翟占一率队到巴中市视察易地扶贫搬迁贷款实施情况。

5月4日—5日，省人大常委会副主任、党组书记陈光志率队到巴中市开展《四川省农村扶贫开发条例》执法检查。

6月16日，司法部副部长、党组成员刘振宇率司法部办公厅副巡视员张建忠、政治部组织培训局副局长姜家雄一行到巴中市调研基层司法行政及法治扶贫工作。

6月22日—23日，原商务部驻成都特派员方蔚，新华社瞭望智库副总裁、《财经国家周刊》副总编辑张超等一行到巴中市开展“大国扶贫课题中心”调研活动。

7月2日，通江县被国土资源部授予全国“第三届国土资源节约集约模范县”称号。

9月14日，四川省电商精准扶贫培训班在通江县开班。

10月11日，《人民日报》《新华日报》《解放日报》等党报记者来到巴中市开展“长征路上看变化·巴中老区展新颜”联合采访活动。

10月21日—24日，国务院扶贫开发领导小组第15督查组到巴中市开展脱贫攻坚督查。国土资源部党组成员、副部长、国家土地副总督察张德霖率队，省委常委、省委农工委主任曲木史哈，副省长王铭晖，省政府副秘书长、省扶贫移民局局长张谷，国土资源厅厅长杨冬生参加督查。

10月24日—25日,全国人大常委会委员、法律委员会副主任委员苏泽林到巴中市开展联系代表工作,并就巴中市人大常委会参与和推动脱贫攻坚工作情况进行调研。

11月6日,在北京市举行的全国第二届生态文明建设高峰论坛暨城市与景区、美丽乡村生态文明成果发布会上公布了第二届“全国生态文明城市与景区”获奖名单。巴中市被评为“全国生态文明城市”,光雾山景区获评为“全国生态文明景区”。

12月20日,“发扬长征精神·助力精准脱贫——2017年全国文化科技卫生‘三下乡’集中示范活动”(四川分场)启动仪式在通江县举行,同时拉开了“助力精准脱贫、携手圆梦小康——四川省2017年文化科技卫生‘三下乡’活动”的序幕。

【主要领导人】 市委书记:冯键;市人大常委会主任:陈延荣;市长:何平;市政协主席:李树海;分管农业副市长:克克。

巴中市编写组

巴州区

【基本情况】 2016年,巴州区辖29个乡(镇、街道),有农业人口47.28万人,有耕地面积805245万亩,减少0.08%;基本农田556500万亩,增长16.2%。

【年度农业和农村经济运行】 2016年,巴州区实现农业总产值272440万元,增长4.2%;农业增加值147329万元,增长4.4%。农民年人均可支配收入10020元,增长9.5%。

2016年巴州区家庭农场经营情况统计表(前9位)

家庭农场名称	注册资金(万元)	法人代表	年度产值(万元)	行业分类	主营产品
巴中市巴州区梁永炳章种植家庭农场	10	罗炳章	40	种植业	猕猴桃
巴中市巴州区化成镇利民家庭农场	400	施平	50	种植业	葡萄
巴中市巴州区水宁寺镇幸福家庭农场	500	王仕福	80	种植业	中药材
巴中市巴州区安心果家庭农场	50	安全民	25	种植业	梨
巴中市巴州区绿源家庭农场	30	温延国	80	种植业	葡萄
巴中市巴州区菊华家庭农场	10	杨菊	50	种植业	提子
巴中市巴州区水宁寺镇芙容农场	600	何服蓉	3000	养殖业	生猪、鱼
巴中市巴州区大和乡志艳家庭农场	200	张志	500	养殖业	生猪、土鸡
巴中市巴州区金瑞山家庭农场	200	王博	500	养殖业	生猪

农业产业化发展。巴州区共培育专业大户325户、家庭农场81家、农民专合社256家、规模以上龙头企业26家(其中市级以上龙头企业3家),共带动农户近4万人。

【种植业】 2016年,巴州区坚持调优结构,做大规模,突出特色产业发展。一是强力发展巴药产业。坚持做大主导产业的理念,结合区域资源优势,确立巴药产业在农业产业中的主导地位,成立巴药产业发展局统揽产业发展,建设万亩中药材加工园区和全国中药材物流基地,引进培育中药材种植、加工和流通企业,出台巴药发展规划的政策性支持文件,一体化服务巴药产业发展链。按照“道地药乡、生态巴州”的发展定位和“三年三大步,每年10万亩,稳定种植50万亩”的发展目标以及“区建示范区、乡建示范片、村建示范点”的布局要求,全区新种植中药材45个品种、8万亩,其中以皂角为主的木本中药材3.5万亩、草本中药材4.5万亩;在平梁—枣林建设中药材万亩示范区1.2万亩,在平梁镇相坪村、凤谷村连片建设中药材GAP核心示范区3200亩。二是做好优质果蔬产业。以建设万亩果蔬示范区为载体,在凌云—玉堂、曾口—三江集中成片建成有机果蔬基地1.1万亩、黄花基地0.35万亩、芦笋基地0.25万亩,重点发展桃、葡萄、猕猴桃、樱桃等优质水果0.4万亩,草莓500亩。在凌云乡寨子包村和清江镇巾字村建设蔬菜生产标准园2个、1350亩,建设育苗区5500平方米、采后处理区800平方米、质量安全监测室140平方米。三是抓好优质粮油产业发展。采取与种粮大户、专合组织、家庭农场相结合的方式,在曾口镇等乡(镇)建立水稻、玉米、小麦、油菜高产创建万亩示范片6个、6.47万亩,在大茅坪镇等乡(镇)成片建设粮经复合种植基地3万亩,在大和乡等乡(镇)建立现代化优质粮油产业示范基地2万亩。坚持“四新”示范,实行“六良”配套,全区粮食作物播种面积75.09万亩,产量28.98万吨;油菜播种面积11.98万亩,产量1.71万吨。

【林业】 2016年,巴州区有森林面积90.76万亩,森林蓄积606.6万立方米,森林覆盖率达50.95%。全区实现林业总产值25.8亿元,农民林业总收入10亿元,农民人均从林业上获得收入2201元。

现代林业产业突破发展。在曾口镇、南阳林场等地发展香樟珍稀用材林1.15万亩,在曾口镇、清江镇、白庙乡等地新建香樟、柏木采种基地1万亩,在梁永镇新建大叶香樟优质家系选育圃300亩,在鼎山、凤溪、大罗、龙背、大茅坪等乡(镇)新建桤木工业原料林1.1万亩。在寺岭、凌云、大和等乡(镇)发展林畜、林禽、林蔬等林下经济1.2万亩,在曾口、白庙等乡(镇)发展防风、丹参、何首乌等涉林中药材0.73万亩。依托产业基地建设发展林业专合组织3个、家庭林场5个。义务植树158万株,国土绿化率达99%。

统筹发展康养产业。出台了《巴州区关于大力发展森林康养产业的意见》和《2016年发展森林康养产业实施方案》。完成市级森林康养基地建设1个(三江水乡旅游度假区)、县(区)级森林康养基地建设4个(江南园林森林康养度假村、巴中生态农业森林康养科技示范基地、苏山村森林康养基地、瑞丽庄园)。完成天马山森林康养基地总体规划、控制性规划编制和立项批复,完成青包山森林康养旅游度假区项目、佛龛农庄森林康养产业项目、化成生态小镇森林康养产业项目、天马山森林康养旅游度假区4个森林康养产业项目包装并开展对外招商。

深化林权改革稳妥推进。全年完成林权纠错2宗，面积180亩；颁发《非林地经济林木（果）所有权证》19本，面积2000余亩；发布林权信息2条，涉林面积210亩；实现林权流转面积1.4683万亩。新增林权抵押贷款2360万元，全区政策性森林保险实现了“应保尽保”。

【畜牧业】 2016年，巴州区推动养殖业转型升级，实施温氏生猪项目，启动曾口镇二龙场及关渡洛伽村和羊顶3个种猪场建设。全区建成养殖单元170个，新建畜禽标准化养殖场（小区）48个。水宁寺镇、曾口镇、三江镇等8个肉牛标准化基地年存栏肉牛1200头，年出栏优质商品肉牛850头；在枣林镇灵云居委会—七里扁村—枣林村—漩滩村打造肉羊养殖示范片1个，年饲养山羊1.325万只，年出栏优质商品肉羊1.6万余只。全区生猪存栏37.3万头，出栏62.2万头；牛存栏4.9万头，出栏2.8万头；羊存栏5.2万只，出栏5.9万只；家禽存栏108.8万只，出栏193.5万只。

【水产业】 2016年，巴州区在曾口镇秧田沟村等村新建水产园区4个、520亩，全区水产养殖面积7.54万亩（含稻田养殖面积），投放鱼种1280吨（其中在巴州区河段投放鲤、鲫、草、鲢、鳙、中华鳖等鱼种210万尾），水产品产量10500吨。

【统筹城乡与新型城镇化】 2016年，巴州区实施城镇建设重点项目52个，完成投资82亿元。全区城镇化率达61.5%，较上年提高0.5个百分点。编制片区控制性详细规划及城市设计2个、专项规划5个，完成重点镇控制性详细规划及城市设计4个、中心村修建性详细规划3个、“巴山新居”聚居点修建性详细规划39个。以棚户区改造撬动城市建设，启动回风东路、魁星楼等片区棚户区改造4500套，实施货币化安置1700户，建成拆迁安置还房92万平方米。新建柳津桥等片区破损雨污管网4千米，整治老观桥等病危桥梁3座、小桥河街等小街小巷12条。新建江南二环路停车场，增设停车泊位1300个。创建为“省级森林城市”“省级园林城市”，“国家卫生城市”“全国文明城市”创建取得阶段性成果。

以PPP项目实施撬动集镇建设。巴州区生态建设和水源保护建设（PPP模式）项目全面启动，完成投资3亿元。水宁寺佛龛古镇广场建设及河道整治、天马山森林康养旅游度假区游客集散中心建设启动实施，化成生态小镇孝廉干道、沿山路、滨河路等基础设施建设全面完成，光辉创业小镇、曾口农旅小镇等特色镇建设有序推进。

以易地扶贫搬迁撬动新村建设。实施易地扶贫搬迁项目147个，改造农村危旧房11542户，完成地质灾害避险搬迁812户。城乡建设用地增减挂钩项目节余指标485亩，实现跨县（区）指标流转收入8700万元。

以完善基础设施加快城乡建设。改造县、乡道路62.4千米，新建通村公路120千米，建成乡（镇）客运站2个、农村客运招呼站12个、渡改桥7座。天星桥水库完成枢纽工程并试蓄水，实施小（2）型病险水库除险加固9座，新建供水工程725处，解决8.7万人安全饮水问题。实施农村土地综合整治6.1万亩。建成35千伏以上变电站8座，新（改）建城乡电网950千米，完成18个行政村和6个乡（镇）农网改造。实施建设梁永、寺岭等乡（镇）污水处理站13个。42个行政村通有线宽带。

【新农村建设】 2016年，巴州区以聚居点建设为基础，坚持“群众自愿、成片推进、年度实施”为原则，上半年全面完成规划到点、安置方式到人、实施计划到年的全区聚居点整体规划，共规划建设中心村154个、“小组团”聚居点863个。以整合项目为手段，全年启动建设中心村89个、“小组团”聚居点277个，改造农户住房15936户、57770人（其中建设廉租房820户）。以产村相融为提升，创建省级幸福美丽新村并通过验收40个，全区省级幸福美丽新村总数达101个。以全面建成小康社会为终极目标，推动物质文明和精神文明“两手抓”，全面启动“四好村”创建活动，创建省级“环境优美示范村庄”8个，创建省级“四好村”15个、市级“四好村”26个，光辉镇白鹤山村入选“中国传统村落名录”。巴州区被确定为“全省幸福美丽新村建设示范县（区）”。

【扶贫攻坚】 2016年，巴州区按照“强基础、兴产业、建新居、抓配套”的思路，全力推进脱贫攻坚，实现了36个贫困村“摘帽”、14673人脱贫，完成投资91120万元，占计划投资的100%。

深入实施“五个一批”。通过实施扶持生产和就业一批，全区新增巴药种植8万亩，支持培育新型农业经营主体325个，扩面发展有机果蔬、优质粮油基地30万亩，建成规范化畜禽养殖单元320个，同时依托生态农业基地和农村新型社区发展乡村旅游、森林康养等新兴产业，产业带动贫困群众增收覆盖面达100%；按照“三年任务两年完成，两年任务一年开工”的总体工作要求，通过科学规划有序引导实施移民搬迁一批，2016年年底已完成搬迁6991人；实施低保兜底一批，将低保线提高至扶贫线，实行“两线合一”，已纳入低保24227人；实施医疗救助一批，建档立卡贫困户先诊疗后结算政策已落实，已享受医疗扶贫特殊门诊200余人，享受扶助基金900余人，6323人的医保报费已提高5%且自付费用控制在10%以内；实施灾后重建一批，对建不起房的特困家庭提供保障性住房，落实完善重大意外伤亡临时救助制度。

全力推进连片扶分贫开发。2016年连片扶贫开发项目区域涉及5个片区（芦山—店子、曾口场、金碑、三江—大茅坪、宕梁—东城）、6个乡（镇、街道）、79个村（其中贫困村22个），计划总投资61776.5万元，实际完成投资63481万元，完成年度计划投资的107.7%。项目新建和整治通村水泥路185千米，解决了8000余人的出行难问题；实施各类水利工程937处，新增灌面1.8万亩；新建供水工程231处，解决了1.72万人的安全饮水问题（其中建档立卡贫困户1590人）；升级改造农网线路581千米，标准村卫生室和通信网络实现全覆盖，农村居民电力需求、基本医疗服务和通信得到全面保障。

扎实开展挂包驻帮。全面推进“五个一+1”帮扶活动，建立了区、乡、村、组四级联动精准扶贫帮扶机制，32名副县级以上领导、16个市级挂联部门、98个区级单位、114个驻村工作队、114名“第一书记”、10172名党员和帮扶干部对精准识别出来的贫困村、贫困户实现帮扶全覆盖。各帮扶领导和干部严格按照“帮解放思想、帮脱贫规划、帮解决问题、帮落实政策、帮项目资金”五帮要求，认真履职尽责，不脱贫不脱钩。

积极开展社会扶贫。市、区级帮扶单位为帮扶贫困村直接投入资金1584万元，捐赠物资折价412万元，公募活动累计募捐物资1963万元。在“扶贫十大好人”“爱心企业”评选活动中，四川亨润农业科技股份有限公司、巴中精致现代农业开发有限公司被授予“巴山红”爱心扶贫企业称号，唐敏、李明亮当选为2016年度巴中“十大扶贫好人”，唐敏入围四川省“十大扶贫好人”。

【乡村旅游】 2016年，巴州区水宁寺镇佛龛村获得“中国乡村旅游模范村”称号,化成镇长滩河村、曾口镇秧田沟村入选“全国乡村旅游扶贫重点村”,创建旅游扶贫示范村6个,建成省级乡村旅游特色乡镇1个、精品村寨2个、特色乡村旅游经营点8个、民宿旅游达标户40户。创建“山水化湖”国家4A级旅游景区,建成清江“七彩世界”自驾游营地。包装储备莲花山山地运动公园、水宁寺特色旅游小镇、天马山国家森林公园、三江水乡特色旅游小镇4个项目,其中莲花山山地运动公园、天马山国家森林公园入选国家旅游局“全国优选旅游项目目录”。成功落地梁大湾生态农业养殖建设、茗山农业综合发展建设、城郊农业观光园、新源地生态园、化成生态小镇与开发建设5个项目,全年到位资金4.54亿元。建成巴城—化湖—天马山—凌云—枣林—阴灵山—莲花山自驾游精品线路。规范建设旅游导向标识标牌120个,建设A级旅游厕所22座。不断完善城区、乡(镇)旅游路网体系,完成清江—水宁寺—花溪乡村旅游环线打造,改造枣林—阴灵山等乡村旅游路线9条、100千米,立体化、全域化的旅游交通体系加速形成。主动承办“5·19”全国旅游日全市主会场活动,全方位展示生态巴州、人文巴州、红色巴州。会同水宁寺镇在佛龛村举办了为期15天的第二届“巴山欢采节”。10月20日,在清江镇举行了第七届四川国际自驾游交易博览会巴州分会场暨第二届乡村文化旅游节。制作了《道地药乡·康养巴州》宣传片,全方位展示全域巴州和美丽巴州。利用第十六届西博会、农博会、旅博会、旅游线路规划产品座谈会等平台,从生态巴州、康养巴州、美丽巴州多维度、全方位宣传和展示巴州区。

【助农增收】 2016年,巴州区加大区本级财力投入力度,财政性资金“三农”投入大幅度增加,“三农”财政投入64580万元,同比增长20%,其中上级专款53234万元、区级财政投入11344万元,区级财政投入较上年增长12%,高于公共财政收入增长比例5.77个百分点(公共财政收入增长6.23%)。全区“三农”投入完成投资59520万元。

在2015年基本完成农村土地经营权、林权、水权等确权颁证的基础上,2016年区、乡、村三级产权流转交易平台全面建成,以农村资源变资产的方式促进产业发展和农民增收的机制全面形成。截至2016年年底,已完成土地流转21.98万亩,实现产权抵押融资1亿元;规模流转林地6.3万亩发展森林康养和林下种养,实现林权抵押融资近7000万元;探索建立协会、企业、农户3种管护模式,筹集水利建管资金300余万元;发放小额贷款、产业风险基金贷款等共8000余万元。

加快特色优势产业发展。以园区化、集群化、市场化为方向,加快特色优势产业发展。新建现代特色效益农业标准化基地4.27万亩;建成48个畜禽标准化养殖场。全区累计发展蔬菜7.75万亩、巴药10.22万亩、干果基地5.48万亩。完成“三品一标”农产品创建67个,巴州生态农业科技示范园被命名为省级现代农业示范园区,巴州区被省政府认定为“四川省农产品质量安全监管示范县”。

【返乡创业】 2016年,巴州区建立健全农民工和农民企业家返乡创业组织领导体系、政策扶持体系和要素保障体系,全面落实创业培训、创业服务、财政奖补、税收优惠、规费减免、贷款贴息等就业政策,充分调动民力、集中民智、吸纳民资,掀起了农民工和农民企业家返乡创业的新热潮,返乡创业队伍快速壮大。全年返乡创业就业人数9500人,注册新型农业经营主体300余家,创办企业139家;回引投资100万元以上项目230个,总投资17.64亿元,实际完成投资5.28亿元,促进农民工资性收入稳步增长。

【四川省农村改革综合试验区经验介绍】 巴州区是全国第二批农村综合改革试验区。围绕农村改革试验任务,以唤醒农村“沉睡资源”为出发点,以农村集体产权制度改革为着力点,以增加农民收益为落脚点,大胆探索、先行先试,各项改革试验任务有序推进。2016年,巴州区围绕“4+3”改革试验任务,全面完成农村土地确权颁证工作,基本建立土地评估、产权登记、流转交易、风险防控四大平台,适度规模流转土地21.98万亩,新增7.3万亩。道地药乡、优质粮油、有机果蔬、生态畜禽四大主导产业已经形成,各类新型农业经营主体茁壮成长,承包土地经营权等产权抵押融资突破3亿元,直接带动1.79万名贫困群众增收。全年实现林权抵押融资6200万元,设立农田水利设施建设管护基金500万元。全区共形成了55项制度成果,顺利通过了全国农村改革试验区中期评估(其中转化为中央和地方政策文件共7项),一些关键领域和重点环节的改革取得了实质突破和明显成效,特别是探索建立协会、企业、农户3种管护模式,完善农民财产权实现形式等做法被国家层面评价为“可以为修改《农村土地承包法》和《土地管理法》提供重要实践依据”;推进全国农村改革试验区的做法被《农民日报》头版头条报道,“优化土地流转服务推动农业经营提质增效”的经验在《农村改革工作动态》刊发简报,“三权分置颁铁证”“整合涉农资金集中脱贫攻坚”“农田水利建管一体化”“连片推进整村实施精准到户到人扶贫”“林权流转基准指导价制度机制”“股权量化财政投入形成的经营性集体资产到贫困户”等改革实践获得国土资源部、农业部、国家扶贫办等国家部委的充分肯定。

【重点乡镇选介】 化成镇,位于巴州区东北部,面积67.5平方千米。全镇共有16个行政村、2个社区、124个社,总人口26901人。2016年,化成镇始终坚持走“生态、节水、高效、观光”的现代农业发展思路,围绕“产业兴镇,旅游强镇”发展战略,大力实施花卉苗木基地建设,建成各类苗木基地3000亩。大力提倡小家禽发展,成立养殖专业合作社13个,年出栏生猪6万头。化成镇按照“小规模、组团式、微田园、生态化”原则,建成白庙村、长滩河村、罗家河等5个新村聚居点,其他26个新村聚居点建设有序推进。编制完善4个贫困村、1361户贫困户脱贫规划,全面落实“六个精准”“五个一批”等脱贫攻坚措施,精准滴灌到户到人。2016年,投资8000余万元,加快场镇基础设施建设。有文化站1个,建设文化广场5个(面积近万平方米)、图书室20个(藏书40000册)。镇内有职业高中1所、小学3所、幼儿园3所,共有教职工182人、学生3000人。有国家一级甲等医院1所、卫生院1所,床位50张,医务人员68位,村级卫生所19个。名胜古迹主要有奇章楼、雷辅天基、古汉墓群等。化成镇先后被评为“全省旅游示范镇”“百强示范镇”“国家改点镇”“国家级水利风景区”“国家级AAAA级风景区”。

曾口镇,位于巴州区东南部,巴河流域横贯全镇,东与平昌县澌岸、粉壁乡接壤,南连梁永镇,西接大茅坪、三江镇,北与巴中市兴文经济技术开发区和清江镇相连,距巴州城区24千米,辖区面积109.7平方千米,1950年建乡,1985年建镇,2005年区划调整合并于曾口镇,辖4个场镇、4个社区、41个行政村、275个居民小组。辖区面积2.8平方千米,人口1.58万余人,2000年被省委省政府批准为省级试点小城镇,历经10余年的治理,街道、建筑和公共设施规划科学合理,镇容镇貌古朴整洁;场镇自来水、电力、天然气、网络、广场、厕所等基础设施完善齐备。巴河、东溪河两大河流绕场而过,场镇四周有粮通坝、吉公坝、苏通坝、铜钱坝(总面积近6平方千米)4坝紧紧相依,后有榨油山高耸,左有莲花山侧卧,右有卧牛山、书台山相伴,前临天然河滩中坝、长河坝，整个场镇依山傍水，地势开阔。巴达高速、巴南广高速、巴达铁路、省道409线途经曾口，巴南广高速在曾口场镇郊区建有互通和服务区，省道409线建有场镇过境24米大道，兴文经开区至曾口的快速通道已纳入建设规划，巴达铁路车站相邻曾口，县、乡、村、组公路网络全面形成，100%的村、70%的村民小组与曾口场镇互通。曾口场镇南北朝置郡、神农元年置县、民国初置乡，历史悠久，其传统的肖氏皮影多次参加成都非遗节演出，深受国内外专家好评；卧牛山、书台山、方山寨、灵应洞所建庙宇香火鼎盛，名气甚望；曾口特产麻花因其工艺独特享誉市内外。曾口镇先后被文化厅授予"四川省民间艺术文化之乡"、被文化部授予"中国民间艺术文化之乡"等称号。

【主要领导人】 区委书记：张平阳；区人大常委会主任：刘青宁（5月止），杨斌（6月始）；区长：杨波；区政协主席：邵瑜；分管农业副区长：孙蓉（11月止），张勋（12月始）。

巴州区编写组

恩 阳 区

【基本情况】 2016年，恩阳区辖27个乡（镇、街道），有农业人口461515人，有耕地面积35.9万亩，与上年持平；基本农田3.6289万亩，与上年持平。

【年度农业和农村经济运行】 2016年，恩阳区实现农业总产值122116万元，增长4.5%；农业增加值73499万元，增长4.4%。农民年人均可支配收入10177元，增长9.7%。

农业产业化发展。恩阳区建成上八庙—渔溪—三河芦笋产业带、花丛—柳林—青木蜜柚产业带、群乐—茶坝特色养殖产业带、尹家—花丛—观音井粮油产业带、兴隆—关公—玉山果蔬产业带和葡萄、芦笋、川明参等八大产业园区。发展优质粮油基地10万亩、品质果蔬10万亩、芦笋5万亩、巴药3万亩，年均增养牲畜10万头、家禽30万羽。依托柳林食品工业园开展优质粮油、芦笋、莲藕、葡萄、猕猴桃、蔬菜等特色农产品产地初加工，新建成农产品加工厂8家、200吨级以上的冻库5个。引进重庆禾帮医疗器械有限公司等龙头企业2家，新增农民专业合作社192个、土地股份合作社2家、家庭农场63个、农业产业化企业14家、专业大户216家。建立科技试验示范基地3个，培育农业示范户238户。

【种植业】 2016年，恩阳区粮油播种面积102.5万亩，产量35.08万吨，实现总产值9.71亿元。其中，水稻24.7万亩、玉米16.75万亩、小麦21.2万亩、红薯7.84万亩，粮油生产实现"十三连增"。全区蔬菜种植（复种）面积20万亩，其中时令商品蔬菜基地（复种）3万亩、特色商品蔬菜5万亩。猕猴桃、葡萄、柑橘等特色水果种植面积3.75万亩。

【畜牧业】 2016年，恩阳区出栏生猪55.54万头，增长10.6%；出栏商品牛3.52万头，增长42.21%；出栏商品羊6万只，增长8.7%；出栏商品禽480万羽，增长187.56%；出栏商品兔27.55万只，增长8.2%；肉类产量达5.24万吨，增长23.58%；实现牧业产值20.24亿元，增长25.2%，人均畜牧业收入达3066元。

【水产业】 2016年，恩阳区水产养殖面积3.31万亩，水产品产量1.04万吨，较上年增长3%；实现渔业产值1.62亿元，增长6.3%（按可比价计算）。

【创新"三农"投入机制，加快农业基础建设】 2016年，恩阳区投入农业资金达38.6亿元，同比增加6.6亿元；政府土地出让收入用于农村建设达3.95亿元，同比增加1.18亿元。全年本级财政支农投入达4.2亿元，同比增长130%；整合涉农项目资金4.78亿元，撬动业主投入3.8亿元，带动农户投入12.8亿元，引导社会投资21.3亿元，金融企业投放支农贷款4.1亿元。全年农业招商签约项目52个，总投资326亿元；履约41个，到位资金55.74亿元。新（改）建县乡联网路40千米，建成通村通畅公路212.8千米；新建渠道29.8千米，整治山坪塘55口，除险加固小（2）型水库17座，新增有效灌面1.1万亩；新建集中供水工程39处、分散供水工程630处，解决了1.805万名贫困人口饮水问题；完成土地整理项目17个、11.4万亩，高标准基本农田项目9个、5182亩，新建高标准农田1.45万亩；改造农村电网752千米，完成行政村有线宽带进乡村工程273个。实施"互联网+"计划，打造裕博电商中心和"裕博到家"电商平台，建成乡镇电商服务站10个、村级电商服务店98个。

【统筹城乡与新型城镇化】 2016年，恩阳区进一步深化全域规划，完成《恩阳历史文化名镇保护规划》《幸福美丽新村示范县区规划（2016—2020）》和55个聚居点、119个贫困村规划编制。狠抓交通、水利、通讯、能源等基础建设，完成投资175.52亿元。全面完成恩玉路改造和玉山场镇绕场路建设，恩阳机场快速通道、何家坝互通、义阳大桥等项目加快推进；建成县乡联网路40千米、通村通畅公路229千米。西龛110千瓦、观音35千瓦输变电工程项目前期工作加快推进。深入实施"宽带乡村"工程，273个行政村实现通宽带。全面加快城市核心区开发建设，完成原登科街道办事处一分为三的区划调整，新报征土地985亩，麻石等六大棚户区改造项目主体竣工。恩阳大道、义阳一街、城区外环路一期、规划3路麻石段建成通车，起凤廊桥基本建成，义阳山路南段、规划32路建设进展顺利，城市框架基本形成。城区供排水项目完成厂区建设，铺设截污干管12千米、供水管网38.2千米。推进产城、城旅相融，恩阳古镇北入口等一批精美院落、历史街区、特色景点、文化长廊建成开放，锦江饭店投入运营，文旅新城初见雏形。深化"五创联动"，建成闸坝工程和生态堤坝7.1千米。完成兴隆场等5个乡撤乡设镇。实施城乡环境综合治理"7+1"工程，建设柳林国家级重点镇、渔溪"百镇建设行动"试点镇，黑化15个集镇过境路21.7千米，改（扩）建农村综合客运站10个。启动16个乡（镇）集镇污水处理站建设，其中6个完成主体工程建设。新建、改造农贸市场6个。推进传统文化村落保护，文治街道老场社区、柳林铜城寨等10个村分别列入国家、省第四批传统村落名录。深入实施"大气十条""水十条""土十条"，打好大气、土壤、水污染防治"三大战役"。基本建成"户分类、村（居）收集、乡（镇）运输、区处理"的垃圾处理机制，生活垃圾无害化处理率提高36个百分点。耕地红线得到有效保护，治理、排危地质灾害22处；水井沟、双石桥小流域工程治理水土流失面积55.2平方千米；三汇镇、义兴镇中小河流域治理工程治理河道5.5千米。国家环保模范城市、省级生态区创建工作加快推进，创建国家级生态乡镇1个、国家卫生乡镇2个、省级生态乡镇2个、市级生态村19个。成功创建为国家卫生城市，全国文明城市创建通过年度测评。

【新农村建设】 2016年，恩阳区全面实施"五大行动"，结合农村危房改造、易地扶贫搬迁、城乡土地增减挂钩等项目，引导农民主动建设巴山新居，推动贫困户脱贫、贫困村"摘帽"，加快推进幸福美丽新村建设。结合脱贫攻坚"十三五"规划、乡（镇）土地利用总体规划、"绿色农业"发展规划、基础设施建设规划和生态旅游规划，编制完成《巴中市恩阳区幸福美丽新村示范区(十三五)建设规划》。坚持“宜聚则聚、宜散则散、以聚为主、聚散结合”的原则,结合村域自然禀赋,因地制宜,全域规划建设巴山新居,优先建设贫困村,共完成中心村规划18个、聚居点规划285个,其中贫困村119个,力争到2020年全区规划建成中心村24个、聚居点400个。推广“小组生微”规划建设模式,坚持“三区同建”,按照新建、改造、保护三种类型和地域特点分类建设巴山新居,做到布局科学、整体协调。制定出台《巴中市恩阳区巴山新居建设指导手册》和《巴中市恩阳区易地扶贫搬迁工作严防十二条》。结合连片扶贫开发和易地扶贫搬迁,实施组团布局、成片推进,做到规划一片、建成一片、发展一片、巩固一片,“不落下一户一人”,建成明阳—柳林、观音井—下八庙统筹城乡示范片2个,建成幸福美丽新村73个(其中启动扶贫新村42个、建成43个);解决贫困群众安全住房7153户、26160人,2016年预脱贫户住房问题实现全解决、全覆盖。建立农家超市、农资供应、餐旅服务等服务设施,不断延伸就业、救助、社保、托幼、养老等服务职能,新建成“1+6”村级公共服务活动中心73个、文化院坝9个。深化园区、景区、社区“三区同建”,推动“巴山新村”建设,建成3个中心村、83个聚居点,成功创建省级“四好村”14个、市级“四好村”30个、区级“四好村”50个。

【扶贫攻坚】 2016年,恩阳区按照“两不愁、三保障、四个好”要求,编制完善贫困村、贫困户脱贫规划,形成“1+16”脱贫攻坚规划体系。建立“1部3片27组119队”工作推进机制,构建上下联动、推进有力的扶贫工作体系。推行“新型经营主体+贫困户”等模式,创新建立“152”“三双”等利益联结机制,让贫困户在产业链中分享收益。探索财政资金投资收益分配方式,完善新型主体、技能培训、资产量化、惠农政策、巴山新居+农户(贫困户)的“五个+”增收机制。“1融2带3一体”党建扶贫模式、“先诊疗后结算”健康扶贫模式、“六类六策”解决贫困户住房、选人纳贤助力脱贫攻坚、创新落实运用政策激发群众内生动力等经验做法分别被省脱办简报刊发并在全省推广,首创“村校十个一”建设、资助建档立卡贫困大学生每年5000元等经验做法得到省委书记王东明的肯定性批示,创建的“一清二固三制四流程”的工作模式和“三三四三”工作机制在全省发展农村集体经济助推脱贫攻坚现场推进会上作经验交流。先后为国土资源部土地政策支持扶贫开发、全省脱贫攻坚、全省易地扶贫搬迁、全省“万企帮万村”和全省人大扶贫工作等会议提供现场。截至2016年年底,全区贫困人口由2014年精准识别的22514户、80585人减少到10477户、36018人,贫困发生率从15.5%下降到7%。2016年度脱贫攻坚工作被评定为“优秀”等次,被省委省政府表彰为“脱贫攻坚先进县(区)”。

【乡村旅游】 2016年,恩阳区立足“红色、绿色、特色”亮点,重点打造精品景点,大力发展乡村旅游,全区已初步形成集休闲观光、寻古访幽、乡村旅游于一体的旅游业态格局。成功承办了第七届四川国际自驾游交易博览会、第四届巴人文化艺术节,万寿湖创建为省级水利风景区。建成成巴高速乡村旅游示范带,启动建设花包村—黄桷村—登文村—高观山、大木山—万寿村—新河村—章怀山乡村旅游精品线,恩阳古镇创建为国家4A级旅游景区,万寿养生谷国家4A级旅游景区顺利通过初评,培育万寿、罐子沟等农事体验休闲园16个,完成花包村、万寿村等7个旅游扶贫示范村项目,举办了荷花节、葡萄采摘节等特色乡村旅游节,全区实现旅游收入增长12%以上,人均年纯收入增加300元以上。

【四川省农村改革综合试验区经验介绍】 2016年,恩阳区深化农村综合改革,加快全省农村综合改革试验区建设,农村产权抵押融资、农村集体资产股份合作制等试点工作有序开展。完成“1+16”专项改革阶段任务,成功创建全省盘活农村资源资产培育农民增收新产业新业态示范区。推动农村产权交易市场建设,成立农业融资担保公司、新型农业社会化服务公司3家,流转土(林)地3万亩,实现抵押融资3.5亿元。实施金融扶贫,累计发放扶贫小额信贷1.83亿元、新型经营主体贷款6692万元,“六个一”小额信贷做法作为先进经验在全省推广。完成39个贫困村财政资产收益扶贫改革和集体资产股份合作制改革、西南果蔬农村资金互助合作社试点,农村集体经济“三四三三”机制、农民增收“五个+”模式在全省交流。

【四川省现代林业建设重点县经验介绍】 2016年,恩阳区新增工业原料林1万亩、巴药(木本)基地0.5万亩、特色经果林0.5万亩、银杏0.5万亩,发展林下经济1万亩;完成通道绿化75千米、新村绿化2个;实施天保工程公益林建设4.075万亩,退耕还林1.3万亩,抚育中幼林0.5万亩;新流转林地1万亩,新增家庭林场6家、林家乐10处、生态康养基地2处。全区森林覆盖率达50.6%以上,生态经济产值达28.7亿元,农民人均生态经济收入达2550元。根据《四川省人民政府关于扎实推进新一轮现代农业林业畜牧业重点县建设的意见》《四川省林业厅、四川省发展和改革委员会、四川省财政厅关于推进新一轮现代林业重点县建设的实施意见》和《四川省林业产业发展纲要》要求,结合恩阳区实际,坚持以林油一体化为重点,计划到2018年,核桃木本油料现代林业产业基地面积达5万亩,其中新建面积2万亩、低改0.571万亩;新建核桃种植示范片2片,新建示范园1个、面积0.3万亩。加大对龙头企业的扶持力度,新增省级林业产业化龙头企业1家,实现木本油料就地加工转化率达80%以上;大力发展以森林康养、林下养殖为主的林下经济,充分提高林地利用率;采用多种形式发展、壮大林业专业合作组织,新培育专业合作社8个(其中省级2个),实现现代林业产业基地内专业合作组织覆盖率达70%以上,真正实现政府引导,市场引领,专业合作组织、龙头企业带动的发展格局;全区林业年总产值达25.2亿元,农民每年从林业上获得的人均收入达2400元以上,初步建成结构和布局合理、区域优势明显、生态和经济效益显著的林业产业发展体系。

【回乡创业之星选介】 贾国武,男,48岁,三江镇人,巴中市秦巴国泰现代农业有限公司执行董事长。1994—2005年从事家电维修与销售,担任长虹股份有限公司巴中分公司售后部经理;2005—2013年从事房地产开发与建筑;2013年9月从成都返乡创业。2014年2月在恩阳区政府及相关部门的引导和支持下,注册成立了巴中市秦巴国泰现代农业有限公司,从事果蔬经营、花卉种植及现代生态观光农业发展等。公司下设2个专业合作社、1个优质果业协会,同四川大学、西华大学、四川农业大学等大专院校科研机构签订了产学研合作协议。2005年,公司荣获“市级龙头企业”称号,同年合作社获得“市级示范社”称号。公司利用产业园区快捷便利的交通条件、优美的自然环境,向二三产业迈进,带领当地600余户农户共同发展现代生态观光旅游农业,走产业扶贫之路,产业园区农民人均年收入达1.37万元,为产业扶贫做出了贡献。2016年,贾国武当选为恩阳区第二届政协委员、区政法委调解领导小组成员和市科技特派员。

申高峰,男,42岁,中共党员,玉井乡人。2014年,申高峰辞去了在重庆一家公司高层管理的职务回到家乡创业。依托玉井乡得天独厚的自然资源,邀约重庆籍企业家冯超等人共同注册成立巴中大峨山农业发展有限公司并与西南大学畜学院达成校企合作协议,主要养殖豪猪和土鸡,2015年3月又注册成立了巴中市恩阳区荣峰种养殖专业合作社。公司和合作社已投资200余万元,在文童山建设300余平方米的豪猪圈舍、1000余平方米的标准鸡舍、300余平方米的育雏室、孵化室等相关配套设施。2015年年底,公司先后向三岩村、观音村、断垭村建档立卡贫困户免费发放鸡苗5000余羽,同时组织畜学院教授开展技术培训15次,培训人员达200余人次,帮助当地群众掌握养殖技术,从根本上解决了发展瓶颈。申高峰被评为农信杯·巴中市第二届十佳最美新型农民。

朱永忠,男,双胜镇人。2015年,朱永忠联合4个有志回乡创业的朋友回乡成立了巴中市恩阳区众鑫养殖有限公司与巴中市恩阳区联众养殖专业合作社,创办肉羊养殖基地,建成了以波尔山羊、湖羊、澳洲白、小尾寒羊、杜波培育、养殖和精饲料加工、冷链物流、苗种培植及旅游休闲娱乐于一体的综合性养殖繁育基地。该项目投资5000万元,截至2015年12月已完成投资2500余万元,建设圈舍30000平方米、管理用房1500平方米、一级排放设施2处、标准化青饲料加工仓储等基础设施,总占地面积100亩,计划在2017年年底完成全部投资。公司存栏羊3000余只、能繁母羊1500余头、羔羊700余头、育肥羊800余头,全年销售肉羊945头,销售金额达60余万元。公司采取"公司+院校+基地+农户"的经营模式,在恩阳区首推"借羊还羊"发展模式,按照"双优先""双保障""四统一""全分工"的原则带动农户发展肉羊养殖,仅此一项,农户增收就达2000余元。

刘智勇,2013年远在北京的刘智勇在得到恩阳新区成立的消息后决定返乡创业。2014年5月,刘智勇成立了巴中市恩阳区现代农业有限公司。公司以柳林镇为中心,辐射带动茶坝镇、群乐乡等5个乡(镇)共25个贫困村规划发展莲藕种植基地8万亩,其中企业自主经营5万亩、带动农户3万亩,年产鲜藕30万吨;以柳林镇罐子沟村为主,建设康养、旅游、体验式农业基地1000亩;发展藕鸭共生50000只、藕渣养猪6000头、水库养鱼40万~50万千克,在柳林食品工业园建设占地45亩、年产80万吨的莲藕饮料加工厂1个,实现种养循环。通过产业辐射发展,带动了群众特别是贫困户发展,提高了贫困户收入,得到了群众尤其是贫困户的一致好评。2016年,公司先后获得"巴中十大扶贫爱心企业(组织)"和"万企帮万村"精准扶贫工作先进单位称号。刘智勇先后获得"北京市十大创业青年""中国时代十大诚信企业家""乡村旅游带头人""中国商界诚信领袖""中国诚信企业家功勋奖"等称号。

【重点乡镇选介】 下八庙镇,地处巴中市西南面,东与观音井镇楼房村抵界,西与尹家乡隔河相望,北与双胜乡接壤,南与仪陇三蛟镇唇齿相依,全镇辖15个村97个村民小组2个社区居委会,辖区面积49.7平方千米,有耕地面积19128.8亩,人口6465户、22808人。是巴中市西南之门户,有"入巴第一镇"之美称。下八庙镇交通便利,唐巴公路横穿全镇8个村22个村民小组,成巴高速跨越境内,在境内均设有服务区及高速出入口,全镇15个村村道硬化里程达150千米,社道路硬化100余千米。下八庙镇于2012年12月启动"巴山新居"建设,石桥村、安居村、凤凰包村、钱库村、东峰村、普济宫村6个新居建设竣工,占地200余亩,建成房屋387套。新村以"一村一品"发展水果为重点,建成葡萄、猕猴桃和沙梨采摘基地2000余亩,修建环村公路23千米,利用螺丝坝河、张家沟和苟家湾水库等水利资源开发垂钓、漂流等乡村体验式旅游,培育星级农家乐,已改造土地面积8000余亩,与观音井万寿养生谷连成旅游带。全镇累计投入资金3000万元,建成面积20000平方米,完成行政、住宅、商业建筑面积288万平方米,水、电、暖配套设施齐全,绿化面积1万平方米,安装太阳能照明灯180盏,移动联通、电信网络覆盖全镇,实现了户户通电话,有98%的农户已安装宽带网,自来水使用普及率达100%,有农村信用社、邮政储蓄等金融机构3处。组建了专门的环卫清洁机构,配备了2辆环卫专用车和12名保洁员,2016年成功创建为国家级卫生镇并建立了长效管理机制。在每个村均建起了农家中心书屋、村文化活动室,凤凰包村、普济宫村建有"幸福美丽新村文化院坝"和电子阅览室、点歌系统等。各村以"农民夜校"为平台,通过集中学习、专家讲解、上门助学等方式积极开展政策宣读、技能培训、创业谋划等培训,全年开展夜校学习、培训520人次。全镇有卫生院2所;每个行政村卫生室都有60~80平方米的阵地,设有诊断室、治疗室、观察室、公共卫生房屋,配备了理疗设备。下八庙镇成功创建为国家级卫生乡镇。

柳林镇,地处巴中市西南部,距巴中市32千米,距恩阳区13千米,成巴高速、国道244线纵穿南北,是巴中北上陕西、南下成都、重庆的重要交通要道。全镇辖22个行政村2个居委会157个村(居)民小组,辖区面积68平方千米,有人口11677户、44195人,有耕地面积24106亩、林地面积32237亩,农民年人均纯收入达10176元。柳林镇是2013年全省"百镇建设试点行动"首批启动的21个重点镇之一,2014年7月成功跨入全国重点镇行列,先后创建为省级环境优美示范镇、省级安全社区、省级生态乡镇和国家级卫生乡镇。全镇将新型城镇化和新农村规划紧密结合,以改革促发展,以发展促建设,高点定位,完善了镇区5平方千米和镇域总体规划的合理布局。按照顶层设计原则和四级城镇规划体系要求,科学编制了2.8平方千米的城镇控制性详规,确定了"以山为背景,以水为纽带"的组团式结构。全镇镇区共分"两心、两轴、五片区"。"两心",即城镇行政服务中心和生活服务中心;"两轴"即沿银杏大道纵向形成城镇发展轴、沿府前大道横向形成产业发展轴;"五片区"即城镇服务区、行政服务区、高端居住区、休闲旅游区和产品加工区。积极探索集镇管理新模式,成立集镇管理办公室,将集镇日常保洁、车辆秩序打包向市场和行政执法单位购买服务,购置洒水车、垃圾清运车和20个标准垃圾中转箱,切实加强集镇管理,人居环境极大改善。结合城乡环境综合治理"7+1"工程,实施场镇老区道路硬化、雨污管网、弱电线路入地及绿化、亮化工程建设,全镇基础设施条件明显改善,公共服务配套能力显著增强。柳林镇于2012年被评为省级卫生乡镇,2013年被评为四川省100个"环境优美示范乡镇"之一,玉金村、七颗石村、凤鸣垭村等8个村被评为四川省"环境优美示范村"。全镇已建成以钟家坝村、玉金村、罐子沟村为主的聚居点8处,共聚居530余户,各聚居点农家超市、图书室、卫生站、警务室、健身器材等服务机构和设施一应俱全。全镇按照"企业+基地+协会+农户"的模式引进成都艾文博公司发展以银杏为主的花木产业1万亩,建成300亩的银杏旅游观光园区,投资1500万元的银杏加工厂一期工程已正式投产;引进绿叶农业有限公司建成以玉金村、七星寨村、七颗石村为重点的有机果蔬、水产养殖园观光农业园1000亩;建成以罐子沟村为核心的葡萄种植基地1000亩、以七颗石村为核心的莲藕基地1000亩,先后举办了葡萄采摘节、荷花文化旅游节,接待市内外游客逾20万人次,促进了全镇乡村旅游业加快成型。预算总投资20亿元的巴中经济开发区工业园—食品产业园于2014年5月落户柳林镇,一期建设规划3平方千米。园内现已进驻好彩头、安碧捷、万莲宝等7家食品药品加工企业。2017年产业园将全面竣工,达产后可容纳50家规模以上食品企业,提供就业岗位10000余个,实现年产值近100亿元,年创利税10亿元以上。全镇以农村基层组织建设为核心,坚持以增加贫困户经济收入为重点,以稳定脱贫为目标,采取"一平台、两保底、三分红"的办法建立持续稳定增收、利益分配的"123"机制,促进贫困户加快脱贫奔康。积极探索金融扶贫新机制,试点成立柳林镇扶贫互助会,累计发放扶贫小额信贷500余万元,有效缓解了贫困村、贫困户生产发展资金短缺问题,助推贫困人口增收致富。截至2016年年底,全镇脱贫674户、2314人,脱贫成效显著。

【主要领导人】 区委书记:梁津华;区人大常委会主任:朱继中;区长:王清平;区政协主席:肖平;分管农业副区长:曹光辉。

恩阳区编写组

南 江 县

【基本情况】 2016年,南江县辖48个乡(镇、街道),有农业人口51.98万人,有耕地面积117.48万亩,增长0.72%;基本农田77.87万亩,增长36.59%。

【年度农业和农村经济运行】 2016年,南江县实现农业总产值33.43亿元,增长3.5%;农业增加值20.01亿元,增长3.5%。农民年人均可支配收入9863元,增长9.9%。

农业产业化发展。南江县按照构建"以家庭经营为基础、合作与联动为纽带、社会化服务为支撑"的立体式复合型现代农业经营体系的思想,出台了《培育新型农业经营主体促进农民持续增收扶持政策》,切实加大对龙头企业、专合组织、家庭农场、专业大户的项目资金扶持。全年新培育省级龙头企业2家、市级龙头企业5家,发展专合组织63个、家庭农场42个、专业大户23户;回引在外成功人士120人,回引资金2.3亿元。

农用地产权制度改革。南江县按照"新农村建设推进到哪里,农村产权制度改革就配套到哪里"的工作思路,出台了《关于加快推进农村产权制度改革的意见》《关于农村产权抵押融资实施意见》等系列文件,组建了县产权交易中心、产权投融资担保公司和产权中介评估委员会。全年实现社会投入和产权抵押融资2.3亿元,带动全县规模流转土地1.8万亩,其中农用田0.5万亩、林地1.1万亩、其他用地0.2万亩。

【特色产业发展】 2016年,南江县深入挖掘南江黄羊、富硒茶等六大特色产业文化内涵,按照基地、产品、文化"三位一体"的建设模式,高标准打造北极黄羊展示区、元顶子富硒茶示范带,着力提升特色产业知名度。全县新增特色产业基地10万亩,其中富硒茶3万亩、金银花1万亩、核桃4万亩、翡翠米1万亩、七彩林业1亩。南江黄羊年出栏40万只。

【新农村建设】 2016年,南江县按照"业兴、家富、人和、村美"的要求,完成巴山新居建设1.4万户、农村危旧房(土坯房)改造9400户;建成聚居点70个,聚居农户5570户,聚集人口18940人;全面建成普照寺村、高家河村、楠坪村、李寨村、蒲坪村5个中心村,探索建设农村廉租房565套,帮助1695人解决住房难问题。改造提升乡(镇)公路8千米,硬化村(社)道路15千米、入户文明路12千米。加快"五小水利"工程建设,新建蓄水池65口,改造渠道26千米。实施土地整理125亩,新建农村沼气池54口,发展太阳能用户68户。

【乡村旅游】 2016年,南江县围绕光雾山国家5A级旅游景区建设积极创建长滩、玉柏、青杠等省级乡村旅游示范村,着力构建"一山(光雾山)一水(红鱼洞水库)一城(县城)十镇(2个重点镇8个特色镇)百村(100个旅游新村)"旅游示范环线。焦家河新村全面建成,青杠休闲度假新村、玉柏渔家乐新村加快建设,初步建成"风情正直—七彩长滩—花桥流水—云顶茶庄—玉湖渔村—金银花海(红四乡)—三国文化(红光村)—灾后新村(将营村)—休闲组团(跃进、槐树)、川北民居新村(东坝村)—桃花岛(柏垭村)—品钓渔村(中江村)、小巫峡—光雾山"等4条乡村旅游精品环线。

【主要领导人】 县委书记:刘凯;县人大常委会主任:万林;县长:李善君;县政协主席:付大纲;分管农业副县长:赵燕飞。

南江县编写组

通 江 县

【基本情况】 2016年,通江县辖49个乡(镇、街道),有农业总人口61.1万人,有耕地面积55.8万亩,减少0.1%;基本农田55.8万亩,增长0.5%。

【年度农业和农村经济运行】 2016年,通江县实现农业总产值378887万元,增长3.5%;农业增加值204955万元,增长3.6%。农民年人均可支配收入9863元,增长9.9%。

培育新型农业经营主体,开辟农民增收途径。通江县按照"引进一批、发展一批、培育一批"的思路,抓大不放小,扶优扶强大中企业,培育壮大小微企业,不断增强新型农业经营主体带动能力。将巴山牧业、川巴林农、康源油脂3家市级龙头企业培育成省级龙头企业,新增各类农民专合社119个、家庭农场77家、种养大户223户,带动农户3000余户、10000余人增收致富。引进胜泽园、宏森公司等6家龙头企业发展食用菌、干果、茶药和生态种养业。

【种植业】 2016年,通江县粮食作物播种面积111.7万亩,总产量38.7万吨,粮食生产实现"十连增";油菜播种面积22.2万亩;春玉米种植面积36.5万亩,其中地膜玉米32.8万亩;种植食用菌6.3亿袋;新(改)建茶园6万亩;新建巴药基地5万亩、核桃产业基地7.7万亩、马铃薯种源基地2万亩;蔬菜种植面积13.3万亩,"4+X"产业综合产值突破百亿元。

【林业】 2016年,通江县完成各类工程营造林16.53万亩,新建提升林下经济示范园3万余亩、"核桃+中药材"种植示范基地2万余亩、生态养殖示范基地近3万亩,新造工业原料林2.12万亩,"森林走廊"建设成效进一步巩固;建成15个米仓古道及巴山新居工程,省级绿化模范县创建工作得到较好巩固。治理水土流失面积20平方千米,实施退耕还林3万亩,森林覆盖率超过62%。全年林业综合产值达33.5亿元,农民人均林业收入1932元。

【畜牧业】 2016年,通江县新建标准化养殖场12个、林下养殖示范场3个。全县出栏生猪100万头、肉牛9.6万头、山羊25.3万只、家禽660万只,同比分别增长1.1%、35.2%、12.3%、195.9%。肉类总产量8.74万吨,畜牧业总产值达35.4亿元。被认定为全省现代畜牧业重点县。

【水产业】 2016年,通江县巩固提升5万亩水产生态养殖带,建成浴溪、青树垭、杨村坝水产养殖园,建成川东北地区首个低碳高效池塘循环流水养鱼基地。广纳镇高坑渔场创建为农业部健康养殖示范场,全县农业部健康养殖示范场达7个。建成新场坝国家级珍稀水生动物保护区,研发大鲵烫伤乳膏、大鲵蛋白粉等5个精深加工产品。全年发展稻鱼工程及微水养鱼2万亩,投放各类鱼种2250吨,水产品总产量达1.8万吨,实现产值4亿元。

【统筹城乡与新型城镇化】 2016年，通江县扎实推动“多规合一”试点，实现城乡总体规划全覆盖。编制完成永安、铁佛、涪阳等场镇控制性详细规划，完善提升157个贫困村规划。实施旧城改造项目32个，西门片区、壁州大道改造工程加快推进，加速老城区综合管网、人行道、停车泊位等市政项目建设以及背街小巷的综合治理，新增停车泊位1500个、公厕7座。实施绿化、美化工程，建城区绿化率达37.5%，北环路、轿房沟面貌一新。投资25亿元，加快高明新区建设，建成顺河桥、高明大道一期，加快推进高明大道二期、壁州大道二期等项目建设。建成诺水河、广纳2个重点镇。梨园坝等8个村落被列入中国传统村落名录。深入开展“五创联动”，深化“三违”“五乱”治理，拆除违法建筑1万余平方米。全面打响污染防治“三大战役”，中央节能减排、重点区域流域污染防治项目加快推进，完成县城、永安镇等饮用水水源地保护区环境综合整治，整改违法违规建筑60处。开工建设乡(镇)污水处理站20个。创建国家级生态乡镇1个、省级生态乡镇26个、市级生态村217个，沙溪镇王坪村被评为“全国生态文化村”。

【新农村建设】 2016年，通江县按照“业兴、家富、人和、村美”的幸福美丽新村建设要求完成5个中心村建设，新建和改造巴山新居聚居点70个，建成农村廉租房460套，改造农村危旧房(土坯房)1.03万户。深入开展以“四个好”为目标的幸福美丽新村建设，大兴乡贾家梁村、诺水河镇梓潼村、空山乡中坝村等21个村被命名为省级“四好村”，沙溪镇王坪村、广纳镇金堂村、唱歌乡麻坝等34个村被命名为市级“四好村”。民胜镇鹦鸽嘴村、大兴乡贾家梁村、空山乡中坝村入选巴中市“十大最美巴山新居”。

【扶贫攻坚】 2016年，通江县坚持以“唯此为大”的战略定位、“念兹在兹”的精神状态，按照“一本账、两不愁、三保障、四个好”和贫困村退出“一低七有”、贫困人口减贫“一超七有”标准，严格执行“六个精准”，扎实推进“五个一批”，加快落实18个专项扶贫方案，全力实施“六大扶贫工程”，扎实推进杨柏—芝苞连片扶贫开发，统筹整合15.7亿元用于脱贫攻坚，47个贫困村如期销号，19825名贫困人口实现稳定脱贫，贫困发生率由11.3%减少至7.8%。创新探索的“股权量化”资产收益扶贫模式、“5+1”金融扶贫模式和“四联四统”党建扶贫模式先后被中央电视台《新闻联播》、《人民日报》等媒体报道，脱贫攻坚工作先进经验在全省交流。

【乡村旅游】 2016年，通江县空山天盆景区创建为国家4A级旅游景区、省级旅游度假区，通江县创建为全省旅游扶贫示范区、省级乡村旅游强县，培育省级乡村旅游扶贫示范村8个、精品村寨2个，空山天盆乡村旅游专业合作社入选全国“合作社+农户”旅游扶贫示范项目。举办了四川省第七届乡村文化旅游节、首届通江溶洞旅游节、第七届四川国际自驾游交易博览会通江分会场活动。全年接待游客547万人次，实现旅游综合收入42亿元。

【助农增收】 2016年，通江县始终把促进农民增收作为“三农”工作的重要目标，坚持做优农业产业，提升农民技能，深化农村改革，抢抓发展机遇，全方位、深层次、多渠道挖掘农民增收潜力，切实增加农民收入。2016年，全县农民年人均可支配收入达9863元，同比增长9.9%，获得全省2016年度“农民增收工作先进县” 称号。

发展特色产业，夯实农民增收基础。深入推进农业供给侧结构性改革，转变农业发展方式，通过经营权流转、股份合作等多种方式发展适度规模农业、效益农业。坚持政策、资金向产业倾斜，基础设施、公共服务围绕产业配套，大力实施通江银耳“倍增计划”，新植食用菌6.2万亩；实施茶叶和核桃产业“双百工程”，新建茶叶基地4万亩、核桃基地7.7万亩；实施巴药产业行动计划，新建优质巴药基地5万亩；强力推进畜牧业重点县建设，新建标准化畜禽养殖小区20个；大力发展文化旅游和康养产业，全年接待游客500余万人次，通过产业带动，人均实现增收1000余元。

拓宽就业渠道，深挖农民增收潜力。整合农业、扶贫、就业等培训资源，大力实施“阳光工程”，全面开展青壮年劳动者技能、农民工就业技能等五大培训，不断提高农民增收致富技能，全年培训农民工3万人次。大力开发劳务市场，新建北京、上海、西安等劳务基地10个，输出劳动力22万人次，实现劳务收入40亿元。全面落实各项创业优惠政策，大力培育加工、运输、建筑等非农产业，有效增加就业岗位，全年回引创业人士100余人，就近转移劳动力2万人，实现劳务收入3亿元。

深化农村改革，激发农民增收活力。深化农村产权制度改革，建立健全利益联结机制，促进土地、林地向产业园区和新型农业经营主体集中，放大规模农业效益，新增土地流转2.32万亩、林地3万亩，建成25个农村集体资产股份制专业合作社；与北京中农信达公司联姻，建成通江县集体资产综合管理平台，获得第三批全国农村集体“三资”管理示范县称号。深化金融服务改革，新增产权抵押融资贷款3.2亿元，撬动社会资本10余亿元。通江县是第二批经济林木(果)权改革试点县，将试点工作与产业发展、脱贫攻坚、生态建设有机结合起来，有序有力推进经济林木(果)权改革，确权登记面积达5000余亩。通过改革为浩宇公司、美好家庭农场等5家经营主体融资1300万元，新增发展规范化产业基地1000余亩、综合林业开发示范基地1个，带动300余人脱贫“摘帽”。加快实施“新网工程”，加强“农超对接”“农商对接”，建成农村电商平台47个，通江县创建为国家电子商务进农村综合示范县。

创新工作机制，增强农民增收内力。持续推行“龙头企业+专合组织+基地+农户”模式，形成风险共担、利益共享的紧密利益联结机制。引导金融机构加大对促进农民增收工作的支持力度，简化贷款手续，扩大贷款规模，延长贷款期限。建立健全促进农民增收工作责任制，对农民增收工作措施得力、成效显著、增长幅度较大的部门和乡(镇)予以表彰奖励，对工作不力、增速缓慢、影响全县工作推进的部门和乡(镇)严格问责，形成了推动促进农民增收工作的强大合力。

【回乡创业之星选介】 熊纯华，男，生于1974年7月，通江县健森葡萄种植专业合作社理事长。该社成立于2013年7月，注册资金500万元，有员工63人(其中管理人员15人、技术人员5人)。葡萄种植核心园区地处民胜镇鹦鸽嘴村，距县城仅10分钟车程。合作社以葡萄种植、销售为主营业务，有葡萄种植面积600余亩，有专业水果种植户150余户，近350人以水果种植为主要收入来源。通过近3年时间的发展，鹦鸽嘴村已有23户建档立卡贫困户通过葡萄种植实现产业脱贫。园区周边农户开办农家乐12家，实现旅游收入20000元/月/户。

2016年，合作社建成川东北地区首条葡萄酒生产线，并注册“秦巴鹰歌葡萄酒”商标。合作社聘请以国家一级酿酒师为核心的技术团队，以自种食用葡萄为原料酿造葡萄酒，以“纯酿”为核心竞争力，同时开发出“纯臻”“臻酿”“鹰歌红”“夜的N次方”等系列不同规格的5款葡萄酒产品。公司与通江县诺水河旅游公司达成战略合作协议，合作研发全国首款溶洞洞藏葡萄酒。

2015年5月，省委书记王东明到合作社葡萄园区基地视察指导，对合作社发展给予了肯定。2015年以来,《人民日报》、新华社、《全国人民政协报》、《中华工商时报》、《香港商报》、《中国经营时报》、四川卫视等各级媒体对合作社产业发展模式及扶贫带动作用给予了报道,提高了合作社的知名度。

2013年,合作社被农业厅休闲农业产业协会任命为首批理事单位;2014年,合作社被认命为省级示范合作社;2015年7月鹰歌葡萄庄园被市科技局评选为"农家星创天地";2015年9月,熊纯华被国家旅游局评选为"中国乡村旅游模范户""中国乡村旅游致富带头人";2016年4月,葡萄庄园被评定为"五星级乡村酒店"。

【重点乡镇选介】 广纳镇,位于通江县南部,距通江县城22千米,辖区面积93.13平方千米,辖21个村3个街道144个社6个居民小组,总户数8649户,总人口37129人。是国家级重点镇、国家级卫生乡镇、省级百镇建设行动试点镇、省级安全社区、省级商贸示范镇、巴中市唯一的省级社会管理综合治理先进集体、巴中市唯一的法制示范乡镇、市级扩权强镇试点镇、市级农村综合改革试点镇、市级十佳依法行政示范单位。2016年,全镇地区生产总值2.8亿元,同比增长8.5%;农业总产值19883.6万元,粮食产量22075.4吨;地方财政预算收入完成4046万元;农民年人均纯收入达7632元,比上年增加612元;人口自然增长率控制在4‰以内。

坚持精准扶贫统领农村工作全局,大力推进"1+6"连片扶贫开发,全年累计发放扶贫小额信贷1079万元、专项扶贫资金3720万元;完成易地扶贫搬迁安置311户、1062人,建成集中安置点3个。2016年,5个精准贫困村实现脱贫"摘帽"505户,1650名贫困人口全部脱贫达标退出。

坚持把场镇作为四级城镇体系建设的重要一环来抓。投资100余万元完成《广纳集镇总体规划》和《控制性详细规划》修编。坚持"规划一张图、建设一盘棋、管理一张网",深入开展"三违"治理。完成广纳滨江路、入场口文化广场、入场口滨河路景观绿化建设,场镇人行道、街道破损路面整治维修工作已完毕,街道车行、人行、停车线布局合理规范,场镇安装天网监控系统,高坑河低水位翻板闸建设、广纳场镇棚户区改造、滨河路安保护栏和场镇路灯升级改造等工作加快推进。

坚持"一带三片"的产业发展思路,采取"党建引领、政府协调、企业带动、农户参与、科技扶持、重奖激励"的产业发展措施加快培育特色产业,促进农民增收致富。在抓好粮油、畜牧等传统产业的同时,大力抓稻鱼、核桃、猕猴桃、中药材等特色产业,新发展稻鱼1000亩,核桃、中药材12800亩,红心猕猴桃2000余亩,"五园"经济达6500个。

坚持"精心编报储备一批、积极协调争取一批、加快竣工投运一批""三个一批"的项目工作推进机制,累计完成招商引资近6亿元。社会保障体系不断完善,城乡居民养老保险覆盖27780人,2016年参保缴费8500人。开展就业再就业培训3期、120人次。新建梓潼医院和新桥等17个村卫生室,新增广电电视网络用户500户;新建村文化活动室6个、文化院坝6个、日间照料中心11个。

【主要领导人】 县委书记:赵万先(10月止),孙辉(10月始);县人大常委会主任:刘显卫(12月止),杨森儒(12月始);县长:王军;县政协主席:赵洪斌(12月止),闫丕川(12月始);分管农业副县长:吴天泉(12月止),万学成(12月始)。

通江县编写组

平 昌 县

【基本情况】 2016年,平昌县辖44个乡(镇、街道),有农业人口80.29万人,有耕地面积62.32万亩,减少0.04%;基本农田62.68万亩,与上年持平。

【年度农业和农村经济运行】 2016年,平昌县实现农业总产值423664万元,增长3.8%;农业增加值226373万元,增长3.9%。农民年人均可支配收入9928元,增长9.8%。

农业产业化发展。平昌县大力实施回引创业工程,全年回引300万元以上项目247个,发展龙头企业、农民合作社、家庭农场、专业大户2000余家(户)。

农用地产权制度改革。平昌县深化农村产权制度改革,完成农村土地承包经营权确权登记115.6万亩,林权、集体土地所有权发证率均达100%,其他各类产权发证率均达90%以上。建成产权交易、评估认证、担保、信用四大平台,完成制定各乡(镇)农村经营性集体建设用地、农村承包地、林地基准地价。探索创新农村集体"三资"股权量化改革,发放农村产权抵押贷款3.62亿元。

【种植业】 2016年,平昌县粮食播种面积110.17万亩,产量38.98万吨,其中小春粮食产量9.33万吨、大春粮食产量29.65万吨,粮食生产实现"十三连增"。油菜播种面积28.83万亩,产量3.75万吨。在云台、板庙等乡(镇)建立万亩水稻高产示范片2个,培育30亩以上粮油规模种植大户72户、300亩以上农民专业合作社9个、1000亩以上农民专业合作社2个;新发展茶叶8万亩、花椒11.7万亩、核桃3.2万亩、巴药2.48万亩、莲藕2.1万亩,建成1万亩以上茶叶基地乡(镇)9个、1万亩以上花椒基地乡(镇)8个、5000亩以上核桃基地乡(镇)3个、5000亩以上药材基地乡(镇)6个。

2016年平昌县家庭农场经营情况统计表(前10位)

家庭农场名称	注册资金(万元)	法人代表	年度产值(万元)	行业分类	主营产品
欣昌林肉牛养殖场	100	毛高发	200	养殖业	肉牛
孙太经养牛场	30	孙太经	70	养殖业	肉牛
盘龙王土鸡养殖场	50	付安忠	80	养殖业	土鸡
元山镇振海家庭农场	30	贺洋辉	80	养殖业	土鸡
芹华养殖场	20	陈芹华	50	养殖业	生猪
建华养殖场	30	刘建华	80	养殖业	羊

续表

天习家庭农场	30	王天习	70	养殖业	羊
元山镇天泰家庭农场	50	池满平	100	种植业	中药材
土兴镇万城家庭农场	60	王宪昌	150	种植业	花椒
诚信家庭农场	50	李诚兴	100	种植业	葡萄、蓝莓

【林业】 2016年,平昌县造林15.8万亩,新增森林面积2.98万亩、森林蓄积15.3万立方米,全县森林覆盖率达52%。新建工业原料林1.15万亩、桤木种子园300亩,新建花椒基地11.38万亩、核桃种苗基地1000亩,新发展核桃3.2万亩。全面落实1.3万亩国有林、47万亩集体公益林、12.6万亩前一轮退耕还林管护责任,完成5.98万亩退耕还林工程建设,实施新一轮退耕还林2万亩。实施森林病虫害检测146万余亩。制定《平昌县森林康养实施意见》,聘请专业团队完成全县森林康养产业发展总体规划、示范基地建设选择规划和镇龙山森林康养示范中心规划,积极推进镇龙山市级森林康养中心和三十二梁、南天门、白衣古镇、皇家山县级森林康养示范基地建设,完成投资500余万元;完成驷马省级自然保护区和驷马河国家湿地公园建设。平昌县被国家林业局认定为"服务精准扶贫国家林下经济及绿色产业示范基地"。

【畜牧业】 2016年,平昌县生猪存栏56.91万头、牛存栏12.64万头、羊存栏6.24万只、禽存栏219.39万只、兔存栏9.49万只,同比分别增长13.17%、6.95%、4.81%、9.76%、3.56%;肉类总产量9.58万吨,同比增长11.12%;实现畜牧业总产值20.42亿元,同比增长15.56%。

【水产业】 2016年,平昌县水产养殖面积8.2万亩,水产品产量2.8万吨,实现渔业总产值4.2亿元,农民人均渔业收入310元。新(扩)建土兴镇华山村、白衣镇渔滩村、泥龙乡牛角坑四川恒禾达水产科技园,养殖面积达3000余亩;发展兰草镇三峰村水产养殖100亩、泥龙乡花井村水产养殖150亩及泥龙乡瓦桥村扶贫帮扶联系村水产养殖300余亩,发放优质大规格鱼苗3万尾;引进土垭巴山红大闸蟹养殖农业合作社1家、面积1000余亩;巩固发展白衣镇圈井村、灵山乡民意村、坦溪镇孤山村、双鹿乡潘桥村、高峰乡南澌村、元山镇中岭村特色水产养殖2000亩;指导发展七里峡生态养殖基地、坦溪—驷马野生鱼类繁养基地、驷马徐家河休闲渔业基地及磴子河无公害养殖基地2.8万亩。培育水产养殖专业合作社3个,扶持水产品加工企业1家。

【统筹城乡与新型城镇化】 2016年,平昌县加快构建四级城镇体系,县城建成区面积15.3平方千米,常住人口29.33万人,城镇化率提高到34%。深入实施金宝新区提升工程,金宝大道全面竣工,黄滩坝大桥建成通车,黄滩坝滨河路基本建成,金宝山康养文化产业园、黄滩坝教育文化产业园启动建设,新区框架基本形成。加快推进旧城改造,老街两江商贸园、佛头山巴山新居综合体完成主体工程建设,龙潭片区综合体建设有力有序。申报为省级海绵城市试点,完成金宝大道D段、佛头山环山路海绵化示范工程,推进黄滩坝安置小区、下龙潭溪棚户区、龙潭溪湿地公园等海绵化示范工程建设。加快建设特色镇村,白衣、青凤等特色集镇建设加快推进。持续深化"五创联动",实施城镇亮化美化绿化工程,获评为"全国十佳宜居县"。升级改造省道18千米,建成园区景区道路、重点乡(镇)快速通道、联网路89千米,脱贫"摘帽"村社道水泥路512千米,在全市率先实现100%的村通水泥路,平昌客运中心站、平昌东客站竣工投运。加快骨干水利和民生水利建设,双桥水库完成枢纽工程,牛角坑水库干渠一期完工,纸厂沟水库开工建设,江家口水库被列入国家"十三五"规划"172"重点水利项目;新建集中供水工程73处,解决13.84万人的安全饮水问题。全面完成53个贫困村电网升级改造。持续推进城乡基本公共服务均等化,累计投入民生资金25.3亿元,城区安置房基本实现入住;江口第三小学、绵实外国语学校(平昌)正式招生,平昌中学金宝校区加快建设。深化医疗卫生机构等级创建,县人民医院创建为三级乙等医院,改(扩)建乡(镇)卫生院9个。新建农村综合文化服务中心示范村40个、文化院坝30个,城乡低保实现应保尽保。城镇新增就业9324人。建成43个乡(镇)便民服务中心、528个便民服务点。生态治理步伐加快,县城第二污水处理厂全面竣工,白衣、涵水等11个乡(镇)污水处理站加快建设;完成驷马镇等3个乡(镇)10个行政村农村环境连片综合治理,建成58个镇、村垃圾中转站,80个村垃圾处理站;省级生态县创建工作通过技术鉴定,五木镇创建为国家级生态乡镇,云台等3个乡(镇)16个行政村获评为市级生态村。25个乡(镇)实现扩权强镇。

【新农村建设】 2016年,平昌县共投入巴山新居建设资金200370万元,其中整合涉农项目资金43000万元、县财政(含政策支持资金)投入47000万元、农民自主投入87970万元、业主和信贷投入22400万元,建成青凤镇马垭村、江口镇牌坊村、白衣镇蒿坪村、白衣镇圈井村、西兴镇皇山村5个中心村,建成聚居点116个、农村廉租房590套,完成农村土坯房(危旧房)改造1.58万户。创建县级"四好村"85个、市级"四好村"44个、省级"四好村"18个。创新"三合院、四合院"新村建设模式,建成四合院4栋、三合院15栋,创新"三合院、四合院"新村建设模式和"五改五建五规范"建设机制在全市推广。

【扶贫攻坚】 2016年,平昌县全面完成47个贫困村"摘帽",7174户、2.37万人脱贫目标任务,完成生产和就业扶持一批2.8万人、易地扶贫搬迁安置一批1.8万人、低保兜底一批1.7万人、医疗救助一批3.7万人、教育资助一批3.2万人,贫困发生率下降2个百分点,成功迎接国家、省、市脱贫攻坚验收和第三方评估,举办了秦巴山区贫困村村干部综合能力提升培训班。坚持产业发展覆盖到村,规模发展茶叶、花椒、核桃、巴药等六大特色产业,实现贫困村全覆盖;因地制宜发展"小微"经济,实现有劳动能力的贫困户稳定增收脱贫,人均年收入突破3100元;坚持道路硬化覆盖到社,贫困村硬化路实现村村通,新硬化社道路512千米。坚持易地搬迁覆盖到户,启动易地扶贫搬迁5555户、18614人。坚持能力提升覆盖到人,累计培训1.28万人次。实施回引创业带动,出台扶持办法,设立创业基金,定期举办创业论坛和回引创业报告会,通过回引创业培育新型农业经营主体,带动贫困户发展产业,成功回引1000万元以上项目58个,兑现回引创业补助资金5000万元。全面推行"龙头企业+专合组织+农户"模式,大力培育专业大户、家庭农场、农民合作社等新型农业经营主体。充分发挥财政、金融资金的放大效应,整合各类扶贫资金16

亿元,发放金融扶贫小额信贷2.58亿元。实施“电商+扶贫”工程,53个贫困村实现“村淘”全覆盖。每个脱贫“摘帽”村建设1个50千伏的光伏发电站。围绕双“七有”目标,全面推进水、电、路、网络、电视、卫生室、文化活动室等基础设施建设,17个扶贫专项规划共实施项目200个,完成投资60.78亿元。在53个贫困村开办农民夜校,开展“做感恩善良平昌人”主题教育活动,引导群众感恩奋进、自立自强,凝聚全县脱贫攻坚、致富奔康的正能量。把全县脱贫攻坚确定为“六大片区”,组建6支攻坚团队,每个片区明确1名县级挂联领导,全县机关企事业单位党员干部全部结对帮扶贫困户,实行“不脱贫、不脱钩”。强化自查整改,组建45个工作组逐村逐户逐项抓整改、抓完善、抓提升。强化督查考核,实行“一月一初排、两月一评比、季度一锁定、年度一总评”制,为排名第一位的村颁发“流动红旗”并发放项目奖励资金;对连续2次排名最后一名的村,对乡(镇)党委书记和村支部书记进行问责。

【乡村旅游】 2016年,平昌县多元化发展生态旅游,特色打造“两镇两山”旅游目的地,南天门、三十二梁申报为国家4A级旅游景区,全县国家4A级旅游景区达5个;建成灵山镇省级乡村旅游特色乡镇,驷马镇当先村、元山镇中岭村2个特色精品村寨,青凤镇枫香村、白衣镇蒿坪村等6个乡村旅游扶贫示范村,培育特色乡村旅游经营示范点8个和民宿旅游达标户48户;白衣镇被列入全国历史文化名镇。举办了四川省第七届乡村文化旅游节(分会场)、茶旅节、巴人文化节等节会活动,承办了全省乡村旅游与旅游扶贫工作培训会。

【助农增收】 2016年,平昌县坚持大产业扶贫和产业发展覆盖到村,每个贫困村至少有1个骨干产业项目,因地制宜发展小椒园、小菜园、小禽园等绿色“小微”经济。大力实施“旅游+”,助推绿色发展转型,全年实现旅游综合收入33.52亿元。结合森林走廊建设,深入实施交通先行战略,基本实现乡乡通水泥路(油路)、村村通公路。大力实施品牌兴县战略,打造农业产业“金字招牌”,全县“三品一标”农产品总数达198个,占农产品总数的78%。

“三产”互动增收。一是大力发展特色产业。发展茶叶、花椒、核桃、巴药、水产、莲藕六大特色产业带动农民增收,全县六大特色产业面积达60余万亩。二是大力发展精深加工。发展茶叶、花椒、水产、中药材加工集中区,建成农产品加工企业34家。三是大力发展休闲农业。推行农旅、文旅、渔旅融合发展休闲观光农业,开办农家乐、小卖部800余家(个),建成三十二梁、驷马水乡三产互动示范带,发展三产互动型企业35家。

“三区”同建增收。一是建产业大园区。通过农业招商,连片布局、规模建设产业大园区,每个乡(镇)至少建设1个3000亩以上的特色产业园区。建成驷马元峰省级农业科技示范园、云台三十二梁省级现代茶叶科技示范园、元山中岭现代农业科技示范园。二是建旅游大景区。建成国家4A级旅游景区5个、省级乡村旅游示范乡镇6个、省级乡村旅游示范村14个、“市级最美新村”4个、“首批省级园林新村”1个。三是建幸福大社区。探索四合院和三合院建设经验,创新“一长四员”社区管护机制,在“1+6”基础上每个村建成阿里巴巴“村淘”服务点。

“三改”拉动增收。一是大力推进农村产权制度改革。建成产权交易、评估认证、担保、信用四大平台,创新股权量化改革,完成农村产权抵押融资贷款3.62亿元。二是试点农业科技人员“双创”改革。鼓励县域内事业单位农业科技人员经批准后兼职兼薪或离岗创业,100余名农业科技人员申请离岗或兼职兼薪创业。三是健全和完善粮食收储制度改革。落实县域粮食安全保障措施,建立县级粮食储备12960吨、食用油储备1296吨,落实粮食应急供应网点建设11个,全县粮食有效仓容达8万余吨。

“三新”引领增收。一是大力培育新兴业态。积极发展特色民宿、森林康养、乡村旅游、休闲农业、文化创意、农产品加工、土地托管、农村电子商务等新产业新业态,拓宽增收渠道。二是大力培育新型职业农民。整合培训资源,积极探索“示范+农民+培训+推广”培训模式,以“基层农技推广体系建设”“阳光工程”等项目为支撑着力加强农民实用技能培训,力争每村有1个农技服务队、每家有1名“农技明白人”。

“三保”助推增收。一是保障农业资金投入。按照“渠道不乱、用途不变、重点突出、各司其职”的原则,加大涉农项目、资金的整合力度,撬动业主投入,带动农户投入,引导社会捐赠。二是保障惠农政策落实。严格落实国家各项强农惠农富农政策,开展财政涉农资金审计监督检查,切实维护农民利益。三是推进特色农业保险。贯彻落实农业保险政策,引导农户积极参加水稻、玉米、油菜、马铃薯、小麦、森林、能繁母猪、育肥猪等中央补贴农业政策性保险;试点推进业主、专合组织、农户参加茶叶、花椒、核桃等六大特色产业农业保险。

【农村集体“三资”股权量化改革】 2016年,平昌县积极探索创新农村集体“三资”股权量化改革,完成灵山镇和五木镇集体资产股权量化、青凤镇枫香村财政资金股权量化等改革试点,完成2016年53个脱贫“摘帽”村财政资金股权量化改革。

【农村市场体系建设】 2016年,平昌县大力发展电子商务业和物流业,深化与阿里巴巴、京东、北京国联等知名电商的合作,首批104个农村淘宝服务站投入运行,全面开通“乡村物流班车”。平昌县申报列入国家级电子商务进农村综合示范县并获得“四川省城乡物流共同配送试点县”称号。建立金融支持体系,采取小额贷款与“惠农贷”相结合方式发放小额产业贷款4720万元、农行“惠农贷”6540万元;注资1亿元成立平昌县创业农业投资担保公司。建立农业保险体系,县财政投入1000万元用于补贴特色产业保费,将水稻、玉米、小麦、马铃薯、油菜籽等粮经作物纳入政策性农业保险范围,实现粮油产业全覆盖;将茶叶、花椒等六大特色产业和家禽纳入农业保险范畴。

【四川省现代农业林业建设重点县经验介绍】 2016年,平昌县“三农”资金投入不断加大,全年县本级财政支农投入达4.43亿元,全县固定资产投资用于农村达51.5亿元,政府土地出让收入用于农村建设达4.06亿元。整合涉农项目资金5.3亿元,财政支农资金和项目资金撬动业主投入6.7亿元,带动农户投入9.3亿元,引导社会捐赠0.31亿元,金融部门投放支农贷款2.05亿元。大力实施道路交通进新区、进园区、进景区,100%的乡(镇)、建制村通硬化路,实现公路覆盖到社;累计建成高标准农田18.5万亩、机耕道1268千米、提灌站15处,建设灌渠102.65千米,整治山坪塘106座,建成蓄水池65口、囤水田59处;建设机耕道49.95千米、田间生产路31.29千米,地力培肥5.08万亩。全县农机总动力达49万千瓦,主要农作物机械化水平达40%。建成519处农村集中饮水工程,解决23.9万人的饮水安全问题;新建和整治各类小农水工程314处,“小农水”建设新增灌面1.6万亩。建成张公220千伏输变电站工程,改造输变电线路500千米。全面完成43个乡(镇)有线电视数字化改造。新建沼气池3500口,31个乡(镇)用上天然气。新增规模流转土地5.6万亩,新建畜禽标准化养殖场11个、林下养殖示范片2个,高标准建成现代农业园区5个;发展省级龙头企业3家、市级32家;培育农民专合社607家、家庭农场57家、种养大户220户,示范带动18.1万户农户发展现代农业。全县六大特色产业基地突破60万亩。建成农产品加工企业34家,农产品加工率达65.7%。新建茶旅融合示范区2个、渔旅融合示范区1个、果旅融合示范区2个。青风镇玉鹿牧业建成40万只蛋鸡养殖集中区,配套建设年产5万吨的鸡粪无害化处理和高温腐熟发酵有机肥生产线;驷马启昌猪业和双鹿欣格林牧业等龙头企业重点依托大型沼气工程和畜禽粪污无害化处理工程推行"畜+沼+菜"等生态循环模式;建立茶园病虫害全程绿色防控核心示范区7个,安装频振式杀虫灯200盏,安插诱虫黄板150万张,辐射带动面积10万亩,绿色防控面达98%;全县秸秆综合利用率达48.6%,粪污无害化综合利用率达73.9%,化肥、农药使用量增长率均控制在0.22%;农产品质量安全省级例行监测合格率保持在98%以上水平。大力推行农作物病虫害绿色防控技术,建立投入品准入制和农产品质量可追溯体系,全县六大特色产业病虫害绿色防控面达100%,优质粮油基地绿色防控面达98%。建立科技支撑体系,各乡(镇)均成立农业服务站。健全农业推广体系,县政府与中国茶叶研究所等科研院所签订了《产学研合作协议书》和《技术服务合同》。建成茶叶、果蔬、水产等科技创新示范园区5个,新建秦巴云顶、秦巴茗兰、五彩凤凰、皇山茶场4个优质茶苗良种繁育中心,建成畜牧、水产良种繁育中心3个,全县43个乡(镇)全面完成人工授精站及牛改网点建设,畜禽良种、种植良种集中供给率均达72%以上,社会化科技服务覆盖率同比增长11.3%。推广补贴机械具3564台(套)(其中拖拉机3台、联合收割机18台),农业示范区农机化综合作业率达47%,畜禽标准化养殖场机械化装备率达53.8%,受益农户3552户。建立种养殖业服务大数据平台,完善农产品质量安全追溯体系建设,22家企业建立门户网站,建成物联网示范基地3个、村级益农信息社65个,成立涉农电商企业53家,农产品交易总额达85646万元。

【回乡创业之星选介】 任军,男,43岁,石垭乡人,从部队转业后在县农业局工作,1998年辞职在江苏省无锡市成立顺全物流公司,开辟了成都、重庆、万州、达州、巴中等物流专线,公司被江苏省评为"长三角最有影响力物流企业"。2015年,任军回乡创业,投资5000万元成立了四川巴山背二哥物流有限公司,打造成为集货物运输、物流配送、货运信息、仓储管理、仓储服务、仓库租赁、电子商务于一体的综合性、专业化物流电商服务企业。公司办公场地占地面积400余平方米,中转仓储库房占地面积1500平方米,有物流车辆20辆。公司以县城为中心、各乡(镇)及村(居)为网点开展整车、零担货运业务,为"日用品下乡、农副产品进城"提供了便捷服务。公司成立了平昌季节菜电子商务有限公司,以专业合作社、种植大户、家庭农场、农民等为代购、代销服务对象从事农副产品加工、网上销售。2016年,公司总产值达300万元,创利税3万元,吸纳56名农民工就业。任军被评为2015年度"平昌县返乡创业之星"、2016年度"最美平昌人"。

王宪昌,男,49岁,土兴镇人,在外经营水电安装多年。经县委县政府回引创业政策激励,回家乡投资500万元,发展花椒产业3000亩,成立了平昌县万城种植合作社,建设厂房1200余平方米,解决30余人就业,实现年产值300余万元,带动全镇农户发展花椒产业1.5万亩,人均实现年收入2万余元。王宪昌被评为2015年度、2016年度"平昌县返乡创业之星"。

王洪仁,男,28岁,邱家镇飞龙村人,中国农业大学毕业。2010年毕业回到家乡成立了四川启明农业科技发展有限公司,是一家集蛋鸡繁育、饲料研发配制、有机种植、科技示范、技术推广于一体,以种养结合立体农业循环经济为特色的现代高新技术农业企业。2013年,公司蛋鸡养殖场被省畜牧食品局评为"四川省蛋鸡标准化示范场",基地获得农业部无公害产地认证,鸡蛋通过无公害产品认证。企业以中国农业大学为依托,聘请国家蛋鸡体系首席科学家、中国农业大学教授宁中华担任技术顾问,积极探索"企业+专业合作社+农户"的管理经营模式,带动农户走规模化养鸡之路,与30余名养殖户共同发起成立了平昌县启明生态鸡养殖专业合作社,吸纳社员450余名,形成年存栏节粮蛋鸡15万只、出栏散养土鸡30余万只的养殖规模,合作社农户人均增收1800余元,年产值逾千万元。王洪仁被评为2015年度、2016年度"平昌县返乡创业之星"。

王明贤,男,44岁,西兴镇人,创办了平昌县皇家山茶业科技有限公司,主要进行茶叶生产、加工、销售,注册资金1000万元。公司拥有茶叶基地1200亩、茶叶加工厂2400平方米,拥有"皇家雀舌""皇山雀舌"两个主打品牌。公司在做大茶叶品牌的同时抢抓乡村旅游发展契机,在皇家山茶叶基地打造康养休闲综合体,发展旅游、休闲和娱乐产业。2016年,公司实现年产值1200万元,创利税204万元,年用工1500人次,王明贤被评为2015年度、2016年度"平昌县返乡创业之星"。

【重点乡镇选介】 驷马镇,位于平昌县东北角,国道542线和巴达高速公路由南向北横穿全镇7个村(居),巴达铁路与之毗邻,素有"平昌北大门"之称,是全国重点镇、全省百镇试点镇、全市扩权强镇试点镇。距平昌县城32千米,辖区面积105平方千米,辖19个行政村3个社区197个农业社,总人口5.1万人,有耕地3.6万亩。2016年,全镇人均可支配收入达9940元。全镇有个体户1050户,引进120万吨汽车清洁能源项目、陈氏钢化玻璃有限公司、四川同利集团公司、阳升蔬菜种植合作社、何大妈口香豆瓣、真蒙宜香米加工厂、页岩砖厂等大小企业20家落户,实现利税16亿元。建成驷马元峰省级农业科技示范园,拥有国家4A级旅游景区驷马水乡,举办了四川省第六届乡村文化旅游节驷马分会场、平昌葡萄文化节、烤鱼美食节、国际山地自行车赛驷马段等活动。

元山镇,地处平昌县城区北部,距县城21千米,距巴达高速公路南河子出入口15千米,辖区面积75平方千米,有耕地36522亩(水田21913亩、旱地14609亩)、林地50822亩,辖14个村2个社区123个村民小组和7个居民小组,总人口10800户、33522人(其中非农业人口1987户、2981人)。2016年,全镇居民人均可支配收入达9933元。全镇有镇村道路228千米,有小(2)型水库3座、山坪塘265口、蓄水池256个,有效灌面19800亩;有高完中1所、中心小学2所、农村学校14所;中心卫生院1所、村级卫生站18个。引进大巴山生态农业有限公司发展设施农业、绿色有机农业,已初步形成以种植猕猴桃、黄金梨、金银花、香椿、银杏为主的"一村一品",建成元山中岭现代农业科技示范园;引进温氏大力发展畜牧规模养殖。辖区有专业合作社39个、工业(个体私营)企业8家,被确定为"特色镇、中心村"重点建设,是四川省生态乡镇、环境优美乡镇,被国家卫生计生委命名为国家级卫生乡镇。

白衣镇,位于平昌县南端,国道542线纵贯全境,达巴铁路在白衣镇设有站台,距县城22千米、巴中市110千米、达州市70千米,辖区面积86.86平方千米,有耕地1458公顷,辖17个村4个居委会132

猫家园农业开发有限公司生产的“南雀”,马牛山翠香茶业有限公司生产的“马牛山”,锦烨茶业有限公司生产的“锦烨”,由峰茶厂生产的“禹妃”,玉喜茶叶合作社生产的“玉溪春波”等;猕猴桃品牌有旭阳猕猴桃合作社生产的“寺外桃缘”,新三和公司生产的“芦森”。

【种植业】 2016年,芦山县种植业实现总产值40716万元,其中粮食作物播种面积135456亩,产量46480吨,实现产值13712万元;油料作物播种面积27083亩,产量3251吨,实现产值1710万元;蔬菜播种面积42473亩,产量58038吨,实现产值15699万元;茶叶种植面积53520亩,产量672吨,实现产值6039万元;水果(主要为猕猴桃)种植面积13033亩,产量752吨,实现产值982万元;中药材种植面积11112亩,产量8558吨,实现产值1284万元。

【林业】 2016年,芦山县实现林业总产值4亿元。组织义务栽植苗木41余万株,完成营造林面积3.14万亩,林地保有量达155万亩,森林覆盖率达76.76%。落实国有林森林管护人员63人,设置管护点10个,管护面积849732亩;落实5000亩天保工程公益林封山育林管护责任;兑现8.38万亩退耕还林补助资金。完成编制《芦山县完善和深化集体林权制度改革实施方案》和《芦山县国有林场改革方案》,全年流转林权8宗、面积6825亩,流转金额640.28万元。

【畜牧业】 2016年,芦山县实现畜牧业总产值39300万元,其中牛存栏6528头、出栏2377头,实现产值2139万元;猪存栏7.75万头、出栏10.18万头,实现产值31040万元;羊存栏1.3万只、出栏8000只,实现产值800万元;禽存栏115万只、出栏59.76万只,实现产值2988万元;蛋鸡存栏81.2万只,鲜蛋产量1335万枚,实现产值2306万元;其他畜产品实现产值27万元。

【农村水利】 2016年,芦山县有小型水库2座,库容50万立方米,有效灌面0.2万亩;山坪塘4座,有效库容2.58万立方米;蓄水池47口,有效容积0.47万立方米;县管主渠道138千米,有效灌面3.27万亩;田间末级渠道550余千米,有效灌面1.97万亩。建成河道堤防工程18.56千米。治理水土流失面积23平方千米;建成农村供水站84处,年供水量186万立方米,受益农村人口9.11万人。

【农业机械化】 2016年,芦山县组织开展专项整治与联合执法行动3次,出动执法人员24人次,检查拖拉机30余台,审批新办农机机车驾驶证13个,换证15个,年检农机车辆31台;受理购机补贴54户,结算资金48.53万元。全年共办理车辆业务46件、机手业务88件,清理连续3年未年检车辆80台。

【新型城镇化】 2016年,芦山县城建成区面积新增0.4平方千米,达4.7平方千米;县城建成区绿地面积达178公顷、公园绿地面积达49公顷。东门大桥、金花大桥维修加固工程,芦山迎宾大道综合改造及相邻道路配套工程,沿江路南门桥头道路工程及沿江路附属工程、乐家坝、平安路安居房配套道路等道路交通项目建设全面完成,老城区“三纵三横”、新城区“四纵八横”的道路格局基本形成,县城路网结构进一步优化;城市生活污水处理设施、垃圾处理设施、环卫设施站建成并投入使用,城市生活污水、垃圾处置能力进一步提升;金花公园、石羊公园、罗纯山森林公园步游道等城市生态景观建成并投入使用,成为广大市民休闲健身新去处;县城一水厂、龙门水厂、清仁水厂等民生项目建成并投入使用,彻底解决了群众用水难问题。

【新农村建设】 2016年,芦山县完成飞仙关镇朝阳村、清仁乡同盟村、太平镇钟灵村等11个行政村幸福美丽新村示范村创建工作;实施全省第三批新农村建设暨幸福美丽新村示范县建设和扶贫新村建设项目,整合打捆各类资金5164.142万元,实施旧村改造、产业提升等项目300余个;启动11个贫困村总投资额达2.1亿元的191个项目,完成贫困户住房改造550户,实施林区公路、产业道路、通组公路、人畜安全饮水等基础设施建设项目,巩固提升农村供水站19处,解决9300人安全饮水;新建农村公路134千米;解决6400户涉及2.3万人的看电视难问题。持续推进新村“自管委”模式,通过结合实施“百村示范”“千村整治”工程开展“净、畅、和、美”和“七乱”整治以及“四改、三清、三建”行动,村内道路硬化,污水、垃圾集中处理,房前屋后建“微田园”“微菜园”“微果园”,村民生产生活水平得到提升;组织开展“文明家庭”“最美庭院”“致富之星”等评选活动,激发群众参与热情,提升新村整体面貌,农村社会风气焕然一新。

【扶贫开发】 2016年,芦山县全力聚焦“三年集中攻坚、三年巩固提升”目标任务,实现脱贫572户、1617人,完成省下达任务288户、811人的199.4%。550户“347”改造、60户危旧房改造、19户温暖提升、21千米通村公路建设项目等全面完工。42条、71千米林区公路建设项目完成17条、21.9千米,完工率为34.3%;在建25条、31.5千米,在建率为65.7%。19个安全饮水项目完成5个,完工率为26.3%,其余为在建。25.7千米产业作业道项目完成13.45千米,完成率为52.33%。

【乡村旅游】 2016年,芦山县加快推进“旅游兴县”战略,成功创建龙门古镇旅游景区、飞仙关旅游景区、汉姜古城旅游景区3个国家4A级旅游景区;起草《芦山县景区管理办法》,推进A级景区管理规范化、标准化、人性化;完善导视系统,统一安装乡村旅游环线等乡村旅游标识标牌和店招1100余个;承办全国休闲农业与乡村旅游经验交流会芦山分会场。成立大川镇农家乐行业协会,在龙门乡青龙场村成立旅游合作社3个,评定2星级农家乐11家、3星级农家乐15家、4星级农家乐1家。全县有农家乐150余家,床位1000余张,其中星级农家乐41家。

【农村科技】 2016年,芦山县实施科技富民强县项目,从四川农业大学引进芦花鸡、绿壳鸡蛋鸡、青脚麻鸡等新品种,在罗纯山建设2.5万亩以生态种养殖为主的生态农场,“林海鸡蛋”获得国家有机认证并销往成都、上海、北京等城市,年销售额达750万元。全年申报省级科技支撑项目4个、科技成果转化项目1个、专利实施与促进项目1个,开展“科技下乡”活动9次、“科技进校园、社区、企业”活动12次,设立咨询站10个,发放宣传资料1.6万份;培训技术骨干200余人,聘请专家开展技术指导6次,培训农民800余人。

【农村文化】 2016年,芦山县有省级示范乡(镇)综合文化站2个、农家书屋40个,全国重点文物保护单位4处、省级文物保护单位9处、市级文物保护单位8处,省级非物质文化遗产名录3项、市级非物质文化遗产名录2项。建成农村广播“村村响”307个,无线数字电视全面开通。全县广播综合覆盖率达96%,电视综合覆盖率达95%。

【农村卫生】 2016年,芦山县有村卫生室34个。全年农村自来水普及率、卫生厕所普及率分别达85.1%和75%,分别比上年减少13.7个和增加2.8个百分点。新型农村合作医疗制度覆盖全部涉农乡(镇),参合率达99.7%,住院费用实际补偿比提高到66.1%。

【农村社会保障】 2016年,芦山县纳入农村低保人数858人,城镇和农村最低生活保障人均补助水平分别达261.4元和163.23元,分别比上年提高31.06元和52.92元。将符合条件的五保供养对象753人全部纳入供养范围,其中集中供养458人,集中供养率达

60.8%;4 所农村敬老院有床位 710 张。城乡医疗救助人均标准达 364 元,比上年提高 119 元。实行 80 周岁以上高龄老人生活津贴制度,全年发放高龄津贴 169.78 万元。

【农村生态建设及环境保护】 2016 年,芦山县印发了《芦山县大气污染防治行动计划 2016 年实施计划》《芦山县 2016 年度夏秋季节农作物秸秆和垃圾禁烧工作方案》,上报大气污染物削减项目 3 个,完成化学需氧量削减 1.34%、氨氮排放量削减 1.28%,二氧化硫、氮氧化物减排零增长。投资 5780 万元,实施饮用水源保护、农村连片整治和散户污水治理、规模化畜禽养殖污染治理等项目;对全县饮用水源开展监测,水质监测结果均达标;关闭官田坝小型土法纸浆作坊。开展土壤污染源风险排查,全面掌握存在土壤污染风险源的行业和分布状况以及风险隐患等具体情况。

【农产品质量安全监管】 2016 年,芦山县检测蔬菜(食用菌)样品 3686 个,合格率达 98%以上;开展茶叶样品检测 153 个,合格率达 100%;检测"瘦肉精"1800 头份,全部为阴性;省、市对芦山县监督抽检合格率均为 100%。

【主要领导人】 县委书记:宋开慧;县人大常委会主任:高富银(4 月止),高永洪(12 月始);县长:周建华;县政协主席:刘志新(4 月止),马毅强(12 月始);分管农业副县长:张开义。

芦山县编写组

宝 兴 县

【基本情况】 2016 年,宝兴县辖 3 镇 6 乡,辖区面积 3114 平方千米,有农业人口 41951 万人。

2016 年,全县 GDP286988 万元,增长 10.3%,其中第一产业增加值 35211 万元,增长 3.6%,对经济增长的贡献率为 4.5%,拉动 GDP 增长 0.5 个百分点;第二产业增加值 191331 万元,增长 12.1%,对经济增长的贡献率为 80.5%,拉动 GDP 增长 8.3 个百分点;第三产业增加值 60446 万元,增长 8.4%,对经济增长的贡献率为 15%,拉动 GDP 增长 1.5 个百分点。按常住人口计算,人均国内生产总值 49396 元,增长 10.3%。三次产业结构比由上年的 12.7∶68.8∶18.5调整为 12.3∶66.6∶21.1。

【年度农业和农村经济运行】 2016 年,宝兴县实现农业总产值 63931 万元,增长 3.7%;农业增加值 35793 万元,增长 3.7%。农民年人均可支配收入 11355 元,增长 9.4%。

农业产业化发展。宝兴县培育农民专业合作经济组织 181 家、家庭农场 17 家、专业大户 268 户,带动农户近 4000 户。宝兴老腊肉、有机牦牛肉、有机蔬果、生态茶、生态蜂蜜、野生竹笋蕨菜等特色农产品成为炙手可热的旅游商品。全县共有农业产业化龙头企业 4 家,实现销售总收入 4000 万元,同比增加 500 万元,增长 14%。

农用地产权制度改革。宝兴县积极推动土地确权颁证工作,引导、鼓励农民以租赁、转包、入股、托管等方式流转农村土地、林地经营权。全年共流转林地 12.35 万亩,收入 3430 万元;流转土地 0.2337 万亩,占耕地总面积的 3.7%,有力拉动了农村居民财产性收入的较快增长。探索开展财政支农资金股权量化改革试点,积极推进农村产权抵押融资、农村资金互助组织和农村信用社改革试点,进一步增强了农村发展的活力。

农产品品牌战略实施。宝兴县先后获得"全国第七批农业标准化优秀示范区""全国有机产品认证示范县""全国首家有机农业电子商务示范县""全省现代农业建设重点县""国家级有机农业(牦牛)示范基地"称号,创建为国家有机农业示范县,四川海鑫茶叶被列入全国名优特区农产品目录。全县累计共有 24 个有机生产主体(企业、专合组织)的 35 个产品获得有机(转换)产品认证证书,通过认证有机(转换)种植、采集面积达 3 万亩。认证天然放牧草场面积达 25 万亩,认证有机(转换)牦牛 1.3 万头。

【种植业】 2016 年,宝兴县粮食作物播种面积 6976 公顷,与上年基本持平,其中小春粮食作物播种面积 2488 公顷、大春粮食作物播种面积 4488 公顷。经济作物播种面积 8075 公顷,增长 0.9%,其中油料作物播种面积 427 公顷,增长 6.8%;中药材种植面积 5478 公顷,增长 0.7%;蔬菜播种面积 1830 公顷,与上年持平。全年粮食总产量 18534 吨,增长 1.5%,其中小春粮食产量 4038 吨,增长 1.2%;大春粮食产量 14496 吨,增长 1.6%。经济作物中,油料产量 572 吨,增长 7.1%;蔬菜产量 20651 吨,增长 1.8%;茶叶产量 620 吨,增长 3.3%;水果产量 962 吨,增长 4.3%;药材产量 10266 吨,增长 4.8%。草本药材在地面积稳定在 10.1 万亩(其中推广规范化栽培技术 8 万亩),建立高原中藏药生产示范基地 0.03 万亩。杉木药材在地面积稳定在 14.01 万亩。全年中药材产量 1.3 万吨,产值达 0.9 亿元;高山茶面积 2.8 万亩,水果面积 2.2 万亩,发展金针菇、羊肚菌等食用菌 0.045 万亩,山药 0.1 万亩。

【林业】 2016 年,宝兴县持续实施天然林资源保护、退耕还林等工程,管护公益林 322.9 万亩,人工造林 3.2 万亩,封山育林 35.8 万亩,巩固退耕还林 4.7 万亩,全县森林覆盖率达 72.04%。

【畜牧业】 2016 年,宝兴县生猪出栏 48032 头,减少 3.5%;牛出栏 10974 头,增长 2.3%;羊出栏 14232 只,增长 2.6%;家禽出栏 90741 头,增长 2.6%。生猪存栏 42481 头,减少 8.7%;牛存栏 34303 头,减少 1.9%。新增中蜂养殖近 0.5 万群,全县中峰养殖规模达 2.4 万群。加大对龙头企业的培育力度,出台鼓励政策,统筹涉农项目,采取"公司+农户""公司+基地"模式培育特色养殖型龙头企业 2 家,其中仁朵生态农业公司采取定期组织带领高端客户到基地观摩的模式吸引客户采购;国家级龙头企业——逢春药业在跷碛乡扩建林麝养殖基地,促进了当地农户就业和农牧饲料销售。

【农村水利】 2016 年,宝兴县治理水土流失面积 12 平方千米,完成生态修复 15 平方千米。解决和改善农村安全供水人口 0.3 万人。开发建设水土保持项目方案申报 34 个,全部获得审批。

【新农村建设】 2016 年,宝兴县将全县 55 个行政村建成"四型五中心"示范村,全面完成市下达的 26 个幸福美丽新村建设任务。创新新村管理机制,一是健全组织机构。以村民自治为抓手,充分发动群众自主管理意识,全县 21 个新村聚居点全部建立群众自治管理委员会(自管委)。二是建立议事规范。实行以"提出议题、审定议题、会议研究、执行落实、监督评议"为主要内容的"五步议事法",形成程序完整、循环闭合的工作运转规范。三是健全约束机制。积极试点实行"四必议、四必审、四公示"制度,确保自管委工作运转始终处于约束监督之下,防止自管委不作为、乱作为。四是强化督查问责。把新村管理工作纳入对各乡(镇)的目标考核并作为全县农村工作重点开展督查,实行"季通报、年排位、年考核"制度。县委督查室和县政府目标办采取定期督查和不定期抽查等方式及时曝光工作不落实和进展缓慢的乡(镇),对工作措施具体、效果显著的予以通报表扬,确保各项工作落到实处,新村管理井然有序。

【乡村旅游】 2016 年,宝兴县结合实际打造了以大溪乡曹家村、崇兴村，陇东镇新江村等为代表的农家田园风光型新村26个，以穆坪镇雪山村、蜂桶寨乡戴维新村、跷碛乡仁朵藏寨等为代表的休闲旅游民俗度假新村14个。硗碛乡被评为四川省乡村旅游特色乡镇，硗碛乡咎落村被评为全国首批“中国乡村旅游模范村”；蜂桶寨乡戴维新村被评为四川省乡村旅游精品村寨，蜂桶寨乡邓池沟、灵关石城被评为4A级景区。举办了四川省第七届乡村文化旅游节（秋季）、冰雪节、硗碛“上九节”以及夹金山第八届红叶节等旅游节庆活动，宝兴乡村旅游知名度进一步提高，新增的农家乐等拓宽了农民增收渠道。随着国道351线、省道210线修建改造完成，全县游客接待量呈增长态势，“十一”假期接待游客12.6万人次，实现旅游收入1.28亿元。

【农村教育】 2016年，宝兴县县域义务教育均衡发展通过国家督导认定。全面实行“三免一补”和农村义务教育学生营养改善计划，发放农村义务教育阶段寄宿生生活补助资金56.8万元，惠及970人。全县小学学龄儿童入学率达100%。

【农村文化】 2016年，宝兴县广播电视覆盖率达98.5%；光纤覆盖3个镇5个乡，发放地面卫星接收机4343套；“村村响”广播覆盖55个行政村。38个大小体育场所全部免费对外开放。全县单项体育协会共10个，9个乡（镇）均成立了体育分会。

【农村社会保障】 2016年，宝兴县农村低保人数1233人。将214名符合条件的五保供养对象全部纳入供养范围，其中集中供养57人、分散供养157人，累计发放供养金122万元。全县拥有社会福利性收养单位4个，总床位数150张。

【灾后恢复重建】 2016年，宝兴县“4·20”芦山强烈地震灾后恢复重建总体规划实施农业项目共31个，估算总投资45948万元，其中中央平衡资金27869万元，农业生产设施项目16个，估算总投资22819万元，其中中央平衡资金16036万元；农村基础设施项目4个，估算总投资479万元，其中中央平衡资金20万元；农业产业基地项目10个，估算总投资21670万元，其中中央平衡资金10834万元；生态修复项目（宝兴县高山草甸恢复重建）1个，其中估算总投资980万元，其中中央资金980万元。截至11月，31个项目全部完工（不含高山草甸项目），完工率达100%。

【主要领导人】 县委书记：韩冰；县人大常委会主任：李家顺；县长：唐柯；县政协主席：张晶；分管农业副县长：高体强。

宝兴县编写组

荥经县

【基本情况】 2016年，荥经县辖3镇18乡（其中2个民族乡）105个行政村7个社区，辖区面积1776.48平方千米。年末总人口148672人，其中城镇人口56866人、乡村人口91806人。

2016年，全县GDP66.02亿元，比上年增长8.2%；人均GDP43719元，增长7.7%，其中第一产业增加值6.38亿元，增长3.6%；第二产业增加值41.31亿元，增长8.9%；第三产业增加值18.33亿元，增长8.2%。三次产业对经济增长的贡献率分别为4.55%、68.17%和27.28%。三次产业增加值结构比由上年的10.4：62.3：27.3调整为9.7：60：30.3。

有中小学校32所，其中普通高完中1所、职业高级中学1所、单设初级中学5所、乡（镇）中心小学25所、教学点5个；有中小学生16206人，其中义务教育阶段学生10048人、初中学生3896人、普通高中学生1763人、职业高中学生499人；小学生学龄人口入学率100%。有文化馆1个，公共图书馆1个，博物馆1个。有医疗卫生机构168个。新型农村合作医疗参合人数101291人，社会保险参保人数47400人（含离退休人员），城乡居民基本养老保险覆盖人数36332人。

【年度农业和农村经济运行】 2016年，荥经县实现农业增加值6.38亿元，增长3.6%。城镇居民年人均可支配收入达27091元，增长8.1%；农村居民年人均可支配收入达11701元，增长9.3%。

农业产业化发展。荥经县从事农产品加工和生产的企业有59家，其中省级龙头企业2家、市级龙头企业11家；农业产业化龙头企业年销售收入增长8.5%。有农民专业合作社153家，新增46家，其中省级示范社4家、部级示范社2家，极大地促进了农村发展、农业增效、农民增收。

农用地产权制度改革。荥经县农业和农村体制改革专项小组制定出台了《荥经县深化农村改革实施意见》《荥经县关于加快构建新型农业经营体系的实施方案》《荥经县小型水利工程管理体制和产权制度改革实施意见》等9个方案。基本完成集体林权改革确权工作，农村土地承包经营权确权颁证工作已完成乡（镇）指界、第一阶段公示工作。积极推进农业适度规模经营发展，全县流转承包经营耕地面积23120亩。

【种植业】 2016年，荥经县粮食作物播种面积12328公顷，比上年减少6公顷，下降0.05%；油料作物播种面积3397公顷，下降0.21%；中草药材播种面积439公顷，增长3.05%；蔬菜播种面积2346公顷，增长0.47%。粮食产量51053吨，比上年增加402吨，增长0.79%，其中小春粮食产量增长0.8%、大春粮食产量增长0.8%。经济作物中，油料产量6293吨，增长1.06%；烟叶产量493吨，下降0.4%；蔬菜产量41627吨，增长0.84%；茶叶产量2927吨，增长9.6%；园林水果产量3170吨，增长1.8%；中草药材产量1851吨，增长7.37%。有茶叶面积10.6万亩，2016年新发展茶叶5000亩，投产面积5万余亩，年产值达1亿元以上；新发展果蔬基地2000亩（其中猕猴桃1000余亩），建成猕猴桃气调库4个；建成中药材产业基地3000亩；获得地理标志农产品认证1个（天麻），天麻种植面积达5000余亩，实现产值1.62亿元。

【畜牧业】 2016年，荥经县生猪出栏91700头，下降6.7%；牛出栏6550头，增长3.2%；羊出栏14329只，增长4.0%；家禽出栏397245只，增长2.3%；兔出栏279474只，增长7.4%；禽蛋、牛奶产量分别增长2.2%、4.9%。

【林业】 2016年，荥经县林地面积达231.2万亩。全年实现林业总产值8.7亿元，其中第一产业产值3.57亿元、第二产业产值1.02亿元、第三产业产值4.11亿元；农民人均从林业获得收入达3008元，同比增长156元。完成营造林面积11万亩，巩固退耕还林成果9.5万亩，管护天然林134.6万亩，新增森林蓄积17万立方米，全县森林覆盖率达76.69%。完成林区公路建设（林区作业便道）53条，建设里程152千米，辐射全县20个乡（镇）。

【农村水利】 2016年，荥经县投入农田水利基本建设资金13940.6万元，新增恢复灌面2.02万亩，新增节水灌面1.6万亩，新增和改善供水受益人口7.75万人，新建和整治堤防4.7千米，疏浚河道4.1千米，治理水土流失面积26平方千米。实施水务灾后重建项目15个，包括24个子项、29个标段，总投资4.86亿元。截至2016年年底，所有项目均已完工。

【新农村建设】 2016年，荥经县确立了在16个乡（镇）24个村（含5个贫困村）建设幸福美丽新村的目标任务。全年整合投入灾后重建预结余资金、涉农资金和社会多方资金3亿元，用于新村基础设施建设和脱贫攻坚产业发展。幸福美丽新村建设完成“建改保”行政村24个，改造农房132户，保护传统村落3个、传统民居43户，连片发展种植业10万亩。龙苍沟镇发展村和花滩镇青杠村被评为“雅安市十大最美乡村”。

“四好村”创建。结合重建、脱贫“双攻坚”决策部署和农村“两个文明”建设目标，进一步巩固和提升灾后恢复重建成果，让群众“住上好房子，过上好日子，养成好习惯，形成好风气”，全年申报符合条件的省级“四好村”4个、市级“四好村”15个，其中花滩镇青杠村创建为省级“四好村”。

【扶贫攻坚】 2016年，荥经县始终把脱贫攻坚作为头等大事和第一民生工程来抓，聚焦“两不愁、三保障、四个好”，按照“六个精准”要求，科学规划，精准施策。发展特色生态产业，完善基础设施建设，加快发展村级集体经济。对照贫困户脱贫“一超过、两不愁、三保障、三有”和贫困村退出“一低五有”的标准，贫困人口年人均纯收入稳定超过国家扶贫标准，吃穿不愁，住房得到改善，义务教育和基本医疗得到保障，有安全饮用水、有生活用电、有广播电视；贫困村实现有集体经济收入、有硬化路、有卫生室、有文化室、有通信网络。全年5个贫困村退出，1025名贫困人口脱贫。

5个省定贫困村脱贫。探索形成委托理财分红、资源开发盘活、服务实体带动、合作参股分红、土地流转经营“五种模式”，推动村级集体经济多元化发展，5个省定贫困村集体经济收入人均超过6元，其中民建彝族乡金鱼村、荥河乡红星村贫困发生率为零，泗坪乡民胜村贫困发生率为1.57%，青龙乡沙坝河村贫困发生率为1.47%，新添乡黄禄村贫困发生率为1.01%，全部达到脱贫标准，贫困发生率均在3%以下。

贫困户脱贫。组织50家企业召开5场专项招聘会，为贫困群众提供工作岗位2000余个，其中17名建档立卡贫困群众与相关企业签订就业意向协议，208名建档立卡贫困群众获得公益性工作岗位。扶持贫困户发展特色种养殖业和乡村旅游业，拓宽贫困群众脱贫致富渠道。对丧失劳动能力的贫困群众强化政策兜底，全年有613名贫困人口被纳入低保兜底。全县省定的1025名脱贫人口年人均纯收入均超过3100元。全年脱贫的所有贫困群众均实现吃穿不愁，贫困家庭子女义务教育辍学人数为零；建档立卡贫困人口新农合、大病保险参合率均为100%；安排专项资金为每名贫困群众购买人身伤害意外保险；完成17户房屋新建，确保省定的1025名贫困群众均有安全住房。整合资金200余万元用于解决贫困人口饮水安全问题。

扶贫资金保障。全年安排农业产业资金1000万元重点投向贫困村。省财政下达的620万元产业扶持周转金、市财政下达的270万元贫困村扶贫补助资金及“两室”建设资金全部用于贫困村退出和贫困户脱贫。整合231个项目、5.07亿元资金精准投放到31个贫困村，解决贫困群众住房难、出行难、饮水难、用电难、通信难等问题。

【兰家山农业公园建设】 2016年，荥经县立足满足现代人向往农村新生活的全新需求，突出规划引领，依托良好的产业基础、悠久的农耕文化、优美的田园风光，明确“印象严道城·多彩兰家山”的农业公园定位，整合多方资金2亿元用于打造兰家山农业公园，已完成环线公路、游步道等配套项目建设，发展精品农家乐20余家，基本形成“一塔两湖、两庙五馆、三大基地、十大节点”景观带，展现出极大的吸引力和发展潜力。

【主要领导人】 县委书记：高福强；县人大常委会主任：陈德全；县长：李蓉；县政协主席：张顺昌；分管农业副县长：王磊。

荥经县编写组

汉源县

【基本情况】 2016年，汉源县辖30个乡（镇、街道），有农业人口20.26万人，有耕地面积42.88万亩，减少0.2%；基本农田213万亩，增长0.14%。

【年度农业和农村经济运行】 2016年，汉源县实现农业总产值24.87亿元，增长3.8%；农业增加值14.44亿元，增长3.8%。农民年人均可支配收入10251元，增长9.6%。

农业产业化发展。汉源县有省级龙头企业4家、市级龙头企业6家，创建国家级农民专业合作社3家、省级农民专业合作社9家、市级农民专业合作社9家，注册各类农民专业合作社630家、家庭农场277家。

【种植业】 2016年，汉源县粮食作物播种面积47.04万亩，增加0.38万亩；产量11.27万吨，增加0.2万吨。其中，小春粮食作物播种面积5.06万亩，产量1.05万吨；大春粮食作物播种面积41.98万亩，产量10.23万吨（水稻6.25万亩，产量3.57万吨；玉米12.69万亩，产量3.53万吨；红薯5.49万亩，产量0.94万吨；马铃薯10.19万亩，产量1.62万吨）。新增粮食规模化经营面积0.4万亩，其中5户（4户大户、1个专合组织）共969亩享受国家规模种植奖励补贴。全县商品蔬菜播种面积16万亩，减少0.03万亩左右；产量24.3万吨，减少3.3万吨；实现总产值约5.8亿元，减少0.26亿元左右。其中，大蒜种植面积5万亩，与上年基本持平；蒜苗产量2.5万吨，增加0.7万吨；蒜薹产量1.45万吨，减少0.94万吨；蒜头产量1.8万吨，减少0.38万吨；大蒜总销售收入2.75亿元，减少0.17亿元。

水果种植面积33.6万亩，新增果树面积0.55万亩，水果总产量36.5万吨，比上年增加0.81万吨；实现产值12亿元，比上年增加0.86亿元。其中，樱桃5万亩，产量0.8万吨，实现产值2.08亿元；黄果柑3万亩，产量4.5万吨，实现产值1.39亿元。新建现代特色效益农业标准化基地1.2万亩，其中安乐乡黄果柑基地8000亩，唐家镇枇杷基地1000亩，九襄镇、大树镇葡萄基地1000亩，西溪乡甜樱桃基地2000亩，在产业基地内安装了太阳能频振式杀虫灯、张挂粘虫板进行绿色防控，覆盖率达30%。在九襄、唐家、富庄、大田等乡（镇）改造梨低产果园4万亩。

2016年汉源县省级农业产业化重点龙头企业名单

企业名称	注册资金（万元）	法人代表	示范等级	年度产值（万元）	行业分类	主营产品
四川五丰黎红食品有限公司	6000	王维勇	省级	35390	食品加工业	花椒系列调味品
四川省大渡河食品有限公司	510	杨富荣	省级	65724	农副食品加工业	牦牛肉干、牦牛肉酱、面条

2016 年汉源县省级(及以上)示范农民专业合作经济组织名单

合作经济组织名称	注册资金(万元)	法人代表	示范等级	年度产值(万元)	行业分类	主营产品
汉源源达甜樱桃农民专业合作社	150	何文全	省级	200	种植业	大樱桃
汉源县九洪水果农民专业合作社	8	张建云	国家级	950	种植业	金花梨
汉源燕山红贡椒农民专业合作社	242	朱贵荣	省级	120	林业	花椒
汉源燕山红大樱桃农民专业合作社	242	朱贵荣	国家级	472	种植业	大樱桃
汉源县雪域蔬菜农民专业合作社	78	杨万才	省级	100	种植业	莲花白
汉源县大丰盛园黄果柑农民产业合作社	168	羊波涛	国家级	500	种植业	黄果柑
汉源县宏丰水果种植农民专业合作社	300	秦刚	省级	50	种植业	苹果
汉源县创兴种养殖专业合作社	110	罗天方	省级	50	畜牧业	生猪
汉源县丰源核桃种植专业合作社	200	瞿启洪	国家级	50	林业	核桃

2016 年汉源县家庭农场经营情况统计表(前 10 位)

家庭农场名称	注册资金(万元)	法人代表	年度产值(万元)	行业分类	主营产品
汉源县永忠家庭农场	100	黄永忠	10	种植业	西红柿、黄瓜
汉源县明超家庭农场	10	潘明超	8	种植业	苹果、李子
汉源县盘龙山家庭农场	10	马永洪	8	种植业	苹果
汉源县东川家庭农场	100	何东	6	种植业	大樱桃
汉源县黄永清家庭农场	50	黄永清	12	种植业	大樱桃
汉源县丽琴家庭农场	80	宋丽琴	10	种植业	大樱桃
汉源县乡美家庭农场	10	张攀	10	种植业	梨
汉源县红之源家庭农场	80	李勇	10	种植业	苹果
汉源县清清家庭农场	10	黄成明	10	种植业	大樱桃
汉源县茂羊家庭农场	10	李敏	8	畜牧业	山羊

【畜牧业】 2016 年,汉源县生猪存栏 17.9 万头,增长 2.5%,其中能繁母猪存栏 1.18 万头,增长 2.5%;出栏 20.5 万头,增长 2%;猪肉产量 17483 吨,增长 2.3%。牛存栏 4.12 万头,增长 2.1%;出栏 2.19 万头,增长 2.2%;牛肉产量 3006 吨,增长 2.1%;牛奶产量 921 吨,增长 6%。羊存栏 4.52 万只,增长 2.7%;出栏 3.13 万只,增长 1.9%;羊肉产量 434 吨,增长 2.5%。禽存栏 61.76 万只,增长 2.2%;出栏 68.37 万只,增长 2.6%;禽肉产量 905 吨,增长 2.4%;禽蛋产量 5388 吨,增长 2.5%。兔出栏 1.3 万只,兔肉产量 21 吨。全年肉类总产量 21869 吨,增长 2.24%。

【水产业】 2016 年,汉源县水产品产量 2292 吨,增长 2.5%;投放鱼苗 622 吨,增长 3.6%。进一步加强水产品食品安全监管工作,对汉源县华侨凤凰渔业发展有限公司的渔业船员进行安全理论知识和实践操作培训。对凤凰公司渔业船舶进行登记及检验,检验合格率达 90%以上。全年无渔业船舶安全事故发生。

【新农村建设】 2016 年,汉源县启动实施全域推进幸福美丽新村建设,累计建成县以上幸福美丽新村 105 个;开展"四好村"创建,累计建成县级以上"四好村"20 个。投入财政专项资金 1250 万元,落实 20 个贫困村幸福美丽新村建设项目,重点实施道路基础设施建设类项目 43 个,硬化通组公路、联户路、耕作道等约 50 千米,新建耕作道约 35 千米;水利基础设施建设类项目 4 个,新建人畜饮水池 200 立方米,修建防洪沟 780 米,新安装灌溉管道约 16 千米;人居环境整治类项目 12 个,硬化文体活动场所约 1500 平方米,建设垃圾池站点 20 余处,极大地改善了贫困村生产生活环境。

【扶贫攻坚】 2016 年,汉源县通过开展精准扶贫"回头看",摸清全县 63 个贫困村和 3080 户贫困户、8855 名贫困人口基本情况,拟通过产业扶贫、就业扶持 4306 人,医疗救助 2639 人和低保兜底 2886 人等方式完成脱贫任务,全年完成脱贫 3602 人、贫困村"摘帽"40 个。在 63 个贫困村成立驻村工作队 63 个、派驻干部 252 名,其中 63 名干部担任村"第一书记",落实干部驻村帮扶"四个一"全覆盖。制定贫困村扶贫规划,细化年度任务,各贫困村均落实了"五本台账"("五个一批"工作台账、"一户一策台账"帮扶台账、贫困户脱贫台账和贫困村规划台账)。制定并下发《关于进一步规范完善贫困村扶贫发展规划的通知》,培训贫困村实用技术人员 8000 人次、就业技能 410 人次;在全县 27 个乡(镇)63 个贫困村实施产业扶贫,63 个贫困村全年发展经果林 5751 亩。县财政安排专项扶贫资金 2707.4 万元,用于贫困村基础设施建设和产业发展,在 63 个贫困村设立产业扶持基金

1660万元,支持贫困户或村集体经济组织发展种养殖业、农村电商、农旅结合等产业业态;安排资金122.75万元,完成贫困户C级危房维护改造41户、D级危房改造46户;安排扶贫资金373万元,完善25个贫困村小型基础设施建设项目25个。加强资金管理,严格实行扶贫资金县级财政报账制度,对扶贫项目报账所需的各种资料进行培训和指导。

【乡村旅游】 2016年,汉源县加强与省农科院、四川大学等科研院校合作,按照"科学规划、严格保护、合理开发、永续利用"的原则,根据全县旅游资源所在地的地理位置和空间组合特征,结合幸福美丽新村建设,高标准编制了《瀑布沟区域特色农业产业规划》《汉源县旅游发展规划》《汉源县观光农业与乡村旅游产业发展规划》《汉源县花海果乡乡村旅游规划》《汉源县百里果蔬走廊农旅融合产业发展规划》等系列规划,为汉源县传统农业向休闲农业与乡村旅游发展提供了指引。汉源县创建为四川省乡村旅游示范县,花海果乡创建为4A级旅游景区。九襄、大田、清溪、双溪、前域5个乡(镇)创建为示范乡;清溪镇新黎村、片马乡片马村和富银村、小堡乡丁家社区、前域社区新堰村等8个村(社区)被评为"四川省乡村旅游示范镇和示范村";花海果乡被评为"四川省十大最美花卉观赏地""四川省100个最美观景点";九襄镇三强村和幸福村被评为"四川省2012年度环境优美示范村";双溪乡被农业部认定为第三批"全国一村一品示范村镇""中国乡村旅游模范村"和"中国最美乡村示范点"。指导九襄镇、唐家镇创建市级休闲农业与乡村旅游示范乡(镇),前域乡前域社区、九襄镇三强村、双溪乡申沟村、大田乡新堰村等15个村创建为"市级休闲农业和乡村旅游示范村"。汉源华新苑度假村创建为"中国乡村旅游模范户""中国乡村旅游金牌农家乐",8名农家乐业主和村支部书记获得"中国乡村旅游致富带头人"称号。全县共有农家乐120余家,其中星级农家乐16家(五星级1家、三星级6家、二星级9家),接待能力达12000人,为不同消费需求的游客提供了旅游休闲度假服务;有三星级酒店1家(桂园酒店)、二星级酒店1家(梨都大酒店),有规模以上社会宾馆(酒店)30余家。

举办梨花节、樱桃采摘节等十余个会节,加大网络、微博、新闻媒体等宣传力度,促进一三产业融合发展。一是推动田园变公园。积极申报创建"中国农业公园",成功打造"百里果蔬长廊",建成"月亮湾葡萄观光采摘园""樱桃溪谷""桃源胜景""鹤舞田园"等产业公园景观14个;科学规划田园生态观光系统,统筹实施山、水、田、林、路综合改造,实现从河谷、山腰到山顶梯次展现花海果山农业景观,展现了"春天是花园、夏天是林园、秋天是果园、冬天是庄园"的四季景观特色。二是推动新村变景区。按照"一村一主题、一村一特色"的思路建成了以九襄镇三强村、清溪镇同心村、双溪乡申沟村等为代表的重建新村、产业新村、生态新村、旅游新村,配套发展果蔬采摘园、农事体验园、特色农家乐和乡村酒店,将新村民房打造成前庭后院、瓜果飘香的"花香客房"。三是推动产品变商品。在大力推广果蔬采摘体验、把农事劳动变成康养运动的同时,结合"三品一标"品牌创建,包装推出汉源甜樱桃、汉源红富士苹果、汉源高山蔬菜、汉源坛子肉、汉源花椒等特产品牌。运用"农超对接"销售模式,引进赶街网建立村级运营站200个,挂牌成立天府商品交易所汉源花椒交易中心,把汉源农特产品变商品、变礼品。

重点打造环汉源湖碧水阳光休闲度假中心、清溪古城和九襄农业生态园、大渡河峡谷地质公园、茶马古道和南丝绸之路等项目。坚持把生态旅游村落、现代农业园区、历史文化遗迹和乡村旅游景区有机结合,实现河谷、山腰、山顶立体观花赏果,梯次展现农业景观,将汉源"赏花月"变成"赏花季","品果节"变为"四季椒果采摘节",延长了乡村休闲度假时间。重点建设以梨产业为主的九襄"花海果乡"、以桃产业为主的双溪"桃源胜景"、以樱桃产业为主的清溪"樱桃溪谷"等一大批农业景观系统。充分挖掘民族特色村寨的文化底蕴,发展具有民族特色的乡村休闲度假旅游产品,片马乡和小堡乡每年分别举办的"火把节"和"藏历年"等节庆活动吸引外地游客体验民族风情游。围绕汉源丰富的物产和深厚的文化底蕴,不断做大做强汉源花椒、大渡河牦牛肉、汉源坛子肉、汉源大樱桃、红富士苹果等旅游土特产品。精心开发大渡河奇石、汉源风光水晶纪念品、汉源花椒香包等旅游纪念品,打造汉源特色旅游商品品牌。整合分散的旅游接待资源,盘活村集体闲置资产,鼓励农户参与旅游接待点建设,扩大乡村旅游接待能力,提升接待水平;鼓励民间资本到农村发展乡村旅游,丰富家庭农场、农业主题公园、生态农家乐、果庄酒庄等业态,满足游客住农家屋、吃农家饭、享农村景、体会乡愁的需求,实现组团式发展、规模化接待的目的。

【灾后重建】 2016年,汉源县按照雅安市工作部署,把百千米百万亩果蔬走廊汉源段建设作为"4·20"芦山强烈地震灾区产业重建的重点,打造了以"百里果蔬走廊"为核心,总长116千米的产业环线,串联起唐家、九襄、双溪、清溪、西溪、大田、前域7个果蔬主产区20万亩产业基地,辐射32个村。按照"抓紧规划建设一批新的特色经济走廊和景区景点"的要求和市委"3+N"工作部署,全县启动了4条不同特色产业环线的规划建设工作,以"4+N"为主体,县内大环线不断延展,乡(镇)环线加快建设,村(社)环线"铺大盖地"。一是九襄至双溪环线。总长27千米,是汉源县"百里果蔬走廊"的一部分,起于九襄高速路连接线,经九襄镇堰坪村、后山村至双溪乡涂家村、木楠村、申沟村,连接"申沟桃源胜景"后与国道108线交汇,串联起万亩金花梨、万亩白凤桃产业基地。该环线已基本完成建设,九襄镇堰坪村至后山村段道路黑化工程、沿途采摘示范园建设、环境整治、标识标牌制作安装等项目建设有序推进。二是清溪至西溪环线。总长30千米,是汉源县"百里果蔬走廊"的一部分,起于国道108线,经清溪镇同心村、同明村、永安村、双坪村至西溪乡松江村、平河村、合江村、陈河村,在富庄镇合于九宜路大环线。沿线布局有"樱桃溪谷""达玛高山牧场""云上草原""茶马古道"等景观节点,串联起约5万亩甜樱桃和近万亩花椒基地,是汉源甜樱桃产业的最佳观赏体验线路。该环线已全部贯通,部分景观节点和观景平台已建成,科技提升、电商培育、采摘示范园打造和旅游合作社等新型经营主体培训工作有序推进。三是大渡河右岸环线。总长135千米,涉及大渡河右岸大树、晒经、料林、小堡、河南、坭美、片马7个乡(镇)37个村,沿线融合葡萄、黄果柑、红富士苹果、核桃、高山蔬菜、奇花异卉、森林康养等农旅业态,辐射贫困村近15个,是一条以山地生态田园、沫水风情体验为主体的农旅产业环线,也是一条以藏彝民间文化为内核,以南方丝绸之路文化、金钟山宗教文化、红色文化为补充的文化风情体验地,还是一条带动贫困村、贫困群众脱贫增收的产业经济带。环线已完成规划。四是大渡河左岸环线。初步设计总长130千米,贯穿大渡河左岸富泉、安乐、万里、马烈、皇木、永利、乌斯河、顺河7个乡(镇),沿线主要分布有枇杷、黄果柑、核桃、高山蔬菜等产业基地,途经区域有汉源湖、轿顶山、大渡河大峡谷、抗战乐西公路、古路村索道等自然景观和人文景观,具有极高的旅游开发价值。该环线规划前期准备工作有序推进。

【助农增收】 2016年,汉源县委县政府切实履行农民增收工作责任,多次通过县委常委会和政府常务会专题研究农民增收工作,制定了农民增收书记、乡(镇)长和部门主要领导责任制,制定了年度农民增收目标任务并纳入县委县政府目标考核,把促进农民增收摆在"三农"工作的核心位置,采取有力措施拓宽农民增收渠道。按照"农业景观化、景观生态化、生态效益化"的发展思路,构建起田园景观系统,推动农旅融合,发展乡村旅游,进一步提高农民收入。全县累计整合财政支农资金25075.6万元,撬动社会资金1671.13万元,用于新农村建设和精准扶贫。

深化农村改革,增加农村居民财产性收入。土地确权工作已完成实施方案制订、招标及合同签订,宣传动员、业务培训、摸底调查、航飞、工作底图制作等工作以及入户权属调查、内业资料上图和公示工作有序实施。6月2日,为汉源县红之源家庭农场颁发了《农村土地承包经营权证》,成为全县第一宗以其他方式为承包的农村集体土地颁证,也是雅安市第一宗,农场已用《农村土地承包经营权证》作抵押取得银行贷款。农村集体资产股份合作制改革工作有序推进,已制定实施《汉源县开展农村集体资产股份合作制改革的实施意见(送审稿)》。全年流转耕地面积18199亩,增长15.6%,平均价格为每亩500元左右,增加收入122.95万元。

依托项目建设,促进农民持续增收。全县以打造农田水利示范区为重心,实现"山、水、田、林、路"的综合打造,大力推进农田基础设施建设。全年共投入资金29064.26万元,其中水利项目8278.1万元、林业项目10688.16万元、农业项目591万元、农机项目3816万元、交通项目5691万元。维修、整治渠道90.985千米,清淤沟渠78千米;新增恢复灌面0.91万亩,新增节水灌面0.92万亩;新增蓄水能力367.1万立方米,新增年节水能力279万立方米,恢复改善灌面1.58万亩;建设村镇供水工程25处,解决农村饮水不安全人口6.79万人;治理水土流失面积3.9平方千米,完成计划的163.2%;巩固退耕还林成果10万亩;完成森林管护面积1991915亩;完成通村通畅工程56.2千米;新修、整治、硬化机耕便民道211.37千米。

【劳务开发】 2016年,汉源县实施贫困家庭劳动者"技能培训脱贫行动",完成贫困家庭劳动者劳务品牌培训40人、职业技能培训649人。开展农民工职业培训1882人(包含青年劳动者技能培训648人、技能提升培训200人),其中农民工职业技能提升计划1612人(就业技能培训924人、创业培训210人);高技能人才培训150人;品牌培训120人。全县30个乡(镇)18余万名农村转移劳动力实现实名制登记和动态监测,汉源县被四川省就业局、四川省农劳办表彰为"四川省农村劳动力就业实名制监测入库工作先进县"。全年转移输出劳动力6.8万人,实现劳务收入7.88亿元。

【农村科技】 2016年,汉源县建设的39个示范点和18个示范基地工作成效显著,从栽植技术、土肥水、病虫害防治、整形修剪、花果管理、果实采摘、包装销售等方面为广大农户提供随时随地学习样板。结合基层服务体系建设、科技干部进万家等项目,开展技术下乡近6万人次,发放各类技术资料10万余份,大力培育"土专家""田秀才"等。积极开展各种生产技术服务培训,做好农业生产技术服务"最后一公里",县财政为每个乡(镇)补助技术培训资金2万元。

【农村市场体系建设】 2016年,汉源县启动实施了"电子商务乡村工程",搭建了"你弄我农""远智养生""赶街网""四海电子商务""乐购""红云"等电商平台,电商服务终端网点覆盖85%以上的行政村,主要物流快递公司覆盖80%以上的乡(镇),全县已开设村级农产品网店200余家。汉源农产品全年网络销售额达1.1亿元,增长36.4%。多家商贸流通企业开启"O2O"线上线下、微信购物模式。全县已建成覆盖30个乡(镇)、204个行政村(含农村社区)的"万村千乡市场工程"标准化农家店265个,赶街网公司村级电商服务站130个,乐购公司村级电商服务站34个,红云公司"阳光汉源村级服务站"71个,精准扶贫村级服务站30个,实现商品配寄送服务、农产品网络销售服务、农村青年创业服务、农村生产和生活用品网上购买及缴费服务四大功能。县供销社成立了汉源县红云电子商务公司、汉源县益加益物流公司,建成"阳光汉源"农副产品交易服务平台,组建了汉源县农村电子商务协会和汉源县农村电子商务孵化园,与中华全国总社"供销e家"连接合作,促进汉源县农副产品的销售。

【农产品产地初加工】 2016年,"汉源县2016年农产品产地初加工补助项目"和"汉源县现代农业示范园区奖补项目大九襄现代农业综合园区"农产品产地初加工项目启动实施。项目围绕"减少产后损失,均衡市场,稳定市场价格,促进农民增收,提高农产品质量安全水平"目标,以水果、蔬菜为主导产业,以储藏、保鲜、干燥等主要初加工环节为重点,选择技术成熟、推广条件完备、预期效果显著的产地初加工设施进行普及推广。项目涉及13个乡(镇),计划投资913万元,建设以组装式冷藏库为主、烘房为辅的加工厂共计29座。

【四川省现代农业林业建设示范县经验介绍】 汉源县是"全国蔬菜重点县""四川省特色水果核心基地县""四川省马铃薯良种繁育基地县""四川省优质特色效益农业甜樱桃基地""四川省第一批优质无公害蔬菜、水果生产基地县""无公害优质肉牛、肉羊生产基地县"和"全省农产品质量安全监管示范县"。2016年5月,汉源县被省政府列为现代农业林业建设示范县(2016—2018年)。为了加快推进全县农业现代化进程,进一步做大做强全县水果及蔬菜产业,积极改善全县贫困村农业基础设施,大力发展优势产业,促进全县农民可持续增产增收。争取到2018年,全县农业总产值年增长率达到10%以上,适度规模经营面积达10000亩以上,农民人均纯收入提高30个百分点,农产品质量安全合格率保持在97%以上。

科学编制三年规划。一是严格按照《四川省人民政府关于扎实推进新一轮现代农业林业畜牧业重点县建设的意见》《四川农业厅关于印发2016年第二批现代农业推进工程项目实施指导意见的通知》文件精神,结合全县"农业景观化、景观生态化、生态效益化"的农业发展思路,以做优做强农业产业基地为根本动力,制定了全县三年发展规划。二是自2013年起,通过启动实施产业、交通、水利"三年大会战",用三年时间完成了全县通乡公路硬化改造,截至2016年年底,完成了80%的通村公路硬化改造。累计完成农村公路硬化919.7千米。实施"水利建设大会战",解决了90%的人口安全饮水问题,累计整治小型渠2166千米、末级渠1444千米,新建、整治堤防47.4千米,综合治理水土流失面积41.3平方千米;启动永定桥水利工程左干渠建设,新增灌面2.55万亩,改善灌面0.9万亩。三是规划建设内容突出精品农业思路。全县在做优做强农业产业基地的同时,加快构建全县特色优势产业集约化、规模化、专业化、组织化、社会化发展模式,围绕汉源10万亩花椒产业基地,在清溪古镇建成花椒广场;以10万亩梨产业基地为中心,改良现有品种,在九襄、大田建设金花梨主题公园和槿上梨花景区;在6万亩红富士苹果核心区深度打造游客采摘体验园和农庄、果庄;精心打造汉源县现代农业核心示范园区等,把分布在不同区域、不同季节的优势产业逐一呈现在游客面前。

健全完善保障措施。一是健全组织机构,强化领导责任。成立以县长任组长,分管农业副县长任副组长,各相关部门、乡(镇)主要领导为成员的"汉源县2016—2018年现代农业示范县以奖代补资金项目"建设领导小组,领导小组下设办公室。由农业局指导项目实施,项目建设所在相关乡(镇)政府负责项目建设,乡(镇)政府组建成立相应的领导班子,由党政一把手亲自抓,保证项目建设实施圆满完成。二是注重产业指导,强调技术服务。项目依托农业厅、省农科院、四川农业大学及省、市相关部门专家组成的专家指导组开展技术指导,大力夯实全县特色农业产业发展基础,促进精品农业深度打造。三是部门整体联动,加强监督管理。县级相关职能部门对项目建设情况进行定期或不定期的督导,加强对现代农业重点县建设各项工作的全程监督管理,杜绝各类违规、违纪和违法行为,确保建设项目顺利实施、资金规范安全使用和效益最大限度发挥。

全力打造生态农业。按照"农业景观化、景观生态化、生态效益化"的发展思路,统筹实施产业发展、农村公路、水利建设三个"三年大会战",积极推进农业核心示范园区建设,探索发展"生态养殖+绿色种植"的立体农业示范区,着力构建结构合理、绿色环保、效益多元的现代农业,建成"532"十大特色产业基地66万亩,为传统农业向休闲农业乡村旅游转型打下了良好的基础。以"绿满汉源"为驱动,以经果林为纽带,综合利用田园景观、农事体验、农村生态环境和农村民俗风情等要素进行生态观光农业开发,促使一三产业良性互动,推动农业景观效益、经济效益和生态效益三统一、三结合。

经营主体培育及品牌创建。充分利用全县特色农产品优势,大力培植龙头企业、农民专合组织、家庭农场,积极做好第七批市级农业产业化经营重点龙头企业和市级示范农民专业合作组织申报工作。截至2016年年底,全县有省级龙头企业4家、市级龙头企业6家,创建国家级农民专业合作社3家、省级农民专业合作社9家、市级农民专业合作社9家,注册各类农民专业合作社630家、家庭农场277家。全县获得汉源雪梨、汉源花椒、汉源坛子肉、汉源花椒油4个地理标志产品认证,面积11.5万亩;无公害认证企业9家、农产品16个,认证面积6.1万亩;绿色食品认证企业6家、产品18个,认证面积7.8万亩;有机食品认证企业6家、产品14个,认证面积0.67万亩。全县注册涉农商标56件,获得四川省著名商标3个、雅安市知名商标8个。

【四川省现代林业建设重点县经验介绍】 2016年5月,汉源县被省政府确定为2016—2018年30个现代林业建设重点县培育对象之一。全县退耕还林任务共计13万亩,其中2000—2005年启动实施的上一轮退耕还林10万亩、2014年启动的新一轮退耕还林3万亩,新一轮退耕还林通过省级检查验收并达合格,完成兑付退耕还林政策补助2517万元。完成春季补植补造工作。截至2016年年底,全县新发展核桃、花椒、油用牡丹基地13161.77亩,实现规模经营、集约经营和一体化经营。林业产业重点县建设总投资为3100.9324万元,其中资金由省级财政林业重点县项目建设资金200万元,整合汉源县特色农业产业发展项目、新一轮退耕还林项目及其他项目资金642.0262万元,农民投工投劳折资和企业、农户自筹资金2258.9062万元。新发展培育花椒示范基地2871.5亩,其中在三交乡发展培育及低改花椒示范基地2371.5亩,四川味佳食品有限公司在马烈乡新发展花椒示范基地500亩。河南乡整合县特色农业产业项目新发展核桃基地面积8290.27亩。汉源淦川农业发展有限公司在坭美乡、晒经乡、万里乡、清溪镇、河南乡投资新发展油用牡丹基地合计2000亩。四川汉源华堂农业发展有限公司新增林麝养殖基地圈舍10000平方米,养殖林麝240头,分布在九襄镇、坭美乡。全县优良品种使用率、使用技术到位率、林业有害生物防治率均达100%,标准化生产率达100%。"五丰黎红""永丰和"花椒加工企业已先后申报认证为国家级、省级林业产业化龙头企业。全年林业总产值达14.15亿元,农民人均从林业上获得的收入为2913元,农民人均林业收入年增加122元。

天然林资源保护工程。全年共完成森林管护面积198.89万亩,其中国有管护面积70.71万亩、集体和个人公益林森林管护面积128.17万亩,补偿兑付集体和个人公益林面积128.17万亩,兑付资金1890.51万元,涉及全县29个乡(镇)、170个村、1031个组、29739户农户。完成国有林场人工造林及补植3655亩,栽植各类树种19.5万株。

造林绿化。全县绿化造林1.101万亩,植树103.3万株。2014年度石漠化造林项目完成人工造林2055亩、封山育林17250亩,建成围栏3000米。完成2015年度汉源县干旱半干旱地区生态综合治理1000亩造林及相关项目建设。

林业产业发展。指导全县25个乡(镇)开展春栽工作,共计完成核桃、花椒新栽及补种2.34万亩,其中新栽面积1.73万亩(花椒1.29万亩、核桃0.44万亩)、补植面积0.61万亩(花椒0.58万亩、核桃0.03万亩),按比例将县财政拨付的260万元核桃、花椒嫁接补助资金拨付到施工单位。聘请"土专家""田秀才"到全县30个乡(镇)开展干果栽培、管理技术培训工作。完成2016年省林业重点县建设项目。启动"汉源花椒"驰名商标申请认定工作。

森林防火。与30个乡(镇)政府、各责任单位签订了《护林防火目标责任书》《巡查联防责任书》《森林防火责任书》,真正把责任落实到防火区内的山头地块,形成了上下有人管、事事有人抓、山山有人护、林区无空缺的防控格局。全县共发生一般性森林火灾11起,过火面积17.07公顷,受灾森林面积2.14公顷,刑事处罚4人,无重特大森林火灾发生,损失明显降低。

林业有害生物防治。全面完成2016年林业有害生物防治、测报、植物检疫等工作任务,全面达到省、市森防站下达的林业有害生物防治目标管理指标。全县林业有害生物预测发生面积7.985万亩,实际发生面积7.9979万亩,测报准确率达99.84%;在全县范围内有效防治林业有害生物7.7529万亩,其中人工防治6.855万亩、物理等其他防治0.8979万亩,综合防治率达96.94%,无公害防治率达100%,成灾率为零。开展第三次林业有害生物普查,调查林业有害生物105种,制作标本410件。

林政资源管理。巩固集体林权制度改革成果,积极开展主体改革"回头看"工作。全年颁发林权证71本、41365.4亩,林种更正登记林权证13本、面积543亩,规范林权流转3宗地、面积2391亩;完善林改档案并立档归卷32卷。为9家企业办理占用林地手续,占用林地面积29.5284公顷,其中永久占用林地面积3.0808公顷、临时占用林地面积26.4476公顷。森林资源二类外业调查工作及调查成果通过林业厅验收。

【主要领导人】 县委书记:杨兴品;县人大常委会主任:罗国强;县长:郑朝彬;县政协主席:张宗平;分管农业副县长:谢爨。

汉源县编写组

石 棉 县

【基本情况】 2016年,石棉县辖15乡1镇1个街道,辖区面积2678平方千米,有农业人口8.1789万人,有耕地面积9.5114万亩,增长80.4%。

2016年,全县GDP76.03亿元,比上年增长8.1%,其中第一产业增加值5.61亿元,增长3.8%;第二产业增加值54.49亿元,增长8.6%;第三产业增加值15.93亿元,增长7.6%。人均GDP59530元,增长7.8%。三次产业结构比由上年的7.8∶75.6∶16.6调整为7.4∶71.6∶21。全年接待游客459.6万次,实现旅游综合收入31.97亿元,分别增长20.9%、44.9%。

公路通车里程1700.1千米,其中等级公路(含高速及一、二、三、四级公路)798.9千米。社会消费品零售总额20.34亿元,比上年增长11.5%。按经营地分,城镇消费品零售额10.84亿元,增长12.9%;乡村消费品零售额9.5亿元,增长9.9%。全年地方公共财政预算收入4.16亿元,比上年增长8.1%,其中税收收入3.45亿元,增长14.8%;公共财政预算支出11.45亿元,下降18.1%。年末金融机构各项存款余额70.93亿元,比上年末增长2.1%,其中城乡居民储蓄存款余额41.1亿元,增长10.4%;各项贷款余额61.54亿元,增长8.3%。

有小学18所,在校学生10649人,专任教师607人;普通中学6所,在校学生5352人,专任教师326人;中等职业教育1所,在校学生1051人。有医疗卫生机构80个,其中医院5个、基层医疗卫生机构75个;病床位1323张;卫生技术人员937人,其中执业医师、助理医师259人。

【年度农业和农村经济运行】 2016年,石棉县实现农业总产值60254.952万元,增长29.46%。农村居民年人均可支配收入10576元,比上年增长9.2%,其中工资性收入6911元,增长17.5%;家庭经营净收入3070元,下降9.1%;财产净收入59元,增长30.6%;转移净收入536元,增长44.1%。农村居民人均生活消费支出7965元,增长13.3%,其中居住消费支出下降3.4%,生活用品及服务支出下降4.2%,医疗保健支出增长12.2%,交通和通信支出下降2.9%,教育文化娱乐服务支出下降26.9%。农村居民恩格尔系数为44%。

农业产业化发展。石棉县建成标准化养殖场(小区)4个(永和乡白马村移民集中安置点养殖小区、栗子坪乡大兴村养羊小区、美罗乡四季丰公司标准化养羊场、永和乡白马村草科鸡林下养殖示范场)。

2016年石棉县省级示范农民专业合作经济组织名单

合作组织名称	注册资金(万元)	法人代表	示范等级	行业分类	主营产品
石棉县黄金果业专业合作社联合社	2000	刘江国	省级	种植业	黄果柑

2016年石棉县省级家庭农场经营情况统计表

家庭农场名称	注册资金(万元)	法人代表	示范等级	行业分类	主营产品
石棉县佳林家庭农场	200	姜佳奇	省级	种植业	黄果柑、食用菌

【种植业】 2016年,石棉县粮食作物播种面积7352公顷,减少0.3%。经济作物播种面积5001公顷,增长15.9%,其中油料作物1104公顷,增长0.5%;蔬菜3146公顷,增长2.6%;中草药738公顷,增长435%。全年粮食总产量27589吨,减少0.7%,其中小春粮食产量减少1.8%,大春粮食产量减少0.4%。经济作物中,油料产量2657吨,增长0.7%;蔬菜产量74749吨,增长0.4%;园林水果产量53655吨,增长3.2%;坚果产量3900吨,增长11.4%。坚持"绿、特、精"发展方向,以建设"世界枇杷栽培种原产地""中国黄果柑之乡""四川优质核桃种植基地""中国优质草科鸡养殖基地"为目标,深入推进农业产业结构调整,持续壮大黄果柑、枇杷、核桃、草科鸡四大特色产业规模,积极培育发展八月瓜、青脆李、中药材等特色产业,形成了低山河谷区黄果柑标准化产业带、中半山区枇杷标准化产业带、高寒山区核桃标准化产业带的农业主导产业布局。全年新发展黄果柑0.3万亩,黄果柑基地面积达4万亩;新发展枇杷0.2万亩,枇杷基地面积达3万亩;中药材栽植面积达1.1万亩。建设黄果柑、枇杷、核桃示范片各1万亩,巩固建设草科鸡示范片5片。发展生态错季蔬菜5万亩。全年实现黄果柑、枇杷销售收入2.87亿元,特色产业带动农民人均增收1000余元。

【林业】 2016年,石棉县有效管护森林面积306.36万亩,巩固退耕还林成果10.3万亩,连续19年实现无重特大森林火灾发生县目标,森林资源二类调查和林业有害生物普查工作全面完成。成功放归大熊猫"华妍""张梦",放归大熊猫"泸欣""淘淘""张想""华姣"监测工作有序进行。全年实现林业总产值8.2亿元左右,增长8.5%;林农从林业中获得总收入达2.1亿元,增长18.6%。

【畜牧业】 2016年,石棉县生猪出栏6.56万头,减少6.1%;牛出栏0.85万头,增长0.8%;羊出栏2.79万只,增长2.1%;家禽出栏57.87万只,增长0.3%。禽蛋产量增长0.9%。林下养殖草科鸡100万只。采取"公司(田湾河公司)+农户"的模式发展草科鸡养殖,由田野公司按照"六统一"模式与农户签订合同组织生产,农户养殖到5月龄时收回并在迎政乡生态基地集中进行林下放牧养殖1个月再出栏,保证了草科鸡的养殖时间和生态品质。草科鸡保种选育场和华蓉草科鸡扩繁场全年共孵供种33.4万只,全县累计出栏草科鸡43.5万只。引进纯种西门达尔种公牛11头、纯种波尔山羊种公羊15只,全县共引进良种牛25头、良种羊180只。西门达尔种公牛和人工授精配种共428头,牛、羊良种改良面分别提高3.5%和3.53%。

【统筹城乡与新型城镇化】 2016年,石棉县紧紧围绕省委省政府多点多极支撑,城乡统筹、"两化"互动和创新驱动发展三大战略,以四个"突出"为核心,着力打造山区精品阳光城市。通过整合灾后重建、独立工矿区转型发展、高速公路建设等机遇,累计投入各类资金25亿元,加快实施"3+3+N"城市建设总体战略(即岩子、城北和向阳3个片区城市新区开发,川棉、川心店和广元堡3个片区旧城改造,建设完善相关配套设施),城市基础设施更加完善、公共服务更加健全、服务发展更加有力,城市新区初具规模,旧城功能得到优化提升,一体化进程不断加快,城乡环境综合治理工作连续7年排名全市第一位。一是优化提升旧城功能。实施中医院、县委行政中心、民族中学等公共服务设施建设;完成城区路面黑化,改造旧城道路约20千米;

完成城区大渡河、楠桠河两岸约12千米防洪堤建设;建成污水处理厂、净水厂等重大民生工程。截至2016年年底,全县城市道路总长35千米、供水管网总长73千米、排水管网总长37千米,有桥梁11座,路灯亮化率达99%。二是着力建设城市新区。在2011年完成城北、岩子、向阳征地拆迁的基础上累计投入资金约11亿元,建成住房2934套,实施桥梁建设3座,改造和新建道路约9千米,建成七一中学、妇幼保健院、向阳物流中心、向阳体育场、岩子汽车站等公共服务设施,县城新区初具规模,有效改善了城乡接合部基础设施不配套、居住环境差等问题。三是完善城乡环境保洁机制。对城市公共区域实行早晚两班制16小时保洁作业,确保环境卫生持续有效改善。同时,通过设立公益岗位等形式,对城市居民小区进行管理,有效破解城市小区卫生顽疾。围绕"户定点、组分类、村收集、乡运输、县规划处理"的农村生活垃圾收集处置工作机制,将50个行政村公共区域全部纳入保洁范围,组建了305人的乡(镇)保洁队伍和217人的农村生活垃圾分类队伍,按照500元/人/月的标准给予工作补助并按季度考核发放。同时,积极探索推广农村保洁和垃圾保洁、收集、分类、转运市场化运作机制,取得了良好效果。四是全面提升环境基础能力。大力实施县城区和集镇绿化、亮化和美化工程,新增绿化面积2.6万平方米,城区绿化覆盖率达39.1%。结合乡村清洁工程,加快建设城乡生活垃圾收运体系,建成城市生活垃圾填埋场1个、片区简易垃圾填埋场3个、垃圾中转压缩站3个,新建农村垃圾房455座、农村垃圾分类池237个,设置垃圾桶、果皮箱2684个,配备环卫车辆125辆,有效构建了"村收集、乡运输、县处理"的城乡垃圾处理机制。加强城乡污水处理基础设施建设,建成城市生活污水处理厂以及8个乡(镇)污水处理设施,城市生活污水处理率和生活垃圾无害化处理率分别达87.3%和100%。

【新农村建设】 2016年,石棉县科学编制规划,针对县内村落"多民族、小聚居、大分散"的特点,坚决摒弃简单的空间上的成片推进,将新村整体布局与产业成片推进相结合,与民俗文化、生态禀赋、历史文脉等特色元素相结合,抓好新村建设总体规划与产业发展、文化保护、生态建设、基础设施、公共服务等规划的"多规衔接",切实做到"产业发展到片、建设规划到村、元素融合到点"。全县建成新村聚居点76个,聚居人口2.1万人。大力实施基础设施建设,统筹整合项目资金,按照"生产生活设施即是旅游观光设施"的思路,高标准进行农房、道路交通、农网改造、农田水利等基础设施建设。大力实施环境治理,以"美丽乡村"建设为主线,以"四改三建三清两调"为抓手,着力改善农村人居环境,建成安顺乡小水村、新棉镇城北村、宰羊乡碾子村等29个幸福美丽新村。按照"业兴、家富、人和、村美"的基本要求,以"四好村"创建活动为抓手,继续加强对新村管理工作的监督、指导和考核。加强社会主义核心价值观教育、感恩教育、法治教育等,引导群众自觉遵守新村管理公约,积极参与新村建设和管理,自觉维护和营造良好的新村风气,形成全社会共同参与和推动农村社区建设的良好氛围。

【扶贫攻坚】 2016年,石棉县扎实开展"五个一批"行动计划,大力实施"3+13"政策组合,全力推进18个专项工作计划,确保2016年年底前完成孟获、晏如、马富、新民、大湾等15个贫困村"摘帽",1850人减贫的目标任务。一是扎实开展建档立卡"回头看"工作。按照省、市安排部署和"六个精准"要求,全县扎实开展建档立卡"回头看"、自主移民识别等工作,严格按照"退出"必具充分理由、"进入"必符合条件的工作原则,在原有2368户、7844人建档立卡贫困人口的基础上,清退506户、1766人,新增365户、1158人,全县贫困人口精准锁定为2227户、7236人。二是编制完成全县"十三五"脱贫攻坚规划。《石棉县"十三五"脱贫攻坚规划》已完成各专项牵头部门的审查和意见征求并按照省、市有关要求积极推进。三是全面制订贫困村脱贫规划和贫困户脱贫计划。完成全县26个贫困村脱贫攻坚规划编制,乡(镇)、村(组)意见征求、合同签订等工作加紧审查审定;2227户贫困户脱贫计划已全面制订完成。四是完成实施"五个一批"行动方案。立足"多区叠加"的特殊县情,坚持"一村一策、一户一策",在深入分析各贫困村、贫困户的发展基础和条件的基础上,科学制订实施"五个一批"扶持方案,即通过扶持生产和就业脱贫一批1519户、2717人,易地搬迁安置脱贫一批9户、27人,低保政策兜底脱贫一批847户、1876人,医疗救助脱贫一批1220户、1673人,灾后重建帮扶脱贫一批227户、775人。五是不断强化脱贫攻坚责任机制,落实"四到县"制度。全县各级、各部门不断建立健全脱贫攻坚责任机制,全面落实脱贫目标、任务、资金、权责"四到县"制度。创新实施脱贫责任"12131N"工作机制,即通过1名县级干部带领2个县级部门和1个驻村工作组利用3年时间帮扶1个贫困村、N户贫困户脱贫,层层传导压力,层层落实责任,实现脱贫攻坚责任"一盘棋"、全覆盖,形成脱贫攻坚合力;构建资金整合机制,统筹整合灾后重建、新村建设、革命老区、移民后扶等项目资金5.6亿元,其中县财政每年投入资金3000余万元,重点用于贫困村道路、饮水、产业发展等项目建设,打牢贫困地区脱贫基础。六是全面落实"五个一"帮扶机制。落实39名县级干部、67个单位、45名农技员、26个驻村工作组、26名"第一书记"驻村帮扶,1036名党员干部与贫困户结对认亲帮扶。全面落实联系县级领导、帮扶部门、驻村工作组、"第一书记"、农技员驻村帮扶"五个一"工作机制。

【乡村旅游】 2016年,石棉县积极开展省级乡村旅游特色乡镇、精品村寨、全市休闲农业与乡村旅游示范点创建。完成新棉镇、安顺乡全市休闲农业与乡村旅游示范乡(镇)创建;安顺乡安顺村,先锋乡松林村,宰羊乡坪阳村,新棉镇安靖村,挖角乡挖角村,蟹螺乡江坝村、猛种村,丰乐乡三星村,迎政乡红旗村、新民村,美罗乡山泉村、美罗乡狮子村,安顺乡新场村,新民乡海耳村,栗子坪乡孟获村15个村创建为全市休闲农业与乡村旅游示范村;翻身沟农家乐、栗子坪休闲度假山庄、兴悦温泉、幸福人家、田园农家乐5家农家乐创建为全市休闲农业与乡村旅游示范点。完成新棉镇创建省级乡村旅游特色乡镇、安顺乡安顺村创建省级乡村旅游精品村寨申报工作,待上级部门检查验收。积极引导群众参与县域旅游产业资源配置,新发展一批农家乐、民宿接待点。以国家全域旅游示范区创建、国家生态文化旅游融合发展试验区建设和全国休闲农业与乡村旅游示范县、省级旅游强县创建为契机,加快推进乡村旅游及乡村经营户发展,积极引导有条件的业主利用闲置资源开展旅游接待工作,鼓励有条件的接待企业申报星级,提升县域旅游接待水平。全年接待游客456万人次,实现旅游综合收入31.76亿元。

【主要领导人】 县委书记:苟乙权;县人大常委会主任:双志云;县长:石章建;县政协主席:李权易;分管农业副县长:王骞。

石棉县编写组

眉山市

【基本情况】 2016年,眉山市辖2区4县71个镇57个乡3个街道,辖区面积7186平方千米。年末户籍总人口350.25万人,全年出生人口38863人,死亡人口25907人,人口自然增长率3.74‰。新增耕地427公顷、基本农田保护面积21.97万公顷,建成高标准农田9.43万公顷。全年机耕作业面积26.02万公顷,主要农作物综合机械化水平达61.2%。全年水资源总量47亿立方米。有森林面积34.72万公顷,森林覆盖率48.6%。

2016年,全市GDP1117.23亿元,同比增长8.4%,其中第一产业增加值169.45亿元,同比增长4%;第二产业增加值620.45亿元,同比增长9.2%;第三产业增加值327.33亿元,同比增长9.3%。三次产业对经济增长的贡献率分别为7.3%、61.2%、31.5%。人均地区生产总值37227元,同比增长8.2%。全市实现农林牧渔业总产值293.55亿元,同比增长6.2%,其中农业130.78亿元、林业7.96亿元、牧业131.46亿元、渔业17.49亿元、服务业5.86亿元,农业、林业、牧业、渔业、服务业产业结构比为22.3∶1.4∶22.4∶3∶1。实现农林牧渔业增加值172.72亿元,其中农业89.18亿元、林业5.36亿元、牧业63.63亿元、渔业11.27亿元、服务业3.28亿元。地方财政收入完成189.77亿元,同比下降8.5%;地方财政支出330.83亿元,同比下降1.1%。社会消费品零售总额438.07亿元,同比增长12.7%。年末金融机构本外币存款余额1676.64亿元,贷款余额747.48亿元。有保险公司29家,全年保费总收入47.76亿元,同比增长16.9%。农村居民年人均可支配收入13935元,同比增长9.2%;农村居民人均消费性支出11691元,同比增长7.5%。农民专合组织达2522个,其中省级示范农民合作组织31个;国家级、省级、市级重点龙头企业分别为4家、31家、127家;家庭农场达2064家,其中省级示范家庭农场29家;现代农业业主达4.84万户。

全年公路货物运输总量6129.42万吨,公路旅客运输总量4652.81万人;公路货物运输周转量495809.48万吨/千米,公路旅客周转量142477.41万人/千米。全年邮政业务总量5.85亿元,同比增长65.7%;电信业务总量44.68亿元,同比增长27.7%。固定电话用户45.26万户,同比增长14.6%;移动电话用户286.9万户,同比增长17.5%;互联网宽带用户76.45万户,同比增长108.5%。

全年组织实施市级以上科技计划项目128项,向上争取到位无偿科技项目资金3698万元;申请专利1452件,获得授权专利794件;新增国家级高新技术企业9家。有各类学校913所,其中幼儿园466所、小学208所、初中190所、高中28所、中等职业学校16所、特殊学校5所;在校学生38.91万人,其中在园幼儿9.21万人、小学生14.77万人、初中生6.74万人、高中生5万人、中职学生3.16万人、特殊学校学生348人;有专任教师2.51万人;小学学龄儿童净入学率100%,高中阶段毛入学率92%,普通高考本科上线率47.6%。

有文化馆7座,文化站131个,公共图书馆7座(藏书42.2万册),博物馆6座;教体系统体育场馆1340个,体育协会78个。有广播电视台6座,有线广播电视传输干线网络总长13273千米,有线广播电视用户28.38万户,全年公共广播节目、电视节目播出时间分别为3.05万小时和4.07万小时。

有医疗卫生机构2044个,实有病床位16687张,医院、卫生院技术人员15196人,全年门诊人数1336.08万人次。全年参加城乡基本养老保险人数158.68万人,发放养老、失业金37.01亿元;实施城乡医疗救助5.95万人次,城乡低保保障人数19.71万人,农村五保供养人数1.73万人,集中供养率98.9%。全年接待游客3746万人次,同比增长24%,其中乡村旅游接待游客948万人次;实现旅游总收入295.01亿元,同比增长28.1%,其中乡村旅游收入56亿元。

【农用地产权制度改革】 2016年,眉山市以"1+5"国省改革试点、9项市级改革试点和5项特色改革试点为重点,强力实施"1595"农村改革系统工程。农村"两权"抵押试点工作经验、农村金融创新经验在全省范围交流。彭山区积极推进全国农村改革综合试验区建设和全国"两权"抵押贷款试点,探索形成"1234"党建工作体系,开发农村"两权"抵押贷款新产品14个,累计发放贷款302笔、1.64亿元;洪雅县完成省级增加农民财产性收入试点,实现农民人均财产性收入占可支配收入的11%以上;青神县深入开展省级林权抵押贷款试点,完成贷款发放8040万元。深化农村产权制度改革,全市完成农村土地确权登记24.6万公顷,完成省定目标的113%;建成市农村产权信息发布平台,实现与成都农村产权交易所网络互联、信息互通。发展适度规模经营,成立土地流转服务公司35家,适度规模经营面积达3.2万公顷(占流转面积的48.71%),新培育现代农业业主1600户、家庭农场932家、农业专合组织442个、市级以上农业产业化龙头企业127家。创新农村金融产品和服务方式,发放贷款3520笔、18.36亿元;新开发13类特色农业保险和2类农产品目标价格指数保险,提供保险保障4.75亿元。

【种植业】 2016年,眉山市农作物总播种面积43.76万公顷,同比增长0.6%。粮食播种面积29.8万公顷,粮油高产创建万亩示范片50片。粮食总产量170.44万吨,同比增长1.1%,其中小春粮食产量29.61万吨,同比下降0.6%;大春粮食产量140.83万吨,同比增长1.5%。油菜籽产量10.59万吨,同比增长3.8%;茶叶产量2.24万吨,同比增长4.5%;水果产量97.85万吨,同比增长7.2%;蔬菜产量163.07万吨,同比增长6.6%。实现种植业产值126.17亿元,农民人均种植业增收522元。新建高标准农田2.16万公顷、高标准农田示范区0.93万公顷,高标准农田比例达40%以上,形成成乐高速沿线10万亩高标准农田示范带、仁寿珠嘉2万亩现代粮食产业基地、洪雅中保3万亩种养循环农业基地。

【林业】 2016年,眉山市围绕实施"四大工程",深入开展"六大行动"。完成投资6亿元,义务植树339万株,新造林13万亩,建成"绿色基地"2000余亩,新创建"绿色校园"15所、"绿色医院"7家,新打造"东坡竹园"等多个城市"绿肺"工程,新增多色谱林业景观带24千米,建成岷江水上绿色走廊7千米,完成环湖库区绿化1170余亩,建成7个集镇"拥翠"工程,建成19个"绿色家园村",新增园区绿化495亩,全市森林覆盖率达48.61%,分别比全省、全国高12.59%、26.93%;城乡绿化覆盖率达51.89%。管护森林143.648万亩,实施集体公益林生态补偿49.2万亩。

青神竹编产业发展。启动竹编产业"双百"工程,成立了以市委书记任组长的推进领导小组,召开了全市竹编产业"双百"工程推进千人大会,出台了《关于进一步加快竹编产业发展的意见》,明确了在"十三五"期间市财政首年安排3200万元,其余每年安排2000万元的专项资金扶持竹编产业发展。各县(区)也配套相关扶持政策,着力发展一批竹编专业乡镇、专业村(社)、专业大户。2016年,全市竹编产业实现产值10.6亿元,有从业人员5.4万人。

现代林业产业基地。以现代林业重点县建设和现代林业产业提质增效示范区创建为抓手,不断夯实产业发展基础。仁寿县、丹棱县、青神县全面完成年度省级项目投入800万元,新建核桃、雷竹、巨桉基地共2.19万亩,建成生产便道28.75千米。青神县、彭山区分别被列入第三轮现代林业产业重点县示范县、新增项目县。创建现代林业产业提质增效示范区20个。

林业生态旅游。举办2016四川花卉(果类)生态旅游节分会场暨丹棱不知火及桃花生态旅游节,申报省级森林公园1个,洪雅林场玉屏山营地被国家林业局批准为全国首批9个森林体验试点示范基地之一。推进生态旅游扶贫攻坚,制定全市生态旅游扶贫规划,开展"森林人家"建设与等级评定工作,全市创建一星级"森林人家"9个、二星级"森林人家"12个、三星级"森林人家"6个,推荐省级四星级"森林人家"2个。全市生态旅游接待游客950万人次,实现直接收入34.8亿元。

【畜牧业】 2016年,眉山市畜牧业产值达131.46亿元,同比增长8%。奶牛存栏6.45万头,日处理鲜奶能力达1400吨,乳制品加工企业产值达23亿元;有国家(省)级标准化示范奶牛场8个,其中国家级标准化示范奶牛场4个,居全省第一位。生猪出栏281.72万头、存栏192.5万头,生猪规模养殖比重达74.2%,良种化率达99.3%,有国家级生猪标准化示范场3个、省级生猪标准化示范场12个。肉兔出栏2318.5万只、存栏776.49万只,肉兔规模养殖比重达73.2%,良种化率达98%。家禽出栏3093.12万只、存栏1327.51万只,肉鸡规模养殖比重达85.8%,良种化率达98.1%。肉牛出栏6.2万头,牛存栏12.16万头。肉羊出栏58.28万只,山羊存栏39.36万只。肉类总产量29.75万吨,同比下降1.8%,其中猪肉产量20.06万吨,同比下降4%;牛肉产量0.74万吨,同比增长1.3%;羊肉产量0.76万吨,同比增长3.4%。牛奶产量13.8万吨,同比下降5%;禽蛋产量5.54万吨,同比增长0.9%。

转型升级。调优产业结构,稳定生猪、奶牛和家禽优势产业,大力发展牛、羊、兔等草食牲畜,发展鹌鹑、蜂等特色产业,提升畜牧业产业结构特色化水平,全市非猪畜禽产值比重达65%。推进适度规模标准化养殖,新(改、扩)建畜禽标准化养殖小区(场)70个,创建国家级标准化示范场1个、省级1个。

绿色发展。印发《关于加快推进畜牧业转型升级绿色发展的意见》,制定完善《生态示范牧场(家庭牧场)创建工作方案》及评定标准。推广种养循环、生产有机肥、生物利用等粪污资源化利用模式,加快雨污分流、干湿分离系统、沼气池、爆氧池、贮粪池及生物氧化塘等设施建设。分类解决禁养区养殖场污染问题,全年关闭和搬迁196个。

机制创新。全市畜牧专业合作社达554个,带动农户5万余户。洪雅县新盛猪业专业合作社等7个畜牧专合社被命名为四川省第八批农民合作社省级示范社。大力推广"寄养""代养""公司+农户"等模式,探索"互联网+畜牧"等模式,全市"互联网+"畜产品销售产值达4500万元。全年育肥猪入保81860头、鹌鹑入保22万只。

疫病防控。全市共免疫生猪O型口蹄疫541.35万头、牛(羊)口蹄疫94.89万头(只)、猪瘟540.65万头、高致病性猪蓝耳病469.8万头、小反刍兽疫23.88万头、高致病性禽流感4398.3万只、鸡新城疫2880.77万只,重大动物疫病做到应免全免,生猪免疫标识佩戴率达100%,全市动物各项强制免疫病种抗体合格率达92.7%以上,全年无区域性重大动物疫情和动物源性公共卫生事件。

畜产品安全。全年开展兽药专项整治行动6次,查处案件11起,查处假劣兽药30千克;检查饲料经营门市1772家,立案调查处理3起。全市产地检疫畜禽6158.32万头(只),无害化处理病死畜禽5.95万头(只),规模养殖场(小区)产地检疫申报受理率达100%;114个生猪定点屠宰场全部实行检疫人员驻厂(场)检疫,屠宰检疫生猪157.36万头。全年检测瘦肉精15.66万头份,监测抽样生鲜乳1425份。建成17个无公害畜产品基地,8个畜产品获得无公害产品认定。

【统筹城乡与新型城镇化】 2016年,眉山市坚持创新"四种模式",加快"四个转变",实现"四有目标"的特色统筹城乡发展路径,全市实现农村居民转变为城镇居民15.6万人、产业工人2.4万人、三产经营(从业)者3.1万人、现代农业业主1600户。在全国首创将农民和农民工纳入住房公积金覆盖范围,引导农民工和农民进城购房经验在全国交流,在川台农业合作论坛上以"统筹城乡眉山的实践"为题作主题发言。城乡居民养老保险无缝衔接,医疗保险全面整合,城乡教育和医疗资源均衡配置,解决进城务工人员子女入学9822人。强化劳务技能培训,加强农民转移就业服务,积极打造眉山劳务品牌,全市农村劳动力转移输出114.99万人,同比增长2.7%;劳务收入达129.9亿元,同比增长9%。发放农村居民住房公积金贷款5095户、11.7亿元,实现农村居民进城购房18326套;向农民工定向供应公共租赁住房506套,棚改货币化安置9110户。新增城镇建成区面积8.31平方千米,新增城镇人口5.81万人,城镇化率达43.38%,增长1.9%。

【新农村建设】 2016年,眉山市深入实施幸福美丽新村建设"五大行动",全市新建幸福美丽新村300个,3个村(社区)被列入住房城乡建设部中国传统村落保护名录,4个村(社区)被列入省级传统村落保护名录。完成"建改保"326个村,新建农房8427户,改造农房12248户,解决1785户无房户、危房户、住房困难户住房问题;建成"1+6"村级公共服务中心78个。坚持"三分类、三统筹、三把关",强力推进"四好村"创建工作,全市创建省级"四好村"58个,市级"四好村"337个,区、县级"四好村"405个。强化农村环境综合治理,全域推行农村生活垃圾治理机制和处置模式,全市所有行政村实现环境治理村民自治,90%以上行政村实现"五有"目标,眉山"龙鹄模式"成为全国垃圾治理丘区模式,眉山"三进六有"示范乡镇创建等多项经验在全省推广,20个乡(镇)、180个村庄被命名为全省"环境优美示范城镇乡村"。加强农村基层党组织建设,完善县、乡、村三级便民服务网络,向贫困村党组织选派"第一书记"316人,群众对村"两委"满意率达90%以上。强化农村精神文明建设,选树基层道德模范32人、身边好人53人,文明村建成率达26%,全面开办了农民夜校。

【农村水利】 2016年,眉山市完成水利工程建设投入10.5亿元,整治江河堤防3.9千米,综合治理中小河流河道3.5千米。完成彭山区龚家堰水库扩建工程枢纽工程建设,全面完成洪雅县总岗山水库和花溪渠病险水闸除险加固工程。综合治理水土流失面积85平方千米,恢复和新增水域面积26平方千米。东湖已完成穆家沟水库设计、审批,完成投资2亿元;西湖已完成蓝妖庙水库、白马湖水库工程建设,完成投资7000万元。实施小型农田水利和“五小水利”工程,整治渠道212.41千米、山坪塘270口,新建蓄水池440口,整治小型病险水库10座,完成农业综合开发项目2个。续建配套东坡区两河口水库灌区和仁寿县劳武水库灌区,完成仁寿县洪峰水库灌区、丹棱县安溪河水利血防项目建设。全面完成市级防汛抗旱指挥中心信息化项目建设,全市治理防洪工程465处,共组织成立专业防汛抢险队伍41支、1420余人,群众抢险队伍3518人。巩固提升11.207万人饮水问题(其中贫困人口2.5532万人),建卡贫困人口饮水达标率达100%;建成集中供水工程6处、分散供水工程312处,完成投资5911.34万元。新建和技术改造提灌站13座,恢复和新增控灌面积492公顷。

【“东坡味道”千亿产业】 2016年,眉山市“东坡味道”13个门类销售收入达670亿元,比上年增长87亿元,从地方看,其中东坡区308亿元、彭山区115亿元、仁寿县106亿元、洪雅县70亿元、丹棱县39亿元、青神县32亿元。从行业看,泡菜152亿元、粮油145亿元、果蔬110亿元、畜产品81.5亿元、餐饮63.5亿元、乳制品30亿元、水产品26亿元、茶叶25亿元、调味品13.3亿元、糖果糕点12亿元、酒类4.4亿元、森林食品4.2亿元、饮料3.1亿元。

【泡菜产业】 2016年,眉山市引进郫县最大的民营豆瓣企业——恒星调味品有限公司在中国泡菜城投资2.2亿元,建成恒星食品和味之浓食品公司。惠通公司与涪陵榨菜实现重组上市,投资3.6亿元的二期工程即将开工建设。全市有泡菜企业64家,建成标准化生产线139条。创建国家级农业产业化龙头企业3家、省级农业产业化龙头企业9家,规模以上企业37家、亿元企业10家,获得中国进出口资格企业9家。“中国泡菜城”创建为国家4A级景区,聚集泡菜龙头企业28家,成为四川泡菜的加工中心,22家知名食品企业永久入驻泡菜风情街。全市泡菜企业提供生产一线就业岗位2.6万个,增加务工收入7.5亿元以上;泡菜加工量达161万吨,实现泡菜产值152亿元,同比增加14亿元,保持全省第一位。

【现代农业发展】 2016年,眉山市坚持“全域覆盖、园区先行”,整合农业项目资金建设核心基地,新建特色效益农业标准化基地0.8万公顷,建成仁寿县河口乡柑橘种植基地、仁寿县富加镇枇杷标准园生产基地、洪雅县中山前锋茶叶主题公园、丹棱县梅湾高标准果园等新亮点,基本形成“一城三园七带”的都市近郊型现代农业区域布局。做大做强眉山优势特色产业,新植和改造果、菜、茶等特色产业1.07万公顷,新植、改造晚熟柑橘面积0.78万公顷。“优质杂柑新品种选育及高效栽培技术集成应用”项目分别获得市政府科技进步一等奖、农业部农牧渔业丰收三等奖。全市鱼种投放量达1.89万吨,水产品总产量11.95万吨,渔业经济总产值达42.6亿元,鱼苗繁育量保持全省第一位,水产品总产量和渔业经济总产值均居全省第二位。新建大中型沼气工程2处、小型集中供气工程2处,全市沼渣沼液综合利用100万亩以上。围绕种养结合、循环农业,在洪雅县中保镇通过PPP模式建成种养循环现代农业示范区。

【农业机械化】 2016年,眉山市实施农机购置补贴资金2038.33万元,新增农机购置补贴机具4279台(套),建设机耕便民道1930.9千米,主要农作物耕种收综合机械化水平达61.2%,全年未发生较大及以上农机安全事故。眉山市获得四川省农田水利基本建设绩效考核农机项目二等奖,眉山市德心农机专业合作社被评为全国农机合作社示范社。

【农业信息化】 2016年,眉山市建成农业物联网示范基地6个,创建国家电子商务进农村综合示范县3个,开展电子商务的农业企业259家、专业合作社173个。举办丹棱网上不知火节、第二届京东网上枇杷节、青神“初恋果”网上椪柑节,农产品年网上交易额突破10亿元。

【农村扶贫和移民工作】 2016年,眉山市争取到位扶贫移民项目资金1.2735亿元,其中扶贫项目资金7025万元、移民后扶项目资金5710万元。

精准扶贫。全年减少贫困人口4.6133万人,4个省定贫困村、282个市定贫困村脱贫退出。全市易地扶贫搬迁建成住房面积19.5万平方米,完成投资4.7亿元;已搬迁2760户,拆除旧房1693户,复垦1586户,宅基地复垦面积达15万平方米,生态修复面积8万平方米。316个省、市级贫困村建设粮油基地46万亩、蔬菜基地47万亩、水果基地54.7万亩、茶叶基地4.6万亩、水产基地5万亩、其他农业产业基地1.9万亩。开展各类农业技能培训972次、49776人次,培养科技示范户3755户,发放技术资料5.09万份。将低保保障标准提高到3120元/年,实现低保线和脱贫线“两线合一”,将无法通过产业扶持和就业帮扶实现脱贫的贫困群众全部纳入低保范围,实现“应保尽保”。投入资金2931万元,资助家庭困难高中学生14655人;投入经费3740万元,免除中等职业教育学生学费18700人;投入中职助学金999.8万元,受助学生达4999人。

社会扶贫。全年先后6次到金川县对接帮扶工作,精心选派了56名援藏干部和专业人才赴藏区开展帮扶,落实到位帮扶资金2999万元,其中金川县1999万元、茂县1000万元。13个市级牵头单位在本系统分别组织开展“10·17扶贫日”系列活动,各级单位和社会爱心企业、爱心人士捐款赠物2146.17万元。向280名贫困大学新生发放助学金100余万元。组织开展“干部走基层脱贫攻坚周”活动,全市1.8万名机关干部深入联系村开展对接帮扶,为联系村落实项目1800余个,落实帮扶资金近4亿元;帮助贫困户落实发展项目1.2万余个,落实发展资金9600余万元。

移民后扶。全市农村移民直补40872人,移民直发直补省下拨资金2437.8万元,硬化村道96千米,整治渠道30.5千米,建成黑龙滩万亩“眉州红脐”、两河口万亩林竹、槽渔滩3000亩茶林竹等移民后扶示范基地8个。全年共举办移民和贫困群众劳务培训班22期,培训移民3200人次,转移劳动力2100余人。

【乡村旅游】 2016年,眉山市乡村旅游接待游客947.7万人次,实现收入56.2亿元。市旅游局与乐商行合作推出“农家贷”产品,洪雅旅游协会瓦屋山分会获得2000万元的授信意向,与6家乡村旅游酒店签订了共280万元的“农家贷”意向合作协议。新成立乡村旅游合作社8家,新建特色业态乡村旅游经营点15家,申报省级乡村旅游特色乡镇3个、精品村寨5个、精品特色业态经营点15个、特色业态经营点20个、民宿达标户13户。全市有规模农家乐700余家,其中星级农家乐81家。举办第九届中国竹文化节、第八届中国泡菜博览会等旅游节会活动76个,实现节会旅游收入14.8亿元。

【农村科技】 2016年,眉山市申报实施“中国泡菜现代产业链关键技术研究集成与示范”等省级支撑计划项目和省级科技成果转化项目7项,组织实施“仁寿县枇杷产业品种升级换代及省工高效关键技术集成研究与示范”等4个农业科技成果转化项目。四川省吉香居食品有限公司、四川东坡中国泡菜产业技术研究院联合申报的“基于泡菜优势微生物及其生物反应器连续自控技术示范”项目获得省级科技进步一等奖。“中国泡菜现代产业链关键技术研究集成与示范”重大项目在眉山市落地实施。向科技厅积极争取科技扶贫专项资金30万元,在东坡区实施种养殖生产技术培训,培训新型农民1000人次;完成青年劳动者技能培训3110人、农村劳动力品牌培训2019人。完成省级以上科技成果18项,获得省级科技进步一等奖1项、三等奖3项。

【农村教育】 2016年,眉山市继续实施“全面改善贫困地区义务教育薄弱学校基本办学条件”工程,完成投资0.98亿元,建设校舍5.7万平方米。36名贫困考生享受降分录取政策。投入2.8亿余元,全面落实各项资助救助政策,惠及25万余名学生。出台《眉山市乡村教师支持计划实施细则》,选派50名支教教师到凉山州的3个县开展“三支教”,选派21名教师到小金、金川和茂县开展藏区支教,选派2名副校长参加精准援助彝区干部人才计划。

【农村文化】 2016年,眉山市建成乡(镇)综合文化站128个、村(社区)文化活动室1355个、幸福美丽新村文化院坝38个。农家(社区)书屋、广电“村村通”、农村电影放映、“三馆一站”免费开放等均实现“全覆盖”,乡(镇)文化站、村文化室、农家(社区)书屋每周免费开放时间均达到40小时以上。丹棱县民间众筹文化院坝建设项目创建国家公共文化服务体系示范项目中期工作有序推进,全市已累计建成民间众筹文化院坝50个。打造“东坡大舞台”“陵州大舞台”“竹乡大舞台”“寿乡大舞台”“大雅新农民快乐新农村”“眉山人画眉山”等品牌群众文化活动,组织开展“眉山东坡大舞台”文化惠民乡村行、木偶童话剧《木偶奇遇记》巡演、童心梦想·阳光成长”关爱留守儿童、读书点亮乡村生活等农村群众文化活动2000余场次。组建农村群众文艺队伍1550支,有群众文艺指导员720人、群众文艺骨干20589人,培养乡土文化能人257人。全市各行政村每村每月放映1场农村公益电影。建设乡(镇)出版物数字化发行网点8个。投入200余万元,统筹做好农家书屋图书补充更新工作。

【农村卫生】 2016年,眉山市有村卫生站(室)1486个。全市三级、二级医院100%与基层医疗卫生机构、民营医院组建医疗联合体,100%的基层医疗卫生机构实现与县(区)和市、省级医疗机构双向转诊。全市有农村计划生育家庭奖励扶助对象94792人、省级计划生育特别扶助对象4362人、市级特别扶助对象498人、农村和享受城镇低保独生子女父母奖励对象426584人,共兑现奖励、扶助资金14144万元,实现应奖尽奖、应助尽助。新创建国家卫生乡镇6个(居全省第四)、省级卫生乡镇11个,省级卫生乡镇、卫生村覆盖率分别达36.7%、32.5%。全市农村无害化卫生厕所普及率达81%。

【农村交通】 2016年,眉山市农村公路建设完成投资5.99亿元,占全市交通建设完成投资95亿元(不含铁路和航电)的6.3%,同比增长24.3%;完成农村公路里程建设449.3千米,其中县、乡公路完成240.5千米,通村公路完成208.8千米;共争取到部、省农村公路补助建设资金21505.6万元。全市有农村公路6697.6千米,其中县道1462.9千米、乡道1130.7千米、村道4104千米,农村公路密度达0.932千米/平方千米。全市农村公路乡(镇)通畅率达100%,建制村通畅率达100%。

【涉农招商引资】 2016年,眉山市实现农业招商引资到位资金32.26亿元。在第四届农业博览会上,现场签约农业投资促进项目6个,总投资额15.1亿元,引资额10.98亿元;现场签约农产品采购贸易项目3个,签约额26亿元;签约“千企千村”项目47个,投资额2759万元;农业产业化龙头企业实现网络销售9466万元,签订意向采购协议2.53亿元。在第八届中国泡菜博览会上,眉山市东坡味道产业投资和采购项目签约合同金额达67.1亿元。在第三届川台农业合作论坛上,洪雅县圣地农业科技发展有限公司被授牌为首批川台农业合作示范基地,投资8.6亿元的台湾丞馥(眉山)现代科技农业生态观光示范园二期工程项目现场成功签约。在第九届中国竹文化节上,签约竹产业重点项目21个,达成川内竹产业发展联盟战略合作协议1个,现场交易竹制品9093.7万元,协议成交2.1亿元。编制《2016年眉山市农业投资合作推介项目》,共包装、推介农业招商项目76个,项目总投资额234.22亿元,引资额217.3亿元。

【农村社会保障】 2016年,眉山市城乡居民基本养老保险参保158.68万人,参保率达99%,全年支出基础养老金47256.79万元。城乡居民养老保险和企业养老保险实现无缝对接,城乡居保转入企业养老保险3290人,企业养老保险转入城乡居保53人。印发《眉山市人民政府关于印发眉山市被征地农民社会保障实施办法的通知》,被征地农民养老保险参保10195人。全市城乡居民基本医疗保险参保283.6万人,参保率达97%;保险基金收入16.85亿元,支出9.78亿元;住院政策内医疗保险报销比例达75%;将全市建档立卡贫困人口全部纳入城乡居民医疗保险覆盖范围,参保率和扶持率均达100%;11家联网医院接入省级平台异地就医备案,异地就医备案14995人,异地即时结算5280人次,支付5702.1万元。印发《眉山市人社局关于进一步加强特殊疾病门诊管理的通知》,大病保险资金报销5801万元,12814人受益。

【农村生态建设及环境保护】 2016年,眉山市新增财政投入1800余万元,专项用于农村生活垃圾治理,各行政村全部建有垃圾收集点,配备了保洁人员,“户分类、村收集、镇(乡)运输、县处理”机制正常运转。新(改、扩)建污水处理厂(站)12个,新增污水收集管网46.3千米。全市已有42个乡(镇)建有集中污水处理站,有114个行政村建有污水处理设施,有592个行政村对生活污水进行了有效处理。全市化肥使用量14.92万吨,减少0.012%;农药使用量1969.61吨,减少0.33%;全市绿色防控覆盖率达37.53%;秸秆资源化利用量达130.88万吨,利用率达83.98%。

【农产品质量安全监管】 2016年,眉山市制订出台《眉山市创建省级农产品质量安全监管示范市实施方案》。实施农产品品牌和质量安全示范基地创建奖补,开展农产品质量定期抽检、检执联动、准出准入试点,全年新认证和续展无公害农产品16个、绿色食品45个、有机转换食品2个,全市“三品一标”农产品保有量达380个,“丹棱橘橙”被农业部确定为农产品地理标志产品示范样板。抽检市级、县级和基地抽检1.3万个样品,总体合格率达98%;省级农产品例行监测4次,菜果茶合格率达99.7%、水产品合格率达100%;完成市级风险监测4次,农产品总体合格率达99.3%。

【农村大事记】 3—11月,眉山市委农村工作委员会、市旅游局、市广播电视台联合主办了2016年眉山首届“寻找最美乡村”活动。活动分为推选、启动仪式、市民现场体验和宣传报道、投票、评审5个阶段,评选出“2016年眉山最美乡村”综合类5个、“2016年眉山最美乡村”之“生态乡村”4个、“旅游乡村”8个、“文化乡村”3个。

4月26日—28日,第三届川台农业合作论坛在新津县及眉山市召开。在论坛上,两岸嘉宾纷纷围绕“农业一二三产业融合与幸福美丽新村建设”展开了主题演讲和交流发言。眉山市委副书记刘十庆作了“统筹城乡的眉山实践”演讲;洪雅县圣地农业科技发展有限公司被授牌为首批川台农业合作示范基地;投资8.6亿元的台湾丞馥(眉山)

现代科技农业生态观光示范园二期工程项目现场成功签约;洪雅圣地农业科技发展有限公司负责人作为台湾在川涉农企业代表作发言。

5月19日,中央财办副主任、中央农办副主任韩俊率调研组先后到仁寿县创新创业服务中心、钟祥镇福源清见基地、蜀色天乡家庭农场等地开展"支持返乡创业·引领结构调整"专题调研。市委书记李静陪同调研。

5月20日,市政府与农业部规划设计研究院在眉山市举行市院合作框架协议签约仪式。市长罗佳明、农业部规划设计研究院院长隋斌出席仪式。

7月27日—28日,国务院发展研究中心农村部副巡视员、研究员肖俊彦一行到眉山市调研中央"一号文件"贯彻落实情况。市委副书记刘十庆、副市长汪树槐陪同调研。

8月3日,省委省政府决策咨询委员会调研组到眉山市调研农业产业化龙头企业发展情况。市委书记李静、市委副书记刘十庆、副市长汪树槐陪同调研。

8月11日,眉山市决战脱贫攻坚誓师大会召开,会议通过电视直播的方式在全市6个区(县)、128个乡(镇、街道)设立了分会场,面向全市350万名人民誓师承诺:全党动员、全民行动,坚决打赢脱贫攻坚这场硬战,奋力实现"两个率先"目标,夺取建设富裕美好眉山新胜利。市委书记李静出席并作重要讲话,市长罗佳明主持会议。

10月12日,由国家林业局、四川省人民政府、国际竹藤组织主办,以"弘扬竹文化、发展竹产业、共圆中国梦"为主题的第九届中国竹文化节在青神县开幕。该届竹文化节汇聚了33个国家、4个国际组织、20个省(市、自治区)参会参展代表1000余名,现场交易竹制品9093.7万元、协议成交2.1亿元,签约竹产业重点项目21个,达成川内竹产业发展联盟战略合作协议1个,60余家中外媒体参与采访报道。

10月31日—11月4日,第八届"中国泡菜博览会"在眉山市举行。省委常委、省委农工委主任曲木史哈,农业部原党组成员、中国农产品市场协会会长张玉香,中国食品工业协会副秘书长杜荷,中国烹饪协会副会长李亚光,省委农工委常务副主任杨秀彬,农业厅厅长祝春秀,商务厅厅长刘欣,市委书记李静,市长罗佳明等出席会议。全球十大零售商首次参会,国外泡菜企业和国内知名企业首次参展,222家企业、上千个产品参加展示展销,现场销售泡菜和农副产品670万元,参展企业与经销商场下交易达1420万元。举办各类活动19项,促进投资商与投资项目直接对接、现场洽谈、现场签约,签订投资、采购等协议67.1亿元。

11月10日—14日,眉山市组织60家新型农业经营主体参加第四届四川农业博览会农产品展览,全市"东坡味道"产品签订意向采购协议2.53亿元。

11月15日,全国果茶绿色发展经验交流会在丹棱县举行。农业部党组副书记、常务副部长余欣荣,农业部总农艺师孙中华,副省长王铭晖,市长罗佳明,市委副书记黄剑东,副市长汪树槐等出席会议。与会代表参观了丹棱县梅湾规模化、景区化柑橘产业示范基地和果润果业农产品初加工中心。余欣荣一行还前往中国泡菜城进行实地调研。

【主要领导人】 市委书记:李静;市人大常委会主任:刘十庆;市长:罗佳明;市政协主席:王影聪;分管农业副市长:肖忠良。

眉山市编写组

东 坡 区

【基本情况】 2016年,东坡区辖26个乡(镇、街道),有农业人口61.62万人,有耕地面积719972亩。

【年度农业和农村经济运行】 2016年,东坡区实现农业总产值77.93亿元,增长5.9%;农业增加值26.8亿元,增长3.87%。农民年人均可支配收入15391元,增长9.25%。

农业产业化发展。东坡区立足水果特色优势,大力培育发展种植大户、家庭农场、农民专业合作社、果业龙头企业等新型农业经营主体,引导其建设规模化、规范化、标准化水果生产基地。

2016年东坡区省级农业产业化重点龙头企业名单

企业名称	注册资金(万元)	法人代表	示范等级	年度产值(万元)	行业分类	主营产品
四川茂华食品有限公司	23340	赵建华	省级	66983	林业	核桃糖

2016年东坡区省级示范农民专业合作经济组织名单

合作组织名称	注册资金(万元)	法人代表	示范等级	年度产值(万元)	行业分类	主营产品
眉山市同乐核桃专业合作社	200	王雪成	省级	192	林业	核桃

2016年东坡区家庭农场经营情况统计表

家庭农场名称	法人代表	年度产值(万元)	行业分类	主营产品
东坡区林丰家庭林场	郑国刚	10	林业	核桃
东坡区万胜小辛湾核桃种植家庭农场	李安俊	10	林业	核桃

【种植业】 2016年,东坡区粮食作物播种面积87.8万亩,产量42万吨,其中小春粮食播种面积17.3万亩,产量4.84万吨;大春粮食播种面积70.5万亩,产量37.1万吨。粮食作物中,小麦13.6万亩,产量3.97万吨;水稻59.1万亩,产量33.1万吨;玉米6.79万亩,产量2.66万吨;薯类(红薯、马铃薯折粮)5.49万亩,产量1.7万吨。经济作物播种面积30万亩,产量5万吨,其中油菜26.4万亩,产量3.97万吨;花生2.11万亩,产量0.354万吨。蔬菜播种面积45.7万亩,产量148万吨,实现产值15.7亿元。水果种植面积31.5万亩,产量41.8万吨,实现产值18亿元,其中柑橘26万亩(其中投产19.3万亩),产量35.2万吨,实现产值15亿元。茶叶1.4万亩,产量0.3万吨,实现产值1.2亿元。

针对水稻、小麦、油菜、蔬菜、柑橘等农作物开展病虫害发生防治,其中二化螟、稻纵卷叶螟、纹枯病、稻瘟病、稻曲病等发生总面积40.6万亩次,防治86.9万亩次;小麦蚜虫、赤霉病等发生面积8.74

万亩次,防治8.94万亩次;油菜菌核病、霜霉病等发生面积11.9万亩次,防治12.9万亩次;蔬菜蚜虫、秋季夜蛾类虫害等发生面积32.3万亩次,防治33.6万亩次;柑橘叶螨类、蚧类等发生面积28.8万亩次,防治32.3万亩次。以公路沿线、越冬场所周边杂草、秧田为重点全面开展稻水象甲检疫疫情普查并在思蒙、复兴等乡(镇)设立了10个监测点,全年未发现稻水象甲疫情。

【林业】 2016年,东坡区完成新造林2.08万亩,义务植树82万株,森林覆盖率达40.23%,城乡绿化覆盖率达50%。巩固退耕还林成果7.15万亩,政策补助兑现到退耕农户。完成血防林2.08万亩,香樟等用材林0.2万亩,桃、李、柑橘等经济林1.88万亩建设任务。持续推动实施东坡区2016年度德国政府贷款四川林业可持续经营管理项目,完成进度和工程量位居全省前列。全年实现林业总产值32.6亿元,农民人均林业收入1956.3元,比上年增收178.3元。

"绿海明珠"建设。创建"绿色基地"98个,眉山市东坡小学、土地小学、永寿高中、多悦初中4所学校创建为"绿色示范学校"。完成眉青快速通道竹海景观带建设4.64千米、遂资眉高速出口到眉山泡菜城景观大道建设5.3千米、岷江一桥至龙玺台岷江水上绿色走廊建设2千米,共栽植各类花木近5.4万株。建成崇仁镇、秦家镇2个集镇拥翠工程,建成三苏乡陈沟村,秦家镇红丰村,多悦镇海珠村、永生村、东风村5个绿色家园村。

全年无偿为林农拟流转的林地林木进行调查评定18起,面积540亩。完成森林防火指挥中心建设,在万胜镇共同村、繁荣村、龙池村、天池村4个重点林区村开展森林防火"二三四"工程建设,全年无较大以上森林火灾发生。竹编产品参加第九届中国竹文化节并获得好评。完成5家"森林人家"的创建申报工作,成功创建一星级2家、二星级2家、三星级1家。全年共查处各类林业刑事案件9起,办结8起;办理林业行政案件3起,没收活立木5株、木材蓄积量220立方米。

【畜牧业】 2016年,东坡区牛奶产量21244.2吨,增加337.9吨;出栏生猪60.26万头、肉兔391.41万只、小家禽973.47万只、肉羊62820只;实现畜牧业总产值28.36亿元,增长4.04%。新增现代畜牧业业主274户,新注册登记家庭牧场10家、畜牧专业合作社7个。主要畜禽规模养殖比重提高0.3个百分点,达74.2%;主要畜禽良种化水平提高0.12个百分点。

现代畜牧业生产。一是继续开展育肥猪价格指数和鹌鹑特色农业保险试点,积极探索建立生猪、鹌鹑养殖风险防范机制。二是大力推行"公司+农户"合作养殖模式,建立农民增收长效机制,继续推行温氏"公司+基地+合作养户"的产业化发展模式,全区养鸡户达800余户,全年已出栏优质肉鸡1300万只。眉山万家好种猪繁育有限公司借鉴温氏公司的合作养鸡模式,大力推广生猪寄养、代养模式,公司已发展合作养殖户50余户,全年出栏优质商品肉猪3万余头。三是全面推进畜禽无害化处理。全年各养殖场交由科农公司处置的病死生猪29361头、牛15头。为方便养殖群众就地就近处置病死动物,各乡(镇)在辖区养殖集中区内择址修建病死畜禽无害化处理池,共建成病死生猪无害化处理池23个,合计1840立方米,全年无害化收处病死生猪1724头。四是开展现代畜牧业科技培训,培训人数达12800人次。

畜禽疫病防治。全年共免疫高致病禽流感1209.17万羽、猪口蹄疫112.37万头次、牛口蹄疫8062头次、羊口蹄疫2.93万只次、高致病性猪蓝耳病111.56万头次、猪瘟112.37万头次、鸡新城疫854.47万羽、小反刍兽疫2.8127万只次,免疫抗体检测均达到部省标准,免疫质量不断提高,确保了全区不发生区域性重大动物疫情。

狂犬病防制。全年共免疫犬只狂犬病14.379万只,免疫率达99.99%。农村养犬登记造册率达95%以上,限养区养犬登记造册率达100%,全年无狂犬病例发生,实现狂犬病例连续六年零发生。

血吸虫病防制。全年共血检肉牛2085头次、阳性牛46头,阳性率达2.21%;对血检阳性牛进行粪检,共粪检42头,粪检结果均为阴性;扩大化治疗肉牛1632头次,发放使用吡喹酮16千克。

饲料管理。全年对辖区内24个乡(镇)的饲料和饲料添加剂经营门市和规模养殖户开展了2次监督检查,共检查场镇48个次、经营门市528个次、规模养殖户15个次,未发现违规经营、使用饲料和饲料添加剂的行为。在"3·15"农资市场打假期间,开展饲料打假专项行动,共检查45个饲料经营门市,未发现经营伪劣饲料和违规饲料添加剂的行为。

依法治牧。一是开展"瘦肉精"监测。对规模养殖场、定点屠宰场、动物中转站定期或不定期开展"瘦肉精"监测,共完成盐酸克伦特罗检测13680头份、莱克多巴胺检测13680头份、沙丁胺醇检测13680头份,检测结果均为阴性。金锣食品眉山有限公司在生猪收购环节按照3%~5%的比例随机抽样检测"瘦肉精",全年检测盐酸克伦特罗8625头份、莱克多巴胺8625头份、沙丁胺醇8625头份。二是开展生鲜乳监督检查。全年共抽样检查黄曲霉素M_1 110份、三聚氰胺110份,结果均为阴性。三是推进生猪定点屠宰场的整合。严格按照市、区、县规划和生猪屠宰场建设标准规范申报材料和程序,通过审核换证推进全区屠宰点压点升级和整合,将全区14家屠宰场(除金锣肉食品公司外)整合成1家肉食品公司。

扶贫攻坚。区畜牧兽医局40名干部职工结对帮扶50余户贫困户,全方位提供种畜禽、饲料、技术指导等,通过与村干部、农户本人面对面的交谈了解群众所需所想,拉近与群众的距离,2016年共帮助24户贫困户成功脱贫。

【水产业】 2016年,东坡区名优鱼苗繁育优势突出,形成了黄颡鱼、斑点叉尾鮰、长吻鮠等八大优势水产品,黄颡鱼、斑点叉尾鮰鱼苗繁殖数量分别居全国第一位、第二位。全区有水产良种场6个(眉山市大口黑鲈良种场、眉山市长吻鮠良种场、眉山市斑点叉尾鮰良种场、眉山市草鱼良种场、省级黄颡鱼良种场),有持有水产苗种生产许可证的单位(个人)472个。全年繁育名优水产品种苗66亿尾(其中繁殖黄颡鱼苗37.5亿尾、斑点叉尾鮰鱼苗2亿尾),培育大规格鱼种8780吨。全区水产养殖面积50042亩,其中池塘42169亩、水产6411亩、稻田1462亩;水产品总产量37580吨,其中名优水产品产量20930吨,占水产品总产量的55.7%。

【农业机械化】 2016年,东坡区落实购机补贴资金898.936万元,受益群众558户,补贴机具815台(套),其中动力机械(拖拉机)86台、耕整地机械405台、田间管理机械75台、收获机械8台、收获后处理机械56台、畜牧水产养殖机械67台、种植施肥机械58台。全区农机拥有量达11.5万台(套),农机总动力达64万千瓦,主要农作物耕种收综合机械化水平达76.5%。落实2015年市级财政农机专项建设资金20万元,完成复盛乡观盛村、万胜镇万利村、崇仁镇清水村、秦家镇一里村5处机电提灌站技改;落实2016年区级提灌站建设资金100万元,改造提灌站31座,维修提灌设备485台(套)。全年提灌机械出勤22580台次,提水3740万立方米,保灌面积29万亩。

【幸福美丽新村建设】 2016年,东坡区结合"四好村"创建和扶贫攻坚,整合项目,扎实推进幸福美丽新村建设。按照“业兴、家富、人和、村美”的要求,以“住上好房子、过上好日子、养成好习惯、形成好风气”为主要内容,以“四好村”创建活动为主要载体,以城乡统筹为路径,结合“四好村”创建、现代农业发展、扶贫攻坚任务,以行政村为单位,以名优水果、蔬菜、适度规模养殖、特色水产、优质粮油等产业为重点支撑,将农业现代化与幸福美丽新村建设相结合,提升产村相融水平;优化新村村落布局,强调地方特色和对传统文化的弘扬,拓展旅游产业,实现一三产业互动。全区新建幸福美丽新村98个,完成市定目标任务的140%,其中优先在长丘山脉、龙泉山脉2个贫困相对集中区域新建幸福美丽新村53个,其中非贫困村45个;整合项目总投入4856.2万元,其中财政奖补3505万元(含复兴乡青村美丽乡村建设项目300万元),群众自筹1351.2万元。突出公共服务,狠抓省级财政幸福美丽新村建设项目,计划总投入1425万元,其中省财政奖补1300万元、发动农民群众自筹投入125万元,以白马镇龚村、太和镇新桥村等为重点完成56个村的“雪亮工程”建设任务。结合精准脱贫,以幸福美丽新村建设带动脱贫攻坚,重点向贫困区域倾斜,以万胜镇祝山村、三苏乡集体村等扶贫新村建设为重点完成10个幸福美丽新村建设任务,项目资金主要用于支持新村开展道路、污水、厕所、文化活动场地、老年活动中心等基础设施和公共服务设施建设。

一是始终坚持公益性原则。推动幸福美丽新村建设,必须突出公益性。始终严禁建设违背村民意愿的项目、加重农民负担的项目、非公益性质的项目、举债兴办的项目、生产经营性的项目、破坏生态环境的项目。二是始终注重发挥农民主体作用。全区幸福美丽新村建设着重在贫困村范围内开展,按照实际情况,为提高农民参与意识,发挥其主体作用,区上统一规定,农民筹资投劳占总投入的比例不得低于20%,乡(镇)、村(组)也将区这一惠民政策宣传到位、发动到位,进一步调动农民群众参与幸福美丽新村建设的积极性,把自筹资金足额到位。三是始终严格执行政策规定。严格项目审批,没有落实资金的项目一律不得开工建设;各乡(镇)政府加强农民自筹部分的审查监督,防止形成资金缺口。严格项目实施,实施前必须经财政评审,建设完工后必须验收、审计,按照相关规定确定施工单位,签订施工合同。严格项目监管责任,幸福美丽新村建设项目由村委会担任项目业主,所在乡(镇)政府负责监管并承担与业主对等的责任开展相关工作。四是加强领导。乡(镇)是幸福美丽新村建设的实施主体,村是建设主体。结合换届选举工作优选配强村“两委”班子,优化村干部队伍结构,为幸福美丽新村建设提供组织保障。进一步加强宣传引导,采取群众喜闻乐见的形式广泛宣传幸福美丽新村建设,大力营造推动建设的良好氛围,调动广大干部群众参与幸福美丽新村建设的积极性、主动向和创造性,为幸福美丽新村建设提供思想保障。

【乡村旅游】 2016年,东坡区积极拓展多种旅游特色产业,大力发展一三产业互融的观光型、生态型、休闲型、体验型乡村旅游,进一步提升了东坡区乡村旅游的品位和影响力,提升了东坡区旅游目的地承载能力。全年实现乡村旅游收入14.8亿元,完成全年任务的120.3%。新建乡村旅游特色经营点3个(桂花湖休闲农业示范园、“东坡醉月”月季花博览园、寿灵蟹岛养殖观光旅游基地)。

重点项目。白马湖养生度假区。位于白马镇,项目总规划面积约1660亩,总投资1.2亿元,建设周期为2016—2017年,包括进行白马湖水库、蓝妖庙水库工程建设等。桂花湖休闲农业示范园。总投资2亿元,拟打造高品质的生态农业花卉观光园,建设内容包括规划占地面积800亩(其中小水果、特色花卉、苗木种植600亩,水域100余亩)以及对餐厅、旅游休闲娱乐等配套基础设施进行重建和改造。一期投资7000万元,已完成餐厅、停车场、道路等旅游基础设施和休闲娱乐配套设施的重建和改造,并于7月2日正式营业。东坡醉月月季花博览园项目。位于悦兴镇,总投资1200万元,计划修建2500平方米的乡村酒店、婚庆广场、游泳池、元宝湖,2016年完成乡村酒店、婚庆广场、游泳池、元宝湖及乡村大舞台等项目建设,已栽种各种花木30万株,主体建设已完工并于8月进入试营业阶段。水天花月国际度假酒店。计划投资5亿元,占地120亩,修建主楼、裙楼,包括住宿、会务中心、商务中心、宴会厅、多功能区,2016年已投入2亿元完成景观设计和园林景观施工。国瑞皓峰休闲山庄。占地1200亩,项目总投资5亿元,拟打造省级旅游度假区,建成体育馆、游泳池、主题酒店、美食广场及配套基础设施。远期规划达6平方千米,省级旅游度假区总体规划初稿已形成;规划1200个床位的康养中心二期工程建设已完成环评和总体规划方案,预计2017年2月底将正式开工。

持续打造“五朵金花”。持续推进以“五朵金花”为核心的乡村旅游发展,继续完善白马橙花旅游区旅游基础设施建设,投资2800万元的大友酒店已通过审核验收;总投资4000万元的康达山庄已完成主体工程建设。悦兴樱花旅游区已完成规划编制,投入1560万元,新建环形观光道、观光大道、荷花长廊共计15千米,硬化游步道3.8千米,建成猕猴桃基地120亩、蓝莓种植基地500亩及游客接待中心;广济桃花旅游区规划已完成,2016年投入150万元拓宽五一村到鸭池村的旅游观光道路,新增油桃种植150亩,完成广场美化、旅游厕所改建、舞台建设、旅游标识标牌建设等;三苏梨花旅游区2016年累计投入170万元,完成道路拓宽工程,停车场位置选定工作有序推进;万胜桂花旅游区已完成灌溉管网建设,新黑化乡道4千米,已形成1200亩桂花产业园,旅游吸引力不断增强。

举办乡村旅游节庆活动。全区举办了东坡区广济乡第十二届桃花节,实现旅游收入1.37亿元,同比增长37%;悦兴镇第三届樱花季实现旅游收入4480万元,同比增长12%;首届蓝莓采摘节实现旅游综合收入663万元,接待游客17万人次;首届薰衣草节实现旅游收入200万元。

抓好旅游标准化建设。新评定2家星级乡村酒店及农家乐,分别为四星级乡村酒店“东坡醉月”月季花博览园、三星级农家乐寿灵蟹岛养殖观光旅游基地。眉山“中国泡菜城”4A级景区创建工作顺利推进,已于12月5日顺利通过省级检查。眉山市桂花湖休闲农业示范园申报创建3A级景区。

抓好旅游宣传营销。一是举办了2016年“5·19”中国旅游日宣传营销活动,全区主要星级饭店、农家乐、景区和旅行社共计30余家旅游企业参加,现场为群众发放旅游宣传资料1000余份。二是参加了第三届四川国际旅游交易博览会,现场发放旅游宣传资料,组织区内8家重点涉旅企事业单位参加了“一对一”买家(卖家)交易洽谈。

【农村科技】 2016年,东坡区在11个乡(镇)落实杂交水稻制种基地建设,依法批准制种企业7家,全年杂交水稻制种生产面积1.17万亩,生产杂交水稻种子172.2万千克。推广“四新”(新品种、新技术、新模式、新机制)协调示范和“六良”(良种、良法、良壤、良制、良灌、良机)配套技术,每年试验示范和推广36项以上。全区主导产业新品种普及率达95%以上,农业主推技术覆盖率达95%以上,测土配方施肥技术推广面积达120万亩。在太和、悦兴等乡(镇)完成水稻超高产强化栽培、免耕栽培、农机直播等技术示范,在秦家镇、思蒙镇完成油菜规范化免耕栽培、中苗早栽等技术示范,在悦兴镇完成小麦规范化撬窝精量播种、免耕栽培等技术示范。截至2016年年底,全区建设油菜高产高效示范片39800亩、水稻44400亩,生产"四新"油菜展示片670亩、水稻710亩、小麦299亩。

高标准农田建设。主要依托2015年农业综合开发高标准农田建设项目和2015年粮食生产能力提升项目,在悦兴镇、尚义镇和三苏乡实施高标准农田建设,全区已建成高标准农田4.55万亩,完成目标任务的130%,已验收认定33.79万亩。

秸秆综合利用实践。2016年,全区综合利用秸秆37.1万吨,秸杆利用率达87.2%。成立了区级种养业专家组,遴选技术指导员166名,培养科技示范户1098户,确定4个农业科技试验示范基地。

【安全生产检查与农产品质量安全监管】 2016年,东坡区针对沼气、农机、渔业船舶、农产品质量安全等领域层层签订目标责任书,围绕农业行业安全开展专项检查。全年区农业局共出动车辆400余辆次、人员700余人次,开展安全宣传教育培训6.5万余人次,发放宣传资料12万余份,全年无重大安全事故发生。

全区建成区、乡、村三级监管和检测体系,共抽检蔬菜、水果、食用菌等农产品样品2084个,合格率达99.06%;实验室定量检测样品385个,合格率达100%。全区共获得"三品"认证125个,其中无公害农产品38个、绿色食品72个、绿色食品投入品3个、有机食品12个。推进标准化建设,成功续报全国绿色食品蔬菜(豇豆、萝卜、榨菜、辣椒)标准化生产基地面积18.4万亩,通过省级无公害农产品生产基地县(区)整体认定面积76.46万亩。

【四川省现代农业建设重点县经验介绍】 2016年,东坡区第三轮现代农业重点县建设以水果为主导产业,依托"中国脐橙之乡"的传统优势和杂交柑橘生产区域优势,按照因地制宜、适度规模、突出特色、提质增效的思路,抓好柑橘换代升级"双晚"战略,倾力打造以晚熟柑橘为重点的优质杂柑生产基地,力争到2020年实现全区水果种植面积36万亩,总产量46万吨,总产值33亿元。

实施"双晚"战略,发展晚熟柑橘。大力调整柑橘品种结构,推广晚熟品种,配套晚熟栽培技术,全力打造晚熟杂柑生产基地。重点调减脐橙、中熟温州蜜柑等失去市场竞争力的品种,大力发展次年2—3月上市的春见、3—4月上市的不知火、4—6月上市的沃柑等晚熟品种,配套推广以避雨栽培、留树保鲜为重点的晚熟化栽培技术,改善品质结构,使果品上市时间总体"向后延",延长果品上市期和货架期,增强市场竞争力。

建设标准化基地,强化示范引领。围绕水果产业加大涉农项目整合和财政支持力度,完善果园路网、管网、水网、电网等基础设施,集成推广高接换种、深沟高厢、水肥(药)一体化、绿色防控、避雨栽培、留树保鲜等先进实用技术,建设一批水果标准化生产基地,提高品质和效益,示范引领全区水果产业上档升级、提质增效。

培育新型主体,推进产业升级。立足水果特色优势,大力培育发展种植大户、家庭农场、农民专业合作社、果业龙头企业等新型农业经营主体,引导其建设规模化、规范化、标准化水果生产基地,积极开展"三品"认证,申报注册果品商标,开展采后商品化加工处理,推行网上营销,实现果品与消费市场有效连接,增强市场竞争力,提升综合效益。

扩大产业规模,加强基地建设。全区水果种植面积31.5万亩,总产量41.81万吨,分别增长4.3%、7.2%。其中,柑橘种植面积26万亩,实现总产量35.2万吨,分别增长5.3%、6.3%。以高接换种、适度新植等方式大力发展爱媛38号、春见、沃柑、不知火等优质杂柑品种,推广中油系列油桃、脆红李、美人指葡萄、红阳猕猴桃等小水果优新品种。全年完成柑橘高接换种2.47万亩、新种植0.95万亩,累计调整改良和发展优质杂柑15.06万亩,其中春见、沃柑、不知火等晚熟品种12.04万亩。整合农业综合开发1万亩柑橘基地改扩建项目、财政"一事一议"奖补、扶贫开发、现代农业等涉农项目集中用于产业基地建设,开展基地路网、管网、水网、电网"四网"配套建设,提升改造果、菜、茶等特色产业基地4.7万亩(其中水果标准化基地约3.5万亩),示范推广高接换种、深沟高厢、水肥(药)一体化、绿色防控、避雨栽培、覆膜套袋、留树保鲜等一大批现代果业标准化生产关键技术,促进全区水果产业标准化、规范化生产。全区新增水果类新型农业生产经营主体46个,其中农民专业合作社25个、家庭农场16家、30亩以上现代果业种植业主5户。建成以柑橘类果品收贮、清洗、分选、打蜡、包装为重点的果品初加工企业21家,拥有清洗线、打蜡线31条,日加工果品能力达0.6万吨,年实际加工果品达12万吨以上。成功注册果品商标17个(其中绿色食品认证2个),培育了"甘吉""宏鹰""眉州""三苏湖""三苏""连鳌山"等一批品牌商标,其中"三苏湖"商标被评为眉山市知名商标,荣获"2015中国果品百强品牌"称号;"三苏湖"柑橘被评为眉山市名优产品,入选2015年度全国名特优新农产品目录。建成农村电商乡(镇)及村级服务站点40个,乡(镇)覆盖率达100%。

【回乡创业之星选介】 孙长良,2010年12月在武警总部工作毅然退伍。刚退伍回家就出去找工作,可是却不尽人意。通过考察,孙长良把创业锁定在了高端婚纱摄影这个浪漫项目上,在眉山市找到一个1000平方米的铺面,位于湖滨路2段28号的凯旋滨江会所。东坡区地税局的工作人员知道孙长良要创业后,第一时间送来了优惠政策,办理了退伍军人创业税收优惠手续。影楼开业不到一个月,孙长良让妻子彭蓓去北京某影楼学艺,半年多时间后,彭蓓从一个学徒工干到了化妆部老总。彭蓓学成归来,还顺便挖走了该影楼的2个摄影师。4年来,奥蒂莎婚纱影楼已为4000余对新人拍摄了婚纱照,实现产值1800余万元,向国家上缴税收60余万元。孙长良的影楼除常年30余名员工外,先后200余次提供就业岗位。在孙长良的帮助下,10余名员工有了自己的化妆工作室、造型工作室、摄影工作室。孙长良还是个热爱公益事业的热心人,逢年过节都要给村里的老人们送上一条烟、提上一瓶酒;村上修村道,孙长良拿出几万块钱赞助;村里老年协会、老体协有活动了,孙长良组织公司员工一同参与,做好服务,提供资金赞助;村上的老年人不方便出去打工的,他就安排在他的苗圃里做些轻松的活路增加收入。几年来,孙长良累计向松林、广佛、桐坡等村捐款捐物达10余万元。

万林,男,生于1969年,肢体三级残疾,大专文化,中共党员,复盛乡中复村人,为盛乡残联专干。万林所在的中复村属眉山市市级贫困村,与其他贫困村民一样,万林家里原来的经济状况很差。2014年春季,一位从事草莓种植的朋友主动向万林推荐种植草莓的市场"钱"景。为此,万林专程去朋友的草莓基地进行了考察,得知当时一亩草莓能创出3万余元的收益时,万林连续几天待在基地里虚心学习、讨教技术,后来购回"丰香""巧克力"等优质草莓种苗17000株栽植在4亩苗圃地里。与此同时,还从当地村民手中流转土地45亩全部栽植草莓,累计实现收入50万余元。当年带动复盛乡中桂村

6组村民王艳流转土地15亩种植草莓,实现收入20万余元。2014年成立草莓专业合作社,2015年共流转土地80余亩,解决了当地30余名村民务工(其中残疾人10人),扶贫建档立卡户8户,务工村民年人均收入增加10000余元。在万林的带动下,全乡草莓产业从无到有,种植面积已发展到近百亩,共有10余户从事草莓种植,仅此一项年纯收入就达100余万元。2014—2016年,合作社组织残疾人实用技术培训5批次,让更多的残疾人学得了一技之长。2015年,合作社销售额达200万元,创利润40万元。在合作社的影响带动下,越来越多的残疾人靠自己的双手实现了脱贫致富。

蒲丽梅,留学回国后任职于一家外资企业。从2003年开始,蒲莉梅的母亲一直致力于家庭养殖。2006年,蒲莉梅到欧洲国家的农场进行考察,回国后开始了生态猪养殖的实践与探索。2012年初,农场喂养的生态猪肉经国家农业部检测为"无公害猪肉"。同时,在亲友的支持下成立了眉山市东坡观音生态畜禽养殖专业合作社。随后注册了以"蒲哥"为品牌的商标,"蒲哥杂粮猪"正式推广到市场,以其独特的口感、完美的品质受到消费者喜爱。合作社有社员110户,其中农民户108户,占社员总数的98%(含农户土地入股和资金入股),租用农村和农民入股土地150余亩、山地400余亩,畜禽养殖建筑面积约15000平方米,以养殖生态猪为主要产品,现圈存数为3200余头。另外,养有生态跑山鸡、原生态土鸡、土山羊、跳崖兔等小家禽家畜。合作社建有3个养殖基地,有固定职工52人,临聘工人80余人,带动周边农户248户。合作社吸纳农户入股主要有两种形式,一种是土地入股,社员自愿将土地入股合作社,由合作社统一经营,农民由原来的自耕自种的"小地主"变为收取红利的"股东";一种是现金入股,社员根据经济实力将货币资金入股合作社,合作社统一进行生产发展,每年根据社员持股比例将纯利润的62%分配给社员。2015年,合作社对社员分配的资金达到85万元,户均获红利7727元。合作社按照"统一原材料采购、统一防疫措施、统一销售价格、统一质量标准、统一财务核算、集中喂养"的五统一、一集中的经营管理模式,确保社员年入股分红10%以上,确保社员同步进入小康生活及优先聘用社员成为合作社职工,既与社员建立了"利益共享、风险共担"的互助合作关系又解决了农民的后顾之忧。2012年2月,合作社饲养的生态猪经农业部检测为"无公害猪肉";2013年10月及2016年2月经农业部检测为"绿色猪肉"。"蒲哥杂粮猪肉"销售量从2012年的140头上升到1900余头;合作社产值由2012年的60万元上升到1000余万元,利润由2012年的不足6万元上升到100余万元。

袁伟,男。1988年冬天,17岁的袁伟到成都打工,利用微薄的积蓄刻苦学手艺,学做生意。2011年,袁伟回到东坡区富牛镇长虹村,开启了他回乡创业之路。在当地党委政府以及村"两委"的大力支持下,袁伟开始租地种果树、种花草、修路,于2015年8月成立了眉山市东坡区长红休闲山庄并正式营业。山庄为当地村民修建了文化活动场所,提高了本村村民的文化生活水平;积极收购当地群众的农副产品,解决了群众卖货远、卖货难的难题;开展果园采摘活动,让游客玩得开心、村民得实惠;山庄为当地群众提供了20余个就业岗位,解决了就业远、就业难的问题。同时,袁伟还打算与长虹村村"两委"共建水果采摘基地,让村民家家户户都能办起农家乐,达到与村民共同致富的最终愿望。

【主要领导人】 区委书记:孙剑;区人大常委会主任:张晓勇;区长:宋骥;区政协主席:李胜华;分管农业副区长:李维义。

东坡区编写组

彭 山 区

【基本情况】 2016年,彭山区辖13个乡(镇、街道),有耕地面积17143.91万亩、基本农田15807万亩。

【年度农业和农村经济运行】 2016年,彭山区实现农业总产值82700万元,增长4.2%;农业增加值56600万元,增长3.3%。农民年人均可支配收入15405元,增长9.6%。

农业产业化发展。彭山区完善新型农业经营主体发展政策支持体系,引导"下乡"工商资本与新型经营主体建立紧密的利益联结机制,带动农民开展产业化经营。全区新培育家庭农场81个、专合社31个、农业产业化龙头企业3家,农村居民转变为现代农业业主263户。工商资本到投资农村种养业6.2亿元。

农用地产权制度改革。彭山区全面推进农村土地承包经营权、集体建设用地、宅基地使用权、林权的确权登记工作。全区流转耕地146280亩,累计办理农村土地经营权证515本,面积共计46389亩,同时对确权工作中出现的土地纠纷进行调处,保证了确权登记工作的顺利推进。共受理不动产登记4207宗,办理不动产抵押登记252宗、预购商品房预告登记和预告抵押165宗、土地他项权证注销45宗、查封登记24宗,不动产权籍调查6869户、不动产查询70宗。建立健全农村产权价值评审中心,完善评审专家库,全年评审248宗,评审价值2.2亿元。

2016年彭山区省级农业产业化重点龙头企业名单

企业名称	注册资金(万元)	法人代表	示范等级	年度产值(万元)	行业分类	主营产品
彭山县天鑫农业发展有限公司	200	刘文均	省级	3502.79	种植业	红心蜜柚、柑橘、李子、桃
中纺粮油(四川)有限公司	5650	黎昆	省级	97698	种植业	大豆粕、大豆色拉油、浓香菜籽油
眉山市恒辉粮油有限公司	580	张启芬	省级	8981	种植业	食用菜籽油

2016年彭山区省级(及以上)示范农民专业合作经济组织名单

合作组织名称	注册资金(万元)	法人代表	示范等级	年度产值(万元)	行业分类	主营产品
彭山县正华蔬菜专业合作社	3	王雪梅	省级	547	种植业	蔬菜、水果

续表

眉山市彭山县团结鑫隆农业专业合作社	208.4	徐成银	国家级	2005	种植业	柑橘
眉山市岷森竹草编专业合作社	100	王明强	省级	562	种植业	草垫、草袋、草绳、竹笆竹席、竹围
彭山县双丰果品专业合作社	2.6	罗明均	省级	647	种植业	春见、不知火
彭山县黄丰柑桔专业合作社	15.8	段文华	省级	691	种植业	柑橘
眉山市彭山区观音镇果园村葡萄协会	10	李永伟	省级	1022	种植业	葡萄
彭山县四全花木专业合作社	50	张仕全	省级	665	种植业	花木
眉山市彭山区仙女湖果业专业合作社	200	郭明华	市级	595	种植业	不知火、春见
眉山市彭山区香山果业专业合作社	300.32	张朝伦	市级	522.91	种植业	不知火、春见

2016 年彭山区家庭农场经营情况统计表(前 10 位)

家庭农场名称	注册资金(万元)	法人代表	年度产值(万元)	行业分类	主营产品
眉山市彭山区向阳家庭农场	800	高勇军	125	种植业	柑橘、柚子
眉山市彭山区好柚多家庭农场	400	陈果	69	种植业	柚子
眉山市彭山区丹葉家庭农场	260	罗靖	88	种植业	柑橘、柚子、葡萄
眉山市彭山区苌町轩家庭农场	80	刘永根	92	种植业	柑橘、柚子
眉山市彭山区丰和不知火家庭农场	500	袁春莲	153	种植业	柑橘
眉山市彭山区永丰孔雀山庄家庭农场	100	罗普	144	种植业	柑橘、柚子
彭山区红柚林家庭农场	280	刘文中	72	种植业	柚子
安吉瑞家庭农场	10	杨华林	191	种植业	柑橘、柚子
鹏程生态健康生猪养殖场	50	黄文劲	288	养殖业	生猪
眉山市彭山区丰盛家庭农场	60	巫涛	262	种植业	柑橘、柚子

【种植业】 2016 年,彭山区稳定粮食生产,提高粮食综合生产能力。一是依托粮油高产创建项目,建成以凤鸣街道、谢家镇、义和乡为中心的水稻万亩高产创建示范片 1 个,经省、市专家组验收,水稻亩产 623.6 千克。二是加大晚秋资源开发利用。依托粮食生产能力提升工程项目,建成以锦江乡、牧马镇为中心的万亩秋马铃薯高产创建示范片 1 个,集中核心展示区 1000 亩,"四新"示范 250 亩,经农业厅验收,核心示范片亩产 1602.55 千克,完成创建目标任务。三是加快新品种、新技术的引进和推广。引进推广水稻、小麦、油菜、玉米、马铃薯等粮油作物新品种 32 个,推广机直播、机插秧、秸秆还田、垄作栽培等粮油新技术 52 万亩次。

全区建成以杂柑为主的柑橘基地 10.96 万亩,分布在黄丰镇、江口镇、义和乡等 10 个乡(镇),产量 19.8 万吨,实现产值 7.8 亿元。建成特色猕猴桃基地 0.7 万亩,主要分布在义和乡,产量超过 0.72 万吨,实现产值 1.2 亿元。彭山区是全国最规范的设施葡萄生产基地,采用避雨栽培模式种植葡萄 2 万亩,主要分布在观音镇、公义镇、武阳镇,年产量 3 万吨,实现产值 3.6 亿元,"彭山葡萄"获得中国地理标识产品称号。建成以早熟梨、李子、桃为主的小水果基地 0.68 万亩,主要分布在江口镇、青龙镇、保胜乡,年产量 0.63 万吨,实现产值 0.21 亿元。有特色蔬菜基地 5.7 万亩,年产量 8.8 万吨,实现产值 2.5 亿元。有特色中药材基地 3.6 万亩,主要分布在谢家镇、公义镇、义和乡,年产量 0.72 万吨,实现产值 0.98 亿元。

【林业】 2016 年,彭山区实现林业总产值 21.96 亿元,农民人均从林业上获得收入 1382 元。完成成片造林 1.2 万亩,新育苗 400 亩;完成中幼林抚育 3 万亩;完成 2015 年度计划林业血防造林和退耕还林后续产业 3000 亩的目标任务;完成德贷项目 4 个经营单位的组建和经营方案的编制工作,已通过省级和国际监测;完成全区 6.8 万亩退耕还林县级自查验收工作并兑现了政策补助资金;完成 2015 年计划后续产业专项建设种养殖项目的外业验收并兑现专项建设资金。彭山区被列为全省第三轮林业产业重点县,建设期为 3 年,制订了《眉山市彭山区现代林业重点县建设方案(2016—2018 年)》及《彭山区 2016 年度现代林业产业发展资金项目实施方案》。营造成片珍贵用材林 4503.1 亩,珍贵树种配置区造林 496.9 亩。创建现代林业产业提质增效示范区 2 个,竹编实现年产值 5647.3 万元,带动就业 5008 人,实现生态旅游产值 3.6 亿元。实施林业生态旅游扶贫攻坚,新增旅游商品经营户 121 户,创建一星级和二星级森林人家 4 个;新增家庭林场 3 个。加强森林病虫害检疫防治和森林防火工作,制发了《眉山市彭山区2016年林业有害生物发生趋势预报》,建立了2016年林业有害生物防治信息辅助数据库,完成区森林防火指挥中心一期建设,在公义镇农乐村、锦江乡永泉村创建市级森林防火“二三四工程”示范村2个。

【畜牧业】 2016年,彭山区出栏生猪39万头、小家禽(兔)958.052万只,实现畜牧业产值11.89亿元。新增现代畜牧业业主145户,培育家庭牧场7个,新增专业合作社3个,创建生态牧场2个;主要畜禽规模养殖比重比上年提高0.2%,达73.4%;主要畜禽良种化水平比上年提高0.1%,达98.8%。狠抓畜产品质量安全、动物卫生安全、生态安全、生产安全,制定了《彭山区畜禽养殖管理办法》《彭山区畜禽养殖污染治理方案》等,科学调整和划定全区养殖区、限养区、禁养区。开展畜禽养殖污染治理工作,关停禁养区内畜禽规模养殖场(户)43家(户),整治限养区、养殖区内畜禽规模养殖场(户)239家(户)。大力推行种养结合、生态养殖模式,发动养殖场(户)就近流转土地用于消纳养殖粪污。开展养殖技术、畜产品质量安全、生产安全、检疫检验技术、养殖粪污治理技术等相关培训152期,培训9000余人次。建成黄丰巨星种猪场和义和天蓬种猪场。引进优质种公猪80余头,为全区畜禽养殖户提供优质精液。向上争取项目11个,项目资金357.491万元。全区连续7年未发生一例狂犬病死亡病例。农产品质量安全检验检测站建设项目顺利通过验收并投入使用。

畜牧产业精准扶贫。整合项目资金60余万元,向99户贫困户赠送仔猪180头并签订代养协议,代养生猪201头,全年实现联系贫困户增收65万余元。落实畜牧科技人员定点联系贫困村与贫困户,开展养殖技术培训20期,每周走访帮扶联系困难户1次以上。

“互联网+畜牧”工作。继续探索彭山优质畜产品在电商、微商等网络平台销售模式,新增畜产品销售网店2个。推进互联网和畜牧产业深入融合,实现“屠宰检疫监管+互联网”。

生猪定宰压点升级工作。对全区28家生猪定点屠宰场进行整合重组,缩减为7家标准化生猪定点屠宰场,统一安装了监控设备,确保屠宰流程规范、环保达标、安全生产,有效杜绝了私屠滥宰、环境污染等现象。6月17日,全市生猪屠宰管理工作推进会在彭山区召开,全区屠宰管理工作受到市领导的充分肯定。

秸秆养畜工作。以生态养殖、废物利用为原则,强力推进弘丰牧业秸秆养畜项目,完成标准化圈舍改造2000平方米和粪污处理设施建设,购置和完善秸秆粉碎、仓储等设施设备,项目建成后,预计可年消纳废秸秆800余吨。

【水产业】 2016年,彭山区水产养殖面积18825亩,其中池塘养殖14580亩、水库养殖3330亩、流水养殖15亩;渔业产量16720吨,其中池塘产量15744吨、水库产量413吨、流水养殖产量483吨、捕捞产量80吨;渔业产值达24700万元。第一个占地50亩的规模性苗种繁育场眉山麦绿渔业有限公司在谢家镇洪塔村建成投产。全面取缔水库人工投饵养殖,实行放牧式养殖,水库水体环境得到有效改善。大面积推广名特优新品种,养殖面积占比突破45%,产值占比达60%以上。“互联网+水产养殖”新模式开始试运行并得到一定程度推广,一批低碳环保养殖新技术得到推广应用。

【统筹城乡与新型城镇化】 2016年,彭山区编制了《眉山市彭山区新型城镇化“十三五”规划》,制定了《眉山市彭山区实施国家新型城镇化综合试点工作的意见》及相关配套文件。新增城镇建成区面积1.78平方千米,新增城镇人口0.67万人,城镇化率提高2.09个百分点,实现农村居民转变为城镇居民1.45万人。

加快创造非农产业岗位。一是加快推进工业化。抓实“四个一批”项目,招引一批重大产业项目,加快实施技术改造,扩大农民在工业企业就业数量,实现农村居民转变为产业工人3123人,实现了其“有技能、有岗位、有住所、有保障”。二是大力发展城市服务业。积极推进彭祖山等旅游重点项目建设,积极发展现代观光农业,增加第三产业就业岗位,确保实现农民向三产经营者和从业者转变4200人。落地一批农养、旅养结合项目,包括彭祖酒庄、向阳农场、凤鸣花谷等多个特色业态乡村旅游经营点,其中彭祖酒庄创建为四星级(省级)农家乐;向阳农场、田园丰情、秦家园创建为三星级农家乐;寿星谷已开展3A级景区创建工作。全年实现乡村旅游收入7.1亿元。三是强化创业就业扶持。整合农业、人社、教育、科技等资源,实施农民工职业技能培训1845人。支持1家重点龙头企业创办农民培训基地。加大“贷免扶补”政策扶持,完善并落实创业税收优惠、资金补贴等,改善农民创业环境,以创业带动就业。全年共发放创业担保贷款3551.7万元,直接扶持自主创业515名,其中高校毕业生64名,贷款金额511.5万元;城镇复员转业军人9名,贷款金额59万元;进城创业农民工373名,贷款金额2410.4万元;其他城镇登记失业人员69人,贷款金额570.8万元。完善失业人员小额担保贷款基金持续补充机制。

优化完善城乡一体保障制度。加快推进城区教育布局调整,投入2.6亿元新建彭山一中和彭山三中;投入5000万元改(扩)建彭溪小学为试验小学;投入4000万元新建区第四小学;计划总投资3000万元新建城北公立幼儿园;投资6500万元,迁建区职高。加快薄弱学校改造,实施第二轮学前教育三年行动,全年累计投入建设资金280万元,完成2个农村幼儿园项目建设。实施文体惠民工程,城市社区人均体育场地面积达1平方米,新批准成立两家民营医院,城区新增住院床位100张;建成省级文化示范站2个、农村文化院坝8个;区文化馆、图书馆和13个乡(镇)文化站及108个行政村(社区)农家书屋、活动中心实现免费开放,每周免费开放时间均在40小时以上。进一步完善统一的城乡居民养老保险制度,全年城乡居民社会养老保险参保覆盖人数13.36万人,参保缴费人数8.94万人;做好2016年医疗保险参保扩面工作,城乡居民基本医疗保险参保286646人,参保率达95%;城乡居民补充医疗保险参保34313人,参保率达12%;城乡居民医保参保人员大病保险覆盖率达100%;“六类困难群体”和建档立卡贫困人口参保率达100%。顺利推进生育保险与基本医疗保险合并实施。

深化户籍制度改革。全面放开城镇落户限制条件,通过政策引导和促进农村居民在其实际工作、居住地城镇落户。推行流动人口居住证制度,居住在城镇的农村居民以及不愿在城镇落户的,在居住地登记办理《居住证》,享受与城镇居民同等待遇。

引导鼓励农村居民进城购房。全面推行货币化安置补偿政策,进一步深化“政府+企业+银行+拆迁户”四方联动机制,破解货币化安置资金瓶颈,缓解政府资金压力,有效推动了货币补偿安置工作,已实现农村居民进城购房2054套。

建设统筹城乡发展综合示范区。岷江农业园区拆迁农户货币化安置并签订协议926户,其中公义镇224户、凤鸣街道678户、彭溪街道4户、观音镇20户,有效推进了“北门户”“中门户”宅基地有偿退出、集体建设用地集中使用。

【新农村建设】 2016年,彭山区按照“住上好房子、过上好日子、养成好习惯、形成好风气”的创建标准,强力推进“四好村”创建工作,制定了《眉山市彭山区人民政府关于创建区级“四好村”活动工作方案》《眉山市彭山区“四好村”创建考评试行办法》。按照“宜散则散、宜聚则聚”原则,新建幸福美丽新村,融入文化元素,倡导休闲新村旅游。全年创建省级“四好村”11 个、幸福美丽新村 30 个。一是制订了《2016 年全区幸福美丽新村建设实施方案》,分解落实各项目标任务。继续实施“建、改、保”,建成新村聚居点 13 个、农村廉租房 80 户;建成“百村绿色家园”2 个、便民服务中心 2 个、“雪亮工程”2 个。二是打造以刘家大院、黄丰橘香天下为主的特色亮点村 2 个,其中,刘家大院美丽新村以保护传统村落、打造美丽新村为核心,以“寻根问祖”为主题线路,以刘家整体院落建筑文化、民俗文化为依托,打造刘家村落安乐祥和、风景如画的世外桃源,完成农户大门整体风貌改造 11 户、墙面 8000 余平方米,安装太阳能路灯 40 盏,修建青石板路约 2 千米、生产便道及扩宽路面 2 千米,修建沟渠 2 千米,整治臭水沟 120 米,近 2000 平方米的百园之市(活动广场)建成并投入使用;大院内道路色带、大门、墙面等整体风貌改造已全面完成,填补了全区新农村建设文化保护的空白。

【扶贫攻坚】 2016 年,彭山区突出农业产业扶贫重点,“输血”“造血”并重,助力精准扶贫工作。综合脱贫攻坚专项督导、检查评估、暗访督查和第三方评估等情况,全区 35 个市(县)级贫困村、1479 户贫困户、4071 名贫困人口脱贫“摘帽”目标如期实现,其中农业产业扶贫脱贫 718 户、1906 人,占总数的 47%。

“一三产融合”特色产业明晰。全力推进“一园两翼”农业产业布局,以岷江现代农业园区为龙头,推进农业嘉年华、明都花卉、马林新村等项目建设,发展葡萄、柑柚、花卉等特色农业,打造 4A 级农业主题公园;东翼建设锦江十里画廊,进行彭祖山综合开发和江口古镇改造,建成 4A 级景区,打造文景一体、产景融合的文化旅游示范区;西翼以李密故里、柏杨湖、双凤湖为依托,发展自驾营地、乡村民宿、绿色康养等乡村旅游新业态,着力打造生态旅游示范区。近 3 年,全区共流转土地 15 万余亩,贫困户实现土地租金和就地务工双增收,人均增收 1000 元以上。

“基础先行”发展条件改善。根据产业发展需要,按照“基础设施跟着产业走”的原则,“产业发展到哪里,基础设施就配套到哪里”,加强农田水利、生产道路、电网等基础设施建设。借力粮食生产能力提升工程、现代农业推进工程、高标准农田建设等工程,建成现代农业产业基地 10 万亩。2016 年粮食生产能力提升工作等项目在李山、邓庙、天柱、佛岩、金岗等 15 个贫困村共投资 1690 万元,用于完善基础设施。

“技术支撑”农技能力提升。一是开展新型职业农民培训,将贫困村符合新型职业农民培育条件的农民纳入当地新型职业农民培育范围,围绕主导产业开展培训并大力支持“互联网+特色农副产品”等发展,累计培训贫困人口 2400 次,发放种植业和水产养殖技术资料 4500 份、科技书籍 1000 本。二是建立“村农技员+区农业局专家”联系制,通过农技人员驻村指导,因地施策、因户施策,科学制定贫困村产业发展规划,对适合当地种植的品种加强宣传和提供技术支持,带动发展产业,力促“一村一品、一户一产业”形成。三是成立农业产业扶贫专家服务团(其中高级农艺师 8 名、农艺师 21 名),对农业产业扶贫工作问题进行集中研判并开展专业技术培训,着力提高贫困种植户的科技致富能力,为脱贫致富打下了坚实的技术基础。

“金融扶贫”激发“造血”活力。出台了《关于创新开展扶贫小额信贷的实施意见》,支持开展扶贫信贷保险。一是加强宣传。印发金融扶贫宣传资料并发放到户,做到家喻户晓。二是积极评级授信。对有生产能力的贫困户积极评级授信以提供贷款。三是结对帮扶。对部分贫困户采取“公司(合作社)+农户”的结对方式发放贷款。四是健全“合作社+农户”“企业+家庭农场”“家庭农场+农民合作社”等农业产业链金融服务模式,提高农业金融服务集约化水平,着力培育种养大户、专合组织等新型农业经营主体,带动更多贫困户参与产业发展。

“政策保障”确保不落一人。建立葡萄、蜜柚、蔬菜、猕猴桃、柑橘、水产、中药材、综合 8 个产业扶贫攻坚队,扶贫服务覆盖全区所有贫困村。全年安排财政专项产业扶贫资金 480 万元,支持 3512 户贫困户发展种养殖业。

【乡村旅游】 2016 年,彭山区实现乡村旅游收入 7.1 亿元,确定了“一园两翼”的乡村旅游发展产业格局。“一园”,即岷江现代农业主题公园;“两翼”,即东山养生文化体验度假旅游区和西山忠孝文化生态田园旅游区。指导各类行业协会和企业以长寿养生为主题,持续办好各类品牌特色乡村旅游会节,重点办好“三月三”朝山节、观音葡萄节、黄丰橘花节、“九九重阳”登山节等重点旅游节庆活动。10 月,举办土地项目推介会,包装推介乡村旅游项目 20 余个,已有 30 余家与会企业表达了投资意愿,有 15 家企业到彭山深入考察。

【农村生态建设及环境保护】 2016 年,彭山区城区绿化覆盖率达 43.29%,城乡绿化覆盖率达 50%,完成“四旁”义务植树 38 万株。“绿带”工程完成迎宾大道绿化景观、农旅观光大道彭山段 22 千米、岷东大道彭山段绿化 11 千米建设,启动江新路、谢义路、彭回路锦江段、先桂路等乡村主要道路美化工程,完成双凤水库绿化 75 亩、龚家堰水库大坝和集中供水站绿化 75 亩。“绿肺”工程完成城区立体绿化和成片造林 5000 亩,锦绣大道北节点、城南广场 2 处绿地广场,国道 245 线城区过境段绿化、学院南路 850 米道路绿化、前程路绿化、滨江路 4.2 千米花堤提升工程、岷江水上绿色走廊“寿乡水岸·岷江河滩公园”一期绿化补植、补栽,鸭子凼园中园建设启动 C 段项目的规划及苗木种植。完成牧马镇“集镇拥翠”工程建设。黄丰镇团结村、武阳镇泥湾村、观音镇曾家村 3 个村建成“绿色家园村”。启动东山彩林建设项目,将岷江以东的林中空地、荒山荒坡农户四周、道路沟渠两侧等地段改造为以栾树、银杏、美国红枫、红叶杨、戚树为主的彩林景观带,完成首期 18 亩国有土地建设,完成项目一期 326 亩业主承包土地和国有土地外业测绘和施工图设计并通过区财评中心财评,进入了招标程序。

【全国农村改革试验区先进经验介绍】 彭山区自 2014 年跻身全国农村改革试验区行列以来,先后承担了全国“两权”抵押贷款试点、全国农村土地承包经营权有偿退出(新增)试点和全省农村改革综合试验区等多项改革试点任务,其中,“四步机制、三方受益”的土地规范流转经验在全国交流推广,并将写入全国人大常委会《土地承包法》修改意见;“五大体系、五方联动”的“两权”抵押贷款经验被中国人民银行成都分行列为全省样板;彭山区家庭农场联盟抱团发展的做法得到农业部部长韩长赋的批示肯定;“产权+股份”的农民利益保障体系有效推动了全区城镇化进程,工作经验在全国新型城镇化工作会上进行交流。中央电视台《新闻联播》《朝闻天下》《新华每日电讯》《人民日报》等多家中央主流媒体先后到彭山区采访,并在重要版面和时段进行了专题深度报道,相关新闻转载突破 3000 余次。彭山区被中宣部确定为全国农村改革宣传主阵地之一。

“1234”党建工作体系解决新型农业经营主体党建融合引领问

题。通过向新型农业经营主体选派党建指导员,采取单建、联建等方式成立新型农业经营主体党支部66个,其中联建34个、单建32个,实现了党组织全覆盖。在此基础上,按照"领域建党委、产业建总支、新型经营主体建支部"思路,区委成立了新型农业经营主体综合党委并组建了农业、林业、畜牧部门3个行业党委和1个农业园区党委,下设葡萄、蜜柚、柑橘、蔬菜、猕猴桃、中药材、水产等8个产业党总支,66个新型经营主体党支部按产业行业归口到相应的产业党总支或行业党委。推广"乡(镇)属地管理+部门行业指导"双重管理模式,全区新型农业经营主体党组织一方面按照产业行业归属接受产业党总支、行业党委、园区党委的指导,归属综合党委管理。行业、产业党组织主要解决新型农业经营主体党组织在服务产业发展中涉及的项目资金、生产技术等方面的难题;另一方面,新型农业经营主体党组织按照属地关系仍然接受乡(镇)党委、村级党组织的管理。镇和村级党组织主要在党员发展、日常教育以及经营主体发展所需的土地、劳务、矛盾调解等方面给予服务支持。突出三大功能定位,突出"红色先锋引领绿色产业"主题,明确产业链党组织要在农民合作社、家庭农场、农业龙头企业中发挥政治引领、产业服务、农村治理"三大职能",发挥党组织动员群众、集聚人才、整合资源等优势,引导新型农业经营主体依法诚信经营、坚定信心跟党走,帮助解决产业发展面临的资金、人才、技术等难题,提供产前、产中、产后系列服务,推动农业增效、农民增收、农村增色。推进四化机制,一是标准化建设,按照"四好四有"标准建设党组织,确保产业链党组织管理规范、运行有序、坚强有力。二是精细化服务,通过实施"六大行动",搭建产业链党组织服务发展的措施载体。三是规模化培育,出台壮大新型农业经营主体9条措施,通过开展政策扶持、引导抱团发展、实施品牌打造等切实加快培育壮大农民合作社、家庭农场、农业龙头企业。四是同步化推进,拓宽新型农业经营主体党组织建设的影响力、辐射力,同步加强村级班子、同步壮大集体经济、同步服务农村治理,助推传统村级党组织建设。

"1+3+N"体系解决党建引领新型农村社区社会治理工作问题。一是构建社区治理体系。针对近年来农民拆迁安置区、新农村聚居点等新型农村社区大量涌现的现状,前期在3个小区开展试点,建立以新型农村社区党组织为核心,以议事会决策、管委会执行、监委会监督(简称"三会")为自治主体,以其他社会组织和各方力量为补充的"1+3+N"新型社区管理服务架构。二是壮大社区公共资源。在新型农村社区建设过程中,同步建设党组织服务阵地,落实便民服务、物业管理、治安维护、文化体育等公共服务场所和设施。建立居民自主缴纳物业管理费的相关制度和以奖代补机制,同时探索以公开竞拍、入股、出租等市场化方式经营集体资产资源,增加小区收益。三是提升社区服务水平。依托社区党群服务中心,推行全程代办、限时办结、预约服务,为群众提供物业管理、就业创业、文化体育等服务。组建党员先锋队、治安巡逻队等,实行组团式便民服务。建立小区党组织班子成员定期走访、党员分栋包户联系群众制度,及时解决群众生产生活问题。开展党员示范楼、示范户、党员先锋岗等评选活动,发挥党员服务社区治理的先锋作用。

四步流转机制解决用地的适度规模化问题。针对在农村土地流转中存在的农民怕业主"跑路"、业主怕农民"难缠"、政府怕无限"兜底"等现实难题,积极探索"三级土地预推——平台公开交易——风险前置审查——出险应急处置"的土地流转四步机制,实现了"农民流转有收益,业主投资得效益,政府服务做公益"的三方受益格局,有效改变了农村长期呈现"业主无地可种,农村无人种地"两难并存的现象,全区土地流转顺畅规范、风险可控,吸引了生产要素向农业农村"回流",推动了现代农业蓬勃发展。

"两权"抵押贷款促进农村金融健康发展。针对农村长期以来"银行想贷不敢贷,业主有投入又贷不了"的难题,全区借助全国"两权"抵押贷款试点契机,一切围绕"让银行下水"制订方案、完善配套,在全区构建起闭合的农村产权流转体系、双线并行的农村产权评估评审体系、多层次风险分担体系、开放的产品开发体系、洁净的农村金融征信体系五大制度体系,形成了政府、公司、园区、银行、新型农业经营主体"五方联动"的农村"两权"抵押贷款机制,实现了银行系统全面积极参与、新型农业经营主体便捷、低成本融资的良性格局,成功破解了农村"融资难""融资贵"等现实难题,形成了独有的彭山模式。全区已推出了接地气、受欢迎的农村"两权"抵押贷款新产品14个,累计发放农地抵押贷款293笔、1.63亿元;农房抵押贷款9笔、65万元。

家庭农场联盟解决农业体系的组织化问题。针对单打独斗的传统农业产品质量参差不齐、销售渠道不畅、缺乏市场竞争话语权等难题,彭山区组建了家庭农场联盟,以打造成都平原农产品"中央厨房"为目标,以"绿色、生态、品牌"为着力点,突出"标准、品牌、服务、农资、物流、金融"六统一,组织带领全区家庭农场抱团开拓市场,实现产品提质、业主增收、消费者满意,树立彭山农业的品牌形象,促进全区农业快速持续健康发展。

"产权+股份"解决农民进城入镇的权益保障问题。为实现农业增效、农民增收的目标,全区积极探索"产权+股份"的农民权益保障体系,增加农民财产性收入。一是变物权为产权,增加财产性资产。全面开展农村承包地"三权"分置改革,覆盖率达100%。启动农村宅基地使用权和农民房屋财产权确权、登记、颁证。积极探索农民房屋及宅基地自愿有偿退出改革,把农村闲置的资源盘活为农民拥有的资产,有效破解增加农民财产性收入的制度障碍。二是变村民为股民,开发集体经济活力。以点带面在全区14个村开展农村集体资产股份合作改革,建立起"产权明晰,权责明确,监管有力"的农村集体股份制经济组织,变村民为股民,增强其在集体经济经营中的话语权。同时,通过规范的市场化经营提高集体资产经营效益、壮大集体经济、增加村民收入,群众满意度达100%。三是变农民为市民,助推农业人口有序转移。通过设计"产权+股份"的配套改革制度,越来越多的农民愿意转让土地经营权离开农村从事其他行业,或者带着农村产权和集体经济股份进城入镇,投入城镇化建设。近年来,彭山区已实现近13万名农业人口转变为农业业主、产业工人、三产经营者和城市居民,占全区农业人口的56%,有力地推动了新型城镇化建设进程。

【回乡创业之星选介】 陈静,女,53岁,彭山区人,原在海南省拥有一家年销售额近千万元的药材公司,2015年10月回到家乡注册成立眉山市绿森林农业科技有限公司,在凤鸣镇投资兴建以台湾特种水果为主的种植基地246亩,与四川农业大学签订了果蔬中药材产业发展产学研联盟合作协议。为了做大做强基地热带水果产业,公司进一步与四川农业大学签订了合作协议,聘请5名四川农业大学蔬果专家为基地提供创业指导、技术支持等,实现产学研一体化发展,解决传统农业"靠天吃饭"的难题。经过近半年的发展,基地总投资800余万元,有育苗棚2栋、1200平方米,大棚9栋、14250平方米,种植芭乐、黄金果、巧克力布丁果等台湾水果20余种,预计年产值将达到上百万元。基地平时固定用工 20 余名妇女，采摘季节用工 50 余名妇女，辐射带动周围 100 余名留守妇女就业。公司主动与当地女大学生创业团队分享科研技术成果。在陈静的带领下，该团队已种植百香果、牛奶果等热带水果 100 亩，预计收益 50 万元。同时，还为四川农业大学学生提供实习岗位，为优秀者提供就业岗位。

【重点乡镇选介】 谢家镇，地处成乐、成雅高速两条黄金旅游线之间，北距成都市 58 千米，东接彭山城区 7 千米，辖 8 个村 1 个社区，辖区面积 46.5 平方千米，总人口 2.83 万人，为彭山区西部第一大镇，素有"搬不空的谢家镇"之称，场镇建成区面积达 1 平方千米，辐射 2 个县 4 个镇，为四川省小城镇建设试点镇。近两年来，谢家镇紧紧围绕"基础上求突破、规模上抓流转、品质上促提升、融合上谋发展"的工作思路，着眼"一园两翼"规划，实现了农业产业发展突破瓶颈制约、业主关注更多、群众持续增收的目标。一是基础上求突破。全镇大力改善道路、沟渠、塘堰等基础设施，规划布局了 10 千米的丘区产业发展小环线，为"大农业、大旅游"发展打下了基础。二是规模上抓流转。切实抓好业主引进和群众引导，发展专业合作社 12 个、家庭农场 23 个、现代农业业主 123 个，2016 年流转土地 1 万亩，发展泽泻 1 万亩，川芎、柑柚、水稻制种各 3000 亩，珍稀林、蔬菜各 1000 亩，藤椒、桃、李子、葡萄各 500 亩，实现了产业发展的点状布局。三是品质上促提升。着眼绿色有机，瞄准品质提升，邀请四川农业大学教授讲授川芎、泽泻优质栽培技术，吕秀兰教授现场指导水果种植，为农产品走向高端市场提供了智力支撑。四是融合上谋发展。结合脱贫攻坚抓产业，免费为贫困户提供青脆李果苗和技术培训，业主优先录用贫困户。结合三产旅游兴产业，做到农业产业布局想到三产旅游、发展围绕三产旅游、提升融合三产旅游，力争串点成线、串珠成链，增加农产品的附加值，包装"骑行谢家""玫言瑰语·西部花谷""古井清泉·自然人家"等项目。

【主要领导人】 区委书记：梁磊；区人大常委会主任：钟建成；区长：罗万东；区政协主席：谭福轩；分管农业副区长：王松。

彭山区编写组

仁 寿 县

【基本情况】 2016 年，仁寿县辖 60 个乡（镇、街道），有农业人口 113.31 万人，有耕地面积 175.35 万亩，增长 46.7%；基本农田 142.99 万亩，增长 10.01%。

【年度农业和农村经济运行】 2016 年，仁寿县实现农业总产值 574159 万元，增长 3.75%；农业增加值 391614 万元，增长 3.71%。农民年人均可支配收入 12580 元，增长 9.2%。

农业产业化发展。仁寿县通过对新型农业经营主体政策、金融支持和项目扶持，鼓励工商资本"下乡"，引导大中专毕业生、务工经商返乡人员、退役军人等返乡创业，带动农业规模化、产业化经营。新发展现代农业业主 650 户，新注册家庭农场 184 家，新发展农民专业合作社 20 个。仁寿县正鑫、集贤、罗元金、福满堂 4 家家庭农场被评为四川省第二批家庭农场省级示范场，仁寿县中农晚椪、逸树源等 6 个专业合作社，兴洧、开心等 9 家家庭农场分别被评为市级示范专业合作社和市级示范家庭农场。推进板燕香、天仙清见、虞丞柑橘 3 个农民专业合作社和蜀色天乡、国和欣欣 2 个家庭农场 2015 年度市级财政以奖代补市级示范农民专合组织和家庭农场资金项目建设。

农用地产权制度改革。仁寿县加快推进农村产权确权登记颁证，全面完成全县 60 个乡（镇）的确权工作，确权登记面积达 165.39 万亩。土地经营权流转规范管理，坚持农村集体所有权、稳定农户承包权、放活土地经营权，搭建土地流转服务平台，完善农村土地规范流转体系，进一步发挥清水镇土地流转服务公司的服务功能作用，共流转土地 250 亩，流转总面积达 1050 亩。全县土地流转面积达 40 万亩，占全县耕地面积的 33.3%。规范土地经营权流转交易，积极推进农村产权交易平台建设，依托县公共交易中心成立了仁寿县农村产权流转交易服务中心，交易中心已于 7 月 29 日在眉山市公共交易中心仁寿分中心正式挂牌。铧锐土地开发公司组建了三级土地流转服务平台并作为业主负责全县整合涉农项目的实施，促进土地良性流转和农业规模经营。集体资产股份合作制改革进展顺利，确定清水镇百花村为集体资产股份合作制改革试点村，村组集体经济组织已进入清产核资及成员界定阶段。

【种植业】 2016 年，仁寿县粮食种植面积 242.2 万亩，粮食产量连续 13 年稳居全省第一位。水果种植面积 66 万亩，产量 50 万吨，实现产值 25 亿元，其中挂果面积 45 万亩，优质果园面积 35 万亩（优质枇杷基地 21 万亩、优质梨 6 万亩、优质柑橘 22.8 万亩），优质果产量 35 万吨。蔬菜种植面积 37.5 万亩，产量 86.4 万吨，实现产值 13.15 亿元；蔬菜基地面积达 23.5 万亩，建成现代特色效益农业标准化基地 5500 亩。核桃种植面积 3.52 万亩，花椒种植面积 2.33 万亩。推广小麦、油菜、水稻、玉米等高产优质品种 26 个。推广各项实用技术 13 项，面积 458 万亩。

【林业】 2016 年，仁寿县创建为"四川省绿化模范县"，实现林业总产值 42.04 亿元，农民人均林业纯收入 1075 元。成片造林 3.28 万亩，"四旁"植树 202.9 万株，公路绿化 174.05 千米，新建"绿色基地" 155 个、2581 亩，总投资 4.6 亿元的仁寿城市湿地公园建成开放，新增城市公共绿地 1300 亩。切实巩固 10.45 万亩退耕还林成果，有效管护 24.44 万亩，全县森林覆盖率达 38%。继续开展集体林权制度主体改革"回头看"，完成林权证纠错 272 本，其中错登 178 本、漏登 94 本，涉及乡（镇）60 个；新勘验发证 272 本，发证面积 680 亩。完成森林防火信息化建设任务，建成 4 个野外监控点位；新建森林防火"二三四"工程建设村 10 个。推进国有林场改革，成立改革领导小组办公室，制订了国有林场改革方案。

【畜牧业】 2016 年，仁寿县出栏生猪 130.4 万头、肉羊 44.44 万只、肉牛 20204 头、肉兔 1045.77 万只、小家禽 1320.17 万只，有年出栏生猪 50 头以上的规模养殖户 6501 户、年出栏肉兔 500 只以上的规模养殖户 3265 户、年出栏专用肉鸡 2000 只以上的养殖户 1765 户，实现畜牧业产值 56.68 亿元。深入开展现代畜牧业深化试点和提质扩面，完成现代畜牧业科技培训 2 万人。新注册成立 8 个畜牧专业合作社，注册畜牧专合组织达 255 个，带动农户 26412 户。全年共注射各类疫苗 2691.88 万针次；畜禽圈舍和运送畜禽车辆使用消毒药品 19512 千克，消毒面积 1069.6 万平方米。全县产地检疫生猪 130.4 万头、牛 2 万头、羊 44.25 万只、禽 1315 万只、兔 1041 万只；共出动执法人员 986 人次、车辆 326 台次，监督检查禽类 9622793 羽，检疫动物产品 965.13 万吨；全县猪、牛、羊、口蹄疫、猪瘟、猪蓝耳病、禽流感、鸡新城疫 5 种重大动物疫病免疫抗体水平基本达到部颁标准。

【水产业】 2016 年，仁寿县水产品总产量 5 万吨，实现渔业产值 6.8 亿元，同比增长 3.5%。开展春季禁渔工作，禁渔期共出动执法检查车辆 20 次、人员 100 余人次，编制禁渔简报、张贴宣传标语、建立宣传板报等 98 期（幅），发放县政府禁渔通告、渔业法律法规资料 2500

余份。开展水产养殖示范基地创建,大力推行"基地+合作社+适度规模养殖户"的发展模式,发展各类水产养殖面积2000余亩。强化水产品质量安全监管,全年未发生重大水产品质量安全事故,水产品抽检合格率达100%。

【统筹城乡与新型城镇化】 2016年,仁寿县统筹城乡发展工作认真贯彻落实市委市政府创新"四种模式"、加快"四个转变"的战略部署,鼓励城乡资源有序流动,促进新型城镇化和农村工作有机结合,县域经济社会快速高效可持续发展,全县GDP实现368亿元,同比增长8.1%;地方一般公共预算收入完成22亿元,同比增长10.1%;农村居民年人均可支配收入实现12580元,同比增长9.2%。

以工为主统筹城乡。一是抓园区建设,搭建产业工人转变平台。按照产城一体的要求,坚持把产业园区作为城市的功能区来建设,将产业园区作为吸收农民转变为产业工人的主要载体,仁寿县产业园区已逐步成为促进城乡协调发展、推动农民向产业工人转变和促进社会和谐稳定的前沿阵地。仁寿县把握天府新区规划建设历史机遇,强力推进天府新区产城单元建设,按季度组织召开开发区企业专场招聘会,优先满足视高镇兴家村、老君村、奋勇村、合兴乡合兴村等地失地村民就业,5673名农民转变为产业工人。同时,主动服务企业,结合企业用工需求,对园区失地农民开展专业技能培训,做好人才储备工作,提高了就业人员的劳动技能。二是抓龙头企业,发挥骨干企业带动作用。金利纺织在龙马、富加、满井等14个乡(镇)建有棉花原料生产基地2万余亩,为种植大户优惠提供种子,实行规范化种植,16名技术人员为棉花种植大户提供技术服务,带动全县种植大户20000户并对农户产品实施保护价基础上随行就市加价收购,计划到2017年建设成为行业一流,具有国际、国内市场竞争力的现代化纺织工业企业。三是抓项目建设,增强农民转产就业后劲。灿光光电、欧瑞特、中建钢构等90个项目相继竣工投产,直接带动4500人就业,实现农民向产业工人的转变。奇捷电动车、银利、迪特等重大项目建设加快推进,项目竣工后将带动一大批农民向产业工人转变,农民向产业工人转变后劲明显增强。

以城为主统筹城乡。一是围绕"一心四区十级",加快小城镇建设。按照"一心四区十极"的发展思路,搞好城北新城开发建设,完善中小城市和小城镇的基本功能,加大基础设施和公共服务设施建设投入力度。重点发展富加、文宫、汪洋、黑龙滩等城镇,完善城镇功能,优化人居环境,打造宜居小城镇,吸引农村居民落户小城镇。以把富加镇建成"县域副中心"为目标,完善交通、物流等功能,实现县城周边乡(镇)向"一心"靠拢,小城镇向"四区"靠拢,做大"四区",集约发展特色小城镇。按照次级突破的要求,以文宫、龙正等10个区域中心城镇为支撑,根据以工为主、以城为主、以农为主、以游为主"四种模式"统筹城乡,发展一批特色小城镇,培育壮大区域经济板块。2016年完成"百镇建设试点镇"市政基础设施和公共服务设施投资1.57亿元,就地吸纳转移农村人口6080人。二是大力实施民生工程,保障群众根本利益。在积极向上争取资金的同时,积极引导社会资金参与保障性住房建设,鼓励工业园区企业自建职工公租房,为仁寿县安居工程建设提供坚实的资金保障,使广大城镇低收入家庭和农村居民住上安全可靠、经济适用、功能齐全的住房。严格执行招投标制、项目合同制、工程监理制、工程质量责任制和责任终身追究制,建立回访保修制度,加大监管力度,坚决杜绝质量安全事故;按照保障性住房建设的相关要求,及时完善相关建设手续,做到程序合法合规,确保检查验收合格;加强廉租住房租赁补贴发放工作,在申报过程中严格把关,做到应保尽保。三是探索长效机制,规范农村建房。农村个人建房必须符合土地利用总体规划和乡(镇)、村规划,并符合集中居住、节约用地的要求。建设单位和个人、施工单位必须按照设计图纸进行施工,不得擅自更改设计图纸。村民在集体土地上自建两层以下(含两层)住宅工程在开工前应向乡(镇)政府提出开工申请,经审查同意后方可开工建设。村、镇建设项目工程竣工后,应当按照国家的有关规定经竣工验收合格后方可交付使用。按照属地管理的原则建立管理队伍,采取有效措施加强对辖区用地建设行为的监督检查,对违法违规占地建设行为做到"早发现、早制止"并及时上报。

【新农村建设】 2016年,仁寿县以脱贫解困、易地扶贫搬迁为重点,整合幸福美丽新村建设等各级各类涉农项目,推进130个幸福美丽新村建设。以建设"最后一公里"村(社)道路为重点,在32个乡(镇)36个村实施2016年幸福美丽新村建设项目、2016年市财政新村建设奖补资金项目和2015年市财政新村建设奖补资金项目。出台《仁寿县创建"四好村"活动工作方案》及《考评试行办法》,启动省、市、县级"四好村"创建申报工作。

以科学规划为引领,推进城乡统筹。仁寿县打破城乡规划分治和条块分割,把幸福美丽新村建设放在城乡统筹中统一谋划,加快推进城乡一体化进程。一是围绕全域发展规划新村。按照省、市全域布局、全程推进、全面小康要求,坚持把幸福美丽新村建设作为仁寿国家级全域天府新区建设的重要组成部分,分类分层科学编制"一心四区十极全域发展"规划,形成布局合理的城市、城镇、中心村、自然村空间形态。二是围绕四种模式规划新村。按照"以城为主、以工为主、以游为主、以农为主"统筹城乡4种模式,深度考量区域布局、功能定位、产业支撑和人口聚散,调整完善幸福美丽新村建设总体规划。在新旧城镇、工业园区、旅游景区、农业基地通过"建、改、保"和"小组微生"方式加快农村城镇化进程;在重要交通沿线优化基础设施、提升公共服务,串联形成中心村落;在山林地区整治"空心村",实现大分散、小聚居;在丘陵地带推行宜聚则聚、宜散则散,依山傍水、错落有致。计划到2020年,全县90%以上的行政村建成幸福美丽新村,覆盖2198个新村聚居点。三是围绕区域特色规划新村。以传承乡愁记忆为核心,突出地域特色、文化特色、地形特色和产业特色,让山水田园与现代文明相融合,民富村美与全面小康相统一,农房外观延续"灰瓦、白墙、坡屋面"的川西民居风貌和"钩檐、作脊、贴线"的地域文化符号,内部设施进行现代化、便捷式改造,前庭后院以瓜果蔬菜增绿,以沟渠堰塘造景,以桃梨橘枇添彩,让农房有畜有花有果、新村见山见水见绿。

以基层建设为抓手,推进乡风和谐。一是建强基层组织。全县618个村(社区)阵地全部达到室内建筑面积300平方米、室外活动场所600平方米的标准化要求,健全公共服务设施,引导群众依托阵地开展文化活动、举办坝坝宴,打通了联系服务群众"最后一公里"。建立乡(镇)、村(社区)工作手册和"六本工作台账",全面落实每个村(社区)每年3万元运行经费、5万~10万元产业发展和公共服务经费,通过盘活闲置资产、项目投入量化为集体资产等方式持续壮大村集体经济,基层服务群众和推进发展能力更强。二是强化乡村治理。充分尊重农民主体地位,大力开展省、市、县级"四好村"创建工作,让农民全程参与新农村建设。加强群众自治,进一步完善村规民约,大力倡导健康文明的生活方式,引导群众自我约束、自我管理、自我监督,自觉维护社会和谐稳定。组建党员先锋服务队、基层便民专业化服务队、社会志愿者服务队、村(社区)网格员服务队“四支队伍”3134 支,进村入户为群众排忧解难。加快法治仁寿建设,构建办事依法、遇事找法、解决问题用法、化解矛盾靠法的良好环境。三是加强文化传承。大力实施文化传承行动,切实担当耕读文明代际传递的历史责任,注重保留村庄原始风貌,慎砍树、禁挖山、不填湖、少拆房,让群众“望得见山、看得见水、记得住乡愁”。依托村(社区)标准化阵地,每月定期开展党群集中日活动,大力宣传社会主义核心价值观,弘扬主旋律、传播正能量,引导群众养成好习惯、形成好风气。加强文化设施建设,实现 60 个乡(镇)综合文化站、618 个村(社区)文化设施配置、农村广播“村村响”全覆盖。新建文化院坝 60 个,完成农村固定电影放映点规划布局 18 个,开展星级文明户评选、老年文艺表演等活动,新村文气、人气、生气更加浓厚。

【扶贫攻坚】 2016 年,仁寿县立足全县属于“插花”式扶贫区域实际,因地制宜决胜脱贫攻坚。选派 146 名“第一书记”、393 名驻村干部脱产到 146 个市定贫困村开展驻村帮扶,包干完成脱贫任务,贫困村不“摘帽”、贫困户不脱贫“第一书记”和工作组就不撤出。创新扶贫机制,大力推进基础设施扶贫、产业扶贫、新村扶贫、能力扶贫、生态扶贫等“五大扶贫工程”。积极落实 5000 万元财政专项扶贫基金,整合农、林、水、畜等 21 个专项资金 10.21 亿元用于发展生产,加强基础设施建设,实施易地搬迁,改善安全饮水,助推脱贫攻坚。积极向上争取财政专项扶贫资金 2055.66 万元实施产业扶贫,设施产业发展精准到户到人,实现全覆盖,按照“五个专项”《仁寿县 2016 年发展农业产业扶贫实施办法》,全县产业扶贫专项资金共分为 3 批次,共计 3232.5 万元,覆盖全县 60 个乡(镇)、556 个村、13337 户(含返贫户),帮助建卡贫困户新发展枇杷 1065.1 亩、柑橘 6131 亩、核桃 3719.6 亩、桃 726 亩、花椒 261.2 亩、梨 573.6 亩,新增牛 413 头、生猪 18754 头、羊 8759 只、小家禽 499220 只。以易地搬迁、农村廉租房建设和旧房改造为重点推进新村扶贫,新建农房 2299 户,实施旧房改造 1159 户,建设农村廉租房 103 户,优先解决 1098 户无房户、危房户、住房困难户安居问题。大力实施医疗救助脱贫和建卡贫困户安全饮水工程,将 8269 人纳入医疗救助,累计补偿医疗救助资金 2300 万元。对特别困难的建卡贫困户的管网费和水费实行减免,确保人人喝上健康水、安全水。整合涉农项目结余资金 5928 万元,对 32 个整体退出贫困村实施道路、水池、水渠、安全饮用水等基础设施建设。启动异地搬迁建设,积极争取调整省上易地搬迁目标任务并召开易地搬迁项目业务培训会,力争完成省上下达的目标任务。对建档立卡贫困户进行再复核,对已经纳入低保政策兜底的建档立卡贫困人口进行政策兜底,对未纳入但符合政策兜底的贫困人口全部纳入政策性兜底。2016 年,全县完成脱贫解困 19135 人。

【乡村旅游】 2016 年,仁寿县推进三次产业融合发展,用景区思维经营农业,推动农区变景区、劳动变体验、产品变商品,带动农业从单一的食品保障功能逐步拓展为传承文化、农事体验、休闲观光旅游等多功能产业。一是配套基础服务设施。围绕“吃住行游玩购”六大要素,夯实乡村旅游景点产业支撑,加强农事景观观光道路、特色民宿、信息网络等基础设施建设,鼓励因地制宜兴建特色餐饮、住宿、购物、娱乐等休闲辅助设施,扶持一批乡村旅游聚集村,满足消费者多样化的需求。二是都市观光功能增强。坚持把发展节会经济作为稳增长的重要抓手,建成农家乐 350 家,其中星级农家乐 34 家。举办了曹家梨花节、文宫桃花节、曲江樱花节等,吸引城镇周边群众观光,带动乡村旅游蓬勃发展。全年共接待县内外游客 750 万人次,实现旅游总收入 70 亿元,其中乡村旅游收入 16.5 亿元。

强化品牌创建,引领行业发展。一是仁寿城市湿地公园创建国家 4A 级旅游景区已通过省专家组评审。二是指导蝶彩花卉园、响水六坊完成国家 3A 级旅游景区创建工作。三是完成特色乡村旅游业态经营点 4 个(犀牛山庄、响水六坊、黑龙滩华凌山庄、溢丰庄园)和 9 座 A 级旅游厕所创建工作。

加大宣传营销,拓展客源市场。一是积极参加大型旅游会展活动。组织全县景区(点)、星级饭店、旅游商品企业等参加第三届四川国际旅游交易博览会、眉山旅游(成都、重庆)专场推介会等大型旅游节会,提升仁寿旅游整体形象,拓宽客源市场。二是强化网络营销。借助“互联网+旅游”时机,建设仁寿旅游营销体系,充分利用仁寿旅游微信、微博官方平台搭建全县旅游六要素综合信息网,涵盖全县景区(点)、星级酒店、星级农家乐(乡村酒店)、旅行社分社(网点)、旅游商品等全部旅游基础信息。加强横向与成都、眉山、乐山等地热门微信、微博营销平台的互动,积极推介仁寿休闲旅游。

加快项目建设,打造精品旅游产品。一是全面推进旅游重点项目建设。黑龙滩长岛国际旅游度假区项目完成投资 10 亿元。风情小镇进入招商运营阶段,旅游地产项目建设开始启动。三岔湖仁寿景区项目完成投资 6 亿元,回龙湾旅游新村一期完成建设,已开展环湖路路面施工。二是加快推进乡村旅游示范项目建设。出台《眉山市农业观光旅游“金三角”仁寿片区实施方案》。争取省上旅游发展资金 220 万元支持天府农耕 · 响水六坊和西南第一村项目建设,天府农耕 · 响水六坊接待中心已完成主体工程;硬化环形主干道 3500 米;石磨坊主体工程完工;启动油坊、生态停车场、农业观光大道建设;建成果蔬和粮食两大主题公园。文宫镇西南村第一村完成投资 1 亿元,完成接待中心主体工程、生态绿色停车场、赛车场和大门景观建设。蝶彩花卉园会议室和餐厅扩建主体已完工,水乡湿地土地平整已完成并正在进行景观打造。三是努力探索农业旅游项目发展新路径。星级农家乐改(扩)建代表项目文宫溢丰庄园启动建设,推进曲江樱花基地等新亮点景区的打造。四是开展招商引资。积极推动中铁贵旅黑龙滩国际旅游体育休闲度假中心项目,已签订协议并开展了设计工作。重点推荐二峨山旅游、仁寿大佛景区和五龙山景区等项目参加省、市及仁寿县招商推介活动。

加快“互联网+旅游”建设,提升游客旅游体验。一是大力推进重点景区(点)智慧旅游建设。完善蝶彩花卉园“互联网+旅游”试点工作;积极开展响水六坊景区“互联网+旅游”服务体系搭建。二是指导涉旅企业搭建“互联网+旅游”服务平台。完成三星级以上星级农家乐(乡村酒店)、重点旅游特色商品企业网络化管理、营销、服务体系建设。三是完善仁寿旅游服务平台。以仁寿旅游微信平台为核心,搭建仁寿旅游智慧服务体系,横向加强与企业微信平台链接,加快旅游电子商务融合发展,促进旅游便捷安全消费。

夯实旅游基础设施,提高旅游服务水平。一是完善黑龙滩风景区、花海园区、农业园区等农业观光旅游“金三角”旅游交通指示牌,仁寿城市湿地公园旅游标识标牌建设等。二是规范曹家梨乡停车场、文宫石家村停车场建设,指导清见园、茶花博览园旅游道路建设等。三是完成旅游厕所建设 9 座。

【农村生态建设及环境保护】 2016 年,仁寿县大力实施环境整治行动,深入开展城乡环境综合治理,建成省级环境优美示范乡镇 6 个、示范村庄 72 个。积极探索秸秆资源综合利用,严禁秸秆燃烧。改善水环境质量,推进越溪河、球溪河综合治理,采用 PPP 模式有序推进乡（镇）污水处理设施建设。建立农村生活垃圾处理长效机制，在实行“村收集—乡（镇）运输—县处理”治理模式的基础上，因地制宜、创新实施“两筐一凼、分类减量、美化乡村”农村生活垃圾处理新模式，牢固树立绿色发展理念，狠抓农村环境质量提升，让新村成为农民安居乐业的美丽家园。加强生态建设，大力推进绿海明珠、“千湖之城”、百园之市“三大工程”建设，新增成片造林2万亩，“四旁”植树200万株，新建绿色家园6个；继续推进总投资16.6亿元的统筹城乡全域安全饮水工程，新增2.5万人喝上黑龙滩安全水、健康水。设立“人饮基金”6000万元，城乡饮水实现同网同质同价。

【农村市场体系建设】 2016年，仁寿县继续全面开展水稻、玉米、小麦、油菜、公益林和商品林、能繁母猪、育肥猪政策性农业保险；扩大枇杷特色农业保险范围，在鳌陵乡、大化镇、元通乡、古佛乡试点，增加枇杷保险面积约3.2万亩。加大对水稻、玉米、小麦三大粮食作物适度规模生产经营者的支持力度，增加保险额度。提高育肥猪保障水平，降低育肥猪投保门槛，取消育肥猪体重在20千克（含）以上的保险标的限制，鼓励年出栏生猪3000头以上或饲养能繁母猪150头以上的规模化养殖场开展育肥猪价格指数保险试点。

县政府与京东金融合作战略全面升级，福仁缘再次向京东金融提出2000万元的整体授信申请，已发放贷款1500万元，涉及农户82户，缓解了企业收购季的资金压力，帮助当地枇杷种植户扩大生产种植规模。创新开展扶贫小额信贷，针对全县符合条件的建档立卡贫困户提供5万元及以下、期限在3年以内的“免担保、免抵押”贷款，解决建档立卡贫困户产业发展中的资金瓶颈问题，帮助贫困户尽快脱贫致富，全县已累计发放小额信贷555.5万元。着力完善农业信贷担保体系，县政府出资1亿元注册成立的仁寿县农业信贷担保有限公司已于9月经省金融办批准成立，10月完成工商注册登记和银行开户，11月正式挂牌运营，为全县适度规模经营主体贷款提供了信用担保和风险补偿。

利用仁寿至成都“半小时经济圈”的区位优势，建设成都农产品配送基地，加强与成都超市对接，加速农产品进城，每年配送农产品20万吨以上，销售金额达14亿元以上。以创建成为全国电子商务进农村综合示范县为契机，整合各类流通渠道资源，实现渠道下沉、跨界融合，有效打通了“农产品进城、工业品下乡”双向流通关节点，创新出独具特色的仁寿“互联网+农业”新模式，促进仁寿农特产品畅销国内外。建成1个县级运营中心、15个中心乡（镇）区域配送中心、482个镇（村）电商服务站，电商物流体系覆盖全县60个乡（镇）。完善“东坡味道”农产品市场销售体系，打造赶场小站、幸福仁寿、家园帮等本地电子商务平台。通过举办网上枇杷节、脆桃节、不知火节、血橙节等促销手段开拓产品市场，打造仁寿品牌，已培育仁寿枇杷、枇杷饮料、清见、不知火、血橙、张记芝麻糕、张二心牛肉干、贵妃笑、农二哥食品等32个网络品牌和本地自主农特产品品牌。2016年，全县销售枇杷20.05万千克、脆桃10.8万千克、不知火27万千克、清见15.5万千克、血橙16万千克以及核桃、蜂蜜、土鸡蛋等农副产品，销售额达1.1亿元。全县已申请认证地理标志产品3个、有机食品5个、有机转换食品11个、绿色食品15个、无公害食品28个。积极组织三品花椒、福仁缘、温师傅花生等新型农业经营主体参加眉山泡菜节、西博会、成都农博会，展销展示农特产品，提升了仁寿农特产品的知名度。

【基础设施建设】 2016年，仁寿县“53222”综合交通格局加快形成，开通城乡公交线路14条，硬化村社水泥路300余千米，水泥路通村率达100%，群众出行更加方便。实施全域燃气、全域灌溉和全域宽带乡村工程，46个乡（镇）通天然气，400个村通宽带。新建和整治渠系375千米，新增水域面积6平方千米，恢复和改善灌面6万亩。继续以“增水、活水、见水、碧水、甜水”五大工程为重点全力推进“千湖之城”建设，实施骨干水利、灌区续建配套、“五小水利”、水土保持等建设，全县有效灌面达99.4万亩，有效灌溉率达95%，蓄引提水能力达5.42亿立方米，灌溉水利用系数达到0.52，基本解决了农田水利设施建设“最后一公里”问题。依托幸福美丽新村建设、美丽乡村、“一事一议”等涉农项目，在32个“摘帽”贫困村实施“最后一公里”道路硬化工程，建设断头路、环线路、产业路161千米，解决了28.7万名群众行路难问题。

【涉农资金统筹整合进展顺利】 2016年，仁寿县按照“渠道不乱，用途不变，各司其职，各负其责”的原则，项目主管部门根据各涉农项目资金管理要求，优先考虑将项目资金向贫困村倾斜或集中，重点支持贫困户农业产业发展和基础设施建设。整合多个部门涉农项目36个、资金3.51亿元，范围覆盖146个市定贫困村和大部分有发展意愿的建档立卡贫困户，有效推进了农业产业发展，改善了农业农村基础设施条件。

【涉农资金“补改投”试点成效显著】 2016年，仁寿县充分发挥财政支农资金普惠群众、促进农民增收的作用，将对新型农业经营主体的补助资金改为投资，并以股权形式量化到集体和农户，有效拓宽集体和农户经济收入来源。继续创新财政支农资金量化为村集体资产发展方式，在大化镇、宝飞镇、凤陵乡、方家镇等6个乡（镇）试点财政资金支持业主基础设施建设，业主每年按1.5%～2%的比例向村集体缴纳租金，解决扶持现代农业业主和增加村集体资产“双难”问题。为解决梨残次果销售问题，按照适当补助的原则，将30万元新型农业经营主体奖补资金作为曹家镇梨树村村民委员会入股曹家水果专业合作社梨膏糖厂建设的股金，合作社按入股分红的形式每年给予村委会固定分红3000元，增加了村集体经济收益。在中农镇龙台村建设田间便道3千米、排灌渠0.5千米，补助生产机械30台（套），量化到仁寿县周笼晚椪种植专业合作社，社员进行按股分红。

【农业生产全程社会化服务体系初步建立】 2016年，仁寿县以政府购买方式，在水稻集中育秧、机插（播）秧和病虫害统防等环节开展农业生产全程社会化服务。全年水稻集中育秧完成8519.8亩，水稻机插秧完成7024.16亩，稻谷烘干作业完成5000吨，水稻病虫害防治完成43468亩，小麦病虫统防完成9465.6亩，蔬菜采后商品化处理完成12500吨。

【农村社会治理不断强化】 2016年，仁寿县新型农业经营主体党建工作快速推进。落实党建工作指导员78名，重点帮助没有党员的新型农业经营主体培养孵化党组织，共建立新型农业经营主体党组织442个，其中单独组建43个、联合组建17个、村企联建382个。坚持“支部建在产业链”思路，打造党建工作示范点，建强蝶彩园艺作物种植有限公司公司党支部；积极推进春满园果业专业合作社、蜀色天香家庭农场党支部建设，筹建三品农业开发有限公司党支部。坚持“党建富民、电商助力”思路，在曹家水果专业合作社推行“支部+合作社+电商+农户”模式，拓宽农户线上线下销售和增收渠道。建立经费保障机制，充分保障新型农业经营主体党建工作经费，落实党组织书记工作津贴。

农村基层民主管理制度不断健全。初步拟定文宫镇石家社区、大化镇水利社区和华兴社区为试点区域，通过明确村（居）民小组长职责、完善村（居）民小组决策制度和服务制度实现村（居）民小组自我服务、自我管理、自我决策。

【主要领导人】 县委书记：秦彪；县人大常委会主任：谢六一（11月止），陈林（11月始）；县长：顾贵鹏；县政协主席：商志忠；分管农业副县长：杨红兵。

仁寿县编写组

洪雅县

【基本情况】 2016年，洪雅县辖15个乡（镇、街道），有农业人口25.74万人，有耕地面积38.18万亩，增长2.06%；基本农田32.25万亩。

【年度农业和农村经济运行】 2016年，洪雅县实现农业总产值283685万元，增长3.67%；农业增加值163503万元，增长4.03%。

农业产业化发展。洪雅县开展畜禽标准养殖场建设，创建生态牧场1个，建成奶牛养殖小区60个、生猪标准化养殖场78个；畜禽良种化水平达97.1%。全县生猪规模化养殖比重达74.06%，肉兔规模化养殖比重达73.15%，专用肉鸡规模化养殖比重达83.04%，奶牛规模化养殖比重达100%。

农产品品牌战略实施。洪雅县新认证无公害农产品2个、有机食品3个，通过认证标志的农产品达53个，其中公害农产品19个、绿色食品17个、有机食品15个、地理标志农产品2个；认证面积达4.47万公顷，认证总量超过40万吨。

【种植业】 2016年，洪雅县粮食作物播种面积1.96万公顷，产量12.81万吨，其中小春粮食作物播种面积2149.33公顷，产量7597吨（小麦1254.27公顷，产量4345吨；胡豆169.53公顷，产量838吨；豌豆173.13公顷，产量816吨；马铃薯552.4公顷，产量1598吨）；大春粮食作物播种面积1.74万公顷，产量12.06万吨（水稻1.22万公顷，产量9.1万吨；玉米3149公顷，产量1.95万吨；红薯1176.93公顷，产量7783吨；大豆520.27公顷，产量551吨；杂豆159.33公顷，产量456吨；马铃薯189.73公顷，产量1269吨）。

2016年洪雅县省级农业产业化重点龙头企业名单

企业名称	法人代表	示范等级	行业分类	主营业务
四川雅妹子生态食品股份有限公司	徐艳红	省级	生产加工业	风酱、腊肉制品生产、加工及销售
现代牧业洪雅有限公司	李广有	省级	生产加工业	奶牛养殖、鲜奶销售
四川洪雅县幺麻子食品有限公司	赵跃军	省级	生产加工业	调味油销售

全县茶园面积1.87万公顷，其中投产1.73万公顷；茶叶总产量2.1万吨，同比增长5%，其中，绿茶产量1.68万吨、黑茶产量0.42万吨。名优茶产量达0.85万吨，同比增长6.25%。全年实现茶叶（鲜叶）产值12.3亿元，同比增长6.03%；名优茶产值9.8亿元，同比增长15.29%；毛茶产品总产值19.8亿元，同比增长1.54%。全县藤椒面积达1466.67公顷，年产鲜藤椒8000吨，实现总收入1.2亿元，亩收入达6200元；年加工藤椒油3.5万吨，年综合产值3亿元。

县政府配套50万元资金扶持特色蔬菜发展，全县蔬菜基地面积6133.33公顷，年产蔬菜8.23万吨，年产值1.6亿元；有蔬菜企业3家。全年开展水稻产地检疫1批次，检疫面积0.07公顷；柑橘产地检疫1批次，检疫面积0.33公顷。实施水稻调运检疫1批次，签发植物检疫证书1份，检疫40千克；实施柑橘苗调运检疫1批次，签发植物检疫证书1份，检疫2380株；开展种苗交易市场疫情监测30批次，监测60万余株。召开柑橘溃疡病等检疫性有害生物专项整治技术培训会2次，现场指导商家对发现的“四纹豆象”成虫进行了低温冷冻杀虫处理。

【林业】 2016年，洪雅县林业用地面积为205.3万亩，森林覆盖率为70.5%，其中有林地、疏林地、灌木林地、未成林地、宜林地面积分别为173.5万亩、0.002万亩、27.51万亩、3.57万亩、0.68万亩，分别占林业用地面积的84.5%、0.001%、13.5%、1.7%、0.3%；公益林和商品林面积分别为104.8万亩和100.5万亩，分别占林业用地面积的51%和49%。全县活立木总蓄积量15294469.4立方米，商品林蓄积量7393450.2立方米，其中用材林蓄积量7211152立方米、薪炭林蓄积量32365立方米；公益林蓄积量7839220.4立方米，其中防护林蓄积量3345110立方米、特种用途林蓄积量4557082立方米。全年实现林业总产值42.93亿元，其中第一产业（培育业）产值7.01亿元、第二产业（林产加工业）产值18.4亿元、第三产业（森林旅游业）产值17.52亿元；农民人均从林业上获得收入3115.3元，比上年增加284元；发展林下经济28066.6666公顷，实现总产值4.84亿元。完成成片造林2000公顷，育苗和培育苗木53.5公顷；义务植树83.8万株，完成计划的209.5%；开展“绿色基地”创建活动，栽植杉树、银杏、桂花、桢楠等苗木62.5193万株，创建“绿色基地”79.74公顷；开展“我为森林之城植棵树”活动，栽植各类绿化树54372株。成功创建4个市级现代林业产业提质增效示范区，洪雅瓦屋山群贤竹木种植专业合作社被国家林业局评为“全国林业专业合作社示范社”。全年完成审批临时占用林地7起、永久性占用林地审核13起，审批审核占用林地51.0977公顷，收取植被恢复费7017288元。

天然林资源保护工程。完成天保工程二期年度建设任务，完成项目建设投资1.4亿元，管护森林面积117.2万亩。落实森林管护人员146人，与管护人员签订了责任书，明确了目标责任，各乡（镇）森管站和县林场各工区每个月召开一次会议，及时掌握各个管护区的工作情况。严格执行林木限额采伐制度，实行天然林禁伐。

退耕还林。截至2016年年底，全县退耕还林工程完成2.75万公顷，涉及15个乡（镇）6万余户农户，其中退耕还林1.46万公顷、荒山造林（包括封山育林）1.29万公顷。落实完善退耕还林补助政策，补助标准为生活费补助105元/亩，管护费补助20元/亩，兑现补助资金2424.99万元。

有害生物防控与检疫。全县有林地面积13.69万公顷，应实施监测面积11.89万公顷，实施监测面积11.89万公顷，实际监测率达100%；林业有害生物发生面积0.64万公顷，实施防治面积0.64万公顷，防治率达100%，投入资金50余万元，成灾率在控制在3‰以下。开展“2016年植物检疫执法专项行动”，调运检疫木材7.63万立方米、苗木768.3万株，完成606.67公顷苗木产地检疫，苗木产地检疫率达100%。完成洪雅国家级森林病虫害中心测报点专业测报工作,向省级、国家林业主管部门上报规定监测信息数据50余份,监测工作在省级考核中被评为“优良”。与四川大学联合开展《林区鼠害防控技术研发与应用》科研课题研究。开展林业有害生物普查工作。

林业行政执法。在全县范围内有效开展火案查处、林地行动、野生动物资源保护等专项系列行动,共查处各类涉林案件49件(其中刑事案件13件),依法移送起诉15件(包含上年未移送起诉案件2件),移送起诉16人;立案林业行政案件36件,查处36件。严控野外违章用火,实现连续54年无较大森林火灾发生。

【畜牧业】 2016年,洪雅县出栏生猪35.82万头(其中DLY生猪34.16万头)、肉牛1.36万头、肉羊4.11万只、家禽351.22万只、肉兔144.02万只,分别完成目标任务的105.4%、104.5%、104%、10.6.1%、105.1%;存栏长毛兔84.67万只。全年实现畜牧业总产值14.82亿元,同比增加1.44亿元,增长9.7%。全县奶牛存栏4.1万头,鲜奶产量9.82万吨,实现产值3.73亿元;依托现代牧场、新希望阳平公司,利用沼液还田发展循环经济示范基地2666.67公顷;深化奶业标准化建设,改(扩)建标准化奶牛小区2个(总数达27个),有奶牛养殖专业合作社29个、家庭奶牛场16个、奶业企业2家。存栏生猪21.83万头,能繁母猪存栏1.85万头,实现产值6.81亿元,建成优质生猪良种繁育场4个。存栏小家禽97.65万只,禽蛋产量3384吨,小家禽产值达2.32亿元。

开防疫体系建设。建成县级动物疫病预防控制中心1个、乡级畜牧兽医站15个、动物防疫监督检查站4个、乡级动物疫测报点26个、村级防疫站142个,有基层兽医防疫人员64人、村乡防疫员110余人。全县动物防疫工作实行春秋普防、月月补免,猪瘟、口蹄疫、高致病性蓝耳病等重大疫病免疫密度均达100%,免疫抗体监测均达到部颁标准,无重大疫病发生和流行。全年各种强制免疫病种免疫密度达100%,圈舍消毒面达100%,各项免疫抗体水平均达到上级要求。对养殖场(养殖小区、户)确诊的“两病”牛(羊)进行扑杀,共扑杀布病奶牛132头、布病羊107只。根据省、市统一安排,开展生猪屠宰专项整治行动,重点加强无害化处理监管,严肃查处屠宰加工病死动物等违法行为,严防病死、未经检疫或检疫不合格动物产品流入市场或进入加工环节,经查未发现私屠滥宰和注水等违法行为。开展出入境生猪“瘦肉精”监测130头份,结果均为阴性。

兽药管理。加强兽药销售环节和使用环节的管理,与全县通过GSP认证的34家兽药企业签订《兽药经营承诺书》,与已经通过GSP验收的2家生物制品经营企业签订《生物制品经营承诺书》。对全县兽药经营企业和养殖场(户)进行了抽检,对农业部公布的不合格的假兽药进行了查处,未发现有违禁、假劣药品。

畜产品质量安全。全年开展养殖场(户)拉网式“瘦肉精”检测2次,共出动执法人员825人次,监测养殖规模户322户,共检测1952头份。在屠宰场加强“瘦肉精”专项监控,共监测3048头份,结果均为阴性。加强对养殖场(户)的投入品、病死畜禽监管,从源头上保证畜产品安全。检查养殖场、养殖专业合作社325场次,兽药经营企业204家次。全年完成兽药残留检测抽样30个,无害化处理转运中心收集转运病死生猪5479头、奶牛1039头、山羊107只、犬561只、畜禽产品5681千克。

【水产业】 2016年,洪雅县水产养殖面积1484公顷,水产品产量4548吨;淡水捕捞产量为278吨。全年繁殖各类鱼苗6000余万尾,培育规格鱼种685吨。实施水产渔政项目4个,共计投入资金144万元,较上年增加59万元,增长34.1%,其中渔政执法能力建设项目1个,县级财政投入资金100万元;周公河省级珍稀鱼类省级自然保护区增殖放流项目1个,省级财政投入资金13万元;农业技术推广体系建设项目1个——水产鱼苗物种补助,省级财政投入资金9万元;现代农业示范县项目1个——水产养殖池塘改建及新建,省级财政投入资金20万元。

全年开展打击电毒炸鱼专项行动145次,出动执法人员240余人次、执法车辆145辆次,检查市场32次、餐馆34次,巡查江河97次,查处非法捕捞行为4起、禁渔期销售野生河鱼行为2起、电鱼案件13起,收缴电捕鱼工具18套、违禁渔网23副,放生违法查处野生河鱼150千克,处罚违规捕捞人员31人。

县农业和畜牧局成立了水产食品安全工作领导小组,制订了整治方案,开展水产食品安全宣传,加大对渔用药水、鱼饲料及饲料添加剂、鱼药残留(孔雀石绿、呋喃唑酮、氯霉素)的检查力度,推进水产品质量体系建设,建立健全水产品质量安全监督制度。全年开展水产品质量风险检测70次、鱼药及鱼饲料添加剂等投喂品检查30次,无水产品安全事故及检测结果呈阳性情况发生。创建水产品健康养殖示范基地1个。

【统筹城乡与新型城镇化】 2016年,洪雅县城镇化率达41.07%,完成目标任务的103%,增长1.76个百分点,提高0.16%;新增城镇人口0.55万人,完成目标任务的110%;新增城镇建成区面积0.55平方千米,完成目标任务的110%。启动危旧房棚户区改造410户,完成目标任务的117%;货币化安置220户,完成目标任务的169%;发放租赁补贴230户,完成目标任务的100%。定向分配农民工公租房156套,完成目标任务的260%。农村居民建房1610户,完成目标任务的101%;改造农村危旧房87户,完成目标任务的290%;农业转移人口落户城镇0.5236万人,完成目标任务的103%。城镇基础设施建设完成投资5.19亿元,完成目标任务的207%;试点镇就地就近吸纳农业人口0.1905万人,完成目标任务的108%;试点镇完成基础市政设施建设投资0.483亿元,完成目标任务的138%;试点镇完成产业发展建设投资0.38亿元,完成目标任务的127%;小城镇辐射带动基础设施建设投资1.682亿元,完成目标任务的140%;小城镇辐射带动吸纳农业人口0.3024万人,完成目标任务的106%。房地产开发完成投资17亿元,完成目标任务的104%;商品房销售面积33.64万平方米,完成目标任务的112%。

2016年,洪雅县被列入“四川省宜居县城建设试点县”。编制了《洪雅县城西、江南片区控制性详细规划》《城市设计》《洪雅县宜居县城专项规划》等规划,优化和完善城市规划体系,按照“一江两山三片四组团”的空间布置,塑造“显山露水、舒缓平和”的城市优美形态,大力建设“第一景区”,让“森林之都·活水之城”名副其实。一是重点项目建设。文体中心、县中医院搬迁、城南农贸市场棚户区改造项目申报了省标准化文明施工示范工地和优质结构工程,世行贷款洪雅县余款项目洪川镇子项目及柳江镇子项目建设有序推进。打造周家祠民俗文化旅游景点、关圣街特色街区,江南新城市政道路、江南栈道建设完工。二是景镇一体提质增速。坚持服务区、安置区、景区“三区合一”,整合资源,以点带面推进重点场镇建设,大峨眉国际旅游区、七里坪首个国际抗衰老产业试验区、香花岭国际文体旅游度假区等一批重大项目加快推进。五龙新村、和谐石笔、归园田区等一批新型村落民居建设卓有成效,成为乡村旅游的新亮点。瓦屋山镇复兴村和高庙镇花源村被列入“第四批中国传统村落”名录。

【新农村建设】 2016年,洪雅县按照“业兴、家富、人和、村美”建设目标,向上争取省、市新村建设补助资金750万元,县本级财政投入200万元,整合其他涉农资金2000万元,建成幸福美丽新村30个、新农村综合体1个,新建和改造提升新村聚居点25个,建成农村廉租房41户,均完成目标任务的100%。全面启动“四好村”创建工作,申报省级“四好村”7个、市级“四好村”44个。柳江镇红星村被评为“四川美丽古村”,柳江镇两河村(光明新村)被评为“2016年寻找眉山最美乡村之最美乡村”,瓦屋山镇群贤村、高庙镇七里村被评为“2016年寻找眉山最美乡村之旅游乡村”。玉屏山被评为全国第一批森林体验基地,是四川省唯一一家。全县完成农房建设866户,建设市级新农村示范片2个,惠及群众2.1万人。完成幸福美丽新村建设16个,惠及群众1.9万人。按照“抓农业就是抓旅游,建新村就是建景区”的理念,向上争取旅游发展资金2000万元,县本级财政投入资金430万元,大力推进柳江、花溪、瓦屋山3个农旅相融示范片建设。打造乡村旅游特色业态经营点3个、乡村旅游特色乡镇1个、乡村旅游精品村寨2个,创建星级农家乐(乡村酒店)3家。

【扶贫攻坚】 2016年,洪雅县按照市委市政府“1593”扶贫攻坚决定和县委县政府“1711”工作部署扎实推进脱贫攻坚工作,“五个一批”精准脱贫全覆盖,“九大领域”脱贫工程全面实施。全年完成1996户、5640人脱贫,实现17个市级贫困村退出。申报为“国家级电子商务进农村综合示范县”,助推电商扶贫,争取电商扶贫资金2000万元;增强科技扶贫能力建设,建立专家大院、科技特派员站点和工程技术中心各1个,推广“技术人员直接到户,良种良法直接到田,关键技术直接到人”的科技服务模式。

建立高效运行工作机制。县、乡两级党政一把手落实“双组长”责任制,县上组建脱贫攻坚办,层层落实专职人员,县财政落实专项工作经费109万元。强化“五个一”帮扶机制,全县33名县级领导、33名“第一书记”、135个结对帮扶单位、33个驻村工作组常态化推进脱贫攻坚工作,确保每个村有1个联系部门、每户贫困户有1名帮扶干部。15个乡(镇)、18个专项牵头部门与县委县政府签订了目标责任书,实行单项目标考核。

推进“五个一批”精准扶贫。一是强力推进产业扶贫。按“一户一策”原则对建档立卡贫困户采取“规划到户、实施到户、补助到户、先建后补”的方式扶持发展。全县规划扶持5649人,共投入发展扶持资金580万元,其中省、市255万元,县财政325万元。同时,县财政投入400万元建立小额信贷风险金,启动扶贫小额信贷工作。二是稳步推进易地扶贫搬迁。制订《洪雅县“十三五”易地扶贫搬迁实施方案》和《洪雅县2016年度易地扶贫搬迁实施计划》,三年累计实施易地扶贫搬迁1079人,其中2016年搬迁232人。三是做好低保兜底扶贫。全县规划实施低保政策兜底3288人,建档立卡贫困户参保率实现100%。设立医疗救助基金,为未脱贫人员和脱贫一年内巩固提升期的建档立卡贫困户全额代缴医疗保险和补助商业保险。四是做好灾后帮扶重建。全年下达省以上危房改造项目计划30户,全部落实给建档立卡贫困户实施。

夯实产业发展基础。一是培育优质产业。在贫困村建成标准化藤椒基地1500亩、优质茶叶基地2500亩、生态蔬菜基地1500亩、高产粮油及饲草基地2500亩;建成标准化生猪养殖场17个、林地养鸡场33个、长毛兔养殖场18个,带动贫困户年出栏生猪1700头以及饲养林地鸡33000只、长毛兔3600只;建成水产示范基地4个、发展示范户4户;帮扶贫困村建成合作社8个、家庭农场13个,引导贫困户开办农家乐7家。二是夯实基础设施。新(改)建通村公路10.5千米,完成投资531万元;新(改、扩)建村(社)道路30千米,完成投资560万元。加强总岗山病险水库整治,新增和恢复灌面0.8万亩,发展节水灌溉3.21万亩,治理水土流失面积5.8平方千米,完成投资1700万元。深入实施“宽带乡村”工程,宽带通村率达96%。

开展生态扶贫。全年累计实施退耕还林21.9万亩,森林抚育11万亩次,改造低产低效林1.05万亩。贫困乡(镇)集中式饮用水源水质达标率达100%,建成国家级生态乡镇8个,完成通道及水系绿化6.5千米。

凝聚社会合力。开展“扶贫助困志愿行”主题活动740次,3200人次参与服务;洪州狮爱服务队定点帮扶8户贫困户;雅行天下志愿服务队等其他社会志愿服务组织开展帮助贫困群众、留守儿童、残疾人等服务30余次。33家企业与33个贫困村结对联系,协助引进项目5个,投入资金98.95万元,制定帮扶规划35个。洪雅县慈善会开展“一日捐”活动,募集资金51.13万元,实施困难救助43人,发放救助金33.31万元、贫困家庭儿童大病救助5.3万元;县扶贫开发协会开展了“栋梁工程”资助贫困大学生、脑瘫患者扶贫公益救助等活动。

【乡村旅游】 2016年,洪雅县乡村旅游接待游客220万人次,同比增长51.2%;实现乡村旅游总收入11.1亿元,同比增长56.3%,促进农民人均增收158元。一是品牌创建。完成花溪镇雅女荷园(中国雅女文化艺术园)、瓦屋山镇羌河伴岛、和平乡村酒店3个乡村旅游特色业态经营点的打造,瓦屋山镇被评为省级乡村旅游特色乡镇,瓦屋山镇复兴村被评为省级乡村旅游精品村寨,雅女荷园景区创建为国家2A级景区。新发展农家乐(乡村酒店)10家,升级改造30家,全县农家乐(乡村酒店)达563家,其中星级农家乐(乡村酒店)32家(五星级1家、四星级6家、三星级11家、二星级14家)。二是旅游扶贫。成立乡村旅游协会、全省首家乡村旅游专业合作社——荷园乡村旅游专业合作社,大力拓展“农户+旅游”发展模式,指导农户借助旅游增加收入,实现乡村旅游发展和农户脱贫的双赢局面。三是会节营销。举办首届荷花旅游文化节、首届桑葚采摘节、第一届九月九的酒暨高庙白酒民俗文化节。组织四川洪雅县幺麻子食品有限公司藤椒油、洪雅正容农业茶叶等参加2016四川国际文化旅游节旅游商品展和四川特色旅游商品评选活动以及四川省第三届旅游博览会旅游商品展销活动,提升乡村旅游产品的知名度。四是旅游培训。全年组织开展乡村旅游培训6次,培训旅游从业人员1000余人,提高了旅游从业人员的基本技能、服务意识和法制观念。

【农村科技】 2016年,洪雅县完成2015年巩固退耕还林成果基本口粮田建设项目任务,建设规模为833.33公顷,总投资1321.47万元,疏浚渠道50千米,衬砌渠道15.8千米,新建或维护渠系渠道附属设施2973处,新修田间道路8.43千米、交叉路口错车道20处、农机下田坡道50处,建成田间道路9.37千米,改土和土地调平66.67公顷;施用生物有机肥150吨、农家肥416.67公顷,开展科技培训300人次。

【农业执法及投入品监管】 2016年,洪雅县对12家种子经营代理商提交备案的94个水稻品种、97个玉米品种、53个油菜品种进行审定,对符合规定的171个品种(杂交水稻84个、杂交玉米87个)进行备案公示。审查备案农药品种385个。统筹开展春季、秋季农资打假专项整治行动9次,严厉打击非法制售假冒伪劣农资行为。对15个乡(镇)农资店进行全面清理和规范,出动执法人员744人次,检查农资经营门店703个次,立案并查处违法经营17起,查获违法经营物品202.13千克,处罚金额0.81万元,挽回经济损失3.5万元。

【农产品质量安全监管】 2016年,洪雅县加大监管投入,加强牛、羊等畜禽屠宰管理,开展生猪定点屠宰压点升级工作,关闭屠宰场5个,新建B级标准化屠宰场6个,A级标准化屠宰场验收颁证2个;配备检测仪器设备,建立质量安全监管网络平台,实现网格化、网络化、可视化监管;组建县、乡、村三级监管队伍,常年开展业务培训。强化执法监管,开展禁限用农药、兽用抗菌药、"三鱼两药"、生猪屠宰"扫雷"、生鲜乳整治、农资打假等9项专项整治行动,检查农资销售商家、兽药店铺及渔业养殖场所共1332家次,立案查处38起。全县抽样检测猪肉、鸡肉、茶叶等样品672份,合格率达99.7%;开展蔬菜、茶叶样品速测8200个,合格率达99.5%;抽检种子36个,合格率达100%;抽检农药35种,8种不合格;抽检肥料10种,合格率达100%;开展"瘦肉精"检测,结果均为阴性;检测奶样340批次,合格率达100%。

【城乡环境综合治理"进村组"活动】 2016年,洪雅县开展城乡环境综合治理"进村组"活动,全面开展农村水源污染治理,规模养殖污染治理面达100%;着力解决农田残膜污染,当季农膜回收率达90%;加强动植物检验检疫和外来生物防控,区域内无重大疫情发生;农作物专业化统防统治达36.88%,绿色防控示范覆盖率达32.23%,测土配方施肥覆盖80%,化肥、农药使用实现零增长;建立水稻重金属污染状况协同监测点34个;秸秆资源利用9.65万吨,利用率达83.12%,全面完成秸秆禁烧工作任务。

【农村沼气管理与建设】 2016年,洪雅县向上争取农村能源项目资金150万元。做好2012—2015年退耕还林户用沼气未完成项目的调整报批工作,完成2011—2013年农村沼气服务网点的验收工作,2011年退耕还林户用沼气项目和2014年农村沼气服务网点验收的后续工作有序推进,新建农村户用沼气100口。全年开展乡(镇)培训20余期;县农村能源办公室下乡培训20余次,参训人员3000余人次,发放沼气安全手册、沼气安全挂图、沼气安全使用"五不准""十不准"等宣传资料5000余份,保证每个沼气用户有沼气安全手册1册、挂图1幅、"五不准"或"十不准"1份。开展定期或不定期安全督查,全年共开展督促检查40余次,无安全事故发生。

【回乡创业之星选介】 张和军,42岁,瓦屋山镇黑山村支部书记。1999年,张和军和村民们共同建成"黑山两合电站",于2001年发电投产,年收入达40万元。2006年,张和军和朋友在罐坪村进行矿山开发,一直经营到2013年年底,为他创下了第一桶金。2013年换届选举时张和军被村民一致推选为村支部书记。2015年,张和军投资近40万元建成黑山第一个农家乐——黑山雅连人家,当年接待游客1000余人,实现旅游收入20万元。2016年,张和军投资300余万元,建成避暑山庄,日接待能力达120余人,年收入达80万元,解决就业20余人。

2015年,张和军与瓦屋药业公司衔接,争取公司在资金上扶持药农种植雅连,从原来全村只有2户、种植面积不到3亩的状况发展到2016年的17户专业种植户,栽种面积50余亩,直接收益达200万元以上。张和军聘请设计院为全村进行整体规划,衔接交通部门拨款800万元用于加宽瓦屋山镇张村到黑山的公路。公路加宽后,预计旅游收入将达300余万元,解决黑山村就业人数50余人,带领乡亲们走上共同致富之路。

【重点乡镇选介】 柳江镇,位于县城西南35千米,辖区面积160.39平方千米,辖9个行政村69个村民小组1个社区4个居民小组,总人口1.96万人(其中农业人口1.61万人),人口自然增长率3.4‰。2016年,全镇完成GDP5.89亿元,比上年增长6.02%;乡(镇)工业增加值1.3亿元,增长8.94%;乡(镇)第三产业增加值3.46亿元,增长12.41%;特色主导产品增加值3944万元,增长2.1%;完成固定资产投资2.57亿元,增长2.46%;社会消费品零售总额1.02亿元,减少9.39%;财政收入1432.76万元,减少13.08%。全镇有耕地面积623公顷,农作物播种面积1282.06公顷,粮食产量5405吨;农民年人均纯收入1.52万元,增长8.89%。被命名为全国重点镇。一是特色旅游成效显著。全年接待游客220万人次,实现旅游总收入16.2亿元。二是农业经济方面持续发展。全镇水稻产量3883吨、玉米产量1040吨。有林地面积8131.47公顷,比上年增长1.7%;采伐木材1.74万立方米、杂竹1.91万吨,生产笋干21.1吨。有茶园904公顷,比上年增加面积18公顷,增长2%;茶叶产量875吨。三是基础设施建设有序推进。完成杨村新村建设项目洪高路口观音岩至富沟塆2600米公路的硬化,新建两河村4组汪边至5组罗坪休闲便道150米;整治山坪塘1口,新修沟渠2000米;实施农房风貌改造,绿化三角塘村民聚集点2000平方米。四是全面推行农村生活垃圾治理"户分类、村收集、镇运输、县处理"的运行机制,投入资金约100万元,实现"五有"(有垃圾收运处理设施、有保洁队伍、有再生资源回收点、有村规民约、有资金投入机制),治理"五乱"(摊点乱摆、车辆乱停、垃圾乱扔、广告乱贴、工地乱象)。五是民生工程方面卓有成效。城乡居民基本医疗保险参保1.62万人,参保率达97%;城乡居民社会养老保险参保1.13万人,领取待遇3563人;全年发放医疗救助款20.72万元;纳入低保842人;征收社会抚养费1.75万元,发放计生奖励扶助1007人次、96.67万元;对124户困难户进行临时救济,申请救济金8.93万元;联系贫困户30户,为贫困村落实帮扶资金近200万元;走访慰问贫困党员74人,发放慰问金和慰问物品合计3万余元。

瓦屋山镇,位于县城西南63千米,辖区面积694.73平方千米,辖26个行政村142个村民小组、1个社区4个居民小组,有户籍人口1.67万人(其中农业户籍人口1.45万人),人口自然增长率4‰。2016年,全镇完成GDP4.43亿元,增长8%;乡(镇)工业增加值1.84亿元,增长23.5%;乡(镇)第三产业增加值1.53亿元,增长19.97%;特色主导产品增加值3413万元,增长10.06%;固定资产投资完成3715万元,增长7.99%;社会消费品零售总额7500万元,增长9%;财政收入3013万元,增长78.81%。有耕地面积239.42公顷,粮食产量3558吨;农民年人均纯收入1.4万元,增长8.99%。被列为全省100个小集镇试点镇,是洪雅旅游大镇,经济强镇。农村经济方面,全镇有专业合作社34个、产业协会2个、家庭林场5个。乡村旅游方面,贯彻落实县委"乡村游铺天盖地"的指导思想,完成编制新寺村、自新村、沙湾村、高丽村4个村的村庄建设规划;围绕"四心工程"建设,打造洪雅旅游品牌,指导新建农家乐(乡村酒店)3家,完成农家乐提档升级38家,申报三星级乡村酒店1家。民生工程方面,落实享受农村最低生活保障785人,发放各类补助优抚金200余万元,救助贫困家庭2000余户;实施"夕阳红"工程,投入33万元,改(扩)建敬老院;新型农村合作医疗保险覆盖面不断扩大,城乡居民参合比达99%;推进新型城乡居民社会养老保险,符合参保条件人员参保比例达98.7%,完成新农保2872人的续保工作,妥善处理好中农保及新农保重复参保退费、死亡人员退费工作,新农保、中农保、失地农民养老保险到龄人员退休手续办理2800余人;初步建立起养老、医疗等多层次、广覆盖的社会保障体系。环境综合治理方面,签订"门前三包"责任书4500余份,发放宣传资料5000余份,制订村民文明卫生公约公示牌30块。加强场镇"五乱"治理,治理垃圾死角12处,清理户外广告32幅,整治场镇建筑工地乱象15起。基础设施建设方面,新建游步道1.8千米,贯通余沟至形象山门;完善场镇旅游设施,安装特色花坛,成片栽植玫瑰0.93公顷,提升了场镇旅游形象。打造周铺子沟天然浴场,安装了安全防护石墩;复兴村新建村道5000米,安装路灯45盏、护栏1050米,梯田恢复清理苗木4272株;新寺村加宽游步道751米,新建游步道860米,倒流溪两岸景观打造860米;群贤村新增绿化面积1.33公顷,配套基础设施全面竣工;摸排27个村(社区)村级活动场所达标情况,确定了5个村需新建,3个村需扩建或改造,2个村完成新建,2个村动工新建。脱贫攻坚方面,全镇从2013年开始实施扶贫整村连片开发项目,每年固定投入1500万元,用于改善涉及村庄的基础设施;移民后扶政策落实到位,每年发放移民后扶资金、电力补贴等共计700余万元;完成脱贫81户、245人。

槽渔滩镇,位于县城以西28千米,辖区面积87.5平方千米,辖8个行政村61个村民小组、2个社区9个居民小组,总人口2.17万人(其中农业户籍人口1.94万人),人口自然增长率4‰。2016年,全镇完成GDP3.49亿元,比上年增长8.54%;乡(镇)工业增加值5881万元,增长54.32%;乡(镇)第三产业增加值1.84亿元,增长8.14%;特色主导产品增加值2503.5万元,增长0.18%;固定资产投资完成5989万元,增长5.01%;社会消费品零售总额1.01亿元,增长10.28%;财政收入1109.49万元,增长17.28%。有耕地面积1098.69公顷,粮食产量6589吨;农民人均纯收入达1.61万元,增长9.27%。被环境保护部命名为"全国环境优美乡镇"。农业经济方面,全镇农业增加值比上年增长3.95%,农产品质量安全抽检合格率达99%以上;巩固退耕还林成果1200公顷,成片造林133.33公顷;新发展茶叶种植33.33公顷,低改茶园80公顷;新发展年出栏100头以上的生猪养殖大户12户、年出栏林地鸡1000只以上的大户3户、年出栏山羊50只以上的大户2户。加快"四个转变",全年实现农民转变为种植业业主4户、林业业主3户、畜牧业业主2户、水产业业主2户。建成幸福美丽新村示范点4个。11家企业参与"百企联百村"活动,对口帮扶村(社区)7个,投入资金20万元。旅游产业方面,全年接待游客46万人次,实现旅游社会总收入3.8亿元。民生工程方面,投资420万元,完成文山、关顶、青江、龙溪4个村村道新建和加宽改造工程18千米;投资600万元,完成槽渔滩镇供水设施升级改造;完成青江村2组休闲小广场、顺河村群众广场建设并配套安置了健身设施;完成文山村竹和路"大沟"地质灾害点道路隐患治理;实施"一事一议"项目3个,投入财政补助资金45万元;落实政府购买居家养老服务500人;发放农村低保补贴501户、697人、120.8万元,城镇低保补贴86户、105人、35.8万元;发放医疗救助49人、14万元,高龄补贴597人、16.6万元,自然灾害临时救助款26.2万元、丧葬补贴7.2万元。投资26万元,完成镇敬老院改造。新型农村社会养老保险续保缴费7143人,新增到龄人员173人;计生家庭奖扶、特扶政策兑现到位。兑现各项惠农补贴351.03万元,其中粮食直补和综合补贴共125.59万元、退耕还林补助225.44万元。种植业、奶牛、生猪、能繁母猪等农业保险全面覆盖,推广森林保险、茶业保险等农业特种保险。成立道路交通、居家安全等8个工作组,创新"7+N"模式开展四川省安全社区建设,一次性通过专家组评审验收。按照"四有"标准,成功创建了"全国防灾减灾综合示范社区"。全面加强水上交通安全监管,对游船码头实行专人值守。及时妥善应对"王岩"地质灾害点崩塌隐患,搬迁安置群众7户、26人。率先完成乡(镇)食药监管所"五有"标准化建设。推行农村客运车接送学生试点工作,投放14座农村客运车辆10辆,开辟5条线路。全镇防洪、防灾、防火等各项安全工作常抓不懈,确保了安全生产责任事故"零发生"。环境综合治理方面。投入村(社区)治理经费70余万元,清理垃圾1800余吨,新增垃圾池75个,更新垃圾桶400个、垃圾清运车8辆,落实保洁人员48人。清除户外广告110处、店招店牌21处、牛皮癣和小广告510余处;开展"五乱"集中治理行动6次,整治建筑打围35处;治理占道经营行为35次,纠正车辆乱停乱放行为230余次。深入开展春秋两季秸秆禁烧工作,不间断开展巡查监管,禁烧劝阻78起。抓好基层阵地建设,协调资金50余万元,完成徐嘴、玉岚、席草3个村级活动场所改造,新增群众文化广场4个,开展各项文化活动350余场。落实文化扶贫政策,整改和规范席草、关顶、玉岚3个村级农家书屋,建成洪雅县第一个免费电影固定放映室,实现"广播村村响、电视户户通"。

中保镇,位于县城西15千米,辖区面积67.66平方千米,辖8个行政村75个村民小组,总人口2.44万人(其中农业人口2.11万人),人口自然增长率6.6‰。2016年,全镇完成GDP9.81亿元,比上年增长3.29%;工业增加值7.22亿元,增长1.35%;第三产业增加值1.16亿元,增长20.7%;特色主导产品增加值2856万元,增长15.49%;固定资产投资9422万元,增长10.01%;社会消费品零售总额9495万元,增长10%;财政收入1030万元,增长68.58%。有耕地面积2182.34公顷,粮食产量1万吨;农民年人均可支配收入1.51万元,增长9.28%。被评为国家级生态乡镇、省级环境优美乡镇。农业经济方面,全年农作物总播种面积3413.73公顷;蔬菜种植面积820公顷,总产量1.19万吨;林地总面积达3600公顷,完成成片造林573.33公顷、丰产措施952.53公顷,巩固林竹在地面积3600公顷,红椿、银杏等珍稀林在地面积408.67公顷;茶园面积754.13公顷,年产茶叶664吨,其中优质茶产量598吨;农业经济总收入3.47亿元,比上年增长4.7%。新流转土地114公顷。基础设施建设方面,全年投入15万元改造敬老院设施;投入"一事一议"资金80万元,新建和改善村组道路4千米;幸福美丽乡村项目投入290万元,建成青衣江沿江观光道2.6千米、国道351线多色谱观光带1.5千米;投入40万元,打通茨秋村到平乐村的断头路。环境综合治理方面,深入开展村庄治理,农村生活垃圾治理顺利通过住房城乡建设部的检查验收。强力推进大气污染防治工作,实行"政府主导、企业运作、村组协助、群众号召、秸秆化肥"模式,引入企业参与秸秆综合利用;与成都市轩之宇物业管理有限公司洪雅分公司签订垃圾转运合同,启用地库,规范场镇垃圾转运;全力推行"龙鹄模式",通过"一事一议"收取保洁费23.56万元,专项用于各村的垃圾收集、清运处理,保障了生活垃圾"户集、村收、镇转运、县处理"机制的顺利运转;建立巡查、评比、曝光机制,累计巡查220次,曝光问题350处,督查整改350处,踏水村被评为省级环境优美村庄。计生工作方面,全年符合政策生育率80%,征收社会抚养费6.8万元;获得计划生育家庭奖励扶助991人、省级特别扶助20人、市级特别扶助2人,共兑现专项资金106.9万元。社会事业方面,扎实推进城乡居民基本医疗参保、小额人身意外保险和老年人身意外伤害保险参保工作,收缴小额保费32.85万元、老年保费7.46万元、医疗保费248.29万元;新农保参(续)保缴费1万人,完成率达98%。集中社会力量联系帮扶群众,全年共计帮扶群众46人,发放产业扶持金2万元,解决农户就业100余人,资助贫困留守儿童近20人,按时兑现"两奖一扶"专项资金97万元。集中力量加强村级基础设施建设,投入6万元,安装平乐村沿江路安防设施;投入2万元,整治联丰村村公所堡坎及水沟;投入3万元,整治合江村4组沟渠350米,硬化7组断头路120米;投入7万元,整治史华村道路350米。

中山乡,位于县城西北15千米,辖区面积40.13平方千米,辖5个行政村45个村民小组,总人口1.53万人(其中农业人口1.32万人),人口自然增长率1.1‰。2016年,全镇完成国内生产总值2.75亿元,比上年增长9.03%;乡(镇)工业增加值2348万元,增长63.06%;乡(镇)第三产业增加值6734万元,增长37.37%;特色主导产品增加值1.32亿元,增长6.62%;固定资产投资5721万元,减少11.22%;社会消费品零售总额5600万元,增长40%;财政收入728.4万元,增长5.11%。有耕地面积1620.25公顷,粮食产量8217吨;农民年人均可支配收入1.52万元,增长9.69%。中山乡是全国体育文化先进乡、市级社会治安综合治理模范乡、村民自治模范乡、拥军优属模范乡。农业经济方面,全年奶牛存栏1595头,年产鲜奶3395吨;出栏生猪1.56万头、肉牛0.06万头、山羊0.33万只、肉兔16.96万只,存栏长毛兔6万只、家禽3.54万只。新发展茶叶53.33公顷,低改、品改80公顷;新发展工业原料林10公顷、丰产林66.67公顷,改造低产林56.67公顷,栽植红豆杉2.8公顷;对外输出劳动力7096人,实现劳务总收入5102万元;农村经济总收入2.44亿元,农民人均纯收入增加1244元。环境综合治理方面,以建促管,抓重点、破难点、建机制、强督查,深入开展"五乱"治理和"八进"活动,强化"三支队伍"建设,不断推进城乡环境综合治理常态化、规范化、科学化,与农户签订"门前三包""院内四自"责任书3000余份;召开村民大会,采用"一事一议"方式收缴垃圾处理费15万余元;采用"户分类、村收集、乡运输、县处理"模式,由有物业管理资质的公司公开招标进行,将垃圾清运至垃圾处理厂处理。全年城乡环境综合治理投入总经费达35万元,清除墙体布幅广告、破旧店招和横幅10处;清理张贴和喷在墙壁上的"牛皮癣"广告80余处;规范农户院坝堆放40余户;治理工地乱象2处。推进茶园变花园,茶地间种翠红李、桂花等名贵花木36.67公顷;投资8万元,在洪(雅)中(山)路中山段栽植一串红3750平方米,补植杜鹃、红花等檵木300平方米,对洪中路全线进行绿化、美化。中山乡被评为市级"十佳"乡镇。社会事业方面,全年兑现落实退耕还林、水稻、玉米及油菜良种补贴、粮食直补、综合直补和农村家电补贴等一系列惠民资金,计划生育"两奖一扶"兑现率达100%。教育事业稳步上升,顺利通过省级均衡义务教育检查。

【主要领导人】 县委书记:阳运良;县人大常委会主任:李文新;县长:阳运良(7月止),宋良勇(7月代理,11月始);县政协主席:王里;分管农业副县长:张锐。

洪雅县编写组

丹 棱 县

【基本情况】 2016年,丹棱县辖2乡5镇70个行政村8个社区472个村民小组40个居民小组,辖区面积448.94平方千米,其中耕地面积1.55万公顷、基本农田保护面积1.42万公顷。全县耕地有效灌面和保证灌面分别达耕地总面积的90%和70%。森林面积26235公顷,其中林地内的森林资源面积17583公顷、非林地上的森林资源面积8653公顷,森林覆盖率达55.78%。

2016年,全县GDP54.3亿元,增长8.5%,其中第一产业增加值10.6亿元,增长4.2%;第二产业增加值29.5亿元,增长9.6%;第三产业增加值14.2亿元,增长9.5%。一二三次产业对经济增长的贡献率分别为10%、61.7%、28.3%。第一产业拉动经济增长0.85个百分点;第二产业拉动经济增长5.24个百分点,其中工业拉动经济增长4.26个百分点;第三产业拉动经济增长2.41个百分点。三次产业结构比由上年的20.1∶54.7∶25.2调整为19.5∶54.4∶26.1。全年接待游客259.1万人次,增长27.4%;实现旅游总收入20.38亿元,比上年增长29.7%。

公路总里程503千米,其中等级公路493千米。有学校54所,其中小学12所、初中5所、九年一贯制学校1所、完全中学1所、中等职业学校1所、幼儿园34所(公办1所、民办33所);在校(园)学生(幼儿)总数16768人,其中小学生6620人、初中生2535人、高中生1521人、中等职业学校学生1051人、在园幼儿5041人。有公共图书馆1个(总藏书量73200册),文化馆1个,文物保护管理所1个,博物馆1个,电影院1个;全国重点文物保护单位2个(3处),省级文物保护单位2处,市级文物保护单位11处,县级文物保护单位23处。有医疗卫生机构176个,病床位697张,卫生技术人员928人(其中执业医师270人、注册护士383人)。

【年度农业和农村经济运行】 2016年,丹棱县实现农业增加值10.6亿元,增长4.2%。农民年人均可支配收入15068元,增长9.7%。

【种植业】 2016年,丹棱县农作物播种面积20683公顷,增长0.7%,其中粮食作物播种面积13607公顷,增长1.1%;油菜播种面积4227公顷,减少0.1%。粮食总产量78474吨,增长0.8%;油菜产量6785吨,增长1.5%;水果产量14.4万吨,增长8.2%;茶叶产量2969吨,增长0.5%;蚕茧产量2478吨,下降9.7%。品改不知火面积2万亩,新发展橘橙1万亩、脆红李0.45万亩、核桃0.6万亩、茶叶0.15万亩;新建高标准农田1万亩,推广配方肥5万亩。

【畜牧业】 2016年,丹棱县小家禽出栏178万只,增长2.6%;生猪出栏20.1万头,下降3.9%,存栏13.01万头,下降2.9%;奶牛存栏7432头,下降2.1%。全年肉类总产量18761吨,下降2.6%;禽蛋产量6367吨,增长1.8%。

【都市近郊型现代农业发展】 2016年,丹棱县坚持推进农业供给侧结构性改革,加快发展都市近郊型现代农业,突出"现代化、规模化、品牌化"建设,实现农业可持续发展。立足丹棱特色效益农业产业基础,围绕"两县三区多园多品",以"一镇一园""一镇多园""一村一品"方式做大产业园区、做强产业基地,发展橙色——优质橘橙、红色——万顷桃花、绿色——高山茶叶、紫色——脆红李和葡萄、白色——丹棱冻粑和蚕桑、黄色——万亩银杏和万亩枇杷、黑色——草虫土鸡特色循环"七彩农业"。全县循环农业种植面积达35万亩,占全县辖区面积的51%,全县粮经比为2.5∶7.5。

坚持基础提升,推进农业现代化。全县整合涉农资金4.05亿元,被评为全省涉农资金整合先进县。实施2016年度小农水重点县项目,新建和整治山坪塘70座、蓄水池226口、沟渠92.3千米。建成"东坡味道·丹棱特产"标准基地、不知火"双十"园区,全县"一县四品"达35万亩,其中水果面积23万亩。大力开展农业科技创新和"农业云""四新示范""六良配套"等新技术运用,推广水果留树保鲜新技术面积 4 万亩、标准化生产技术 4.2 万亩。

坚持改革创新,推进产业规模化。一是放活经营权。深入推进农村集体资产股份合作制改革试点、农村产权交易市场建设等 7 项改革,出台 17 个专项改革方案,成立了土地流转总公司,规模流转土地 5.1 万亩,适度规模经营占承包土地流转面积的 73%以上。全县累计发展家庭农场 205 个、农民专业合作社 207 个,创建省、市级示范新型农业经营主体 21 个。二是发展新兴业态。在北部山区规划超过 200 平方千米,总投资 30 亿元,囊括 14 个省、市贫困村和 11 个旅游开发点的"核心区",打造集乡村体验、自然风光、养生度假于一体的参与式综合旅游示范区——国家乡村公园。三是发展农村电商。全县累计发展涉农电商企业 50 余家、网店 500 余家、微店 1000 余家,建成乡鹰网、雅脉商城、丹棱智慧通 3 家本土化平台,实现农产品电商销售额 3 亿元以上,电商产业链直接创造就业岗位 2500 余个。与阿里巴巴签订实施"村淘"项目,成功申报为全省电子商务进农村综合示范县。

【特色农业发展】 近年来,丹棱县充分发挥"长在农业、优在生态"的比较优势,突出绿色发展,坚持标准化、规模化、商品化、市场化"四化"联动,全域推进以不知火为主的橘橙产业发展,走出了一条"种出好果子、形成好产业、创出好名气、实现好收入"的特色发展路子。2016 年,丹棱县人均占有橘橙面积约 1 亩,实现不知火产值 14.85 亿元,成为助农增收和经济发展的强大引擎。

"标准化"种出好果子。针对传统脐橙同质化严重、实现农户盲目跟风、产能严重过剩等实际问题,提出了"不与两湖抢早、不与赣南争中"的思路,调整原有品种,引导发展以不知火为主的晚熟橘橙,晚熟品种占比近 70%。与中国农科院柑橘研究所合作,开展品种资源室区域试点,设立中友优新柑橘母本园,培育具有自主知识产权的优质新品种——大雅柑。发挥本县享受国务院特殊津贴专家谭厚根团队的作用,研究出丹棱不知火绿色种植技术,建立绿色防控系统和物联网系统,在全国率先制定首套《绿色食品丹棱不知火橘橙生产技术规程》生产标准和《绿色食品丹棱不知火橘橙》产品标准,连续 4 年举办全县种植技术大比武,普及绿色种植技术。丹棱不知火农残、重金属等 197 项检验指标全部合格,果汁糖度平均在 13%以上,可溶性固形物含量最高可达 20%。

"规模化"形成好产业。深入推进农村综合改革,鼓励土地适度规模流转,出台了全省首个《关于大力发展家庭农场的实施意见》。投入 4000 余万元,引导发展橘橙专合组织 35 个、家庭农场 56 家、农业企业 32 家、专业大户 2846 户。建立不知火种植人才库,分期分批开展种植技术培训,全县 2300 余名果农获得不知火种植"绿色证书",发展职业果农 8 万余人。依托不知火种植集中区,采取"农户自种、工商资本下乡、能人回乡创业"相结合的办法,发展标准化母本园 1000 亩、核心产业区 4 万亩,带动形成了面积超 10 万亩、产值超 10 亿元"大园区+小业主"模式的"双十园区",获得"全国最大优质不知火生产基地县"称号。

"商品化"创出好名气。积极进行地域品牌包装,成功注册"大雅牌"不知火商标,"丹棱橘橙"获得农业部地理标志产品认证,不知火获得绿色食品 A 级认证,丹棱县被授予"中国橘橙之乡"称号。实施"东坡味道 · 丹棱特产"战略,将大雅文化融入不知火品牌建设,统一"品丹棱不知火 · 登中国大雅堂"宣传口号,统一授予达标证书,统一品牌包装。携手中柑所、省农科院,举办"中国柑橘产业发展高峰论坛",搭建全国橘橙产业交流平台,将丹棱不知火品牌推向全国领先地位。依托"川货全国行"活动,连续 4 年赴成都、北京、上海等地举办丹棱不知火品牌推介会;连续 4 届举办全县不知火橘橙节,邀请国内外大型水果经销商到丹棱考察签约,丹棱不知火销往全国 30 余个省、市并远销俄罗斯、东南亚等国家和地区。

"市场化"实现好收入。采取"种植户+合作社+企业"模式将所有橘橙种植户纳入合作社进行统一管理,对种植户实行价格指导制度,杜绝分散经营、单兵作战。以合作社为主体,打通"农超对接"销售渠道,与沃尔玛、家乐福、京东自营、苏宁自营等线上、线下超市建立合作关系,实行"订单生产、标准供货"。与苏宁易购合作,举办网上"丹棱不知火橘橙节",开设"丹棱特色馆",销售额名列苏宁特色馆全国第一位。出台《丹棱县电子商务发展扶持政策》,培育橘橙电商企业 30 余家,引导发展水果网店 200 余家,实现"原产地直供""现摘果现发货",网络年销售额突破亿元。建立不知火产品质量安全监督管理体系,做到"一个批次、一次检测、一个达标证书",确保不知火从"树上到舌尖"可监控、可追溯、有保障。加强品牌保护力度,规范地理保护标志使用,严厉打击以次充好、以他种产品冒充不知火、以外地产品冒充丹棱产品等行为。

【统筹城乡与新型城镇化】 2016 年,丹棱县加快推进统筹城乡"四种模式""四个转变",围绕农民工市民化,鼓励城乡要素资源有序流动,促进新型城镇化和农村工作有机结合,形成城乡一体化发展新格局。抓实"四个一批"项目,招引一批重大产业项目,加快实施技术改造。强化创业就业扶持,扩大农民在工业企业就业数量。大力发展城市服务业,积极推进大雅堂、老峨山、丹棱桃花源等旅游重点项目建设,积极发展现代观光农业,增加第三产业就业岗位。深化户籍制度改革,全面放开城市、城镇落户限制,深入推进居住证制度。引导鼓励农村居民进城购房,出台购房补贴优惠政策,鼓励支持农民特别是进城务工人员在城镇定居,农村居民进城购房 823 套。统筹推进农村居民转变为城镇居民 0.64 万人,完成 103%;转变为产业工人 0.14 万人,完成 100%;转变为三产经营者 0.45 万人,完成 150%;转变为现代农业业主 125 户,完成 105%。

【新农村建设】 2016 年,丹棱县以张场镇 4 个省级贫困村为重点,编制完成 2016 年幸福美丽新村建设工作方案,明确了建设目标任务。投入 3600 万元,完成 20 个幸福美丽新村、11 个新村聚居点建设,启动新(改)建"1+6"村级公共服务中心 1 个。出台《丹棱县创建"四好村"活动工作方案》,召开专题动员部署会议,在全县开展以"住上好房子、过上好日子、养成好习惯、形成好风气"为主要内容的"四好村"创建活动,丹棱镇龙鹄村等 21 个村被市委市政府命名为市级"四好村",其中丹棱镇龙鹄村、龙滩村,双桥镇梅湾村、团林村,张场镇金花村,顺龙乡青云村,石桥乡黄山村 7 个村被省委省政府命名为省级"四好村"。

【扶贫攻坚】 2016 年,丹棱县委县政府认真贯彻省委十届六次全会精神和市委脱贫攻坚"1593"战略,决战决胜"2216"脱贫攻坚战略部署,4 个省定贫困村、17 个市级贫困村顺利退出,1247 户贫困户、3496 名贫困人口顺利脱贫,实现全县整体脱贫。

高位谋划,高位推进。一是实现贫困村退出"一低八有"。21 个省、市贫困村贫困发生率均低于 3%,全部实现"八有",即有集体经济收入、通村硬化路、达标卫生室、文化室、通讯网络、主导产业和专业合作社、"1+6"公共服务中心、村规民约,在市"六有"的基础上增加了有"1+6"公共服务中心和村规民约"两有",实现城乡基本公共服务均等化、社会保障全覆盖。二是实现贫困户脱贫"一超六有"。

贫困户家庭年人均纯收入均超过3500元,高于全省、全市3100元的标准,实现"六有",即家家住房安全有保障,危房户将在年底前搬入新居;义务教育有保障,没有1名学生因贫困辍学;基本医疗有保障,贫困户在县域内指定医疗机构住院实现个人费用零支付;户户有安全饮用水、生活用电、广播电视。立足贫困村集中在西北山区的实际,实施产业连片打造、基础连片建设、氛围连片营造,变"单村扶贫"为"整体脱贫"。在国内首个提出并规划建设"国家乡村公园",将西北山区14个省、市贫困村、11个旅游开发点集中打造为集乡村体验、自然风光、休闲运动于一体的参与式综合旅游示范区。以4个省级贫困村为核心、贫困户为重点,连片实施种植业"125工程"和养殖业"135工程",新发展茶叶1万亩、脆红李2万亩、核桃5千亩,肉羊1万只、长毛兔3万只、林下鸡5万只。投资1.58亿元,建设连接4个省级贫困村和5个市级贫困村、全长34.2千米,集产业、物流、旅游于一体的"奔康大道",将于2017年年底全线通车。同时,提升改造张中路至万年村原道路3.1千米,改善群众出行难问题。分2年实施易地搬迁贫困人口1156人,先行在4个省级贫困村的5个点集中安置贫困人口94户、249人。实施"调标、扩面、救济"三管齐下,在全市率先实现低保线与扶贫线"两线合一",将3565名贫困人口的低保标准上调为3120元;为8074名建档立卡贫困人口购买了基本医疗保险和商业补充医疗保险。全县建立点、线、面扶贫机制,面上由县委书记、县长、县委副书记、分管副县长和各乡(镇)、县脱贫攻坚办负责,线上由18个扶贫专项牵头县领导和牵头部门负责,点上由各贫困村联系县领导、驻村工作组、联系部门、第一书记、农技员负责,同步推进。建立"五个一"帮扶机制,配强"关键力量",组织30名县级领导、85个县级部门、1300余名党员干部与全县4个省定贫困村、17个市级贫困村、所有贫困户全覆盖结对帮扶,为每个贫困村落实1名县级领导、1个驻村工作组、1个帮扶单位、1名"第一书记"和1名农业科技员,精准帮扶到位,解决"谁去扶"的问题;建立考核机制,将脱贫攻坚工作实绩纳入各乡(镇)和部门单位年度目标责任考核内容,实行"一岗双责"和"一票否决"制,签订目标责任书,县、乡、村三级挂图作战,实行责任倒逼、目标倒逼;建立社会扶贫机制,成立扶贫开发协会,深化"百企联百村"活动,引导34家企业与21个贫困村结对"联姻",募捐68.5万元,帮扶贫困学生,支援村级产业发展和公共服务设施建设;成立脱贫攻坚志愿服务队,进村入户开展帮扶活动。

长短结合,种养结合。一是实施"两大工程"。确立"连片开发、统筹推进""一村一品"发展思路,科学选育特色地域产品,重点实施种植业"125工程"和养殖业"135工程",政府给予贫困户种养苗、圈舍等补助,金融单位给予小额信贷扶持,实现"输血"式扶贫向"造血"式扶贫的转变。两年来,全县发展改良不知火等橘橙3万亩、茶叶1.2万亩、脆红李2.6万亩、核桃1.3万亩、葡萄0.3万亩、猕猴桃0.1万亩,新发展肉羊1.8万只、长毛兔5.2万只、林下鸡15万只;建成10万亩橘橙、万亩核桃、万亩脆红李等种植基地;县信用联社向307户贫困户发放扶贫小额贷款943万元。二是培育"四大主体"。每年设立200万元发展专项资金,大力培育专业大户、家庭农场、农民专合组织和农业企业"四大新型经营主体",全覆盖式带动贫困户发展增收致富产业。全县已累计注册家庭农场205家,经营规模达2.9万亩,平均每个家庭农场流转土地150亩以上;发展农民专业合作社205家;培育种养业大户3194户、龙头企业32家。开展电商扶贫行动,在21个省、市贫困村设立了电商工作站,带领贫困群众脱贫致富。三是探索"一个机制"。针对贫困户缺劳动力、缺资金、缺技术的现状,在有条件的万年、岐山、廖店村试行"股权量化"扶贫机制,采取"土地入股""扶贫资金入股"等方式委托专合社代种代养,专合社定向为贫困户提供就业岗位,贫困户每年固定分红2000~4000元;将政府投资兴建的农田水利设施以资产入股专合社或种养大户,村集体和贫困户按2:8的比例参与收益分红。在万年村总岗山养羊专合社探索并成功实施"贫困户的羊、专合社代养"扶贫模式。

打好基础,改善条件。一是完善基础设施。全县新(改)建道路294千米,硬化道路通村率达100%,通组率达95%以上,通户率达80%;整治山坪塘233口、沟渠188千米,新建蓄水池682口、泵站24座,实施农网改造32千米,建设基站305座,完成62个行政村农村电网改造(其中省定贫困村3个、市级贫困村1个),宽带已全部接入村委会和部分贫困户家中。二是统筹推进易地搬迁。计划投资6936万元完成易地扶贫搬迁。在4个省定贫困村建设5个集中安置点,均与村级阵地和"1+6"公共服务中心建设相融合,变"安置点"为"发展点",让贫困户"搬得出、稳得住、有就业、能致富"。由财政垫支在6个乡(镇)提前实施易地搬迁分散安置24户、66人,确保贫困户安全温暖过冬。三是配套提供公共服务。21个省、市贫困村全部配套建设"1+6"公共服务中心,20个已建成投用。同时,在4个省定贫困村和1个市级贫困村设立了日间照料中心。

全域推广农村生活垃圾治理"丹棱模式",贫困户每人每月一元钱解决垃圾清运处理大难题。与贫困户签订《环境卫生整改责任书》,联系帮扶单位积极帮助贫困户改庭院、改堂屋、改厨房、改卧室,联系帮扶干部每月入户示范引导贫困户打扫卫生,保持房屋内外整齐干净,"讲卫生、除陋习"蔚然成风。在贫困户家中张贴村规民约、宣传画像和挂历、感恩标语,营造"自力更生、勤劳致富""知党恩、感党恩""敬老孝亲、互帮互助"的浓厚氛围。依托"农民夜校""党群集中活动日""大雅新农民·快乐新农村"等平台,积极引导贫困群众参加集体文体活动,丰富其文化精神生活,激发内生发展动力。

【全域实施农村生活垃圾治理】 2016年,丹棱县探索"因地制宜、三个统一"的做法,一是因地制宜,建设收运设施,打破乡(镇)、村(组)行政区域界线,以邻近的3~15户不等建立联户定点倾倒池,在1~3个组的中心位置建联组分类减量池,在能通行压缩式垃圾车的村道旁建村收集站;串联村收集站,形成8条垃圾收运线路,安排5台压缩式垃圾车每天清理村收集站;按照"经济、实用、长效"原则,统一设计垃圾池规格材质,分乡(镇)分村实施,每个村收集站配备6~8个垃圾桶。二是分类收集,实施两次减量。探索"两次分类、源头减量"的做法,首先由农户按有机垃圾、建筑垃圾、可回收垃圾、不可回收垃圾四类进行初分类处理,处理后垃圾减量约50%,其次保洁承包人再进行二次分类处理,处理后可回收和堆肥垃圾再减量约30%,最后由压缩式垃圾车将村收集站的垃圾转运至填埋场进行无害化处理。三是村民自治,发挥群众主体作用。探索"群众主体、三方监督"的做法,由村"两委"为主,通过召开群众大会进行广泛宣传,开展"十佳"和"十差"乡(镇),"整洁庭院""优美庭院"评选,增强群众在垃圾收集上的主动性;乡(镇)和村"两委"在采取"一事一议"方式的基础上,引导村民自愿交纳垃圾收集费,对经济条件确实较差的村,不足部分由村集体经济收入和县财政补助解决,村民自愿交纳的费用约占承包费的80%;通过制定《村规民约》,建立村组干部、承包人、村民三方监督互动管理机制,实现及时收集保洁。四是市场运作,竞标选择保洁承包人。探索推广"项目管理、市场运作"的做法,将村级农村生活垃圾收运实行项目化管理，通过召开村民大会和村民代表大会，采取公开竞标形式确定农村生活垃圾收集和公共区域常态保洁承包人，承包人与村委会签订承包协议，明确工作职责、费用支付、安全保障、社会保险、违约责任等，承包人再根据实际需要组建保洁清运队伍，自购转运车辆。

【全域实施安全饮水工程】 一是高标准推进饮水工程。2016年，丹棱县在全县饮用水源地水质现状调查分析的基础上，编制完成《眉山市丹棱县饮用水水源地保护规划（2015—2030年）》，制定了梅湾等饮水源地水库水质改善的工程性和非工程性保护治理措施。建成规模以上集中供水工程4处、小型集中供水工程16处、分散供水工程6000余处，覆盖全县除县城外的所有乡（镇）、学校、行政村。二是出重拳治理水源污染。争取和筹集资金830余万元，实施梅湾水库水质提升及生态修复项目工程。将梅湾水库周边保护区内500余亩果园全部改种为水保林，禁止使用化肥、农药；取缔饮水源地水库肥水、网箱、投饲等养鱼行为。经过前期治理，各水库源水色度、浊度明显改善，治理初见成效。三是开展饮用水水源地保护。划定梅湾水库、党仲水库、古井沟水库等7个饮用水水源地保护区，属地乡（镇）、水务、环保等部门在各水源水库设立了环保标识、限养禁养标识、一级保护区隔离保护设施等。投资3700万元，新建净水厂1座，新建输配水管网8.2千米；委托岷江水文局对全县10个水源水库水质进行监测，每年提供丰、枯两期水源水质监测通报。2011年以来，全县累计解决农村饮水安全人口10.17万人，7个乡（镇）71个村15万人喝上了“安全水、放心水”，自来水通村率达100%，通社率达95%，通户率达90%，卫生饮用水普及率达100%。

【全域实施水环境综合治理】 2016年3月，丹棱县被确认为全省三个“全国农村生活污水治理示范县”之一，计划投入5.8亿元将农村污水与县城供排水、乡（镇）污水、农村散户污水、工业污水、养殖废水和农业面源污染综合治理进行统筹打捆包装。成立了由县长任领导小组组长，县发改局负责人任专项小组组长的PPP项目领导小组和专项工作组，将PPP项目流程认真梳理，倒排工期、挂图作战，县政府督查室定期督查进度。确定成都罗卡基建商务信息咨询有限公司为项目咨询机构，负责项目识别阶段的实施方案、财政承受能力评估、物有所值评估“一方案两评估”的编制；确定上海锦天城律师事务所为法务机构，负责项目的资格预审文件、招标文件编制及中标人确定谈判等；确定中国中车股份有限公司、泛华建设集团有限公司组成的联合体为本项目的中标社会资本，负责整个项目的实施及后期运营和管理。严格按照财政部规定的五大步骤、19道程序制定了推进计划表，完成进度居全省3个示范县首位。该项目将从县城供水项目、县城污水项目、城区供排水管网项目、乡（镇）供水项目、乡（镇）污水项目、乡（镇）供排水管网项目、农村生活污水项目7个子项目着手实施。

【四川省现代林业重点县建设】 2016年，丹棱县现代林业重点县建设以森林资源培育为基础，以龙头企业为带动，以精深加工为目标，以生态旅游为特色，依托重点工程，基本形成了有一定区域优势、独具地方特色的现代林业产业。全县以现代林业重点县建设为契机，同时，着力培育现代林业产业基地。在重点建设木质工业原料林基地的同时，建立银杏、核桃、藤椒等特色产业基地，规模都在万亩以上。全力培育林产骨干企业，形成了以丹棱县麻妹子农业科技有限责任公司和丹棱申宇木业为龙头的涉林加工企业。同时，积极招商引资，对接市场和企业，稳步引进具有独立知识产权、科技含量高、产品市场潜力大的林产企业加盟丹棱现代林业发展。

按照全链打造思路，突出抓好现代林业产业基地、新型林产加工业和森林旅游业发展，已呈现以“两山”（老峨山、九龙山）、“一湖”（梅湾湖）为龙头，“林家乐”为骨干的生态旅游格局，“十里桃花红·万顷橙花香”和“大雅·花涧”建设顺利推进，形成了独具特色、相互衔接、相互补充、相互带动、城乡统筹的生态旅游和生态休闲圈。举办了首届四川花卉（果类）生态旅游节分会场暨丹棱不知火及桃花生态旅游节，实现了生态效益、经济效益和社会效益的共赢。

【回乡创业之星选介】 骆美霖，女，毕业于西南大学新闻系，为丹棱县科美家庭农场场主、丹棱县葡萄协会会长、丹棱县美辉葡萄专业合作社理事长。2013年，骆美霖大学毕业回乡创业，成立丹棱县科美家庭农场，也是眉山市第一家社区支持型农业种植园。通过专业优势，骆美霖在网络上做推广，引入“互联网+家庭农场”的新型营销理念，推出了无激素、无农残、无转基因的星级葡萄。同时，联手顺丰速递开通了全眉山地区第一条葡萄生鲜快递专线，将科美农场的星级葡萄送向全国各地，达到品牌农业产地直销。2015年，科美农场实现销售收入400余万元。2016年，农场开启全国第一家可视化采摘新模式，采摘工人佩戴可视化设备，客户可以在电脑前自由选择购买哪一串葡萄，足不出户也能体验采摘乐趣。骆美霖与成都水果配送中心合作，对接沃尔玛、家乐福等大型超市，帮助周边农户推销葡萄，高峰期每天出货量超过5万千克，价格提升了40%，得到了众多农户的信赖。2015年11月30日，骆美霖成立了丹棱县葡萄协会，有协会成员500余人，葡萄种植面积突破5000亩，从统一技术培训到统一种植标准到提高葡萄质量，真正让丹棱葡萄在外销市场上树好了品牌大旗。农场和合作社先后获得省级示范专业合作社、眉山市科技孵化园区、眉山市创业销售增长先进单位、丹棱县大学生见习基地称号。

【重点乡镇选介】 丹棱镇，位于丹棱县城区。2016年，丹棱镇全面推进都市近郊型现代农业发展，继续深化农村改革，加快农业转型升级，大力实施“绿海明珠”“千湖之城”“百园之市”三大工程，各项工作得以有序推进。

“一镇一品”产业规模持续壮大，农民增收明显。镇党委、镇政府在产业富民方面大力发展不知火地理标志产品，提升不知火品牌。开展了不知火品质提升和品牌宣传活动，动员全镇果农参与不知火种植技术大比武和不知火橘橙高峰论坛，进一步提高了果农积极性，增强了品牌影响力。全年农村居民可支配收入增长10.5%以上，达13000余元。

有序推进城乡统筹，加快“四个转变”步伐。丹棱镇“创新四种模式，加快四个转变”工作按年初计划目标已全面完成。一是以城为主，推动新型城镇化建设，通过影视城基地、大雅堂二期、丹心湖、行政办工区、龙鹄村军事基地等项目建设引导农民转变为城市居民135人。二是以工为主，激活工业活力，引导农民转变为产业工人150人。三是以农为主，大力扶持和培育不知火产业经营者、家庭农场、种植大户等现代农业业主，引导农民转变为现代农业业主32人，完成新型职业农民培训265人。四是以游为主，促进三产发展方面，借助“橘橙节”“葡萄节”等乡村旅游节会的举办引导农民向旅游、餐饮等三产经营者转变25人。

加强基础设施建设，进一步深化农村改革。一是全面完成全镇城市规划区以外的9个村50个组的农村土地确权、登记、颁证工作，共涉及农户4000余户、面积2.3万余亩。二是依托已成立的镇土地流专服务公司建立镇、村土地流转服务平台,大力引导农民适度流转经营土地,发展不知火等橘橙产业,增加农民财产性收入。全年已流转土地2500余亩用于发展丹棱橘橙。三是积极引进工商资本投入丹棱镇不知火产业的生产和经营,已争取资金200余万元。积极配合各级部门做好山、水、路、沟、塘、电等基础设施建设,为工商资本投入不知火等橘橙产业在政策上提供了服务、环境上提供了方便。

大力实施精准扶贫,全面完成贫困户脱贫和市级贫困村"摘帽"。丹棱镇党委、政府紧紧围绕"两不愁""三保障""四个好"目标,抓牢做实脱贫攻坚各项工作,截至2016年年底,顺利实现460名贫困户脱贫和市定贫困村——龙鹄村"摘帽"退出。一是积极向上争取资金完善基础设施,全镇共硬化村社水泥路13千米、生产便道3千米。二是争取上级扶贫项目资金80余万元完成市定贫困村——龙鹄村和"插花"式贫困村——红石村、大林村的自来水管网升级改造,进一步方便群众的生产生活用水。三是投入资金1300万元,配合电力部门对龙鹄村、红石村、兴隆村、桂花村、龙滩村、青龙村、大林村电网进行全面升级改造。四是全镇建档立卡贫困户纳入危房改造对象的有12户,4户已完工;规划易地扶贫搬迁贫困户64户、177人,按照规划全部定于2017年实施。五是壮大全镇"一镇一品"产业,进一步鼓励贫困户发展不知火产业,变"输血"为"造血"。进一步配合县农业局加大对贫困户的产业培训,使每户贫困户有稳定的产业收入。鼓励企业积极参与扶贫攻坚,对参与扶贫的企业加大奖补和金融支持力度,采取"企业+农民专业合作社+基地+贫困户"的模式,贫困户以财政扶贫资金、土地林地及其他资产、劳动力参与企业入股,确保企业和贫困对象形成利益共同体,拓宽贫困户产业发展渠道和销售渠道,稳定保障贫困户收入。六是利用处于"十里桃花红环线"上的地理位置优势,依托县上举办的"桃花节""橘橙擂台赛""葡萄采摘节""脆红李采摘节"等吸纳成都、眉山、乐山等地游客前来往观光旅游,开展游客"认农家树、采农家果、吃农家饭"活动,增加果农收入。七是排查建档立卡贫困户家庭学生入学情况,全镇义务教育阶段学生共有51名,无辍学学生,入学率达100%;指导建档立卡贫困户家庭接受职业教育的大中专在校学生15人申请"雨露计划"政策补助18750元;积极争取各级政府社会助学帮扶资金,帮助贫困户家庭学生、残疾贫困户家庭学生、新入学的本(专)科学生领取各阶段入学补助,已补助5人共计1万元;镇民政办救济贫困户学生共计67人,资助金额3.5万元。八是配合医疗和人社部门为全镇符合条件的1074名建档立卡贫困人口补充基本医疗保险费用;配合卫生部门对患特种疾病的贫困户开展诊疗和救治;配合上级部门落实贫困户"十免四补助"政策;将患有大病和长期慢性病的贫困户纳入大病医疗救助和临时医疗救助范围,已发放民政医疗救助7100元,累计发放10100元。九是全镇各村(社区)均建有文化室,丰富了农村群众精神文化生活。

开展农村人居环境保护,提升农村治污水平。一是大力倡导农村生产生活污水处理达标排放,积极配合县环综办等部门做好农村生活污水治理示范县建设。全镇建成日处理30立方米的生活污水处理站2个,480套一体化生活污水处理池已完成安装;修复农村生活污水处理池509口、沼气池1009口、垃圾池424口,新建500立方米的沼液收集池2个。二是继续加强畜禽养殖污染整治。对全镇年出栏100头以上的480余户规模养殖户继续加大监督力度,全面实施"三二一"整治模式,倡导粪污无害化处理和种养结合;引导沼液运输专业合作社做好社会化服务,竭力防治养殖污染,营造"蓝天、绿水、清新"的农村生活空间。三是加强本区域的农村面源污染治理,支持秸秆还田、有机肥使用和农村环境集中连片治理,减少化肥农药及抗生素的用量,降低生产成本,提高农产品市场竞争力。

【主要领导人】 县委书记:朱莉;县人大常委会主任:彭红勤;县长:黄秀航;县政协主席:李学权;分管农业副县长:肖琳。

丹棱县编写组

青神县

【基本情况】 2016年,青神县辖7镇3乡71个行政村15个社区509个村民小组98个居民小组,辖区面积386.8平方千米。总人口19.75万人,其中农业人口14.95万人;人口自然增长率3.48‰,下降0.37个百分点。城镇化率38.97%,增加1.49个百分点。森林覆盖率46.5%,增加0.4个百分点。成功创建四川省新产业新业态促农增收示范县、现代林业产业示范县,农民增收工作先进县。

2016年,全县GDP70.2亿元,比上年增长8.3%,其中第一产业增加值9.05亿元,增长4.3%;第二产业增加值36.27亿元,增长9.2%;第三产业增加值24.88亿元,增长9.1%。三次产业结构比优化为12.8∶55∶32.2。

地方公共财政预算收入4.64亿元,增长13.1%。金融机构各项存款余额87.41亿元,较年初增长14.2%;全年保费收入1.43亿元,增长6.4%。全社会固定资产投资68.27亿元,增长12.3%。社会消费品零售总额25.30亿元,增长12.7%。招商引资到位资金36.73亿元,下降1.09%。

有国道1条24千米,省道3条91.3千米,县道5条43.09千米,乡道9条50.265千米,村道290.472千米,专用公路3.636千米。

有各类教育机构66个,其中九年一贯制学校1所、单设初中6所(含民办1所)、小学16所(另有小学教学点3个)、幼儿园33所(含民办16所);在校学生17004人(含在园幼儿4583人);在职教职工1390人。有医疗卫生机构197个,其中县级医疗卫生计生单位8个、乡(镇)卫生院9所、社区卫生服务中心1所、社区卫生服务站1所、民营医院5所、村卫生室139所、个体诊所35所;编制病床位1196张,实际开放床位909张(其中社会办医床位346张),平均每千人拥有病床位4.6张。

【年度农业和农村经济运行】 2016年,青神县农业增加值增速达4.3%。农村居民年人均可支配收入增加1269元,达14811元,同比增长9.4%,其中农民人均财产净收入453元,在全省中高收入组类区县综合排名名列前茅。

农用地产权制度改革。青神县围绕农村产权制度改革、放活土地经营权、构建新型农业经营体系、农业服务保障体系、城乡发展一体化体制机制、农村社会治理等工作,先后开展了21项改革试点探索。制定了《青神县经济林木(果)权登记管理暂行办法》《青神县林地经营权流转登记管理暂行办法》和《青神县林权抵押贷款管理办法》,解决了企业因抵押物不足导致融资难的问题。全年完成林权抵押贷款6宗,贷款金额8040万元。全面完成农村土地承包经营权、林权确权登记,农村房屋所有权登记工作有序开展。农村小型水利设施锁定确权颁证小型水利工程1947处,已完成895处的确权登记、颁证。建立青神县农村产权交易信息网,实现省、市、县三级联网运行。全面推进土地承包经营权规模和规范流转,新流转土地3600

亩，适度规模经营面积 1600 亩，适度规模经营占承包地流转面积的 44.44%。

【林业】 2016 年，青神县推进“绿海明珠”建设，完成绿化造林 1.8 万亩、“双低林”改造 0.22 万亩、中幼林抚育 2 万亩、义务植树 37 万株，建立“绿色基地”22 个；巩固退耕还林成果 5.9 万亩，实施天保工程森林管护 21.96 万亩；竹林湿地打造成为省级湿地公园；完成 5 千米岷江水上绿色走廊、200 公顷库区环湖绿化景观和汉阳镇上游村“绿色家园”建设。

【农村水利】 2016 年，青神县以实施“五小水利”工程为载体，以提升“五种能力”为重点，努力打造山更青、水更秀、景更美、人水更和谐的良好水生态环境，新增和恢复水域面积 2.4 平方千米。复兴水库扩建工程前期工作稳步推进，可研报告已通过水利厅审查批复和长江委核准。强化农田水利基础设施建设，加快打通农业灌溉“最后一公里”，全力破解农村因水不稳、因水不兴、因水致贫难题，新建、整治渠道 70 千米，新建、整治山坪塘 77 座，新建蓄水池 75 口，新建、整治石河堰 24 道，新建思蒙河生态堤防 282 米，解决了 0.5 万名农村人口饮水安全问题。

【休闲农业与乡村旅游】 2016 年，青神县加快万沟茶语原乡、甘家沟椪香园、汉阳新路十里果乡、高台百家池橘香渔歌乡村旅游基础设施和配套设施建设，建成椪柑产业乡村旅游观光线路 42 千米、茶叶产业乡村旅游观光线路 10 千米。江湾神木园、国际竹艺城先后创建为国家 4A 级旅游景区；南城镇、瑞峰镇创建为省级乡村旅游示范镇，白果乡甘家沟村、瑞峰镇中岩村、南城镇兰沟村创建为省级乡村旅游示范村。全县建成五星级乡村酒店 1 家、四星级酒店 1 家、三星级农家乐 12 家、规模农家乐 36 家。全县休闲农业和乡村旅游带动农户 3000 户以上，人均增收 800 元。建成集国际竹艺博览馆、“中国竹编第一村”、竹产业创新创业孵化园、休闲养生、产业聚集、教育科研于一体的国际竹编文化产业园；形成集平面竹编、立体竹编、瓷胎竹编、混合竹编于一体的品种齐备的新业态，申报 17 项产品专利，自主研发产品 130 余种。完成中国竹艺城提档升级、熊猫馆建设、竹艺广场和中国首家竹林湿地公园等项目建设。“竹韵天下”大型实景演出成功举办，举办了首届国际（青神）竹艺创意设计大赛。云华竹旅公司开发的“坤包”系列进军欧洲市场；竹福竹艺茶具系列与“爱玛仕”成功合作，入围中国“百佳十强”旅游商品。青神县被授予“国际竹编之都”称号，获得“竹编艺术传承国际范例奖”；南城镇兰沟村获得“中国竹编第一村”称号。

【统筹城乡发展】 2016 年，青神县加快构建新型农业经营体系，推进“以农为主统筹城乡”。全年工商资本到农村投资种养业 0.92 亿元；培育新型职业农民 2580 人次，农民转变为现代农业业主 130 户。引导农民进城入镇，推进“以城为主统筹城乡”，加大“去库存”步伐，发放农民进城购房补贴资金约 4654 万元，农民转变为城镇居民 7610 人。推进“以工为主统筹城乡”，农民转变为产业工人 1650 人。引导农民向三产旅游经营者转变，推进“以游为主统筹城乡”，完成乡村旅游投入 3.5 亿元，农民转变为三产经营者和从业人员 3120 人。西龙镇、黑龙镇申报为国家级重点镇和省级试点镇。坚持古镇古韵，全力抓好汉阳场社区省级传统村落保护。采取省上补、农户投、自身挤、整合筹等多元筹资形式，相继投入资金约 1.4 亿元，建成独具特色的“橘村”“竹村”“茶村”。引导村民按统一规划布局、统一建筑风格、统一庭院绿化建成农家新居 4370 户。争取中央、省级补助资金 1086 万元，引导全县 10 个乡（镇）1448 户贫困户投入约 7964 万元实施农村危房改造。启动省、市、县级“四好村”创建，创建省级“四好村”5 个、市级“四好村”22 个。青神县创建四川省新产业新业态促农增收示范县、现代林业产业示范县、农民增收工作先进县、现代林业重点县建设经验以及拓展确权成果应用经验、产村相融建新村经验、“五位一体”乡村治理经验等在全省推广交流。

【脱贫攻坚】 2016 年，青神县抓实“四个精准”，围绕“五个一批”减贫行动，实施“十八个专项”扶贫攻坚，全县 4202 户贫困户、10212 名建档立卡贫困人口通过产业发展实现家庭年人均纯收入稳定超过 3120 元，低保政策兜底实现“吃不愁、穿不愁”，扶贫资金帮扶实现“住房安全有保障、义务教育有保障、基本医疗有保障”，基础设施建设实现“有安全饮水、有生活用电、有广播电视”。26 个市级贫困村发展步伐加快，实现“贫困发生率零、有主导产业、有硬化路、有集体经济、有文化室、有卫生室、有互联网”，在脱贫攻坚一线涌现出了一大批先进典型和经验做法。4202 户贫困户、10212 名建档立卡贫困人口脱贫和 26 个市级贫困村退出工作于 2016 年年底顺利通过省级验收考核，顺利实现脱贫攻坚任务“两年基本完成”的总体目标。

【主要领导人】 县委书记：胡国民（8 月止），肖巍（11 月始）；县人大常委会主任：李志国；县长：徐琳；县政协主席：罗兴建；分管农业副县长：侯锐（11 月止），宋麒麟（11 月始）。

青神县编写组

资阳市

【基本情况】 2016 年，资阳市辖 52 乡 64 镇 4 个街道，辖区面积 5748 平方千米，其中耕地面积 481.51 万亩，比上年下降 0.1%，人均耕地面积 1.9 亩。年末总人口 354.5 万人（户籍人口），下降 0.1%；人口出生率 9.5‰，人口自然增长率 3‰。

2016 年，全市 GDP943.4 亿元，增长 7.8%，其中第一产业增加值 155.3 亿元，增长 3.9%；第二产业增加值 511.5 亿元，增长 8.7%；第三产业增加值 276.6 亿元，增长 8.5%。三次产业对经济增长的贡献率分别为 8.3%、60.8%和 30.9%。全年接待游客 1899.2 万人，实现旅游收入 140.6 亿元。

公路通车里程 12325 千米。社会消费品零售总额 326 亿元，增长 10.5%。地方一般公共财政预算收入完成 46.8 亿元，增长 9.4%；一般公共财政预算支出 188.4 亿元，增长 17.3%，其中农林水事务支出 391829 万元，占支出的 20.8%。金融机构各项存款余额 1123 亿元，比上年初增长 17.2%；各项贷款余额 522.7 亿元，比年初增长 3.5%。农业产业化龙头企业国家级、省级、市级分别为 3 家、17 家、70 家。

有各类学校 1289 所，在校学生 43.1 万人，教职工 2.6 万人，其中普通中学 200 所，在校学生 12.4 万人；小学 192 所，在校学生 19.4 万人；学龄儿童入学率 99.9%，提高 0.2 个百分点。有文化馆 4 个，公共图书馆 4 个。有卫生机构 3485 个，病床位 16302 张，卫生技术人员

13118人。新型农村合作医疗参合人数264.4万人,参合率98.3%;新型农村社会养老保险参保人数1250202人,参保率42%。

【年度农业和农村经济运行】 2016年,资阳市实现农业总产值277.63亿元,增长4.23%;农业增加值155.3亿元,增长3.9%。农民年人均可支配收入13422元,增长9.4%。全市农产品质量抽检合格率比年初提高0.8个百分点;建成116个基层农业综合服务站。

2016年资阳市主要农产品产量

主要农产品	单位	产量	同比(%)
粮食	万吨	162.7162	1.63
水稻	万吨	57.4904	2.24
小麦	万吨	20.125	6.74
玉米	万吨	46.0372	1
马铃薯	万吨	4.2419	12.29
油菜籽	万吨	15.2218	1.43
蔬菜	万吨	147.8403	2.77
水果	万吨	70.6318	7.7
肉类	万吨	29.604	-2.8
猪肉	万吨	23.432	-4
牛肉	万吨	0.3256	2
羊肉	万吨	2.0421	2.3
禽肉	万吨	3.2986	1.8
兔肉	万吨	0.4048	2
禽蛋	万吨	7.58	1
水产品	万吨	6.335	1.46
牛奶	万吨	1.167	69.3

农业产业化发展。资阳市深入推进农民专业合作社规范化建设,指导各县(区)制定支持农民专业合作社及家庭农场发展的政策以及示范创建的奖励措施。全年争取省级农民专业合作社建设项目9个,财政补助资金450万元;省级家庭农场建设项目4个,财政补助40万元。市级财政将合作社和家庭农场纳入农业发展资金项目申报指南范围,农民专业合作社补助标准为5万~15万元,家庭农场标准为3万~8万元,全市新增省级示范社和家庭农场18个。全市建成安岳出口柠檬质量安全示范基地293个,面积10万亩;建成23个粮食万亩核心示范片。成立农业成资一体化领导小组及办公室,积极与成都农委、成都农林科学院对接联系会谈,共同谋划编制共建花溪河生态农业度假区、安岳国家现代农业示范区(核心区)等9个合作项目及以农业技术合作和科技信息交流合作事项为基础的"9+1"成资一体化农业合作项目。安岳县、乐至县被确定为"新一轮现代农业建设示范县和现代农业建设重点县"。推广"畜—沼(粪)—粮(菜、果、林)"多元化循环农业模式,全市"规模养殖场+沼气工程+种植基地"农业循环园区达300余个,面积达6万余亩。

农用地产权制度改革。资阳市稳妥推进农村土地承包经营权确权登记工作,成立了农村土地承包经营权确权登记颁证工作领导小组,村、组成立了具体工作小组,配合技术公司开展外业指界等工作。按照《农业部农村土地承包经营权调查规程》等要求,以第二次全国土地调查成果为基础,采用航摄影像图调办法对局部影像不清楚的地方进行实地测绘。执行相关技术规范和操作规程,组织力量对土地承包问题进行摸底排查,积极妥善解决影响登记工作顺利开展的突出问题,有效化解了土地承包经营权确权登记颁证过程中的矛盾纠纷。9月,省专家组对全市确权登记工作开展检查验收,3个县(区)检查验收结果均为"优秀",总计完成确权登记面积434.25万亩。积极引导农村土地规范流转,按照土地"三权分置"要求,放活土地经营权,有序推进土地流转,土地适度规模经营不断扩大,全市农村土地流转面积79.91万亩,较上年增加0.51万亩,占全市耕地总面积的29.49%,其中流转入企业、家庭农场、种养大户、农民合作社等51.26万亩。稳步推进集体资产股份合作制改革试点,制订了《资阳市岳阳镇万寿村股份制改革试点方案》,指导万寿村成立宣传发动、人口调查摸底、政策起草、清产核资4个工作组,组建万寿村集体股份经济并做好清产核资、成员界定、股权量化等工作,合作社当年利润分红33.06万元,每股分配100元,较改革前人均增收70元,试点工作全面完成。

农产品品牌战略实施。资阳市新增"通世达"牌藕粉、"川龙"牌红豆瓣、"帅青"牌青花椒调味油3个省级名牌,全市"三品一标"农产品总数达127个。安岳柠檬以品牌价值173.61亿元上榜国家地理标志产品品牌50强,"资味"农业区域公用品牌成功在第四届四川农博会亮相,永鑫农牧集团股份有限公司被评为"中国驰名商标企业"。

【种植业】 2016年,资阳市制发了《关于抓好低温雨雪灾害农业补救措施落实的通知》《关于切实做好农业防汛减灾工作的通知》《资阳市种植业结构调整实施指导意见(2016—2020年)》等文件,指导各县(区)抓好农业"三项"补贴和种粮大户审核上报工作。全市审核上报种粮大户368户,面积27562.36亩,落实耕地地力保护补贴资金3.28亿元。全年发展国标三级及以上优质稻91.69万亩、优质大豆54.9万亩、优质"双低"油菜75.8万亩,调减低产区小麦面积3.79万亩。全年粮油播栽面积达638万亩;完成粮油高产创建示范面积39.2万亩,其中小春粮食11.9万亩、大春粮食27.3万亩,粮食单产提高5千克以上。推广雁江柑橘"八改"技术5000亩,累计推广面积达6.5万亩;大力推动柠檬产业转型升级,新建华严镇双电村、人和乡广云村等柠檬标准化园区4个,改造提升低产园4个、面积2万亩;推进乐至蚕桑集约化、规模化蚕桑产业基地建设,新建重点村100个、优质蚕茧示范村32个。2016年冬春新植柠檬及晚熟杂柑2.3万亩、青脆李0.24万亩,新增蔬菜种植面积1.85万亩,果蔬面积共计177.59万亩,总产量200.63万吨,同比增长2.39%;经济作物综合产值突破90亿元,农民人均增收80元以上。

【林业】 2016年,资阳市落实全省林业"162"发展战略,紧紧围绕"打造全省丘区林业示范市"和"筑牢长江上游沱江中游生态屏障"目标,着力实施"七大工程",同步推进省级森林城市及国家级绿化模范县创建,全市新增森林面积2.86万亩,森林蓄积47.57万立方米,城市绿地率达36.4%,森林覆盖率提高到39%,大规模"绿化全市"行动完成2016年度目标任务的86.2%。全年林业总产值实现85亿元,获得四川省2016年度农田水利基本建设绩效考核林业项目第二名。

2016 年资阳市省级(及以上)农业产业化重点龙头企业名单

企业名称	法人代表	示范等级	年度产值(万元)	行业分类	主营产品
四川四海食品股份有限公司	孙刚	国家级	90769	农业	猪肉制品、冻猪分割肉
四川永鑫农牧集团股份有限公司	李永红	国家级	126121.05	农业	生猪、冷鲜肉、白条猪肉
资阳市盛美农业有限公司	刘胜	省级	10409	农业	林木、生猪

2016 年资阳市省级示范农民专业合作经济组织名单

合作组织名称	注册资金(万元)	法人代表	示范等级	年度产值(万元)	行业分类	主营产品
资阳市雁江区富鸿兴水产养殖专业合作社	608	贺剑	省级	230	养殖业	水产品
雁江区绿丰园林木专业合作社	139	朱建成	省级	743913.98	种植业	林木
资阳市齐兴生猪专业合作社	100	倪宇植	省级	101.43	养殖业	野山猪、野山猪腌制品
安岳县金穗粮油专业合作社	100	金晶	省级	145	种植业	优质粮油
安岳县姚市特种粮油专业合作社	150	袁龙举	省级	146	种植业	优质粮油
安岳县大埝李水果专业合作社	120	郭俊	省级	621.12	种植业	大埝李子
乐至县鸿运兔业专业合作社	480	杨培素	省级	1315	养殖业	兔肉
乐至县亿家园蔬菜专业合作社	200	吴明刚	省级	1315	种植业	蔬菜、榨菜

2016 年资阳市家庭农场经营情况统计表(前 10 位)

家庭农场名称	注册资金(万元)	法人代表	年度产值(万元)	行业分类	主营产品
资阳市雁江区宋氏家庭农场	100	宋良凤	300	种植业	蔬菜
资阳市雁江区山友家庭农场	20	钟孝伙	82.69	种植业	蔬菜、水果
安岳县红兴家庭农场	100	耿大友	78.27	养殖业	肉鸡
安岳县厚伟家庭农场	10	康厚伟	28.46	种植业	银杏
安岳县鑫江家庭农场	350	陈春江	88.68	养殖业	水产品
安岳县鑫三利家庭农场	60	杨思华	211.88	养殖业	生猪
安岳县跨越家庭农场	100	潘军	30.6	种植业	谷物、豆类、油料和薯类作物
乐至县中和场镇华升家庭农场	100	杨升	358.7	种养殖业	兔肉、魔芋
乐至县大佛镇万奎家庭农场	200	王万奎	826.43	养殖业	养殖
乐至县禾光家庭农场	30	林海燕	58	种植业	蔬菜、水果

【畜牧业】 2016 年,资阳市出栏生猪 331 万头,同比减少 4%;出栏肉羊 149 万只、家禽 2177 万只,同比分别增长 2.3%和 1.8%;肉、蛋、奶产量分别达 29.6 万吨、7.58 万吨和 1.17 万吨,同比分别减少 2.8%、增长 1%和 69.3%;实现畜牧业总产值 116.8 亿元,增长 2.9%,占农业总产值的 43.5%。

加快转型发展,生猪产业着力稳定存量、优化增量、控制总量、提高水平;山羊产业着力完善体系、提升质量、做大规模;优势产业着力培育龙头、创新模式、打造品牌,畜牧产业“一猪独大”的局面逐步转变,全市 50%的规模养殖场初步形成了“规模养殖+沼气工程+特色种植”发展模式。争取国、省涉畜项目资金 2750 万元,整合涉畜项目资金 2390.9 万元,新(改、扩)建标准化规模养殖场 68 个,全市累计创建部、省级畜禽养殖标准化示范场 22 个。制发了《关于切实规范涉畜项目管理的通知》,建立项目竞争比选、现场审查、专家评审、部门会商、政府审定、验收负责、对外公示等长效机制。雁江区建成存栏 3000 只规模的奶山羊养殖基地,安岳县引进温氏集团利用“公司+农业”模式拟建年产 60 万头优质生猪繁育基地,新发展山羊适度规模养殖户 438 户。总结推广乐至县大自然“龙头企业+产业基地+贫困户”借羊还羊等产业扶贫模式,2016 年农民人均牧业现金收入增加 350 元以上。

狠抓重大动物疫病强制免疫,规范免疫操作和疫苗管理,严格监督检查,全年未发生口蹄疫、高致病性禽流感等重大动物疫情和重大畜产品质量安全事故;人畜共患病及其他动物疫病保持稳定控制,未发生区域性流行,重大动物疫病免疫有效抗体合格率达 90%以上。按照“十步法”继续对 29 个规模猪(牛)场的猪口蹄疫、高致病性猪蓝耳病和猪瘟 3 种强制免疫病种开展疫苗现金补贴试点。

【水产业】 2016 年,资阳市水产品总产量 6.3 万吨,实现总产值

10.8亿元,农民人均实现水产业纯收入368元。积极发展稻田综合种养推广示范,推动以黄金鲫、彭泽鲫、泥鳅适度规模养殖带动品种结构调整,全市名优水产品产量占水产品总产量的40%以上。雁江区新场乡、回龙乡发展稻鳅养殖2000亩,安岳县建成以吉天乐白乌鱼为代表的名特优养殖场79个并试点推广"底孔排污"技术和渔业智能在线监控,乐至县发展田、塘、库名特优新专混养面积达3.75万亩,全年投放鱼种5825吨。严格执行春季禁渔制度,禁渔期间在《资阳日报》、资阳电视台等媒体进行宣传报道。加大执法检查力度,严厉打击电鱼等违法行为。持续开展天然水域增殖放流活动,有效修复和改善了沱江渔业资源。大力实施以"人放天养"和"种草混养稀放"为核心的净水渔业技术,开展无公害水产基地和农业部健康养殖示范场创建活动,全市培育国家级水产标准化养殖示范区1个,通过无公害水产基地认证29个,通过农业部验收的健康养殖示范场12个,通过有机水产品认证1个、无公害水产品49个。制订了《水产品质量安全监管工作方案》,层层签订水产品质量安全监管责任书和质量安全承诺书;组织开展水产养殖环节专项执法检查行动,市、县两级完成水产品监管检测抽样285个,检测结果全部合格。健全和完善市、县两级渔业船舶检验机构,制发了《资阳市渔业船舶安全管理制度》《渔船安全管理五个台账》等规章制度,扎实开展渔业船舶安全生产专项整治行动。严格渔船准入管理,2016年应登记检验渔船608艘,实际营运检验580艘,渔船登记检验率达95.4%。

【农业机械化】 2016年,资阳市农机购置补贴项目使用中央补贴资金991.241万元,推广各类机械5949台(套),受益农户5439户。全市大中型拖拉机保有量达462台,联合收割机保有量达1141台,水稻插秧机保有量达485台,耕整地机械拥有量达2.91万台,农机总动力达155.72万千瓦。全年分别完成小麦机耕、机播、机收、免耕面积81.2万亩、12.15万亩、11.7万亩、1万亩;完成水稻机耕、机插秧、机收、免耕面积108.45万亩、39.53万亩、78.1万亩、0.45万亩;玉米机耕、机播面积、免耕面积96.3万亩、7万亩、8.495万亩;油菜机耕、机播、机收、免耕面积73万亩、7.45万亩、8.6万亩、3万亩。建成标美提灌站24处,更新、改造、维修提灌机具4117台次,提水保灌面积113万亩。建成农机化生产道路21千米,6.35千米的省级农机化生产道路建设项目已全部完成。全市新增农机专业合作社2个,总数达68个;完成作业总面积26.3万亩。

【新农村建设】 2016年,资阳市雁江区晏家坝、安岳县石思路2个省级新农村示范片建设成效明显,安岳、乐至2个新农村成片推进示范县建设全面完成。在全省率先开展幸福美丽新村建设"回头看",2016年建成幸福美丽新村250个。启动实施"四好村"创建,成功创建省级"四好村"78个、市级"四好村"183个。毗河供水一期工程、关刀桥水库等重大骨干水利工程开工建设并加快推进,农村人口饮水安全实现全覆盖,3个县(区)全部纳入"小农水重点县"建设范围。行政村通畅率达100%。天然气下乡工程、农村电网升级改造、广播电视村村通、网络宽带进乡(镇)等工程深入实施。农村教育、医疗卫生、文化体育、劳动就业、社会救助等公共服务体系建设协调推进,新农合、新农保实现全覆盖,农村最低生活保障实现"应保尽保"。

【扶贫攻坚】 2016年,资阳市召开了全市农业产业扶贫现场推进会,制发了《关于切实抓好农业产业扶贫工作的通知》《贯彻落实〈产业扶贫专项方案〉农业部门责任分工方案》等文件,出台了强化农业科技支撑助推精准脱贫、培育新型农业经营主体助推精准扶贫脱贫等4个行动方案。编制完成了《资阳市产业扶贫专项方案》和《资阳市农业产业扶贫2016年工作计划》,全市280个贫困村形成了产业扶贫规划简表,建立了市到县(区)、到乡(镇)、到贫困村、到贫困户的完整的产业扶贫规划体系。深入开展农技员驻村帮扶行动,选派325名农技员到325个扶贫村,实现全覆盖;驻村农技员驻村时间人均69.38天,走访贫困户83954人次,培训科技示范户1026户。全市建成贫困村高标准农田1.05万亩,新(改)建扶贫村农机化生产道路196千米,建设、改造15处提灌站,新增农机装备1577台;新(改、扩)建标准化养殖场68个,发展山羊适度规模养殖户438户。省脱贫办印发了《关于蹲点暗访精准脱贫"五个一"帮扶机制落实情况的报告》,充分肯定了资阳市"五个一"驻村帮扶工作,乐至县石湍镇长埝沟村驻村农技员陈慧受到表彰。指导各县(区)制定《关于发展村级集体经济的指导意见》,为每个贫困村安排落实产业发展周转金15万元以上。全市82个拟退出贫困村实现集体经济总收入107.06万元,集体经济累计经营性收入均达到人均6元以上,部分村达10元以上,顺利通过退出验收考核。2016年,82个扶贫村全部退出并建成幸福美丽新村,4.7万人脱贫解困。分类改造建设4760户贫困家庭住房,统筹实施293户易地扶贫搬迁。

【农村生态建设及环境保护】 2016年,资阳市全面完成209家生猪定点屠宰企业(场)的审核清理和62家畜禽规模养殖场污染专项整治任务,全市50%的规模养殖场初步形成了"规模养殖+沼气工程+特色种植"发展模式。全市化肥用量实现零增长,全年减少农药使用量200吨,秸秆综合利用率达83.4%。

【农产品质量安全监管】 2016年,资阳市建立和完善市、县、乡、村四级"层层负责、网格到底、责任到人、全面覆盖"的农产品质量安全网格化监管体系,全市乡(镇)均设有农产品质量安全服务站,全面配齐了村级农产品质量安全协管员。安岳县被认定为"四川省农产品质量安全监管示范县"。开展饲料、兽药、种子等投入品和农畜产品监测,农产品质量安全监测合格率为99.6%。严格"三品一标"证后监管,落实企业主体责任,严厉打击违规行为,全市完成无公害农产品复查换证17个、绿色(有机)食品复查换证11个,累计实施追溯管理的生产经营主体达76个。充分发挥省际(内)间动物公路检查站堵源作用,严把动物及其产品出入关,坚持引种申报和隔离观察制度。务实推进生猪定点屠宰企业(厂)资格审核清理和"扫雷行动",通过异地迁建、原址整改、取缔关闭等方式基本完成生猪定点屠宰资格审核清理工作。

【主要领导人】 市委书记:周喜安;市人大常委会主任:王荣木;市长:陈吉明;市政协主席:陈丽萍;分管农业副市长:周燕。

资阳市编写组

雁 江 区

【基本情况】 2016年,雁江区辖26个乡(镇、街道),有农业人口82.7万人,有耕地面积96.72万亩,与上年持平;基本农田96.72万亩,与上年持平。

【年度农业和农村经济运行】 2016年,雁江区实现农业总产值86.3亿元,增长5.5%;农业增加值49.91亿元,增长4.3%。农民年人均可支配收入13609元,增长9.3%。全区投保水稻156229亩、玉米393936亩、能繁母猪24907头、育肥猪344880头,全年保费收入2162万元,其中财政补助1784万元。

农业产业化发展。雁江区按照《新型农业经营主体示范单位评选表彰办法》《关于大力培育新型经营主体的意见》和《关于开展新型主体示范场社创建活动的实施方案》要求，落实300万元专项资金继续鼓励农民专合社、家庭农场承担涉农项目建设，支持新型农业经营主体发展壮大，全区共培育农民专合社817个（新增114个）、龙头企业54家（新增10家）、家庭农场290家（新增84家），带动土地流转18万亩。

2016年雁江区家庭农场经营情况统计表（前10位）

家庭农场名称	注册资金（万元）	法人代表	行业分类	主营产品
资阳市雁江区宋氏家庭农场	100	宋良凤	种植业	蔬菜
资阳市雁江区恒胜家庭农场	20	冯超	种植业	蔬菜、粮食
资阳市雁江区兴创家庭农场	50	谢兴创	种养殖业	大雁、粮食
资阳市雁江区诗明家庭农场	110	赵诗明	畜牧业	羊
资阳市雁江区熊氏家庭农场	30	熊远都	种植业	粮食
资阳市雁江区山友家庭农场	20	钟孝伙	种植业	蔬菜、水果
资阳市雁江区小清家庭农场	80	张小清	畜牧业	生猪
资阳市雁江区彭氏家庭农场	80	宋治彬	畜牧业	生猪
资阳市雁江区五不家庭农场	15	李见均	种植业	蔬菜、水果
资阳市雁江区辉翔家庭农场	15	王光辉	种植业	蔬菜、水果

农用地产权制度改革。雁江区积极开展农村土地保障贷款和财政补助资金担保贷款试点，制定印发了《农村土地流转收益保证贷款和财政补助资金担保贷款实施办法》，研究制定了《资阳市雁江区农村土地承包经营权抵押登记暂行办法》，确定了试点金融机构和企业，远文林木专合社获得首批农村合作银行贷款200万元。扎实开展土地确权工作，完成全区454个村的土地确权登记外业调查、内业矢量化和公示纠错等工作，组确权率和面积确权率均达99.1%，确权登记成果顺利通过检查验收并获得"优秀"等级。全面完成在保和镇六石包村实施的全市首个财政支农资金形成资产股权量化试点改革，将财政支农资金"由拨改投"，在不改变资金用途的情况下投资给经营性业主，形成资产的产权归村集体和村民并按照比例进行分红，有效捆绑了业主的利润和村民的收益，形成了"资产入股、企业经营、固定分红"的利益联结机制。

【种植业】 2016年，雁江区粮食总产量52.7万吨，比上年增加0.45万吨，增长0.86%，其中小春粮食产量9.8万吨，同比增长2.2%；大春粮食产量42.9万吨，同比增长0.6%。油料总产量6.1万吨，同比增长3.8%；蔬菜产量50.4万吨，同比增长3.2%；水果种植面积25.4万亩，产量24万吨。

【林业】 2016年，雁江区森林蓄积量204万立方米，林木绿化率达41.36%。造林4.4万亩，管护补偿面积13.67万亩；在17个精准扶贫村发展林业产业林1.72万亩，巩固退耕还林成果6.9万亩。全年林业有害生物成灾率控制在0.1‰以内，森林火灾损失率控制在0.1‰以内。

【畜牧业】 2016年，雁江区出栏生猪107.3万头，同比下降3.1%；出栏山羊34万只，同比增长3%；出栏家禽697.5万只，同比增长2.6%。全区肉类总产量9.2万吨，同比下降2.1%，其中猪肉产量7.6万吨，同比下降3.1%；羊肉产量0.5万吨，同比增长3%；禽肉产量1.1万吨，同比增长2.6%。全区畜禽屠宰规范化管理率达80%，重大动物疫病免疫有效抗体合格率达78%，动物卫生及兽药监督执法违法案件查处结案率达100%。

【水产业】 2016年，雁江区有水产专业合作社102个，有以水产养殖为主的家庭农场54个，有渔业协会2个、水产企业2家。有100亩以上集中连片水产养殖基地23处，50～100亩集中连片水产养殖基地48处，全区集中连片养殖总面积达7500余亩。稻鱼轮作、休稻养鱼成为全区渔业生产新的增长点和亮点，新场乡、回龙乡"稻—鳅"养殖模式发展到1500亩，"稻—虾""鳅—虾"养殖模式在全区逐步兴起。全年水产品总产量2.1万吨，实现渔业总产值2.56亿元，增长5.8%。

【统筹城乡与新型城镇化】 2016年，雁江区中和街片区旧城改造项目拆迁工作和土地招拍挂已完成，伍隍粮站地块开发项目和东峰镇锦官新城已完成主体施工，中和工业园安置房项目一期已开工建设，伍隍镇伍长路旧城改造工作已完成，新建商住楼5000平方米已全面完工；伍隍新街片区旧城棚户区改造项目前期规划已完成，招商引资工作洽谈中；迎接镇东庵村5组商住地块开发项目已完成规划设计方案编制；小院镇棚户区改造项目已完成初步规划设计，迎接大道棚户区改造项目取得用地指标。连接中和工业园"一纵四横"和五号道路前期工作已完成，其他工作有序推进；中和中学高中部公租房建设有序推进，中和镇中心小学教辅用房工程已竣工投用；迎接镇迎接大道路面黑化工程、伍隍镇过境道改造工程、小院镇过境道改造工程均已完工。中和工业园规划入驻企业15家，旺鹭食品等企业投产并运行，花瑞毛巾厂已开工建设。迎接镇鸿基再生资源市场迁建项目、雁东建筑材料厂迁建项目均已完工。全年完成78个小城镇建设项目，投资8.1亿元。

【乡村旅游】 2016年，雁江区正式启动保和生态旅游度假区创建国家4A级景区工作，编制了景区创建工作方案和可研报告，成立了保和生态旅游度假区管理委员会。举办了草莓采摘节、"果乡心语·山谷桃花节"、"春游四季花海·醉美绿能赏花节"、幸福谷度假村首届中华礼乐文化节、资阳市第三届乡村钓鱼节、资阳市第二届葡萄采摘节6个乡村旅游节庆活动，通过新闻媒体、网络等平台进行广泛宣传，大力提升了雁江旅游知名度和影响力，打响了雁江乡村旅游品牌。全年实现旅游总收入27.3亿元。

【助农增收】 2016年,雁江区农林牧渔业总产值实现83.1亿元,同比增长4%(按可比价计算),其中种植业产值36.4亿元,增长6.5%;林业产值4亿元,增长7.9%;牧业产值36.1亿元,增长0.4%;渔业产值2.1亿元,增长5.9%;农林牧渔业服务业产值4.6亿元,增长8.2%。全年实现农林牧渔业增加值47亿元,增长4.1%,其中种植业增加值26.1亿元,增长6.6%;林业增加值2.8亿元,增长6.5%;牧业增加值16.9亿元,增长4.4%;渔业增加值1.3亿元,增长5.5%。

支持农民转移就业和创业,建立健全农民工工资正常增长长效机制。按照"劳动者自主就业、市场调节就业、政府促进就业和鼓励创业"思路,坚持农村劳动力"走出去"和"引进来"相结合,以大力实施回引创业工程为载体,以转移就业、扶持回乡创业作为农民增收致富的重要途径。一是出台优惠政策。出台了《资阳市雁江区人民政府办公室关于进一步做好新形势下就业创业工作的通知》和《资阳市雁江区人民政府办公室关于大力支持返乡创业"回引工程"的实施意见》等文件,重点从完善基础设施、加大财政金融扶持、降低相关税费、解决用地用房、优化政务服务等方面鼓励扶持农民工回乡创业。为4位返乡农民工创业者发放创业担保贴息贷款20万元。二是搭建服务平台。依托区人力资源市场、22个乡(镇)和4个街道办事处劳动就业和社会保障服务中心(站)开展就业援助月暨春风行动、民营企业招聘周、高校毕业生就业援助月等招聘会,120家企业提供就业岗位6000余个,达成意向用工协议2138人,有效缓解了企业"招工难"和农民工"就业难"问题。三是强化技能培训。以现代职业培训学校、顺鑫职业培训学校等6家定点培训机构为平台,多领域、多层次、多形式开展就业和创业技能培训。已开展就业培训20批次,培训农民工1100余人次;举办SYB(创办你的企业)创业培训班4期,培训学员127人,实现创业89人(其中返乡农民工26人)。四是建立健全农民工工资正常增长长效机制。深化企业工资分配制度改革,通过完善企业工资分配制度、实行工资集体协商、规范工资支付行为切实提高农民工工资、保险和福利待遇水平,实现农民工收入与企业经济效益协同增长。强化各部门职责,区住建局与区人社局、雁江区劳动监察大队等相关部门针对农民工工资分配的突出问题,加强工资增长指导和监督,定期开展工资支付情况专项检查,建立健全工资按时足额发放制度。

落实强农惠农富农政策。全年落实三项补贴、购机补贴、计划生育奖励扶助、农村养老保险、农村低保、医疗救助、困难学生生活补助、危房改造资金等强农惠农富农政策约80余项,总资金达11.12亿元,其中中央和省级资金7.76亿元、市级资金1.31亿元、区级资金2.05亿元,拨付6.59亿元,其中上级资金5.53亿元、区级资金1.06亿元。

创新机制助农增收。一是创新扶贫专项资金投入、新型经营主体投入、村集体资金投入、部门帮扶资金投入、社会关爱资金投入和贫困群众自身投入的"5+1"投入机制,有效解决了投入总量问题。二是建立健全乡镇竞争申报、区整合办筛选、农领小组审定、部门积极争取、乡镇主体实施的项目整合机制,切实解决了资金使用效率问题。三是探索财政支农资金股权量化入股的"村党支部主导运作+专合社管理运行+农业公司包装销售+全体村民积极参与"的新型农村集体经济发展模式。四是探索村民土地入股、职业经理人经营、保底分红紧密型利益联结机制,解决了农民持续增收问题。五是拓展"农村电商+专合社+农户"农产品营销渠道和推广代耕、代种、代管、代收"四代"模式,解决农村社会化服务问题。六是大力推行订单农业。依托专业合作经济组织、龙头企业,不断总结完善"订单收购、保底收购、优价收购"等合作形式,全区共签订各类产、供、销合同8.6万余份,合同金额达43亿元,履约率达97%以上。

【2016年度"三农"工作先进经验介绍】 2016年,雁江区成立了以区委书记任组长、区长任副组长的区委农村工作领导小组,并明确了1名副书记和1名副区长主抓"三农"工作;区委书记深入农村开展专题调研36次、区长42次、区委分管领导77次、政府分管领导86次;召开"三农"工作推进会议12次(含现场会),形成了区级领导重视、部门联动发力、镇村主动作为的良好氛围和工作格局。先后出台了《关于2016年农业农村工作意见》《资阳市雁江区2016年脱贫攻坚工作推进方案》《关于推进"金竹湾、川中莲藕、老龙潭"三大片区项目建设的通知》等农业农村工作文件18个、会议纪要15个。

扎实推进重点工作。整治太平、三柏等病险水库12座,新增蓄水池478口,新建和整治渠系358千米、山坪塘(含囤水田埂)345处、提灌站36处、高标准农田3.7万亩,基本形成了"田成方、渠相通、路相连、土壤肥"的格局,达到了"旱能灌、涝能排、雨能蓄、产值高"的效果。建成通社道路75.2千米、农村断头公路和重要乡(镇)连接公路23.2千米、通村通畅公路50.1千米、乡(镇)油路50.4千米,新建、改造桥梁5座,实现100%的乡(镇)通油路、100%的行政村通水泥路,建立了区、镇、村三级农村公路"双超"治理联动机制,形成了"通乡达村、标准适宜、管养到位、人便于行、货畅其流"的农村公路网络。一是发展特色优势产业。做大做优小伍南优质粮油、国道321线优质蜜柑、丹东绿色蔬菜、晏家坝精品水果等特色产业,加快红香椿、藤椒等林业产业培育开发,新建成中和钟家堰高端水果示范园等特色水果基地4000亩,扩面建成丹山莲藕基地2600亩,建成清水乡1万头奶山羊基地、老君镇3万只樱桃谷种鸭标准化示范场,建成保和雷竹、堪嘉红枫等特色林木基地1000亩。二是推动农旅互动发展。深度挖掘幸福谷、花溪谷、晏家坝等乡村旅游资源,特别是以打造花溪河生态休闲农业示范区为契机,通过系统开发、品质管理提升旅游服务质量和效益;依托"中国长寿之乡"品牌,积极引进教育、文化、医疗和民营养老机构入驻,发展绿色康养产业;立足资潼高速,规划建设富有地域特色的旅游文化小镇,促进农旅融合互动发展。三是打造特色优势品牌。加强"三品一标"农产品等级认证和地理标志产品保护,打造"雁江蜜柑""雁江蔬菜"等区域品牌。狠抓全省农产品质量安全监管示范区创建,积极组织丹山大米、中和醋、宝莲酒等优势农产品参与"川货全国行"、四川农业博览会等活动,扩大雁江农业影响力、提升农产品竞争力。雁江区获得"无公害猪肉基地"认证,注册宰山、廖香菇、蜀娇等14个商标,争创绿色食品11个、四川名牌7个、中国名牌1个、中国地理标志保护产品3个,创建国(省)级龙头企业4家、国(省)级专合社29个、省级家庭农场5家。四是加快农村电子商务发展。坚持以"政府主导、企业主体,市场运作、多方共赢"的发展思路,依托"前后科技""田田圈""易田"等优势资源,大力发展农村电子商务,带动农业产业发展。全区建成县级体验中心2个、镇级店15个。

扎实推进幸福美丽新村建设。坚持把幸福美丽新村建设作为加快农村发展的重要载体,着力推广"小规模、组团式、生态化、微田园"模式,实现城乡统筹发展。一是加快新村建设。坚持"宜聚则聚、宜散则散、能改则改、改建结合"原则,积极推广特色产业支撑型、项目实施带动型、乡村旅游主导型、扶贫开发提高型“四型”模式，着力解决好无房户、危房户、住房困难户的住房问题，确保人人有房住、户户住得安心。全区累计建成丹山镇田坝村、丰裕镇护耳村等新村聚居点615个(2016年新增150个)，东峰镇大田村、中和镇明月村等幸福美丽新村157个(2016年新增70个)；创建东峰镇大田村、保和镇晏家坝村等省级“四好村”39个，创建中和镇明月村、丹山镇田坝村等市级“四好村”87个，创建临江镇文昌村等区级“四好村”146个。二是凸显农村特色，注重保留和突出原有的特色资源、地形地貌，尽可能利用原有林盘，加强特色民居院落保护，完成“建改保”3688户，植树造林2.45万亩。三是抓好环境治理。将“十大专项治理行动”延伸至乡(镇)，大力推进村内道路硬化、街道亮化、庭院净化、村庄绿化和生活垃圾集中处理“四化一处理”工程建设，引导农民利用房前屋后空闲地发展经济林木、瓜果蔬菜种植，形成独具地域特色的生态田园。

稳步推进脱贫攻坚。对照贫困村“一低、五有”标准、贫困户“两不愁、三保障、三有”标准精准施策，坚持“一户一策”，突出产业扶贫，实现17个贫困村退出、13313名贫困人口脱贫。一是基础设施全面竣工。2016年退出的贫困村建成村(社)道路101千米，建成文化室17个、卫生室17个，新增和恢复蓄引提水能力500万立方米，新场乡肖家沟村、祥符镇二湾村等如期完成农网升级改造。二是集体经济组织发展壮大。用好用活产业扶持金和周转金，创新土地股份合作、财政支农资金量化入股、“党支部+专合社+农户”等利益联结模式，贫困村均建有集体经济组织，培育种养殖大户48户、家庭农场12家、专合社17个，发展大雅柑、核桃、藤椒、“稻+鳅”、“稻+鱼”、“稻+虾”等特色产业7700亩，扶持土鸡、羊、猪等“短平快”特色养殖，有效促进了贫困群众增收。三是制度机制健全。建立区级领导干部“十个一”联系和干部驻村“五个一”联系帮扶机制，确定88个部门组成50个驻村帮扶工作组。建立脱贫攻坚例会制度，听取脱贫攻坚领导小组成员单位汇报工作开展情况、存在的问题，安排部署下一步重点工作。建立贫困村项目推进通报制度，对3天无进展的乡(镇)进行督查，对5天无进度的党委书记进行约谈，努力形成新形势下脱贫攻坚工作的强大合力。四是社会扶贫不断完善。全区贫困人口中适龄儿童入学率达100%，农村医保参合率达100%，贫困村实现通路、通电、通信，解决了贫困群众的上学难、看病难和通讯难等问题。设立教育、卫生、产业扶贫和小额信贷“四项基金”1893万元，解决了贫困群众的实际困难，助推了脱贫攻坚工作。五是社会保障全面覆盖。在全市率先探索创新医疗扶贫，实现了扶贫对象医疗费用微支付和住院报销“一站式”综合服务；推动低保线、贫困线“两线合一”，实现应保尽保；在17个贫困村率先创办农民夜校，已开展培训32期，培训2030人次。

“三农”投入保障有力。2016年，全区财政支出42亿元，其中支农支出14.9亿元，占财政支出的35.5%，同比增加1.6亿元，增长12%。争取涉农项目98个，总投资达11.69亿元(不含毗河工程、交通项目)，其中上级(中央、省、市)财政补助4.99亿元(同比增长33.8%)、区级匹配1.84亿元、群众及社会筹资4.86亿元。

【回乡创业之星选介】 王光辉，男，中共党员，石岭镇土桥村村主任，辉翔生态农业园总经理。2009年王光辉回乡创业，2013年在石岭镇成立辉翔生态观光农业园，租地216亩，一期特色水果种植项目基本完成，同时配套乡村特色餐饮、娱乐项目；二期生态花海观光项目基本建成，并于4月开园观光。王光辉帮扶15户贫困户发展产业并解决其就业，已带动当地群众就业30余人、自主创业10余户。2016年，王光辉建立了“爱心留守之家”，无偿为留守儿童提供联谊、学习、娱乐场地并聘请专业才艺老师免费为留守儿童上课，让留守儿童在学习各种才艺的同时培养正确的人生价值观；为留守老人组建了娱乐队伍，提供娱乐场所，丰富了留守老人的晚年生活。

【重点乡镇选介】 伍隍镇，位于雁江区东南部，东与小院镇挂角，西靠资中县顺河镇，南与石岭镇接壤，北毗邻南津镇，距城区31千米，海拔高度429米。公路四通八达，有资资路、乐一路、南双路过境，是重要的交通枢纽和物资集散中心，具有较强的辐射力和人口聚集力。全镇辖区面积77.8平方千米，辖25个行政村1个社区402个村民小组，有耕地5.7万余亩，总人口5.6万人。主要有伍隍中学、杨芳毓故居遗址等特色景点。2014年，伍隍镇被列入第二批全省“100个试点示范小城镇”名单，入选全国重点镇。

伍隍镇在功能分区上突出“一心、三区、四基地”，在城镇干道建设上突出“四横、四纵”，在产业布局上突出“一心、一轴、四组团”，以建设“教育兴盛、农副结合、场镇繁华、美丽幸福”的国家级小城镇为发展思路，以“三年打基础、五年换新貌、十年大跨越”为奋斗目标，抓好基础设施服务、场镇改造、产业升级、优化教育四大重点，统筹发展社会事业，致力将伍隍镇打造为农副产品示范生产和教育科技特色乡(镇)。

抓好基础设施服务。一是完善优化交通路网。近五年来，伍隍镇新增水泥路153.5千米，镇域范围内已全部实现村村通水泥路。规划新建1条环线道路，预计投入资金2500万元。二是加快升级公共设施。拥有雁江区饮用水源保护地——双石桥水库，镇区内自来水普及率达100%。累计投入人畜饮水工程建设资金1500万元，新打井314口，新建山腰蓄水池336口、屯水田埂201根、山坪塘124口，新建渠道23.28千米。三是有力保障社会服务。成立伍隍镇政务服务中心，按照“五个一”标准建成26个便民服务代办点，为群众及园区企业提供优质高效便捷的服务。全镇建有中学3所、小学7所、医院1所、村卫生服务站35个、敬老院3所，形成了政务服务便捷高效、教育资源均衡完善、医疗救助全面覆盖的公共服务保障体系。

抓好场镇改造。近五年来，全镇共实施旧城改造项目3个，建筑面积4万余平方米。在麻柳、铺子、崇兴建设新农村聚居点3个，占地60余亩，聚居群众200余户。完成风貌改造151户，硬化入户道路8.2千米。启动石板场拆除、新垃圾池修建、旧垃圾池填埋等项目，有效减少了暴露垃圾和焚烧垃圾现象。规划实施大气污染专项治理，控制秸秆焚烧等污染源。场镇口新增了红绿灯，配备了交通疏导员，有效解决了逢场天交通拥堵等问题。

抓好产业发展。一是加快发展特色产业。规划突出枇杷种植、生猪养殖、蔬菜种植特色品牌基地，枇杷和蔬菜两大示范产业种植面积达6400亩，“伍隍猪”选种保育基地建设稳步推进。成立专业合作社5个、家庭农场8家，建成养殖场3个，修建圈舍12480平方米，发展养牛大户3户。按照“基地+农户”发展模式，重视种养殖业的集约化、品牌化发展，重视培育和扶持规模种养殖大户，巩固铺子村、红花村、石桥村3个养猪专业合作社。二是优先发展绿色产业。全镇有绿色种养殖基地40余个，绿色防控面积2.5万亩，重点在红花、华向、白坡3个村建设无公害优质水果基地，打造绿色优质水果品牌。三是规划升级基础产业。近五年来，全镇共落实粮油种植面积74.93万亩，实施玉米高产创建示范2500亩、水稻高产创建示范1700亩；

配方肥施用面积10万亩,粮食总产量达20万吨;引进亿科粮食、鼎鑫养殖、茂林苗木等专业合作组织,共流转土地1200亩。转变“重产轻销”的生产模式,积极加入电商销售,做到“不滞销,不脱销”,将伍隍镇建成为资阳市粮食、蔬菜等农副产品的供应基地。

抓好文化教育。一是加强教育示范基地建设。规划完善了省级重点高中伍隍中学供暖房及供暖配套设施、图书阅览室、多媒体教室、排污排水设施等建设;推进课程改革,提高教育质量,开展主题活动,抓好德育教育,抓教师队伍建设,促进师生双向发展。二是打造文化特色商业街。以伍隍中学入口为起点、伍隍加油站为终点,建设伍隍镇教育特色产业一条街,并在商业街入口和出口分别设立2个牌坊;对商业街两旁的街道路沿、人行道进行改造;在乐一路、三岔路口设立绿化环岛,规划行车道路,美化商业街环境;对商业街基础设施进行改造,新增特色垃圾桶、特色广告牌,新建古朴风格路灯等设施;对商业街店铺店招进行美化和改造。新建教育特色产业大楼,规划在伍隍场镇引进教育机构,打造集专业教育产业、职业技能培训、在职教育于一体的科学教育示范中心,预计投入资金5000万元。

【主要领导人】 区委书记:姜鸿飞;区人大常委会主任:杨晓勇;区长:罗道坤;区政协主席:姚忠志;分管农业副区长:欧阳建。

雁江区编写组

安 岳 县

【基本情况】 2016年,安岳县辖69个乡(镇、街道),有农业人口142.06万人,有耕地面积232.91万亩,增长0.02%;基本农田188.78万亩,增长0.28%。

【年度农业和农村经济运行】 2016年,安岳县实现农业总产值594727万元,增长3.6%;农业增加值464399万元,增长3.15%。农民年人均可支配收入13352元,增长9.5%。

农业产业化发展。安岳县培育和发展各类专业合作社1714个,培育家庭农场253个,建成适度规模经营园区1000余个。建成安岳县电子商务交易中心,发展农家店4000余家、营销大户3000余户,组建农产品流通企业10余家,建立4家政府性互联网站和20余家企业,柠檬等特色农产品网络销售额达13亿元。

【种植业】 2016年,安岳县粮食作物播种面积281.97万亩,产量73.19万吨,比上年增长0.3%,其中水稻63.7万亩,产量30.67万吨;玉米57.29万亩,产量14.79万吨;小麦53.6万亩,产量8.74万吨。油料作物播种面积51.55万亩,产量7.68万吨,比上年增长1.1%,其中油菜37.24万亩,产量6.14万吨。

柠檬产业。安岳柠檬种植规模、产量和市场占有率均占全国80%以上,被誉为“中国柠檬之都”。全县大力推行业主种植带动果农种植模式,每年以2万亩以上的速度增长,已发展业主820户,带动果农10余万户、30余万人。全县有柠檬基地乡(镇)41个,柠檬保有面积达52万亩;柠檬鲜果产量60万吨,产值达79.3亿元,果农收入44.28亿元,果农人均收入14284元,农民柠檬人均纯收入2660元,柠檬基地建设规模已成为全省乃至全国单一品种种植规模最大的地区。全县有柠檬加工企业27家,年加工能力达30万吨,生产开发柠檬油、柠檬果胶、柠檬发酵果酒等系列产品30余个,年加工产值30亿元。建成柠檬专业合作社289个、联合社2个,辐射带动农民30余万人。安岳柠檬鲜果及其加工产品远销美国、俄罗斯、日本、阿联酋、吉尔吉斯斯坦等30余个国家和全国150余个大中城市。“安岳柠檬”商标获得“四川省著名商标”、“中国驰名商标”、“国家地理标志”、全国50强区域公用品牌等荣誉和首届消费者最喜爱的100件四川商标称号,2016年“安岳柠檬”区域品牌价值达173.61亿元,进入初级农产品类地理标志产品全国10强。安岳县先后与中国农科院柑桔研究所、中国农业大学、西南农业大学、天津南开大学、四川农业大学等有关科研院校开展了柠檬病害分子检测与分子病理学、无病毒良种苗木繁育体系技术、非疫区建设关键技术、危险性(检疫性)有害生物预警与控制研究,先后完成数十项科技攻关项目,获得部、省级科技成果4项。制定了《柠檬》国家标准和5项四川省地方标准,安岳县被科技部国际合作司授予“国际科技合作基地”,柠檬产业被列为国家现代农业柑橘产业技术体系26个管理平台之一。

稻米产业。以石羊镇、龙台镇、李家镇等41个稻米产业基地乡(镇)为重点,辐射全县稻米生产、加工产业区和龙头企业加工原料供给基地,推广优质稻55万亩,占水稻总面积的86.3%,优质稻率同比增长0.7%;优质稻产量25.91万吨,优质稻产率同比持平。

薯类产业。全县红薯面积达39.55万亩,鲜薯产量45.6万吨。依托西南最大的红薯粉条加工生产基地,采取“龙头企业+基地”“龙头企业+基地+农户”“家庭农场+基地+农户”等模式大力发展红薯农民专业合作社、家庭农场。引进价值6万元的紫薯苗并在周礼镇田坝村开展紫薯种植试验示范400亩。

通贤柚产业。在通贤镇四方村、人和乡人和村、长河源镇小安镇村建立通贤柚示范园300余亩,维修园区内蓄水池、排灌渠系、作业道,开展土壤检测分析;通过改善柚园光照、增加土壤有机质含量,在基地乡(镇)推广通贤柚降酸增糖科技成果;开展通贤柚钾肥、果蔬袋控肥、防内裂、合理间伐等试验示范;与四川农业大学园艺学院合作,研究提升通贤柚品质,建立通贤柚试验示范基地,开展新技术、新方法的试验、示范,进一步充实、完善通贤柚提质增效集成技术;开展通贤柚技术培训,共培训800余人次,发放技术资料1600份。全县通贤柚保有面积3.4万亩,产量1.86万吨。

蔬菜产业。在蔬菜示范园区新建大棚80余亩、灌溉管网1500亩、机耕通道3000米、作业通道3500米、排泄砖渠3200米。开展各类蔬菜技术培训会20期、共培训3000余人次,田间技术指导2000余人次,发放技术资料4000余份,指导蔬菜生产面积2万亩次。实施蔬菜生产信息监测预警项目,及时报送相关蔬菜生产信息。全县蔬菜种植面积51.5万亩,产量77.25万吨,产值达15.45亿元。

中药材产业。以忠义乡、合义乡等10个中药材产业基地乡(镇)为重点,推广以金银花、白芷、半夏为主的中药材种植,面积达3.05万亩,产值达2135万元。

【林业】 2016年,安岳县完成各类营造林面积4.5万亩,低产低效林改造1万亩,大田育苗300亩、990万株,义务植树225万余株。构建网格化林地保护体系责任制,管护森林面积170.36万亩、重点公益林43万亩,全县森林覆盖率达42.7%。

【畜牧业】 2016年,安岳县猪、牛、羊、小家禽畜出栏量分别为135.19万头、2.31万头、40.89万只、1077.25万只,同比分别增长-4.9%、1.6%、1.5%、0.3%;肉、蛋、奶产量分别为12.11万吨、2.79万吨、7480吨,同比分别增长-3.7%、-0.5%、167.1%;实现畜牧业产值49.44亿元,占农业总产值的40.3%。全县年出栏500头以上生猪规模养殖比重达44.2%,是国家优质商品猪战略保障基地。

【水产业】 2016年,安岳县有池塘养鱼面积2301公顷、稻田养鱼面积9984公顷、水库养鱼面积1335公顷;有生产渔船40艘(养殖渔船

21 艘、捕捞渔船 19 艘），总吨位 177 千瓦；有水产专业合作社 121 个，其中省级合作社 2 个。全年水产品产量达 2.36 万吨，实现产值 38046 万元，其中名优水产品产量达 7745 吨，占水产品产量的 32.82%。

【统筹城乡与新型城镇化】 2016 年，安岳县城乡建设工作紧紧围绕县委县政府提出的“建设成渝中部县域经济强县”目标，加快推进深化改革，积极构建“1+4+N”新型城镇化发展格局。县城建成区面积增加 1.5 平方千米，达 30 平方千米，城镇化率提高 1.6 个百分点，达 34%，聚集人口超过 30 万人。城市建设方面，申报四川省海绵城市建设省级试点县，安岳大道南段北段、贾岛路一期基本具备通行能力，各支路路网项目按计划顺利推进，完成外南街临时停车场项目建设和杨家湾、土地堂沟农贸市场升级改造，南山片区农贸市场及城南水环境打造等项目加快建设。小城镇建设方面，按照新型城镇化工作要求，加大对 4 个国省级重点镇项目的策划包装、招商引资、手续办理等工作指导，完成周礼镇交通南北路、粉城大道道路黑化和龙台镇市政广场建设等项目，以龙台、李家、石羊、周礼镇等为重点的小城镇加快建设，文化、兴隆、通贤、周礼等交通枢纽型小城镇建设有序推进，周礼商贸中心、石羊滨河大道、李家汪姚大道等重点项目加快建设，龙台镇滨河路、龙姚大道南段、永清镇平安大道等项目有序实施。同时，按照 PPP 建设模式，包装推出了城乡生活垃圾一体化处置系统项目、乡（镇）污水处理厂项目并逐项启动实施。安岳县创建为省级卫生城市，城乡发展环境得到有效提升，城镇聚集作用明显加强。

【新农村建设】 2016 年，安岳县按照“业兴、家富、人和、村美”幸福美丽新村建设总体要求，坚持“规划先行、分类指导、产村相融、生态优先、农民主体、合力推进”的原则，着力推进幸福美丽新村建设。安排新农村建设专项资金 4200 万元，整合现代农业、通村通畅工程、移民后扶、小型农田水利重点县建设等项目资金 8000 万元，撬动金融资金 4000 万元，带动社会资金 34800 万元，启动建设幸福美丽新村 100 个，其中脱贫攻坚幸福美丽新村示范村 43 个，基本建成 100 个，完成规划任务的 100%；基本建成新村（聚居点）120 个，其中在脱贫村建设新村（聚居点）43 个，完成规划任务的 100%；建成农村廉租房 500 户。第二轮省级新农村建设成片推进示范县建设任务全面完成，示范村农民居住环境显著改善、生活质量得到明显提高、人均收入大幅度增加，为县域新农村建设提档升级、促进农村面貌全面改善起到了示范带动作用。

【扶贫攻坚】 2016 年，安岳县扶贫开发工作聚焦“两不愁、三保障、三个有”目标，紧紧围绕贫困村退出、贫困户脱贫和创新举措 3 个重点抓落实，高质量实现 43 个贫困村退出、2.5 万名贫困人口脱贫，年度考核在全省 72 个片区外县（区）中获得第二名。

贫困村退出。通过采用将集体土地、山坪塘等集体资产出租和发展村集体主导产业的方式，实现 43 个村有人均 6 元以上的集体经济收入；在涉及退出的 43 个贫困村投入基础设施建设资金 5084 万元，其中道路建设资金 3580 万元，水利设施建设资金 1215 万元，卫生室、文化室、宽带网建设资金 289 万元，实现了村村有通村硬化路、卫生室、文化室、便民服务室、通信网络，贫困发生率低于 3%的目标，43 个贫困村如期退出。

贫困户脱贫。围绕“两不愁”，全力推进产业发展，重点推进柠檬产业、畜牧产业、水产养殖业等特色优势产业发展。连片发展特色产业 3500 亩，发展适度规模养殖户 3112 户，有力带动贫困户增收；对有劳动能力、有就业意愿的 7500 余名贫困群众开展就业技能培训，使其居家灵活就业；对无劳动能力的 2.43 万名贫困对象实施低保兜底。围绕“三保障”，使全县建档立卡贫困户全部享受新农合保障，个人应缴费部分由财政代缴；实施健康扶贫工程，集中诊断病情并分类制订治疗措施，定向落实医疗机构，全域全程包干负责，全年贫困户报账 3089 人次，医疗费用总额 707.9 万元，个人支付比例仅为 1.27%；完成危房改造 2327 户，农村廉租房建设 300 户，易地扶贫搬迁 67 户、243 人。义务教育资助和“控辍保学”工作成效明显，建档立卡贫困户适龄儿童无一人因病因贫辍学。围绕“三个有”，投入水利设施建设资金 1215 万元，实现 2.5 万名贫困人口有安全用水；实施电力升级工程，实现每名贫困群众都有安全生活用电；实施广播电视升级改造，实现了户户通广播电视的目标。

【乡村旅游】 2016 年，安岳县申报乡村旅游品牌创建项目共 11 个，其中旅游特色乡镇 1 个、精品村寨 2 个、四星级农家乐 1 个、旅游特色业态 3 个、三星级农家乐 2 个、四星级乡村酒店 1 个、乡村民宿达标户 1 户。全县三星级以上农家乐达 13 个，宝森生态旅游度假区创建为国家 3A 级旅游景区。宝森生态旅游度假区、百里通贤柚绿色长廊、岳源乡悦缘花谷、和平乡青莲谷等乡村旅游景区项目建设有序推进，接待能力不断提升。依托万亩魅力柠海、宝森生态旅游度假区等乡村旅游资源，举办了第九届安岳柠檬节。

【全国农村改革综合试验区经验介绍】 近年来，安岳县贯彻落实市委全面深化农村改革的总体部署，坚持抓重点、出新招、去短板，以发展的新理念破解改革新难题，以绿色理念引领农业供给侧结构性改革，促进农村改革再谱新篇章，有效带动农业农村经济持续快速发展，形成了可复制、易推广的安岳特色经验。

以明晰产权为前提，推进“多权同确”。坚持“产权清晰、权属明晰”的原则，推进农村土地承包经营权、林权、小型水利工程产权等“多权同确”。全县完成集体林权确权面积 102.19 万亩，发放《林权证》39 万本，依法登记林地 591 万宗，签订完善退耕还林承包合同 115946 份，制发《中共安岳县委、安岳县人民政府关于印发〈安岳县国有林场改革实施方案〉的通知》。完成全县航飞摄影和 69 个乡（镇）的农村土地确权登记任务并进行了第二轮公示，确权成果通过省级验收并获得“优秀”等级。全面启动小型水利工程三权分离改革试点工作。

以主体带动为牵引，加快新型农业经营主体培育。坚持“政府引导、企业主动、农民主体”的原则，按照以家庭承包经营为基础、合作与联合为纽带、社会化服务为支撑的立体式复合型现代农业经营体系标准，大力培育新型农业经营主体。全县培育农民专业合作社 1714 个、联合社 5 个、家庭农场 253 家，成立柠檬生产劳务服务合作社等社会化服务组织 25 个，培育壮大龙头企业 19 家。

以投融资为手段，增强农业内生动力。整合项目资金，创新金融支农机制，加强产权融合，拓展信贷支农渠道，开办农业抵押贷款、小额信用贷款和农户联保贷款等业务，鼓励各类担保机构开办融资担保业务。发放农村土地流转收益保证贷款 6275 万元，发放农村产权抵押贷款 2.5 亿元。

以资源优势为依托，培育新产业新业态。依托资源优势发展休闲农业和乡村旅游业，依托特色产业推进农产品产地初加工，依托特色产品大力发展农村电子商务。新开设网商、网店 1500 余家，发展“万村千乡市场工程”乡镇连锁店和农家店 932 家、营销大户 2000 余户，150 余家网店年销售额达千万元以上。

以脱贫攻坚为目的，多管齐下壮大村级集体经济。坚持“因村制宜、多措并举、市场导向、整合资源”的原则,多元化发展壮大村级集体经济。形成“村集体+专合社+贫困户”股份合作模式,推动农民变股民,实现户均增收1900元;探索出“村集体+公司+基地+贫困户”模式,推动能人带穷人致富,建立了“四方利益”联结机制;探索出“村集体投资+贫困户经营”带动模式,推动资源变资本共赢式发展,实现了集体经济和贫困户利益双赢。

【四川省现代农业建设示范县经验介绍】 2016年,安岳县被省政府认定为现代农业示范县。一是夯实产业基地建设。全年完成农业固定资产投资7.16亿元,建成高标准农田10.21万亩,建成村道、农机通道、田间作业道400余千米。全县主要农作物耕种收综合机械化水平达54%,农业灌溉用水有效系数为0.62。二是加快适度规模发展。全县农村土地流转面积52.98万亩,土地适度规模经营率达40%。培育各级农业产业化龙头企业40余家,全县农业产业化经营带动农户面达75%。三是产业园区建设聚集发展。建成粮食万亩高产示范片9个、粮食生产园区31个;建成年出栏生猪1000头以上的规模养殖场18个、年出栏生猪5000头以上的规模养殖场8个,建成部级示范场2个、省级示范场3个,重点打造普洲奶牛、日泉农牧、晨阳兔业等4个种养循环经济示范园。建成6个省级现代农业万亩核心示范区,全县出口柠檬质量安全示范园区达290余个、面积10万亩。申报安岳柠檬·文化现代农业省级融合发展示范园区,争取项目资金400万元;创建文化镇燕桥村宝森农林科技省级现代农业示范园、自治乡铁福村省级林业园区,争取省级现代农业(林业)园区奖补资金各100万元。

【重点乡镇选介】 龙台镇,位于安岳县城东部,距县城25千米,毗邻重庆市潼南区、大足县。全镇辖区面积48.15平方千米,辖21个行政村193个村民小组、4个社区39个居民小组,总人口8.1万人,场镇常住人口5.6万人,户籍人口城镇化率达57%,城镇建成区面积4.1平方千米。2004年被列为首批国家级重点小城镇,2013年被确定为“百镇建设”试点镇,2014年被确定为全国重点镇,2015年被确定为扩权强镇试点镇。2016年,全镇地区生产总值实现13.73亿元,农民年人均纯收入达15250元,银行存款余额突破12亿元。

龙台镇是中国柠檬发源地和主产区,有“中国柠檬之乡”的美誉。全镇有营销大户300余户,电商500余家,精油、果酱、果脯加工厂3家,干片加工厂9家,年加工柠檬3万吨;已建成柠檬通风储藏库300余个、面积60万平方米,柠檬冷冻库400余个、面积12万平方米;有营销队伍5000余人、物流公司2家、营销车辆223辆,形成了企业、个体、联合、家族营销4种营销模式。全国约80%的柠檬近50万吨鲜果每年在龙台镇集中销往全国各地和出口日本、俄罗斯及东南亚等国家和地区,总销售额达30亿元。

建设中的资潼高速公路穿境而过并在龙台镇设有出入口,国道319线及5条县级以上公路纵横贯穿全境,已建成乡村水泥路183.5千米,实现村村、社社通水泥路,户通率达90%以上。境内有2条大河,6座大桥与陆路相互配合,交通快捷便利。城镇已建成自来水厂1座,投资1100万元的水网改造工程建成并投入使用,已建成主干管道1.65万米,日供水0.85万立方米,供水区域从场镇向农村辐射。新建的日处理污水0.4万立方米、投资约4000万元的污水处理厂8月底投入使用。规划新建垃圾处理中转站1座,已完成立项、选址等前期工作。场镇范围内共设置垃圾集中投放点72个,有独立法人环卫公司1家、专业保洁人员57人,垃圾运输车3辆、洒水车2辆,日处理生活垃圾约40吨;设有农村垃圾收集点63个,配备保洁员46人,服务村庄21个,全镇环卫保洁服务率达100%。全镇适龄儿童入学率达100%;有村(社区)卫生室25所;有省级三星级敬老院1座,2016年年底入住五保老人96人。

龙台镇完成10平方千米的总规、6平方千米的控规编制。投入资金300余万元,维修改造场镇路灯263盏;投资160余万元,完善乡村旅游环线8.6千米;投资1300万元,新建龙台防洪护堤护坡工程;投资1100万元,完成场镇水网改造工程;投资5000万元、建筑面积2.6万平方米的土地挂钩项目安置区建设项目全部竣工;东和佳苑、龙辰壹号、中华鑫城、龙华丽都4幢电梯公寓10万平方米的商住开发楼盘入住率达80%以上。

【主要领导人】 县委书记:许志勋;县人大常委会主任:刘云;县长:刘怀笔;县政协主席:魏斌;分管农业副县长:魏斌。

安岳县编写组

乐至县

【基本情况】 2016年,乐至县辖25个乡(镇、街道),有耕地面积65.79万亩,减少0.02%;基本农田25.5万亩,减少0.61%。

【年度农业和农村经济运行】 2016年,乐至县实现农业总产值688061万元,增长3.6%;农业增加值331296万元,增长7.9%。农民年人均可支配收入13331元,增长9.5%。

农业产业化发展。乐至县新注册家庭农场150家、市级龙头企业22家,创建省、市级示范合作社16家,新型农业经营主体带动面达60%。积极化解农业产业化龙头企业信贷违约风险,开展农民专业合作社分类摸底调查工作,争取项目支持新型农业经营主体做大做强、规范发展,创新“园区+科研机构+企业+基地+农户”的川中林业科技园模式、“龙头企业+合作社+基地+农户”的亿家园模式、“合作社+农户”的良安蜜柚和双河柠檬发展模式、“农民产业园”的龙溪食用菌模式,新型农业经营体系基本成型。结合各乡(镇)推荐的家庭农场进行实地规划,对种植业、畜牧业、渔业共35家家庭农场进行项目扶持,扶持资金82.5万元。全县在工商部门登记注册的家庭农场610家、专合社386家、龙头企业33家、涉农企业79家,其中省级示范家庭农场3家、省级示范专合社2家。

农用地产权制度改革。乐至县农村产权制度改革扎实推进,联动推进农村产权“七权”同确,全面完成农村土地确权登记颁证工作,确权登记面达90%、颁证面达80%。成立全县农村土地流转中心,加快搭建农村产权交易平台,推动农村土地规范有序流转。大力发展适度规模经营,全县流转土地16.5万亩,占耕地面积的24.6%,流转土地发展适度规模经营面积占流转土地面积的50%以上。开展农村土地流转收益保证贷款试点,县政府出资设立风险补偿金,发放贷款2笔、240万元;探索开展动物活体担保贷款试点,发放贷款1笔、300万元。

【种植业】 2016年,乐至县粮食作物播种面积121.73万亩,比上年减少4.03万亩,减少3.2%;产量36.85万吨,比上年增加0.53万吨,增长1.46%,其中,小春粮食作物播种面积29万亩,比上年减少4万亩,减少12.12%;产量5.64万吨,比上年减少0.52万吨,减少8.44%(小麦18万亩,比上年减少2万亩,减少10%;产量4.41万吨,比上年减少0.29万吨,减少6.17%。豌(胡)豆8万亩,比上年增加1万亩,增长14.3%;产量0.6万吨,比上年增加0.2万吨,增长50%。马铃薯3万亩,比上年减少3万亩,减少50%;产量0.63万吨,比上年减少0.43万吨,减少40.57%)。大春粮食作物播种面积92.73万亩,比上年减少0.03万亩,减少0.03%;总产量31.21万吨,比上年增加1.05万吨,增长3.48%(水稻25.2万亩,比上年增加0.4万亩,增长1.59%;产量12.62万吨,比上年增加0.43万吨,增长3.53%。玉米34万亩,比上年减少0.5万亩,减少1.45%;产量13万吨,比上年增加0.92万吨,增长7.77%。大豆18.16万亩,比上年增加0.16万亩,增长0.89%;产量2.48万吨,比上年减少0.09万吨,减少3.5%。薯类15.37万亩,比上年减少0.1万亩,减少0.65%;产量3.12万吨,比上年减少0.2万吨,减少6.02%)。油料作物播种面积35万亩,比上年增加0.5万亩,增长1.43%;产量5.98万吨,比上年增加0.3万吨,增长5.28%(油菜30万亩,比上年增加0.5万亩,增长1.69%;产量4.79万吨,比上年增加0.29万吨,增长6.5%。花生5万亩,与上年持平;产量1.19万吨,比上年增加0.01万吨,增长0.84%)。水果种植面积6.55万亩,比上年增加0.5万亩,增长8.3%;产量4.2万吨,实现产值1.6亿元。蔬菜播栽面积25.52万亩,产量47.86万吨,实现产值8.6亿元,其中辣椒8.5万亩、莲藕3万亩、榨菜5.8万亩。

【林业】 2016年,乐至县实现林业总产值38.1亿元,其中林业旅游与休闲服务业产值3.54亿元,农民人均林业收入1637元,增长10.3%。完成营造林4.32万亩,新增森林面积1.1万亩,新增森林蓄积2万立方米,森林覆盖率达41.8%,增加0.5个百分点。对22个扶贫村进行重点规划,规划面积4650亩,落实造林项目2000亩,每亩补助500元。县林业局与县总工会联合开展"送技术进扶贫村"培训和核桃冬季栽培管护技术培训,同时安排林业技术人员到扶贫村开展技术指导,帮助扶贫村产业尽快发挥效益。

森林生态建设。一是加强退耕还林工程建设。全年巩固退耕还林成果11.1万亩,将政策补助与管护成效挂钩,退耕还林政策补助兑现率达100%;完成全县25个乡(镇)2016年度退耕还林成果巩固情况自查;将退耕还林防火和病虫害防治纳入当地森林"三防"体系,确保责任到人、措施到位。二是强化天保公益林建设。层层签订天保公益林管护责任书,采取林农自行管护和各乡(镇)政府设立兼职管护人员统一管护相结合的管护方式把工程建设目标任务、管护措施落实到人、到地块,实施国有林管护0.01万亩、集体公益林管护26.07万亩,管护率达100%。严格执行森林生态效益补偿制度,各乡(镇)对2016年兑现农户基本信息表进行了清理,做到兑现农户信息真实、详细准确。组织乡(镇)完成天保工程自查工作,通过邮政银行"一折通"将2016年森林生态效益补偿金全额兑现到林农账户,兑现率达100%。全面完成2015年天保二期人工造林2000亩和森林抚育2万亩建设任务并通过县级检查验收。三是推进大规模"绿化全县"行动。成立了指挥部,编制完成绿化全县行动总体方案及年度实施方案,明确了工作任务和工作责任,2016年度建设任务有序推进。

林业产业发展。培育了核桃和红椿2条林业特色产业带,以点连线、以线带面,推进全县林业产业加快发展。在高寺、放生、劳动、凉水、全胜、良安、宝林7个乡(镇)建成以核桃为主的经果林带10万亩以上;在孔雀、回澜、石佛、蟠龙、龙门、石湍6个乡(镇)建成以香椿为主的经济林带10万亩以上,同时兼顾油桃、柠檬等其他林果产业。全县基本形成了金顺2000亩沙参基地,良安2000亩蜜柚基地,大佛1万亩圆黄梨产业基地,童家、高寺6000亩油桃产业基地,双河万亩柠檬产业基地,孔雀3000亩珍稀苗木基地,天池、佛星、东山、回澜2万亩青花椒基地,通旅3000亩中药材种植基地,龙门、全胜500只梅花鹿养殖基地,童家1万平方米天麻产业基地的林业产业格局。大力扶持和壮大林产品加工龙头企业,依托龙头企业带动林业产业发展,形成林业产业链并有效延伸。围绕"绿色乐至、生态乐至、宜居乐至"目标,大力发展森林生态旅游业。

森林保护。一是筑牢森林火灾防线。与各乡(镇)政府签订森林防火目标管理责任书25份,与村、社区签订森林防火责任书606份;在九龙山公墓、天竺寺入口处,国道319线、318线等公路沿线主要路口安装森林防火警示标牌15块;在春节、清明节和各种宣传活动中发放宣传单6万余份,通过移动公司短信平台发送森林防火警示短信9万余条;在孔雀乡马家井村开展森林防火应急演练1次,查处森林火灾案件4起,处理违法人员4人。森林火灾年损失率控制在0.1‰以下,全年无较大以上森林火灾和人员伤亡事故发生。二是筑牢森林有害生物防治防线。全年林业有害生物预测发生面积14.24万亩,实际发生面积14.33万亩,测报准确率达99.37%;林业有害生物防治面积10.03万亩,投入资金114.02万元,林业有害生物成灾率控制在3‰内。开展林业有害生物普查,调查线路42条、样点410个、标准地12个、有害生物107种。狠抓森林植物检疫执法和野生动物疫源疫病监测,全年办理林业植物检疫行政许可62件。全县苗圃育苗面积0.12万亩,实施苗圃地检疫0.12万亩、产地检疫苗木300万株,种苗产地检疫率达100%。三是筑牢森林资源管理防线。进一步加大林木采伐监管力度,严防超范围、超强度采伐。办理林木采伐许可证2470份,批准采伐蓄积量3965.94立方米,占年森林采伐限额的48.96%,全年森林采伐消耗指标未超出规定限额。加强林地保护管理,共办理林地占用征收5件,其中燃气管道工程建设等永久性占用征收林地2件,占用林地0.7206公顷;成安渝高速公路(乐至段)工程等临时性占用征收林地3件,临时占用林地1.241公顷。四是筑牢林业综合执法防线,开展火案查处、打击破坏野生动物资源违法犯罪、"林地行动"等专项行动,查处各类涉林行政案件101件,挽回经济损失33万余元。

深化林业改革。深化集体林权改革,开展林权抵押贷款改革试点,成立了以县长为组长、县委县政府分管联系领导为副组长、相关部门主要负责人为成员的试点工作领导小组,编制完成《乐至县林权抵押贷款改革试点实施方案》,制定了《乐至县林权抵押贷款管理办法(试行)》《乐至县经济林木(果)权登记管理办法(试行)》等相关管理办法,累计颁发经济林木(果)权证25本,涉及土地1153宗、非林地15538.7亩,发放林权抵押贷款2330万元。采取"公司+基地+农户""公司+合作社+农户""园区+科研机构+公司+农户"等模式,因地制宜发展特色种植业,全年新增涉林专业合作社2个、家庭农场4个。

推进林业科技发展。大力推进川中丘陵区林业科技示范园建设,建成现代特色花卉种苗科技示范区1250亩、特色经果林产业示范区2280亩、特色珍贵速生用材林产业示范区1050亩、乡村生态旅游示范基地1000亩,生物技术组培中心动工建设,新建和完善一批基础设施。借助科普活动月及科技活动周等契机,开展以"赶科普大集"、科技培训为主要形式的科普宣传活动,发放《早实核桃栽培管理技术》《香椿习性及栽培技术要点》等林业技术资料1万余份,进村入户开展核桃、红椿管理技术培训12次,培训3000余人次。和省林科院合作开展川中丘陵区核桃高产技术研究与示范、珍贵用材林—桢楠、香椿速生林营造技术示范与推广等项目,良种应用率达80%以上。

【畜牧业】 2016年,乐至县出栏生猪88.9万头,比上年减少3.6%;出栏山羊74.2万只,比上年增长2.5%;出栏禽、兔620万只,比上年减少2.1%。肉类总产量8.2万吨,比上年减少2.3%;禽蛋总产量突破3万吨;实现畜牧业总产值38亿元。大力发展特色种养殖业,全年发放蚕种13.4万张,产茧4527吨,实现产值1.568亿元,同比增长12%;桑园开发和蚕桑副产物综合利用实现产值2.7亿元,同比增加1000万元,增长4%。引导本地生猪养殖场与温氏、安佑、正大等企业合作,生猪出栏量稳步增加;乐至黑山羊价格稳定,全县在建标准化家庭农场达160余个;禽、兔产业稳定发展,加快打造金顺、中和场2个百万只肉兔乡(镇)。

按照标准化养殖建设"五化"要求,开展畜禽养殖标准化示范创建工作,全年共建成部级标准化示范场4个、省级标准化示范场3个;建成畜禽养殖标准化小区(场)220个,其中生猪标准化养殖小区(场)155个、黑山羊标准化养殖小区(场)43个、獭兔标准化养殖小区10个、家禽标准化养殖小区(场)12个。整合涉农项目资金,围绕打造肉(獭)兔、林下鸡、乐至黑山羊三大养殖示范带,稳步推进适度规模养殖户发展,全县生猪规模养殖比重达51.4%,山羊规模养殖比重达35.3%。

循环经济园区建设。坚持畜牧养殖与优质蔬菜、特色水果、优质牧草基地发展有机结合,实现"生态养殖+特色种植"的种养结合循环发展。依托项目和资金,推行"百亩草场、千只羊场""十亩草场、百只羊场""五亩草场、五十只羊场"种草养羊模式。进一步巩固圣美园现代畜牧科技园、大自然种草养羊示范园、川中黑山羊产业科技园建设,提升园区种养循环资源利用功能。同时,推行"生态养殖+沼气发酵+绿色种植"模式,将龙翔生猪果林循环经济园、大自然乐至黑山羊饲草种养结合园等规划发展成为农业循环经济示范园区。

依托"科技部富民强县专项行动""送技术到扶贫村"等活动,组织技术骨干开展畜禽养殖技术、法律法规宣传培训,累计培训养殖户和贫困户3644人次,发放技术资料5000余册。进一步加快防疫体系建设,全面落实动物防疫、检疫、疫情监测,对染疫或病死动物、动物产品进行了无害化处理。开展春秋两季动物集中免疫,全县高致病性禽流感、口蹄疫、猪瘟、高致病性猪蓝耳病、羊小反刍兽疫等重大动物疫病免疫密度均达100%,耳标佩带免疫率、档案建立率、畜禽圈舍消毒面均达100%,免疫抗体平均合格率达85.8%。全年未发生重大动物疫情。

【水产业】 2016年,乐至县水产品产量18266吨,同比增长4.5%,其中名特优水产品产量8000余吨,占总产量的46.9%,比上年提高0.5个百分点。全年实现渔业总产值3.15亿元,农民人均渔业收入525元。

【农村水利】 2016年,乐至县各项水利目标任务圆满完成。完成水利设施建设总投资9783万元,建设各类水利工程3000余处。新建渠道9.59千米,整治渠道10.67千米、山坪塘56座、蓄水池200口、泵站5处,实施高效节水灌溉517亩,治理水土流失面积7.55平方千米;建成抗旱应急井5口、提水泵站1处,完成中小河流综合治理河长1千米;建设大院集中供水工程11处,共解决679名贫困人口饮水安全问题。

启动宝石水库的勘察设计,已开展有关可研资料的编制工作。申报全省第二批节水型社会建设重点县项目,积极开展项目选址和方案编制。完成《2016—2018年水系绿化工程规划》《2016年水系绿化工程实施方案》的编制,开展岔岔河沿岸生态廊道、岔岔河水库库区绿化实地勘察、规划、土地落实、土地平整、种苗确定等工作,建设岔岔河沿岸生态廊道15千米,实施岔岔河水库库区绿化土地平整200亩。

强力推进脱贫攻坚。一是制订《乐至县水务局2016年脱贫攻坚工作方案》,明确职责分工,全面落实非脱贫村的贫困户脱贫和驻村帮扶工作。二是实施"小农水"、扶贫专项项目,在石湍镇三块碑村、长堰沟村新建渠道13.94千米,整治渠道4.63千米,新建、整治山坪塘79处,新建囤水田107处,整治泵站3座,新建蓄水池194口,掏淤9.3万立方米。三是帮助石湍镇三块碑村分析贫困现状,谋划发展思路,逐步改善其面貌。

重点项目建设。一是毗河供水一期工程。有序推进征地工作,与村、组签订永久征地协议250份,永久性征地移交面积3400亩,占总征收面积的84%;签订临时用地协议121份,临时用地移交面积1358亩,占总征收面积的51%。加快推进房屋搬迁安置,签订搬迁协议331户,完成总搬迁任务的82%。落实专项设施迁(复)建,乐至段进场施工144处,其中隧洞工程51座、渡槽工程29座、明渠57处、暗渠及其他工程7处,51座隧洞工程累计进尺26.42千米,寨子隧洞、莲花沟隧洞、笔架山隧洞、枇杷沟隧洞等22个隧洞已贯通;29处渡槽工程已完成土石方挖填310万立方米、混凝土浇筑67136立方米等。运用"村民自治,民办公助""一事一议"方式强力推进小型农田水利重点县建设,2016年省级财政小型农田水利重点县建设完成项目的90%;全面完成龙门乡金鼓村省级重点扶贫新村水利专项工程建设并通过验收。二是饮水安全项目建设。实施乐至县"十二五"农村饮水安全结余资金使用工程项目、乐至县中天—高寺场镇应急供水项目。投资约400万元,安装输水主管约11千米、加压泵站1座、二次消毒设施1套。完成乐至县2013年中央预算内农村饮水安全项目和2014年、2015年农村饮水安全工程结算、送审工作。三是加快推进天池镇鄢家河防洪治理工程建设,批复总投资1783.87万元,其中中央补助资金784万元。四是实施童家镇鄢家河防洪治理工程,批复总投资1366.5万元。

加强水利工程管理,发挥水利工程效益。一是完成《2016年中央和省级财政农田水利工程维修养护项目(水库工程)》方案编制、工程建设管理、竣工资料汇编等工作,主要建设内容为维修养护30座水库工程和21座水库的安全监测设施。二是完成《2016年度水毁渠道修复工程》方案编制、建设管理、竣工资料汇编等,主要建设内容为修复14个联合管理站,所辖水库水毁渠道260处、9.5千米。三是全面完成猫儿寨、余家沟水库除险加固工程,水库防洪减灾能力显著提升。四是全面完成2014年度和2015年度抗旱应急水源工程,2016年度抗旱应急水源工程主体工程基本完工。

落实水土保持措施,开展水土流失综合治理。一是全面完成2015年国家农业综合开发水土保持项目建设任务,综合治理水土流失面积7平方千米,总投资315万元。新建蓄水池20座、沟渠3.05千米、沉沙池28个、生产道路4.12千米,坡改梯34.41平方米。二是启动县级水土保持规划(2015—2030年)、"十三五"规划和水土流失重点预防区、治理区"两区"划分等工作。三是实施乐至县2016年国家农业综合开发水土保持项目,综合治理水土流失面积7.55平方千米,总投资340.5万元。四是加大水土保持预防监督执法力度,依法征收水土保持补偿费。

推进依法治水管水,加大行政执法力度。一是利用"中国水周"、"世界水日"、"城市节水宣传周"、普法宣传、安全月宣传等时机,组织开展水法律法规和节约用水宣传活动。二是开展水行政执法工作。全年开展水事巡查280余人次,制止涉水违法违规事件5件,征收违规费559.8万元,办理行政许可59项。三是做好取水许可证清理工作。对19家取水单位进行了清理,督促其完善补齐相关资料。四是承担水环境治理日常工作。五是制定《乐至县实行最严格水资源管理实施意见》和《乐至县实行最严格水资源管理考核办法》。

防汛工作。一是落实人员物资准备。组织临时抢险队伍27支、3177余人,储备常用防汛物资类9类。二是先后投资630余万元建设山洪灾害监测预警体系,建成县级山洪灾害监测预警平台1套,简易雨量站70个、自动监测雨量站23个,自动监测水位站4处、自动监测水位雨量站2处,自动监测视频站4个、四要素自动监测气象站4个。三是完善乐至县2016年防汛应急预案,督促25个乡(镇)、15个水库管理单位完善本单位2016年防汛应急预案,以确保辖区内突发性水害的预防和应急处置有序进行。四是落实防汛值班制度。各乡(镇)和县直有关部门建立健全防汛值班制度,安排专(兼)职值班人员,确保安全度汛。

落实移民后扶政策,维护农村社会稳定。一是通过道路交通、一线水利建设和产业结构调整,全面完成2016年无法核实到人项目工程、2015年整村推进示范片建设项目和2015年度大中型水库移民后期扶持项目建设。二是全面完成2015年度第二批小型水库移民扶助基金项目建设,项目总投资332.24万元,其中移民后扶国家资金200万元、其他项目投资及群众集资132.24万元。三是完成2015年大中型水库移民避险解困试点工作实施方案送审工作。四是做好信访接待工作。全年接待群众来信来访20余件,接待200余人次。大中型水库移民及三峡移民工作形势总体稳定。

【农业机械化】 2016年,乐至县主要农作物耕种收综合机械化水平达46.15%,其中水稻机耕23万亩、机播5万亩、机收19.5万亩,耕种收综合机械化水平达66.2%;油菜机耕21万亩、机播1.1万亩、机收2.5万亩,耕种收综合机械化水平达36.54%。全年共投入农机购置补贴资金145万元,其中中央补贴资金28.9万元、购机农户自筹资金116.1万元,补贴各类农机具262台(其中稻米脱粒机械1台、饲料粉碎机1台、玉米脱粒机57台、谷物收获机械27台、微耕机176台),受益农户和农机服务组织260户(个)。全年更新、维修、改造提灌站856台次、10890千瓦,其中修复提灌站60台(套)、2220千瓦;新建、技改标美提灌站4座,装机4台、179千瓦;新增提水设备150台(套)、1356千瓦。提灌机械出勤6670台次、7.89万千瓦,提水4456万立方米,保灌面积25万亩。投入资金6644万元,其中各级财政投入2964万元、农民自筹3680万元,建设机耕便民道346千米、村组道路145千米、田间机耕道102千米、入户便民道99千米。在25个乡(镇)示范推广机械化育插秧技术面积5.3万亩,完成小麦机收3.6万亩、玉米机播技术示范4.3万亩。全年注册农机专业合作社26个,完成目标任务的100%;农机专业合作社作业面积6.5万亩,完成目标任务的108.33%。严格开展农用车年检、过户及驾驶员审验,广泛开展业务培训和宣传活动,与拖拉机机主(机手)签订安全生产责任书、承诺书930份;加强对道路以外无牌行驶、无证驾驶、未检验农机作业等违法行为的检查;加强对农机生产企业事故隐患排查,实现了全年农机安全零事故。

【统筹城乡与新型城镇化】 近年来,乐至县按照“城乡统筹、分类指导、因地制宜、功能互补”的原则,提出了“一主一副四极九点”的城镇空间发展思路,即“1149”城镇体系,着重发展县城和县城副中心童家镇以及劳动镇、大佛镇、中天镇、良安镇、宝林镇等国家级、省级、市级重点镇,大力培育旅游服务型、工业主导型、基础农业型、商贸服务型特色小城镇。同时,注重小城镇发展和新农村建设相结合,大力发展特色农业产业,优化新村聚居点布局,全县规划建设新村聚居点1897个。抓好小城镇总规修编。全县共投入600余万元完成新一轮场镇规划修编,涉及24个乡(镇)和中天工业园区。同时,完成乐至县新村规划编制。突出项目建设,完善场镇功能,主抓劳动、大佛、童家3个省级“百镇建设”试点镇建设。全县24个乡(镇)修建完善了文化站、便民服务中心、中小学校、幼儿园、敬老院、卫生院、农技服务站、市场,实现乡乡通天然气;18个乡(镇)已建成五级客运站,完成中天、童家、劳动3个乡(镇)污水处理厂建设,10个乡(镇)启动了垃圾转运站建设;场镇主要街道实现硬化,乡(镇)绿化、亮化、净化设施进一步完善,同步落实了环卫保洁队伍。

坚持城乡统筹,将小城镇周边的新村聚居点与场镇拓展紧密结合、整体打造,建设农民集中居住区,引导农民向农村新型社区适度集中,形成场镇新亮点。大力实施新农村建设示范县建设,同步完善聚居点入院入户路、排水、供水、天然气等设施建设,成功打造孔雀寺村、牛栏店村、清水村等新村建设示范点。

优化人居环境,支持场镇居民自主筹资进行危旧房改造,完成中天、佛星、龙门、放生、双河、石佛等乡(镇)旧城改造,拆除旧房10万余平方米,新建各类生产生活用房约50万平方米,5000余户居民住上了新居。完成8000余户新村农房和农村危房改造目标任务,改善农村贫困群众居住质量。深入推进城乡环境综合治理,提升道路建设标准、管网建设水平、绿化设施等级,结合山水园林自然条件,建设美丽小城镇。将小城镇分为商贸、工业和旅游等类型,大力发展相关特色产业,引导工业企业向园区集中、乡(镇)企业向小城镇集中,增强小城镇经济实力。

全年完成15个乡(镇)的农村集体“三资”财务录入工作,其中完成“三资”清查的乡(镇)有13个;完成村级公益事业“一事一议”财政奖补项目和耕地地力保护补贴清查工作,先后对25个乡(镇)农民负担、“一事一议”筹资筹劳、惠农政策落实等情况进行检查,对存在的问题进行了及时纠正。

【新农村建设】 2016年,乐至县围绕新村建设与脱贫攻坚相结合建设幸福美丽新村的要求,将所有贫困村纳入幸福美丽新村建设规划,优先在边远地区和贫困村实施整村推进幸福美丽新村建设。修订完善县域新村建设总体规划,做到新村建设与脱贫攻坚、产业布局、交通水利、土地资源等专项规划的有效对接。围绕做强产业支撑,突出蚕桑、畜牧、蔬菜、林果等主导产业,确定了加快形成以童家、回澜、石佛等乡(镇)为核心的蚕桑产业示范区,以通旅、龙门、双河场等乡(镇)为核心的畜牧产业带,以中天、大佛、劳动等乡(镇)为核心的优质蔬菜产业带,以孔雀、良安、高寺等乡(镇)为核心的林果产业带的发展思路。以省、市、县三级新农村示范片和贫困村为重点,县本级财政预算投入资金2000万元,推广“微田园”建设经验,大力实施建庭院、建入户路、建沼气池和改水、改厨、改厕、改圈“三建四改”工程,新(改)建民居1200户,整治院落300个;解决无房户、危房户、住房困难户住房问题480户,建成农村廉租房170户;保护传统村落1个、传统民居58户;建成“1+6”村级公共服务活动中心80个。全面推进村务公开,创新完善民主管理制度,充分发挥村规民约作用,常态化开展“文化大院”“文明乡村”“星级文明户”“清洁卫生户”评选活动,着力推进农村文明生态建设。

推进省级幸福美丽新村项目建设。结合幸福美丽新村规模、项目整合等因素,在充分尊重群众意愿的基础上,将1500万元省级财政幸福美丽新村专项资金项目全部安排在扶贫村,共惠及全县17个乡(镇)、17个扶贫村、7051户贫困户、21216名贫困人口。县及相关乡(镇)均成立了幸福美丽新村建设项目领导小组,督促各项工作有序推进。同时,整合农业、林业、水利、扶贫、农村危房改造、农村公路等涉农项目,打捆使用、重点投放,协同推进新村建设、产业发展、基础设施和公共服务等各项幸福美丽新村建设。以扶贫攻坚为重点编制完成《乐至县2016年省级财政幸福美丽新村建设专项资金项目实施方案》,计划总投资3148.007万元,其中省级财政专项补助资金1500万元、县级配套财政资金273.95万元,社会投入1374.057万元,项目完成率达60%。

开展幸福美丽新村建设"回头看"工作。按照省、市统一部署要求,从4月上旬起,通过实地察看、走访贫困户、召开座谈会、查阅资料等形式对已建成的110个幸福美丽新村开展"回头看"工作,全面、精准掌握幸福美丽新村建设情况。一是强化领导,落实责任。县委县政府成立了以县委分管领导任组长,县政府分管领导任副组长,县委农办、财政、农业、林业等部门为成员的推进组,实地开展"回头看"工作。制订并下发了《开展幸福美丽新村建设"回头看"实施方案》,明确牵头部门、责任单位的职责,将"回头看"工作纳入新农村建设年终考核。二是突出重点,开展指导。严格按照"业兴、家富、人和、村美"的目标要求,组织县级部门到乡(镇)开展指导,重点对培育产业、完善设施、整治院落、治理环境和贫困户居住等问题进行补充完善,结合乡情村情和贫困农户实际挨家挨户进行调查访问和数据统计,建立台账,逐项逐村落实建设内容,巩固提升幸福美丽新村建设水平。

【扶贫攻坚】 2016年,乐至县修订《乐至县"十三五"脱贫攻坚规划》《乐至县2016年十六个专项扶贫方案》,实现贫困村干部驻村帮扶和贫困户结对帮扶全覆盖,全县脱贫攻坚工作有力推进。组织6个自查验收组按照"一超过""两不愁""三保障""三有"及"四个好""一低、五有"的标准对全县22个贫困村5719户贫困户1.2451万名贫困人口的退出工作进行全覆盖验收。全县脱贫攻坚首战取得显著成效,1.2451万名贫困人口人均纯收入超过3100元,全部超过2016年的脱贫线。全面完成低保对象复核认定并实行规范化动态管理,全县低保兜底1309人,对未达到最低低保生活标准的残疾人实行差额补助800人。一是抓好产业扶贫,围绕特色优势产业,积极引导贫困村发展果蔬种植和畜禽养殖等,全县22个贫困村均成立了专业合作社,培育家庭农场27家,发展种养大户139户,建成种植基地5600余亩,补助生猪、山羊、小家禽等良种幼仔11万头(只)。引进阿里巴巴集团探索发展农村电商,本地注册电商35个;县人社部门在22个贫困村各安排5个以上村级公益性岗位,帮助贫困户就近就业。二是落实"三免一补""两减一助"等教育惠民政策,落实建档立卡贫困家庭学生奖补政策,整合用好"金秋助学""助学贷款"等帮扶政策,累计发放教育扶贫资金387.9余万元。全面落实医保救助政策,实现大病救助"一减免、四保险、一救助、两基金"梯次保障。全县建档立卡贫困户住院报销人数达2225人,发生费用864.9万元,个人支付7.7万元,个人医疗费用支付比例为0.9%,实现了"微支付"目标。三是扎实推进易地扶贫搬迁和危房改造,163户易地扶贫搬迁住房建设工程全面竣工;完成C级危房改造545户、D级危房改造1695户,切实保障了贫困人口住房安全。四是全面实现饮水、用电、广电"三有"。扎实推进安全饮用水工程建设,在具备安装条件的地方采取管网延伸安装自来水入户;对部分边远、高坡、分散的用户,采取建设集中供水站的方式解决,新建集中供水站4座,确保了贫困户有安全饮用水。优先实施贫困村农村电网改造升级,新建、改造10千伏线路8.3千米、0.4千伏线路63千米,贫困村、贫困户通电率达100%。实施"村村响"工程,实现22个贫困村的广播全覆盖;采取有线电视覆盖方式解决了贫困户收看电视难的问题。五是逐步达到"四好"标准。完成22个贫困村的扶贫项目,完成2403户农房建设和改造,贫困群众住房困难问题得到有效解决;切实抓好农村基础设施、公共服务设施建设,着力培育特色优势产业,社会保障水平显著提升,保障了贫困群众过上好日子;大力实施精神文明建设,倡导移风易俗,贫困群众养成了好习惯;深入推进依法治县,群众遵纪守法意识大大增强,文明程度逐步提高,促进社会形成了好风气。六是加快实现贫困村退出目标任务。在集体经济收入方面,积极拓展集体经济收入渠道,将集体资产收益、塘库堰承包费、农民土地流转收益等纳入集体经济收益,确保村级集体经济有合理、持续稳定的收入来源,有健全的运行机制。在硬化路方面,加快推进贫困村公路提升改善工程建设,累计投资3324万元,建成贫困村通村、通社水泥路166.2千米,22个贫困村均实现村村通、社社通水泥路。在卫生室建设方面,全面完成22个贫困村卫生室标准化建设并投入使用,同时配备了22名乡村医生,基层医疗卫生服务能力进一步提高。在文化室建设方面,投入110万元,新建贫困村文化室22个,实现了贫困村村村有文化室的目标。在保障通信网络方面,在贫困村率先实施"宽带乡村"工程,22个贫困村均实现通信网络全覆盖。

整合资源、强力攻坚,扶贫力量精准发力。结合乐至实际,创新"党政主导、五联推动、社会参与"的"1+5+N"农村扶贫开发机制,引导各级部门、各级干部、各类人才、各方力量积极参与扶贫攻坚。42名省、市、县级领导,153个部门(单位),4700余名机关干部及社会力量合力推动贫困村脱贫攻坚;统筹选派75个驻村帮扶工作组、75名驻村"第一书记"和75名农技员开展定点扶贫工作,确保"五个一"全覆盖。大力实施党员精准扶贫示范工程,常态开展软弱涣散党组织集中整顿、强乡带村、农村党员设岗定责、星级评议等活动,转化提升8个后进党组织。县本级财政对22个预脱贫村投入资金8110.01万元,用于贫困村集体经济发展、基础设施建设等脱贫项目;整合各类涉农项目、医疗卫生、民政补差、文化阵地等资金2.32亿元。

广开思路、大胆实践,帮扶机制不断创新。一是创新设立精准脱贫"120"工作体系。下设扶贫政策咨询、资金保障咨询、医疗救助服务、产业扶贫服务、基础设施建设服务、社会扶贫、监督检查"七中心","七中心"根据职责任务分别明确牵头单位、责任单位和责任人,同时组建专家团队开展贫困村定期巡诊、接诊和咨询服务,统筹协调解决脱贫攻坚工作推进中出现的各类问题。精准脱贫"120"工作体系于7月底正式运行,已接办823件,广受贫困群众和扶贫干部的好评。二是创新实施"幸福喜羊羊"精准脱贫"3+1"工程。采取"群团组织+扶贫户+龙头企业+保险"的项目模式,"送羊返羊—返羊再帮扶"的项目方式,在贫困村为具有养羊意愿的建档立卡贫困户每户赠送3只乐至黑山羊能繁母羊或等价值的小家禽,一年后帮扶户向群团部门返还3只能繁母羊或等价值的现金进入下一周期的贫困户扶贫帮扶。该项目于2015年9月启动并循环实施,已累计投入扶贫资金250余万元,实现全县75个贫困村全覆盖,420户精准扶贫对象受益。

精心组织、全面复查,扶贫成效不断巩固。开展 2014 年、2015 年建档立卡脱贫人口“回头看”工作,对照“两不愁、三保障”等重要指标,重点对是否存在收入达标但没有实现“三保障”的贫困户,收入未达标的贫困户,因病、因灾、因学等返贫的贫困户进行再核实,针对“回头看”发现的具体问题及时跟进帮扶措施。对收入达标但没有实现“三保障”的贫困户,由帮扶单位、“第一书记”和县级相关行业部门归口补齐短板;没有帮扶单位和驻村干部及“第一书记”的贫困户,由县上统筹力量进行集中攻坚,做到缺什么补什么;对收入未达标的贫困户,由联系乡(镇)的县级领导按相关扶贫政策加大协调帮扶力度,促其达标;对因病、因灾、因学等返贫的贫困户,按照规定程序进行认定,执行现有扶贫政策,确保所有建档立卡脱贫人口真脱贫。

【乡村旅游】 2016 年,乐至县乡村旅游接待游客 300 余万人次,收入 14.3 亿元,旅游业人均助农增收 30 元,达到年初目标。一是成立了以县委主要领导任组长,县政府主要领导任常务副组长,相关县领导任副组长,县级相关部门主要负责人为成员的旅游产业发展领导小组。二是围绕吃、住、行、游、购、娱旅游六要素,不断完善乡村旅游基础设施和配套设施建设。启动报国寺景区主入口道路基础建设,陈毅故里快速通道加快前期工作。三是项目建设加快推进。投资 5 亿元的“闲宁村”项目完成一期土地场平、施工道路、游客接待中心、施工方案设计等工作,累计投入资金 2000 余万元,样板区、商业街区计划于 2017 年 5 月投入试运行,2017 年 10 月正式运营。“五彩林乡”基础设施建设稳步推进,设置旅游标识标牌 2 块、植物解说牌 16 块,花香休闲度假村和马鞍山农庄 2 家大型乡村酒店入驻。四是乡村旅游配套产业不断壮大。全县有省级乡村旅游示范镇 1 个、省级乡村旅游示范村 1 个,五星级乡村酒店 1 家、二星级农家乐 3 家。五是招商引资进展顺利。乐至报国寺、“中国乐至 · 五彩林乡”、蟠龙湖等重点旅游招商项目通过第三届四川国际旅游交易博览会、网络、旅游网页等多种形式开展招商引资,取得了较好成效。六是乡村旅游节庆活动丰富多彩。举办了乐至首届乡村旅游文化节及系列活动、高寺镇第二届桑葚采摘节等乡村旅游节庆活动。

【助农增收】 2016 年,乐至县实现农业总产值 68.8 亿元,增长 3.6%;农村居民年人均可支配收入达 13331 元,同比增长 9.5%,增速连续 9 年保持全市第一位,连续两年被评为“全省农民增收工作先进县”。全年劳务输出 29.6 万人,实现劳务收入 40.2 亿元;加大维权力度,解决外出劳务纠纷 306 件,挽回经济损失 3.72 万元。强化新型农业经营主体对农民的带动,推广“龙头企业+合作社+家庭农场+农民”的带动模式,“土地入股”“二次返利”利益联结机制,真正发挥龙头企业、合作社、家庭农场的带动作用,全县有市级、省级、国家级龙头企业共计 23 家。积极争取省、市项目扶持资金,争取省级资金扶持 3 家农民专业合作社,每个合作社获得扶持资金 50 万元,将财政补助资金平均量化到合作社社员,增加了农民财产性收入。

【农村科技】 2016 年,乐至县建立油菜、玉米等粮油高产创建万亩示范片 5 个,示范面积 5 万亩,粮油增产 182.65 万千克,增加产值 395.46 万元。以 2015 年产油大县项目为基础,优质油菜高产示范基地面积达到 3 万亩,平均亩产 168.25 千克,比非项目区亩产增加 8.55 千克,累计增产 25.65 万千克,累计增加产值 112.86 万元。玉米高产核心示范区 2 个,示范面积 2 万亩,平均亩产 460.5 千克,比非项目区亩增产 78.5 千克,增长 20.55%,累计增产 157 万千克,累计增加产值 282.6 万元。全年建设高标准农田 1.4 万亩,涉及劳动镇、石湍镇、高寺镇 3 个镇 15 个行政村,项目总投资 3618.3727 万元,项目区新建田间便民道 12.9 千米,调整田形 6400 亩,新增蓄水能力 24 万立方米,新建灌溉渠系 10.21 千米、蓄水池 22 口、沉沙池 42 口、过渠人行桥 40 处、农田制口 72 处、倒虹管 1 处,地力培肥 7000 亩。同时,通过整合 2015 年度现代农业生产发展(水稻)产业项目和 2015 年农业综合开发高标准农田建设项目,实现了项目区建设集中连片,形成了“引、蓄、排、灌”协调统一的农田灌溉体系和比较完善的田间生产路网。引进推广水稻、油菜等优良品种 57 个;依托专合社和种粮大户在宝林、盛池、高寺等乡(镇)重点开展机播玉米、油菜直播、旱地新型两熟“油—玉”轻简高效栽培示范和“稻—麦(稻—油)”两熟全程机械化示范等新技术、新模式示范推广,面积达 1.1 万余亩。结合“良种、良肥、良法、良药”配套,完成测土配方施肥技术推广 80 余万亩,配方肥推广应用面积 35 万余亩。开展农业有害生物防治 298.05 万亩次,挽回作物产量损失 28528.39 吨,病虫害损失率控制在 3%以内。

【农产品质量安全监管】 2016 年,乐至县扎实推进农产品质量安全监管示范县创建,县农业局与 25 个乡(镇)签订了农产品质量安全监管责任书,与主要果蔬生产基地签订了责任书、承诺书。加强果蔬生产基地农产品抽检,对全县种植蔬菜、水果、食用菌的生产基地、专合组织、龙头企业、家庭农场、农户等进行抽样检测,全年共抽取蔬菜、水果、食用菌样品 1300 个,样品合格率达 99.9%;对畜禽屠宰加工企业、农贸批发市场、超市畜禽产品进行抽样检测,共抽检样品 180 个,样品合格率达 100%;接受省级例行抽检蔬菜、食用菌样品 81 个,抽检合格率达 99.6%。进一步加大农资市场检查力度,全年共出动检查车辆 121 台次、执法人员 583 人次,检查场镇 225 个次、集贸市场 89 个次、农资门市 667 个次,开展省、市专项检查 2 次。全年未发生大的农业投入品安全事件。

【回乡创业之星选介】 吴蔓菲,乐至县祥丰农牧有限公司总经理。2012 年 10 月,吴蔓菲在双河场乡新庙子村成立乐至县新庙子羊业专业合作社,带动 100 余户农户发展羊养殖。2014 年 7 月,在龙门乡石朝门村成立乐至县祥丰农牧有限公司,注册资金 662.8 万元,直接吸纳就业人员 45 人。2015 年,公司积极参与乐至县精准扶贫活动,制定了“借羊还羊”政策,把能繁母羊借给贫困户,母羊下仔后农户将所产的小羊还给公司,母羊归农户所有,公司无偿提供药品、养殖技术和销售服务。2016 年,公司为了帮助更多的贫困户和农户增收,在流动资金非常困难的情况下,投入 58 万元与以韩国泡菜为首的 3 家企业签订了保证销售合同,为中天镇、石佛镇、佛星镇 22 个村,资阳市雁江区丹山镇 1 个村免费发放榨菜种子 4470 亩并签订保底回收合同。2016 年 12 月,吴蔓菲被评为“四川省农民工返乡创业之星”。

郭小明,乐至县八谊农业开发有限公司法人。公司位于放生乡宝鼎村,由郭小明等 3 位退伍军人于 2012 年注册成立。经过几年的发展,公司已经建成宝鼎、三星、太极三大养殖基地。2016 年,公司积极参与乐至县脱贫攻坚工程,配合县部分脱贫帮扶单位免费为农户发放鸡苗并负责回收,助农增收 500 万元以上。2015 年 4 月,郭小明获得“全国优秀农民工”称号;2016 年 5 月获得乐至县“十佳杰出青年”称号;2016 年 12 月,公司被评为“四川省返乡创业优秀示范企业”。

【主要领导人】 县委书记:万志琼;县人大常委会主任:黄廷跃;县长:彭洪;县政协主席:曾祥;分管农业副县长:唐勐。

乐至县编写组

阿坝藏族羌族自治州

【基本情况】 2016年,阿坝藏族羌族自治州辖13个县(市),辖区面积8.42万平方千米。全年接待乡村旅游游客1000万人次,阿坝州被列入首批创建"国家全域旅游示范区"名单。

【年度农业及农村经济运行】 2016年,阿坝藏族羌族自治州农业总产值由2011年的40.4亿元增加到68.38亿元,增长27.98亿元,年均增长11%;农牧民收入由2011年的4663元增加到10702元,年均递增18%,人均可支配收入提前5年实现翻一番的目标,增幅连续8年保持"两个高于"。继续推进农村电网改造和建设,基本解决农村低电压问题。2011—2016年各级财政投入"三农"资金达142.1亿元,比"十一五"时期增加111.49亿元,增长364.23%,其中州本级财政安排"三农"项目资金达11.45亿元,比"十一五"时期增加10.1亿元,增长742.65%。

农业产业化发展。阿坝藏族羌族自治州深入开展示范社(场)创建,以示范社(场)建设为抓手推进合作社和家庭农场规范化、标准化建设,规范建立农民培训台账。截至2016年年底,全州已培训新型职业农民1416人;培育农民专业合作社3843个,其中国家级示范社7个、省级示范社44个、州级示范社75个;州级重点龙头企业增长至33家;家庭农(牧)场213家,其中省级示范场12家。

农用地产权制度改革。阿坝藏族羌族自治州共培训8000余人次,验收完成195个乡(镇)1166个村12.67万户,实测承包地62.75万块,验收调绘面积131.98万亩(其中承包地面积108.45万亩),建立土地承包经营权登记簿9万余份,在"三州"率先全面完成检查验收工作,各县(市)确权成果均达到优秀。深化集体林权"回头看"工作,全面梳理已确权颁证的林权,及时纠正漏登282亩;进一步完善林权管理服务机构,建立林权服务中心,全年流转林地1065.3亩。在原定草原承包面积的基础上,对承包面积进行再核实再复查,全州共计承包草原面积6252.55万亩,新增816.55万亩;确定阿坝县贾柯河牧场为草原确权承包登记颁证试点乡(镇),该牧场草原总面积为100.1万亩,涉及370户,实际确权地块370块、公用草场地块3块,完成牧户基本信息采集365户。积极鼓励村级组织领办创办农民专业合作社、农业产业化龙头企业,采取"两委+龙头企业+基地"等形式开展技术指导、信息传递、物资供应、产品加工、市场营销等服务获得集体收入。鼓励各地整合各类政策、项目和资金,建立村集体股本,通过资源变股权、资金变股金、农民变股民等手段参与收益分配,激活资源要素,增加集体收入。

农产品品牌战略实施。阿坝藏族羌族自治州切实加大与彭州濛阳、双流白家、北京新发地等省内外大型农产品批发市场和农产品包装承销商的产销对接,在成都市的主要市场建成"阿坝州农产品销售专区";以"净土阿坝"区域品牌建设为统揽,组团参加省内外各种农产品展会。截至2016年年底,全州整体通过无公害农畜产品产地认证,有机绿色食品原料基地认证近9万亩,"三品一标"农产品累计达117个(其中地理标志产品17个),获得省级以上知名商标、名牌产品称号的农畜产品累计达16个,大宗初级农畜产品包装销售率明显提升,基本保持价稳畅销态势。"净土阿坝"区域品牌被确定为全省十大优秀区域公共品牌之一。

【种植业】 2016年,阿坝藏族羌族自治州农作物总播种面积8.09万公顷,其中粮食作物播种面积5.1万公顷,粮食产量稳定在16.08万吨;蔬菜产量77.72万吨,较2011年增长86.96%;水果产量17.1万吨,较2011年增长133.6%。

【畜牧业】 2016年,阿坝藏族羌族自治州肉类总产量8.82万吨,奶类产量12.12万吨。强化优质牧草种植示范推广、户营打贮草基地、人工饲草地、牲畜暖棚和防疫巷道圈建设,建成牲畜暖棚28471户,建设人工草地309万亩。

【特色产业建设】 2016年,阿坝藏族羌族自治州按照"畜牧业做大做强,种植业做细做精"的基本思路,以"一村一品"为载体,坚持效益换空间,促进特色产业基地串点成线、连线成片,努力构建西北部高原现代草原畜牧及生态农业区、中部山原特色养殖及立体生态农业区、东南部及东北部高山峡谷设施养殖及现代生态农业区3个优势产业区,培育了蔬菜、林果、食用菌、中药材、酿酒葡萄、马铃薯和牦牛肉奶、西藏羊、优质牧草、优质生猪、优质禽兔、休闲观光农业12个优势主导产业,杂粮杂豆、花卉、中蜂、藏香猪、藏鸡等配套特色产业加快壮大。坚持"宜农则农、宜牧则牧、宜旅则旅"的原则,以科技示范户为载体,以新品种试验示范和产业结构调整为主线,加快"老基地"升级提档和"新基地"转化利用,由河谷逐步向高半山、由城镇周边和公路沿线逐步向偏远乡村、高寒地区延伸拓展,实现特色产业扩面提质。

【农村水利】 2016年,阿坝藏族羌族自治州推进土地开发复垦整理项目,加强高半山土地整治,加快中低产田土改造,整治农田6.2万亩,建设高标准农田15万亩。截至2016年年底,全州新增和恢复蓄引提水能力1.18亿立方米,修建灌溉水利工程2750余处,新增有效灌面42.41万亩、节水灌面66.17万亩。提升改造农村饮水安全工程2630处。综合治理水土流失面积3803平方千米,建立水土流失综合防治体系,水生态文明制度体系逐步建立。

【新农村建设】 2016年,阿坝藏族羌族自治州按照"四化同步"和城乡发展一体化的要求,在总结"三百"示范工程成功经验的基础上,以"四改两建调结构促增收"为建设内容,强力推动幸福美丽家园建设。全面启动马尔康、小金等9个县(市)的第三轮幸福美丽新村示范县建设。截至2016年年底,全州已建成省级幸福美丽新村680个,创建省级"四好村"16个、州级"四好村"118个。

【扶贫攻坚】 2016年,阿坝藏族羌族自治州开展精准识别建档立卡"回头看",加快推进贫困户基本信息入库造册上网工作,做到"户有卡、村有册、乡有簿、县有档、州有卷",确保扶持对象精准。加快培育生态特色产业,帮助每个村培育1~2个主导产业,不断提高贫困农牧民收入水平。进一步巩固提升扶贫开发和综合防治大骨节病试点成果,继续抓好双江口等重大工程移民安置及后扶工程。完善对口扶贫工作制度,深入实施交通扶贫和对口支援项目。广泛开展扶贫日、"万企帮万村"、电商扶贫行动和"结对认亲、爱心扶贫"等活动,凝聚社会力量参与脱贫攻坚。在组织领导上,按照"六个精准"的要求,深化落实贫困村"五个一批"和贫困户干部帮扶措施,确保项目安排、资金使用、措施到户、因村派人精准;在责任落实上,实行脱贫攻坚“一把手”负责制，积极构建“政府主导、社会参与、市场运作和群众自力更生相结合”的扶贫工作机制，全面落实扶贫目标、任务、资金、权责四到县制度，层层压紧压实责任；在机制建立上，建立科学合理的脱贫目标确定机制、验收评估机制和动态统计监测机制，确保脱贫攻坚工作有力、有序、有效推进。全州在完成省上下达104个贫困村“摘帽”、20208名贫困人口脱贫的目标任务的基础上，超额完成22个贫困村退出、4293名贫困人口脱贫任务，全州贫困人口从2011年的20.95万人减少到7.48万人，贫困发生率从2011年的30%下降到10.68%。积极争取中央、省扶贫开发和综合防治大骨节病试点专项扶贫资金17.2亿元，实施易地育人等八大类项目。继续实施大骨节病更换粮食项目，安排专项补助资金5355万元。贫困地区基础设施建设、特色产业发展和公共服务加快改善，脱贫攻坚基础进一步夯实，实现了脱贫攻坚首战告捷。

【乡村旅游】 2016年，阿坝藏族羌族自治州以知名景区、景点和主干公路沿线为依托，大力推进生态、业态、文态和微景观、微田园、微环境的“三态”“三微”建设，举办不同规模的乡村旅游节庆活动，推进田园变公园、农房变客房、农畜产品变旅游商品，实现农旅融合、“三产”联动。截至2016年年底，全州发展休闲农业园200余个、农(牧)家乐2000余家，休闲农业综合收入达10亿元以上。

【农村科技】 2016年，阿坝藏族羌族自治州加强农技人员干事创业激励机制探索创新，建强乡(镇)农技服务中心，整合优化州、县农技人才资源，建立三级联动的特色产业科技创新团队，加强“菜单式”“清单式”科技任务管理考评。大力实施农畜育种攻关科技工程，做好母本源培育工作。积极推进农作物高产优质高效生产、畜禽健康养殖与疫病防控、林果选育与林下种植、农业资源高效利用、生态环境保护与调控等技术集成与研究，切实加快农、林、牧现有成熟技术的组装配套与推广应用。地膜覆盖等常规增产增收技术普遍应用，作物优良品种覆盖率达90%以上，病虫害绿色防控技术推广面达20%，主要农作物耕种收综合机械化水平提升至29%，产销信息不对称、农技服务“最后一公里”等问题逐步得到扭转，耕地单产能力较10年前平均提升12%。

【农村文化】 2016年，阿坝藏族羌族自治州加强农村文化基础设施建设，完善覆盖城乡的公共文化服务设施网络体系。加快“幸福美丽新村(社区)文化院坝”建设，实施“村村通”等工程，扩大广播电视覆盖面。积极开展“结对子”“种文化”活动，引导基层群众成立拥有地域文化特色、游客参与强的文化表演团队，有序推动开展基层群众性文化活动。

【农村法制建设】 2016年，阿坝藏族羌族自治州全面启动基层法治创建，开展法制宣讲活动，增强群众遵纪守法自觉性。开展法律援助，进一步健全完善农村治安防控体系，扎实推进“平安村寨”“安全文明户”建设，初步形成“1小时法律援助服务圈”，着力构建群防群治、邻里守望、公共共享的工作格局。着力强化村民自我管理，指导督促各乡(镇)、村紧扣“乡风文明”修订完善村规民约(居民公约)，大力推行“四议两公开一监督”制度，完善“一事一议”制度。

【农村交通】 2016年，阿坝藏族羌族自治州按照交通建设和产业发展“双轮驱动”的思路，围绕产业发展布局切实加强机耕道、田间作业道、牧道建设。全州农村公路总里程达11089.27千米，占全州通车总里程的82.9%，其中乡道1364.948千米、村道7427.905千米，基本解决了农村群众的生产生活运输问题。

【农村生态建设及环境保护】 2016年，阿坝藏族羌族自治州实施退耕还林、退牧还草、草原生态补奖、草原沙化治理、干旱河谷治理等重大生态保护建设工程，全面落实化肥农药“零增长”行动，广泛推广测土配方施肥、病虫害绿色防控、果蔬套作、粮经间作、秸秆作饲料(作肥料)等节本降耗、土壤保护技术，持续加大基地、产品质量安全风险监控检测力度，对标对单严格落实环保要求。截至2016年年底，全州实施草原生态补奖政策草原管护5765万亩，累计完成围栏封育草原3400余万亩、补播草原730余万亩，建设人工草地300余万亩，治理草原沙化18万亩，牲畜超载率下降至10%。基本形成耕地地力评价体系，建立109个产地环境监测预警点，病虫害绿色防控推广面达20%以上。推进农村清洁能源建设，继续推广农村沼气、太阳能和生物质炉等新型能源，积极创建绿色能源示范县。因地制宜实施生活垃圾“户分类、村收集、镇(乡)运、县处理”机制，逐步推行村庄垃圾分类收集，建立统筹推进农村环境综合治理工作机制。逐步建立面源污染防治机制，按照整治“脏、乱、差”，打造“洁、齐、美”的要求推进农村环境连片整治，循序渐进推进对新村架空线缆乱拉、地面设施乱布、地下管网乱铺的“新三乱”治理。

【农产品质量安全体系建设】 2016年，阿坝藏族羌族自治州加快县级农产品质量安全检测体系和农产品质量追溯网格化管理体系建设。加强动植物防疫检疫工作，加强源头治理。推进标准化生产，强化农业标准的推行和实施，切实加强生产过程管控。

【农村市场体系建设】 2016年，阿坝藏族羌族自治州着力破解农村金融对生态农业的支持难题，“三农金融事业部”改革加快推进，农村信用社改制农商行工作稳步推进，农发行“扶贫事业部”建设工作顺利开展。全州累计发放再贷款11.3亿元，余额9.3亿元；设立扶贫小额信贷风险基金1.69亿元，累计发放扶贫小额信贷4.21亿元，余额2.91亿元，直接惠及1.16万户贫困户。农村资金互助社试点工作取得成效，在茂县“六月红”花椒和金川杜松铜坡养麝专业合作社开展全省农村资金互助试点。创新涉农保险服务，特色农业保险试点逐步向蔬菜价格指数保险、牦牛价格指数保险推进。依托农业信息化建设和电子商务进农村综合示范县建设，加快建立和完善农村电商基础，积极引导农牧经济实体和专兼微商广泛开展不同规模的农畜产品网络销售，促进农村电子商务加快发展。截至2016年年底，全州已培育20余家电商企业，农畜产品电商网络销售额在2亿元以上。

【主要领导人】 州委书记：刘作明；州人大常委会主任：谷云龙；州长：杨克宁；州政协主席：吴泽刚；分管农业副州长：何斌。

阿坝藏族羌族自治州编写组

汶川县

【基本情况】 2016年，汶川县辖12个乡(镇、街道)，有农业人口6.2355万人，有耕地面积5.229万亩，增长1.3%。

【年度农业和农村经济运行】 2016年，汶川县实现农业总产值54941万元，增长4.2%；农业增加值37255万元，增长3.9%。农民年人均可支配收入11118元，增长10.3%。

农产品品牌战略实施。汶川县加强“三品一标”申报认证，11家合作社产品成功申报有机食品转换认证，绿野生猪等5个产品获得无公害产地认定，申报汶川跑山鸡等3个国家地理标志证明商标，全县农产品知名度、竞争力和附加值不断提升。

【种植业】 2016年，汶川县推动农业多元发展，引进“美早”甜樱桃、

"翠香"猕猴桃等12个新品种,全县甜樱桃种植面积2.3万亩、猕猴桃种植面积3万亩、核桃种植面积6.8万亩、青红脆李种植面积1.5万亩、中药材种植面积2万亩。

【林业】 2016年,汶川县坚持自然修复与人工恢复相结合,实施天保工程二期、退耕还林、生态转移支付资金等项目,全县森林覆盖率达38.1%、森林蓄积达1145万立方米、林地保有量达273.6万亩。加强野生动植物保护,大熊猫国家公园建设稳步推进。

【农村水利】 2016年,汶川县实施"五小水利"、安全饮水、小农水重点县建设等项目,新建蓄水池210口,铺设管道246千米,新增高效节水灌面7078亩,累计解决6万余人的饮水安全问题。

【统筹城乡与新型城镇化】 2016年,汶川县完成县域新村建设总体规划、县城七盘沟新区发展规划等编制工作,城乡规划体系不断完善。完善生活污水、垃圾收运处理等设施,加强环境综合整治和市政设施管护,城乡环境面貌不断改善。以"网格化管理、社会化服务、信息化支撑"为方向,创新"五民"工作法,划分137个网格,处理综治、民生等事件4680件,提高了社会治理水平。全县城镇化率达45%,较2011年提高5.5个百分点。

【新农村建设】 2016年,汶川县全力打造川西北特色生态康养目的地,特色生态康养产业成为县域经济发展新引擎。以赵公福地、鹞子山养生堂、仁吉喜目谷、达拉布庄园、扎山枣园、大禹农庄、樱桃庄园、巴布纳庄园等为代表的生态经济庄园连点成线、连线成面,带动高半山村联动发展,初步探索出了新农村建设2.0版普适经验。

【扶贫攻坚】 2016年,汶川县深入推进精准扶贫、精准脱贫,围绕"两不愁、三保障、四个好"目标,扎实开展"五个一批"分类帮扶,贫困发生率由2011年的17.7%下降到2016年的1.9%。夯实贫困村基础设施,因地制宜发展支柱产业和集体经济。实施精准扶贫"一站式"医疗救助,落实"十免四补助"政策,实行住院"先诊疗后结算",提高了贫困人口医疗保障水平。建立贫困学生数据库并实行动态管理,落实教育扶贫优惠政策,阻断贫困代际传递。创新实施"两保一户"综合保障保险政策,设立涉农贷款、住房建设贷款、扶贫小额信贷等多种风险担保补偿基金,建设金融助推脱贫攻坚示范基地9个,引导金融机构累计向示范基地投放信贷资金1.75亿元。加强与林业厅、省地税局等省直机关和资阳市、南充市顺庆区的对口帮扶合作,获得人才、资金、技术等方面的有力支持。加强与浙江省金华市的扶贫协作,实施结对支援项目2个,到位资金1603万元。

【乡村旅游】 2016年,汶川县有国家5A级景区——汶川特别旅游区、国家4A级景区——大禹文化旅游区等景点,素有"阳光谷地、熊猫家园、康养汶川"之美誉。汶川县以"大健康"为统领,按照"南林北果·绿色工业+全域旅游(康养)"发展思路,加快转型发展步伐,全力打造烟雨三江、丹青水磨、天地映秀、熊猫家园、大禹故里、古韵羌山"汶川六景",大力发展甜樱桃、脆李子、香杏子"汶川三宝"产业,深度挖掘治水文化、羌藏文化、熊猫文化、大爱文化"汶川文化四朵花"内涵,奋力推进家风、校风、民风、政风"文明四风"建设。提升旅游基础设施,开发康养产品,建设智慧服务平台,探索人性化菜单服务新模式,旅游消费持续增长。成功举办行游汶川、甜樱桃采摘节、大熊猫节等活动,"阳光谷地·熊猫家园·康养汶川"品牌影响力不断提升。成功举办2016年中国四川大熊猫国际生态旅游节暨首届汶川(卧龙)大熊猫节、第二届世界水谷论坛暨首届汶川论坛、西博会汶川分会场等活动,汶川旅游的知名度和美誉度进一步提升,吸引了各类社会资本到汶川投资兴业。

【农村卫生】 2016年,汶川县在全国率先提出并全面实施全民健康公共服务标准化建设,全民健康免费体检累计达15万人次,居民健康电子档案建档率达93%。加快构建"1小时医疗服务圈",建立移动诊疗体系,落实分级诊疗制度,稳步推进公立医院综合改革,卫生计生服务水平不断提高。

【农村法制建设】 2016年,汶川县扎实推进依法治县工作,深入开展"六五"普法、"法律七进"和司法援助,聘请52名法律工作者担任基层法律顾问,行政执法行为持续规范。完善大调解体系,畅通群众诉求渠道,处置矛盾纠纷隐患3715起。完善村规民约,实行费随事转和村财民理乡监管,基层自治水平不断提高。

【农村交通】 2016年,汶川县不断完善外通内畅、覆盖城乡的交通网络体系,大力实施农村公路水毁修复、通达通畅、安保工程,建设错车道109个,提升桥梁18座,粤汶路"两桥一隧"、穗威大桥棚洞延伸、国道213线凤坪坝至县城扩建等工程全面完工,重大交通建设项目稳步推进。

【农村社会保障】 2016年,汶川县统筹做好民生保障和改善工作,民生"七难"问题得到有效解决。抓好就业促进,累计转移农村劳动力8.1万人。全面推行"五险"统征,城乡居民养老保险覆盖1.5万人,失地农民农转非人员参保2970人,新型农村合作医疗参合率达99.5%。落实最低生活保障制度,累计发放最低保障金8417万元、五保供养金603万元,五保集中供养率达80%。加强公共租赁住房管理,实现住房管理精细化和标准化;完成城市棚户区改造794户、藏区新居改造1945户,为全县农房购买自然灾害公众责任险,城乡住房保障体系进一步完善。关爱残疾人等弱势群体,办好特殊教育,全面推行"量体裁衣"式个性化服务,鼓励支持更多的残疾人创业就业,累计投入资金1076万元发展残疾人事业。组织开展慈善捐赠活动,累计支出7439万元募集资金实施慈善助学、康复助医等救助工程。

【农村市场体系建设】 2016年,汶川县推进全产业链打造,借助电商平台促进特色康养产品营销,与苏宁、天猫达成电商合作协议,京东、顺丰、"四通一达"等物流快递公司入驻汶川县,州电子商务发展中心落户汶川县,全县商贸流通水平不断提升。

【主要领导人】 县委书记:张通荣;县人大常委会主任:郭铭;县长:旺娜;县政协主席:王志勇;分管农业副县长:陈劲斌。

汶川县编写组

理　县

【基本情况】 2016年,理县辖5镇8乡81个村民委员会202个村民小组7个居委会,辖区面积4318.36平方千米,其中耕地面积3216公顷。年末总人口44863人(农业人口33716人),其中藏族23751人,占总人口的52.9%;羌族14958人,占总人口的33.3%;汉族5872人,占总人口的13.1%;回族184人,占总人口的0.4%;人口自然增长率1‰。

【年度农业和农村经济运行】 2016年,理县实现农业总产值18213万元,增长1.07%;农业增加值11599.1万元,增长1.1%。农民年人均可支配收入10633元,增长14.13%。全县有天然牧草地面积160.4万亩,有效利用面积111.8918万亩。大力推进农田水利基本建设,复垦土地1982亩,改造中低产田3400亩。扎实推进幸福美丽家园建设,创建为全省新农村成片推进示范县。连续3年获得"全省

'三农'工作先进县"和"农牧民增收先进县"称号。

农业产业化发展。理县规范发展专合组织 248 个，兴办家庭农场 20 个，建成"一乡一园"33 个。产业结构调整基本实现全域化，特色水(干)果基地达 2.5 万亩、无公害蔬菜基地达 3 万亩(含复种)、生猪标准化规模养殖场(小区)达 23 个，规模以上养殖大户突破 2000 户，百里优质特色生态农产品供给区基本成形。加强园区平台建设，先后投入 4893 万元，完善水、电、路等基础设施，园区承载能力不断提升。米老头食品加工项目落地建设，高污染企业理县铁合金厂转型为绿色食品加工企业。

农产品品牌战略实施。理县生猪、牦牛及 6 个菌类共计 8 个农产品获得无公害农产品认证，积极申报理县大白菜、莴笋、番茄、萝卜、花菜、芹菜等 7 个蔬菜品种和 2 个绿色食品认证，无公害蔬菜基地建设初具规模，成为成都市主要秋淡季蔬菜基地之一。12 个农产品获得"三品一标"认证，理县创建成为四川省农产品质量安全监管示范县。

【林业】 2016 年，理县林业用地面积占全县土地总面积的 59.1%，活立木蓄积量 2358.3 万立方米，全县森林覆盖率达 39.51%。扎实开展杂谷脑河流域综合治理，天保二期、国家重点生态功能区建设等工程深入推进，管护森林面积 178.7 万亩，新增退耕还林 3500 亩，实施工程造林 3200 亩、封山育林 20000 亩。

【农村水利】 2016 年，理县完成重大地质灾害治理 32 处，新建河堤 13.2 千米，疏浚河道 13.5 千米，治理水土流失面积 103.5 平方千米。建设农田水利渠系 270 千米，新增(改善)灌面 1.4 万亩。实施农村饮水安全工程，解决 3 万人的饮水安全问题。坚持"源头保护、系统恢复、综合治理"的原则，大力建设高原生态安全屏障。加强地质灾害治理和应急排危，推进三岔沟、凉台沟防洪治理，新建杂谷脑河二期堤防工程。

【农村电力与通信建设】 2016 年，理县新建(改造)输变电站 14 座，架设线路 332 千米，四川藏区首座 220 千瓦智能变电站(沙坝变电站)建成投运，电力网络结构更加完善。卡子、老君沟、芦杆桥等电站相继建成发电，全县水电装机容量突破 100 万千瓦，年发电量达 47.5 亿千瓦时。通信覆盖水平不断提升，通宽带行政村(社区)达 76 个，宽带用户达 1.2 万户。

【乡村旅游】 2016 年，理县加快全域、全时、多元景区建设，助推旅游拓景扩容、提档升级。桃坪羌寨 · 甘堡藏寨、毕棚沟创建为国家 4A 景区，古尔沟温泉小镇一期建设工程基本完成，米亚罗、孟屯河谷旅游开发项目签约落地。举办了四川省第六届乡村文化旅游节(秋季)和 2016 四川红叶生态文化旅游节，旅游业态文态更加丰富。乡村旅游持续升温，创建省级乡村旅游特色乡镇 5 个、精品村寨 11 个，涉旅经营户达 742 户，旅游接待床位突破 2.2 万张。理县创建为四川省旅游强县、乡村旅游强县、旅游标准化示范县。

【农村交通】 2016 年，理县汶马高速(理县段)累计完成投资 69.2 亿元。新建(提升)通村公路 406.4 千米，建设桥梁 34 座，安装农村道路安保设施 192.2 千米。

【绿色走廊建设】 2016 年，理县深入落实"绿化全川"行动，大力实施天保二期、川西藏区生态保护、草原生态补奖等工程，封山育林 5000 亩，禁牧休牧 112 万亩。重点打造绿化景观，加强村社进出道路、集中居住点、房前屋后、休闲地绿化，持续扩大县域绿地面积，切实改善人居环境。加快汶马高速(理县段)出入口景观设计，强化国道 317 沿线环境保护，着力建设杂谷脑河流域最美生态景观，力争创建为全国森林旅游示范县、全省生态旅游强县。

【农村生态建设及环境保护】 2016 年，理县巩固城乡环境综合整治成效，持续推进农村环境污染治理，加大生活垃圾、污水处理设施建设管理，城乡垃圾无害化处理率达 92%。严格执行国家生态功能区产业准入负面清单制度，切实加强环境监测能力建设，落实环境网格化管理和排污许可管理等制度，强化重点工程环境执法，防止噪音、水、大气及扬尘污染。大力实施干旱半干旱地区生态治理项目，加强饮用水水源地保护，强化水生态综合治理，切实增强生态涵养功能。不断加强环境治理，城乡垃圾无害化处理率达 90%，创建生态乡镇 5 个、生态村 44 个、生态家园 5335 户。

【农村市场体系建设】 2016 年，理县建成乡(镇)农产品集中交易点 13 个，物流企业代办点达 9 家，金融网点全域覆盖，商贸流通、餐饮住宿等服务产业有序发展。加快推进电子商务进农村，"互联网+农业"助力增收成效明显，网销指数居高原藏区第二位、川藏高原地区第一位。

【主要领导人】 县委书记：依当措；县人大常委会主任：葛永兰；县长：王世伟；县政协主席：王勇；分管农业副县长：马逸风。

理县编写组

茂　县

【基本情况】 2016 年，茂县辖 7 镇 14 乡，辖区面积 3903.28 平方千米，其中耕地面积占辖区面积的 2.2%，林地面积占辖区面积的 73.43%，草地面积占辖区面积的 21.6%。年末总人口 11.2 万人，其中羌族人口约 10 万人，占总人口的 90%；人口自然增长率 6.31‰。森林覆盖率达 36.87%。

2016 年，全县 GDP328407 万元，增长 4.7%。地方公共财政收入完成 16871 万元，增长 9.4%。全部工业增加值 182803 万元，增长 4.9%；规模以上工业增加值增速达 4.9%。全社会固定资产投资完成 370686 万元。社会消费品零售总额增长 9.8%。全年接待游客 267.46 万人次，增长 33.7%；实现旅游收入 199725 万元，增长 38.1%。

有中小学校 27 所(高中 1 所、初中 3 所、小学 23 所)，幼儿教育园点 42 所[公办 2 所、民办 20 所、乡(镇)中心校附设学前班或幼儿园 20 所]；在职教职工 1352 人；在校中小学生 16976 人，其中九年义务教育阶段学生 10407 人、高中生 1850 人、在园幼儿 4122 人；学前三年、学前两年、学前一年入园率分别为 89.7%、90.1%、97.7%，正常适龄人口小学入学率 99.98%，毕业班学生毕业率为 100%；初中阶段毛入学率 111.36%，在校学生年辍学率 0.84%，毕业班学生毕业率 99.3%。

【年度农业和农村经济运行】 2016 年，茂县实现农业总产值 95434 万元，增长 7.1%；农业增加值 6374 万元，增长 7.1%。农民年人均可支配收入 10848 元，增长 10.36%。

农业产业化发展。截至 2016 年年底，茂县累计建成特色水果基地 6.8 万亩、生态蔬菜基地 6.4 万亩、特色经济林木基地 6.2 万亩、道地中药材基地 4.8 万亩。

农产品品牌战略实施。茂县狠抓质量监管和品牌创建，深入推进农业标准化生产、"三品一标"和营销体系建设，全县绿色农产品认证达 24 个。积极参加西博会、农博会等活动，持续推进在成都、重庆、贵阳等地设立茂县农产品专销点和直销店工作，扩大了茂县农产品的知名度。

2016年茂县省级示范农民专业合作经济组织名单

合作组织名称	注册资金(万元)	法人代表	示范等级	年度产值(万元)	行业分类	主营产品
茂县窄溪绿源果蔬专业种植合作社	60	李文智	省级	36	种植业	水果、蔬菜、苗圃
茂县三龙吉纳养蜂专业合作社	6	莫金香	省级	60.4	养殖业	蜂蜜
茂县六月红花椒专业合作社	143	何有信	省级	6000	种植业	花椒

2016年茂县家庭农场经营情况统计表

家庭农场名称	注册资金(万元)	法人代表	年度产值(万元)	行业分类	主营业务
茂县茅香坪顺涪果蔬家庭农场	600	顺明富	220	种养殖业	蔬菜、果树、药材种植及畜禽养殖

【种植业】 2016年,茂县坚持“绿色生态”理念,以农业增效、农民增收为目标,切实抓好春耕生产和畜禽养殖,完成春播面积47140亩,储备各类肥料3185吨、农膜150吨、玉米和蔬菜种子3200千克、农户自备马铃薯种子3000吨、各类药物25吨、农具2万余件。围绕生态农业高地建设,整合涉农资金1300万元,推进20个现代农牧业项目建设,农业产业发展基础进一步夯实。抓好川西北高原特色果蔬育种示范项目,引进李子等30个水果品种和雪山大豆等10个蔬菜品种开展试验示范。

【畜牧业】 2016年,茂县有以特种养殖为主的标准化规模养殖场27个,中蜂养殖总量达1.5万箱;猪、牛、羊共出栏105011头(只),各类牲畜存栏148641头(只),家禽出栏49404只;肉、蛋、奶总产量达7078吨。完成70户暖棚和2个牦牛多功能巷道圈建设任务,兑现补助资金184万元;完成茂县富贵山香猪养殖、兴财肉牛养殖、茂欣肉牛养殖3个专业合作社建设任务,兑付国家补助资金45万元;完成茂县2015年州级财政支持项目——白溪藏香猪养殖建设任务,兑付国家补助资金20万元;完成2015年“三项直补”资金、牧草良种补贴和畜牧良种补贴资金(实物)兑现任务764万元,奖补目标任务完成100%。

【林业】 2016年,茂县统筹安排国家重点生态功能区转移支付资金,全面完成管护国有林189.87万亩、集体公益林189.27万亩等任务,兑付2016年生态效益补偿金2791.79万元。加强森林病虫害防治与监测及植物检疫工作,完成病、虫、鼠害监测面积7.41万亩(其中病害发生面积4.6万亩、虫害发生面积1.56万亩、鼠害发生面积1.25万亩),预测预报准确率达95.77%,成灾率为零。采用人工、物理、生物防治及化学农药等技术措施和方法完成防治面积1.57万亩,其中无公害化防治1.37万亩、人工防治0.2万亩,无公害防治率达100%。完成苗木产地检疫75亩,调运检疫8.02万株;复检绿化苗木42种、13.29万株,木材48立方米(其中辐射松36立方米、铁杉12立方米);完成松材线虫病春季监测普查14.64万亩。加强野生动植物及保护区建设工作,巩固自然保护区管理面积89883.6公顷。加强森林防火监管,与乡(镇)签订责任书21份,乡(镇)与村签订责任书149份,乡(镇)与辖区内的施工作业单位签订责任书18份,签订户主护林防火公约21800户;落实巡山管护人员457人,建立应急扑火队21支、村民兵义务扑火队149支,确保了全县森林火灾上报率为零。严厉打击破坏森林资源的违法行为,查处各类案件61起,收缴木材70余立方米,罚款15万余元。

【统筹城乡与新型城镇化】 2016年,茂县积极鼓励民间资金参与城镇建设,投资15500万元的茂州时代广场主体竣工;加快重点乡(镇)建设,东兴乡成功撤乡设镇;完成《光明镇总体规划》《吉鱼旅游度假村规划》评审,完成《光明镇上关村旅游新村规划》初稿编制;以青坡门旧城改造项目为突破点,完成20户自愿改造户危旧房住房拆除、30户风貌塑造、19户房屋测绘工作,完成无影塔景观工程广场铺装,完成水景观树木栽植和栈道铺装工程。截至2016年年底,全县城镇化率达42.86%。

【扶贫攻坚】 2016年是“十三五”的开局之年,更是脱贫攻坚和全面建成小康社会的关键之年。茂县按照“六个精准”“五个一批”要求,聚焦困难群众“两不愁三保障”和“四个好”的目标任务,提出了“三年脱贫攻坚、两年巩固提升”的总体思路。按照既定目标任务,科学编制《2016年10个扶贫专项方案》《17个脱贫专项2016年度实施计划》《眉山市东坡区对口帮扶茂县规划(2017—2021年)》等专项脱贫规划方案,全力以赴抓细、抓实脱贫攻坚各项工作。全县贫困人口从2014年的3774户、13981人减少到2016年年底的689户、2327人,贫困发生率为2.8%,低于3%,实现了首战告捷。一是着力抓好基础设施建设。统筹安排资金3.8亿元,为64个贫困村安排道路、水利、电力、信息网络、文化体育等基础设施建设项目1076个。二是着力抓好特色产业发展。因地制宜推进生态绿色农业、文化旅游等优势产业,设立产业扶持基金2620万元,已为146户贫困户发放资金110万元。三是着力抓好住房安全。按时保质保量完成易地扶贫搬迁16户、58人,藏区新居建设农村危房改造20户建设任务。四是着力抓好教育扶贫。落实在校贫困学生“三免一补”等各类政策补助164万元;设立教育扶贫救助基金300万元,救助贫困学生228名,发放救助金48万元。五是着力抓好医疗扶贫。设立卫生扶贫救助基金300万元,救助贫困人口98人,发放救助金16万元。严格执行二次补偿和特补政策,9月12日之前贫困人口县内公立医院住院总费用个人自付比例控制在10%以内,9月12日之后实现住院费用个人“零支付”。全年建档立卡贫困人口在县内公立医院住院500人次,住院总费用达204万元,通过基本医保、爱心基金等渠道报销188万元。六是着力抓好金融扶贫。设立扶贫小额信贷贴息基金180万元和信贷分险基金1521万元,累计向399户贫困户发放小额信贷资金1028万元。七是着力抓好就业扶贫。设立返乡创业贷款基金200万元,开发公益性岗位安置贫困劳动力87人,就地转化贫困人口为生态护林员253人,转移输出贫困劳动力就业1045人,实现了“每个有劳动力的贫困家庭至少有一人就业”的目标。八是着力抓好低保兜底。抓好扶贫线、低保线“两线合一”实施工作,将农村低保人均月补助标准从100元提升到260元,全年向贫困户发放农村低保金266万元。九是着力抓好帮扶承接工作。文化厅、省档案局、省对外友协从扶贫规划、项目争取、基础设施建设、产业发展等方面对茂县进行帮扶;眉山市东坡区和浙江省玉环县在茂县因地制宜规划了项目,落实了资金,助推全县脱贫攻坚进程。

【乡村旅游】 2016 年,茂县持续加快推进羌文化旅游目的地建设,叠溪松坪沟景区完成投资 4685 万元,生态公厕、服务站、观景平台(栈道)、漂浮码头等基础设施建设不断完善;九鼎山景区完成投资 3306 万元,完成白龙池堵漏工程水泵房加建及管网等基础设施建设的 90%,硬化青龙坪停车场 2.3 万平方米,上下雪具大厅功能进一步完善。狠抓宣传营销,利用成都地铁、四川卫视、四川电视台、都汶高速广告牌等媒介对旅游景区、旅游产品进行宣传,成功举办瓦尔俄足庆典、康养文化艺术节等推介活动,进一步推广了茂县"阳光福地、风情茂县"的旅游形象。坚持依法治旅,加快智慧旅游平台建设,强化旅游市场监管,全县旅游知名度和旅游形象不断提升。全年接待游客 267.46 万人次,同比增长 33.7%;实现旅游收入 199725 万元,同比增长 38.1%。

【主要领导人】 县委书记:高加军;县人大常委会主任:刘忠德(11 月止),周启军(11 月始);县长:唐远益;县政协主席:陈炯(11 月止),王斌(11 月始);分管农业副县长:周耀。

茂县编写组

松潘县

【基本情况】 2016 年,松潘县辖 25 个乡(镇、街道),有耕地面积 12.6 万亩。农民年人均可支配收入 10885 元,增长 12%。

【农业产业化发展】 2016 年,松潘县累计发展农牧民专业合作社 195 个,其中种植类 84 个、养殖业 107 个、加工运输类 1 个、农机植保类 1 个、文化旅游类 2 个;有龙头企业 5 家(其中州级龙头企业 1 家、县级 4 家),龙头企业资产总额 1398 万元,固定资产 819 万元。投入国家财政资金 25 万元,在红土等乡(镇)建设现代化家庭牧场 5 个,建设暖棚带贮草棚 1000 平方米、生产管理用房 300 平方米、围栏割草地 500 亩、敞圈 4000 平方米。争取州级财政补助资金 10 万元,在岷江乡岷江村午未梦特种养殖专业合作社发展林下生态跑山鸡 1 万只。

【农产品品牌战略实施】 2016 年,松潘县实施农产品"区域品牌+企业品牌"双品牌战略, 6 家企业获得"净土阿坝"商标使用权,"松潘贝母"注册为国家地理标志保护产品。莴笋、松潘葱、茶叶、蛋鸡、肉鸡获得无公害农产品认证,认证面积达 1.9 万亩;成都尚作农业科技有限公司 24 个蔬菜品种获得有机食品转换认证。积极开展松州香猪、松潘羌活申报国家地理标志产品认证工作。

【种植业】 2016 年,松潘县农作物播种面积 12.1 万亩,其中粮食作物播种面积 7.8 万亩、蔬菜播种面积 3.5 万亩、经济作物播种面积 0.8 万亩,粮食产量 1.9 万吨,蔬菜产量 9.3 万吨,经济作物产量 1170 吨,食用菌产量 8415 吨。采取以奖代补的方式,引导种植户利用弃荒地、荒山、荒坡及退耕还林地大力种植大黄、羌活、秦艽等中药材,新增中药材种植面积 4000 余亩,落实中药材奖补资金 187 万余元。

【林业】 2016 年,松潘县深入巩固国有林管护 250.9 万亩、集体公益林管护 64.5 万亩、封山育林管护 0.3 万亩。利用国家重点生态功能区转移支付资金对进安镇东裕村、苍坪村荒山造林 0.86 万亩进行了补植补造;对 2015 年植被恢复人工造林 0.03 万亩进行了补植补造。对 2013 年度沙化治理(一期)4.8 万亩进行苗木成活率、草籽盖度、保存率及生长情况、宣传牌、围栏、水桶等查漏补缺,完成高山柳、三颗针、刺槐、扁柏、云杉(大小苗)等苗木补植补造 10.6 万株,完成网围栏、水桶和水管缺损修补安装等工作,内业资料整理和管护、管理工作有序开展。二期沙化治理 1.5 万亩已完成可研报告,新沙化治理 0.6 万亩,已完成方案评审。开展松潘岷江源国家湿地公园一期建设项目,投入中央财政湿地保护与恢复补助资金 300 万元,建设内容主要为湿地公园保护管理设施工程、湿地恢复工程、科研监测工程、垃圾清理工程。在十里乡二道沟宜林荒坡共栽植 2 万株大苗,完成全县义务植树 12.45 万株。巩固 5.9 万亩第一轮退耕还林成果并继续做好管护工作,全面通过 0.6 万亩新一轮退耕还林省级检查验收。广泛开展野生动植物保护宣传,共发放宣传资料 1000 余份、宣传手提袋 500 个、宣传雨伞 580 把、横幅 1 幅,共出动人员 15 人次;开展大熊猫栖息地野外巡护工作,出动专业巡护队 5 队、60 人次。5 月 16 日—5 月 23 日,开展了大熊猫国家公园松潘范围划定和范围内人员、资产调查核实工作,组建了县大熊猫国家公园体制试点方案编制领导小组,积极配合省、州做好拟建国家公园涉及的机构设置、人员安置、资产处置和经费投入等方案编制相关工作。

林政资源管理。一是加强森林采伐利用管理。严格执行限额采伐和凭证采伐制度,完成村民个人民用材审批 1398.3 立方米。二是加强林地资源管理。严格依法审核转报征占用林地,配合成兰铁路等国家重点工程办理征占用林地相关申报手续。加大对违法占用林地的查处力度,制止非法占用林地行为 4 起,发出整改通知 4 份。三是加强林业执法。与县森林公安局密切配合,共出动林政执法人员 160 余人次、车辆 110 余台次,立案各类刑事案件 14 起(其中特大案件 1 起),破获刑事案件 12 起(其中重大案件 1 起),抓获各类犯罪嫌疑人 25 人,移送起诉 7 起,涉案人员 13 人。依法查处各类林业行政违法案件 32 起,办理涉林治安案件 2 起,没收涉案木材材积 100 余立方米,处林业行政罚款 27 万余元。四是按时推进项目建设。基本完成全县森林资源二类调查的外业调查核实,完成全县林地变更项目采购工作、图斑解译和外业核实工作。

【畜牧业】 2016 年,松潘县畜禽存栏 18.8 万头(只),其中牛存栏 8.35 万头、马存栏 1.17 万匹、羊存栏 3.8 万只、猪存栏 2.48 万头、家禽存栏 3 万羽;出栏畜禽 11.59 万头(只),其中牛出栏 3.38 万头、猪出栏 2.76 万头、羊出栏 3.12 万只、家禽出栏 2.33 万羽。全年肉类总产量 5748 吨,其中牛肉产量 3481 吨、猪肉产量 1876 吨、羊肉产量 359 吨、禽肉产量 31 吨;奶产量 7607 吨,其中牛奶产量 7580 吨、羊奶产量 27 吨。投入中央预算内资金 230 万元,为上八寨、草原、燕云、红扎、红土、水晶、山巴、牟尼 8 个乡(镇)220 户牧户建设牲畜舍饲暖棚 1.76 万平方米;投入省级财政资金 793 万元,为下八寨、上八寨、草原等 20 个乡(镇)60 个村 300 户牧户建设牲畜暖棚 2.4 万平方米;投入中央资金 1111 万元,在大姓乡、大寨乡完成退化草原补播 10.5 万亩,建设人工饲草地 8000 亩、划区轮牧围栏草地 35 万亩;为九环沿线乡(镇)180 户牧户建设牲畜暖棚 180 个;投入资金 500 万元,在川主寺镇牧场村实施牧区节水灌溉工程,新增节水灌溉饲草料地 2200 亩。

【农村水利】 2016 年,松潘县投入中央资金 3605 万元,解决 17 个乡(镇)、43 个村、24862 人安全饮水问题;投入资金 1366.65 万元,在牟尼乡牟尼沟实施防洪治理工程,新建堤防 4.4 千米,保护了群众的生命财产安全。组织实施总投资 1000 万元的小水窖和牧区节水灌溉项目,解决 1727 亩耕地和 2000 亩草场灌溉用水问题,助推产业转型升级。

【农业机械化】 2016 年,松潘县以落实农机购置补贴为着力点,加快推进农业机械化作业,主要农作物机械化耕种收面积2.6万亩,占总面积的30%,推进了现代农业发展进程。

【统筹城乡与新型城镇化】 2016年,松潘县有城镇人口2.34万人,新增830人;农业转移人口落户城镇582人,城镇化率达37.95%。完成城镇(县城)基础设施建设投资9414万元,新增城镇建成区面积0.18平方千米;完成危旧房、棚户区改造1468户,农村安居工程376户;试点镇完成市政基础设施建设投资1500万元、公共服务设施建设投资340万元,就地就近吸纳农业人口460人。

高标准规划,严要求执行,拓展城镇发展空间。一是结合全县自然条件、经济现状、发展思路、远景目标等,以新城区开发为主,编制《松潘县总体规划(2008—2020)》《松潘县控制性详细规划》。二是注重规划落实,强化规划的严肃性。健全城建工程主体结构、基础设施、配套项目一体化验收机制,保障规划执行不走样。三是建立严格的规划调整审批机制,原则上规划一经确定,坚决按照其落实,由相关部门严格督促到位。在项目建设中,加强施工管理,任何项目工程都不能擅自违反规划组织施工,对有禁不止、违规操作的第一时间停工整改并严格追究责任。四是按照建设“公园里的城市”的思路建设城北新区,发展城市高端业态,最大限度保留原有自然风貌,着力于城市永恒价值的创造,打造活力新城。五是立足城南新区生态特色,以营造宁静舒适的休闲环境、打造城市慢生活为理念,发展休闲、健身、养生等健康产业,打造休闲养生基地。同时,建立工业园区,招商引资发展工业、科研、创意等高技术含量、高附加值产业,配套建设城南基础设施工程,加快了城乡一体化的发展和农民变市民进程。六是加快推进小城镇建设,充分利用上级政策,加大“空心村”治理力度,加快推进新型农村社区建设,完善基础设施,改善公共服务条件,吸引农民就近转移。

严格督查考核,确保工作落到实处。一是加大工作督查力度。实行重点事项重点督办、紧急事项跟踪督办、急要事项专项督办、一般事项定期督办,确保全县基础设施建设和重点城建工程按进度高质量完成。二是在年度考核工作中对工作推动不力的单位实行问责,追究单位主要领导和相关责任人的责任,对工作成效突出的单位给予表彰奖励。

【新农村建设】 2016年,松潘县以实现“三好两富”为目标,按照“全域、全程、全面小康”和城乡一体化发展的要求,以乡为主体,以行政村为单位,以“业兴、家富、人和、村美”为主要内容,在40个村实施省级幸福美丽新村示范县和扶贫新村工程建设,其中33个村实施幸福美丽新村示范县建设(包括8个扶贫新村)、15个村实施扶贫新村建设(包括10个2016年“摘帽”村)。在33个村实施幸福美丽新村示范县建设共计投入资金5247.24万元,其中新村基础设施建设投入652.97元、发展主导产业投入1453.77万元、整合项目资金投入2692.3万元、“雪亮工程”建设投入448.2万元;在15个扶贫新村共投入建设资金1058.23万元,其中投入省级财政幸福美丽新村建设资金950万元、县级财政配套资金108.23万元。

幸福美丽新村示范县建设。按照“业兴、家富、人和、村美”的幸福美丽新村建设要求,紧紧围绕助农增收、脱贫致富,以“五大发展理念”为引领,全面实施扶贫解困、产业提升、旧村改造、环境整治和文化传承“五大行动”,创新农业经营机制、建设投入机制、社会服务机制和乡村治理机制,在大寨乡、小河乡、黄龙乡、施家堡乡、镇坪乡、大姓乡、岷江乡7个乡的33个村深入开展幸福美丽新村示范县建设。一是抓产业提升工作。省级新村示范县建设财政投入专项资金424.19万元,其中在23村种植蔬菜4780亩(投入资金38.24万元),在13个村发展羌活1331亩(投入资金66.55万元),在4个村发展大黄340亩(投入资金11.9万元,)在18个村新建生产便道67千米(投入资金167.5万元),在7村新建牧道40千米(投入资金100万元),在15村新建巷道圈16个(投入资金40万元)。建设暖棚50个(共4000平方米),建设人工草地7200亩。二是抓村内基础设施完善工作。投入资金5682.82万元,其中新村示范县建设专项资金950万元、扶贫新村建设资金615.58万元、县级财政配套资金575.36万元、整合项目建设资金2692.3万元、群众自筹1029.58万元,修建村内道路1620米,建设村(组)道路2090米,硬化入户路6360米,安装太阳能路灯393盏,建设垃圾池20个,安装排污管道300米,建设消防蓄水池21口(30立方米/口),修建堡坎660.7立方米,修建村委会围墙40米。三是加大交通水利基础设施建设。建设钢架桥8座,硬化道路2.2千米,建设泥结碎石生产便道25千米,建设小水窖3个及引水管道。四是完善公共配套服务设施设备。建设文化院坝3个,购置文化活动室音响设备4套,修建篮球场2个,实施宽带乡村建设工程,建成C网基站8处、4G网站18处、4G站点23处。

扶贫新村建设。在15个村实施扶贫新村建设工程,其中2016年脱贫新村10个。一是抓新村基础设施建设。修建村道1070米、入户路4772米;新建防洪堤900米、生态河堤600米,建设钢架桥2座、维修1座,新建堡坎3处(1102.08立方米),维修桥墩80立方米,安装隐患防护网120米。二是抓公共服务设施建设。安装太阳能路灯417盏,完成消防设施、环境卫生、村活动场所、文化体育设施建设。

【扶贫攻坚】 松潘县是国务院确定的14个连片特殊贫困地区“四省藏区”贫困县之一,贫困覆盖面广、基数大、程度深。2016年,省、州向全县下达了10个贫困村退出、1461名贫困人口脱贫的目标任务。全县对照一张“进度图”、盯住一张“施工图”、亮出一张“责任图”,狠抓整县脱贫“摘帽”,变“大水漫灌”为“精准滴灌”,变“单项施策”为“立体施策”,变“输血扶贫”为“造血脱贫”,趟出了一条符合松潘实际的脱贫攻坚新路子。

精细化识别,确保对象精准。全县严格对照“贫困线”和“两不愁、三保障”标准,在乡、村按程序审核、公示的基础上,由县级领导和帮扶贫困村的部门、帮扶责任人进行入户核查,最终核定全县贫困户为2000户、7378人,并进一步识别出贫困程度最深的特别贫困户392户、1356人,确保了贫困户基础信息的真实性和准确性。

差异化帮扶,确保措施有力。全县始终按照既定总体部署,紧扣年度目标任务,在全面实施“五个一批”的同时创新提出“八个全覆盖”,大力推行“四帮四带”互助工程,设立“六项帮扶基金”,针对不同致贫原因全面开展差异化帮扶,扎实推进村退出、户脱贫。一是创新“八个全覆盖”,全面“造血”,推进脱贫攻坚工作长效化。产业帮扶全覆盖,到户产业方面,投入资金978万元,实施2000户贫困户到户产业,累计种植中药材1700余亩、蔬菜2500余亩、果树330余亩,养殖各类牲畜23000余头、禽类7000余羽。技能培训全覆盖,投入资金494.8万元,培训贫困对象240人,完成劳动力劳务品牌培训80人、就业技能培训169人、“SYB”创业培训200人。就业安置全覆盖,积极健全完善职业培训、就业服务、劳动维权“三位一体”工作机制,因地制宜开发农村综合事务管理员、农村保洁员、道路养护员、护林员等公益性岗位，将可调整的503个公益性岗位全部调整至贫困户，解决“9+3”学生就业896人，转移农村贫困劳动力1150人。住房保障全覆盖，通过实施幸福美丽新村建设、避险搬迁安置、藏区新居(危房改造)，优先解决绝对贫困户、住房困难户家庭和老(旧、危)房户的住房困难，共解决全县433户贫困户住房困难问题，改造农村危房350户；通过实施农村廉租住房建设(安置)，解决全县171户农村无房户住房困难问题，确保贫困户住有所居、居有好房。教育助学全覆盖，安排资金2090万元，新建小河乡等3个乡中心幼儿园；安排资金5261万元，新建进安乡等2所中小学校，完善青云乡等3所学校附属设施；设立教育救助基金300万元，帮助解决贫困户在校生教育支出费用高的难题；积极推广职业教育，配合教育厅藏区“9+3”招生办开展招生工作，深入推进藏区“9+3”免费职业教育招生计划，近千名“9+3”学生在内地接受免费职业教育。健康体检全覆盖，安排资金212.8万元，为特别贫困户购买新型农村合作医疗保险、为35岁及以上特别贫困户开展免费体检，同步建立贫困户健康档案，及时掌握贫困户健康状况；通过免费提供基本公共卫生服务、免费提供妇幼卫生健康服务、免费开展疾病监测和计划免疫、免费实施重大传染病和地方病防治等措施，加大医疗救助、临时救助等帮扶力度，确保所有特别贫困的伤病群众尽早尽快得到有效治疗，实现“大病化小、小病化无”，提前预防因病致贫、因病返贫。大病救助全覆盖，投入资金212.85万元，用于特别贫困人口新农合个人筹资费用补助，特别贫困户新农合参合率达100%。同时，在新农合资金有结余的情况下，对特别贫困人口大额医疗费用进行二次补偿，不断提高特别贫困人口新农合的报销比例。制作贫困户医疗识别卡，实行贫困户县内就医“一站式”服务、“十免四补助”，取消县内住院门槛费，为特困户群众实施医疗帮扶。帮扶牵引全覆盖，配齐配强基层班子队伍，充实精准脱贫人才，扎实推进“五个一”驻村帮扶，全县126个部门1746名干部职工结对联系贫困户2000户，各级党委的领导组织作用、党员的先锋模范作用和人才的专业指导作用进一步发挥；率先探索推进“四带四帮”党内脱贫帮扶工程，达到聚合优势力量、促进均衡发展的效果；积极鼓励县内涉旅企业、成兰铁路各施工企业联系帮扶贫困村和贫困户，聚合优势力量、发扬互助精神、推动均衡发展。二是推行“四帮四带”，聚力“攻坚”，推进脱贫攻坚工作全面化。其一，强乡带弱乡，智力帮扶解决群众心头之“惑”。破解县域不均衡的发展格局，缩小县域内乡(镇)贫富差距，由产业发展强劲的乡(镇)带动产业发展滞后的乡(镇)，实现互促互进，共同脱贫奔康。其二，富村带穷村，项目帮扶解决经济发展之“困”。秉承“缺”“补”并进、“需”“求”共推理念，在遵循贫困户发展意愿的基础上，采取“基础设施+合作社+支部”的模式，由全县55个相对富裕村与55个贫困村结对围绕畜牧养殖、生态农业、乡村旅游等优势资源，发展特色产业。其三，先进带后进，党建帮扶解决组织建设之“弱”。针对贫困村党组织核心地位弱化、村干部思想观念落后、工作方法和经验缺乏等问题，积极开展党建帮扶工作，由6个州级先进党组织结对帮扶6个后进党组织，帮助抓班子、带队伍、强组织、促增收、引致富，进一步破除思想观念和组织领导上的障碍。其四，部门带村寨，资金帮扶解决发展融资之“难”。针对贫困村区位偏、底子薄、技术差等原因，由75个县级机关单位结对帮扶55个贫困村，出资金、做规划、谋发展，不断箍牢跟进链条，做到结对共建“不掉链”“不滑扣”，纵深推进，有序开展。三是设立“六项帮扶金”，金融“助力”，推进脱贫攻坚工作深入化。其一，设立卫生扶贫救助基金。帮助解决农村贫困家庭在享受现有医疗保障制度和医疗帮扶政策的基础上仍然存在的与看病就医相关的特殊困难，避免因经济原因导致贫困户家庭成员看不起病。初始基金为200万元。其二，设立教育扶贫救助基金。帮助解决农村贫困家庭在享受现有教育保障制度和助学帮扶政策基础上仍然存在的子女就学的特殊困难，避免因经济原因导致贫困户家庭子女上不起学。初始基金为300万元。其三，设立贫困村产业扶持基金。采取无息借款的方式支持贫困户或村集体经济组织发展种养殖业、农村电商、农旅结合等产业业态，贫困户借款额度、借款期限及还款方式等按照产业扶持周转金管理办法的相关规定执行。初始基金为1650万元，基金规模为每村30万元。其四，设立贫困户困难救助基金。贫困户在遇到人身安全及房屋安全等自然性突发事件时申请民政救灾救助及其他相关政策性救助后家庭基本生活仍存在困难的，给予困难救助金补助。初始基金为50万元。其五，设立生态产业管护基金。主要用于全县建档立卡贫困户通过生态管护获得劳务报酬实现脱贫致富。初始基金为150万元。其六，设立扶贫小额信贷风险补偿基金。合作银行按照1∶7的比例放大倍数，为建档立卡贫困户发放扶贫小额信用贷款，确保每一户有贷款需求的建档立卡贫困户都能获得扶贫小额信用贷款。初始基金为600万元。

规范化退出，确保成效显著。严格对标村退出、户脱贫标准，制订了《松潘县2016年各乡镇党委和政府脱贫攻坚工作年度考核办法实施方案》，以乡(镇)自查、县级复查、州级验收“三步走”开展考核验收，确保第三方考核评估顺利通过。对标“一低五有”，通过入户路硬化、生产道路修建、安全饮水保障、文化室卫生室建设、通信网络建设、集体经济建设等举措的深入实施切实解决了贫困村基础薄弱、资源匮乏、发展困难等问题。一是贫困发生率均低于3%。10个贫困村累计完成减贫441人，对剩余28户重病、重度残疾、丧失劳动力的特别贫困户，将采取更多的措施进行兜底帮扶。二是有集体经济。投入资金550万元，实施10个村集体经济项目，建设旅游综合服务站1处、生态农业体验园1个、思源阁藏家乐1个、乡村文化活动中心1个，发展脆红李基地120亩、肉羊养殖350头、牦牛养殖100头、中药材基地600余亩，建成冷藏冻库1个，各村集体经济人均收入在3元以上。三是有通村硬化路。安排交通专项资金，实施贫困村道路硬化、护栏安装等工程，10个村均有通村通组入户硬化路，危险路段有安全防护，道路管理维护较好。四是有村卫生室。村级卫生室面积均达30平方米以上，配备床位1~2张、村医1~2名，医疗设备、常用药品能够满足群众就医需求标准。五是有村文化室。村委会均设有文化室，达50平方米以上，有图书室、阅读室、文化活动场所、文娱设施、广播器材，图书资料齐全，活动场所能够满足召开群众大会和开展文化活动需求。六是有通信网络。均接通通信网络与广播电视，网络覆盖村委会、村学校，部分村光纤已入户。瞄准“两不愁、三保障”，贫困人口脱贫见“实效”。通过产业扶持、就业安置、低保兜底等措施增加贫困户收入，实行医疗救助、教育救助、农业补贴等措施减少贫困户支出，建立“收支一本账”，记载收支并准确计算人均收入。2016年计划脱贫的380户贫困家庭人均收入都实现高于3100元的目标。

【乡村旅游】 2016年，松潘县坚持将生态文化旅游作为战略支柱产业，积极探索“三微三态”发展新路径，以点为基、串点成线、连线成面，大力发展生态观光自驾游、民俗文化体验游、雪山草地红色游等多种旅游业态,优化乡村旅游经营模式,山巴、川盘、安备、传子沟等精品旅游村寨品质进一步提升。全面推进松州古城保护与建设,茶马驿地段全面竣工并正式对外营业,推出"2016 松潘古城首届花灯会"等系列活动,加快文旅融合步伐,带动古城旅游业态发展。加快推进天堂香谷、上磨 318 线自驾游营地、七藏沟景区等配套设施不断完善,全域旅游基础得到巩固。在全省率先构建"1+3"旅游综合执法体系,有效破解旅游市场乱象问题。全年共接待游客 570.51 万人次,增长 13.3%,增速比全州低 3.1 个百分点,完成州定目标的 107.1%,分别排名全州第 3 位、第 6 位和第 5 位;实现旅游收入 631009 万元,增长 12.4%,增速比全州高 0.7 个百分点,完成州定目标的 10.7%,分别排名全州第 2 位、第 5 位和第 5 位。引导四川快捷叁壹捌汽车旅馆投资管理有限公司加大对山巴乡上磨村整体开发,自 5 月试运营以来,接待游客 5000 余人次,净收入 100 余万元,解决当地群众就业 40 余人次,人均增收 0.2 万元。天堂香谷农业主题公园试运营见成效,西藏雅鲁亚克商贸有限公司概算投资 5000 万元,加大 3300 余亩展示区产业、景观与配套基础设施建设,着力建设集生态旅游、花卉产业、特色度假、精品体验、文化传承等于一体的特色生态观光农业基地。同时,建立"公司+农户"利益联结机制,共流转土地 3300 余亩,带动群众年固定增收 600 余万元,自 6 月试运行以来,接待游客 5 万人次,实现旅游收入 100 万元。川主寺片区的山巴乡上磨村、麻依村和水晶乡川盘村、安备村 4 个村采取"公司+农户"的方式,由四川雁南飞旅游公司等统一租赁农户经过藏式风格装修的房屋发展民宿经济。截至 2016 年年底,已有 183 户经营户开展民宿经济示范创建,共计收入 800 余万元,户均增收 4 万余元。依托四川快捷叁壹捌汽车旅馆投资管理有限公司,在山巴乡上磨村重点打造 11 户农房作为民宿接待户,房屋提升改造已全部完工,试运营以来解决本村村民 10 余人就业,支付农户房屋租金 35 万余元。

【助农增收】 2016 年,松潘县紧紧围绕"农业增效、农民增收"主线,认真贯彻落实中央"一号文件"精神和各项支农惠农强农政策,切实加快农业基础设施建设,全力拓宽农牧民增收渠道。全县农牧民人均收入达 10885 元,同比增长 12%。

强化机制建设,以制度保障增收。一是成立了以县委书记为组长,县长为常务副组长,县委县政府分管领导为副组长,相关职能部门负责人为成员的助农增收工作领导小组和技术专家指导小组,先后召开 6 次政府常务会议和 5 次县委常委会议以及多次专题会议研究农牧民增收工作。二是把增加农牧民收入作为衡量各乡(镇)、各有关部门工作成效的重要指标,对促农增收目标任务进行量化考核;各乡(镇)和各相关部门建立健全农民增收责任制并实行目标管理。三是先后制订实施了《松潘县 2016 年加快特色农牧业产业化发展奖补实施方案》《松潘县 2016 年"10+1"民生工程及 19 件民生实事实施方案》《松潘县 2016 年农牧民增收工作方案》等一系列产业发展规划和奖补措施,定期督促检查《松潘县 2016 年农牧民增收工作方案》贯彻落实情况,确保农民增收目标如期实现。

加大资金投入,以产业带动增收。一是 2016 年本级财政"三农"总投入 6324 万元,比上年增加 2313 万元,增长 57.67%。二是采取以奖代补方式,大力推进特色农牧产业扩面提质,新增雪山梨、蓝莓、脆李等特色优质水果种植面积 3198 亩;种植莴笋等大宗蔬菜 3.48 万亩、高原中低温食用菌 798 万袋,产量分别达 2688 吨、8390 吨,实现种植业收入 12250 万元。三是投入资金 370 万元,建设人工草地 6000 亩,改良天然草原 6.25 万亩,新增畜禽适度规模养殖户 8 户。全年共出栏畜禽 10 万余头(只),肉、奶产量分别达 5636 吨、7572 吨,实现畜牧业收入 17780 万元。

加强建设力度,以项目推动增收。一是投入各级各类资金 6305.47 万元,种植优质蔬菜 4780 亩、中药材 1671 亩,建设中药材种植基地 1374 亩;新建生产道路 67 千米、牧道 40 千米,安装太阳能路灯 810 盏。二是完善农田水利、农村道路等基础设施建设。投入浙江省对口援建项目资金 128 万元,新建农业生产便道 51.2 千米;投入生态转移拨付资金 500 万元;建设灌溉工程 8 处、蓄水池 24 口,铺设灌溉管道 40 千米,有效解决了 1750 亩蔬菜、水果、中药材的灌溉问题。

拓宽增收渠道,以服务促进增收。一是全面落实强农惠农富民政策。通过"一卡通"方式向全县 24 个乡(镇)141 个村 10592 户种植户兑付农业支持保护补贴资金 738.62 万元;落实草原禁牧面积 150 万亩、草畜平衡面积 288.65 万亩,为全县 25 个乡(镇)143 个村 15551 户牧户兑现补奖资金 1846.625 万元。全面开展莴笋政策性保险推广工作(种植户按 18.72 元/亩标准缴纳保费,保险公司按照 400~800 元/亩标准给予受灾种植户赔偿),共完成莴笋政策性保险参保 1.13 万亩。二是全力推进农村土地承包经营权确权颁证工作。全年完成土地确权颁证工作的 90%。三是健全就业创业服务体系,完善职业培训、就业服务、劳动维权"三位一体"机制。全县有农村劳动力 3.2651 万人,其中转移农村剩余劳动力 1.38 万人,增长 101%;实现劳务收入 2.68 亿元,增长 19.1%。

着力培育农业经营主体,培养农牧民致富领军人。引导农牧民依托专业合作社、农牧业龙头企业、种养大户等规范有序推进土地使用权流转,提高土地利用率和产出率。全县土地流转面积达 21240 亩,共培育 30 亩以上规模种植户 400 余户。深入开展以"运行规范化、生产标准化、经营品牌化、社员技能化、产品安全化"为主要内容的农牧民专业合作社规范创建活动,新增专业合作社 17 家,入社成员 1780 户,带动农牧户 3650 户。

【农村科技】 2016 年,松潘县依托道地优势品种——川贝母建立了规范化种植基地 2 个(龙让沟川贝母种植基地、卡卡沟川贝母种植基地),其中以种植暗紫贝母为主的龙让沟川贝母种植基地是国内首家通过 GAP 认证的川贝母基地,面积达 3000 余亩,建成川贝母现代多功能气候调节大棚 36 个、面积 8000 余平方米,配备有喷灌、遮阳、降温等系统,大幅提高了幼苗的出苗率和保苗率,使川贝母(暗紫贝母)现代农业种植技术获得历史性的突破;卡卡沟川贝母种植基地在水晶乡自建药材种植基地 3000 余亩,拥有第五代且生长年龄在 6 年以上的川贝母优质种鳞茎 5 吨以上,可年产优质种子 150 千克以上,实现了川贝母种植由采挖野生鲜鳞茎移栽种植的方式向以大田培育优质种子播种种植的巨大转变,是中国目前产量和规模都最大的川贝母种源基地和大田种植基地。建成道地药材唐古特大黄种源、育苗基地及高原中藏药材种质资源圃,有品种 80 余个。在安宏乡西宁村实施牦牛异地育肥技术示范,年饲养育肥牛 200 头。在全县推广种植川红花 200 亩、中豌 12 号 1 亩、"藏青 2000"600 亩,在施家堡乡四旺村种植花生 1 亩、朝阳四号玉米 2 亩,在下八寨乡格丫村实验种植七星长剑胡豆 1 亩,在白羊乡种植党参 1 亩、羊肚菌 10 亩、猕猴桃 2 亩、重楼 2 亩、猪苓 4 亩、芦笋 2 亩,在安宏乡安关村种植饲料玉米 4 亩,在小河乡种植白芨 50 亩,在安宏乡肖包寺开展胡豆枯萎病药效实验 1 个。在全县推广种植脱毒马铃薯 5000 亩,养殖贾洛藏绵羊

700只、九龙牦牛800头、三江黄牛52头。积极探索"专家服务团队+科技示范户+农牧户"农业科技推广模式,建成以田间(圈舍)授课、坐诊、网络咨询等为主的技术支持体系,培育各类新型职业农民100人、各类农村实用人才0.8万人。在毛尔盖、热务沟、小河、白羊等乡(镇)举办创业培训、品牌培训、职业技能培训等38期,培训农村贫困劳动力1800余人。

【农村卫生】 2016年,松潘县制订出台了《松潘县医疗卫生计生扶贫专项方案(试行)》《松潘县医疗卫生计生扶贫2016年工作计划》《松潘县2016年实施贫困人群医疗救助扶持行动工作方案》和《松潘县精准扶贫"一站式"医疗救助实施方案(暂行)》,大力实施卫生计生扶贫"五大行动",扎实推进卫生计生扶贫各项工作。全面实现贫困人口100%参加新型农村合作医疗、贫困人口县域内就诊个人医疗费用支出控制在10%以内、2016年"摘帽"贫困村卫生室标准化建设100%达标和有合格乡村医生/执业(助理)医师等目标并接受州级考核。新型农村合作医疗工作覆盖面不断扩大,全县自愿参合农民53681人,参合率达99%;保障能力逐步增强,2016年预算基金总额2898.77万元已全部到位,将参合人员个人缴纳部分纳入大病统筹模式,提高了抗风险能力和补偿标准;重大疾病病种达到23种且补偿不设封顶线;慢性病补偿封顶线达到5000元/人/年,病种达22种,让参合群众得到极大实惠。把义诊巡诊活动与深化医改任务和卫生发展十年行动有机结合,组织县级医疗卫生单位每季度至少开展1次义诊巡诊活动,实现辖区所有乡(镇)全覆盖(偏远地方乡村全覆盖)。全年派出8支医疗队开展三轮义诊巡诊活动,特别针对僧尼、阿訇开展义诊活动1次,共计派出人员119人,免费诊治1万余人次,开具处方4176张,免费健康检查6250人,健康咨询服务9000余人次,免费发放宣传资料1.1万份、药品价值13万余元。

【农村交通】 2016年,松潘县松黑公路维修工程概算投资1905万元,项目已完工;草阿路道路改造工程概算投资2422万元,项目已完工;漳水路改建工程概算投资500万元,项目已完工;施家堡组道建设项目概算投资60万元,已完成招标,计划于2017年开工。十里乡佑所屯村中桥建设项目续建项目总投资391.2524万元,项目已完工;镇江关乡沙坝寺桥建设项目概算投资621.1万元,已于7月完成招标;投资1700万元的农村安保设施建设和村组道建设均已完成招投标,计划于2017年实施。

【农村市场体系建设】 2016年,松潘县引导发祥地电子商务有限公司建立物流配送体系、电子商务服务站点和开展技术培训。截至2016年年底,全县通过专项资金和松潘发祥地电子商务有限公司自筹资金已投入979.7万余元,建成电商物流中心及12个乡(镇)物流站点、18个村级物流网点、松潘县O2O体验馆等;电子商务推广及平台建设主要进行农产品溯源建设、网上平台建设及APP开发应用;与西南科技大学以及松潘发祥地电子商务有限公司在全县25个乡(镇)开展电子商务业务知识培训。

【回乡创业之星选介】 陈满江,男,26岁,镇坪乡大坪坝村村民,2012年6月大学毕业后先后在川主寺牛肉干店和成都欣悦纸业打过临工。2013年4月,陈满江到茂县李兴绣老师创办的羌绣合作社打工,从事设计和绣片图案绘画。2013年10月,陈满江在松潘县城外城村开了一家羌绣制作坊,初步探索羌绣制作和产品销售。2013年11月,在县、乡两级政府的帮助下,陈满江在镇坪乡创办了第一个具有羌民族特色的松潘县巧娘藏羌绣手工刺绣专业合作社,最初有社员12人。陈满江把传统羌绣文化融合现代工艺艺术,制成各种图案的绣片,然后交给灾后重建苗圃安置点双泉村和立壳村的留守妇女,利用农闲时间分散进行手工刺绣,回收产品统一销售。2015年年初,由于长期采用手工刺绣,部分产品设计过于陈旧,产品滞销,合作社效益较低,导致部分合作社成员退社。面对困难,陈满江重新规划制定了发展思路。同时,镇坪乡党委、政府为陈满江的合作社争取到巩固提升财政专项扶贫资金20万元。陈满江利用扶贫资金和贷款修建了厂房,购买了1台大型电脑绣花机,培训专业制版师,通过调整产业结构,合作社产品不再单一,产品价值和附加值大幅提升。销售渠道也由原来的主要通过实体店销售转变为主要通过网络、微信进行销售,销售业绩呈直线上升。2016年,在县就业局的帮助下,陈满江动员周边2个乡10个村有一定羌绣基础的绣娘60余人参加由茂县羌绣培训学校的专业教师举办的为期40天的松潘县劳务品牌培训羌绣培训班。通过培训,周边乡村广大羌绣爱好者的刺绣技能得到了提升。截至2016年年底,合作社共有成员36名,带动周边2个乡10个村100余人从事羌绣手工刺绣,年制作和销售各类绣品2000余件,直接经济收入50余万元,人均增收4000余元。

【重点乡镇选介】 川主寺镇,位于松潘县西北部,地处岷江源头,距县城17千米,东至黄龙、南通成都、西接大草原、北连九寨沟,是重要的交通枢纽和旅游集散地,被誉为"藏区高原明珠城镇"。全镇辖区面积1143.15平方千米,辖15个村和川主寺、漳腊2个社区,共有1955户、6315人,藏、羌、回、汉多民族和谐共居。全镇产业聚力旅游优势,按照旅游产品加工区、民俗文化体验区、高原花卉观赏区、交通物流集中区、旅游综合服务区五个片区差异化错位发展。有宾馆95家、农(牧、藏)家乐14家、茶馆24家、商铺437家。九黄机场年起降飞机1.5万余架次,旅客吞吐量170万余人次;年过境车辆80余万辆,过境人数700余万人,高峰时期日接待游客2万余人次。境内在建成兰铁路投资14.8亿元,在建雪山梁隧道总投资12.1亿元。1994年被省委省政府列入全省首批100个小城镇重点建设试点镇;2003年7月被省政府列为"首批省级重点镇名单";2007年被评为"四川省环境优美乡镇";2011年被评为"全国文明乡镇";2014年被评为"四川省乡村旅游示范镇";2015年被评为"四川省安全社区"。

【主要领导人】 县委书记:泽小勇;县人大常委会主任:马永香;县长:李建军;县政协主席:马骞;分管农业副县长:晏斌。

松潘县编写组

九寨沟县

【基本情况】 2016年,九寨沟县辖17个乡(镇、街道),有农业人口1.5595万人,有耕地面积5.6523万亩。

【年度农业和农村经济运行】 2016年,九寨沟县实现农业总产值33003万元,增长10.25%;农业增加值21688万元,增长4.9%。农民年人均可支配收入10731元,增长11.8%。

农业产业化发展。九寨沟县扩大原料基地规模,在双河、大录分别建成特禽和林蛙养殖基地,一批新的特色产业不断发展壮大。培育壮大农产品加工企业及农业专业合作社,加快农业产业化进程。抓好牦牛肉、藏香猪、中药材、蜂蜜等特色资源的开发加工,形成"产、供、销"一条龙、"公司+基地+农牧户"的产业化模式,扩大农户带动覆盖面。

2016年九寨沟县省级示范农民专业合作经济组织名单

合作组织名称	注册资金(万元)	法人代表	示范等级	行业分类	主营产品
九寨沟县大顺果蔬种植专业合作社	1230	宛付贵	省级	种植业	水果、蔬菜

农产品品牌战略实施。九寨沟县“三品一标”认证完成1个无公害农产品产地和11个无公害农产品复查换证以及“甜樱桃”绿色食品年检。将品牌建设与安全监管和农产品认证相结合,发布实施县级无公害技术操作规程22个、绿色食品生产技术规程1个,初步形成了以国家标准为主,行业标准、地方标准和企业标准相配套的标准体系。培育“海拔3000牦牛肉”“九寨沟蜂蜜”“九寨藏香猪”“九寨庄园乐怡红葡萄酒”“九寨玫瑰”等品牌。加强农产品质量安全追溯体系续建,建成农畜产品质量安全监管、信息查询、企业管理三大追溯平台,力争在2018年将全县“三品一标”农产品和有发展前景的农畜产品纳入追溯范围,推进全县农牧业向优质、高效、生态发展。

【种植业】 2016年,九寨沟县粮食作物播种面积52814亩,产量10645吨。兑付农业支持保护项目补贴资金328.4万元,补贴面积48014.48亩,补贴农户9556户。春耕备耕物资储备充足,储备玉米杂交种8.26吨、蔬菜种子10余个品种,储备地膜16吨、肥料185吨、农药3.2吨。开展小麦条锈病、马铃薯晚疫病等重大病虫害调查及防控工作,全县范围内未发现小麦条锈病、马铃薯晚疫病的发生。

【林业】 2016年,九寨沟县督查指导全县上一轮73800亩和新一轮6600亩退耕还林春季补植补造工作。完成义务植树141577株。审批林地项目4个,涉及永久征占林地1.5627公顷、临时征占用林地4.5687公顷。深入开展打击破坏野生动植物资源的违法犯罪专项行动、“反盗猎、反盗伐和反毁林”专项行动,办理各类案件88起,移送起诉11人,收回违法侵占林地158.7亩并进行了恢复。落实森林防火专项工作经费160万元、航空护林工作专项资金31万元,连续29年无重特大森林火灾和人员伤亡事故发生,获得全州2015—2016年度森林防火一等奖。防治林业有害生物面积4094亩,有效防治率达100%。甲勿池景区与国家大熊猫保护研究中心签订了“国家大熊猫保护研究中心九寨沟县基地”项目框架协议。

【畜牧业】 2016年,九寨沟县饲养畜禽兔25万头(匹、只);牲畜存栏89419头(匹、只);出栏55805头(匹、只),同比增长4.75%。肉产量4122吨,同比增长5.15%;奶产量984吨,同比增长2.07%。实施大骨节病等项目,抓好生猪、藏香猪、土鸡、兔等养殖工作。实施畜牧良种补贴项目,引进麦洼牦牛30头,共补贴资金6万元。实施现代草原畜牧业发展专项资金项目,建成牲畜暖棚6000平方米、5个多功能巷道圈。编制了《九寨沟县2016年第二批现代农业畜牧业基地建设中蜂项目实施方案》,对全县320户贫困户及养蜂户开展蜂群培育,蜂蜜产量达50余吨。全年产地检疫动物12260头(只、羽)、屠宰检疫生猪8143头,上市肉品检疫率达100%;公路动物卫生检查生猪、牛、羊1241头(匹、只),共消毒车辆30车次;抽检瘦肉精2650份,均未发现“瘦肉精”使用情况;养殖环节无害化处理病害动物162头,重大动物疫病得到有效防控。

【统筹城乡与新型城镇化】 2016年,九寨沟县城镇化率达49.14%。完成城镇基础设施投资4500万元、百镇试点漳扎镇市政基础设施投资7200万元。制定了《九寨沟县村财民理乡监管暂行办法》《九寨沟县村级公益事业建设“一事一议”财政奖补项目管理暂行办法》《九寨沟县财政扶贫资金管理办法》《九寨沟县支农项目资金整合方案》等。

【新农村建设】 2016年,九寨沟县以推进脱贫攻坚、农业发展、农村建设和农民生活改善为核心,以落实各项惠农政策、加快幸福美丽新村建设为抓手,按照省委“人和、村美、业兴、家富”的幸福美丽新村建设要求及州委“三好两富”的总体目标,编制了《九寨沟县2016年幸福美丽新村(扶贫新村)700万元项目、幸福美丽新村示范县建设950万元项目实施方案》,共涉及17个乡(镇)36个村(其中省级幸福美丽新村20个、贫困村19个),受益群众4854户、17720人,惠及439户、1650名贫困人口。积极整合“两资”项目、农村危房改造、“一事一议”、安全饮水、整村推进、农村通畅工程、州以奖代补、革命老区、国家藏区基础设施等项目资金5000余万元,加大本级配套投入,鼓励群众自筹、投工投劳。全年完成藏区新居建设任务190户,涉及永和、草地、郭元、玉瓦、陵江、白河、罗依、安乐8个乡(镇)。

【扶贫攻坚】 2016年,九寨沟县坚持把脱贫攻坚作为头等大事和第一民生工程,聚焦7个贫困村退出,304户1050名建档立卡贫困户脱贫目标,层层压紧压实工作责任,举全县之力打好精准识贫、科学治贫、有效脱贫的攻坚战。始终瞄准对象、措施、项目、资金和扶贫成效精准,统筹整合涉农资金8974.22万元、扶贫专项资金2958万元、财政专项扶贫资金1802.74万元,精准实施17个扶贫专项方案和年度计划。全面落实脱贫攻坚党政“双组长”制、“六个一”驻村帮扶制度,全县36名县级干部、96名科级干部深入48个贫困村开展蹲点调研工作;整合浙江省嘉兴市和省政协、民盟四川省委、省政府驻京办、邛崃市、宜宾农商行、国金证券及平安财险各类帮扶资金1792万元,启动“百企联百村,百企圆百梦”社会扶贫行动,形成专项扶贫、行业扶贫、社会扶贫“三位一体”的大扶贫格局。2016年计划退出的7个贫困村和计划脱贫的304户、1050名建档立卡贫困人口均顺利通过省、州考核验收,全县贫困发生率降至6.5%,获得2016年“全省脱贫攻坚先进县”称号。

【乡村旅游】 2016年,九寨沟县共有乡村旅游公司22家,涉及5个乡(镇)22个村3294户13215人;有客房16863间,其中漳扎镇有乡村旅游公司12家,客房9378间;有藏(农)家乐46家,乡村旅游间(直)接从业人员约14000余人。全年乡村旅游共接待游客216.48万人次,实现旅游总收入约19.05亿元。

【助农增收】 2016年,九寨沟县根据中央调整完善农作物良种补贴、种粮农民直接补贴和农资综合补贴改革试点工作精神,全年兑付补贴资金328.4万元,补贴面积48014.48亩。兑现牧户草原生态补奖资金731.125万元。一是稳步发展特色种养业,实施第二批现代农业推进工程项目,全年共调运水果苗木163276株,种植1738.7亩;种植香草155040株。种植水果1万余亩,建成无公害商品蔬菜生产基地9000余亩、马铃薯标准化生产基地19000余亩。二是有序流转土地,全县土地流转总面积8769亩,其中转让12亩、转包25亩、出租8532亩,流转入农户819亩,流转入专业合作社7582亩,流转入其他主体368亩。三是扎实开展农业产业扶贫,实施“万名科技人员进万村”行动,开展农民实用技术培训指导工作50次,培训1940人,发放资料 2075 份、《九寨沟县农业产业扶贫技术手册》1447 本；为贫困村发放肥料、地膜等农资折资 10 余万元。编制了《九寨沟县农业产业扶贫规划》，安排农业畜牧项目 5 个（中央和省级投入 521 万元）、水利项目 6 个（中央、省级和县级投入 3568 万元）。开展能繁母猪和生猪保险工作，全县能繁母猪参保 311 头，生猪参保 845 头，牦牛参保 1882 头，羊参保 2367 只。编制了《九寨沟县水土保持规划（2015—2030 年）》，实施牧区节水灌溉示范项目，总投资 350 万元，实施面积 1700 亩；实施 2015 年省级小型农田水利重点县建设项目，投资 1142 万元，新建引水堰 2 座，铺设引水主管道和输水主管道 89.564 千米，新建蓄水池 16 口，受益 0.2944 万人，发展高效节水管道灌面 5006 亩。

【农村科技】 2016 年，九寨沟县在保华乡实施 9 个杂交玉米品种的县区域试验（高原山区组）和 11 个新品种的州区域试验（高原山区组）面积 2.07 亩，试验效果良好；在大录乡实施藏青 2000 青稞试验示范面积 6 亩、阿青 6 号示范面积 200 亩，开展中豌 12 号菜豌豆 8 亩、七星长剑胡豆新品种试验示范 1.5 亩。在粮食作物、蔬菜、果树上广泛使用绿色防控技术，安装太阳能杀虫灯 2135 盏、普通杀虫灯 16 盏，控制面积达 5.3 万亩，覆盖率达 62%，有效控制了害虫发生量，减少了农药使用次数及农药使用量。全县甜樱桃果蝇防治面积 5000 亩，主要采取清园、糖酒醋液诱集、清除落地果等绿色防控和统防统治措施；在陵江乡七里村开展烟碱苦参碱烟雾剂防治甜樱桃果蝇试验面积 200 亩；抓好农田灭鼠工作，共配毒饵 2000 千克并发放到 12 个乡（镇）50 个行政村，培训各乡（镇）农技和投药人员 300 人，发放技术资料 500 份，切实有效控制了农田鼠害。开展红火蚁、四纹豆象、苹果枝枯病等检疫性有害生物调查工作，均未发现疑似病害发生。

【"三农"投入力度进一步加大】 2016 年，九寨沟县落实国家强农惠农富农政策，扎实推进精准扶贫重点工作，全年投入资金 5.08 亿元，占一般公共预算支出的 40.1%，全力保障了脱贫攻坚、教育、卫生等资金需要。投入 2814 万元用于幸福美丽新村建设、农业基础设施、易地扶贫搬迁等项目工程建设；投入 10416 万元用于天然林资源保护工程、沙化土地治理工程、地质灾害防治工程、退耕还林补助、草原生态保护奖励、森林生态效益补偿、林业产业化发展等生态环境保护项目；投入 5362 万元用于中小河流治理、防汛、农田水利维修、农村饮水安全工程建设、农村水电增效扩容改造建设、农村公路及村道建设等农村基础设施建设；投入 3452 万元用于农业产业发展、精准脱贫项目、综合防治大骨节病项目、农资综合补贴项目；投入 8729 万元用于廉租住房、棚户区改造以及农村危房改造等保障性安居工程。

【返乡创业扶持工作】 2016 年，九寨沟县加大创业政策落实力度，重点落实大学生和就业困难人员等群体的创业补贴、创业吸纳就业奖励、创业担保贷款贴息、创业培训补贴等政策。发放返乡农民创业担保贷款 105 万元，其中农民工 55 万元、高校毕业生 20 万元、返乡创业退伍军人 10 万元、其他人员 20 万元，促进 6 名农民工实现返乡创业。为 3 名高校毕业生发放小额担保贷款 30 万元，为返乡创业高校生发放创业补贴 33 万元，实现了创业带动就业的倍增效应。同时，在全县范围内选拔一批青年创业人才，培育一批创业项目，直接扶持 46 人成功创业，促进 34 名高校毕业生实现创业，引领大学生创新创业 54 人，助力实现全县创业促就业的倍增效应。

【主要领导人】 县委书记：罗智波；县人大常委会主任：汪世荣；县长：陶钢；县政协主席：葛林冲；分管农业副县长：龚学文。

九寨沟县编写组

金 川 县

【基本情况】 2016 年，金川县辖 19 乡 3 镇 109 个行政村，辖区面积 5354 平方千米，其中耕地面积 9.9 万亩，人均耕地面积 1.55 亩；基本农田 7.45 万亩。年末总人口 6.3975 万人（户籍人口）；人口出生率 6.3‰，同比减少 16.2%；人口自然增长率 2.75‰，同比减少 33.4%。全县耕地有效灌面达耕地总面积的 51.5%；本地水资源总量 176.89 亿立方米，人均占有水资源量 24.47 万立方米。有林业用地 37 万公顷，有林地面积 19.17 万公顷，活立木总蓄积量 2421 万立方米，森林覆盖率达 42.63%。

2016 年，全县 GDP12.3 亿元，增长 6.2%，其中第一产业增加值 29160 万元，增长 4.4%；第二产业增加值 43467 万元，增长 4.8%；第三产业增加值 50346 万元，增长 8.5%。三次产业对经济增长的贡献率分别为 30.9%、15.6%和 53.5%。全年接待游客 86.71 万人，实现旅游收入 68272 万元。

公路通车里程 3398 千米，密度 634.7 米/平方千米，531.1 千米/万人。社会消费品零售总额 45618 万元，增长 10.2%。地方公共财政预算总收入完成 6445 万元，增长 7%；公共财政预算总支出 129808 万元，增长 7.2%。金融机构各项存款余额 269056 万元，比上年末增长 0.8%；各项贷款余额 65630 万元，比年初增长 21.6%。完成农业产业化项目 5 个，完成投资 2852 万元。农业产业化龙头企业州级 4 家。

有各类学校 50 所，在校学生 6911 人，教职工 843 人，其中普通中学 7 所，在校学生 2474 人；小学 24 所，在校学生 3430 人；幼儿园 19 所，在园幼儿 1007 人。有艺术表演团体 26 个，文化馆 1 个，乡（镇）文化站 18 个，公共图书馆 1 个，有文物保护管理机构 1 个。有无线广播电台 2 座，电视台 1 座。有卫生机构 28 个，病床位 283 张，卫生技术人员 413 人。新型农村合作医疗参合人数 53371 人，新型农村社会养老保险参保人数 30980 人，农村居民最低生活保障人数 5220 人。

【年度农业和农村经济运行】 2016 年，金川县实现农林牧渔业总产值 46089 万元，增长 5.08%，其中农业产值 13716 万元，增长 0.96%；林业产值 4799 万元，减少 0.93%；牧业产值 25353 万元，增长 9.17%；渔业产值 12 万元，减少 81.82%；农林牧渔业服务业产值 2209 万元，增长 6.6%。农民年人均可支配收入达 10624 元，增长 10.29%。

2016 年金川县主要农产品产量

主要农产品	单位	产量	同比（%）
粮食	万吨	1.81	0.4
稻谷	万吨	0.063	-1.1
小麦	万吨	0.32	-1.3
油菜籽	万吨	0.02	持平
蔬菜	万吨	4.9	0.2
水果	万吨	2.03	0.04
肉类	万吨	0.44	5.5
猪肉	万吨	0.43	5.5
禽蛋	万吨	0.03	2
牛奶	万吨	0.52	2

农业产业化发展。金川县重点发展七大特色产业,建成特色农牧产业基地10万余亩;成立专合组织485家,培育龙头企业4家、分社10家;“安全菜、放心肉、健康果”产品体系雏形初显。在万亩示范区,除加工产品外,对鲜食果品进行了分级、使用专用包装,商品化处理率达70%。

农用地产权制度改革。金川县全面完成21个乡(镇)、89个村、242个村民小组的承包土地确权登记任务,涉及土地承包农户1.2万余户、地块70064宗,实测承包土地面积18万余亩。

农产品品牌战略实施。金川县对销售的优质农产品、各经营主体都使用了“川藏高原”大品牌,加工企业和部分专合组织也注册了各自的品牌。金川双眼皮白瓜子、金川雪梨膏、金川辣椒获得国家绿色食品认证,金川雪梨、金川秦艽通过国家地理标志产品保护,农产品品牌化销售率达60%。“中国·金川百年古树雪梨进京”活动在钓鱼台国宾馆举办,金川雪梨品牌影响力进一步提升。“金川牦牛”入选国家畜禽遗传资源保护名录。在“我为家乡脱贫出把力”等活动和西博会、农博会上全县累计成功签约项目13个,签约资金达17.6亿元。

现代农业园区建设。金川县坚持企业向园区集中,完成河西乡杨家湾农业园区规划设计,部分农产品加工企业已开工建设;泡菜加工厂厂房已建设完成并投产运行;全面启动“万亩金川·眉山特色产业园”建设前期工作。

2016年金川县省级示范农民专业合作经济组织名单

合作组织名称	注册资金(万元)	法人代表	示范等级	行业分类	主营产品
金川县惠农果蔬专业合作社	0.38	刘维建	省级	种植业	雪梨
金川神农生态农业专业合作社	212	肖雍和	部级	种养殖业	—
金川县明强蔬菜种植专业合作社	50	陈明强	省级	种植业	蔬菜
金川兴农林下种植专业合作社	500	天喜格勒	省级	种植业	中药材
金川县惠农种植专业合作社	200	杨国民	省级	种植业	中药材
金川县梨花香有机果蔬开发专业合作社	100	曾强	省级	种植业	果蔬
金川县家福种植专业合作社	5	刘福全	部级	种植业	果蔬
金川县沙尔乡洪才生猪养殖专业合作社	150	杨洪才	省级	养殖业	生猪

【种植业】 2016年,金川县粮食作物播种面积6.5万亩,产量1.82万吨;油料作物播种面积0.2万亩,产量180吨;蔬菜播种面积1.6万亩,产量4.9万吨;水果种植面积3.9万亩,产量2万吨;特种作物(药材)播种面积0.2万亩,产量226吨。

【林业】 2016年,金川县按照“生态兴则文明兴、生态衰则文明衰”的发展理念,天然林保护工程稳步推进,设立森林管护点25个,常年实施管护森林面积252.58万亩,全县森林覆盖率达42.63%。林业重大生态工程不断推进,全面推进各类项目建设,完成核桃低产低效林改造1200亩,扶持林下种植中药材5000亩,栽植油用牡丹500亩。天保工程、退耕还林、造林绿化、野生动植物保护、林业有害生物防治、森林防火、国有林管护等工作有序推进。

【畜牧业】 2016年,金川县生猪出栏7.14万头,增长5.5%;牛出栏1.3万头,增长5.5%;羊出栏1.02万只,增长5.5%;家禽出栏10.99万只,增长11.2%。生猪存栏5.5万头,增长0.04%;牛存栏9.6万头,增长0.02%;羊存栏1.3万只,增长0.69%。全年肉类总产量5924吨,增长5.5%,其中猪肉产量4252吨,增长5.5%;牛肉产量1344吨,增长5.4%;羊肉产量168吨,增长5.7%。奶类产量5189吨,增长2%。

【农村水利】 2016年,金川县按照“政府主导、群众主体、社会参与”工作原则,全力推进水利项目建设。完成崇化水利主体工程建设,其中三、四标段建设任务已完成,一标段1080米隧洞已开挖450米;完成崇化水利工程渠系配套项目的可研编制和审批。完成维修养护项目和省级水资源返还项目建设任务;实施农村安全饮水工程10个村,安装饮水管道163.4千米,新建水池38口,解决不安全饮水人口2924人;治理木尔都小流域水土流失面积20平方千米。全县集中式饮用水水源地水质达标率达100%,地表水监测断面功能区达标率达100%。

【农业机械化】 2016年,金川县农机购置补贴项目共补贴各类农机具341台(套),补贴资金84.575万元,农机动力增加660千瓦,调动了全县农民购买农机具的积极性。

【统筹城乡与新型城镇化】 2016年,金川县编制完成《金川县城市总体规划》,稳步推进城南旧城和老街改造,加快实施金川半岛和勒乌新区建设,环保监测执法业务用房、公安业务技术用房等新区建设项目开工;完成老街棚户改造和广金坝周转房建设,全力推动观音桥和安宁集镇建设;实施观音桥藏式风情街(一期)、幸福美丽新村和藏区新居等建设项目,城乡面貌更加美丽。“一轴六片区”串珠状县城新格局基本形成,县城规划区面积扩大到10.4平方千米,全县城镇化率达32%。城镇新增就业1447人,城镇登记失业率为3.8%;参加失业保险人数2892人。

【扶贫攻坚】 2016年,金川县按照“规定动作做到位,自选动作做精彩”思路,着力在精准识别、精准帮扶、精准退出各环节下功夫并见成效。认真落实“四个切实”“五个一批”“六个精准”,成功申创“全国社会扶贫创新协作试点县”,强队伍压责任,细规划明路径,抓产业促增收,筹资金强保障,弘扬孝善和美,注入活力因子,先后探索出“五子”工作法和“返还帮扶”“股权量化”脱贫模式。圆满完成全省高原藏区脱贫攻坚现场推进会点位展示和省州多次调研督导检查,脱贫攻坚成效得到了省、州领导和上级部门的肯定和认可,国家民委《民委信息》第369期刊发了金川县脱贫攻坚的经验做法。建立健全驻村干部帮扶机制,实现帮扶县级领导对乡(镇)、帮扶单位对贫困村、帮扶责任人对贫困户帮扶“三个全覆盖”,做到驻村帮扶“六个一”。

【乡村旅游】 2016年,金川县按照“三态融合、三微联动”思路,着力抓好美丽经济、绿色经济、数据经济“三大经济”建设。深度打造“大东女国阳光旅游度假区”，成功举办梨花节、红叶节，“云顶花海”“古战场遗址”等爆红网络，旅游品牌影响力持续扩大，旅游接待能力明显增强，旅游经济呈现新景象。全年共接待游客 86.71 万人次，同比增长 12%；实现旅游收入 68272 万元，同比增长 9.3%。

【农村科技】 2016 年，金川县科技支撑能力明显提升。一是通过基层农技推广项目建设，完善了农区 22 个乡（镇）的基层服务体系建设，对项目各乡（镇）增强配置技术人员、办公用房、办公设备、检测仪器等，各乡（镇）农技服务水平和能力大大增强。二是建立了专门的农产品检验检测中心，各乡（镇）通过基层服务体系建设均配置了农产品速测仪器和必要的设备。三是在全县范围内开展基地标准化生产技术骨干培训班 146 期，重点对示范基地技术负责人、专合组织负责人及种植大户进行培训和技术指导，共培训 1.61 万人次，发放标准化技术规程 1.76 万份。技术人员开展技术服务咨询 1.32 万人次，实施测土配方施肥 3.2 万亩，在核心示范基地推广配方施肥技术，全县核心示范基地节本增效标准化生产技术覆盖率达 100%。

【农村教育】 2016 年，金川县全面实施 15 年免费教育，扎实推进教育助学、教育帮扶等扶贫项目，义务教育发展基本均衡县通过国家验收，金川高级中学建设有序推进，教育事业实现均衡发展。

【农村文化】 2016 年，金川县有乡（镇）文化站 18 个；有全国重点文物保护单位 1 处，省级文物保护单位 3 处，州、县级文物保护单位 7 处。补充完善了村文化活动室、寺庙书屋和“村村通”等公共文化服务设施。

【农村法制建设】 2016 年，金川县扎实推进依法治县和“七五”普法各项工作，深入实施法律“七进”，法律援助服务向乡村延伸。

【农村交通】 2016 年，金川县完成莫莫扎大桥改建和新阿路安保工程，继续推进太毛路改建和观音桥市政道路建设，加快推进金小越岭路提升、二道路和双江口、金川电站还建路等前期工程。

【农村社会保障】 2016 年，金川县低保、医保、生态奖补等惠民政策全面落实，“走基层、送温暖”活动持续深化，社会保障体系不断健全。城乡居民社会养老保险参保人数 30980 人；新型农村合作医疗保险参合人数 53371 人，参合率达 99%；农村居民最低生活保障人数 5220 人。

【主要领导人】 县委书记：卞思发；县人大常委会主任：东巴格西；县长：朱锐；县政协主席：申红霞；分管农业副县长：卢永波。

金川县编写组

小 金 县

【基本情况】 2016 年，小金县辖 21 个乡（镇、街道），有农业人口 73411 万人，有耕地面积 12.87 万亩，增长 0.1%；基本农田 7.85 万亩。

【年度农业和农村经济运行】 2016 年，小金县实现农业总产值 42700 万元。农民年人均可支配收入达 11656 元，增长 10%。全县农作物播种面积稳定在 14.3 万亩以上，“五大基地”种植面积突破 9 万亩，农牧业连获丰收。新增特色种植业基地 1.2 万亩、规模养殖户 299 户、农民专合组织 351 个、省级龙头企业 1 家，注册涉农商标 50 个。申报国家地理标志证明商标 2 个，“神沟九寨红”成为阿坝州首个中国驰名商标。牦牛“4218”标准化养殖被省委肯定为“小金经验”并在全省推广。全县流转土地 4632 亩，认证绿色有机食品 4 个、省级无公害农产品基地 2.95 万亩，完成测土配方施肥 4.5 万亩。完善农产品质量追溯体系建设。推行农业科技特派员制度，推广新品种、新技术 50 余个，开展农业实用技术培训 1220 人次。新能源建设步伐加快，签订总投资 60 亿元的光伏开发框架协议，首期建成投产美兴 5 万千瓦光伏电站，大坝口 5 万千瓦光伏电站启动建设。

【林业】 2016 年，小金县启动实施《绿色十年行动计划》，二期天保、新一轮退耕还林等政策全面落实，管护地方国有林 134.14 万亩，人工造林 1.25 万亩，封山育林 3.1 万亩，义务植树 15.2 万株，集镇绿化累计达 10 万平方米。开展森林资源二调工作，全县森林覆盖率达 37.76%。兑现集体公益林、草原生态、草畜平衡等奖补资金 1.62 亿元。

【农村水利】 2016 年，小金县累计投入 2.02 亿元，实施地质灾害治理项目 22 个、小流域综合治理 3 处，整治河堤、河道 12.07 千米，治理水土流失面积 101.21 平方千米。建成木坡等水电站 5 座，新增装机容量 26.34 万千瓦。

【统筹城乡发展】 2016 年，小金县编实编细县城、四姑娘山镇、两河口镇等重点集镇总体规划和详细规划，新（修）编各类规划 158 项，乡、村规划基本覆盖全域。实施“规划和国土整治行动”，拆除“两违”建筑 2900 平方米，重规、依规意识不断增强。实施“城镇建设提升行动”，全县城镇化率达 35.6%，较 2011 年提高 6.8 个百分点。会师广场改造项目完工，滨河路、二郎包及观音阁外挑人行道等市政项目建成投用，四姑娘山镇基础设施、两河口会议纪念广场、三关桥和营盘城中村等项目改造完工，限价商品房、国有林业棚户区、干部周转房一二期等项目交付使用，高家山移民安置点等项目加快推进。新增建设用地指标 900 亩，储备四姑娘山镇建设用地 120 亩。巩固提升幸福美丽新村 74 个，建成藏区新居 1506 户，避险搬迁 330 户；改造棚户区 100 户，在建 884 户。积极开展城乡环境综合整治，大力实施绿化、美化行动，县城垃圾清运实行公司化运作，城乡环境卫生实现网格化管理，人居环境更加整洁优美。新增城镇就业 3369 人，城镇登记失业率控制在 3.8%以内。县、乡、村三级政务服务体系全面建立，群众办事更加便捷。

【扶贫攻坚】 2016 年，小金县发起“全力脱贫、全面奔康”总动员，编制实施《精准扶贫总体规划（2015—2019）》、十大扶贫专项规划等，“六个一”帮扶机制全面到位，“五个一批、六个精准”要求深入实施，“两不愁、三保障、四个好”目标稳步落实。全县 24 个贫困村达到退出标准，3010 名贫困人口达到脱贫标准，贫困发生率降至 3%以下。建成小金县“量体裁衣”式精准脱贫服务平台及开发手持终端 APP 软件，被省委肯定为“小金模式”并在全省推广。大骨节病综合防治试点项目到位资金 2122 万元。

【乡村旅游】 2016 年，小金县修编县《旅游总体规划》，编制县《户外旅游概念性规划》和《三微三态推动全域旅游发展方案》。启动四姑娘山 5A 级景区创建工作，美兴、四姑娘山、两河口、沃日等集镇旅游设施加速升级，双桥沟游客中心、虹桥沟等旅游项目有序推进。评定星级宾馆 1 家、星级农（牧）家乐和乡村酒店 25 家，旅游接待户 326 家，木兰、长坪旅游文化新村等建设项目加快推进。小金县先后获得“中国最美休闲度假旅游名县”“中国最佳休闲自驾游名县”“中国 · 四川山地户外运动基地”等称号。

【农村教育】 2016 年，小金县继续实施 15 年义务教育，开办幼儿园 38 所；累计输送大中专学生 2723 名，资助困难学生 663 人次，办学条件及质量不断提高，义务教育均衡发展通过国家复核。

【农村文化】 2016 年，小金县建成乡（镇）文化站 21 个、健身场地 88

个、农家书屋134个,安装“户户通”4376套,放映电影8040场次;制作口述历史纪录片6部、典型案例教学片7部,举办了纪念红军长征系列活动。

【农村卫生】 2016年,小金县完成县医院二甲复核工作,县中藏医院、县疾控中心创建为二级乙等机构,新建中藏医院业务用房等卫生项目61个,创建为“国家级计划生育优质服务先进县”。全面深化医改,分级诊疗制度、全面二孩等政策有效落实,“1小时医疗急救圈”全面建立,“健康阿妈”“两癌”筛查等医疗服务深入人心。

【农村法制建设】 2016年,小金县全面实施依法治县,“六五”普法工作圆满完成,建成“半小时法律援助圈”,全年实施法律援助2625人次,获得“州级法治示范县”称号。全面落实民族宗教政策,申报省级文明和谐寺庙2座、州级6座、县级17座,创建民族团结进步模范乡、村(社区)19个。严格落实“党政同责、一岗双责”,有力遏制了重特大安全生产事故发生。

【农村社会保障】 2016年,小金县新型农村合作医疗参合人数32万人次。五保供养、社会救助、优抚补贴等力度加大,累计发放各类补助资金1.29亿元。城镇、农村低保补助标准分别提高到420元和260元。县级教育扶贫救助基金、卫生扶贫救助基金规模均提高到300万元,累计发放救助资金147.3万元。全年转移劳动力5.6万人次,实现劳务收入2.36亿元。防灾减灾体系不断健全,应急处置能力持续提高,成功应对“4·20”强震、“6·27”特大山洪泥石流等自然灾害,最大限度地保障了群众生命财产安全。

【农村生态建设及环境保护】 2016年,小金县严格落实环境影响“三同时”制度,双套新型自动气象站投入运行,评估6个县级以上集中式饮用水水源地环境状况,3家废弃物生产单位纳入登记,环境质量保持优良。建成州级“生态村”36个。

【农村市场体系建设】 2016年,小金县建成乡(镇)电商服务站21个,申报“国家级电子商务进农村综合示范县”项目。举办了“互联网+高原农村品牌推介会”等营销活动,形成了农特产品线上线下销售新模式。

【主要领导人】 县委书记:毛端喜;县人大常委会主任:余志容;县长:姚奇杰;县政协主席:全明;分管农业副县长:黄忱。

小金县编写组

黑 水 县

【基本情况】 2016年,黑水县辖17个乡(镇、街道),有农业人口5.2126万人,有耕地面积9.4065万亩、基本农田6.7万亩。

【年度农业和农村经济运行】 2016年,黑水县实现农业总产值39046万元,增长13.6%;农业增加值23696万元,增长5%。农民年人均可支配收入达9315元。

农产品品牌战略实施。黑水县大力实施无公害农产品生产基地建设,发展无公害农产品基地6906.7公顷,申报无公害农产品33个。与西南民族大学合作建立色湾藏香猪、凤尾藏鸡养殖饲料标准,取得三大产业无公害产品认证,积极争取地理标志认证,为打造黑水生态、绿色、有机的独特畜产品名片奠定了基础。包装藏家红果、当归、梨枣、黑水怪桃、中华寿桃等农产品,通过积极参加各种农产品展销活动有效提升了黑水特色农产品的知名度。

【助农增收】 2016年,黑水县围绕州委州政府关于生态农业建设的战略决策部署,在深刻把握县情的基础上,提出了“发展生态效益农业、建立产业基地、组建专合组织、健全服务体系”的农村工作思路,确定了“六沟域六产业”的“5566”模式(“六沟域”,即在色尔古至红岩沿线沟域打造果蔬中蜂民俗沟,在卡龙至知木林沟域打造核桃香猪花海沟,在晴朗至扎窝沿线沟域打造生态农牧温泉沟,在达古冰山沟域打造冰川观光休闲沟,在芦花镇德石窝、沙板沟沿线沟域打造神山探险体验沟,在马河坝至雅克夏雪山沿线沟域打造药材藏鸡彩林沟;“六产业”,即生态蔬菜、藏香猪、早实核桃、凤尾藏鸡、道地药材、阿坝蜂六大优势主导产业),建设“生态、绿色、有机”特色农业,明确了“一年打基础,二年扩规模,三年上台阶”的发展目标。通过“抓点示范、以点带片、以片促面”的工作方式,引入沟域经济的理念,初步探索出了一条符合黑水实际的生态农业发展模式。全县农业“六大”优势主导产业都有龙头企业参与经营,生态农牧业科技示范园区建设开始起步,产业聚集发展功能不断增强,优势产业发展势头良好。县委县政府制定出台了一系列鼓励推进生态农业产业化发展的政策措施,扶持生态农业产业化发展的政策体系已初步建立,部分有实力的在外务工、经商人员返乡创业的步伐越来越快,推进生态农业产业化发展的氛围已经形成。全县积极利用农博会、农特产品交易会等专业性展销会为农产品企业和农产品经销商搭建沟通交流、供求对接的平台。加强农业信息服务体系建设,构建农产品网络营销平台,引进四川国际农产品交易中心、四川润农贸易公司、四川攀星集团、成都渲源农产品有限公司、四川奥太农牧业有限公司等企业,积极与四川多多生态农业集团、四川梓潼宫药业集团等企业洽谈,“公司+基地+农户”的产业发展格局初步形成。同大型超市和农贸市场签订协议,全年销售各类生态蔬菜8100吨,实现销售收入860万元;出栏藏香猪2.5万头,实现销售收入3250万元;销售早实核桃735吨,实现销售收入1764万元;出栏凤尾藏鸡7.8万只,实现销售收入624万元;采挖中药材5.8吨,实现销售收入17万元;优质阿坝中蜂蜂蜜产量24.3吨,实现销售收入126万元。

全力推进农业产业化发展。黑水县成立了由书记、县长任组长,县“四大班子”分管领导为副组长,相关部门主要负责人为成员的农业产业化工作领导小组,制定出台了农业产业化发展实施意见、农业产业化发展奖补方案、金融支持农业产业化发展实施意见等一系列政策措施。领导小组下设办公室,负责农业产业化发展的检查、督促、考核及资料收集、整理、汇报等日常工作;各乡(镇)和县级相关部门也相应成立了产业化工作领导小组及日常办事机构;建立和完善了农业产业化奖惩制度,把发展农业产业化纳入各乡(镇)和县级业务指导部门工作实绩考核。组织农口部门124名技术人员深入田间地头现场指导,示范推广主导品种和主推技术,全面提高农业产业化经营水平。全年农牧民人均纯收入达10570元,比2011年增加5640元,增长114.4%,年均增长16.9%。

【以科学规划为引领,优化产业发展布局】 2016年,黑水县按照“全域规划、分区布局、多品支撑、农旅相融、三产互动”的原则,编制完成了《黑水县县域新村产业总体规划》《黑水县生态农业六大产业总体规划》《生态蔬菜发展规划》《核桃产业发展规划》《中药材产业发展规划》《畜牧业发展规划》等一系列总规和支撑性详规,对农业产业化进行了科学谋划和决策。一是优化产业结构。按照“种养结合、协调发展”的要求,综合分析资源禀赋、环境承载、消费需求、发展潜力等因素,结合沟域特点,重点推进生态蔬菜、藏香猪、早实核桃、凤尾藏鸡、道地药材、阿坝蜂六大优势主导产业发展。二是优化区域布局。按照“人无我有、人有我优、人优我特”的发展思路,根据地理、资源、气候等特点将县域划分为6条沟域进行科学产业布局，着力形成“一乡一品、多乡一业”的特色产业发展格局，以沟域带县域，以产品带发展，逐步实现优势产业由零星散状向带状分布、沟域聚集转变。三是推进联动发展。因地制宜发展以生态农业为主导的休闲观光农业、乡村旅游产业，弘扬农业生态文化，开发农业生态功能，促进三产联动。

【以基地建设为核心，夯实产业发展基础】 2016年，黑水县立足区域优势和主导产业，建设规模化和专业化的农产品生产基地，按照“沟域经济”的布局调整思路，以经作制种、高效蔬菜和设施养殖为主攻方向，按照“一带、一园、六产业”示范建设内容组织实施了以培育标准化示范基地为重点的现代农业示范区创建工程，强化基地建设，集中打造优势产业经济带。全年建成24个农牧产业核心示范园，通过一系列示范基地和示范点的建设，为农业产业化长足发展奠定了扎实的基础。

【以科技示范为带动，改变群众观念认识】 2016年，黑水县扎实开展党员干部职工进村入户工作。积极邀请技术人员、致富能人组成科技知识宣讲小分队，通过多种形式开展科技入户活动，宣传普及农业科技知识，抓好技术信息、疫病防治等方面的服务工作，指导农户根据市场预测和农时季节因地因市调整农业产业结构。积极鼓励专业技术人员、村干部、种养业大户参与土地流转，发展订单农业，让群众看到产业发展带来的效益，真心帮助农民群众多渠道增收，使农牧民群众观念有了极大改变，在全县掀起了发展生态效益农业的热潮，参与土地流转和订单农业的农牧民人数比上年翻了3倍。

【以龙头带动为抓手，深入激发内生动力】 2016年，黑水县登记注册农民专业合作社达177个，带动农户达3000余户。组建由12家农民专业合作社组成的黑水县益农种植养殖农民专业合作联合社，带动农户1000余户，实现销售收入2500万元，人均销售收入2500余元。立足本地优势，加大招商引资力度，采取外引内联、股份合作、产业集群、抱团发展等多元化培育方式引进润农贸易公司流转土地925亩，在知木林乡引进藏香猪养殖及加工企业——四川奥太农牧业有限公司；借助黑水县多吉农业发展有限责任公司开发蜂蜜产品，全县已基本形成“公司+基地+农户”的一体化蜂业生产、加工、销售格局。

【以机制创新为动力，全力推进标准化生产】 2016年，黑水县共种植生态蔬菜2.2万亩，发展藏香猪13万头，种植早实核桃2.65万亩，养殖凤尾藏鸡18万余只，种植中药材2.1万亩，发展阿坝中蜂2.3万余群。在推进农业产业化进程中，着眼于搭建农户与市场的桥梁和纽带，狠抓农户小生产和与大市场联接机制，优化和完善农业产业化经营，不断挖掘农业管理服务形式，积极鼓励和倡导龙头企业建立风险基金制度、全程化培训服务制度、最低收购保护价制度、利润返还分红制度等利益联结机制。同时，继续完善和发展“加工企业+农户”“加工企业+专业市场+农户”“龙头企业+专业合作社+农户”等多种利益带动机制。

【主要领导人】 县委书记：刘云建；县人大常委会主任：陈永清；县长：何晓兵；县政协主席：王扎；分管农业副县长：汪明。

黑水县编写组

马尔康市

【基本情况】 2016年，马尔康市辖10乡4镇，辖区面积6633平方千米。年末总人口5.6万人（户籍人口），人口出生率8.5‰，人口自然增长率4.38‰。

2016年，全市GDP24.2亿元，同比增长8.3%，完成州下达全年目标任务的101.3%；规模以上工业增加值实现1.1亿元，同比增长40%，较目标任务高35.6个百分点。全社会固定资产投资完成35亿元，同比增长9.3%，完成目标任务的100%。社会消费品零售总额完成8.6668亿元，同比增长9.3%，完成目标任务的100%。一般公共预算收入完成1.82亿元，同比增长9%，完成目标任务的100%。全年接待游客103万人次，同比增长12%，完成目标任务的112%；实现旅游总收入9.07亿元，同比增长8.5%，完成目标任务的107.3%。

【年度农业和农村经济运行】 2016年，马尔康市农村经济总收入42224万元，增加4524万元，增长12%。农民外出务工收入7548万元。农民年人均可支配收入11420元，比上年增长11%。

农业产业化发展。马尔康市积极争创省级“旅游扶贫重点村”和省级“乡村民宿达标户”。农产品加工物流园区建设顺利推进，投资近1000万元，进行“三通一平”建设；生猪屠宰项目、中科院生物研究所生物多样性研究项目、林下菌类加工项目加快入驻园区。全市已培育成立中蜂养殖协会1个、专业合作社7个，辐射带动散养户1000余户，惠及贫困户193户，占全市贫困户总数的19.2%，实现人均增收260元以上。加大新型农业经营主体培育，累计发展专业合作社248个，年销售收入4266万元，净利润853万元，合作社年末固定资产总值达5900万元，入社户数4155户，带动非成员户1700户，覆盖全市10个乡4个镇105个村。示范合作社助农增收成效显著。一是马尔康梭磨大峡谷蔬菜种植专业合作社社员从87户、500余人发展到500户、2300余人，面积从800余亩扩大到2500余亩，从单一的蔬菜种植到种植、养殖、加工、储存、销售、运输多个产业，带动49户贫困户163名贫困人口脱贫。二是马尔康雪域山珍种植专业合作社为全村村民营销阿坝中蜂蜂蜜5万元，养殖户人均增加收入2500元；帮助全村村民发展旅游业实现收入达180万元；帮助种植户销售蔬菜18万元，人均增收1000余元，带动贫困户4户8人脱贫。三是马尔康金土地蔬菜种植专业合作社社员从7户发展到110余户，耕地面积从70余亩扩大到1200余亩，常年在马尔康镇查北村流转200余亩种植莴笋，亩产4000千克，亩收入14400元，两季莴笋及蜂蜜总收入达750余万元，合作社成员户均增收2500余元，其中贫困户8户32人。四是马尔康市兴农养猪场收购全市3个乡9个村农牧民生猪800余头，屠宰、加工猪肉产品25.8吨，销售猪肉产品25余吨，解决农村剩余劳动力就业问题9人，创产值330余万元、利税50余万元；带动梭磨乡马塘村及周边贫困户40户养殖仔猪40头（由养殖场提供）。五是各类专合组织、公司、种养殖大户在全市共流转土地1820.59亩。其中，马尔康润丰种养殖专业合作社以土地流转和农户土地入股的方式在脚木足乡白莎村建立青脆李种植示范基地400亩，带动当地农户58户种植青脆李200亩（贫困户9户29人、12.7亩）。每年在林下种植蔬菜200亩，林下养殖阿坝中蜂86群。

农产品品牌战略实施。马尔康市做大做强“阿坝中蜂”“梭磨大白菜”等产业品牌和“净土阿坝”区域品牌。大力推行“三品一标”农产品认证登记，已拥有无公害农产品10个、绿色食品1个、有机农产品5个、地理标志农产品1个。阿坝州雪源食品有限公司、马尔康彩仁杰家庭农场、马尔康梭磨大峡谷蔬菜种植专业合作社、马尔康兴农养殖专业合作社、马尔康远地养殖专业合作社、马尔康金土地蔬菜种植农民专业合作社产品联合申报了“净土阿坝”品牌。

【种植业】 2016年，马尔康市农作物播种面积72916亩，其中经济作物种植面积560亩;无公害蔬菜种植面积12503亩,产量31563吨;水果种植面积2360亩,产量1750吨;粮食作物总播种面积59853亩,产量8600吨;马铃薯种植面积14110亩,产量15120吨;有机农作物生产面积200亩,产量600吨。全市按照“两带两区”农村产业布局,积极引进新品种进行试验和示范,在卓克基镇建设川红花和唐古特大黄种植示范基地202亩,发展油菜种植1805亩;在松岗镇发展设施农业21亩,在梭磨乡发展蔬菜种植3000亩。

【畜牧业】 2016年,马尔康市各类牲畜存栏174315头(只),其中牛存栏120868头、马存栏6440匹、羊存栏5324只、猪存栏1683头;各类牲畜出栏72146头(只),同比增长5%,其中肉猪出栏33381头、肉用牛出栏36517头、肉用羊出栏2248只、肉用家禽出栏50105只。全年肉类总产量7502吨,同比增长5%;禽蛋产量9.27吨,同比增长3%;牛奶产量9816吨,同比增长2.5%。投资950万元,新建1400头养殖规模的牦牛标准化养殖基地;投资320万元,扩建国家级阿坝中蜂保种场,提高了中蜂扩繁能力。

【农村水利】 2016年,马尔康市共投入资金4331.9万元,实施安全饮水工程218个,实现了“村村通自来水,户户饮放心水”的目标,补齐了农村安全饮水的短板,有效解决了农村人口的安全饮水问题。

【农村电力】 2016年,马尔康市按照“户户有生活用电”的要求,政府投入资金5830.7万元,协调电力企业投入资金7195.7万元,新建变电站3座、骨干电网110千伏线路131.6千米,改造升级农村电网501.5千米,有效解决了37个村由孤网运行的小水电供电导致的供电能力弱、电压不稳定的问题。政府投入资金11万元,通过独立光伏方式,保障了地处偏远、电网建设投入巨大的8户贫困户的生活用电,贫困人口生活用电得到了保障。

【扶贫攻坚】 2016年,马尔康市脱贫攻坚工作首战告捷,超额完成目标任务。采取锁定对象、紧扣目标、聚焦标准、对症施策、整合资金,强化“5+1”力量到村到户,扎实推进“五个一批”和“10+3”扶贫工程,严格督促、考核和验收、评估等措施,扎实有效推进脱贫攻坚。全市29个贫困村中有11个达到退出标准;841户、2951名贫困对象中有410户、1446人达到脱贫标准;全市贫困发生率从8.59%下降到4.38%,超额完成年度脱贫目标任务。

在探索实践中积累了“六个率先”“十条军规”。“六个率先”,即率先制定和采取“十对比八排除”方法,对贫困对象进行精准识别;率先按照“两不愁、三保障、四个好”的要求,把贫困户脱贫标准细化为“一上线、两不愁、三保障、六有、两无”14项指标,把贫困村的退出标准细化为“一下线、五通、两无、七有、五到位、五加强”25项指标;率先在人代会审定的市本级财政预算中专项安排2500万元资金用于脱贫攻坚;率先制定产业扶贫政策,对贫困村发展农村集体经济每村给予100万~150万元不等的资金扶持,对贫困户发展产业给予人均3000元的资金补助;率先由市本级财政安排专项资金,设立卫生扶贫、教育扶贫基金,对贫困对象实施特殊医疗救助,对贫困家庭学生实行教育助学;率先制定《脱贫攻坚工作手册》,对脱贫攻坚工作进行了痕迹化管理。“十条军规”,即必须把脱贫攻坚放首位,深化认识抓脱贫;必须把贫困对象搞准确,锁定对象抓脱贫;必须合理确定年度任务,紧扣目标抓脱贫;必须对照脱贫退出标准,聚焦标准抓脱贫;必须深入分析致贫原因,对症施策抓脱贫;必须统筹安排项目资金,整合资金抓脱贫;必须调动各个方面力量,压实责任抓脱贫;必须发挥群众主体作用,激发动力抓脱贫;必须全面加强档案管理,痕迹管理抓脱贫;必须严格遵守各项规定,依法守纪抓脱贫。

明确“三大目标”,确定“四大任务”,实行“八个全覆盖”。“三大目标”,即全市达到“一低三有”标准,实现脱贫“摘帽”;未退出的18个贫困村全部达标退出,全市105个行政村均达到“一低五有”标准;486户、1858人脱贫,全市贫困发生率降至3%以下。“四大任务”,即狠抓贫困户脱贫工作,确保全市贫困发生率降至3%以下;紧紧盯住贫困对象,严格对照贫困户脱贫标准补缺、补短,精准施策,努力使每户贫困户达到或超过贫困户脱贫标准,全市的贫困发生率降至3%以下。狠抓贫困村退出工作,确保贫困村全部退出,全市所有行政村达到“一低五有”标准;把未退出的18个贫困村和贫困发生率比较高的其他村作为重点,严格对照贫困村退出标准补缺、补短,精准发力,使每一个行政村均达到或超过贫困村“一低五有”退出标准。狠抓贫困县“摘帽”工作,确保乡(镇)中心校、卫生院、便民服务中心达标,实现脱贫“摘帽”。严格对照贫困县脱贫“摘帽”标准,在确保实现全市贫困发生率降至3%以下,贫困村全部退出目标的同时,扎实推进乡(镇)中心校、卫生院、便民服务中心标准化建设,确保达标,实现脱贫“摘帽”。狠抓巩固提升工作,着力推进产业发展和就业增收,确保已脱贫的贫困对象稳定脱贫。突出已脱贫的贫困户和已退出的贫困村,同时,兼顾面上,聚焦产业、就业,大力发展农村集体经济,切实帮助贫困对象就业创业,努力实现村村集体经济收益达标,贫困户户户有产业收入、大中专毕业生人人就业、创业,不断增加收入,巩固提升脱贫攻坚成效,实现稳定脱贫。“八个全覆盖”,即市级党政领导包乡(镇)全覆盖,1个乡(镇)由1名市级党政领导承包,全面负责承包乡(镇)的脱贫攻坚工作。市级领导包村全覆盖,1个贫困村由1名市级领导承包,具体负责承包村的脱贫攻坚工作;承包乡(镇)的市级党政领导同时负责承包乡(镇)其他村的脱贫攻坚工作。市级部门(单位)包村全覆盖,1个贫困村由1个市级部门(单位)定点帮扶;1个市级部门(单位)负责承包1个或1个以上其他村。驻村工作组包村全覆盖,1个贫困村由1个工作组驻村帮扶;1个工作组负责1个或1个以上其他村。“第一书记”驻村全覆盖,每个村派驻1名“第一书记”,贫困村的“第一书记”从市级部门(单位)干部中抽派,其他村的“第一书记”从乡(镇)干部中抽派。农技员驻村全覆盖,1个贫困村派驻1名农技员;1个乡(镇)派驻1名农技员,具体负责其他村的农技服务工作。帮扶责任人包户全覆盖,由包村的市级部门(单位)指派,1户贫困户由1名干部作为责任人定点帮扶。指导员指导乡(镇)全覆盖,1个乡(镇)由市脱贫攻坚工作领导小组办公室指定1名工作人员定向联系,具体负责联系指导对应乡(镇)的脱贫攻坚工作。

【农村文化】 2016年,马尔康市投入资金511.97万元,新建、改造村文化活动室105个,均配备了图书和文化活动器材,农家书屋、农村广播“村村响”和农民体育健身器材均已配备齐全,村文化室均达到或超过了贫困村退出对文化室提出的标准要求。为达到“户户通广播电视”的标准,投入资金88.02万元,对2934户广播电视进行了改造升级,新发放广播电视接收设备1279套,更新1655套,贫困人口均实现了“户户通”的目标。投入资金2018.7万元,新建、改造村党群活动室73个,配齐了设施设备,105个行政村党群活动均有了固定场所。

【农村卫生】 2016年,马尔康市全面落实各项医疗扶贫政策,贫困人口由财政代缴保费全部参加了医疗保险,贫困人口市域内医疗机构就医个人自付比例均控制在5%以内,市域外医疗机构就医个人自付比例均控制在10%以内。建立了贫困人口就医数据库;对贫困人口开展了免费体检。华西医院等 7 个省内外医疗机构开展义诊巡诊 7 场次。市人民医院扎实开展“二甲”创建，和乡（镇）卫生院一起与阿坝州人民医院结成医联体，与华西医院、省骨科医院等建立了远程会诊、双向转诊、义诊巡诊等帮扶机制，有效解决了群众“看得上病、看得好病、看得起病、少生病”的问题。市委市政府出台了《市卫生扶贫救助基金管理办法》，市本级财政每年预算安排专项资金的同时向社会广泛筹集资金，设立了 320 万元规模的医疗扶贫救助基金，对贫困人口实行特殊医疗救助，有效保障了贫困人口就医。投入资金 413.408 万元，对 51 个村卫生室进行了新建和提升改造，配齐了设施设备，调整配备了医护人员，103 个行政村卫生室均达到或超过贫困村退出对卫生室提出的标准要求。

【农村交通】 2016 年，马尔康市共投入资金 19431.71 万元，对通乡通村和入户道路实施改造，行政村道路均实现了通畅。投入资金 494.26 万元，改造木尔宗乡通乡道路 8.4 千米，有效解决了木尔宗乡 5 个村、1641 人的出行难题。投入资金 10621.56 万元，新建、改造 64 个村通村通组道路 374.68 千米，实施入户道路改造 34.9 千米。投入资金 3097.28 万元，新建、改造农村桥梁 105 座。投入资金 5218.61 万元，实施通乡通村通组道路安保设施 314.16 千米。2014 年以来，共投入资金 480 万元，对省道 220 线日部至热足段、省道 217 线大郎足沟至大藏段、省道 453 线龙头滩至沙尔宗和龙尔甲段实施维修保畅，有效保证了 7 个边远乡（镇）54 个村 17402 名群众的安全出行。

【农村通信】 2016 年，马尔康市对 105 个行政村通信网络覆盖情况进行了拉网式排查，协调各通信企业加大投入，对通信网络进行了提升改造。2014 年以来，移动、电信、联通运营商和铁塔公司共投入资金 11174 万元（其中移动公司 4120 万元、电信公司 5080 万元、联通公司 1030 万元、铁塔公司 944 万元），新建铁塔 35 座，铺设光缆 1780 皮长千米，消除无信号村 16 个，对 105 个村实施了 2G 升 3G、3G 升 4G 改造，有效扩大了通信网络覆盖范围，提升了信号强度，减少了通信盲区。

【主要领导人】 市委书记：张培云；市人大常委会主任：苏朗格西；市长：窦孝解；市政协主席：昌旺；分管农业副市长：杨成才。

马尔康市编写组

壤塘县

【基本情况】 2016 年，壤塘县辖 12 个乡（镇）1 个居委会 60 个行政村 131 个村民小组，辖区面积 664022.29 公顷，其中耕地面积 3475.73 公顷、园地 2.23 公顷、林地 302892.83 公顷、草地 300944.63 公顷。户籍总人口 44304 人，常住人口 41800 人；农业人口 38783 人，非农业人口 5521 人；人口出生率 10.31‰，人口死亡率 2.95‰，人口自然增长率 7.36‰。

2016 年，全县 GDP76551 万元，增长 4.2%，其中第一产业增加值 24583 万元，增长 3.5%；第二产业增加值 13140 万元，增长 2.5%；第三产业增加值 38828 万元，增长 5.2%。三次产业对经济增长的贡献率分别为 27%、10.7%和 62.3%，分别拉动经济增长 1.1、0.5 和 2.6 个百分点。三次产业增加值占国内生产总值的比重由上年的 32.2∶17.7∶50.1 调整为 32.1∶17.2∶50.7，其中第一产业减少 0.1 个百分点，第二产业减少 0.5 个百分点，第三产业增加 0.6 个百分点。

【年度农业和农村经济运行】 2016 年，壤塘县实现农业总产值 38155 万元，增长 4.6%；农业增加值 24583 万元，增长 3.5%。农民年人均可支配收入 9529 元，增长 10.1%。

【种植业】 2016 年，壤塘县农作物播种面积 28139 亩，增加 250 亩；粮食总产量 3056 吨。种植双低油菜 2968 亩，规模种植蔬菜 2300 余亩。大力发展生态食用菌产业，种植香菇 50 万袋、羊肚菌 20 亩和大球盖菇 50 亩，收获 2014 年种植的香菇 41 万袋。农作物投保 1582.1 亩。

【畜牧业】 2016 年，壤塘县牲畜存栏 217103 头（匹、只），同比下降 0.6%；牲畜出栏 52956 头（只），同比增长 4.7%。全年肉类总产量 5743 吨，同比增长 4.2%；奶产量 9869 吨，同比增长 3%。通过项目、资金、技术扶持建立南木达综合养殖小区，共养殖生猪 500 余头、香猪 200 头、土鸡 1000 只羽、蜜蜂 300 箱。培育现代家庭牧场 28 家、集体牧场 7 家、畜产品合作社 1 个。

【林业】 2016 年，壤塘县有国家级自然保护区 1 处（南莫且湿地自然保护区）、面积 98410 公顷，州级自然保护区 1 处（杜苟拉自然保护区）、面积 90487 公顷，自然保护区面积占全县总面积的 1/3。建成 38 个州级生态乡村。实施国有林管护 242.41 万亩，管护覆盖率达 100%。完成森林管护 242.41 万亩，管护覆盖率达 100%；开展林业有害生物普查，普查面积 494 万亩，补偿集体公益林 17.36 万亩，完成率达 100%；巩固退耕还林成果 3.3 万亩，完成率达 100%。在南木达苗圃扦插白杨 1 亩、高山柳 3 亩，移栽云杉 1 亩。调运检疫药材 20 吨、种苗 69.53 万株。实施 2015 年省级防沙治沙试点示范成果巩固工程，2016 年省级防沙治沙试点示范成果巩固工程前期准备工作有序推进，下达沙化土地治理资金 2925 万元。中央财政补贴项目人工造林投资 126 万元，已完成人工造林 0.6 万亩。实施中央财政补贴项目森林抚育工程，初步完成抚育补植 0.74 万亩。投资 108 万元，在国有日隆林场涉及的 3 个作业区抚育补植 0.126 万亩，共补植云杉 5 万株。对境内 100 亩林区轻度鼠害采取投放药物、安装鼠板等治理措施。实施 2015 年南莫且自然保护区湿地保护与恢复项目，总投资 300 万元。推进南莫且湿地晋升国家级工作，3 月 22 日通过环境保护厅组织的省级自然保护区评审委员会的二次评审，10 月通过国家验收。

【新型城镇化】 2016 年，壤塘县大力整治规划区乱搭乱建行为，全年依法拆除违法建筑约 250 平方米。完成岗木达失地农民创业园、干部周转房二期、祥塘大桥和县级部门综合业务用房等重要地标性建筑建设，完成项目总投资 15905 万元。加强对在建项目工程质量和安全施工的监管和指导，全年报建报监项目共 21 个，开展质量专项和综合检查督导 140 余次，先后发出整改通知书 160 份。完成 50 户回购安置拆迁户及周转房安置拆迁户和 80 户申请周转房入住户的选房工作。全年实施藏区新居建设（农村危房改造）290 户；实施城市棚户区改造工程 800 户，其中已完成 700 户。全年新增城镇就业 468 人，30 名城镇失业人员和就业难人员实现再就业，城镇登记失业率控制在 3.7%以内；开发公益性岗位 175 余个。建立高校毕业生就业见习基地 8 个，促进高校毕业生实现创业 6 人，引领大学生创新创业目标任务 36 人。大力开展就业促进行动，开展技能培训 1373 人。城镇居民年人均可支配收入达 28787 元，同比增长 8%。城镇居民基本医疗保险参保人数 4271 人，城镇职工基本医疗保险各项基金总额达 2816.84 万元。城镇化率达 22.56%，比上年提高 1.51 个百分点。

【扶贫攻坚】 2016 年，壤塘县有 9 个贫困村 355 户贫困户 1432 名贫困人口，达到脱贫标准的有 352 户、1424 人。统筹整合各类资金

10767万元,其中县级财政2000万元、扶贫资金1369.8万元、幸福美丽家园建设资金1100万元及其他资金6297万元,专项用于精准扶贫配套基础设施、居住环境改善、产业发展等扶贫帮扶工程;投资1000万元,在6个乡、7个村实施中央彩票公益金小型基础设施建设项目;投资548万元,在9个乡、10个村实施产业扶贫项目;投资645万元(含浙江省援建资金49.5万元),在9个乡、14个村430户实施人居环境改善项目。投资1850万元,有序开展综合防治大骨节病试点工作。投资918.33万元,对病区19682名大骨节病患者供应粮食157.46万千克,对4553名易地育人学生供应粮食13.659万千克。投资45万元,完成7个乡、9个村共4500人次的技能培训工作。投资8万元,对病区8个村进行病情监测。全年完成寨内路硬化18.4千米、入户路硬化35.1千米,修建厕所19座、垃圾处理池54座,修建排洪沟1550米、河堤(堡坎)2685立方米、小桥涵9座、通组硬化路14.24千米、泥结碎石路2千米,新建大桥1座,维修大桥1座,修建牧道15千米,安装太阳能路灯508盏,解决安全饮水34户,新建"1+6"公共服务活动中心1个,提升"1+6"公共服务活动中心13个,完成总投资3127.5万元。

【农村科技】 2016年,壤塘县定期抽查铁棒锤、大黄、秦艽等中药材种植成活率对并其进行后期跟踪和管护。在岗木达乡建立药材示范基地,积极组织上杜柯等乡(镇)示范种植牡丹、琉璃苣等品种50余亩。

【农村教育】 2016年,壤塘县享受"两免一补"政策的学生达5119名,为5338名学生解决取暖补助和免除义务教育阶段作业本费,发放普通高中家庭经济困难学生生活补助70人,免除普通高中家庭经济困难学生学费139人。为122名家庭困难学生发放生源地助学贷款。

【农村文化】 2016年,壤塘县南木达藏戏和时轮藏香被列为阿坝州首批非物质文化遗产名录。全县广播和电视人口综合覆盖率均达97.54%。完成农村"2131"电影放映任务753场,观影人数达34300人次。投资159万元,新建茸木达乡洞窝村、上壤塘乡康垄村村级办公场所。开展12个乡(镇)村级活动室调查,对7个需要新修和12个需要提升改造的村级活动室进行规划。筹资12万元,为壤柯镇社区采购信息化办公设备,建立健全社区服务体系。

【农村卫生】 2016年,壤塘县有基层卫生院12所、村卫生室60个。全年完成包虫病B超筛查8206人,免费药物治疗202人。高血压病患者建档2228人,规范管理2157人,规范管理率达96.81%;糖尿病患者建档501人,规范管理490人,规范管理率达97.8%;精神病人患者建档45人,管理率达100%。孕产妇系统管理230人,管理率达75.16%,住院分娩201人,住院分娩率达65.69%;为124名待孕或初孕妇发放叶酸744瓶。脊灰、麻疹接种率均达95%以上,免疫规划疫苗接种率持续保持在90%以上,全县传染病发病率呈逐年下降趋势,麻疹脊灰类传染病基本消除。新型农村合作医疗参合人数36552人,参合率达99.07%。

【农村社会保障】 2016年,壤塘县举行了"四川慈善情暖万家·新年关爱慰问"活动,资助城乡低保、五保、优抚对象、孤儿、残疾人、受灾困难群众1.7万元;开展慈善资助需求调查,为全县400余名孤寡老人、儿童发放中国友好和平发展基金会捐献的贝因美奶粉1200罐,接受绵阳慈善总会捐赠衣物50包、扬州百灵公司捐赠过冬棉帽500顶。救助乞讨人员26名,开展农村留守儿童前期摸底排查工作,足额发放孤儿生活补助28万元。定期足额发放"三属"生活补助2.86万元;全面落实拥军优属各项优待政策,发放优抚对象优抚资金和军休工资130万元。办理老年优待证220本,完成高龄津贴审批和发放20.26万元;完善居家养老服务实施方案,为1978名80岁以上孤寡老人搭建居家养老服务平台,发放补助资金56.91万元。清理农村低保627户、708人,为18282名(包括Ⅰ度、Ⅱ度大骨节病人)农村低保户发放低保金3319.75万元。加强五保集中供养,入住率达22.2%,集中供养床位率达52.2%;分散月供养金达300元,发放供养金782.75万元;临时救助49人次,发放临时救助资金17.7万元。上级财政下达资金400万元、县级配套资金10万元,对4001人次实施医疗救助,发放医疗救助金343.4万元,其中资助参保1424人、32.752万元,资助参合2004人、24.048万元。加强敬老院硬件设施建设,筹资3.48万元更新添置消防器材,利用浙江省援建资金20万元为孤寡老人添置床上用品。积极开展"情系中秋,孝驻敬老院"主题活动。建立健全敬老院各项工作表卡登记制度并抓好制度建设和落实;按期对敬老院老人进行体检;投资45万元完善伊里敬老院附属设施,完成尕多敬老院工程建设并达到入住要求。

【农村生态建设及环境保护】 2016年,壤塘县建成垃圾处理场1座,环境监测站空气监测子站正式与省环境监测总站联网运行。根据吾依乡吾依村、南木达镇南木达村、中壤塘乡依根门多村3个农村环境试点空气监测站专项监测,空气监测结果达到《环境空气质量标准》(GB3095-2012)二级标准,水质监测结果达到《地表水环境质量标准》(GB3838-2002)中Ⅲ类标准,监测结果均达到省、州规定。

【防震减灾】 2016年,壤塘县开展震情会商63次、月会商12次、周会商51次,编写周报51份、月报12份;编写《地震动态》12期、跟踪监测报告12次、短临跟踪简报12期。根据州地震局要求和县地震局掌握的地震活动情况,编写半年和年度地震趋势会商报告及震情强化短临跟踪工作总结。

【党群教育】 2016年4月11日,壤塘县举办了壤塘县乡村干部"两学一做"学习教育专题培训班,培训全县村(居)委主任57人;4月25日,举办了"壤塘县村(社)团支部书记培训班",共培训45人;举办了"壤塘县拟任科级干部理论考试培训班",共培训105人。"壤塘县两区一建设调研"获得州委党校课题立项,已完成调研工作并形成调研报告上报州委党校。5月18日,举办了壤塘县乡村干部"两学一做"学习教育第二期专题培训班,培训全县村(居)党支部书记59人。10月,开展全县县级机关和壤柯镇干部职工安多藏语培训。

【主要领导人】 县委书记:严华;县人大常委会主任:陈继东;县长:张德发;县政协主席:龙凌(11月止),马秀珍(11月始);分管农业副县长:代胜利。

壤塘县编写组

阿 坝 县

【基本情况】 2016年,阿坝县辖2镇2场17乡83个行政村4个分场1个居委会,辖区面积10435平方千米,其中草场1321万亩、耕地15万亩、林地314万亩。年末总人口80442人,其中藏族人口75793人,占总人口的94.2%;羌族人口395人,占总人口的0.5%;回族人口1773人,占总人口的2.2%;汉族人口2417人,占总人口的3%。

2016年,全县GDP104130万元,增长5.6%,其中第一产业增加值35561万元,增长0.5%;第二产业增加值21036万元,增长5.8%;第三产业增加值47533万元,增长9.6%。全社会固定资产投资完成

178050万元,减少6.8%。公共财政预算收入完成5500万元,增长22.2%。社会消费品零售总额53285万元,增长11%。全年接待游客57万人次,增长23%;实现旅游总收入45000万元,增长30%。

【年度农业和农村经济运行】 2016年,阿坝县实现农业总产值53584万元,增长5.2%;农业增加值35561万元,增长0.5%。农牧民年人均可支配收入10611元,增长10.1%。

农业产业化发展。阿坝县培育新型农业经营主体48个,流转土地4.5万亩;建成牦牛健康养殖基地1个,牲畜暖棚1622个、12.9万平方米;培育养殖专业户55户。

【种植业】 2016年,阿坝县农作物播种面积稳定在11万亩以上,粮食总产量保持在1万吨以上;特色蔬菜产量达2万吨。传统农业实现转型发展,"一园四区一基地"产业格局初步形成,园区面积突破2万亩,产业基地规模达4万亩,有机蔬菜种植基地达5000亩。认定无公害产地10万亩、绿色产品4个、有机产品14个。

【林业】 2016年,阿坝县加强森林草原资源保护,巩固退耕还林(草)4.6万亩,封山育林3.8万亩,管护森林资源面积263.4万亩,全县森林覆盖率达11.3%,连续34年实现无重大森林火灾发生。

【农村水利】 2016年,阿坝县"五小水利"、牧区节水灌溉、农村安全饮水等项目扎实推进,建成各类水利工程447处,建设农田水利渠系446千米,新增有效灌面3.7万亩,解决4.6万人安全饮水问题;建成防洪堤14.9千米,治理水土流失面积1.2平方千米。

【农村电力与通信】 2016年,阿坝县改造农村电网576千米,消除无电户1544户。新建传输光缆5860千米、基站226个,行政村光网覆盖率达89%,基本实现广播、电视、电话、网络村村通。

【新型城镇化建设】 2016年,阿坝县按照"一廊、两心、三轴、六片区"城市空间布局加快南岸新区建设,县城建成区面积扩大到4平方千米。加快市政基础设施建设,建成城市道路15千米、雨污管网和给排水管道63千米,安装路灯1200盏。完成自来水厂改(扩)建项目,日供水能力达0.8万吨。启动实施城市集中供暖,新建供热厂1座、热力站2个,供热面积达6.7万平方米。房地产开发面积达13.8万平方米。全县城镇化率由2011年的16%提高到2016年的22%。全县累计新增城镇就业2647人,城镇失业再就业396人,城镇登记失业率控制在3.9%以内。全县城镇居民年人均可支配收入达28805元,增长7.9%。

【新农村建设】 截至2016年年底,阿坝县累计投入资金2.9亿元,完成58个村幸福美丽家园建设、68个村幸福美丽家园巩固提升,建成村内硬化道路670千米,改厕7620户,安装太阳能热水器7114套、太阳能路灯1112盏。投资5450.7万元,实施藏区新居建设1770户,改造农村危房1941户。向农户发放"小粮仓"18750个。加大农村环境卫生综合治理,创建环境优美示范乡村7个。

【扶贫攻坚】 2016年,阿坝县全面巩固提升大骨节病试点成果,为3.6万人供应口粮,对症治疗9485人,有效控制了新增病例,病区群众生产生活水平不断提高。聚焦"六个精准"要求,精准识别贫困人口3042户、13436人,明晰"八大脱贫路径",针对性地落实教育助学、医疗保障、产业扶持、就业促进、低保兜底、易地搬迁等政策,全力确保5个贫困村实现"摘帽",3054名贫困人口如期脱贫。审计厅倾力开展定点帮扶,阿斯久、派克等贫困村基础设施、产业发展得到极大改善,以若果朗水利工程为代表的一批重点工程项目实现落地。德阳市定补9523万元,全面完成4类20个援建项目建设;定补1.2亿元,启动新一轮6类11个对口帮扶项目。浙江省温州市投入1500万元,启动实施基础设施、产业配套等一批援建项目。

【乡村旅游】 2016年,阿坝县累计投资2500万元,加快景区开发建设,莲宝叶则扎尕尔措景区实现对外开放,神座景区实现拓景扩容,旅游基础不断增强。举办"草原商城、秘境阿坝"文化旅游摄影大赛、"莲宝叶则"无人机体验首航仪式,协助完成《越野千里》大型纪实真人秀节目拍摄,旅游业态不断丰富。强化旅游市场整治,培训旅游从业人员2400余人次。全县旅游经营接待单位达440余家,床位达5360张,旅游从业人员达3000余名,旅游接待能力不断提升。参与各类宣传推介活动40余次,互联网与新媒体宣传推介成为常态,初步建立起了以川渝地区为主的客源市场。

【农村教育】 2016年,阿坝县全面实施"十五年义务教育"。制定出台鼓励教师终身从教奖励办法,建成教师周转房455套,教师队伍保持稳定。累计投入3亿元,完成"双语"寄宿制完全中学、德阿幼儿园和10所乡中心幼儿园等建设,改(扩)建校舍66所。深入实施"千万助学行动计划",积极营造尊师重教氛围。落实教育惠民政策,922名"9+3"学生在内地接受免费职业教育,"三免两补"实现全覆盖。

【农村卫生】 2016年,阿坝县深入实施卫生发展十年行动计划,加快慢病康复医疗服务体系建设。完成县医院新建搬迁、藏医院搬迁改造;改造、提升乡(镇)卫生院19所、村卫生室88个,"一小时医疗服务圈"基本建成。建立健康档案7.5万人,义诊巡诊8.6万人次。新型农村合作医疗参合率达99%,脊灰麻疹免疫接种率达90%以上。全面落实"十免四补助"、大病救助等政策,群众看病难、看病贵问题得到极大缓解。计生工作扎实推进,全县人口自然增长率控制在7‰以内。

【农村文化】 2016年,阿坝县建成19个乡(镇)文化站、72个村级综合文化室、63处农民体育健身工程、12个寺庙篮球场、18个乡(镇)电影放映室。申报省级和州级非物质文化遗产项目11个,藏棋被列入四川省非物质文化遗产名录。建成县级文化传习基地3个,培养传承人110名,非物质文化遗产得到传承保护。大力实施广播电视村村通,发放设施设备1976套,广播电视覆盖率达95%。开展文化下乡、篮球、藏棋、锅庄等活动87场次,农村"2131"电影活动放映电影5000余场次。

【农村交通】 截至2016年年底,阿坝县累计投入资金9.3亿元,完成省道302线改造提升、县城过境公路改线、莲宝叶则经济干线提升改造、客运中心站建设等一大批重点项目。建成农村公路670千米,阿壤路改扩建、河支大桥项目有序推进,互联互通的交通网络格局基本形成。

【农村社会保障】 2016年,阿坝县立足"应保尽保",全县2.3万人享受低保;五保供养1267人;城居保参保17540人。农村低保保障线由2011年的70元提高到260元,累计发放低保金1.8亿元。2500名失能老人和高龄老人实现居家养老,累计发放临时救助金342.7万元、重度残疾人护理补贴112.9万元、困难残疾人生活补贴69万元。完成阿坝州第二儿童福利院、县残疾人综合服务中心、阿龙敬老院建设,建成保障性住房1140套。落实农民工工资保证金制度,农民工合法权益得到有效保障。城镇居民基本医疗保险、新型农村合作医疗保险实现并轨,建立了统一的城乡居民基本医疗保险制度。

【农村生态建设及环境保护】 2016年,阿坝县完成草原生态奖补、鼠虫害综合治理、植被恢复等32个重点生态项目建设,治理沙化土地2.3万亩,城乡生态得到有效修复。加大地质灾害治理,实施龙藏沟流域、四洼尼姑寺、四洼煤矿3处隐患点治理,完成21户避险搬迁。实施生态工程,创建生态乡镇 2 个、生态村 6 个、生态家园 656 户。

【劳务开发】 2016 年,阿坝县大力实施"千人就业促进行动计划",开发公益性岗位和政府购买服务性岗位 1344 个,解决大中专毕业生、社会闲散青年和退伍复员人员就业 1294 名。成立青年创业协会,设立农村青年就业创业基金 100 万元,出台农牧民小额担保贷款、城乡青年创业贷款、妇女小额担保贷款等系列优惠政策,重点扶持"大众创业、万众创新"。大力发展劳务经济,全年转移输出农村劳动力 10428 人次,实现劳务收入 2 亿元。开展职业技能培训 10920 人次。

【农村市场体系建设】 2016 年,阿坝县推进"商贸网点""万村千乡"建设,建成便民连锁店 70 余家,发展物流企业 10 家。阿坝镇申报为省级特色物流小城镇。

【主要领导人】 县委书记:苏均;县人大常委会主任:陈旭春;县长:陈宝华;县政协主席:措德;分管农业副县长:旦木真。

阿坝县编写组

若尔盖县

【基本情况】 2016 年,若尔盖县辖 17 个乡(镇),辖区面积 10326 平方千米,其中耕地面积 64227 万亩,与上年持平;基本农田 64227 万亩。年末总人口 7.96 万人,增长 1.3%;人口出生率 12.75‰,减少 0.31 个千分点;人口自然增长率 7.88‰,增加 1.48 个千分点。全县耕地有效灌面和保证灌面分别达耕地总面积的 16% 和 12.8%;本地水资源总量 29.95 亿立方米,人均占有水资源量 3.82 万立方米。有林业用地 31.37 万公顷,有林地面积 7058.1 万公顷,活立木总蓄积量 3152.88 万立方米,森林覆盖率达 11.8%。

2016 年,全县 GDP16.4 亿元,增长 4.7%,其中第一产业增加值 7.5 亿元,增长 4.1%,农、林、牧、渔及农林牧渔服务业之比为 3.2 : 0.8 : 93.3 : 0.1 : 2.6;第二产业增加值 3.1 亿元,增长 5.5%(工业增加值 1.9 亿元,增长 13.6%);第三产业增加值 5.8 亿元,增长 5.1%。三次产业对经济增长的贡献率分别为 47.1%、17.1% 和 35.8%。劳务输出 5158 人,收入 1.07 亿元。

公路通车里程 1260.8 千米,其中乡村公路 677.6 千米。社会消费品零售总额 5 亿元,增长 7.4%。地方财政一般预算总收入完成 0.57 亿元,增长 25.2%;财政一般预算支出 15.7 亿元,增长 14.1%,全年农业投入 14376 万元,占支出的 9.1%。金融机构各项存款余额 22.6 亿元,比上年初减少 2.2%;各项贷款余额 9.7 亿元,比年初增长 19.6%。农业产业化龙头企业省级、州级分别为 2 家、1 家。

有各类学校 106 所,在校学生 1.61 万人,教职工 1066 人,其中普通中学 6 所,在校学生 5521 人;小学 29 所,在校学生 7910 人;学龄儿童入学率 99.74%,提高 0.03 个百分点。有文化馆 1 个,公共图书馆 1 个。有卫生机构 126 个,病床位 257 张,卫生技术人员 513 人。新型农村合作医疗参合率 99.4%;城乡居民养老保险参保人数 3.45 万人。

【年度农业和农村经济运行】 2016 年,若尔盖县实现农业总产值 11.29 亿元,增长 4%,其中农业产值 0.36 亿元,增长 3.62%;牧业产值 10.53 亿元,增长 4.19%。农业增加值达 7.66 亿元,同比增长 4.1%;生猪、食用菌、伏季水果、蔬菜等特色优势农产品产量保持稳定增长。农村居民年人均可支配收入 1.07 万元,同比增长 10%。建成 9 个基层农业综合服务站。

农业产业化发展。若尔盖县规模以上农业产业化龙头企业发展到 3 家,其中省级、州级分别为 2 家、1 家。新型集体经济组织发展到 23 个,同比新增 13 个。全县注册农民专业合作社 163 家,增加 43 家,其中种植业 49 家,增加 23 家;畜牧业 81 家,增加 13 家;林业 12 家,增加 4 家;其他 5 家,增加 1 家;服务业 16 家,增加 2 家。建成省级示范专业合作社 2 家、州级示范专业合作社 4 家。为若尔盖县班佑乡求吉南哇村牦牛良种繁育专业合作社、若尔盖县夺巴村高原优质油菜种植专业合作社、若尔盖县求吉乡绿之源蔬菜种植农民专业合作社提供建设补助资金 45 万元,用于为专合组织购置办公设备、引进良种母牦牛、开展专业技术培训等。

2016 年若尔盖县主要农产品产量

主要农产品	单位	产量	同比(%)
粮食	万吨	0.5	-6
小麦	万吨	0.0079	-0.5
油菜	万吨	0.2168	-3.4
蔬菜	万吨	1.24	21.8
肉类	万吨	1.71	3.9
牛奶	万吨	3.35	2.4

农用地产权制度改革。若尔盖县新增农用地流转面积 0.9431 万亩,其中新增耕地流转面积 0.2591 万亩。全县宅基地登记发证查漏补缺工作涉及 17 个乡(镇)96 个行政村,其中集体土地所有权宗地 22 宗、集体土地建设用地所有权宗地 25 宗、农村宅基地使用权宗地 1.5 万宗。

农产品品牌战略实施。若尔盖县组织若尔盖县高原之宝牦牛乳业有限责任公司、若尔盖县多尔玛藏族食品有限公司、若尔盖县夺巴村优质油菜种植专业合作社等 9 家企业、合作社参加第十六届中国西部国际博览会暨第四节农业博览会和浙江农业博览会,参展产品 12 余种,产品成交率达 90%,集合了高原之宝、金草地、暮雪、绿色领地等多个地方知名品牌以及牦牛肉、藏香猪、牦牛乳制品、糌粑面、高原中药材等 20 余种极具地方特色的产品。

【种植业】 2016 年,若尔盖县农作物播种面积 6.43 万亩,其中粮食作物播种面积 3 万亩,减少 0.09 万亩;油菜播种面积 2.17 万亩,减少 0.11 万亩;蔬菜种植面积 0.62 万亩,增加 0.12 万亩;药材种植面积 0.54 万亩,增加 0.03 万亩。

【森林防火工作】 2016 年,若尔盖县设立县、片区、乡、村四级森林防火机构 72 个,森林防火值班室 14 个,检查站 6 个,防火哨 144 个,实行 24 小时值班制;建立乡、村打火队 48 支,队员 1699 人(其中专业打火队 1 支、队员 40 人),组建应急小分队 9 支、队员 325 人,配备各种扑火工具 5000 余件;救援甘肃省迭部县"3·2"森林火灾,先后出动各类车辆 69 台 86 车次,完成 1 条隔离带开设、400 余米隐患灌木林砍伐,人工送水灭火 1.2 吨、蓄水 12 立方米,清理明暗火 30 余处。

【畜牧业】 2016 年,若尔盖县各类牲畜存栏 99 万混合头;牲畜产仔 39.2 万混合头,仔畜成活率达 90.24%,成畜死亡 3043 混合头;各类牲畜出栏 32 万混合头;肉类产量 1.71 万吨,增长 3.9%;牛奶产量 3.25 万吨,增长 1.2%。

【水产业】 2016 年,若尔盖县制订了全县渔政管理工作方案,加大执法力度,抓好年度禁渔工作。投入 20 万元实施增殖放流项目,在黄河一级支流黑河人工放流濒危物种拟鲶高原鳅鱼、黄河裸裂尻种共计 4.75 万尾。

【农业项目推进及实施】 2016 年,若尔盖县规模化特色优势产业基地累计达 5 个,新增 1 个。全县农业项目投资达 0.01 亿元,均为政府性投资。

【农业机械化】 2016 年,若尔盖县根据《阿坝州 2016 年农业机械购置补贴实施意见》要求,按照"先申请、后购机、再申请补贴"的程序,补贴农机具 313 台,其中各类拖拉机 169 台、旋耕机 105 台、微耕机 37 台、翻转犁 1 个、水泵 1 台,补贴资金 175.37 万元,其中国家补贴 95.03 万元、省级补贴 62.53 万元、州级补贴 17.81 万元,完成全年目标任务。

【统筹城乡与新型城镇化】 2016 年,若尔盖县实施污水处理、集中供暖、县城市政道路改造及乡(镇)市政基础设施建设项目共计 36 个,计划投资 4.81 亿元,已开工 36 个,竣工 35 个,累计完成投资 3.95 亿元。新建集中供暖厂 1 座、热力站 2 座,安装入户管网 16 千米,供热面积 15 万平方米;改(扩)建供水能力达 0.3 万立方米/日的县城供水厂 1 座,建成日处理 5000 吨的沉淀池 1 座;改(扩)建供水能力 0.2 万立方米/日的唐克镇供水厂 1 座,新增供水管道 16 千米;新建日处理 0.35 吨污水处理厂 1 座,新安装截污干管 7.7 千米;新建县城西区及乡(镇)市政道路 6.55 千米;完成唐克综合体外立面装饰 22000 平方米以及停车场 1000 平方米建设;建成县城东西区彩虹门 2 处;改建县城麦溪路、商业街、曙光街、多玛北街、明珠街、幸福路、建设南街及唐克镇、崇尔乡、巴西乡、求吉乡等街道 8.7 千米,排污管道 17.4 千米;安装照明路灯 301 盏、人行道彩砖 27976 平方米。全县建设下水管道 2700 米,完成工程总量的 100%;硬化道路 6350 米,完成工程总量的 53.4%;修建远牧点便桥、堡坎、挡墙、垃圾处理点,完成工程总量的 100%;硬化村委会院坝 1200 平方米,完成工程量的 100%。全县城镇化率达 29%,城区面积 3.5 平方千米,人口 1.04 万余人,有各类房屋建筑 44.8 万平方米。人均拥有住房面积 30.7 平方米、住房用地 53.2 平方米、道路广场用地 11 平方米、市政设施用地 8.7 平方米、公共设施用地 26.8 平方米、绿化用地 17 平方米。若尔盖县城初步建成为民族特色浓郁、环境优美、功能齐备、管理有序的高原明珠县城。

【扶贫攻坚】 2016 年,若尔盖县围绕户脱贫、村退出指标,聚焦"五个一批""六个精准",全力推进脱贫攻坚工作。全年建档立卡贫困人口由年初的 1444 户、6618 人减少到 1124 户、5096 人,9 个贫困村退出。整合扶贫专项和县级配套资金 773.435 万元,帮助 447 户、2119 人解决生产资料缺失问题;投入周转金 615 万元,支持贫困户发展产业。投资 300 万元,选聘 300 名贫困农牧民从事生态管护工作,受聘贫困家庭增收 9960 元;帮助 380 余名贫困人口从事第三产业、70 余名贫困人口从事公益性岗位,户均增收 3000 元以上。整合涉农资金 6500 余万元,硬化贫困村村内道路 70 千米,建设垃圾处理点 17 处、便民桥 8 个,改造自来水管网 7 千米、入户线路 22 千米,实施住房功能分区 800 余户;发展高原油菜、绿色蔬菜、道地中药材等特色种植业 2000 余亩,购买牦牛、藏系绵羊等牲畜 3200 余混合头(只)。

建成"科技扶贫助力脱贫攻坚"在线平台,投入资金 30 万元,平台将科技示范培训基地、科技扶贫网络平台、科技扶贫服务平台数据中心相结合,做到技术共享、资讯共享。

【乡村旅游】 2016 年,若尔盖县完成花湖创建国家 4A 级旅游景区前期工作,西部牧场创建为全州第一个国家 3A 级旅游景区。黄河九曲第一湾国家 4A 级旅游景区接入省旅游应急管理平台,形成省、州、县景区三级网络布局。建成西部牧场旅游厕所 1 座、黄河九曲第一湾景区(藏哇村和俄色村)旅游厕所 2 座。完成求吉嘎哇村旅游基础设施建设项目。"五一"假期,全县共接待游客 1.47 万人次,同比增长 16.3%;实现旅游总收入 954.2 万元,同比增长 16.4%。"十一"假期期间,全县共接待游客 8.67 万人次,同比增长 34.7%;实现旅游总收入 7497.05 万元,同比增长 33.4%。

【农村教育】 2016 年,若尔盖县各类教育均衡发展,普及学前一年教育,加快推进学前三年教育。开展《牧区学前双语教学探索与实践》课题研究,填补了全县学前双语教学的空白,保教水平逐年上升。坚持"继承、借鉴、发展"的方针,传承尼玛先生办学模式,创新管理体制,优化高中教育。

【农村文化】 2016 年,若尔盖县积极做好"送文化下乡"活动。组织开展农牧民群众文体活动 180 余场次,补充完善 17 个乡(镇)文化站和 22 个贫困村文化室专业设施设备,安装广播"村村响"21 套、电视"户户通"4503 套、阅报栏 7 个。

【农村卫生】 2016 年,若尔盖县村医乡聘率达 100%,定期组织开展乡村医生培训。申创 2 个省级卫生乡(镇)、7 个省级卫生村、1 个省级卫生单位,省级卫生乡(镇)覆盖率达 22%、省级卫生村覆盖率达 18%。为 734 名待孕妇女及早孕妇女发放叶酸片 3588 瓶;新增叶酸应服用 736 人,实际服用 598 人,叶酸服用依从 579 人;叶酸增补知识调查 624 人,知晓 518 人,知晓率为 83.01%。

【农村法制建设】 2016 年,若尔盖县利用"三下乡"开展法治宣传活动 12 场次,主要宣传《劳动合同法》《法律援助条例》《草原法》等法律法规,发放法制宣传挂图 2000 余份,受教育人数 2000 余人次。

【农村交通】 2016 年,若尔盖县公路通车里程 1260.8 千米,其中乡村公路 677.6 千米。根据《2016 若尔盖县农村公路建设实施方案》要求,建设通村断头路 7 条,投资 427.5 万元;建设村道延伸线工程 15 条,投资 863 万元。启动包座路和降占路前期工作,申报道路升级改造计划,争取纳入国家县道、乡道范围。

【农村社会保障】 2016 年,若尔盖县城乡居民养老保险参保达 3.45 万人。累计保障农村低保 10.17 万人次,累计发放农村最低生活保障金 1533.5 万元,月人均补助达 150.73 元;医疗救助累计支付 167.76 万元,救助 1379 人次,其中支助参加城乡居民基本医疗保险金 6.31 万元;支付住院费 159.96 万元,救助 813 人次;支付门诊费 1.48 万元,救助 40 人次。对受 8 月持续强降雨天气造成的灾民发放救灾资金 8.4 万元,发放粮食 0.8 万千克、清油 50 桶、棉被 60 床,储备棉被 4360 床、棉衣裤 664 套、粮食 76.9 吨、帐篷 296 顶等。

【农村生态建设及环境保护】 2016 年,若尔盖县投入资金 1.4 亿元,实施 2014 年、2015 年国家天然草原退牧还草工程、现代草原畜牧业发展项目以及若尔盖县 2016 年草原生态保护补助奖励政策等项目,实施禁牧补助 458 万亩、草畜平衡 518.35 万亩、草地补播 54.9 万亩,完成围栏封育草地 182 万亩、灭治高原鼠兔 20 万亩、高原鼢鼠灭治 10 万亩,建成户营打贮草基地 6.06 万亩、牲畜暖棚 220 户、牲畜改良点 2 个、现代家庭牧场 5 家,建植人工草地 1 万亩、标准化草场 0.6 万亩。加强对集中式饮用水水源地、非污染性建设项目、自然保护区及矿山企业的环境监察执法力度,出动执法人员 176 人次,检查企业 68 次。对辖区 2013 年以来的建设项目执行环评和"三同时"情况进行全面排查,落实"三同时"制度。境内断面红星乡白龙江、冻列乡白龙江、唐克乡黄河达到Ⅲ类水质,县城集中饮用水水源地热曲河水质达到Ⅲ类水质。

【劳务开发】 2016 年,若尔盖县制定了农牧民《参加实用技能岗位培训需求调查表》《若尔盖县农村劳动力转移情况调查表(就地务工情况统计表)》《异地务工情况统计表》《富余劳动力转移就业意愿登记表》《农民工岗位需求情况登记表》等调查表,及时了解掌握全县农民工动态,为开展就业援助夯实了基础。

【主要领导人】 县委书记:泽尔登;县人大常委会主任:陈万里;县长:余开勇;县政协主席:阿达;分管农业副县长:唐郁鑫。

若尔盖县编写组

红 原 县

【基本情况】 2016 年,红原县辖 6 乡 5 镇,辖区面积 8276.58 平方千米,其中耕地面积 0.19773 万亩,人均耕地面积 1.48 亩。年末总人口 4.81 万人(户籍人口),增长 3%;人口出生率 7.68‰,增加 3.9 个千分点;人口自然增长率 7.2‰。本地水资源总量 24.53 亿立方米,人均占有水资源量 55972.4 立方米。有林业用地 15.1224 万公顷,有林地面积 3.4621 万公顷,活立木总蓄积量 945.28 万立方米,森林覆盖率达 8.39%。

2016 年,全县 GDP12.1435 亿元,增长 7.2%,其中第一产业增加值 3.9327 亿元,增长 4.5%;第二产业增加值 3.4351 亿元,增长 7.8%(工业增加值 2.4903 亿元,增长 11.9%);第三产业增加值 4.7757 亿元,增长 9.1%。三次产业对经济增长的贡献率分别为 24.2%、24.5% 和 51.3%。乡(镇)中小企业增加值 1.86 亿元,增长 6.7%,从业人员 486 人。劳务输出 3945 人,收入 5300 万元。全年接待游客 167.9 万人,实现旅游总收入 143994 万元,其中乡村旅游收入 869 万元。

公路通车里程 1210.994 千米(其中乡村公路 812.537 千米),密度 1400 米/平方千米,263.26 千米/万人。社会消费品零售总额 3.17 亿元,增长 10.6%。地方公共财政预算总收入完成 0.43 亿元,增长 25.2%;地公共预算总支出 12.7096 亿元,增长 11.9%,其中农业投入 23912 万元,占支出的 18.8%。金融机构各项存款余额 16.7403 亿元,比上年初减少 5.6%;各项贷款余额 9.2312 亿元,比年初增减少 4.5%,其中支持农业产业化发展项目贷款 2350 万元。农业产业化龙头企业国家级、省级、州级分别为 1 家、2 家、2 家。

有各类学校 16 所,在校学生 7703 人,教职工 730 人,其中普通中学 2 所,在校学生 2923 人;小学 14 所,在校学生 4780 人;学龄儿童入学率 99.7%,提高 0.1 个百分点。有艺术表演团体 10 个,文化馆 1 个,公共图书馆 1 个。有无线广播电台 1 座,节目 10 套;电视台 1 座,节目 57 套。有农村医疗卫生机构 45 个,病床位 75 张,卫生技术人员 125 个。新型农村社会养老保险参保人数 9886 人,参保率 71%。

【年度农业和农村经济运行】 2016 年,红原县实现农业总产值 4.17 亿元,减少 4.8%;农业增加值 3.32 亿元,增长 5%;食用菌、蔬菜等特色优势农产品产量保持稳定增长。农民年人均可支配收入达 11145 元,增长 9.9%。全县农产品质量抽检合格率比年初提高 1.2 个百分点;建成 11 个基层农业综合服务站。建立居民健康档案 44895 份。

农业产业化发展。红原县农牧民合作社发展到 43 个,社员总数达 3152 户、12608 人,占全县牧业总户数的 41%,占牧业总人口的 37%;新建家庭牧场 50 个。安曲镇哈拉玛牦牛养殖合作社被评为第八批省级示范社。全县蔬菜产量达 13440 吨。集聚资源要素,规划完善绿色产业经济园区基础设施,新希望、宇妥藏药等 15 家企业已入园开展新项目建设,其中顺意商品混凝土厂已投入营运,新疆广汇城市天然气项目进入试营运阶段,宇妥藏药二期生产辅助系统工程加快建设。

农产品品牌战略实施。红原县"红原奶粉""麦洼牦牛"申报国家地理标志产品工作进入送审阶段。红原县申报为国家现代农业示范区。

【畜牧业】 2016 年,红原县生猪存栏 212 头,牛存栏 318216 头,羊存栏 22487 只;肉类总产量 7711 吨,其中猪肉产量 62 吨;奶产量 29529 吨。以全国著名优良畜种"麦洼牦牛"为畜群主体,有牦牛 36 万余头,年产牦牛肉 7000 余吨、鲜奶 2.4 万吨。全年免疫各类牲畜 72.5 万混合头次。新建牧道 61 千米,维修牧道 20 千米;新建板涵桥 8 道、牲畜暖棚 302 个、牲畜防疫巷道圈 79 个,对刷经寺镇蔬菜种植基地进行围栏建设 2.2 万米。投放牧草机具 409 台。全县共设立畜禽品种改良点 40 个,完成实配 4435 头,使用冻精 10290 支。牦牛保险试点工作稳步推进,全年受理赔付 27458 头,为参保牧户提供保障性收入 4700.1 万元。

【农村水利】 2016 年,红原县龙日、安曲供水工程建设项目已完成 1 座取水坝、1 座水厂、41 千米输水管道建设任务,完成投资 3420 万元,已投入营运。投资 43 万元,通过管网延伸、安装净水器等方式解决 5 所学校 1510 人安全饮水问题;通过新建蓄水池、开挖铺设管道、引水自流等方式解决 10 座寺庙僧尼和敬老院老人饮水问题。

【农业机械化】 2016 年,红原县共补贴机具 409 台(套),其中各类机械 79 台、背负式割草机 330 台,主要农作物综合机械化水平突破 30%。

【新农村建设】 2016 年,红原县幸福美丽新村建设惠及 6 个乡(镇)8 个村 2822 户 10974 人,已整合各类资金 3016.68 万元,其中省级财政专项资金 400 万元、县级配套 225 万元、整合涉农项目资金 2391.68 万元。将 3 个"摘帽"村全部纳入幸福美丽新村建设,为每个村投入专项资金 62 万元。启动并完成幸福美丽新村建设 8 个(其中 3 个"摘帽"贫困村全部完成建设),落实资金 2654.49 万元,竣工验收工作有序推进。新建通村通组公路 29.3 千米,实施村内绿化 3372 平方米,更换饮水主管道 3200 千米、入户管道 250 千米,改造"1+6"公共服务活动中心 1 个,修建篮球场 2 个,配套体育设施 7 套,配套农家书屋文化设施 1 套、图书 400 本,配套完善幼儿园建设 4 处,新建垃圾处理池 1 口,铺设村内排水(污)沟 4 千米。

【扶贫攻坚】 2016 年,红原县全面推进新一轮扶贫攻坚,投资 949.02 万元,进一步巩固提升扶贫开发和综合防治大骨节病试点工作成果。投入资金 266 万元,用于 2016 年"摘帽"村(达格龙村、壤噶夺玛村、加当村)贫困户发展到户产业项目;投入资金 227 万元,用于 2016 年非"摘帽"村预脱贫户发展到户产业项目;投入资金 367.9 万元,用于 2015 年、2016 年已脱贫户发展到户产业项目。投入资金 944.94 万元,为病区 19939 人及 6036 名易地育人学生更换粮食。投入资金 20.16 万元,用于易地扶贫搬迁贷款贴息。投入资金 5 万元,用于大骨节病区病情检测。投入资金 45 万元,用于开展脱贫攻坚规划编制、档案管理等工作。

【乡村旅游】 2016 年,红原县坚持规划先行,《红原县旅游服务设施专项规划》编制工作有序推进。加快俄么塘花海、月亮湾、查针梁子、阿坝州长征干部学院分院等景区(点)旅游基础设施建设。投资 22298 万元,力推俄么塘花海和月亮湾景区国家 4A 级景区建设,通过景区开发带动沿线刷经寺镇、壤口乡、安曲镇和邛溪镇等地乡村旅游发展。投入旅游扶贫资金 23.96 万元，用于旅游扶贫示范项目——邛溪镇达格龙村基础设施建设“六小工程”及“三改一整”项目，评定民宿达标户 3 户。全年实现乡村旅游收入 869 万元。

【农村科技】 2016 年，红原县秋淡蔬菜、中低温食用菌等产量达 13440 吨，以道地中藏药材为主的高新技术产值达 4890 万元，主要农作物良种覆盖率达 92%。加大农村实用技术培训力度，全年共举办实用技术培训班 61 期，参训学员 3790 人次；组织开展各类科普宣传活动 12 次，举办各类科技培训 10 期，发放各类宣传资料、挂图 10000 余份；建立农村科普示范基地 3 个，接受农牧民群众现场咨询 800 人次；完成农村群众、社区居民培训 2400 余人次，超额完成州下达的培训任务。5 月，红原县创建“省级科普示范县”工作通过初评验收。

【农村教育】 2016 年，红原县继续巩固“两基”成果，举办脱盲学员巩固提高班 21 期，参训学员 1788 人次。各乡(镇)职业成教工作做到有计划、有总结，举办的各种培训做到有记录、有资料。

【农村文化】 2016 年，红原县完成瓦切镇中心书屋建设，补充更新全县 33 个村图书 3663 册，为达格龙村、龙日村共补发图书 3000 余册，下发全县寺院书屋图书 2000 余册，安装阅报栏 45 个。建成 10 个乡(镇)公共服务网点，完成 11 个乡(镇)户户通置换“村村通”900 套的安装调试，为建档立卡贫困户安装调试“户户通”473 套、“村村响”应急广播系统 4 套。全县开展“演艺惠民”送文化下乡活动 22 场，送文化进养老院、进部队、进学校活动共计 6 场，放映农村公益电影 396 场。

【农村卫生】 2016 年，红原县大力开展巡回医疗，派出医疗队 16 支，出动车辆 34 台次，共计义诊农牧民群众 9796 人次、僧侣 132 人次，开具处方 3843 张，发放宣传资料 22354 份，发放药品价值 9.62 万元、计生用品价值 7.26 万元，义务咨询 3255 人次，义诊巡诊覆盖全县 92%的贫困患者。利用义诊巡诊、卫生下乡、疾病普查等开展知识讲座及健康教育活动，发放宣传册 14800 份、宣传单 5200 份、宣传画 3600 份，发送手机短信 4500 条。全年免费发放卫生纸、卫生巾各 8000 余份，安全套 10000 余具(只)。为 404 名准备怀孕和怀孕 3 个月以内的农村妇女免费发放叶酸，服用率达 85.05%。为 362 名农村住院分娩孕产妇补助资金 18.1 万元；设立孕妇待产点 2 个，免费转运孕产妇 35 名。投资 328400 元，维修色地镇卫生院业务用房及附属设施；投资 267900 元，维修麦洼乡、瓦切镇卫生院业务用房及附属设施和县卫计局住宿楼；投资 57 万元，维修阿木乡、安曲镇、邛溪镇卫生院及附属设施；投资 48 万元，新建刷经寺镇卫生院阳光棚，维修加当村、什布村卫生室。

【农村交通】 2016 年，红原县有乡村公路 1020 千米。2016 年度上级计划下达红原农村公路建设里程为 125.7 千米，下达中央车购税补助资金投资计划 8799 万元，完成投资 3500 万元；完成机场三级客运站建设项目；完成 2015 年未完工暨续建项目涉及中央车购税项目 5 个，补助资金 2772 万余元；完成国、省干线藏汉双语标识标牌更换工作，新增标识标牌 37 副，更换标识标牌 42 副；完成邛溪镇、龙阿路、江茸乡、查尔玛乡道路和红金路 100 余千米道路维修养护，新建、维修加固桥梁 5 座。

【涉农招商引资】 2016 年，红原县 3000 万元以上的农业招商引资重大项目 1 个，为内资项目；项目总投资 1 亿元，协议资金 1 亿元，到位资金 4800 万元。

【农村社会保障】 2016 年，红原县农村低保月保障 11444 人，月人均补助 95.8 元。救助城乡困难群众 886 人次，累计发放医疗救助资金 229.89 万元。新型农村合作医疗参合人数 33703 人，参合率达 99.2%，筹资标准提高到每人每年 540 元。新型农村社会养老保险参保人数 9886 人，参保率达 71%。建立全县居民健康档案 44895 份。

【农村生态建设及环境保护】 2016 年，红原县划定基本草原面积 1006.7 万亩，占全县草原总面积的 86%。实施 2016 年国家天然草原退牧还草工程项目划区轮牧 85 万亩、草原补播 25.5 万亩、修建人工饲草地 15000 亩，修建饲舍棚圈 510 户。实施草原生态补奖禁牧 476 万亩、草畜平衡 643.15 万亩。

【主要领导人】 县委书记：何飚(11 月止)，廖敏(12 月始)；县人大常委会主任：拉旺建；县长：嘉央罗萨；县政协主席：李戎生；分管农业副县长：孟世雄(9 月止)，松彬(10 月始，12 月止)，杨发礼(12 月始)。

红原县编写组

甘孜藏族自治州

【基本情况】 2016 年，甘孜藏族自治州辖 261 乡 64 镇，辖区面积 15.3 万平方千米，其中耕地面积 141.38 万亩，比上年(下同)减少 4.5%，人均耕地面积 1.28 亩；基本农田 81.45 万亩。年末总人口 110.1 万人(户籍人口)，增长 6.26%；人口出生率 9.94‰，下降 1.26 个千分点；人口自然增长率 6.26‰，下降 0.9 个千分点。本地水资源总量 609 亿立方米，人均占有水资源量 52279.2 立方米。有林业用地 691.67 万公顷，有林地面积 282.72 万公顷，活立木总蓄积量 4.95 亿立方米，森林覆盖率达 33.9%。

2016 年，全州 GDP229.8 亿元，增长 7%，其中第一产业增加值 59.27 亿元，增长 4.1%，农、林、牧、渔及农林牧渔服务业之比为 38.37：4.75：55.67：0.07：1.14；第二产业增加值 82.71 亿元，增长 10.3%(工业产值 50.3 亿元，增长 11.3%)；第三产业增加值 87.82 亿元，增长 5.8%。三次产业对经济增长的贡献率分别为 14.9%、52.7%和 32.4%。全年接待游客 1300.32 万人，实现旅游总收入 133.74 万元。

公路通车里程 36236.662 千米。地方公共财政预算总收入完成 32.26 亿元，增长 2.64%；公共财政预算总支出 300.48 亿元，减少 4.97%，其中农业投入 204558 万元，占支出的 6.8%。金融机构各项存款余额 595.68 亿元，比上年初增长 1.25%；各项贷款余额 273.62 亿元，比年初增长 18.71%，其中支持农业产业化发展项目贷款 3.04 亿元。全年农业保费收入 0.89 亿元，增长 8.45%，处理各项赔款和给付金额 1.94 万元，下降 6.28%。

有各类学校 860 所，在校学生 188633 人，教职工 14915 人，其中普通高校 1 所，在校本(专)科学生 9240 人，增长 0.1%；普通中学 52 所，在校学生 48646 人；小学 413 所，在校学生 96991 人；学龄儿童入学率 116.99%，提高 0.12 个百分点。有艺术表演团体 158 个，文化馆 19 个，公共图书馆 19 个，博物馆 6 个。城乡居民基本医疗保险参保人数 917655 人，参保率 99.79%；城乡居民养老保险参保人数

408596人,参保率80.22%。

【年度农业和农村经济运行】 2016年,甘孜藏族自治州实现农业总产值79.1亿元,增长5%;农业增加值59.8亿元,增长4%。农村居民年人均可支配收入9367.42元,增长11.41%。全州农产品质量抽检合格率达96%以上;建成101个基层农业综合服务站。

农业产业化发展。甘孜藏族自治州按照"一圈一带一走廊"的产业区域布局,坚持"宜农则农、宜牧则牧"的原则,建基地、扩规模,加快产业结构调整。一是稳定粮食生产。坚持青稞、玉米、马铃薯等主粮生产,努力提高单产,增加总产,全州粮食播种面积稳定在110.1万亩,产量达26.13万吨,确保了粮食安全。二是推进农业产业基地建设。重点发展优质粮、油、菜、果、药、菌、茶等优势特色产业,建成特色农业产业基地50.79万亩,增加20.21万亩。三是稳定发展特色畜牧业。按照"稳牛限马发展羊和猪鸡"的思路,加大畜牧业基础设施建设,加快畜群结构调整,开展牲畜改良,提高标准化养殖水平,促进草原畜牧业发展,全年出栏各类牲畜103万头(只、匹)。

农用地产权制度改革。甘孜藏族自治州土地确权登记工作完成外业调查139.73万亩,流转土地4.39万亩,促进了农业适度规模经营。实施"双品牌"战略,打造"圣洁甘孜"区域公用品牌,累计登记认证"三品一标"农产品164个,15个县完成无公害农产品产地整体认定109万亩。整合各类涉农资金1586万元,建成泸定德威乡蔬菜产业园区、乡城特色水果精品园区、得荣县酿酒葡萄产业园区,产业园区基地建设面积达2.76万亩,产值达1500万元,带动4500余人脱贫增收。完成泸定、康定、甘孜、理塘4个县(市)一二三产业融合发展示范园规划编制,启动了理塘县一二三产业融合发展示范园区建设。

2016年甘孜藏族自治州主要农产品产量

主要农产品	单位	产量	同比(%)
粮食	万吨	25.44	0.76
水稻	万吨	0.2	-29.25
小麦	万吨	3.23	-2
玉米	万吨	4.28	5.31
马铃薯	万吨	4.72	4.89
油菜籽	万吨	1.35	5.68
蔬菜	万吨	26.74	23.47
水果	万吨	1.8	11.58
肉类	万吨	6.87	3
猪肉	万吨	1.38	1.7
牛肉	万吨	5.04	3.3
羊肉	万吨	0.43	4.9
禽肉	万吨	0.02	3.3
禽蛋	万吨	0.04	4
水产品	万吨	150	持平
牛奶	万吨	10.33	1.6

2016年甘孜藏族自治州省级农业产业化重点龙头企业名单

企业名称	注册资金(万元)	法人代表	示范等级	年度产值(万元)	行业分类	主营产品
乡城县硕曲河绿色食品开发公司	5272	曲真	省级	1462	种植业	松茸、野生食用菌类、农副土特产品
乡城县雪松天然绿色食品有限责任公司	3880	阿静	省级	2313	种植业	松茸、野生食用菌类、苹果醋
康定青藏谷地农牧业生物科技有限公司	1839	谭丽蓉	省级	—	养殖业	牦牛藏餐、特色产品
甘孜州康定红葡萄酒业有限公司	4263	罗来友	省级	6332	种植业、加工业	康定红系列干红葡萄酒
甘孜州华康进出口有限责任公司	8850	叶茂康	省级	—	加工业	大锅庄系列产品

2016年甘孜藏族自治州省级示范农民合作社名单

合作社名称	注册资金(万元)	法人代表	示范等级	年度产值(万元)	行业分类	主营业务
九龙县华丘富康种养殖专业合作社	300	李洪明	省级	88.96	种养殖业	蔬菜、水果种植和猪、鸡养殖
甘孜州海螺沟景区鑫杰生猪养殖专业合作社	300	王杰	省级	136.84	养殖业	生猪养殖、加工销售
得荣县建拉种养综合农民专业合作社	50	降错	省级	299.8	种养殖业	土鸡、土猪生产加工销售和葡萄、毛桃、树椒等种植
道孚县安珠农民种养殖专业合作社	600	杨安福	省级	260	种养殖业	蔬菜、水果、菌类、中药材种植及家禽养殖
泸定县永强肉牛养殖专业合作社	238	谭永强	省级	260.3	养殖业	肉牛养殖

续表

康定市赶羊种养殖农民专业合作社	100	何新全	省级	212.86	种养殖业	羊肚菌、藏鸡蛋
九龙县祥瑞种养殖专业合作社	1000	谭共荣	省级	1120.48	种养殖业	水果、干果、蔬菜种植及牲畜养殖、农副产品加工
理塘县腾飞农民专业合作社	320	周林	省级	210	农机作业	农机作业、修理、运输等

2016 年甘孜藏族自治州家庭农场经营情况统计表(前 10 位)

家庭农场名称	注册资金(万元)	法人代表	年度产值(万元)	行业分类	主营业务
康定市时济乡双福家庭农场	200	雷锋军	300	种养殖业	甜樱桃、苹果、枇杷种植及牲畜养殖
康定市上瓦斯丽丽生态养鸡家庭农场	139	杨丽	79	种养殖业	鸡养殖与销售
康定市鹏达生态养殖家庭农场	50	张鹏珍	555	种养殖业	花椒、核桃、仙桃种植及生猪养殖
道孚县扎西德勒家庭农场	50	卓玛	6	种养殖业	青稞、小麦、奶牛种养殖及加工
康定市绿之源生态种养殖家庭农场	60	张中辉	88	种养殖业	天麻、苹果、重楼等种植及鸡养殖
泸定县强盛家庭农场	300	刘显虎	292	经济林果业	林果、农业经济作物种植
九龙县月发家庭农场	40	潘月发	11	种植业	黄果柑、草梅、樱桃等种植
泸定县国乾家庭农场	150	祝国乾	37	养殖业	肉牛养殖
康定市下瓦斯村文珍家庭农场	50	周文珍	27	养殖业	蜜蜂养殖
泸定县团结农场	200	陈昌	97	种养殖业	刺龙芽、青脆李种植,牦牛、山羊、黄牛养殖

【林业】 2016 年,甘孜藏族自治州大力实施天然林资源保护工程,依法有效管护森林资源 9052 万亩,有效巩固退耕还林成果 80.3 万亩,完成新一轮退耕还林 1.47 万亩。完成道路绿化(路种花)764.8 千米、人工造林 2.98 万亩、飞播造林 2.4 万亩、森林抚育 26 万亩、低产低效林改造 8.05 万亩、防沙治沙 4.3 万亩、义务植树 258 万株、干旱半干旱地区生态综合治理项目 0.1 万亩、湿地植被恢复 1.75 万亩。申报设立鲜水河大峡谷、沙鲁里山国家森林公园和炉霍鲜水河、巴塘姊妹湖国家湿地公园试点、理塘无量河等 7 个省级湿地公园,举办了鲜水河大峡谷国家森林公园挂牌仪式;投入 990 万元,用于森林公园禁止开发区项目建设;投入 400 万元,用于湿地公园保护与恢复。炉霍县创建为省绿化模范县。争取资金 3292 万元,聘用 6351 名建档立卡贫困人员参与森林资源管护,年人均增收 5183 元;兑现集体公益林生态补偿资金 2.8 亿元,298 个乡(镇)、2230 个村、15.6 万户、68.2 万人受益,年户均、人均收入分别增加 1820 元、416 元。完成贫困户巩固退耕还林成果任务 4.77 万亩,兑现政策补助 1239.39 万元,5770 户贫困户、21643 人受益,年人均增加收入 533 元。完成林业产业基地建设 7.43 万亩、中药材基地建设 533 亩,63 个脱贫村建设林业产业基地 1.6 万亩。新培育 15 个林业专业合作社。全州获得“三品一标”登记认证的林产品达 22 个。举办“2016 四川花卉(果类)生态旅游节分会场暨泸定第六届红樱桃节”,全州生态旅游接待游客 45.1 万人次,实现总收入 5.4 亿元。

【农村水利】 2016 年,甘孜藏族自治州农村水利项目投资 4.2051 亿元,其中中央投资 2.665 亿元、省级投资 0.9225 亿元、县级投资 0.6176 亿元。一是农村安全饮水脱贫攻坚建设有序推进。加快 281 个脱贫“摘帽村”饮水安全建设,按照“供水水质、供水水量、方便程度、保证率”4 个方面的安全饮用水标准和“精准到户、精准到人”的原则,对 281 个“摘帽”贫困村农村安全饮水实施新建、改造和提升,84 个贫困村已全部开工建设并完成建设任务,完成投资 5804.94 万元,其中新建、改造取水口 38 处,埋设安装、改造管网 286.09 千米,打井 78 口,新建、改造提升蓄水池 63 口,沉砂池 3 口,慢滤池 19 口,水渠 2.6 千米,入户水池 60 口,维修、改造水源点 3 处,解决建档立卡贫困人口饮水安全问题 2.6156 万人。二是开展包虫病防治攻坚饮水安全点建设。自 2015 年 11 月启动综合防控包虫病攻坚饮水安全保障行动以来,以石渠县包虫病防治为重点,覆盖色达、理塘、德格、白玉等 12 个县,累计打井 382 口,建成集中供水设施 18 处,改造提升工程 16 处,67074 人受益,累计完成投资 24037 万元,其中中央预算内投资 18550 万元、省级预算内专项资金 3975 万元、县级投资 1512 万元。三是加快小型农田水利建设。组织实施色达、丹巴、乡城、稻城、巴塘、泸定、德格等县 2015 年、2016 年小型农田水利重点县建设,加快推进 2015 年泸定、稻城牧区节水示范县建设,新增有效灌面 1.913 万亩、节水灌面 1.8689 万亩,稻城县于 5 月底前全面率先完成 2016 年小农水重点县和牧区节水示范县建设,累计完成投资 6200

万元,其中中央财政投资1500万元、省级财政投资4700万元。完成得荣县、乡城县渠系配套工程初步设计审查和批复工作,10月全面开工建设,两县已完成投资4810万元,其中白松、茨巫水利工程渠系配套二期工程完成投资3610万元、乡城县玛依河渠系配套工程完成投资1200万元。

【统筹城乡与新型城镇化】 2016年,甘孜藏族自治州启动编制《甘孜州城乡规划编制办法》和《甘孜州乡村规划建设管理办法》,从横向和纵向两个角度推进多规合一。指导编制4个县城详细规划,完成编制7个建制镇规划、51个乡村规划、4个景点规划,开展了2个城市总体规划的实施评估,完成贡嘎山国家级风景名胜区整治和景区总规编制,贡嘎山风景名胜区总规已报国务院。申报、办理省、州立项项目选址手续106个,申报核定大熊猫栖息地项目建设3个,开展城乡规划及风景名胜区执法检查4次。积极发挥州规委会作用,开展5个城乡规划、2个重点项目、3个项目选址的审查工作。配合民政部门完成12个乡的撤乡建镇和康定2个街道办的设立工作,全州"三轴三圈三区"的城镇空间结构和"2326"的城镇等级结构更加巩固。主动向上争取到位各类城乡建设资金3.9241亿元。完成做强县城项目241项、做优乡(镇)项目136项、做美村寨目标任务53个,编制各类规划102项;18个县(市)和海管局均已建立城市执法、城市园林养护、城市环卫3支队伍,完成城市LOGO设计、营销口号征集和应急避难场所划定、标识标牌设立等工作。九龙、稻城、炉霍等县和海管局磨西镇相继通过国家和省级卫生检查评估。全年累计整治违规建筑2261处、11.67万平方米。

【新农村建设】 2016年,甘孜藏族自治州新建幸福美丽新村359个,完成省下达目标任务的119.7%,累计建成幸福美丽新村533个;13个示范县建设全部通过省级验收。争取扶贫新村建设资金18850万元,实施扶贫新村建设296个,完成280个贫困村退出,8212户、33985人脱贫。新成立农民专业合作社1013个,种养大户累计达3497户;新建幸福美丽新村家庭农场26个,基本消除了集体经济"空壳村"问题。全州农村居民年人均可支配收入达9451元,同比增长12.5%,增幅居全省第一位。全州幸福美丽新村新建通村主干道硬化路519.382千米、通组硬化路153.728千米,入户路联户路(分户路)通畅498.29千米(硬化375千米);新建成村活动中心163个,实施危房改造(藏区新居)13313户、易地扶贫搬迁2711户;建成"五改三建"13006户,安装路灯8060盏、太阳能热水器3466台;建成村卫生室251个、文化室250个、幼儿园20个;创建州级休闲农业与乡村旅游示范乡镇12个、示范村32个,扶持发展特色乡村酒店、示范休闲农庄和民居接待户650家(户),乡村旅游从业人员达9320人,实现乡村旅游收入7.8亿元,旅游助农增收成效明显。结合新村建设,实施高原节水灌溉工程和高标准农田建设,359个幸福美丽新村新建成特色产业种植基地10万余亩,培养规模养殖户60户,打造"一村一品"示范乡镇12个、示范村28个,建成特色农业产业基地50.79万亩、特色林业产业基地82.44万亩、特色粮食生产基地110.1万亩、特色畜禽养殖小区20个。

【农村扶贫和移民工作】 2016年,甘孜藏族自治州共争取并下达"两资"项目资金12590万元,其中"小路"项目20个,投资1094万元;"小桥"项目13个,投资454万元;"小水利"项目4个,投资160万元;"小能源"项目13个,推广太阳能热水器4710户,投资942万元;"教育十年行动计划"寄宿制学生生活补助资金1000万元;小流域现代农牧业增收工程项目16个,投资2600万元;民族新村项目13个,投资5000万元;民族文化推进工程项目8个,投资300万元;民族地区乡村旅游综合服务设施示范工程项目6个,投资600万元;管理培训项目1个,投资240万元;民族地区农牧民增收创业带头人培训项目1个,投资200万元。全面完成2015年"四小工程"项目,建设"小路"29条、88.9千米,"小桥"12座、211延米,"小水利"项目9个,新增和保障灌面0.3万亩、"小能源"11个,推广太阳能热水器4950户。加快实施10个现代农牧业增收工程项目和11个民族团结进步新村建设任务。落实劳务扶贫培训资金200万元,培训全州建卡贫困人口中16~45周岁的剩余劳动力1667人;落实民族地区农牧民增收创业带头人培训资金200万元,培训全州12个县及海螺沟1000名创业增收致富带头人;针对库区移民发展需求,完成实用技术培训360人和转移就业培训694人、移民干部业务知识培训525人。大渡河流域大岗山电站得妥繁荣安置点基础设施及移民安置房已建成;泸定电站全力开展集中安置点收尾和移民搬迁入住工作,移民总体永久搬迁安置率达70%以上;硬梁包电站已完成店子安置点场平工程建设;长河坝长坝安置点垫高防护工程已基本完成;黄金坪电站姑咱安置点已建成并完成移民搬迁安置工作;章古河坝安置点已完成95.5%的建设任务;猴子岩电站格宗安置点已完成垫高防护工程。雅砻江流域两河口电站已完成4600余人的搬迁安置工作;瓦多、亚卓集镇已启动房屋建设工程;普巴绒等安置点已按计划完成场平工程建设;道孚4座寺庙已按照既定计划完成场平工程等相关工作;孟底沟电站已完成实物指标成果汇总并编制完成了移民安置规划大纲;杨房沟电站已按计划完成截流阶段库底清理等相关工作并通过省级验收。金沙江流域苏洼龙电站移民安置实施工作已全面启动,国道215线复建公路已完成5.1亿元的投资任务;叶巴滩电站移民安置规划报告已得到省扶贫移民局批复,确保项目按期实现了核准目标;拉哇电站已完成巴塘、白玉2县境内的实物指标调查工作,汇总成果已得到州、县政府及有关各方的审核确认;巴塘电站规划大纲和规划报告已按期完成编审工作。

【乡村旅游】 2016年,甘孜藏族自治州按照旅游全域化的战略部署,坚持"以旅促农、农旅结合、产村相融、景村相融"的原则,依托幸福美丽新村建设,集中打造一批休闲农业与乡村旅游示范乡(镇)、示范村寨,努力将绿水青山变为群众脱贫致富的"金山银山"。一是大力发展休闲观光农业。走农旅结合的路子,重点打造田园风光产业带,着力把农牧区打造成景区、把特色产业打造成景观、把产业基地打造成景点、把特色农产品打造成旅游商品、把国道318线、317线打造成中国最美景观大道,有序推进休闲观光农业发展,着力提升新村对游客的吸引力。二是大力发展乡村旅游产业。围绕国道318线、317线和重点旅游景区,着力打造一批乡村旅游酒店、农家乐、牧家乐、休闲农庄和旅游民居接待户,大力发展以"吃农家饭、住农家屋、赏农家景、购农家物"为主要内容的乡村特色旅游,不断拓宽农牧民增收致富的门路。三是大力开发特色旅游产品。对接旅游市场,把握游客"吃住行游购娱"六大要素需求,大力发展"十大特色旅游产品",着力把特色农产品打造成为有民族特色、有地域风情、有纪念意义、有收藏价值的特色旅游商品、旅游食品、旅游用品。制定出台了《州级休闲农业与乡村旅游示范乡(镇)、示范村评定管理办法》,申报创建州级休闲农业与乡村旅游示范乡(镇)12个、示范村32个;累计扶持发展特色乡村酒店、示范休闲农庄及民居接待户650家(户),乡村旅游从业人员达9320人,实现乡村旅游收入7.8亿元,乡村旅游业呈现蓬勃发展的良好态势。

【农村科技】 2016年，甘孜藏族自治州深化院州、校州科技合作，实施农牧业科研项目30个，选育审定玉米新品种2个，康青10号通过州级初审。加快农业科技成果的转化应用，促进了羊肚菌、玉米、马铃薯、藏猪、藏鸡等产业发展。一是抓科技大培训。完成农业、畜牧、农机实用技术培训34.42万人次，新型职业农民培训2263人。二是抓科技大示范。依托技术扶贫行动，大力开展新品种、新技术的示范，开展粮、油、菜高产高效创建20万亩，创建产业科技扶贫示范村31个、示范户447户，新机具现场演示27场次。三是抓科技大推广。全州推广农作物主导品种27个、绿色防控15万亩次、地膜覆盖10万亩、测土配方施肥40万亩次，良种覆盖率达93%；推广各类农机具2546台，主要农作物耕种收综合机械化水平达45.64%。建成光伏太阳能提灌站6座，新增灌面4220亩。推广九龙牦牛、藏猪、藏鸡、西藏黑山羊等优良畜种，完成畜禽改良18.29万头(只)，开展本品种选育5.27万头(只)。四是抓畜禽疫病防控。完成重大动物疫病免疫1013.3万头(只、羽)次、常规疫苗免疫656.8万头(只)次、驱虫598万头(只、匹)次，重大动物疫病群体免疫密度常年保持在90%以上，应免畜禽的免疫密度达100%，免疫抗体合格率达70%以上，及时有效处置了乡城"10·5"动物疫情，未发生区域性重大动物疫情。全州完成犬驱虫137.7万只次，犬粪无害化处理523.27万只次；免疫羊236.23万只次。在石渠县开展草原鼠害灭治30万亩，灭效达90%以上。

【农村教育】 2016年，甘孜藏族自治州推进农牧区双语幼儿园建设，形成了"广覆盖、保基本"的免费公办学前教育办学体系，在园幼儿达27526人；落实义务教育"控辍保学"责任制，逐步推进县域内义务教育基本均衡办学体系，在校学生达13.2万人；实施普通高中集中办学，在校学生达13364人；全面实施十五年免费教育；大力推进中职教育发展，实施藏区"9+3"免费教育计划，形成本地办学与异地办学并举的"两元一体"中职教育办学体系。加大教育精准扶贫力度，兑现了"不让一名学生因家庭困难而辍学"的承诺。

【农村文化】 2016年，甘孜藏族自治州新(改)建村级文化活动室280个，为293个贫困村文化活动室配送了设施设备，建设村级阅报栏664个；全面建成村级农民体育健身工程347个，发放80名贫困运动员体育彩票助学金19.2万元；完成"村村响"456个、"户户通"7580套，中央、省广播电视人口综合覆盖率分别达96.75%和96.44%，完成稻城、石渠2个县的应急广播平台建设。强力推进州县(市)广播电视节目农牧区无线覆盖工程建设，完成一、二期工程8个县的前端平台、411个无线发射站点的建设，州、县(市)广播电视节目覆盖率从原来的31%提高到39%。完成全州2679个农家书屋、51个社区书屋共计16.48万册的图书补充更新，完成43个中心书屋建设。州歌舞团、州文化馆、州图书馆及各县(市)充分利用元旦、春节、藏历新年等重大节日，深入偏远乡村开展"送文化下乡"活动992场次，观众达29.76万人次。州新华书店发放免费教材240.91万册，价值1647万元；州图书馆向泸定、理塘各中小学赠书6000余册；州文化馆开展基层文化辅导，受训人数达1040人次。公共文体场馆全部免费开放，兑现免费开放资金2878.53万元，完成农村公益电影放映33036场次。有各类重点文物保护单位1165处，其中全国重点文物保护单位15处、省级文物保护单位60处、州级文物保护单位221处、县级文物保护单位869处，有文物点3520余处，有国有文物收藏单位5所、国有馆藏珍贵文物3000余件、寺庙文物数万件。有国家级非遗项目23个、省级项目62个、州级项目138个、县级项目422个，国家级代表性传承人7人、省级代表性传承人85人、州级代表性传承人295人。完成25个重点文物项目申报工作，5个国保项目已在国家文物局立项，甘孜白利寺等3处重点文物维修工程有序实施。推进亚丁景区非遗主题社区，噶玛嘎孜唐卡、郎卡杰唐卡生产基地、石渠巴格玛尼石刻，白玉河坡民族手工艺、德格印经院《大藏经》复刻等文化产业项目工程建设。

【农村卫生】 2016年，甘孜藏族自治州有医疗卫生机构2569个(含村卫生室2130个)、病床位5054张；卫生技术人员6208人，其中执业(助理)医师1622人、注册护士1679人；每千名人口有卫生技术人员5.33人，每千名人口有执业(助理)医师1.39人，每千名人口有注册护士1.44人，每千名人口有床位4.34张。识别38394名贫困患病人群，占全州贫困总人口的19.44%。完成贫困孕产妇摸底调查工作，识别贫困孕产妇2119名。在医保业务系统中对18.8429万名贫困群众进行标识。全面贯彻落实《四川省脱贫攻坚医疗卫生保障实施方案》，免收贫困人口一般诊疗费24230人次、23.33万元，免收贫困人口院内会诊费220714人次；开展巡回医疗服务58242人次，发放药品价值30.59万元。建档立卡贫困人口在县域内二级及以下就诊人次8247人次，住院总费用2306.4万元，经医保报销1492.92万元，政策内个人支付费用651.1万元，政策外个人支付费用162.39万元。首批省医药爱心基金已拨付到各县(市)共计90万元。采取新建、与村活动室合建、巩固提升等方式加大281个脱贫村卫生室建设力度，91个新建项目完工73个，167个规范提升项目已全部完工。全面推进实施分级诊疗，全州乡(镇)卫生院(社区卫生服务中心)门诊诊疗量增幅达2.02%。深入推进家庭医生签约服务，18个县(市)全部开展乡村(社区)医生签约服务，开展签约服务的家庭医生2622人，共计签约163581户，签约服务覆盖率达79.32%，其中签约重点人群56317户，重点人群家庭医生签约服务率达79.42%。制订完善以石渠县为重点的包虫病综合防治攻坚战"1+2+6"工作方案，石渠县登记家犬20073只，家犬登记管理率、拴养率均提高到98%；累计筛查82143人，有病人6140人，接受药物治疗5317人、手术治疗315人。全州组织农牧民群众开展健康教育活动132次，12905人接受健康教育；开展僧尼宣教8次，921名僧尼参加健康教育；召开干部培训会24次，培训干部466人；举办专业人员培训班3期，培训疾控人员、医疗人员25人；开展学校包虫病防治健康教育10课时，培训师生313人；健康教育覆盖各类人群15634人次。牧区和彝族聚居区符合政策生育率达94%以上，其余县(市)符合政策生育率达98%以上，人口出生率控制在14‰以内，免费婚前体检和孕前优生健康检查覆盖率达80%以上，药具应用率达90%以上。

【农村法制建设】 2016年，甘孜藏族自治州强化法制宣传教育，推进"七五"普法工作，深入开展"法律七进"活动。强化农业执法，加大涉农案件查办力度，全州办结农业综合执法案件23件。依法推进行政权力规范公开运行，全面完成涉农行政权力清单和责任清单的清理。切实加强农机安全源头管理，落实安全生产责任制，积极开展农机安全隐患排查和督查，保持了农机安全零事故和零死亡的良好势头。加强对草地生态环境的监管力度，逐步理顺草原征占用审核审批手续，依法处理草原违法案件3起，依法征收草原植被恢复费156.37万元。

【农村交通】 2016年，甘孜藏族自治州创新农村公路建设管理模式，对所有未建成的通乡油路实行打捆总承包，全年建成通乡油路836.1千米，新增29个乡通油路，完成年度目标任务的167.2%；建成通村硬化路4414.8千米，新增463个村通硬化路，完成年度目标任务的176.6%，其中2016年脱贫“摘帽”的281个村全部实现通硬化路；建成通村通达路2859千米，新增112个村通公路，完成年度目标任务的190.6%。43座溜索改桥全面完工。加快推进客运站点建设，乡城等5个县级客运站投入使用，道孚等7个客运站建设完工，康定短途客运站完成主体工程，丹巴、石渠客运站建设加快推进，开工建设乡镇站20个、农村招呼站200个，完成60辆农村客运车辆的提档升级工作；指导理塘、巴塘、色达3县成立了城乡客运公司。

【**涉农招商引资**】 2016年，甘孜藏族自治州3000万元以上的农业招商引资重大项目3个，均为内资项目，项目总投资8.4亿元。协议资金84000万元，到位资金4120万元。

2016年甘孜藏族自治州3000万元以上招商引资项目表

项目	总投资(万元)	投资内容	投资方	项目进度
甘孜州特色食用菌产业基地建设项目	5000	菌种场、食用菌加工厂建设	四川金地田岭涧生物科技有限公司	在建
现代农业示范园区开发项目	30000	建设养殖业基地200亩、种植基地、基地配套设施、约120亩的生态农业观光休闲中心	新龙县高原万象生态农业科技发展有限公司	在建
高原藏区现代农牧业产业园区建设项目	49000	建设规模5260亩，进行有机蔬菜生产；农副产品生产、仓储、物流	中国合伙人(上海)股权投资基金管理有限公司	前期工作

【**农村社会保障**】 2016年，甘孜藏族自治州农村低保标准为3020元/年，较上年提高644元/年；保障农村低保对象220323人，累计支出资金43836.47万元，累计月人均补助达152.82元，较2014年提高55.27元，完成省政府“民生工程”目标任务的101.88%。加大农村困难居民临时救助力度，累计救助4310户，支出资金399.72万元。全州农村五保供养人数达8242人；有农村五保供养服务机构(敬老院)79所、床位3542张，集中供养人数达2613人，集中供养率达32%；集中供养月平均标准达540.46元，分散供养月平均标准达408.33元。实施农村困难群众医疗救助272150人次，累计支出资金6389.52万元，其中住院救助22278人，支出资金4528.12万元，农村医疗救助政策范围内住院自负费用救助比例达70.59%，完成年度目标任务的100.84%。资助农村低保、五保对象参加城乡居民基本医疗保险，保险覆盖率达100%。

【**农村生态建设及环境保护**】 2016年，甘孜藏族自治州立足国家对甘孜的功能定位，坚持把生态文明建设纳入“五位一体”总体布局，大力实施生态文明建设战略，积极构建生态安全保障体系，使甘孜的天更蓝、水更清、地更绿、景更美。一是切实加强生态保护。严格落实草原生态奖补、集体公益林生态效益补偿等政策，积极创建国家生态文明先行示范区、生态保护与建设示范区。完成一年生人工草地种草40万亩、多年生人工草地更新补播46万亩；完成围栏建设379.03万亩、草原补播113.7万亩、人工种草6万亩。依法常年有效管护国有林7172.3万亩、集体公益林1924.8万亩，兑现集体公益林森林生态效益补偿资金28390.8万元。扎实推进生态红线划定工作，严格水源地保护，15个县(市)257个乡(镇)完成乡(镇)集中式饮用水技术报告编制并获批复。二是大力推进生态建设。扎实推进退耕还林、天然林资源保护、退牧还草、退化草地治理“四大工程”建设，大力实施山植树、路种花(草地)、河变湖(湿地)重点项目。完成国有中幼林抚育13万亩，人工造林2.98万亩，康定机场、亚丁机场周边植被恢复5000亩；在交通干线沿线种植花草764.8千米；完成炉霍虾拉沱湿地公园、稻城金珠湿地公园、甘孜雅砻湿地保护、色达果根塘湿地生态保护与治理等重大项目建设，山植树、路种花(草地)、河变湖(湿地)工程取得明显成效。同时，扎实推进节水示范县工程、小农水重点县建设、地质灾害治理、土地治理、植被恢复工程等重点工作，全社会关注、支持、参与生态文明建设的氛围日趋浓郁。

【**农村留守家庭(儿童)帮扶**】 2016年，甘孜藏族自治州开展“手拉手”“结对子”等活动，各校通过组织品学兼优的学生与“留守儿童”建立“手拉手”“结对子”的伙伴关系，共同学习、共同游戏，增强“留守儿童”的集体意识，形成积极健康向上的人格。建立健全“留守儿童”管理档案，各学校详细了解每一位“留守儿童”的家庭、生活、学习、心理等方面情况，组织安排教师、离退休干部等开展经常性的“一对一、一对多”沟通交流，有针对性地对其进行教育和管理。充分利用“留守儿童”家长节假日回家的时机召开家长会，形成教育合力。建立心理健康教育业绩考评体系，加强对“留守儿童”的心理健康教育并纳入教师业绩考评，每个季度考评一次，与教师的评优评先挂钩。

【**农产品质量安全监管**】 2016年，甘孜藏族自治州加强农产品质量安全监管。抓农业投入品监管，开展农资打假专项整治和生猪屠宰“扫雷行动”，累计检查生产经营企业401家，清理整顿农资市场226个次；抓农产品质量安全监测，抽检合格率达97%以上，全年未发生重大农产品安全事件。加强动物卫生监督执法，切实加强对产地、屠宰检疫和运输的监督，全州共检疫动物46.35头(只、羽)，无害化处理病害畜禽0.24万头(只、羽)，无害化处理率达100%。

【**市场体系建设**】 2016年，甘孜藏族自治州39家企业通过互联网发布融资需求39笔，25家企业实现与银行融资6.89亿元。支持州内本土电商平台企业建成电商物流综合服务中心(站)超过10个。截至2017年2月，全州互联网金融客户总数达46095户，同比增长67.65%，其中个人45407户，同比增长67.61%；对公客户688户，同比增长70.3%。全州互联网金融交易金额为18.77亿元，同比增长1.22倍，其中个人客户交易额18.74亿元，同比增长1.22倍；对公客户交易额278万元，同比增长2.39倍。积极开展“支付惠农示范工程”建设，创建助农取款优质服务示范点、农村金融综合服务示范站、支付惠农示范行(社)、银行卡刷卡无障碍示范街区。出台《甘孜州社会信用体系建设工作实施意见》《甘孜州建档立卡贫困户信用评级授信办法》等一系列规章制度，对全州建档立卡贫困户、一般农户、农村经营主体开展信用评定，重点选择在金融生态环境较好的村、乡开展“信用村”“信用乡”评定工作，有效改善农村金融生态环境。选择稻城、泸定、石渠3县率先创建"信用精准脱贫"示范县，积极构建"信用+旅游+脱贫""信用+产业+脱贫""诚信教育+信用宣传+信用贷款+脱贫"模式，整县推动信用精准脱贫。

【涉农节会会展】 2016年，甘孜藏族自治州37家涉农企业和专业合作社参加了第四届四川省农博会，近300种高原特色生态农产品参展，现场销售额达112.8万元；康定达折渚、雅江天路等5家企业与内地企业达成合作意向11个，签约农产品采购贸易和"千村千企"项目9个，贸易额达407万元；签订农业投资促进项目6个，投资总额达8.53亿元；丹巴县斯达纳三千集有限公司与伊藤洋华堂达成协议，特色农产品首次进入伊藤洋华堂展销；康定市"三祥农庄"与华润万家举行了"圣洁甘孜"联营专柜入驻华润万家签约仪式，全州23家企业共183个特色农产品首次入驻华润万家超市。

广泛组织开展经贸合作活动。与成都市春紫瑞企业管理有限公司就"圣洁甘孜"特色生态农产品入驻春紫瑞生态城电商产业示范园达成共识，州内涉农企业首次入驻生态城电商产业示范园，在园区建立"圣洁甘孜"生态农产品电商体验中心，为"圣洁甘孜"公共区域品牌融入电商平台搭建了一个新的窗口；组织20余家企业分别参加以第五届四川国际茶博会、厦洽会、"川货全国行"等品牌会展为代表的市场拓展活动，现场销售额近百万元，签订订单近400万元；举办成甘两地第二届农商对接会，现场签订交易订单12个、金额3200万元，意向性协议34个、协议金额2.1亿元。与成都市签订了农业区域合作战略框架协议，组团参加成都市现代农业博览会，现场直销农产品33万余元，采购贸易签约金额134万元。

【主要领导人】 州委书记：刘成鸣；州人大常委会主任：李康；州长：益西达瓦（12月止），肖有才（12月始）；州政协主席：易凡；分管农业副州长：舒大春。

甘孜藏族自治州编写组

康定市

【基本情况】 2016年，康定市辖22个乡（镇、街道），有农业人口6.9万人，有耕地面积11.36万亩，减少20.45%；基本农田6.45万亩，与上年持平。

【年度农业和农村经济运行】 2016年，康定市实现农业总产值32488万元，增长3.29%；农业增加值24662万元，增长3.29%。农民年人均可支配收入9446元，增长10.5%。

农业产业化发展与农产品品牌战略实施。康定市新培育农业产业龙头企业12家（州级2家），新增专业合作社49个、家庭农（牧）场9个，辐射带动农牧民1000余人。积极开展"三品一标"申报认证，全市通过农业部无公害农产品基地整体认证；注册农产品商标11个，打造了"康定香菇""达杠苹果""瓦斯沟枇杷""庄上甜樱桃"等一批具有康定区域特色农业品牌。

农用地产权制度改革。康定市农村土地承包经营权确权登记外业调查工作已全面完成，共调绘全市217个村15173户138103亩承包耕地，完成率达100%，矢量化达100%，流转土地5742亩。稳步开展农村集体资产产权制度改革，启动前溪乡赶羊村和孔玉乡色龙村农村集体资产股份制改革试点并制订了实施方案。在姑咱镇日地村启动农村资金互助合作业务试点，筹集资金984269.54元；开展农村产权抵押融资改革，发放农村产权抵押贷款215户、3730万元。开展农村宅基地确权颁证和集体经营性建设用地使用权确权颁证，完成8个乡（镇）的农村宅基地使用权和农村集体建设用地使用权登记发证工作，共颁发集体土地使用证5194本。

【种植业】 2016年，康定市农作物播种面积123753亩，其中粮食作物播种面积102000亩，产量22204吨，较上年减少2吨；经济作物播种面积5753亩，较上年减少1456亩；其他农作物播种面积16000亩，较上年增加4897亩。建设优质粮经、生态林果、绿色蔬菜、道地中药材等六大特色产业示范基地4.96万亩，特色林业产业基地7300亩，全市蔬菜产量达3.2万吨。

【林业】 2016年，康定市加强森林资源管护，继续巩固"天保工程"和退耕还林工程成果，生态建设成效显著。对全市292.41万亩国有林进行有效常年管护，完成中幼林抚育1.9万亩、城乡义务植树32万余株。进一步完善和规范林权流转，开展集体林改"回头看"，补偿集体公益林生态效益面积1782388亩，补偿金额2629.0223万元，已100%兑现给林权所有者；实施退耕还林工程项目12.79万亩，补植补造各种树苗5万株（其中核桃3万株、苹果1.8万株、花椒0.2万株）、面积0.5万亩。全市森林面积517588.9公顷，增长16.5%；森林蓄积量3123.46万立方米，增长1.2%；森林覆盖率达28.42%。在金汤镇、麦崩乡、普沙绒乡、孔玉乡建设核桃基地0.6万亩，花椒基地0.13万亩，在折东片区发展大樱桃0.11万亩、苹果0.03万亩。

【畜牧业】 2016年，康定市各类牲畜存栏19.3万头（只、匹），其中生猪存栏23639头，下降2.1%。各类牲畜出栏52982头（只、匹），增长1.6%，其中生猪出栏14002头。全年肉类总产量4850吨，增长2.3%；奶产量0.514万吨。牲畜总增率达25.5%，同比提高2.5个百分点；出栏率达27.3%，同比提高1.3个百分点；商品率达16%，与上年持平。全年完成牦牛改良310头、黄牛改良1509头、山羊改良5012只、生猪杂交改良10007头，牦牛本品种选育1008头、藏猪本品种选育3002头。完成21个乡（镇）234个行政村266个地块113万亩草原禁牧任务；完成607万亩草场草畜平衡任务；实施牧草良种补贴15.5万亩；建设暖棚210户、16800平方米，家庭牧场22家。重点发展以高原牦牛、藏香猪、藏鸡3大产业为主的川藏高原生态特色农畜产品，发展藏香猪、藏鸡、西黄牛等规模化畜禽养殖小区（场）40个。

【水产业】 2016年，康定市在长河坝鱼类增殖放流站实施淡水鱼苗种增殖放流活动，放流各类鱼苗17万尾，其中齐口裂腹鱼5万尾、重口裂腹鱼5万尾，投入资金71.5万元。

【统筹城乡与新型城镇化】 2016年，康定市整合资金2000余万元，实施城乡提升战略，按照"弄干净、搞整齐、有文化、出品位"的要求，彻底整治"十乱"现象，拆除违法违规建（构）筑物554处约3万平方米，整治违规店招店牌、户外广告368个，整治国道318（康定段）沿线汽修厂、加水场点及非公路标志标牌137处。康定成功撤县设市，塔公乡、沙德乡、金汤乡成功撤乡设镇，城镇功能逐步完善，首府形象有力提升，全市城镇化率达52.4%。

【新农村建设】 2016年，康定市整合各类涉农资金9747.34万元，建成幸福美丽新村30个（其中扶贫新村14个），完成灾后恢复重建房屋维修加固9982户、房屋重建1791户、藏区新居住房建设385户、农村廉租房建设158户；建成通乡、通村通畅公路223.28千米，通村通达公路16.2千米，安保工程和交安设施60千米；完成灌面4274亩；对64个村的安全饮水工程进行提升改造，惠及2.1万人；完成三合乡、新都桥镇、贡嘎山乡、普沙绒乡、炉城镇的农网（城网）升级改造；配套完善16个边远村庄基础公共服务设施，村内绿化率达80%，垃圾处理率达90%以上,村容更加整洁干净,村貌更具田园风光。启动"四好村"创建,编制印发了《创建市级"四好村"活动工作方案》,成立了创建工作领导小组,第一批"四好村"创建活动共申报市级"四好村"31个、州级"四好村"28个、省级"四好村"18个。

【扶贫攻坚】 2016年,康定市把脱贫攻坚作为全市重大工作任务,先后召开市委常委会、领导小组会和专项推进会22次。委托四川省社会科学院编制了《康定市扶贫攻坚脱贫规划(2015—2020年)》,印发了《康定市2016年脱贫攻坚工作要点》,制定出台了"3+10"政策文件,编制完成17个扶贫专项的年度工作计划和市、乡、村、户脱贫方案,细化了时间、节点、项目及资金,明确了工作推进的时间表、路线图。截至11月底,完成全市536户、1983人及12个贫困村的脱贫退出工作,"五个一批"中扶贫和生产就业一批956人已落实到户到人,移民搬迁安置一批已建成52户、209人,低保政策兜底一批已完成,医疗救助一批已完成,灾后重建扶持一批已完成。

党政推动,建立健全扶贫攻坚"1+1+10"指挥体系,落实"五个一"帮扶机制,34名市领导齐抓共管,16个对口帮扶单位、44个市级部门精准对接,64名"第一书记"驻村帮扶,59名农技员全程指导,68名部门负责人、1779名公职人员结对帮扶,编制脱贫规划,制订实施方案,市、乡、村层层签订减贫责任书,做到扶持对象、扶贫项目、资金使用、扶贫措施、驻村帮扶、脱贫成效"六个精准",实现"户有卡、村有册、乡有簿、市有档"。

项目促动,围绕59个村2978户11202人脱贫的总目标和年内12个村526户1983人脱贫的年度目标,整合投入各类扶贫资金2.4亿元,实施农村基础类脱贫项目82个,开展技能、产业、致富培训26场次、2500余人,全额资助441名农村五保供养对象参加新农合,实施低保兜底755户、2180人,易地扶贫搬迁困难户67户,新建藏区新居住房385户。

强化资金筹措,设立非义务教育、医药爱心扶贫、产业发展、龙头企业扶持"四大基金",安排1104万元专项资金用于贫困村基础设施建设,落实产业扶持周转金1195万元用于解决贫困村发展生产资金短缺问题,投入200万元设立返乡创业贷款分险基金并以1:5的比例放大用于返乡创业人员贷款。积极引导农牧民多渠道增收,脱贫户人均收入可达3100元以上。

上下联动,建立"市指导、乡负责、村落实、户脱贫"的扶贫攻坚管理体制,创新金融扶贫、资产扶贫、对口援建和社会扶贫、党建扶贫工作机制,动员社会力量参与扶贫。发挥对口帮扶单位的优势和作用,16家对口帮扶单位与13个贫困村签订定点帮扶协议,投入帮扶物资、资金640万余元,共同推动帮扶工作落地见效。

【乡村旅游】 2016年,康定市把乡村旅游业作为农牧民增收致富的支柱产业,着力发展集民族风情、民俗文化、自然风光、田园风韵、农牧业生产于一体的旅游农牧业。加快构建国道318沿线农牧业观光旅游带,实施国道318线瓦斯沟至情歌大道公路两旁植被恢复工程。创建省级旅游扶贫示范村1个——呷巴乡俄达门巴村,编制了《康定市呷巴乡俄达门巴村旅游扶贫规划》,鼓励当地居民参与打造和经营文化主题乡村酒店、民居接待示范户,把旅游业培育成群众增收致富的主导产业。创建全域旅游示范区1个,发展民居接待户10户(民居接待户达400余户)、乡村旅游民宿达标户10户(甲根坝乡215客栈、贡嘎山旅游接待站、甲根坝乡帐篷村藏家乐、康定情歌木雅锅庄、梦回贡嘎酒店、木雅亚龙乡村酒店、秋竹之家、玩家客栈、呷巴乡贡嘎山旅游接待站、塔公乡塔公格萨尔旅游接待点)、乡村酒店13家(其中省级星级乡村酒店11家),申报精品特色乡村旅游经营点4家、特色乡村旅游经营点3家,打造卡瓦拉雪山文化、黑青稞庄园主题酒店2家。建立民居接待星级评定工作机制,制定《康定市乡村旅游管理办法(试行)》,全市乡村旅游从业人员达4200余人。全年乡村旅游接待游客138万人次,实现收入5760万元。

【完善公共服务,切实提升群众幸福指数】 2016年,康定市启动免费义务教育向高中和学前教育阶段延伸计划。投资8831万元,改善农牧区义务教育薄弱学校基本办学条件10所。继续实施"卫生十年行动计划",投资85.303万元,建设标准化乡(镇)卫生院18所;加强农牧区基本医疗、公共卫生能力和乡村医生队伍建设。不断完善社会保障体系,积极开展城乡医疗救助、基本医疗保险和大病医疗保险同步结算"一站式"服务。全市城乡居民养老保险参保人数达34046人(缴费人数18881人、享受待遇人数9521人),定期发放养老金9521人,发放养老金2092.93万元。兑现"农业四项补贴"、草原生态补贴等政策性补贴,2016年共发放各类政策性补助8267.53万元。加快推进农村户籍制度改革,建立城乡统一的户口登记制度,取消农业户口与非农业户口性质区分,统一登记为居民户口。

【主要领导人】 市委书记:邓立军;市人大常委会主任:訾正勇;市长:甲么;市政协主席:罗秀珍;分管农业副市长:沙康林。

康定市编写组

泸定县

【基本情况】 2016年,泸定县辖4镇8乡,辖区面积2165平方千米。全年接待游客93万人次,同比增长20.78%;实现旅游总收入92070万元,同比增长17.33%(不含海螺沟景区)。

【农产品品牌战略实施】 2016年,泸定县实现"三品一标"农产品认证面积73065亩,完成"三品一标"农产品认证登记5个,建立泸定县新型农业经营主体及"三品一标"农产品获证主体生产记录档案,在国、省干道沿线设立"三品一标"优质农产品专销区2个。

【扶贫攻坚】 2016年,泸定县持续加力义务教育均衡发展,兑现学前教育"一免一补"经费170万元、义务教育"三免一补"经费1090万元、高中教育"二免一补"经费350万元;完成非义务教育阶段学生资助76人,发放助学贷款250万元。贫困人口城乡医保、大病保险实现"两个100%"参保,2084户、2583人被纳入医疗救助信息化管理,实现贫困人口就医"零支付"。开展城乡低保普查和精准识别,核定低保兜底对象306户、592人,按贫困线标准动态落实补差资金,发放各类特殊生活补贴160万元。制定《泸定县精准扶贫公益岗位开发暂行办法》,开发公益岗位332个。帮助就业困难人员实现创业、就业、再就业3700余人次,输出和转移劳动力7700余人次,动态消除零就业家庭。截至2016年12月,全县累计完成1020户建档立卡贫困户的信用信息采集、839户建档立卡贫困户的评级授信工作,共为446户建档立卡贫困户发放精准扶贫小额信贷1612.8万元。

【农村法制建设】 2016年,泸定县持续深入开展"法律八进"活动,全民学法、知法、用法、守法氛围进一步浓厚。全年为群众依法解决各类民商事案件1580件,自愿办理公证事项1300余件,申请办理法律援助和进行法律咨询人数达3000余人次,分别超出"五五"普法期间48%、57%、62%。全年排查矛盾纠纷387件,调处矛盾纠纷380件,畅通群众诉求渠道,调处成功率达98%。划分147个区域网格化,组建乡(镇)群防群治队伍10支、村(社区)级130支。

【农产品质量安全监管】 2016年,泸定县制发了《农产品质量安全网格化监管实施意见》《泸定县农产品质量安全信息报送制度》,畅通县、乡(镇)、村三级农产品质量安全监管、监测信息沟通渠道,建立农产品质量安全应急快速反应机制。将全县36户农资经营户、239个专合组织、15个家庭农场、57户种养殖大户全部纳入农产品质量安全执法监管范畴;分别为县内17家重点农业生产经营主体(合作社)建立了电子监管档案,配备了农产品质量安全追溯体系设备。建立县级农产品质量安全追溯系统,与省级追溯信息平台无缝对接。

【主要领导人】 县委书记:陈廷全;县人大常委会主任:曾维勇;县长:祝邦文;县政协主席:徐俊;分管农业副县长:王顺苏。

泸定县编写组

丹巴县

【基本情况】 2016年,丹巴县辖15个乡(镇、街道),有农业总人口5.26万人,有耕地面积0.39487万亩。

【年度农业和农村经济运行】 2016年,丹巴县投入资金38.4万元,完成特色林果业基地建设0.12万亩,其中核桃0.08万亩、花椒0.04万亩;建成特色农业产业化基地4.8万亩。农民年人均可支配收入10827元,增长12.5%。

农用地产权制度改革。丹巴县土地确权办公室多次深入全县15个乡(镇)召开乡(镇)一级宣传动员、培训推进会30次,借助科技下乡、科普宣传等活动进行政策宣讲咨询8002人次,发放土地确权登记宣传手册8000余份。保障确权经费落实工作顺利开展,完成104350亩土地的地块指认工作,完成全县农村土地承包经营权确权登记颁证任务。全年土地流转总面积1607亩,占农民承包耕地总面积的5%,其中转包194亩、出租1213亩。进一步完善和深化集体林权制度改革,积极开展集体林改"回头看"、林权纠纷调处及政策性森林保险工作。大力开展农业社会化服务体系改革,探索开展农村产权抵押融资改革和农村集体资产股权量化改革、政策性农业保险工作。积极开展农村房屋产权、宅基地、集体经营性建设用地确权颁证工作。

【种植业】 2016年,丹巴县农作物总播种面积84600亩,其中粮食作物播种面积56400亩、经济作物播种面积12000亩(油菜9000亩、药材3000亩)、其他农作物10200亩(蔬菜10200亩)、小杂水果基地3000亩。粮食作物良种推广面积53580亩,其中杂交玉米新品种推广面积17285亩、小麦良种推广面积17242亩、马铃薯良种推广面积12597亩、优质豆类推广面积3848亩、青稞良种推广面积1340亩、其他作物良种推广面积1268亩,良种覆盖率达95%,完成计划任务的100.5%。建成酿酒葡萄基地4216余亩,挂果面积1600余亩,覆盖全县9个乡(镇)30个行政村,涉及2000余户种植户。以小金川河为纽带,以丹巴县城为中心,沿着小金川河发展形成了甜樱桃种植产业带,覆盖6个乡(镇)17个行政村,已建成标准化种植基地6个,面积达1000亩。中药材基地面积累计扩大至2000余亩。高原生态油菜基地油菜高产创建项目发展面积达9000亩。

【畜牧业】 2016年,丹巴县"丹巴黄羊"新品种培育工作已发展社员65户,新增选育户5户,全年实现种羊销售收入20万元、肉羊销售收入52万元,社员户均收入1.1万元,建成规模化养殖小区2个。全县各类牲畜存栏量达16.2万头(只、匹),总增率、出栏率、商品率分别达33%、33%、24%;肉类总产量4200吨、奶类总产量1790吨。

【新农村建设】 2016年,丹巴县完成26个行政村幸福美丽新村建设任务,完成年度目标任务的118.18%。按照"业兴、家富、人和、村美"的总体要求,立足体现田园风光、地域特点和民族风格,以悠久的嘉绒文化为背景,从解决农牧民最迫切、最急需的问题入手,加大村落民居改造,重点实施户办工程、改厨、改厕、改圈、道路硬化、农田水利建设及人口安全饮水、清洁能源等基础设施及公共配套服务设施项目建设,全年完成民居风貌改造、改厨、改厕、改圈1562户;新建、维修围墙5.83千米,安装太阳能热水器1028台、路灯600盏,硬化村内联户路113.19千米,新(改)建入户路75.549千米,铺设石板路8.5千米,安装排水管道13.732千米,新修水渠12.87千米,新建公厕32座,新建、维修堡坎1550立方米,新建活动场地7266.67平方米。新村整体风貌体现丹巴民居独特风格,村内环境治理成效明显,水、电、路、通信等基础设施得到有效改善。同时,按照全县产业总体规划,坚持"宜粮则粮、宜果则果、宜药则药、宜菜则菜、一村一品"的原则,着力发展特色优势产业,建设大樱桃基地260亩、酿酒葡萄基地150亩、油菜基地100亩、中药材示范基地59亩、苹果基地100亩、蔬菜基地300亩、核桃基地636亩,藏香猪养殖基地2个、肉牛养殖基地1个、中蜂养殖示范户2户。开展各类实用技术培训9期近800人,产业覆盖22个贫困村,其中"五个一批"贫困户237户、440人。配套完善"1+N"公共服务体系,实现了村村有硬化路、有卫生室、有文化室、有综合调解室、有宽带网,户户有安全饮用水、有生活用电、有广播电视。积极实施乡村垃圾治理工程,建设垃圾收集处理池68个并加强运行管理,杜绝农村生活垃圾乱扔乱倒的情况;大力实施乡村绿化美化工程,倡导农户庭院种花、路边植树,营造鸟语花香的田园风光;积极推行农村环境保洁员试点工程,在部分条件较成熟的村设立农村环境保洁员岗位,聘任村中无特长的贫困户担任保洁员,定期或不定期地进行环境清扫和监督,确保村内环境整洁、美观。

【扶贫攻坚】 2016年,丹巴县建立了由县级党政一把手负总责的双组长指挥体系,按照"十七个专项""五个一批""六大战略"工作分工要求,制定下发了《丹巴县扶贫攻坚责任分工体系》。根据年度总体脱贫攻坚要求,层层签订了脱贫攻坚责任书,制订下发了实施计划,明确了年度目标任务。县攻坚领导小组定期召开工作推进会,研判工作落实情况,交流工作经验,严格周汇月报制度。结合全县五年脱贫攻坚目标任务及各乡、各村实际,制定了"十三五"精准扶贫、"五个一批"、"十七个专项"、产业发展、贫困村新农村建设等规划。同时,围绕2016年22个贫困村"摘帽"、416户贫困户1608名贫困人口脱贫目标任务,结合贫困村新村建设、基础提升、产业发展等需求,分村、分户制定脱贫措施共计438份,落实"五个一"帮扶制度,32名县级领导、54个机关党支部、181个驻村工作组、54名贫困村"第一书记"、54名农技人员、2465名帮扶责任人实行"点对点""面对面""手把手"帮扶,做到了帮扶工作"无盲区、无死角"。各乡(镇)明确了分管领导、专职人员,确保了脱贫攻坚帮扶力量的精准,完成脱贫22个村、减贫1608人。落实脱贫攻坚项目资金2.66亿元(其中"五个一批"0.63亿元、"十七个专项"2.03亿元),整合资金6510.49万元(其中新村扶贫建设资金5714.3万元、产业发展资金596.35万元、公共服务设施资金122万元、教育卫生扶贫基金77.84万元),做到了脱贫攻坚资金到位精准、使用对象精准。对标416户1680名贫困人口

"一超六有"脱贫标准,采取长短结合方式发展增收产业。扶持农产品加工销售企业7家,通过技能培训、引导外出务工、安排公益性岗位等方式快速增加贫困户收入,416户贫困户、1608名建档立卡贫困人口年人均纯收入达到3100元以上,做到了"两不愁,三保障"。完成22个贫困村农村安全饮水巩固提升工程,实现户户有安全饮用水、户户有生活用电、户户有广播电视,实现了脱贫户"三有"目标。通过设立贫困村产业发展基金、成立专合组织、利润提成、收取管理费用、活动场地租赁等方式达到贫困村人均收入3元以上的标准,稳步实现村有集体经济收入,贫困村贫困发生率均在3%以下。投入资金9015万元,完成22个"摘帽"村通村通畅路及道路安保设施建设117千米;投入资金4384.8万元,完成22个贫困村新农村联户道路、户办工程等基础设施建设,实现了村村有硬化路。通过与22个村级活动室打捆建设,投入资金842万元,新(改、扩)建贫困村村级活动室22个,实现了村村有活动室、卫生室、文化室。设立扶贫小额贷款分险基金400万元,推动扶贫小额信贷工作有序进行。

【乡村旅游】 2016年,丹巴县以培育"农业+观光+农家乐"农旅产业链为抓手,深入挖掘民俗文化、农耕文化、田园文化、休闲度假文化和饮食文化,大力开展乡村旅游经营户和从业人员培训,举办各类专项培训100余场次,培训农牧民3500余人次。鼓励农牧民自主创业开办农家乐、乡村酒店,以创业带动就业。积极申报创建休闲农业与乡村旅游示范乡镇1个、示范村1个,建成三星级乡村酒店5个、四星级乡村酒店4个、三星级农家乐1个。全县共有乡村旅游从业人员2000人,实际参与旅游接待民居达160户、3500余个床位,其中民居接待示范户91户,民居接待覆盖全县15个乡(镇)181个村。旅游民居的发展不仅解决了景区的剩余劳动力,还带动了农业、畜牧业、林果业等产业发展。全年共接待乡村旅游游客63万余人次,实现乡村旅游收入2110.28万元。

【助农增收】 2016年,丹巴县成立了由县委书记、县长任组长,分管农业农村工作的县委县政府领导任副组长,涉农部门主要负责人、乡(镇)党委政府主要负责人为成员的促进农牧民增收工作领导小组,多次召开农业农村专题会议研究助农增收工作。同时,明确乡(镇)党委书记、乡(镇)长为农民增收工作的主要责任人,层层签订了年度目标责任书,形成了"统一指挥、牵头实施、部门协同、整体推进"的工作联动格局;深入农村住户家中开展基础调查工作,大力开展农民增收评价工作,有力推动农业农村经济发展。2016年,全县农牧民人均可支配收入达10827元,比上年增加1203.04元,增长12.5%。农牧民人均家庭经营性收入增加874.42元,增长13%;财产性收入增加0.65元,增长20%。丹巴县获得"2016年度全州'三农'工作先进县"称号。

【名优特新农产品】 丹巴藏香猪。丹巴藏香猪是青藏高原丹巴农牧民经过漫长驯化而来的较为古老的地方品种。丹巴藏香猪四肢结实紧凑,体型偏小、嘴长而尖,面部狭窄,皱纹偏少,两耳直立,鬃毛长且容易直立,臀部相对倾斜,后躯干相对较高,毛色偏黑,蹄质坚实身体灵活抗病性好。丹巴藏香猪肉皮薄、肉色鲜红、均匀、有光泽,脂肪乳白色且有透明状,脂肪层薄,肉质纤维清晰,有坚韧性,胴体瘦肉率高、适口性极好。丹巴藏香猪肉为肉品中氨基酸含量最高微量元素最高脂肪含量最低,肉质营养价值高。近年来丹巴县大力扶持发展丹巴藏香猪养殖,年存栏藏猪3500头以上,年出栏藏猪25003000头以上,丹巴藏香猪成为丹巴县一张响亮的名片。

丹巴黄番茄。丹巴黄番茄是丹巴县的特色农产品,叶色浓绿,果实大,椭圆形,呈金黄色,果面光滑,果色鲜亮,光泽度好,果脐小,果肉厚,果实硬度高。丹巴黄番茄富含多种维生素及矿物质,营养丰富,具有生津止渴、健胃消食、清热消暑、补肾利尿等功效,对止血、降压、降低胆固醇有显著作用近年来丹巴黄番茄的市场需求量迅速增大,政府亦给予了大力扶持,丹巴黄番茄已成为当地农民增收致富的一大支柱产业,常年种植面积在1200亩以上,亩产达2000。

丹巴黄金荚。丹巴黄金荚是丹巴地方名优农特产品之一,荚体呈金黄色扁长形、略膨胀,平滑有光泽,尾部略有弯曲,荚内含有56个豆,荚腹逢线无凹陷,横断面扁圆形,无蔓直立生长,肉质深黄色,果荚无筋无柴、纤维少、口感清脆、味道清香、品质极佳。丹巴黄金荚性甘、淡、微温,富含蛋白质和多种氨基酸,常食可健脾胃增进食欲降低胆固醇具有调理消化系统、消除胸膈胀满、解渴健脾、补肾止泄、益气生津、消暑清口的功效。

【主要领导人】 县委书记:何文才;县人大常委会主任:阿根;县长:王俊;县政协主席:杨朋错;分管农业副县长:谢德刚。

丹巴县编写组

九 龙 县

【基本情况】 2016年,九龙县辖16乡2镇,辖区面积6770平方千米,其中耕地面积57165亩,比上年增长0.63%;人均耕地面积1亩。年末总人口66781人(户籍人口);人口出生率9.96‰,减少0.08个千分点;人口自然增长率7.07‰,减少0.57个千分点。本地水资源总量27.28亿立方米,人均占有水资源量43183立方米。有林业用地37.96万公顷,有森林面积32.08万公顷,活立木总蓄积量5158.75万立方米,森林覆盖率达47.43%。

2016年,全县GDP220881万元,增长2.6%,其中第一产业产值31540万元,增长3.5%,农、林、牧、渔及农林牧渔服务业之比为55.31∶7.31∶36.55∶0.11∶0.72;第二产业产值139790万元,增长2%(工业产值123108万元,增长2.8%);第三产业产值49551万元,增长4%。三次产业对经济增长的贡献率分别为17.1%、49.9%和33%。乡(镇)中小企业增加值12.31亿元,增长3%,从业人员3000人。全年接待游客47.03万人次,实现旅游收入4.7亿元。

社会消费品零售总额28339万元,增长13.3%。地方公共财政收入完成22315万元,减少15.6%;地方公共财政支出113092万元,减少4.4%,其中农林水投入27601万元,占支出的24.4%。金融机构各项存款余额204684万元,比年初减少7.9%;各项贷款余额221290万元,比年初增长8.8%。全年农业保费收入288141元,增长48.69%。完成农业产业化项目14个,完成投资2176.34万元。全年农业投入4256万元。农业产业化龙头企业州级、县级分别1家、7家。

有各类学校57所,在校学生13880人,教职工1156人。有艺术表演团体1个,文化馆1个,公共图书馆68个,体育场馆1个。有无线广播电台1座,节目3套;电视台1座,节目1套。有卫生机构22个,病床位230张,卫生技术人员280人。城乡居民医疗保险参保人数52176人,参保率98%;农村养老保险覆盖人数20576人,缴费人数11179人。

【年度农业和农村经济运行】 2016年,九龙县蔬菜、茶叶、魔芋等特色优势农产品产量保持稳定增长。农牧民年人均可支配收入达11381元,增长10.4%。全县农产品质量抽检合格率比年初提高0.1个百分点;建成36个基层农业综合服务站。

农业产业化发展。九龙县完成农业产业化项目 14 个，完成投资 2176.34 万元。重点培育玉米、马铃薯、小麦、油菜、绿色蔬菜、特色水果、中药材、高原生态茶叶八大现代特色农业产业基地 27910 亩。发展农民专业合作社 85 家、家庭农（牧）场 8 家。开展茶叶、魔芋、花椒、核桃、牦牛肉干等生态休闲特色农畜产品初加工项目 16 个。九龙县祥瑞种植养殖专业合作社成功申报为 2016 年度国家级示范社。

农用地产权制度改革。九龙县农村土地承包经营权确权登记颁证工作涉及全县 18 个乡(镇)63 个村 261 个村民小组 10561 户农户，涉及地块 32651 块，涉及耕地面积 6.7261 万亩，已完成外业调绘和县级信息平台建设采购招标工作和摸底调查造册 60534 亩。全年采取转包、出租、互换、转让及入股等方式流转承包地 2839 亩。

农产品品牌战略实施。九龙县鸿发蔬菜种植专业合作社新申报萝卜、辣椒为无公害农产品。九龙藏区天乡原生态茶叶有限公司生产的产品获得 QS 认证，九龙天乡系列品牌"藏红"获得"养生茶金奖"。天乡茶业生产的"藏雪""金迷"2 个茶叶品种在第五届中国四川国际茶业博览会上获得金奖，被评为"圣洁甘孜"十大类知名品牌产品。

2016 年九龙县主要农产品产量

主要农产品	单位	产量	同比(%)
粮食	万吨	1.9506	13.1
稻谷	万吨	0.025	-0.4
小麦	万吨	0.101	6.77
油菜籽	万吨	0.0344	-4.18
蔬菜	万吨	3.0562	40.73
水果	万吨	0.18	持平
肉类	万吨	0.3197	4.27
猪肉	万吨	0.1775	5.03
禽蛋	万吨	0.0065	-1.52
牛奶	万吨	0.2401	8.99

【种植业】 2016 年，九龙县农作物总播种面积 5224 公顷，其中粮食作物播种面积 3811 公顷，粮食总产量 19506 吨，比上年增长 13.1%。实施玉米基地建设 1700 公顷、马铃薯基地建设 867 公顷。全年蔬菜播种面积 1067 公顷，产量 30562 吨；油菜播种面积 142 公顷，产量 344 吨；小杂水果面积 440 公顷，产量 1800 吨；中药材面积 204 公顷，产量 147 吨；茶叶面积 217 公顷，产量 105 吨。

【林业】 2016 年，九龙县完成子耳乡万年飞播造林 1600 公顷、乌拉溪乡人工点撒播 167 公顷，完成新一轮退耕还林 333 公顷、国有中幼林抚育 667 公顷，完成核桃基地建设 500 公顷、花椒基地建设 200 公顷，完成国道 248 线汤古乡至小金乡段绿化 10 千米。全年培训林农 3200 人次。兑付集体公益林生态效益补偿金 546.08 万元。

【畜牧业】 2016 年，九龙县各类牲畜存栏 205832 头(只、匹)，出栏 57590 头(只)；肉类总产量 3197 吨，奶类产量 2401 吨。改扩(建)牦牛养殖小区 2 个，扶持牦牛养殖户 35 户，养殖牦牛 2100 头；改(扩)建山羊养殖小区 1 个，扶持山羊养殖户 25 户，养殖山羊 1000 只。

【农村水利】 2016 年，九龙县完成八窝龙乡节水灌溉示范工程及三垭乡、俄尔乡、小金乡小农水建设，新增灌面 201 公顷、节水灌面 364 公顷。完成县中心水文站建设、18 个水电站下泄生态流量在线监测；完成洪坝乡羊圈门村、湾坝乡湾子村安全饮水改造提升，新建和维修水池 30 口，架设管道 9500 米。开工建设三岩龙乡田耕村节水灌溉工程，新建取水口 8 个，蓄水池 14 口、1400 立方米，架设输配水管道 98500 米。

【农业机械化】 2016 年，九龙县完成机耕 35300 亩、机播 6900 亩、机收 10700 亩，推广各类农机具 237 台(套)。常年提水保灌面积 550 亩，农机合作社作业面积达 600 亩。全县购机补贴结算进度达 95%，培训农机操作人员 220 人。

【新型城镇化建设】 2016 年，九龙县完成城镇棚户区危旧房改造 26 户，完成公共租赁住房建设 48 套、2400 平方米，完成县城公共厕所改造 3 座；完成 11 个村的生活垃圾收集和转运设备配备；编制完成烟袋镇集镇总体规划和新村规划 4 个。对 230 处市政设施进行了维修，拆除乱搭乱建建筑 17 处。

【新农村建设】 2016 年，九龙县全面完成第一批彝家新寨建设，第二批彝家新寨建设已完成 3098 户民房主体工程。全面启动 21 个村公共基础设施建设，完成藏区新居建设 789 户。投入资金 15193.62 万元，实施 18 个村幸福美丽新村建设。投入 3708.3 万元，实施 4 个贫困村扶贫新村建设。

【扶贫攻坚】 2016 年，九龙县因地制宜发展以牦牛、花椒、核桃、魔芋、茶叶"五朵金花"为重点的生态农业，采取"公司+基地+农户"的模式带动群众增收致富，发展茶叶、核桃、花椒、魔芋基地 10 万余亩。结合彝家新寨、藏区新居、美丽新村和易地扶贫搬迁建设，有效解决贫困群众住房难问题，完成易地扶贫搬迁 74 户、285 人。落实贫困家庭大学生学费和生活费资助政策，全年办理 399 人次大学生生源地信用助学贷款 300 万元。全县所有贫困户全部参加新型农村合作医疗保险。

【乡村旅游】 2016 年，九龙县编制完成汤古乡伍须村乡村旅游规划，培育汤古乡汤古村民居接待示范户 1 户。开展乡村旅游培训 3 期，参训 150 人次；参加省、州培训 13 人次。完成 120 份景区及住宿设施调查问卷和网上录入，完成 48 个宾馆、饭店、民居的统计和网上录入工作。

【农村科技】 2016 年，九龙县申报了科技厅项目《九龙县科技扶贫综合服务平台建设项目》，项目资金 30 万元，建成以贫困户为主体，以政府资金为引导，以企业为龙头，省、州、县科技人才共同参与，县级技术人员一对一精准帮扶进行技术指导的产学研科技扶贫服务体系的新模式。组织龙头企业申报《甘孜藏区天乡茶叶产业技术扶贫综合项目》《高原藏区科技扶贫羊肚菌设施栽培技术示范与推广》《高原藏区特色果桑产业化示范与推广》等项目。组织开展大型科普活动 2 次、"科技下乡送技术、结对认亲送温暖"科普活动月活动 4 次，开展以"创新创业科技惠民"为主题的科技活动周活动 2 次，组织科技人员深入到子耳、烟袋、乃渠等乡(镇)对魔芋产业、养羊产业、食用菌栽培、白芨栽培示范户等进行指导。建立"四川省科技扶贫在线"县级科技扶贫服务中心 1 个。全年开展新型职业农民培训 25 人次、基层农技人员培训 180 人次、农牧民实用技术技能培训 26472 人次。

【农村教育】 2016 年 9 月，九龙县顺利通过义务教育均衡发展国家认定。投入 2800 余万元，用于校园维修改造及文化建设。乃渠、乌拉溪、踏卡、子耳 4 所乡中心校转型为"3+3"精品小学。投入 3100 余万元，实施"十五年免费教育计划"。

【农村文化】 2016年,九龙县组织开展大型群众性文化活动3场次、"送文化下乡"演出55场次,放映电影1471场次。免费开放18个乡(镇)综合文化站,完成省级示范综合文化站(踏卡乡)建设1个。完成19个贫困村阅报栏、2个中心书屋建设。全年完成"村村通"设备置换2363套、"户户通"直播卫星发放安装893套、8个"村村响"建设;完成8个乡(镇)广播电视公共服务网点建设,全县广播电视覆盖率达98.22%。

【农村卫生】 2016年,九龙县共设置健康教育专栏200期,发放健康教育资料50000余份,举办健康教育知识讲座36次。全县居民健康电子档案建档61504份,建档率达96.04%。在全县18个乡(镇)卫生院和63个村级卫生站全面实施基本药物制度。完成8个乡卫生院标准化建设。9月,九龙县顺利通过国家级卫生县城创建评估考核。

【农村交通】 2016年,九龙县九江路升级改造工程全面完成,九石路水保等专项批复、行业审查已通过。全年改(扩)建通乡公路213.1千米、通村公路394.96千米;完成农村公路路侧护栏建设100千米;完成踏卡乡等8个农村客运站点、23个招呼站建设;完成6座溜索改桥工程建设。

【农村社会保障】 2016年,九龙县城乡居民医疗保险参保人数52176人,参保率达98%;农村养老保险覆盖20576人,缴费11179人。全县城乡居民医疗保险各类住院补偿4000余人次,政策范围内资金补偿支出3000余万元。农村医疗救助对象住院自付费用救助比例达70%。有农村低保对象3876户、9692人,五保户集中供养率达16%。

【农村生态建设及环境保护】 2016年,九龙县完成全县18个乡(镇)21个饮用水水源地监测工作。全年共发放环境宣传册600本、宣传资料1500余份、宣传海报150份,接受群众咨询600余人次。实施农牧区面源污染防治试点工作,汤古乡农村面源污染治理项目完成工程量的80%。创建八窝龙乡烂泥巴村、下铺子村2个村为州级生态村。

【主要领导人】 县委书记:赵景强;县人大常委会主任:王德宏;县长:宋晓军;县政协主席:四郎汪堆;分管农业副县长:曹立慧。

九龙县编写组

雅 江 县

【基本情况】 2016年,雅江县辖3镇14乡,辖区面积7 637平方千米。全年接待游客30.6万人次,实现旅游总收入2.9亿元。

【新农村建设】 2016年,雅江县大力实施城乡提升战略,完成最美村寨建设6个;除去八角楼乡王呷一村、更觉村,呷拉镇西地村、湾地沟村,河口镇山背后村5个贫困村建设外,新增完成八角楼乡帕姆林村74户(8户贫困户)"五改三建";新建主干道2.346千米、入户路硬化工程3.38千米、围墙7千米;实施安全饮水项目(2座饮水枢纽,约7000米输水管道)、康定方向入村口景观(含停车场、公厕、牌坊等)及排水沟改造工程。结合2016—2020年脱贫攻坚计划和幸福美丽新村建设计划,提前启动了米龙乡程章村,八角楼乡卧龙寺村、王呷二村,呷拉镇昆地村4个新村建设,超出目标任务的66.7%;完成扶持程章村产业发展藏香猪圈舍建设,八角楼乡卧龙寺村73户"五改三建"、7.287千米入户路硬化,八角楼乡王呷二村4.945千米入户路硬化,呷拉镇昆地村93户"五改三建"和2.831千米入户路硬化建设。成功创建州级"四好村"5个,分别为呷拉镇昆地村、西地村、湾地沟村,八角楼乡王呷一村、更觉村。雅江县被省委省政府评为"2016年度省级幸福美丽新村建设优秀示范县",被州委州政府评为"2016年度全州幸福美丽新村建设先进县"。

【扶贫攻坚】 2016年,雅江县扶贫攻坚战略中新村扶贫共建设5个村,分别为八角楼乡王呷一村、更觉村,呷拉镇西地村、湾地沟村,河口镇山背后村。完成八角楼乡王呷一村36户农户住房"五改三建"、4.139千米入户路硬化项目和3.1千米公路两侧田边围墙建设;八角楼乡更觉村36户农户住房"五改三建"和3.557千米入户路硬化项目;呷拉镇西地村68户农户住房"五改三建"和2.97千米入户路硬化项目;呷拉镇湾地沟村69户农户住房"五改三建"和4.727千米入户路硬化项目;河口镇山背后村77户农户住房"五改三建"和5.182千米入户路硬化项目。

全县常态化开展群众工作全覆盖"六大活动",切实加强与结对亲戚、联系寺庙、僧侣的沟通。一是累计派出结对认亲小分队4次,干部职工共计走访慰问结对亲戚3次,累计送去现金、物资价值2700元。二是领导干部到呷拉寺开展联系工作2次,主动深入寺庙宣传党的宗教工作方针政策和国家法律法规,了解寺情、僧情,切实为寺庙僧侣解决实际困难并为其送去了价值500元的物资。三是加强对干部职工、结对亲戚、寺庙僧侣的宣传教育,组织干部职工开展公务员在线学习教育,组织学习党章、习近平总书记的系列讲话精神,中央、省、州、县的重要文件精神和领导讲话精神以及业务知识。

呷拉镇西地村结对帮扶工作。一是开展政策宣讲。县委农办作为西地村的结对帮扶单位,全年共深入西地村56次,结合"两学一做",采取召开村民大会、入户走访、村干部会议、夜校讲课等方式广泛宣传《四川省农村扶贫开发条例》,深入宣讲中央、省、州、县脱贫攻坚工作要求、涉农法律法规和惠民政策,传达县委关于库区社会和谐稳定会议精神,组织群众学习《关于开展货运车辆超限超载集中治理的通告》《甘孜藏族自治州水电资源开发惠民补助办法》《刑法、治安管理处罚法节选》等相关文件精神及法律法规,进一步让广大群众知法、懂法,懂得用法律维护自身权利,协调做好群众的教育引导工作。二是加强项目建设。结合农办工作实际,实施2.97千米入户路建设、68户农户住房"五改三建"。三是开展村容村貌整治。向西地村经营户宣传村容村貌整治的意义、补助标准等,充分征求经营户意见,由经营户出一定金额,其余由农办补贴的方式统一更换店招店牌,向西地村群众发放《雅江县村庄环境治理宣传画册》72本,鼓励村"两委"和群众脱贫后积极创建省级"四好村",共同促进西地村经济社会发展。四是开展教育资助。资助西地村特困家庭学业和表现优秀的大学生,给予其每学期1000元的助学金。五是帮助发展运输合作社。帮助合作社向信用联社申报贷款,利用部门优势申报项目,帮助合作社发展。县委农办被评为雅江县2016年度脱贫攻坚工作先进单位。

【主要领导人】 县委书记:刘宗建;县人大常委会主任:刘进顺;县长:旦灯;县政协主席:杨双寿;分管农业副县长:郑瑞源。

雅江县编写组

道 孚 县

【基本情况】 2016年,道孚县辖20乡2镇,辖区面积7053平方千米,其中耕地面积11.5万亩,比上年减少0.3%,人均耕地面积2.02

亩;基本农田76100万亩。年末总人口5.69万人(户籍人口),减少0.6%;人口出生率22‰,人口自然增长率10‰。全县耕地有效灌面和保证灌面分别达耕地总面积的25%和20%;本地水资源总量41.44亿立方米。有林地面积8.8949万公顷,森林覆盖率达34.02%。

2016年,全县GDP 7.22亿元,增长6.3%,其中第一产业产值2.19亿元,增长1%,农、林、牧、渔及农林牧渔服务业之比为35.3∶6.9∶57.3∶0.5;第二产业产值1.09亿元,增长7.6%(工业产值0.6亿元,增长18.8%);第三产业产值3.95亿元,增长8%。三次产业对经济增长的贡献率分别为15.1%、12%和72.9%。外出劳务输出2515人,占输出总人数的1.55%;实现劳务总收入200余万元。全年接待游客41.59万人,实现旅游总收入4.12亿元,其中乡村旅游收入3360万元。

公路通车里程1877.1千米,其中乡村公路1288.1千米。地方一般公共预算支出140617万元,减少8.68%,其中农业投入8482万元,占支出的6.03%。金融机构各项存款余额11.2亿元,比上年初增长1.4%;各项贷款余额1.5亿元,比年初减少10.1%。

有各类学校64所,在校学生6533人,教职工572人,其中普通2所,在校学生1740人;小学33所,在校学生4793人;幼儿园19所,在园幼儿1480人,学龄儿童入学率99.25%,提高2.18个百分点。有艺术表演团体1个,文化馆1个,公共图书馆1个。有无线广播电台1座;电视台1座,节目60套。有卫生机构27个,病床位165张,卫生技术人员284人。城乡居民医疗保险参保人数46059人,参保率97%。

【年度农业和农村经济运行】 2016年,道孚县实现农业总产值2.8亿元,增长7%;农业增加值2.19亿元,增长1%。农民年人均可支配收入7987元,增长15.2%。

2016年道孚县主要农产品产量

主要农产品	单位	产量	同比(%)
粮食	万吨	1.5947	-0.36
小麦	万吨	0.2217	-2.84
油菜籽	万吨	0.21	27.04
蔬菜	万吨	0.84	40
水果	万吨	0.0496	-58.66
肉类	万吨	0.3	3.44
猪肉	万吨	0.03	-40
牛奶	万吨	0.63	5

农业产业化发展。道孚县立足资源优势,优化产业布局,突出主导产业,加快产业结构调整,做大做强优质粮油、绿色蔬菜、特色水果、生态食用菌、道地中药材和休闲农业六大产业。一是依靠科技提高粮食单产。积极创建青稞、马铃薯、油菜高产示范区,全年粮食平均单产比上年提高2千克。二是按照"一乡一业、一村一品"的工作思路,积极打造特色产业,实施青稞、油菜、马铃薯三大作物核心示范工程。重点抓好"四新"(新品种、新技术、新模式、新机制)示范和"五良"配套(良种、良法、良制、良壤、良机),着力优化种植结构、品种结构、品质结构,辐射带动全县现代农业生产基地建设,培育建设优质青稞、绿色蔬菜、紫皮马铃薯、高原春油菜、高原生态中药材、特色水果、食用菌七大产业基地39200亩,其中青稞5000亩、马铃薯8000亩、油菜15000亩、蔬菜5000亩、水果4000亩、中药材2000亩、食用菌200亩。三是完成2016年省级农业综合开发土地治理高标准农田建设项目。按照项目实施方案,建设高标准基本农田4000亩,其中建设油菜高产高效创建示范基地3000亩,购买油菜良种0.9吨、地膜30吨,提供配方肥90吨、有机肥300吨;建设青稞生产基地1000亩,提供青稞良种15吨、专用有机肥200吨。经田间测产,油菜亩产145千克,比大田油菜亩产15千克;青稞亩产200千克,比大田青稞亩产高出20千克。四是完成2014年脱毒马铃薯繁育基地建设2500亩;县农牧和科技局提供马铃薯种薯40吨,经田间测产,亩产1550千克,比大田马铃薯亩产高出100千克。五是"六大战略"工作。全县建成特色农业产业基地3.92万亩,完成计划任务的190.2%,其中水果0.4万亩、蔬菜0.5万亩、油菜1.5万亩、黑青稞0.5万亩、紫皮马铃薯0.8万亩、中药材0.2万亩、食用菌0.02万亩。新(扩)建牦牛(奶牛)标准化养殖小区(场)1个。培育养蜂示范户14户,发放活框标准蜂箱560套、蜂具14套。培育农民专业合作社23家。在七美、银恩、色卡3个牧业乡创新牧业经营模式,培育新型牧业经营主体;积极引导和推进农村土地、草地流转,发展适度规模经营。围绕特色产业发展,大力扶持和发展农民专业合作社、家庭农(牧)场、种养大户和龙头企业,扶持和发展农民专业合作社10个。调整和完善农业补贴方式,支持农业适度规模经营。

农用地产权制度改革。道孚县成立了以分管县长为组长、县级相关部门为成员的领导小组和实施小组并进行了责任分工,设立了道孚县农村土地承包确权工作办公室,各相关部门派出工作人员到全县17个农业乡(镇)进行宣传动员、培训等前期工作。全县农村土地确权已完成11.5336亩的航摄任务。全年农村土地流转面积3070亩,较上年有所增长。在全县22个乡(镇)深入开展农村集体财务管理规范化建设,100%的村实施财务规范化管理,培训村会计158人。稳定和完善农村基本经营制度,推进农村产权制度改革,继续开展以政府主导、相关部门配合、层层负责的草原确权和承包工作,绘制了比例为1∶50000的乡、村草原承包示意图和1∶100000的草原承包和利用现状图并转绘上电子地图,完善基本草原划定工作的资料汇总工作。

【种植业】 2016年,道孚县为做好7个特色产业工作,尤其是全县17个脱贫退出村的产业精准扶贫工作,整合各类项目资金561.7395万元,采取赊账方式为农户筹备种子、肥料、地膜等各类农资1417.2637吨,其中良种211.4887吨(青稞种子53.55吨、马铃薯种子151.15吨、小麦种子4.25吨、油菜种子2.5387吨),资金126.307万元;肥料1139.695吨,资金286.9085万元,其中尿素肥90.62吨、复合肥217.15吨、有机肥707.9吨、配方肥124.025吨;农药3吨,资金12.864万元;木耳31000袋,农户自筹1元/袋,政府扶持资金15.5万元;农膜63.08吨,资金120.16万元。依托项目和各项资金,共发放各类农用物资1285.5146吨,其中17个脱贫退出村854.6825吨、2016年省级农业综合开发项目土地治理高标准农田建设项目350吨、2014年脱毒马铃薯藏区良种繁育基地种薯25吨、外调得荣县农牧和科技局马铃薯种薯12.65吨、产业基地43.1821吨,全面保障了春耕生产,为精准扶贫工作的开展和农户增收打下了坚实基础。

【林业】 2016年,道孚县取消2000年退耕还林补偿面积2.5万亩,2002—2003年补偿退耕还林面积2.1万亩,实施新一轮退耕还林5800亩。补偿集体公益林森林生态效益资金面积87.12万亩,完成植被恢复3.53万亩。完成2016年特色林业产业建设项目,发展俄色茶原材料基地8000亩,涉及4个乡(镇),其中包含16个贫困村。选聘建档立卡贫困生态护林员200人,每年每人服务费4900元、意外保险费100元。

【畜牧业】 2016年,道孚县购买价值6.2万余元的各类驱虫药及常规治疗药品,购买各类疫苗330.65万毫升、消毒药500千克,完成各类畜禽免疫注射113.3286万头(只、羽)次,其中牛(羊)口蹄疫45.556万头(只)、猪瘟1.0066万头、猪口蹄疫1.0066万头、猪蓝耳病1.0066万头、狂犬病0.36万只、羊三联2.6555万只、犊牛副伤寒2.64万头、炭疽14.8万头、牛出败20.26万头、小反刍兽疫1.81万只、羊包虫病基因工程苗3.426万只、牛(羊)布病S2苗18.7013万头(只)。免疫密度达100%,牛、羊、猪、禽分别因病死亡率控制在0.85%、0.82%、1.2%、1%,圈舍和环境消毒面积达64.5万平方米。结合全县产业扶贫工作的开展,培训村级防疫员和养殖户780人次,辐射带动农牧民科技致富达3800人次。在22个乡(镇)选聘180人担任包虫病防治义务宣传员,开展包虫病防治知识培训3期;深入22个乡(镇)不定期开展义务宣传活动28场次,培训500人次;通过MAS彩信业务平台发送包虫病防治和健康知识1720条。全年共发放吡喹酮药16万余片,采集犬粪1100份送检,完成包虫病犬驱虫8.0466万只、体内外寄生虫驱治35万头(只、匹)次,犬规范驱虫覆盖率达85%以上。全年共注射免疫羊3.426万只,发放包虫病防控羊免疫和犬驱虫明白卡8000份,免疫牛(羊)布病18.7013万头(只)。做好免疫档案记录,抽取血清1560份、病料660份、包虫病犬粪1100份,圆满完成自查和送检任务。

动物检疫执法。一是开展产地检疫工作。全县共检疫禽类7360只(羽)、生猪6660余头、牛1380头,消毒车辆60车次,无害化处理动物40头、动物病变内脏180套,动物卫生监督工作取得了良好的社会效益和经济效益。二是狠抓食品安全工作。加大兽药、饲料查处力度,共出动执法检查人员10人次,检查各类摊点4个、学校2所,定点屠宰场及畜禽交易市场2个,兽药(饲料)销售、使用点2处,均未发现在各类饲料、兽药中非法添加现象,对查出的24个品种价值2.85万元的各类过期药品进行了集中销毁。三是抓好渔业安全生产工作。

牲畜改良。在色卡乡、龙灯乡和八美镇开展牦牛改良、牦牛本品种选育并在全县范围内开展生猪改良。全县共完成牦牛改良1500头、黄牛改良500头、生猪改良1000头,开展牦牛本品种选育800头,引进与推广良种牛100头。

草原工作。一是卧圈种草工作。将卧圈种草工作与草原生态保护补助奖励机制牧草良种补贴种草工作合并实施,按照草种分配计划将草补项目购回的2.6万千克燕麦草种发放到14个乡(镇),共计种植燕麦草2.2万亩。二是草原普法、防火工作。出动小车6台次、技术人员6人到全县22个乡、158个村开展《中华人民共和国草原法》等法律法规宣传,共发放宣传资料2800余份。补充完善防火物资,坚持24小时值班制。三是开展牧草返青调查工作。利用2个国家级草原固定监测点开展禁牧区、草畜平衡区牧草返青调查。通过监测,禁牧区平均鲜草产量达325.7千克/亩,折合干草产量达87.2千克/亩;草畜平衡区平均鲜草量达377.35千克/亩,折合干草产量达103.9千克/亩,全县平均产草量较上年增加7.4千克/亩。四是加大生态环境建设,促进农业可持续发展。继续实施2015年度草原生态奖补政策,完成4.22万亩牧草良种补贴(其中建植一年生人工草地2.2万亩、更新多年生人工草地2.02万亩);实施2016年度禁牧补助139万亩、草畜平衡奖励422万亩。强化技术宣传培训,举办草原生态奖补政策集中培训会2期,培训人员400余人次,同时,结合产业扶贫、农技人员驻村工作,实地到乡(村)培训农牧民10000余人次,发放藏汉双语政策宣传手册5000份、挂历3000张、围裙1500条。在龙灯乡开展病虫害防治、色卡乡开展草原灭虫25.12万亩,其中生物灭虫15.12万亩、化学灭虫10万亩。加强农业面源污染防控,探索化肥、农药减量增效措施。

【统筹城乡与新型城镇化】 2016年,道孚县以"11·22"地震灾后重建为契机,统筹城乡发展。将灾后重建与全县"十三五"规划、全域旅游统筹城乡、"四个道孚"建设有机结合,帮助灾区群众重建美好家园。完成359户农村住房恢复重建验收工作;完成城镇住房恢复重建4户、维修加固138户的验收工作;对中路、支干道项目开展前期征地拆迁。开挖中路原有路面,埋设新的雨污水管网、供水管网以及强弱电管网;完成中路主体建设一层沥青路面铺设;完成支干道项目雨污管网以及供水、强弱电管网埋设;完成路面基础工程;完成城镇桥梁维修加固项目1号桥主体工程、2号桥基础工程;完成垃圾中转站项目并竣工验收;完成环卫所业务用房维修加固项目并竣工验收;对八美镇街面进行风貌改造,完成店招店牌安装工程和供水管网项目;完成中古五组新村以及中古石材新村、协德先锋集中安置点基础设施项目并竣工验收;完成水厂维修加固项目并竣工验收。

重点项目助推城镇化建设。全年计划新建项目68个(含灾后重建项目),计划投资5.03亿元;续建项目23个,计划投资5516万元。城镇基础设施水平显著提高,交通、供水、供电、电信等基础设施体系不断完善,全县用水普及率达92%,生活垃圾处理率达92%,人居环境不断改善,保障性住房等惠民工程持续实施,城镇综合承载能力得到提升。截至2016年年底,老城面积为1.8平方千米,新城面积2平方千米(建设已初具规模),新老城区连成一体,城镇人口达1.6万人,城镇化率达28%,城镇体系结构初步形成。

【扶贫攻坚】 2016年,道孚县按照省、州精准扶贫要求,围绕"一主三同步"发展思路,坚持深入实施专项扶贫攻坚,全力做好精准扶贫工作,扎实推进两河口库区移民工作,全年完成17个贫困村退出,379户、1714名贫困人口减贫,完成省下达目标任务的104.7%。贫困村基础设施明显完善,村庄面貌明显改观,贫困人口明显减少,贫困群众生活水平明显提高。移民搬迁建房和拆除线下旧房工作有序推进,雅道路复建8个标段、洛古大桥、红顶大桥施工单位均启动建设,4座寺庙迁建道路和场平建设工作有序推进,农村移民人口清理工作已进行初步梳理。贫困村建成优质马铃薯生产基地670亩、优质青稞生产基地2480亩、油菜生产基地2275亩、春小麦270亩、苹果基地180亩、草莓基地100亩、大棚蔬菜38个、食用菌菌种61000袋,发展中药材110亩、俄色茶931.2亩;培育农民专业合作社3个,养猪70头、牛108头、中蜂500箱,主要农作物良种覆盖率达92%,农民人均纯收入达3170元以上。每个贫困村培育2~3户农牧业科技示范户,建立了科技人员直接到户、良种良法直接到田、技术要领直接到人的农技推广新机制,形成了人、财、物直接进村入户的科技推广新模式,农业实用技术推广率达85%以上。充分发挥17个贫困村的自然资源优势,大力发展高原绿色生态农产品,把农产品市场营销工作和品牌创建工作有机结合起来,注重加强批发市场建设和农村营销队伍建设,努力在市场流通主体培育上有新突破。组织甲斯孔乡约学村黑木耳专业合作社积极参加大型农产品展示展销活动,加快直销体系建设,鼓励推行农超、农校、农批、农市对接模式,减少流通环节,增加产品收入。

【乡村旅游】 2016年,道孚县成立雀尔村旅游发展公司,围绕"吃、住、行、游、购、娱",按照"支部+公司+协会+农户"的形式,指导实行统一前台、统一营销、统一管理、统一培训、统一标准的经营管理模式,进一步探索切实可行的发展模式。加强招商引资工作,与省内外多家有客源市场和营销渠道的公司多次接洽,就雀儿新村建设经营管理模式达成初步框架性协议,促进雀尔旅游新村经营管理尽快走上正轨。以八美镇雀尔村、协德街村、各卡加拉宗村、银恩一村美丽新村建设为重点,植入文化元素,增强了旅游功能,提升了新村建设档次。加强旅游业务培训,提高接待服务能力,全年开展3期旅游接待培训会。评级星级乡村酒店26家,其中5星级1家、四星级2家、三星级22家、二星级1家,对道孚大酒店、道坞主题酒店两大主题文化酒店装修及格西乡若珠村民居接待户基础设施改造进行了业务指导,规范和提升了民居接待能力,促进旅游服务业有序发展。全年实现乡村旅游收入3360万元。

【农村科技】 2016年,道孚县纳入财政预算的科技专项经费共计65万元,作为科技扶贫补助资金,为贫困户建设蔬菜大棚23个、购买黑木耳菌种3万袋。积极组织参加西博会、专利周等展示交易活动,申请注册地理证明商标2个、商标5个,获得QS认证1个、有机食品认证3个,为农牧业发展开创了新局面。全年共举办4次大型科普宣传活动,共发放宣传资料70余种、36000余份,挂图25套、100余张,围裙300条,环保袋300个,光碟350张,共接受各类科普咨询达600余人次;开展各类科技培训共39期,共计培训人数24087人次(其中集中培训8087人次、现场指导16000人次),发放各类培训资料7.5万余份。

全县共推广各类良种71705亩,其中青稞42000亩、小麦12430亩、豆类4800亩、马铃薯12475亩,良种覆盖率达92.5%。抽派农业科技人员92人深入86个贫困村指导农民做好春耕春播,着力解决春耕生产中亟需解决的问题,重点做好春耕种子、肥料、农药、农膜、农用油、农业机械等农用物资的组织供应。从绵阳市引进绵麦39号、绵麦5号、资麦5号,分别抽派高级农艺师1名、技术人员2名实行分片包干,在鲜水镇孜龙村、格西乡卡娘村和协德乡街村试验示范种植12亩,经测产,绵麦39号亩产125千克,绵麦5号亩产101千克,资麦5号亩产155千克;从西藏山南地区引进冬小麦(山冬7号)100千克并分别在麻孜乡功龙村种植4亩,菜子坡村种植1.3亩及瓦日乡列瓦村种植1.3亩;从青海引进油菜新品种青杂7号,在格西乡若珠村种植,采用地膜栽培,经田间测产,亩产136千克。

【农村教育】 2016年,道孚县围绕"一核两翼一轴线"的教育均衡发展体系,按照"建一所成一所"的要求,结合全县义务教育均衡发展工作实际,全力做好"十三五"教育规划和"薄弱学校"改造规划,全面加强扎坝、玉科两翼地区学校建设,力求全县教育布局更加合理、更加科学,不断促进城乡教育协调发展,确保教育硬件投入公平。一是进一步改进和完善教师管理体制,健全促进城乡教师交流激励机制,在绩效工资分配、职称评聘、选优评先等方面向农村、边远山区、薄弱学校和一线教师倾斜。二是加大农村教师周转房建设,大力改善农村教师生活条件,为实现均衡配置城乡教师创造必要条件。三是加快免费学前教育进度,提速建设乡(镇)双语幼儿园。全县共有10所乡(镇)双语幼儿园招生,在园幼儿1480人,学前三年毛入园率达52.04%;为学前教育免除保教费资金和午餐费,春秋两季共划拨保教费资金106万元、午餐补助133.152万元。四是实施农村义务教育学生营养改善计划,划拨资金523.8万元。五是实施"农牧民子女成才计划",对考入重点本科、本科、专科的学生一次性分别给予1万元、5000元、3000元的奖励。六是为303名大学生提供生源地助学贷款178.7万元。按照每生1000元的标准,为498名道孚农村籍初中毕业生发放"百村千名初中生行动计划"一次性奖励金49.8万元。

【农村社会保障】 2016年,道孚县城乡居民基本医疗保险参保43619人,参保率达99%;城乡居民医保共征缴基金2460.06万元,其中中央财政配套1356.02万元、省财政配套256.23万元、县财政配套133.87万元、民政补贴缴费104.29万元、县财政待遇超支缺口补助资金97万元、利息收入0.44万元、个人缴纳505.87万元,共支出2822.58万元。城乡居民住院6667人次,统筹基金报销2424.53万元。全年全县城乡居民医保基金超支362.52万元。

【劳务开发及先进典型选介】 2016年,道孚县制定了就业培训、职业介绍、就业安置、劳务输出、落实再就业的各项优惠政策。全年转移输出农村劳动力591人,增长3.32%;稳定外出务工农民2530人,占输出总人数的1.66%。全年实现劳务总收入210余万元,增长9.3%;外出务工农民人均劳务收入达3559元,增长2.7%;农民人均务工收入达1835元,增长4.71%。实现自主创业1248人。

【主要领导人】 县委书记:蒲永峰;县人大常委会主任:高林中;县长:杨国清;县政协主席:蔡景荣;分管农业副县长:闵晓春。

道孚县编写组

炉霍县

【基本情况】 2016年,炉霍县辖16个乡(镇)171个行政村,其中纯牧业乡6个、半农半牧乡(镇)10个,辖区面积5796.64平方千米。年末户籍总人口47193人,其中农业人口41543人、非农业人口5650人;藏族人口45290人,占总人口的96%。

2016年,全县GDP61984万元,增长11.4%,其中第一产业增加值12159万元,增长4.3%;第二产业增加值8572万元,增长5.07%;第三产业增加值24719万元,增长4.1%。一二三产业分别拉动GDP增长1.8、7.9、1.7个百分点。

全社会固定资产投资完成110707万元,同比增长56.8%,总量排全州第15位,增速排全州第3位。工业增加值完成6465万元,同比增长23.8%,总量排全州第10位,增速排全州第4位。社会消费品零售总额30870万元,同比增长13.6%,总量排全州第9位,增速排全州第10位。

【农产品品牌战略实施】 2016年,炉霍县全面实施"圣洁甘孜"区域公用农产品品牌战略,继续抓好"三品一标"登记认证,完成2个无公害畜产品和1个绿色食品以及俄色茶绿色食品的续展申报。

【种植业】 2016年,炉霍县有各类种子81吨,其中黑青稞35吨、康青7号青稞30吨、藏青2000青稞4吨、油菜5吨、马铃薯7吨;肥料334吨,其中复混肥300吨(已销售近292吨)、油菜专用肥34吨;地膜15.3吨。大力提倡种植黑青稞,小范围示范种植藏青2000青稞;大面积推广油菜,在保证青稞总面积不变的基础下,春耕工作组协同乡党委政府、村委积极协商调整种植结构,确保农业产业结构战略性调整,稳定青稞、马铃薯播种面积。全县农作物总播种面积7.6万亩,其中粮食作物播种面积6.3万亩(青稞45325亩、小麦8460亩、豌豆3191亩、马铃薯6024亩),产量达1.32万吨;油菜播种面积1万亩,产量达1300吨;蔬菜播种面积3000亩,产量达3000吨。启动实施百万亩特色农业产业基地建设,按照"一村一品、一乡一业"的模式,大力发展蔬菜、油菜和黑色食品,建设特色农业产业基地1.8万亩,其中蔬菜0.3万亩、油菜1万亩、黑青稞0.51万亩。

【畜牧业】 2016年,炉霍县各类牲畜存栏23万头(只、匹),肉类总产量达3200吨,奶产量达4830吨,牲畜总增率、出栏率、商品率分别达18%、18%、11.5%。以草原生态保护建设为重点,按牧区和半农半牧区的资源特色科学推进种草养畜,转变生产方式,为特色畜牧产业增添后劲。不断夯实产业发展基础,落实生态优先、草业先行和粮经饲"三元"发展要求,引导乡、村、户开展小围栏割草基地建设和农副秸秆开发利用,不断提高畜牧业防灾能力;以农业产业扶贫为载体,加快以牦牛、中蜂为主导品种的特色畜禽产业培育,集成改良提质、规范化疫病防控、科学饲养管理、加工贮藏等实用技术。新(改、扩)建畜禽养殖小区(场)1个。扶持中蜂标箱养殖示范户14户,在14户养蜂示范户以及周边农户中开展养蜂技术宣传讲解。同时,省、州专家组织开展蜂资源调查和养蜂专业知识培训,累计受益群众达85人次。

【农村水利】 2016年,炉霍县对脱贫村饮水安全工程进行了管网改造。按设计分宗塔、宗麦片区、罗柯马片区进行包虫病防控安全饮水点工程,打深井33口,投资1650万元,项目已建设完工并投入使用。易日河水利工程完成宜木干渠建设12000米及白衣贡和沙闷儿隧洞6200米的掘进及其他附属工程,累计完成总工程量的70%,已完成投资5000万元。工业园区一期堤防工程新建堤防2554米,完成总投资2590万元,已完成堤防堤身浇筑2100米,完成全年任务的82%。

【扶贫攻坚】 2016年,炉霍县实施"五大救助"行动,发放助残、助学、扶孤、重大疾病救助等资金74万元,解决了245户贫困家庭的生产生活困难;深入开展"10·17"扶贫日系列活动,募集各类慈善捐款51.7704余万元。省武警总队、民生银行联系帮扶斯木乡克木村以来,主要领导多次到克木村调研,2016年省武警总队直接投入资金160万元,用于克木村基础设施建设;广东省2016年对口支援炉霍县贫困户建房共100户,每户补助2万元,建设年限为2016—2019年,已投资200万元,完成22户。立足"精准扶贫、保障基本"原则,全面开展低保普查及兜底一批精准识别工作,核准全县低保兜底一批403户、1250人,切实解决建档立卡贫困户的实际生活问题。为全县11601名农村低保对象发放保障金2138.16万元,为1250名低保兜底人员"两线合一"发放补贴22.5万元(低保兜底特殊生活补贴),为754名困难残疾人发放困难生活补贴54.28万元。同时,完成458名农村五保人员、120名孤儿、779名重度残疾人员、1661名低收入家庭60岁以上人员等重点救助对象城乡居民基本医疗保险个人缴费标准全额补助工作。

扶贫项目。下达产业扶持周转金1620万元,分别用于2016年20个"摘帽"贫困村每村30万元、2017—2019年"摘帽"贫困村每村15万元,截至登记日,该项扶持基金项目产生效益40余万元。下达财政扶贫资金60万元,其中宗塔乡降巴村饮水项目资金30万元、更知乡知日玛二村村道建设资金30万元,由县民宗局实施;下达财政扶贫资金887.82万元,其中500万元用于打造斯木乡瓦达上、下街幸福美丽新村,由县住建局实施;整合300万元用于斯木乡贫困村色色村农村公路建设,由交通局实施;下达扶贫培训费87.82万元,其中12万元由州局统一安排培训(已完成培训),75.82万元已由就业局实施;下达财政扶贫资金1927万元,用于2017年48个"摘帽"贫困村的产业扶持基金项目,每个贫困村安排40万元,已由各乡(镇)实施;下达高海拔少数民族地区农牧区特困群众生活救助资金457.0212万元。

【乡村旅游】 2016年,炉霍县境内主要有卡萨湖、旦都喀雪山、宗塔七彩草原、易日沟、地震遗迹、卡娘关门梁子、宗教寺庙、石棺墓群、红军文化遗迹、格金神山等景点和景区,有省级自然保护区1个、县级自然保护区2个。着力推进霍尔章古湿地风景区和霍尔章古文化旅游区国家"3A"级景区创建工作,促进旅游产业发展。一是实施霍尔章古湿地风景区营地酒店、温泉营地及相关旅游基础设施建设,已开展设计、选址等前期工作,主要建设318汽车营地酒店、温泉营地、户外游乐园、主题酒店、景区基础设施(包括大门、游人中心、标识系统、智慧体系、水电路、排污、环境建设等)。二是积极推进霍尔章古文化旅游区国家"3A"级景区创建,召开了景区创建咨询会,制订完成景区创建方案并开展游客接待中心、旅游厕所、旅游导视牌的设计和建设工作。

文旅招商引资进一步加快。依托炉霍霍尔文化和郎卡杰唐卡旅游文化资源,对合作开发项目进行整合和包装,积极开展招商引资。于2月24日与北京新时代传播公司签订了旅游文化项目战略合作框架协议,计划合作实施建设郎卡杰唐卡文化产业园,对原有的甘孜州郎卡杰唐卡文化有限公司进行增资扩股,建立职业技术培训中心,投资精品旅游酒店和禅修中心等项目,预计投资2亿元,已完成原甘孜州郎卡杰唐卡文化有限公司增资扩股工作,公司注册资金180万元;登记成立炉霍县青年文化创业园投资有限公司;获批建设炉霍县艺术职业技术培训中心。

旅游宣传进一步加强。一是设计制作了炉霍旅游LOGO,进一步完善了旅游标识,提升了炉霍旅游形象。二是充分借助在国家大剧院举办的郎卡杰唐卡绘画精品展开展炉霍文化旅游宣传推介活动,组织进行了山歌表演,播放了炉霍旅游形象宣传片,发放炉霍文化旅游宣传册3000余份,进一步向首都人民展示了炉霍丰富多彩的文化旅游资源。三是更新完善了炉霍旅游官方网站、"炉霍旅游"微信客户端,累计编辑发送文化旅游宣传稿件140余篇,阅读量达上万人次。四是组织开展了仁达乡玉麦比村首届摄影大赛,充分展现了霍尔章古湿地及玉麦比的优美风景和丰富的文化旅游资源。五是开展对口支援旅游知识和业务技能培训,11月3日,锦江区旅游局牵头对全县32名旅游从业人员进行了为期5天的旅游知识和技能培训。

旅游行业综合管理进一步增强。健全和完善旅游行业综合管理体系,强化旅游行业综合管理和旅游市场综合治理。加强管理人才队伍建设,整合县文化执法大队资源,对旅游市场综合管理机制进行探索完善。加强旅游安全管理工作,制订方案,组织开展安全生产工作,实行24小时值班制度,确保了全年无一起旅游安全事故发生。

【农村教育】 2016年,炉霍县有寄宿制学生7177名,其中7066名贫困寄宿制学生享受生活补助。全县小学入学率为100%,辍学率控制在0.64%;初中阶段入学为103.2%,辍学率控制在2.46%。炉霍县义务教育发展基本均衡县通过评估。继续实施普通高中"两免"计划,对州内普通高中学生免除学费和课本费,每生每年标准为2000元(学费和课本费各1000元)。牵头制订了《2016—2020年教育精准扶贫方案》和2016年具体实施方案,加强驻村帮扶工作。通过与州局对接,纳入的阿都村、修贡幼儿园建设项目按期完成建设并实现开园招生。设立教育扶贫基金100万元，统计录入建档立卡贫困户学生94名，投入资金300万元，保障贫困生入学就读。选送13名符合条件的贫困农牧民学生就读内地甘孜高中班。兑现2015年申报的11名大学生学费奖补12.336万元、48名普通高中学生国家助学金9.6万元、2015年申报的63名非义务教育阶段家庭贫困学生困难补助金14.05万元。选派6名乡村教师到城区学校顶岗锻炼，15名区、乡教师进行交流，进一步推动全县农村学校素质教育发展。通过对口支教形式接收12名成都市锦江区、金堂县支教教师到炉霍县支教。

【农村交通】 2016年，炉霍县新（改）建61个农村通村公路建设项目（共551.794千米），已完成356.335千米，完成总投资的64.58%。续建2015年桥梁2座，分别为宜木乡章达桥、旦都乡知朱桥，共投入资金887.21万元，已于9月验收并交付使用。新建桥梁2座，分别为泥巴乡旺达桥、雅德乡然柳桥，共投入资金480万元，于8月开工建设，已完成总投资的20%。

【农村劳务开发】 2016年，炉霍县累计发放小额担保贷款40万元，共计发放农民工返乡创业贷款406万元。完成农村劳动力转移就业培训110人，转移就业6380人；开展农村实用技能培训共9期，培训450人次；开展农民工创业培训30人，圆满完成各项目标任务。

【主要领导人】 县委书记：伍强；县人大常委会主任：康玲；县长：巴登；县政协主席：吴小平；分管农业副县长：阿吉曲批（9月止），熊永军（9月始）。

炉霍县编写组

甘孜县

【基本情况】 2016年，甘孜县辖19乡3镇，辖区面积7 358平方千米，是甘孜藏族自治州北部重要的交通枢纽、经贸中心和商品集散地，也是长江流域天然林保护工程生态屏障前沿防线的重要组成部分。

【旅游规划与基础设施建设】 2016年，甘孜县编制完成了格萨尔文化城暨百村产业基地规划、甘孜县雅砻湾旅游区总体规划、老甘孜旅游规划、“G317乡村旅游策划稿”、甘孜县拖坝乡孔萨农庄等规划。完成旅游标识标牌设计。基本完成2座旅游厕所的提升改造工程，3座新建旅游厕所启动了前期工作。色西底乡色西一村被确定为旅游扶贫示范村，已启动建设工作；完成甘孜镇绒岔四村的格勒降措、河坝村的达瓦、拖坝四村的贡布和向巴多吉等民宿达标户的申报工作。完成拖坝村10家藏家乐的改建设计，3个观景平台的基础提升改造工程有序推进。

【行业管理】 2016年，甘孜县组织涉旅企业、酒店、乡村旅游接待点召开旅游座谈会，针对全县宾馆、酒店等涉旅企业建设无序的现象及功能配套不完善、缺乏文化和特色内涵、产品档次低、服务质量差、消防设施安全等问题进行了培训，提出了相应的整改建议和意见，引导涉旅企业进一步加强管理，提高服务质量，营造健康、文明的旅游环境。

【旅游节会与宣传营销】 2016年，甘孜县进一步提升官方微信和官方网站内容，大力宣传甘孜旅游，增强甘孜的吸引力。4月29日，在成都锦里开展了甘孜县旅游文化宣传活动；7月26日，借助炫舞甘孜·欢乐金秋系列活动大力宣传甘孜旅游。及时更新旅游咨询投诉电话，利用“五一”、端午、“十一”等节假日在县城主要宾馆（饭店）、景区（点）散发旅游宣传册及气象资料，通过发放DM单、明信片、旅游攻略、宣传图册以及视频播放等形式向过往游客宣传甘孜悠久的历史文化与丰富的旅游资源。

【主要领导人】 县委书记：雷建平；县人大常委会主任：仁孜；县长：龙明阿真；县政协主席：呷玛生龙；分管农业副县长：四郎拥吉。

甘孜县编写组

新龙县

【基本情况】 2016年，新龙县辖19个乡（镇），辖区面积9182.74平方千米，其中耕地面积4324公顷。有农业人口4.47万人，人口自然增长率控制在7.5‰以内。全县森林覆盖率达51.33%。

2016年，全县GDP 8.57亿元，增长6%，其中第一产业增加值3.62亿元，增长5.4%；第二产业增加值1.29亿元，增长2%；第三产业增加值3.65亿元，增长8.2%。全年接待游客11.29万人次，实现旅游收入1.1亿元。

公路通车里程2200千米，其中县、乡道368千米，村道1663千米。社会消费品零售总额1.57亿元，增长16.3%。地方财政一般公共预算收入完成0.45亿元，减少20.3%；地方财政一般公共预算支出12.55亿元，增长10.7%。金融机构各项存款余额17.67亿元，比上年初增长8.53%；各项贷款余额1.35亿元，比年初增长43.99%。

有中小学校26所，在校学生4736人，教职工428人。有文化馆1个，公共图书馆1个，艺术表演团1个。有医疗机构124个，病床位139张，医院、卫生院技术人员292人（其中执业（助理）医师46人）。新型农村合作医疗参合人数43865人，参合率99%。

【年度农业和农村经济运行】 2016年，新龙县实现农业总产值48140万元，增长5.7%；农业增加值36397万元，增长5.4%。农村居民年人均可支配收入8768元，增长12.3%。

【种植业】 2016年，新龙县农作物播种面积5.95万亩，其中粮食作物播种面积5.13万亩。建设特色农业产业黑青稞基地0.5万亩、高原优质油菜基地0.5万亩、绿色蔬菜基地0.3万亩。良种推广面积4.81万亩，实施测土配方施肥1.01万亩次、绿色植保防控4万亩。5844户2.35万亩农作物投保，农户自缴保费76315.83元。

【林业】 2016年，新龙县发放森林防火入户通知书、中小学生森林防火宣传手册及森林防火条例等8750余册（份、本），张贴标语490余幅，签订林区野外施工单位责任书39份，与村（组）农户签订森林防火责任书2120份。新增生态护林员444名；对25名专业森林消防人员实行统一训练。全年办理林业行政案件27起，扣押非法运输木材车辆32台、拖拉机2台，办理治安案件3起，治安拘留3人，捣毁非法木材加工点4处，没收带锯2台、柴油机1台，封堵林区偷拉盗运道路1条，收缴木材罚没款21.11万元。在尤拉西、洛古等3乡开展整治行动，出动人员1050人次、车辆100余台次，收缴柏树245件、杉树182件、杉树方及板材738张、杉树原木128件，依法收缴非法带锯1台，扣押拖拉机2辆。对全县207种动物、5种国家濒危保护植物和9种列入重点保护植物进行有效保护，野外红外线相机在皮擦乡境内拍摄到雪豹2只。对子拖西乡分布的608.3公顷高山松天然林进行踏查，监测调查中龄林376.2公顷、成熟林135.3公顷、过熟林50.9公顷，未发现松材线虫病疫情。造林用苗产地检疫检查苗木2种，合计54.7万株。新育苗变叶海棠面积4.3亩，出圃各类优质合格种苗54.7万株。巩固退耕环林成果5.1万亩，人工造林0.33万亩,对2015年0.15万亩森林抚育面积进行梳理检查确保抚育质量;巩固2016年20个贫困村退耕还林成果0.28万亩,管护集体公益林34.43万亩。兑现集体公益林生态效益补偿金3825万元、退耕还林补助325.5万元。完成新龙县2016—2020年道路绿化实施方案和设计预算编制;完成色威乡吉龙村至雄龙西堤坝村省道217线道路绿化,人工造林10千米。

【畜牧业】 2016年,新龙县牲畜存栏23万(只、匹),牲畜出栏4.51万头,牲畜总增率为18.5%、出栏率为18.5%、商品率为10%。实施草原生态保护补助奖励机制,投入国家奖补资金2082.5万元,实施禁牧94万亩、草畜平衡551万亩,完成超载减畜1.5万个羊单位。并以"一卡通"方式全部兑现给牧户。退牧还草工程建设总投资2537万元,截至2016年年底,已完成投资1914.28万元,实施围栏建设80.03万亩、草原补播24万亩,到位围栏物资120万米套,草种播发17.76万千克。全年检疫生猪2200头、牦牛380头,检疫宰后猪肉231.7吨、牛肉51.6吨,产地检疫面达100%。完成动物重大免疫41.4万头(只)次,免疫密度达100%。对119484只羊进行包虫病免疫2次;免疫牛(羊)布病19万头(只)次;完成2859只犬9次驱虫,驱虫25731只次,发放犬粪采集箱269个;采集牛(羊)调运前包虫病、布病血清样品1000余份,畜禽屠宰检疫和病变脏器无害化处理率达100%。全年农产品质量安全抽检率达99.2%,饲料、添加剂抽检合格率达100%。办结农业综合执法案件1件,全年无重大畜产品质量安全事件发生。

【农业机械化】 2016年,新龙县有农业机械8640台(套),完成机耕4.91万亩、机播3.01万亩、机收3.01万亩。推广农机具75台(套),兑现农机购置补贴9.75万元,购置补贴结算率达100%。拖拉机年检率达23%,全年无农机事故、违规上牌、发证事件发生。

【新型城镇化】 2016年,新龙县完成干部周转房二期工程、拉日马扎宗沟小流域治理工程等15个建设项目;完成城市LOGO设计,启动"五项配套"改革,组建城市执法、市政环卫和城市园林养护三支队伍;完成《大盖乡撤乡建镇总体规划》《甲拉西然拉新村建设规划》《拉日马镇康多新村建设规划》编制;完善规划委员会职能、规范评审流程。采用"一事一议"方式,投入6630万元,实施20个幸福美丽新村(脱贫"摘帽村")建设,建设村内道路18.78千米、入户道路57.129千米,砼挡土墙925.1立方米,安装太阳能路灯963盏,建设垃圾填埋场20个和3个示范新村。结合精准扶贫,优先改造建档立卡贫困户住房,完成650户藏区新居改造任务分解,推行农房"六改",优化住房环境,发放补助资金1300万元;完成150户租赁补贴任务分解和74户房屋产权办理。

【扶贫攻坚】 2016年,新龙县安排脱贫攻坚项目139个,涉及全县129个村(其中贫困村85个),重点安排在20个计划"摘帽"的贫困村实施,计划总投资27193.386万元,完成贫困村"摘帽"20个,减少贫困人口1351人。全年通过扶持生产和就业发展一批299户、733人,移民搬迁安置一批165户、717人,低保政策兜底一批853户、2241人,医疗救助一批822户、1018人。完成沙堆乡哈瓦、皮擦乡足然2个村的扶贫连片开发,整村推进3个新村、1个民族新村建设。新建小桥6座,维修吊桥3座;完成宜宾援建项目色威乡俄色村等3个村的道路硬化;完成以工代赈工程通村公路及道路硬化3个村,完成通村公路建设2个村。完成中央专项彩票公益金支持革命老区小型公益设施建设项目,新修3个村的通村公路,续建2个村的道路硬化项目。完成尤拉西乡然呷村、子拖西乡郎村人口引水工程。安装太阳能热水器500台、太阳能路灯205盏。基本完成两河口库区复建道路新龙段(代管项目)明线路基,相续贯通6条隧道。完成两河口电站移民安置及人口界定工作,共65户、419人,兑付安置金4145.92万元;完成逐年补偿耕园地149.81亩,自主安置补偿耕园地221.8亩;完成以户为单位落实生产安置方式的建立建卡工作。

【农村教育】 2016年,新龙县建成校园网6个、"班班通"24个、智慧教育中心2个。完成21所学校城域网电子白板、办公电脑、师培室和第二期城域网学校设备的安装调试。完成10所"3+3"或"6+3"学校校园文化建设。兑现各项教育资助金123.1万元。绕鲁乡绕鲁村幼儿园被确定为精准扶贫新建项目,按照"小幼一体化"要求,与色威乡幼儿园统筹实施并通过竣工验收,实现"6+3""小幼一体化"办学模式。招聘17名编制外幼儿教师、保育人员和5名免费师范生。实行校长教师轮岗交流制。开展法制专题培训17次,参训769人;开展宣传活动22场次,参与人数6512人,发放普法读物6363册。发放小学生包虫病防治核心知识卡片及其他疾病宣传资料1.13万余份、中小学幼儿园交通安全知识宣传卡5500余份、防震减灾知识读本200余份。协同相关部门开展校园周边治安环境整治工作20次。配置寄宿制学校办公用品、学生卧具、后勤设施设备等,投入97.11万元。

【农村文化】 2016年,新龙县按照"六有"标准建成如龙镇拉日、沙堆乡俄德等20个脱贫村村级"三室合一"项目、乐安乡省级综合文化示范站及10个农村公共文化服务网点;完成20个文化院坝设备配送;安装34个"村村响"应急广播;完成贫困户138套广播电视"户户通"设备安装录入,置换"村村通"设备3012套;建设30个阅报栏和3个中心书屋。开展寺庙书屋和农家书屋普查,建立统一规范的管理制度;完成96个农家书屋6060册出版物的补充更新、采购配送等。开展送文化下乡活动75场次。开展民间艺人、重点传承人调查,挖掘记录原生态山歌、民歌、民间文学、民间技艺等非遗资料,完成甘孜州第五批州级非物质文化遗产代表性传承人申报;开展波日桥、拉日马石板藏寨国家级文物保护项目申报;编制完成波日桥和拉日马石板藏寨两个文物永久性保护规划项目立项申报,并上报国家文物局;完成省级文物保护单位益西寺、嘎绒寺申报为国家级文物保护单位的申报工作。以雄龙西乡哈米村、如龙镇社区居会等10个村(社区)为试点单位,开展"扫黄打非"进基层试点。

【农村卫生】 2016年,新龙县选派6名区乡卫生临床专业人员参加全科医生转岗培训,抽调21名乡(镇)卫生院业务人员到县级医疗机构进修学习。乡(镇)卫生院使用药物实行集中网上采购,上网跟标采购率和资金集中支付比例为100%,基层医疗机构门(急)诊每次平均药费和住院药费同比下降30%以上。2016年,将人均基本公共卫生服务经费标准提至50元。建立健康档案4.9万份,建档率达96%;建立城乡居民规范化电子档案4.8万份,建档率达94%。建成12所标准化(中心)卫生院并投入使用,2所卫生院进入装饰装修阶段;完成48所村卫生室建设。县财政投入720万元,用于乡(镇)卫生院基础设施、设施设备、文化建设等标准化建设。

【农村交通】 2016年,新龙县投入资金15033万元,完成36个通村通畅项目(其中完成13个"脱贫摘帽村"通村通畅项目),总里程达251.8千米。投入资金720万元,安装路侧波形护栏40千米。将通乡油路工程打捆承包给四川路桥集团建设,完成洛古乡通乡油路垫层施工。投入资金115万元,清理泥石流、滑坡、塌方约13万立方米,确保汛期主干线公路畅通;以治理"脏、乱、差"为重点,开展交通环境综合治理。

【农村社会保障】 2016年，新龙县累计征收各类保险和基金4117.5万元，兑现养老金3386万元，报销医疗费2380.47万元。转移农村富余劳动力就业2817人次。有农村低保对象11905人，发放低保金约2156.98万元；297名城乡低保残疾人领取生活补贴约21.38万元；为城乡低保对象在州内住院期间支付临时生活补助金8.88万元。对农村困难群众1464人实施医疗救助，发放救助金约227.79万元；有农村五保对象485人，发放供养金约219.78万元；保障孤儿324人次，发放保障金约30.66万元，补发2015年孤儿保障金约3.46万元。资助14095名城乡低保、五保对象、“三无人员”、孤儿参保参合，支付参保参合专项资金约89.13万元，参保、参合率均达100%。将全县贫困建档立卡户中符合城乡低保、五保供养条件的寺庙困难僧尼、贫困残疾人纳入保障范畴，并进行动态管理，做到“应保尽保”。全县有城乡敬老院11所，建成拉日马镇日间照料中心1个，为1200名困难家庭失能老人和80岁以上高龄老人提供居家养老服务。有优抚对象195名，发放优待抚恤款130.9万元。

【农村生态建设及环境保护】 2016年，新龙县启动县城“九子一线”治理工作，完成20个行政村的垃圾集中收集和10个村的垃圾清运设备购置。完成生态红线划定，确保全县湿地保有量达5.23万公顷、森林保有量达45.19万公顷、耕地保有量达2.7万亩、自然保护区保有量达0.2万平方千米。编制完成19个乡(镇)20处集中式饮用水水源地保护区划分技术报告。完成创建2个州级生态文明建设示范村。对雅砻江流域3处水质断面、19处饮用水水源地、空气质量进行监测，达标率均为100%。完成3个农村饮用水水源地保护工程建设，完成包虫病防控饮水安全工程打井30口。全年参加义务植树共计0.3万人，种植树苗11万株。

【救灾救济】 2016年，新龙县开展防灾减灾日和“5·12”地震宣传活动，张贴条幅1条、展板4个，发放宣传单1300余份；发放救灾款(物)156万元，惠及5908名灾民；发放临时救济款9.4万元，惠及6801名困难群众；发放救灾被盖3560床、棉衣(裤)1018套、茶叶200条、胶鞋100双、救灾帐篷63顶、轮椅3台；储备单帐篷220顶、棉帐篷580顶、棉衣裤400套、棉被1240床、棉大衣20件、普通大茶130条、彩条布120卷、电热毯40床、电筒100支、行军床80张。投资223.44万元，新建友谊乡措日沟等5处泥石流治理工程；续建甲拉西乡格古沟泥石流治理工程。

【主要领导人】 县委书记：公纠(4月止)，泽仁汪堆(5月始)；县人大常委会主任：徐康玉(11月止)，洛绒(12月始)；县长：董德洪；县政协主席：泽翁；分管农业副县长：王朝鸣(8月止)，多吉格西(9月始)。

新龙县编写组

德格县

【基本情况】 2016年，德格县辖26个乡(镇、街道)，有农业人口8.06万人，有耕地面积7.5万亩，与上年持平；基本农田10万亩，与上年持平。

【年度农业和农村经济运行】 2016年，德格县实现农业总产值48419万元，增长7.1%；农业增加值35476万元，增长4.2%。农民年人均可支配收入8678元，增长11.8%。

农用地产权制度改革。德格县加快确权和土地流转工作。一是深化农村产权制度改革，推进农村土地承包经营权确权登记，于11月底全面完成土地确权颁证工作。二是积极引导农村土地经营权规范有序流转，发展农业适度规模经营，全县流转土地1000亩，其中30亩以上适度规模流转面积900亩。龚垭乡更达村实施土地流转23户，涉及面积39亩，建成蔬菜大棚30座。三是深化小型水利工程管理体制改革，深入推进农村小型水利设施确权颁证，建立和完善农村集体水利产权登记制度，进一步明晰农村水利产权，加快推进农村小型水利设施确权登记颁证巩固提升，6月30日前完成水利设施确权颁证登记工作。四是持续开展耕地保护宣传，向农户广泛宣传《农村土地承包法》等法律法规，让农户重视耕地、珍惜耕地。鼓励农牧民以土地入股形式加入合作社，促进农牧民增收。

【种植业】 2016年，德格县调运青稞良种5.25万千克、马铃薯4.7万千克、豌豆1000千克、磷铵155吨、尿素30吨、除草剂3000件，投入资金1307890元。全县青稞良种覆盖率达93.8%，主要以康青六号、康青七号为主；拓展种植大黄、藏木香、波棱瓜等共1000亩；新建农业特色产业基地1.7万亩，其中蔬菜0.4万亩、黑青稞0.5万亩、紫皮马铃薯0.7万亩、中药材0.1万亩。全县无公害产品面积达到5000公顷。

【林业】 2016年，德格县林地面积594.7万亩，占森林总面积的35.1%，森林覆盖率32.6%。在林地中，有林地面积152.7万亩，占林地面积的25.7%；疏林地面积6.1万亩，占林地面积的1%；灌木林地面积413.4万亩，占林地面积的69.5%；未造成林地面积0.8万亩，占林地面积的0.1%；无林地面积3.8万亩，占林地面积的0.6%；苗圃地面积0.02万亩。

【畜牧业】 2016年，德格县各类牲畜存栏396807头(只、匹)，比上年增加14887头(只、匹)，增长3.75%；各类牲畜产仔成活83917头(只、匹)，产仔成活率达90%，总增率达20%。出栏牲畜76308头(只)，出栏率达19.9%；商品数达55760头(只)，商品率达14.6%；肉类总产量4508吨，奶类总产量7106吨。有能繁母畜173386头(只)，占畜群总数的43.69%。建设养殖小区1个。

【农业机械化】 2016年，德格县推广耕整机20台。县农机监理站与各乡党委、政府和农机驾驶员分别签订了安全生产责任书和承诺书。全年完成机耕2万亩、机播0.3万亩、机收0.55万亩。

【统筹城乡发展】 2016年，德格县马尼干戈镇马尼村、县城建成区及更庆镇五一桥村“九子一线”治理工作全面展开，对违章搭建、经幡乱挂、车辆乱停、垃圾乱倒的现象进行教育并发放相关宣传资料。县建设、国土等部门对县域建筑工地多次进行规划督察、规划宣传，对工程质量、安全、进度进行管理，要求相关建设行为严格按照规划要求实施，对建筑工地乱象问题进行了整治整改。根据德格县实际情况，结合乡(镇)地理情况，完成县城及全部建制镇避灾场所建设，在主要场所设立了标识标牌。加强户籍制度改革，逐步建立城乡统一的户口登记制度，取消农业户口和非农业户口的性质划分，统一登记为居民户口。推进农村人口有序向城市和建制镇转移，逐步实现农业转移人口和其他常住人口落户城镇人口数量达到10500人的目标。

【新农村建设】 2016年，德格县按照州委农工委《关于做好2016年度幸福美丽新村建设总结的通知》要求，建成幸福美丽新村21个。一是入户道路建设。完成主通道18.503千米、横向排水308道、桥梁8座、涵洞31道建设，投入资金1687.3万元。二是实施“五改一建”。完成房屋改造243户、厨房改造587户、风貌改造587户、圈舍改造358户、庭院建设587户，新建公共厕所15个，维修公共厕所11

个,投入资金1857.51万元。三是公共设施建设。新建成错通村广场、磨勒村广场,投入资金96万元。四是项目资金使用情况。全县共计完成投资4070.81万元,其中幸福美丽新村示范县建设资金950万元、幸福美丽新村建设(扶贫新村)资金1250万元、整合其他省级或中央补助建设资金1232.1万元、县财政贷款产业扶持周转金400万元、农牧民自筹和投工投劳238.71万元。专项资金使用方面,将幸福美丽新村示范县建设资金950万元中的920万元整合到住建局,打捆建设"五改一建"和公共厕所,剩余的30万元用于合作社建设,发放以奖代补资金;将幸福美丽新村建设(扶贫新村)资金1250万元整合到扶贫攻坚账上,打捆建设入户路和广场。

【扶贫攻坚】 2016年,德格县围绕20个贫困村退出、2739名贫困人口脱贫的目标,创新工作方法,强力推进落实,圆满完成了各项脱贫攻坚目标任务。

围绕"好房子"建设目标,抓实农房"五造"工程。一是整村打造成"美丽藏寨"。按照"美丽藏寨"建设要求,集中开展"五改三建"、村道庭院绿化、道路亮化、思想美化等工作,努力将贫困村建设成绿化、亮化、文化新村。二是危房改造成"安全农房"。危房改造对象以住建部门统计为标准,实现"应纳尽纳",不落下一户群众,不留下一间危房,每户按照2.4万元的标准予以补助,着力帮扶困难群众危房改造缺资金的难题,让群众安全、安心奔小康。三是无房新造、避险迁造出"美丽藏房"。无房新造方式采取1~3人户补助5万元,4人(含4人)户以上补助6万元的补助标准,避险迁造方式按照每户4万元的标准予以补助,按照造出"美丽藏房"要求,确保所有贫困群众住上好房子。四是移民重造出"当地好房子"。移民重造按照造出"当地好房子"的要求,采取插花式或集中安置方式,按户合理分配资金,采取1~3人户补助10万元,4~7人户补助11万元,8人以上补助12万元的标准进行分配。围绕"好条件"目标,抓实和加快推进乡乡通油路,村村通硬化路,户户通联户路、安全饮水、生活用电、广播电视,村村通宽带网络基础设施"五通"工程,其中户户通联户路工程采取"部门指导、乡镇负责、村民自建"方式,按照顺建、倒建、联建组合方式建设,改善群众生产生活条件。

围绕"最美藏房"目标,抓实涉村公共用房打捆建设工程。采用涉村公共用房"打捆建设"方式推进四种类型(A型:新建配套幼儿园类型;B型:新建不配套幼儿园类型;C型:已有补充型;D型:已有提升型)村级活动室、文化室、卫生室建设,单独挂牌,配备专业设备并充分延伸公共用房功能,村公共用房建成后将具有涵盖村农民夜校、电商平台、游客服务和应急中心等功能。

围绕"共同富裕"目标,抓实金融扶贫"抱团取暖"。金融扶贫采取集中办理户申请、集中管理、集中使用的"抱团取暖"模式,充分利用国家政策最大限度地使用金融扶贫资金,发挥金融贷款的最大效益,有效帮助群众增收致富。同时,进一步降低贷款风险,实现多方共赢。

围绕"好习惯"目标,抓实"六洗、三剪、一扫"行动。全面倡导"六洗、三剪、一扫"行动(即洗手、洗头、洗脚、洗脸、洗澡、洗衣服,剪头发、手指甲、脚趾甲,打扫卫生),除将每户补贴2万元扶贫专项资金中的1.6万元用于整村实施"七改"(改厨、改窗、改门、改厕、改梯、改水、改电)"三建"外,剩余的4000元用于改善群众生活设施设备。

围绕"全面小康"目标,抓好"回头看、回头帮"。紧紧围绕"到2020年全县全面消除贫困,实现与全国全省全州同步建成小康社会"目标,突出群众主体,深化帮扶举措,强化机制保障,坚决不落一户、不漏一人,脱贫不脱政策。强化2014—2016年已经脱贫贫困群众的农房"四造"(危房改造、无房新造、移民重造、避险迁造)工作,给予剩余每户贫困户补助8000元,按照"一户一策"方式进行房屋整村打造。继续强化基础保障,围绕"两不愁、三保障,四个好"的幸福美丽新村建设目标,对照"一超六有"的标准,强化"四个一批"等系列脱贫攻坚政策落实,推进安全饮水、生活用电、广播电视等基础设施建设,实现对2014—2016年已脱贫贫困户全覆盖。

围绕"四好村"目标,抓实创建工作。切实推进"三个全覆盖",落实"四好村"创建。一是抓实县级文明村创建全覆盖。由县委宣传部文明办负责指导,各乡(镇)积极开展全面落实全县171个村的文明村创建工作,实现县级文明村全覆盖。二是抓实人均收入增长全覆盖。重点抓好产业扶持,发放贫困户(除享受低保兜底政策的贫困户外)产业扶持资金1.2万元,激发贫困农牧民内生动力,消除"等靠要"思想,让贫困户靠自己的双手脱贫致富,实现"造血式"脱贫。抓实"四好村"创建工作全覆盖。围绕全面建成小康社会和脱贫攻坚目标任务,按照"业兴、家富、人和、村美"的基本要求,以幸福美丽新村建设"五大行动"和文明村镇创建为抓手,抓好"四好村"创建工作,实现乡乡申报、村村创建。

围绕脱贫增收目标,抓好精准帮扶工作。一是抓劳动力就业。全年完成劳动力就业培训911人次(其中,精准脱贫方面完成农产品加工、餐饮、缝纫、建筑等技能培训540人次),增加公益性岗位45个,农村转移就业2700人。二是抓精准帮扶。全面清理和开发资源保护、公共服务、社会管理等公益性岗位,优先解决建卡贫困户就业,公益性岗位实现就业2504人,组建由贫困人员参加的村劳务队并参与脱贫项目建设,增加其务工收入。同时,利用当地丰富的野生资源优势,以脱贫攻坚为契机,以专业合作社为平台,加大农牧民对野生药材等采挖力度,通过电商和乡村合作社销售方式促进农牧民增收。三是抓产业发展。加大畜牧业出栏率,提高肉、奶产量,推广良种,增加科技含量,转变传统耕养模式,进一步提升商品率,从而增加农牧民收入。四是提升农产品商品化程度。将"精准扶贫送商标"工作与商标行政服务指导相结合,在有涉农商标注册需求的乡(镇)、村(组)农民专业合作社中选取了4个拟注册商标上报工商局,积极指导拟赠送对象完成商标设计,先行对需注册商标的农产品在同类别上进行检索。

【乡村旅游】 2016年,德格县乡村旅游共接待国内外游客11.6万人次,其中接待国内游客11.3万人次、入境游客3000人次;实现旅游收入0.35亿元。全年民宿接待入住率达85%。全县发展较成熟的乡村旅游资源主要有麦宿片区的多瀑沟自然风景区,阿须片区的格萨尔文化、阿须草原,马尼干戈的玉隆拉措自然风景区,竹庆镇的自然、人文景观,错阿乡的错通三湖、错通遗址,龚垭的人文景观等。

【农村科技】 2016年,德格县共计完成农牧民培训、咨询、指导1.54万人次,完成目标任务的110%。扎实开展科技下乡、科技宣传活动月、全国科技宣传活动周、知识产权活动周等宣传活动。科技扶贫工作完成科技宣传、集中型科普宣传2800余人次,建立省级科技扶贫示范村2个、省级科技扶贫示范户20户,建设县级科技扶贫服务平台1个、村级科技扶贫平台2个。开展耕地改良,完成测土配方施肥20000亩。

【四川省现代农业林业示范县建设】 一是建立健全集体林权流转制度。2016年,德格县按照"流不流转是林农的事,转多转少是市场的事,规不规范是政府的事"的要求规范林权流转行为,严格按照

《四川省林权流转管理办法》执行。二是积极完善政策性森林保险。利用电视、手机、宣传车、宣传横幅、双语宣讲、走村入户等多种形式开展森林保险宣传，全县1789193亩集体公益林全部参保，商品林采取林农自愿参保原则。三是积极推进集体林权制度改革。开展林权登记核查纠错，加强林权纠纷调处化解，依法妥善处理历史遗留问题。1—3月，加强督促和指导各乡（镇）开展2017年政策性森林保险续保工作；3—12月，开展集体林权制度改革“回头看”工作。四是积极推进国有林区改革，在省级国有林区改革实施方案出台后，深入开展调查摸底、分析梳理问题、收集建议意见等前期准备工作，待省级国有林区改革实施方案获批后按照方案在2017年稳步推进全县国有林区改革工作。

【主要领导人】 县委书记：嘎绒拥忠；县人大常委会主任：吴忠贵；县长：黄杰；县政协主席：四郎益西（12月止），熊文华（12月始）；分管农业副县长：其太。

德格县编写组

白 玉 县

【基本情况】 2016年，白玉县辖2镇15乡158个行政村（社区），辖区面积10591平方千米，其中耕地面积8.3792万亩，与上年持平；基本农田5.95万亩，与上年持平。年末总人口56882人，增加1739人，增长3.2%，其中农业人口51659人，占总人口的90.8%；非农业人口5223人，占总人口的9.2%；人口自然增长率6.7‰。

2016年，全县GDP11.04亿元，增长6.2%，其中第一产业增加值34722万元，增长4.7%；第二产业增加值51231万元，增长7.6%（工业增加值42530万元，增长4.2%）；第三产业增加值24459万元，增长5.5%。三次产业结构比为31.4∶46.4∶22.2。

地方公共财政收入完成17636万元，增长22.1%。全社会固定资产投入完成124799万元，增长31.5%。社会消费品零售总额27043万元，增长13%。

【年度农业和农村经济运行】 2016年，白玉县实现农业总产值45348万元，增长9.6%；农业增加值34722万元，增长9.26%。城镇居民年人均可支配收入达24884元，增长8.9%；农村居民年人均可支配收入达9173元，增长11.6%。

【种植业】 2016年，白玉县持续落实支农惠农政策，农作物播种面积59500亩，其中主粮播种面积52000亩（青稞44681亩、小麦1000亩、马铃薯6042亩、豆类277亩），总产量达11401吨；油菜播种面积5500亩，产量600吨；蔬菜播种面积2000亩，产量4000吨。建成特色农业产业基地13500亩，其中黑青稞5000亩、油菜5500亩、中药材1000亩、蔬菜2000亩，粮食总产量11401吨。完成测土配方施肥10000亩。推广各类良种作物48568亩，良种覆盖率达93.4%。大力培养中藏药特色产业，完成406亩汉藏药材GAP种植基地建设。

【林业】 2016年，白玉县进一步巩固退耕还林4.4万亩，完成2016年度新一轮退耕还林5700亩，栽种云杉树苗57万株、岷江柏6万余株，兑现发放年度退耕还林各项政策补助金725万元。开展2014年度新一轮退耕还林补植补栽1724亩，栽种云杉种苗8.6万株，培训退耕户苗木栽植技术500余人次。管护国有林162.38万亩、集体公益林9.42万亩，完成国有林森林抚育1.5万亩、封山育林0.5万亩、荒山造林0.5万亩，落实集体公益林补偿金138.95万元。大力推进察青松多国家级自然保护区和博美山省级森林公园建设，完成拉龙措国家级湿地公园总体规划。组建森林防火专业扑火队，加强森林草原防火，强化野生动植物保护，依法打击乱砍滥伐和偷猎盗捕行为。

【畜牧业】 2016年，白玉县牲畜存栏30.2万头（只、匹），牲畜总增率、出栏率、商品率分别达18%、18%、16%；肉类总产量4000吨，奶产量6720吨。牲畜品种改良1000头；开展本地品种选育3000头（只），其中牦牛2000头、山羊1000只。开展口蹄疫、禽流感等重大动物疫病防控强制免疫55.8万头（只、羽）次；驱治体内外寄生虫22万头（只）；发放羊包虫病基因工程亚单位苗26万只份，免疫羊10.2万只；发放犬驱虫吡硅酮60万片、阿苯达唑48万片。全县动物重大疫病免疫抗体合格率达70%、畜禽屠宰规范化管理率达80%、兽药规范化管理率达90%、动物卫生及兽药监督执法违法案件查处率达90%，“瘦肉精”等违禁药品检出率为零，全年无畜产品质量安全事故发生。积极推进“三品一标”认证，着力打造“昌台牦牛”“金沙江流域黑山羊”“察青松多藏猪”“察青松多藏鸡”等特色品牌。全年共举办培训班90场次，培训农牧民14012人次，赠送科技资料2050余份，拉横幅9条、科普挂图21张。投入1116万元，新建现代家庭牧场14户、天然草原改良4万亩、草产品加工试验试点1处，续建人工种草围栏共1700亩，改建网围栏1000亩，建成牲畜暖棚245座、多功能巷道圈8个。

【农村水利】 2016年，白玉县投入116.2万元，实施2016年贫困村饮水安全工程，铺设PE供水管道28.9千米，切实解决12个贫困村饮水难问题。投入1500万元，实施包虫病防控安全饮水工程，新建人口安全饮水井30口，着力解决5.4万人的饮水安全问题。投入2014万元，实施达洪沟等4个水土流失治理工程，建成堤防2524米，综合治理河道3千米，建成全县防汛指挥系统及预警平台。赠科乡翻身渠水利工程完成可研审查并被纳入全省“十三五”规划。

【农村电力】 2016年，白玉县投入4986万元，大力推进城网和农网改造升级，县域骨干电网质量和网架结构进一步优化，群众用电难问题得到有力解决。投入389万元，完成赠科乡热亚村、赠科乡上巴卡村、赠科乡上则达村、阿察乡昌托村、登龙乡定戈村5个村的电网改造。投资3836万元，完成农网改造升级项目，实现能源就业20人。叶巴滩电站移民安置规划报告已通过审批，小型（单站装机容量5万千瓦以下）水电项目全面停止核准建设。

【统筹城乡发展】 2016年，白玉县大力实施城乡提升战略，坚持规划先行，编制完成4个总规和5个子规划，启动乡（镇）、村规划。一是总投资25660.53万元，涉及项目15个，其中开展前期工作2个，开工建设2个、完工11个。二是投入1.2亿元，完善市政道路、地下管网、绿化亮化等配套设施，完成城市LOGO制作和文化墙设计，配齐市政管理设施设备。三是投资49万元，完成900平方米的停车场、打洪沟停车场项目、城区园林绿化项目，完成城区绿化20万平方米，县城五线入地建设完成河西、河东后街后山公路所有光缆入地，打造塔瓦呷姆步行街项目，完成危旧房棚户区改造240套。四是组建城市执法、保洁、绿化队伍，在建设、盖玉、阿察等乡（镇）开展“乱搭乱建”“乱圈乱占”综合整治，着力解决“九子一线”乱象，城乡管理得到规范，城市形象得到提升。五是完成麻绒乡格它村民居改造、基础设施、风貌打造、环境打造、公共配套等，完成《赠科乡规划》《扎玛村规划》《白玉县城区内景观规划》《上比沙村规划》4项规划编制。

【扶贫攻坚】 2016年，白玉县全面打响脱贫攻坚战，聚焦群众致富增收、产业发展、脱贫奔康目标，围绕“四个好”标准，突出精准识别，确定贫困村81个、贫困户2511户、贫困人口11127人。通过实施"六个精准""七个一批""17个专项"等脱贫措施大力推进贫困户住房建设和贫困村产业发展、基础设施改善等工作,实现12个贫困村退出、369户、1717人脱贫。全力落实"五个一批",扶持生产和就业发展一批355户、884人,移民搬迁安置一批219户、909人,低保政策兜底一批545户、1752人,医疗救助扶持一批1584人。投入9777.21万元,完成12个脱贫村通村硬化路建设116.9千米,修建蓄水池22个、入户水池60个,铺设管道28.9千米,配置水龙头198个;完成迁改传输约30皮长千米,新(改)建基站14个;完成566户藏区新居建设;完成755盏太阳能路灯安装调试工作;完成建设农村廉租房45套、村级幼儿园4所;建成绒盖乡生公村等50个村级农民体育健身场所和木质蔬菜大棚788座、1.35万亩特色农业产业基地。以农业科技大示范、大推广、大培训为抓手,集中开展蔬菜、青稞栽培技术培训14012人次,印发各类资料6100余份、挂图500余张。

【乡村旅游】 2016年,白玉县按照全域旅游理念和旅游富县战略,紧紧围绕"三化联动",着力完善旅游标识标牌、接待服务站点等设施,启动编制巴巴沟景点规划,建成旅游观景台2个、旅游厕所3座、民居接待3家,发展各类宾馆、酒店20余家,大幅提高旅游接待能力。

【农村科技】 2016年,白玉县深入开展"送科技成果、科技信息下乡"活动。全年共举办培训班90场次,培训农牧民14012人次,发放科技资料2050余份,悬挂横幅9条、科普挂图21张。

【农村教育】 2016年,白玉县紧抓国家西部地区"两基"攻坚计划、四川省民族地区教育发展十年行动计划和四川省藏区"9+3"免费教育,全力实施"科教兴县"战略部署,推进县中学等10所标准化学校建设,打造完成安孜等10所乡级幼儿园,新(改)建校舍3.1419万平方米,新进教师112人,培训教师228人次。全面落实"三免一补"等教育惠民政策,实施15年免费教育,兑现各类助学金744.49万元,选送54名学生就读"9+3"免费中等职业学校,定向培养紧缺专业人才71名,委托州职校培养本土人才150名(学前教育50名、财会专业50名、畜牧兽医50名)。全面落实"五长"负责制,抓实"控辍保学"。

【农村文化】 2016年,白玉县强化阵地建设,完成标志性建筑文化中心建设、156个村农家书屋书籍的补充更新、2个中心书屋建设、18个阅报栏建设,新建阿察镇、河坡乡综合文化示范站,完成13个贫困"摘帽"村文化室的设施设备配送和安装。全年累计开展"送文化下乡"活动50余场次、"送电影下乡"活动1872余场次,安装"户户通""村村响"设备3640套,建成公共服务网点8个。通过省、州级非遗代表性传承人培训20余人次,成功申报1个代表性传承项目和6名代表性传承人。成功举办白玉河坡手工艺精品展等文化活动。

【农村卫生】 2016年,白玉县大力实施"先诊疗、后结算"制度,建立"一站式"服务模式,实现贫困人口县域内住院"零支付"。城乡居民基本医保参保率达99.11%,在省规定的22种疾病病种基础上将所有癌症病种全部纳入补偿范围。深化医药卫生体制改革,全面实行县级公立医院取消药品加成制,乡(镇)卫生院和村卫生室实行零差率销售,医疗费用增长幅度控制在9%以内。投资2887万元,完成热加乡、绒盖乡卫生院业务用房和生活用房建设,沙马乡、章都乡卫生院生活用房及辅助设施建设,亚青寺社区医疗服务中心及附属设施建设,纳塔乡卫生用房、金沙乡、灯龙乡业务用房和生活用房建设(续建),亚青寺社区医疗卫生服务中心建设。包虫病、结核病等重点疾病防治措施有效落实,免疫接种率稳步提升,全年完成包虫病普查20720人次,免费药物治疗659人;规范管理治疗结核病56例;麻疹及脊灰接种率达95%以上,免疫规划免疫接种率达93%以上。全年开展"送卫生计生下乡"活动19场次,免费义诊3876人次,免费发放价值25000元的药品,健康教育1.8万余人次,发放健康知识宣传画(册)2万余份。

【农村法制建设】 2016年,白玉县依托"七五"普法、社会面防控、网格化管理、矛盾纠纷调处和十大集中整治专项行动等载体,有力化解矛盾纠纷,不断促进平安白玉、法治白玉建设。全年查处治安案件28起、行政案件4起,行政拘留70人,行政罚款64000元;开展各项大型维稳安保工作40余次,出动警力9544人次;查获被盗机动车辆16台,收缴毒品20.103克,追回牦牛48头,协助德格警方追回被盗牦牛2头,为群众挽回各类经济损失100余万元。交通安全方面,共出动警力3650人次、车辆1020台次,检查各类机动车12000辆,查处各类交通违法行为3339起,排查整改交通隐患85处,检查客运企业5次,进企业开展检查15次,发放宣传资料2000余份,宣传短信4000余条,张贴喷涂标语14条,悬挂横幅6条,媒体滚动播放宣传资料18次。举办农牧民法律知识培训220余期,开展僧尼法制宣讲180余场次、法律"七进"400余场次,发放宣传资料16万余份,发送普法短信10万余条。

【农村交通】 2016年,白玉县紧抓全州农村公路建设"交通三年攻坚"机遇,加快推进农村公路通村通畅工程建设。全年累计投资4.6亿元,建设公路441.3千米,其中完成通乡公路建设18.2千米;完成17条通村通畅硬化路144.5千米(包括13条脱贫村硬化路)建设;完成48个村271千米通村水泥路工程;完成通达工程7.6千米;建成农村客运站5个、村级招呼站6个。投入1280.31万元,完成章都乡阿色村、赠科乡岳达村2座溜索改桥建设。投入1127.1533万元,完成盛德桥建设。

【农村社会保障】 2016年,白玉县持续健全城乡居(村)民最低生活保障制度,规范低保金社会化管理发放工作,实现动态下的"应保尽保"。一是全面落实低保补助政策,保障119914人,全年支出保障金1930.34万元,其中支出农村低保保障金1681.59万元、110518人次。发放孤儿基本生活保障金207.0336万元。二是全面落实城乡困难群众医疗救助,支出166.983万元救助865余人次,其中农村医疗救助814人次;资助城乡低保、五保、孤儿、优抚对象参加城乡居民医疗保险12080人、108.72万元。三是加强再就业工作。新增就业1342人、就业困难人员再就业47人,完成就业技能培训1016人;组织开展青年劳动者技能培训110人次;开展民居接待、藏式绘画、摩托车维修等培训班,涵盖全县11个乡(镇),立档建卡贫困户410人;建立大学生就业见习基地10个,开发公益性岗位280个,安置就业困难人员225人;转移农村劳动力4572人次。

【主要领导人】 县委书记:康光友;县人大常委会主任:周玉红;县长:阿央邓珠;县政协主席:何康雷;分管农业副县长:兰海。

白玉县编写组

石渠县

【基本情况】 2016年,石渠县辖23个乡(镇、场)165个行政村,辖区面积25191平方千米,其中耕地面积8.7105万亩。年末总人口10.106余万人,其中藏族人口占总人口的95%以上;有农业人口8.6万人。

【年度农业和农村经济运行】 2016年,石渠县实现农业总产值56544万元,增长7.8%;农业增加值44361万元,增长7.7%。农民年人均可支配收入8527元。

【种植业】 2016年,石渠县积极调整农业产业结构,投资897万元,治理土地8505亩,新增土地面积850亩,建设高产高效青稞生产示范基地2.2万亩、现代特色农业产业基地6.18万亩,蔬菜大棚、油菜和饲草饲料种植得到全面推广。全年农作物总播种面积4.6万亩,比2012年年初增加4751亩;粮食总产量8176吨、蔬菜总产量2409吨,分别比2012年增加1366吨和1144吨。大力发展特色农业产业,新建枸杞基地150亩、实验基地50亩。

【畜牧业】 2016年,石渠县积极开展藏系绵羊地理标志申报和藏系绵羊资源保种及核心群选育工作。牲畜出栏率达18%,商品率达14%。加快防灾抗灾保畜打贮草基地、优质牧草基地、牲畜暖棚、牧道等基础设施建设,切实提高防灾减灾能力。各类牲畜存栏达44.8万头(只、匹)。积极开展科技结对认亲,牧民群众科学养畜意识不断增强,引导畜牧业由粗放型向生态效益型转变。

【农村水利】 2016年,石渠县积极推进重点水利工程建设,投资1.5亿元的洛须引水工程完成总工程量的95%。投资3.35亿元,完成浅表水打井工程84处,实施包虫病综合防治安全饮水工程826处,全县定居点群众安全饮水问题基本得到保障。开展农田水利工程建设,改善和恢复灌面1103亩。投资6041万元,完成德荣玛、新荣、阿日扎、长须干玛草原节水灌溉工程,新增灌面6100亩。投资4507万元,完成翁曲河、俄柯河、温波尔玛地牧民定居点、县城胜康沟堤防治理工程,有效治理河道7.08千米。投资900万元,完成防汛非工程措施项目,健全雨情监测预警系统。

【农业机械化及农业补贴】 2016年,石渠县新增农机209台,累计完成机耕12.7万亩、机播1.3万亩、机收10.2万亩。兑现农业支持保护补贴、耕地地力补贴、种粮大户补贴、农机购机补贴等资金1209万元,补贴农业保险参保费159万元。

【统筹城乡与新型城镇化】 2016年,石渠县坚持以新型城镇化为重点,先后完成色须镇、虾扎镇、温波镇、蒙宜镇的撤乡建镇工作,达到"一县六镇"。全面实施"城乡提升"战略,配套建设县城功能设施,实施亮化、绿化、风貌改造等系列工程,启动了4个重点镇、6个示范村规划编制,实行城乡规划统一审批、统一管理,"六乱"现象得到有效整治,乡村治理稳步推进。全年改造320户棚户区,实施3689户藏区新居建设,保障性安居工程稳步推进。投资1.66亿元,完成县城生活垃圾填埋场、市政道路、路灯安装、洛须镇供水及基础设施和色须镇市政道路等重点建设项目;投资1.42亿元,新建第二办公区、统战宗教档案大楼等办公用房;投资1.18亿元,完成公租房项目建设4个、干部周转房项目建设4个、基层政权建设8个;完成45个村级活动室建设;投资1.75亿元,全面开工建设干部职工周转房;投资6326万元,完成商业中心建设;投资4207万元,实施城区学校、藏医院集中供暖试点项目;投资4278万元,实施县文化体育活动中心建设。全县形成了县城三横三纵、洛须镇两横三纵、色须镇三横四纵的城镇布局,城乡整体形象得到全面提升。

【扶贫攻坚】 石渠县为国家级贫困县。2016年,石渠县聚焦"两不愁三保障"和"四个好"脱贫目标,精准发力,精准施策,摸准摸清112个村、5054户、19340人的贫困状况,选派扶贫"专职副乡(镇)长"19名、"第一书记"112名、精通双语优秀干部78名脱产驻村开展脱贫攻坚工作,制订了112个贫困村脱贫规划。"五个一"帮扶工作开展有力有序,发放"第一书记"补贴108万元;"五大扶贫工程""十七个专项行动"推进持续有效。投资6513万元,实施通村公路、安全饮水、卫生室、文化室、通信通讯等项目;投入1000万元用作12个"摘帽"贫困村和8个脱贫示范村产业培育启动资金;投资1.27亿元,开工建设涉及709户、2484人的易地扶贫搬迁项目。在全州率先建成"石渠县脱贫攻坚数据可视化系统",有力提高了对全县脱贫攻坚工作的总体分析、把控和监管水平。以"农户+合作社+市场"等形式成立专业合作社、产业基地72个,将单打独斗转变为抱团取暖,形成集生产、加工、销售于一体的产业链,特色农畜土特产品逐步走进市场、走上干部群众的餐桌,初步探索出一条高寒牧区产业扶贫的新路子。成功举办全州牧区产业扶贫工作现场会,发放特困群众生活救助金1204万元。

坚持"输血""造血"并重。实施了金牛区援助石渠第一轮计划,援建县文化体育活动中心、县城市政道路改造、色须洛绒塘便民道路、政务中心和县档案馆等系列重大项目36个,带动投资约3亿元,其中对口援助计划投资1.19亿元。同时,通过积极对接会商,规划、落实金牛区对口援助石渠2017—2021年项目25个,总投资1.27亿元,涉及住房保障、教育卫生、产业发展等。深圳市援建项目4个,计划总投资3146万元,其中对口支援资金2794万元,累计完成投资1219万元。

【文旅工作有序推进】 2016年,石渠县积极打造"世界最美湿地、千年唐蕃古道、石刻艺术王国、吉祥太阳部落"四大名片,唐蕃摩崖石刻入选"2013年度全国考古十大新发现",松格嘛呢、巴格嘛呢《国家级文物保护规划》已获国家文物局批准,文物、非物质文化遗产保护工作有了新的进展。完成中央电视台《远方的家——江河万里行》《草原我的故事》和《进藏》纪录片的采播工作,制作播报《国宝档案》之"神秘太阳部落"系列专题片3集。成功举办了第九届康巴艺术节石渠分会场暨"圣洁甘孜·吉祥太阳部落"2016中国石渠帐篷节、"感恩石渠·大爱石渠""我和草原有个约定"、农信杯"颂党恩、守法律、爱家园"等系列大型文艺会演。加快文化旅游基础设施和"一环两带三区"生态文化旅游经济圈建设,明晰"牧旅结合""农旅结合"的发展思路,促进文化旅游产业化发展,累计接待游客103万人次,实现旅游收入4.12亿元。深入开展"送文化下乡"活动280场次,实施乡(镇)文化站、农家书屋、州县节目无线覆盖、"户户通"和农(牧)民健身场所等建设。

【农村教育】 2016年,石渠县全面实施教育发展三年行动计划,增强村级学校办学实力,提高乡镇学校办学水平。投资1.94亿元,实施校舍改(扩)建项目81个;投入2690万元,实施教育信息化和校园文化建设,"三化一配套"建设水平不断提高。累计拨付"三免一补"经费1.25亿元,投入营养改善计划资金2536万元。发放农牧农民子女就读大中专学费资助资金429万元,受益学生1808人次,教育惠民政策得到全面落实。"五大控辍保学措施"成效明显,在校学生达12119人,比2012年增加3540人,重教兴教氛围日益浓郁。

【农村卫生】 2016年,石渠县全面实施"民族地区卫生发展十年行动计划",加快推进医药卫生体制改革,完成县人民医院二级乙等综合医院、县藏医院二级乙等民族医院评审。总投资9817万元,实施13个乡(镇)卫生院标准化建设和20个村卫生室建设,全县乡(镇)卫生院全部完成标准化建设。贫困白内障患者得到特别关爱,鼠疫、艾滋病等重大传染疾病监测防治继续推进。计生"三项制度"得到全面落实,妇幼保健常抓不懈,人口出生率控制在7.68‰以内,人口自然增长率控制在5.12‰以内,计划生育率达95.53%。

全县启动了包虫病综合防治试点工作,有力有序推进包虫病综合防治攻坚战“六大专项行动”,形成了国家、省、州、县、乡、村六级联动的防治攻坚格局,筛查包虫病 82143 人,确诊包虫病患者 6444 人,患病率为 7.84%;免费手术治疗 315 人,患者规范治疗管理率达 83%,关心关爱工作推向深入。研发犬只管理系统,犬只管理逐步规范,招聘包虫病宣讲员和犬只驱虫员 169 名,登记家犬 18368 只,制作并发放家犬铭牌和养犬证;捕获染疫犬、疑似染疫犬 23275 只;确定每月 10 日为“犬驱虫日”,包虫病主要传染源得到逐步控制。切实加强畜间防控,在 37 个牧民定居点开展草原灭鼠 24.4 万亩。开展羊包虫病基因免疫 14.7 万只次,免疫率达 79%;启动牛包虫病基因工程疫苗田间免疫实验。研制、推广流水洗手机、牛粪铲、手套等,包虫病“可防、可治、可控,不可怕”深入人心。投资 5306 万元,实施包虫病综合防治项目 4 个,其中包虫病防控中心、干部职工周转房、牲畜集中屠宰场完成主体工程建设,远程网络诊疗系统进入试运行阶段。阶段性工作成效得到国家、省、州的高度肯定。

【农村交通】 2016 年,石渠县深入实施甘孜州农村公路三年集中攻坚大会战,总投资 20.5 亿元的马石路、石安路全面建成投运;投资 8.47 亿元,实施西区至巴格嘛呢、温波至长须干玛、温波至阿日扎、格孟至呷依、蒙宜至格孟、虾扎至东区、新荣乡夺呷至虾东路、瓦须乡 8 条通乡油路 265.9 千米,通村通达公路 3059 千米,建成雅砻江流域大桥 5 座;投资 2775.1 万元,实施精准脱贫“摘帽”村、示范村通村硬化路 13 条、49.7 千米。国道 215 线沿江公路段进入前期踏勘设计,国道 345 线青海达日经石渠至玉树段完成行业评审,县城至洛须道路纳入省道 457 线计划,基本构建了“三横一纵”立体式交通网络,群众行路难问题得到有效解决。

【农村社会保障】 2016 年,石渠县城乡居民自愿参加医疗保险人数达 88396 人,参保率达 99%;报销医疗保险 52 万余人次,报销 1.15 亿元。成功调解工程拖欠工资纠纷 56 起,为农民工追讨工资 1368.77 万元。清退违规纳入农村低保 1046 户、2928 人,重新纳入 1017 户、2928 人,杜绝了关系保、人情保现象。全县有城乡低保对象 38943 人,动态化管理达 60%,救助比例达 70%,兑现最低生活保障金 1.98 亿元。新建县社会福利救助中心、洛须敬老院、俄多玛农村敬老院,完成县城中心敬老院改建维修;发放农村五保供养对象生活保障金 1180 万元、困难群众临时救助金 217 万元、医疗救助金 2260 万元、孤儿生活保障金和节假日慰问金 1057 万元、价值 1822 万元的困难群众春荒粮。防灾减灾体系不断完善,投资 2425 万元,完成避险搬迁 734 户,保障了 3670 名农牧民群众的生命财产安全;投资 1.4 亿元,完成宜牛寺、真达乡甲日沟、尼呷后山泥石流治理等地质灾害治理项目 14 个。

【农村生态建设及环境保护】 2016 年,石渠县坚持重点突破与面上治理、工程措施与自然修复相结合,深入实施退牧还草、退耕还林,积极开展土地退化、鼠虫害化、沙化草地综合治理和修复,完善天然草场有偿承包责任制,开展休牧轮牧和退化草地补播改良,抓好人工饲草地、小围栏和牲畜棚圈示范建设,制定出台《石渠县人民政府草原管理暂行规则》,促进草地生态系统良性循环。投入生态建设资金 4.37 亿元,完成灭鼠 565 万亩、控鼠 395 万亩、治虫 235 万亩、草地围栏建设 596 万亩、补播 179 万亩、卧圈种草 3.5 万亩、沙化治理 10.8 万亩、湿地管护 4.7 万亩、人工造林 3000 亩、鹰架安置 3950 架。全年实施草原禁牧 1446 万亩、草畜平衡 1305 万亩、牧草良种补贴 15.16 万亩;常年管护森林 262.6 万亩,兑现草原生态保护补助奖励 6.1 亿元、集体公益林生态效益补偿 4782 万元、退耕还林补贴 1986 万元。初步完成“生态红线”划分调整,积极开展项目环境测评,加大环境监察执法和巡查力度,投入 1350 万元,实施水源地保护和环境综合治理系列工程。成功举办“科考石渠”活动,石渠湿地被誉为世界最美湿地之一和中国最重要的高原湿地,被写入《四川省关于践行绿色发展理念建设美丽四川的决定》。

【电力建设不断突破】 2016 年,石渠县总投资 32.15 亿元的“新甘石”电网联网工程和 8.17 亿元的“电力天路”“无电项目”工程顺利完工并投入使用;投资 4714 万元,全面实施农网升级改造、农村电网改造、城网改造等项目,新建 110 千伏变电站 2 座、110 千伏线路 342 千米、35 千伏变电站 4 座、35 千伏线路 201.5 千米、10 千伏线路 1567 千米、低压线路 1500 余千米,新增配变台区 424 台,基本形成了以 110 千伏为主网、35 千伏为骨干网、10 千伏为配电网的电网格局。

【通信条件不断改善】 2016 年,石渠县全面优化县域内 C 网、G 网基站布局,城区、乡(镇)驻地、定居点、公路沿线通讯需求得到基本保障。埋设县城通讯管道 10.06 千米,发展移动宽带用户 1000 户、电信宽带用户 2196 户,为 23 个乡(镇)开通了视频会商系统和金保网。

【项目建设】 2016 年,石渠县把项目作为推动发展的重要抓手,积极做好发展规划和项目编制、申报、储备工作,更多项目被纳入国家、省、州计划,五年共争取到国家、省、州预算内投资 44.38 亿元,涵盖基础设施建设、生态环境治理、扶贫开发、社会事业、社会保障等方面,带动了地方经济发展,促进了社会事业进步。累计开工建设各类项目 507 个,总投资达 42.01 亿元,实际完成投资 41.37 亿元。编制出台《石渠县项目管理汇编》,建立健全考核、督查、通报等重大项目推进机制,强力推进重点项目落地落实。

【宗教管理扎实有效】 2016 年,石渠县严格执行《甘孜藏族自治州藏传佛教事务条例》及实施细则,深入开展“五二三”学教活动,积极推进藏传佛教寺庙管理长效机制建设,集中举办培训班 15 期,培训僧尼 2298 人次;开展法治宣讲 328 场次,送教入寺活动 452 场次,与高僧大德座谈 422 场次,覆盖僧尼 25668 人次。依法清退未成年入寺人员 510 人、外籍问题僧尼 137 人,摸排掌握出境回流人员 14 人。采集僧尼信息 7150 人,完善了全县寺庙数据库。及时化解 23 起矛盾纠纷,实现 46 座寺庙达标升级。投入 2551 万元,实施寺庙“五通”工程。深入开展僧尼关心关爱工程,开展僧尼包虫病筛查 4146 人;坚持把寺庙贫困僧尼纳入社会化管理范畴。深入开展“同心同向”活动,积极引导宗教与社会主义社会相适应。

【主要领导人】 县委书记:袁明光;县人大常委会主任:刘泽;县长:罗林;县政协主席:达瓦绒波;分管农业副县长:余庆。

石渠县编写组

色 达 县

【基本情况】 2016 年,色达县辖 2 镇 15 乡,辖区面积 9338.98 平方千米。有炉色、色色、翁达、色锣、色班、亚然、泥然、色大 8 条县乡公路,公路总里程 623.5 千米。

【旅游发展】 2016 年,色达县对发展全域旅游的重视程度和信心、决心不断增强,发展定位和目标任务不断清晰,政策措施和管理服务不断加强，基础设施和服务体系不断完善，全县接待游客人数、旅游收入连续3年始终保持持续快速增长，增速位居全州第二，旅游业带动增收致富和其他相关产业发展的优势已经凸显。全年接待游客38.776 2万人次，同比增长75.3%，其中入境游客0.21万人次，同比下降4.5%；国内游客20.09万人次，同比增长76.8%。实现旅游总收入3.838 8亿元，同比增长125.6%，占全县GDP的0.23%，其中旅游外汇收入50.4万美元，同比下降4.5%；国内旅游收入2.01亿元，同比增长161%。截至2016年年底，全县有宾馆97家，床位3 863张；星级乡村酒店2家，乡村旅游接待游客数量为3.8万人次。

【旅游规划与基础设施建设】 2016年，色达县积极推动全域旅游发展战略，先后完成《色达县旅游发展总体规划》的修编和《翁达镇概念性规划》的编制工作。完成投资2 761.2万元的"格萨尔文化艺术中心"项目主体工程建设，全面提升了色达旅游的整体形象。投资178万元，完成金马文化广场改造提升项目；投资151万元，完成格萨尔雕塑项目建设；积极争取扶贫资金，投资500万元完成尼奔达雅乡村酒店建设；完成15个旅游标识标牌的设计工作。

【旅游市场监管与行业培训】 2016年，色达县成立了以县政府主要领导挂帅的旅游安全生产领导小组，将安全生产工作纳入相关县级部门年度工作目标。制定了《旅游安全生产应急预案》，由旅游、安监、工商、交通、卫生等部门抽调人员组成工作组开展旅游安全生产检查，及时排查安全隐患。在"五一""十一"等节假日期间开通24小时旅游服务电话，公安、交通、运管部门在交通要道做好交通疏导，在天葬台等重要景点设立临时停车场和游客区，维持游客秩序。

加大旅游市场检查监管力度，定期或不定期地到宾馆(饭店)开展专项检查，督促做好软硬件设施建设，提高服务质量。旅游部门定期会同工商、物价、卫生等部门检查旅游商品的销售情况，规范旅游市场秩序。

重视旅游人才的培养，选派人员参加省、州旅游局组织的各种旅游业务培训。组织开展了旅游景点讲解员、餐饮酒店行业从业人员专业化培训以及辖区餐饮酒店行业从业人员服务礼仪培训，使全县干部职工、从业人员的业务素质不断提高，为县域旅游业健康发展打下了坚实基础。

【主要领导人】 县委书记：张平森；县人大常委会主任：秋他；县长：王东升；县政协主席：所波；分管农业副县长：秋松。

色达县编写组

理塘县

【基本情况】 2016年，理塘县辖24个乡(镇)231个村民委员会282个村民小组，辖区面积14352平方千米。有常住人口73141人、农业人口60755人，人口自然增长率6.52‰。

【年度农业和农村经济运行】 2016年，理塘县实现农业总产值51695万元，增长10%；农业增加值40326万元，增长5.7%。农民年人均可支配收入8676元，增长11.8%。

【种植业】 2016年，理塘县以大河边霍区吉祥牧场、濯桑圣地农庄建设为抓手，努力探索现代农牧业发展新路子，全年累计建立蔬菜基地1.2万亩、油菜基地1.5万亩、青稞基地12万亩。粮食播种面积59507亩，完成目标任务的100%；产量13885吨，完成目标任务的101.4%。油菜播种面积7000亩，产量897吨；蔬菜播种面积5003亩，产量5652吨；药材播种面积9000亩，产量1486吨。

【林业】 2016年，理塘县森林资源保有量位居全州第一。土地总面积达1399665.6公顷，是四川省仅次于石渠县的第二大县，同时又是长江中上游的重点林区之一，其中林业用地773539.7公顷，占土地总面积的55.3%；非林业用地626125.9公顷，占土地总面积的44.7%；森林覆盖率达46.5%，属一级森林火险区。全县湿地保有量达91393.12公顷，森林保有量达650288.02公顷，自然保护区保有量达4591.61万平方千米。

天然林资源保护。完成《理塘县天然林资源保护工程二期2016年度国有森林管护及新增重点公益林补偿实施方案》《理塘县天然林资源保护工程二期2015年度补充国有森林管护及新增重点公益林补偿实施方案》《理塘县天然林资源保护工程二期2016年度集体公益林森林生态效益补偿实施方案》的编制、上报、审批工作。全县继续贯彻落实国有森林管护目标任务，加大护林防火与林政资源管理力度，实行双线目标责任制，层层签订管护协议与责任书。依法常年有效管护国有林864.02万亩、集体公益林165.02万亩。

退耕还林工程。巩固退耕还林成果4.1万亩，同各乡(镇)签订了21份责任书。对退耕还林的4.1万亩进行依法管护并开展自查工作，同时兑现退耕还林补助资金。

植树造林。完成2016年度《森林抚育作业设计》编制并组织实施。全面完成2016年度森林抚育面积1万亩。完成中木拉乡2011年度、长青春科尔寺2013年度人工造林补植补栽工作，哈依乡迹地更新321亩，2016年度人工造林6000亩。完成义务植树8.2万株、2015年度州级林业产业建设变叶海棠补植补栽、2016年度省级财政林业产业600亩变叶海棠建设任务及作业设计等各项相关工作。

【畜牧业】 2016年，理塘县各类牲畜存栏达31.06万头(只、匹)，牲畜总增率、出栏率、商品率分别达20.53%、20.57%、20.01%，大牲畜出栏率位于全州前列；肉、奶类总产量分别达4970吨和9135吨。努力培育特色产业，发展壮大高城鹏飞牦牛肉食品开发有限公司，公司年产值达3000余万元。坚持"公司+专合组织+农牧户"路子，9个乡13个村成立了高原牦牛养殖专业合作社，共养殖牦牛3800余头。引进蓝逸公司成立理塘蓝逸高原食品有限公司，有效增加了农牧民的收入。

以集体牧场示范建设和特色畜禽养殖为突破口，大力实施生态畜牧业建设。一是加强牧草产业建设。在濯桑优质牧草基地种植披碱草和燕麦草2000亩，在4个集体牧场新建标准化草场6800亩，在大河边新建草产品加工点1个，为全县牲畜安全越冬度春提供了充足的饲草料储备。二是加强畜禽改良。全年实施畜禽改良1000头、本品种选育4300头，在大河边牧场新建牦牛标准化养殖小区1个。三是品牌建设，全县已成功申报注册"理塘牦牛"和"理塘牦牛肉"2个国家地理标志商标。申报"理塘牦牛"互联网品牌保护并获得"互联网+品牌"示范单位称号。

【电网建设】 2016年，理塘县加快电网设施建设，建设10千伏线路27条、166千米，10千伏千瓦配变压器67台，低压线路改造152千米。加快通信设施建设，建设德巫乡拉拉村、哈依乡安巴村等8个乡10个村有线传输线路约370千米。

【扶贫攻坚】 2016年，理塘县始终围绕"两不愁、三保障、四个好"标准和要求，通过强力落实"五个一"帮扶力量，抓实17个专项扶贫工作。按照贫困村"一低五有"、贫困户"一超六有"的退出标准，全县累计整合资金1.68亿元用于21个“摘帽”贫困村基础设施、公共服务、农牧产业、新村扶贫等建设,实现21个贫困村“摘帽”,861户贫困户、4057名贫困人口脱贫。按照“四个一”的路径,谋划和实施好产业扶贫,各乡(镇)对贫困村产业项目逐个研究,明确发展思路,找准发展方向。组建充实党支部,以支部为引领,有效解决村社农户土地流转、合作社利益分配、企业引进入驻等“属地”问题,确保示范项目和特色农牧产业生产技术推广等落地落实,形成抓产业发展、抓脱贫致富奔康的良好社会氛围。引入企业成为需求和投入的主体,进而成为市场主体,延长农业产业链、提高农业附加值、推进农牧产业发展,实现企业带动。不断探索,借鉴推行“产权式农业”等利益联接机制,确保贫困村、贫困人口受益,使贫困人口住上好房子、过上好日子、养成好习惯、形成好风气。

【文旅产业打开新局面】 2016年,理塘县紧紧抓住打造“环亚丁机场两小时旅游经济圈”的发展机遇,依托国道318线、227线最美景观大道实施全域旅游优先发展战略。突出规划引领,完成《格聂山控制性详细规划》《无量河湿地公园修建性详细规划》《大格聂发展规划》编制工作。借助旅博会、西博会,充分挖掘深厚丰富的民族文化内涵,以“遇见仓央嘉措在理塘”为主题,加大理塘文化旅游宣传营销力度,提出了“康藏之窗·圣地理塘”的文化旅游总体定位。制作完成宣传片《天路藏魂》,申报了囊索嘉培藏医、理塘锅庄、理塘藏戏等7个非遗项目,建立了山歌歌舞数据库。以“一山一河一节一古镇”资源开发为主体,启动无量河湿地公园建设,完成无量河湿地公园自驾车营地建设和国道318线、227线沿线的旅游公共服务设施改造,努力打造以大香格里拉旅游环线和国道318线、227线最美景观大道为重要节点的景点(区),逐步形成勒通古镇、无量河湿地公园和格聂山“三点两线”的旅游布局。成功承办2016年“相约圣洁甘孜·畅游自驾天堂”理塘县高原热气球体验游及赛马活动。始终坚持“一山一河一古镇”总体布局,一是抓好“一城两路”的旅游规划建设。理塘古镇申报4A级景区,加快国道318线、227线最美景观大道建设,带动沿线乡(镇)发展旅游服务业。二是打造“一山一河一节”。加大招商引资力度,打造四川第三峰格聂山景区,建设世界山地旅游目的地,力争将无量河湿地公园打造成为川西草原上最美湿地公园。

【农村教育】 2016年,理塘县以“创建藏区集中优质办学一流县”为目标,全面贯彻落实教育发展“一纲要四意见”,深化教育领域综合改革,推进县域内义务教育均衡发展,大力发展学前双语教育。狠抓“控辍保学”、规范教育管理,努力提高教育教学质量和办学水平,顺利通过创建义务教育基本均衡县省级督导评估,较原计划提前3年完成任务。五年来累计投资3.23亿元,完成理塘县教育集中区等46个项目建设。兑现国家教育惠民资金1.17亿元,为非义务教育阶段贫困学生发放奖(助)学金413.3万元。

【农村卫生】 2016年,理塘县认真贯彻落实《关于推进“健康甘孜2020”卫生事业跨越发展的意见》,实施《包虫病综合防治攻坚战行动》。在卫生系统开展“三好一满意”活动,狠抓医德医风建设和医技人才培养,全面实现12项基本公共卫生服务全覆盖,县级公立医院和各乡(镇)卫生院实现药品零差率销售。扎实开展计划生育工作,进一步落实和完善大病医疗救助等帮扶政策。五年来,全县累计完成15个乡(镇)卫生院、128个村级卫生室标准化建设。

【农村社会保障】 2016年,理塘县以深入推进社会保障制度改革为抓手,不断完善社会保障体系,着力抓好大病救助和爱心慈善工作。城乡居民基本养老保险参保16611人,参保率达48%,发放养老保险金4800万元;城乡居民基本医疗保险参保59497人,参保率达97%以上,覆盖率达100%。完成濯桑、曲登等9个乡150套干部周转宿舍建设,完成中心敬老院和儿童福利院建设。

【农村生态建设】 2016年,理塘县组织实施“绿化全川”行动,继续推进天保工程建设,巩固退耕还林成果,实施重点公益林生态补偿,健全重点公益林管护体制以及湿地生态效益补偿和管理机制。加强草原生态建设,深入实施天然草原退牧还草工程,全面落实草场禁牧428万亩、草畜平衡建设632万亩,退化草地补播改良10万亩,推广人工种草2.5万亩,治理沙化土地20万亩。加快水土流失治理,在全县实施山洪沟生态治理项目,重点整治那曲、君曲河,在喇嘛垭、莫坝、麦洼等乡实施水土保持综合治理项目。加强生态建设,认真贯彻落实《关于推进绿色发展建设美丽四川的决定》和《关于践行绿色发展理念建设美丽甘孜的决定》,牢固树立“绿水青山就是金山银山”的理念,严格落实森林生态效益补偿、草原生态保护补助奖励机制。实施好天保工程、新一轮退耕还林工程。深入推进实施“山种树、路栽花、河变湖(湿地)”工程。

【社会管理有力有序】 2016年,理塘县坚持依法行政,加强法制宣传,广泛开展普法教育和“法律七进”活动。进一步整顿和规范市场秩序,查处不合格食品、药品等案件96起。实施城乡网格化服务管理工作。加强城乡环境综合治理,建立健全城区及城乡公共环境卫生管理机制。深入推进寺庙管理长效机制建设,全面贯彻落实《甘孜藏族自治州宗教事务条例实施细则(试行)》,完成全县30座寺庙九项整治内容基本情况登记造册,积极开展“五二三”学教活动。规范虫草管理,制定了《理塘县虫草采集管理办法》。成功取缔非法组织5个。强化信访工作政策宣传,加大对非法上访、闹访、缠访等整治力度,深入开展“大接访”“大下访”信访活动,切实做到了将矛盾化解在基层、将问题解决在当地。

【主要领导人】 县委书记:格勒多吉;县人大常委会主任:曲批;县长:郑显峰;县政协主席:王健琼;分管农业副县长:向阳。

理塘县编写组

巴 塘 县

【基本情况】 2016年,巴塘县位于中国香格里拉生态旅游核心区,地处茶马古道要冲,素有“高原江南”的美誉。全县辖区面积7843.856平方千米。

【年度农业和农村经济运行】 2016年,巴塘县布局发展果蔬肉药蜜支柱产业,新建成核桃1万亩、小杂水果5000亩、绿色蔬菜1000亩、酸石榴500亩,发展羌活和中蜂200亩。注册涵盖45类产品的“五彩藏乡”区域性商标,新扶持发展农村专合组织13个。有效防控口蹄疫等重大突发疫情。完成4个乡(镇)便民服务中心规范化建设,推进便民服务向农村延伸覆盖。

【农村水利】 2016年,巴塘县把水利建设作为破解发展困境的重中之重,在完成总投资1.29亿元的巴楚河引水工程80%工程量的基础上,同步争取的总投资5986万元的渠系配套工程获批。投入900万元,实施小农水项目,确保了灌溉用水进入田间地头。东南片区引水工程前期工作有序推进。

【扶贫攻坚】 2016年,巴塘县紧紧锁定“两不愁、三保障”和“四个好”目标,鲜明“四帮四不帮”工作导向,引导贫困群众自力更生,全县形成思发展、谋致富的良好氛围。优化资源配置,统筹脱贫与奔康,推行“四个提前”模式,按照“三同”原则整合资金2.16亿元,实施扶贫项目144个,集中力量补短板、办大事。撬动金融扶贫,投入5338万元设立“八项基金”,引导金融机构加大扶贫信贷投入,推动金融资源向贫困户倾斜。加压改善民生,创新工作模式,强力实施地巫乡中真村整体搬迁项目,从根本上破除“一方水土养不起一方人”的困境。自筹资金950余万元,解决了分散搬迁至县城周边群众的安全饮水等现实困难。投入200万元购置发放“惠民包”“明白卡”等物资,深入推进开展“三创一示范”“五洗一清扫”“三讲一演一义诊”活动,增进贫困群众的感恩意识,促进好风气、好习惯逐步养成。全县脱贫攻坚工作顺利通过第三方评估和州级考核验收。圆满完成17个援建项目,会商启动新一轮成都市双流区援建计划,编制完成未来五年项目规划,为脱贫攻坚助力增彩。

【乡村旅游】 2016年,巴塘县以“五彩藏乡”为总体形象定位,调整优化“一旅二农三能源”的产业发展思路,推进三次产业融合互补。携手州旅投公司合作开发措普沟、格聂景区,与上海公司、驷骋公司达成融资意向。建设旅游标识标牌10处、旅游综合服务点4个,规范洗车加水点11处。瞄准自驾、骑行等过境游客人群,竹巴龙自驾游营地、10户民居果庄成为休闲度假的新热点。

【农村交通】 2016年,巴塘县总投资16.52亿元的国道215线项目获批,总投资22亿元的苏洼龙电站复建段完成30%的工程量。完成地巫、中心绒通乡干线油路主体工程,解决了长期以来路况差的问题。投入2.2亿元,高标准规划建设通乡通村道路和入户联户路。全力打通县城至亚日贡刀许的节点路,有力改善了群众出行远的难题。全年累计建成通乡油路33千米、村通畅公路162千米、村通达道路63千米。

【农村电力】 2016年,巴塘县把群众反映最突出的供电不稳、停电频繁等问题作为政府改善民生的重要任务。按照“抓提前、保重点”的原则,积极争取省、州电网项目支持,投入1705万元,实施县城周边和12个村的低压线路改造工程60.24千米。推进城区安全用电改造和真空断路器安装工程,逐步改善城市配网负荷承载能力。

【农村通信建设】 2016年,巴塘县破解通信建设滞后、项目争取难的制约,财政自筹资金50万元,会同通信公司推进光纤进村工程,实现12个“摘帽”村4G网络全覆盖。全县除异地整体搬迁村外,其余行政村实现通信网络全覆盖。

【农村教育】 2016年,巴塘县围绕机会、资源、质量、保障四个均衡,投入3754万元完成6个薄弱学校改造、县城第二所幼儿园和3所村幼儿园新建、设施设备补充工作。大力营造尊师重教氛围,设立尊师重教资助基金200万元、优秀大学生奖励基金100万元、退休教师奖励基金100万元、评先奖优激励基金30万元。投入100余万元开通3条助学公交线路。义务教育均衡发展工作顺利通过省级评估验收。

【农村卫生】 2016年,巴塘县以“控费、减负、兜底、放心”为目标,投入5100余万元建成5个乡(镇)标准化卫生院和9个村卫生室,深入推进分级诊疗、远程会诊、特色科室建设。全面落实“十免四补助”惠民政策,让广大群众在家门口享受优质诊疗服务的同时实现减负2000余万元,个人就医支出有效控制在10%以内。安排专项资金30万元实施7000余人甲肝强制免疫工作。强力推进包虫病防控工作,建成投资1500万元的包虫病防控安全饮水项目。强化犬只规范管理,处置病犬844只,免费医治包虫病患者54人次,重大传染病防控工作取得明显实效。

【农村社会保障】 2016年,巴塘县积极推行低保与扶贫“两线合一”,城乡低保、五保供养、孤儿供养月人均补助水平分别达365元、150元、400元、778元,城乡居民医疗保险、养老保险参保率分别为99%、78%,五保对象集中供养率达23%。

【农村生态建设及环境保护】 2016年,巴塘县深入贯彻落实县委《关于践行绿色发展理念、建设美丽生态巴塘的决定》,投入375万元,实施47千米道路绿化和12千米路边种花项目。稳步推进沙化治理,完成新一轮退耕还林6700亩、森林点撒播1万亩,全县森林覆盖率提升至33.3%。依法关闭夏塞银矿,妥善封闭废弃矿山。严格落实草补、集体公益林补偿等惠民政策,有效管护国有林452.3万亩,完成333万亩草畜平衡工作。投入2150万元推进水源地保护和地质灾害治理工作,完成中心绒等2处滑坡治理和100户地质灾害避险搬迁项目,治理水土流失面积15平方千米。

【就业创业深化拓展】 2016年,巴塘县投入121万元招聘120名幼教、协警等公益性人员,择优从建档立卡贫困户中选聘300余名护林员、草管员、打火队员,协商苏洼龙电站等重大项目解决群众参工参建就业8000余人次,依托本地企业和商户吸纳群众就业3000余人次。全县大中专及“9+3”毕业生登记就业率达100%,城镇登记失业率控制在4.2%以内。

【主要领导人】 县委书记:汪玉琼;县人大常委会主任:代龙;县长:张家志;县政协主席:格绒;分管农业副县长:泽仁多吉。

巴塘县编写组

乡 城 县

【基本情况】 2016年,乡城县辖3镇9乡89个行政村,辖区面积5016平方千米,其中耕地面积4.9155万亩、基本农田4.9155万亩。年末总人口30132人,其中农业人口25414人、非农业人口4718人,藏族人口占总人口的95%,人口自然增长率2.42‰。

【年度农业和农村经济运行】 2016年,乡城县实现农业总产值29611万元,增长3.1%;农业增加值22728万元,增长2.7%。农民年人均可支配收入9381元,增长11.4%。

【种植业】 2016年,乡城县粮食播种面积4.02万亩,产量1.07万吨。完成各类农作物良种推广任务2.44万亩,良种覆盖率达95%。

【林业】 2016年,乡城县有林业用地299881.9公顷,活立木总蓄积2007.6万立方米,森林覆盖率达52.24%。全年依法保护森林资源469.2万亩,12个乡(镇)均成立了森林管防指挥所,89个行政村成立了森林防火队、巡山队,乡、村两级防火物资储备充足,进入林区作业的企业或个人均要签订森林防火责任书。抚育国有中幼林2万亩,封山育林5000亩,人工造林2850亩,改建核桃种植基地2000亩,公路沿线种植花卉累计20千米。举办各类林农技能培训26场次,培训林农2900人次,发放培训资料2000册,开展技术咨询200余人。兑现年度集体公益林补助基金588.46万元。

【畜牧业】 2016年,乡城县牲畜存栏11万余头(只、匹),总增率、出栏率、商品率分别为24.5%、24.5%、17%。肉、奶产量分别为0.2万吨、0.334万吨,主要畜禽适度规模养殖面提高2%。以发展高原特色畜牧业为主,成立高原牦牛养殖协会1个,建成藏香猪养殖基地1处、藏鸡繁殖基地1个。牲畜提质改良4500头,其中生猪4000头、牦牛改良500头。本品种选育7150头(只),其中牦牛150头、藏猪2000头、藏鸡5000只。各类牲畜免疫42.9万头(只),内外寄生虫驱虫16.5万头(只)。畜产品安全得到保障,全年未发生畜产品安全事故。

【新农村建设】 2016年,乡城县把新农村建设与扶贫攻坚同步推进,坚持以"政府主导、农民主体、社会参与"为原则,以"城乡一体化"为总纲领,以"住上好房子、过上好日子、养成好习惯、形成好风气"为目标任务,以村庄硬化、绿化、亮化、净化、美化的"五化"为切入点,夯实基础,改善条件,推进美丽幸福乡村建设。全年实施12个美丽新村项目建设。创建省级"四好村"4个。继续加强精神文明建设,利用"农民星期天"活动引导群众爱国、守法、感恩、团结,弘扬正能量。

【扶贫攻坚】 2016年,乡城县实行挂图作战、销号推进、常委领导和县级领导"双联系"贫困村、"六个一"帮扶等制度,健全组织领导,强力推进脱贫攻坚。按标准核定贫困村42个、贫困户1405户、贫困人口6796人,完成9个贫困村187户1069人脱贫,扶贫攻坚目标任务全面完成。围绕脱贫目标要求,整合资金9640万元,实施到村到户项目125个。完成易地扶贫搬迁、避险搬迁、藏区新居建设375户,农户人畜分离、改厕改卫314户,小庭院打造594户,新修农村垃圾池10个,治理泥石流2处,开发土地5处,人居环境得到改善。投入628.7万元,实施克麦旅游村落整体打造;采取"公司+农户"模式,发展高端民宿;种植生态菩提、中藏药、核桃、马铃薯等2557亩,养殖藏鸡、藏猪、牦牛5935头(只),成立特色种养殖专合组织9个,集体经济稳步发展;完成187户脱贫户2万~5万元小额信贷任务,帮助群众发展产业。完成全县490户、2212人低保兜底,建立854户、1145名患病贫困人口健康档案,新建或提升9个村卫生室并配备专职驻点医生;贫困家庭学生入学率达100%。

【乡村旅游】 2016年,乡城县重点打造以尼斯镇、青德镇、然乌乡为重点的藏乡田园风光、休闲度假、养生康体、游学体验乡村旅游,利用查呈沟、天村、香巴拉七湖和尼丁峡谷优势自然资源开发查呈沟和七湖特种旅游景区,开展山地旅游、徒步探险、野外露营、汽车营地等中高端特种旅游项目。利用乡城海拔低、生态环境优良的特点,打造大香格里拉旅游环线上的游客集散中心,发展青德镇、青麦乡包括沿国道549线(原省道217线)的热龚村、布机村、仲德村、嘎乃卡村、木郎宫村、木差村、巴吾村共7个行政村的4A级景区。

围绕田园藏乡休闲度假、农特产品加工、民族手工艺加工三大特色,持续推进"住在藏乡、留在田园、游在景区、购在乡城旅游格局"的形成。青德镇仲德村"3A"创建和然乌乡克麦村查呈沟景区规划及"4A"创建前期准备工作已就绪;启动了《乡城县乡村旅游发展规划》编制,加大香巴拉藏乡田园的宣传推介力度;完成《天赐香巴拉》文化旅游宣传片的制作;编制"菩提文化产业"项目。组织商贸企业开展新春惠民购物促销活动,举办了"乡城县第二届农特产品展销会",进一步拓展消费市场;组织特色农产品企业参加了"川货全国行·广州站""第八届中国(义乌)国际旅游商品博览会",引导乡城产品"走出去",扩大乡城产品的影响力。在旅游业加快发展和消费旺盛的带动下,社会消费品零售总额实现2.44亿元,增长12.4%,完成目标任务的116.8%。全年接待游客32.27万人次,实现旅游收入3.22亿元。

【农村基础设施建设】 2016年,乡城县投入1.2亿元,进行"四小工程"(农村路、桥、水、小能源建设工程)建设;投入31940万元,实施基础设施建设项目127个。开展城乡环境综合治理,在农村实施"保持原生态,整治脏乱差"专项行动,农村环境明显改善。重点解决农村群众就医、就学、通信、出行等急难问题,完成2所乡村中学学校附属工程建设任务;新建村级活动室7个,完成15个村广播"村村响"工程;农网升级改造72.5千米,建成通村通畅、通畅通达工程72.2千米,农牧民享受到均等、均质化服务。

【主要领导人】 县委书记:曹建奎;县人大常委会主任:杨健;县长:黄进;县政协主席:丁淑群;分管农业副县长:杨正才。

乡城县编写组

稻 城 县

【基本情况】 2016年,稻城县辖11乡3镇,辖区面积7323平方千米,其中耕地面积51570亩,与上年持平。年末总人口33370人,其中农业人口2.7万人;人口出生率11.6‰,人口自然增长率5.2‰。

2016年,全县GDP65127万元,增长8.5%,人均GDP19706元,增长6.4%,其中第一产业增加值20563万元,增长4.9%;第二产业增加值15079万元,增长10.6%;第三产业增加值29485万元,增长10%。地方公共财政收入完成12000万元,增长15.4%,突破亿元大关;地方公共财政支出114418万元,减少3.1%。年末金融机构各项存款余额175251万元,减少6.75%,其中城乡居民储蓄余额58922万元,增长13.46%;各项贷款余额53269万元,增长29.66%。社会消费品零售总额24512万元,增长16.1%。全社会固定资产投资完成205048万元,比上年减4.6%。

【年度农业和农村经济运行】 2016年,稻城县实现农业总产值26464万元,增长4.5%。农民年人均可支配收入达9605元,增长11.5%。全县城镇化率达23.82%。

【种植业】 2016年,稻城县农作物播种面积56014亩,比上年增长3.8%,其中粮食作物播种面积44447亩,比上年减少3.7%,粮食产量11059吨,减少7.1%;油料作物播种面积6008亩,油菜籽产量1102吨,比上年增长45.4%;蔬菜播种面积5093亩,产量7782吨,比上年增长114%;水果产量340吨,比上年增长9.7%。引进企业在桑堆、色拉种植玛咖1200亩,通过土地流转和务工带动全乡人均增收820元。

【林业】 2016年,稻城县有效管护森林资源591万亩,巩固退耕还林成果3.4万亩,新增退耕还林面积4800亩、重点公益林22.4万亩,完成退耕还林补植补造1万亩、人工造林3万亩;实施草原禁牧、草畜平衡572万亩、季节性休牧84万亩,完成人工种草4.5万亩、退化草原补播14.1万亩。全县森林覆盖率达36.97%。

【畜牧业】 2016年,稻城县各类牲畜存栏125254头(匹、只),减少1.4%,其中大牲畜存栏96526头,增长1.6%;各类牲畜出栏29326头(匹、只),同比增长8.5%。全年肉类总产量1765吨,增长4.9%;牲畜总增率达22.3%、出栏率达23.1%、商品率达14%。

【新农村建设】 2016年,稻城县整合各类资金4194万元,集中打造香格里拉镇仁村、桑堆乡桑堆村幸福美丽新村,建成省级示范县聚居点 16 个；投入 2547 万元，完成农村 C 级危房改造及抗震加固 5085 户、藏区新居 333 户；实施整村推进项目 6 个；投入 180 万元，实施通村路桥等“四小”项目 7 个；投入 200 万元，完成易地扶贫搬迁 66 户、地质灾害避险搬迁 40 户；投入近 5000 万元，新建小型集中供水工程 4 处、分散式供水 140 处，解决 2.75 万人的安全饮水问题。

【乡村旅游】 2016 年，稻城县投资 2.08 亿元，实施海子山、红草地、金珠镇等 22 个旅游基础设施项目建设；建成星级宾馆、文化主题酒店和特色民居 247 家，餐饮企业 402 家；成立地接社 7 家，有接待床位 25873 张、停车位 7130 个；开发推广特色餐饮，组建运业公司 3 家；加快旅游特色商品开发和投放，玛咖产品、金银饰品、亚丁藏陶、旋木制品等本地特色商品逐步上市，建设旅游购物店 12 家。全年接待游客 145 万人次，同比增长 20.8%；实现旅游总收入 12.6 亿元，同比增长 31.2%。

【农村文化】 2016 年，稻城县申报国家级非物质文化遗产项目 1 个、省级非物质文化遗产传承人 2 名。新建和改造乡（镇）综合文化站 14 个、农村公共服务网点 8 个、阅报栏 121 个、农家书屋 121 个、寺庙书屋 13 个，投入 80 余万元采购书籍 5 万余册；完成县级“两馆”主体工程建设；开展“送图书下乡”活动 82 场次、“送文化下乡”活动 203 场次，放映农村电影 4210 场次；完成亚丁歌舞剧采风和资料收集工作。成功举办第九届康巴艺术节（甘孜山地旅游节）稻城分会场、亚丁登秋节、亚丁“天空跑”飙山国际越野赛等活动。完成广播电视节目农牧区无线覆盖县级平台建设和基站设备安装，广播电视综合覆盖率达 95%以上。

【农村卫生】 2016 年，稻城县有卫生机构 17 个，病床位 192 张，卫生技术人员 282 人。完成乡（镇）卫生院标准化建设，规范居民健康档案 31868 份。创建省级卫生单位 6 个、省级卫生乡镇 5 个、省级卫生村 14 个，创建为国家级卫生县城。计划生育工作取得新进展，人口自然增长率控制在 7.5‰以内。

【农村社会保障】 2016 年，稻城县建成敬老院 2 个，有养老床位 270 张。城乡居民医疗保险和养老保险参保人数分别为 26920 人、13898 人。享受居民最低生活保障 4939 户、9571 人，其中享受农村最低生活保障 4312 户、8358 人。实施在岗培训、品牌培训、新型农民培训 2465 人次，开发公益性岗位 68 个，新增就业 329 人。各乡（镇）组建稻城匠人协会开展职业技能培训，引导农民就近就地务工，实现劳务增收。

【主要领导人】 县委书记：曾关和；县人大常委会主任：唐晓庆；县长：樊玉良；县政协主席：斯朗娜姆；分管农业副县长：思子热太。

稻城县编写组

得荣县

【基本情况】 2016 年，得荣县辖 3 镇 9 乡 127 个行政村（村民委员会）2 个居民委员会 245 个自然村，辖区面积 2916 平方千米，其中耕地面积 4.2 万亩，增长 0.05%；基本农田 3.7 万亩，增长 0.01%。年末总人口 25962 人（户籍人口），常住人口 28033 人，其中农业人口 22089 人，占总人口的 78.8%；非农业人口 5944 人，占总人口的 21.2%；人口出生率 11.5‰，人口死亡率 5.3‰，人口自然增长率 6.2‰。全县森林覆盖率达 22.5%。

2016 年，全县 GDP70269 万元，同比增长 9.6%，人均 GDP25067 元，增长 2.9%，其中第一产业增加值 20085 万元，增长 4.8%；第二产业增加值 25333 万元，增长 14.6%；第三产业增加值 24851 万元，增长 8.8%。三次产业结构比为 28.6 : 36.1 : 35.3。实现工业总产值 11062 万元，同比增长 50.3%；增加值 6788 万元，增长 43.5%。

社会固定资产投资完成 13.29 亿元，减少 23.61%，其中农户投资 9700 万元，减少 54.27%。社会消费品零售总额 13493 万元，增长 13.43%，其中农村消费品零售额 4044 万元，增长 13.8%。

【年度农业和农村经济运行】 2016 年，得荣县实现农业总产值 27322 万元，增长 0.07%；农业增加值 11007 万元，增长 0.03%。城镇居民年人均可支配收入 28000 万元，增长 8.7%；农村居民年人均可支配收入 9023 元，增长 11.5%。全县城镇化率达 21.2%。

2016 年得荣县农产品产量

主要农产品	单位	产量	同比（%）
粮食	吨	11989	0.4
青稞	吨	1923	-0.5
玉米	吨	5234	0.6
小麦	吨	2946	0.2
蔬菜	吨	5871	6.5
肉类	吨	2079	0.5
猪肉	吨	1326	0.3
牛肉	吨	701	-0.8
羊肉	吨	30	-9
禽蛋	吨	11	-8.3
牛奶	吨	1603	54
水果	吨	2081	11
花生	吨	107	10
马铃薯	吨	1531	1.5
油菜	吨	353	-11

【种植业】 2016 年，得荣县粮食作物播种面积 40962 亩，增长 0.02%；粮食总产量 11989 吨，增长 0.46%，其中小麦产量 2583 吨，增长 0.27%；玉米产量 5234 吨，增长 0.69%。经济作物产量不断增加，花生产量 107 吨。全县有农用拖拉机 5 台、农用运输车 35 台。

【林业】 2016 年，得荣县有林业用地 266.57 万亩，占总面积的 61.4%；非林业用地 167.4034 万亩，占总面积的 38.6%。在林业用地中，有林地 95.75 万亩，占总面积的 35.9%；疏林地 5707 亩，占总面积的 0.2%；灌木林地 118.7 万亩，占总面积的 44.5%；未成林造林地 5707 亩，占总面积的 0.2%；无林地 29.19 万亩，占总面积的 6.2%；宜林地 24.8845 万亩，占总面积的 9.3%；林业辅助生产用地 16.5058 万亩，占总面积的 6.2%；苗圃地 200 亩。全年巩固退耕还林成果 4.61 万亩，新一轮退耕还林 500 亩；实施国有森林管护面积 181.4932 万亩、集体森林管护面积 21.926 万亩。全县活力木蓄积量为 865 万立方米，森林覆盖率达 21.9%。组织调运各类苗木 50 万株，封山育林 0.5 万亩，实施绿色通道建设 7.9 千米。

全年建设核桃产业基地 0.15 万亩,其中新建 0.1 万亩、改造 0.05 万亩,改造的核桃树主要为老树、低产低质树,同时投入资金 55 万元开展后期管护工作。开展林技培训 300 人次,科技人员下乡 48 人次,发放各类资料 1000 余份。发布高森林火险天气预警信息 2 期,发放各类宣传资料 7600 余份,播放森林防火宣传教育片 1 期,发送宣传短信 4000 余条,制作、刷新宣传碑 33 块,签订森林防火责任书 3886 份,全年森林火灾损失率控制在 1‰以内。完成林业确权颁证 389269.5 亩,其中商品林 229780.5 亩、公益林 159489 亩,涉及 12 个乡(镇)、127 个行政村、3577 户、21945 人,发证宗地 467 宗,发放林权证 139 本、股权证 3577 本,确权率、林权证发(还)证率、林权证登记合格率均达 100%。调处林权纠纷 2 件,纠纷调处率达 100%;查办林政案件 14 起,依法处置 19 人次,查办率达 100%。

【畜牧业】 2016 年,得荣县牲畜存栏 70465 头(只、匹),比上年增长 0.16%,其中生猪存栏 23303 头,增长 1.6%;牛存栏 28730 头。全年肉类总产量 2059 吨。

【农村水利】 2016 年,得荣县完成白松、茨巫渠系配套建设管沟开挖 82 千米,开挖蓄水池 12 口、减压池 14 口、闸阀井 993 座、放水洞 13 座,完成管道安装 73.14 千米,完成因都坝 1#坝节水灌溉 1500 亩。新建污水管网 997 米,埋设混凝土涵管 477 米、PE 管 500 米,新建检查井 12 个,总投入 87.71 万元。

【扶贫攻坚】 2016 年,得荣县共有 64 个贫困村、877 户贫困户、4873 名贫困人口(含 22 名特殊贫困群体)。全年完成 12 个贫困村退出,减贫 155 户、924 人。实现扶持生产和就业发展一批 441 人,易地扶贫搬迁一批 6 户、33 人,灾后重建帮扶一批 81 户、382 人,低保政策兜底救助一批 1752 人,医疗救助扶持一批 1232 人。

【乡村旅游】 2016 年,得荣县完成县城、翁甲、下拥景区 3 座旅游厕所建设,完成瓦卡镇瓦卡村 30 个旅游标识标牌建设,完成康珠仓酒店、达旺商务酒店 2 家酒店的星级创建工作,完成瓦卡镇瓦卡村 10 户民居接待户建设工作,完成时长 25 分钟的《梦回太阳谷》文化旅游宣传片制作。

【农村教育】 2016 年,得荣县对升入高等职业学校以上的贫困学生发放资助金 20.85 万元、助学贷款 147 万元、非义务教育资助金 20.85 万元、大学生生源地助学贷款 143.7 万元。完成得荣县集中办学点第二中学共 7 幢房屋建设(面积 22801 平方米),投入资金 2965 万元建设集中办学点供排水、电力、道路硬化等附属工程。

【农村文化】 2016 年,得荣县完成"送文化下乡"活动 57 场次;完成 13 个村文化活动室建设并为每个文化室购置价值 5 万元的文化设备。拨付资金 39.62 万元,为全县 127 个农家书屋的出版物进行更新和补充。完成《民俗文化展演中心》项目编制。在白松乡、斯闸乡建设了 2 个中心书屋,在古学乡左贡、八日乡黑里、徐龙乡扎绒等 31 个村建设了阅报栏。在《太阳谷工作室》栏目中推出《和你一起看得荣》《记者下基层》等,对全县各乡(镇)和县级各单位就各类会议精神落实、精准扶贫工作、群众工作全覆盖等开展情况进行系列报道。完成瓦卡镇、因都坝生态移民开发区的 44 个村"村村响"建设任务;完成 2807 套电视"户户通"的置换、安装任务,维护"户户通""村村通"广播电视设备 125 台次;在全县范围内放映电影 1509 场次,丰富了群众的文化生活。

【农村卫生】 2016 年,得荣县有医疗卫生机构 1 个、乡(镇)卫生院 12 个、村级卫生室 118 个,其中村卫生室覆盖率达 92.9%;有卫生专业技术人员 194 人、村医 118 人,每千人拥有卫生技术人员 7.462 人;有病床位 97 张,每千人拥有床位数 3.73 张。新型农村合作医疗参合人数 18813 人,参合率达 98%。县域内医疗卫生单位均按要求执行医保差别化支付政策。国家免疫规划疫苗报告接种 2156 人次,接种率达 95.9%;居民健康档案建档 26770 份,建档率达 93.16%。免费开展白内障复明手术 54 人;免费为"七大重点人群"提供基本公共卫生保健服务 23432 人次;免费开展巡回医疗服务 20072 人次,发放药品共计 34730 余元;免费药物治疗包虫病患者 1 人。建档立卡贫困人群应参保 4873 人,全部参保。县域内贫困患者就诊 78 人次,全部享受"四川医药爱心基金"补助,兑现资金 5918 元;享受"卫生扶贫基金"补助 16 人,兑现资金 521.81 元;有 43 名建档立卡贫困患者享受零支付政策,兑现卫生扶贫基金 8383.89 元。深入全县 12 个乡(镇)及县城机关开展巡回医疗活动 3 次,诊疗服务 19296 人次,咨询及健康体检 498 人次,B 超检查 3821 人次,免费用药 23950.45 元。完成 B 超筛查包虫病 3407 人,其中 6~12 岁儿童筛查 1121 人,未发现病例。

【主要领导人】 县委书记:雷建新;县人大常委会主任:阿郎;县长:普呷;县政协主席:阿当扎西;分管农业副县长:降巴吉村。

得荣县编写组

凉山彝族自治州

【基本情况】 2016 年,凉山彝族自治州辖 459 个乡(含民族乡 13 个)、110 个镇、8 个街道,辖区面积 6.02 万平方千米,其中耕地面积 870.76 万亩,人均耕地面积 1.69 亩;基本农田 572.22 万亩。年末总人口 512.36 万人(户籍人口),减少 0.55%;人口出生率 19.46‰,增加 11 个千分点;人口自然增长率 15.69‰,增加 10 个千分点。全州耕地有效灌面达到耕地总面积的 44%;全部供水工程供水总量 20.3 亿立方米。有林地面积 362.67 万公顷,活立木总蓄积量 3.19 万立方米,森林覆盖率 43%。

2016 年,全州 GDP1403.92 亿元,增长 6.%,其中第一产业增加值 280.71 亿元,增长 4.2%,农、林、牧、渔及农林牧渔服务业之比为 51∶4.3∶38∶1.2∶1.5;第二产业增加值 684.15 亿元,增长 6.6%;第三产业增加值 439.06 亿元,增长 6.1%。三次产业对经济增长的贡献率分别为 14%、54.6%和 31.4%。劳务输出 121.63 万人,收入 187.2 亿元。全年接待游客 3990 万人,实现旅游收入 300 亿元。

公路通车里程 27138.02 千米。社会消费品零售总额 551.38 亿元,增长 10.9%。地方公共财政预算总收入完成 174.25 亿元,增长 10.4%;公共财政预算总支出 459.03 亿元,增长 10%,其中农业投入 18.4 亿元,占支出的 4%。金融机构各项存款余额 1652.53 亿元,比上年初增长 10.86%;各项贷款余额 749.78 亿元,比年初增长 7.05%,其中涉农贷款余额 523.9 亿元。处理各项赔款和给付金额 9 亿元,增长 42.8%。农业产业化龙头企业国家级、省级、州级、县级分别为 1 家、24 家、89 家、87 家。

有各类学校1106所，在校学生87.81万人，教职工4.91万人，其中普通高校6所，在校本(专)科学生2.65万人；普通中学192所，在校学生25.32万人；小学897所，在校学生57.92万人；学龄儿童入学率99.54%。完成省级以上科技成果44项，15项科技成果获得省级及以上科技进步奖。有艺术表演团体2个，文化馆18个，公共图书馆18个，博物馆9个。有卫生机构1066个，病床位23444张，卫生技术人员21375人。新型农村合作医疗参合人数398.22万人，参合率99.62%。

【年度农业和农村经济运行】 2016年，凉山彝族自治州实现农业总产值482.94亿元，增长3.7%；农业增加值285.4481亿元，增长4.15%。农民年人均可支配收入10368元，增长10%。全州243个乡(镇)、1642个村完成土地确权登记，流转土地承包经营权面积38万亩。截至2016年年底，全州累计创建中国名牌1个、中国驰名商标7个、四川省名牌20个、四川省著名商标23个、国家地理标志保护产品39个、国家地理标志证明商标16个。

农业产业化发展。凉山彝族自治州农业产业化经营组织达6267个，其中县(市)级以上重点龙头企业201家；在工商部门注册的农民合作社达4678个，新增农民合作社1501个、专业市场2个；家庭农场5107个。农业产业化经营组织辐射带动农户82万户，订单农业带动农户39.2万户，带动农户面达74%以上；农户从事产业化经营增收总额达31160万元。会理县获得“省级现代农业产业基地强县重点推进县”称号，盐源县获得“省级现代农业产业基地重点县”称号，西昌市获得“省级现代农业产业基地建设县”称号。

现代农业园区建设。凉山彝族自治州共建成47个现代农业万亩亿元示范区，36个现代农业万亩亿元示范区获得省级认定，其中蔬菜类11个、特色水果类14个、蚕桑类9个、花卉类2个。

2016年凉山彝族自治州主要农产品产量

主要农产品	单位	产量	同比(%)
粮食	万吨	217.34	1.9
水稻	万吨	55.4839	0.9
小麦	万吨	16.0848	1.3
玉米	万吨	55.8667	2.1
马铃薯	万吨	74	3.9
油菜籽	万吨	4.12	2
蔬菜	万吨	285.65	4.7
水果	万吨	132.55	7.7
肉类	万吨	45.89	0.3
猪肉	万吨	33.81	-1
牛肉	万吨	3.59	2.9
羊肉	万吨	5.4	5.3
禽肉	万吨	2.71	3.4
禽蛋	万吨	2.76	0
水产品	万吨	2.8	3.7
牛奶	万吨	4.77	1.1

2016年凉山彝族自治州示范农民专业合作经济组织情况

县(市)	专合组织合作方式			专合组织运行模式		各级示范专合组织情况		
	土地入股(个)	资金入股(个)	生产资料入股(个)	龙头企业带动(个)	市场带动(个)	省级(个)	州级(个)	县(市)级(个)
西昌市	93	374	21	7	481	12	5	9
德昌县	85	62	34	20	161	7	5	—
会理县	25	442	47	56	458	8	14	—
会东县	60	1530	25	30	1585	7	5	39
冕宁县	1	—	393	0	0	0	0	0
盐源县	29	1006	15	152	898	4	0	1050
宁南县	60	113	45	14	209	5	8	37
普格县	2	20	7	—	29	—	4	25
布拖县	—	17	—	2	15	—	2	15
昭觉县	—	43	—	—	43	1	1	4
金阳县	154	32	134	—	—	2	4	156
雷波县	113	11	2	3	123	2	1	3
美姑县	38	—	—	—	38	—	1	—

续表

甘洛县	34	338	31	10	393	2	5	10
越西县	44	13	8	14	47	—	—	—
喜德县	40	8	64	11	101	1	2	—
木里县	0	89	33	0	122	0	0	5
合计	778	4098	859	319	4703	51	57	1353

2016年凉山彝族自治州家庭农场创建情况

县(市)	农场总数(个)	农业部门认定数量(个)	工商部门注册数量(个)
西昌市	45	10	45
德昌县	80	80	80
会理县	1504	1504	1344
会东县	1307	1307	752
宁南县	2030	0	2030
冕宁县	60	60	60
越西县	45	0	45
金阳县	287	0	287
雷波县	210	210	210
昭觉县	131	93	131
盐源县	485	485	96
甘洛县	183	183	84
木里县	38	0	38
喜德县	68	68	68
美姑县	15	15	15
普格县	90	90	90
布拖县	29	29	29
合计	6607	4124	5404

【种植业】 2016年,凉山彝族自治州粮食作物播种面积47.64万公顷,增长0.9%,占农作物总播种面积的68.1%;产量217.34万吨,增长1.9%,平均亩产304.13千克。油类作物产量4.77万吨,增长2.1%;烟叶(未加工烟草)产量13.4万吨,增长0.1%;蔬菜及食用菌产量285.65万吨,增长4.7%;园林水果产量132.55万吨,增长7.7%。

【畜牧业】 2016年,凉山彝族自治州出栏肉猪468.79万头,下降3.6%;出栏羊314.51万只,增长5.1%;出栏牛31.51万头,增长3%;出栏家禽1793.18万只,增长3.4%。全年肉类总产量达45.89万吨,增长0.3%,其中猪肉产量33.81万吨,下降1%;羊肉产量5.4万吨,增长5.3%;牛肉产量3.59万吨,增长2.9%;家禽肉产量2.71万吨,增长3.4%。牛奶产量4.77万吨,增长1.1%;蚕茧产量2.59万吨,增长1.5%。全年实现畜牧业总产值194.22亿元,增长3.7%。会东县、昭觉县获得“省级现代畜牧业重点县”称号。

【林业】 2016年,凉山彝族自治州组织21个天保工程实施单位对3385.07万亩国有森林、1379.07万亩集体公益林开展常年有效管护,森林病虫害防治率达98.3%,森林火灾损失控制在0.03‰以内;完成造林面积372.59万亩,其中退耕还林造林面积11.47万亩。完成公益林建设3.4万亩。完成义务植树1328万株;完成诺华碳汇造林项目补植补造3.6万亩。新建核桃基地403.39万亩,完成率达106%;嫁接改造核桃基地108.1万亩,完成率达108%;点播种子701吨,培育实生苗6462万株、嫁接苗993万株,使用穗条2564万芽。

【水产业】 2016年,凉山彝族自治州水产养殖面积达1.71万公顷,水产品产量2.8万吨,同比增加0.1万吨;实现产值3.6亿元,同比增加5000万元。

【农村水利】 2016年,凉山彝族自治州新增和恢复蓄引提水能力4339.31万立方米,其中引水能力4000万立方米、蓄水能力339.31万立方米;新增有效灌面5.34万亩,为完成年度计划的111.25%;新增节水灌面5.65万亩,为年度计划的102.73%;农村饮水安全工程解决饮水困难12.39万人,为年度计划的103.28%;整治病险水库16座,为年度计划的160%;水土流失治理面积383.6平方千米,为年度计划的106.566%;新建微型水利工程351口,为年度计划的117%。

【农业机械化】 2016年,凉山彝族自治州农业机械总动力达339.7万千瓦时。全年完成机耕稻麦75万亩、机收110万亩,农作物耕种收综合机械化率达47%。更新、改造、维修提灌机械1995台,提水灌溉面积84.2万亩。

【统筹城乡与新型城镇化】 2016年,凉山彝族自治州全面完成《凉山州城镇化发展规划(2015—2020)》编制工作,新增城市建成区面积2.8平方千米,完成城镇基础设施建设投资8亿元。深入开展“百万安居工程建设行动”,全年开工建设危旧房棚户区8351套;实施棚改货币化安置2769户,其中建成7699套、竣工4398套;发放租赁补贴15144户。

【新农村建设】 2016年,凉山彝族自治州投入新村新寨建设各类资金88.3亿元,其中财政资金22.8亿元,整合项目资金20.1亿元,撬动金融机构、社会资本和农民自筹投劳折资45.4亿元,建成新村新寨576个(其中安宁河谷新村260个、彝家新寨281个、木里藏区新村35个),覆盖农户65007户,分别完成年度任务的111.8%、127%;建成幸福美丽新村369个、扶贫新村516个、农村廉租房2798户,分别完成年度目标任务的117.5%、104.6%、100%。

【农村扶贫和移民工作】 2016年,凉山彝族自治州在17个县(市)241个村实施20034户彝家新寨建设,实现11.53万名贫困人口脱贫。完成1391个中央、省级、县级单位定点扶贫工作,共计投入资金3.02亿元,引进项目91个。组织实施23个2015年广东省珠海市援建项目,利用广东省佛山市帮扶资金 1.1 亿元建设安置点 44 个,解决了 2333 户贫困群众的安全住房问题;完成 2016 年三峡捐资 3.5 亿元项目规划实施工作,筹集风险补偿基金 3.6 亿元,授信 1.66 亿元。“10·17”扶贫日全州共接受各类捐款 2887 万元。完成溪洛渡、向家坝、锦屏、杨房沟等水电站各类移民安置 1525 人;完成溪洛渡水电站支莫路公路、向家坝水电站渡口车渡码头等 8 个专业项目复建和安置点内相关基础设施建设等移民项目工程。实施 5312 名贫困人口移民解困工程,下拨资金 1 亿余元;直发直补移民 63739 人,直补资金 3824.34 万元;拨付后扶切块资金 4604 万元。

【乡村旅游】 2016 年,凉山彝族自治州扎实推进旅游扶贫,制订了《凉山州旅游扶贫工作方案》。实施旅游扶贫示范带动,完成贫困村旅游规划 3 个,涉及建档立卡贫困村 170 个;启动省级乡村旅游旅游扶贫示范区 2 个、旅游扶贫示范村 5 个、民宿旅游达标户 100 户的创建工作;开展旅游扶贫人才培训。实施《凉山州乡村旅游提升行动计划》,推进乡村旅游示范带动工程,创建省级乡村旅游示范县 4 个,乡村旅游强县 1 个,示范乡、村 24 个。创建星级农家乐(乡村酒店)143 家,其中五星级农家乐(乡村酒店)5 家;创建中国乡村旅游模范村 2 个、中国乡村旅游模范户 1 个、中国乡村旅游金牌农家乐 35 个,评定中国乡村旅游致富带头人 20 人。成功打造茅坡樱红、桃源农庄、荷色生香等西昌乡村旅游十九景;举办石榴节、樱桃节、民歌节、索玛花节、油菜花节等乡村旅游节庆活动,推进乡村旅游节庆品牌化,促进农民致富增收。

【农村科技】 2016 年,凉山彝族自治州积极开展科技扶贫,实施省级科技扶贫项目 37 项,获得项目经费 1500 万元。投入经费 268 万元,实施州级农业科技创新项目 11 项。建立科技扶贫示范县 2 个、示范乡镇 3 个。成立州农村产业技术服务中心,提供在线咨询服务 655 次。

【农村教育】 2016 年,凉山彝族自治州出台了《凉山州十五年免费教育实施方案》,减免 25.9 万名学前教育幼儿保教费;73.28 万名义务教育学生享受“三免一补”政策,免除 7 万名普通高中学生学费、书费。彝区、藏区“9+3”免费职业教育深入实施,招录 4673 名彝区“9+3”学生到内地 31 所优质中等职业学校就读,州内中等职业学校新招收学生 12096 人,初中毕业生基本实现“应读尽读”。全州乡(镇)学校宽带接入率达 82%,村完小宽带接入率达 42%。21.93 万名义务教育寄宿生享受寄宿制生活补助;10.44 万名学生享受高海拔地区取暖补助;2.51 万名普通高中学生享受国家助学金;2.35 万名中等职业学校学生享受学费减免,1.6 万名中等职业学校学生享受国家助学金;1.64 万名大学生享受国家开发银行和农商银行助学贷款。

【农村文化】 2016 年,凉山彝族自治州有乡(镇)综合文化站 589 个,5 个博物馆纪念馆免费开放。全年建设乡(镇)、村级室内固定放映点 56 个,放映农村公益电影 4.5 万场次;建设贫困村文化室 776 个。举办“大凉山惠民音乐会”52 场,组织开展“艺术感恩大地”千乡播梦行动送文化下乡活动 43 次。完成 30277 户电视“户户通”、326 个村广播“村村响”工程以及 2 个县应急广播平台建设,补充更新了 3747 个农家书屋的出版物。

【农村卫生】 2016 年,凉山彝族自治州新型农村合作医疗参合人数 398.22 万人,参合率达 99.62%;统筹支出 20.76 亿元,增长 24.8%。全州有卫生机构 1066 个,其中乡(镇)卫生院 564 个,执业医生 1895 人;病床位 23444 张;卫生技术人员 21375 人(其中执业医生 7020 人、护师护士 9066 人)。

【农村法制建设】 2016 年,凉山彝族自治州结合全州地域特点,分“三大片区”实施差异化普法,其中大凉山彝区重点围绕依法治理抓普法,制定实施《大凉山彝区普法大纲》,培育群众最基本的守法行为习惯;木里藏区重点围绕维护稳定抓普法,突出抓实法律进寺庙工作,增强僧侣信众爱国守法意识;安宁河谷地区重点围绕加快发展抓普法,细化落实全省“法律七进”三年行动纲要,推动全社会形成法治良序。全年办理法律援助案件 1174 件,服务困难群众 11263 人次。

【农村交通】 2016 年,凉山彝族自治州累计完成交通投资 100 亿元,完成年度目标任务的 100%;建成通乡油路 577.2 千米、通村硬化路 3674.1 千米,完成 778 个脱贫村硬化路建设、7 个“溜索改桥”项目,建成 104 个县、乡客运站和村级招呼站。建成 17 个县(市)公路质监机构,明确农村公路质量监督由县市质监机构负责,实现州、县质监机构职权分离。新开通 98 个建制村客运班车,完成 125 辆农村客运车辆提档升级。

【涉农招商引资】 2016 年,凉山彝族自治州精心组织具有一定规模和实力的农民合作组织、农业产业化龙头企业等 72 个参展主体参加了第四届四川农业博览会暨成都国际都市现代农业博览会,与 16 家知名企业集中签约 74 亿元。加大走出去寻求合作的力度,与淘宝、京东、广东温氏集团、中国地能集团、青岛昌盛日电集团、四川大华国际物流中心等农产品营销平台开展对接,签订意向协议引资额 50 亿元。

【农村社会保障】 2016 年,凉山彝族自治州完成低保政策兜底一批复核认证,全州 13.1 万名建档立卡“兜底对象”全部被纳入农村低保;51.6 万名城乡低保对象实现“低限提标”;2016 年计划脱贫人口中的低保对象全部按照 3100 元/年的标准领取生活补助,提前实现“两线合一”。218 名“先心病”患者免费接受手术治疗并恢复健康。成功处置美姑“6·26”山体滑坡等自然灾害,救灾物资储备能够确保受灾群众在 12 小时内得到初步救助。社会养老服务体系建设加快发展,新增和改造各类养老服务机构床位 1400 张;新建城乡社区日间照料中心 49 个,为 7.5 万名失能和 80 周岁老人提供居家养老服务;高龄补贴政策惠及全州 3.47 万名 80 周岁以上老人;老人意外伤害保险工作全面启动。孤儿和特殊困难儿童保障水平稳步提高。4.66 万名农村留守儿童、妇女和老人被纳入关爱体系。

儿童福利事业健康发展。全州切实落实《关于进一步加强全州儿童福利服务指导中心工作的意见》和《凉山州各级儿童福利服务指导中心工作职责》,加快推动儿童福利事业健康发展。全州 6959 名孤儿(艾滋病病毒感染儿童)分别按照机构供养 1246 元/月和分散养育 748 元/月的标准发放生活补贴;19072 名特殊困难儿童城乡补贴标准分别达到每月 460 元和 350 元以上。在金阳、昭觉、布拖 30 个村继续开展“百县千村”基层儿童福利服务体系建设试点;孤残儿童手术康复“明天计划”帮助 7 名脑瘫儿童接受康复训练。

【农产品质量安全监管】 2016 年,凉山彝族自治州批准发布四川省(区域性)地方标准 6 个,完成“采标”企业确认 1 家、省级标准化良好行为企业 1 家。抓好“会东七彩洋芋”国家级农业综合标准化示范区项目、“雷波马湖彝家新寨生态农业”省级农业综合标准化示范区项目建设,协助德昌县申报国家级农业综合标准化示范项目,推进雷波县争创国家级有机产品认证示范县。完成 18 家检验检测机构资质认定的监督检查,协助省局完成 12 家检验检测机构的资质认定复查评审、2家扩项认证,完成6家强制性产品认证企业的监督检查。

【劳务开发及先进典型选介】 2016年,凉山彝族自治州转移农村剩余劳动力121.63万人,比上年增加3.03万人,增长2.56%,其中建档立卡贫困户转移输出46044人;实现劳务收入187.2亿元,比上年增加26.75亿元,增长16.67%,其中建档立卡贫困户实现劳务收入4.74亿元,近2万户贫困家庭通过务工实现脱贫,人均务工收入15391.74元,比上年增加1861.93元,增长13.76%。

陈明祥,男,汉族,43岁,中级焊工,盐源县双河乡黄沙沟村人,主要从事电焊工作,年务工收入达10万元左右。2010年,陈明祥在"促进就业杯"劳动技能大赛中荣获"技术能手"称号;2016年荣获凉山州"优秀农民工"称号,带动当地农民学习焊接技术,助其实现就业。

高琴,女,29岁,德昌县宽裕乡花园村人。高琴创办了蓝莓合作社、家庭农场,主要经营蓝莓种植,山羊、土鸡、鸭、鹅等养殖。通过"公司+农户""互联网+农户"等模式带动350户农户致富。2015年9月16日,高琴在德昌县成立了德昌福易达蓝莓合作社,合作社成立初种植面积达400亩,有成员80户(320人),截至2016年年底,合作社种植面积达1000亩,成员增至200户(800人)。

【市场体系建设】 2016年,凉山彝族自治州大力实施"互联网+"行动战略,全面落实"互联网+特色农业""互联网+特色旅游""互联网+精准扶贫"发展思路,全力推进电子商务进农村工作,县、乡、村三级电商服务体系建设基本完成。大凉山电子商务产业园、大凉山(成都)特色产品销售体验中心、凉山州农村电商综合服务平台(集贸网)相继建成并投入运营。盐源县、雷波县成功申报为国家电子商务进农村综合示范县,布拖县成功申报为国家电商扶贫试点县。全州本土电子商务平台达20个,在国内知名电商平台注册店铺销售"大凉山"产品的商家560家。

【主要领导人】 州委书记:林书成;州人大常委会主任:王金铁;州长:罗凉清(11月止),苏嘎尔布(11月代理);州政协主席:邓显祥;分管农业副州长:肖春。

凉山彝族自治州编写组

西昌市

【基本情况】 2016年,西昌市辖29乡8镇6个街道,辖区面积2651.38平方千米,其中耕地面积52.73万亩,比上年增长0.14%,人均耕地面积1.12亩;基本农田34.16万亩。年末总人口65.3万人(户籍人口),增长0.02%。全市耕地有效灌面和保证灌面分别达到耕地总面积的76.3%和89.8%;本地水资源总量2.396亿立方米,人均占有水资源量367立方米。有林业用地16.87万公顷,有林地面积11.48万公顷,活立木总蓄积量1097.2万立方米,森林覆盖率达54.9%。劳务输出9.95万人,收入17.4亿元。

公路通车里程1972.42千米,其中乡村公路1475.7千米。社会消费品零售总额225.48亿元,增长12%。地方公共财政预算总收入完成35.26亿元,增长8.21%;公共财政预算总支出74.53亿元,减少5.22%。金融机构各项存款余额527.89亿元,比上年初增长8.22%;各项贷款余额367.22亿元,比年初增长13.34%。农业产业化龙头企业省级、州级、市级分别为10家、37家、63家。

有各类学校203所,在校学生17.41万人,教职工8012人,其中普通高校1所,在校本(专)科学生15862人;普通中学31所,在校学生54098人;小学149所,在校学生76773人;学龄儿童入学率100%。有艺术表演团体130个,文化馆2个,公共图书馆2个,博物馆3个。有卫生机构64个,病床位5368张,卫生技术人员6615人。新型农村合作医疗参合人数42.1万人,参合率99.22%。

【年度农业和农村经济运行】 2016年,西昌市实现农业总产值73.05亿元,增长4.6%;农业增加值44.13亿元,增长4.21%。农民年人均可支配收入达14937元,增长9.7%。西昌市被评为四川省农民增收新产业新业态示范县(市),在全州劳务经济目标考核中被评为优秀县(市),在年度农村经济发展目标综合考核中获得三等奖。

农业产业化发展。西昌市以特色产业种养殖和加工为依托,建成裕隆现代农业园区,其中礼州花卉园区、食品加工业园区三大农业园区。礼州花卉园区种植面积近4000亩,有近20家花卉企业入驻;在礼州、中坝等片区种植制种玉米7万余亩,获得国家级玉米制种基地称号;在裕隆现代农业园区、中坝等乡(镇)建成设施蔬菜基地面积4000余亩,极大地提高了农业的比较效益;食品加工业园区位于小庙乡,占地300余亩,已入驻农产品加工企业10余家,其中正中食品等已投入运行,为延伸农业产业链、提升附加值奠定了基础。

2016年西昌市主要农产品产量

主要农产品	单位	产量	同比(%)
粮食	万吨	29.51	2.03
稻谷	万吨	18.88	2
小麦	万吨	4.22	1.01
油菜籽	万吨	0.28	0.46
蔬菜	万吨	55.4	4
水果	万吨	8.08	7
肉类	万吨	5.82	0.67
猪肉	万吨	4.29	-0.65
禽蛋	万吨	0.69	3.75
水产品	万吨	1.2	0.7
牛奶	万吨	4.03	2

农用地产权制度改革。西昌市在城郊片区、安宁河坝区及二半山区三种类型的6个乡(镇)中分别选取2个村进行试点,完成土地确权颁证57.2713万亩,涉及农户8.8552万户,以91.7分顺利通过省专家组的技术验收,成果评定达到"优秀"等级。

农产品品牌战略实施。西昌市农产品品牌建设强力推进,洋葱、小香葱、钢鹅、建昌鸭、高山黑猪等获得国家地理标志产品认证,有农产品品牌(证书)82个、国家级农业标准化示范区3个,"大凉山"品牌使用率达90%以上。

【种植业】 2016年,西昌市粮食播种面积79.374万亩,产量29.5万吨,比上年增加2700吨,增长2%;马铃薯产量2.2942万吨;油菜产量2830吨。水果产量8.1万吨。蔬菜播种面积20.45万亩,产量67万吨,实现产值10.16亿元(其中外销蔬菜播种面积16.8万亩,产量

59.5万吨，实现产值9.41亿元），分别比上年增加1.55万亩、6万吨、2.53亿元。全年实现农民人均增收248元。西昌市被评为四川省农民增收新产业新业态示范县（市）。

【林业】 2016年，西昌市"1+X"经果林发展迅速，新栽核桃16.95万亩、青（红）花椒2.41万亩，种植其他经果林0.11万亩，完成核桃低产林改造4.1万亩。

2016年西昌市省级农业产业化重点龙头企业名单

企业名称	法人代表	示范等级	年度产值（万元）	行业分类	主营产品
西昌市华宁农牧科技有限公司	刘勇	省级	7772	养殖加工业	家禽
西昌天喜园艺有限责任公司	鲍建军	省级	2820.16	种植业	花卉
西昌市正中食品有限公司	邓正中	省级	5462	食品加工业	糕点

2016年西昌市省级示范农民专业合作经济组织名单

合作组织名称	注册资金（万元）	法人代表	示范等级	行业分类	主营产品
安宁资金互助合作社	300	宋战国	省级	金融业	资金信贷
鑫源养殖专业合作社	450	代本忠	省级	养殖业	生猪
西昌市凤凰葡萄种植专业合作社	2.85	边成国	省级	种植业	葡萄

2016年西昌市家庭农场经营情况统计表（前3位）

家庭农场名称	注册资金（万元）	法人代表	年度产值（万元）	行业分类	主营产品
西昌市海乃五合家庭农场	10	海乃五	24	种养殖业	羊、核桃
西昌市安宁剑平家庭农场	5	姚剑平	60	种植业	水果、蔬菜
西昌市高草乡显锋家庭农场	5	王丽莉	50	种植业	蔬菜

【畜牧业】 2016年，西昌市猪、牛、羊、禽出栏量分别达56万头、2.38万头、18.13万只、649.83万只，肉、蛋、奶总产量分别达5.79万吨、0.71万吨、4.14万吨。

【农村水利】 2016年，西昌市投入资金21.68亿元，完成安宁河大德段、官坝河、高仓河等防洪治理及水毁修复工程。投入资金3873万元，完成第六批小农水重点县项目建设。加快推进大桥水库引调水工程前期工作。

【农业机械化】 2016年，西昌市水稻机械化育插秧技术推广面积达2000亩以上，完成玉米机械播种1500余亩。大力宣传秸秆粉碎还田技术，全年新增秸秆粉碎还田机械100台以上，作业面积达3万亩左右。引进新型稻麦联合收割机械，全年新型大中型农业机械更新换代达到100余台（套）。

【统筹城乡发展】 2016年，西昌市确定城市总体空间结构为"河谷盆地夹三山，一轴一带多组团；田园山水通绿廊，八河系海入城来"。制定了《西昌市现代生态田园区规划》，在整体架构下强化各片区特色，其中将主城区定位为文化名城、旅游基地、活力中心、宜居天堂；城西区定位为水网花都、活力商城；安宁区定位为开放西昌、高新基地、生态新城；经久区定位为依山钒钛绿都、傍水宜居家园；川兴区定位为高端旅游基地、活力绿色屏障、生态休闲田园；太和生态区定位为田园景色、商务休闲；宁河东区定位为现代农业、生态田园；邛海泸山风景区定位为川南山水胜境地，国际休闲度假区。

【新农村建设】 2016年，西昌市将幸福美丽新村建设与脱贫攻坚相结合，在确保年底15个乡（镇）47个贫困村全面脱贫的前提下，整体推进全市幸福美丽新村建设。截至2016年年底，共完成54个幸福美丽新村建设，涉及农户5924户；实施3个乡（镇）3个村305户的彝家新寨建设项目；建设扶贫新村5个，涉及农户399户；完成"建改保"行政村29个，新建农房1083户，实施农房改建项目4841户；新修、硬化农村道路（村主干道、入户路）485千米，建设"1+N"村级活动中心19个。全市"三馆一站"免费开放，免费放映农村惠民电影2780场次。完成37个农民体育健身工程和全民健身中心建设。

【乡村旅游】 2016年，西昌市创建为全国休闲农业和乡村旅游示范县，安哈镇仙人洞创建为4A级旅游风景区。全年乡村旅游接待游客699.21万人次，同比增长8.63%；实现旅游收入9.26亿元，同比增长12.38%。

【农村科技】 2016年，西昌市与省、州农业科研单位联手培育新品种、研发新技术，先后开展测土配方施肥、节水农业、水稻工厂化育秧等科研项目，开发主栽农作物良种20个。大力推广水稻杂糯间栽、免耕覆盖、烤烟漂浮育苗、智能化烘烤、地膜覆盖、种子包衣等先进技术。建立科技示范园区，带动先进技术推广应用，建立坝区粮食生产科技示范园、现代节水示范区等，带动全市乡（镇）建立百亩示范园37个；建立生猪、肉牛、奶牛、肉鸡规范养殖示范园区16个；建立万亩花卉园区等。全年培训农民养殖带头人1000余人次。

【农村市场体系建设与劳务开发】 2016年，西昌市推进电子商务进农村试点，建成县（市）级电子商务运营服务中心1个（包含020线下体验馆、电子商务培训中心），完成村级（社区）电子商务综合服务站点（包括超市、庄稼医院、农资配送、邮政服务等于一体的基层供销社）建设20个，为农产品深加工和营销打下了坚实基础。

转移农村剩余劳动力9.85万人次，实现劳务收入17.4亿元。加大维权力度，维护农民工合法权益，被表彰为全州劳务工作先进县。

【主要领导人】 市委书记：李俊；市人大常委会主任：罗开莲；市长：马廷贵；市政协主席：李永华；分管农业副市长：朱明。

西昌市编写组

木里藏族自治县

【基本情况】 2016年,木里藏族自治县辖26乡3镇,辖区面积13252.7平方千米,其中耕地面积24.81万亩,增长7.8%。年末总人口13.99万人(户籍人口),比上年增长2.2%;人口自然增长率8.53‰。有林地面积96.41万公顷,森林覆盖率58.3%,林木绿化率71.9%。

2016年,全县GDP29.74亿元,同比增长5.9%,其中第一产业增加值5.7亿元,同比增长3.7%,对经济增长的贡献率为12.31%,拉动经济增长0.7个百分点;第二产业增加值15.6元,同比增长6.5%,对经济增长的贡献率为57.46%,拉动经济增长3.4个百分点;第三产业增加值8.4亿元,同比增长6.5%,对经济增长的贡献率为30.23%,拉动经济增长1.8个百分点。劳务输出3.32万人,收入3.3亿元。全年接待游客32.5万人次,实现旅游收入2.46亿元。

社会消费品零售总额7.16亿元,同比增长10.2%。财政总收入完成10.52亿元,同比增长19.81%,其中地方财政一般预算收入完成5.61亿元,同比增长8%。金融机构各项存款余额465778万元,同比增长19.08%,其中城乡居民储蓄存款余额138050万元,同比增长8.51%;各项贷款余额251564万元,同比增长15.16%。

有各类学校41所,在校中小学生19038人,教职工1476人,学龄儿童入学率100%。有电视台1座,节目2套。有卫生机构35个,病床位514张。新型农村合作医疗参合人数116654人,新型农村社会养老保险参保人数50425人。

【年度农业和农村经济运行】 2016年,木里藏族自治县实现农业总产值104814万元,增长7.5%;农业增加值59805万元,增长5.5%;虫草、核桃、花椒等特色优势农产品产量保持稳定增长。农村居民年人均可支配收入8006元,同比增长11.46%。

2016年木里藏族自治县主要农产品产量

主要农产品	单位	产量	同比(%)
粮食	万吨	5.18	2.8
稻谷	万吨	0.15	-2.7
小麦	万吨	0.37	2
玉米	万吨	2.04	3.3
蔬菜	万吨	4.16	2.6
水果	万吨	0.9	5.9
肉类	万吨	1.11	0.9
猪肉	万吨	0.62	-1.6
水产品	万吨	0.019	11.8

农业产业化发展。木里藏族自治县组建85个农民专业合作社、22家家庭农场。截至12月,全县有农民专业合作社125个、家庭农场50家,其中2个农民专业合作社被评为州级示范社、2家家庭农场申请为州级示范农场。

"大凉山"品牌建设工作。木里藏族自治县继续抓好"大凉山"特色农产品申报四川省著名商标工作,对已有品牌进行清理,全县共有4种农产品使用"大凉山"品牌;对9种使用"大凉山"品牌的产品包装进行检查,对纳入"大凉山"品牌管理的产品、公司、专合组织开展的广告、标语、营销宣传等100余条进行审查和监管,保障"大凉山"品牌信誉。组织木里县"大凉山"品牌产品参加中国西部国际博览会、四川农业博览会。皱皮柑地理保护标志申报工作取得突破性进展。

【林业】 2016年,木里藏族自治县大力开展林业产业开发工作。一是加强科技和业务知识培训。参加了林业厅主办的2016年全省林业产业扶贫培训、四川彝区基层林业精准扶贫培训、全省林木种质资源调查培训、凉山州种植培训会、凉山州核桃采收及后期管理技术培训、扶贫攻坚和产业基地建设技术培训。邀请省、州核桃科研人员和技术专家对全县乡(镇)综合服务中心主任、乡林业员和驻村"第一书记"、部分村组干部、贫困人员进行核桃种植嫁接技术培训,受训人员达500人次。二是启动实施木里县2016年"1+X"生态产业基地建设。编制完成《木里县2016年"1+X"生态产业基地建设实施方案》,计划建设总面积1204.37万亩,其中核桃11.3224万亩、花椒0.7213万亩;计划总投资12478万元(直接成本12311万元、间接成本167万元),其中政府投资1371.37万元、农民投劳折资11274.09万元;完成栽植任务11.1095万亩,其中核桃10.5145万亩、青花椒0.1063万亩、红花椒0.442万亩;实际完成投资11509.44万元,其中政府投资1277.89万元、农户投劳折资10231.55万元。三是启动实施木里县2016年低产林核桃嫁接改造项目。2016年计划改造低产林核桃嫁接9.2万亩(184万穗),计划总投资3156万元(直接成本3076万元、间接成本80万元),其中政府投资276万元、农户投劳折资2880万元;实际完成8.68万亩(173.7万穗),嫁接成活率达86%;实际完成投资2572.8万元,其中政府投资227.25万元、农户投劳折资2345.55万元。四是启动木里县良种核桃扩繁基地建设。完成14个本地良种核桃采穗工作。在乔瓦镇锄头湾村上树珠组落实核桃良种扩繁地块,建成木里县第一个核桃良种扩繁基地,面积200亩,计划总投资45万元,其中2016年投资20万元。五是启动木里县良种核桃采穗圃基地建设。完成良种和泰采穗圃基地改土整地作业设计、整体围栏作业设计、灌溉系统作业设计、造林作业设计以及改土工程、围栏工作。六是完成2015年低产低效核桃嫁接改造工作。实施完成依吉乡、宁朗乡、水洛乡、沙湾乡、博科乡、倮波乡、三桷桠乡共7个乡的低产林核桃嫁接改造项目补嫁接和检查验收工作,共核查7个乡25个村96个村民小组。七是开展2016年良种核桃品比试验。完成木里县2016年度核桃、花椒产品(食品)的安全检测工作。

【特色产业】 2016年,木里藏族自治县农牧业特色产业主要包括设施蔬菜、木里皱皮柑、野生羊肚菌、木里牦牛、藏香猪、藏香鸡。投入400万元,在项脚乡、乔瓦镇、列瓦乡等27个乡(镇)建设设施蔬菜720亩,全县蔬菜种植面积达12660亩,年产蔬菜41552吨。种植皱皮柑3000亩,产量240吨。在援建项目资金的推动下,采用院县合作的方法,在乔瓦镇、项脚乡、沙湾乡等地种植羊肚菌400亩、黑木耳椴木28万棒。

【病虫害防治】 2016年,木里藏族自治县农牧业病虫害防治主要包括畜禽免疫和农作物病虫害防治。全年完成猪瘟免疫31.2万头、猪口蹄疫免疫31.2万头、猪蓝耳病免疫29.7万头,猪瘟、猪口蹄疫和猪蓝耳病免疫密度均达100%;牛(羊)免疫70.38万头(只),其中牛口蹄疫免疫22.97万头、羊口蹄疫免疫41.57万只、羊小反刍兽疫免疫5.84万只;鸡新城疫、禽流感共免疫62.32万羽,免疫密度均达98%以上。全年病虫害防治面积达种植总面积的90%以上,共完成防治面积 9.87 万亩，挽回粮食损失 538 吨。

【藏区新村及彝家新寨建设】 2016 年，木里藏族自治县幸福美丽藏区新村建设工作结合精准扶贫、脱贫计划，共覆盖 29 个乡(镇)39 个村 1598 户 6717 人，其中贫困村 36 个，建设幸福美丽新村 36 个(省第三轮幸福美丽新村示范村 26 个、彝家新寨 8 个)。对 11 个乡 12 个村完成调查摸底 1379 户，对 1379 户民居的外观进行整治打造，配套实施厨房、厕所、太阳能浴室、沼气建设以及入户路硬化建设、院坝硬化、环境整治、绿化工作。完成新建 9 个村级基础设施的规划设计工作，建设面积 1080 平方米，配套建设村级活动场所 9 处、公共厕所 9 座、垃圾收集池 9 个，硬化进村道路 2000 余米，项目总投资 14794.44 万元，其中州级新农村建设资金 1000 万元，县级新农村建设资金 1398 万元，整合易地扶贫搬迁资金、藏区新居资金 2032 万元，藏区项目社区办公场所资金 32 万元，其他各类涉农资金 6320.44 万元，农民自筹资金 4012 万元。

彝家新寨建设项目投入财政扶贫资金 839.5 万元。一是房屋建设。克尔乡彭古村实施住房建设 67 户(其中实施彝家新寨建设 60 户、易地扶贫搬迁 7 户)，发放“四件套”62 套；牦牛坪乡泥珠村实施彝家新寨建设 69 户，发放“四件套”63 套；沙湾乡纳瓦村实施住房建设 64 户、彝家新寨建设 53 户、易地扶贫搬迁 11 户，发放“四件套”60 套。二是基础设施建设。克尔乡彭古村完善 1 个彝家新寨的公共服务设施，新建村内道路 6 千米，维修村内道路 16 千米，实施入户用电 62 户；牦牛坪乡泥珠村完善 1 个彝家新寨的公共服务设施，硬化村内道路 4 千米，实施入户用电 63 户；沙湾乡纳瓦村完善 1 个彝家新寨的公共服务设施和新修村内道路 14.4 千米，实施入户用电 60 户。

【劳务开发】 2016 年，木里藏族自治县始终坚持把扩大劳务输出作为促进农民增收的重要途径，全县转移输出务工人员 3.32 万人，实现劳务总收入 3.3 亿元；培训 4000 人，其中完成品牌培训 200 人、返乡创业培训 25 人。

【主要领导人】 县委书记：张振国；县人大常委会主任：杨克祖；县长：伍松；县政协主席：甘正友；分管农业副县长：沐年若。

木里藏族自治县编写组

盐 源 县

【基本情况】 2016 年，盐源县辖 31 个乡(镇、街道)，有农业人口 25.8 万人，有耕地面积 94.24 万亩，增长 1.7%；基本农田 69.36 万亩。

【年度农业和农村经济运行】 2016 年，盐源县实现农业总产值 165927 万元，增长 3.9%；农业增加值 115937 万元，增长 4%。农民年人均可支配收入 9784 元，增长 10.58%。

农业产业化发展。盐源县坚持政策优惠、资金倾斜、服务优化，着力做强苹果汁、牛羊肉加工、特色林果、食用菌加工等七大项目，培育宝清、钰峰果汁加工，世富马铃薯加工等农产品加工企业。全县有规模以上加工企业 11 家，其中省级龙头企业 1 家、州级龙头企业 6 家，带动全县 75%以上的农户发展种养殖业。大力推行“企业+组织+基地+农户”的经营模式，充分发挥中介服务组织联系龙头企业和基地农户的桥梁、纽带作用，全县有苹果、核桃、辣椒、大棚蔬菜等专合组织 1075 个、成员 13710 户，户均增收 37120 元以上；培育认定家庭农场 518 家、省级农民专业合作社 4 个，辐射带动区域内农户户均增收 2000 元。采取多种形式流转土地，促进产业集中连片、适度规模发展。鼓励支持农民建设冷藏库，有冷藏企业 14 家，储藏规模达 4.8 万吨。

2016 年盐源县主要农产品产量

主要农产品	单位	产量(万吨)	同比(%)
粮食	万吨	17.47	0.9
稻谷	万吨	1.73	1.8
小麦	万吨	0.85	2.4
油菜籽	万吨	0.0021	5
蔬菜	万吨	1.16	6
水果	万吨	44	3.6
肉类	万吨	3.53	7.29
猪肉	万吨	2.42	7.3
禽蛋	万吨	0.0728	2.53
水产品	万吨	0.218	9
牛奶	万吨	0.032	0.63

农产品品牌战略实施。盐源县按照统一印制、统一管理、全面提升农特产品市场形象的需要进一步规范统一了“大凉山”农产品包装设计，全县使用“大凉山”品牌包装的农产品总数达 18 种以上，“大凉山”农产品品牌创建工作有序推进，其中“盐源辣椒”农产品地理标志申报材料已上报农业部，“盐源红米”申报无公害农产品材料已上报，“盐源苹果”品牌二维码已获批，“大凉山盐源早核桃”地理标志商标处于公示期，“泸沽湖摩梭猪膘肉”商标注册材料已上报，“润盐牌”马铃薯淀粉在工商总局完成注册。积极参加西博会、农博会等，盐源苹果正式入驻成都百果鲜、舞东风等大型超市。

农业基地建设。盐源县苹果、马铃薯、核桃、烤烟、辣椒等“八大基地，十大产业”示范带动作用更加明显，被省政府认定为第三批现代农业产业基地强县。盐源县是西南地区最大的优质高原苹果生产基地，是全省最大的辣椒生产基地和马铃薯生产基地，是凉山州最大的生态核桃生产基地，有“四川核桃之乡”之称。全年苹果产量 45 万吨，实现产值 13.5 亿元；马铃薯产量 34.5 万吨，实现产值 4.16 亿元；玉米产量 7.6 万吨，实现产值 1.52 亿元；辣椒产量 1.16 万吨，实现产值 2.32 亿元；核桃产量 55670 万吨，实现产值 5.67 亿元；花椒产量 38590 万吨，实现产值 7.72 亿元；收购烟叶 20.46 万担，烟农收入 2.32 亿元，被州烤烟生产领导小组评为“烟叶生产先进县”。盐源苹果是中国驰名商标和四川省著名商标产品，先后获得农业部“优质农产品奖”“中国国际农业博览会银奖”等 30 余个奖项，在历届博览会中均被授予“最受消费者喜爱”果品称号；盐源苹果种植基地先后获得农业厅无公害苹果生产基地认证、农业部无公害苹果产品认证；2016 年，以盐源诚信苹果专业合作社为代表的盐源苹果生产基地获得了全国最具培育潜力的优质果品基地称号。

【畜牧业】 2016 年，盐源县“四畜”出栏 73.64 万头，其中猪出栏 33.94 万头、牛出栏 3.06 万头、羊出栏 36.46 万只，养殖生态鸡 423 万只。全年肉类总产量达 3.53 万吨，禽蛋产量达 728 吨，奶产量达 320 吨；实现畜牧业产值 11.69 亿元、牧业增加值 0.27 亿元。

【农村水利】 2016年,盐源县老沟水库跨沟引水工程总投资1.08亿元,完成征占地实物调查工作;三道沟水库于2014年6月开工建设,项目总投资4208.76万元,已进入扫尾阶段;投资2538万元,完成罗家沟水库等11座小(2)型病险水库除险加固;投资1578.2万元,解决17个乡(镇)25个村13749人的饮水困难问题;投资775.65万元,实施彝家新寨安全饮水项目,解决10个乡(镇)13个村7290人的饮水困难问题;投资3451.96万元,实施2016年度小型农田水利重点县建设项目,新建渠道29.42千米,整治渠道80.11千米,整治山坪塘4座,新建蓄水池、水窖601口;投资125万元,实施杨家河小流域水土流失治理面积3.1平方千米;投资538万元,实施雅砻江流域水土流失治理及水源涵养保护工程,新建谷坊2座,维修整治渠道13条、20.372千米。投资100万元,完成2015年度中央财政农田水利维修养护项目建设;投资200万元,完成建设2016年度中央和省级财政农田水利维修养护项目;投资590万元,实施农业综合开发项目5000亩,投入800万元改造中低产田土面积4700亩。整治、新建河道沟渠136千米,新增、恢复灌面4210亩。龙塘水库获国家发展改革委批复立项,老沟水库大坝枢纽和配套渠系工程完工,马鹿塘水库报审工作加快推进。

【新农村建设】 一是建设美丽新村新寨。2016年,盐源县采取政府补贴、协调贷款、群众筹资方式,坚持新村、新居、新产业、新农民、新生活"五新同步",完善农村基础设施、公共服务体系和社会治理机制,加强农村生态建设。整合各类资金2.78亿元,完成易地扶贫搬迁1348户、彝家新寨建设1390户、农村危房改造836户建设任务。二是积极推进移风易俗。深入推进"四个好"家庭创建,完善村规民约,持续开展"三建四改五洗"、杜绝高额彩礼、提倡厚养薄葬等活动,强化感恩、守法、文明、勤劳等教育,树立遵纪守法、文明礼貌、诚实守信风尚。加快推进农民夜校建设,坚持"普及教学"和"因村施教"结合,建立技术培训、政策讲解、信息发布等7个功能平台,全县247个村开班233个(其中贫困村全部开班),举办培训336期,培训群众2.5万人次。

【扶贫攻坚】 2016年,盐源县投入6833万元,解决23个贫困村人畜饮水问题、41个村无电问题,实现退出贫困户广播电视信号全覆盖。整合资金4.03亿元,完成41个贫困退出村互联网覆盖、文化室和民俗文化院坝建设、医疗设备和人员配备工作,建成通乡、通村道路560千米,完成31个贫困退出村道路硬化任务。建成"一村一幼"幼教点204个,学前教育入学率达91.7%,学前教育实现2016年退出村全覆盖。全县坚持产业发展带动精准脱贫,全面打响"1+X"产业发展三年会战,新种植核桃、花椒、苹果共58.3万亩,贫困户户均发展经济林木6.7亩,因地制宜推进"借羊还羊"等增收项目,2016年"退出贫困户"人均纯收入超3100元。大力发展优质马铃薯、蛋白玉米、绿色猪牛羊等传统产业,培育打造优质烤烟、巨星辣椒、果园生态鸡、特色林果、大棚蔬菜和食用菌等新兴产业,农业产业助农增收人均950元以上。

【农村科技】 一是抓示范,促进科技成果转化。2016年,盐源县投入专项资金2600万元,新建苹果标准示范园10万余亩、现代苹果产业良种繁育温室3800平方米、示范区2万亩。改造建设马铃薯标准化示范基地20万亩,建立健全良种繁育体系。建设辣椒示范种植区2万亩,引进优新品种20个,高厢垄作地膜覆盖推广面积达100%。完成整建制推进试点县粮棉油高产创建玉米示范片5万亩,平均亩产达800千克。二是抓培训,提高农民素质。实施新型农民科技培训、新农村实用人才培训等项目,开展苹果高产优质栽培、核桃良种嫁接、农村沼气管理使用等培训。投入420万元,完成农民工技能培训2100人、劳务扶贫培训800人、劳务品牌培训480人、"阳光工程"培训3000人、农村劳动力转移培训1600人。

【农村教育】 2016年,盐源县全面实施农村中小学远程教育工程,现代远程教育覆盖率以及小学、初中教学仪器设备配备率均达100%。实施大凉山彝区"教育振兴计划"、"十年行动计划"、校舍维修改造、"全面改薄"等项目58个,累计投入各类资金6131万元,改(扩)建薄弱学校82364平方米,建成了教学及辅助用房、生活用房、体育运动场地等地,58所薄弱学校办学条件得到较大改善,校际差距逐步缩小。继续实施贫困家庭子女上高中奖免政策,免除农民、城镇普通居民、国企下岗职工子女高中学费,其中2016年春季学期免除普通高中学费6650人、秋季学期免除普通高中学费6360人。全年免除学前教育幼儿保教费879.08万元,发放寄宿制学生生活补助金3037万元。资助奖励高考上一本、二本的优秀贫困学生,分别给予1万元和5000元的资助。大力实施教育惠民工程,全年发放寄宿制学生生活补助金3037万元。上级下达标准每生补助225元,县级配套春季和秋季盐源中学每生补助115元、民族中学每生补助55元,资金合计257.801万元;实施学生营养餐改善计划,投入3943.3279万元,按照每生每年800元的标准补助学生55051人。

【农村交通】 2016年,盐源县盐米路、盐宁路、小高山隧道、泸沽湖右环线等项目前期工作加速推进,前所、马鹿、沃底等通乡油路建成并投入使用。全县在建和已下达的通乡通畅工程项目和农村公路提升改善工程共计13个,其中开工建设的有8条(藤桥、白乌、德石、田湾、巴折、阿萨、右所、大河)、已启动前期工作的有3条(干海乡至下海段、大坡、洼里)、已建成的有1条(卫城);待交工验收的有1条(盐井至绿色家园工程)。泸沽湖旅游集散中心完成主体工程建设。

【劳务开发】 2016年,盐源县依靠县内2个工业园区和10家龙头企业形成县域劳务基地,就地转移农村剩余劳动力,同时通过各种媒体发布务工信息,扩大信息发布途径和发布量。2016年,全县农村劳动力累计输出转移9.3万人,实现劳务收入13.21亿元。

【农村基础设施建设】 2016年,盐源县新建100千瓦以下固定提灌站25座(其中农户自建提灌站18座),增加有效机电灌面2万亩,全县标准化提灌站达202座,有效机电灌面积40万亩。新建户用沼气池1000口、集中供气站1处,全县农村户用沼气池达1.86万口。新增节水灌面0.86万亩,恢复和改善灌面0.001万亩。共实施"一事一议"财政奖补项目36个,涉及水利、交通和环保3个方面,其中水利项目13个、交通项目23个,覆盖24个乡(镇)36个村,占全县行政村总数的15%;项目总投资2008.38万元,其中村民筹劳折资908.38万元、财政奖补资金1000万元。

【农村电商】 2016年,盐源县加快推进国家级电子商务进农村综合示范项目建设,建成29个乡级电子商务服务站、119个电子商务乡级服务点,构建了县、乡、村三级电商服务体系;加快形成"一县一平台、一县多品牌"电子商务产业推进格局,引导苹果、核桃等农特产品等向互联网市场延伸、拓展。

【主要领导人】 县委书记:邓天友;县人大常委会主任:彭屹;县长:尹江涛;县政协主席:李呷补;分管农业副县长:张成武。

盐源县编写组

德昌县

【基本情况】 2016年，德昌县辖10乡11镇5个社区，辖区面积2284平方千米，其中耕地面积28.57万亩、基本农田17.68万亩。年末常住人口22.1万人；出生人口2993人，人口出生率14.41‰，人口自然增长率7.28‰。全县耕地有效灌面达到耕地总面积的79%；本地水资源总量14.98亿立方米。有林地面积13.84万公顷，活木总蓄积量1300万立方米，森林覆盖率达68.9%。

2016年，全县GDP68.2亿元，增长8.7%，其中第一产业增加值17.2万元，比上年增长4.87%；第二产业增加值30.5万元，比上年增长11.6%；第三产业增加值20.5万元，比上年增长8.5%。三次产业占GDP的比重由上年的26.2∶43.7∶30.1调整为25.2∶44.7∶30.1。第一产业投资16749万元，同比增长16.3%。劳务输出6.4万人，收入10.67亿元。全年接待游客274.35人次，实现旅游收入107021万元。

公路通车里程1465千米。社会消费品零售总额26.1亿元，增长9.67%。地方公共财政收入完成4.95亿元，同比增长11.1%；公共财政支出15.9亿元，比上年增长1.1%。金融机构各项存款余额63.5亿元，比上年年初增长10%；各项贷款余额31.6亿元，比年初增长6%。农业产业化省级、州级、县级分别为3家、9家、8家。

有中小学校87所，其中高完中2所、职业高中1所、九年一贯制学校2所、小学23所、教学点58个、十二年一贯制学校1所；特殊教育中心1个；幼儿园31所，其中省级示范幼儿园1所、乡（镇）中心幼儿园13所、民办幼儿园17所；在校（园）学生总数45524人，有教学班1125个班；有教职工2391人，专任教师2046人；学龄儿童入学率100%。有文化馆1个，公共图书馆1个。有电视台1座，节目1套。有卫生机构28个（不含诊所），病床位1128张。新型农村合作医疗参合率99.9%。

【年度农业和农村经济运行】 2016年，德昌县实现农林牧渔及服务业总产值29.9亿元，增长8.9%；农业增加值17.2亿元，增长4.87%；蚕桑、伏季水果、早市蔬菜等特色优势农产品产量保持稳定增长。农村居民年人均可支配收入达14527元，增长9.7%。建成21个基层农业综合服务站。全年化肥施用量（折纯）8369吨。全年农业机械总动力达22.5万千瓦，较上年增长9.8%；农村用电4685万千瓦时，增长4.6%；农用塑料薄膜使用779吨，地膜覆盖面积11328公顷。

农业产业化发展。德昌县农民专业合作社达201个（其中国家级示范合作社1个、省级示范专业合作社9个、州级示范专业合作社5个），新注册登记农民专业合作组织44个；有农业产业化省级重点龙头企业3家、州级重点龙头企业9家、县级重点龙头企业8家。

农产品品牌战略实施。德昌县紧紧围绕“三品一标”创建发展自有品牌，出台奖励政策，对获得驰名商标、著名商标和名牌产品的企业予以重点扶持、资金奖励，有效提升了农产品的知名度和市场竞争力。获得“三品”认证19个、地理标志保护产品2个、省级著名商标4个、省级名牌产品2个，创建“大凉山”区域品牌61个。先后被授予省级“无公害农产品生产基地县”“四川省早蒜薹之乡”“四川省优质稻基地县”“四川省第一批优质蔬菜生产基地县”和“中国果桑之乡”称号。

2016年德昌县主要农产品产量

主要农产品	单位	产量	同比（%）
粮食	万吨	9.5	3.1
稻谷	万吨	4.62	4
小麦	万吨	0.6	2
油料	万吨	0.1	1.7
蔬菜瓜果	万吨	22.24	7.3
肉类	万吨	2.5	0.9
猪肉	万吨	1.77	-0.9
水产品	万吨	0.61	0.8
牛奶	万吨	0.1129	0

【特色农业发展】 2016年，德昌县优化产业结构，发展特色农业，把增加农民收入作为产业发展核心，形成了以果、蔬、林、畜、烟、桑“六大富民工程”为核心的产业格局。全年烟叶产量21万担，烟农收入2.7亿元；产茧2.5万担，产桑葚2.5万吨，蚕农收入1.6亿元；蔬菜复种10万亩，实现产值4亿元；发展经济林92万亩（其中板栗20万亩、核桃49万亩、其他林果23万亩），林果产量5.1457万吨，实现林业总产值7.67亿元。

【畜牧业】 2016年，德昌县肉猪出栏25.87万头，减少3.2%；羊出栏7.64万只，增长10.6%；牛出栏1.3万头，增长4.8%；家禽出栏254.8万只，增长4.3%。全年肉类总产量24878吨，增长0.9%，其中猪肉产量17736吨，减少0.9%；羊肉产量1343吨，增长10.5%；牛肉产量1112吨，增长4%；家禽肉产量4258吨，增长4.1%。牛奶产量1129吨，增速和上年持平。

【农村水利】 2016年，德昌县共计完成水利建设投资14967万元，其中中央投资6950万元、省级投资7000万元、县级投资850万元，乡村及受益农户集资及投劳折资等167万元，新增有效灌面0.5万亩，恢复改善灌面0.8万亩，新增节水灌面0.5万亩。全县有效灌溉面积达到耕地总面积的79%。

【新农村建设】 2016年，德昌县以32个贫困村为主战场，积极推进新村新寨建设和钢架结构建房模式，为每户节约成本2万元左右。整合投入资金4亿元，建设新村新寨47个，其中贫困村45个、非贫困村2个。完成“建改保”农房建设3080户（建档立卡贫困户2481户、非贫困户599户），其中新建1603户、功能改造提升1477户。

【扶贫攻坚】 2016年，德昌县紧紧围绕32个贫困村，以“两不愁、三保障”为目标，精准发力、挂图作战，举全县之力推进精准扶贫、精准脱贫，全县32个贫困村、2614户贫困户、8870名贫困人口如期脱贫“摘帽”。

【主要领导人】 县委书记：王顺云；县人大常委会主任：贾普祥；县长：苏正清；县政协主席：吴仲海；分管农业副县长：李恳古。

德昌县编写组

会理县

【基本情况】 2016年，会理县辖43个乡（镇）5个街道303个行政村，辖区面积4527平方千米。有总人口46.5万人。

2016年,全县GDP219.03亿元,同比增长7%。固定资产投资94.03亿元,同比增长10.5%。地方公共财政收入完成7.85亿元,同比增长13.6%。农民年人均可支配收入14425元,同比增长9.7%;城镇居民年人均可支配收入26265元,同比增长7.86%。

【林业】 2016年,会理县林业工作坚持“生态立县”发展战略,以建设“生态文明美丽会理”为统领,以“生态优、百姓富、林业兴”为目标,以增绿增质增效为主线,以依法治林为保障,统筹生态林业、民生林业、效益林业、人文林业建设,以大力推进林业脱贫攻坚为核心,不断夯实绿色发展生态基础。全面完成“1+X”26万亩核桃种植、8万亩核桃嫁接改造任务;巩固退耕还林成果,开展新一轮退耕还林栽植;实施天然林资源保护二期工程,落实集体林生态效益补偿;深入推进集体林权制度配套改革及国有林场改革,实施干旱半干旱地区生态综合治理试点项目,开展林木种质资源调查和石漠化监测;开展2016年全州第一家四川省林产品质量监测会理站建设工作,协助举办“四川花卉(果类)生态旅游节分会场暨第三届会理石榴节”;完成森林资源二类调查外业工作,启动大规模“绿化全县”行动。全年营林造林27.8万亩,森林覆盖率达52.1%;实现林业总产值10亿元,农民人均林业收入1193元。森林火灾损失率控制在有林地的0.8‰以内,林业有害生物成灾率控制在有林地的3‰以内。

【畜牧业】 2016年,会理县利用肉牛基础母牛扩群增量项目资金新发展项目户63户,建成标准化牛舍14422平方米;利用现代草原畜牧业发展专项资金开展山羊棚圈项目建设,新发展项目户165户,建成标准化羊舍13200平方米;启动实施2015年肉羊标准化规模养殖场(户)项目建设,中央投资150万元,新建项目户8户;利用山羊良种补贴项目资金完成375只种公羊的招标采购和发放任务;利用生猪调出大县奖励资金发展项目户130户,建成标准化猪舍25100平方米。全年生猪存栏62.64万头,出栏84.07万头;牛存栏21.76万头,出栏2.33万头;羊存栏69.92万只,出栏37.56万只;家禽存栏168.19万羽,出栏167.04万羽。肉类总产量78216吨,实现畜牧业产值24.74亿元。

【水产业】 2016年,会理县有水产养殖户383户,水产养殖总面积达4217.93亩,产量2140吨,实现产值3400万元。引进了台湾泥鳅等品种,养殖面积60余亩,产量2.5万余千克,主要销售到攀枝花、成都、昆明等地,经济效益明显。全面贯彻国家无公害水产品养殖各项标准,实施《无公害水产品养殖技术操作规程》,制订标准化池塘建设规划,无公害水产品生产得到健康发展,2016年省级水产品质量安全例行监测抽样达到相关标准。广泛开展《渔业法》《水污染防治法》等相关法律法规宣传,组织统一检查行动4次,出动检查车辆2辆、检查人员24人次,巡回检查餐馆3次、城河5次。加强渔业水域渔政监督管理,清理密眼箔、电鱼、毒鱼、炸鱼等行为和“三无”船舶,控制捕捞强度,营造和谐渔业生产环境,提升渔业资源保护水平。

【新农村建设】 2016年,会理县紧扣到2020年实现“两个80%”的工作目标,按照“业兴、家富、人和、村美”的要求,围绕“乡村规划、乡村建设、乡村管理、乡村文明”目标任务,统筹推进新村新寨建设,全面实施扶贫解困、产业提升、旧村改造、环境治理和文化传承“五大行动”,帮助贫困群众稳定脱贫奔小康,全年共投入各级各类资金42712.17万元,建设及完善58个贫困村基础设施、公共服务设施及农房,其中建成村卫生室58个、文化室58个、民俗文化坝子28个、村幼教点58个,硬化道路98千米,新建道路7千米,建设蓄水池100口、沼气池300口,58个村共种植烤烟、花椒、核桃等主导产业29.95万亩,出栏牲畜76120头(只);新建农房190户,改造提升2068户。

【扶贫攻坚】 2016年,会理县扎实开展“双联”及干部驻村帮扶工作,成立了由县委副书记为总召集人的“双联”工作联席会议、干部驻村帮扶工作领导小组,下设办公室于县直工委,负责县级领导联系贫困村、县级部门帮扶贫困村、选派贫困村驻村工作组、落实机关干部结对帮扶贫困户等工作的协调推进。27名县级领导结合“5+3”联系制度,全覆盖联系全县58个贫困村,召开座谈会70次,解决问题83个,协调落实项目94个、资金1.1亿元;48家县级党政机关单位、17家事业单位、23家企业单位、9个其他单位和35个社会组织等“一对一”“一对多”或“多对一”全覆盖帮扶全县58个贫困村;8家金融单位、22家民营企业联系帮扶19个贫困村;组织全县58个富裕村“一对一”结对帮带58个贫困村。县级各帮扶单位专题研究帮扶事宜352次,协调帮扶项目629个,建成项目605个,慰问贫困户1888户、6075人,发放慰问金188万元,组织贫困群众学习参观222次、5574人次。从全县76家参与帮扶的县级机关单位、企事业单位中抽调284名机关干部全覆盖组建58个县级机关驻村帮扶工作组,由帮扶单位主要负责人担任驻村工作组组长,“点对点”加强帮扶指导;从23个乡(镇)选派559名乡(镇)机关干部全覆盖组建58个乡(镇)驻村工作组。27名县级领导、597名机关干部与1888户建档立卡贫困户结成“帮扶对子”,机关干部结对帮扶贫困户实现全覆盖。

坚持以精准扶贫、精准脱贫为手段,瞄准全县58个贫困村、1888户贫困户、6075名建档立卡贫困人口,全面贯彻落实省委、州委、县委《关于集中力量打赢扶贫开发攻坚战,确保同步全面建成小康社会的决定》,按照“六个精准”要求,以实施基础扶贫、产业扶贫、新村扶贫、生态扶贫、能力扶贫“五大扶贫工程”为载体,扎实推进“七个一批”“十一个一批”扶贫攻坚行动计划和年度实施方案,全县脱贫攻坚工作取得了良好成效,1888户贫困户、6075名建档立卡贫困人口脱贫,58个贫困村退出,贫困发生率为0.09%,低于3%。

【乡村旅游】 2016年,会理县明清古城被国务院批准列为国家历史文化名城并创建为国家4A级旅游景区;境内有红军巧渡金沙江和会理会议遗址,是全国100个红色旅游景点之一,被列入全国30条红色旅游精品线路,古城文化、红色文化、石榴文化、川滇文化、民族风情文化整合构成文脉相承的会理文化。依托会理古城国家4A级景区,以“川滇文化、石榴文化、红色文化、民族风情文化、饮食文化”五大文化为特色,培育休闲农业和乡村旅游点10个,举办12个旅游节庆活动。举办了以丰富多彩的民间传统节日、名优农特产品展销、特色水果采摘、时令花卉观赏、地方文化活动为主要内容的节庆活动,举办了新春文化节、新安乡泼水节、鹿厂石榴花观赏节、龙肘山杜鹃花观赏节、小黑箐白沙村祭龙节、会理古城端午风情游、鱼鲊蜜芒采摘节、黄柏石垭口火把节和第三届会理石榴节活动,游客(观众)达到30余万人,实现旅游收入8.85亿元,取得了良好效果。

【农村科技】 2016年,会理县在石榴主产区重点推广石榴套袋28万亩,秸秆、茅草覆盖树盘15万余亩,果园滴喷灌8万亩,软管浇灌15万亩,果园配方施肥15万余亩,叶面喷施微肥12万余亩;推广使用生物农药13万余亩、普及石榴整形修剪25万余亩,低产果园改造5.8万亩,会理石榴田间管理技术走在全国各石榴主产区前列。富乐石榴标准化生产示范园和吉龙芒果标准化生产示范园 2016 年获得农业部认定，2 个示范园均严格按照"突出重点，打造亮点"的现代农业精品示范园区的思路打造，示范园区水系、电网、道路等基础设施配套完善，全面推广各项增效技术，生产的果品均达到绿色食品生产标准要求，其中石榴示范面积 1800 亩，产值达 1800 万元，辐射带动面积 5 万亩；芒果示范园面积 1200 亩，产值达 420 万元，辐射带动面积 2 万亩。

【2016 年度"三农"工作先进经验介绍】 2016 年，会理县切实把"三农"工作作为经济社会发展全局的重中之重，由县委县政府主要领导负总责，县委副书记、分管农业的副县长具体抓落实；定期召开县委常委会、政府常务会 8 次以上，县委县政府主要领导深入农村开展专题调研 50 天以上，分管领导深入农村专题调研达 70 天以上。全年共整合投入涉农项目资金 7.42 亿元，其中县本级财政投入 1.05 亿元。层层签订目标责任书，把"三农"工作作为县（乡）各级领导班子任期目标、领导干部责任目标、单位职工综合绩效进行考核，对未完成目标任务的班子和成员不提拔、不重用、不留任、不挪窝、不评优、不予经费补助。

脱贫攻坚见成效。投入各类扶贫资金 3.68 亿元，统筹实施 18 个专项扶贫方案，建设贫困村水泥路 489.6 千米，58 个贫困村实现集体经济收入 33.31 万元，全部达到 3 元/人（全村人口为基数）以上的标准，在全州率先规范完成贫困村集体经济收入任务，通信设施、幼教点、卫生室、文化室、民俗文化坝子全部建成。解决 1385 户安全饮水、82 户安全用电，建设新村 58 个，新建、改造 5912 户安全住房。帮扶贫困户建畜圈 12.08 万平方米，种植经果林 2.65 万亩，养殖黑山羊 1.09 万只，落实稳定就业 2563 人。"四好"创建广泛开展，良好习惯逐步养成、良好风气逐步形成。1888 户贫困户、6075 名贫困人口全部实现"一超六有"，贫困村全部实现"一低七有"。

产业发展强支撑。一是做精做优主导产业。全县形成以黄（烤烟）、红（石榴）、黑（猪羊）、绿（生态）、白（粮食）五大特色产业为支撑的产业格局。2016 年，全县种植烤烟 20 万亩，收购烟叶 63.2 万担，烟农收入 8.7 亿元；石榴种植面积达 32.52 万亩，果品产量达 49.29 万吨，果农销售收入 19.67 亿元，拉动物流等相关产业实现产值 10.12 亿元；生猪、牛、羊等牲畜共存栏 167.63 万头，出栏 139.91 万头；主推以核桃产业为主，华山松、油橄榄、花椒、板栗等兼顾的"1+X"林业产业建设，全县种植核桃 62 万亩、华山松 20 万亩、麻疯树 42 万亩，实现林业总产值 10 亿元；完成大小春粮食总播种面积（含晚秋）79.39 万亩。二是不断培育配套产业。坚持因地制宜的原则，以市场为导向，全县种植蔬菜 17 万亩，产量 39.43 万吨、产值 18.63 亿元；种植茭白、魔芋、香园梨、芒果、甜杏、樱桃、青枣、葡萄、桃子等特色小果蔬 7 万亩，产量达 10 万吨。三是做大做强劳务经济。始终坚持"培训、输出、维权"三位一体，做大劳务经济，拓宽农民增收渠道。全年实施农民工技能培训 8060 人。农村劳动力转移输出 9.26 万人，实现劳务收入 18.83 亿元。四是不断加大品牌建设。成功创建大凉山零污染生态鸡、大凉山零污染绿壳蛋、大凉山傣乡冬枣、大凉山傣乡辣木籽、大凉山傣乡芒果 5 个品牌。会理石榴获得 2016 年"全国名优果品区域公用品牌"称号，会理县被评为"中国生态农业建设名县"。引导开展"三品一标"农产品认证，认证无公害农产品 4 个、绿色食品和有机农产品 4 个、登记地理标志产品 1 个。"会理香酥核桃""会理白龙 1 号核桃""清香核桃"3 个品种被认定为四川省优良品种并进行重点保护和推广；会理"绿玥早食核桃""茂甘丰产核桃"被中国林科院列为新品种保护；"绿玥早食核桃""清香核桃"被列为全州 3 个核桃优良品种之列重点发展。五是全面加强良种示范。建成石榴万亩亿元现代农业产业示范区 11 个，标准化示范面积达 28 万亩。完成各类作物近 200 个品种的试验示范任务。富乐石榴标准化生产示范园和吉龙芒果标准化生产示范园获得农业部认定，打造石榴示范面积 1800 亩、辐射带动 5 万亩，产值达 1800 万元；打造芒果示范园面积 1200 亩、辐射带动 2 万亩，产值达 420 万元。开展核桃引种试验，完成 48 个核桃优良品种的选育对比试验和 200 亩州级核桃采穗圃、500 亩县级核桃快繁基地、400 亩县级核桃苗圃基地建设工作。

基础夯实重保障。全年建设通乡公路 120.1 千米、通村公路 1084.6 千米、产业联络路 190 千米。红旗水库钻天坡补水工程完成前期工作，9 座小型病险水库整治、菜园子补水工程、小农水重点县项目、抗旱应急水源工程、农村安全饮水工程、红旗水库西干渠改造、省级节水型社会重点县建设有序实施，新民水库扩容增效工程、横山水库进入工可评审。新建校舍 3.25 万平方米，开办"一村一幼"教学点 113 个。新建太阳能提灌站 4 座，2016 年省财政光伏水源工程试点项目有序推进。新建农村户用沼气池 2000 口，3 个大中型沼气工程建设有序推进。现代农业科技园建设项目已完成招商引资。

软件升级塑形象。以"四好村"创建和开办农民夜校为契机，不断提升农民素质，打造和谐会理，建设美丽乡村。一是"四好村"创建有序开展。制订"四好村"创建实施方案，明确责任部门和工作要求，部门联动、层层聚力，"四好村"创建推进有力，推荐上报省级"四好村"28 个。二是农民夜校全面铺开。全县 303 个行政村农民夜校全部开班，组建了 110 人的师资队伍，开设了 37 个专题，2.5 万余名群众参加了学习培训。

农村改革添动力。先后出台了《会理县涉农资金统筹整合工作实施方案》《关于进一步引导农村承包土地经营权规范有序流转发展农业适度规模经营的意见》《会理县财政专项扶贫资金县级财政报账制实施细则》等专项文件 33 个，涉及扶贫机制、集体经济、土地确权等多个方面。水利设施产权制度改革、供销社综合改革、国有林场改革、农村产权流转服务体系建设、农业信息化建设有序推进，村集体资产股份合作制改革试点、农村资金互助组织试点扎实开展，农村信用体系建设、农产品质量安全监管体系建设、农村土地经营权流转全面展开，农村集体土地确权登记颁证工作取得阶段性成果。以规范资金、资产、资源"三资"管理为抓手，通过服务创收、租赁托管、产业发展、资产增收等措施，全县村级集体经济积累总额达 961.5 万元，同比增长 9%；积累超过 1 万元以上的村有 95 个，积累超过 3 万元以上的村有 40 个，积累超过 5 万元以上的村有 32 个，有村级集体经济的村达 215 个。以坚持稳定农村土地承包关系并保持长久不变，按照"整体推进、保持稳定、依法规范、尊重历史、民主协商、因地制宜"的原则，全县完成测绘面积 1092728 亩，涉及农户 106648 户、地块 741515 块。同时，始终把抓改革试点作为重点突破，带动全局的重要手段，坚持顶层设计与自主创新相结合、分类施策与关键环节相结合，开展了一批具有标志性、引领性、针对性的改革试点。及时成立各试点工作领导小组，着力建立健全工作机制，凝聚了抓改革试点的工作合力。全面抓好综合行政执法体制改革试点、深化集体林权制度改革试点、会理县农田水利设施产权制度改革和创新运行管护机制改革试点、农村资金互助组织试点、农村土地承包经营权确权登记试点、经济林木(果)权抵押贷款改革试点、土壤墒情检测试点、非国有公益林地政府赎买试点、会理县"支部+"发展村级集体经济改革试点9个试点,其中综合行政执法体制改革试点、深化集体林权制度改革试点、农村资金互助组织试点、土壤墒情检测试点、会理县"支部+"发展村级集体经济改革试点全面推进,非国有公益林地政府赎买试点已形成方案,待审议后推进。

模式创新显活力。大力推行"企业+基地+合作社+家庭农场"的经营模式,坚持"壮大现有的,培育本土的,引进外来的"工作理念,对农业龙头企业发展在政策上给予倾斜。全县有农业产业化龙头企业14家,其中省级2家、州级4级、县级8家;按照"民办、民管、民受益"的原则,积极引导农民按照品种、产业等组建农民专业合作社,2016年新增合作社84家,专业合作社总数达521家;支持引导具有一技之长的农户发展家庭农场,工商登记注册家庭农场总数达1344家,农业产业逐渐向规模化、专业化迈进。

会理县是全国石榴第一县、烤烟大县、产粮大县、牛羊生产大县、生猪调出大县,是全省首批工业强县示范县、现代农业重点县、现代畜牧业重点县、"三农"工作先进县、省级生态县、省级平安县、省级卫生城市,连续8届进入中国西部百强县,连续9年被评为"四川省经济综合实力考核类区先进县",被省委省政府列入全省重点开发县,并被评为"全省县域经济发展先进县"。

【主要领导人】 县委书记:李怀良;县人大常委会主任:刘光平;县长:陈方勇;县政协主席:张顺银;分管农业副县长:沙正才。

会理县编写组

会 东 县

【基本情况】 2016年,会东县辖7乡13镇318个村7个社区,辖区面积3227平方千米,总人口42.29万人,有耕地面积50.17万亩,增长102.3%;基本农田3.86万亩,增长128.81%。

【年度农业和农村经济运行】 2016年,会东县实现农业总产值37.3亿元,增长105.2%;农业增加值40.05亿元,增长104.16%。农民年人均可支配收入14017元,增长109.8%。

农业产业化发展。会东县强化对已形成的各种专业合作组织的管理,在内涵上强化、外延上扩张。抓好2家省级龙头企业、4家州级龙头企业、17家县级龙头企业的示范引领作用;巩固提高288个农村专业合作经济组织规范化程度和1576个家庭农场的生产能力,发挥其组织作用。

农用地产权制度改革。会东县深化农村土地经营体制改革,积极推进农业适度规模经营。盘活农村土地资源,全面启动土地承包经营权确权登记颁证。推广"多权同确",鼓励流转土地经营权,建立健全农村土地流转激励机制和农村土地流转服务体系。

农业产业基地建设。会东县构建以政府部门的服务和管理为保障的集技术、信息、金融、营销等服务于一体的新型农业服务平台。扎实推进农业产业基地建设,推进粮油高产高效创建,培育壮大优势特色产业带和集中发展区,在鲹鱼河、姜州、嘎吉、铅锌等镇建设水稻高产示范区2万亩;在姜州、小坝等乡(镇)建设"双低"油菜高产示范区1万亩;在堵格、淌塘、新街、松坪等镇建设玉米高产示范区1万亩;在新街、堵格、满银沟等镇建设小春马铃薯高产示范区1万亩;在新街、铅锌、堵格等镇建设魔芋高产示范区1万亩。

【种植业】 2016年,会东县农作物播种面积129万亩,其中粮食作物播种面积77.52万亩,产量25.16万吨;油菜播种面积10万亩,产量1.78万吨;马铃薯播种面积16.63万亩,鲜薯产量28.6万吨;蔬菜播种面积14.36万亩,产量45.02万吨;水果播种面积6.74万亩,产量12.66万吨。

2016年会东县省级农业产业化重点龙头企业名单

企业名称	注册资金(万元)	法人代表	示范等级	年度产值(万元)	行业分类	主营产品
会东县堵格牲畜市场经营有限责任公司	800	邱朝来	省级	2233.19	农林牧渔业	牲畜、畜产品
会东县山松农业开发有限责任公司	500	周望	省级	500	农林业	华山松

2016年会东县(省级及以上)示范农民专业合作经济组织名单

合作组织名称	注册资金(万元)	法人代表	示范等级	年度产值(万元)	行业分类	主营业务
会东县铅锌镇科技种养业专业合作社	3	张定国	国家级	80	种养殖业	种养殖业、农产品销售
会东万利种养专业合作社	730	董应林	国家级	92	种养殖业	药材、农作物种植及畜牧业养殖
会东县农丰种养专业合作社	467	张金云	国家级	105	种植业	魔芋、马铃薯、松露、羊肚菌种植
会东县玉龙种植专业合作社	5	李玉发	省级	120	种植业	核桃种植、收购
凉山州鲁峰金银花专业合作社	650	阳子江	省级	100	种植业	金银花、经济树木、农特产品种植及销售

续表

会东县益民烤烟综合服务专业合作社	3	朱如洪	省级	35	种植业	烟草种植
会东县金沙冬马铃薯专业合作社	168	王成林	省级	60	种植业	马铃薯生产、初加工
会东县旺兴肉羊养殖专业合作社	10	牟合秀	省级	80	养殖业	肉羊养殖、销售
会东县顺安种养农民专业合作社	258	宋顺贵	省级	90	种植业	魔芋、核桃、玉米、马铃薯种植

2016年会东县家庭农场经营情况统计表(前10位)

家庭农场名称	注册资金(万元)	法人代表	年度产值(万元)	行业分类	主营产品
会东县姜州镇顺金农场	10	徐顺金	50	种植业	葡萄
会东县大崇乡崇兴村兴农香蕉种植农场	12	王成林	40	种植业	香蕉
会东县乌东德镇石蛙养殖农场	10	王世录	80	种养殖业	石蛙、黄粉虫
会东县惠民家庭农场	10	秦科富	60	种养殖业	山羊、中药材
会东县姜州镇黑角农场	15	姜兴银	58	种植业	石榴
会东县姜州镇瞿氏肉牛养殖场	20	瞿秀华	90	养殖业	肉牛
会东县铅锌镇太平家庭农场	15	李太平	60	养殖业	山羊
会东县姜州镇兴富石榴种植家庭农场	10	李兴富	30	种植业	石榴
会东县顺明生猪标准化养殖场	20	王顺明	60	养殖业	生猪
会东县大崇乡如举家庭农场	20	杨如举	40	种植业	枇杷、芒果

【林业】 2016年,会东县新建核桃产业基地25万亩、华山松基地3万亩、油橄榄基地0.5万亩。加强对松露(中华块菌)资源的保护及有序开发,年产量达60吨以上。实施森林质量精准提升工程,全年共实施核桃嫁接改良3万亩;在姜州镇马头山建立快速繁殖采穗基地800亩,在江西街乡碗厂村(黑嘎国有林区内)建立核桃种质资源库300亩。实施中幼林抚育1万亩,14个乡(镇)20个贫困村、2000余户贫困户直接受益。强化林业产业精准扶贫,坚持"科学规划、因地制宜、适地适树"的原则,将3万亩退耕还林工程、10万亩"1+X"生态产业等项目优先安排到37个贫困村和零星贫困户,实现林业产业项目贫困村和贫困户全覆盖;加强科技推广,选派100余名林业技术人员和生产能手到各贫困村推广林业先进技术,提高贫困户的种植、管理、经营能力,保障产业健康发展。多方筹集50万元,聘请嫁接专业合作社对贫困村和贫困户种植的核桃进行嫁接改良,让核桃产业变成其脱贫致富的产业支柱,为其长期脱贫致富奔康奠定了坚实基础。

现代林业建设。一是强化政策和资金支持。县委县政府制定并出台了《会东县加快推进现代林业产业发展的意见》,指明了现代林业的发展方向,明确了发展重点和目标任务。每年县财政安排预算200万元资金用于发展林业产业,为现代林业发展提供了资金支撑。根据贫困村的自然地理条件和基础设施现状,将产业发展与精准脱贫相结合,为巩固精准脱贫成果提供了绿色产业保障。二是着力培育现代林业产业基地。依据省、州林业产业发展和精准脱贫导向,立足实际,采取鼓励和扶持方式,重点建设现代林业产业基地,打造核桃、华山松、松露(中华块菌)三大特色产业。三是继续实施林业"双百万"工程,开展大规模"绿化会东"行动,推进经济林木(果)权抵押贷款改革试点,促进全县绿色和生态物产链、产业链、技术链、资金链、价值链的全面融合,初步建成结构和布局合理、生态和经济效益显著的现代林业绿色发展体系。

【畜牧业】 2016年,会东县"四畜"存栏143.78万头(只)、出栏98.48万头(只),肉类总产量5.03万吨。全县生猪三杂面达96.85%,肉羊良种及杂交改良面达99.7%,同比分别增长0.4%、0.6%。培育标准化适度规模养殖小区(场)和家庭牧场50个、养殖专业合作社106个(其中省级示范社3个、州级示范社5个)。获得省级标准化示范场4个,其中生猪标准化规模养殖场1个、肉羊标准化规模养殖场3个;发展年出栏生猪50头以上的规模养殖户2014户、年出栏肉牛10头以上的规模养殖户826户、年出栏肉羊30只以上的规模养殖户3420户。全年重大动物疫病群体免疫密度达100%,重大动物疫病有效免疫抗体合格率为75%,产地检疫开展面、生猪定点屠宰检疫及肉品检验开展面、生猪规模养殖场和定点屠宰场病死猪无害化处理以及动物卫生及兽药监督执法案件查处率均为100%。全县未发生重大农产品安全事件。

【水产业】 2016年,会东县水产养殖面积665公顷,其中池塘59公顷、水库420公顷、稻田186公顷;水产品总量1182吨,其中池塘471吨、水库574吨、稻田85吨、捕捞52吨。全年繁殖各类鱼苗650万尾,实现渔业总产值2200余万元。

【统筹城乡与新型城镇化】 2016年,会东县大力实施统筹城乡联动发展战略,坚持以改革创新为动力,以民生保障为主线,坚持以县城建设为引领、以集镇建设为支撑、以新村建设为基础的新型城镇化建设进程,全县城乡基础设施更加完善,公共服务设施更加健全,城市承载力和公共服务能力大大提高。坚持以规划为龙头,对接省政府

《攀西区域城镇体系规划》、州政府《美丽富饶文明和谐安宁河谷城镇体系规划》,聘请中国城市规划设计研究院全面修编《会东县城市总体规划》,编制新城控制性详规。在城镇体系、产业布局、基础设施、交通网络、环境保护等方面进行一体化布局,明确区域功能,找准区域定位,形成一体化的现代城乡体系、"全域会东"规划体系,建立覆盖全域、区域统筹、城乡一体的基础设施体系。坚持"现代川滇明珠、生态宜居家园"的城市发展定位,构建"一环、两轴、三组团"的城市整体空间结构。实施梯次开发,改善城市风貌,加快实施城南新区开发,稳步推进东区建设,逐步更新老旧城区,提高城市承载力和公共服务能力。全县20个乡(镇)集中区位优势、资源优势形成了"一心一副六点"的城镇组团新格局。以县城为中心,改造、拓展堵格牲畜市场、大崇香蕉市场等专业市场;改造20个乡(镇)农村集镇市场。以乌东德和白鹤滩水电站移民搬迁、新村新寨建设等为突破口,建设"小规模、组团式、微田园、生态化"的幸福美丽新农村。扎实推进县城市政基础建设,围绕"建设好一座新城、改造好一座旧城、美化好一条主轴"的目标,以重大项目建设为抓手,完成金环南路、滩王路、金沙路、东参路、参鱼人家段市政道路和金环西路及亲水廊道等5个标段、2.9千米市政道路建设,完成金叶街、人和街及满银路西段等1.8千米老城区道路改造升级,完成小河嘴公园、法治公园沿河护栏铺装,完成132亩范围的湿地公园项目建设,有效解决了由于城镇人口增长带来的道路、广场、公园、绿地等公共休闲空间不足及基础设施滞后的问题;全速推进两片区旧城改造、金叶街、人和街等道路立面改造和城北农贸市场等项目建设;加强城镇地下和地上基础设施建设,加快推进城市综合管廊和立体停车场规划建设;启动白塔山公园建设,打造会东县新旧交汇点的会客厅。在城南新区优先建设公共设施和民生设施,新建商业综合体、学校、安置房、农贸市场、公园绿地、污水处理厂、垃圾填埋场等市政服务实施。县城扩容2.8平方千米,市政基础得到加强,城市设施逐步健全,城市功能加速完善,为建设美丽会东奠定了坚实基础。建立"以工促农、以城带乡"的现代农业发展机制,进一步健全工业反哺农业、城市带动农村的体制机制,充分发挥工业化、城镇化、市场化对"三农"的带动作用和"三农"对"三化"的促进作用,让农民主动参与"三化"进程,成为"三化"建设的重要力量和成果共享者。

【扶贫攻坚】 2016年,会东县以幸福美丽新村建设为重点,全面推进精准扶贫。以37个贫困村整村推进为重点,统筹抓好面上建档立卡贫困户房屋改造升级,完成37个贫困村的基础设施配套建设,新建和改造提升民居9325户,其中改造提升7683户(其中亮化贫困户3827户、普通户3856户)、新建1642户。对照"村七有""户三有""两不愁""三保障"、"四好"的脱贫标准,筹集整合各类资金8.95亿元用于脱贫攻坚。成立了由县委书记、县长任双组长的领导小组,同时担任脱贫攻坚指挥部总指挥,指挥部下设2个大组、9个脱贫攻坚组、3个工作组和办公室,抽调21名精干人员,投入资金75万元建成指挥管理平台;县直各部门、各乡(镇)成立了脱贫攻坚领导小组,乡(镇)同时成立了脱贫攻坚指挥所,村成立了脱贫攻坚指挥室,精确绘制脱贫作战图。

全面畅通精准帮扶。33名县级领导定点联系20个乡(镇)、37个贫困村,联系县领导全年蹲点调研均在100天以上。帮扶单位共投资3476.37万元,解决了贫困村水、电、路等问题。从县直机关选派37名干部职工到贫困村担任"第一书记";抽调干部268名组建37支驻村工作队驻村开展帮扶工作。2970名在职干部职工对5445户贫困户实行上门"一帮一""一帮多"结对帮扶。在农口部门择优选派37名农业、畜牧等方面的科技人才对贫困村的产业发展进行帮扶。投资6477.5万元,帮助贫困户新建房屋1277户、改建房屋3285户(含往年脱贫的406户);投资1.38亿元,建设贫困村通村硬化路230千米;投资1704万元,建设集中供水工程13处、分散供水工程402处,解决了5979人的饮水安全问题;投资1341.65万元,对37个贫困村的低压线路进行改造,为37个贫困村安装智能电表6933个;新建通信基站20个、村"六合一"活动室35个。组织开展实用技能培训2.4万人次。印制了驻村工作手册5500份并发放给"第一书记"、驻村干部,印制扶贫工作手册、林果类木本经济作物管理周年工作历各5500份并发放给所有建档立卡贫困户。

紧抓产业发展。为贫困户发放牛犊、羊羔、猪仔、鸡等60302头(只);贫困户共种植烤烟13285亩,实现经济收入6000万元。在贫困户户均种植5亩核桃的基础上,新栽种核桃25.4万亩,嫁接改造5万亩,栽植油橄榄3.8万亩、华山松2万亩。投入资金2250万元,助推贫困村、贫困户产业发展。为全县贫困户发放"免抵押、免担保"的小额信用贷款2.1亿元,为贫困人口设置公益性岗位537个。举办大型扶贫公募活动,筹集扶贫善款384万元;组织精准扶贫劳动力转移输出专场招聘会,1145人达成就业意向。

抓牢"四好"创建。全县非贫困户创建"四个好"家庭59640户,占非贫困户总数的65%;贫困户创建"四个好"家庭1636户,占贫困户总数的30%。评选"四个好"家庭创建先进村20个、先进社317个、先进家庭1753户。

做好巩固提升工作。对2016年目标完成情况进行督查,对问题进行落实整改并完成收官扫尾工作。召开全县脱贫攻坚总结表彰大会,表彰在脱贫攻坚工作中成绩突出的个人及集体,表彰三等功6人、嘉奖29人、先进个人51人、先进集体39个。做好全县国家业务管理子系统和"六有"大数据平台动态管理,完善到户政策清单,组织编制23个扶贫专项方案;在贫困村以外识别15个经济发展困难、基础条件差、住房困难的村作为薄弱村进行帮扶,为巩固提升工作打下了基础。

【乡村旅游】 2016年,会东县立足区位优势,着力挖掘农村生态资源和特色文化,积极挖掘旅游文化内涵,大力发展以休闲度假、田园风光、民俗体验为主的乡村旅游,规划建设一批景区景点,形成精品乡村旅游线路。四川大学旅游学院专家石应平应邀在全县乡村旅游培训会上作了《乡村旅游发展讲座》。完成野租乡省级生态旅游度假区、嘎吉镇乌龟塘村乡村旅游扶贫项目规划;申报评定2家四星级农家乐和2家三星级农家乐;举办黑山羊美食节为契机,推出4条乡村旅游线路。

【农村市场体系建设】 2016年,会东县完成基层农业技术推广机构改革,健全农产品市场流通体系,加强农业保险体系建设,实施"新农通"升级改造;创新农村金融服务体系,加强涉农资金监管,加大对农业的信贷支持力度。以阿里巴巴农村淘网及其物流系统为基础,逐步形成了联通全省,服务于攀枝花、西昌、昆明经济圈,辐射全国的农产品市场物流体系。

【回乡创业之星选介】 钱应能,新街镇马龙村人,于2014年6月16日创办了远东中药材专业合作社。合作社广泛推行统一生产标准、统一提供种子、统一提供种苗、统一收购、统一销售的"五统一"经营模式,使分散的种植户连成了利益共同体,有力助推了中药材种植的快速发展。在钱应能的引领和村民的共同努力下,马龙村已累计种植重楼、附子、草乌、桔梗、木香、当归、党参等中药材300余亩，农户户均收入在3万元以上。

【主要领导人】 县委书记：袁文林（3月止），刘晓博（4月始）；县人大常委会主任：吴贤位（12月止），刘晓博（12月始）；县长：张伟（5月止），环江红（6月始）；县政协主席：冯祥明（9月止），李晓娟（10月始）；分管农业副县长：汤忠国（10月止），刘志斌（11月始）。

会东县编写组

宁南县

【基本情况】 2016年，宁南县辖25个乡（镇）125个村819个村民小组，辖区面积1670平方千米，其中耕地面积24030.44公顷、基本农田17008.33公顷。年末总人口19.54万人，人口自然增长率7.41‰。全县耕地有效灌面达耕地总面积的53.55%，有效灌面20.28万亩。全县森林覆盖率达51.66%。

2016年，全县GDP54.11亿元，增长5.6%，其中第一产业增加值16.39亿元，增长4.2%；第二产业增加值21.13亿元（规模以上工业增加值增速达3.6%），增长7.5%；第三产业增加值16.59亿元，增长4.4%。全社会固定资产投资完成110亿元，增长15.8%。

公路通车里程2643.37千米，其中国道93.8千米、省道17.6千米、县道174.4千米、乡道383.7千米、村（社）道1938.17千米、专用道35千米；等级公路989.5千米、等外公路1653.87千米。社会消费品零售总额20.3亿元，增长10.1%。地方公共财政收入完成3.58亿元，增长7.9%。金融机构各项存款余额48.1亿元，增长16.2%；各项贷款余额9.68亿元，增长9.7%。全年农业保费收入662.9万元，处理各项赔款和给付金额207万元。农业产业化龙头企业省级、州级、县级分别为2家、7家、8家。

有州级示范性高中1所，职业技术学校1所，初级中学3所，小学103所，公办幼儿园3所，民办幼儿园19所，"一村一幼"幼儿教学点116所；在校中小学生27499人，在园（班）幼儿7528人。有文化馆1个，乡（镇）文化站25个，公共图书馆1个，社区书屋8个，乡（镇）图书室25个，农家书屋125个（每个书屋配备图书2200余册）。有卫生机构29个，病床位1145张，卫生技术人员749人。

【年度农业和农村经济运行】 2016年，宁南县实现农林牧渔业总产值27.2亿元，增长4.29%，其中农业产值11.9亿元，增长5.4%；林业产值1.4亿元，增长9.22%；畜牧业产值13.2亿元，增长2.49%；渔业产值0.33亿元，增长6.5%；农林牧渔服务业产值0.29亿元，增长13.53%。城镇居民年人均可支配收入达23859元，增长7.88%；农村居民年人均可支配收入达13065元，增长9.66%。全年放映各类公益电影1560场，观影人数达28万人次以上。

农业产业化发展。宁南县在工商部门注册家庭农场达2011家，比上年增加61家，其中4家被农业厅命名为四川省第二批家庭农场省级示范场，6家被州农牧局命名为首批家庭农场省州级示范场，15家被县农牧局命名为县级示范场。全县有农民专业合作经济组织227个，其中农民专业合作社213个（国家级示范专合组织1个、省级5个、州级8个）、农民专业技术协会14个；专合组织成员达13620户，带动农户22700户；种植基地面积达34800亩，经营总收入达45400万元，成员户均纯收入达37855元，带动农户户均实现纯收入19000元；创建知名商标3个、著名商标1个、驰名商标1个，获得绿色产品称号2个、无公害农产品称号10个。

农产品品牌战略实施。宁南县积极引导和鼓励农产品生产加工企业申请商标注册，组织开展统一"大凉山"特色农产品包装和宣传广告工作，全面收集报送本地鲜活农产品产销对接名录，组织协调龙头企业、专合组织及农特产品入驻"阿斯牛牛"大凉山特色农产品（成都）销售体验中心和蜀品天下"大凉山"特色农产品商城，参加了"我为大凉山代言"活动和第四届四川农业博览会，做好鲜活农产品产销对接，提升全县农产品品牌知名度和美誉度。宁南冬季马铃薯被农业部授予"农产品地理标志"农产品称号；宁南县国云粮蔬专业合作社获得工商总局批复，"国云粮蔬"商标被准予使用。

【畜牧业】 2016年，宁南县"四畜"出栏37.1万头（只），其中生猪出栏23.52万头，减少3.5%；肉牛出栏2.1万头，减少0.4%；肉羊出栏11.31万只，增长7.7%；大牲畜出栏2285头（匹），增长9.2%。"四畜"存栏44.58万头（只），其中生猪存栏19.8万头；牛存栏7.1万头，减少0.8%；羊存栏16.9万只，减少0.9%；大牲畜存栏7521头（匹），增长4%。全年肉类总产量2.2万吨，增长0.3%。实现畜牧业综合产值13.27亿元。

【农村水利】 一是小农水重点县建设。宁南县2015年中央小农水专项投资3967.5万元，在竹寿、新华、松林、杉树4个乡（镇）18个村集中连片实施，主要任务为新建渠道42.95千米，改造渠道69.3千米，整治和改造山坪塘23座、石河堰3座，新建蓄水池90口、水窖350口。项目划分为18个标段实施，工程于2015年11月动工，2016年3月底全面完工。二是饮水安全工程建设。投资2077.32万元，铺设及改造输配水管网1273.58千米，新建蓄水池235口，安装消毒净化设备27台，解决了5029户、23780人的饮水安全问题，实现了36个贫困村安全饮水全覆盖。

【林业富民工程】 2016年，宁南县以实施林业富民工程和林业产业扶贫为抓手，按照"绿色崛起、产业强县、兴林富民"的总体思路，依托丰富的光热条件和荒山荒坡资源，大力栽植以核桃、华山松、青花椒为重点的经济林木，林业产业得到快速发展，现代林业产业体系逐步形成，创建为新一轮全省现代林业产业重点县。全县以核桃为主的林业产业综合产值达7.2亿元，林农人均纯收入达4205元，林业已成为农民增收致富特别是贫困地区群众脱贫奔康的支柱产业。一是提前超额完成36万亩核桃发展任务。印发了《宁南县2016年林业富民36万亩核桃发展实施方案》和《宁南县2016年精准脱贫核桃产业目标管理考核办法》，36万亩核桃种植任务全部按工程类重点项目进行建设。截至6月底，核桃实际发展面积38万亩，在全州率先成为百万亩核桃产业大县。二是高效开展核桃品种改良嫁接。全年共完成核桃嫁接107275亩，超出州上下达宁南县的10万亩核桃嫁接任务7275亩，超额完成任务的4.2%。三是适时开展基层林业实用技术培训。围绕省级现代林业产业重点县建设及"1+X"生态产业发展，邀请省、州、县林业技术专家采取集中授课、实地讲解示范等方式，先后开展了花魔芋规范化种植技术培训、精准脱贫核桃方块芽接技术培训以及脱贫攻坚"1+X"生态产业核桃技术培训、核桃成熟采摘技术培训等林业技术集中培训，共培训3000余人次。

【农业机械化】 2016年，宁南县各类农机拥有量达23956台（套），比上年增加235台（套）；农机总动力达10.55万千瓦，比上年增加0.02万千瓦。全县主要农作物耕种收综合机械化水平达54%，其中机耕15529公顷，比上年增加3529公顷；机播2647公顷，比上年增加381公顷；机收3274公顷，比上年增加208公顷。

成都市李家岩开发有限公司

李家岩大坝鸟瞰

项目建设任务

四川省李家岩水库工程位于崇州市怀远镇，为大（2）型水库工程，工程建设任务以城乡供水为主，为成都市提供应急备用水源，兼顾灌溉、发电等综合利用。

项目建设内容

工程由砼面板堆石坝、溢洪道、泄洪放空洞、城乡供水隧洞、灌溉及生态引水隧洞、坝后电站和供水电站等组成，其中城乡供水隧洞和灌溉及生态引水隧洞共用取水口。大坝等主要建筑物设计洪水标准采用500年一遇，校核洪水标准采用5000年一遇，地震基本烈度为7度设防。大坝为1级建筑物，最大坝高123米，坝顶长373米。

李家岩水库总库容1.73亿立方米，兴利库容1.16亿立方米，应急备用库容0.42亿立方米，水库正常蓄水位763米，正常运行死水位727米，电站装机容量1.8万千瓦。工程建成后，多年平均供水2.68亿立方米，其中成都市中心城区供水1.41亿立方米、崇州市主城区供水0.7亿立方米、乡镇及农村社区供水0.21亿立方米、农业灌溉供水0.36亿立方米。

项目征地移民

工程永久征用土地8087亩，临时征用土地1159亩，搬迁人口1069户、3469人，拆迁各类房屋30.43万平方米。工程建设涉及公路、桥梁、电力、通信、天然气管道、水电设施、文物古迹等专项设施和部分企事业单位。

项目投资规模

工程施工总工期为54个月，静态总投资45.8亿元，总投资达48.1亿元，其中，工程部分投资20.8亿元、建设征地移民补偿投资22.4亿元、环境保护工程投资1.2亿元、水土保持工程投资1.44亿元、建设期融资利息2.34亿元。

李家岩水库鸟瞰

宜宾国家农业科技园区

省委常委、省委组织部部长、省委党校校长黄建发（右二）在宜宾市委书记刘中伯（右一）的陪同下到园区调研

省委常委、省委秘书长、副省长王铭晖（左三），省政协副主席崔保华（右二）到园区调研

园区概况

宜宾国家农业科技园区于2013年9月被科技部正式批准。园区地处“中国酒都”“中国早茶之乡”的宜宾市，是川南、黔北、滇东北地区的地理交汇点，是南丝绸之路的起点和茶马古道的重要驿站，是国家战略规划的长江经济带、成渝经济区的核心区域，是中国白酒金三角区域的中心。园区规划的核心区位于宜宾市翠屏区东北郊环金秋湖区域，距宜宾中心城区14千米，距宜宾机场20千米，距宜宾火车站10千米，距宜宾临港集装箱码头19千米，与规划的岷江新区接壤，内宜高速公路穿境而过，交通便利。金秋湖水面面积约2平方千米，园区以丹霞地貌特征的山地丘陵为主，属亚热带湿润季风气候区，是宜宾早茶的主要产区，湖光山色，生态环境十分优越，2004年被评为国家级生态示范区，具备国际化生态农业科技园建设的最佳条件。

园区党工委副书记、管委会主任何文毅（中）到义兴茶叶基地调研

园区党工委委员、管委会副主任陈胜军（前排右一）参加第十六届中国西部国际博览会宜宾市产业项目推介会

战略定位

园区总体定位为西部一流，以茶为特色、带动其他产业发展的国家农业科技园区。在具体实施上以“全力推进园区三产融合和绿色发展”的思路，采取“推进政（园）产学研、贸工农结合，重点抓特色产业，带动康养、休闲观光”的措施，明确了通过三年努力达到“一年初见成效、两年大见成效、三年显著成效”的目标。

规划布局

园区核心区规划面积为 28 平方千米，总体结构呈“一轴、三区、四园”的布局形态。“一轴”即金秋大道景观轴；“三区”即科研总部区，交易展示区，精深加工区 3 个核心区域；“四园”即茶叶科技文化实验园，金秋湖公园，林竹复合经济实验园，特色果蔬定制农业园 4 个特色产业园。

一轴：金秋大道景观轴，宽 12 米，贯穿园区南北，串联科研总部区、交易展示区和精深加工区。

三区：科研总部区，规划面积约 3537 亩，主要包括总部服务区、国际企业总部、科技企业孵化器、湖心岛国际专家公寓等重点项目。交易展示区，规划面积 1299 亩，主要包括中国西部茶交易中心、电子商务中心、金秋湖景区服务区重点项目。精深加工区，规划面积 9012 亩，包括绿色食品深加工区、绿色食品精加工区、国际农业生产加工园区项目。

四园：茶叶科技文化实验园，规划面积约 16129.5 亩，以“规模化、标准化、生态化、文化化”四化合一的形式展现科技、农业与文化三者的完美融合。金秋湖公园规划面积约 3307.5 亩，北湖以风情主题公园为主，南湖以自然农业公园为主，着力打造具有恬静、清静、养静、雅静、娴静、悠静、僻静、怡静等多重感受的金秋湖之旅。林竹复合经济实验园规划面积约 2868 亩，围绕生态屏障功能，实现“林业 + 农业 + 休闲”的复合经济发展。特色果蔬定制农业园规划面积约 6199.5 亩，兼具私人定制、有机种植、欢乐体验和安全配送四大功能，开发定制农业产业，倡导有机健康生活。

基础设施建设

2016 年，园区基础设施建设项目继续被纳入省、市重点项目，其中园区“众创空间”建设工作已完成；金秋大道及环湖路项目邱场段已开工建设，形成基本路面 2 千米；完成园区产业道路建设 15 千米；高速公路出入口建设项目有序推进。2017 年，园区将全力推进金秋湖科技旅游整体开发项目、园区产业道路及科研总部大楼等基础设施建设。

产业基地建设

园区启动 10 个农业科技创新与集成生态总部示范基地建设。协调科技部门专项资金 300 万元用于项目牵引和落地，其中双星茶业、叙府酒业、早白尖茶业等 9 家省（市）知名企业先后与园区进行对接，积极入驻园区并投入建设。

特色农业产业示范基地建设

2016 年，园区完成 3 个特色农业产业示范基地建设，其中宜宾市卉丰园林工程有限公司与四川农业大学合作的“卉丰园林珍稀植物繁育项目”已建成 2000 余亩，完成投资 4000 万元，2016 年 3 月作为“2016 四川花卉（果类）生态旅游节”分会场；宜宾市义兴农业发展有限公司与中国农业科学院茶叶研究所、省农业科学院合作的“特色农林繁育示范园”已建成；宜宾市九洲油茶发展有限公司与市农科院、市林科院合作建设

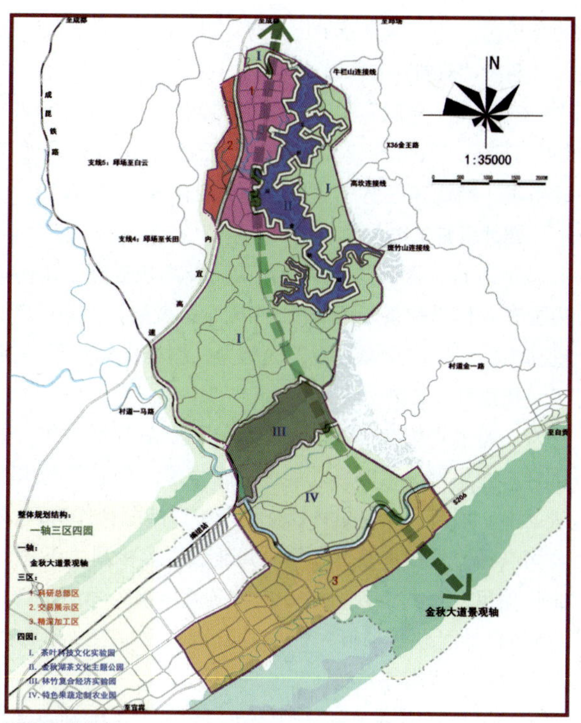

园区规划图

第七届中国国际现代农业博览会宜宾国家农业科技园区参展现场

园区获得 2016 第七届中国国际现代农业博览会最佳组织奖

的食用菌、油茶培育基地已建成1000亩，特色名优产品——"香妹"茶油即将推出市场。

科技"双创"工作

2016年，园区积极争取省级专项下达的园区科技企业孵化器项目专项资金1000万元和市级专项用于孵化器建设的扶持资金196万元。"Teabreak众创空间"已于2016年5月竣工并投入使用，建成面积108平方米；叙府农科"星创天地"项目已报科技厅备案，待政策任务下达后，即可全面投入使用。

招才引智工作

2016年，园区与多家科研院所及高校签订了合作协议，吸引其参与投入园区建设，增加园区的科技支撑能力。合作单位包括中国农业科学院茶叶研究所、中国食品发酵工业研究院、中国微生物学会工业专委会、宜宾学院、宜宾职业技术学院、宜宾市农科院、宜宾市林科院，全面推进园区智力、科技支撑水平，促进产业发展。2016年，园区产值突破20亿元，达到既定目标。

招商引资工作

一是重点招商工作。2016年，园区在克服政策、体制等重重困难的同时，按照"一轴、三区、四园"的规划功能定位，积极引导产业集聚，带动各功能区融合发展。先后与马来西亚中小企业公会签订合作意向协议，共建园区农产品出口渠道和清真食品认证中心项目；与中国林权交易所签订战略合作协议，打通知名农林企业招商渠道和平台；与北京吴德泰公司签订正式投资协议，公司产品"吴德泰茶叶"于5月通过欧盟检测并正式上市销售；与深圳微润灌溉签订总投资3000万元的"高分子半透膜产学研一体化项目"正式协议；与四川帅游通电商公司达成总投资3000万元的"农业科技智能信息平台项目"投资意向；首期投资4000万元的"金兰映月项目"正式开园运营；义兴农业珍稀苗木温控大棚主体工程完工；总投资1.2亿元的宜宾学院"大学生创业园项目"积极对接工作有序推进。

二是用好园区平台。2016年，园区管委会利用国家级平台宣传优势，牵头筹办了四川省科教兴川产学研创新联盟成立暨园区产业创新发展协作联席会议，来自全省各高等院校、科研院所、产业园区的学者和嘉宾260余人以及马来西亚拿督江华强等重要客商参加了会议，国内10余家省级以上媒体作了公开报道，签约项目和形象塑造成效显著。召集园区企业组团参加了"2016第七届中国国际现代农业博览会"，宜宾园区展馆得到中国农业国际合作促进会的高度赞扬并获得了最佳组织奖。在成都市举办的第十六届西博会上，园区管委会共发放400余份宣传资料，推出14个招商项目，成功签约正式项目2个，签约总金额14亿元，完成市政府下达目标任务的140%，收到了良好效果。

企业服务工作

2016年，园区以企业集聚为平台，加强企业服务，保证企业健康发展。园区管委会结合"双千"和"一对一"帮扶制度积极开展企业服务。一是点对点服务园区企业。卉丰园林公司成功举办2016四川花卉（果类）生态旅游节分会场暨宜宾首届兰花节暨金兰花谷开园仪式，这是全省首个以兰花为主题的花卉（果类）生态旅游节。活动的举办进一步提高了宜宾国家农业科技园区的影响力和企业聚集度，进一步提升了宜宾市生态旅游及休闲农业发展水平，展示了宜宾市生态旅游及休闲农业融合发展新业态，树立了四川兰花主题景观植物园的品牌样板。二是做好成立宜宾市绿色食品产业技术创新战略联盟的筹备工作。对接相关科研企事业单位及宜宾市范围内的农业产业化龙头企业，并向宜宾市龙头企业、科研院所级高校发出了《邀请加入"宜宾市绿色食品产业技术创新战略联盟"的函》，收到近30余家单位的申请表。三是实行首问责任制。在企业服务中，对企业提交的困难和文件原则上不超过3个工作日予以处理。全年未收到企业针对相关机构和人员办事拖沓、办理不力等投诉。

内部管理工作

园区党工委统揽全局、协调各方的领导核心和政治引领作用不断强化，以全省园区党建工作现场推进会为契机，以党建为突出带动，切实推动产业发展、科学规划和实施建设的能力和水平不断提升。一是强化理论学习。坚持把学习贯彻党的十八届五中、六中全会和习近平总书记系列重要讲话精神作为班子成员的重点学习内容，深刻领会"两学一做"内涵，不断提高运用科学理论分析和解决问题的能力，以高度的政治自觉性抓好落实。加强业务技能的学习并努力做到学以致用，将学习成果体现在实际工作中，落实到行动上，全年利用各种形式组织党员干部学习超过30次。二是完善制度建设。园区党工委定期研究党建工作制度，专题研究贯彻执行党的路线、方针、政策，贯彻执行上级党委的重要指示、决议、讲话精神；制定园区党员干部培养、考核、选拔、任免、奖惩制度；推进园区企业党组织建设；制定出台了园区"三重一大"议事规则，建立健全内部运行机制，坚决执行"四个服从""五个必须"纪律建设。执行民主集中制原则，重大事项要进行表决，按少数服从多数的原则形成决议。三是充实人才队伍。按照"精简、统一、效能"的基本原则，坚持"三个六"用人导向，认真贯彻落实《党政领导干部选拔任用工作条例》，在中层干部选拔任用工作中严格遵守干部人事纪律，强化干部能力素质提升。加强人才引进、人才平台建设、服务体系建设、人才培训，完善和执行人才激励机制。四是打造廉政园区。推行党组织公开承诺制，实行正向服务承诺和反向约束承诺。按照上级关于加强党风廉洁建设工作的部署要求，结合中央八项规定，逐渐构建权责清晰、流程规范、措施有力、制度管用、预警及时的廉洁风险防控机制，扎实推进惩防体系建设。进一步明确岗位职责，全面落实党风廉洁建设"一岗双责"制。

四川省宜宾五粮液环保产业有限公司到园区考察

绵阳考察团到园区参观考察

宜宾众创投资孵化器股份有限公司与马来西亚中小企业公会在四川省科教兴川产学研创新联盟成立暨园区产业创新发展协作联席会议现场签订战略合作框架协议

园区参加“2016 知名侨商西博行”主题峰会

园区与马来西亚中小企业公会交流座谈

大红花果油茶挂果

九州油茶产业示范基地

林竹产业蓬勃发展

义兴茶叶基地

川茶集团的精选茶车间

园区企业九州油茶公司开发产品——“香妹”茶油

林下套种红菇

川茶集团天宫山万亩有机茶种植基地

首届兰花节·金兰映月（金兰花谷）

旅游业蓬勃发展

雅　安　市

副省长、雅安市委书记叶壮（左一）参观四川一名微晶科技股份有限公司技术中心

省政协常委傅志康（右一）到荥经县调研产业发展情况

2016年是“十三五”规划的开局之年，雅安市以建设“美丽雅安、生态强市”为总揽，统筹推进“五位一体”总体布局，协调推进“四个全面”战略布局，坚持稳中求进工作总基调，适应把握引领经济发展新常态，始终保持专注发展、转型发展的战略定力，决战重建脱贫“双攻坚”。统筹抓好稳增长、促改革、调结构、惠民生、防风险各项工作，全市经济质量效益明显提升，人民生活持续改善，实现了“十三五”良好开局。

市人大常委会主任李伊林（右一）调研严青水厂运营情况

市长兰开弛（左三）到荥经县视察极星生物科技有限公司发展情况

市委常委、副市长白云（中）出席 2017 年市委农村工作会议

市委“3+n”产业工作会议

雅安市农业农村重点工作推进会

《雅安市新村聚居点管理条例》起草组在天全县征求意见

阳光政务“坝坝会”

名山区生态茶园

荥经县民建乡高山生态茶园

荥经县附城乡南锣坝村打锣坪

芦山县龙门乡新村

芦山县飞仙关镇凤凰新村

四川花卉（果类）生态旅游节分会场暨荥经第八届鸽子花节开幕式

雨城区年猪节

春满汉源

汉源湖

日出轿顶

国家 4A 级景区——芦山县龙门古镇

雅安市名山区

国土资源部副部长王广华（左三）到名山区调研督导工作

水利部副部长田学斌（前排左二）到名山区调研督导工作

2016 年，名山区辖 9 镇 11 乡 192 个村 17 个城镇社区 1264 个村民小组，辖区面积 614.27 平方千米，有耕地面积 16556.25 公顷。年末总人口 28.06 万人，其中农业人口 16.58 万人；人口出生率 10.18 ‰，人口死亡率 5.87 ‰，人口自然增长率 4.31 ‰。森林资源总面积 31690.19 公顷，森林覆盖率 51.59%。

全区 GDP 完成 665236 万元，增长 8.3%，其中第一产业增加值 183052 万元，增长 3.8%；第二产业增加值 294612 万元，增长 11.2%；第三产业增加值 187572 万元，增长 8.3%。三次产业对经济增长的贡献率分别为 12.6%、61.1% 和 26.3%。人均地区生产总值 24906 元，增长 8.3%。三次产业结构由上年的 28 ∶ 45.6 ∶ 26.4 调整为 27.5 ∶ 44.3 ∶ 28.2。

农业厅厅长祝春秀（左二）到名山区调研督导工作

雅安市长兰开驰（中）到名山区调研指导工作

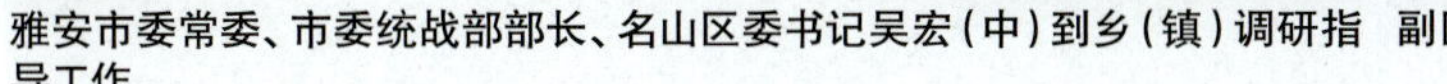

雅安市委常委、市委统战部部长、名山区委书记吴宏（中）到乡（镇）调研指导工作

副区长蒲丹惠（中）检查农业农村工作

有小学 17 所，普通中学 15 所，中等职业教育学校 1 所；小学在校学生 15411 人，普通中学在校学生 9425 人；小学专任教师 758 人，普通中学专任教师 751 人。有医疗卫生机构 205 个，病床位 944 张，医院、卫生院技术人员 897 人（其中执业、助理医师 278 人）。新型农村合作医疗参合人数 24.1 万人，参合率 99.7%。

实现农林牧渔业总产值 328043 万元，增长 3.75%，其中种植业产值 212177 万元，增长 5.6%；牧业产值 104697 万元，增长 0.26%；渔业产值 3288 万元，增长 5.9%；林业产值 2700 万元，下降 1.8%；农林牧渔服务业产值 5182 万元，增长 3.8%。

种植业。全区粮食作物种植面积 28.57 万亩，产量 9.19 万吨。茶园面积 35.2 万亩，农民人均拥有茶园面积居全国第一位，茶叶总产量 4.5 万吨，实现总产值 17.17 亿元、综合产值 50 亿元，名山区被评为“全国首批无公害茶叶生产示范基地”“国家标准化茶叶生产示范县”“全国重点产茶区”“全国‘三绿工程’示范县”“全国绿色食品原料（茶叶）生产示范县”；拥有省级龙头企业 9 家、市级龙头企业 14 家、区级龙头企业 4 家，实现茶叶加工产值 23.7 亿元，12 家企业 35 个系列产品获得无公害农产品认证，4 家企业 28 个产品获得国家绿色食品认证，2 家企业 15 个系列产品获得有机茶认证，82 家企业取得国家食品质量安全 QS 认证。“蒙顶山茶”“蒙山”“蒙顶”3 个茶叶商标获得中国驰名商标称号，有著名商标 10 件、知名商标 13 件。推广使用“蒙顶山茶”品牌企业 41 家，品牌销售额达 5.5 亿元。

畜牧业。出栏生猪 40.01 万头、羊 4.78 万只、家禽 290.24 万只、兔 67.7 万只；肉类总产量 3.28 万吨，禽蛋产量 4079 吨，牛奶产量 794 吨。

农村水利。有小型灌溉水库 24 座，总库容 1390 万立方米；供水工程 27 处，总受益人口 23.98 万人；引水工程 1 处，引水总量 9636 万亿立方米；塘坝 602 处，总容量 659.8 万立方米；蓄水池 1582 处，总容量 9.71 万立方米；农田灌溉水有效利用系数为 0.55。

茶树杂交育种园

国家茶树良种繁育场——雅攀共建蒙顶山茶产业园

农业产业化发展。全区有农民专业合作组织276家（其中省级示范专合组织7家、市级示范专合组织13家），共有会员3.9万户，带动农户近7.4万户，销售收入达9.5亿元；有省级、市级、区级农业产业化经营重点龙头企业34家，其中省级9家、市级19家、区级6家，销售收入达19.7亿元。名山区获评为"2016年度全省'农民增收'工作先进县"。

万古乡红草村万亩生态观光茶园

双河乡茶园晨曦

城东乡官田新村

新农村建设。全区整合项目资金1.04亿元，在茅河、百丈、黑竹等5个乡（镇）、26个村建设省级茶产业新农村示范片。整合“4·20”灾后重建涉农项目资金3.37亿元，建成新村聚居点40个、相对集中点45个，涉及12444户、44250人，其中散户重建10067户、新村重建2377户；建成幸福美丽新村50个，全部完成并竣工验收，并做到“一户一档”建档。探索40个灾后重建新村管理模式和重建成果维护管理机制，发放《新村管理手册》3000本，实现管理机构设立率100%和群众参与覆盖率100%两个目标，群众自治机制得到拓展延伸。创新农村社会管理体系和新村点闲置房屋委托经营管理模式，建成投用的阳坪、兴安等新村聚居点管理有序、运作规范。

马岭镇康乐新村

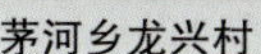

茅河乡龙兴村

芦山县

农业部部长韩长赋（前排右三）到芦山县调研现代农业发展情况

省委书记、省人大常委会主任王东明（中）到芦山县调研并与当地群众进行了交流

2016年，芦山县完成飞仙关镇朝阳村、清仁乡同盟村、太平镇钟灵村等11个行政村幸福美丽新村示范村创建工作；实施全省第三批新农村建设暨幸福美丽新村示范县和扶贫新村建设项目，整合打捆各类资金5164.142万元，实施旧村改造、产业提升等项目300余个；启动11个贫困村总投资额达2.1亿元的项目191个，完成贫困户住房改造550户，实施林区公路、产业道路、通组公路、人畜安全饮水等基础设施建设项目，巩固提升农村供水站19处，解决9300人的安全饮水问题；新建农村公路134千米；解决6400户涉及2.3万人的看电视难问题。持续推进新村"自管委"模式，通过结合实施"百村示范""千村整治"工程开展"净、畅、和、美"和"七乱"整治以及"四改、三清、三建"行动，村内道路实现硬化，污水、垃圾实现集中处理，房前屋后建有"微田园""微菜园""微果园"，村民生产生活水平得到提升；组织开展"文明家庭""最美庭院""致富之星"等评选活动，激发群众参与热情，提升新村整体面貌，农村社会风气焕然一新。

省政协副主席、农工党省委主委、四川欧美同学会会长王正荣（右一）到芦山县调研

雅安市长兰开驰（左三）在龙门乡红星村与贫困户交流

雅安市委常委、县委书记宋开慧（中）调研产业发展情况

县长周建华（中）到龙门乡调研产业发展情况

龙门乡青龙场村张伙聚居点

龙门古镇

古镇荷塘

芦山县现代生态农业示范园

龙门乡花生原种种植基地

红心猕猴桃喜获丰收

大棚农业

生态农业示范园

思延乡有机猕猴桃种植基地

眉 山 市

农业部副部长余欣荣（右二）参观丹棱县柑橘标准园

农业部原党组成员、中国农产品市场协会会长张玉香（前排右二），农业厅厅长祝春秀（前排左二）参加第八届中国泡菜博览会

省人大常委会副主任、党组副书记黄彦蓉（中）到丹棱县检查城乡环境综合治理情况

省委组织部副部长，人力资源社会保障厅党组书记、厅长，省公务员局局长戴允康（中）到眉山市检查指导人社工作

省旅游发展委主任郝康理（左二）到眉山市宣讲十八大精神

市委书记李静（右三）到建档立卡贫困户家中调研子女入学情况

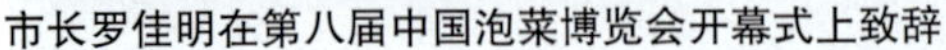
市长罗佳明在第八届中国泡菜博览会开幕式上致辞

眉山市彭山区农村产权抵押融资启动暨贷款发放签约仪式

眉山市位于四川盆地成都平原西南部，岷江中游。北接省会成都市，南连乐山市，东邻内江市、资阳市、自贡市，西接雅安市，是成（都）乐（山）黄金走廊的中段重点地区及"成都平原经济圈"的重要组成部分，是国家星火计划农村信息化试点市、第二批国家新型城镇化综合试点地区和四川省制造业信息化工程重点城市。眉山市政府所在地东坡区距成都市70余千米，距峨眉山80余千米，距乐山大佛60余千米；北临成都双流机场40余千米，南距乐山大件运输码头70余千米。境内成乐大件公路、国道213线、岷江水道并行纵贯南北，雅安—洪雅—眉山—仁寿—内江—自贡（省道106线）横跨东西，成乐（山）、成雅（安）高速公路在境内交汇；县乡标美路路网连动发展，公路等级和通行能力大大提高；"丰"字型主骨架公路网络、"半小时经济圈"、"一小时成都"形成。成昆铁路由北向南穿过彭山区、东坡区，是邻近地区客货进出的主运道，形成了纵横交错、四通八达的交通网络。

眉山市主要旅游景点有三苏祠、三苏纪念馆、瓦屋山国家森林公园、黑龙滩水库、彭祖山(仙女山)、彭山江口汉崖墓、牛角寨大佛、中岩寺、中国竹艺城、东坡湖公园、龙鹄山。眉山市文化旅游活动丰富多彩，东坡文化节、彭祖山寿星节、洪雅台会、瓦屋山杜鹃节、冰雪节、瓦屋山国际道教文化节，青神县的竹编艺术节、橘花节，仁寿县的枇杷节、羊肉美食文化节、曹家梨花节，丹棱县的唢呐艺术节等每年都开展得有声有色，享誉巴蜀，名扬海外。

全市决战脱贫攻坚誓师大会

寻找眉山最美乡村——仁寿县曹家镇梨园新村

寻找眉山最美乡村——东坡区白马镇龚村新村

丹棱县丹棱镇龙鹄新村

彭山区黄丰镇合力新村

青神县南城镇兰沟新村

金色田野——洪雅县止戈镇安宁新村

洪雅县止戈镇青杠坪村茶园

蔬菜集中育苗中心

天府花海观光农业园区

青神县高标准农田示范区

标准化奶牛养殖场

“齐乐桃花源·丹棱乡村游”开幕式

青神县农村留守妇女篮球赛

中国竹编第一村

洪雅县柳江古镇

文艺下基层

眉山市文化馆“关爱未成年人文化志愿服务活动”

眉山市东坡区

区委书记孙剑（右一）到白马镇桥楼村查阅脱贫攻坚台账

区长宋骥（左二）调研脱贫攻坚情况

近年来，眉山市东坡区深入实施扶贫解困、产业提升、旧村改造、环境整治和文化传承“五大行动”，结合新型城镇化试点，依托历史文化名镇、农业观光走廊主要节点建设，大力建设幸福美丽新村，改造提升有主导产业支撑、常住人口较多、基本功能形态具备的村落。推进基本公共服务均等化，建立城乡统筹的公共文化服务体系、义务教育资源和基本医疗卫生制度。紧紧围绕健全基础设施，重点完善村内道路、水利等基础设施，促进农业生产高效。治理保护环境，重点加强垃圾、污水收集处理，防治面源污染，开展田园风光和传统村落保护，促进农村生态建设。完善公共服务，重点建设和完善村民休闲娱乐、文化体育、医疗卫生、养老助残、儿童关爱、纠纷调解、日用超市、物业管理等公共服务设施和场所，注重实用和高效利用，促进农民生活幸福落实建设内容。村民议定有意愿，村民通过“一事一议”的方式决定参与幸福美丽新村建设。产业发展有支撑，建成有一定规模和市场基础的特色优势产业，村民持续增收有保障。公共服务和基础设施能满足基本生产生活需要。人口聚居有潜力，自然生态环境宜居，村庄聚居潜力大的村采取竞争立项的方式确定项目村。全区已建成多悦镇华藏村、广济乡鸭池村、白马镇龚村、盘鳌乡张庙村等幸福美丽新村 165 个。

白马镇龚村

柑橘

蓝莓

葡萄种植基地

仁 寿 县

国土资源厅厅长杨冬生（右二）到仁寿县调研，眉山市长罗佳明（左二）、县委书记秦彪（右三）等陪同调研

县委书记秦彪（左三）调研脱贫攻坚工作

2016 年，仁寿县坚持以“创新、协调、绿色、开放、共享”的发展理念推进农业农村工作，以高产、优质、高效、生态、安全为发展方向，推进农业供给侧结构性改革，按照适应现代农业规模化经营的要求，提升土地整体效益，建立健全土地流转“三级服务网络”，累计流转土地 40 万亩，农业集约化程度进一步提高。围绕粮、猪、果、蔬、渔、花等特色优势产业，全县建成 2 个农业园区和 12 个万亩产业示范基地，建成“一村一品”专业乡镇 16 个、专业村 210 个。四川省现代粮食产业仁寿示范园区成为全省三大粮食基地之一，带动全县粮食产量连续 12 年保持全省第一位。围绕枇杷、花椒、梨、清见等特色产业，通过项目扶持、财政奖补、金融支持等政策，全县共发展农民专合社 714 个、家庭农场 607 个、农业龙头企业 21 家、农业业主 2784 户。以成为全国电子商务进农村综合示范县为契机，整合各类流通渠道资源，有效打通了“农产品进城、工业品下乡”双向流通关节点，创新推出独具特色的仁寿“互联网 + 农业”新模式，促进仁寿农特产品畅销国内外。全县枇杷、脆桃、不知火、土鸡蛋等农副产品网络销售额达 1.1 亿元，“东坡味道”食品产业实现销售收入 105.89 亿元。全县农业增加值同比增长 3.9%，达 73.68 亿元；一产固定资产投入完成 18.65 亿元，同比增长 233.4%；116 个市定贫困村脱贫“摘帽”，脱贫解困 6758 户、19254 人；农村居民人均可支配收入同比增长 9.2%，达 12580 元。

大化镇水利新村

中岗乡桃花节

眉山市彭山区

眉山市委书记李静（右二）到龚家堰水库调研

农业部农机化管理司副司长李安宁（左三）率农机购置补贴调研组到彭山区成林农机合作社调研

2016年，彭山区按照"住上好房子、过上好日子、养成好习惯、形成好风气"的创建标准，强力推进"四好村"创建工作，制定了《眉山市彭山区人民政府关于创建区级"四好村"活动工作方案》《眉山市彭山区"四好村"创建考评试行办法》。按照"宜散则散、宜聚则聚"原则，新建幸福美丽新村，融入文化元素，倡导休闲新村旅游。全年创建省级"四好村"11个、幸福美丽新村30个。一是制定了《2016年全区幸福美丽新村建设实施方案》，分解落实各项目标任务。继续实施"建、改、保"，建成新村聚居点13个、农村廉租房80户；建成"百村绿色家园"2个、便民服务中心2个、"雪亮工程"2个。二是打造以刘家大院、黄丰橘香天下为主的特色亮点村2个，其中，刘家大院美丽新村以保护传统村落、打造美丽新村为核心，以"寻根问祖"为主题线路，以刘家整体院落建筑文化、民俗文化为依托，打造刘家村落安乐祥和、风景如画的世外桃源，完成农户大门整体风貌改造11户、墙面8000余平方米，安装太阳能路灯40盏，修建青石板路约2千米、生产便道及扩宽路面2千米，修建沟渠2千米，整治臭水沟120米，近2000平方米的百园之市（活动广场）建成并投入使用；大院内道路色带、大门、墙面等整体风貌改造已全面完成，填补了全区新农村建设文化保护的空白。

第七届彭山葡萄节

小型收割机操作培训现场

果怡农业葡萄示范种植基地
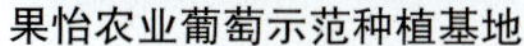

绿森林公司亚热带水果示范种植基地

柑橘

葡萄

川泽泻

彭溪河治理工程

标准化生猪养殖

滨江大道

洪 雅 县

全国人大常委会副委员长、全国妇联主席沈跃跃（左）与县委书记阳运良（右）合影

洪雅县位于四川盆地西南部，辖区面积1896平方千米，辖11镇4乡，有139个行政村1022个村民小组20个社区130个居民小组，总人口35.05万人，其中农村人口25.05万人、城镇人口10万人。乐（山）雅（安）高速横贯东西，遂（宁）洪（雅）高速连通南北；省、市重点工程——“大峨眉”国际旅游西环线县城至柳江段建成通车、柳江至峨眉山零公里段建设加快推进；国道351线贯穿全境。

洪雅是生态大县。森林覆盖率70.5%，年均气温16.9℃，负氧离子平均浓度达国家6级标准，生态环境质量居四川183个县（市、区）第三位，被誉为“绿海明珠”“天府花园”，是国家生态县、四川有机产品认证示范县、国家中医药养生与抗衰老产业示范基地、中国最佳投资旅游典范县，是四川唯一一个全国19个中国生态文明奖获得县。

眉山市长罗佳明（前排左二）到柳江镇调研重点旅游项目建设情况

中国书法家协会顾问申万胜（前排左一）、中央电视台数字电视书画频道董事局主席王平（前排右二）到洪雅县调研

县委书记阳运良（右三）到中保镇调研现代农业生产发展水稻项目建设情况

2016 年“绿海明珠、千湖之城、百园之市”工作推进电视直播大会前，与会代表到洪雅县参观“三大工程”涉及项目推进情况

中央赴川博士团和在眉省级机关挂职干部到洪雅县调研

越南政府代表团现场参观“引青入城”项目并听取工作情况汇报

洪雅是旅游大县。明确了建设“天府花园、国际休闲度假体验旅游目的地”的目标，以洪雅为重要组成部分的“大峨眉”旅游区上升为省级发展战略。峨眉半山七里坪创建为全国首个抗衰老健康产业试验区；柳江古镇创建为国家 4A 级景区；瓦屋山加快创建国家 5A 级景区；玉屏山获得全国首批森林康养体验基地称号；槽渔滩省级风景名胜区展现新颜；云中花岭、寻梦花溪等重大旅游项目特色鲜明。被列入成都“大都市区”规划范围后，洪雅旅游必将蓄势腾飞。

洪雅是农业大县。全县茶叶面积 28 万亩，奶牛存栏 4.2 万头，林竹面积 205 万亩，三大特色农业领跑全省第一方阵。“洪雅藤椒”“高庙白酒”获得地理标志证明商标，“雅连”“洪雅藤椒油”获得地理标志产品保护，“洪雅绿茶”获得农产品地理标志登记，创建无公害、绿色、有机食品标志产品 46 个。建成农业经济循环园区 3 万亩，是全国小型农田水利重点县、全省现代农业建设重点县、全省现代畜牧业建设重点县、全省移民后扶整村推进示范片建设试点县。

洪雅县政府与四川省投资集团有限责任公司正式签署瓦屋山旅游开发战略合作协议

洪雅县上善农业科技有限公司投资超10亿元的"美丽乡村　梦里茶香"茶兰陀项目奠基仪式在东岳镇团结村举行

东岳镇团结村月牙新村

汉王乡建设新村

柳江镇两河村光明新村

洪雅广场

特色农产品——藤椒

茶叶防病虫害知识讲解现场

“雅李园”生态李子果实累累

土地整理

幺麻子食品有限公司生产车间

采访团在莲花产业示范园采访拍摄

展销会上有机茶引来少数民族同胞驻足

生态农庄体验区

洪雅县“茶家乐”项目启动仪式暨前锋社区 2016 年“三八”庆祝活动

瓦屋山镇群贤村迎新春文艺联欢

2016 洪雅县民俗文化巡游

高庙镇云中花岭国际文化艺术旅游度假区

瓦屋雄姿

冕　宁　县

后山镇桃园新村

冕宁樱桃

冕宁县位于四川省西南部、凉山彝族自治州西北部，辖38个乡（镇）232个行政村（社区），总人口40.1万人（其中农业人口36.5万人），有农村劳动力24.85万人，辖区面积4420平方千米。

冕宁县历史悠久，人民勤劳，是革命老区，是“彝海结盟”的故乡，是卫星升起的地方，是国家“攀西战略资源创新开发试验区”和省委省政府“建设美丽富饶文明和谐安宁河谷”战略的重要区域。近年来，县委县政府全面落实中央、省、州工作部署，坚持“稳增长、调结构、促改革、惠民生”，奋力推进“红色冕宁、生态冕宁、科技冕宁、健康冕宁”建设。

冕宁县地处攀西北大门，交通极为便利，京昆高速、国道108线纵贯南北，国道248线横穿东西，成昆铁路越境而过。全县耕地面积24471公顷，其中水田9854公顷、旱地14617公顷、天然草场106万亩、林地429万亩，森林覆盖率达56%以上。属亚热带季风气候，气候温和、雨热同季、雨量充沛、日照充足，立体差异明显、干湿季节分明，年温差小、日温差大。境内水资源充足，河流、溪沟众多，大桥水库为农业生产提供了灌溉条件。

近年来，冕宁县坚持以增加农民收入为核心，以农业和农村经济战略性结构调整为主线，奋力推进农业产业化经营，全县已初步形成了优质粳稻米、油料、马铃薯、烤烟、蚕桑、食用菌、中药材、花椒、核桃、优质果蔬、畜牧业和劳务经济等“6+1”农业优势产业，是国家粮食生产大县、全国生猪调出大县。

冕宁火腿

冕宁香猪

冕宁泸宁鸡

新村风貌

资 阳 市

2016 年，全市辖 52 乡 64 镇 4 街道，辖区面积 5748 平方千米，其中耕地面积 481.51 万亩，比上年（下同）下降 0.1%，人均耕地面积 1.9 亩。年末总人口 354.5 万人（户籍人口），下降 0.1%；人口出生率 9.5‰；人口自然增长率 3‰。

2016 年，全市 GDP943.4 亿元，增长 7.8%，其中第一产业增加值 155.3 亿元，增长 3.9%，农、林、牧、渔及农林牧渔服务业之比为 859587 ：67353 ：578053 ：48367 ：96717；第二产业增加值 511.5 亿元，增长 8.7%；第三产业增加值 276.6 亿元，增长 8.5%。三次产业对经济增长的贡献率分别为 8.3%、60.8% 和 30.9%。全年接待游客 1899.2 万人，实现旅游收入 140.6 亿元。

公路通车里程 12325 千米。社会消费品零售总额 326 亿元，增长 10.5%。地方一般公共财政预算收入完成 46.8 亿元，增长 9.4%；一般公共财政预算支出 188.4 亿元，增长 17.3%，其中农林水事务 391829 万元，占支出的 20.8%。金融机构各项存款余额 1123 亿元，比上年初增长 17.2%；各项贷款余额 522.7 亿元，比年初增长 3.5%。农业产业化龙头企业国家级、省级、市级分别为 3 个、17 个、70 个。

有各类学校 1289 所，在校学生 43.1 万人，教职工 2.6 万人；普通中学 200 所，在校学生 12.4 万人；小学 192 所，在校学生 19.4 万人；学龄儿童入学率 99.9%，提高 0.2 个百分点。有文化馆 4 个，公共图书馆 4 个。有卫生机构 3485 个，病床位 16302 张，卫生技术人员 13118 人。新型农村合作医疗参合人数 264.4 万人，参合率 98.3%；新型农村社会养老保险参保人数 1250202 人，参保率 42.0% 人。

2016 年，全市实现农业总产值 277.63 亿元，增长 4.23%，农业增加值达 155.3 亿元，增长 3.9%；（生猪、茶叶、猕猴桃、食用菌、伏季水果、蔬菜等）等特色优势农产品产量保持稳定增长。农民年人均可支配收入达 13422 元，增长 9.4%。在粮食、生猪、蔬菜生产中，科技投入的占比或科技贡献率 54%。全市农产品质量抽检合格率比年初提高 0.8 个百分点；建成 116 个基层农业综合服务站。

葡萄采摘

豆瓣加工

柠檬喜获丰收

鑫粮仓专业合作社雇佣当地农户（贫困户）进行机械化稻谷收割

乐至县劳动镇旧居村

现代农业产业基地

安岳县龙台镇王家坝果林生态循环养殖基地

乐至县黑山羊养殖基地

雁江区保和镇晏家坝村“公司＋专合社＋农户”发展特色水果产业

安岳县文化镇燕桥村水果采摘园

资阳市雁江区

省委常委、省委农工委主任曲木史哈（前排右二）到雁江区调研脱贫攻坚工作

2016年，在宏观经济形式多变、经济下行压力持续加大的严峻形势下，全区顶住压力、坚定信心、攻坚克难，深入贯彻党的十八大和十八届三中、四中、五中全会精神，以及省委十届七次全会、市委三届十二次全会精神，全面推进和落实“创新、协调、绿色、开放、共享”五大发展理念，深入实施“依市兴区、项目带动、工业主导、三化联动”发展战略，主动作为、迎难而上，奋力确保经济平稳合理增长、民生持续改善、社会事业全面进步，“十三五”开局良好。

资阳市副市长周燕（前排右一）到雁江区调研旅游重点项目建设情况

区委书记姜鸿飞（中）在区人民代表大会上讲话

区长罗道坤（右四）调研项目建设情况

区委 2016 年农村工作会

全区实现农林牧渔业总产值 83.1 亿元，同比增长 4%（可比价，以下同），其中种植业产值 36.4 亿元，增长 6.5%；林业产值 4 亿元，增长 7.9%；牧业产值 36.1 亿元，增长 0.4%；渔业产值 2.1 亿元，增长 5.9%；农林牧渔服务业产值 4.6 亿元，增长 8.2%。全年实现农林牧渔业增加值 47 亿元，增长 4.1%，其中：种植业增加值 26.1 亿元，增长 6.6%；林业增加值 2.8 亿元，增长 6.5%；牧业增加值 16.9 亿元，增长 4.4%；渔业增加值 1.3 亿元，增长 5.5%。实现农村居民人均可支配收入 13609 元，增长 9.3%。

以“小规模、组团式、生态化、微田园”为建设目标，按照幸福美丽新村“八字要求”和“五大提升行动”总体要求，坚持“抓点示范、扩面推进、全域覆盖”的工作思路，采取“适度新建、集中改造、重点保护”相结合的方式，着力在民居建设、产业发展、基础设施、公共服务和社会管理等方面求突破，“村庄生态美、家庭和谐美、生活幸福美”的优美新农村画面逐步呈现。建成丹山田坝、丰裕护耳等新村聚居点 615 个（2016 年新增 150 个）；东峰大田、中和明月等“四型”（特色产业支撑型、项目实施带动型、乡村旅游主导型、扶贫开发提高型）幸福美丽新村 157 个（2016 年新增 70 个），成功创建东峰镇大田村、保和镇晏家坝村等省级“四好村”39 个、创建中和镇明月村、丹山镇田坝村等市级“四好村”87 个，创建临江镇文昌村等区级“四好村”146 个。

脱贫攻坚验收考核工作推进会

村干部种植技术培训

丹山镇新盟村农业技术培训

深化基层依法治理

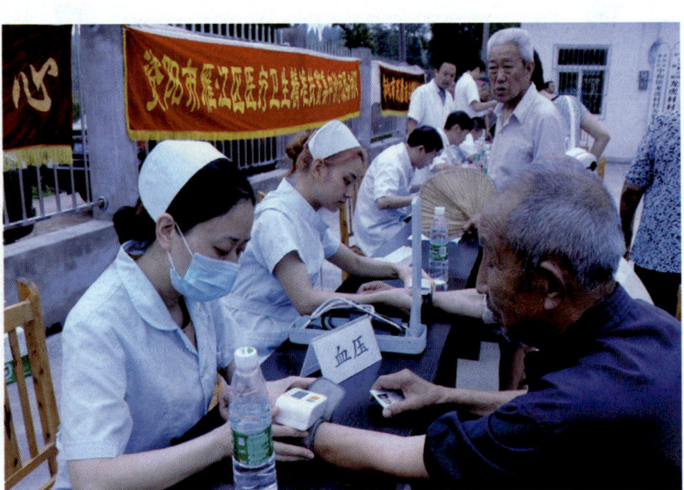

卫生扶贫——巡回诊疗

临江镇墨池坝村渠系建设

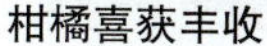

柑橘喜获丰收

万亩莲藕喜获丰收

佛山橘海

丹山镇莲藕种植基地

丹山镇华光村高标准农田

保和镇晏家坝村葡萄种植基地

龙洞湾养殖的野鸭

特色产业

中和镇龙虾节

幸福谷度假村

四川省第七届乡村文化旅游节

龙洞湾花卉种植基地

简 阳 市

2016年，全市认真落实中央和省级、成都市级关于“三农”工作的决策部署，牢固树立“五大发展理念”，克服宏观经济下行、农产品价格波动、龙头企业发展困难等不利因素，融入成都、追赶跨越，统筹推进产业发展、新村建设、农村改革、脱贫攻坚等工作，农业农村发展取得了显著成效。一是农业产业转型发展。全市乡（镇）5000亩农业产业园区规划建设启动实施，开启了园区化发展新模式。制定了《简阳市农业产业项目招商优惠政策》，举办了脱贫攻坚农业产业项目招商暨优质农产品推介会，签约引进正大、温氏等农业龙头企业。成都市100万亩菜粮基地高标准农田建设启动仪式在简阳市举行。全市31.88万亩高标准农田建设项目开工建设，为农业转型发展提供了基础保障。二是农村面貌明显改善。按照“业兴、家富、人和、村美”的要求，加快推进幸福美丽新村和“小组微生”新农村田园综合体建设，创建成都市级“四好村”47个、省级“四好村”18个，完成31个扶贫村和6个改造提升型新村的产业发展、新村建设、基础设施和基层公共服务体系建设，累计建成幸福美丽新村90个，农村面貌悄然发生变化。全力改善农村基础条件，实施农村道路改造提升工程，全市通村水泥路覆盖率达100%，乡（镇）场镇实现天然气、自来水供应全覆盖。三是农村改革纵深推进。农村土地承包经营权确权登记全面完成，24个乡（镇）的15万户农户领到确权证书。加强农村产权交易平台建设，市、乡、村三级农村产权交易网络实现全覆盖，全市累计流转土地27万亩。按照“三有五落实”模式，有序推进小型水利工程管理体制改革。发挥财政资金杠杆作用，探索拨改投、投改贷和财政资金直接投向合作社等支农模式，整合各级财政资金12.5亿元，撬动社会投资6.5亿元。四是脱贫攻坚首战告捷。成都市出台了《加快推进简阳市脱贫攻坚的实施意见》，市级领导、市级部门、相关区（县）开展对口帮扶，掀起了全市新一轮脱贫攻坚热潮。2016年顺利通过脱贫攻坚省级验收考核，如期实现31个贫困村退出、15952名贫困人口脱贫，简阳市被省委省政府评为全省片区外脱贫攻坚工作先进县（市）。

樱桃之乡——贾家镇大山村

同合乡西山庙村新农村综合体

踏水镇夏家店子新农村综合体

高明乡桅杆村新村聚居点

金家店新农村综合体

贾家镇菠萝村新农村综合体

周家乡水渠建设现场

幸福祥和的农家小院

贾家镇东来桃源景区入口

简阳市大力推进公共服务建设

东溪镇万古村杨森乳业奶牛养殖场

施家镇正东牧业信义大耳羊养殖场

简州大耳羊

石盘镇方家林村黄花种植基地

蔬菜种植基地

周家乡南冲堰村简阳晚白桃喜获丰收

平泉镇盛地农庄葡萄采摘园

贾家镇万亩晚白桃标准园

草池镇永逸村草莓标准化生产基地

玉成乡街邻村产业园

安 岳 县

安岳县位于成渝经济区腹心和成渝两座特大城市直线相连的中点，扼成都至重庆、川北通川南之要津，地跨沱、涪两江分水岭，国道319线、247线以及内资遂高速公路、即将建成的成安渝高速公路贯穿全境，距成都、重庆主城区只有1小时车程。全县辖区面积2700平方千米，辖69个乡（镇），总人口163万人，是四川省第一人口大县、四川省首批扩权县和革命老区县；被誉为“中国柠檬之都”“中国佛雕之都”。2014年、2015年连续两年被省委省政府表彰为县域经济发展先进县；2016年，全县地区生产总值实现304.4亿元，地方一般公共预算收入完成12.4亿元，城乡居民人均可支配收入分别达28385元、13352元，实现了更有质量、更可持续的发展。

生态良好，绿色宜居。52万亩魅力柠海，一百里贡柚长廊，掩映于青山绿水之间的成渝中部特色城镇群落，42.7%的森林覆盖率汇成绿风浩荡的绿色海洋，营造了天蓝、地绿、水净的人居环境，为安岳赢得了中国绿色名县、西部生态环境友好县、四川省旅游强县等称号，成渝中部宜居、宜业、宜旅的山水生态田园之城建设加快推进。

资源富集，物华天宝。安岳县是中国柑橘20强县、全国唯一的柠檬商品生产基地、全国最大的红薯淀粉粉丝生产基地、全国八大柚类主产区之一、全国瘦肉型商品猪生产基地、国家级商品粮基地。安岳柠檬占全国80%以上的份额，是独具保健、美容和医疗功效的“黄金果”，大众追求健康生活的首选佳品；有富集“古、多、精、美”的唐宋摩崖造像10万余尊，有全国重点文物保护单位10处，圆觉洞风景名胜区已建成国家4A级旅游景区；安岳气田探明储量6574亿立方米，“震旦纪”深层气藏预估储量更是可观，已成为西南地区油气开发的主阵地；常年对外输出劳动力50余万人，拥有超过10万人规模的建筑、机电、商务等专业人才队伍，“成渝区位、安岳成本”优势明显。

历史悠久，人文荟萃。北周建德四年（公元575年）置普州及安岳县。安岳这块古老的土地滋养了韩国普州太后许黄玉、普州刺史程咬金、苦吟诗人贾岛、北宋理学鼻祖陈抟、南宋大数学家秦九韶、清代澎湖通判周于仁、罗荣桓元帅入党介绍人彭明晶、新诗开拓者康白情等志士名人。

前景广阔，潜力巨大。安岳县依托成渝中部区域性交通枢纽和区域性中心城市建设，着力打造成渝中部特色产业优势发展区，创响中国柠檬之都、中国佛雕之都品牌，建设国际石刻文化旅游中心、中国柠檬产研销中心、川渝特色工业集聚中心、川渝绿色农产品配送中心、成渝中部重要物资集散地和物流中心，奋力建设成渝中部特色县域经济强县，确保与全省、全市同步全面建成小康社会。

魅力柠海

国家 4A 级旅游景区——圆觉洞石牌坊

县城新貌

全省唯一的县级优秀工业园——安岳工业园

宝森生态旅游度假区宝森河

普州广场

滴水岩水库

安岳县农村土地确权登记颁证验收动员会暨第二十四次推进会

2016 年“龙腾狮跃　金猴迎春闹元宵”大型文艺展演活动

第九届安岳柠檬节魅力柠海主会场

第九届安岳柠檬节岳新乡桃坝村分会场

安岳县创业创新电子商务培训

安岳县“送法进乡村”集中宣传活动

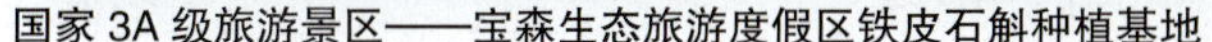

国家 3A 级旅游景区——宝森生态旅游度假区铁皮石斛种植基地

林下养殖

春播

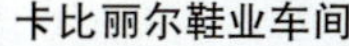

卡比丽尔鞋业车间

禾邦药业车间

和平乡青莲谷莲藕种植基地

文大路一标段绕兴隆场镇段建设

思贤镇乡村道路建设

岳新乡桃坝村

思贤乡道台村

文化镇燕桥村周家湾新村聚居点

城北乡柳溪村

文化镇燕桥村新村一角

乐　至　县

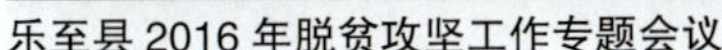
乐至县 2016 年脱贫攻坚工作专题会议

县委农村工作会议

2016 年，乐至县按照“全域、全程、全面小康”要求，坚持创新机制、统筹推进的思路，抓住规划、产业等关键重点，整合资源强力推进幸福美丽新村建设。坚持统筹谋划，突出产业培育、基础设施、村落民居、公共服务、基层组织建设等，全面推进幸福美丽新村建设。

一、统筹推进幸福美丽新村建设。坚持创新机制、统筹推进的思路，抓住规划、产业等关键重点，整合资源强力推进幸福美丽新村建设。围绕新村建设与脱贫攻坚相结合建设幸福美丽新村的要求，将所有贫困村纳入幸福美丽新村建设规划，优先在边远地区和贫困村实施整村推进幸福美丽新村建设，修订完善县域新村建设总体规划，做到新村建设与脱贫攻坚、产业布局、交通水利、土地资源等专项规划有效对接。围绕做强产业支撑，突出蚕桑、畜牧、蔬菜、林果主导产业，确定了加快形成以童家、回澜、石佛等乡镇为核心的蚕桑产业示范区，以通旅、龙门、双河场等乡镇为核心的畜牧产业带，以中天、大佛、劳动等乡镇为核心的优质蔬菜产业带，以孔雀、良安、高寺等乡镇为核心的林果产业带。以省、市、县三级新农村示范片和贫困村为重点，县本级财政预算资金 2000 万元支持幸福美丽新村建设，推广“微田园”建设经验，大力实施建庭院、建入户路、建沼气池和改水、改厨、改厕、改圈“三建四改”工程，农村风貌整体提升。建设尊重群众意愿，管理依靠群众参与，全面推进村务公开，创新完善民主管理制度，充分发挥村规民约作用，常态化开展“文化大院”“文明乡村”“星级文明户”“清洁卫生户”评选，引导群众养成遵纪守法、尊老爱幼、邻里互助的好习惯，构建和谐幸福新农村，着力推进农村生态文明建设。

二、大力推进省级幸福美丽新村项目建设。一是做好项目实施村调查摸底。紧紧围绕脱贫攻坚和全面建成小康社会目标，以现代农业为抓手，以园区建设为载体，深入推进幸福美丽新村建设。结合美丽新村规模、项目整合等因素，在充分尊重群众意愿的基础上，将 2016 年 1500 万元省级财政幸福美丽新村专项资金项目全部安排在扶贫村实施。二是编制完成实施方案。围绕“业兴、家富、人和、村美”的目标，坚持规划引领、先难后易，政府引导、农民主体，专项投入、统筹整合的原则，以扶贫攻坚为重点，编制完成了《乐至县 2016 年省级财政幸福美丽新村建设专项资金项目实施方案》，主要用于新村基础设施和公共服务服务设施建设，特别是农村城乡环境卫生基础设施建设。三是加快推进项目实施。按照项目建设进度要求，在市政府下达项目实施批复之后，立即安排各项目村严格按照民办公助的相关要求，启动实施项目。四是加强组织领导。县及相关乡（镇）均成立了幸福美丽新村建设项目领导小组，切实加强组织领导，细化工作措施，明确责任分工，加强部门协调配合，督促全县幸福美丽新村各项建设有序推进。

全市新村现场推进会在乐至县召开

市人大领导视察毗河工程

三、改革攻坚促进全域新村建设。以深化农村改革为牵引，充分激发农村活力，强力推进脱贫攻坚，全面建设幸福美丽新村。一是激活农村静态资源。联动推进农村产权“七权”同确，确权登记面达 90%、颁证面达 80%。二是培育新型经营主体。新注册家庭农场 150 家、市级龙头企业 22 家，创建省、市级示范合作社 16 家，新型农业经营主体带动面达 60%。三是创新金融支农方式。开展农村土地流转收益保证贷款和动物活体担保贷款试点，分别发放贷款 1500 万元、1400 万元。四是强力推进脱贫攻坚。完成 75 个贫困村、4.78 万名贫困人口的建档立卡工作，创新“五联”推进机制，贫困村干部驻村帮扶和贫困户结对帮扶全覆盖，扎实推进 10 个财政专项扶贫项目村建设，全县实现 1.26 万人脱贫。

乐至县社会主义新农村建设领导小组会议

金色帅乡

生态新村

帅乡新村

“花舞新村”

中天镇现代化蔬菜种植基地

通旅镇红紫厂村猕猴桃种植园

四川省花卉生态旅游示范园区——川中丘陵区现代林业科技示范园

川中黑山羊产业

四川省农业产业化重点龙头企业——四川省牧旺农牧有限公司养殖的白乌鱼

四川省农业产业化重点龙头企业——四川省牧旺农牧有限公司养殖的生猪

四川省农业产业化重点龙头企业——四川省牧旺农牧有限公司生产的天马山老坛腊肉

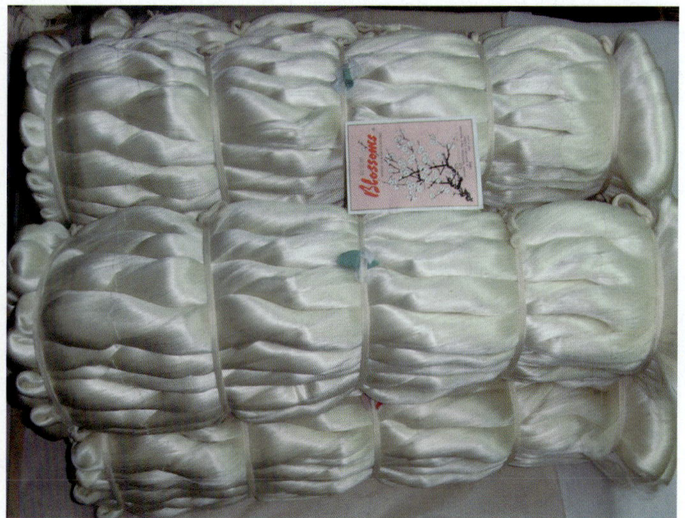

四川省农业产业化重点龙头企业——四川省红旗丝绸有限公司生产的乐至县优质蚕丝

资阳市农业产业化重点龙头企业——四川省川龙酿造食品有限公司生产的产品

九寨沟县

2016年，九寨沟县实现农业总产值33003万元，增长10.25%；农业增加值21688万元，增长4.9%。农民人均可支配收入10731元，增长11.8%。九寨沟县扩大原料基地规模，在双河、大录分别建成特色禽和林蛙养殖基地，一批新的特色产业不断发展壮大。培育壮大农产品加工企业及农业专业合作社，加快农业产业化进程。抓好牦牛肉、藏香猪、中药材、蜂蜜等特色资源的开发加工，形成"产、供、销"一条龙、"公司＋基地＋农牧户"的产业化模式，扩大农户带动覆盖面。全县"三品一标"认证工作完成1个无公害农产品产地和11个无公害农产品复查换证以及"甜樱桃"绿色食品年检。将品牌建设与安全监管和农产品认证相结合，发布实施县级无公害技术操作规程22个、绿色食品生产技术规程1个，初步形成了以国家标准为主，行业标准、地方标准和企业标准相配套的标准体系。培育"海拔3000牦牛肉""九寨沟蜂蜜""九寨藏香猪""九寨庄园乐怡红葡萄酒""九寨玫瑰"等品牌。加强农产品质量安全追溯体系续建，建成农畜产品质量安全监管、信息查询、企业管理三大追溯平台，力争在2018年将全县"三品一标"农产品和有发展前景的农畜产品纳入追溯范围，推进全县农牧业向优质、高效、生态发展。

九寨沟县以推进脱贫攻坚、农业发展、农村建设和农民生活改善为核心，以落实各项惠农政策、加快幸福美丽新村建设为抓手，按照省委"人和、村美、业兴、家富"的幸福美丽新村建设要求及州委"三好两富"的总体目标编制了《九寨沟县2016年幸福美丽新村（扶贫新村）700万元项目、幸福美丽新村示范县建设950万元项目实施方案》，共涉及17个乡（镇）36个村（其中省级幸福美丽新村20个、贫困村19个），受益群众4854户、17720人，惠及439户、1650名贫困人口。积极整合"两资"项目、农村危房改造、"一事一议"、安全饮水、整村推进、农村通畅工程、州以奖代补、革命老区、国家藏区基础设施等项目资金5000余万元，加大本级配套投入，鼓励群众自筹、投工投劳。全年完成藏区新居建设任务190户，涉及永和、草地、郭元、玉瓦、陵江、白河、罗依、安乐8个乡（镇）。

九寨沟县坚持把脱贫攻坚作为头等大事和第一民生工程，聚焦7个贫困村退出，304户、1050名建档立卡贫困户脱贫目标，层层压紧压实工作责任，举全县之力打好精准识贫、科学治贫、有效脱贫的攻坚战。始终瞄准对象、措施、项目、资金和扶贫成效精准，统筹整合涉农资金8974.22万元、扶贫专项资金2958万元、财政专项扶贫资金1802.74万元，精准实施17个扶贫专项方案和年度计划。全面落实脱贫攻坚党政"双组长"制、"六个一"驻村帮扶制度，全县36名县级干部、96名科级干部深入48个贫困村开展蹲点调研工作；整合浙江省嘉兴市和省政协、民盟四川省委、省政府驻京办、邛崃市、宜宾农商行、国金证券及平安

检查组检查验收乡（镇）"四好"创建工作

罗依乡村民领取土地流转费和务工费

参合率达 99.07%。

农村社会保障。2016 年，壤塘县举行了“四川慈善情暖万家·新年关爱慰问”活动，资助城乡低保、五保、优抚对象、孤儿、残疾人、受灾困难群众 1.7 万元；开展慈善资助需求调查，为全县 400 余名孤寡老人、儿童发放中国友好和平发展基金会捐献的贝因美奶粉 1200 罐，接受绵阳慈善总会捐赠衣物 50 包、扬州百灵公司捐赠过冬棉帽 500 顶。救助乞讨人员 26 名，开展农村留守儿童前期摸底排查工作，足额发放孤儿生活补助 28 万元。定期足额发放“三属”生活补助 2.86 万元；全面落实拥军优属各项优待政策，发放优抚对象优抚资金和军休工资 130 万元。办理老年优待证 220 本，完成高龄津贴审批和发放 20.26 万元；完善居家养老服务实施方案，为 1978 名 80 岁以上孤寡老人搭建居家养老服务平台，发放补助资金 56.91 万元。清理农村低保 627 户、708 人，为 18282 名（包括Ⅰ度、Ⅱ度大骨节病人）农村低保户发放低保金 3319.75 万元。加强五保集中供养，入住率达 22.2%，集中供养床位率达 52.2%；分散月供养金达 300 元，发放供养金 782.75 万元；临时救助 49 人次，发放临时救助资金 17.7 万元。上级财政下达资金 400 万元、县级配套资金 10 万元，对 4001 人次实施医疗救助，发放医疗救助金 343.4 万元，其中资助参保 1424 人、32.752 万元，资助参合 2004 人、24.048 万元。加强敬老院硬件设施建设，筹资 3.48 万元更新添置消防器材，利用浙江省援建资金 20 万元为孤寡老人添置床上用品。积极开展“情系中秋，孝驻敬老院”主题活动。建立健全敬老院各项工作表卡登记制度并抓好制度建设和落实；按期对敬老院老人进行体检；投资 45 万元完善伊里敬老院附属设施，完成尕多敬老院工程建设并达到入住要求。

农村生态建设及环境保护。2016 年，壤塘县建成垃圾处理场 1 座，环境监测站空气监测子站正式与省环境监测总站联网运行。根据吾依乡吾依村、南木达镇南木达村、中壤塘乡依根门多村 3 个农村环境试点空气监测站专项监测，空气监测结果达到《环境空气质量标准》（GB3095-2012）二级标准，水质监测结果达到《地表水环境质量标准》（GB3838-2002）中Ⅲ类标准，监测结果均达到省、州规定。

防震减灾。2016 年，壤塘县开展震情会商 63 次、月会商 12 次、周会商 51 次，编写周报 51 份、月报 12 份；编写《地震动态》12 期、跟踪监测报告 12 次、短临跟踪简报 12 期。根据州地震局要求和县地震局掌握的地震活动情况，编写半年和年度地震趋势会商报告及震情强化短临跟踪工作总结。

党群教育。2016 年 4 月 11 日，壤塘县举办了壤塘县乡村干部“两学一做”学习教育专题培训班，培训全县村（居）委主任 57 人；4 月 25 日，举办了“壤塘县村（社）团支部书记培训班”，共培训 45 人；举办了“壤塘县拟任科级干部理论考试培训班”，共培训 105 人。“壤塘县两区一建设调研”获得州委党校课题立项，已完成调研工作并形成调研报告上报州委党校。5 月 18 日，举办了壤塘县乡村干部“两学一做”学习教育第二期专题培训班，培训全县村（居）党支部书记 59 人。10 月，开展全县县级机关和壤柯镇干部职工安多藏语培训。

中国人民政治协商会议第十三届壤塘县委员会第一次会议

壤塘县乡镇领导班子换届工作暨业务培训会

壤塘县 2016 年教育发展大会

壤塘县离退休老干部迎新春座谈会

壤塘县 2016 年选调生座谈会

壤塘县庆祝中国共产党建党 95 周年活动

川中（北）森林公安警务合作暨边界联防警务技能交流会议

壤塘县不动产权证书首发仪式

精准扶贫就业现场招聘会

嘉宾参观《一览壤巴拉》展馆

花开“壤巴拉”

“壤巴拉”节开幕式文艺演出

马尔康市

2016年，马尔康市农村经济总收入42224万元，增加4524万元，增长12%。农民外出务工收入7548万元。农民人均可支配收入11420元，比上年增长11%。

农业产业化发展。马尔康市积极争创省级"旅游扶贫重点村"和省级"乡村民宿达标户"。农产品加工物流园区建设顺利推进，投资近1000万元，进行"三通一平"建设；生猪屠宰项目、中科院生物研究所生物多样性研究项目、林下菌类加工项目加快入驻园区。全市已培育成立中蜂养殖协会1个、专业合作社7个，辐射带动散养户1000余户，惠及贫困户193户，占全市贫困户总数的19.2%，实现人均增收260元以上。加大新型农业经营主体培育，累计发展专业合作社248个，年销售收入4266万元，净利润853万元，合作社年末固定资产总值达5900万元，入社户数4155户，带动非成员户1700户，覆盖全市10个乡4个镇105个村。示范合作社助农增收成效显著。一是马尔康梭磨大峡谷蔬菜种植专业合作社社员从87户、500余人发展到500户、2300余人，面积从800余亩扩大到2500余亩，从单一的蔬菜种植到种植、养殖、加工、储存、销售、运输多个产业，带动49户贫困户163名贫困人口脱贫。二是马尔康雪域山珍种植专业合作社为全村村民营销阿坝中蜂蜂蜜5万元，养殖户人均增加收入2500元；帮助全村村民发展旅游业实现收入达180万元；帮助种植户销售蔬菜18万元，人均增收1000余元，带动贫困户4户8人脱贫。三是马尔康金土地蔬菜种植专业合作社社员从7户发展到110余户，耕地面积从70余亩扩大到1200余亩，常年在马尔康镇查北村流转200余亩种植莴笋，亩产4000千克，亩收入14400元，两季莴笋及蜂蜜总收入达750余万元，合作社成员户均增收2500余元，其中贫困户8户32人。四是马尔康市兴农养猪场收购全市3个乡9个村农牧民生猪800余头，屠宰、加工猪肉产品25.8吨，销售猪肉产品25余吨，解决农村剩余劳动力就业问题9人，创产值330余万元、利税50余万元；带动梭磨乡马塘村及周边贫困户40户养殖仔猪40头（由养殖场提供）。五是各类专合组织、公司、种养殖大户在全市共流转土地1820.59亩。其中，马尔康润丰种养殖专业合作社以土地流转和农户土地入股的方式在脚木足乡白莎村建立青脆李种植示范基地400亩，带动当地农户58户种植青脆李200亩（贫困户9户29人、12.7亩）。每年在林下种植蔬菜200亩，林下养殖阿坝中蜂86群。

农产品品牌战略实施。马尔康市做大做强"阿坝中蜂""梭磨大白菜"等产业品牌和"净土阿坝"区域品牌。大力推行"三品一标"农产品认证登记，已拥有无公害农产品10个、绿色食品1个、有机农产品5个、地理标志农产品1个。阿坝州雪源食品有限公司、

时任省委副书记刘国中（前排左二）率全省2016年"四大片区"中高原藏区组、脱贫攻坚现场推进会实地检查组到松岗镇哈飘村检查指导工作

省人大常委会副主任、阿坝州委书记刘作明（右二）率省人大常委会第九执法检查组到梭磨乡木尔溪村对《四川省农村扶贫开发条例》贯彻执行情况进行监督检查

马尔康彩仁杰家庭农场、马尔康梭磨大峡谷蔬菜种植专业合作社、马尔康兴农养殖专业合作社、马尔康远地养殖专业合作社、马尔康金土地蔬菜种植农民专业合作社产品联合申报了“净土阿坝”品牌。

种植业。马尔康市农作物播种面积 72916 亩，其中经济作物种植面积 560 亩；无公害蔬菜种植面积 12503 亩，产量 31563 吨；水果种植面积 2360 亩，产量 1750 吨；粮食作物总播种面积 59853 亩，产量 8600 吨；马铃薯种植面积 14110 亩，产量 15120 吨；有机农作物生产面积 200 亩，产量 600 吨。全市按照“两带两区”农村产业布局，积极引进新品种进行试验和示范，在卓克基建设川红花和唐古特大黄种植示范基地 202 亩，发展油菜种植 1805 亩，在松岗镇发展设施农业 21 亩，在梭磨乡发展蔬菜种植 3000 亩。

畜牧业。马尔康市各类牲畜存栏 174315 头（只），其中牛存栏 120868 头、马存栏 6440 匹、羊存栏 5324 只、猪存栏 1683 头；各类牲畜出栏 72146 头（只），同比增长 5%，其中肉猪出栏 33381 头、肉用牛出栏 36517 头、肉用羊出栏 2248 只、肉用家禽出栏 50105 只。全年肉类总产量 7502 吨，同比增长 5%；禽蛋产量 9.27 吨，同比增长 3%；牛奶产量 9816 吨，同比增长 2.5%。投资 950 万元，新建 1400 头养殖规模的牦牛标准化养殖基地；投资 320 万元，扩建国家级阿坝中蜂保种场，提高了中蜂扩繁能力。

农村水利。马尔康市共投入资金 4331.9 万元，实施安全饮水工程 218 个，实现了“村村通自来水，户户饮放心水”的目标，补齐了农村安全饮水的短板，有效解决了农村人口的安全饮水问题。

扶贫攻坚。马尔康市脱贫攻坚工作首战告捷，超额完成目标任务。采取锁定对象、紧扣目标、聚焦标准、对症施策、整合资金，强化“5+1”力量到村到户，扎实推进“五个一批”和“10+3”扶贫工程，严格督促、考核和验收、评估等措施，扎实有效推进

省统计局局长陈炜（右二）到马尔康市开展脱贫攻坚专项督导工作

卓克基镇纳足村与阿坝州成合农业发展有限公司合作发展中蜂养殖产业

马尔康市 2016 年第七次脱贫攻坚工作推进会

专家进行白芨种植技术指导

白芨种植

脱贫攻坚。全市 29 个贫困村中有 11 个达到退出标准；841 户、2951 名贫困对象中有 410 户、1446 人达到脱贫标准；全市贫困发生率从 8.59% 下降到 4.38%，超额完成了年度脱贫目标任务。

在探索实践中积累了“六个率先”“十条军规”。“六个率先”，即率先制定和采取“十对比八排除”方法，对贫困对象进行精准识别；率先按照“两不愁、三保障、四个好”的要求，把贫困户脱贫标准细化为“一上线、两不愁、三保障、六有、两无”14 项指标，把贫困村的退出标准细化为“一下线、五通、两无、七有、五到位、五加强”25 项指标；率先在人代会审定的市本级财政预算中专项安排 2500 万元资金用于脱贫攻坚；率先制定产业扶贫政策，对贫困村发展农村集体经济每村给予 100 万～150 万元不等的资金扶持，对贫困户发展产业给予人均 3000 元的资金补助；率先由市本级财政安排专项资金，设立卫生扶贫、教育扶贫基金，对贫困对象实施特殊医疗救助，对贫困家庭学生实行教育助学；率先制定《脱贫攻坚工作手册》，对脱贫攻坚工作进行了痕迹化管理。“十条军规”，即必须把脱贫攻坚放首位，深化认识抓脱贫；必须把贫困对象搞准确，锁定对象抓脱贫；必须合理确定年度任务，紧扣目标抓脱贫；必须对照脱贫退出标准，聚焦标准抓脱贫；必须深入分析致贫原因，对症施策抓脱贫；必须统筹安排项目资金，整合资金抓脱贫；必须调动各个方面力量，压实责任抓脱贫；必须发挥群众主体作用，激发动力抓脱贫；必须全面加强档案管理，痕迹管理抓脱贫；必须严格遵守各项规定，依法守纪抓脱贫。

明确“三大目标”，确定“四大任务”，实行“八个全覆盖”。“三大目标”，即全市达到“一低三有”标准，实现脱贫“摘帽”；未退出的 18 个贫困村全部达标退出，全市 105 个行政村均达到“一低五有”标准；486 户、1858 人脱贫，全市贫困发生率降至 3% 以下。“四大任务”，即狠抓贫困户脱贫工作，确保全市贫困发生率降至 3% 以下；紧紧盯住贫困对象，严格对照贫困户脱贫标准补缺、补短，精准施策，努力使每户贫困户达到或超过贫困户脱贫标准，全市的贫困发生率降至 3% 以下。狠抓贫困村退

重楼种植

金铁锁种植

跑山鸡养殖

出工作，确保贫困村全部退出，全市所有行政村达到“一低五有”标准；把未退出的18个贫困村和贫困发生率比较高的其他村作为重点，严格对照贫困村退出标准补缺、补短，精准发力，使每一个行政村均达到或超过贫困村“一低五有”退出标准。狠抓贫困县“摘帽”工作，确保乡（镇）中心校、卫生院、便民服务中心达标，实现脱贫“摘帽”。严格对照贫困县脱贫“摘帽”标准，在确保实现全市贫困发生率降至3%以下，贫困村全部退出目标的同时，扎实推进乡（镇）中心校、卫生院、便民服务中心标准化建设，确保达标，实现脱贫“摘帽”。狠抓巩固提升工作，着力推进产业发展和就业增收，确保已脱贫的贫困对象稳定脱贫。突出已脱贫的贫困户和已退出的贫困村，同时，兼顾面上，聚焦产业、就业，大力发展农村集体经济，切实帮助贫困对象就业创业，努力实现村村集体经济收益达标，贫困户户户有产业收入、大中专毕业生人人就业、创业，不断增加收入，巩固提升脱贫攻坚成效，实现稳定脱贫。“八个全覆盖”，即市级党政领导包乡（镇）全覆盖，1个乡（镇）由1名市级党政领导承包，全面负责承包乡（镇）的脱贫攻坚工作。市级领导包村全覆盖，1个贫困村由1名市级领导承包，具体负责承包村的脱贫攻坚工作；承包乡（镇）的市级党政领导同时负责承包乡（镇）其他村的脱贫攻坚工作。市级部门（单位）包村全覆盖，1个贫困村由1个市级部门（单位）定点帮扶；1个市级部门（单位）负责承包1个或1个以上其他村。驻村工作组包村全覆盖，1个贫困村由1个工作组驻村帮扶；1个工作组负责1个或1个以上其他村。“第一书记”驻村全覆盖，每个村派驻1名“第一书记”，贫困村的“第一书记”从市级部门（单位）干部中抽派，其他村的“第一书记”从乡（镇）干部中抽派。农技员驻村全覆盖，1个贫困村派驻1名农技员；1个乡（镇）派驻1名农技员，具体负责其他村的农技服务工作。帮扶责任人包户全覆盖，由包村的市级部门（单位）指派，1户贫困户由1名干部作为责任人定点帮扶。指导员指导乡（镇）全覆盖，1个乡（镇）由市脱贫攻坚工作领导小组办公室指定1名工作人员定向联系，具体负责联系指导对应乡（镇）的脱贫攻坚工作。

高山牦牛养殖

甘孜藏族自治州

农业部副部长于康震（中）到石渠县检查指导畜间包虫病防控工作

2016 年，甘孜藏族自治州辖 261 乡 64 镇，辖区面积 15.3 万平方千米，其中耕地面积 141.38 万亩，比上年（下同）减少 4.5%，人均耕地面积 1.28 亩，基本农田 81.45 万亩。年末总人口 110.1 万人（户籍人口），增长 6.26%；人口出生率 9.94‰，下降 1.26 个千分点；人口自然增长率 6.26‰，下降 0.9 个千分点。本地水资源总量 609 亿立方米，人均占有水资源量 52279.2 立方米。有林业用地 691.67 万公顷，有林地面积 282.72 万公顷，活立木总蓄积量 4.95 亿立方米，森林覆盖率达 33.9%。

2016 年，全州 GDP229.8 亿元，增长 7%，其中第一产业增加值 59.27 亿元，增长 4.1%，农、林、牧、渔及农林牧渔服务业之比为 38.37 ：4.75 ：55.67 ：0.07 ：1.14；第二产业增加值 82.71 亿元，增长 10.3%（工业产值 50.3 亿元，增长 11.3%）；第三产业增加值 87.82 亿元，增长 5.8%。三次产业对经济增长的贡献率分别为 14.9%、52.7% 和 32.4%。全年接待游客 1300.32 万人，实现旅游总收入 133.74 万元。

农业厅厅长祝春秀（中）到康定市姑咱镇日地村检查指导产业扶贫工作

州委书记刘成鸣（前排左三）到甘孜县拖坝乡移民新村调研

州长肖友才（左一）到道孚县调研旅游开发和寺庙依法管理工作

时任州委常委、州委农工委主任杨凯（左一）到丹巴县巴旺乡齐支村调研特色农业发展情况

公路通车里程 36236.662 千米。地方公共财政预算总收入完成 32.26 亿元，增长 2.64%；公共财政预算总支出 300.48 亿元，减少 4.97%，其中农业投入 204558 万元，占支出的 6.8%。金融机构各项存款余额 595.68 亿元，比上年初增长 1.25%；各项贷款余额 273.62 亿元，比年初增长 18.71%，其中支持农业产业化发展项目贷款 3.04 亿元。全年农业保费收入 0.89 亿元，增长 8.45%，处理各项赔款和给付金额 1.94 万元，下降 6.28%。

有各类学校 860 所，在校学生 188633 人，教职工 14915 人，其中普通高校 1 所，在校本（专）科学生 9240 人，增长 0.1%；普通中学 52 所，在校学生 48646 人；小学 413 所，在校学生 96991 人；学龄儿童入学率 116.99%，提高 0.12 个百分点。有艺术表演团体 158 个，文化馆 19 个，公共图书馆 19 个，博物馆 6 个。城乡居民基本医疗保险参保人数 917655 人，参保率 99.79%；城乡居民养老保险参保人数 408596 人，参保率 80.22%。

2016 年，甘孜藏族自治州实现农业总产值 79.1 亿元，增长 5%，全州全年农业增加值达 59.8 亿元，增长 4%。农村居民人均可支配收入达 9367.42 元，增长 11.41%。全州农产品质量抽检合格率达 96% 以上；建成 101 个基层农业综合服务站。

康巴艺术节开幕式

康定市开展群众文化活动

泸定县民俗文化活动

色达县“两馆”

雅江县八角楼乡日基村乡村酒店

新都桥安良坝风光

乡城县白藏房

道孚县瓦同乡拉日牧民新村

炉霍县宜木乡虾拉沱村

康定市塔公乡江巴牧民新村活动中心

道孚县协德乡街村文体广场

高原油菜种植基地

理塘县濯桑牧草种植基地

道孚县青稞良种繁育基地

石渠县新培育的藏系绵羊核心群

泸定县园艺作物标准示范园

道孚县农牧科技和供销合作局

道孚县农牧业产业发展以州委“六大战略”、县委“一主三同步”为引领，以脱贫攻坚为主导，以农业供给侧结构性改革为主线，以绿色发展为主题，以市场需求为导向，以改革创新为动力，以农民增收为核心，依托县域资源优势，围绕“一区两带三园”产业布局，着力打造新动能、新业态，扶持新主体，拓展新渠道，推动全县高原特色生态农牧业发展，促进全县特色农业动力转换、结构转型、方式转变，以春油菜、黑青稞、紫皮马铃薯、生态段木青杠黑木耳和藏香猪、藏鸡为主的特色种养业蓬勃发展。

油用牡丹人工种植基地

人工种植的大黄

人工种植的秦艽

少乌中药材示范基地一角

春油菜种植基地

大葱标准化种植基地一角

甘孜县扶贫和移民工作局

甘孜州委副书记李江（前排右二）到甘孜县调研扶贫工作

县委书记雷建平（前排右二）调研扶贫新居建设工作

开展驻村帮扶工作是落实省委“五个一”帮扶工作的重要举措，是促进贫困村顺利脱贫的重要力量。甘孜县扶贫和移民工作局作为四通达乡卡苏村、棒多村的驻村帮扶单位，牢记使命、扎实工作，主要负责人多次到村内调研，指导村上完成年度计划，为卡苏村和棒多村在 2017 年实现脱贫奠定了坚实基础。

深入调研，用心体察民意。及时与乡上、村上联系，主要负责人多次深入帮扶村，通过入户走访、实地查看等方式，调查了解群众的生产生活条件，分析查找制约群众脱贫解困的不利因素，指派一名副局长作为联系人，全面负责驻村帮扶工作。

深入交流，摸清实际情况。与村“两委”班子成员、群众代表深入交流、实地走访，了解到卡苏村低保人口多，村民文化水平较低，缺乏劳动技能，外出务工只能打临工，收入低，自身发展能力欠缺，村内无集体经济收入等原因导致贫困程度较深；棒多村全村人均耕地面积少，主要农作物单一、产量低，基础设施薄弱，经济发展滞后，全村人口老龄化严重，房屋状况条件较差等实际情况，为帮助指导贫困村完成脱贫攻坚计划奠定坚实基础。

局长杨志刚（左）现场指导新居建设

扶贫培训会

理 塘 县

理塘县脱贫攻坚"四项基金"培训会

县农牧科技局工作人员在牧区和牧民进行种养殖技术交流

2016年是实施"十三五"规划的第一年，也是实施精准扶贫攻坚的一年。理塘县委县政府大力实施富民安康工程和民生工程，抢抓机遇、攻坚克难，以坚定的信心保增长、保民生、保稳定，经济和社会发展取得了显著成绩，呈现出经济持续、健康发展，社会进步、稳定的良好局面。

农牧民群众开展人工种草工作

贫困村代表参加"放心农资"发放仪式

中藏药材及蔬菜种植技术宣传

麦洼乡农业水渠建设现场

瓘桑乡大棚蔬菜种植基地

瓘桑乡圣地农庄高原水果（草莓）种植基地

瓘桑乡牧草种植基地

凉山彝族自治州

省委书记、省人大常委会主任王东明（中）到冕宁县金林乡大杉村调研脱贫攻坚工作

凉山彝族自治州位于四川省西南部，是全国最大的彝族聚居区，辖区面积 6.04 万平方千米，总人口 515 万人，辖 17 个县（市）。凉山州水能资源富甲天下，矿产资源得天独厚，旅游资源绚丽多彩，民族文化资源独具魅力，农业资源极为丰富。2016 年，全州实现地区生产总值 1403.9 亿元，全社会固定资产投资累计完成 5083 亿元，社会消费品零售总额达到 551 亿元，地方一般公共预算收入达到 121 亿元。民营经济增加值达到 768.7 亿元，占地区生产总值的 54.8%。

凉山州农业资源禀赋好，光、温、水、气“黄金组合”是农业产业绿色、特色、生态得天独厚的条件，农产品具有优质、错季、无公害的天然品质，被誉为“大自然的恩赐”。

州委书记林书成（右一）、州长罗凉清（前排右二）视察“大凉山”特色农业展馆

副州长何绍忠主持“大凉山”特色农业推介会

樱桃喜获丰收

气候类型多样，光热资源富集。凉山州海拔最高5958米、最低325米，立体气候特征明显。年均气温18℃～23℃，年日照1700～2700小时，有效积温5328℃～8425℃，年降水量1000～1400毫米，全年无霜，年温差小、昼夜温差大，有利于作物干物质积累，是发展亚热带作物的最佳适宜区之一。

生物种类繁多，作物优质高产。有中国南北兼有的高等植物200余种；各类生物资源6000余种，其中植物4000余种、动物1200余种、微生物类群1000余种，有"川南粮仓"、西南"基因库"之称，极具开发价值。

土地资源丰富，开发潜力巨大。有耕地632.1万亩、林业用地5981万亩，有天然草原3617万亩。安宁河谷平原面积396平方千米，是四川省第二大平原。凉山州耕地后备资源丰富，还有140余万亩土地具有开发潜力。

成都农博会"大凉山"特色馆

航拍"大凉山"二半山绿色农业

宁南县披砂镇码口村

凉山彝族自治州林业局

凉山——中国西南、长江上游的“绿宝石”，四川省三大林区之一，具有发展林业得天独厚的优势。

全州林业生态建设和产业发展成绩斐然，成效显著。长江中上游防护林建设工程、以工代赈工程造林、飞机播种造林、世行贷款造林以及退耕还林、天然林资源保护、野生动植物保护及自然保护区建设等林业重点工程建设大大加快了凉山州林业发展步伐。截至 2016 年年底，全州林地保有面积 5981 万亩，占辖区面积的 66.2%；活立木总蓄积 3.19 亿立方米，森林覆盖率 45.1%，林木覆盖率 61.9%。有国家级、省级湿地公园 3 个，湿地总面积达 66.8 万亩，其中邛海湿地成为全国最大的城市湿地和全国生态文明教育基地；有省级森林公园 4 个，保护面积达 33.7 万亩，有全国保存面积最大、最成功的东西河飞播林区；城乡绿化步伐加快，成功创建国家级森林城市 1 个，省级绿化模范县 4 个；国家、省、州级自然保护区达 12 个，总面积达 500.6 万亩，占全州国土面积的 8.59%，生物多样性得到有效保护，生态环境明显改善。2016 年，全州实现林业总产值 133.4 亿元，比上年增长 18.2%；农民人均林业收入 1959 元，增长 26.5%。建成速生丰产林、特色经济林、林药林化原料林基地面积 1600 余万亩，培育了金阳青花椒、越西贡椒、盐源早核桃、会东松籽等一大批优良品牌，一个比较完备的森林生态体系和比较发达的林业产业体系逐步形成。

州委书记林书成（右一）参加植树活动

美姑县退耕还林工程

油橄榄种植基地

凉山彝族自治州水务局

州委书记林书成（左二）视察会理县河长制工作开展情况

喜德县米市水库技术讨论会在北京市召开

2017 年，凉山州水务系统全面贯彻落实中央、省、州各项重大方针政策，紧紧围绕脱贫攻坚、河长制、环保督察整改落实等重点工作，坚持规划引领，强化项目支撑，大力发展民生水利，加快水利基础设施建设，全面实施最严格的水资源管理制度，纵深推动全州水利改革，为全州经济社会持续健康发展提供了有力的水利支撑。

一是全面推行落实河长制。全州设立州、县（市）、乡（镇）、村四级河（段）长 4995 名，制定了系列工作制度，深入开展了“清河行动”，全面完成年度目标任务。二是推动重点水利项目建设。报批大型水利项目 4 处、中型水利工程 5 处、小型水库工程 10 处；续建中型水利工程 5 处、小型水库工程 1 处、小型抗旱水源小型水库工程 4 处；续建重要支流建设 1 处、中小河流建设 4 处；新建中型水利工程 1 处，在建中型水利项目 6 处、小型水库 5 处。三是积极开展水利脱贫攻坚。全年实现 35.0075 万名农村人口安全饮水巩固提升，其中贫困人口 14.5875 万人。新增有效灌面 6.59 万亩，新增节水灌面 4.28 万亩。投入 3500 万元，整治小型病险水库 13 座。完成水土流失治理面积 726 平方千米，其中水务部门水土保持专项完成治理面积 13.23 平方千米。完成地方电力发电量 62 亿千瓦时。四是纵深推进水利改革。在会理县、西昌市开展全州农业水价综合改革首批省级试点工作；完成全州农村小型水利工程确权颁证 19377 处。

国家级水利风景区——泸沽湖湖光山色

省级水利风景区——大桥水库

西 昌 市

省、州检查考核组对西昌市示范区新村新寨建设进行考核

西昌市是凉山彝族自治州的首府，是一座春天栖息的城市，是攀西地区政治、经济、文化及交通中心，市内有青山机场，成昆铁路、国道 108 线穿境而过，是川滇结合部的重要城市，是全省打造攀西城市群中的核心力量。

经济实力强劲。西昌跻身全国综合实力百强县第 93 位、投资潜力百强县第 100 位，数次获得全省“三农”工作先进县（市）、农民增收先进县（市）称号，被誉为“月亮城”“航天城”，是中国西部的生态宜居天堂和创业发展福地。

特色农业资源丰富。西昌是全国粮食大县、全国生猪调出大县、中国洋葱之乡、中国花木之乡、国家级玉米制种基地、中国冬草莓之乡，有全国绿色水稻生产基地 20 万亩、绿色蔬菜标准化基地 10 万亩以及四川省鲜切花和盆花生产基地。13 种特色农产品获得国家绿色食品 A 级认证，形成了优质水稻、生态畜牧、绿色蔬菜、特色水果、精品花卉、“1+x”经果林等八大支撑产业。其中，优质稻 25 万亩，产量 28.92 万吨；蔬菜 20.45 万亩，产量 67 万吨，（洋葱 6 万亩、卷心菜 2 万亩）；肉类产量 5.82 万吨；制种玉米面积 8 万亩；优质花卉苗木 1 万余亩，年出圃各种盆花 900 余万盆；水果 5 万亩，产量 7.54 万吨；核桃 31.3 万亩，其中挂果面积 6.7 万亩，年产干果 1.34 万吨；油橄榄近万亩；花椒 4 万亩；苦荞 200 万亩，产量 13 万吨，有苦荞加工企业 20 余家。

休闲农业和乡村旅游蓬勃发展。依托特色产业，打造茅坡樱红、螺岭彝风等“乡村十八景”，有休闲农庄、乡村酒店及农家乐 1058 家，星级农家乐 453 家（其中龙泉人家等 3 家农家乐获得“全省十佳农家乐”称号）。2016 年，全市接待游客 699.21 万人次，实现乡村旅游收入 9.26 亿元。

优质丰富的特色产业为农产品加工奠定了坚实的原料基础，休闲农业和乡村旅游蓬勃发展，优越的自然和人文环境使西昌农业产业投资具有广阔前景。

风貌改造后的黄联关镇大德村

黄联关镇村小

黄水乡双龙村活动中心生态广场

经久乡合营村幸福社区

彝家新寨——安哈彝寨长板桥新村

西昌学院·西昌市政用产学研协作创新研讨会

西昌市农村土地承包经营权确权登记工作乡镇动员大会

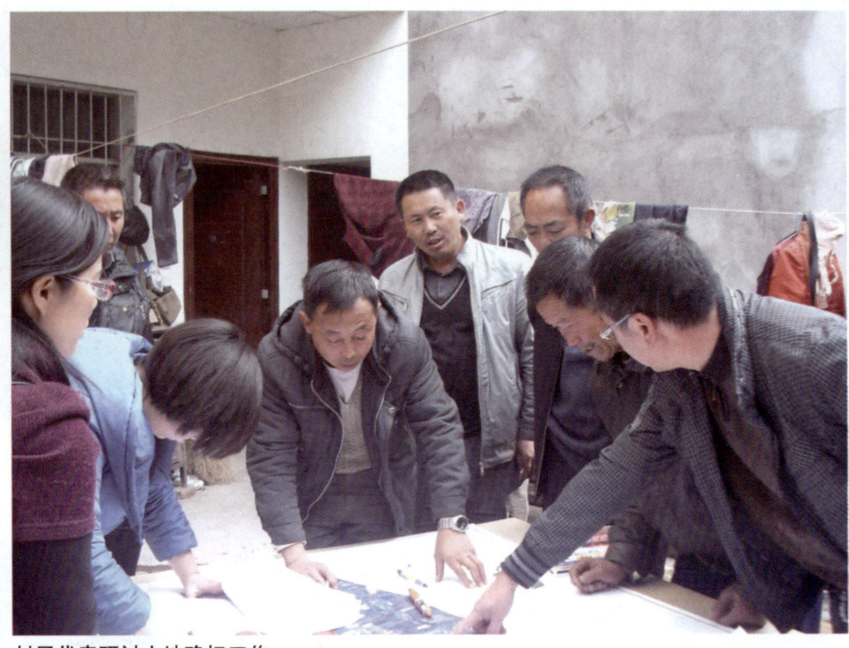
村民代表研讨土地确权工作

大凉山电子商务产业园区

安宁镇电子商务综合服务站

大凉山特色农产品

兴胜乡草莓种植基地

西昌市礼州花卉产业园区

西乡乡设施大棚葡萄种植基地

首届金荞地核桃节

樟木樱桃

大凉山特色农产品在广东省佛山市展销

木里藏族自治县

木里藏族自治县是一个以藏族为自治民族，包括彝、汉、蒙古、纳西等 21 个民族的自治县，是全国仅有的两个藏族自治县之一，是四川省唯一的藏族自治县。地处青藏高原和云贵高原接合部，是横断山脉在四川境内最为典型的地带，地质、地貌复杂，地形为沟壑纵横、切蚀深刻的残余高原，是青藏高原地质结构最复杂、环境最恶劣的地段之一。

木里藏族自治县东临冕宁、九龙县，南连盐源、宁蒗、玉龙县，西接稻城、香格里拉县，北通理塘、雅江、康定县。由于特殊的地理、历史和宗教等原因，特别是木里县与云南藏区和甘孜藏区紧密相连的特殊地缘结构使木里藏区与西藏和康巴藏区联系紧密，成为四川省乃至全国藏区的重要组成部分，在藏区中具有较大影响力和较为鲜明特点。

木里县是藏区大县、资源大县，具有非常明显的资源优势：一是森林资源。木里县有林业用地面积 93.8 万公顷，森林覆盖率达 67.3%，活立木蓄积量 1.17 亿立方米，分别占全省的 1/10、全国的 1/100，以县为单位居全国之首，是长江上游重要的水源涵养林，是中国仅存不多的成片原始林区之一。二是水能资源。全国水电在西南、西南水电在四川、四川水电在凉山、凉山水电在木里。木里县作为凉山水能资源重点分布县，县内天然径流量为 58.13 亿立方米，国家规划在凉山境内雅砻江段滚动开发的 6 座特大型水电站中就有 5 座在木里境内或边境上，总装机 1272 万千瓦。除雅砻江流域水电资源外，境内的木里河、水洛河、鸭嘴河等河流总水能理论蕴藏量为 467 万千瓦，技术可开发量为 380 万千瓦。全县共规划水电站 70 余座、总装机 1664.83 万千瓦，建成或部分投产发电水电站 11 座（含锦屏一级、二级水电站）、总装机 949.08 万千瓦。三是旅游资源。木里位于香格里拉生态旅游核心区，境内自然景观极其丰富，集雪山、湖泊、森林、草原、溪流等多种自然景观于一体，互为映衬，一派古朴原始而幽静的自然奇景，使人仿佛置身于"瑶池仙境"，被美籍奥地利科学家约瑟夫·埃弗·洛克称为"上帝浏览的花园"，被外界称为"群山环抱的童话之地"，洛克分别于 1924 年、1928 年、1929 年三次探访木里并把他的游记发表在《美国国家地理》杂志上。詹姆斯·希尔顿受洛克游记的影响写成了《消失的地平线》一书，从此"香格里拉"闻名中外。四是矿产资源。木里县地域辽阔，金属矿产资源富集，自古就有"黄金王国"的美誉。目前已探明了一定储量的铁矿、铜矿和黄金矿。全县保有 2 宗采矿

乔瓦镇核桃湾新村

东朗乡

权、135 宗探矿权，已着手开发储量 22 吨的梭罗沟金矿，矿产资源优势已逐步显现，成为支柱产业之一。五是文化资源。木里县境内多民族、多宗教和谐相容的特殊文化环境造就了奇特的人文文化资源。以号称“古喇嘛王国之都”的木里大寺等三大寺、十八小寺为代表的藏传佛教文化、纳西东巴文化的原生态保留地——俄亚纳西古寨、最后的母系氏族部落利家嘴——保留着原始古朴的传统走婚习俗、远古婚姻文化的活化石——水洛一妻多夫或一夫多妻奇特婚俗文化大峡谷、项脚明清汉遗民部落的奇特服饰文化等人文资源极为丰富。

村民搬运新村建设材料

东朗乡亚英村

木里县 2016 年易地扶贫搬迁项目开工仪式

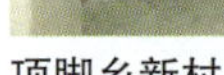

项脚乡新村

东朗乡民居内部

东朗乡民居

东朗乡亚英村风貌

2017 年度脱贫攻坚乡、村公路暨安全住房建设集中开工仪式

项脚乡改建后的民居

肉鸡标准化养殖场

人工种植羊肚菌

人工椴木种植的黑木耳基地

县农特产品展销会

盐 源 县

盐源县是少数民族聚居的国家扶贫工作重点县，辖区面积 8398 平方千米，东西长 132.6 千米，南北宽 129.4 千米。辖 31 个乡（镇）247 个行政村，总人口 37.7 万人，有彝、汉、蒙、藏等 14 个常住民族，其中汉族 14.73 万人、占总人口的 39.04%；彝族 19.87 万人、占总人口的 52.68%；蒙古族 2.1 万人；藏族 0.73 万人。有 8900 户、37062 人未脱贫，占农村总人口的 14.3%；有 122 个贫困村，其中极度贫困村 7 个。盐源县水能、矿产、农牧、旅游等资源富集，装机 840 万千瓦的锦屏一二级电站和装机 240 万千瓦的官地电站均在境内；初步探明的煤储量 5.9 亿吨、铁矿石储量 2.02 亿金属吨、铜矿储量 23.6 万金属吨；光热条件优越，拥有可耕地近 100 万亩、天然草场 340 万亩、林地 880 万亩，农牧业发展前景广阔。

盐源县是西南地区最大的优质高原苹果生产基地、四川省最大的辣椒生产基地和马铃薯生产基地、凉山州最大的生态核桃生产基地，有"四川核桃之乡"之美誉。境内气候四季分明，年温差小、日温差大，冬春干旱、夏秋多雨，雨热同季，年平均气温 12.9℃，年平均降水量为 838.3 毫米，具有"一山分四季，十里不同天"的典型立体气候特征，全年日照时数 2561.8 小时；年平均风速 2.6 米 / 秒，风向多为西南风；海拔一般在 2300 ~ 2800 米，最高海拔 4393 米，最低海拔 1200 米；地形地貌以山高、坡陡、谷深、盆地居中为总特征，盆地（坝子）面积 1080 平方千米。全县林业用地 825.46 万亩，占县域面积的 65.5%；活立木蓄积量 3466 万立方米；森林覆盖率为 61.66%，林地覆盖率为 57.25%。泸沽湖以优美的自然风光与独特的母系氏族人文风情举世闻名，被誉为"神仙居住的地方""香格里拉的源头""母系氏族的家园"。

省委常委、省委农工委主任曲木史哈（右二）到盐源县调研脱贫攻坚工作

省人大常委会副主任黄新初（前排右二）到盐源县调研生态文明建设和绿色发展工作

会 理 县

2016年，会理县紧扣到2020年实现“两个80%”的工作目标，按照“业兴、家富、人和、村美”的要求，围绕“乡村规划、乡村建设、乡村管理、乡村文明”的目标任务，统筹推进新村新寨建设，全面实施扶贫解困、产业提升、旧村改造、环境治理和文化传承“五大行动”，帮助贫困群众稳定脱贫奔小康，全年共投入各级各类资金42712.17万元，建设及完善58个贫困村基础设施、公共服务设施及农房，其中建成村卫生室58个、文化室58个、民俗文化坝子28个、村幼教点58个，硬化道路98千米，新建道路7千米，建设蓄水池100口、沼气池300口，58个村共种植烤烟、花椒、核桃等主导产业29.95万亩，出栏牲畜76120头（只）；新建农房190户，改造提升2068户。

2016年，会理县在石榴主产区重点推广石榴套袋28万亩，秸秆、茅草覆盖树盘15万余亩，果园滴喷灌8万亩，软管浇灌15万亩，果园配方施肥15万余亩，叶面喷施微肥12万余亩；推广使用生物农药13万余亩、普及石榴整形修剪25万余亩，低产果园改造5.8万亩，会理石榴田间管理技术走在全国各石榴主产区前列。富乐石榴标准化生产示范园和吉龙芒果标准化生产示范园2016年获得农业部认定，2个示范园均严格按照“突出重点，打造亮点”的现代农业精品示范园区的思路打造，示范园区水系、电网、道路等基础设施配套完善，全面推广各项增效技术，生产的果品均达到绿色食品生产标准要求，其中石榴示范面积1800亩，产值达1800万元，辐射带动面积5万亩；芒果示范园面积1200亩，产值达420万元，辐射带动面积2万亩。

会理县是全国石榴第一县、烤烟大县、产粮大县、牛羊生产大县、生猪调出大县，是全省首批工业强县示范县、现代农业重点县、现代畜牧业重点县、“三农工作”先进县、省级生态县、省级平安县、省级卫生城市，连续8届进入中国西部百强县，连续9年被评为“四川省经济综合实力考核类区先进县”，被省委省政府列入全省重点开发县，被评为“全省县域经济发展先进县”。

大型蓄水设施

新农村建设风貌

农家小院

会理石榴

鱼鲊蜜芒

苴却砚台

石榴盆景

会 东 县

大崇镇规范化种植的优质桑园

会东县地处四川省西南端，位于川滇2省5县1区接合部。全县辖区面积3227平方千米，辖7个乡、13个镇318个村7个社区，总人口42.29万人，是攀枝花、西昌、六盘水西南“金三角”的腹地，素有“川滇高原明珠”之美誉。境内水系发达，主要河流有过境河金沙江等共计45条，河流总里程315.9千米，水能资源理论总蕴藏量达1064.5万千瓦；可开发利用太阳能资源369万千瓦、风电总装机容量96.1万千瓦。会东县素有“攀西聚宝盆”“攀西矿产资源博物馆”之美誉，已探明矿产共50余种、矿产地334处，铁矿石资源储量超过1.47亿吨；铜矿储量37.62万吨；铅锌储量超过250万金属吨，品位居全国第二位；钛矿远景储量3000万吨以上，居亚洲第一位；磷矿储量达2亿吨。旅游资源主要以“一山两水三风情”为核心，彝族奥索布迪高帽、傈僳族蹢脚舞、金江鼓乐等非遗项目，龙灯、花灯、清明宴、端午药膳，红军长征过会东遗址等共同构成了会东的自然生态和历史人文风情。未来五年，会东县将围绕“一个愿景、四大目标、六轮驱动”的发展思路，以经济提质增效为中心，以“加快发展、转型升级”为主线，着力打造实力会东、开放会东、幸福会东、生态会东、法治会东、廉洁会东，把会东建设成为金沙江经济带的重要城市节点、攀西实验区转型创新发展的先行县、川滇文化旅游康养目的地、民族地区小康建设示范县和宜人宜居宜业文明和谐美丽的“川滇明珠”。

高山牧场

鲹鱼河镇全景

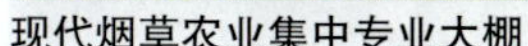
现代烟草农业集中专业大棚

姜州镇油菜示范种植基地

优质烤烟种植基地

淌塘镇白龙村烟叶核心种植示范区

新街镇增产村

拉马乡马店村

甘 洛 县

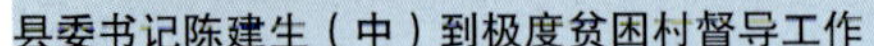
县委书记陈建生（中）到极度贫困村督导工作

县长陈华（左二）到阿兹觉乡卡尔村调研

甘洛县位于四川省西南部、凉山彝族自治州北部，素有凉山“北大门”之称，于1956年建县。全县辖区面积2156平方千米，辖28个乡（镇）227个行政村3个社区，居住着彝、汉、藏、回、苗等多个民族。2016年，全县总人口22.77万人，其中彝族人口占75.38%，是一个以彝族为主的少数民族聚居县，人口出生率13.77‰，人口自然增长率7.13‰。全县城镇化率21%，森林覆盖率38.66%，最高海拔4288米，最低海拔570米。有出境公路3条，成昆铁路由北向南纵贯县境62.5千米，县人民政府驻地新市坝镇，北距省会成都市320千米，南距州府西昌市237千米。全县耕地面积35.895万亩，森林面积124.7万亩，草场面积89.12万亩，是国家扶贫开发工作重点县、“中国黑苦荞之乡”和“四川省核桃产业十大扶持县”。

县委副书记沙勇（右四）到拉莫乡挖曲村调研

各级干部带头深入开展禁毒防艾宣传

黄果柑喜获丰收

2016 年，全县新栽核桃 15.53 万亩、嫁接 10.02 万亩，粮食作物种植规模达 34.46 万亩，栽种马铃薯 10.88 万亩、黑苦荞 5 万亩、水果 900 亩、加工型辣椒 1000 亩，完成 56 亩大棚季节蔬菜基地建设。全年猪、牛、羊、禽分别存栏 14.35 万头、5.08 万头、15.38 万只、29.6 万只，同比减少 0.5%、0.7%、1%、2.4%；分别出栏 17.51 万头、1.38 万头、10.83 万只、26.82 万只，同比减少 3.4%、增长 3.7%、增长 6.5%、增长 2.1%。水产品产量 1120 吨。投资 552.3 万元规范“大凉山”特色农产品包装 66 种；注入 5305 万元产业扶持资金和周转金，共成立农民专业合作社 394 个，建成各类产业基地 9.62 万亩，带动农户 3.9 万户。大力发展劳务产业，完成农民工技能培训 2.6 万人，输出农民工 5.15 万人次，实现劳务创收 8.5 亿元。

田坝镇农业园区设施蔬菜种植基地

凤凰李种植基地

苦荞种植基地

田坝镇羊新村大棚蔬菜种植基地

前进乡跑马村草莓种植基地

则拉乡钢鹅试验养殖成果

苦荞深加工产品生产车间

广东佛山—四川凉山劳务协作甘洛县专场招聘会

村民积极参加无电区改造

斯觉镇依乌村村道建设现场

摔跤比赛

日益丰富的农村文化娱乐生活

阿尔乡眉山村易地扶贫搬迁集中安置点

苏雄乡瓦洪村易地扶贫搬迁集中安置点

玉田镇觉铁村易地扶贫搬迁集中安置点

则拉乡新基姑村易地扶贫搬迁工程

新市坝镇拉尔村新貌

新市坝镇木古足村彝族群众的新居

田坝镇新华村彝家新寨

广安市扶贫和移民工作局

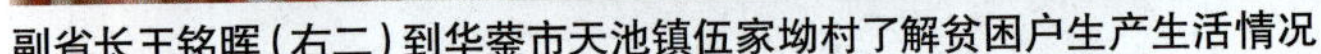

副省长王铭晖（右二）到华蓥市天池镇伍家坳村了解贫困户生产生活情况

市委书记侯晓春（中）率队到广安区兴平镇丁坝村调研脱贫攻坚相关工作

自脱贫攻坚工作开展以来，广安市委市政府坚定贯彻落实中共中央总书记习近平新时期扶贫开发重要战略思想以及中央、省级推进脱贫攻坚工作的决策部署，念兹在兹、唯此为大，精准施策、精准发力，下足"绣花"功夫，全力克难攻坚，脱贫攻坚工作取得了阶段性成效。截至 2016 年年底，全市贫困人口从 32.48 万人减少到 11.98 万人，贫困发生率从 8.9% 下降至 3.3%。2017 年以来，广安市继续按照"在全省树立旗帜和标杆"的要求，锁定 266 个贫困村退出、48164 名贫困人口脱贫的目标，上下一心，持续再战，投入扶贫资金 65 亿元，48164 名贫困群众全部达到脱贫标准，266 个贫困村全部达到退出标准，广安区通过国检，前锋区、华蓥市通过省检并顺利"摘帽"。

锁定"两不愁、三保障"精准发力。在贫困村新培育经营主体 391 个，建成特色产业基地 7 万亩，开发公益性岗位 4581 个，贫困群众稳定增收、不愁吃穿。5598 套易地扶贫搬迁任务全面完成，改造危房 4641 户，建成幸福美丽新村 205 个，贫困户无安全住房问题全面消除。硬化村组道路 887.4 千米，建设饮水管道 565.6 千米，新建电网 222.64 千米，拟退出贫困村全部实现广播电视网络村村通；加快文化室、卫生室项目建设，11 月底前 266 个拟退出贫困村硬件设施将全部达标。落实教育扶贫政策，发放补助金 3.02 亿元，救助特困学生 7827 名，防止了因贫辍学、因学举债现象发生。落实"十免四补助"等健康扶贫政策，贫困群众县域内就诊自付比例严格控制在 10% 以内；提升"两线合一"水平，农村低保标准低限提高到 3360 元 / 人 / 年，实现贫困群众政策兜底全覆盖。

下足"绣花"功夫全面补短。将广安区迎国检工作作为全年工作的重中之重，市委市政府多批次组织人员到兰考、井冈山等地学习观摩，先后召开 15 次动员会、誓师会，动员市（区）领导、扶贫干部冲锋一线，市（区）财政、社会资金集聚投放，保障广安区顺利通过"国考"。对已脱贫对象，出台"回头看、回头帮"意见，对照 2017 年退出标准，按一般监测户、重点巩固户、政策兜底户 3 类有针对性地落实巩固措施，保证脱贫对象不掉队不返贫。开展差异化扶贫，对深度贫困对象、"插花"贫困户通过倾斜易地扶贫搬迁、公益性岗位等政策，有针对性地开展扶持。结合"百企联百村"活动，创新"扶贫小额信贷 + 贫困户 + 贫困村 + 龙头企业"模式，通过组建村级农业公司，让贫困户定期享受分红，村集体获取

市长曾卿（中）带队到岳池县调研医药产业示范园建设和脱贫攻坚推进工作

市委常委、市委统战部部长陈伟（右三）到邻水县牟家镇刘家沟村询问了解贫困户生产生活情况

管理收益，拟退出贫困村集体经济收入全部超过省定标准。深入开展“四好村”建设，广泛开展“感恩教育”，有效激发贫困群众的内生动力，促进物质与精神双脱贫。

立足广安实际探索创新。在抓实抓牢党政“一把手”脱贫攻坚主体责任的同时，强化市级领导深度参与脱贫攻坚，建立市级领导定向联系县（市、区）（领导包县）、定向负责专项扶贫（领导包单项扶贫）的“双包”机制，督导县（市、区）和行业部门抓好任务落实。建立脱贫攻坚实绩激励机制，对率先摘帽的3个县（市、区），兑现1000万元的“摘帽”奖励，2名县级领导提拔为副厅级领导，700余名一线干部被提拔重用。坚持资金整合与项目检查联动，整合涉农资金7.4亿元，累积发放小额信贷超过16亿元，“四项基金”总额达7.1亿元。整合督查、纪检、组织三方力量，每半月开展一轮督查，全程监管扶贫项目和资金使用。创新推行痕迹管理，全域推广以二维码、APP、痕迹手册为内容的痕迹化管理体系，同步开展第三方评估，确保脱贫进程有据可查、有据可依，防止了数字脱贫、被脱贫现象。

副市长、前锋区委书记尹黎明（中）到前锋区观塘镇白鹤村督导脱贫攻坚工作

华蓥市为贫困村实施道路黑化工程（禄市镇姚家塝村）

评选文明卫生户

武胜县“喜迎新春·携手共进”志愿扶贫活动为贫困学生送去关爱

义诊义卖活动现场

邻水县古路乡台子村养蜂达人艾金辉

邻水县八耳镇石凼村养殖业脱贫致富典型刘银才

张秀代先进事迹演出活动

邻水县柑子镇万亩李子园

前锋区龙塘街道黄锋村产业基地

华蓥市天池镇仁和村贫困村民采摘枣子

产业扶贫

华蓥市禄市镇“百万玫瑰”产业园

广安区龙安乡大云山扶贫产业发展示范片

邻水县石滓镇大步口村脐橙园

广安区崇望乡产业扶贫柚菜种植基地

邻水县“百企帮百村 同心助脱贫”——东鑫农业发展有限公司商品化处理脐橙

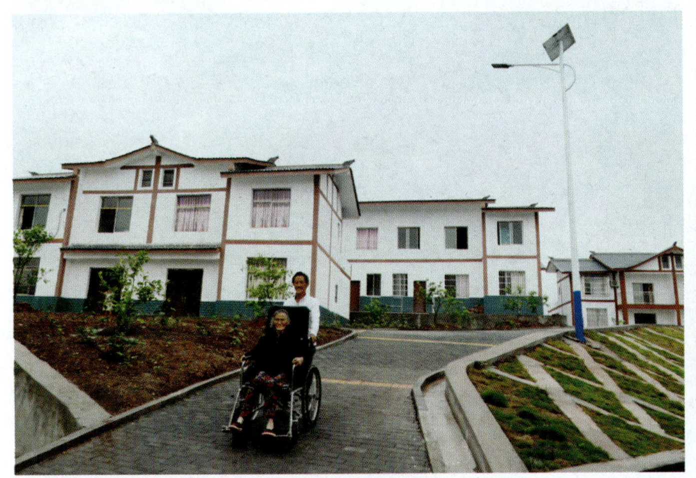

广安区兴平镇九石村易地扶贫搬迁集中安置点

岳池县大佛乡三官店村易地扶贫搬迁集中安置点

广安区兴平镇丁坝村运用新型材料建设的易地扶贫搬迁集中安置点

前锋区龙塘街道黄锋村

广安区彭家乡天井村易地扶贫搬迁集中安置点

领水县荆坪—古路产业环线

四川省乡村旅游扶贫示范区——武胜县白坪—飞龙新农村示范区

国家 4A 级旅游景区——宝箴塞

广安区兴平镇丁坝村老院子

武胜县扶贫和移民工作局

广安市委书记侯晓春（前排中）到鸣钟乡调研脱贫攻坚工作

武胜县隶属小平故里广安市，位于四川省东部，嘉陵江中下游，辖31个乡（镇）、515个行政村，辖区面积966平方千米，总人口约86万人。全县以浅丘带坝地貌为主，地势为西北高、东南低，平均海拔317.8米，年平均气温17.5℃，年降水量1100毫米，是嘉陵江流域第二大回民聚居地、全国商品粮生产大县、全国生猪生产百强县、全国休闲农业与乡村旅游示范县、全国平安建设先进县，全省现代农业产业基地强县、第二批扩权强县试点县。成功创建为中国生态魅力县、省级卫生县城、园林县城、文明县城、环保模范县、环境优美示范县。

历史文化悠久。武胜的历史远溯秦汉，最早属巴郡垫江县，南朝齐始置为汉初县，民国三年更名武胜县，可追溯的历史迄今已有1500余年。中国·四川嘉陵江龙舟旅游文化节、武胜乡村旅游文化节远近闻名，武胜曲艺、民间美术广泛流传，是中国民间文化（竹丝画帘、剪纸）艺术之乡，也是蜚声中外的《红岩》作者、著名作家杨益言的故乡。

自然资源富集。水能、石油、天然气、盐卤等储量丰富，嘉陵江流经县境117千米，嘉陵江生态经济带建设被纳入国家发展改革委批复的《川渝合作示范区（广安片区）建设总体方案》，开发利用前景广阔。旅游资源独具特色，拥有2个国家4A级景区——宝箴塞旅游区、白坪—飞龙乡村旅游度假区和1个国家级水利风景区——太极湖，沿口古镇汉韵遗存，龙女湖壮阔浩淼，还有中国第一砂岩型天生桥、中国第一石油深井7002井。

交通区位独特。地处川渝接合部，东向广安市、西通成都市、北接南充市、南连重庆市，拥有“一江一铁两高速两国道一省道”（嘉陵江；兰渝铁路；兰海高速、遂广高速；国道212线、350线，省道205线），构建起武胜连接周边（广安、南充、遂宁、潼南、合川）半小时，重庆一小时，成都两小时的立体交通网络，是重庆市出口欧洲的北门户。

县委书记毛加庆（左一）到中心镇调研脱贫攻坚工作

县长文阁（右二）到中心镇调研脱贫攻坚工作

省直教育系统武胜驻村帮扶干部座谈会

2017 年村（社区）党组织书记培训示范班暨村（社区）干部轮训第一期培训开班仪式

产业经济加快发展。发展现代农业、节能环保、农副产品加工、旅游、商贸流通 5 个特色优势产业和电子商务、健康养老、文化创意 3 个新兴产业，现代产业体系初步形成，是全省现代农业示范县、省级电子商务进农村示范县，获评为“四川十大区市县旅游目的地”，四川银钢、清山绿水在“新三板”挂牌上市。2017 年，全县预计实现地区生产总值 224 亿元，同比增长 8.5%；规模以上工业增加值增长 8.9%；全社会固定资产投资 216 亿元，增长 18%；地方一般公共财政预算收入 11.6 亿元，增长 11.5%；社会消费品零售总额 77 亿元，增长 18%；城乡居民人均可支配收入分别增长 8.6%、9.7%。

城乡统筹加快推进。县城总规获得省政府批复，定位为中国西部著名的江湾湖畔休闲旅游城市。沿口镇、街子镇被纳入全国重点镇，街子镇、万善镇被纳入全省“百镇建设试点”，宝箴塞撤乡建镇，获得“全省环境优美示范镇”称号。飞龙镇卢山村、白坪乡白坪村、白坪乡高洞村先后被评为“中国最美休闲乡村”“中国乡村旅游模范村”“中国十大最美乡村”。

改革开放不断深入。按照全面深化改革的总体要求，系统梳理确定十八个方面改革重点先行先试，农村改革、网格化服务管理、乡村旅游等工作均走在全省前列。深化农村改革，被确定为全国农村承包土地经营权抵押贷款试点县、全省农村改革综合试验区、全省农村集体资产股份合作制改革试点县、农村产权抵押融资试点县、财政支农资金形成资产股权量化改革试点县、激励农业科技人员创新创业试点县。推进“大众创业、万众创新”，中关村—中滩众创空间成为四川青年创业促进计划示范基地。

社会保持和谐稳定。深入推进“平安武胜”建设，先后被评为全国平安建设先进县、全省平安建设先进县称号，被评为 2014 年全国“六五”普法中期先进县，2015 年被评为全国法治县创建先进单位，飞龙镇梅托村被授予全国民主法治示范村称号。创新开展社区网格化服务管理工作，成为全省网格化服务管理工作试点示范县。

武胜县脱贫攻坚帮扶干部培训会

猛山乡双河村贫困群众跳起了坝坝舞

县文化馆“庆元旦、迎新春”精准扶贫文艺演出

武胜县庆祝建党 96 周年暨首届最美乡村干部颁奖晚会现场

猛山乡双河村举办“双河飞出幸福的歌——双河村脱贫文艺汇演暨首届艺术节”群众性文艺演出活动

武胜县“精准扶贫·脱贫奔小康”推进展示活动现场

广安市政协委员代表视察白坪乡现代农业园葡萄园基地

万隆镇业主展示饲养的竹鼠

蚕桑产业

蚕桑产业龙头企业——安泰茧丝绸公司生产车间

晚熟柑橘产业

飞龙镇五家岩村"第一书记"骆刚检查光伏发电站运行情况

校地合作示范点万隆镇飞来石村冬枣喜获丰收

万亩蔬菜园

建设中的烈面镇"东西关钓鱼城"项目及血橙产业基地

龙女湖旅游度假区

太极湖水利风景区

四川省乡村旅游扶贫示范区——白坪—飞龙新农村示范区

幸福美丽新村——飞龙镇卢山村

武胜县城全貌

安岳县柠檬产业局

省、市、县领导巡视西博会安岳县柠檬展馆

中国工程院院士邓秀新（中）赴安岳调研柠檬产业发展工作座谈会

安岳柠檬产业发展的历程是安岳改革开放进程的缩影，是安岳人民在县委县政府的领导下，认真贯彻落实党在农村的路线、方针、政策的真实写照。自 1983 年县委县政府决定申报和建设柠檬基地县以来，历届县委县政府领导班子接过接力棒，咬定青山不放松，一张蓝图绘到底，在实干中探索，在探索中发展，在发展中创新，在创新中突破。全县各级各部门紧紧围绕县委县政府柠檬产业发展目标，同搭一个台，同唱一出戏，为建设“中国柠檬之乡”“中国柠檬之都”出力献策。全县人民敢于拼搏，勤于探索，勇于创新，充分展示了安岳人无畏艰险、求真务实、勇往直前的豪迈气魄。

历经 30 余年的风雨兼程和聚合裂变，如今安岳柠檬产业已华丽转身，形成了纵贯全县的“百里柠海”壮丽景观，真正成为安岳现代农业的领军产业，“中国柠檬之乡”誉满天下，“中国柠檬之都”建设上档升级。2017 年，全县有柠檬基地乡（镇）41 个、村 548 个，柠檬保存面积 54 万亩，柠檬鲜果产量 60 万吨，产值达 120.4 余亿元，其中果农收入 55.44 亿元以上，从事柠檬种植、加工和销售人员达 40 余万人。安岳柠檬的种植规模、产量、市场占有率均占全国 80% 以上，柠檬品质、功效都在全世界享有盛誉，牢牢掌握了中国柠檬的主导权、话语权和定价权。

中国柠檬之都号
中国柠檬之都·中国佛雕之都
成都—北京“中国柠檬之都号”列车冠名
纪念牌

安岳县国家现代农业示范区
柠檬生产标准化(华严)示范园
园区名称：安岳县国家现代农业示范区柠檬标准化示范园区
建设地址：安岳县华严镇
建设规模：1000亩
建设单位：安岳县放马家庭农场
指导单位：安岳县农林局
推广技术：深沟高厢、适度稀植、脱毒营养苗、肥水一体化等集成技术。
脱毒营养苗
深沟高箱
肥水一体化
基础设施
中共安岳县委
安岳县人民政府

鲜柠滋
四川特产 时尚饮品
柠檬蜂蜜茶
柠檬绿茶
鲜柠滋
Smoothing Refining
柠檬果酸精华
润滑细肤面贴膜
Lemon Facial Mask
柠檬发酵果酒
柠檬茶
LEMON
LEMON
LEMON EXTRACT OIL
看今朝
KANJINZHAO
柠檬酒
Fresh Lemon Slice
China Lemon Village Anyue
柠檬加工产品

柠香鼻筋

柠香茶聊鸡

柠檬菊花鱼

枣香双花蛋

望子成龙

四川省宜宾五粮液集团有限公司

四川省宜宾五粮液集团有限公司是全球知名的以酒业为核心主业、多元化发展（现代机械制造、高分子材料、现代包装、现代物流为支柱产业）的特大型集团公司。公司有员工5万余人，占地12平方千米，拥有从明初连续使用至今、从未停止过发酵的老窖池，以及一大批现代化、规模化的酿酒车间。

五粮液集团公司坚持全面落实习近平总书记在四川代表团审议时的重要指示与省第十一次党代会精神，立足宜宾市委市政府"川酒甲天下、精华在宜宾"的战略定位，自觉肩负起振兴川酒的历史重任，引领全国白酒产业改革发展。公司本着"创新求进，永争第一"的企业精神，明确了"做强主业、做优多元、做大平台"的发展战略，将建设酿酒专用粮基地作为二次创业、打造千亿产业集群的重中之重，创新机制、扎实推进。

五粮液集团公司以"本地化、基地化、产新化、有机化"为宗旨，明晰发展目标，确定以宜宾为核心、四川为主体、兼顾国内部分酿酒专用粮品种优质产区，以"订单农业"为主要模式，通过与供应链前端种植大户及专合社、县（乡）政府及相关要素资源形成合作，开展种植、收储、调运，计划三年升级建设百万亩酿酒专用粮基地，建立起符合五粮液品牌发展需要的、以绿色有机标准为主导的酿酒专用粮供应体系。

2017年，五粮液集团公司全面升级酿酒专用粮基地建设，"宜长兴"及江安、南溪农村产业融合发展示范带升级建设约5万亩川南糯红高粱基地，实现了丰产，基本保障了酿酒核心生产车间糯红高粱万余吨的生产需求。同时，完成在川北地区软质小麦订单12万余亩的签订工作，预计2018年川北小麦基地可提供曲麦约4万吨。

2018年，五粮液集团公司在宜宾市各区（县）的酿酒专用粮基地升级建设工作将按步推进，计划升级建设15万亩糯红高粱基地、10万亩水稻基地以及15万亩曲麦基地，确保三年完成百万亩级酿酒专用粮基地升级建设工作。

农技人员精心呵护高粱秧苗成长

耕整土地

召开五粮液酿酒专用高粱技术培训会

掀起宜长兴建设工作的高潮

覆膜栽培保湿效果显著

双行错窝栽培

秧苗长势良好，农技员喜笑颜开

选种育苗前期准备

专家指导

酿酒专用粮基地建设

质量检测

酿酒专用粮核心基地大丰收

酿酒专用粮核心示范园区建设

酿酒专用粮示范园区丰收景象

酿酒专用粮示范园区生产现场

西南医科大学

西南医科大学建于 1951 年，1993 年成为硕士学位授予单位，2001 年开始联合培养博士，2004 年起开展留学本科生学历教育，2010 年获准设立博士后科研工作站，2015 年更名为西南医科大学。

学校占地 2011 亩，有在校本科生、研究生、留学生 18000 余人。有专任教师 1000 余人，其中博士 300 余人、教授近 300 人、副教授 300 余人。拥有“长江学者”讲座教授、国家“百千万人才工程”第一、二层次人选、“新世纪优秀人才支持计划”入选者、四川省“百人计划”“千人计划”“国务院政府特殊津贴专家”“四川省学术技术带头人”高层次人才 60 余人。有硕士生导师 616 人，博士生导师 22 人。

学校以医学为主，涵盖理学等 7 个学科门类，有硕士学位一级学科授权点 7 个、硕士专业学位授权点 7 个、普通本科专业 28 个，其中国家特色专业 3 个、省级应用型示范专业 3 个、双学位专业 5 个。临床医学 ESI 是全球排名前 1% 的学科，临床医学、药学是四川省一流建设学科。承担了“教育部第一批临床医学硕士专业学位研究生培养模式改革”等 4 个国家级人才培养模式改革项目；近 2 届教师获得省部级教学成果奖 10 项，其中一等奖 3 项；教师发表教研论文 700 余篇。2014 年学校被列入四川省新增博士学位授予单位立项建设规划，2016 年被列入立项建设单位。

学校有教育部重点实验室、国家级博士后科研工作站等 12 个省、部级重点科研平台，有省级大学科技园 1 个，省、厅级科研团队 18 个，是“四川省心血管疾病防治协同创新中心”牵头单位。

学校先后与美国、英国、澳大利亚等 23 个国家建立了国际科技合作交流关系，举办了“中国酒城国际心血管研究高端论坛”“肿瘤医学高端研讨会”等国际学术会议。先后为巴基斯坦、印度、马来西亚等国培养博士后、研究生和本科生近 450 人，通过科研交流与人才培养推动“一带一路”建设。

学校是四川省依法治校示范学校、四川省高等学校教育信息化示范学校。学校图书馆是四川省自动化、网络化建设优秀图书馆。3 所直属附属医院服务川、滇、黔、渝结合部近 4000 万人民健康，在“5·12”汶川特大地震、抗“非典”等特大突发公共卫生事件中发挥了不可替代的作用，多次受到各级政府的表彰，是西南四省（市）结合区域的省级医疗中心。

2016 年以来，学校按照四川省委省政府的统一安排和省委组织部、省委教育工委、省扶贫移民局和泸州市委等相关工作部署，先后承担了合江、叙永、古蔺等 15 个县的对口帮扶工作。在帮扶工作中，学校充分发挥医学院校科研、医疗、公共卫生服务等方面的优势，结合帮扶对象的实际，通过选派帮扶干部、加强基础设施建设、开展产业帮扶、改善医疗服务等措施推动各项帮扶工作取得实效。

泸州市委书记蒋辅义（前排右二）、学校党委书记廖斌（左一）到学校附属医院对口帮扶的稻城县、乡城县人民医院调研

学校领导参加对口帮扶合江县榕山镇回洞桥村捐赠仪式

学校党委书记廖斌（左四）到合江县榕山镇回洞桥村走访慰问贫困群众

校长何延政（前排左四）到合江县榕山镇回洞桥村调研精准扶贫工作

学校党委副书记刘广益（左二）到合江县榕山镇回洞桥村走访慰问贫困群众

学校党委副书记刘毅（左三）率队到汶川县开展第三方评估

副校长彭钢（左一）到合江县榕山镇回洞桥村走访慰问贫困群众

副校长何涛（左一）到合江县榕山镇回洞桥村调研精准扶贫工作

西南医科大学附属医院党委书记惠曦（中）到普格县特补乡特补乃乌村慰问贫困群众

西南医科大学附属医院院长杜一华（前排左一）代表医院捐赠 80 万元帮扶普格县特补乡特补乃乌村卫生院建设

西南医科大学附属中医医院党委书记王琳（前）到古蔺县双沙镇普庆村调研

西南医科大学附属中医医院院长杨思进（右一）到古蔺县双沙镇普庆村调研中药材种植情况

西南医科大学附属口腔医院党委书记李正新（左三）到普格县荞窝镇施加村调研并为新建的村卫生室捐赠医疗物资和生活用品

西南医科大学附属口腔医院院长聂敏海（前排左三）率队到帮扶村开展义诊活动

学校与苍溪县签订校地发展合作协议

学校与昭觉县签署县校发展合作协议

学校在对口帮扶村开展义诊活动

大学生志愿者“三下乡”社会实践活动

学校志愿者开展农村常见病预防知识讲座

四川师范大学

省委副书记、省长尹力（左三）到学校调研教育扶贫工作

教育部副部长李晓红（前排右一）到学校考察调研教育扶贫工作

党的十八大以来，根据中央和省委关于精准扶贫工作的总体部署，四川师范大学以高度的政治责任感和历史使命感，以抓铁有痕、踏石留印的工作作风，在充分调研对口帮扶县域脱贫需求的基础上，充分发挥学校学科专业优势，立足教育培训，多点多渠道发力，为贫困地区提供思想文化和知识技能支撑，把中央和省委关于脱贫攻坚的要求转化成贫困地区干部群众看得见、摸得着的实惠，推动地方经济社会发展，助力"精准脱贫"。

一、立足培养培训，着力打造本土人才队伍

学校聚焦对口帮扶地区干部队伍和教师队伍建设的现实需求，最大程度发挥学校教师教育学科专业优势，积极组织高水平专家团队按照省委书记王东明的要求，着力为当地培养培训素质高、干得好、留得住的本土化人才队伍。

针对贫困地区干部队伍文化水平偏低、视野相对狭窄、下派干部与群众之间存在沟通障碍等问题，3年来，学校先后组织专家和管理干部送培下乡，分别对普格、理塘、苍溪、武胜、仪陇、达川等贫困区（县）乡村干部开展乡村治理综合能力

副省长王铭晖（中）等省级脱贫攻坚蹲点调研督导工作组成员到学校对口帮扶村——理塘县甲洼镇江达村看望学校扶贫干部

学校党委书记丁任重（左一），学校党委副书记、纪委书记刘鹏（右一）参观"国家扶贫日·喜迎党的十九大"四川师范大学教育扶贫成果展

校长汪明义（前排中）到仪陇县日兴镇黎明村考察食用菌种植基地

学校原党委书记周介铭（左）到普格县开展精准扶贫工作并代表学校向普格县捐赠铁床

培训，包括民主决策、引领致富、开拓市场和各种自然、人文的环境建设等诸多复杂的领导力培养，提升其对现代农村的卓越领导力，为当地新农村建设培养适合的领导人才。

针对贫困区（县）中小学师资力量缺乏和总体水平不高的现状，学校组织专家组深入区（县）一线，多渠道对乡村中小学校校长、教师实施教育素质能力培训，提升其现代化和民主化的办学治校和教育教学能力，引领其办好农民满意的教育。2016年，学校在普格、苍溪等县（区）中小学开展跟岗研修、送培下乡、远程教育等职后培训，共计培训中小学干部教师855人次。2017年，通过国培、省培项目在普格县等地开展网络研修培训者培训、中小学教师信息技术应用能力提升、中小学教师网络与校本研修整合培训、教师工作坊研修等，共计培训中小学干部教师2049人次。2017年暑期，组织教师教育培训专家团队分赴仪陇县、北川县、苍溪县、达州市达川区开展教育扶贫工作，为当地中小学校校长、幼儿园园长及骨干教师开展专题培训，培训3600人次。

二、立足传知授技，着力把“扶贫”“扶志”“扶智”相结合

扶贫先“扶志”，扶贫必“扶智”。教育扶贫重在“扶志”与“扶智”。学校主动聚焦对口帮扶地区脱贫致富内生动力培育，既送温暖，又送技能，更送志气，着力从思想观念、知识技能、移风易俗、精神状态等方面帮助贫困群众树立脱贫决心、坚定致富信心、增强致富技能，不断提升自我发展的主动性和自我造血的可能性。

在扶志方面，一是组织专家学者、在校研究生和高年级本科生深入贫困乡村组织“坝坝会”讲党课，宣讲党的十九大精神，

2017年国家精准扶贫工作成效第三方评估重大任务（四川）启动会

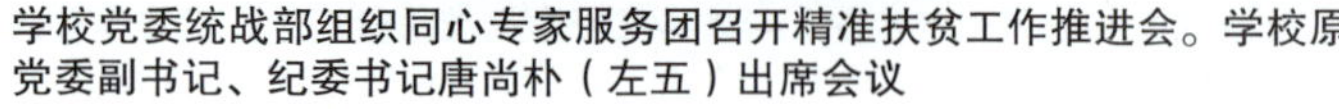
学校党委统战部组织同心专家服务团召开精准扶贫工作推进会。学校原党委副书记、纪委书记唐尚朴（左五）出席会议

副校长张海东（中）一行到贫困户家中考察了解生产生活情况

深入浅出宣讲“乡村振兴战略”和党的“三农”政策。二是发挥学校艺术学科优势，编排精品文艺节目送艺术下乡，对贫困区（县）农民开展文学艺术教育，提升其人文素养。三是开展农村中学生励志教育，在贫困区（县）组织多场专家讲座，开展心理引导，帮助即将高考的农村中学生克服自卑、失落和焦虑情绪，为贫困初中生建立学习生涯档案、制订学习计划，跟踪学习情况。2017 年，学校研究生支教团深入普格县民族中学走访了 100 余名贫困学生家庭，鼓励贫困学生认真读书，追求上进。

在扶智方面，一是通过举办农民夜校，给当地农民传授大棚种植等新型农业生产技能。2015 年，学校在理塘县甲洼镇举办农民夜校，开展现代农业技能培训达 13 期，共计 400 余人次。二是组建同心专家精准扶贫服务团，安排学校党外专家学者深入扶贫地区为当地发展红色旅游、探索传统农业向现代农业升级以及加强生态保护、开展土地资源整理等提供方案制订、决策咨询、科学技术等方面的支持。在普格中学建立“同心专家心理咨询室”，为普格古家坪小学捐建“同心图书室”。三是为农民实施卫生健康教育，引领农民养成健康生活习惯和良好卫生习惯，通过塑造健康体魄创造自己的幸福生活。四是为农民讲授现代法律知识，提升农民通过法律途径调解民事纠纷、拿起法律武器捍卫自身权益的意识和能力。2017 年，在仪陇县新政镇金鸡山村举办的农民夜校暑期班对当地村民进行法律基础知识普及的受众达百余名。五是开展面向扶贫专干、“第一书记”等的产业规划、扶贫开发政策相关专业知识培训。六是开展“尚美童行、筑梦天府”贫困地区少年儿童暑期夏令营活动，组织普格、理塘等贫困区（县）的师生赴成都市参观学习，增强其努力学习的信心。

三、立足形式多样，着力提升脱贫攻坚成效

为扎实做好“精准扶贫”工作，学校成立领导小组，完善工作机制，全校多种力量参与，多种渠道推进，努力提升脱贫攻坚成效。

副校长杜伟（左二）考察对口帮扶单位普格县幼儿园教育工作

副校长谢名春（右一）到普格县中学实地调研了解情况

师生积极参与扶贫工作

一是"输血"与"造血"相结合扶助当地经济建设。在理塘县甲洼镇江达村，学校采用"公司+基地+农户"模式，援建蔬菜种植大棚建设资金100万元、村文化站建设资金20万元，为甲洼镇中心小学贫困学生捐赠电脑、打印机、书籍等学习用具；为普格县捐赠铁床累计5000余个床位数，价值资金120余万元；在武胜县大通村投入50万元，用于援建5千米便民道和贫困户院落改建。

二是牵头成立精准扶贫"校校战略联盟"。学校与成都中医药大学、四川理工学院密切合作，优势互补，在全省多个贫困县（区）组建了"新农村建设学院"，扎实开展文化扶贫、教育扶贫、卫生扶贫。

三是认真组织顶岗实习。学校组织高年级本科学生赴对口帮扶区（县）顶岗实习，支持当地教育事业发展，2016年组织97名学生分赴理塘县、普格县、苍溪县等多地的贫困乡村学校开展顶岗实习，有力地支持了当地基础教育发展。2017年，学校再次组织到理塘、普格、盐源、会东、仪陇、达川等县（区）顶岗支教，学生报名踊跃，赴上述各地顶岗实习的人数达137人次，较2016年增长41%。

四是扎实开展精准扶贫暑期社会实践活动。2017年暑期，组建了2000余名师生参与的261支教育扶贫社会实践团队，在贫困区（县）开展中小学课程增设、贫困村实地走访、社会问卷调查、"农民夜校"暑期班、义务法律咨询等活动，深受当地村民欢迎。

五是积极参与国务院、省委省政府委托的精准扶贫成效第三方评估工作。2017年，学校组织300余名师生到省内7个县开展第三方省级评估工作，受国务院委托对重庆市开展第三方国家级评估工作。

精准扶贫，教育先行。作为省属重点师范大学，四川师范大学将倾情倾力发挥自身教育优势，凸显脱贫攻坚的教育担当，积极组织开展贫困地区"教育扶贫"行动，培养贫困地区人民脱贫致富的志气，传授其脱贫致富的技能，激发其脱贫致富的动力，让贫困地区有"智"更有"志"，为全省脱贫攻坚、为2020年四川与全国同步建成小康贡献师大人的智慧和力量。

学校响应国家及省委省政府精神扶贫号召举办"理塘有机土豆进校园，爱心义卖助力精准扶贫"活动

学校狮子山校区举办"国家扶贫日·喜迎党的十九大"四川师范大学教育扶贫成果展

四川省有线广播电视网络股份有限公司

四川省有线广播电视网络股份有限公司是根据中央关于文化体制改革精神，按照省委省政府《整合全省有线广播电视网络资源组建四川省有线广播电视网络股份有限公司的方案》川委办发电〔2009〕26号文件的要求，于2010年1月整合全省广电网络资产、改革创新广电网络管理体制基础上，由全省广电系统118家发起人单位共同发起设立的股份制公司，是四川省首批重点文化旗舰企业、四川省信息安全产业重点培育企业、全国最大的地方广电网络运营商之一，拥有一张传播先进文化、发布权威信息和可管可控的"干净网""可信网""安全网"。

公司自2011年1月正式运营以来，始终把社会效益放在首位，坚持社会效益与经济效益相统一的原则，积极实施转型发展战略，力争尽快实现"从单一的有线电视传输机构向开放竞合的综合全媒体运营商"转变，成为西部领先、国内一流的综合全媒体运营商。

推进"高清四川 智慧广电" 助力全省农业农村信息化

2016年以来，四川省有线广播电视网络股份有限公司紧紧围绕国家和省委省政府的战略部署，根据《四川省国民经济和社会发展第十三个五年规划纲要》，积极参与"高清四川 智慧广电"工程的建设。按照《四川省建设"高清四川智慧广电"专项改革方案》的要求，全省拟建设"高清四川 智慧广电"工程类子项目共计31个，其中由公司直接承担建设任务的子项目17个，由包含公司在内的广电系统各单位共同承担建设任务的子项目9个，其中公司参与建设整个"高清四川 智慧广电"31个子项目中的26个，参与项目比例达84%。其中，涉及农村和农业发展的项目有：下一代广播电视网（NGB）工程、视听乡村工程、雪亮工程、应急广播平台、精准扶贫在线平台、三务监督平台、T20农村电商平台、数字农家书屋。

下一代广播电视网（NGB）

下一代广播电视网（NGB）是国家网络文化传播和社会信息服务的重要基础设施，是有线无线卫星充分融合、全程全网的广播电视网络。公司通过与户户通、村村响等工程相结合，将下一代广播电视网（NGB）建设到各个行政村，不仅为农村居民提供高清晰的电视、数字音频节目、高速数据接入（互联网宽带接入）和语音等三网融合业务，也将最新的科教、文化、商业等信息带到了乡村。

视听乡村工程

以深入各村各镇的广播电视网为依托、海量内容的广电智慧云平台为支撑、各具特色的智慧广电类应用为载体，通过视听乡村工程进行广电公共无线 WIFI 覆盖建设，向用户免费提供广电视频服务以及无线接入区域的社区、村组信息公告服务，创新数字文化服务业态，丰富各类视听信息应用，让农村居民也能享受到“高清四川 智慧广电”带来的视听盛宴。

雪亮工程

雪亮工程被视为农村版的天网工程。它通过在各个村镇的主要路口建立视频监控，并通过有线电视网络接入家庭电视、手机，支持居民在机顶盒及智能手机端实现一键及分类报警、实时语音、视频紧急求助，把治安防范措施进一步延伸到群众身边，增强群众对社会治安的认同感和主体责任感，构建起立体化的农村安全治理防控体系，助力实现“美丽乡村”“平安乡村”。

应急广播平台

四川省是灾害发生高危区域，应急广播系统的建设尤为重要。四川广电网络通过整合智能机顶盒、手机客户端、村村响广播，组成了三维本地应急广播系统。当发生重大公共事件时，各级政府可通过应急广播系统，第一时间向社会公众广播文字、声音、图片、视频等多种形式的权威信息，是现代政府公共管理应对突发事件及危机管理的重要工具之一。

精准扶贫在线平台

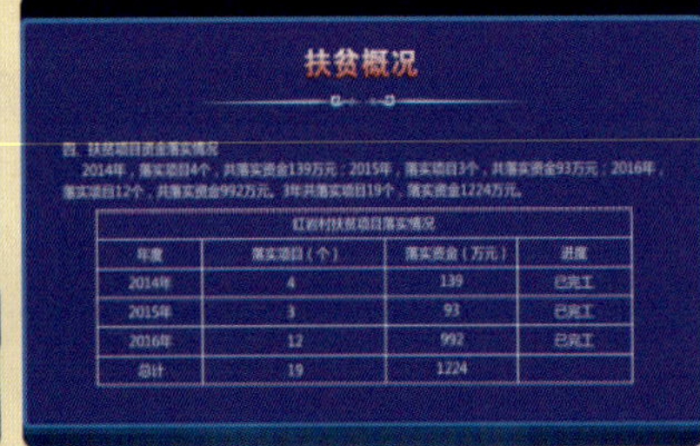

四川广电网络通过对接省科技厅科技扶贫在线，利用多屏终端打造精准扶贫平台，让农户足不出户就可通过4K 智能机顶盒或手机 APP 实现教育和科学扶贫，为农户提供各种农业技术培训以及精准扶贫，为政府精准扶贫工作提供了有力支撑。

三方监督平台

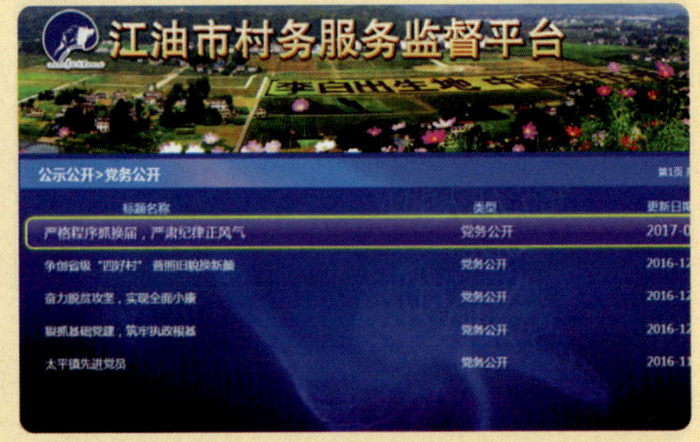

党的十八大报告明确要求加强基层政权建设，完善政务公开、村务公开制度。三务监督正是四川广电网络基于智慧广电云平台打造的村务监督平台。它能为基层群众自治组织提供村务公开、村委动态、基层党建等宣传窗口，拉近基层组织与村民之间的沟通桥梁，让村民了解身边的资讯，参与村组事务的建言献策。

T2O 农村电商平台

T2O 农村电商平台是四川广电网络通过四川智慧广电云平台构建的具有本地化特色的电视电商分平台。它通过与地方党委政府合作，整合各地特色农副产品，依托四川广电网络深入千家万户的有线电视网络以及遍及全省各市县、各乡镇的线下服务网点（同时与电视淘宝、电视京东等开展战略合作），将四川特色产品推向全国，为全省的农村经济发展提供新通道。

数字农家书屋

数字农家书屋是依托智慧广电云平台，立足本地文化特色等开发的数字图书馆功能模块。它通过将书本搬上电视、手机，有效弥补了现有社区阅览室、农家书屋阅读时间、地点受限等不足，让农村居民打开电视就能翱翔在文字的海洋中。同时，实时上线省、市、县各级党报党刊，确保在“新常态、新形势”下将党的“好声音”传播到千家万户，满足了农村居民新时期日益增长的精神文化个性化需求。

通过这批重点项目的实施，不仅大大提高了全省的农村信息化水平，让更多的乡村成为了“宽带乡村”“无线乡村”“视听乡村”，也让更多的农业人口享受到了信息时代的数字文化服务。

宜宾职业技术学院

宜宾职业技术学院是宜宾市人民政府创办的地方高职院校，学院以服务区域经济社会发展为己任，扎实开展精准扶贫精准脱贫工作。结合学院、帮扶县（村）实际，在“精、准”二字上狠下功夫，对口帮扶凉山州雷波县、宜宾市屏山县鸭池乡隆兴村，已落实帮扶项目资金200万元，精准扶贫精准脱贫工作取得较好成效。

一是高度重视，凝聚力量扎实推进帮扶工作。开展精准扶贫工作是中央2020年全面建成小康社会的战略部署，是国家“十三五”时期扶贫开发的重要工作，也是确保全国贫困人口到2020年如期脱贫的一场关键战役。学院深刻领会扶贫精神，逐项落实扶贫任务，制订职教帮扶和对口帮扶工作方案，制定年度帮扶工作计划项目安排，坚决做到“不脱贫、不脱钩”。

二是发挥优势，落实产业发展脱贫项目。学院联合宜宾市规划设计单位，共同完成屏山县鸭池乡隆兴村发展规划思路构想，以山、水、田、林、路、住房和产业、生态以及传统文化搭建了规划设计框架，力争规划设计30年管用。发挥学院茶叶专业技术优势，高标准编制完成雷波县茶叶产业发展规划和《雷波县茶产业扶贫发展规划（2017—2021）》。对接贫困户家庭，落实每户1000元的脱贫产业启动资金，以“公司＋农户＋学院”形式在帮扶村建立高山蔬菜供应基地和村农产品配送中心。学院成立“精准扶贫农产品服务中心”，切实解决贫困户种养殖业销售瓶颈问题，助推贫困户致富增收。

三是尽其所能，帮扶贫困户安全住房建设。学院按照省、市、县、乡政府的农房改造补助政策，在政府对贫困户房屋改造补贴总额的基础上给予不超过10%（含10%）的专项支持，对建房特别困难的贫困户给予一定的专项建房补助资金。

四是形式多样，开展技术技能培训。发挥学院高技能基地优势，举办劳动力转移培训班，培训50余人；举办“十万余五家庭致富”专题妇女培训班，培训妇女90余人，推荐就业20余人。大力开展种养殖业技术技能培训，通过送技术到村到户形式在田间地头开展技术技能培训，累计培训种养殖业4000余人。

精准扶贫精准脱贫是全面建成小康社会的一项伟大工程，学院持续以习近平总书记提出的“扶贫对象精准、项目安排精准、资金使用精准、措施到户精准、因村派人精准、脱贫成效精准”为要求，继续发挥扎根基层、吃苦耐劳的精神，紧盯扶贫工作目标任务，信心坚定，意志坚定，确保贫困户尽早脱贫致富奔小康。

学院党委书记周刚（右二）到屏山县鸭池乡隆兴村与贫困群众交流

学院在雷波县召开职教扶贫座谈会

【幸福美丽新村建设】 2016年,宁南县整合投入各类资金5.97亿元,深入实施扶贫解困、产业提升、旧村改造、环境整治和文化传承“五大行动”,大力推进幸福美丽新村基础设施、产业发展、公共服务、社会管理等建设。一是以“前庭后院加小楼加屋檐”“西式瓦、青筒瓦铺装坡屋顶”的新民居为骨,以改房、改厨、改厕、改圈、人畜分离、厨厕分离改建民居为架,以“鸡犬之声相闻”的微田园生态新村新寨为韵,以民族文化、传统文化、农耕文化为魂,扎实推进错落有致,风格、色彩、装饰独特,体现山水田园风光和自然生态之美,独具“蜀风桑韵”特色,宜居、宜业、宜商、宜游的新村新寨建设。全年完成披砂镇务旭村、骑骡沟乡五四村等“蜀风桑韵”特色幸福美丽新村建设36个,整合投入资金5.97亿元,新建和改造房屋7869户,其中新建166户、改(扩)建7703户;实施集中新建点2个,新建农房40户。二是以省级财政幸福美丽新村建设资金为突破口,结合脱贫攻坚工作,整合“一事一议”财政奖补等项目资金,全力实施公路硬化、文化室建设和安全饮水等工程建设。全年硬化村内道路248.5千米,36个幸福美丽新村同步实施完成文化室、通村宽带网、村卫生室、文化活动广场、“一村一幼”、“1+6”村级公共服务活动中心、“三通”工程等建设。

【扶贫攻坚】 2016年,宁南县建成县、乡、村三级联网智能指挥体系,深入实施12个专项脱贫方案,全面完成“乡三有”“村七有”“户三有”建设任务。突出“输血”与“造血”并举,落实“一村一业、一户一策”,整合投入财政扶贫项目资金3400余万元,深入实施“七个一批”脱贫攻坚行动计划,大力发展蚕桑、烤烟、畜牧、林业、冬季马铃薯等优势特色产业扶贫项目,培植贫困地区经济新增长点,贫困地区内生动力持续增强,贫困群众精神面貌明显提振。2016年,全面实现36个贫困村“一低七有”退出目标和1836户建档立卡贫困户、8684名贫困人口“一超六有”脱贫目标,并通过省、州、县各级检查验收。

【助农增收】 2016年,宁南县成立了农民增收工作机构和“五大富民产业”工作领导小组,由县委书记、县长负总责,蚕桑、林业、烤烟、畜牧、以马铃薯为主的粮食“五大富民产业”和新农村、农村基础设施建设工作均落实了1名县委常委和副县长分管,形成党政同抓的工作局面。建立了县领导定期调研“三农”工作制度,县委书记、县长每年深入农村基层调研指导“三农”工作90天以上,其他领导100天以上,确保全县农民增收工作顺利推进。全年共投入涉农资金42604万元,增长15.21%。完成农村集体土地所有权、集体建设用地使用权、宅基地使用权确权约4万余宗,面积14.95万公顷,完成调查测绘建库等确权内外业工作并通过州级检查验收。

培养新型业态,发展现代农业。加快农业产业结构调整,大力发展规模农业、品牌农业,培育壮大现代农业经营主体,7个家庭农场获得省级示范场命名,县财政扶持15个家庭农场快速发展。全年发展县级以上龙头企业16家、农民专合组织213个、家庭农场1997个。持续巩固“中国蚕桑之乡”创建成果,紧紧围绕打造省级现代林业产业强县、省级现代畜牧业重点县的目标,大力实施“千斤粮万元钱”工程和“五大富民产业”,大力发展农产品产地初加工、农村电子商务等新兴产业。全年新培育发展农民专合组织29个、家庭农场102个、养殖场16个、种养殖大户2579户。金桑庄园农业发展股份有限公司成功申报为州级重点龙头企业,全县省、州级农业产业化经营重点龙头企业达9家。全县共有11家企业及专业合作社、18种农产品获得“大凉山”标志使用权,16个农产品取得注册商标,11种农产品获得无公害农产品认证,“南丝路”获得中国驰名商标称号;有农产品包装47种,使用“大凉山”包装45种。电子商务服务中心建成并投入运营,建成15个乡级服务站和19个村级服务点。深入实施人才强农战略,大力开展劳务品牌、农民工返乡创业、青年创业、精准扶贫技能、农牧民创业带头人等各种培训85期次,培训农民工8300人。全年转移输出农村劳动力6.65万人,比上年增加1000人;实现劳务总收入17.7亿元,比上年增加2.1亿元,增长13.46%。

实施精准扶贫,全力脱贫攻坚。严格按照中央和省、州的决策部署,整合投入3.1亿元,高标准推进贫困村公共服务设施和基础设施建设,同步抓好产业发展、安全住房建设、易地扶贫搬迁、彝家新寨建设、“四个好”创建、禁毒防艾、教育卫生、移风易俗等重点工作,脱贫攻坚各项工作顺利通过州级验收,36个贫困村、2036户建档立卡贫困户、8684名贫困人口如期脱贫退出。

完善基础设施,夯实发展基础。完善25.5万亩基本农田逐一落实到地块的划定工作,建成高标准农田7800亩。投资7877万元,全面实施“小农水”、农村安全饮水、抗旱应急水源工程等项目,安装供水管道1273.58千米,新建水窖(池)369口,新增节水灌面2775亩,改善灌面725亩。投资25380万元,完成通乡公路项目3个、69.8千米,通村水泥路项目33个、248.5千米,顺利实现乡乡通油路和村村通水泥路;启动11.6千米的通乡油路提升改造工程,县、乡、村道42千米公路安保工程和新村乡客运站建设,初步建立起便捷快速的农村公路网络。

落实惠农政策,提高农民收益。全年兑现各种农业补贴资金7423万元,其中投入资金5800余万元。实施抗旱应急水源工程,全面推进麻窝凼水库、龙洞河引水等工程项目建设。投入蚕业产业扶持资金2000余万元,实施蚕农药品物品采购补助。投入资金756万元,实施石漠化综合治理项目,完成岩溶治理31.5平方千米、石漠化治理13.12平方千米。

【农村卫生】 2016年,宁南县有一般乡(镇)卫生院20所、村卫生室143个,从业人员145人;县所有乡(镇)卫生院均拥有B超、生化分析仪等必备设备。16家乡(镇)级医疗机构拥有救护车,救护车拥有率达64%;拥有医用摩托25台,医用摩托拥有率达100%。

【农村社会保障】 2016年,宁南县帮助困难人员再就业48人;举行就业技能脱贫行动任务培训和青年劳动者技能培训班34期,免费培训人员1700余人。84665人参加新型农村养老保险,全年发放养老金2100万元。享受农村低保对象6485户、16656人,全年累计保障222538人次,支出保障金3338.2万元,人均月保障补助标准为150元,达到省、州累计人均月补助不低于150元的目标任务。有165454人参加新农合,参合率为99.71%,筹集参合资金8934.52万元;302756人次享受新农合报账,产生医疗费用11901.69万元,实际支出8123.95万元,全年资金结余率为4.93%,累计资金结余率为26.74%,当年资金结余率控制在规定的15%的范围内。

【劳务开发】 2016年,宁南县共转移输出农民工6.65万人,实现劳务收入17.7亿元。一是开办了焊工、家电装配工培训班。焊工共培训151学时、23人,家电装配工培训共150学时、27人,参加培训的50人全部取得了劳务品牌培训结业证。二是组织实施返乡农民工创业培训。委托凉山州瑞丰职业技能培训学校于9月下旬开展了SIYB创业培训,主要以宁南籍返乡农民工为主,重点针对有意愿领办或创办家庭农场、农民合作社、农家乐、农业龙头企业等新型农业经营主体和带领村民发展集体经济的35名能人开展培训。2016年,全县返乡创业人数达 84 人,创办企业或新型农业经营主体 21 个,实现总产值 997 万元,吸纳就业人员 124 人。

【主要领导人】 县委书记:黄玉超;县人大常委会主任:吴同林(12 月止),杜刚双(12 月始);县长:代兵(10 月止),马小宁(12 月始);县政协主席:罗定山(12 月止),殷显国(12 月任);分管农业副县长:彭中(10 月止),杨正伟(11 月始)。

宁南县编写组

普格县

【基本情况】 2016 年,普格县辖 34 个乡(镇、街道),有农业人口 14.97 万人,有耕地面积 18.79 万亩、基本农田 2 万亩。

【年度农业和农村经济运行】 2016 年,普格县实现农业总产值 136400 万元,增长 15.8%。农民年人均可支配收入达 8423 元。

2016 年普格县省级及以上农业产业化重点龙头企业名单

企业名称	注册资金(亿元)	法人代表	示范等级	年度产值(亿元)	行业分类	主营产品
四川濠吉食品(集团)有限公司	2.1	严俊波	国家级	9.4	农产品加工业	鸡精调味品系列、淀粉

农业产业化发展。普格县注册农业产业化龙头企业 3 家、农民合作社 95 家、家庭农场 416 家、劳务经纪人 13 人,其中 75 家农村专业合作社、284 家家庭农场被纳入四川省农村专业合作社及家庭农场名录库,1 家农村专业合作社获得州级示范专业合作社称号。

特色农产品品牌建设。普格县以政府主导,以“公司(或专业合作社)+家庭农场+农户”“大凉山普格 XX 产品”包装模式推进全县特色农产品建设。依托资源优势,以建设生态农业农产品生产基地为目标,积极调整农业产业结构,大力发展以蚕桑、烤烟、早春马铃薯、红米、珍珠米、“1+X”核桃产业、早熟蔬菜、亚热带水果等为主的特色农产品。截至 2016 年年底,全县有已注册和申请注册的农特产品品牌商标 6 个,其中中国驰名商标 1 个、其他特色产品商标 3 个(大凉山普格水果萝卜、大凉山普格青豌豆、大凉山普格乌洋芋)、地理标志证明商标 2 个(普格县跑山黑猪食品、普格县六粮面)。全县拥有无公害农产品 5 个,其中普格县华康农牧业专业合作社申报的荞麦、马铃薯、红米、玉米、反季节蔬菜 5 个无公害农产品经农业部农产品质量安全中心评审通过。2016 年,全县农作物总播种面积 40.32 万亩,其中已通过四川省无公害农产品产地整体认定的基地面积 5.6 万亩,占全县农作物总播种面积的 13.89%,涉及荞麦、马铃薯、水稻、玉米、小麦、青豌豆、红米、珍珠米等 10 个无公害农产品,年总产量达 22.37 万吨。

【种植业】 2016 年,普格县着力提升粮食综合生产能力,大力发展烟、畜、薯、桑、果、蔬等特色产业,全年粮食产量 7.27 万吨,产烟 11.44 万担,产茧 0.95 万担,产薯 21.64 万吨。建设早春马铃薯标准化生产基地 0.3 万亩,实施 1000 亩设施蔬菜建设。

【畜牧业】 2016 年,普格县畜禽饲养总量达 80.665 万头(只),同比增长 5.8%,完成全年计划的 95.37%,其中饲养生猪 12.12 万头,同比增长 7.2%,完成全年计划的 97.51%;饲养牛 6.05 万头,同比增长 12%,完成全年计划的 98.76%;饲养肉羊 31.02 万只,增长 6.9%,完成全年计划的 97.83%;饲养家禽 30.12 万只,增长 3.8%,完成全年计划的 78.65%;饲养肉兔 0.235 万只,增长 8.7%,完成全年计划的 85%。全年实现畜牧业总产值 4.956 亿元,农民人均收入增加 386 元。

以农户为主体,社会化服务工作更加扎实有效。一是有效推进畜禽品种改良。购进西门塔尔肉牛细管冻精 3000 只,改良配牛基础母牛 1000 头;引进凉山半细毛种公羊 1000 只,半细毛羊存栏 8.5 万只;引进良种山羊 300 只,良种山羊及杂交改良羊存栏 10.1 万只。二是加快推进养殖小区建设。建成畜牧科技示范园区 4 个,涉及 17 个乡、22 个村。三是进一步强化科技推广。全年举办各类畜牧科技技术培训 8 期,印发技术资料 6000 余份,受训受宣人数达 5000 人次。四是积极推进无公害标准化生产。成功申报螺髻山高山黑猪和螺髻山乌骨鸡 2 个地理标志产品。

项目建设取得初步成果。普格县 2015 年草原生态保护绩效奖励资金支持生产转变方式项目下达资金 160 万元,涉及 20 个乡(镇),新建标准化圈舍 100 间、8000 平方米,验收小组已按照实施方案要求进行了逐户验收;普格县 2016 年草原生态保护与治理项目下达资金 80 万元,涉及特尔果乡和普基镇共 50 户建设户,验收小组已按照实施方案要求进行了逐户验收;四川省 2016 年现代农业推进工程——普格县牛羊标准化生产基地县建设项目下达资金 210 万元,建设肉羊标准化养殖小区 4 个,涉及项目户共 70 户,验收小组已按照实施方案要求进行了逐户验收。

【新型城镇化建设】 2016 年,普格县编制完成县城总规、控制性详规、城南新区修建性详规及 11 个专项规划。22 个旧城区段改造有序推进,完成县城中心广场、粮油片区开发、环保综合楼、民政救灾仓库等项目建设,建成县城生活垃圾填埋场、螺髻山污水处理站、荞窝污水处理站等市政设施,城南新区、熊家梁子片区等重点项目有序推进,全县城镇化率提高 2 个百分点。

【扶贫攻坚】 2016 年,普格县以脱贫攻坚统领“三农”工作,按照“六个精准”总要求,聚焦“两不愁、三保障”、户“三有”、村“七有”、“四个好”目标,大力实施“七个一批”、18 个扶贫专项年度计划,整合涉农资金 27000 万元,大力实施“产业、设施、事业、移民、能力、生态”六大扶贫工程,实现 19 个贫困村退出,1055 户、4392 名贫困人口脱贫。组建 34 个乡(镇)脱贫攻坚指挥所、103 个村指挥室,构建“一级抓一级、一级带一级、各方齐参与”的大扶贫格局;召开脱贫攻坚动员会及决战决胜誓师大会,层层签订责任书、立下军令状,摘不了“贫困帽”就摘“官帽”;明确 30 名县级领导干部定点联系 34 个乡(镇)、103 个贫困村,2436 名干部包干帮扶 6089 户贫困户,下派 206 名机关干部到贫困村担任“第一书记”和驻村农技员,组建 103 个驻村工作组,实现 103 个贫困村“五个一”驻村帮扶全覆盖,各级干部奔赴第一线扎根履职,“5+2”“白加黑”成为常态。

按照“六个精准”和“一户一策”方案要求,锁定目标,坚持对症下药、精准施策、精准发力。一是抓安全住房建设。全面整合新村建设、危房改造、东西扶贫等项目资金,严格按照“安全、宜居”要求,采取适度集中与插花分散相结合的方式,启动 408 户彝家新寨、707 户易地扶贫搬迁、864 户危房改造建设,已全部完工。二是抓产业发展促增收。锁定“两不愁”,加快发展以核桃为主的“1+X”生态产业、烟桑传统产业、“果薯蔬草药+加工+电商”农牧产业,大力实施贫困群众劳务输出,推进产业富民、劳务富民,实现长远致富。全县累计发放产业扶持周转金和财政扶持资金 2923 万元,栽种核桃、华山松等经济林木 10806 亩;发展大棚蔬菜 1000 亩;种烟 6. 34 万亩,收购烟叶 11. 44 万担;播种马铃薯 13. 2 万亩,产薯 21. 31 万吨;建设畜牧棚圈 220 个;培育新型农业经营主体 4 个;对接泸州市龙马潭区,组织 38 家企业到普格县开展招聘,输出贫困劳动力 820 人。三是抓民生建设。启动教育项目 37 个,改(扩)建学校 32 所,开办村幼教点 103 个,提前实现标准乡(镇)中心校、村幼教点 100%全覆盖;统筹实施“一村一卫”工程,大力选聘乡医村医,全面落实“八免五补助”医疗救助政策,全覆盖建立贫困人口健康档案,贫困人口医疗保险参保率达 100%,免费体检贫困人口 21455 人,免费开展艾滋病抗病毒治疗 479 人,建卡贫困家庭孕产妇住院分娩实现“零支付”,县域内就诊贫困群众个人医疗费用支出控制在 10%以内;大力实施农村安全饮水、生活用电、广播电视建设工程,整合投入 792 万元,启动实施 15 个村安全饮水工程,解决 716 户、3008 人的饮水困难问题;实施农网升级改造工程,改造 1942 户贫困户电网,2016 年拟退出的贫困户有安全饮水,生活用电、广播电视已 100%覆盖。四是抓集体经济建设。利用 2993 万元产业扶持周转金和财政扶持资金建立村级产业扶持基金专户,探索建立“支部+专合组织+农户”发展模式,利用产业发展扶持周转金发展种养业、开办商店和粮食加工厂,确保村集体经济累计收入人均达 3 元以上。五是抓党群服务中心建设。整合投入 1920 万元,新建 22 个集活动室、卫生室、文化室、幼教设施、民俗文化坝子于一体的党群服务中心,完成 2 个党群服务中心维修工作。六是抓交通建设。整合投入 7257 万元,建设通村公路 105. 5 千米。七是抓通信网络建设。整合投入 198. 8 万元,新建 14 个通宽带村。八是抓社会帮扶。积极对接广东省佛山市、泸州市龙马潭区等对口帮扶地区和省卫生计生委、省烟草专卖局、省能投集团、神华集团等省级帮扶部门(企业),累计投入援建资金 1. 3 亿元,实施新村新寨、产业扶持、教育卫生、电网改造、道路交通等项目建设,全面改善了基础设施条件,为脱贫攻坚注入了强大推力。九是抓“四好村”创建。县成立“四好村”创建活动领导小组,各乡(镇)建立健全了相应的工作机构,加强对本地创建活动的组织领导,坚持以文明为导向,推动“四好村”创建与新生活运动、文明创建、禁毒防艾、依法治县工作紧密结合,制订“四好村”创建方案,广泛开展科技、文化、法律、教育、卫生、文明“六进彝家”活动,大力开展“小手牵大手”等系列活动,着力解决“脏、乱、差”和铺张浪费、苦熬守穷、厚葬薄养等突出问题;开展“五洗”工程,引导群众改变陈规陋习,树立清洁卫生、勤劳节俭、自尊自强、厚养薄葬新观念,努力营造健康文明向上的生活氛围。全县共评出最好家庭 718 户、最差家庭 718 户,共评选县级“四好”家庭 6294 户、“四好”村 36 个。十是抓农民夜校创办。按照州委《农民夜校举办实施方案》中提出的试点先行、稳步推进、全面覆盖的工作要求,及时修改完善了工作方案,成立了县委工作领导小组,34 个乡(镇)党委相继成立了工作领导小组,明确了乡(镇)党委书记为直接责任人、驻村“第一书记”担任贫困村农民夜校校长、村书记为其他村农民夜校校长,并落实专人负责日常管理。全县建立农民夜校 153 个,实现 103 个贫困村全覆盖,开班 545 次,发放培训资料 12 类、6365 册,培训村民 19548 余人(其中党员 3890 人、贫困农民 10659 人);投入资金 50. 43 万元,落实农民夜校配套座椅 1160 套、黑板 95 个、电教设备 36 台。

【乡村旅游】 2016 年,普格县突出构建“两节四线一走廊”的乡村旅游构架和“五位一体”的旅游布局,加强景区(点)规划管理,完成螺髻山索道提速改造,启动螺髻山省级地质公园申报工作。螺髻山景区荣获“四川服务名牌”称号。

【农村科技】 2016 年,普格县紧紧围绕“科技强县,人才兴县”战略,紧扣深化科技体制改革主线和强化“大众创业、万众创新”工作任务,共申报科技项目 12 项,落实科技扶贫项目资金 194 万元(其中省级资金 90 万元、州级资金 104 万元)。落实帮扶资金 5 万元,加大乡村建设、烟叶生产、双联双帮、综治和扶贫等工作帮扶力度。推广先进实用技术 25 项,试验推广新品种 26 个。

【农村教育】 2016 年,普格县包含彝区“9+3”免费职教在内的中等职业教育工程运行良好,初中毕业生基本实现“应读尽读”目标。全县有寄宿制学校 38 所,寄宿制学生达 13021 人。农村义务教育学校营养改善计划实现全覆盖,3 万余名学生受益。

积极配合四川师范大学在普格县开展教育精准扶贫工作,申报 10 项民族地区教育科研课题。扎实做好“十年行动计划”“全面改薄”工程,接收荣县支教教师 13 名,四川师范大学、安徽研究生支教团 12 人,泸州市龙马潭区支教 5 人,四川师范大学顶岗支教 11 人。做好四川师范大学、泸州市龙马潭区对口帮扶的相关工作,选派 6 名中小学校长到成都市相关学校挂职锻炼。完善出台了《关于进一步落实义务教育阶段控辍保学“六长”责任制的实施意见》《普格县全面推进义务教育均衡发展的实施方案》,各乡(镇)党委、政府与县委、县政府签订了“控辍保学”责任书,紧紧围绕学年巩固率、升级率和毕业生升学率狠抓“控辍保学”,有效促进了中小学教育事业健康发展。

在继续深入巩固五道箐乡中心校等第一、二批校园文化建设窗口示范学校成果的基础上,狠抓第三、四批学校的校园文化达标建设,向阳乡中心校、西洛九年一贯制等 16 所学校相继达标。破解教育发展投入不足难题,加大教育投入,持续改善办学条件,夯实教育发展基础。一是调整优化学校布局。针对村点校生源萎缩、办学效益差、安全隐患大等实际情况,综合利用资源,以租用村活动室、改造旧教室等方式快速落实举办幼教点 137 个,开办幼教班 202 个。结合义务教育均衡发展需要,加大校点布局调整,快速推进螺髻山教育城和城南教育园区建设。二是大力实施学校基础设施建设。全面完成“全面改薄”“十年行动计划”等项目建设,共争取中小学基本建设项目 10 类,投入资金 7951 万元,建设学校 36 所、7. 08 万平方米,竣工面积 9722 平方米,完成投资 2169 万元;在建教师周转房 201 套,建设面积 7035 平方米,投入资金 804 万元。三是大力开展帮困济贫助学。开展生源地助学贷款,资助贫困大学生 810 人,发放助学贴息贷款 428. 3 万元。落实义务教育阶段 36211 人的生均公用经费 1980. 48 万元。全面落实义务教育“三免一补”政策,免除 36211 名义务教育阶段学生学费并为其免费提供教科书、作业本价值 415. 57 万元。为 13021 名寄宿制学生提供生活补助 2213. 6 万元。落实 10821 名幼儿及学前教育保教经费 654. 35 万元。落实营养改善计划资金 2577. 81 万元,60 所学校(含扩面学校附城小学)36048 名学生受益。

按照“扶贫先扶智、彻底斩断贫困链条”的总体思路,遵循“政府主导、社会参与”的原则,深入推进教育脱贫提升工程。以强化“控辍保学”责任、加大贫困学生资助力度、实施十五年免费教育、加大教育基础设施建设、提升教育发展水平为主要工作措施,建立上下联动、合力推进的教育扶贫提升工程工作机制,旨在从根本上消除贫困;达到如期同步建成小康社会的目标。全年投入7581万元,实施教育扶贫提升工程,其中省级及以上资金7454万元、州级资金114万元、县级配套资金13万元。每位教育职工对口精准帮扶农户,大力宣传《实施建档立卡贫困家庭学生资助政策有关具体事项的通知》《关于做好建档立卡贫困户在校(园)学生(幼儿)免除保险费、优先享受寄宿制生活补助工作的通知》等相关教育脱贫文件精神,教育脱贫知晓率达100%。兑现教育扶贫优惠政策,确保了贫困户子女未因贫辍学。

全年累计改(扩)建校舍14.2万平方米;还建D级危房2.61万平方米,全面消除中小学D级危房。新建教师周转房603套、学生食堂58个,创办幼教点137个、202个班,采用政府购买服务方式聘用“一村一幼”和学生食堂从业人员739人。创建州级示范校18所,教育督导评估顺利通过省、州验收。

【农村文化】 2016年,普格县大力实施“文化信息资源共享”“2131”等文化惠民工程,新建综合乡(镇)文化站34个、农家书屋153个、数字电视发射基站16座、“村村响”工程113个、农村健身工程99个。放映“坝坝电影”7254场次,举办了螺髻山民谣音乐节,“月琴音乐”申报为国家级非物质文化遗产。

【农村卫生】 2016年,普格县进一步创新安全卫生工作管理机制,完善管理规章和应急预案,层层签订安全卫生责任书。持续开展法制宣传教育,着力开展“七五”普法、禁毒防艾、血防知识等宣教活动。举办全县禁毒防艾骨干教师培训会1期,知晓率达100%;邀请专家进校开展禁毒防艾专题讲座23场,组织观看禁毒防艾专题视频30余场次;血防健康教育开课率达100%,知晓率达95%,正确行为形成率达80%以上。新型农村合作医疗参合人数130023人,参合率达99.21%,筹资标准530元/人/年,总筹资7090.92万元,22种重大疾病纳入医疗保障;享受新农合补偿70231人,补偿金额4654.61万元(新农合门诊补偿47832人次,报销184.25万元,费用报销比达75.34%;新农合住院补偿22139人次,报销4375.67万元,政策范围内住院费用补偿比达77%,实际补偿比达68.78%)。落实县医院药品零差率改革专项补助62.89万元,取消药品加成让群众受益330.98万元。新建10个乡(镇)卫生院、35个村卫生室。抓好艾滋病等重点疾病防控,血防阻断达标通过省级验收,成功创建为省级免疫规划示范县。基本药物制度实现全覆盖。“单独两孩”政策全面落实,符合政策生育率达86.57%,人口自然增长率控制在9.35‰。

【农村法制建设】 2016年,普格县广泛开展“法律七进”和基层法治示范创建活动,新建法治文化主题广场1个,“六五”普法工作通过省、州验收。五道箐乡沙合莫村和普基镇城南社区创建为省级民主法制示范村(社区),螺髻山铁道兵希望学校被评为省级依法治校示范校。严格落实“一岗双责”,深入开展大排查、大接访、大下访活动,实行挂牌督办和领导包案,推进有效化解,妥善化解各类矛盾纠纷346件,信访结案率达95.2%。

【农村交通】 2016年,普格县马洪乡等8条110.6千米通乡油路建设进入铺筑水稳层阶段;永安乡等4条28.5千米改善提升工程已完成招投标。全年通村公路建设完工36条、150.4千米,完成投资7671.5万元;在建(续建)59条、327.6千米,其中28条、168千米预计2017年5月前完工。建成1个县级客运中心站和特补乡、东山乡等7个农村客运站,圆满完成了上级交通部门下达的客运站建设任务。

交通扶贫。普格县2016年脱贫“摘帽”贫困村有35个,公路总里程达249千米。总投资8777.32万元,其中交通建设硬化路105.5千米,投资4981万元;扶贫项目建设村内道路20条、64.3千米,投资2279.32万元;以工代赈建设脱贫“摘帽”村集中安置点村内道路和入户道路79.2千米,投资1517万元,全面完成脱贫攻坚道路硬化建设任务。

【农村水电网设施条件明显改善】 2016年,普格县新建供水站88处,解决了4.14万人的饮水困难。实施土地开发整理项目14个,建设高标准农田14.06万亩,新增耕地1.88万亩。改造中低产田土2.5万亩,新(维)修沟渠356千米,新建机耕道145千米,新增有效灌面0.53万亩、节水灌面1.52万亩。完成1个220千伏、3个110千伏输电线路工程,新修变电站7个,新架输电线路2542千米,实施农村电网改造18347户,成为全州第二个消灭无电村的县。鼎昇石英砂加工、吉留秀光伏电站、和锐加油站等项目竣工投产,海口风电场、甘天地风电场等项目有序推进,风能、太阳能发电项目有序推进,水电装机突破20万千瓦。新建移动基站75个,4G网络覆盖34个乡(镇)。

【农村社会保障】 2016年,普格县发放“五项”救助金4.73亿元。新建保障性住房870套,补贴住房租赁贫困户6110户。发放大学生创业、妇女创业小额贷款1452万元。兑现乡村教师和基层干部补贴,提高企业退休养老金、低保补助、村(组)干部工资标准。

【农村生态建设及环境保护】 2016年,普格县实施新一轮退耕还林2.02万亩,管护国有森林73.8万亩,完成工程造林10.6万亩、封山育林0.9万亩,绿化公路120千米,全县森林覆盖率提高到35%。落实首轮草原生态保护补助奖励机制政策,实施国家天然草原退牧还草工程,建设退牧还草围栏55万亩。全年治理水土流失面积7.55平方千米,治理地质灾害点13处,避险搬迁安置525户。创建13个省级生态乡镇、77个州级生态村、950户生态家园和7个省级“环境优美示范村庄”。完成饮用水水源地保护立标15个,新建沼气池1700口,被国务院纳入国家重点生态功能区。

【主要领导人】 县委书记:刘若尘;县人大常委会主任:海来日古;县长:沙英;县政协主席:张凌;分管农业副县长:洪开明。

普格县编写组

布拖县

【基本县情】 2016年,布拖县辖3镇27个乡190个行政村2个社区,辖区面积1685平方千米,其中耕地面积34.369365万亩、基本农田28.18935万亩。PIP系统总人口18.95万人,符合政策生育率81.1%,人口出生率18.17‰,人口自然增长率控制在12.5‰以内。森林覆盖率达34.1%。

2016年,全县GDP24.57亿元,增长6.6%。一般公共预算总收入完成1.33亿元,增长4.62%;地方一般公共预算收入0.95亿元,增长10.4%;地方一般公共预算支出18.35亿元,增长31.9%。转移输出农村劳动力5.62万人次,收入6.8亿元,人均3842元。

【年度农业和农村经济运行】 2016年,布拖县实现农业总产值122076.6万元,增长5.7%;农业增加值73007万元,增长4.1%。全县马铃薯种植面积20.45万亩,产量30.52万吨,产值达3.66亿元。全县拥有农业机械2800台(套),农机总动力达3.5万千瓦。开发保洁员公益性226个和护林员公益性岗位262个。全面完成"十一五""十二五"国家重大科技专项。城镇居民年人均可支配收入达22950元,增长7.62%;农民年人均可支配收入达7068元,增长10.67%。

农业产业化发展。布拖县从事农产品加工和生产的企业发展到13家,注册专业合作社75个,有家庭农牧场107家。全年发展订单农业面积6.7万亩,带动农户1.46万户,"公司+基地+农户"和"订单+农户"的发展模式进一步巩固。

【畜牧业】 2016年,布拖县"四畜"存栏44.17万头(只),出栏24.52万头(只);肉类总产量1.13万吨。"五黑一西"畜牧产业加速培育,规模养殖户达3593户,西门塔尔牛存栏5678头,黑牛存栏2.46万头,黑绵羊存栏4.74万只,黑山羊存栏6.4万只,黑鸡存栏2.14万羽。

【统筹城乡发展】 2016年,布拖县县城总体规划、滨河新区控制性详规修编及城市供排水、污水处理等设施规划工作扎实推进。政务新区、滨河新区建设稳步推进,城市功能布局更加合理,综合承载能力和管理水平显著提升。实施龙潭红旗新村建设,特木里镇入选全国重点镇行列,特色集镇建设不断加强。城乡环境综合治理工作成效显著。国道356线三湾河至县城段建成通车,省道464线县城至普格界段公路改建工程快速推进,实现国道、省道"零"的突破。冯家坪溜索改桥项目启动实施。全县公路总里程达1130千米,油路总里程达113千米。户籍制度改革稳步推进。开工建设保障性安居工程150套,覆盖城乡的社会保障体系基本建成。

【脱贫攻坚】 2016年,布拖县按照新村、新居、新产业、新农民、新生活"五新一体"工作思路,扎实推进17个乡(镇)20个村(其中极度贫困村8个)1700户彝家新寨建设(其中易地扶贫搬迁554户),投入资金10614.05万元,其中省级以上资金9161.05万元、州级财政资金669.2万元、县级财政资金783.8万元,已完成1041户彝家新寨主体房建设。突出项目整合、资金统筹,编制18个脱贫攻坚专项方案和163个贫困村脱贫方案,精准对接省"五个一批"、州"七个一批"攻坚行动计划;整合资金统筹实施十大民生工程、18件民生实事和大小凉山彝区"十项扶贫工程",抓紧抓实"五件实事",确保19个贫困村退出,减贫982户、4149人。成立县农投公司,撬动金融资金3.37亿元发展农业产业。利用国投公司融资平台设立风险基金2000万元,撬动金融资金2亿元。人力资源社会保障厅、省科协、省政协教育委员会、致公党省委、江油市、会理县以及神华集团、广东省佛山市等省内外对口帮扶工作取得实质性进展,西南科技大学、西昌学院等帮扶院校在智力支持、规划编制、产业发展等方面给予了大力帮助,"万企帮万村"活动深入推进。布拖县入选国家电商扶贫试点县。

【农村教育】 2016年,布拖县从严执行"控辍保学""七长"责任制和上下联动的责任捆绑制度,全县中小学在校学生达35077人,小学、初中入学率分别达98.9%、89.3%。实施"一村一幼"计划和"一乡一所"工程,新建125个幼教点,开办283个班,招收学前幼儿8370人。推广"福慧之星"寄宿制精细化过程管理模式。启动教育园区规划,推进龙潭镇中心校整体搬迁。

【农村文化】 2016年,布拖县县图书馆建成并投入使用;县文化馆升级改造完成,建成非遗展厅、公共图书室、文物陈列室、排练厅和信息共享中心。广泛开展广场舞、桥牌、象棋、摄影等群众性文化活动。圆满承办"中国传统民俗节庆文化复兴暨彝族火把节发展模式学术研讨会"。全县广播、电视人口覆盖率分别达82.4%、82.1%。

【农村卫生】 2016年,布拖县全面落实新型农村合作医疗保险政策,参合率达99.73%。公立医院综合改革及分级诊疗工作有序推进,计划免疫及重点疾病防治工作深入推进,全县"五苗"接种率达80.5%。创新艾滋病防治宣传形式,借助健康教育宣传包进村入户开展艾滋病防治"面对面"宣传教育,群众知晓率达90%。推行免费婚检,婚检率达95%以上。开展免费住院分娩,住院分娩率达86%。开展美沙酮维持治疗全免费及针具交换等预防干预工作。开展人口秩序清理整治工作,加大政策外生育查处力度。

【农村电力及通信】 2016年,布拖县有序推进交际河水电开发,建成大田坝电站。火烈、补尔、乐安风电场,包谷坪、合井光伏电站等建成投产。全县水电装机容量达36.8万千瓦,风电、光伏电站装机分别达15万千瓦、7万千瓦。500千瓦输变电站建设前期工作稳步推进,城乡供电网络、电力统调平台和外送通道建设不断加强。3G、4G网络建设不断向偏远山村延伸,信息通信基础设施极大改善。

【主要领导人】 县委书记:沙文;县人大常委会主任:乃古科且;县长:罗古阿吉;县政协主席:王金秀;分管农业副县长:比布有打。

布拖县编写组

金阳县

【基本情况】 2016年,金阳县辖34个乡(镇、街道),有农业人口19.2927万人,有耕地面积23.48万亩、基本农田23.4883万亩。

【年度农业和农村经济运行】 2016年,金阳县实现农业总产值131624万元,增长4.38%;农业增加值69694万元,增长4.15%。农民年人均可支配收入7022.07元,增长10.76%。

农业产业化发展。金阳县按照"低山青花椒林下套种白魔芋、二半山核桃林下套种花魔芋、高山华山松林下套种套养"的立体林业产业增收格局,完成青花椒林下套种白魔芋2000亩、核桃林下套种花魔芋1000亩;投入42.8万元,发展华山松林下鸡养殖500亩。

2016年金阳县省级示范农民专业合作经济组织名单

合作组织名称	注册资金(万元)	法人代表	示范等级	年度产值(万元)	行业分类	主营产品
金阳天地精华青花椒白魔芋农民专业合作社	100	林邦贵	省级	800	种植业	青花椒、白魔芋
金阳坪子村白魔芋农民专业合作社	76	马古史	省级	800	种植业	白魔芋

2016 年金阳县家庭农场经营情况统计表(前 10 位)

家庭农场名称	法人代表	年度产值(万元)	行业分类	主营业务
朝华水果丝毛鸡种养家庭农场	殷朝华	5	种养殖业	梨、桃、苹果、李子、板栗种植及林下养殖
肥羊家庭农场	贾巴曲清	3	养殖业	羊养殖、销售
李洪先青花椒种植家庭农场	李洪先	5	种植业	花椒种植、销售
油房青花椒种植家庭农场	杨永成	6	种植业	青花椒种植、销售
木比拉青花椒家庭农场	木比拉	20	种植业	青花椒种植、销售
天生桥陈普格家庭农场	陈普格	8	种植业	魔芋种植、销售
金阳县龙王庙子克只扎青花椒家庭农场	子克只扎	15	种植业	青花椒种植、销售
金阳县德溪乡长坪子村白里堵肉羊养殖家庭农场	白里堵	12	养殖业	山羊养殖、销售
阿布只火畜牧养殖家庭农场	阿布只火	3	养殖业	猪、牛、羊养殖及销售
李兵先青花椒种植家庭农场	李兵先	5	种植业	青花椒种植、销售

【种植业】 2016 年,金阳县农作物播种总面积 44.013 万亩,其中粮食作物播种面积 31.4295 万亩,总产量 6.2793 万吨;经济作物播种面积 18900 亩,与上年持平。全年水果产量 0.3957 万吨,与上年基本持平;蔬菜产量 3.9697 万吨,比上年增加 0.0541 万吨。获得全省 2015 年度"三农"工作先进县称号。

【林业】 2016 年,金阳县围绕全县人均拥有花椒 80 株、核桃 50 株、华山松户均 2 亩以上,贫困户户均拥有经济林面积 5 亩以上的目标,成功打造成为全国青花椒、白魔芋"地标保护县",成为了"中国青花椒第一县""中国青花椒之都""中国白魔芋特产之乡"。全县青花椒种植面积达 82.27 万亩,产量 6800 吨,实现产值 6.8 亿元;核桃种植面积 54.5 万亩,产量 3.3 万吨,实现产值 3.96 亿元;华山松种植面积 11.5 万亩,实现产值 0.6 亿元;全县人民人均林业产业收入达 5978 元。全县规划新建核桃基地 20 万亩,项目实施涉及 19 个乡(镇),共发放核桃苗木 661.5 万株,种植面积 24.5 万亩,超计划数的 23%;规划在低二半山区种植青花椒 20 万亩,项目实施涉及 16 个乡(镇),共发放青花椒苗 1002.37 万株,种植面积 22.27 万亩,超计划数的 11%;规划在高山带种植华山松 5 万亩,项目实施涉及 11 个乡(镇),购置华山松营养袋苗 110 万株,共发放华山松种子 3.75 万千克,实施标准化植苗示范造林 1 万亩,累计完成华山松造林 6.5 万亩,完成目标任务的 130%。完成省道 208 线华山松绿色长廊植苗栽植示范片 2000 亩,超额完成计划任务。全年新增森林面积 0.76 万亩,活力木蓄积 1.3 万立方米,森林覆盖率增长 0.31 个百分点。

【畜牧业】 2016 年,金阳县生猪出栏 14.1 万头、牛出栏 1.1 万头、羊出栏 16.23 万只、禽出栏 31.61 万只,比上年分别增长 1.59%、0.48%、0.32%;1.33%;"四畜"中,生猪存栏 15.01 万头、牛存栏 4.85 万头、羊存栏 23.94 万只、禽存栏 59.19 万只,比上年分别增长 0.23%、2.02%、0.62%、0.5%。肉类总产量达 1.332 万吨,同比增长 1.17%,完成州下达目标任务数的 100.54%。实现畜牧业总产值 50629 万元,农民人均畜牧业可支配收入增加 50 元以上。

【新农村建设】 2016 年,金阳县始终把脱贫攻坚与幸福美丽新村建设工作相结合,取得了明显成效。全年省、州下达的幸福美丽新村建设目标任务为 12 个村,规划实施目标为 20 个村,投入建设资金 974.9 万元,种植魔芋 750 亩,硬化进村道路 26.7 千米,建设农田水利沟渠 6.7 千米,完善了 15 个村的配套设施建设,圆满完成 20 个村的规划目标任务。

省、州下达金阳县彝家新寨建设任务为 20 个村、1943 户(其中彝家新寨建设 867 户、易地扶贫搬迁 1076 户),项目总投资 10064.372 万元,其中大小凉山彝区彝家新寨建设资金 7767.5 万元、州级配套资金 573.4 万元、县级配套资金 1643.472 万元、州级财政配套(极度贫困村)资金 80 万元,主要用于住房、基础设施和环境改善。补助标准为一般村户均补助住房建设资金 3 万元,极度贫困村户均补助住房建设资金 3.5 万元。同时,经县委常委会研究决定,给予实施"错层式"建筑模式的建设户多补助 5000 元。

全面开展"四好村"创建活动,力争到 2020 年全县 176 个行政村全部建成县级"四好村",80%以上的行政村建成州级"四好村"、60%以上的行政村建成省级"四好村",全年建成县级"四好村"31 个、州级"四好村"7 个。发放半自动洗衣机 3200 台,解决了 38 个脱贫村及依达乡、丙底乡、热柯觉乡下辖 10 个村 3200 户贫困群众的洗衣难问题。

【扶贫攻坚】 2016 年,金阳县紧紧围绕"两不愁三保障""四个好"目标,全面加速县域经济社会发展,确立了"扶贫不养贫、帮勤不帮懒、脱贫不掉队"工作导向,严格按照"六个精准"要求,保持"5+2""8+N"苦干实干工作状态,扎实推进"七个一批""12 个专项脱贫方案""18 个扶贫专项计划"。结合县情,大力实施借芋还芋、借苗还果、借羊还羊、借猪还猪、借薯还薯"五借五还"增收工程,让贫困群众"林上有果摘、林间有畜养、林下有芋挖、包里有钱装",真正实现"有尊严的脱贫、可持续的致富、惠子孙的奔康。"

立足"五个坚持",创新农村发展理念。为杜绝群众"等靠要"的思想,使农村贫困群众从思想上逐步实现"要我脱贫"为"我要脱贫"的自觉转变,县委县政府不断研判形势,结合金阳实际,创新提出了坚持正确政治方向不摇摆、坚持加快发展不动摇、坚持脱贫攻坚不懈怠、坚持依法治县不松手、坚持宗旨意识不变色"五个坚持"总体要求,不断优化调整产业结构,按照"生态立县"及"立足生存抓林业、立足涵水抓绿化、立足产业抓造林"的"三个立足"发展思路,围绕

"三带林业"产业体系发展,全力建好青花椒、核桃、华山松三棵树,着力形成"低山青花椒套种白魔芋、二半山核桃套种花魔芋、高山华山松套种牧草"的林上林下立体林业产业发展新模式,实现农业、林业、畜牧三大产业融合发展。

实施"精准扶贫",使农村面貌不断改善。2016 年,经省、州批准,全县实现 23 个村退出,1159 户贫困户、5630 人脱贫,切实打赢了脱贫攻坚"第一役"。一是聚焦"一超六有"脱贫标准,实现 5630 人脱贫。大力发展以青花椒、核桃、华山松为主的"3+X"立体林业产业,在热柯觉乡丙乙底村成功试种 413 亩高山秋季裸种错季蔬菜,2017 年将在高海拔适宜种植地区全面推广。严格按照国家标准,全面完成 1076 户、4773 人易地扶贫搬迁和 867 户彝家新寨建设任务;用好用活 100 万元教育扶贫救助基金,投入 4670 万元实施教育重点项目 33 个,完成 32 个"一乡一所"乡(镇)幼儿园建设,全面开办"一村一幼"幼教点,聘用 590 名辅导员, 38 个贫困村贫困户子女入学率达 100%;投入 100 万元设立医疗扶贫救助基金,全面落实贫困人口医疗"十免四补助"、医疗卫生服务"八个 100%"政策,贫困人口新农合参合率及大病保险覆盖率均为 100%,在县域内医疗机构就诊的贫困群众个人医疗费用支出控制在 10%以内;全面完成 38 个贫困村农村安全饮水提质增效、农村电网升级改造、"户户通"和村级广播覆盖工程建设任务。2016 年脱贫的 1159 户贫困户均达到脱贫标准。二是锁定"一低七有"退出标准,实现 23 个贫困村退出。通过落实产业发展、社会保障等系列扶持政策,2016 年退出的贫困村贫困发生率均低于 3%;以村"两委"为主导,依托资源优势,采取土地流转、资金投入等方式在 38 个贫困村均成立了以种养业为主的农民专业合作社,制定了规范的财务管理制度,村集体经济经营性收入人均达到 3 元以上;全面完成 38 条通村硬化路、40 条通组路以及 38 个贫困村村卫生室、文化室、民俗文化坝子、学前教育设施、网络基站等公共设施建设任务,贫困村交通制约严重、群众看病就医困难、公共服务落后等问题得到有效解决。

推进科技扶贫。投入 513.478 万元,建成县级农业科技扶贫综合服务平台 1 个、乡(镇)农村产业科技服务站 3 个、示范村科技信息服务站 6 个;投入 30 万元,建成 2 个优良魔芋繁育与推广基地,种植魔芋种 1.5 万千克;投入 20 万元,开展核桃嫁接技术培训,打造全国唯一的青花椒标准化生产示范区和全国魔芋产业重点基地县。

创新金融扶贫。按照"渠道不变、投向改变、结余统筹"的原则,统筹整合各类财政涉农资金 3.8 亿元,扶持贫困户发展产业和基础设施建设,其中整合住房贷款分险金和产业扶持周转金 7137 万元作为贷款分险金,支持农行、农商行按照 1∶10 的比例放贷给贫困户建设住房、发展产业。

【乡村旅游】 2016 年,金阳县以"首届四川十大最美花卉观赏地"——波洛索玛花海为核心,高标准、高起点综合开发生态旅游资源,扶持发展种植森林食品,开发野生食用菌、野生韭菜、蕨菜特色资源,结合彝家新寨建设,引导热柯觉乡丙乙底村等地林农发展生态农家乐,将县域内优质独特的森林生态资源优势转化为助农增收的经济优势。完善基础设施,打造旅游产品,建成 2A 级旅游厕所 2 座,培育创建民宿旅游达标户 5 户(已达标 2 户)。

【助农增收】 2016 年,金阳县全面落实中央、省、州系列促进农民增收的政策措施,促进农民收入持续增加。一是深化改革富裕农民。实行"三权分置",统筹推进农村土地承包经营权等"多权同确"颁证工作,完成登记农村集体土地 625 宗、建设用地 303 宗、宅基使用地 37927 宗。成立农村产权交易中心,出台各种产权流转交易格式合同,依法规范民间产权流转交易市场,积极引导农民采取租赁、转让、入股等方式将闲置或效益低下的产权向新型农业经营主体流转,赋予农民更多的财产性收益。二是做精产业富裕农民。推行"政府分险担保、农户自贷自还"的种苗共同投入机制和荒山荒坡"谁种谁拥有"、承包地农民自行种植政策。成功注册"白魔芋"国家地理标志证明商标,青花椒、白魔芋生态原产地产品保护示范区顺利通过专家评审。三是发展电商富裕农民。投入 130 万元,建成县级电子商务服务中心 1 个、乡(镇)服务站 3 个、村级服务点 6 个;发展网店、微商 152 余户,注册快递物流公司 4 家,在国内知名电商平台注册销售"大凉山"农特产品企业 10 余家。四是培训劳力富裕农民。开展电焊、土木工程、彝绣、厨师等技能培训 2191 人次,完成年度任务的 149%;培训贫困家庭劳动力 1863 人次,完成年度任务的 127%。投入公益性岗位补贴 190 万元,在 38 个贫困村中开发 190 个公益性岗位安置贫困家庭劳动力,每人每月补贴 300 元。全年转移输出农村劳动力 5.1509 万人,实现劳务收入 5.3025 亿元。五是减少农民,富裕农民。大力实施彝家新寨建设以及易地扶贫搬迁工程,同步推进户籍制度改革,完善社保体系,抓好留守农村人口产业发展,有序推进农村人口城镇化和就近就地市民化。

【回乡创业之星选介】 曲木沙约,男,彝族,南瓦乡尼古拉达村人。曲木沙约外出务工 14 年,利用业余时间学习并考取了建筑施工员证、安全员证。2007 年,曲木沙约回到家乡组织输送 280 名老乡到福建太阳城雨伞厂稳定就业。2009 年 7 月,曲木沙约开始承包彝家新寨项目小工程,有了一定的基础后,又组织能工巧匠和身强体壮且有文化的青年组建队伍继续承包建筑工程。2016 年年初,曲木沙约成立了注册资金达 1000 万元的金阳县天菩萨建筑工程有限公司,公司实现利润 127 万元,吸纳农民工 85 人,其中建档立卡贫困户 23 人。

【主要领导人】 县委书记:毛正文;县人大常委会主任:黄格;县长:李德强;县政协主席:谭福宣;分管农业副县长:毛勇。

金阳县编写组

昭觉县

【基本情况】 2016 年,昭觉县辖 46 乡 1 镇 268 个行政村 837 个农牧服务社,辖区面积 2700 平方千米,其中耕地面积 31.75 万亩。有户籍人口 30.08 万人,农业总人口 29.55 万人,彝族人口占总人口的 97.94%。全县森林覆盖率达 40.87%。

2016 年,全县 GDP27.6 亿元,增长 7%,其中第一产业增加值 10.8 亿元,增长 4.5%;第二产业增加值 7.9 亿元,增长 11.6%;第三产业增加值 8.9 亿元,增长 5.4%。

【年度农业和农村经济运行】 2016 年,昭觉县实现农业总产值 165416.4 万元,增长 4.32%;农业增加值 102967.4 万元,增长 4.47%。城镇居民年人均可支配收入达 21760 元,增长 7.8%;农村居民年人均可支配收入达 7576 元,增加 901 元,增长 13.5%。

农业产业化发展。昭觉县突出发展龙头企业,着力提高经营水平,认真落实"谁有能力谁当龙头,谁是龙头扶持谁"政策,坚持开放引进一批、大力发展一批、嫁接改造一批,不断壮大龙头企业的整体规模和实力,实现一头连农户、一头连市场,农工商一体化、产加销一条龙,形成良性互动。对新办的中小型农副产品加工企业加强创业扶持和服务,重点抓好蔬菜、农产品开发、中小企业建设。继续把促进农民专业合作组织建设、提高农民进入市场的组织化程度作为深化农村改革和推进农村小康社会建设的重要措施来抓，围绕市场和龙头企业的生产需要，以种养殖大户、营销大户和土专家为带头人，组建各种专业经济合作组织。积极培育和壮大农村经济人队伍，引导农民进行种养殖结构调整，推进农业产业化发展，围绕玉米、苦荞、燕麦、脱毒薯种植以及大棚蔬菜、土鸡养殖、机械制造加工等产业逐步建立起比较规范的专业合作经济组织。全县共有各类农民专业合作组织 69 个，成员 10416 户，辐射带动 16945 户，种植面积 54102.2 亩，实现总收入 2379.4 万元，成员户均纯收入 5180 元。有家庭农(牧)场 131 家(其中种植业 49 家、养殖业 82 家)，实现农场总收入 1470 万元，有效提高了农民的组织化程度，促进了农民增收。

【种植业】 2016 年，昭觉县围绕脱贫攻坚目标任务，进一步以市场为导向，在规模化、产业化、商品化上做文章，因地制宜发展"1+X"特色产业，着力构建核桃、花椒、马铃薯、苦荞、大棚蔬菜等生态农业产业布局，做大做强支柱产业，推进"种养+加工"互动发展，将昭觉县独有的自然优势和农业资源优势转化为发展优势和经济优势，促进农民增产增收。全年粮食播种面积 28.88 万亩，产量 10.6 万吨，同比增长 3.11%；蔬菜 4.07 万亩，产量 4.56 万吨，同比增长 2.24%；水果 0.63 万亩，产量 0.7 万吨，同比增长 7.69%。

【畜牧业】 2016 年，昭觉县现代畜牧产业强力推进，凉山半细毛羊、杂交肉牛、乌金猪、林下养鸡等经济效益不断提升，全县"四畜"存栏达 84 万头(只)，同比增长 3.4%；"四畜"出栏达 54.7 万头(只)，同比增长 5%；肉类总产量 2.29 万吨，同比增长 5.6%；禽蛋产量 267 吨，同比增长 3.6%。累计建成现代标准化养殖小区 53 个、畜牧科技示范园区 198 个。

【林业】 2016 年，昭觉县生态家园加快构建，生态环境明显改善。以建设"绿色银行，打造金沙江上游重点生态涵养区"为目标，深入实施退耕还林、封山育林等重点生态工程建设，大力推行"五棵树"种植，累计种植核桃 49 万亩、华山松 10.5 万亩、花椒 4.92 万亩、雪松 15 万株、白杨 1080 万株。建成以核桃为主的林果基地 52 万亩，新建核桃基地 30 万亩，改良 4 万亩，林果总产量 7970 吨。5 年来，全县累计造林育林 7.8 万亩，实施天然林保护 194.5 万亩，巩固退耕还林成果 12.1 万亩，森林覆盖率由 28.45%提高到 29.5%。

【幸福美丽新村建设】 2016 年，昭觉县坚持以"新村、新居、新产业、新农民、新生活"同步发展为路径，以农村基础建设为载体，大力实施农民住房打造、农村饮水、乡村道路、农村水电、农村产业等基础建设项目。深入实施扶贫解困、产业提升、旧村改造、环境整治和文化传承行动，统筹做好基础设施建设、公共服务配套和社会管理创新，加快建设幸福美丽新家园，让群众住上好房子、过上好日子、养成好习惯、形成好风气，努力提高农民生产生活品质。全年省级财政投入幸福美丽新村建设项目资金 950 万元，涉及 7 个乡、10 个行政村、1532 户、6233 人(其中贫困户 594 户、1959 人，建档立卡贫困户 187 户、736 人)，完成农房住房功能完善 252 户、通社入户路建设 12.3 千米，新建便民桥 1 座、畜圈 15 个、村级综合服务站 1 个，全县幸福美丽新村建设稳步推进。

【扶贫攻坚】 2016 年，昭觉县扶贫攻坚首战首胜，不断加大民生投入，全面实施大小凉山彝区"十项扶贫工程"，5 年来累计投入扶贫资金 23.8 亿元，减贫 4.15 万人，建成彝家新寨 87 个村，实施整村推进项目 30 个，完成易地扶贫搬迁 2878 户、12756 人，改造农田危房 0.74 万户，解决 6.97 万人的饮水安全、23 万人的生活用电问题。深入实施精准脱贫，"5+12 件"实事、"四个好"创建稳步推进，"579"工程模式全面推广，"七个一批"行动计划加快实施，社会扶贫全面推进。

【乡村旅游】 2016 年，昭觉县生态文化旅游业保持良好发展势头，投资 1.2 亿元的"谷克德"省级湿地公园、汽车自驾游营地，投资 3 亿元的"悬崖村"民俗体验区等重点旅游项目正式落地。以打造彝族文化大都为总抓手，成功申报"彝族服饰""克西举尔"为国家级、省级非物质文化遗产。

【劳务开发】 2016 年，昭觉县大力推进劳动力转移输出，做大做强劳务产业。坚持"市场引导培训、培训促进就业"的原则，围绕市场需求和劳动力意愿，创新培训方式，采取分类培训、基地培训、进厂岗前培训、农民夜校等培训形式，强化农民务工技能，有效提高了农民工技术水平，全年完成劳务培训 7000 人次(其中贫困人员精准扶贫技能培训 611 人、劳务品牌高技能培训 340 人、返乡创业培训 25 人)，获得劳务品牌培训中级技能等级证书 119 人。在抓好技能培训的基础上，依托就业中介组织和劳务经纪人及打工能人带动输出，积极拓展中西部劳务市场和就近就地就业市场，不断扩大劳务输出规模，壮大劳务输出产业。全年输出务工人数 8.2 万人次，比上年增长 1.2%；实现劳务收入 8.61 亿元，比上年增长 18%；劳务用工人均可支配工资性收入 2927 元，比上年增长 1.3%，占农民年人均可支配收入的 35%。

【村集体经济建设】 2016 年，昭觉县村级集体经济建设工作按照省、州要求，加强领导、落实责任、细化措施、明确目标，以村集体经济经营性收入为依据，全年集体经济实现人均收入 3 元的有 48 个村，完成年度计划的 100%；48 个脱贫"摘帽"村集体经济经营性收入全部达标，48 个脱贫"摘帽"村村级集体经济经营性总收入达 18.17 万元，服务性收入达 1.02 万元；通过其他组织、单位或个人捐资提供服务获得收益的村有 3 个，收入 58.77 万元，全县村级集体经济发展初见成效。

【主要领导人】 县委书记：子克拉格；县人大常委会主任：许世蓉；县长：赫绍洪；县政协主席：吉觉古史；分管农业副县长：王凉萍。

昭觉县编写组

喜 德 县

【基本情况】 2016 年，喜德县辖 24 个乡(镇)170 个行政村 3 个社区，辖区面积 2206 平方千米，其中耕地面积 41.66 万亩，增长 1.2%；基本农田 31.74 万亩，增长 1.47%。年末总户数 67078 户，总人口 219711 人，其中少数民族人口 199700 人，占总人口的 90.89%；彝族人口 1993067 万人，占总人口的 90.71%；乡村人口 188621 人，占总人口的 85.9%；人口密度 99.6 人/平方千米；人口出生率 17.39‰，人口死亡率 6.83‰，人口自然增长率 10.56‰。

【年度农业和农村经济运行】 2016 年，喜德县实现农业总产值 115546 万元、农业增加值 70274 万元。农民年人均可支配收入 7031 元，增长 10.78%。

新型农业经营主体培育。喜德县积极发展村级集体经济，加快培育农民专业合作社、种养大户、家庭农场等新型农业经营主体，全县在工商登记注册的农民专业合作社累计达 102 个、家庭农场累计达 68 家。为充分发挥招商引资对农业产业化种养殖示范基地建设项目的带动作用，出台了对《2016 年喜德县农业产业扶贫项目招商政策优惠实施办法》，对种养大户、农民合作社、家庭农场、农业企业等新型农业经营主体进行针对性扶持。

2016年喜德县家庭农场经营情况统计表(前10位)

家庭农场名称	注册资金(万元)	法人代表	年度产值(万元)	行业分类	主营产品
袁清云水蜜桃种植家庭农场	30	袁清云	90	种植业	水蜜桃
易定香蔬菜种植家庭农场	30	易定香	100	种植业	蔬菜
喜德县两河口镇春林家庭养殖农场	42	童正春	140	畜牧业	鸡
喜德县红莫镇雪波生态畜禽养殖家庭农场	50	庄雪波	120	畜牧业	鸡
喜德县拉克乡勇远养殖家庭农场	—	杜勇	30	畜牧业	猪
喜德县两河口镇林飞肉羊养殖家庭农场	80	童小飞	1.6	畜牧业	羊
喜德县红莫镇尔古木果养殖家庭农场	30	尔古木果	15	畜牧业	猪
喜德县李子乡巴且日哈肉羊养殖农场	120	巴且日哈	16.8	畜牧业	羊
喜德县依洛乡阿于杨勇肉羊养殖家庭农场	8	阿于杨勇	1.5	畜牧业	羊
喜德县依洛乡依普书村呷久克地肉羊养殖家庭农场	—	呷久克的	3	畜牧业	羊

“大凉山”农产品品牌创建。喜德县抓好“大凉山”农产品品牌创建工作,不断完善四川火把液酒业有限责任公司4种白酒系列产品以及喜德县成远生猪专业合作社生产的“袁野”牌野猪肉、黑猪肉、喜德阉鸡、花椒、核桃、燕麦、彝家生态元根酸菜等9种产品。参加了11月在成都市举办的第四届四川农业博览会等产销对接活动。对“吉伍”牌彝族餐具和犇驰牌彝族漆器等共17种“大凉山”特色农产品品牌包装进行督促检查,完善广告制作和宣传工作。

拉克现代农业园区建设项目。喜德县推动全县“一乡一业”“一村一品”及产村相融建设工作,按照《喜德县拉克现代农业园区规划(2014—2017年)》要求,总体规划面积550亩,已基本建成设施农业示范基地300余亩,带动光明镇新联村建设100亩设施农业示范种植树椒及冕山镇和民村兴发养殖专业合作社建设50亩设施农业示范种植蓝莓,设施农业示范基地一期50亩大棚果蔬基地为喜德县绿园种植农民专业合作社将流转的50余亩田地用以示范发展的种养殖现代设施农业项目,外销树椒16批次,产量达30万千克,总产值达80万元;外销番茄14批次,产量达20万千克,总产值达40余万元。设施农业示范基地二期正在建设350亩大棚果蔬基地,已入驻专业合作社4家。

【种植业】 2016年,喜德县大小春农作物播种面积41.66万亩,其中粮食作物播种面积31.7425万亩,同比增长1.47%,实现总产值29071.6万元。大春粮食作物中,水稻播种面积2.5万亩,产量0.5382万吨;马铃薯播种面积18.099万亩,产量29.693万吨;玉米播种面积4.57万亩,产量0.959万吨;豆类播种面积0.4万亩,产量0.024万吨;荞麦播种面积3.85万亩,产量0.1656万吨;其他作物0.15万亩,产量0.0055吨。小春作物中,粮油作物播种总面积2.5595万亩,产量0.4296万吨,其中小麦播种面积0.045万亩,产量0.011万吨;大麦播种面积1.506万亩,产量0.339万吨;早春马铃薯播种面积0.501万亩,产量0.048万吨;油菜播种面积0.386万亩,产量0.022万吨;其他作物0.1215万亩,产量0.0096万吨。水果种植面积0.99万亩,其中投产面积0.97万亩,产量1.37万吨,实现产值5480万元;蔬菜种植面积1.354万亩,产量2.32万吨,实现产值6728万元;烤烟种植面积1.3236万亩,产量1250吨,实现产值2782.5万元。全县种植业实现总产值52213万元。

【林业】 2016年,喜德县实现林业总产值1.16亿元。发展核桃产业40.3万亩,挂果面积2300余亩,产量1375吨,实现产值2100万元;花椒13.1万亩,实现产值9500万元;油橄榄0.53万亩;其他经济林10.76万亩。完成2015年巩固退耕还林成果后续产业专项建设1万亩、2016年新一轮退耕还林任务0.72万亩。完成零星植树90万株、义务植树1.8万株。举行了大规模“绿化凉山”行动启动仪式,参加人数达到500人,栽植冲天柏2000株。

林业科技培训。开展核桃育苗、栽培、高接换种等系列技术培训25期,培训3400人次,在培训过程中邀请省、州专家及外县土专家进行了指导。开展花椒、油橄榄管理技术培训16期,培训1280人次。组织林业基层技术人员、乡(镇)分管领导、村(组)干部、“第一书记”共167人次参加5期全州“123”人才培训。组织开展云南松、华山松等造林技术培训5期,培训林农870人次。

中央财政补贴造林项目。完成中央财政补贴造林项目1.7万亩,其中乔木和木本油料林1.2万亩、低产低效林改造0.5万亩,乔木和木本油料林实施地点为贺波洛乡等7个乡(镇)8个村,共57个小班;低产低效林改造实施地点为博洛拉达乡等5个乡(镇)7个村,共16个小班。完成中央财政补贴森林抚育项目面积2万亩,其中集体中幼林抚育面积1.5万亩、国有中幼林抚育面积0.5万亩,集体中幼林抚育实施地点为尼波镇等11个乡(镇)26个村,共79个小班;国有中幼林抚育区涉及喜德林场冕山作业区207林班、林产公司深沟作业区208林班、洛莫作业区203和205林班,共17个小班。

林政资源管理。全年调查处理毁林开荒、乱砍滥伐、乱占林地、乱捕滥猎、乱采乱挖等涉林违法案件105起,破案率、查处率均达98%以上,其中非法侵占林地25起、32亩,盗伐林木34起、15.02立方米,滥伐林木46起、82.3立方米,共计罚款31万余元。拉克乡干托村违法占用林地违法案件已移交州森林公安局处理。

集体林权后续工作。开展集体林权流转问题整改,成立了整改机构,落实了整改人员,制订了整改方案,纠正国有林勘为集体林面积3895.3亩,纠正集体林公益林勘为商品林面积4072.2亩,纠正非林地错划为林地面积17811.9亩,纠正私分乱用流转资金89.4万元;注销错误林权证24本,注销面积58193亩。

护林防火。落实森林草原防火目标责任制,签订各级责任书785

份。全年共出动宣传车 25 台次,新建护林防火宣传碑(牌)16 处,书写标语 153 条,发放各类宣传资料 6000 份,发送手机短信 7.8 万条;落实巡山员 266 名、瞭望员 2 名、护林看山员 131 人,设立防火检查站 8 个;组建专业扑火队、半专业扑火队和村民义务扑火队 195 支,共 4220 人;整改火灾隐患 20 起,限期整改 5 起。全年共发生森林火灾 2 起,过火面积 15.4 公顷,受害森林面积 10.3 公顷。

【畜牧业】 2016 年,喜德县生猪存栏 13.0717 万头(其中能繁母猪存栏 2.7636 万头)、出栏 14.6862 万头,猪肉产量 0.9033 万吨;牛存栏 5.0245 万头、出栏 0.8635 万头,牛肉产量 0.0981 万吨;羊存栏 26.7613 万只、出栏 12.5881 万只,羊肉产量 0.1761 万吨;马存栏 1.326 万匹、出栏 0.2756 万匹,马肉产量 0.0178 万吨;家禽存栏 28.324 万只、出栏 72.7991 万只,禽肉产量 0.1294 万吨,禽蛋产量 0.0294 吨。全县有天然草地面积 114 万亩、人工种草面积 14.4 万亩(其中多年生牧草 2.4 万亩),饲草产量 15.5 万吨(干草),生产草种 52 万千克(光叶紫花苕)。主要畜禽适度规模养殖面提高 3%;重大动物疫病有效免疫抗体合格率达 70%以上,畜禽屠宰规范化管理率达 81.5%,兽药规范化管理率达 91%,动物卫生及兽药监督执法案件查处率达 100%。县级自筹资金 700 万元,建设生猪规模化集中养殖场(小区)25 个,共饲养生猪 12500 头。全年实现养殖业总产值 58757 万元,农民人均畜牧业可支配收入增加 80 元。

【水产业】 2016 年,喜德县池塘养殖总面积 315 亩,投放鱼种 10 吨,放养淡水鱼苗 75 万尾、淡水鱼种 20 吨。全年水产品产量 137 吨,实现水产品总产值 133 万元。特种地方名优野生鱼类养殖面积约 20 余亩,主要养殖品种有鲈鲤、裂腹鱼、青石爬鮡、黄石爬鮡、虹鳟、胭脂鱼等。为充分利用丰富的冷热水资源,做大做强渔业品牌,全县在巩固现有的稻田养鱼和池塘养鱼的基础上,进一步推行稻田养鱼新技术,改造老旧池塘。重点扶持红莫正源水产良种场,辐射整个红莫镇乃至河谷沟坝地区,做大做强鲈鲤、裂腹鱼等凉山地方名优野生鱼类产业,促进全县水产养殖业健康快速发展。积极扶持水产养殖户申报养殖大户,组建水产养殖专业合作社,激发养殖户的生产积极性。全年渔政执法案件办结率达 100%。

【统筹城乡与新型城镇化】 2016 年,喜德县县城新区"两轴、一心、七核"、工业集中区、社区、彝家新寨、灾后重建、旅游开发同步建设,重点发展县城新区,大力发展中心镇,积极推进彝家新寨建设,走出了一条形态适宜、产城融合、城乡一体、集约高效的新型城镇化路子。

强化规划引领。统筹区域发展空间布局,明确功能定位,加快完善县域城镇体系规划和各项专项规划,重点抓好县城新区、7 个建制镇、彝家新寨规划品质的提升,抓好乡(镇)、彝家新寨规划、喜德县旅游休闲会客厅及有关专项规划的编制,基本实现区域规划、全域规划、总体规划与各专项规划的统筹与衔接,做到多规整合、多规合一,形成科学完善、相互融合的规划体系。加强规划成果运用,强化规划执行的刚性。

加快县城新区建设。坚持产城一体、宜居宜业、特色发展,将县城新区建设与休闲会客厅建设有机结合,按照"先地下、后地上"的原则,加快道路、管网、电力、通信、供排水、燃气、绿化、路灯、桥梁等基础设施建设,完善公共服务设施,提升城市综合承载能力。加快推进东河瓦尔片区,红莫温泉开发,冕山工业、鲁基乡、李子乡工业集中区和"两化"互动示范园区建设。

有序推进旧城改造。以设施配套、功能完善为重点,抓好旧城改造规划编制工作,优化功能分区,合理确定开发强度;加大危旧房和棚户区改造力度,加快道路、桥梁等交通基础设施建设,发展城市公共交通,实施旧城区供排水、供电、供气和广电通信等设施及配套管网建设,完善农贸市场、防灾避险场所和停车场等,加大旧城区风貌塑造、园林绿化和环境综合整治力度,加强历史文化保护,改善人居环境,提升城市品质。

加快小城镇建设。依托资源、突出特色,重点培育一批基础条件好、发展潜力大、区位优势明显的中心乡(镇)。加快推进重点镇(特色镇)建设,完善城镇规划,加快道路、供排水管网、防涝减灾、园林绿化、环卫等基础设施和公共服务设施建设。培育特色产业,提升内涵品质,增强吸纳能力,逐步形成一批工业和旅游特色乡(镇)。完成 2 个乡的撤乡建镇工作,促进农民就近就地城镇化。因地制宜推进非重点集镇建设,重点抓好功能配套,加强环境整治,强化区域服务功能。

【彝家新寨建设】 2016 年,喜德县彝家新寨建设任务为 20 个村、1700 户住房建设,其中彝家新寨住房建设 669 户、易地扶贫搬迁 1031 户。截至 2016 年年底,20 个彝家新寨基础设施建设项目已全部启动,完成率为 80%。8 个村 669 户住房建设任务已全部完成,其中,新建 453 户、改建 216 户,受益户为建卡贫困户;投入资金 4683 万元,其中省级以上财政投入 1672.5 万元、州财政投入 133.8 万元、县财政投入 200.7 万元、农户自筹资金 2676 万元。

【扶贫攻坚】 2016 年,喜德县抓紧抓实年度减贫任务,与乡(镇)、村、户层层签订了脱贫攻坚责任书,强化责任落实。投放扶贫小额信贷 1152 万元,落实风险补偿基金 2676 万元,惠及贫困户 630 户。2016 年教育十年行动计划总投入补助资金 60 万元,对 1200 名寄宿制生活困难学生进行了困难补助。按照"脱贫不落下一户一人"的原则,扎实推进"五个一批"行动计划,完成特色产业发展一批 9410 户、21733 人,创新创业致富一批 1036 户、1856 人,移民搬迁安置一批 5656 户、22439 人,低保政策兜底一批 4554 户、12401 人,医疗救助扶持一批 1426 户、1588 人,移风易俗巩固一批 10741 户、42701 人。贫困人口中年人均纯收入达到 3100 元以上、吃穿不愁、有安全住房、无义务教育阶段因贫辍学学生,贫困家庭新农合与大病医疗保险整户参合参保、有生活生产用电、有安全饮用水、有广播电视的达 10812 人。根据国家"六有"系统和子系统以及省、州验收情况,全年完成 14 个贫困村退出,实现贫困村退出"一低七有"和 28 个有贫困户脱贫任务村、1676 户贫困户、6466 人退出,达到了"一超三有"和"两不愁、三保障"的脱贫目标。

产业扶贫。主抓核桃等经果林产业,栽植杉松 3 万亩、花椒 3000 亩,建成马铃薯基地 18.5 万亩,推广青薯 9 号 7100 亩、现代设施农业 400 亩;向当年计划脱贫户免费发放 5 只羊或 1 头牛、2 头猪;建成近 800 亩大棚水果和蔬菜。实施大户带动、企业带动和合作社带动,引进新希望集团建设养猪场 2 个,每个养猪场年出栏生猪 1000 头,合计年出栏 2000 头,带动帮助 20 户贫困户脱贫。培育扶持农民专业合作社 54 个、家庭农场 48 个、种养大户 1782 户,带动贫困户 647 户、2264 人。开展部门包村定点帮扶工作,实行党政领导干部联系点结对帮扶制度,落实县级领导干部联系帮扶 1 个村、县处级领导干部每人结对帮扶 10 户贫困户、科级干部每人一对一帮扶 5 户贫困户、一般干部共同帮扶 1 户贫困户的帮扶措施,与农户结成帮扶对子,落实结对帮扶责任;完善部门包村定点帮扶工作制度,明确定点帮扶单位的工作目标、任务和职责,在每个重点村安排 1~3 个县级干部进行有重点的定点帮扶,实行不脱贫、不脱钩的管理机制,建立目标管理考核体系。各级帮扶单位及企业派驻了136个驻村帮扶工作组共440人联系贫困村,下派"第一书记"136名、农业科技人员136名。全年投入社会帮扶资金3982.93万元,其中中央单位帮扶投入资金231.5万元、省级单位帮扶投入资金517.2万元(物资折款48.8万元)、州级单位帮扶投入资金96.19万元(物资折款66.26万元)、企业帮扶投入资金2100万元、东西扶贫协作帮扶投入资金1134.23万元、县级单位帮扶投入资金124万元,共计实施帮扶项目25个,其中建设彝家新寨新村9个,新(改)建住房595户,新(改)建公路10.6千米,实施人畜饮水项目3个、种植业项目6个、养殖业项目3个;种植核桃3000亩、花椒2000亩、辣椒300亩,建设粮食产业核心区350亩,种植优质水稻1200亩、玉米1200亩、马铃薯400亩;积极发展现代畜牧业,发展生猪、鸡适度规模养殖小区15个,为完成全县46个贫困村"摘帽"和9974名贫困群众脱贫做出了积极贡献。

劳务扶贫。牵头制订了《喜德县就业技能培训扶贫专项实施方案》《喜德县2016年46个脱贫村贫困户外出务工稳定就业项目实施方案》等,开展农民实用技术和乡土人才培训,加强农村贫困户就业技能培训,全面提升贫困家庭工资性收入,完成各类就业技能培训5.26万人次。136个贫困村开办了农民夜校,为村民培训农业产业扶贫知识和适用农业技术,共培训贫困户6673人次,为贫困农民脱贫打下坚实基础。充分发挥乡(镇)劳务站、劳务中介组织和劳务经纪人的作用,通过劳务经纪人等有序输出农民工2.8万人,全年累计完成劳务转移输出5.1万人次,实现劳务收入7.1亿元,其中转移输出建档立卡贫困户1900人,实现劳务收入0.19亿元。返乡创业10人,创办企业6家,实现总产值93万元,吸纳就业119人,近1.1万户贫困家庭通过劳务收入实现脱贫。

"两项资金"项目。全年"两项资金"总投入645万元,其中"四小工程"小路项目5个,投入资金215万元(在博洛拉达乡则巴村建设通达路2千米,投入"三州"开发资金48万元;在冕山镇则古村硬化建设村内支道和入户路2千米,投入"三州"开发资金37万元;在乐武乡达洛村建设村内环线通达路3千米,投入"三州"开发资金47万元;在东河乡拉克村五组建设通达2.8千米,投入"三州"开发资金37万元;在两河口镇两河口村三组硬化建设入户路2.5千米,投入"三州"开发资金46万元)。民族地区文化建设推进工程项目2个,投入资金60万元,其中在沙马拉达乡觉莫村和冕山镇民主村分别建设300平方米的大坝子、50平方米厨房带保管室、20平方米厕所,配套购置了餐具、板凳、音响设备,各投入"三州"开发资金30万元。实施民族地区农牧民增收工程项目3个,投入资金310万元,其中在拉克乡四合村扶持100户农户(优先帮扶贫困户)发展生猪养殖增收产业,户均采购能繁母猪2头以上,建设标准化圈舍20平方米、沼气池8立方米,年生猪存栏25头以上,出栏率达90%以上,投入"三州"开发资金150万元;在贺波洛乡跃进村扶持75户农户(优先帮扶贫困户)发展母羊养殖户,均养殖基础母羊30只以上,改(扩)建标准化高床羊舍4500平方米(户均60平方米),活动场4500平方米(户均60平方米)、带顶粪污堆积场750平方米(户均10平方米)、人工种植优质牧草375亩(户均5亩),存栏优质基础母羊2250只,引进优良种公羊75只(户均1只),项目建成后年出栏优质商品肉羊达到2250只以上,投入"三州"开发资金150万元。结合喜德县实际,举办农业专业合作社组织带头人及主要成员培训班1期,培训人数50人,投入"三州"开发资金10万元。

【乡村旅游】 2016年是喜德县乡村旅游开发逐步规范的一年,全县围绕特色产业、地方风俗、人文景观,多渠道多形式发展具有喜德县特色的乡村旅游。全县共有农家乐11家,其中星级农家乐1家。在温泉周边建成了乡村旅游休闲带,为全县乡村旅游事业发展起到了良好的带头示范作用。邀请成都王者规划公司对贺波洛乡跃进村乡村旅游进行了规划,贺波洛乡跃进村成功创建为旅游扶贫示范村。结合四川省国际文化旅游节,在贺波洛乡瓦吉村莫梁子举办了喜德县第一届传统民俗火把节。

【回乡创业之星选介】 尔古木呷,男,彝族,中共党员,2002年毕业于西南民族大学。毕业后,尔古木呷怀着"一个人要有真本事,就应该闯一闯"的念头开始了长达6年的务工生涯。他在实践中积累了初步经验,结合自身资源优势,为创业奠定了基础。2008年3月,尔古木呷回到家乡创办了一所砖瓦厂。截至2016年年底,砖瓦厂净资产达500万元以上,年产值达400万元以上。砖瓦厂积极主动吸纳当地农村剩余劳动力、城镇失业者就业,在砖瓦厂务工人数达50余人,为全县劳动力就地转移提供了一定支撑。

【主要领导人】 县委书记:曲木伍牛;县人大常委会主任:杨开华;县长:黎平;县政协主席:宋国平;分管农业副县长:龙里体。

喜德县编写组

冕宁县

【基本情况】 2016年,冕宁县辖25乡13镇8个社区,辖区面积4423平方千米,其中耕地面积39万亩。年末户籍总人口403136人,常住人口358000万人,其中乡村人口305039人、城镇人口98097人;少数民族人口174287人,占总人口的43.2%。全年出生5299人,人口出生率14.39‰;死亡2404人,人口死亡率6.53‰;人口自然增长率为7.86‰。本地水资源总量50亿立方米,人均占有水资源量13700立方米。有林业用地32647.92万公顷,有林地面积204751.2万公顷,活立木总蓄积量21134601立方米,森林覆盖率达56.3%。

2016年,全县GDP107.26亿元,增长9.9%,人均GDP30004元,其中第一产业增加值20.64亿元,增长4.1%,对经济增长的贡献率为8.39%;第二产业增加值59.59亿元(规模以上工业增加值同比减少2.2%),增长14.2%,对经济增长的贡献率为77.37%;第三产业增加值27.03亿元,增长5.5%,对经济增长的贡献率为14.24%。三次产业结构比由上年的20∶54∶26调整为19.2∶55.6∶25.2。

全社会固定资产投资60.72亿元(含农户投资),增长0.48%。社会消费品零售总额407938.3万元,增长10.9%,其中城镇市场零售额278022.1万元,增长10.97%;农村市场零售额129916.2万元,增长10.77%。地方一般公共预算收入完成62238万元,增长10.64%;地方一般公共预算支出232821万元,增长1.31%。金融机构各项存款余额831566万元,增加94125万元,增长12.76%;贷款余额340020万元,增加50078万元,增长17.27%。全年接待国内外游客218万人次,实现旅游总收入16.65亿元,增长18.84%。

公路通车里程1417千米,其中等级公路1325千米、高速公路88千米。全年公路货运周转量5062万吨千米,公路客运周转量1249万人千米。全县邮电主营业务收入17656.89万元,增长7.62%。

有各级各类学校212所,在校学生81579人,有小学专任教师1845人、普通中学专任教师1076人;小学适龄人口净入学率99.95%,小学毛入学率115.95%。全年共申报科研项目31个,其中省、部级2个,州级11个,县级18个(立项13个);申请专利21个。有公共图书馆1个

(藏书量35972册),农家书屋224个,文化馆1个,乡(镇)文化站38个,博物馆3个,文物保护机构1个,保护单位28个(其中国家级1个、省级6个、县级21个)。有卫星地面接收站3.4万座(含农村)、电视发射台和转播台38座,有有线广播电视用户0.8万户,电视人口覆盖率达89%,广播人口覆盖率达92%。年末固定电话用户33387户,比上年增加8702户;移动电话用户268331户,比上年增加17798户;互联网宽带接入用户49361户,比上年增加18154户。

有卫生计生机构306个、村级卫生室228个,病床位2031张,卫生技术人员1506人。基本养老保险参保人数121339人;基本医疗保险参保人数31502人;新型农村合作医疗参合人数320767人,参合率99.43%。

【年度农业和农村经济运行】 2016年,冕宁县实现农业总产值374612万元,增长5.08%;农业增加值20.64万元,增长4.1%。城镇居民年人均可支配收入达23760元,增长7.9%;人均消费支出15158元,增长8.9%。农村居民年人均可支配收入达12235元,净增1079元,增长9.67%;人均消费支出8912元,增加534元,增长6.37%。全县城镇化率达39.02%,高于全州平均水平5.98个百分点,同比提高1.17个百分点。

农业产业化发展。冕宁县坚持"围绕区域特色建龙头,围绕主导产业建龙头,围绕基地规模建龙头"的原则,逐步形成了以樱桃、冕宁火腿、泸宁鸡、泸宁刺梨、花椒、核桃、薇菜、特色水果为主的农业龙头企业产业群。截至2016年年底,已有394个农民专业合作社在县工商局办理了注册手续,其中新发展64个(其中省级3个、国家级1个),带动农户38713户,种植土地20448亩。全县发展家庭农场69家,涉农企业达24家,有一定规模的农业龙头企业共9家(州级农业产业化重点龙头企业6家),拥有资产总额25535.7万元,其中固定资产6892万元,实现销售收入10920万元、利税120.5万元;带动农户35747户,实现农村剩余劳动力就业1387人。

农产品品牌战略实施。冕宁县农产品质量认证工作取得显著成绩,共有9家企业获得11个农产品质量认证,其中地理标志保护农产品2个、无公害农产品3个。全县有32个品牌统一了"大凉山"农特产品外包装,培育创建6个州级以上知名品牌。

【种植业】 2016年,冕宁县粮食作物播种面积32784公顷,增加175公顷,增长0.54%,占农作物总播种面积的比重为73.11%;粮食总产量达175379吨,增长3.13%,平均亩产357千克。主要经济作物中烤烟产量8675吨,减少0.54%;蔬菜产量268108吨,增长4.37%;水果产量44381吨,增长7.69%。

【畜牧业】 2016年,冕宁县生猪出栏298535头,同比减少3.2%;羊出栏166495只,增长7.5%;牛出栏24986头,增长3.7%;家禽出栏857024只,增长2.5%。全年肉类总产量达31922吨,增长0.5%。其中,猪肉产量24479吨,减少0.8%;羊肉产量3000吨,增长7.5%;牛肉产量3016吨,增长3.7%;家禽肉产量1330吨,增长2.3%。牛奶产量95吨,增长2.2%;蚕茧产量1411吨,增长0.4%。

【新农村建设】 2016年,冕宁县建成幸福美丽新村25个,建设新村新寨41个、扶贫新村14个、农村廉租房160户,各项建设项目资金总投入4249.6万元,其中省财政新村基础设施建设项目资金900万元、州专项资金650万元、县级配套资金2000万元、新农村建设存量资金699.6万元。新村建设投资完成规划总投资的149.53%。一是加快现代农业产业基地建设。打造"一五四三"(1个主轴、5个次轴、4个产业带、3个经济分区)县域产业结构,把村庄改造和产业布局融合起来,做好强基础、育龙头、创特色、立品牌工作,加快农业产业化进程。二是大力推进农村基础设施建设。硬化道路30.89千米,新建道路6.6千米、垃圾池3个、便民桥3座,安装路灯183盏、变压器2个,修建人畜饮水池250立方米、水管58.6千米、农业产业基地2730亩、设施农业40亩,安装旅游标识标牌64块、监控设施1套、安全防护栏1180米,整合贫困村新村点建设基础设施项目1个,修缮贫困村非建档立卡贫困户房屋2411户。三是加快农村公共服务体系建设。建设"1+6"村级公共服务活动中心41个,以村级公共服务活动中心为平台,健全和完善农技、文化、医疗卫生、就业、信息和各种社会管理服务体系。加强基层组织建设,社区管理水平不断提升,村民素质有较大提高,"业兴、家富、人和、村美"的幸福美丽新村逐步呈现,为推进城乡一体化发展新格局打下了坚实的基础。四是努力推进农村社会管理建设。加强环境治理,实现生活垃圾户集、村收、乡(镇)运、县处理,垃圾集中收集率达100%。开展生态工程建设,推广新村建设"微田园"模式,实施庭园经济建设,展现山水田园风光和自然生态和谐之美,将复兴镇建设村、漫水湾镇西河村2个新村打造为集设施农业、生态旅游、休闲娱乐于一体的幸福美丽新村。

【扶贫攻坚】 2016年,冕宁县立足实际,创新举措,全面贯彻实施冕宁县强村富民发展村级集体经济实施意见,大力发展食用菌、辣椒、附子等"短平快"产业项目,结合青(红)花椒、核桃、养殖业等中长期产业项目,建立有效机制,积极探索壮大村级集体经济路子,取得了明显成效。全县集体经济收入在1万元以下的村有18个,1万~2万元的村有3个,10万元以上的村有2个,2016年21个贫困村全部实现人均3元的村集体经济收入。全年完成精准劳务扶贫1140人,超任务88人。

【农村社会保障】 2016年,冕宁县最低生活保障实现"应保尽保",其中城镇居民最低生活保障人数2357人,发放保障金769.7万元;农村居民最低生活保障人数26076人,发放保障金5436万元。全年实施城乡医疗救助953人次,发放救助金183.5万元,其中资助城乡低保、五保、一二级残疾对象参保参合372.74万元。国家抚恤补助各类优抚对象1062人。

【劳务开发】 2016年,冕宁县推行"培训、输出、维权"三位一体的劳务开发工作模式,结合劳务扶贫工作,把农民工技能培训和促进农民工、富余劳动力转移就业、自主创业作为加快劳务经济发展、实现农民增收的重要工作来抓,全年转移输出的农村劳动力增长3%,达到10.38万人;劳务总收入增长16%,达到16.08亿元;劳务输出组织化率稳定在41.7%左右。完成一期贫困村劳务经纪人培训41人、一期创业培训32人。

【主要领导人】 县委书记:刘俊文;县人大常委会主任:郑国松;县长:郭均;县政协主席:吴拉布;分管农业副县长:屈国荣。

冕宁县编写组

越西县

【基本情况】 2016年,越西县辖40个乡(镇、街道),有农业人口30.39万人,有耕地面积39.95万亩、基本农田35.4622万亩。

【年度农业和农村经济运行】 2016年,越西县实现农业总产值196301万元,增长3.56%;农业增加值118124万元,增长4%。农民年人均可支配收入7757元,增长10.46%。

【种植业】 2016年,越西县农作物种植面积61.57万亩,其中粮食作物播种面积41.5035万亩,产量11.96万吨,增长1.6%。粮食作物中,水稻播种面积4.74万亩,水田栽插率达100%,两杂水稻推广率达98.5%;玉米播种面积8.03万亩,其中推广玉米地膜覆盖面积7.9万亩,占播种总面积的98%。经济作物中,油菜播种面积18万亩,菜籽产量32860吨,实现产值1.4亿元。马铃薯播种面积18.15万亩,其中小春马铃薯1.97万亩,产量2.955万吨,大春马铃薯16.18万亩。露地蔬菜播种面积5.109万亩,产量6.4616万吨,同比增长1.5%;设施蔬菜保留面积600亩。水果保留面积3.32万亩,投产面积2.73万亩,产量1.69万吨,实现产值9400万元,其中苹果保留面积2.03万亩,产量1.33万吨,实现产值5100万元;樱桃保留面积1万亩,产量600吨,实现产值3600万元。

【林业】 天然林资源保护。2016年,越西县加强对森林管护的督促检查,全面落实森林管护责任制,与场、所、司签订目标责任书5份,与职工签订管护协议67份,与巡山、护林员签订聘用合同93份,森林管护工作走上制度化、规范化轨道,保证了全县森林资源得到有效管护。根据《关于做好在贫困人口中选聘生态护林员工作的通知》文件要求,在全县40个乡(镇)157个贫困村中选聘了211名建档立卡贫困户担任生态护林员,实行"一年一聘""县建、乡聘、站管、村用"和"目标、任务、资金、责任"四到县的管理机制。完成2015年583365亩集体公益林补偿兑现工作(195938亩集体公益林流转暂缓兑现)。

退耕还林工程。在申果庄片区的5个乡和极度贫困村瓦普莫乡木牛觉村实施2016年新一轮退耕还林1.4万亩,12月上旬通过县级检查验收,面积实造率达100%。2014年新一轮退耕还林补植补造工作通过县级检查验收,面积实造率达100%,成活率达87%;2014年计划的巩固退耕还林成果后续产业造林补植任务通过县级检查验收,完成率达100%,成活率达85%以上。

绿化造林工作。组织完成2015年计划的23个彝家新寨1921户农户的绿化工作,对2014年的28个彝家新寨建设任务进行检查并通过了相关验收。全面完成大瑞乡河堤两岸绿化和水观音左岸的绿化工作。按照《退耕还林工程建设检查验收办法》,对2013年度财政造林补贴工程5000亩荒地造林保存状况进行了检查验收,面积实造率为100%,保存率均在80%以上。实施完成2016年森林抚育1.5万亩、中央财政补贴造林1.4万亩,完成率为100%。完成2016年第二批森林抚育1万亩、中央财政补贴造林1.5万亩的作业设计,预计2017年1月组织完成。全面启动大规模"绿化凉山"行动。

林业产业建设。通过公开招投标、现场询价采购、"一事一议"3种方式,对全县9个片区"1+X"生态产业基地所需的核桃苗木进行采购。2016年,全县共完成"1+X"生态产业基地建设41.352万亩,其中核桃基地40.021万亩、花椒基地1.147万亩、速生丰产林基地0.184万亩,涉及36个乡(镇)241个行政村,覆盖9215户贫困户、36936名贫困人口,实现179个贫困村"摘帽"、3279户贫困户以及12834名贫困人口脱贫。组织召开越西县林业脱贫攻坚核桃嫁接培训会,通过理论培训和现场教学的方式对各乡(镇)生态产业专干、核桃专合组织技术骨干、苗圃负责人等进行了方块芽接和舌皮嫁接培训。完成由各乡(镇)林业分管领导、生态专干、林业员参加的凉山州政府"123人才计划"培训任务。配合农民夜校,为贫困户传授核桃、花椒栽植技术,为"1+X"生态产业发展奠定了科学的栽植技术基础。完成2013年6月—2014年10月森林植被恢复费州级分成资金项目新建核桃基地1万亩的任务。

自然保护区管理。完成夏季野外巡护工作,对辖区周边地区农户进行了生态保护宣传教育。完成诺华碳汇造林项目补植补造6377亩,新建铁丝围栏11200米,落实8名人员负责管护工作。持续开展红外相机监测工作,为保护区野生动物保护管理工作提供了科学依据。完成黑熊分布问卷调查工作。

森林草原防火。层层签订目标责任书,发布了《森林草原防火戒严令》,组织开展扑火演练5次,参加人数600人,配备专职巡山员115人和管护人员115人,组建1支50人的专业扑火队、4支90人的半专业扑火队、37支1110人的义务扑火队,森林草原防火工作取得连续34年无重特大森林火灾的好成绩,获得了2016年森林防火党政目标二等奖。

森林病虫害防治。完成林业有害生物防治作业2.43万亩。完成涉及全县40个乡(镇)的林业有害生物普查,制订线路17条,调查样点420个、标准地40个、寄主物种59余种,发现虫害80种、病害30种、有害植物1种、其他有害生物1种,共采集制作标本400件,拍摄有害林业生物生态照、标本照、工作照1600余张。结合"绿盾2016"林业植物检疫专项行动,积极开展产地检疫和调运检疫,共检疫苗圃地941.2亩,产地检疫苗木890万株,复检春季造林核桃苗木530万株,调运检疫苗木264万株、药材10吨、木材31.4立方米、种子117.11吨,产地检疫率和调运检疫率均达100%。

森林资源管护。为深入整治林权流转中存在的各类问题,保障林农的合法权益,完成国有林场和40个乡(镇)总面积140.4448万亩的森林保险投保工作。配合省林业规划设计院完成成昆铁路改扩建工程征占用林地勘验工作,完成对成昆铁路改扩建工程、国道245线公路、瓦岩电站征占用林地的报件工作。委托国家林业局西北院开展了森林资源二类调查外业区划及林地变更工作,并上报省林业监测中心。

林区治安。全年出动警力650余人次、车辆230余台次,受理涉林案件13件,立案13件,处理违法人员11人,批评教育2人;消除火灾隐患25起;调解涉林纠纷1件;向州级森林公安机关报送各类信息107条,采用38条;调查和清理存在问题的林权证200余本。

对口扶贫工作。由县林业局领导带头,职工参与,深入瓦曲觉乡开展扶贫帮乡工作。全年参加帮扶职工85人次,送去慰问金及慰问品价值3万元,利用节假日到移民搬迁点参加义务劳动5次、165人,共搬运砖块13900块,运输泥浆10吨,维修路面100米。

【畜牧业】 2016年,越西县畜牧业继续稳定增长,肉类总产量达2.469万吨。"四畜"出栏41.7603万头(只),其中生猪出栏28.0125万头,比上年减少3.5%;牛出栏1.4318万头,比上年增长3.9%;羊出栏12.316万只,比上年增长4.4%;家禽出栏29.1414万只。牛存栏5.2315万头,生猪存栏19.9025万头,羊存栏21.7407万只,家禽存栏34.71万只。

【统筹城乡与新型城镇化】 2016年,越西县加快县城建设,扩大县城规模,辐射带动中所、普雄、新民、大瑞、乃拖等重点集镇建设,加快普雄镇、中所镇生活污水处理工程建设,完成大瑞乡撤乡建镇工作,推进竹阿觉乡、古二乡、书古乡、依洛地坝乡、南箐乡撤乡建镇工作,全县城镇建成区面积达4.6平方千米。推进中所镇基础设施建设,完成投资329万元的游客接待中心项目及投资187万元的文昌文化广场和停车场项目建设,加快推进投资221万元的中所镇污水管网铺设项目建设,推动中所镇水观音4A级景区创建成功。落实城乡环境综合治理专项经费 206 万元，为 70 个脱贫村每村配备 5 名保洁员，其他 219 个村每村配备 1 名保洁员，基本建立了“村收集、镇转运、县处理”的农村生活垃圾处理机制。2016 年，全县办理农村建房选址意见书 345 件、农村建房规划许可证 56 件，2016 年度彝家新寨及易地扶贫搬迁项目中的 3997 户贫困户住房建设全部按时完工。

【乡村旅游】 2016 年，越西县邀请西南民族大学旅游与城市规划设计研究院对南箐乡南新村进行乡村旅游扶贫规划，规划修建 114 平方米的旅游厕所和 2000 平方米的生态停车场，启动了南箐乡团河村和保安乡平原村旅游厕所、停车场建设。第二届文昌文化旅游节期间，组织自驾游的外地游客到南箐乡河坎村体验彝族独特饮食文化，感受民风民俗，提高了越西县乡村旅游知名度。

【重点乡镇选介】 普雄镇，位于越西县东南，普雄河中段，距县城 37 千米，东与德吉乡、依洛乡接壤，南与乐青地乡相连，西与贡莫乡、拉白乡交界，北与四甘普乡相邻。全镇辖 12 个村 1 个社区，辖区面积 47.024 平方千米，其中耕地面积 10125 亩；总人口 25250 人，计划生育率 86.5%，人口自然增长率 10.3‰。全镇年人均纯收入 5968 元。为四川省第三批小城镇省级建设镇。

2016 年，全镇粮食播种面积 20580 亩，产量 4672 吨；油料作物播种面积 819 亩，产量 131 吨；烤烟种植面积 1200 亩；蔬菜种植面积 896 亩。生猪出栏 13627 头，存栏 8862 头；牛出栏 734 头，存栏 2018 头；羊出栏 2721 只，存栏 4328 只；家禽出栏 9261 只，存栏 9865 只。全面落实草原生态补奖政策，2016 年发放草补资金 14.45 万元，其中生产资料补助资金 7.4 万元、牧户补助资金 7.05 万元。

动物防疫。建立完善各项规章制度，与各村签订动物防疫责任书，落实防疫专干，狠抓防疫人员技术培训。全年免疫口蹄疫猪 8126 头、牛 2347 头、羊 5779 只，免疫猪瘟 7326 头，免疫能繁母猪与呼吸综合征 2421 头，免疫禽流感 6786 只，狂犬病防治 2968 只，重大动物疾病免疫率达 98%。

烤烟生产。立足“科技兴烟、烤烟兴镇”战略，全年完成烤烟种植 1200 亩。镇领导班子成员各联系 2 个村，驻点干部联系 1 个村，对烟农烤烟生产各环节进行指导，积极做好烤烟生产前期准备工作，确保烤烟生产顺利进行，圆满完成计划交售烟叶量。

林业工作。全镇各村均成立了森林防火领导小组，建立健全了森林防火机构，组建了森林扑火应急分队。完善森林防火制度，强化落实责任制，坚持“预防为主、积极消灭”的方针，努力提高防控水平和应急能力。以荒山造林、天然林保护为重点，加快建设山川秀美的人居环境，加强退耕还林后续管护工作。

卫生计生工作。全面抓好疾病预防控制工作，扎实实施计划免疫规划；继续强化对重点疾病的防治，将艾滋病综合防治工作列入重要议事日程，与各村（社区）签订目标责任书，采取“人盯人”的工作方法，把责任落实到人，全镇建册的艾滋病病人有 316 人。将每月 15 日—17 日定为艾滋病综合防治日，对患者进行检测治疗。充分利用各种会议、赶集天和“6 · 26”禁毒日进行宣传，加大对艾滋病传播途径、流行特点、防治知识的宣传。加强与有关部门的联动与协作，共同健全和完善全社会参与的艾滋病防治机制。新型农村合作医疗健康运转，全镇参合 15710 人，参合率达 96%。

社会治安。全镇各村社会治安工作以平安建设为目标，结合领导干部分村包点的办法，将责任落实到人、落实到户，与各村（社区）签订了综治责任书。加大矛盾纠纷、不稳定因素排查力度，着力化解信访积案，将不稳定因素扼杀在萌芽状态。加强平安创建活动，积极开展社会管理创新工作，有效解决突出矛盾纠纷和治安问题，推动基层平安创建工作深入有效开展。健全长效工作机制，全力做好“两教”人员帮教工作，社会管理有序，工作机制健全，保障平安创建顺利推进。

社会保障。全镇社会保障工作以“上为政府分忧，下为百姓解愁”为工作宗旨，切实履行改善民生、落实民权、维护民利的基本职责。全年落实“五保户”13 人，兑现“五保”资金 4.16 万元；帮扶困难儿童 187 人，发放救助金 13.2 万元；救助孤儿 52 人，发放补助 22.5 万元；落实农村低保 1823 人，兑现农村低保金 163.87 万元；发放民政救灾款 3 万元；落实农村医疗救助 170 人，发放救助金 22.3 万元；兑现优抚资金 9.1 万元；发放“三老”人员定补 11.5 万元。

【主要领导人】 县委书记：袁洪；县人大常委会主任：邹向志（4 月止），吉差阿木（4 月始）；县长：肖正权；县政协主席：谢宇光；分管农业副县长：沙马木机（10 月止），代松（10 月始）。

越西县编写组

甘 洛 县

【基本情况】 2016 年，甘洛县辖 28 个乡（镇、街道），有农业总人口 20.9871 万人，有耕地面积 35.0895 万亩，增长 67.61%；基本农田 25.279 万亩，增长 14.35%。

【年度农业和农村经济运行】 2016 年，甘洛县实现农业总产值 109846 万元，增长 6.17%；农业增加值 63579 万元，增长 4.2%。农民年人均可支配收入 6957.94 元，增长 10.8%。

农业产业化发展。甘洛县农业产业化发展有序推进，有省级农业产业化重点龙头企业 1 家、省级示范农民专业合作经济组织 2 家。

2016 年甘洛县省级农业产业化重点龙头企业名单

企业名称	注册资金（万元）	法人代表	示范等级	年度产值（万元）	行业分类	主营业务
甘洛县彝家山寨农牧科技有限公司	1500	高明安	省级	6000	农业	苦荞茶、苦荞米、苦荞面

2016 年甘洛县省级示范农民专业合作经济组织名单

合作组织名称	注册资金（万元）	法人代表	示范等级	年度产值（万元）	行业分类	主营业务
甘洛县永盛养殖专业合作社	173.19	邓元成	省级	1900	畜牧业	生猪养殖、销售
甘洛县正华核桃产业农民专业合作社	50	黄正东	省级	600	林业	核桃种植、销售

2016年甘洛县家庭农场经营情况统计表(前10位)

家庭农场名称	注册资金(万元)	法人代表	年度产值(万元)	行业分类	主营业务
甘洛县布合综合养殖家庭农场	50	阿木布合	20	畜牧业	猪、羊养殖
甘洛县综合家庭农场	20	徐志花	50	畜牧业、种植业	生猪养殖,核桃、果蔬种植
甘洛县保森油橄榄种植家庭农场	300	王世福	5	林业	油橄榄种植
甘洛县永兴畜禽养殖场	500	罗清春	50	畜牧业	牧草种植,牛、羊养殖
甘洛县阿木拉日养殖家庭农场	110	阿木拉日	30	畜牧业	黄牛、羊养殖
甘洛县举古什古核桃种植家庭农场	20	举古什古	20	林业	核桃种植
甘洛县春晖养羊家庭农场	60	张从清	15	畜牧业	羊养殖
甘洛县张福才种植家庭农场	25	张福才	20	种植业	水果种植
甘洛县富农畜禽养殖家庭农场	120	木乃古举	20	畜牧业	牛、羊养殖
甘洛县玉田木乃古卡养殖场	20	木乃古卡	15	畜牧业	生猪养殖

【全省幸福美丽新村建设示范县经验介绍】 2016年,为大力整治农村脏、乱、差旧貌,改善村庄环境卫生和群众居住条件,完善村庄功能,提升农村群众的生活品质,甘洛县牢固树立“五大发展”理念,落实“四个全面”战略部署,以脱贫攻坚为重点,结合新农村“四个好”家庭创建,按照“三建九改一绿化”基本标准,按照“统筹规划、不重复建设、政府主导、量力而行、科学实施”五大原则,深入实施入户路硬化、改圈改厨改厕、净化、绿化、美化、文化建设、微田园建设、雪亮工程“八大建设工程”,整体推进幸福美丽新村建设。县委县政府全面加强对幸福美丽新村建设工作的组织领导、督促检查和帮助指导,层层落实工作责任,各乡(镇)和县级相关单位加强联动,形成工作合力。同时,广泛听取农民群众的意见,注重地域特色、民族特色和文化传承,制订了实施方案,开展了形式多样、生动活泼的宣传教育活动,形成支持、参与和监督幸福美丽新村建设的良好氛围。为确保项目建设顺利实施,以省级11个幸福美丽新村项目建设资金950万元为主,统筹整合相关涉农资金1438万元。在建设过程中,加强资金监管,确保专款专用,坚持公开、公示、公告制,实行资金专账、专户管理。全县70个脱贫“摘帽”村均实现“业兴、家富、人和、村美”,确保了贫困群众“住上好房子、过上好日子、养成好习惯、形成好风气”。

【主要领导人】 县委书记:陈建生;县人大常委会主任:吉拖哈史;县长:刘若尘(4月止),陈华(4月始);县政协主席:曹怀香;分管农业副县长:徐建超(12月止),阿西阿木(12月始)。

甘洛县编写组

美 姑 县

【基本情况】 2016年,美姑县辖36个乡(镇)3个居民委员会,辖区面积2573平方千米,其中耕地面积672000亩、基本农田31.2万亩。有户籍人口264793人,其中城镇、乡村人口分别为11605人和253188人,少数民族人口占总人口的98.95%;出生人口6423人,人口出生率24.4‰;人口自然增长率20.7‰。林业用地15.2万公顷(其中有林地9.75万公顷),森林覆盖率53.9%。

2016年,全县GDP211598万元,增长6.5%,人均GDP9089元,县域经济总量在全州17个县(市)居第16位,增速居第6位,其中第一产业增加值89354万元,增长3.9%;第二产业增加值51453万元,增长8.9%;第三产业增加值70800万元,增长8.3%。三次产业分别拉动经济增长2.45、1.32和2.73个百分点。三次产业结构比由上年的42.7∶24.7∶32.6调整为42.2∶24.3∶33.5。

有各类学校165所,其中中学6所、小学159所;中小学教职工1916人,其中专任教师1860人;有高中生1025人、初中生6919人、小学生37530人;小学入学率96.63%、初中入学率92.52%,小学、初中升学率分别为99.86%、100%,小学、初中、高中毕业率分别为99.55%、99.7%、100%。

【年度农业和农村经济运行】 2016年,美姑县农林牧渔业总产值155887万元,比上年增长8.55%,其中种植业产值50075万元,增长4.2%;林业产值10759万元,增长3.99%;畜牧业产值93063万元,增长11.78%;渔业产值73万元,增长1.38%;农林牧渔服务业产值1917万元,增长2.29%。农林牧渔业增加值90556万元,增长4.1%,其中农林牧渔服务业增加值1211万元。农民年人均可支配收入达6246元,增长11.9%。有自然保护区1个,面积50655公顷。

【种植业】 2016年,美姑县粮食作物播种面积65.9万亩,粮食产量14.23万吨,其中小春粮食作物播种面积3.85万亩,产量0.35万吨;大春粮食作物播种面积47.91万亩,产量13.88万吨。经济作物播种面积0.22万亩。其他作物播种面积13.93万亩,其中蔬菜播种面积1.21万亩,产量1.56万吨。全县马铃薯种植面积21万亩,产量达43万吨,其中种薯基地总面积达4.3万亩。美姑县是全国唯一的荞麦高产创建县并获得有机基地认证,苦荞栽培系统被列入中国重要农业文化遗产名录。全县苦荞种植面积18万亩,其中秋荞8万亩,产量达3万吨(实施荞子点播技术后亩产了增加50千克);在拉木阿觉乡建成万亩连片秋荞基地,投放秋荞种子6.5万千克。

【林业】 2016年,美姑县实施“三棵树”造林、“1+X”林业产业和退耕还林工程,新栽核桃21万亩,巩固退耕还林成果9.1万亩,实施新一轮退耕还林3.09万亩,实现林业总产值3.85亿元。编制完成保护区信息化建设总体规划、挖侯—椅子垭口大熊猫廊道管理计划，为保护区的信息化建设和大熊猫廊道科学管理提供了指导文本。进一步完善保护站、防火道路等保护设施功能，组织对滥龙保护站、龙窝保护站、洪溪保护站、椅子河坝防火道路开展全面维护；新建毛洪觉森林防火观测台，以加强对椅子河坝和毛洪觉林区的林火监测；在县城建立野生动物临时救护用房，为野生动物救护提供了固定场所。

加强保护区科研建设，为保护区科学研究和管理决策提供依据。全面启动保护区本底资源调查项目，完成保护区内植物多样性、脊椎动物多样性、大熊猫遗传多样性调查项目的招投标并开展了首轮调查。继续利用红外相机开展野生动物补充调查，全年共设置调查陷阱 153 个，安放红外相机 153 台，拍摄野生动物照片 6174 张、野生动物活动视频 527 段，涉及 20 余种动物，包括国家重点保护野生动物 10 种。在挖侯—椅子垭口廊道区域设置 14 条监测样线，按照大熊猫及其栖息地监测技术规程并辅以红外相机进行监测，全年开展监测 4 轮，监测到大熊猫痕迹点位 2 处、大熊猫伴生动物活动痕迹点位 109 处、人为干扰 99 处。按照黑熊个体识别调查技术规程分别在春季和秋季共设置 21 个调查陷阱，利用 61 台红外相机进行调查，在 9 个调查陷阱内拍摄到黑熊照片 151 张、视频 69 段，其中拍摄到能鉴定其个体的黑熊站立照片 5 张，同时还拍摄到大熊猫等其他 15 种动物照片。开展固定样地维护，对保护区已建立的 4 个固定样地进行维护，对树木进行检尺和重新挂牌并建立数据库。对人工林干预试验后林下竹类生长恢复情况进行监测，建立监测样地 3 个，设置了 3 条样带、15 个小样方。开展保护区珍稀植物物候监测，在挖侯—椅子垭口廊道区域选择 4 个点进行常年监测，准确了解区域内植物物候变化情况。配合西华师范大学在保护区开展水青树种质资源遗传多样性调查和研究工作。

【畜牧业】 2016 年，美姑县“四畜”存栏 74.42 万头（只），其中牛存栏 7.9 万头、生猪存栏 21.52 万头、羊存栏 45 万只（含半细毛羊 20.12 万只）、禽存栏 100.52 万羽；“四畜”出栏 47.56 万头（只），其中生猪出栏 25.73 万头、绵（山）羊出栏 19.53 万只、牛出栏 2.3 万头、禽出栏 102.65 万羽。全年肉类总产量 2.37 万吨，增长（现价）0.4%；实现畜牧业总产值 7.1 亿元，农牧民人均新增畜牧业纯收入 80 元。

【统筹城乡发展】 2016 年，美姑县共办理选址意见书 23 宗，转省、州办理选址意见书 3 宗；出具 1 份规划用地指标函；办理建设工程规划许可证、用地规划许可证各 23 份。完成拉木阿觉等 3 个乡（镇）初步规划编制、俄普机关加油站至毕摩文化村市政道路建设工程施工图审查、县城粮站至信用联社道路两侧彝族风貌打造的初步方案设计，完成城市生活污水处理工程前期立项、新开工工程的放线等工作。全年投入农村基础设施建设资金 1147 万元、移民搬迁 28600 万元、以工代赈 300 万元。新建乡村公路 32 条。推进应急抗旱水源、山洪灾害防治、农田水利维修养护、牧区节水灌溉工程和联合水库建设，完成九口和拉马灌区、洒库水库建设等前期工作。建设农村户用沼气项目 400 个，投入资金 200 万元，其中省（州）级资金 80 万元、农户自筹 120 万元，涉及拉木阿觉、柳洪、乐约、巴普 4 个乡（镇）。完成 21 所乡（镇）幼儿园建设项目前期工作，开工建设 15 所，牛牛坝乡中心幼儿园建设项目已完成。

【扶贫攻坚】 2016 年，美姑县实施彝区十项扶贫工程、十项民生工程等，累计减贫 26826 人；建成彝家新寨 96 个、村级多功能活动中心 123 个；实施整村推进项目 31 个；新建供水工程 96 处，解决 5.4 万人饮水安全问题；完成“四小”工程 38 个、以工代赈项目投资 1150 万元。精准识别贫困村 272 个、贫困户 17007 户、贫困人口 71234 人；实施 18 个扶贫专项规划、“七个一批”等，落实扶贫贴息贷款，设立住房建设、产业扶持贷款分险金，受益贫困群众 13 万余人次。完成通村公路硬化 129 千米，开工建设安全住房 1426 户，彝家新寨建设涉及 1720 户、7224 人，易地扶贫搬迁 1242 户、4765 人，实施城乡建设用地增减挂钩项目 308 户。实施建卡贫困户健康体检 45183 人，参合贫困建卡户医疗费补偿比例提高 10%，贫困人口就医支付自费比例控制在 10%以内。整合涉农资金 1.82 亿元，争取乐山、佛山、会东等地对口帮扶资金 7780 万元，落实产业发展周转金 3476 万元。“一村一幼”和农民夜校实现全覆盖，基本完成 32 个村的年度脱贫目标。采取有线宽带和无线 AP 设备覆盖相结合的方式，实现网络覆盖 30 个村。

借羊还羊。以一年多胎、一胎多羔、繁殖率高的美姑山羊为主，按照“每户不少于 2 只、每只不低于 20 千克”的标准，由县产业办将能繁母羊借给贫困家庭饲养，一年后养殖户归还同等数量及重量的能繁母羊，供其他贫困户“借养”。2016 年，整合资金 4000 余万元，投放基础母羊 30057 只、公羊 910 只，培育美姑山羊饲养量达 100 只以上的养殖大户 11 户、70 只以上的养殖大户 100 户。

借薯还薯。全县马铃薯“借薯还薯”项目共计发放种薯 250 万千克，为 2016 年的 68 个脱贫村及 2017 年 70 个贫困村的建档立卡贫困户每户投放种薯 250 千克。全县马铃薯种薯串换 280 万千克，购买一级种薯 75 万千克、马铃薯原种 400 万粒。全年投入“借薯还薯”项目产业扶贫资金 1072 万元。

【乡村旅游】 2016 年，美姑县积极融入昭觉县阿土列尔村旅游开发圈，以美姑山羊、岩鹰鸡、脐橙等特色农产品为抓手，依托农业三个经济带建设，推进特色餐饮业的开发。全面打造村庄院落，引进樱花种植，大力实施黄葛树生态绿化工程。“三区三带”旅游长廊建设逐步推进，完成大风顶燕子洞和莫弘瓦候千户彝寨和洛俄依甘乡古侯·曲涅支系寻祖旅游区规划；以依果觉乡为中心的环大风顶高山生态度假区，以县城为中心的彝族文化综合体验区，国道 348 线“五乡”文化体验旅游带，从大风顶至龙头山的黄茅埂高原风情自驾游旅游带，从大风顶纳龙景区经燕子洞的沿连渣洛河探险和历史文化旅游带规划工作进展顺利。努力打造民俗节日品牌，举办“尼姆·约纱茨”民俗活动。

【农村科技】 2016 年，美姑县以科技文化卫生“三下乡”、知识产权宣传周、科技活动周、科普知识进校园等活动为载体，广泛开展科技扶贫工作，累计发放科技宣传资料 2.5 万份，参与人数达 5450 人次。完成“蔬菜示范基地建设及种植技术应用推广”项目的结题验收，继续推进美姑山羊高效利用配套技术集成与推广应用、美姑县畜禽健康养殖关键技术集成与培训、美姑县科技扶贫产业技术服务中心建设 3 个项目建设，完成“美姑县土鸡生态养殖配套技术集成与应用”项目的网上申报工作。在拉木阿觉乡、合姑洛乡、尔其乡 3 个乡 16 个村开展技术培训 10 次，培训 1600 人次，走访农户 1680 余户，协助编写脱贫发展规划 16 份。全年开展农牧民增收创业带头人培训 500 人、畜禽健康养殖关键技术集成与培训 300 人、新型职业农民培训

100人,其中生产经营型培训50人、专业技能型培训50人;发放课本4600本,自编教材4套,编写教案22套;开展引导性培训3.3万人次。

【农村社会保障】 2016年,美姑县农村居民基本医疗保险参保人数21.42万人,参保率达99.39%,基本实现医疗保障全覆盖。城乡居民养老保险参保人数9.01万人,缴费人数7.04万人,享受人数1.79万人。有农村低保22125户、84796人,全年发放农村低保金7808.05万元。根据《关于印发2016年脱贫人口中低保兜底工作实施方案的通知》要求,为68个村、985户、3216人发放低保兜底金131.86万元。

全年开展义诊3000余人次;实施城乡医疗临时救助1319人次,其中艾滋病人11人次;列支农村医疗临时救助金298.03万元,其中救助精神病人32人次,列支32.36万元;资助农村五保户、农村低保户参合48437人,列支参合资金439.92万元。将符合农村五保供养条件的1290人纳入供养范围(其中分散供养1250人、集中供养40人),其中分散供养月人均标准为300元、集中供养月人均标准为400元。发放农村困难重度残疾人生活补贴429人,发放保障资金30.89万元,月人均60元。发放农村低保对象特殊生活补贴11729户、37688人,发放资金429.645万元,人均114元。全县有特殊困难儿童1447人,月保障标准为748元,累计发放孤儿生活保障金711.35万元。

【农村生态建设及环境保护】 2016年,美姑县全面启动生态细胞工程建设,建设省级生态乡(镇)1个和州级生态村5个,创建和申报县级生态家园10个。开展2个乡(镇)饮用水水源地立标工作,竣工验收乡(镇)集中式饮用水水源保护工程18个并投入使用。启动彝家新寨环境建设公共排污设施和垃圾收集池建设前期工作;启动洛俄依甘乡新农村环境建设项目,投资30.4万元。

【农业政策性保险】 2016年,美姑县36个乡(镇)参加农业政策性保险农户4万户,完成玉米投保面积7万亩(比上年增加5.69万亩)、马铃薯投保面积11万亩,农民缴纳保费80万元。全年马铃薯、玉米受灾理赔面积共5522亩,种植业保险赔款金额达276万元。

【涉农招商引资】 2016年,美姑县对接土地增减挂钩、教育引资、电商、农畜种养与开发、旅游开发等20余个项目,接待客商40余次,达成投资意向5家,总投资超过10亿元。西博会期间,配合省投资促进局举办美姑等3县贫困县投资说明会,先后与四川报业集团、香港金兆集团、成都雅歌行品牌管理有限公司等19家企业就千户彝寨旅游开发等项目进行了对接洽谈,与伊森堡(北京)医疗投资管理有限公司、成都京东世纪商贸有限公司就农牧生态产业区项目和农村电商项目签订了意向性投资协议;印制《招商引资指南》《招商引资项目册》5000册,完成招商引资《魅力美姑》电视宣传片和项目PPD宣传片制作。县政府通过购买服务方式邀请专业团队以项目顶层设计谋划包装精准扶贫产业项目,全力打造"人文美姑、生态美姑、旅游美姑、畅通美姑、工业美姑",共梳理项目78个,完成千户彝寨、美姑山羊养殖繁育场建设等储备项目28个。

【劳务输出及品牌培训】 2016年,美姑县转移输出农村劳动力6.62万人,完成全年计划的100.3%,比上年增加0.12万人;实现劳务总收入7.37亿元,完成全年计划的102%,比上年增加1.03亿元;农民人均劳务纯收入达2200元,比上年增收20元。全年完成农民工职业技能培训6200人,完成全年计划的104%,其中劳务品牌培训290人,完成计划的100%;培训劳务经纪人150人(不在计划内培训),完成农民工返乡创业培训25人。通过培训后获得证书1830人,其中获得中级职业资格证书87人、培训合格证书3615人。

【主要领导人】 县委书记:商拉批;县人大常委会主任:熊志华;县长:蔡光阳;县政协主席:吉古尔石;分管农业副县长:杜春虹。

美姑县编写组

雷 波 县

【基本情况】 2016年,雷波县辖48个乡(镇)9个居委会281个行政村,辖区面积2932平方千米,其中耕地面积16.34万公顷,与上年相比持平;永久基本农田285745.8亩。年末总人口26.78万人,人口出生率16.23‰,人口自然增长率9.29‰。本地水资源总量6678万立方米,人均占有水资源量260.89立方米。有林业用地20.59万公顷,林地面积22.11万公顷,活立木总蓄积量2002.81万立方米,森林覆盖率达45.02%。

2016年,全县GDP59.49亿元,增长6.1%,其中第一产业增加值11.22亿元,增长4.2%;第二产业增加值35.55亿元,增长5.9%(规模以上工业增加值增长4.7%);第三产业增加值12.73亿元,增长8.7%。转移输出农村劳动力7.13万人,增长1.9%;劳务收入11.15亿元,增长15.5%。

公路通车里程2250余千米,其中乡村公路1857千米,密度70.73米/平方千米,84.01千米/万人。社会消费品零售总额12.39亿元,增长9.9%。地方财政一般预算总收入完成7亿元,增长20.6%;财政一般预算支出27.15亿元,增长29.23%。金融机构存贷款余额70.62亿元,增长21.6%;保费收入4900万元,增长15.6%。农业产业化龙头企业州级7家。

有各类学校192所(其中完全中学2所、初级中学9所、九年一贯制学校3所、小学64所、教学点97所、公办幼儿园20所、民办幼儿园14所),在校学生59583人(其中普通高中生2707人、初中生9162人、小学生32297人、学前教育15417人,中小学少数民族在校生40961人,占全县在校学生总人数的68.75%),教职工2628人;小学学龄人口净入学率达98.14%,初中阶段毛入学率达86.27%。有艺术表演团体15个,文化馆1个,公共图书馆1个,乡(镇)文化站48个。有电视台1座,节目80套。有医疗卫生机构61个,病床位934张,卫生技术人员1049人。新型农村合作医疗参合率99.3%,新型农村和城镇居民养老保险覆盖8.7万人。

【年度农业和农村经济运行】 2016年,雷波县实现农业总产值191193万元,增长11.39%。农民年人均可支配收入7865元,增长10.86%。

农业产业化发展。雷波县有农业产业化龙头企业18家、专合组织261家。新建脐橙基地5.2亩、核桃基地28.5亩。以脐橙、白魔芋、核桃为主的特色农业产值达7亿元,占农业总产值的36.5%。

农产品品牌战略实施。雷波县认真贯彻落实凉山州委州政府关于深化大凉山农产品品牌创建、统一"大凉山"特色农产品品牌包装的战略部署,"大凉山"品牌建设成效显著,累计完成包装设计制作115个;大凉山雷波脐橙获批筹建全国雷波脐橙产业知名品牌示范区,大凉山雷波脐橙全国区域品牌价值评价为25.77亿元;开展四川省有机产品认证示范创建县创建工作。

2016 年雷波县家庭农场经营情况统计表(前 10 位)

家庭农场名称	注册资金(万元)	法人代表	主营业务
雷波县雯灏家庭农场	260	田朝书	脐橙种植与销售、羊养殖与销售
雷波益丰种植农场	200	丁红	水果、蔬菜、食用菌及园艺作物、香料作物、普通中药材种植,牧畜、家禽养殖与销售,农场休闲观光服务
雷波县顺河乡梯田村家庭农场	200	陈芳	枇杷种植、销售
雷波县五官乡生香脐橙种植家庭农场	180	邓生香	脐橙种植及销售
雷波巴姑鸿宸养殖家庭农场	150	白古散	山羊、鸡、鸭、淡水鱼养殖与销售
雷波县上田坝格尔羊养殖家庭农场	150	韩格尔	山羊养殖与销售
雷波县美永家庭农场	106	朱美永	羊养殖与销售
雷波绿源生态养殖家庭农场	100	罗连兵	猪、牛、羊养殖,果蔬种植与销售
雷波欧永红家庭农场	100	欧永红	猪养殖,蔬菜、水果种植与销售
雷波县沙妈日者生态养殖家庭农场	100	沙妈日者	羊养殖与销售

【种植业】 2016 年,雷波县粮食作物播种面积 36.62 万亩,产量达 9.1 万吨,粮食总产值达 3.94 亿元,全面完成州政府下达的目标任务。油菜播种面积 2.62 万亩,产量 1788 吨;马铃薯播种面积 10.16 万亩,产量 2.47 万吨;脐橙总面积达 5.2 万亩,产量 1 万吨,产值 1.02 亿元。茶园总面积 1.52 万亩,产量 766 吨,产值 2056 万元。蔬菜种植面积 5.16 万亩,产量达 5.92 万吨,实现产值 24401 万元。小水果产量 11520 万吨,实现产值 12383 万元。种植白魔芋 0.5 万亩,产量 1.5 万吨,产值 6000 万元。

【林业】 2016 年,雷波县有林业用地 20.59 万公顷,林地面积 22.11 万公顷,活立木总蓄积量 2002.81 万立方米,森林覆盖率 45.02%。天然林资源保护工程完成 101.3 万亩人工造林续建工作,恢复植被 680 亩,退耕还林 5000 亩。栽植水保林 12 万亩、经果林 5490 亩,种草 8000 亩。

【畜牧业】 2016 年,雷波县"四畜"存栏 44.38 万头只,同比增长 7.17%;家禽存栏 40.79 万只(羽),同比增长 12.06%。"四畜"出栏 37.33 万头(只),同比增长 8.83%;家禽出栏 32.87 万只(羽),同比增长 8.12%。

【农村水利】 2016 年,雷波县投入水利建设资金 4639.3 万元,维修渠道 38 条,清淤 74 千米,修复水毁工程 113 处;修建和整治砼防渗渠道 75.08 千米,维修加固堤防 0.36 千米;新增有效灌面 0.4 万亩,新增高效节水灌面 0.25 万亩。投入资金 717.938 万元,新建农村安全饮水工程 68 处,解决和改善 16 个乡 24 个村 2.0229 万人的饮水安全问题。完成水土流失治理面积 20 平方千米、坡改梯 4500 亩。

【农业机械化】 2016 年,雷波县结合农机购置补贴政策推广各型农业机械 373 台(套),全县农机总动力达 14.39 万千瓦,有农机从业人员 2442 人。

【新农村建设】 2016 年,雷波县整合项目资金 1.2728 亿元,全面启动 24 个彝家新寨建设(含 2 个极度贫困村),受益农户 2040 户、8160 人,发放"四件套"2817 套,安装入户用电 2040 户,新建通村通组道路 299.388 千米,硬化道路 113.968 千米,新建进村入户路 128.5 千米,新建村委会 22 个、5280 平方米,新建公共院坝 27 个、13440 平方米,续建农村沼气池 19096 口,建设村垃圾处理池和公共排污设施 25 个,绿化环境 2040 户,新建村卫生室 74 个,建设社区书屋 52 个。

【农村教育】 2016 年,雷波县享受教育"三免"政策学生 5963 名,为 15525 名寄宿制学生发放生活补助 263.96 万元,农村义务教育营养改善计划受益学生 38323 人。全年发放国家助学金 1086 人次、217.2 万元,为 619 名学生发放生源地助学贷款 415 万元。

【农村文化】 2016 年,雷波县放映农村公益电影 3384 场;完成 29 个乡(镇)77 个村 3938 户的"村村通"广播电视工程,电视覆盖率达 92.7%,广播覆盖率达 82.49%;在马湖乡等 40 个乡(镇)开展"三下乡"演出。

【农村卫生】 2016 年,雷波县农村居民健康档案建档 245890 人,建档率达 92.19%。为农村育龄妇女免费发放叶酸 39100 瓶,服用率达 96.41%。发放农村孕产妇住院分娩补助 4590 人次,补助率达 94.65%。

【农村交通】 2016 年,雷波县公路通车里程 2250 余千米,其中乡村公路 1857 千米,密度为 70.73 米/平方千米、84.01 千米/万人。投资 24596 万元,修建通乡公路 4 条、63.7 千米,通村通达公路 25 条、134 千米,通村通畅公路 45 条、190 千米。

【主要领导人】 县委书记:王荣华;县人大常委会主任:阿木布沙;县长:王永贵(5 月止),杨腾斌(5 月代理,12 月始);县政协主席:杨光平;分管农业副县长:龙成君。

雷波县编写组

大 事 记

一 月

【1月5日】 职业教育扶贫2016年工作方案出炉，方案决定2016年全省将帮助8万名左右贫困地区学生免费接受中等职业教育，对全省贫困中等职业学生再给予每生每期500元的生活补助，积极鼓励、引导优质企业到贫困地区举办职业教育。

△四川卧龙国家级自然保护区入选2015—2019年度全国科普教育基地名单，卧龙连续15年被命名为“全国科普教育基地”。

【1月8日】 省人大常委会党组书记、副主任陈光志带领相关单位负责人组成的专项督查组到盐源县开展脱贫攻坚专项督查和“走基层”活动。

【1月10日】 阆中市构溪河湿地公园通过国家试点验收，成为四川省第三处国家湿地公园。

【1月13日】 国土资源部副部长、国家土地副总督察张德霖到泸州市开展脱贫攻坚调研，省委常委、省委农工委主任李昌平陪同调研。

【1月17日】 2016年全省文化局长会议在成都市召开。会议通报，芦山地震灾后文化重建项目已完工147个，完工率达到94.23%。

【1月20日】 省委农村工作会议在成都市召开。会议贯彻落实中央农村工作会议精神，总结“十二五”、部署“十三五”特别是2016年农业农村工作。

△全省扶贫移民工作会议在成都市召开，省委常委、省委农工委主任李昌平出席会议并讲话。2016年，四川省将按照“六个精准”要求，实现5个贫困县“摘帽”、2350个贫困村退出、105万名贫困人口精准脱贫。

【1月22日】 在成都市对口帮扶甘孜县农业项目签约仪式上，甘孜县与成都市签订了总投资7000余万元的3个现代农业项目协议。

【1月25日】 省草原科学研究院历经26年培育的“川白獭兔”新品种通过国家畜禽遗传资源委员会审定，并由农业部正式发布。这是中国第一个自主培育的獭兔新品种，标志着全国獭兔新品种培育工作取得重大突破，在中国兔产业发展史上具有里程碑式意义。

二 月

【2月1日】 都江堰市向峨乡海虹社区神禾中药材种植农民专合社林下中药材种植示范基地获得国家林业局“国家林下经济示范基地”授牌，这也是成都市首个国家林下经济示范基地。

△中华思源工程扶贫基金会暨芭莎公益慈善基金“思源救护（四川）”救护车捐赠接收仪式在成都市举行，基金会向全省6个贫困县捐赠了6辆救护车，已累计向全省11个市（州）的国家级贫困县捐赠救护车45辆。

【2月14日】 质检总局同意广安市广安区筹建龙安柚国家地理标志产品保护示范区。

△全省5个计划“摘帽”县名单出炉，意味着四川省正式启动贫困县退出模式。

【2月17日】 全省制定并实施“四大片区88个贫困县教育信息化专项扶贫行动计划”，将“专递课堂”“名师课堂”“名校网络课堂”连接到88个贫困县的各级各类学校。

【2月29日】 全省贫困村“第一书记”工作座谈会在成都市召开，会议对“第一书记”如何做好贫困村帮扶工作提出了要求。

△雅安市首座光伏太阳能提灌站在石棉县回隆乡石龙村试提水成功。

三 月

【3月1日】 全省正式实施森林植被恢复征收新标准。

【3月3日】 省政府正式批复同意设立广元市朝天区鸳鸯池省级森林公园。

【3月4日】 省委统战部举行“海联金桥——李锦记精准扶贫四川

藏区”捐赠仪式。省政协委员李惠中代表香港李锦记酱料集团捐款20万元,用于精准帮扶康定市贫困藏区群众。

△2016年全省农资打假暨农产品质量安全专项整治行动视频会议在成都市召开,会议确定全省将重点开展农资打假和“六大农产品”质量安全专项整治行动。

【3月6日】 财政厅、林业厅、国土资源厅等八部门联合下发通知,首次将污染严重的耕地纳入退耕范围。

【3月7日】 米易县被中国民间文艺家协会正式命名为“中国颛顼文化之乡”。

【3月10日】 省政府办公厅印发《四川省促进农村电子商务加快发展实施方案》,《方案》明确了积极开展电子商务精准扶贫工作,增强利用电商创业、就业能力推动特色农副产品、旅游产品销售,增加贫困户收入。

【3月12日】 第三届四川(金堂)食用菌博览会在金堂县开幕。开幕式上,举行了“中国羊肚菌人工栽培核心主产区”“四川食用菌工程技术研究中心”授牌仪式。副省长曲木史哈出席了开幕式。

【3月15日】 人民银行、银监会、保监会、财政部、农业部五部门联合印发了《农村承包土地的经营权抵押贷款试点暂行办法》和《农民住房财产权抵押贷款试点暂行办法》,意味着利用“两权”——农村承包土地的经营权及农民住房财产权进行抵押贷款将变成现实。成都市温江区等13个县(市、区)入选试点范围。

【3月18日】 四川省第七届乡村文化旅游节(春季)暨第十二届中国·苍溪梨花节开幕。

△德阳市首个乡镇农民创业园在什邡市南泉镇开园。

【3月19日】 2016中国国际酒业博览会在泸州市开幕。全国政协副主席刘晓峰宣布博览会开幕。省长尹力、中国酒业协会理事长王延才、酒博会主宾国格鲁吉亚国家葡萄酒局局长乔治·撒玛尼什维利等出席开幕式并致辞。

【3月21日】 国家发展改革委、国家林业局、农业部、水利部四部委联合印发《岩溶地区石漠化综合治理工程“十三五”建设规划》,明确了包括四川、广西、贵州、重庆等8个省(市、区)的200个重点项目县名单和治理方案。叙永县、古蔺县、华蓥市、甘洛县、宁南县、金阳县、越西县、会理县、盐源县、石棉县10个县(市)入围,将获得中央投资6.25亿元,拟治理地块超过25万公顷。

【3月26日】 省社科院联合宜信普惠在成都市共同发布《四川农村金融发展白皮书暨新型农业经营主体金融需求调查》,这是国内首部以聚焦新型农业经营主体金融需求为内容的“白皮书”。

【3月28日】 由中国茶叶流通协会、四川省农业厅、宜宾市人民政府主办的2016年第九届中国·宜宾早茶节(成都)营销宣传推介活动在成都市举行。活动现场,川茶集团获得“四川省院士(专家)工作站”和“四川省茶产业技术研究院”授牌,这是全省唯一的茶叶院士工作站和茶产业技术研究院,将助力宜宾茶产业科技水平再上新台阶。

△省政府下发《关于开展道路交通安全综合治理长效机制建设年行动的通知》,提出将公路安保工程(路侧护栏)向村道延伸,鼓励有积极性的地区率先开展试点。

【3月30日】 全省首部“大美乡村”村志——《凤凰庙村志》在巴中市问世。“大美乡村”文化推广工程已被列入四川邮政重点推广项目,并将陆续在全省推开。

【3月31日】 省粮食局会同财政厅等部门正式启动实施四川省粮食流通产业示范县试点工作,全省10个试点县(市、区)在粮食产后服务体系建设、对接粮油产业“一带一路”、放心粮油体系建设、全产业链发展及粮食物流园区建设等方面各具特色,从粮油工业总产值达到2亿元的70个县中脱颖而出,先期入选试点。

四 月

【4月1日】 省农科院与仪陇、屏山、木里、普格、昭觉等10个县签署“农业科技+精准脱贫战略合作协议”,共同探索科技扶贫机制,发挥农业科技在脱贫奔康中的支撑作用。

【4月6日】 首届四川林业扶贫竹编培训班在青神县开班,来自全省12个产竹市(州)、35个县的50户贫困户将接受为期1.5个月的培训。

【4月7日】 香港松峰慈善基金会援建四川省藏区卫生院签约仪式在省委统战部举行。基金会捐赠的100万元将用于援建康定市呷巴乡卫生院、瓦泽乡卫生院修建卫生院大楼,改善当地医疗卫生条件,提高当地医疗水平。

△全国首张枇杷目标价格保险保单在成都市龙泉驿区柏合镇正式签订。

【4月10日】 成都市高新区将以442.5万元/公顷的价格使用巴中市300公顷增减挂钩节余指标,总金额达到13亿元。这是国土资源部印发《关于用好用活增减挂钩政策积极支持扶贫开发及易地扶贫搬迁工作的通知》后,全国首例增减挂钩节余指标在省域内流转使用。

【4月11日】 全省农产品质量安全工作会议在遂宁市召开,四川省率先在全国开展农产品质量安全追溯信息平台建设。

△泸州市农村开发建设投资公司向国家发展改革委申报非公开发行的20亿元泸州市易地扶贫搬迁项目收益债券获得核准批复,标志着泸州市成为全国扶贫搬迁项目收益债券发行的试点城市。

【4月12日】 全省首家雕鸮驯养繁殖基地在叙永县建成投用,基地已从国家野生动物保护协会秦皇岛救护繁育中心引进5只雕鸮进行驯养繁殖,填补了国内人工繁殖雕鸮的空白。

【4月14日】 《四川日报》联合文化厅、四川新华发行集团、省图书馆以及市(州)图书馆共同举办的“为乡村孩子定制‘精神营养餐’”第三季大型公益活动正式启动。活动将发动社会爱心力量参与,共同帮扶边远贫困乡村建设“微图书馆”。

【4月19日】 省供销社出台《关于参与开展脱贫攻坚的实施意见》,《意见》明确到2020年年底,供销合作社综合服务覆盖60%的贫困村,“供销社+”的精准扶贫帮扶机制基本建立。

【4月24日】 中共中央政治局常委、国务院总理李克强到芦山地震灾区考察。

【4月26日】 第三届川台农业合作论坛在新津县开幕。期间,省委农工委、省委台办、省发展改革委等八部门联合出台发布了《关于支持台资企业和台胞发展现代农业的意见》,这是大陆省级层面首个支持台企、台胞发展现代农业的专门文件。

【4月27日—28日】 在渠县举办的全省电商精准扶贫暨农村电商工作推进培训会上,四川省扶贫基金会·小微电商创业扶贫专项基金、四川省电子商务产业股权投资基金正式揭牌,其中小微电商创业扶贫专项基金首期目标规模为3000万~5000万元。四川省电子商务产业股权投资基金总规模不低于12.12亿元,将对扶贫县进行重

点倾斜，重点打造闭环电商精准扶贫模式。

【4月29日】 中国茶乡峨眉山国际茶文化博览交易会在峨眉山市开幕。全国政协文史和学习委副主任、中国国际茶文化研究会会长周国富出席开幕式并致辞。省委副书记刘国中出席开幕式并宣布开幕。

△省委办公厅、省政府办公厅联合下发《关于坚持新村建设与脱贫攻坚相结合加快推进幸福美丽新村示范县建设的意见》，确定自贡市大安区等63个县(市、区)为全省幸福美丽新村建设示范县(2016—2018年)，其中55个县为贫困县。

五 月

【5月3日】 省委办公厅、省政府办公厅联合下发《关于开展农村社区建设试点工作的实施意见》，提出从2016年起，每个市选择2%的村，阿坝、甘孜、凉山3个州各选择5~15个村按全省每年1000个村的规模开展农村社区建设试点工作。

【5月3日—5日】 国家统计局四川调查总队在金堂县举行四川省第三次全国农业普查农作物面积遥感测量工作暨业务培训会，全省20个市(州)、40个县(市、区)的相关人员参加了培训，标志着全省第三次全国农业普查农作物面积遥感测量工作正式全面启动。

【5月5日】 四川省"远程教育扶贫行动"在全省11501个建档立卡贫困村实现远程教育站点全覆盖。

△第五届中国(四川)国际茶业博览会在成都市开幕。省委副书记刘国中宣布博览会开幕，并参观了位于成都世纪城新国际会展中心的茶博会展馆。博览会上，四川省正式发布省级茶叶公共区域大品牌——"天府龙芽"。

【5月6日】 青川县被质检总局认定为"生态原产地产品保护示范区"，成为全国第10个、四川省首个国家生态原产地产品保护示范区。自此，晋级"国家队"的"国"字号"生态青川"品牌达到10个，经过认证的"生态青川"产品和基地超过20个。

【5月8日】 省委办公厅、省政府办公厅联合下发《关于贯彻〈深化农村改革综合性实施方案〉的意见》，明确了农村改革的任务、方向、原则和底线，标志着四川省农村改革"总施工图"出炉。

【5月10日】 全省脱贫攻坚"六有"信息平台初步建成，并在"四川省电子政务云平台"试运行。

【5月13日】 中国银监会、国土资源部联合发布《农村集体经营性建设用地使用权抵押贷款管理暂行办法》，农村集体经营性建设用地入市改革再获推进。全国15个县(市、区)将开展试点，其中成都市郫县入选。《办法》有效期至2017年12月31日。

△省政府下发《关于扎实推进新一轮现代农业林业畜牧业重点县建设的意见》，正式启动四川新一轮90个现代农业、林业、畜牧业重点县建设，同时打造31个全国一流、西部领先的现代农业(含畜牧业)、林业示范市(县)。

△康巴地区招商引资项目推介会在深圳会展中心举行，四川省甘孜州、云南省迪庆州、青海省玉树州和西藏藏族自治区昌都市共向中外客商推出231个项目，投资总额约1500亿元。

【5月14日】 乌蒙山片区区域发展与脱贫攻坚部际联系会议在西昌市召开。国土资源部部长姜大明、国务院扶贫办主任刘永富在会上讲话，省长尹力致辞。

【5月18日】 巴中市空山天盆等8个景区通过创建国家4A级旅游景区资源与景观质量评估，列入全省2016年国家4A级旅游景区创建计划，数量居全省之首。

【5月20日】 国家林业局公布第二批国家林业重点龙头企业名单，四川省有8家企业入围，位居西部第一。

【5月23日】 省委统战部印发《四川统一战线教育扶贫凉山行动方案》，将凉山彝区10个县作为统一战线教育扶贫范围，为每个县落实对口帮扶工作。

【5月24日】 中国农业银行四川省分行在泸县发放首笔农民住房财产权抵押贷款58万元，标志着农民又新增一条贷款途径。

【5月25日】 财政厅公布2016年省级财政新增省级配套补助资金8亿元，用于补助建档立卡贫困户的D级危房改造，补助标准为每户2万元。

【5月27日】 国家发展改革委原则上同意国家杂交水稻制种基地(四川)建设项目，建设地点为成都、绵阳、眉山、德阳、遂宁和泸州等6个市11个县(区)，项目总投资36927.5万元，建设期为2016—2019年。

【5月28日】 省政府印发《四川省农村承包土地的经营权和农民住房财产权抵押贷款试点实施方案》，推进成都市温江区等12个全国首批试点县(市、区)开展"两权"抵押贷款试点，为农民增收致富再引资金"活水"。

【5月30日】 2016年全省交通精准扶贫脱贫攻坚项目集中开工，共计1081个项目，总投资201.6亿元，涉及南充、甘孜、凉山、乐山4个市(州)。

△农业部公布28个全国首批基本实现主要农作物生产全程机械化示范县名单，崇州市作为西南省(市、自治区)中唯一全程机械化示范县入选。

【5月31日】 省委农工委、财政厅联合下发通知，确定崇州市、米易县、松潘县等25个县(市、区)为2016年创建盘活农村资产资源、培育农民增收新产业新业态示范县(市、区)，创建期为1年，省上将对年度考核合格的给予授牌，并通过以奖代补方式予以补助。

六 月

【6月3日】 省政府办公厅下发《关于进一步加强天然林保护的通知》，《通知》明确全省实施天然林保护行政首长负责制，严格控制低效天然林改造和采挖移植。

【6月6日—8日】 广东省省长朱小丹率广东代表团到稻城县、理塘县、雅江县、康定市就当地精准扶贫、旅游产业发展、教育卫生基础设施建设等对口支援工作进行考察。

【6月7日】 省旅游发展委下达安排省级旅游发展资金1.16亿元，其中专项补助乡村旅游重点示范项目资金1650万元、旅游扶贫示范项目资金3450万元。

△世界旅游组织(UNWTO)与亚太旅游协会(PATA)将共同为乐山市编制《乐山山地旅游发展战略五年行动计划》，这是全省首个由国际旅游组织编制的旅游专项规划。

【6月8日】 小金、苍溪、雷波等20个县(市)入围国家级电商进农村综合示范县名单，至此，全省进入"国家队"的试点县已达37个，居全国之首。

【6月12日】 国家旅游局下发《关于印发2016全国优选旅游项目名录的通知》，四川省申报的51个项目全部入选，数量居全国第一

位，总投资超过1470亿元。

【6月12日—13日】 省委常委、省委农工委主任曲木史哈率队到蓬安县对2016年脱贫攻坚计划摘帽县工作情况开展检查评估。

【6月29日】 高原藏区脱贫攻坚现场推进会在红原县召开。省委副书记刘国中主持会议并讲话，强调要认真贯彻落实省脱贫攻坚领导小组第二次会议精神，加大推进力度，保证质量进度，坚决完成2016年藏区脱贫攻坚任务。

【6月30日】 宜宾至叙永高速公路通车，标志着四川省最大的苗族聚居县、全省88个贫困县之一的兴文县迎来境内首条高速公路，加上公路南端的叙永县，一条高速公路串起了两个贫困县，被称作“乌蒙山区的扶贫路”。

七　月

【7月14日】 省农业和农村体制改革专项小组办公室印发《关于农村改革综合试验区方案的备案意见》，原则上同意各试验区试验方案，标志着全省农村改革综合试验区的试验工作在全国率先全面启动。

【7月18日】 首届中国藏茶节在雅安市雨城区中国藏茶村开幕。开幕当天，四川省藏茶产业工程技术研究中心在中国藏茶村挂牌成立，这是目前四川省唯一的省级藏茶科技创新平台。

【7月19日】 “万企帮万村·光彩凉山行”活动在西昌市举行。活动期间，民营企业和商(协)会与凉山州部分贫困村签订了村企结对帮扶共建、产业帮扶项目协议，共签约项目12个，总投资39.08亿元；同时举行了爱心捐赠活动，企业共捐款500余万元、物资1600余万元。

【7月20日】 成都、遂宁两地农村产权交易市场建设深度合作洽谈会暨合作签约仪式在成都市举行，标志着遂宁市农村产权交易正式融入全省市场，也意味着与成都农交所整市联网运行的市(州)增至7个、县(市、区)增至83个。

△四川省第七届乡村文化旅游节(夏季)暨四川·开江第三届荷花节开幕式在开江县举行。省政协副主席王正荣，省政府副秘书长黄小平，省政府参事、省旅游协会会长陈保明，省旅游发展委副巡视员、省旅游协会执行副会长谢海银，达州市长郭亨孝等出席开幕式。

【7月21日】 成都市与凉山州共同举办“农商对接”活动，活动达成合作意向32个，涉及总金额1.56亿元。这次“农商对接”活动是落实省委省政府推动民族地区精准扶贫的要求，结合成都中心城市地位，为带动两地区域合作，加强农产品产销衔接，扩大农商对接范围，促进农业增效、农民增收提供了一个展示、交易平台，最终让凉山农牧民和成都市民共同受益。

△邛崃市、绵阳市安州区、眉山市东坡区、罗江县和西昌市5个县(市、区)分别获得国家制种基地大县奖励资金3000万元。继上年梓潼县获得首批国家制种基地大县奖励后，全省共有6个制种基地县获得奖励资金，共计1.8亿元，居全国第一位，其中2016年到位资金7406万元。绵阳市和梓潼县、罗江县、眉山市彭山区、眉山市东坡区、邛崃市、绵阳市安州区、江油市和泸县共1市8个县(市、区)被确定为国家级杂交水稻种子生产基地，西昌市是南方地区唯一的国家级杂交玉米种子生产基地。

【7月26日】 农业部发布第2384号公告，四川省蓬溪矮晚柚、小金苹果、小金酿酒葡萄、盐边桑蚕茧、宁南冬季马铃薯、都江堰方竹笋和都江堰茶叶7个产品列入国家农产品地理标志登记保护。至此，全省农产品地理标志登记产品总数达到151个，位居全国第二、西部第一，全省基本形成了大凉山、川藏高原、大巴山、川中丘陵、成都平原、金沙江流域“六大特色区域”品牌。

八　月

【8月10日】 省委省政府印发《关于深化供销合作社综合改革的意见》，提出到2020年，把供销合作社系统打造成与农民联结更紧密、为农服务功能更完备、市场化运行更高效的合作经济组织体系，力争实现农村经营服务网点全覆盖、农民生产生活服务功能全覆盖，成为服务“三农”的生力军和综合平台。

【8月12日】 农业厅、财政厅就做好农技员生活工作保障发出通知，要求落实各项待遇。市(州)财政将结合实际，从本级财力中安排资金对贫困县农技员有关经费进行补助。这项政策将有效解决农技员驻村扶贫出政策但落地难的问题。

【8月15日—17日】 全国水稻产业技术发展报告会暨四川超级稻新品种新技术现场考察会在成都市举行。优质稻新星——“川优6203”获得专家“点赞”，将在长江上游推广种植。

【8月23日】 省档案局印发《四川省扶贫开发项目档案管理细则》，这是全国首个关于扶贫开发项目档案管理的细则，已在全省执行。

【8月24日】 全省永久基本农田划定工作现场交流会召开，四川省永久基本农田划定工作正式下达“时间表”“任务书”：到明年6月，全省永久基本农田划定工作全面完成，全省城镇周边拟新划定永久基本农田面积106.63万亩。任务完成后，永久基本农田总量将占全省耕地面积的80%以上。

【8月28日】 全省核桃产业发展助推脱贫攻坚座谈会在广元市朝天区举行，根据林业厅发布的《四川核桃产业发展报告》显示，全省核桃产业种植规模已居全国第二位，年产量居全国第三位，成为农民脱贫奔康的重要产业之一。

九　月

【9月1日】《四川省大中型水利水电工程移民工作条例》正式实施，《条例》首次赋予了移民远迁后对红线外属于个人承包的耕地、林地、园地等土地资源进行处置的权利。

【9月5日】 四川教育系统宣传《慈善法》暨高校“牵手乡村教育”公益活动在成都市启动，四川师范大学、成都理工大学等10所高校接过了服务乡村教育的旗帜，倡导更多的青年教师和大学生为乡村教育贡献力量。

△第四批925名对口帮扶藏区的干部人才陆续启程前往藏区开展对口帮扶。全省已通过“千名干部人才援藏行动”选派了四批4500余人深入藏区开展对口帮扶工作。

【9月6日】 国家旅游局公示首批40家国家旅游示范单位，成都市入选首批中国旅游休闲示范城市，九寨沟入选中国绿色旅游示范基地。

【9月7日】 四川省乌蒙山连片区域土地整治重大扶贫项目启动申报工作，这是全省最大的土地整治项目。该项目在国务院扶贫开发领导小组办公室确定的原有的13个县(区)基础上，增加了宜宾县、

高县、珙县、筠连县、兴文县、峨边县6个县,将项目区连接成整体区域,建设规模约35万公顷。

【9月9日】 省长尹力、世界卫生组织西太平洋地区主任申英秀在成都市出席启动健康城市健康村镇建设会议并讲话,标志着四川省正式启动健康城市健康村镇建设。

△水利部公布第十六批国家水利风景区名单,西昌邛海水利风景区、泸州张坝水利风景区、阿坝壤塘则曲河水利风景区、南充南部红岩子湖水利风景区和广安华蓥山天池湖水利风景区榜上有名。全省已累计创建国家水利风景区36个,规划面积达7100平方千米,景区数量位居西部第一;成功创建省级水利风景区59个,规划面积1954平方千米,已初步形成涵盖省内主要江河湖库、重点灌区、水土流失治理区的水利风景区群落。

【9月12日】 全国首个易地扶贫搬迁项目收益债券在四川落地——泸州市农村开发建设投资公司成功发行首期5亿元易地扶贫搬迁项目收益债券(16泸扶贫项目NPB),中标利率4.3%,利率水平处于近期全国债券发行利率低位,募集资金将投向国家级贫困县——叙永县、古蔺县片区易地扶贫搬迁建设项目。

△全省对口帮扶彝区干部人才培训班在成都市开班,来自攀枝花、泸州、德阳、绵阳、乐山、宜宾6市和省直部门的395名援彝干部人才将集中参加为期两天的培训,这是四川省首次大规模向彝区选派帮扶干部。全省在原有"7+20""9+12"对口援藏的基础上,把大小凉山彝区13个贫困县(区)纳入对口帮扶范围。

△四川省丘陵山地现代农业产业技术创新战略联盟在成都市成立。未来全省将通过提升农机研发与制造水平为丘陵山区耕地"量身定制"农业机械。

【9月13日】 全省深化农村水利改革现场会在广汉市举行。会议明确以农业水价综合改革为核心完成农村水利工程确权颁证,推进农村水利投融资体制改革,发展节水农业。省委常委、省委农工委主任曲木史哈出席会议并讲话。

【9月19日】 全省金融精准扶贫融资对接电视电话会议在成都市举行,副省长朱鹤新出席会议。会议指出,四川省将全面开展扶贫小额信贷业务,对有致富能力、符合条件、有贷款需求的建档立卡贫困户发放扶贫小额贷款。

△在全国2016年国家森林城市建设座谈会上,绵阳市被命名为"国家森林城市"。

【9月19日—20日】 2016年全国农村工作座谈会在蒲江县召开,这是全国农村工作座谈会首次在四川召开。中央农村工作领导小组副组长、中央农办主任、中央财办副主任唐仁健,中央农办副主任韩俊出席并分别主持会议。省委常委、省委农工委主任曲木史哈出席会议并致辞。

【9月21日—22日】 全省水利脱贫攻坚和支持幸福美丽新村建设现场会在广安市举行,全省21个市(州)和100余个县(市、区)的水务局长参加。会议指出,水利在脱贫攻坚和幸福美丽新村建设中发挥着重要作用,加强贫困地区水利基础设施建设、推进贫困地区水利改革发展、助推贫困地区脱贫致富是水利行业的重要政治任务和义不容辞的责任。

【9月24日】 以"智慧共享,合作发展"为主题的第十六届全国"村长"论坛在"西部山区第一村"——彭州市龙门山镇宝山村开幕,这是全国"村长"论坛首次选址四川。开幕式上,宝山村原书记贾正方被授予"中国村官终身成就奖",四川省村社发展促进会获授牌成立,北京市房山区韩河村等9个中国名村分别与理县薛城镇甲米村等9个四川贫困村签订了结对帮扶协议。广元市利州区金洞乡青峰联合党支部书记杨华莲、蒲江县西来镇两河村党支部书记姚庆英跻身"中国十大杰出村官",北川县永安镇永明村党支部书记任艾萍获得"全国十佳优秀大学生村官贴心人奖"称号。

【9月25日—26日】 由财政部副部长刘昆任组长的国务院解决企业拖欠工资问题部际联席会议第二督查组赴川对全省全面治理拖欠农民工工资问题情况进行专项督查。

【9月27日】 四川省2016年中籼稻最低收购价收购暨秋粮收购工作电视电话会议在成都市召开,全省2016年中籼稻最低收购价执行预案正式启动。以国标三等为标准品,承担最低收购价收购任务的收储库点向农民收购的到库价为每千克2.76元,与上年持平,继续保持2004年国家启动粮食托市收购政策以来的最高价。

【9月28日】 省政协十一届第十五次常委会在成都市召开,会议围绕"推进实施精准扶贫、精准脱贫,决胜全面小康"开展专题协商。省政协主席柯尊平出席会议并讲话,省委副书记刘国中、省人大常委会副主任曾省权、副省长王铭晖受邀出席会议。

【9月29日】 以"网聚天府、商通全球"为主题的2016首届四川国际电子商务博览会在成都国际商贸城开幕。博览会集中展示了21个市(州)农村电商企业和发展成果,搭建起电子商务线上线下融合对接平台。省政协副主席张雨东出席博览会。

【9月30日】 省扶贫移民局与四川农业大学在成都市签署战略合作协议。双方将发挥高校科技、人才、智力的综合优势和扶贫移民部门政策、信息、资源的行业优势,共建精准扶贫精准脱贫观测平台、减贫与发展研究平台等合作平台,为全省打赢扶贫攻坚战做出积极贡献。

△环境保护部发布《关于授予浙江省杭州市等40个市、县、区"国家生态市、县、区"称号的公告》,彭州市、邛崃市、大邑县、都江堰市、洪雅县5个县(市)被授予"国家生态县"称号。

十 月

【10月3日】 农业部公布2016年"中国美丽休闲乡村"推介名单,芦山县青龙场村、成都市新都区回南村、郫县青杠树村、内江市市中区尚腾新村、宣汉县洋烈村榜上有名,其中青龙场村入围"特色民居村",回南村、青杠树村、尚腾新村、洋烈村入围"现代新村"。

【10月9日】 省扶贫基金会与省人民医院签署项目合作协议,未来将在全省88个贫困县开展"精准扶贫 送医下乡"项目,对乡(镇)卫生院展开医学培训,提升基层医院及乡(镇)医院的服务能力。

【10月10日】 省政府与国家电网公司签署合作协议,共同推进全省小城镇(中心村)电网改造升级和机井通电工程。省委常委、副省长王宁,国家电网公司副总经理陈月明出席签约仪式。

【10月13日】 中国人民解放军战略支援部队正式启动对冕宁县彝海镇彝海村的定点帮扶。

△四川省2016年扶贫日系列活动暨社会扶贫工作推进会在成都市举行。省委常委、省委农工委主任曲木史哈出席会议并讲话,副省长王铭晖主持会议。会上,第二届"四川十大扶贫好人"暨首届"四川十大扶贫爱心组织"评选表彰活动获奖名单揭晓,四川省慈善总会、中国长江三峡集团公司等10个组织获得首届"四川十大扶贫爱心组织"称号,长宁县古河镇兴河社区退休教师易启武、巴中兔兔

爱心助学团队创建人张彦杰等 10 人获得第二届"四川十大扶贫好人"称号。

【10 月 14 日】 2016 中国(四川)电子商务发展峰会促成 51 个电商项目现场签约,涉及金额 185 亿元。在现场签约的 21 个项目中,四川万企共赢企业管理有限公司和深圳前海云投行资本管理有限公司签订的股权投资基金项目备受关注,该基金将聚焦农村电商,已在商务厅报备,这将是全省首支农村电商股权投资基金。

△四川省第七届乡村文化旅游节(秋季)在宝兴县开幕,"4 · 20"芦山强烈地震后雅安市新创的 13 个国家 4A 级景区、1 个国家生态旅游示范区、3 个"中国乡村旅游模范村"获得授牌。副省长杨洪波出席开幕式。

△住房和城乡建设部公布第一批 127 个中国特色小镇名单,四川省有 7 个镇入选,数量仅次于浙江省,与山东省、江苏省并列第二。

【10 月 17 日—20 日】 第一期四大片区驻村干部示范培训班在康定市举行。来自甘孜州和凉山州的省、州、县(市)级部门(单位)、乡(镇)选派的驻村干部,以及甘孜州军分区和甘孜州各县(市)武装部的帮扶干部 140 余人参训。

【10 月 18 日】 全省构建和谐劳动关系暨全面治理拖欠农民工工资问题电视电话会议在成都市召开。副省长王铭晖,省政协副主席、省总工会主席李登菊出席会议。会议对 10 家省级和谐劳动关系创建活动模范单位代表进行了授牌。

△省扶贫移民局成功中标柬埔寨减贫示范合作技术援助项目,这是四川省首次中标并实施国家级援外减贫示范项目。项目成交总金额为 2500 余万元,实施期加后续期共 4 年,主要从基础扶贫、产业扶贫、环境治理和技术培训等方面进行合作。

【10 月 19 日】 国务院扶贫开发领导小组第 15 督查组来川督查脱贫攻坚工作汇报会在成都市召开。省委书记王东明出席会议并讲话,督查组组长、国土资源部副部长张德霖主持会议并讲话。

【10 月 21 日】 在 2016 年全省重大交通基础设施金融对接会上,农发行省分行与遂宁市农村公路路网建设有限公司签订协议,将提供 23 亿元贷款用于遂宁市农村公路建设及养护。这是全省交通领域首个基于政府购买服务的银企合作。

【10 月 25 日】 财政厅、省扶贫移民局印发《贫困村产业扶持基金总体方案》,要求各地在 2017 年内,以村为单位建成覆盖全省所有贫困村的产业扶持基金。该基金的建立将更有效对接建档立卡贫困户及村集体经济组织发展产业的资金需求,培育具有地方特色、带动贫困户增收效果明显的优势产业,使贫困户获得持续收益。

【10 月 25 日—26 日】 全省发展农村集体经济助推脱贫攻坚现场推进会议在泸州市召开。省委常委、组织部部长范锐平主持会议,省委常委、省委农工委主任曲木史哈出席会议并讲话。

【10 月 26 日—27 日】 省政府分别在广州、上海举办了以"共筑致富路,共圆中国梦"为主题的四川省藏区彝区产业扶贫专题推介会,这是四川省首次"走出去"开展产业扶贫专题推介活动。副省长朱鹤新出席上海专题推介会并致辞。

【10 月 30 日—11 月 1 日】 第三届中国国际物流发展大会暨第四届中国(四川)国际物流博览会在遂宁市举行展会成果集中签约仪式,省政协副主席罗布江村出席签约仪式并致辞。遂宁市、成都市、凉山州、宜宾市、资阳市等 11 个市(州)共签约项目 46 个,投资总额达到 397.8 亿元,其中遂宁市签约项目 22 个,投资总额 220.7 亿元。

【10 月 31 日】 第八届中国泡菜博览会在东坡故里——眉山市开幕。开幕式上,眉山市被授予"中国东坡美食文化名城"称号,四川吉恒食品有限公司等被评为"2015 年全国泡菜 10 大经销商","吉香居牌香菜芯""口口脆榨菜""酸菜鱼佐料"等获得"四川名牌泡菜"荣誉称号。

△在"东坡味道"招商推介及签约仪式上,共推介 54 个招商项目,总投资额 138 亿元,签约"东坡味道"项目资金约 70 亿元,包括拟投资 20 亿元的当当网项目也将入驻。

十一月

【11 月 1 日】 省政府办公厅印发《推进农业供给侧结构性改革 加快四川农业创新绿色发展行动方案》。《方案》提出,到 2020 年,全省土地适度规模经营率提高 7.5 个百分点,综合机械化率提高 10 个百分点,农业科技贡献率达到 60%以上,草原综合植被盖度达到 85%,基本实现"一控两减三基本","三品一标"认定等安全农产品供给能力明显提高,农民人均可支配收入突破 15000 元。

△由农业部和省政府主办的第七届中国 · 四川(彭州)蔬菜博览会在彭州市濛阳镇蔬菜主题公园开幕。农业部总农艺师孙中华,省委常委、省委农工委主任曲木史哈,省人大常委会副主任李向志,省政协副主席陈放出席开幕式。

△蔬菜产业供给侧结构性改革与农业品牌化论坛、四川(彭州)蔬菜线上线下产销对接会在彭州市举行。论坛共签订农业投资项目 7 个,协议资金 15.33 亿元,其中农业战略合作项目 4 个;农产品产销对接项目 30 个,营销金额 27 亿元。

【11 月 2 日】 四川省藏区彝区产业扶贫推介会暨项目签约仪式在成都市举行。省委副书记刘国中出席会议并致辞。签约仪式上,米亚罗红叶景区开发项目、阿坝县光伏扶贫产业示范项目等 44 个项目集中签约,涉及投资金额 774.95 亿元。

【11 月 3 日】 以"全面开放合作,促进全面小康"为主题的第四届四川农业合作发展大会在成都市召开。大会共签订农业投资促进项目 314 个,合同金额 1022.9 亿元;21 个市(州)新推介农业合作项目 1090 个,投资需求 3249.6 亿元,其中 88 个贫困县推介农业合作项目 381 个,投资需求 1167.9 亿元。

△南充市现代农业投资推介会暨合作项目签约仪式在成都市举行,10 万亩彩色蜜柚产销对接及农产品电子商务、茶桑基地及加工配套、荷兰先进智能化农业技术引进等 31 个农业项目现场签约,签约金额 128.7 亿元。

【11 月 5 日】 以"电商扶贫 点亮梦想"为主题的 2016 西部电子商务发展高峰论坛在成都市举行,首次推出"川报电商指数",该指数实现了全网交易数据全覆盖,是观察电子商务发展环境、潜力和趋势的综合指标;发布了 2016 四川电商区域竞争力榜单,评选出"2016 四川电商十强县";10 家四川省电商企业和机构与 11 个贫困村现场结成"四川电商精准扶贫结对子基地"。全省已创建 37 个全国电子商务进农村综合示范县,为全国之最。

【11 月 8 日】 四川国源农业投资有限责任公司正式挂牌运营,这是全省首家以助推脱贫攻坚为主要目标的省级农业产业投资发展平台。

【11 月 9 日】 青川县、石棉县、金堂县、宝兴县、邛崃市、绵阳市安州区被省政府认定为四川省第二批防震减灾示范县(市、区)。至此,全省共有 11 个省级防震减灾示范县(市、区)。

【11月10日】 第四届四川农业博览会农产品展览在成都世纪城新国际会展中心开馆,本届农博会以"全面开放合作,促进全面小康"为主题。副省长王铭晖出席博览会并致辞。

【11月18日】 四川贫困地区农特产品展销会在成都市开幕,这是全省首次集中展示展销贫困地区农特产品。省政府资政张作哈宣布活动开幕,省政协副主席陈放出席活动并致辞。北京新发地农产品批发市场与茂县人民政府、上海江杨农产品市场经营管理有限公司与南部县经商局等25对"对子"进行了现场签约,达成意向性协议287个。

【11月19日】 全省关工委农村关心下一代工作座谈会在眉山市召开,会议对农村困境青少年关爱工作提出了更加精准的"五助"要求。

【11月23日—24日】 全省乡村旅游与旅游扶贫工作推进大会在平武县召开。2016年,全省乡村旅游实现总收入1535亿元,同比增长20.96%,比上年同期增加266亿元。

【11月24日】 成都市在简阳市东溪镇双河村举行100万亩菜粮基地高标准农田建设启动仪式,计划三年内投资57.9亿元,打造100万亩菜粮基地高标准农田。

△成都市首个现代农业园区职工创客空间建成并在大邑县揭牌。

【11月25日】 全省深化农村改革助推精准扶贫现场推进会暨农村土地确权登记工作总结会在广元市召开。截至2016年11月,全省已完成农村土地承包经营权确权8605.2万亩,占应确权面积的85.1%,进度位于全国前三,质量居全国前列。省委常委、省委农工委主任曲木史哈主持会议,副省长王铭晖出席会议并讲话。

十二月

【12月1日】 省关工委在普格县启动全省"老少牵手温暖童心"暖冬行动。省关心下一代基金会出资100万元,凉山州将配套出资同等资金,重点关爱帮扶困境儿童中的"事实孤儿"(事实上无人抚养的儿童)。

△以"相约阳光花城·畅享缤纷冬日"和"沐米易时光·游康养胜地"为主题的四川省第七届乡村文化旅游节(冬季)暨2016年攀枝花欢乐阳光节在米易县拉开序幕。

【12月1日—4日】 第四届成都国际都市现代农业博览会在成都市拉开帷幕。博览会以"创新助推农业转型升级,品牌引领特色产业发展"为主题,更加注重农业全产业链的交流与合作。

【12月7日】 四川现代烟草农业合作发展大会在成都市举行,会议通报了2016年全省计划收购烟叶367万担,已收购320万担,预计全省烟农收入58亿元。省委常委、省委农工委主任曲木史哈,副省长刘捷出席会议并讲话。

【12月9日】 住房和城乡建设部等7部局联合公布第四批中国传统村落名录,成都市龙泉驿区洛带镇老街社区等141个村落入选。至此,全省中国传统村落总量达到225个,位居全国前列。

【12月16日】 四川省第六届农民工技能大赛决赛在达州市落幕,来自全省21个市(州)的200余名选手在赛程中亮绝活展才艺,最终评选出8名"四川农民工技能状元"。副省长王铭晖出席活动。

△以脱贫致富奔小康为主题的全省"书香天府·2016年农民读书月"活动启动仪式在广安市前锋区代市镇会龙村举行。主办单位向当地农家书屋捐赠了价值30万元的图书,并为村民免费赠送春联、日历等文化产品。

【12月21日】 全省幸福美丽新村建设推进工作领导小组会议在成都市召开,省委常委、省委农工委主任曲木史哈,副省长杨洪波出席会议并讲话。会议指出,2016年全省完成幸福美丽新村建设6700余个,超出目标任务的11.67%,惠及农民群众215.07万户;截至2016年12月,全省已累计建成幸福美丽新村16282个,占行政村总数的35.13%,共惠及农民群众460.29万户,占农户总数的22.12%。会议提出,2017年全省计划安排建设幸福美丽新村5000个,到2020年全省80%的行政村要建成幸福美丽新村,60%以上建成省级"四好村"。

【12月29日—31日】 以"聚农副产品助农商互联,展百县百品促产业富民"为主题的中国(泸州)首届农产品交易博览会暨全国百县百品产销对接促进行动启动会在泸州海吉星农产品物流园举行。

调查与研究

国土资源政策助推巴中市脱贫攻坚

四川省国土资源厅调研组

近年来,四川省国土资源系统按照省委省政府和国土资源部打赢脱贫攻坚硬仗的部署要求,集中行业优势,发挥政策效应,全力支持巴中市扶贫开发和易地扶贫搬迁,走出了一条运用国土资源政策助推脱贫攻坚的新路子,形成了党委政府统筹主导、国土资源部门主动作为、广大群众拥护参与、社会各界联动响应的脱贫攻坚“巴中实践”,受到了国家和部、省领导的肯定。

一、基本情况

巴中市地处秦巴山区集中连片特困核心区域,集革命老区、边远山区、贫困地区于一体。“十二五”初期,全市有699个贫困村、87.1万名贫困人口,贫困发生率为27.2%,在脱贫攻坚硬仗中面临诸多短板。一是居住条件差。“十二五”初期,全市有41.39万户、152万人长期生活在高寒山区、地质灾害隐患区和洪水淹没区,其中30.89万户、113万人居住在危旧土坯房内。二是耕地质量低。耕地块多、面小、坡陡、分布零散,可持续发展能力不足。三是地质灾害隐患多。全市已查明地质灾害隐患3701处,威胁群众16万余人。四是农村宅基地利用效率低。全市宅基地存量约为425.73平方千米,人均约为198平方米。五是建设资金缺口大。仅靠政府补助、农民自筹无法解决巴山新居建设、地质灾害防治和避险搬迁资金问题。

针对上述短板,国土资源系统从政策、指标、项目、资金等方面给予了巴中市全方位支持。一是研究出台特殊支持政策。国土资源部针对巴中市专门出台了6条特殊支持政策,国土资源厅出台了《支持贫困地区扶贫攻坚十条措施》。二是建设用地计划指标大力倾斜。2015年国土资源厅下达巴中市新增建设用地计划指标8700亩,比2011年增长近2倍;对所辖3个国家级贫困县每县每年单列300亩用地指标(从2016年起增加到600亩)。2011年以来,国土资源厅批准巴中市立项增减挂钩项目54个,下达周转指标23496亩,居全省第3位;下达工矿废弃地复垦利用指标2000亩。三是大量投放国土资源项目和资金。2011年以来,中央和省财政在巴中市投入土地整治资金9.97亿元,实施土地综合整治项目67个;投入地质灾害避让搬迁资金5.36亿元,实施地质灾害避险搬迁安置2万余户、7万余人,补助资金和搬迁户数均居全省第一位;投入地勘基金1232万元,促进优势矿产资源勘查开发。四是运用政策杠杆筹集大量建设资金。协调巴中市流转增减挂钩节余指标4500亩,获取资金13亿余元;流转耕地占补平衡指标4.3万亩,获取资金8.6亿元。同时,以节余指标流转收入作为回购保障,吸引社会资本37.7亿元。

项目、资金、计划指标的大量投放和国土资源政策的全方位支持有效推进了巴中市的脱贫攻坚进程,“十二五”期间,巴中市贫困人口由87.1万人减少到31.83万人,贫困发生率由27.2%下降至10.5%。

二、主要做法和成效

(一)用好用活增减挂钩政策,帮助群众住上好房子

从2012年起,巴中市运用增减挂钩政策大力推进巴山新居建设,帮助15.3万户、55.08万人从危旧土坯房搬进了新房子。一是推行拆旧奖补换新房。对拆旧房屋每平方米补助150~260元,对建新后节约面积的房屋每平方米奖励50元,并将地质灾害避险搬迁资金一并纳入奖补累计,平均每户农民可得到8万元左右。二是解决基础设施配套投入资金难题。将增减挂钩项目节约指标流转收益全部返还项目区,解决了聚居区配套设施建设的资金难题。三是实现特困户住有所居。在增减挂钩项目实施中配套建设了一定比例的廉租房,用于专门解决无房户的住房问题,确保“不落下一户、不落下一人”。四是优化土地利用布局。将人均综合用地控制在70平方米以内,大幅提高节约集约用地水平。巴州区花溪乡新庙村投入基础设施建设资金6000万元,其中60%通过增减挂钩政策解决,该村贫困户李廷发未花一分钱而住上了新房,政府还补助2000元。通江县民胜镇鹦鸽嘴村聚居点基础设施投入全部来自增减挂钩指标收益，修建了12套面积50余平方米的农村廉租房，村民闫登保兑现奖补政策后，只交了6万元就住上了180平方米的新房。

（二）精心实施土地综合整治，帮助群众过上好日子

"十二五"期间，巴中市共实施土地整治项目174个，总投资23.98亿元，共惠及635个村、116万余人。一是提高耕地质量，实现"有地可种"。近5年来，巴中市累计整治土地181.97万亩，新增耕地18.2万亩，建成高标准基本农田85.3万亩，有效解决了群众搬入新居后无地可种、耕作条件差、耕作半径过大等问题。二是创造就业机会，实现"有工可打"。鼓励群众承包土地平整、沟渠疏浚等小工程并进行培训，引导其从传统农民转变为产业工人。三是培育特色产业，实现"有业可兴"。将整理成片的耕地流转给企业和种植大户集中发展特色农业和乡村旅游业，实现产村相融、产居互动，极大解放和发展了农村生产力。南江县沙河镇上营村将整理出的350亩连片土地流转给企业，吸纳周边困难群众务工150余人，年人均收入超过2万元。通江县民胜镇鹦鸽嘴村流转2000余亩土地发展葡萄产业和城郊型休闲旅游，辐射带动500余人从事乡村旅游业，收入达600万元以上。

（三）扎实推进地质灾害防治和避险搬迁，帮助群众远离地灾威胁

2011年以来，国土资源系统在巴中市投入各类地质灾害防治资金9.74亿元，连续4年实现地质灾害"零伤亡"。一是提前预防避免伤亡。2011年以来，全市实施汛前排查150余次、汛后核查450余次，排查出地质灾害隐患3601处；投入专职监测资金5710万元，落实专职监测人员4000余名；举办地质灾害防治培训1200场次、应急演练450次，覆盖受威胁群众3.6万户、45万余人；转移群众57591人，成功避险52起，避免伤亡3165人。二是工程治理消除隐患。中央和省级财政在巴中市投入地质灾害治理资金1.97亿元，实施治理工程112处，排危除险184处，消除地质灾害隐患190处，有效保护了3万余名群众的生命财产安全。三是避险搬迁远离威胁。2011年以来，巴中市组织2万余户7万余名群众搬迁，远离了地质灾害隐患威胁。投入资金3615万元，打造53个避险搬迁安置点，全部实现"五通五有"（通路、电、水、电视、通讯，有活动广场、购物中心、卫生室、文化站、垃圾点），确保搬迁群众"稳得住、能发展、可致富"。

（四）打好国土资源政策"组合拳"，帮助群众整体脱贫

巴中市的成功之处就在于集成运用国土资源脱贫攻坚政策，将"三大工程"政策、项目和资金有机结合，形成"组合拳"，实现效用叠加、功能放大，为精准脱贫探索了一条高效直接的路径。

巴州区水宁寺镇枇杷村是典型的贫困村，2014年以来，国土资源系统在该村综合实施增减挂钩、土地整治、地质灾害避险搬迁三大工程，使用增减挂钩周转指标110.85亩，新建农民集中居住区3处，安置农民218户、981人；拆旧复垦宅基地200.4亩，节余挂钩周转指标89.55亩，通过异地流转实现收益2640万元；整治农村土地780亩，建成高标准农田320亩，新增耕地约70亩；实施地质灾害避险搬迁41户，消除地质灾害隐患3处，实现了从分散居住向集中居住、由分散单项种植向规模化多元化经营的转变，农民收入持续增加，人均年收入达8860元。

三、几点启示

巴中市的实践表明，国土资源政策的组合运用对于助推脱贫攻坚成效显著、威力巨大，但有些地方对国土资源政策的运用还不够熟练，致使其作用发挥还不够充分。国务院副总理汪洋指出，"国土资源政策非常重要，要及时办个学习班，抓好政策的落地"。国土资源部于5月中旬在巴中市举办了"土地政策支持扶贫开发及易地扶贫搬迁培训班"，必将进一步显现国土资源政策助推脱贫攻坚的巨大威力。从巴中市运用国土资源政策助推脱贫攻坚的实践可以得出以下启示。

（一）党委政府主导、多方参与的"巴中实践"成效显著

政府主导、部门主为、市场主力、群众主体是巴中市实施国土资源项目的主要机制，巴中市党委政府提出把"巴山新居"工程为首的六大扶贫工程作为扶贫攻坚的切入点，坚持规划引领，整合涉农资金，统筹推进各项扶贫工程；国土资源部门主动作为，创新举措，积极推动政策落实，扎实实施"三大项目"，成为脱贫攻坚的生力军；广大群众积极参与项目建设，自主决策、自主实施、自主监督，主体能动作用得到充分发挥；社会各界积极响应，组织大量人力、物力，投入大量社会资金参与国土资源项目建设。

（二）国土资源政策助推脱贫攻坚威力巨大

组合运用国土资源政策成功破解了脱贫攻坚诸多难题。一是利用增减挂钩节余指标和占补平衡结余指标在省域内流转筹集了大量外来资金和社会资金，有效解决了资金缺口问题。二是增减挂钩周转指标在市域内挂钩使用有效解决了建设用地指标紧张的难题。三是复垦散乱低效的旧宅基地有效提高了农村土地利用效率。四是通过土地综合整治有效提升了耕地数量质量。五是通过整治土地规模化发展产业有效帮助贫困群众实现了持续增收。六是通过实施避险搬迁有效修复了生态环境。国土资源部部长姜大明指出，增减挂钩政策实质上是以城带乡、以工哺农的区域补偿制度，增减挂钩指标兼具新增建设用地指标、建设用地规模、占补平衡指标三项功能。用好用活用足这一政策，将成为国土资源系统助推脱贫攻坚的关键一招。

（三）国土资源系统在脱贫攻坚硬仗中具有独特优势

国土资源系统对于脱贫攻坚在用地保障、资源开发、综合整治、地质灾害防治等方面具有独特优势。一是能够有效激发贫困地区内生发展动力，使资源变资产、资产变资金。二是能够合理配置城乡要素资源，促进经济社会、城乡区域协调发展。三是农村土地整治和高标准农田建设、退耕还林还草、绿色矿山建设、矿山环境恢复治理、地质灾害防治等工作能让绿水青山变成"金山银山"，实现经济发展与生态建设的内在统一。

（四）国土资源政策造福贫困群众具体实在

国土资源"三大项目"直接惠及广大群众，每户农民受惠资金最多可达10余万元。在实施过程中，巴中市始终坚持把群众自愿、维护群众权益放在首位，杜绝农民"被上楼""住高楼"的现象，实行搬迁方式由群众定、规划方案由群众议、建设模式由群众选、工程质量由群众管，让群众成为项目建设的决策者、参与者、受益者，做到实施前农民愿意、实施中农民乐意、实施后农民满意，群众不但住上了好房子，而且过上了好日子，获得感、幸福感普遍增强。

关于凉山州"爱心助孤"情况的调研报告

四川省关心下一代工作委员会调研组

按照省委省政府的部署，结合脱贫攻坚，省关工委于2015年12月在凉山州启动了"爱心助孤行动"，救助关爱事实无人抚养儿童。

2016年3月14日—18日，省关工委调研组分赴甘洛、越西、喜德、昭觉4个国定贫困县的4个乡7个贫困村、6所学校和3所幼儿园开展了专题调研。3月17日，省关工委执行主任张中伟到昭觉县普诗乡李子村、杉树村实地走访调研，与凉山州民政局、教育局、关工委等部门负责同志进行了座谈交流。

一、凉山州孤儿和事实无人抚养儿童的基本情况

凉山州6852名孤儿（含315名极度贫困及艾滋病感染儿童）已全部被纳入国家孤儿保障体系，其中机构集中供养81人，每人每月基本生活费最低领取标准为1246元；分散供养6771人，每人每月基本生活费最低领取标准为748元。孤儿基本生活得到了保障，但由于以分散供养为主，监护管理难度大。

全州有事实无人抚养的特殊困难儿童19072人，均未纳入国家保障体系。按户籍分，农村约有18700人，占总人数的98%；城市约有370人，占总人数的2%。按区域分，11个国家扶贫开发工作重点县有16888人，占总人数的88.55%；安宁河谷地区6个县（市）有2184人，占总人数的11.45%。按成因分，父母一方去世，另一方服刑、重残、弃养或失踪的约有16000人，占总人数的84%；父母双方重残、服刑或弃养的有3000余人，占总人数的16%。全州事实无人抚养的特殊困难儿童主要呈现3个特点：一是基数比较大。全省事实无人抚养儿童共8.3万余人，凉山州就有1.9万余人，占全省总人数的22.9%。二是贫困程度深。事实无人抚养儿童集中分布在农村，绝大多数分布在彝族聚居的国定贫困县。三是救助标准低。凉山州农村地区特殊困难儿童的生活补助（包含低保和省、州、县补助资金）标准为每人每月295元，城市补助标准为每人每月395元，虽然高于低保补助标准，但与散居孤儿补助标准差距大。

二、凉山州救助关爱孤儿和事实无人抚养儿童的办法举措

通过对凉山州4个县的实地调研和与当地有关部门的座谈交流，我们深感在省委省政府的关心下，凉山州各级党委、政府、民政、教育等部门和关工委在救助关爱孤儿和事实无人抚养儿童方面做了大量工作，取得了明显成效，同时在民间涌现出了一批热心助孤助困的先进典型。

（一）建立救助机制

在省有关部门的支持下，2012年4月，凉山州民政局印发了《关于将“特殊困难儿童”纳入城乡居民最低生活保障的通知》，将全州事实无人抚养的特殊困难儿童全部按照当地最高补助标准纳入城乡最低生活保障范围。同年，州委州政府出台了《关于进一步加强“特殊困难儿童”援助保障工作的意见》《凉山州特殊困难儿童救助管理实施办法（试行）》和《关于进一步加强我州孤儿救助保障工作的实施意见》，在全省率先将事实无人抚养的特殊困难儿童纳入制度化保障体系，享受由民政资助的免费参合、参保以及城乡医疗救助等保障政策。政府每年发放孤儿等困境青少年的各项救助金、慰问金约530万元。此外，加强孤儿福利机构建设，州上建成儿童福利院1所，有床位350张，供养孤残儿童40人。省上下达凉山州孤儿机构集中供养床位新建任务3700张，省级项目补助预拨资金已全部下拨各县，建设任务正在加快推进。

（二）加强基础教育

着力推行15年免费教育，从2016年春季开学起，全面免除幼儿教育保教费和普通高中学费并免费提供教科书，全面实施“一村一幼”计划。加强实施教育方面的一系列普惠政策，为孤儿和特殊困难儿童入学提供了保障。

（三）各级关工委主动作为

凉山州从州到县、乡、村、社区均建有关工委组织，全州共建成关爱活动室72个、“留守儿童之家”184个，关工委和“五老”志愿者积极配合相关部门常年开展捐赠衣物、学习用品和结对帮扶等活动，关爱孤儿和特殊困难儿童。自2015年年底启动“爱心助孤行动”以来，州、县关工委组织对232个极度贫困村的事实无人抚养儿童的情况进行了详细摸底。雅砻江公司向省关爱基金会捐赠了100万元，用于凉山州11个国定贫困县2291名未享受国家和社会帮扶的事实无人抚养儿童的生活补助，对盐源县、甘洛县、越西县、喜德县、昭觉县部分农村幼儿园建设给予支持，对职业学校部分特困学生给予生活补助。

凉山州各级党委、政府和关工委在救助关爱孤儿和事实无人抚养儿童方面做了大量工作，但由于凉山州基础差、底子薄、地域广阔，事实无人抚养儿童情况复杂、分布面广，救助关爱工作中还存在许多困难和问题：对事实无人抚养儿童的救助标准亟待提高，对分散供养孤儿的监护亟待加强，一些地方对事实无人抚养儿童的生活补助和监护人责任仍然没有落实到位；“一村一幼”计划还存在资金短缺，办学条件简陋，辅导员队伍招人难、留人难、保教质量不高等问题；有的地方的救助关爱工作更多停留在生活保障上，缺乏精神、思想、亲情上的关怀；不少地方的村级关工委小组受经费等因素制约不能很好地开展工作。

三、意见与建议

通过调研，我们深切体会到为了阻断贫困代际传递，凉山州现有的25924名孤儿和事实无人抚养的特殊困难儿童确实是救助关爱工作的重点和难点，其共同的特点是失亲，通过救助关爱要使其失亲不失爱、失亲不失管、失亲不失学、失亲不失志，从小志存高远。“爱心助孤行动”贵在献爱心，重在见行动，要做到孤儿不孤，生活得到保障，心灵充满温暖，还有大量工作要做。要结合精准扶贫，在精准救助、精准关爱上下功夫，真正做到救助到人、关爱到心。其主要有以下五个方面的工作需要加强。

一是加强民政救助。建议省政府出台有关救助关爱事实无人抚养儿童的政策性文件，增加财政投入，提高救助标准，并对凉山州给予重点支持，进一步完善民政救助关爱机制。要建好儿童福利服务指导中心，以关爱孤儿和事实无人抚养儿童为重点，关心其疾苦，服务其所需，依托社区、乡村加强动态管理。通过民政救助关爱，使其生活得到保障，从小感受到党和政府的温暖。

二是加强学校教育。孤儿和事实无人抚养儿童因家教缺失，学校教育尤为重要。凉山州在推进15年免费教育中，要解决孤儿和事实无人抚养儿童入园入学的特殊困难，有条件的应入校寄宿。通过学校教育，抚慰其心灵，增长其知识，让其愉快生活、健康成长。省关工委将配合省新闻出版广电部门向凉山州部分贫困村小学、幼儿园赠送一批有益读物，建议省教育、财政等部门进一步支持凉山州办好教育。

三是加强法律保护。要深入开展“关爱明天，普法先行”活动，宣传贯彻《未成年人保护法》和《预防未成年人犯罪法》，切实保护孤儿和事实无人抚养儿童的合法权益。建议民政与公安、司法等部门通力合作，依法落实孤儿和事实无人抚养儿童的法定监护人，明确其责任，进一步加强法律保护。

四是加强结对关爱工作。关工委在“爱心助孤行动”中要与共青团、妇联等群团组织密切合作，配合基层干部落实好结对关爱工作。省、州关爱基金会要与慈善基金会合作,广泛动员爱心企业、人士加大对凉山州极度贫困村的支持力度。要加强基层关工委建设,壮大"五老"队伍,带动全社会爱心助孤。救助关爱工作只有落实到村才能落实到人,贫困村关爱任务重、活动经费缺,建议凉山州研究解决。

五是加强统筹协调。爱心助孤涉及面广、政策性强,是一项系统的民生工程,建议各级党委、政府加强领导,统筹协调,明确责任,有序推进,整合各方面资源,把爱心助孤民生工程办好办实,为脱贫攻坚做出应有的贡献。

践行"大水文"发展理念 服务四川经济社会可持续发展

——四川水文事业发展纪实

四川省水文水资源勘测局

水文事业是国民经济和社会发展的基础性公益事业。主要任务是通过布设水文站网监测各类水文要素,分析、预测和评价洪水干旱的发生、水资源时空分布规律与变化情况等,为解决经济社会发展中的水问题提供科学依据。

近年来,全省水文系统认真贯彻落实党和国家水利工作方针,在部水文局和厅党组的坚强领导下,紧紧围绕"节水优先、空间均衡、系统治理、两手发力"新时期治水思路,以"大水文"发展理念为指导,积极服务水利中心工作和经济社会发展需求,四川水文事业取得长足发展。水文基础设施建设明显改善,测报手段和技术水平得到有效提升,水文为地方经济社会发展、防汛减灾、水资源管理、水生态文明建设、"河长制"全面实施等方面的支撑和服务能力得到明显增强,水文事业进入了新的发展阶段。

一、四川水文基本情况

(一)职能和机构

四川省水文管理机构成立于1952年,隶属于省水行政主管部门,主要负责全省水文水资源监测、水文水情报预报、水文水资源调查评价、水质监测、水文测报设施建设与信息化、水文水资源计量工作;组织开展江河湖库水环境调查和水域纳污能力分析,提出限制排污总量分析意见;承担四川省水资源公报、水环境质量年报、河流泥沙公报、水文手册的编制工作。

截至2017年9月底,省水文局下设有成都、绵阳、内江、达州、南充、雅安、西昌、阿坝州、岷江和广元水文局筹备组等10个地区水文机构,有在职职工1094人、离退休职工755人,其中专业技术人员645名,约占职工总人数的60%(高级工程师占15%,工程师占18%)。9月底,省委编委同意新增8个流域局。至此,全省水文系统在全省442条河流上共设有18个流域水文局。

(二)站网与监测

尽管四川省水文工作始于20世纪30年代,但自从省级水文管理机构成立以来,四川省水文站网体系才逐步形成。通过"5·12"汶川特大地震、"4·20"芦山地震灾后恢复重建以及国家水资源监控能力项目的实施,四川省水文系统的雨量、水位以及部分站点的流量信息,取水户取用水信息、重要饮用水源地水质监测信息均实现了自动采集、网络传输、集中处理。特别是党的十八大以来,通过中小河流水文监测系统建设,从2012年的167个水文站(位)、564个独立雨量站增加到2017年的619个水文站(位),其中水文站350个(含208个中小河流水文站)、3150个独立雨量站,建成130处地下水监测井、4处地下水检测中心、土壤墒情监测站11个、水质监测站(断面)571个。主要开展了水位、雨量、降水、蒸发、水质、泥沙、地下水、墒情等水文要素监测工作,基本能满足主要江河防汛减灾、水资源开发利用管理、水生态环境保护、涉水工程规划建设运行等经济社会发展需求。

(三)测报与信息服务

近年来,国家加大对水文基础建设的投入,水文测报和信息服务能力得到提升。省水情中心完成了信息传输的规范化和标准化建设;建成和优化了以省水文局为中心,下连各市(州)水文局,上接国家防总、长江委、相关省(市)水文局、省防汛办的水情信息自动传输网络;初步建成和优化了基于Web的"四川省水情信息服务平台";建成了省水文远程视频会商中心,基本实现了与省防汛办、国家防总、10个市(州)水文局之间的洪水预报会商。国家重要水功能区水质监测覆盖率达100%,重要饮用水源地开展了水量水质同步监测。通过"4·20"芦山地震灾后重建、大江大河水文监测系统建设、国家水资源监控能力建设等项目的实施,水文站网布局与功能得到进一步完善,水文监测能力、水情预警预报能力得到提升。

二、四川水文主要工作成就

(一)明确"一局三中心"发展思路

党的十八大以来,四川水文系统认真践行习总书记提出的新时期治水思路,紧紧围绕四川省水利中心工作和经济社会发展需求,结合四川水文实际提出了"一局三中心"(即省水文局,省水环境监测中心、水资源管理中心,网络安全与信息化中心)的水文发展思路,为水行政、水资源量与质的技术管理提供了组织保障。2016年以来,通过强化站网体系建设、分析检测鉴定能力建设,不断夯实水环境监测中为水行政支撑起水生态建设和河长制基础工作的能力;通过资源配置、功能完善和能力建设,不断夯实水资源中心为水行政落实最严格的水资源管理制度、实施水资源管理目标考核提供支撑的能力;通过整合水利信息资源,逐步建立信息资源共享机制,着力搭建水利信息资源平台,为四川"智慧水务"建设提供支撑保障。

(二)为水资源管理和水生态保护提供重要支撑

通过国家水资源监控能力建设,完成330个取用水户共578个监测点的建设。2017年,对已颁发取水许可证的取用水量约62%实现在线监控;全省共设置水质监测断面600余个,对338个国家重要水功能区的水质进行定期监测,对45个重要饮用水水源地开展在线水质监测,全国重要水功能区监测覆盖率由2012年年底的60%提升到100%。进一步提升实验室的监测能力,水质监测项目从"十二五"初期的76项增至109项。完成四川省水环境监测中心及8个分中心巡测、取样、实验室分析能力达标建设,更好地满足了水资源质量评价和水资源保护的需求。同时,地下水监测工作不断加强,生态监测逐步开展,突发应急监测工作能力稳步增强,为水资源管理、饮用水安全、水生态文明建设和突发涉水公共危机应对提供了重要的技术支撑。

(三)为防汛抗旱减灾指挥决策提供科学依据

四川水文积极践行"大水文"发展理念,主动作为,在服务地震次生灾害防治决策和防汛减灾决策、全面服务经济社会发挥事业中的作用日益突出。每年向国家防总、长江委、长江下游各省区、省及市县防汛办传递水情信息总量达1800余万条,98%以上的水情信息在30分钟内传到各级防汛指挥机构，为防汛抢险救灾决策赢得了时间，尤其是在应对"5·12"汶川特大地震唐家山堰塞湖急重险情、"4·20"芦山地震灾害、"6·24"茂县叠溪特大滑坡和"8·8"九寨沟地震等特大自然灾害中，水文应急监测队伍冲锋在前，为抢险救灾决策抢测了第一手资料。在2011年渠江"9·18"特大洪水中，水文部门经缜密计算和认真科学分析，向省防汛指挥部提出了"调度水库、消减洪峰"的建议，共计消减洪峰1.08亿立方米，渠县洪峰水位降低1米，为广安市赢得了14个小时的抢险时间，洪峰水位预报误差仅0.13米；2013年沱江发生"7·9"洪水，得益于水文部门的及时预警预报，受灾群众平安转移，切实保障了人民群众的生命安全。

据不完全统计，党的十八大以来，水文情报预报的防汛减灾直接经济效益总计达233余亿元，为四川省防灾减灾和经济社会发展做出了重要贡献。

三、四川水文事业发展思路与总体目标

（一）发展思路

按照党中央"五位一体"总体布局和"四个全面"战略部署的要求，切实落实"五大发展理念"，认真践行习总书记提出的"节水优先、空间均衡、系统治理、两手发力"的新时期治水思路和水利部"大水文"发展理念，紧紧围绕省委省政府"三大发展战略"和建设美丽繁荣和谐四川的目标，扎根水利、面向社会、加快推进四川水文从传统向现代转变，从人工向智能转变，从行业水文向社会水文转变，建立满足防汛抗旱减灾、水资源管理、水生态文明建设和经济社会发展需求的水文公共服务体系。

（二）总体目标

力争在"十四五"末，基本实现法规体系健全、体制机制完善、站网布局合理、技术手段先进、信息处理及时、预警预报准确、运行维护可靠、管理科学有序、服务全面优质的现代水文目标，初步建成智慧水文、生态水文，进一步实现水文全面服务四川省经济社会发展、防汛减灾、水资源管理、生态文明建设、城乡发展的能力。

充分发挥"医教研"优势 扎实推动精准扶贫工作

——西南医科大学扶贫工作记

西南医科大学

2016年以来，西南医科大学按照省委省政府的统一安排和省委组织部、省委教育工委、省扶贫移民局和泸州市委等相关工作部署，先后承担了合江、叙永、古蔺等15个县的对口帮扶工作。西南医科大学充分发挥医学院校科研、医疗、公共卫生服务等方面的优势，结合帮扶对象的实际，通过选派帮扶干部、加强基础设施建设、开展产业帮扶、改善医疗服务等措施，推动各项帮扶工作取得实效。

一、扶贫工作开展总体情况

西南医科大学充分发挥医学院校的特点和优势，针对帮扶对象经济基础薄弱、产业基础落后、医疗卫生人才缺乏、医疗保障体系不健全等现状，扎实推进各项脱贫攻坚工作。一是按照省委和泸州市委要求，开展干部驻村帮扶和"支部结对帮户"工作，与合江县榕山镇回洞桥村，叙永县大石乡旺龙村，古蔺县双沙镇普庆村，普格县特补乡特补乃乌村、甲甲沟村和施加村等共550户贫困户开展结对帮户，通过派驻"第一书记"、产业帮扶和教育医疗卫生帮扶等举措扎实推进精准扶贫工作。二是按照省委组织部、省委教育工委、省卫生计生委和泸州市委要求，认真落实苍溪县妇幼保健院，昭觉县、乡城县、稻城县、普格县、盐源县等地相关医院的教育、医疗卫生水平提升对口帮扶任务。三是按照省卫生计生委要求，完成西昌市、普格县、雷波县、马尔康市、金川县、小金县"十院百科帮百村"专项扶贫任务。

二、主要做法、具体措施和成效

（一）加强组织领导，健全工作机制

学校成立了由党委书记和校长为组长，其余校领导为副组长，各主要职能部门以及三所附属医院、二级院（系）主要负责人为成员的精准扶贫工作领导小组，扶贫办公室挂靠党委组织部。扶贫工作由学校主要领导牵头，重大工作亲自部署，难点问题亲自协调，由扶贫办公室具体实施。2016年以来，学校和直属附属医院先后召开扶贫工作专题研讨会、工作布置会、现场调研会、经验交流会70余次。学校不断完善领导干部和职工走基层制度，以二级党委、总支、直属党支部为责任单位，各支部与550余户帮扶对象全部进行对接，进一步落实帮扶责任，全年到定点扶贫地区调研300余人次。

（二）精心遴选干部，充实基层力量

学校根据各地实际需要，结合专业优势，选派优秀年轻干部、医疗业务骨干到定点扶贫单位挂职。截至目前，已选派驻村"第一书记"5名、驻村工作组干部1名，选派古蔺县卫计局挂职副局长1名、合江县人民医院挂职院长1名、苍溪县妇幼保健院挂职副院长1名，选派昭觉县乡（镇）党委副书记3名。为选派干部划拨一定的工作经费，用于选派期间的工作及生活补助，切实解决选派干部经济困难问题，让选派干部无后顾之忧；加强干部驻村帮扶考核督查工作，把干部驻村工作与学校年度目标考核奖惩挂钩，作为培养锻炼干部的重要平台和考察提拔干部的重要依据，引导干部真正下沉到村、扶持到户。

（三）筹集扶贫资金，建强基础设施

2016年以来，学校（含三附院）共投入资金700余万元参与帮扶村项目建设。2016年学校划拨专项扶贫经费150万元用于回洞桥村新村基础设施建设，C、D级危房改造和产业发展；2017年划拨190.15万元专项经费用于回洞桥村聚居点道路建设、危房改造、产业发展及卫生室建设，该村已建成通村公路28.85千米、通社产业路10.75千米。学校附属医院出资10万元为旺龙村修建村卫生院并捐赠价值10万元的医疗设备，出资23万元为该村解决"光亮工程"的路灯项目资金问题，出资80万元为特补乡特补乃乌村修建乡卫生院；学校附属中医院直接、间接投入达25万余元用于实施普庆村项目帮扶；附属口腔医院划拨2.4万元用于支持普格县荞窝镇施加村实施黑山羊集体养殖项目。截至目前，学校向四川省医药爱心基金捐款255万元。

（四）紧扣产业扶贫，实现促农增收

精心培育规模化种养殖产业、家禽加工等优质品牌，提升综合竞争力。在回洞桥村采取"专合社+养殖大户+贫困户"模式发展林下养鸡，2016年带动8个村771户贫困户发展林下养鸡3万只，加工销售土鸡2万余只，实现产值240万元，贫困户人均增收1500元；引进广东温氏集团入驻发展村集体经济，2017年实现收益10万元。引进中国最大的水果全产业链企业——联想佳沃公司发展优质晚熟柑橘产业，已建成1000亩核心示范园和400亩村集体经济果园，投产后预计每年人均可增收5586元，村集体收益200万~400万元；围绕"就业一人、脱贫一家"的理念，开办回洞桥村制衣厂，为贫困户提供就业岗位150余个。在特补乡特补乃乌村,学校附属医院驻村书记带领村民种植烟叶800余亩;购买嫁接优质核桃苗1万株,种植核桃1800余亩;向铁皮石斛产业园区、成鑫砖瓦厂等地推荐贫困劳动力50余人;购买300余只母羊用于40余户贫困户发展养殖业。在双沙镇普庆村,学校附属中医院投资5万元为合作社购买粉条加工机器设备,对粉条加工厂场地及厂房进行选址、搭建改造。在施加村,学校附属口腔医院出资2.4万元购买黑山羊,采取“农户散养+村集体所有”的方式建立村集体经济;结合地域广阔特点,带领村民种植核桃,为村集体经济的发展奠定了基础。

(五)开展智力扶贫,助力学子成才

学校免费招收帮扶地区愿意接受中职教育的适龄青年接受中职卫校学历教育。针对部分贫困户因教育致贫的实际,学校附属医院对旺龙村20户30余名学生提出了“一对一”捐资助学计划,医院领导、职工及社会爱心人士、企业组成了“爱心助学团”,共结成帮扶对子26对,实现对旺龙村贫困学生帮扶全覆盖,每年助学资金达10万余元;在省卫生计生委“十院百科帮百村”行动中,学校附属医院各科室还对特补乡特补乃乌村有子女上学的贫困户进行了重点帮扶。学校附属中医院设立捐资助学项目,先后为甲甲沟村考上大学的15名大学生每人发放助学金1000元。同时,学校优秀大学生还利用寒暑期、节假日到扶贫村庄给学生教授计算机、英语、美术等课程,针对薄弱课程进行“一对一”辅导,引导其自觉努力学习,全面成长成才。

(六)突出医疗帮扶,护航村民健康

学校以及3所直属(附属)医院充分发挥医疗服务优势,将精准扶贫与“十院百科帮百村”“领导干部联系贫困患者家庭”“对口帮扶基层医院”有机结合,与苍溪县人民政府、苍溪县妇幼保健院、昭觉县人民政府、昭觉县卫计局、合江县卫计局、乡城县人民政府、稻城县人民政府等签订协议,在苍溪县每年派驻麻醉、妇产、儿科、检验等专业副高以上专家1名到妇幼保健院担任副院长1年,已派驻麻醉专家石恒林、刘萍前往挂职;在昭觉县开展驻院科室建设指导、医疗专题讲座、专业技术培训等相关工作,每年不少于4次,每次不少于1周时间;2017年7月组织医院“博士医疗志愿服务团”到苍溪县、昭觉县开展学术讲座和医疗服务;与苍溪县、昭觉县、合江县医疗机构建立双向转诊绿色通道,实施分级诊疗,运用远程医疗系统逐步开展远程会诊;为稻城县、乡城县当地医生职业考试提供考前教学培训并免费招收帮扶县医疗卫生人员到3所直属附属医院进修学习。截至目前,全校共举办医疗技术指导培训班13期,培训各类人员917人次,开展义诊服务村民1000余人次,接收免费培养医疗进修生30余名。

(七)围绕扶志扶德,破解“精神贫困”

对贫困地区和贫困群众来讲,脱贫攻坚不但要改造客观世界也要改造主观世界,只有把住上好房子、过上好日子与养成好习惯、形成好风气有机结合,才能使扶贫成果更加坚固有力。2017年暑期学校组建了一支90余人的大学生志愿服务团到西南医科大学定点扶贫村——回洞桥村开展“汇医大青春之智,益暖回洞桥村;扬医大青春之志,助力扶贫攻坚”志愿扶贫和文化扶贫活动。一是举办“文化扶贫”专场文艺晚会,针对回洞桥村地区特点、民俗特色设计了10余个丰富多彩的文化娱乐节目,参演人数达到90余人,吸引了300余名村民前往观看。二是开展入户帮扶志愿活动,为各贫困户家庭讲解儿童安全知识与农村常见病预防知识,帮助一些残障人士和孤寡老人解决现实生活困难。三是打造留守儿童安全知识讲座和农村常见病预防知识讲座、“订单式”医学知识讲座,切实将扶贫工作和志愿服务做到实处。四是组织开展“拒绝艾,拥抱爱”实践活动,到会东县江西街乡天坪村开展为期7天的关爱留守儿童、点对点入户照顾孤寡老人,普及预防传染病、慢性病等健康知识教育宣传活动,引导村民养成好习惯、形成好风气。学校还坚持在帮扶村开办农民夜校,通过集中学习、专家讲解等方式积极开展政策宣讲、技能培训、创业谋划等培训,切实满足贫困群众脱贫致富知识需要。

经过不断努力,学校扶贫工作取得了阶段性的成效,全省乌蒙山片区脱贫攻坚现场会、乌蒙山片区农村住房安全建设现场会、全省“四项基金”使用现场会均陆续在西南医科大学帮扶点回洞桥村召开,学校暑期“汇青春·智扶贫”社会实践精准扶贫专项行动入选团中央2017年全国大中专学生“三下乡”社会实践“千校千项”成果遴选活动“最具影响好项目”;学校下派乌蒙山贫困地区挂职干部杜杰获评为“四川省民族团结进步模范个人”,学校驻合江县榕山镇回洞桥村党支部“第一书记”雷学举获评为“四川省及泸州市优秀驻村第一书记”和“四川省优秀第一书记”;学校获评为2017年泸州市“脱贫攻坚先进单位”。

广元市多措并举助力脱贫攻坚

中共广元市委　广元市人民政府

广元市7个县(区)均是秦巴山片区区域发展与扶贫攻坚对象,2013年年底,全市有贫困村739个、贫困人口35.37万人。近年来,全市认真学习贯彻习近平总书记扶贫开发战略思想和中央、省委脱贫攻坚决策部署,坚持以脱贫攻坚统揽经济社会发展全局,将脱贫攻坚作为重大政治任务、经济建设主战场和第一民生工程,注重脱贫解困与同步奔康、激发内力与调动外力、加大“输血”与增强“造血”、重点突破与均衡发展“四个统筹”,全力抓好对象精准识别、产业就业扶贫、住房安全保障、基础设施建设、扶持政策落实“五大重点”,下足“绣花”功夫,超常举措推进,脱贫攻坚取得明显成效。2015年实现148个贫困村退出、6.1万名贫困人口脱贫,全市农村贫困人口从2013年年底的35.37万人减少到17.12万人,贫困发生率从15.46%下降到7.4%,被省委省政府表彰为全省脱贫攻坚先进市。全国县级“十三五”脱贫攻坚规划编制工作会、全省贫困县“摘帽”现场推进会、全省就业扶贫工作现场会、全省深化农村改革工作现场会等会议在广元市召开,全市脱贫奔康“六化行动”、金融扶贫“三大机制”、健康扶贫“四大工程”等重大举措、成功做法在全国、全省宣传推广。2016年上半年,全市共减少贫困人口3.4018万人,占全年目标任务的50.21%。

一、认真贯彻习近平总书记扶贫开发战略思想和中央、省委脱贫攻坚系列决策部署,扎实推进精准扶贫工作取得明显成效

坚持思想引领,“五大意识”强定力,切实以习近平总书记扶贫开发战略思想武装头脑。全市深刻把握广元市脱贫攻坚的形势任务,坚持用习近平总书记扶贫开发战略思想武装头脑、指导扶贫、推动攻坚,牢固树立“五大意识”,确保精准扶贫工作始终沿着正确的方向强力推进。一是深刻领会“农村贫困人口如期脱贫、贫困县全部‘摘帽’,解决区域性整体贫困是全面建成小康社会底线任务”的重要思想,牢固树立“底线任务”意识。确立了到2020年实现整体连片贫困到同步全面小康跨越的奋斗目标,制定了“4456”工作方略,打出了“3+12”政策组合拳,出台了《脱贫攻坚责任制实施办法》《脱贫奔

康“六化”行动实施方案》等23项制度，全面完成7个县“摘帽”、739个村退出、35.37万人脱贫任务，确保不落下一村一户一人。二是深刻领会“扶贫开发贵在精准、重在精准、成败之举在于精准”的重要思想，牢固树立“精准绣花”意识。制定实施“五个一批”“26个扶贫专项”年度计划，探索实施产业扶贫“五化同步”、就业促进“124”行动、集体经济“355”方略、易地搬迁“四化四好”、教育扶贫“四好四不让”等有效办法，不断提高精准扶贫、精准脱贫成效。三是深刻领会“打赢脱贫攻坚战不是轻轻松松一冲锋就能解决”的重要思想，牢固树立“长期作战”意识，坚持年年都打硬仗、年年都啃硬骨头、年年都攻坚，持续用力推进巩固前期脱贫成果、完成当期减贫任务、启动后期帮扶项目“三大任务”。四是深刻领会“扶贫开发是全党全社会的共同责任，要动员和凝聚全社会力量广泛参与”的重要思想，牢固树立“合力攻坚”意识。建立市指导推动抓落实、县(区)主体负责抓落实、乡(镇)组织实施抓落实、村(组)具体实施抓落实的工作责任机制，构建起政府主导、社会参与、市场运作、群众主体“四位一体”的大扶贫工作格局。五是深刻领会“贫困群众既是脱贫攻坚的对象，更是脱贫致富的主体”的重要思想，牢固树立“群众主体”意识。坚持扶贫先扶志，广泛动员群众大力弘扬“有手有脚有条命，天大的困难能战胜”“出自己的力，流自己的汗，自己的事情自己干”的灾后重建精神，引导群众转变观念，增强脱贫信心。突出扶贫必扶智、扶贫重扶能，加强实用技术和就业技能培训，增强群众自我发展能力。突出培育文明新风，深入开展普法教育、感恩教育，凝聚脱贫共识。

坚持担当垂范，“四责一体”聚合力，形成以上率下、合力攻坚工作格局。健全脱贫攻坚责任体系，把压实责任转化为自觉担当和工作激情。一是切实履责。市委市政府及时学习贯彻中央、省委有关脱贫攻坚重要指示部署，不打折扣执行，主动报告复命。出台了《超常推进脱贫攻坚33条措施》，从市到村建立完备的作战指挥体系。开年以来，市委主要负责人召开专题会议13次，专题调研11次。二是逗硬督责。建立实行“每月督查反馈、季度评价排名、半年分析研判、年度评估验收”制度。组建10个脱贫攻坚巡回督查组，进村入户采取交叉巡回督查指导，实行“排雷式查问题”“发票式开清单”“围攻式抓整改”“连带式追责任”，及时发现问题并限期纠偏整改。全年发出整改通知21份，涉及问题63个。三是科学考责。建立了上级考核、日常督查、群众评价、第三方评估的抓脱贫攻坚责任落实和绩效考评体系，强化过程考核，将日常考评结果按40%计入年度考核，对因工作失误、资金监管等出现问题的加大扣分力度，是否认真履职尽责由贫困群众说了算，按制度规定办。四是严肃问责。实行“三个一律”，对不落实不作为的实行考核评优一律一票否决、责任领导一律就地免职、追责问责一律从重从严。开办《阳光问政》脱贫攻坚专题节目，在报纸、电视台开设“曝光台”，集中查处扶贫领域案件235件，党纪政纪处分73人。出台脱贫攻坚容错纠错机制、脱贫攻坚一线干部和村组干部有效激励机制等，形成了领导干部率先垂范带头干、党员干部撸起袖子加油干、广大群众自力更生抓紧干的生动局面。

坚持科学施策，“四化协同”抓精细，形成精准发力、精准脱贫具体路径。以最讲认真的作风、最实在的措施和最管用的方法促使各项政策、工作和要求落地落实，让贫困群众满意。一是个性化研制规划。在精准识别的基础上，严格对标政策规定，突出年度任务，逐村逐户精细查明致贫原因、发展优势和短板、群众脱贫意愿等，科学制定县“摘帽”、村退出、户脱贫以及26个行业扶贫规划，采取“上级组织+群众代表+第三方论证”方式评审规划措施的精准度和可行度，确保精准滴灌、靶向治疗。二是清单化兑现政策。厘清中央、省有关政策规定，市(县)列出细化政策要求清单，乡(镇)、帮扶干部和村组列出政策落实清单，各级指挥部列出政策兑现督查清单。实行户认领签字、组每月通报、村季度公示、上级全程监督制度，利用信息化平台跟踪、设立公开举报电话监督方式确保每项政策特别是教育、卫生、兜底等与贫困群众切身利益关联紧密的扶持政策及时兑现、不走样。三是项目化落实任务。将26个扶贫专项年度计划具化为建设项目，把村退出、户脱贫分解为工作项目，由各级、各帮扶部门挂图作战、逐项落实。在抓易地扶贫搬迁中，采取差异制订规划、规范建设住房、多元发展产业等措施，已完成建房5234户、1.72万人，完工率达60.39%。在抓产业扶贫中，实施对象精准化、产业特色化、载体园区化、经营组织化、技能专业化、投入多元化方略，长短结合、以短支长，新建万亩现代农业产业园7个、村特色产业示范园421个、户办产业小庭园3.6万个。四是标准化管控过程。围绕全面、全域、全程落实“六个精准”要求，出台了《脱贫攻坚工作精细化管理30条规程》，对识贫、扶贫、脱贫、提升全过程确立工作标准、查验规范，高标准推进脱贫攻坚工作。

坚持问题导向，“四大机制”补短板，形成统筹联动、协调推动有力态势。正视工作中的热点问题，通过政策机制和方式方法创新克难前行。一是构建返贫预警阻击机制。采取每半年按市1%、县10%、乡100%的比例随机抽查已脱贫户收入情况的办法及时发现可能返贫的已脱贫户，严格因突发重病或自然灾害等返贫情况报告制度，对可能返贫的已脱贫户对症施策阻返。对2014—2016年已脱贫的村和户全面开展“回头看”“回头帮”，做到“帮扶、政策、项目”不变外，深入实施房前屋后庭园化、村落民居整洁化、产业发展特色化、公共服务体系化、基层治理法治化、新风培育常态化“六化”行动，实现稳步脱贫奔康。二是构建插花贫困帮扶机制。实行脱贫规划、资金投入、帮扶力量、督查督办、脱贫验收“五个同步”，统筹安排1071个部门单位、3.7万名干部职工帮扶1802个非贫困村中的6.86万户插花贫困户和2.13万户边缘户。三是构建群众内生动力机制。坚持短期扶贫、同步扶能、持续扶志，深入开展干部讲政策、专家讲技术、典型讲经验、群众讲党恩、做新型农民“四讲一做”活动。开展村民素养大普查、技能大培训、新风大培育、典型大示范等活动，按需分类分层培训。完善村规民约，普遍实行积分管理，对带头脱贫致富、积极参加公益劳动、自觉遵规守法、主动扶贫济困、尊老爱幼等典型由群众打分，以积分评先奖励，群众感恩意识、主动意识、奔康意识空前高涨。四是构建资金管理增效机制。健全涉农投入统筹整合、金融投入财政撬动、社会投入政府激励政策体系，设立规模达5.21亿元的扶贫“四项基金”，整合各类资金35.5亿元，综合用好绩效评价、财政监督、审计检查、社会公示、群众测评等手段，全域、全程、全覆盖加强各类扶贫资金使用管理，确保用好每一分钱。

二、深入贯彻省第十一次党代会精神，下足“绣花”功夫，持续聚焦用力，坚决打赢脱贫攻坚第二仗

当前和今后一个时期，全市将认真学习贯彻习近平总书记扶贫开发战略思想和省第十一次党代会精神，特别是关于“必须坚持以人民为中心的发展思想，坚定不移打赢脱贫攻坚这场硬仗，不断增进民生福祉，决战决胜全面小康”的重大要求，施精准之策，下“绣花”之功，高标准、高质量推进脱贫攻坚各项工作，奋力推进整体连片贫困向同步全面小康跨越。

统筹推进"三个阶段性任务"。一是高标准、高质量完成2017年度减贫目标任务。今年围绕完成利州区"摘帽"、255个贫困村退出、6.78万名贫困人口脱贫的目标任务,大力实施房前屋后庭园化、村落民居整洁化、产业发展特色化、公共服务体系化、基层治理法治化、新风培育常态化脱贫奔康"六化"行动,增强脱贫实效和群众获得感。二是全覆盖全方位提升2014—2016年脱贫成果。对已验收的148个贫困村和18.4194万名贫困人口保持脱贫攻坚期内脱贫不脱帮扶、脱贫不脱政策、脱贫不脱项目,确保退出村、脱贫户持续达到当年脱贫退出标准,力争到2020年顺利通过国家综合验收评估。三是分战线分步骤推进2018—2019年帮扶工作。提早安排2018—2019年拟脱贫的336个贫困村、10.3455万名贫困人口的帮扶工作,及早细化脱贫规划,及早抓好住房建设和产业就业等长期性任务,确保项目资金有实质性投入、解困脱贫有实质性进展。

聚焦抓好"五大重点工作"。一是抓好对象精准识别。进一步抓实抓准建档立卡工作,解决好"乱拆户、强分户、空挂户"等特殊问题,动态管理调整贫困对象,真正做到"脱贫出、返贫进"。二是抓好产业就业扶贫。把促进群众持续稳定增收作为重中之重,坚持五化同步思路抓好产业扶贫,实现村村有特色支柱产业、户户有骨干增收项目。加大对贫困家庭劳动力的就业技能免费培训、岗位精准对接、维权全域保障力度,实现贫困家庭有劳动能力的劳动者至少有1人就业,确保就业1人、脱贫1户。三是抓好住房安全保障。毫不松懈抓好住房安全建设,进一步优化程序,将贫困户住房审批权下放到乡镇,提高审批效率,进一步降低成本,统筹保障建材供应和价格稳定,刚性落实人均住房面积、农户自筹额度要求,完成11930户、39141人易地扶贫搬迁和9354户危旧房改造。四是抓好交通、水利、电力、通信等基础设施建设。提升通村硬化路1394千米,建设通组路1000千米、入户路379千米,推进村组道路全覆盖;投入资金1.3亿元,推进安全饮水全覆盖;实施118个电力扶贫项目,推进供电全覆盖;推进信息网络全覆盖,实现电视手机户户通、宽带村村联。五是突出抓好教育、医疗、兜底等扶持政策落实。全面落实教育、医疗、"两线合一"等普惠和特惠政策,及时兑现、精准落实到户到人扶持政策,统筹解决特困户住房安全、分红增收、入学就医等问题,夯实民生安全底线。

突出解决"四个薄弱环节"。一是解决集体经济发展薄弱的问题。不断创新集体经济的组织形式、发展模式和保障机制,引导和鼓励广大群众特别是贫困群众参与集体经济建设,巩固集体经济发展的群众基础和发展基础。二是解决新型农业经营主体培育薄弱的问题。大力招引工商资本、龙头企业和经营主体投资参与农业产业发展,发展龙头企业、家庭农场、农民专业合作社和种养大户,培养新型职业农民,实现每村都有一个以上家庭农场或专业大户、农民合作社。三是解决插花贫困户帮扶薄弱的问题。扎实推进非贫困村插花贫困户帮扶有关工作,进一步强化插花贫困户与贫困村、贫困户脱贫规划、资金投入、帮扶力量、督查督办、脱贫验收"五个同步"帮扶机制,及时跟进各项工作,真正实现整体脱贫、同步奔康。四是解决临界困难边缘户扶持薄弱的问题。加大对6万名临界困难边缘户扶持力度,根据具体情况、突出问题和发展愿望及时开展个性化扶持,解决其生产生活中的具体问题,有效降低其返贫风险。

不断强化"六个落地落实"。一是强化党政主责。市脱贫攻坚指挥部负责牵头抓总;各县(区)党委政府履行责任主体、实施主体和工作主体责任,县委书记和县长落实第一责任人职责;市级有关部门落实行业部门责任,组织实施好相关行业扶贫专项方案;市脱贫攻坚办加强统筹协调,发挥参谋部、督查队、作战室的作用。二是强化干部帮扶。进一步健全"六个一"帮扶机制,优化配置帮扶力量、细化明确帮扶责任、严格加强帮扶管理、逗硬落实帮扶考核,确保干部真帮实扶,筑牢精准扶贫"滴灌"管道。三是强化群众主体。大力弘扬"宁愿苦干、不愿苦熬"的大茅坡精神和灾后重建"两幅标语"精神,加强贫困户家庭文明建设,办好"农民夜校",坚持脱贫攻坚群众全过程参与,实现民治、民有、民享。四是强化社会力量。大力推进3个中央国家机关和16个省级部门定点扶贫,深入推进浙江省扶贫协作。五是强化资金整合。抓好扶贫项目资金向上对接工作,加大扶贫资金整合力度,做好扶贫项目资金安排下达工作。强化资金使用监管,加强审计、纪检、财政监督检查。六是强化督查督办。加强督查巡查,发挥专项检查、定期督查、群众监督、媒体监督等作用,加强随机检查、过程检查、落实检查,把任务落实到点、到月、到人。

内江市探索丘区"插花"式贫困脱贫新路径

中共内江市委书记　马　波

内江市有行政村1614个、农村人口328万人,贫困人口分布在1591个行政村,属于典型的丘区"插花"式贫困地区。近年来,内江市坚持以习近平新时代中国特色社会主义思想为指导,深入贯彻习近平总书记扶贫开发战略思想,全面落实省委决策部署,坚定不移地把脱贫攻坚作为"头等大事"和最大民生工程,念兹在兹、唯此为大,紧扣"两不愁、三保障"和"四个好"目标,立足丘区"插花"式贫困实际,下足"绣花"功夫,突出党建引领,凝心聚力识真贫、真扶贫、真脱贫,积极探索丘区"插花"式贫困精准扶贫、精准脱贫新路子新机制。截至2016年年底,全市贫困村、贫困人口分别下降到238个、7.02万人,贫困发生率下降到2.15%。预计2017年实现85个贫困村退出、27779名贫困人口脱贫,贫困发生率下降到1.28%。

一、大力推进产业扶贫,为贫困群众持续增收"打基础"

产业是经济发展的重要基础和有力支撑,产业扶贫直接关系着贫困村经济发展和贫困群众增收。内江市在脱贫攻坚工作中将产业发展作为主攻方向,为贫困村稳定退出、贫困群众稳定脱贫筑牢了坚实基础。一是大力发展集体经济和特色产业。结合促进乡村振兴战略推进农业供给侧结构性改革,实施现代农业产业提升行动计划、发展乡村旅游等,启动实施30个乡(镇)、515个村、1049名"第一书记"发展特色农业产业的"351"方案,因地制宜发展集体经济和特色产业。已培育东兴区高梁镇荷花谷等4个农业主题公园,开工建设内江猪家庭农场156个;资中血橙销售旺季日均网上销售4万件,网销量突破1000万千克;威远无花果产品远销海外,与广药集团签订了4.96亿元的无花果酵素订单,产业发展带动了一大批贫困群众脱贫致富。二是大力强化贫困群众技能培训。办好"农民夜校"并以此为依托实施技术扶贫行动。开展"农村家庭能人"培养计划,将电子商务、乡村旅游、种养殖技能等作为培训内容,通过院坝会、现场示范、田间学校等方式推广农业产业实用技术。脱贫攻坚选派的569名农技员累计培训贫困群众9.3万人次,帮助其掌握了致富技能,推动更多贫困群众走上了致富道路。三是大力实施电商扶贫。积极探索"党建+电商"产业扶贫机制，结合贫困村、贫困户脱贫规划，重点帮助贫困群众通过电商把更多的特色农产品推向市场，为贫困户增收拓宽了渠道。2016年，资中县铁佛镇柏龙村通过淘宝、微信等平台销售特色农产品，全村人均收入增长3000元。

二、大力实施精神扶贫，为贫困群众脱贫致富"增动力"

贫困群众是精准扶贫、精准脱贫的主体，只有他们提振了精神、增加了正能量、增强了内生动力，才能真正脱贫，走上持续健康发展之路。内江市大力实施精神扶贫，引导贫困群众以自力更生、艰苦奋斗的实际行动断穷根、掘富源，打赢脱贫攻坚战。一是积极开展"践行十爱·德耀甜城"主题活动。细分为"十爱进万家""身边人讲身边事""晒晒我的好家风"等十大行动，通过思想建设、精神鼓舞、道德滋养和文化培育等方式大力弘扬社会主义核心价值观，引导贫困群众爱党、爱国、爱内江、爱社会、爱自然、爱家庭、爱学习、爱劳动、爱健康、爱人生，点亮、激发贫困群众的脱贫意愿、行动自觉。二是积极强化基层社会治理。开展法制宣传，实施移风易俗行动和清河、清渠、清沟、清路、清院"五清"行动，引导贫困群众养成好习惯、形成好风气。围绕文明村镇建设、幸福美丽新村建设、"四好村"创建和脱贫攻坚"示范村"创建等内容，深化农村精神文明创建，提高农民群众特别是贫困群众的法治意识，推动乡风文明融入其生产生活的各个方面。全市"四好村"达1289个、幸福美丽新村达764个，更多贫困群众过上了健康文明新生活。三是积极发挥典型引领作用。以"感恩奋进"为主题，把话筒交给农民群众、舞台让给农民群众、焦点对准农民群众，选树一批"五好家庭"、"好媳妇"、"好公婆"、勤劳致富能手等农村先进典型，用身边的人、身边的事教育贫困群众、感染贫困群众，引导贫困群众树立"勤劳致富光荣、懒惰致贫可耻"观念，用勤劳双手创造幸福美好生活。

三、大力强化资金支持，为精准扶贫精准脱贫"造活血"

资金是扶贫项目顺利实施、脱贫攻坚工作有力推进的重要保障，内江市加大资金投入，强化资金监管，确保扶贫资金充分发挥效益。一是管好用好"四项基金"。在财力紧张的情况下，设立教育扶贫基金、医疗扶贫救助基金、扶贫小额信贷分险基金、产业扶持基金"四项基金"，总规模达2.1亿元。制定"四项扶贫基金"实施方案和管理办法，构建起完整的基金筹集、使用、管理、监督检查和考核评价体系，确保了资金早到位、项目早实施、群众早受益。二是全面落实财政专项扶贫。按照省财政的安排，加强财政支农资金的管理使用，在管理方式、支持方式、支持方向等方面进行探索实践，大幅度整合归并农业专项资金。同时，积极推动涉农资金统筹，有效避免"小、乱、散、零"。鼓励使用财政专项扶贫资金以外的其他涉农资金开展财政投资收益扶贫，广泛调动社会资本参与项目建设的积极性。全年争取上级财政专项扶贫资金10821万元，全市财政总计投入财政专项资金13699万元，主要用于改善贫困村基础设施和贫困户生产生活条件。全市实施易地扶贫搬迁住房1880套、危房改造2699户，涉及的贫困群众均住上了好房子、过上了好日子。三是全面深化金融保险扶贫。积极开展对贫困户的信用评级授信，对有致富能力、符合条件、有贷款需求的建档立卡贫困户发放扶贫小额贷款。精准对接专业大户、家庭农场、农民专业合作社、农业产业化龙头企业等新型农业经营主体，帮助其发展特色产业，带动贫困群众就业增收。累计为2926户贫困户发放扶贫小额贷款6500余万元，累计发放产业扶贫贷款15.16亿元、支农再贷款1.7亿元，为广大贫困群众发展生产、扩大就业提供了有力支持。

四、大力完善工作机制，为全面完成脱贫攻坚任务"提效能"

打赢脱贫攻坚战，是一项艰巨的工程、系统的工程。内江市结合实际，在完善机制上下功夫，脱贫攻坚工作更加规范、常效、长效。一是实施"1+4"精准扶贫机制。制定出台《关于开创"插花"式贫困地区脱贫攻坚新路子的指导意见》，配套出台加快发展贫困村集体经济、财政支持脱贫攻坚、深化农村改革促进脱贫攻坚、金融支持精准扶贫四个方面的实施意见，通过改革创新、重点突破等方式推动农村土地、农民资产、市场主体、农村劳动力、农村金融"活起来"，为脱贫攻坚工作提供理论指引、政策支撑，有力助推了脱贫攻坚工作，推动了贫困村退出、贫困群众脱贫。二是实施督查督导推进机制。坚持问题导向、目标导向、结果导向，探索建立集专项督导、暗访督查、集中督查、执法检查、民主监督、验收考核于一体的"立体督查"工作推进机制，增强脱贫攻坚督查工作的针对性、时效性，在此基础上，创新建立《内江市脱贫攻坚定位提醒制度》，对督查的问题制作"问题清单"，实行"靶向治疗"，确保了脱贫攻坚工作中的问题查得准、改得好，保障了脱贫攻坚工作有力有序推进，保障了贫困群众的合法权益。三是实施"回头看""回头帮"。坚持"脱贫不脱政策、脱贫不脱项目、脱贫不脱帮扶"，对已脱贫的贫困户开展"回头看""回头帮"，持之以恒、持续用力给予支持，有效防止再次"返贫"，确保已脱贫人口稳定脱贫、同步奔康。

五、在推进脱贫攻坚工作中获得的经验和启示

一是必须坚持党建引领。内江市始终把党建引领作为打赢脱贫攻坚战的重要"法宝"，大力实施千名"第一书记"选派计划，深入开展"党建+电商"拓展行动，倡导践行"十爱"强化精神扶贫，保障了脱贫攻坚工作的正确方向。实践证明，只有坚持以习近平新时代中国特色社会主义思想为指导，充分发挥党委总揽全局、协调各方的领导核心作用，以精准扶贫、精准脱贫的实际行动去兑现"小康路上一个都不能少"的庄严承诺，才能确保党执政为民的宗旨真正落到实处。

二是必须践行群众路线。要想和泥巴打交道，就得下到田里来。内江市始终坚持问计于民、问需于民、问政于民，走进百姓家里去、走进群众心里去、拜人民为师，了解掌握实际情况，设身处地解决涉及群众柴米油盐、衣食住行、生老病苦的事，才能推动脱贫攻坚工作精细精准高效开展。实践证明，只有坚持以人民为中心的发展思想，用心用情用劲抓脱贫攻坚"头等大事"，实实在在为群众办实事、解难题、惠民生，才能带动大家脱贫奔康，让人民群众共享发展成果。

三是必须突出工作重点。有重点才有抓拿，才有使力气的支点。内江市始终把产业发展、易地扶贫搬迁、扶贫资金支出使用、成效督查等作为工作重点，以重点突破带动全局，才能确保脱贫攻坚工作"首战告捷"。实践证明，只有把握重点、突破难点，使出浑身力气攻下一个个"制高点"，才能战胜脱贫攻坚工作中一个又一个的困难，在首战告捷的基础上实现今年再战再胜、后三年决战决胜。

四是必须强化靶向治疗。脱贫攻坚贵在精准，重在精准，成败之举在于精准。内江市始终因人施策、因村施策，在治疗具体的"贫困病"时，根据具体情况有针对性地拿出治疗方案，确保了扶贫对象识别精准、项目安排精准、资金使用精准、措施到户精准、因村派人精准、脱贫成效精准。实践证明，只有始终坚持靶向治疗，在精准识别、精准施策、精准退出上下足"绣花"功夫，才能真正在脱贫攻坚工作中见到实效、取得成果。

五是必须凝聚各方力量。人心齐、泰山移，精准扶贫、精准脱贫需要众志成城、合力攻坚。内江市积极争取脱贫攻坚政策、资金、项目的支持,充分发挥民主党派、工商联、无党派人士和人民团体等在脱贫攻坚工作中的重要作用,充分发挥贫困群众的主体作用,推动形成全社会共同参与脱贫攻坚的强大合力。实践证明,只有集结、动员最广泛的力量,努力形成多点发力、各方出力、齐心给力的“大扶贫格局”,让扶贫人人皆愿为、人人皆可为,才能够打赢脱贫攻坚战,决胜全面建成小康社会。

扎实推进城镇精准扶贫 确保全面建成小康社会

中共广安市委书记　侯晓春

党的十八大以来,广安市认真贯彻落实党中央“四个全面”战略部署,深刻领会习近平总书记“全面小康一个也不能掉队”等系列重要指示的深刻内涵,一手抓农村精准扶贫,一手抓城镇精准扶贫,切实做到精准扶贫城乡全覆盖,确保了全面建成小康社会一个也不掉队。

在农村精准扶贫中,按照“六个精准”“五个一批”要求,聚焦“两不愁、三保障、四个好”目标,层层签订“军令状”,坚持每天开例会研究解决问题,举全市之力打赢脱贫攻坚战。全市2014年初精准识别出的34.4万名贫困人口已累计减贫20.1万人,广安区、前锋区、华蓥市3个摘帽县和今年计划脱贫的145个村、50001人,已全部达到省上考核验收标准,正在向高标准脱贫“摘帽”全面推进。在抓好农村精准扶贫的同时,扎实开展城镇扶贫,真正实现了城乡贫困群众同步全面小康。

针对城镇贫困居民缺乏生产资料,没有宅基地和承包地,基本的住房和基本的口粮都不能保障,属于绝对的赤贫,加之物价上涨、房价攀升、就业严峻、上学贵、看病贵、自然灾害等因素,城镇贫困人口贫困程度更深、脱贫难度更大,严重制约着全面小康的实现。广安市坚持科学规划引领,在大力发展经济促进就业、建设保障性住房、实施公共服务保障兜底的同时,创新实施社区互助、社区救助、社区康养、志愿者服务、义工帮扶、道德讲堂等举措,集中力量啃下城市扶贫这块“硬骨头”。

一、精准识别贫困对象,一对一落实精准扶贫措施

明确贫困对象条件为持有当地常住户口的城市居民,其共同生活的家庭成员月人均收入低于城市低保标准,家庭财产状况符合现金存款总额人均低于30个月低保标准等当地规定条件,因重病、重残等原因造成家庭特殊困难的人。通过精准识别,全市有城镇贫困户20657户、32307人,其中就业困难致贫2937人、住房困难2221人、因病致贫10015人、因残致贫4497人、因学致贫3563人、年老体弱致贫7754人、因灾致贫351人、其他原因致贫969人。针对不同致贫原因,按照“缺啥补啥”的原则,分类落实帮扶措施,明确结对帮扶的机关企事业单位干部职工。

二、科学制定脱贫规划,有序推进城市扶贫工作

坚持“三年脱贫、一年巩固,一年致富”的原则,识别到人、帮扶到户、脱贫到位,到2016年全市累计减贫1.94万人,到2017年累计减贫2.43万人,到2018年累计减贫3.23万人,确保到2020年全面消除绝对贫困,实现基本公共服务均等化、社会保障全覆盖,扶贫对象不愁吃、不愁穿,贫困人口义务教育、基本医疗、就业促进、住房安全有保障,过上好日子、住上好房子、养成好习惯、形成好风气。

三、发展产业促进就业,千方百计增加贫困居民收入

坚持把发展经济作为推动减贫的根本措施,始终保持专注发展定力,着力稳增长、调结构、促转型,经济增长连续五年高于全国全省,地方公共财政收入年均增长20%左右,每年民生投入占财政支出的比重稳定在70%以上,保障了城市扶贫的投入所需。抓住就业促进增收核心,努力发展高端成长型工业和新兴先导型服务业,去年以来新开发就业岗位1.4万个。大力发展城市经济和特色城镇,促进1.6万名贫困群众就近就地实现务工增收。同时,对就业困难的人员特别是“4050”人员,通过岗位补贴、公益性岗位安置等方式帮助其就业,全市累计帮助6462名城镇就业困难人员实现公益性岗位安置就业,累计帮助246名“零就业”家庭贫困人员实现就业,城市贫困群众有了持续稳定的收入。

四、探索创新社区扶贫,增强社区组织带动脱贫的能力

一是发挥社区党组织引领作用。依托以街道大工委、社区大党委、小区网格支部、楼宇党小组为主要内容的“四位一体”城市街道党组织体系,引导党员干部参加社区“双报到”和“走基层送温暖”扶贫济困活动,发挥基层党组织在社区扶贫中统揽全局、协调各方的核心作用和党员扶贫示范引领作用。设立贫困党员救助基金,为城镇贫困老党员发放救助资金,帮助其家庭脱贫奔康。同时,依托慈善爱心超市网络服务中心和140个社区慈善超市,为辖区结对城市贫困户发放购物补贴和爱心券。

二是开展网格便民服务。建立“一网多格,按格定岗,人在格中,事在网中”快速化联动响应机制、“四议两公开一决策”机制、多元化便民服务机制,试点建设社区公共服务综合信息平台,群众只需进一个门、用一个号就能办成事,极大地方便了群众。同时,为贫困户提供劳动就业、社会保险、社区养老、医疗卫生、文体、法律、教育、便民利民、志愿服务等服务。

三是推进社区健康养老服务。投入3360万元建成社区日间照料中心112个,为社区老人提供日间养老服务。投入184万元通过政府购买居家养老服务,为6132名城市困难家庭失能老人和80周岁以上老人提供助餐、助洁、助医、助浴等服务。试点建设社区老年照护站,创新开展“互联网+居家养老+人才培训”养老服务,开通养老服务热线,让贫困老人就地享受较高品质的家庭养老服务。

四是探索开展三社互动。加大社区管理服务财政投入力度,每个社区工作经费达到每年5万元以上,服务群众专项经费达到每年10万元以上。培育义工联、志愿者服务协会等服务性、公益性、互助性社区社会组织40余个,引进社工人才38人,发挥专业社会工作服务机构和社会工作者的作用,为贫困对象提供心理疏导、社会融入、能力提升等专业服务,增强城市困难群众脱贫奔康信心。社会组织利用社区学校、辖区广场等载体开展道德讲堂、文艺演出、市民欢乐大赛等活动,增强贫困居民自主脱贫的内生动力。

五、加强保障性住房建设,努力让住房困难家庭住有所居

选择城区最好地段建设“美好家园”保障性住房,配套幼儿园、超市、地下停车场等公共服务设施,全市“美好家园”总建筑面积达到535万平方米,有效避免了保障性住房小区演变为“贫民窟”现象的发生。在保障房建设中,引进卓达集团投资建设装配式建筑产业园,全面推广新型建筑材料,让城市贫困群众住上了安全舒适的好房

子。全市累计为 1875 户提供保障性住房，为 4025 户贫困户发放住房租赁补贴 416.5 万元。

六、加强兜底保障，让困难群众享受到良好公共服务

解决上学难问题，全市累计为 1.1 万名贫困学生发放助学金 5431 万元，保证了每个贫困家庭不因学生背上沉重负担。资助贫困对象参加基本医疗保险，为 1.07 万名贫困对象发放医疗救助金 1775 余万元，最大程度减轻贫困群众就医负担。为适龄贫困人员按 100 元/人/年的标准代缴城市居民基本养老保险费，保证年老体弱的贫困人口过上好日子。将符合条件的贫困户纳入保障范围，把城市低保标准与当地物价上涨挂钩联动，共为城市贫困对象发放低保金 10756 万元。加强与残疾人扶助政策衔接，为 3600 名重度残疾人发放护理补贴 388.9 万元。大力实施临时救助，对遭遇突发事件、意外伤害、重大疾病或其他特殊原因导致基本生活陷入困境的 2850 户贫困户发放临时救助 264.3 万元。

七、开展结对帮扶，凝聚各方力量推进城市扶贫

对所有城镇贫困户开展结亲结对帮扶，37 名市级领导、124 个市级部门、区市县级机关与社区结亲结对，为贫困户送去物资和帮扶资金 1800 余万元，做到每个贫困人口结对帮扶全覆盖。动员民营企业利用自身优势参与城市扶贫，帮助贫困居民开展实用技术、生产技能、经营管理培训，吸纳贫困群众到企业就业。

八、强化扶贫责任落实，建立健全长效扶贫机制

实行市、县、乡(街道)、社区四级层层签订军令状，将城市脱贫纳入年度绩效考核，压紧压实工作责任。建立投入保障机制，以财政资金撬动金融资本，引导社会资金投入扶贫项目，形成了财政、金融、社会、群众多元投入格局。探索“互联网+精准脱贫”模式，建立二维码、APP 等信息管理平台，对城市扶贫实行痕迹化管理，实现精准脱贫数字化管理。强化考核评估，高标准制定城市贫困户脱贫验收考核办法，聘请国家统计局调查队开展第三方评估，确保城市贫困人口真脱贫、脱真贫。

通过一系列过硬措施，2015 年以来全市共减少城镇贫困人口 1.94 万人。脱贫后的城乡贫困居民经济收入持续稳定，就业创业能力进一步增强，精神面貌大幅改善，文明习惯、良好风气全面形成，与全体市民一道汇聚起了“逢山开路、遇水架桥、披荆斩棘、勇往直前”的广安精神，以焕然一新的面貌推动广安市加速向全面小康、经济强市跨越。

幸福美丽新村建设结硕果

中共泸州市委常委、泸州市委农村工作委员会主任　张文军

2016 年，泸州市坚持以幸福美丽新村建设为抓手，以扶贫攻坚为主战场，大力实施“四个二”建设，即每个县(区)建设两个幸福美丽新村示范点、打造两条幸福美丽新村示范线、新建两个产业基地、培育两家龙头企业。全市幸福美丽新村建设再上台阶，建成幸福美丽新村 250 个。

一、以专项行动为载体，大力建设扶贫新村

泸州市坚持把扶贫解困作为新村建设的首要任务，实施基础设施建设、新农村建设、特色产业培育、能力提升、公共服务、生态建设、基层组织建设七大扶贫攻坚行动，2016 年建设扶贫新村 66 个。特别是针对古蔺、叙永 2 个国家级乌蒙山片区贫困县和合江县省级乌蒙山片区贫困县，紧紧围绕生态畜牧、优质果蔬茶、道地中药材、山地烤烟成片发展山区特色农业。对产业基地所在村落，规划村落布局，改造民居户型，兴建基础设施，打造一批产业新村；对具备一定基础、特色较为突出的村落，加强改造和保护性修缮，打造一批民族、旅游、生态新村；对生存环境恶劣的高海拔地区和位于地质灾害隐患点的村落，实施易地搬迁，引导群众到聚居点建房入住，全年共开工建设易地搬迁安置点 133 个，涉及农户 6571 户，开工改造危房 12504 户。

二、以产业发展为支撑，努力提高农民收入

因地制宜发展精品果业、高效林竹、绿色蔬菜、特色经作、优质粮食、现代养殖、休闲农业、加工物流等特色农业产业，加快建设现代农业产业基地，培育壮大农产品加工企业，走“接二连三接四”的产村相融之路，全年新建“千亿增收示范工程”万亩示范区 11 个，建成国家级省级农业标准化示范项目 38 个，其中入驻江阳区董允坝现代农业示范区创业孵化园的业主达 25 家，成功举办了首届四川蔬菜品赏会。启动龙头企业培育“启明星”工程，建立市级领导、市级涉农部门联系龙头企业制度，出台支持企业做大规模、打造品牌、建好基地、完善机制、创新发展等方面的扶持政策。17 家省级龙头企业初步通过监测，12 家龙头企业被认定为第八批省级重点龙头企业。建成“四中心一协会一平台一网络”的农村电子商务运营服务体系，建成县级电子商务综合服务中心 5 个、电商服务站 62 个、村级电商服务点 143 个，培育电商企业 96 家，提供创业就业岗位 586 个。

三、以新村建设为重点，不断完善配套设施

始终坚持把幸福美丽新村建设作为新型城镇化的重要组成部分，大力推进农村路网、水网、电网、污水处理、党群服务中心建设，着力构建城乡一体的基础设施和公共服务体系。江阳区、龙马潭区、纳溪区、泸县实现城乡全域通公交车，合江县、叙永县、古蔺县基本实现行政村通硬化路、柏油路。新建农村饮水安全工程 949 处，全面解决了全市 7 个区(县)的人畜饮水安全问题。

四、以增加投入为核心，统筹整合建设资金

创建投入机制，整合各级各类涉农资金，吸引社会资金投入，引导农民投工投劳，全市共投入幸福美丽新村建设资金 22.44 亿元，其中争取省级幸福美丽新村示范县、幸福美丽新村基础设施建设资金 8500 万元，市本级预算投入幸福美丽新村建设资金 3000 万元，区(县)本级预算投入 1 亿元；整合道路、水利、烟草、电力、易地搬迁扶贫等资金 6.52 亿元；争取农村污水、农村垃圾处理等债券投入 250 万元；农民投劳折资 6.28 亿元；吸引社会资本投入 7.49 亿元。同时，为切实加强财政涉农资金使用监督检查，开展了为期 1 个月的涉农财政资金交叉审计检查工作，共抽查财政涉农资金 2.88 亿元。

加大强农惠农富农力度 全力打好脱贫攻坚战

泸州市人民政府副市长　熊启权

“三农”工作是全党工作的重中之重，扶贫攻坚是国家现阶段经济发展的新常态。2016 年，泸州市深入学习贯彻习近平总书记扶贫开发战略思想，认真落实党中央、国务院和省委省政府精准扶贫、精准脱贫决策部署，以消除绝对贫困为目标，以精准扶贫、精准脱贫为

手段,坚持把脱贫攻坚作为重大政治任务和头等大事来抓,加大强农惠农富农力度,全力打好脱贫攻坚战,扎实推进幸福美丽新村建设,持续改善农村生产生活条件,推动农业农村发展再上新台阶。泸州市推动稳增长和脱贫攻坚等工作重点突出、措施有力,取得了明显成效。

一、主要做法

(一)构建四项责任机制

坚持"市统筹主导、县区负主责、乡镇抓落实"的工作架构,实行脱贫攻坚双组长负责制、一把手首问责任制、班子成员一岗双责制和精准扶贫岗位责任制,层层签订《脱贫攻坚责任书》,把工作责任分解到每一名领导干部、每一个职能部门、每一个工作岗位,形成主要领导亲自抓、班子成员共同抓、市(县)乡村联动抓的工作格局。把脱贫工作纳入综合目标考核管理,加强常态化督查,实行县区年度减贫任务"一票否决"制。

(二)形成三大工作体系

一是细化政策体系。编制《泸州市"十三五"脱贫攻坚规划》,出台易地扶贫搬迁、产业扶贫、医疗扶贫、教育扶贫、低保兜底、就业促进、保险扶贫7个实施细则,制订18个扶贫专项年度计划,基本健全脱贫攻坚政策支持体系。二是建强组织体系。明确全党全员抓扶贫的理念与机制,市、县、乡全部组建和完善脱贫攻坚领导机构和办事机构,贫困村全部设立驻村工作组和脱贫攻坚工作站,制订《泸州市党建扶贫攻坚行动实施方案》,在全省率先出台《第一书记管理办法》,实现驻村帮扶"五个一"全覆盖。三是完善数据体系。按省上要求,对国家扶贫信息子系统和省"六有"信息平台开展了数据采集、录入、清洗、纠错、完善等工作,为全市全面推进精准扶贫、精准脱贫打下坚实基础。

(三)落实十项精准措施

一是住房保障精准到人。因户施策推进贫困户安全住房建设。易地扶贫搬迁共计开工建设7983户、30023人,竣工7534户、28321人,搬迁入住5392户、20524人,超额完成省上下达任务。危房改造开工建设10308户,竣工10081户,入住10081户。实施贫困户地质灾害避险安置140户,已全面竣工并搬迁入住。二是产业扶持精准到人。在贫困村设立不低于10万元的产业扶持周转金,支持贫困户发展种养殖业;探索实施资产收益扶贫,依托广东温氏集团在24个重点贫困村分别建设年出栏生猪1000头的养殖场,市财政给予每个贫困村25万元补助,将经营所得收益的80%量化到所在村贫困户,剩余收入归入村集体经济。全市投入产业扶持资金2.9亿元,扶持生产和就业发展6.66万人。三是医疗救助精准到人。落实医疗扶贫"四个100%"政策,即全民预防保健100%、基本医疗保险100%、商业附加险100%、特殊医疗救助100%。2016年以来,全市建档立卡贫困人口县域内住院共计65223人次,住院总费用18722万元,建档立卡贫困户医疗费用实现"零自付"。四是低保兜底精准到人。制定《泸州市建档立卡贫困户低保兜底实施细则(试行)》,全面开展低保清理,进一步找准对象。全市农村低保保障人数为124413人,累计保障支出23283万元,月人均补助154.2元。五是教育助学精准到人。发放助学资助金2.5亿元,落实中小学、中等职业学校学生和普通高中困难学生资助6179万元,减免非民族地区贫困户幼儿保教费342.5万元和民族地区贫困户幼儿保教费1447.5万元,免除中等职业学校学生学费6838.8万元,惠及全市各级各类学生104万人次,确保了适龄儿童不因家庭经济困难而失学。六是金融扶贫精准到人。鼓励金融机构加大对贫困县、贫困村基础设施建设和产业发展信贷投入,在全省率先设立扶贫投资发展基金,引进浦发银行重点支持贫困县脱贫攻坚项目建设,规划实施重点项目10个,第一期投放信贷资金20亿元。落实扶贫小额贷款分险基金9600余万元,已向3.2万余户贫困户发放贷款5.7亿元。七是社会帮扶精准到人。组织571个市、县机关企事业单位帮扶324个贫困村,组织150余家民营企业(商会)帮扶100个贫困村。组织开展"10·17"扶贫日系列活动等,全市募集投入社会扶贫资金约2亿元。八是区域发展覆盖到村。建成通村扶贫公路256.6千米,解决2.36万户群众用电难问题,建设农村综合文化室132个,完成145个"村村响"项目建设。盘活贫困村资产资源,推行"贫困村+企业+专合社"联动发展、收益分红模式,确保贫困村集体经济有来源、有发展、有收益。九是驻村帮扶覆盖到村。落实"五个一"全覆盖,市县定点帮扶部门(单位)达450个,驻村帮扶干部1280人(其中"第一书记"324人)。十是政策宣传覆盖到村。市脱贫办整理产业、就业、医疗、教育等12类66项扶贫政策,印发《泸州市脱贫攻坚专项政策指南》和《泸州市脱贫攻坚政策明白卡》11000余册,开展脱贫攻坚政策和业务培训40余期,累计培训干部6000余人次。市教育局印制《教育精准扶贫学生资助政策宣传海报》近3000张、《教育精准扶贫学生资助政策宣传手册》近15万册,发放到全市所有有适龄学生的贫困家庭。市人社局制发《泸州市人社系统脱贫攻坚到户扶持政策清单》《脱贫帮扶政策口袋本》《区(县)脱贫攻坚政策指南》等宣传册、宣传卡160余万份。市卫计委制发《泸州市医疗卫生扶贫政策清单》并发放到贫困户手中,确保建档立卡贫困人口知晓有哪些资助政策、知晓自己可以享受哪些资助政策、知晓如何办理落实政策。

(四)实施七大扶贫攻坚行动

实施18个扶贫专项年度计划,实行"挂图"作战,梯次攻坚,实施扶贫项目179个大项,全年完成投资约208亿元。一是基础设施建设攻坚。全面改造提升274千米的叙永至古蔺农村公路,确保2017年完工。累计开工建设"渡改桥"37座,完成建设9座。叙宜、叙古高速公路建成通车,叙威高速建设有序实施。基本完成叙永、古蔺等地农村电网升级改造。二是新村建设攻坚。投资6.25亿元,建成岩脚坝甜橙新村、富民旅游新村、富强苗族新村、海涯彝族新村等66个扶贫新村。三是特色产业攻坚。实施工业、农业扶贫项目54个。新发展农业产业基地14.27万亩,完成目标任务的107.3%;新发展优质生猪、肉牛、肉羊及特色小家禽80万头(只)以上。四是能力提升攻坚。完成贫困家庭技能培训13182人,完成年度目标任务的190.6%。五是公共服务攻坚。投入14.2亿元,实施文化基础设施、群众文化活动惠民工程、精神文明建设提升工程建设。实施村级学校、村甲级卫生室等公共服务项目建设200余个。六是生态建设攻坚。投入2.71亿元,实施土地整治项目26个,完成高标准基本农田建设8.5万亩,完成营造林32.19万亩,巩固退耕还林61.5万亩。七是基层组织建设攻坚。投入1.42亿元,实施324个贫困村党员培育示范项目,培训"第一书记"324人。建成党员精准扶贫示范项目324个,培育党员脱贫示范户1610户,新建党群服务中心101个。

(五)精准管控脱贫进程

按照《四川省贫困县贫困村贫困户退出实施方案》和《四川省贫困县贫困村贫困户退出验收工作指导意见》要求,结合全市实际,制发了《泸州市2016年贫困村贫困户退出实施方案》,明确退出标准,其中明确年人均纯收入要求达到3200元、县域内住院就医实现"零自付”、脱贫户能够收看电视3个方面高于省级标准；明确退出程序，其中贫困村在省定退出程序的基础上，市级验收实行“三道保险”，一是联系县区的常委带队督查，二是行业部门验收，三是第三方机构评估，确保贫困村、贫困户退出经得起检验。

二、特色亮点工作

（一）坚持“四个结合”，强势推进易地扶贫搬迁一批

坚持压力传导与具体指导相结合，创新建立易地扶贫搬迁“三抓五统一”（“三抓”，即抓领导、抓具体、抓督导；“五统一”，即统一规划、统一设计、统一施工、统一保障、统一验收）机制，确保任务落地落实。坚持保联系与目标任务相结合，联系乡（镇）、贫困村任务不完成、责任不脱钩，确保任务落地落实；坚持适度集中与相对分散相结合，确保搬迁方式因地制宜。在4个项目县分别建立“资金池”，全市共投入易地扶贫搬迁安置资金16.6亿元，其中8.4亿元用于配套完善基础设施。同时，按照“四看四靠近”（“四看”，即看饮水是否方便、看上学是否就近、看地质是否稳固、看发展是否有希望；“四靠近”，即靠近场镇、靠近重点产业项目、靠近村委会、靠近公路主干线）原则，2016年规划建设集中安置示范点75个，搬迁1412户，实际开工建设集中安置点136个，规划搬迁3028户，竣工2889户；采取“调、聚、靠、买、托”等方式插花安置5175户。坚持严守红线与创新举措相结合，确保住房建设规范高效；严守政策红线关，确定超面积不补助等“七不补助”（即面积超标不补助、旧房不拆除宅基地不复垦不补助、原拆原建不补助、逾期完工不补助、非贫困户不补助、政策叠加不补助、新增负债不补助）原则；严控建房成本关，与市内主要建材商签订协议，有效控制建房成本；严把质量安全关，建立质量安全管理体系，政府购买材料检测、房屋安全鉴定等6项技术服务，为搬迁户提供全程跟踪服务。坚持立足当前与着眼长远相结合，确保搬迁群众增收致富，大力发展种养殖业，新发展精品水果、特色养殖、高效林竹等八大主导产业基地15万亩，养殖畜禽76万头（只），实现长效产业对贫困人口全覆盖；整合帮扶资源，确保搬迁1户、脱贫1户。大力发展农旅结合新业态，建设综合产业扶贫示范片3个、旅游扶贫新村20个，实施旅游扶贫项目170个。

（二）实施“四个100%”，创新医疗救助扶持一批

通过开展医疗扶贫“四个100%”工程，实现贫困户县内住院就医“零自付”。将医疗扶贫与全民预防保健有机结合，以“未病早防，有病早治，大病防残”为目标，确立了从疾病管理向健康管理的转变思路，切实解决了农村困难群众因病致贫、因病返贫的突出问题。泸州市医疗扶贫工作得到习近平、李克强等党和国家领导人批示，全民预防保健作为案例写入《中国健康城市建设研究报告（2016）》，省委书记王东明在全省脱贫攻坚领导组会议上要求在全省推广学习。

（三）推进“三个落实”，精准实施低保兜底一批

一是重新识别，落实精准兜底。在全省率先开展了低保清零重新识别工作，彻底清除了人情保、关系保，清除因征地、拆迁、解决历史遗留问题等原因形成的特殊保，从根本上扭转了低保乱象，确保“应该享受低保的一个不少，不该享受低保的一个不保”。二是及时提标，落实“两线合一”。农村低保标准从2500元/年/人调整到3200元/年/人，在全省率先实现低保保障标准和脱贫标准“两线合一”。三是创新政策，落实特殊救助。创新制发了《泸州市建档立卡贫困户低保兜底实施细则（试行）》，对全市建档立卡的收入在低保边缘的农村贫困户家庭实施特殊救助。

（四）立足“五个突出”，创新产业就业扶贫一批

2016年以来，在全市贫困村中新发展特色产业基地13.3万亩，优质生猪、肉牛、肉羊及特色小家禽80万头（只）以上，实现贫困地区种养殖业人均增收500元。一是抓规划引领，突出产业平衡。先后制定了《泸州市农业产业扶贫专项方案》《泸州市农业产业扶贫实施办法》《泸州市区县“十三五”产业精准扶贫规划》，培育一批精品果业、特色经作、观光休闲农业等特色优势长效产业和以优质粮食、绿色蔬菜和现代养殖业为主的短期产业，做到长短结合、平衡发展。二是抓科技支撑，突出驻村帮扶。组建农业专家技术服务团10个，派遣驻村农技员324名，确保贫困村驻村农技人员全覆盖。三是抓载体培育，突出助贫增收。积极探索龙头企业、农民合作社、家庭农场等“新型农业经营主体+贫困户”的模式，建立入股分红、保底分红、土地流转、专合社分红等分配机制。引进广东温氏集团、陕西海升集团、山东寿光蔬菜产业集团等知名企业落户贫困地区，带动产业发展。四是抓政策保障，突出集体经济。对324个贫困村和集体经济收入低于2万元的非贫困村，市、县财政为每村安排2万元的集体经济发展启动资金，全面消除“空壳村”，2016年村均收入9.2万元，有11个村集体经济收入突破百万元。五是抓就业促进，突出增收渠道。对建档立卡贫困户中有劳动能力和劳动愿望的劳动力实行信息资源全掌握、培训对象全覆盖、就业服务全到位，确保每个有就业愿望和劳动能力的贫困户家庭至少有1人实现就业。对全市农村贫困家庭中的90190名劳动力建立了《就业台账》，培训7500人，开发公益性岗位5591个，帮助2591个贫困家庭实现就业。

关于泸州市江阳区现代农业示范县建设的实践与探索

泸州市人民政府副市长、中共泸州市江阳区委书记　付小平

泸州市江阳区2016年现代农业示范县建设紧紧围绕《关于扎实推进新一轮现代农业林业畜牧业重点县建设的意见》《四川省现代农业示范市县及现代农业畜牧业重点县年度考核办法》文件精神，以都市农业为目标，产业联动、科技拉动、政策促动，推进现代农业示范县建设。

一、现代农业示范县建设成效初显

江阳区现代农业优势突出、特色鲜明、产出高效，近年来先后被评为国家现代农业示范区、国家农业标准化示范区、国家大宗蔬菜产业体系建设示范县（区）、全国生猪调出大县、国家龙眼标准化示范区、全省首批现代农业产业基地强县、四川省第二轮现代农业重点县、四川省第三轮现代农业建设示范县等。

（一）主导产业发展良好

科学规划主导产业。深入推进国家现代农业示范区建设，将现代农业与推动生态文明建设、转变农业发展方式、补齐资源环境短板、促进农业可持续发展结合起来，着力提升董允坝现代农业示范园区示范带动作用，集中连片打造主导产业示范片区，合理配置种养结合，适度规模化发展，推动全区优质蔬菜产业、特色水果两大主导产业科学发展。2016年，全区优势主导产业产值达15.61亿元，年增长率达16.9%。

（二）产业基地加快建设

基础设施设备日趋完善。2016年，全区积极开展高标准农田建

设，推进基地田网、路网、渠网"三网"配套，改田、改土3.3万亩，建成高标准农田21.1万亩，新建机耕道3.4千米、田间生产路51千米、山坪塘8口、蓄水池6口，地力培肥6400亩，新(改)建水渠29.1千米，实现产业基地内"水成系、田成方、路成网、渠相通"。投资2700万元，建设董允坝现代农业示范区高效节水灌溉试点，农业灌溉用水有效利用系数达0.6，灌溉保证率达到85%以上，粮食生产机械化水平达55%以上，耕地质量提升技术推广率达85%以上。高标准建设农业生产基地，配齐路网、管网、水网、电网，高标准基地面积较上年增长11.2%，亩均粮食综合生产能力提高100千克以上。

标准化生产建设加快推进。在华阳街道、况场镇、黄舣镇、分水岭镇建设蔬菜、龙眼、高粱等6个集约化育苗中心，面积达2万余平方米。现代农业生产严格按照四川省无公害农产品生产标准执行，并制定实施《泸州市江阳区无公害龙眼生产技术规程》。

(三)适度规模经营蓬勃兴起

经营主体培育卓有成效。全区已培育规范化农民合作社207家，其中国家级示范合作社5家、省级13家、市级29家；已建成家庭农场61家，其中省级示范家庭农场4家、市级3家；培育种植大户106户、养殖大户41户。全区现有龙头企业25家，其中国家级1家、省级3家、市级21家，新型农业经营主体农户带动面达65%以上。

规模化经营不断加强。开展农村集体资产股份制试点，创新适度规模经营形式，推广以土地股份合作社为基础的"农业共营制"模式。重点培育适度规模经营新型农业经营主体12家，总数达153家，适度规模经营率年提高8.5%。

(四)科技支撑能力不断强化

一是科学引进新品种。在弥陀镇、黄舣镇、分水镇建有良种繁育中心3个，良种集中供给率达80%以上。引进示范推广黄瓜新品种川绿11号、川绿12号、川绿18号，丝瓜新品种蓉杂5号等130个新品种，种植业良种覆盖率达100%。养殖业良种及杂交改良面高于全省平均水平1个百分点以上。

二是积极推广新技术。深化与省农科院、西南大学等科研院所的合作，推广瓜类双断根嫁接、双膜覆盖栽培、设施大棚栽培、生物防治、蔬菜高效立体栽培、节水灌溉、高粱地膜覆盖、龙眼高换、测土配方施肥、肥水一体化等先进实用技术35项，探索"粱+菜+菜+油"、林下养鸡等新模式14项，转化省、市、区各级科研成果15项，农业科技贡献率达60%，有力地促进了全区现代农业产业发展。建成董允坝创业孵化示范园及水产科技示范园等科技创新示范园2个，新技术覆盖率年增长达15%。

三是科技服务体系逐步健全。江阳区以项目建设为载体，以加强服务职能、推广应用新技术、促进农民增收和农业可持续发展为目标，通过筛选和推广主导品种和主导技术，逐步健全科技服务体系，示范带动全区主导产业增产增效。结合粮油高产创建、精准扶贫、新型职业农民培育等工作，广泛开展农民科技培训和指导。全区开展农业科技培训200余场次，培训示范户1万人次、农民3万余人次，印发技术资料3万余份；按照镇村推荐、农林局审核、优中选优、合理轮换、张榜公示的程序，在全区范围内遴选技术指导员91名、科技示范户910户、试验示范基地4个，完善了全区基层农技推广体系，健全了"专家—技术指导员—科技示范户、试验示范基地—辐射周边农户"的农业科技成果转化应用快速通道；立足全区农业优势与特色，大力推广水稻高产栽培技术、蔬菜大棚双间套高效栽培技术、高粱精量播种早播早栽高产栽培技术等一批先进农业技术，社会化科技服务覆盖率年增长15%以上。

(五)农业机械化水平不断提高

2016年，全区农业机械装备总动力达29.85万千瓦，增加3.1万千瓦，增长11.5%；主要农作物耕种收综合机械化水平达52%，较上年提高6个百分点。

(六)逐步加快农业信息化应用

一是建设物联网示范基地。统筹物联网建设工作，建设董允坝现代农业示范区基地、绿苑科技有限公司甜橙基地、邓氏土特产有限公司桂圆加工产业园区等8个物联网示范基地，其中重点建设董允坝现代农业示范园区3500亩蔬菜物联网示范基地、况场绿苑科技有限公司400亩甜橙物联网示范基地。

二是强化农村电商队伍。组织80余户专合社和种养殖大户参加泸州市网络营销培训会，积极拓展网络销售思维。引进培育"淘实惠""金果园"等农业电商21家，主要经营水果、蔬菜、禽畜产品等农产品。建立区级农村电商服务中心1个、镇级店18个、村级店62个并进行网电建设，农村电商覆盖率增长12%，农产品电商销售额年增长13%；加大农村电商专业知识培训，培训18个镇(街道)的景区电商负责人、村社区干部、电商网电从业人员、专合社、家庭农场、种植大户等共计373人。

三是信息进村入户全面铺开。宽带提速工程进展迅速，全区镇街实现宽带全覆盖。新增25个村级益农信息社，开展农机作业、农资配送、科技推广、产品加工及市场营销的"五有五统一"服务，农业信息化服务实现全覆盖。加快建设农产品检验检测中心，完善农产品质量安全追溯体系和物联网远程监控系统，构建大数据云平台，推动智慧农业加快发展。

(七)大力推进一二三产业融合发展

一是农产品加工企业提档升级。不断发展壮大农产品加工企业，巩固现有的农产品加工基地，带动相关产业基地的不断建设壮大。提档升级建设邓氏土特产桂圆加工厂1个，改造生产流水线，年提高桂圆制干生产能力25%。同时，积极探索桂圆精深加工，研发桂圆蜂蜜、桂圆茶、桂圆酒及桂圆汁等新兴产品；扶持源辉农业有限公司桑葚加工企业1家，年加工桑葚5万余千克，生产桑葚酒20吨；提升泸州竹芯食品有限公司加工能力，扩大厂房面积，年提升加工笋干能力15%。全面保障蔬菜、水果等特色产业的发展，全区农产品初加工率较上年增长12个百分点。

二是休闲农业蓬勃发展。以佛教文化为核心，打造环方山乡村旅游带；以川南佛教文化发源地方山为核心，辐射丹林、华阳、石寨、通滩等镇，形成田园度假式乡村旅游环线；以古江阳文化为核心，打造沿长江乡村旅游带，形成张坝—黄舣罗湾桂圆林—董允坝国家现代农业园区—分水古街风景线，同时，结合董允坝现代农业示范区农业旅游资源，董允祠堂、茶马古道等人文历史文化资源，打造"山水风景秀，人文底蕴深、田园农家乐"的知名休闲旅游目的地；以酒文化、油纸伞文化为核心，在长江、沱江沿线发展滨江夜景、长江游轮、风情酒街等特色休闲项目，推出长江鱼、长江石、分水油纸伞等特色产品，形成生态风情乡村旅游带。全年休闲农业综合产值增长18%。

三是打造区域特色品牌。积极组织申报绿色食品、有机商标、农产品地理标志，创建具有江阳区特色的农业公共品牌——"江之阳"；拥有知名农产品品牌40个，其中国家级、省级知名农产品品牌3个；有无公害产品26个、绿色食品7个、有机食品12个、农产品地理标志产品2个；"三品一标"农产品认证面积14.8万亩，品牌化销售率达60%。先后在《四川日报》、《四川农村日报》、四川公共电视台等媒体开展广泛宣传。组团参加中国农业机械博览会、彭州蔬菜博览会、眉山泡菜节活动、西博会、昆明农交会等省级以上重要展会。积极开展油菜花节、蔬菜节、高粱节、龙眼节等旅游外宣活动,扩大产业发展影响力,开拓农产品市场。

四是加大产业融合示范园区建设力度。科学规划八大产业融合示范园区,即董允坝现代农业示范区、张坝桂圆林风景区、华阳休闲农业示范区、四川省泸州老窖现代农业示范区、黄舣马道子产村相融示范点、石寨粮经复合示范区、泰安咀阳莲藕观光农业园、江北康达水产养殖示范区。

(八)大力发展绿色现代农业

一是建设农业可持续发展示范区。区农林局编写的《农业可持续发展试验示范区申报材料》已通过农业厅审核并报送农业部。2016年,全区农作物化肥使用量增幅降到0.4%以下,农药使用量增幅降到0.4%以下。采集、化验土壤及植株样品2011个,完成各类试验71个。建设农作物秸秆、废旧农膜及废弃农药包装物资源化利用回收点,进行相关政策宣传并回收再利用,全区秸秆综合利用率达85%,年增长5个百分点。推进畜禽粪污、病死动物等废弃物无害化处理,粪污综合利用率达97%,年增长8个百分点,病死畜禽无害化处理率达100%。对5家禁养区规模养殖场实行了关停、并转和强制拆迁,建立健全了一系列畜禽养殖污染防治长效监管机制和工作制度。

二是全面保证农产品质量安全。2016年,全区共培育农业科技推广示范户1.5万户,培训农民10万人次,建立各类科技示范基地22个,实施病虫害综合防治面积38.5万亩,绿色防控率达95%,制定了蔬菜、高粱、龙眼等标准化生产技术规程。建立农产品质量安全追溯网站,将全区45家规模化企业纳入网站综合管理,制定统一台账,生产记录实现全程可追溯,部分生产企业可实现全程网络监控生产。全区规模化种养企业生产记录档案建档率达100%,屠宰企业规范化管理率达100%。全年完成省级农产品质量安全抽检486个,抽检合格率达99.6%,标准化生产抽检覆盖率达90%。水产品质量安全抽检合格率达100%,水产品质量安全事故发生率和渔业安全死亡人数为零,渔政立案办结率达100%,渔业船舶年审率达100%。全年没有发生重大农产品质量安全事件。

(九)保障措施

一是组织领导不断加强。成立由区长任组长,区委分管农业的副书记和区政府分管农业的副区长为副组长,相关部门主要领导为成员的现代农业建设工作领导小组;成立由区农林局牵头的现代农业建设工作机构,负责建设的组织、规划、管理和督导,负责统筹、协调和解决建设与发展中遇到的各种问题,统筹全区现代农业发展。同时,对全区现代农业示范县建设年度目标任务进行分解,建立了目标考核责任制和责任追究制,并将实施情况纳入各级领导干部绩效考核范围,以促进现代农业建设工作顺利进行。

二是政策扶持保障有力。区委区政府出台了《泸州市江阳区人民政府关于印发〈泸州市江阳区支持现代农业发展基金管理办法(试行)〉的通知》《董允坝现代农业示范区双创孵化园建设方案》等政策文件,对现代农业产业基地建设、新型经营主体、现代市场营销体系、农业投融资、农业风险担保新机制方面的改革试点等实施奖补。

三是专项资金财政投入。区财政设立现代农业产业基地建设财政专项资金,投入4464.2万元用于基地建设。全区共整合农业专项资金21585万元,占全区可整合农业专项资金总数的91.89%。区财政设立现代农业专项基金,每年向泸州市商业银行投入不少于1500万元作为现代农业贷款保证金和贴息款,银行以1∶5的比例放大,主导产业农户只需以农产品收成及土地承包权为抵押即可享受贴息和无息贷款,年发放无息和减息贷款7500万元。全年蔬菜投保5万亩,水果投保0.5万亩,比上年增长5%。

(十)有力保障农民增收

2016年,全区农民人均纯收入达16257元,比上年提高16.7%,其中主导产业收入、主导产业加工企业工资收入和旅游业收入达9200元,占农民年人均纯收入的56.6%。

二、工作亮点

江阳区现代农业示范县建设初见成效,工作亮点纷呈。农村产权制度改革基本完成,农村土地承包经营权确权登记工作通过省上验收,并被农业厅通报表扬为"农村土地承包经营权确权登记颁证工作先进单位"。农村集体资产股份合作制改革试点启动。成功举办了四川省蔬菜发展论坛。"互联网+现代农业"工作获得农业部好评。

(一)董允坝国家现代农业示范园区建设示范作用明显

董允坝国家现代农业示范园区规划总面积2.3万亩,以宜泸渝高速为横轴,分为南北两区,规划布局"八区一带"。示范园区以"全国一流、全省第一"的标准,按照"开发科技化、管理智能化、生产景观化、物流电商化、组织市场化"的思路,着力打造全国现代农业示范区、长江上游"四化同步"先行区、川滇黔渝"农业旅游"样板区,着力建成中国西部"粮心"。依托山东寿光蔬菜产业控股集团,实验栽种番茄、茄子、黄瓜、辣椒等47个新品种,引进荷兰吊架栽培、西班牙多层无机质水培、以色列无土栽培、物联网自动控制、物理和生物病虫害绿色防治等先进技术。着力延长产业链,积极推进一二三产业融合发展,建成科技研发中心、农产品交易中心、检验检测中心、电子商务中心、物联网远程控制系统和农产品质量追溯体系等配套设施。南区核心区4400亩已全面建成,其中大棚200亩;北区建成1000余亩。4月28日,在园区成功举办四川省首届蔬菜品赏会,邀请国家部委领导和特邀嘉宾7人、省级部门领导和特邀嘉宾31人以及19个省内其他市(州)、泸州市4县3区农业领导参加,获得国家、省、市领导的高度认可。

(二)"互联网+现代农业"工作突出

依托泸州市江阳区董允坝国家现代农业示范园区,牵手山东寿光蔬菜产业控股集团,引用物联网先进技术,蔬菜大棚变身"智能工厂",实施精细化、标准化、科学化生产,实现蔬菜种植优质、高产,助力"智慧农业"发展,打造"四川一流、川南第一"的蔬菜产业品牌。在园区内200亩的蔬菜大棚内安装近100个探头,每个棚内都安装了360度高清摄像头,可及时查看园区作物的生长情况,信息化智能监控系统实时定量精确把关,实现按需供给。

(三)全域确权颁证工作卓有成效

江阳区以推进农村产权制度改革"七权同确"为重点,扎实做好农村产权制度改革工作,建立健全区、镇、村三级农村产权流转服务平台,加强农村产权改革成果运用。借助区政府公众信息网,建立农村产权流转信息平台,重点开展农村土地承包经营权流转指导服务工作,累计流转土地7.7万亩。通过出台《江阳区农村土地承包经营权流转备案登记办法》《江阳区农村土地流转收益评估办法》等文件规范了农村土地流转，为农业适度规模经营和增加农民财产性收入奠定了基础。

三、下一步工作打算

一是做长加工链条。充分发挥龙头企业的引领带动作用，与山东寿光、泸州老窖、邓氏桂圆等行业龙头企业深度合作，共建董允坝蔬菜产业园、白酒产业园、马石产业园等农产品加工基地。

二是做大电商物流。依托省级电子商务示范基地，加快建设农产品电子交易平台，大力发展仓储配送、冷链物流等业态，新建农村电商网点、冷藏车间、仓储物流配送站，构建线上线下相结合的农产品销售网络，建成区域性农产品集散中心。

三是做优品牌营销。扩大四川蔬菜品赏会的影响力，叫响"绿色江阳·蔬式生活"休闲农业品牌，大力推介"江之阳"系列特色农产品，借助农交会、西博会、农博会等重大节会，提升江阳农产品的品牌知名度和美誉度。

四是做好种养结合。坚持"种养结合、生态循环、特色精品、三产融合、适度规模"的发展思路，推进养殖业标准化基地建设，实现种植业和养殖业联合发展，建设"种植—养殖—种植"的良好循环体系，建成畜禽粪污、农作物秸秆等循环利用现代农业示范区。

五是推进园区变景区。依托现有产业基地，积极打造董允坝蔬菜主题公园、张坝沿江桂圆林休闲体验带、环方山景区休闲观光农业园、水产垂钓生态园等国家3B级、4A级多功能生态农业观光景区，并同步配套建设生态疗养、田园生活体验、科技科普、餐饮住宿等旅游功能设施。

六是推进产品变商品。依托泸州酒文化、长江奇石文化、红色文化等特色文化和分水油纸伞等非物质文化遗产，与都市农业有机融合，通过包装创意、栽培创意、用途创意、亲情创意等手段，推出桂圆糕、盆栽蔬菜、蔬果点心等一批消费者喜爱的新奇特农产品。

七是推进农村变城市。加快完善农村基础设施，推动城市优质公共服务向农村延伸，逐步实现城乡一体化，特别是在实现村村通公交的基础上，实施农村公路提档升级三年攻坚，全面消除农村低等级公路、断头路，建成城乡公交无缝换乘的路网体系。

实施"富民强县十大行动"助力德阳决胜全面小康

——中江县关于落实德阳市第八次党代会精神的思考

中共德阳市委常委、中江县委书记　周　新

中共德阳市第八次党代会鲜明确立了倾力打造成都国际化大都市北部新城的时代主题，提出了在全省率先全面建成小康社会的宏伟目标，勾勒了协调推进"四个全面"战略布局、深入实施省委"三大发展战略"、实现"五个走在前列"的跨越路径，为今后五年全市各项事业发展指明了方向。

当前，贯彻落实好德阳市第八次党代会精神是摆在全市各级党组织和党员干部面前的一项重大政治任务。中江县在深刻把握德阳市第八次党代会精神核心要义的基础上，紧紧围绕会议确定的各项战略部署，聚焦当前时代发展潮流，主动回应全县人民最广泛、最根本的利益关切，坚持问题导向与目标导向相统一，立足全县基本发展特征，因地制宜确定了"坚持以绿色发展为主线引领'五大发展理念'伟大实践，抢抓机遇、发挥优势，大力实施'富民强县十大行动'，凝心聚力推进美丽中江建设，助力德阳决胜全面小康"的基本发展思路。

一、实施思想大解放行动，在改革创新上实现新跨越

致力于破除制约绿色发展、加快发展的思想障碍，形成与时俱进、开明开放的发展理念，坚持"七破七立"，推动思想大转变，以思想观念的大转变促进发展的大跨越。坚持创新思维方式，推动发展大转型。大胆学习借鉴外县成功的发展经验，面向市场求突破、聚要素、寻合作、要活力；坚持全面创新改革驱动转型发展，以转变发展方式为统领，以科技创新为主线，以供给侧改革为主轴，大力发展创新型经济；扎实推进农业农村、投融资体制、民主法治等重点领域改革，持续优化有利于经济社会发展的制度机制体系；积极抢抓"一带一路"、四川获批自由贸易试验区、成德同城化等战略机遇，坚持大开放促大发展，在重点推进"六个协同"上狠下功夫，全力打造成德同城化的排头兵。

二、实施产业大发展行动，在转型升级上实现新跨越

紧紧盯牢产业发展迈入中高端的总体目标，按照做大总量、提高质量、优化结构的思路，不断增强经济综合实力。做强现代工业，加快园区建设，提升园区承载和聚集能力；鼓励科技创新，加大"院企合作""院地合作"力度，着力打造电子信息、新材料、绿色食品、装备制造、家居门业5个产值百亿元的产业集聚区。做优现代农业，全力推进中国芍药生态养生园和中江现代农业产业园建设；强化大业主带动，深化农业农村改革，大力培育新型农业经营主体，努力形成一批现代农业产业发展的大样板、大示范，推动农业规模化、标准化、品牌化发展，积极创建"四川省农产品质量安全监管示范县""国家有机产品认证示范县"，努力提升粮食生产保障能力和农业产业效益。做大现代服务业，坚持发展新模式、培育新业态，抢抓"互联网+"战略机遇，加快发展电子商务、现代金融、科技服务等生产性服务业；加快商业综合体、现代物流中心建设；大力推进特色旅游镇和龙泉山脉乡村康养旅游带建设，推动旅游业加快发展，全面提升现代服务业发展效益。

三、实施城镇大提升行动，在统筹城乡上实现新跨越

坚持以"人的城镇化"为核心，加快新型城镇化进程，着力构建全域城镇体系，努力形成"一主一副一区多点"的发展布局。以打造成都和德阳的卫星城为目标，全力推进宜居县城建设试点，科学划分城市功能区，加快建设"三江六岸"景观提升工程，加大城中村和棚户区改造力度，大力推进城市道路、城市公园建设，进一步提升城市功能和品质。以打造县域副中心为目标，按照县级城镇标准，高起点、高规格编制仓山镇发展规划；加快推进场镇公共基础设施改造提升，切实提升仓山镇发展承载力；深入挖掘仓山历史遗产、文化资源，积极发展观光农业，做大做强文化旅游产业，全力打造文化旅游特色镇，增强仓山镇发展辐射力，带动南片乡（镇）发展。以建设全省"两化互动、产城一体"示范区为目标，推动中江高新区与成德工业园区一体化发展，力争建成国家级高新技术产业园区；依托成德工业园，加快兴隆·辑庆工业新城组团建设，与县城有机相连，形成"一主一区"的城市构架。以实现县域发展多点支撑为目标，因地制宜鼓励支持区域重点镇率先发展，辐射带动其他乡（镇），促进全域发展。以打造"四好村"为目标，实施扶贫解困、产业提升、旧村改造、环境整治和文化传承"五大行动"，带动全县新农村建设迈上新台阶。

四、实施交通大会战行动，在枢纽构建上实现新跨越

以"对外快速连通、对内全面畅通"为目标，加快形成"五纵七横"主干线公路网。抓高速路建设枢纽，加快推进成都经济区环线高速公路、绵中高速公路、中遂高速公路建设，与成南、成巴高速公路构成便捷的“三纵两横”高速公路网，使中江县成为成德绵地区的重要交通枢纽。抓干线路建设提能力，加快推进德中快速通道、国道350线中江县城—仓山快速通道、中广路提档升级等重点项目建设，形成“两纵五横”的干线公路网。抓“三环”公路建设畅路网，推进“工业环线”“农业环线”“旅游环线”建设，全面提升县、乡交通运输网络。同时，加快乡村公路建设，提升乡村道路通达能力。

五、实施环境大优化行动，在生态建设上实现新跨越

强化生态保护是推动绿色发展、实现可持续发展的客观需要。进一步优化生态空间布局，构建科学合理的城市发展格局、生态安全格局、农业发展格局，落实主体功能区规划，划定开发红线，界定城乡建设、基本农田利用、生态环境保护的空间范围，促进生产空间集约高效、生活空间宜居适度、生态环境山清水秀。保护生态环境，打好土壤、水、大气污染治理“三大攻坚战”，加强环保设施建设，继续深入开展城乡环境整治，形成多元共治的环境治理体系，守住绿水青山，保住碧水蓝天。发展低碳经济，积极构建绿色工业、农业、服务业体系，将中江高新区建设成为省级生态工业园区；实施全民节能计划，开展能源和水资源消耗等总量强度双控行动。

六、实施民生大改善行动，在共建共享上实现新跨越

始终坚持全面小康、共建共享的发展方向，让群众享受到更多的发展成果。集中力量打赢脱贫攻坚战，围绕“两不愁、三保障”“四个好”目标，按照“六个精准”要求，以“十个专项扶贫方案”为抓手，突出住房建设、生活保障、就业和生产发展、医疗卫生、义务教育保障5个重点，扎实推进脱贫攻坚工作，力争2017年年底实现建档立卡贫困户全部脱贫。千方百计惠民生，坚持教育优先发展战略，实现义务教育均衡发展达标，加强学前教育和职业教育，普及高中阶段教育，积极引入社会力量和民间资本推动教育发展；健全社会保险、养老服务、最低生活保障等社会保障体系，全面提升保障能力；认真贯彻“健康中国”战略，完善医疗卫生服务体系建设，完成城乡居民医疗保险并轨，实现省内异地就医即时结算；稳步实施“全面两孩”等新政策，推进人口健康发展；加大创新创业力度，实施更加积极的就业创业政策，以创业带动就业，形成大众创业、万众创新的良好格局。

七、实施文化大繁荣行动，在文明进步上实现新跨越

大力培育和践行社会主义核心价值观，提升中江文化软实力。以“三讲三爱两进步”为主线，弘扬以爱国主义为核心的民族精神、以改革创新为核心的时代精神和“不怕困难、敢于胜利”的继光精神。加大省级文明卫生县城创建力度，全面推进社会公德、职业道德、家庭美德、个人品德建设，引领人民群众形成正确的世界观、人生观、价值观和良好的精神风貌。完善公共文化服务体系，加快建成覆盖县、乡、村三级的公共文化服务体系和公共文化信息资源共享网络，推进全国文化先进县和省级历史文化名城创建工作。大力开展全民健身活动，着力提升群众健康水平。全力打造特色文化品牌，加强优秀传统文化保护传承，加大中江历史文化遗产保护利用力度，实施文艺创作繁荣工程，培养一批国家级、省级、市级文化艺术人才；发展现代文化产业，实施文化产业壮大工程，培育发展一批文化龙头骨干企业，建设一批文化旅游产业强镇（乡）和特色文化产业村，打造一批具有地方特色的文化产品。

八、实施法治大进步行动，在治理水平上实现新跨越

切实用好“法治”这个国之利器，按照依法治县方略，协同推进依法执政、依法行政、公正司法、全民守法各项工作。深化民主政治建设，切实加强和改善党对人大常委会、政协工作的领导，支持人大常委会、政协依照法律、章程履行职能；扎实推进群团组织改革，进一步发挥群团组织的桥梁纽带作用；加强和改进民族、宗教工作，不断巩固和发展爱国统一战线；坚持民主集中制，建立完善重大决策法律顾问等制度，促进民主决策、依法决策、科学决策。加快法治中江建设，全面实施“七五”普法规划，进一步完善公共法律服务体系；持续完善基层依法治理体系，实现政府治理与社会调节、居民自治良性互动。加强信访工作法治化建设，进一步增进社会和谐度。健全公共安全体系，深化安全生产管理体制改革，加强防灾减灾能力建设，健全突发事件监督和应急体系；加快农村天网（雪亮工程）建设，依法严密防范和严厉打击各类犯罪行为、民族分裂活动、极端宗教活动，努力建设“平安中江”。

九、实施效能大提升行动，在服务发展上实现新跨越

围绕优化发展环境、增强竞争软实力，加快服务型效能政府建设。进一步规范行政权力运行，推进政务服务流程标准化、规范化，编制权力清单、责任清单、效能清单，做到行政权力、责任事项清晰明确、权责一致，提高公共权力运行透明度。进一步转变行政职能，坚持“放、管、服”相结合，深化行政审批制度改革和商事制度改革，全面清理和规范非行政许可审批事项、行政许可前置条件，加大行政审批权限下放力度，进一步优化行政审批流程，提升行政审批效率。进一步提升政务服务水平，运用“互联网+政务”思维加强县、乡、村三级政务服务机构硬件基础和人才队伍建设，建成与省、市互联互通的行政权力网上运行系统，积极打造数字化、网络化、信息化、标准化、规范化服务机构，积极创新政务服务模式，全方位提升政务服务水平。

十、实施党建大强化行动，在从严治党上实现新跨越

牢固树立“抓好党建就是最大政绩”的理念，紧紧围绕党要管党、从严治党，创新举措，全面加强党的建设。牢牢抓住思想政治建设这个根本，坚持以习近平总书记治国理政新理念新思想新战略武装头脑、指导实践，强化政治意识、大局意识、核心意识、看齐意识，坚定理想信念，永葆共产党人的先进性和纯洁性。牢牢抓住干部队伍建设这个关键，坚持“重品行、重实干、重公认、重干净、重担当”的用人导向，进一步匡正选人用人风气；健全干部“能上能下”制度机制，刹不为之风、换不为之将，优化干部队伍整体结构；强化干部教育培训管理监督，锻造一支作风素质“双过硬”的领导干部和管理人才队伍。牢牢抓住基层组织建设这个基础，坚持重心下移、政策倾斜、力量充实、要素汇聚，大力实施“千名村级后备人才选育计划”“千名村（社区）党组织书记选育计划”。扎实推进“两新”组织党建工作，全面加强基层党组织建设水平，关心爱护基层干部，切实建强基层战斗堡垒。牢牢抓住党风廉政建设这根主线，全面落实党风廉政建设“两个责任”，全面开展县委巡察工作，建立健全预防和惩治腐败体系，进一步巩固“风清气正、崇廉尚实、干事创业、遵纪守法”的良好政治生态。

下足“绣花”功夫 趟出脱贫攻坚的遂宁路子

遂宁市脱贫攻坚领导小组办公室

党的十八大以来，以习近平同志为总书记的党中央站在国家层面高度，将扶贫开发作为全面建成小康社会、实现第一个百年奋斗目标的重点工作，坚定不移地走中国特色扶贫开发道路。要求我们要树立“不破楼兰终不还”的坚定决心和坚强意志，以“绣花”的工匠精神坚持精准扶贫、精准脱贫，切实做到脱真贫、真脱贫。

遂宁市各级干部深刻领会习近平总书记的系列重要讲话，认真贯彻落实精准扶贫、精准脱贫重要思想，按照“立足脱贫、着眼奔康”的思路，既对照打赢脱贫攻坚战找短板，又对照农村全面小康8项标准找差距，以“年年都要打攻坚战、都要啃硬骨头”的决心切实把脱贫职责扛在肩上，把脱贫任务抓在手上，用改革的思路、创新的举措在产业、住房、医疗等坚中之坚上下足“绣花”功夫，破解了一个个脱贫攻坚难题。

一、组团发展联村到户，狠抓产业扶贫促增收

习近平总书记指出，发展产业是实现脱贫的根本之策，要加大产业带动扶贫工作力度，着力增强贫困地区自我发展能力。近年来，遂宁市立足组团发展、聚力到户，以大环线串起大园区，以产业链提升价值链，以有收益促进可持续，以优保障增强稳定性，推动贫困群众稳定脱贫、致富奔康。

一是组团发展建环线。针对贫困人口大分散、小集中的“插花”式特征，以扶贫大环线串起产业大园区，确保村村有主导产业、户户有增收项目、人人有脱贫门路。在科学规划上，按照“长藤结瓜，连线成片”的思路，规划建设173千米长、规模达500余平方千米的扶贫大环线，串起全市24个农业产业园区，推动323个贫困村“村村进园区”，8.9万户贫困户“户户进基地”，促进贫困户由单打独斗向抱团发展转变。在产业布局上长短结合，突出“一园一特色、一村一主业”，既布局优质粮油、绿色蔬菜、畜禽养殖等短平快产业，又布局优质柑橘、高效林、中药材等长期持续增收产业，配套推进乡村旅游、农产品加工等产业。在环线打造上，聚集政策、统筹资金、集中项目向大环线倾斜，从土地、资金等方面出台20条支持措施，鼓励企业带项目、带市场、带技术入驻大环线。全市392个农业专合组织、364个家庭农场、355家农业龙头企业参与脱贫攻坚，基本实现每个贫困村产业发展都有龙头企业、专合组织带动。

二是三产融合提效益。立足贫困户能更多分享产业增值收益，探索扶贫产业融合发展路径。一方面，多业态延伸产业链。设立首期10亿元的产业发展基金，重点支持龙头企业探索农工结合、农商结合、农旅结合等新模式，培育农产品加工、电子商务、休闲农业等新业态，努力让贫困群众享受更多收益；另一方面，建品牌重塑价值链。针对过去农产品“好的不多、多的不好”的特点，打造“遂宁鲜”区域公用品牌，提升产品附加值。2016年使用“遂宁鲜”标识的49家企业销售总量比上年增长50%以上，销售额突破20亿元，为贫困群众提供就业岗位1000余个。

三是利益共享激活力。建立“龙头企业直接带动”方式，积极推广可士可二八分成、高金保底保收益等模式，让贫困群众有稳定收入。2016年，355家农业龙头企业带动27660名贫困人口脱贫。建立“撂荒地经营合作社”，采取代耕代种、收益分成的办法探索“撂荒地经营合作社+农机专业合作社+贫困村+贫困户”的经营模式，提供“托管式”农机全程化服务，既解决了撂荒地无人耕种的问题，又增加了贫困群众收入。射洪县太乙镇任家沟村采取与农户“以田易田”的方式将50亩集体闲置土地集中起来与农机专业合作社合建制种基地，2016年实现收益10万元、村集体收益8万元。

四是机制创新强保障。针对贫困地区发展产业投入大、风险高的实际，建立以激活政府、农户、村“两委”、工商资本(企业)、国有农业开发公司五个农业发展主体利益联结为核心的“产联式合作社”，创新“资本联投、生产联营、经营联动、效益联赢、风险联控”五大模式，着力打通生产关系、整合生产要素、激活生产力，促进农业提质增效和贫困户持续增收，拓展贫困村发展空间。以大英县卓筒井镇油桃产业发展为例，375户农民以3100亩土地及果树入社，工商资本与村集体联合投入品种改良、农资购买、品牌打造等资金309万元，工商资本负责制定产业管理标准、统购统销，村集体负责组织发动农户生产、监督工商资本履职，农户负责自有土地上的果树日常管护。农户、村集体、工商企业按约定的8∶1∶1的比例进行利润分成，其中农户收益根据各自责任田产量由村集体经济组织进行二次分配。2016年，该产业实现纯利润900万元，农户户均增收0.5万元。

二、对标小康补短板，创新抓好住房改善

正如习近平总书记所说：“我们党和政府做一切工作的出发点、落脚点都是让人民过上好日子”，而“住上好房子”是让人民过上好日子的前提条件，也是解决群众生产生活必须完成的任务。遂宁市坚持易地扶贫搬迁、危房改造、新村建设、土坯房集中整治“四个结合”，着力破解贫困户住房难题。

一是突出“三个注重”，抓易地搬迁。按照“小规模、组团式、微田园、生态化”的理念，坚持宜聚则聚、宜散则散，确保“望得见山、看得见水、记得住乡愁”。注重整体规划，把住房规划、新村规划和现代农业园区规划相结合，以323个贫困村为重点，对水、电、气、路和社会公共服务设施等基础设施建设同步规划、同步建设、同步验收、同步交付使用，满足群众入住需要。注重科学选址，根据贫困村性质、人口数量、用地规模等特点，坚持适度集聚、相对集中原则，突出“三避”(避开地质灾害易发区、洪水淹没区、生态脆弱区)、“四靠”(靠公路沿线、村委会阵地、新农村聚居点、城镇)、“五进”(进城区、集镇、社区、乡村旅游区、现代农业园区)，建成151个集中安置点，集中安置率达85%。注重文化传承，把新农村综合体和聚居点建设、旧村落改造提升、传统村庄院落民居保护作为住房改善的基本形式，打造了一批如安居区玉丰镇高石村、射洪县青堤乡光华村等文化价值突出、民族特色鲜明、地域特色浓郁的传统村庄院落。同时，突出民居生态文明和传统文化特点，打造休闲、旅游、观光田园风光，支持农户以房前屋后的土地为载体建设生态微田园，“前庭后院”的现代民居风格逐步形成。

二是聚焦“三个清楚”，抓土坯房整治。紧盯全面消除农村土坯房目标，对照全面小康关于“农村人均钢筋、砖木住房面积达40平方米”的标准，采取拆闲、改危、建新等方式，确保3年内全面消除8.5万户农村土坯房。其一是把道理讲清楚，解决群众工作如何做的问题。采取动员会、坝坝会、纳凉会、板凳会等方式对群众进行政策宣讲，做到“点对点”宣讲、“面对面”沟通、“心与心”交流，让群众知晓土坯房的危险程度、危害影响、整治利好政策等，充分调动农户参与整治的积极性，激活内生动力。其二是把政策捋清楚，解决钱从哪里来的问题。探索中央以及省、市、县(区)四级政策体系，形成“8+1+2”整治政策和上下拼盘资金筹措思路，用好易地扶贫搬迁、增减挂钩、C(D)级危房改造等中央、省级项目资金。同时，积极对接金融部门，给予农户购房、建房贷款支持。各县(区)均制定了补助补偿标准，全市12个试点乡(镇)均足额保障了整治经费。其三是把流程设清楚，解决工作步骤如何定的问题。制定“宣传发动、农户申请、依法鉴定、审定公示、签订协议、实施整治、评估验收、政策兑现”的八步流程图，规范工作程序，让基层干部易于操作、农户易于接受。全市12个试点乡(镇)均按该工作流程平稳有序推进,资料规范、档案齐全,群众满意。

三是拓宽“三个渠道”,抓多元投入。充分调动社会各方面力量参与农房建设,形成政府带动、群众主导、社会参与的多元化投入机制。拓宽资金补贴渠道,整合幸福美丽新村建设、危房改造、易地扶贫搬迁等资金15亿余元,采取“民办公助、以奖代补”形式分类对易地扶贫搬迁户、危房改造户、闲置房屋户给予补助,既调动了群众建房的积极性,又撬动了各项社会资金20余亿元投入到农房建设中。拓宽金融支持渠道,投入资金8823万元,设立贫困户农房建设风险基金,为农户提供抵押担保。农户采用“免抵押、免担保”的模式向金融机构申请农房建设贷款,政府分年度分比例贴息,已协调金融机构发放贷款2.1万笔、3.18亿元。拓宽社会帮扶渠道,大力开展“慈善一日捐”和“扶贫日”等活动,向机关企事业单位、社会爱心人士发出倡议,累计筹集农房建设资金200万元。

三、下沉资源强保障,重点抓实教育医疗

习近平总书记强调,让贫困地区的孩子们接受良好教育是扶贫开发的重要任务,也是阻断贫困代际传递的重要途径。遂宁市把教育脱贫作为治本之计,通过落实政策、优化资源、举办志翔试点班等创新形式增加贫困家庭学生上“好学校”的机会。一是全面落实教育惠民政策。在普及义务教育,落实贫困家庭学生学前三年、高中、大学教育资助政策的同时,遂宁市为高中教育阶段贫困家庭学生免除课本费。每个县(区)教育扶贫基金每年筹资都不少于300万元,2017年全市教育扶贫基金已累计资助学生4260人。二是优化教育资源配置。近两年,投入资金1.6亿元,在贫困地区建设16所公办幼儿园,改善贫困地区218所(含教学点)中小学校办学条件;投入资金1.2亿元,推进贫困地区教育信息化建设,贫困地区学校实现了“优质资源班班通”;组织近800名优秀教师和15名优秀校长到贫困地区学校轮岗支教,引导优质教育资源向贫困地区流动。三是推进教育扶贫创新。在遂宁中学、射洪中学开办普通高中“普高志翔试点班”,定向招收建档立卡贫困家庭高中生,已招收390人,每人每学年除免学费、课本费、住宿费外还发放助学金3000元。市财政专门预算资金,近两年免费对所有未升入大学的贫困家庭高中毕业生开展40天职业技能强化培训,增强其自主发展能力。

习近平总书记指出,没有全民健康,就没有全面小康。要推动医疗卫生工作重心下移、医疗卫生资源下沉,推动城乡基本公共服务均等化,为群众提供安全有效方便价廉的公共卫生和基本医疗服务,真正解决好基层群众看病难、看病贵的问题。遂宁市针对60%以上的贫困群众为因病致贫的现状,着力在有地方看病、看得起病、看得好病、少生病上下功夫。一是医疗政策全面落实。全面落实“十免二补助”政策,深入推进分级诊疗制度,贫困群众参加医保、健康体检比例均达100%,贫困人口县域内住院个人支付占比控制在10%以内。二是医疗卫生机构和人员“双下沉”。加快完善村级公共卫生服务体系,推进“集团总医院、联村卫生室”和医务人员“县招乡用、乡招村用”改革,2017年实现退出的90个贫困村都有1所标准化卫生室、每个贫困村都有1名合格乡村医生。三是医疗服务质量和效率“双提升”。积极打造“1小时优质医疗服务圈”,推动市中心医院、中医院等城区医院在人口集中的射洪县金华镇和蓬溪县蓬南镇建设分院,让贫困群众小病不出村、大病不出县。

四、整合力量强帮扶,建立健全工作机制

习近平总书记强调,脱贫攻坚是干出来的,靠的是广大干部群众齐心干,要激励广大干部群众进一步行动起来,形成扶贫开发工作强大合力。遂宁市在全面落实“五个一”帮扶力量的基础上,增加“民营企业、金融村官、法治村干部”帮扶,建立起“5+3”帮扶格局。组织355家民营企业参与定点帮扶,确保每个贫困村都有1家以上民营企业帮扶,把企业的资本、技术、市场、人才等优势与贫困户土地、劳动力、特色产业资源优势相结合,实现贫困村、贫困户与企业双赢互利发展。在全市金融系统选派293名干部到323个贫困村和15个非贫困村中担任“金融村干部”,重点做好金融政策宣传、引领创业致富、开展评级授信、推动普惠金融等工作,确保每名贫困人口享受到便捷的现代化金融服务。在全省率先向贫困村选派“法治村主任”,为脱贫攻坚保驾护航,已在安居区人民法院、区公安分局、区司法局等单位选派82名具有法律专业知识的政法干部投身贫困村建设,通过开展专题法治讲座、矛盾纠纷排查、治安巡查等工作为加强基层依法治理和打赢脱贫攻坚战提供强有力的法治保障。

习近平总书记要求,打好扶贫攻坚战,要采取稳定脱贫措施,建立长效扶贫机制,把扶贫工作锲而不舍地抓下去。完成脱贫攻坚任务的时间节点是2020年,已脱贫的贫困人口和已“摘帽”的贫困村达到2020年当年的减贫标准才算真正脱贫。遂宁市坚持把稳定脱贫作为主题主线,已制定出台《关于建立健全长效机制实现贫困人口稳定脱贫的实施意见》,从产业扶贫、医疗健康、社会保障、社会扶贫等方面明确了12条长效机制。把发展生产扶贫作为主攻方向、把易地搬迁扶贫作为重要补充、把社会帮扶扶贫作为双赢之策、把发展教育扶贫作为治本之计、把社会保障兜底扶贫作为基本防线,管好用好“四项基金”,注重持续“供血”、强化“造血”、防止“失血”三个环节,确保全市21.3万名贫困人口、323个贫困村持续达到2020年退出标准,实现稳定脱贫。

转变农业发展方式 做优农业经济效益

——对内江市农业发展的几点思考

内江市人民政府副市长　田文平

转变农业发展方式是经济新常态下的重要内容,是增强农业可持续发展能力和提高农业经济效益的关键。内江市作为丘陵地区典型的农业市,近年来,农业发展取得了可喜的成效,但也应看到,严重依赖自然资源、粗放式的传统农业仍居主导地位,农业经济收益结构单一、后劲不足,农业可持续发展的基础还很不牢固。立足市情,结合近年来全市农业发展实际,内江市要认真把握农业发展新阶段的特征和趋势,积极探索新形势下加快转变农业发展方式、做优农业经济效益的新思路和新途径,推动全市农业现代化跨越发展。

一、转变观念,促进产业融合发展

思路变,天地宽。针对农业生产成本“地板”不断抬升、价格“天花板”不断下压的双重挤压,农民靠单一的种植业或畜牧业来实现增收已难以为继的现实,必须更新农业生产的传统观念,顺应一二三产业融合发展的大趋势,跳出农业抓农业,以市场经济为大背景,通过产业联动、要素集聚、技术渗透、体制创新等方式,将资本、技术以及资源要素进行跨界配置,使农业生产、农产品加工、餐饮、休闲有机整合,延长产业链和价值链,实现农业增效、农民增收、农村发展。

（一）树立大农业观念，加快农业内部融合

要改变小农业的单一性，适应市场需求，调优、调高、调精农业种养结构，促进粮经饲统筹、农林牧结合、种养加一体，提高农业供给的质量和效率。就全市而言，抓农牧结合，就要突出内江黑猪和水果、蔬菜等特色产业，大力发展种养结合的循环农业；抓农林结合，要积极发展林下经济，推进农林复合经营；抓农渔结合，要推广稻鱼、稻鳅等生态农业，形成农业内部紧密协作、循环利用、一体化发展的经营模式。

（二）树立产业链观念，加快农业横向延伸

跳出传统农业从种到收的闭合循环模式，要着力解决农业生产、农产品加工、产品销售相互脱节的问题，树立从田间到餐桌的全产业链思维，用工业的办法来推进农业，加快农业由生产环节向产前、产后延伸，依托龙头企业资金、技术、人才等优势，带动农民合作社、家庭农场、农户发展适度规模生产，大力发展农产品产地初加工、特色加工和精深加工，形成产供销一条龙，提高农产品加工转化率和附加值。

（三）树立大发展观念，开发农业多种功能

传统农业具有单纯的生产属性，农业生产效用没有实现最大化。现代农业要树立大发展理念，要引入历史、文化、民俗以及现代元素，推进农业与旅游、文化、教育等产业的深度融合，实现农业从生产向生态、生活功能拓展。推动科技、人文等元素融入农业，实施“互联网+”现代农业行动，发展智能农业、精准农业；利用农业设施装备技术与信息技术相融合的特点，发展现代设施农业、工厂化农业；大力发展农产品电子商务，完善配送及综合服务网络。

二、科技兴农，促进农业提质增效

习近平总书记指出，“农业出路在现代化，农业现代化关键在科技进步”。全市农业物质装备、技术水平与现代农业的要求还有较大差距，以现代技术提升农业还有很大空间。内江市要把科技作为农业发展的持久动力，加强农业科技创新推广运用，不断提升农产品质量和经济效益。

（一）以科技为引领，构建质量标准体系

是否拥有话语权是行业领导者的标志之一。同样地处川南的宜宾市以科技为引擎，制定了从茶农种茶、茶企制茶、茶商售茶的全产业链标准，成为川茶行业技术标准和质量标志的制定者和先行军，成功打造了四川省第一个省域品牌——“天府龙芽”。“他山之石，可以攻玉”，内江市要做强做优内江农产品，通过成立内江黑猪、血橙、无花果、柠檬、核桃等产业行业协会或产业联盟，制定行业标准，走质量起步、认证上路、品牌开路的发展路子，确保全市特色农产品的优良品质和质量安全。

（二）以科技为支撑，发展生态效益农业

顺应当下崇尚生态、健康、安全的品质消费趋势，加快推进农业科技创新和应用，大力发展生态、绿色、有机农业，以此理念抓生态效益农业。东兴区瑞隆种植专业合作社以高投入、高技术为引领，流转土地260余亩，建成标准化大棚200余个，引进优质草莓新品种，以油菜籽榨油后制成的饼肥作肥料，使用灯光、色诱、太阳能、生物等防治病虫害，采用液体施肥技术和膜下暗管灌溉技术，有机草莓市场售价高达80~100元/千克，每亩收益达2.1万元，总收入达546万元。

（三）以科技为驱动，健全科技创新体系

加强农业科技研发、构筑农业科技创新平台、不断完善农业科技服务体系才能为农业转型升级提供不竭动力。要发挥市农科院的作用，加强与中国农业大学、四川农业大学等重点院校合作，以国家农业科技园区、万亩产业示范片等为工作平台，引进培育新品种、新技术；依托科技特派员团队、农业科技专家大院、农民专业技术协会，通过科技人员直接到户、良种良法直接到田、技术要领直接到人，有效解决农技推广“最后一公里”的问题。

三、建设新村，促进资源有效整合

“让农村成为农民幸福生活的美好家园”是习近平总书记的“农村梦”。当前，城乡经济形态发生了深刻变化，内江市要把握生产全要素流向农村、农业的趋势，把新农村建设作为缩小城乡差距的重大战略举措，整合资源要素，成片推进、产村相融、整体提升，打造具有历史记忆、地域特色、民俗特点、乡村情趣的现代新村，让农民过上更加幸福美好的生活。

一是多规衔接，促进产村相融发展。编制城乡一体的建设发展规划，产业带新村，新村促产业，建成一批产村相融的幸福美丽新村典范。威远县四方新村采用将新建农房并入院落、改造提升旧村庄、保护传统村落民居相结合的方式，建成“小规模、组团式、生态化、微田园”新村聚居点5个；建成全省最大的无花果基地2.5万亩，引进培育3家无花果加工龙头企业，举办无花果采摘节，把农区建成景区，把产品变成礼品。该村村民通过土地流转、就地务工、乡村旅游等多渠道增加收入，2015年人均纯收入达15000余元，真正住上了好房子，过上了好日子。

二是多源整合，培育新村新业态。在新村建设中，各县（区）整合各类农业和涉农项目，引进城市资本、民间资金，集中力量，重点建设市中区“国墨水乡”、东兴区“天荷瀑布”、资中县“绿之源”、隆昌县“花漫水乡”、威远“银花山庄”等项目，培育农业农村经济发展的新业态。隆昌县“花漫水乡”项目占地5000余亩，打捆投入幸福美丽新村、扶贫新村等项目资金，引进返乡创业企业，成立四川隆昌馥巍农业科技开发有限公司，投资8亿元建成科技大棚、彩虹步道、月亮湖等景点，成为集观光、休闲、娱乐、养老于一体的大型农业生态旅游风景区。

三是多态聚合，确保新村持续发展。开发农业多种功能，通过“现代产业+旅游+文化”让田园变美丽乐园，让农舍变幸福家园。内江市市中区永安镇尚腾新村农民住进了样式别致的两层小楼，建成农家酒店7家，入驻书画名家12名，建成葡萄等优质水果基地3000亩、荷花观赏园300亩、水产养殖园460亩、“花海”30亩，通过举办摘葡萄、赏荷景、看花海、观书画、游画乡等节庆活动年均吸引游客近30万人次。6月，中央电视台《美丽中国乡村行》栏目走进尚腾新村，为村民送上了一场文化盛宴。

四、优化结构，促进农业集约发展

习近平总书记提出，“发展现代农业，让农业成为有奔头的产业”。当前，全市农业面临的一大难题就是总量和质量上的结构性失衡，一般性产品、大路货农产品多，供大于求；品质高、品牌响的农产品少，供不应求。因此，内江市必须牢牢把握农业供给侧结构性改革要求，优化产品结构、生产结构、产业结构，将一般性产品向高精端特殊性产品过渡，不断满足群众日益高端化的消费需求。

一是调结构，建设万亩产业示范片。坚持市场和消费导向，以增收为核心，用工业的思维、商业的模式调整产业结构，区域化布局、规模化生产、标准化管理，重点建设市中区优质柑橘、东兴区优质蚕桑、资中县血橙、威远县无花果、隆昌县木本油料等一批规模化、标准化、专业化、集约化的特色产业示范片，通过功能分区，分步实施，分类推进,逐步形成一批在全省有特色、有优势的现代农业全产业链示范区。

二是促融合,促进产业提档升级。深度挖掘农业的多种功能,推进农村一二三产业融合发展,重点在联动上做文章,将万亩产业示范片与工业、旅游业、信息产业、商贸服务业有效联结起来,大力发展乡村旅游、农产品深加工、休闲农业、特色餐饮、互联网农业等新业态,构建"农工商、产加销"一体化发展格局,延长产业链,提升价值链,拓宽增收链,让农民共享产业升级和融合发展的增值收益。

三是打品牌,提高农产品经济效益。学习借鉴外地农产品品牌营销成功案例,打造内江农业市域品牌形象;突出"内江猪""资中血橙""威远无花果",打造一批有影响力的县(区)域品牌;鼓励和引导农业企业、农民专业合作社、行业协会积极争创中国驰名商标、四川著名商标,申报认证"三品一标",重点打造"黄老五""缔铂""黑溜宝"等具有内江特色的企业自主品牌,提高农业品牌溢价效益。

五、深化改革,激活农业资源要素

农业是基础产业,对经济发展全局至关重要。习近平总书记指出,"做好'三农'工作,关键在于向改革要活力"。内江市要把改革作为破解"三农"问题的总钥匙,通过改革,激活农村各类要素潜能,为农业发展提供不竭动力和活力。

一是盘活农村产权。运用农村产权确权工作成果盘活农村产权资源,让农民共享改革成果。市中区尚腾新村探索了"三化"改革模式(承包土地股权化、集体资产股份化、农村资源资本化),成立农民合作社,将全村土地承包经营权入股到专合社,由专合社统一流转给业主;成立村级资产经营管理公司,对股份化后的村集体资产进行经营管理,按照股本构成比例进行分红,将全村 167 亩的集体建设用地和道路、广场、商业街等公共设施入股。2015 年,第一次分红 100 万元,全村村民人均纯收入高出全市平均水平 1200 余元。

二是创新经营模式。培育新型农业经营主体,创新农业生产经营方式,探索农业增效的多赢之路。威远县探索出"农业 BOT"的农业生产经营新模式由龙头企业流转土地栽植无花果并负责经营管理,其中前三年的流转土地租金由政府分别给予支持,第四、五年由业主全部支付土地租金,第六年达到丰产果园标准后,业主无偿移交给农民或专合组织。目前,无花果每年每亩可创收 1.5 万元。2015 年威远县被命名为"无花果之乡",形成无花果全产业链,政府、企业、农民实现了多赢。

三是激活农村资金。创新农村金融机制,成立全市首个、全省首批内江江龙水产资金互助合作社,该合作社由内江市江龙水产养殖专业合作社及其社员发起成立,成员按最高 10 万元金额自愿出资,主要为社员养殖提供贷款,重点用于购买鱼苗以及支持修建鱼塘等基础设施。2015 年,互助社发放互助金 68 笔,累计金额 320 万元,为社员节约贷款成本 20 余万元。通过集中采购饲料、购买水产保险,统一市场销售,降低了风险,增加了收益,社员共增收 240 余万元。

推进"五个转变"
提质发展柠檬产业
——安岳县深化农业供给侧结构性改革之创新实践

资阳市人民政府副市长、中共安岳县委书记 许志勋

农业供给侧结构性改革是我国在经济下行压力加大的形势下,对如何促进农村经济持续健康发展开出的一剂"良药"。安岳县作为全省农业大县,加力推动农业供给侧结构性改革,通过供给端发力,深化以柠檬为特色的现代农业供给侧结构性改革,着力把柠檬产业发展重点聚焦到推动规模化、标准化、商品化发展上,走出了一条具有安岳特色的农业供给侧改革路子。

一、突出保障产品质量,推动柠檬种植方式由规模发展向量质并重转变

推进农业供给侧结构性改革,确保"舌尖"上的绝对安全是前提。安岳柠檬种植规模、产量、市场占有率均占全国 80% 以上的份额,2016 年保存面积达 52 万亩,产量 60 万吨,产值近 80 亿元。随着安岳柠檬产业的快速发展,统筹保供给、保安全、保生态、保收入的压力越来越重,迫切需要在生产方式、资源利用和管理模式上深化改革。为此,县委县政府坚持走"市场决定需求,需求决定生产"之路,建立即时跟踪分析和调整机制,适时采取动态调整,推动产销计划与市场需求相协调,确保柠檬有销路、有市场。坚持量质并重,树立规划管理意识,在抓生产面积稳定增长的同时对接高端市场,运用先进理念和科学技术强化投入品源头控制和生产监管,支持引导发展绿色、有机种植,进一步提高柠檬优质果率、柠檬果品等级和商品价值,促进柠檬种植经济效益明显提高。全力推广"深沟高厢、肥水一体化"新型栽培模式,组建县、乡、村三位一体技术推广队伍,运用信息化手段推广先进种植技术。采取集中培训与分散培训相结合的方式,不断扩宽培训面、提升培训效果,坚决守好柠檬生产技术专业培训"阵地",推动果农全面掌握先进适用科学技术。坚持从源头入手,加大优质品种选育和引进,规避因单一品种生产造成的病虫害、市场淘汰等风险。实施品质改良计划,加快建设品种繁育母本园和苗木繁育基地,推广适销对路、熟期合理、品质优良、具有市场竞争力的品种,推动柠檬产业整体提质增效。

二、突出丰富产品层次,推动柠檬加工方式由初级低档向精深高端转变

推进农业供给侧结构性改革,满足"味蕾"上的多样需求是根本。近年来,安岳县已生产开发柠檬油、柠檬茶、柠檬面膜、柠檬干片、柠檬饮料等系列产品 30 余个,年加工能力达 20 余万吨。但是,柠檬加工方式多为初加工,这种生产方式降低了安岳柠檬系列产品的市场竞争力,面对消费者对柠檬消费品向高端产品需求转变的趋势,必须走精深加工的道路才有出路。为此,安岳县拓展视野、放开眼光,进一步加大招商引资力度,千方百计招大引强,引进国内外大型柠檬精深加工龙头企业,建成国际一流的柠檬加工企业集团,做好柠檬精深加工配套,带动柠檬产业全面发展。规划整合中小企业,坚持以绿色生态环保、资源高效利用、提高生产效率为目标,针对环境污染严重和加工产品品质不高等问题,充分考虑环境容量、交通区位等条件,统一选址建设柠檬加工园区,有效净化柠檬加工中小企业生产环境,改善柠檬加工产品质量,进一步推动柠檬产品"绿色化"。推进龙头企业健康发展,培育扶持安德利集团积极实施技术改造项目,引进新的生产线,高端切入研发新产品,提高企业对柠檬产品"一桶装"的能力,力促在加工柠檬精油、柠檬果胶及柠檬黄酮提取等方面实现新突破、新进展。通过资产重组盘活四川华通柠檬厂房、设备、专利权、商标权等资产,促进生产资源有效利用,推动产业实现优化升级。

三、突出抓好产品创新,推动柠檬科研方式由自主研发向多方联合攻关转变

推进农业供给侧结构性改革,强化农业科技创新是基础。近年

来，安岳县先后完成数十项柠檬科技攻关项目，获得部、省级科技成果4项，制定了《柠檬》国家标准和5项四川省地方标准。为推进安岳柠檬搭乘"一带一路"春风，跨出国门、走向世界，安岳县依托中国农科院、中国农业大学、南京农业大学、西南大学等科研院校，着力搭建科研平台，突出科技攻关，强化推广应用科技研发，规划建设柠檬科研实验室，加快建设中国柠檬研发中心；坚持科技需求、合作共赢导向，加强与阿根廷、美国、意大利等国家柠檬科研机构和生产企业的沟通协作，重点加强在病虫害防治、黄脉病攻克、产品研发等领域的技术合作与人才交流，推动技术引进消化吸收再创新。聘请一批专业性强、权威性高、辅助性好的高校学者和科研专家，建立综合性的专家库，充分发挥专家"外脑"作用，有效弥补柠檬产业发展中专业化程度不足的"短板"；创新科技人才引进培养机制，培育一批科技创新团队，提升产业科技研发能力；培育一批"技术员+土专家"团队，充分挖掘实践性专业人才，夯实安岳柠檬科技研发、技术服务基础。探索建立新型农业科技创新组织，加大财政科技投入，成立专门用于柠檬生产研究的科研基金，建立技术创新长效激励机制，鼓励引导科研人员全身心投入科技创新事业；鼓励引导社会资本投入柠檬产业创新研发，不断提升柠檬生产科技含量。

四、突出创响产品品牌，推动柠檬品牌宣传由平面展示向立体推介转变

推进农业供给侧结构性改革，创响品牌抓住市场是关键。近年来，安岳县实施品牌引领战略，运用广播、电视、报纸、网站等各类媒体加大安岳柠檬品牌的宣传推广力度，全面展示安岳柠檬品种、品质和品牌形象，扩大了安岳柠檬的知名度。但是，这种平面展示尚未形成强大的推广力和影响力。为此，安岳县积极组团参加特色农产品展览、展销、农产品交易会，全方位、多角度、立体式宣传推介安岳柠檬，已先后荣获国际博览会金奖、中华名果、绿色食品、地理标志产品、中国驰名商标，安岳县创建成为国家级出口柠檬质量安全示范区等，在此基础上积极申报出口国商标以及国际商标等，提升安岳柠檬的国际知名度。与华铁传媒合作，先后争取将往返于成都和北京之间的K1364/K1363号和K818/K817次列车命名为"中国柠檬之都号"，众多消费者在列车上与安岳柠檬产品零距离接触。同时，以安岳为取景地之一的电影《柠檬》在全国热播，通过在旅游卫视播放50集大型系列科普节目《柠檬来了》、中央电视台播放《遇见·行走的柠檬》大力宣传安岳柠檬，扩大了安岳城市品牌和柠檬产业的品牌效应。鼓励和引导企业培育名、优、特、新柠檬产品，积极开展绿色、有机食品认证，争创国家级名品名牌，将"安岳柠檬"打造为国际品牌并作为全省第一个农产品在天津渤海交易所挂牌上市，安岳柠檬区域品牌价值超过170亿元，进入初级农产品类地理标志产品全国10强。注重在城市建设中融入柠檬元素，柠都广场、柠都大酒店、柠都大道、柠檬小镇等标志性建筑相继建成或进入规划建设阶段；大力开发柠檬特色餐饮，柠檬鸡豆花、"柠檬宴"等相继获得"中国名菜""四川名宴"等荣誉；种柠檬树、赏柠檬花、品柠檬茶、吃柠檬宴、饮柠檬酒等柠檬生态旅游魅力凸显，形成了独树一帜的柠檬文化体系。

五、突出拓展产品市场，推动柠檬营销方式由单兵突击向抱团发展转变

推进农业供给侧结构性改革，畅通农产品供应渠道是保障。安岳县现有柠檬销售产业企业（经销商）100余家，其中具备自营出口资质的企业9家；县外安岳籍柠檬经销商达3000余人。营销队伍数量庞大但是多为单兵作战，没有形成整体效应，更多的是相互间恶性竞争。为此，安岳县着力整合营销体系，放大"中国柠檬之都"的品牌知名度和影响力，树立"抱团发展"理念，整合安岳柠檬营销队伍，立足中国、放眼世界，把工作重点从"拓宽销售渠道、抢占中低端市场"向"规范销售管理、产销高端产品、拓宽高端市场"转变，促进安岳柠檬营销水平持续提升。加快建设中国柠檬交易中心，依托柠檬生产优势，有效衔接一二三产业，通过培育壮大流通主体、强化产销信息服务、推广公平交易方式、加强营销基础设施建设，加快建立柠檬交易中心、物流中心、交易平台、信息中心，逐步建立柠檬产地交易市场，真正掌握柠檬市场的话语权、定价权。全力推进柠檬电商发展，依托全国电子商务进农村综合示范项目，实施安岳柠檬网等行业垂直平台升级改造，建成安岳县电子商务服务中心，与阿里巴巴合作实施"农村淘宝"项目，与苏宁云商合作建设"安岳特产馆"，企业和个人纷纷与京东商城、天猫、邮乐网等知名平台合作开设柠檬特色产品网店。2016年，全县以柠檬鲜果及加工产品为主的电商交易额超过180亿元，成渝中部最具影响力的西部特产电子商务交易中心初具雏形，安岳柠檬"网上自贸区"打造全力推进。

深化农业农村改革 助推精准扶贫

原中共甘孜藏族自治州委常委　杨　凯

2016年，甘孜州在泸定县召开了农业产业发展暨精准扶贫工作推进会，主要任务是深入贯彻落实州委农村工作会议、全州脱贫攻坚大会精神，认真总结农业产业发展、精准扶贫工作经验，分析当前面临的形势和问题，安排部署全州农业产业发展暨精准扶贫工作。

近年来，泸定县落实州委州政府东部率先发展的要求，发展农业产业特别是高半山产业扶贫工作卓有成效，村寨一年变一个样，贫困群众增收显著。这些成绩与县、乡各级干部的辛勤付出是密不可分的。泸定县的好经验、好做法可供兄弟县（市）学习借鉴。

一、深化农业农村改革，激发活力

2015年9月，全省加快转变农业发展方式暨农业农村重大项目建设现场会召开，提出要紧紧围绕发展多种形式适度规模经营这个核心，牢牢把握构建现代农业经营体系、生产体系、产业体系这个重点，加快转变农业发展方式，着力推动农业实现"由小规模经营向适度规模经营转变，由单纯依靠耕地向综合利用资源转变，由粗放型向资源节约环境友好型转变，由要素驱动为主向科技创新驱动为主转变，由自我发展为主向全面开放合作转变"五个转变。要实现这一目标，深入推进农业农村改革是根本前提，特别是脱贫攻坚战略的提出使加快农村改革进程显得尤为迫切。为此，一要扎实推进土地（草地）确权登记工作。要严格按照省上的统一部署，抓紧开展航拍、外业作业招标、信息平台建设等重点工作，明确时间节点，确保如期完成目标任务。这是增加全州农牧民财产性收入的重要前置条件，也是下一步金融资本、社会资本投向农牧区的"药引子"，各县（市）及主管职能部门务必要高度重视，将其作为一项"硬任务"，加力加劲加以推进。二要大力创新农牧业经营机制。要大力培育新型农业经营主体，采取租赁、转包、入股、托管等方式促进土地（草场、林地）向专业大户流转、资源向家庭农（牧）场聚集，形成适度规模经营。要建立完善利益联结机制，使农牧民获得土地租金、务工报酬、入股分红等多种形式收益,提升带动农牧民增收的力度。三要认真思谋发展集体经济。集体经济是贫困村"摘帽"的一项重要指标,对于全州绝大多数行政村来说基本还是一片空白。各县(市)各部门要深入研究政策,采取行之有效的举措破解这一难题。前段时间调研发现,一些县将集体经济简单认同为搞几个合作社,提留一些资金,这显然有失偏颇。实际上,目前已经有一些可以发展集体经济的载体。前几年一些村采取"一事一议"方式组织村民实施民生项目,留存有部分资金,可以与集体经济挂上钩;拓展村活动室功能,承接村上的红白喜事,也可带来集体经济收益;将配备的自动炒青稞机交由贫困户经营,支付适当报酬,其余收入也可纳入集体经济等等。

二、抓实金融专项扶贫,增添动力

市场经济条件下,离开金融寸步难行。脱贫奔康五年倒计时,时间紧、任务重,不能眼巴巴地指望财政资金,固守"等米下锅"的惯性思维。特别是农牧业产业发展需要一定的周期,更是宜早不宜迟,宜快不宜慢。必须解决好一个问题——"钱从哪里来?"发挥财政资金的撬动作用,引导金融资本、社会资本投向"三农"是下一步农业农村发展的一个主攻方向。"巧妇难为无米之炊"。没有银子,再好的想法都只能是镜花水月、黄粱一梦。结合全州实际,一要在金融创新上下功夫。国务院总理李克强强调:"民族地区的存款,要主要用于民族地区发展。"作为"10+N"专项扶贫的重要组成部分,金融扶贫在脱贫攻坚中占据不可或缺的地位。州政府金融办、州财政局、人行甘孜支行等部门要履行职能,根据财政金融专项扶贫的总体部署,结合深化农村改革的要求,提早出台涉及农村土地、宅基地、房屋等抵押融资的相关政策,制定具有操作性的实施细则;各县(市)各职能部门要研究政策性农业信贷担保体系建设,建立涉农信贷担保、财政贴息等机制,设立担保基金、分险基金,争取各政策性银行、商业银行增加对全州涉农领域的授信额度,加大对信贷投放力度;要鼓励引导驻州银行机构参与脱贫攻坚,围绕个人信用、预期收益等创新金融产品,为农牧产业发展提供高效、便捷、低成本的融资服务。要通过财政存款这个"砝码",对金融机构进行激励,向工作力度大、成效好的银行进行倾斜。"诚是开山斧,信是做人金",各县(市)要加强诚信体系建设,增强各银行机构放贷的信心。二要在农业保险上求突破。针对全州灾多、灾频、灾重的现实,要增强风险意识、保险意识,着力扩大农业保险覆盖面和参保率。2016年2月康定市暴雪,羊肚菌种植大棚大面积垮塌,给种植户带来了不小的经济损失,尽管群众有投保的强烈愿望,但却没有接单的保险公司。主管部门要高度重视这一问题,下大力气抓好特色农牧业保险,督促州内各保险公司认真研究,确保今年落实落地,绝不能因为保险跟进不力而挫伤广大种植户的积极性。

三、科学规划产业发展,汇聚合力

产业要发展,规划须先行。发展高原现代特色生态农牧业,要结合本地资源禀赋,准确定位,着眼长远,科学规划,而不能一时心血来潮,拍拍脑袋做决定。州委州政府把农牧业作为产业富民战略的重要组成部分,提出了"一圈一带一走廊"区域布局,"山顶戴帽子、山腰挣票子、山下饱肚子"立体布局以及打造"两个百万亩"特色产业基地的工作目标,各县(市)要深化县情认识,在这个总体框架下,选择适合本地的产业发展之路,要把握好四个重点环节,精心做好产业发展规划。一要遵循绿色发展的道路。立足国家对全州的功能定位,必须秉持"生态经济发展,绿色产业富民"的理念,突出甘孜州农牧业绿色、有机、无污染的最大优势,科学编制可持续性发展的产业规划,扎实推动传统农牧业向现代农牧业转变。在食品安全日益严峻的今天,要让广大消费者坚信,"最后的香格里拉"可以生产出绿色、有机、无污染的农产品,"圣洁甘孜"的食材能够彻底打消"舌尖上的安全"的担忧。二要坚持因地制宜的原则。要立足本地光热、海拔、气候、土壤等条件,选择适宜本地的农牧产业,结合脱贫攻坚的时间节点,科学编制县域农牧产业规划。要抓大不放小,既要搞好面上的规划,也要注重点上的打造。近几年,部分新村、移民安置点产业配套还存在诸多问题。有的一门心思放在风貌打造上,群众可以住上好房子,但远不能过上好日子;有的欠缺产村相融的理念,就绿化而绿化,在村寨种树种草,但树种、草种仅有观赏价值,没有经济效益;把新村建成"园林",丢失了农村的风味;有的村落青山环抱、绿草簇拥,却在周边铲些草皮来搞村中的绿化带,实则画蛇添足、挖肉补疮。三要把握突出重点的要求。未来五年,脱贫攻坚是重大政治任务,产业扶贫要紧紧围绕年度脱贫计划来规划实施。要紧紧围绕今年281个贫困村"摘帽",7950户贫困户、3.2275万名贫困人口脱贫任务,深入分析致贫原因,因户施策,纳入相应产业扶贫范围;要提高工作前瞻性,使产业规划与脱贫规划有效对接,综合考虑农牧业生产的周期性,科学布局谋划,保障在2020年这个最后时限前产生效益,确保全面完成脱贫奔康的使命。要充分借助国家机关和企业定点扶贫、广东省东西扶贫协作、浙江省经贸合作、省内"7+20"和省级部门定点帮扶等平台,整合援建资金要有取舍,用在国家有明确项目支持的领域,重点投向产业发展。

四、提升对接市场能力,精准发力

市场经济条件下,发展产业必须遵循市场规律。对于全州而言,市场对接能力弱是最大的短板,也是制约农牧业经营扩大规模的主要"瓶颈"。前些年,部分县(市)做了积极探索,但往往是稍微有点规模产品就出现滞销,反复之下又回到了"小而全、杂而散"的老路上。究其原因,关键在于对接不上市场,没有找准消费群体。结合全州当前的实际情况,要重点抓住三大机遇。一是"送上门"的机遇要把握。当前,随着全域旅游的纵深推进,前来旅游的游客络绎不绝,为农牧民就近就业、农产品就地销售创造了条件。要坚持"农旅结合、以旅促农"的思路,做到"新村围绕旅游建,产业围绕旅游转,产品围绕游客变",推动农牧业产业结构调整,适应发展旅游的需求,有效带动农牧民增收。同时,"两江一河"水电开发如火如荼,庞大的建设队伍长期驻州,这也是很大的一个市场。我们要为大多数人谋利,绝不能为个别人代言,眼光不能局限在买车搞运输上,买得起车的毕竟是少数,多数群众增收还得依靠农牧业支撑。要加强与驻州开发企业的对接,围绕需求发展订单农牧业,为本地农产品打开销路。为推动贫困人口脱贫奔康,乡(镇)党委书记、乡(镇)长要当好不拿钱的"包工头",县(市)党委、政府分管领导要争做不谋利的"经销商"。二是"走出去"的机遇要珍视。酒好也怕巷子深。开拓市场要有"走出去"的勇气,各县(市)党委、政府要鼓励支持本地企业出去闯一闯,提供好相关资讯及联系协调服务,帮助企业做大做强。特别要珍视成都市对口帮扶的载体,主动争取援建方的帮助支持,有序组织州内农产品外销。要增强开放意识,在州委州政府以及相关部门的统一组织下,积极参展西博会、农博会,精心包装推介自己的产品,寻求更广阔的市场,谋求进一步的发展。三是"新业态"的机遇要发掘。随着电子商务的兴起,我国物流产业取得了突飞猛进的发展,"足不出户"做生意已成为现实。结合全州实际,电子商务拥有良好的前景,少数龙头企业的"试水"也取得了一定成效。各县(市)

各职能部门要加强政策引导扶持,鼓励涉农企业积极发展电子商务,着力通过互联网、物联网进一步延伸销售网络,增加市场份额。

着力"四好村"创建 助力脱贫攻坚

中共凉山彝族自治州委副书记、州直工委书记 陈忠义

2014年3月,自省委书记王东明在凉山州提出以"住上好房子、过上好日子、养成好习惯、形成好风气"为目标,加快幸福美丽新村建设以来,凉山州把"四好村"创建作为统筹"三农"工作的总抓手、着力脱贫攻坚的总载体,将群众工作贯穿全程,从家庭抓起,由"户"及"村",由"物"及"人"。在创建过程中,昭觉县、德昌县探索出的"3579"和"13344"工作模式在全州推广,为打赢脱贫攻坚战提供了有力支撑。

一、坚持问题导向

凉山州"一步跨千年",从奴隶社会直接进入社会主义社会,由于历史、自然、社会发展等原因,成为国家连片扶贫开发工作重点地区,农村设施薄弱、发展滞后、贫困面大、贫困程度深,贫困村占全州行政村总数的55.3%。产业支撑不强、融合度低、农民增收困难,全州贫困发生率11.3%。群众观念陈旧,存在"等、靠、要"思想,自主发展动力不足,健康文明生活方式尚未养成,厚葬薄养、高额婚嫁礼金、铺张浪费等问题影响和制约了脱贫攻坚。

二、主要做法及成效

目前,全州累计创建省级"四好村"76个、州级"四好村"419个,建成新村新寨3178个,33.05万户、130余万名村民入住幸福美丽家园,确保了2016年454个贫困村退出、11.35万人脱贫,取得了脱贫攻坚首战的胜利。

(一)把"既打攻坚战、又打持久战"作为工作导向,建立健全一套"四好"创建机制

树立"好房子、好日子"突击攻坚,"好习惯、好风气"持续发力的思想,州、县(市)分别成立以分管"三农"、脱贫攻坚和宣传工作的领导为组长、副组长,53个部门为成员的创建工作领导小组,增加编制、落实专人,在农工委(办)设立创建办,同时把创建工作纳入州考核县(市)脱贫攻坚工作的重要内容,占总分值的3%。设立教育扶贫基金、卫生扶贫基金、贫困村产业扶持基金和扶贫小额信贷分险基金。州委农工委等13个州级部门与《凉山日报》主办"寻找最美乡村,助推'四好'家庭创建"活动,评选出综合类幸福美丽新村11个、单项类13个;与凉山广播电视台合作推选出标杆户20户;在平面媒体、广播电视等显要位置开设专栏,宣传报道决策动态、典型经验、鲜活故事。

(二)把"关键在老乡、重点在激励"作为基本取向,突出"两大环节"从"四好家庭"抓起

在激发村民动力上想办法,把创建标准制定、达标评选两个重点环节交给村民、交给基层,由10户村民推选代表,结合身边事揭短亮丑,发扬好家风,讨论制定"四好"家庭创建标准,编成"三字经""四字语",亮家规、晒古训,州、县(市)部门与媒体组织村"两委"负责人、村民代表举办乡村坝坝会,互议共商、形成共识,再把村民普遍认可、乐于遵守的村规民约与"四好"要求结合起来制定创建标准,把村民心中的"标准"汇聚成共同的行动。推行"四好"星级综合评定,村推选、乡(镇)评、县(市)定创建户"每一个好"加星、摘星动态,"四好"都达到五星标准的即为"四好"家庭创建户。驻村帮扶部门奖励创建成效显著的建档立卡贫困户,金融部门把州级"四好村"农户优先纳入诚信户并给予信贷支持。在全面开展"四好"家庭创建的基础上,州上出台"四好村"创建实施方案,力争到2020年全州80%以上的村建成州级"四好村",60%以上的村达到省级标准。

(三)把"好房子、好日子"作为首要任务,着力攻坚"建房、修路、育产业"三大重点

力戒形式主义、走过场,从物质奔康、物质脱贫入手,让村民感受到"实惠的政策""实在的动作"。把住房安全作为重要标志、道路通达作为重要前提,2016年,全州建成新村新寨576个、涉及65007户,实施农村危房改造24760户、易地扶贫搬迁12259户,硬化通乡公路522千米、通村公路1500千米。内抓产业、外抓就业,把产业培育作为核心支撑,不断做大烟、桑、果、菜、花、畜等十大特色产业基地,实施"1+X"林业生态产业三年大会战,因地制宜发展果、薯、蔬、草、药增收产业,力争5年实现农民人均林业收入达4000元以上、农牧业收入达5000元以上。实施"大凉山"特色农产品品牌进城示范点建设,建立体验销售中心,建成"大凉山"电子商务园区,加大品牌营销力度,多数"大凉山"特色农产品卖价高于普通农产品。推进国有资本进农业,与省国投等组建国源农业投资公司,州、县(市)成立农投公司,搭建产业联盟平台,推进产业互动融合。用好用活产业扶持周转金、特色产业发展扶贫资金,实施发展集体经济、强村富民"四年行动",61%的村初步解决了集体经济"空壳"问题。借力东西劳务协作,围绕素质技能、市场声誉,广范围、宽领域育主体,加强农民外出务工技能培训,开拓输出市场,2016年,全州转移输出农村劳动力121.6万人,实现劳务收入187亿元。

(四)把"好习惯、好风气"作为治本之策,大力实施移风易俗和环境整治

紧紧围绕卫生、生活、勤劳、自律"四大习惯",实施"三建四改五洗"。把"健康凉山"作为战略之举,深入推进"禁毒战争",向重点乡(镇)派驻专职副书记180名、艾防计生专职副书记100名。落实"十免四补助"医疗救助政策,免费体检建档31.62万人,贫困人口住院医疗自付费用控制在10%以内。抓贫困地区生育秩序整治,彝区县出生人口中4孩及以上比例下降到15%以内。把教育作为治本之策,全面启动15年免费教育;实施"全面薄改""教育振兴计划"等项目2083个;开办"一村一幼"3060个,招收幼儿11万人。深化城乡环境综合治理向乡(镇)、村延伸,大整治、大清理"脏乱差"问题。紧扣实干、文明、守法"三大新风",深入开展健康文明新生活、依法治村、"走基层"、"百里长廊党建示范带"活动。突出感恩奋进、改变观念、普及科技,开展干部讲政策、专家讲技术、群众讲心得培训交流活动,创新开办"农民夜校"3744所,参训群众30.87万人。开展"高价婚姻"等专项整治,成立彝俗会、红白喜事会等民间组织,引导群众树立新观念,破除"等、靠、要",摆脱"贫困宿命",积极争当"四好家庭",踊跃争创"四好村"。

三、几点启示

第一,"四好"创建必须充分发挥村"两委"的主导作用。"四好"创建,主体是农民,关键在支部。只有村"两委"因势利导、主动作为、真抓真干,才能把人心凝聚起来,把村民组织起来,将各项创建工作落到实处。

第二,"四好"创建必须调动和激发村民的主体作用。村民是"四好"创建的参与者和受益者,只有把村民的积极性调动起来、激发出来,实现村民自我管理、自我约束,才能产生巨大的内生动力,推动创建工作取得实效、成为常态。

第三,"四好"创建必须切中要害、富有特色。每个村情况不同,特点各异,各村在创建中要围绕"四好"主攻方向找准存在的问题,"精准"施策,采取简便易行、针对性强的创建举措,才能确保创建工作、不走过场,取得真正实效。

第四,"四好"创建必须持续推进,久久为功。"四好"创建只有起点、没有终点,只有更好、没有最好。各村要制定长期创建规划,建立长效化常态化创建机制,持续不断深入推进,才能积小胜为大胜、聚小绩为大成效。

破解农业发展难题 加快建设"富美金堂"

中共金堂县委书记　金　城

"十三五"时期是统筹推进农业农村改革、加快推进农业现代化的攻坚时期,是实现第一个一百年奋斗目标和全面建成小康社会的决胜时期,是经济社会发展全面转型的关键时期。本文将分析金堂县当前现代农业发展中存在的问题,结合各级发展政策,梳理金堂县未来现代农业的发展方向,补强在"四化同步"中的短板。

一、主要问题

(一)产业化、信息化总体水平偏低

一是特色化产业不够精致。金堂县是成都市远郊丘区农业大县,虽然近年来积极实施都市现代农业战略,产业体量大,但部分产业在特色化上不够精致,缺乏全国性竞争力。二是现代化水平有差距。积极发展农业物联网、电子商务、智慧动监等,但农业产业总体上仍处于小规模、自给式、家庭式向集约式经济型、现代化转型时期,科技化、信息化、设施化水平还不高。三是融合发展力度不够。全县虽然在生产环节努力提高农业资源利用率,获得全国食用菌十大生产基地县、全省现代农业(畜牧业)重点县、伏季水果牵头县、生猪调出大县、全国绿化先进模范县等称号,建成105个现代农业示范园区,但在农产品加工、一三产业互动等环节发展不够充分,农业项目建设用地指标严重不足,政府拆迁安置成本较高,农业休闲、体验功能开发不足。

(二)标准化、品牌化发展不足

金堂县虽然被评为国家农产品质量安全县、国家级出口农产品质量安全示范区和全国绿色食品原料(脐橙)标准化生产基地县,"三品一标"认证面积占耕地总面积的68%,开发品牌产品66个,但是全县农业生态环境、耕地质量在一定范围内还在持续恶化;标准化品牌化政策扶持准入门槛高、局限性大,企业用标和品牌建设意识不强、市场竞争力薄弱,加之国家、省、市缺乏严格的行业准入标准和监管措施,挫伤了成长型企业的积极性。

(三)社会化、组织化支撑不强

经营主体发展水平总体不高。全县虽已发展农业专业合作社900余家、家庭农场300余家,土地适度规模经营率达57%,但是相当一部分的新型农村集体经济组织发育不充分,专业化生产、规模化经营能力较弱,对农产品电子商务、农超对接等新型流通业态把握不足,农业科技、金融保险、农资配送、农机租赁等社会化服务能力较弱,"生产全托管、服务大包干"的全程社会化服务体系还有待完善。

(四)资本化、市场化程度不高

全县虽然着力推动"农贷通"等农村金融产品创新,实施财产性收入改革、集体林权制度改革、农村产权抵押贷款,探索推出信用贷产品,开展蔬菜、生猪等产量和价格指数保险,但是农业经济贷款难、担保难等问题仍未普遍解决,农业全产业链发展过程中社会资本的参与和分享程度还不高,资本市场尚未全面打开。

二、发展机遇

一是"三农"政策结构性扶持力度加大,政策环境持续向好,将极大地促进农村快速发展、农业提质增效、农民增收致富。二是随着农业供给侧结构性改革的深入推进,更加强调一二三次产业融合发展,将为农业内部结构调整、产品质量提升、功能拓展、综合效益提高注入强劲动力。三是农业对外开放格局加速形成。成都市以建设国家中心城市为目标,建设国际性区域航空、铁路和国家区域性高速公路枢纽,深入实施"蓉欧+"等一系列战略,将为成都农业"走出去"提供更广阔的空间,为先进资源"引进来"提供更开放的市场环境。四是创新创业发展进入快车道。"十三五"期间,成都市将迎来创新创业的高速发展阶段,"互联网+农业"的新兴业态将加速形成,农民工返乡创业政策支持力度加大,基础设施和创业服务体系更加完善,农村农业成为创新创业的重要阵地。五是统筹城乡发展进程全面深化。成都市作为全国统筹城乡综合配套改革试验区和全国第二批农村改革试验区,将迎来全面深化城乡综合配套改革的新阶段,必将进一步激发农村创新创业活力,释放发展潜力,助力农业和农村发展。

三、发展思路

全面落实中央"四个全面"战略布局、省委"三大发展战略"、市委"改革创新、转型升级"战略和全县"农业固本"战略,以"创新、协调、绿色、开放、共享"五大理念谋划农业农村发展,用抓工业的理念抓农业,用信息化改造提升传统农业,加快构建农业与二三产业融合发展的现代产业体系,全面提升农业社会化组织化、标准化品牌化、产业化信息化、资本化市场化水平,力争与成都同步、在全国率先基本实现农业现代化,为全县全面建成小康社会、成都近郊休闲旅游目的地和"成都后花园",加快构建成都国家中心城市东北门户城市,建设"富美金堂"打下坚实基础。

(一)深化供给侧结构性改革,不断提升产业化、信息化水平

一是依托重大政府性投资项目建设提升"4+N"特、经、粮产业发展体系,解决"种什么地"问题。依托都市现代农业示范基地、成都市菜粮基地高标准农田建设、全省现代农业重点县、全省现代畜牧业重点县、全省现代林业重点县等项目建设,进一步促进"4+N"产业发展体系提质增效,促进现代农业集约化、特色化发展,实现"人无我有、人有我优"。力争到2020年,全县实现食用菌产量60万吨、蔬菜产量200万吨、水果产量50万吨,建成万亩蔬菜、水果、食用菌、粮油示范园区100余个,打造"中国菌城"、全省80万亩常年保障性蔬菜基地、40万只金堂黑山羊产业基地、成都市万亩油橄榄产业核心示范区,争创水果综合效益全市第一位,围绕龙泉山城市森林公园等省、市重点项目策划包装亿元以上重大项目。

二是突出发展创新高效农业,提升信息化、智能化、设施化水平,解决"地如何种"问题。"把握产业高端,发展高端产业",深化与中国柑桔研究所、省农科院、市农林科学院等科研院所的院县合作,搭

建农业“双创”平台，加强农林科技成果转化，大力发展现代高端种业、智慧农业、设施农业；深化“互联网+”现代农业，以物联网、云计算、大数据等信息技术应用为重点，着力完善智能化信息设施，加快构建新型信息化服务体系，整村覆盖，成规模全产业链推动“智慧农业”建设，全面支撑和引领成都都市现代农业领先发展。力争到2020年，全县高端种植业占农业总产值的比重达到15%；建成市级农业信息化示范基地6个以上、“智慧农业”示范区3个以上，培育农业信息员1000名以上；设施农业面积稳定在10万亩以上。

三是促进一二三产业融合发展，健全农业产业链条，解决“种地效益”问题。按照一二联动、一三互动、产村融合发展思路，加快发展农产品加工业，着力建设农产品加工物流园区，引进和培育农产品初加工、精深加工企业；打造“互联网+休闲农业和乡村旅游”，提升发展休闲观光农业、休闲体验农业、生态度假旅游等业态；全面开展“四好村”省、市、县三级同建同创活动，力争到2020年，全县建成净菜处理中心10个、蔬菜冷藏气调库20个、蔬菜脱水生产基地3个、食用菌集中规模制袋生产基地20个、菌渣加工企业3家、粮油加工基地3个；打造玉皇养生谷、金堂山、云顶山、观音山等高端山地养生和运动休闲旅游产品，提升九龙长湖与云顶石城景区景观面积5000亩，常年举办菌博会、油橄榄节、赏花类节会等农旅节会活动；所有村（社区）建成市级“四好村”、80%以上的村（社区）建成省级“四好村”，实现“富”与“美”融合发展。

（二）落实绿色发展战略，加快标准化、品牌化发展

一是推进生产、加工、销售全产业链标准化建设，把牢“市场准入”门槛。加强标准化基地建设，实施农药、化肥“零增长”行动，按照“一控两减三基本”原则稳步提升耕地质量，推进标准化种养园区建设，强化产地环境管理；加强标准化生产管理，组织标准化生产，完善标准体系，健全农业化学投入品控制体系和出口农产品质量安全可追溯体系；支持标准化认证，按照“一控两减三基本”要求，鼓励生产企业开展标准认证，开展标准化生产基地和标准化产品质量认证，打造万亩节水灌溉全国样板。

二是构建天府品牌“金堂造”农产品体系，解决“产品出路”问题。把握成都市“对外开放”战略机遇，充分利用国家农产品质量安全示范县等名片，依托国家地理标志产品，打造一批产地品牌，支持发展一批企业自主品牌，鼓励主导产业协会组织业内企业抱团打造系列品牌。鼓励支持符合条件的农业企业积极拓展国外市场、参加展会活动，拓展市场渠道，加强出口营销。

三是加快生态文明建设，发展立体循环农业，解决“环境污染”问题。引导农业转型升级调结构，推进质量兴农，增加绿色优质农产品供给，推广林下种植、种养循环等模式，建设10万亩“种养结合、绿色发展、三产融合”示范区，推广“林—菜”“林—菌”“林—药”林下经济模式1万亩以上，发展“林—草—畜”“林+鸡”等林下种植模式75万头（只），争创蔬菜类国家出口食品农产品质量安全示范区。落实大规模“绿化兴川”行动，建设区域森林生态体系、“五山四湖五湿地”、“三湖一山”龙泉山城市森林公园金堂片、水生物保护与示范区，筑牢沱江上游生态安全屏障和成都东北门户绿色生态屏障。

（三）探索政企农利益联结机制，提升社会化、组织化程度

一是健全农业社会服务，细化分工协作，丰富农村业态。围绕“生产全托管、服务大包干”的全程社会化服务体系建设思路，在农业生产产前、产中、产后，种子、技术、培训，科研、环保、营销等各个环节建立农业合作社和社会化服务组织，细化分工协作，着力构建以农业技术推广机构为主导、公共服务机构为依托、专业合作经济组织为基础、龙头企业为骨干、其他社会力量为补充，公益性服务和经营性服务相结合，专项服务和综合服务相协调的农业社会化服务体系。

二是扶优培强新型农业经营主体，提升组织化程度，化解种地风险。通过政策扶持、技术服务、金融服务、成立行业协会等措施全方位帮助企业做大做强。积极推广普及“龙头企业（公司）+专合组织+家庭适度规模经营（农户）”“园区（基地）+专合组织+家庭适度规模经营”“龙头企业（公司）+村集体经济组织+农户”等经营模式，探索推广采取“三入股、三分红”“订单生产”“二次返利”“保底收益+按股分红”等方式让农户分享加工、销售环节收益，增强企农利益联结，提高农户风险抵抗能力。

（四）盘活农村资源市场，提高资本化、市场化水平

一是推动农业农村投融资机制创新。引导和鼓励社会资本参与农业产前、产中、产后全过程，构建与城乡一体化进程相适应的多元化、多层次的农村金融服务体系。发展多种形式的农村金融机构，鼓励支持金融机构向农村延伸分支机构和服务网点，推进“农贷通”，探索推广农业职业经理人信用贷款，借力农村集体资产股份化改革支持开展农业企业和集体资产股权抵押融资；完善风险分担机制，健全政府扶持、多方参与、市场运作的信贷担保机制，设立针对农户和农村中小企业的多种抵押贷款担保组织和基金；健全政策性农业保险制度，试点开展农业产业工人保险补贴等，推进农村市场资本化运作、市场化运营。

二是推进农村产权制度改革。深入推进农民财产性收入试点改革、农村小型水利工程改革等试点。加快建立现代农村产权制度，深化农村产权确权颁证，完善农村产权登记管理政策体系，健全农村产权管理服务体系，推进农村产权“长久不变”。推进集体资产股份化改革，对农村集体资产进行清产核资和股份量化，将集体资产折股量化到人，促进“资产变股权、农民变股东”。

关于着力打造全省农业农村改革示范区的调研报告

中共荣县县委　荣县人民政府

2016年2月，四川省在成都市、内江市市中区、巴中市巴州区、眉山市彭山区4个地区列入全国第二批农村改革试验区的引领之下，大力发展农村改革综合试验工作，增加了荣县等16个县（市、区）为全省农村改革综合试验区。荣县按照“接续试点、全面探索、重点突破”的思路，从农村集体产权制度、构建新型农业经营体系、完善农业支持保护体系、健全城乡发展一体化体制机制、农村基层社会治理、创新扶贫攻坚体制机制6个方面开展试验探索，取得了一定的成效。2月，荣县成立了省农村改革示范区课题推进组，推进组从农村集体产权制度，农业科技人员创新创业，农村基层社会治理，农村土地托管经营，农村养老、幼教，引导集中居住节约集体建设用地等领域进行了调研，形成了如下调研报告。

一、改革目标

围绕“放活土地经营权、盘活农村产权、激活农民收益权”的总体思路，从农村集体产权制度、构建新型农业经营体系、完善农业支持保护体系、健全城乡发展一体化体制机制、农村基层社会治理等方

面进行全面探索，建立起农村产权要素活、经营方式新、增收途径广的农村经济社会发展新形态。

二、基本情况

(一)农村集体产权制度改革推进有序

农村产权确权颁证工作稳步推进，已基本完成新一轮农村土地承包经营权确权工作并通过省级验收；持续开展林权“回头看”工作，成效显著；积极推进“两证一社”试点改革；农村小型水利管理体制改革已完成试点探索；村集体经济改革探索初见成效，完成双石镇金台村经营性资产和资源性资产股权量化到本集体成员改革，成立了村集体资产股份管理公司，初步形成了村集体经济持续增收新机制；在复兴乡、正紫镇、保华镇等乡(镇)试点推进农村土地资源合作社改革；城乡建设用地增减挂钩工作持续稳步推进，确保了年年都有推进项目。

(二)新型农业经营体系构建有力

一是新型农业经营主体发展迅速。全县有农业企业220余家，县级以上龙头企业54家，其中国家级1家(全市唯一一家)、省级11家、市级48家；农民专业合作社416个；家庭农场658个；种养大户8650户；新型职业农民2400余人。

二是新产业新业态茁壮成长。农村电商发展乘势而为，展示荣县农特产品的“川汇味网”于2016年1月正式开通；“供销E站”平台建设积极推进，基层供销社全面恢复重建；邮政服务网络全面覆盖，建成邮政服务网点40个、代理服务点17个、村邮站35个；省级电子商务进农村项目进展有序，建成电商中心形象店3个、镇村站点58个、县城服务店20个，“大农网”和“云平台”用户发展到1500户，全县电商平台交易额过亿元。乡村旅游精品路线初具规模，通过对全县文化资源数据进行摸底，着力打造“佛文化、红色文化、诗书文化、生态休闲文化”四大特色品牌，基本建成荣县—望佳镇绿食佳(瓜果采摘、水上游乐园)—双石镇玉章故居、金台村农民漫画(荣国故事水上乐园、玉章故里红色旅游、温泉度假休闲)—鼎新镇上游水库(特色蔬果走廊采摘体验)、正紫(柑橘采摘)—新桥(枇杷采摘)—金花桫椤谷探秘等10条乡村旅游精品线路。农村文化创意产业逐渐兴起，规划实施了基础设施体系、平台体系、创作体系、运行机制体系四大体系农民漫画工程，举办了2016年四川省第十二届漫画双年展开幕式暨荣县农民漫画系列丛书《泥土的芬芳》出版发行首发式。

(三)农业支持保护体系日趋完善

一是农村金融体制改革创新推进。全县通过不断创新举措、增加品种，深入推进农村金融体制改革，“三农”金融服务体系搭建成效明显。农村产权抵押融资试点取得成功，与农业银行合作推出无抵押融资品种“惠农贷”，信用保证保险贷款试点和小微企业“助保贷”运行稳定，扶贫小额贷款基本完成授信额度，农村资金互助试点组织已挂牌运行。

二是惠农政策全面落实。严格按照省、市要求全面推进农业“三项补贴”合并为“农业支持保护补贴”；惠农政策保险全面推进，提高了财政承担生猪、肉牛、马铃薯、水稻、小麦、玉米等主要农畜产品保险费比率，农户保费不变，政策性保险的惠农力度不断加大。

(四)农村基层社会治理机制探索有力

一是国家级试点项目——农村公共服务运行维护机制标准化建设试点圆满结束，成功探索出县、镇、村三级分层保障机制，总结出“35186”工作法等重要农村基层社会治理工作经验。

二是社区治理机制逐步形成。印发了《关于加强城乡社区协商工作的实施意见》，明确了协商人员的产生办法，规定了协商人员的任期，圈定了主要协商事项，提出了多样协商形式，制定了规范的协商程序，促进了全县农村基层协商民主建设。

(五)扶贫攻坚体制机制不断创新

一是建立扶贫小额信贷机制，支持贫困户发展产业。由县政府向银行注入100万元的风险补偿金，银行承诺按补偿金的10倍作为授信额度，通过成立风控小组对贫困户进行信用评级，按信用等级确定授信额度(2万~5万元)。

二是成功探索财政扶贫资金收益扶贫新机制。在过水镇夜合村与金台生猪养殖专业合作社，铁厂镇山王村、黑观音村与荣县山王茶叶专业合作社试点探索项目资产资金收益扶贫新机制，实现了扶贫项目资金对贫困户的股权量化，通过参股经营、保息分红形成了贫困户长期持续增收新机制。

三、具有的优势

(一)经验优势

荣县先后承担全省增加农民财产性收入、深化城乡建设用地增减挂钩、农村小型水利管理体制、农村产权抵押融资、农村改革综合试验区、农业科技人员创新创业试点县、省级及国家级农村公共服务运行维护机制标准建设等农村改革试点任务，具有扎实的农村改革探索经验。

(二)环境优势

荣县毗邻成都市国家级自贸区——成都市天府新区，具有主打农村改革品牌的区位优势。

(三)资源优势

荣县是全国产粮大县、生猪调出大县，四川省现代农业示范县，四川省现代林业、现代畜牧业重点县，国家农业可持续发展试验示范区创建县，全县自然资源丰富，农业产业基础扎实。

四、存在的困难

(一)财政投入不足

受本级财政支持不足的影响，农村产权确权颁证工作、农村小型水利管理改革、城乡建设用地增减挂钩、农村基础设施建设、科技支农惠农政策落实、基层社会治理等相关改革事项推进比较缓慢，难以撬动改革的特色亮点，释放更多的改革红利。农村产权抵押融资等农村金融体制改革虽然取得了较好的经验，但由于受财政风险补偿金不足的制约，总的授信额度远远不能满足农户生产发展的融资需求。

(二)人才资源不足

“引人难、留人才难”成为制约农村电商发展及其他专业性较强行业改革推进的重要原因；农村养老服务、农村幼儿教育等基层服务类专业人才仍旧缺乏；农村土地流转交易服务中心、纠纷仲裁机构等也由于编制限制推进困难。

(三)权属重叠，细化难度大

由于历史原因，当前农村集体产权制度改革在一定范围内还存在不少的权属重叠现象，且权属细化还很难。例如，部分水库保护范围内土地在20世纪90年代已作为耕地确权给农户，现在若要收回重新确权给水库管理单位难度会很大。

(四)集体资产有限，村集体经济收入难突破

农村集体资产总量小，村均少，积累少，可利用的集体资产有

限，再加上农村经营能力较差，收入来源渠道较窄，全县“空壳村”“空壳社”较多，增加村组集体经济收入难度大，尤其是增加贫困村集体经济收入更加艰难。扶贫项目辐射面小，创新扶贫开发脱贫攻坚体制机制无法真正落实，带动贫困户致富脱贫的监管措施有待探索完善。

（五）集体建设用地盘活受限

通过引导集中居住、深入推进城乡建设用地增减挂钩确实能节约不少的集体建设用地，但一方面受城乡建设用地增减挂钩推进力度的限制，每年实施的项目数量极为有限；另一方面，节约集体建设用地的规划调整受政策因素的制约所需时间往往较长，有些急需用地还难以得到及时保障。

（六）体制障碍突破有限

土地和房屋是农民最大的资产，盘活这两大资产是农村改革取得突破、促进农民增收的重要途径。按照中央和省上的要求，本轮农村综合改革试验区对改革探索中涉及的土地、房屋等敏感领域的改革事项要求谨慎而为。因此，关于积极开展农村土地承包经营权有偿退出试点和宅基地的有偿取得和退出改革还一直处于停滞阶段。

（七）改革经验推广受限

全县改革探索做了不少，也取得了一些颇具影响力的成功经验，但有些成功经验的复制推广还颇受限制。例如，财政生产性项目资金折股量化为农民股份等增加农民财产性收入的成功经验由于受项目管理办法等原因制约还难以得到全面推广；财政风险补偿金撬动银行及保险公司的资本投入“三农”发展机制也受到风险补偿金总量不足的影响，放大效益还远不能满足农户的融资需求。

五、破解措施

（一）持续深化农村集体产权制度改革，破解“增收难”问题

尽快落实资金，全面完成农村土地确权登记颁证工作。整合好财力物力，加快完善县、乡两级土地流转交易平台和县级纠纷仲裁庭建设，加强土地流转管理，推进适度规模经营；积极争取政策，通过试点先行、逐步推广的措施加大农村集体资产股份制改造力度，增加农民财产性收入。积极推进土地承包经营权、林权、农村房屋产权抵押融资，盘活农村产权。加快探索农村土地承包经营权、农房（宅基地）退出机制，形成农民退地、退房后持续稳定的收入保障机制。积极探索增加村级集体经济收入。

（二）用活集体建设用地资源，破解“用地难”问题

持续推行引导集中居住和货币化安置相结合的模式，加大城乡建设用地增减挂钩项目的实施力度，明晰宅基地所有权、占有权、使用权，探索农民异地取得宅基地的实现形式，形成农村宅基地有偿使用和退出机制。积极制定和完善可行性政策，鼓励集体建设用地在法律不禁止的前提下合理调规、科学布局，探索节余建设用地参股发展农村公益事业的实现形式。探索易地扶贫搬迁与挂钩项目结合的程序和方法，用好用活挂钩政策，助推脱贫攻坚，促进幸福美丽新村建设和城乡统筹发展。

（三）深化农村金融体制改革，破解“用钱难”问题

农业农村经济的发展始终离不开大量的财力支持，其中业主自身投资能力总体有限，需要涉农金融的持续有力支持。一方面，要抓住农村产权抵押融资试点经验推广的大好契机，不断完善农村金融体制机制改革，持续增加财政风险补偿金投入，大幅提高金融部门支持农业农村发展的投入力度；另一方面，要积极引入更多金融部门、保险公司，针对当前农村发展的实际需求不断创新融资品种，推出更多切合农村经济发展的服务措施，形成金融支农服务的竞争机制，在风险防控、投入保障和提升服务质量等方面构建起全新的农村金融体制。

（四）加强人才战略，破解“用人难”问题

一方面，加大职业农民的培育力度，加快推进农民职业化，从内生动力上解决农民素质不高的问题；另一方面，梳理不同领域的人才需求空间，加强人才引进和储备，积极出台相关激励政策，吸引更多的专业人才投身农村。同时，把握全省农业科技人员创新创业试点的大好机遇，出台相关政策，加快推进农业科技人员创新创业。

（五）发展壮大村集体经济，破解“空壳村”问题

把握荣县被确定为省级开展扶持村级集体经济发展试点县的机遇，着力探索通过资源开发增收、入股合作带动、借助项目带动、服务创收、盘活资产经营、用活产业周转金六大方式深入推进村集体经济改革，不断发展壮大村集体经济，逐步消除“空壳村”。

（六）完善督查考核机制，破解“推进难”问题

建立和完善农村改革综合试验区督查考核机制，形成“月有进度、季有报告、半年有督查考核”的推进机制，将打造全省农村改革综合示范区作为全县重点工作纳入各责任单位年度目标考核范围，对推进有力、成效显著的给予通报表扬，对推进不力的给予通报批评。

走有机农业之路　建农业品牌强县

中江县人民政府县长　李　霞

“绿水青山就是金山银山”。近年来，中江县加快转变观念，着力变生态优势为发展优势，以特色树品牌、以质量提效益，大力推进农业标准化进程，提高有机农产品质量水平，做大做强有机农业产业，加快创建全国有机产品认证示范县，努力实现由农产品生产大县向农业品牌强县的跨越。

一、优势明显，具备有机产品认证示范县创建基础

中江县位于四川盆地西北部，自然生态环境良好，特色农产品优势突出，随着新型农业生产经营主体不断壮大，农业标准化生产不断深化，中江县创建全国有机产品认证示范县基础不断夯实，优势逐步突显。

（一）自然生态环境良好

中江县介于东经104°26′~105°15′和北纬30°31′~31°17′之间，属亚热带季风性湿润气候，气候温和、四季分明、雨量充沛，年平均气温16.7℃，年平均降水量882.5毫米。全县森林覆盖率达27.78%，辖区内环境大气质量总体达到Ⅰ级，主要江河断面水质达到Ⅲ类以上标准，土壤无重金属污染，通过了无公害农产品基地整体认证，形成了良好的有机产品自然生产环境。

（二）特色农业优势突出

中江县是全国农业大县，粮油、中药材、畜禽、食用菌、蔬菜、水果等特色农产品品质优良。先后荣获“全国粮食生产先进县标兵”“全国食用菌优秀基地县”“全国无公害中药材生产示范基地县”“中国芍药之乡”“全国生猪百强县”等称号。

（三）新型农业生产经营主体不断壮大

全县有市级及以上农业产业化龙头企业32家，其中国家级1家、省级6家；有农民专业合作社516个，其中国家级示范社5个、省

级示范社 11 个、市级示范社 34 个；有家庭农场 31 家，其中省级示范家庭农场 1 家、市级示范家庭农场 2 家。全县农产品加工业优势较为突出，拥有年丰食品、雄健粮油等一批省级以上龙头企业，是"全国食品工业强县"，食品加工业年产值达 40 亿元。

（四）农业标准化基础良好

中江县高度重视农业标准化生产，坚持以农业标准化生产推进农产品品质提升。全县制定地方标准 18 项、农业生产技术规范 40 项，中江丹参、中江白芍生产标准已升格为四川省地方标准。中江生猪标准化示范区被确定为国家级农业标准化示范区，集凤镇被命名为"四川省农业标准化示范乡"（中江白芍），石泉乡被命名为"四川省精品农业标准化示范乡"（中江丹参），中江县天府鹰山水果专业合作社被命名为"四川省精品农业标准化示范区"（优质红杏）。

二、合力推进，有机产业发展迈上快车道

中江县坚持"政府主导、部门联动、园区带动、企业主动、电商促动"，大力推进全国有机产品认证示范县创建，促使有机产业发展迈上快车道。

（一）坚持政府主导，从战略高度推进创建工作

将加快发展有机农业、培育壮大有机产业、创建全国有机产品认证示范县作为全县"三农"工作的重中之重，作为农业提质增效的主抓手。一是规划引领，描绘好路线图。在农业部规划设计研究院的指导下，深入分析县域地理环境、自然资源、社会状况、农业产业发展现状，科学编制了《中江县有机产业五年发展规划（2016—2020）》。计划通过 5 年努力，健全和完善"三大体系"（即有机生物肥料、土壤改良、病虫害生物防治等有机生产技术运用体系，产品可追溯体系，农产品质量检测管理体系），建成 6 个特色有机产业示范园（基地），培育一批有机农产品精深加工龙头企业和有机农产品品牌，形成较为完善的有机产业链。力争到 2020 年，全县有机产业种植面积达 14.5 万亩，占全县农作物总播种面积的 5% 以上；有机农业产值达 15.25 亿元，占全县农业总产值的 10% 以上。二是政策扶持，加大资金投入。出台了有机产业发展的支持政策，对有机生产经营主体申报认证、品牌创建、流转土地等给予奖补，2015—2016 年全县累计发放奖补资金 498 万元；着手研究制定有机基地病虫害有机防控和有机肥料使用等奖补政策。统筹资源配置，整合涉农项目资金 9500 余万元，推进有机产业园区基础设施建设和功能配套，2017—2020 年计划继续投入资金 1.5 亿元。三是加强监管，保障质量水平。制定并落实中江县《有机产品生产管理办法》《有机产业风险防控工作措施》《有机产品定期监测制度》等一系列措施，切实加强有机产品的认证监督和日常管理。建设中江县农产品检测中心和乡（镇）农产品质量监测站，建立农产品溯源制度，监督发证机构落实有机产品基地不通知检查制度、获证单位有机标识使用制度等，确保了有机农产品质量安全。近三年来，全县未发生有机产品认证质量问题和重大食品、农产品质量安全事故。四是宣传培训，营造良好氛围。全县开展有机农业和有机认证培训 5 期，共培训 800 余人次，印制《中江县创建有机产品认证示范县实用手册》和《有机农业和有机认证培训教材》1300 余本。通过中江电视台、中江手机报、乡村广播等方式加强有机农业的宣传报道，在全县营造了创建有机产品认证示范县的良好氛围。

（二）坚持部门联动，形成创建工作强大合力

切实加强组织领导，扎实推进有机产品认证示范县创建工作。一是强化组织推动。成立了以县长任组长，县"四大班子"分管和联系农业领导任副组长，县工商质监局、县农业局、县供销社等 15 个县级部门为成员单位的创建有机产品认证示范县领导小组。领导小组下设办公室，落实了人员、经费，负责综合协调等日常工作。二是强化部门协同。各成员单位各司其职、各尽其责，形成了齐抓共管、协同推进的工作格局，县农业局加强农产品质量监管，加大农资专项检查力度，规范农资经营秩序；县食药监局加强对农产品加工、销售环节的安全监管，积极协助有机产品生产企业申办全国工业产品生产许可证；县工商质监局开展有机认证和有机转换认证企业现场检查，督促获证企业严格按照有机生产标准进行生产、加工和销售；县环保局加强对有机生产基地水源、环境、空气和土壤质量等指标的环保监测工作。

（三）坚持园区带动，夯实有机农业发展基础

以建设中江现代农业产业园和中国芍药生态养生园为载体，以"六大产业"（粮油、中药材、畜牧、食用菌、蔬菜、水果）为重点，坚持"四个统一"（统一规划、统一标准、统一管理、统一验收）和"四个进园"（项目进园、投入进园、科技成果进园、科技人员进园），加快推进有机农业产业园（基地）建设。全县建成"千斤粮万元钱"粮经复合基地 15 万亩、道地中药材基地 10 万亩和仓山 30 万头生猪标准化生产基地，有机中江挂面专用小麦、有机中药材和有机特色水果示范园初具规模。

（四）坚持企业主动，用市场化手段推进有机农业发展

积极培育新型农业生产经营主体，初步形成了以农业服务中心为依托、各类专业合作组织为支撑、农业产业化龙头企业为龙头的现代农业产业体系。发挥新型农业生产经营主体作用，采取"龙头带农户""公司加农户""五专带农户""订单农业"等模式，推动有机农业产业发展。

（五）坚持电商促动，提升有机农业效益

中江县抢抓"全国电子商务进农村综合示范县"建设机遇，着力推进"互联网+"，打造电商特色品牌，提升有机产品附加值。县政府设立了每年 600 万元的电商发展基金，出台了支持电子商务发展的八条措施和"四免""九补"政策，引进京东、北京农信互联、中国供销 · 社员网、供销 e 家等电商平台，培育赶街网、邮乐购、易田、田田圈等知名电商企业，建立农村电子商务服务站 479 个，打通农产品上网营销"最后一公里"，加快了中江特色产品"走出去"步伐，中江丹参、中江白芍、中江柚、中江挂面等农业品牌效应正在形成。2016 年，全县电子商务交易额达 10.01 亿元，同比增长 40.96%。

三、效益初显

通过近年来的努力，中江县有机产业规模不断壮大，经济、社会、生态效益日渐显现。全县取得有机认证和有机转换认证的企业达 15 家、产品达 36 个，有机认证面积达 1109.75 公顷，2016 年实现产值 1.66 亿元。按照相同面积、相同产品种类进行测算，有机产品产值是非有机产品产值的 2.3 倍，增值效应突出。同时，发展有机农业，提高有机肥使用量，减少化肥使用量，使畜禽粪便、农作物秸秆等得到有效利用，既改善了农业生态环境，又降低了农业生产成本，还带动了生态旅游、运输、商业及餐饮等相关产业，促进了一二三产业融合发展。2016 年，中江县成功创建为"四川省有机产品认证示范创建县"。2017 年，中江县将深入践行"创新、协调、绿色、开放、共享"的发展理念，坚持绿色、有机方向，不断推动农业规模化、标准化、品牌化发展，力争成功创建为全国有机产品认证示范县。

为建成大美羌城、生态强县、小康北川而努力奋斗

中共北川羌族自治县委　北川羌族自治县人民政府

北川县是全国唯一的羌族自治县,位于四川盆地向藏东高原过渡的深山峡谷地带,2003年经国务院批准设立羌族自治县。全县辖区面积3083平方千米,辖8镇15乡(其中民族乡1个)311个行政村32个社区,总人口24万人,其中羌族等少数民族人口8.5万人,占总人数的36%。近年来,在党中央、国务院和各级政府的关心支持下,全县把脱贫攻坚作为首要目标,把永续发展作为关键目标,把民生改善作为终极目标,始终专注科学发展、跨越发展基本取向,大力实施"品牌先导、绿色崛起、双创驱动、开放黏合"战略,着力打造文旅发展引领区、精品农业示范区、通航经济创新区、应急产业先行区,努力建成"大美羌城、生态强县、小康北川",经济社会发展取得了显著成效,为与全国、全省、全市同步全面建成小康社会奠定了坚实基础。

一、打响脱贫攻坚战,加快补齐奔康短板

作为"5·12"汶川特大地震极重灾区、少数民族地区、革命老区、连片特困地区和边远山区"五区合一"的贫困县,北川县面临的工作的难度、问题的困扰度、矛盾的尖锐度非常高。县委县政府坚持"啃硬骨头"、拿硬办法,全力推进脱贫攻坚。近五年,全县已累计脱贫33556人。2016年有贫困村93个、贫困人口12379人(2015年脱贫5088人),贫困发生率从29.17%下降至9%,取得了阶段性成效。

(一)坚持"三优先"

一是优先发展教育。牢固树立"扶贫必扶智,治贫先治愚"理念,提升教育水平,率先为全县农村义务教育学生提供免费午餐,实行民族地区十五年免费教育计划,顺利通过国家义务教育均衡县创建评估,全县适龄儿童接受九年义务教育率达100%,初中毕业生升入高中、职业高中或中等专业技术学校学习率达100%,贫困大学生助学补助获得率达60%以上,有效阻断了代际贫困。二是优先发展医疗卫生。深化医疗卫生体制改革,全面推行大病医疗保险,推进分级诊疗制度,免费培养100名乡村医生,建成县级医院3家、乡镇卫生院23个、村级服务站311个。积极推行大病保险和救助,开展大病医疗保险,提高救助比例。继续巩固完善新农合制度,全县参合率达100%。家庭成员全部参加新型农村社会养老保险,低保户实现应保尽保。三是优先引导群众。"扶贫先扶本,脱贫先立志",把激发群众主体意识作为脱贫攻坚第一要务,发扬"流自己的汗、吃自己的饭,自己的事情自己干"的精神,充分激发了群众"我要脱贫"的主动性、自觉性。

(二)突出"三引领"

一是规划引领。编制全县减贫和贫困村、贫困户作战规划、计划,落实帮扶工作队和选派"第一书记"帮扶责任,明确扶持资金和各阶段具体帮扶措施,绘制小康社会详尽蓝图。二是项目引领。实地采集乡(镇)、贫困村项目建设需求,建设项目储备库,深度完善项目规划。17个扶贫专项规划已落实项目190个大项,资金5.13亿元,有效改善了农村道路、农田水利、安全饮水、电力保障等基础设施和农村生产生活条件,进一步夯实了脱贫致富基础。三是人才引领。"脱贫技先行"。开展实用技能培训,组建专家服务团送技术下乡,发挥人才在社会经济发展中的引领作用,打造第二批国家级电子商务进农村综合示范县,切实促进科技成果转化应用,为脱贫奔康提供技术保障和人才支持。

(三)打好"三张牌"

一是打好"新村牌"。按照"四有四好"标准,突出乡土味道和羌族特色,建成75个幸福美丽新村。推进农村精神文明建设,成为全省唯一参加全国农村精神文明建设工作经验交流会的代表县,北川经验在全省交流推广。二是打好"生态牌"。作为少数民族山区县,生态是突出的资源优势。秉持"绿水青山就是金山银山"的理念,依托山区自然环境,推动产业绿色转型,大力培育和发展中羌药材、特色种养殖、乡村旅游等优势富民产业,全县森林覆盖率达55.7%,让北川县成为处处天蓝、地绿、水净的生态家园。三是打好"增收牌"。通过扶持生产和就业发展、移民搬迁安置、低保政策兜底以及医疗救助,加快幸福美丽新村建设、富民产业培育、公共服务提升、生态环境治理、新风正气塑造,实施电商、生态、科技、旅游扶贫,逐步补齐基础设施、产业、能力素质、集体经济等贫困短板,近年累计发展市级以上龙头企业33家、农民专合组织377个,建成农业产业基地75万亩,实现贫困家庭有稳定收入渠道。截至2016年上半年,全县农村居民人均可支配收入实现4966元,增长11.9%;城镇居民人均可支配收入实现12259元,增长9%,"两项收入"增速持续领跑绵阳市。引导群众住上好房子、过上好日子、养成好习惯、形成好风气。

二、跑出发展加速度,夯实奔康经济基础

积极处理好恢复与提升、当前与长远、政府与市场的关系,扎实抓好稳增长、调结构、促改革、惠民生各项工作,变"原地起立"为"发展起跳"。

(一)经济持续高位运行

"十二五"末,全县地区生产总值达40.19亿元,年均增长11.2%。累计完成固定资产投资185.5亿元。规模以上工业增加值达7.8亿元,年均增长10%。财政总收入达5.66亿元,年均增长12.1%。城乡居民人均可支配收入分别年均增长12.8%、19.4%,"两项收入"增速连续5年位列全市第一位。产业结构进一步优化,三次产业结构比重由2011年的25.7∶41.5∶32.8调整为23.9∶40.1∶36。主要经济指标快速增长,实现全面保位升位。连续三年入围全省少数民族十强县,获评为全省农民增收工作先进县、全省县域经济发展先进县。

(二)绿色产业强势崛起

以绿色理念引领产业升级,力求弯道超车,重塑县域经济版图。一是"两新"产业异军突起。全县"两新"企业总数达6家,2016年上半年"两新"产业总产值达2.37亿元,占全县工业总产值的18%。二是全域旅游高标推进。北川县被列入首批"国家全域旅游示范区"创建单位,获评为"四川省旅游强县"。2017年1月—6月,全县接待游客249.61万人次,增长26.82%;实现旅游收入21.74亿元,增长24.6%。三是电子商务后发跨越。国家级电子商务进农村综合示范县建设取得阶段性成效,建成电商平台4个、县级运营中心3个;建成农村淘宝、"邮乐购"、"大农汇"村级电商服务站点164个,覆盖93个贫困村。电商经营主体达495家,上半年全县电商交易规模达36.14亿元。四是总部经济加速聚集。普网科技、北华集团、富民村镇银行等总部落户北川县,仅普网·药博园就带动119家商业总部落户北川县,线上交易额达17.6亿元,现货交易额达2945万元,上缴税金1045万元。五是市场融资实现突破。引进广东百川财富"互

联网+石材+股票”新模式吸引9家企业签约，协议金额达4600万元，融资新道首次破题。羌山农牧、立达矿业成功挂牌，本土上市企业实现“零”的突破。

（三）项目投资企稳向好

多管齐下引项目、上项目、建项目，全力夯实长远发展根基。一是招大引强求实落实。成功签约四川泛美教育、中源海恒等项目16个（其中亿元以上项目8个），签约总金额88.3亿元；实现招商到位资金14.57亿元（省外、国内资金12.56亿元），增长36%。二是向上争取效果明显。累计包装、储备、录入国家重大建设项目库三年滚动计划项目346个，总投资397.81亿元，向上争取到位资金16.25亿元。三是项目建设加快推进。通用机场、开茂水库、跨湖大桥等省、市重点项目顺利推进。总投资1.5亿元的奥图（北川）环境科技设备有限公司建成投产。完成全社会固定资产投资30.39亿元，增长19.8%。

三、奏响民族和谐曲，凝聚奔康强大动力

作为全国最年轻的民族自治县和唯一的羌族自治县，北川县始终坚持党的领导，认真落实民族政策，发展民族事业，传承民族文化，保持了政治稳定、经济发展、社会进步、民族团结的良好局面，涌现出一批以兰辉同志为代表的先进典型，先后获得国务院颁发的全国民族团结进步模范集体、全省民族团结进步模范集体等称号。

一是牢记党恩强根本。中国共产党的领导是民族工作成功的根本保证，也是各民族大团结的根本保证。作为“5·12”汶川特大地震极重灾县，在北川抗震救灾、灾后重建的历程中最直接地感受到党的伟大，感受到社会主义制度的优越性。县委县政府成立了以县委主要领导为书记的民族工作委员会，确保民族团结进步事业始终沿着正确轨道不断前行。广泛加强爱国主义、感恩教育、民族政策普及教育宣传，让各族群众牢固树立“三个离不开”思想，有效增强了各族干部群众对新北川的认同感、向心力，促进了民族融合和文化融合。发挥先进典型的示范带动作用，引导干部群众向兰辉同志学习。二是依法自治促团结。民族区域自治制度是中国的一项基本政治制度，是中国特色解决民族问题的正确道路的重要内容和制度保障。作为少数民族自治县，北川县坚定不移地贯彻执行民族区域自治制度，坚持依法治县，强化民族立法，先后编制了《北川羌族自治县自治条例》《北川羌族自治县城市管理综合执法条例》《北川羌族自治县矿产资源管理条例》等，逐步将民族团结进步工作纳入规范化、法制化轨道，提高了北川依法治县和民族自治的水平。在强化依法治县的同时，发扬民族优良传统，将羌风民俗融入司法调解，受到最高人民法院的肯定，形成“北川模式”并向全省推广。三是传承文化强纽带。发扬伟大的抗震救灾精神，用好灾后重建成果，把重建后的北川建设成为“三基地一窗口”，深入开展感恩教育、爱国主义教育和艰苦奋斗教育，强化民族团结自立意识，大力普及羌民族知识、文化，传承和弘扬禹羌文化。全县入选联合国教科文组织继续保护名录1项、国家级非遗保护名录3项、省级非遗代表性传承人13人；常态化开展羌歌羌舞、《禹羌部落》展演；编撰完成《羌语》教材；电影《兰辉》和文学作品《让兰辉告诉世界》获得全国“五个一”工程奖。青片乡上五村、马槽乡黑水村被列入第二批中国文古传统村落目录。北川县荣获“中国羌绣之乡”“四川省民间文化艺术之乡”和省民运会表演类一等奖。民族文化的传承和发扬增强了各民族文化认同感，共建了北川精神家园，为北川民族团结进步事业注入了强大精神动力。

全面建成小康社会，一个民族都不能少。打赢脱贫攻坚战，民族地区不能掉队。作为民族自治县，北川县将加快脱贫攻坚步伐，为与全国同步全面建成小康社会而努力奋斗！

“六个着力”助力昭化区农民增收

中共广元市昭化区委　广元市昭化区人民政府

2016年，广元市昭化区认真贯彻落实中央、省委“一号文件”和省、市农村工作会议精神，坚持把促进农民增收作为脱贫攻坚和“三农”工作的重中之重，突出脱贫攻坚、农村改革、农民增收三大重点，采取“六个着力”统筹推进现代农业园区、幸福美丽新村、农田水利三大建设，持续深化特色农业示范创建，发展新产业新业态，多举措、多渠道促进农民增收。全年实现农民人均可支配收入9659元，同比增长10.2%，其中工资性收入4072元，增长7.6%；经营性收入3329元，增长10.1%；财产性收入209元，增27%；转移性收入2049元，增长14.2%。农民人均可支配收入增速居全市第二位，被省委省政府表彰为2016年度农民增收工作先进县（区）。

一、着力壮大特色产业，挖掘农业增收潜力

在巩固优质粮油生产能力的基础上，不断提升生猪发展质量，加快猕猴桃、蔬菜产业发展，强力推进木本油料和中药材、食用菌等特色林业建设，突破性发展生态渔业、土（蛋）鸡、肉牛（羊）等特色养殖业，着力优化优势特色产业结构，深化特色农业示范创建，加快培育“一乡一业”“一村一品”，推动粮经饲统筹、农林牧渔结合发展，逐步形成特色农业产业区域化、规模化、专业化的格局。2016年，全区粮油产量14.91万吨，增产0.11万吨，获得四川粮食生产“丰收杯”奖，“王家贡米”获批为国家地理标志保护产品。全省畜牧业重点县建设成果扎实巩固，持续推进生猪“1211”代养模式，全年出栏生猪67万头，同比增长14.7%，生猪价格保持在16.8元/千克左右，农民养猪头均利润继续保持在600元以上。出台了《关于突破性发展肉羊产业的意见》，着力实施基础母羊良种工程和种羊扩繁场工程建设，大力发展适度规模种草养羊，全年出栏羊5.2万只、牛1.1万头，分别同比增长224.5%、5.6%。组建了土鸡产销协会，突出生态放养、产销对接、规模发展，全年出栏土鸡210万只，增长4.5%；禽蛋产量0.69万吨，增长8.3%。渔业产业快速发展，全年水产品产量1.43万吨，居全市第一位，跻身四川省现代20个渔业重点县行列。新栽植和提升猕猴桃2.5亩，累计种植面积达4.8万亩，新增产量5000吨；成功举办了第三届紫云猕猴桃采摘节，现场签约猕猴桃鲜果销售金额6300万元。蔬菜产业效益着力提升，蔬菜产量40.6万吨，同比增长4%，生鲜蔬菜进驻北京新发地批发市场并直供港台。全国林下经济示范县建设持续推进，森林生态旅游和林下经济快速发展，核桃产量1.6万吨，增长20.4%；中药材产量1.2万吨，增长15.8%；食用菌产量1500吨，增长23.8%。全力推进全国农产品质量安全示范县创建工作，积极开展市级农产品质量安全监管示范乡镇和区级农产品质量安全监管示范村创建活动，创建示范乡（镇）3个、示范村4个。围绕优势特色农产品，积极开展“三品一标”农产品认证登记，全年新认证无公害、绿色食品及保护农产品5个。

二、着力做实劳务产业，促进农民转移增收

整合就业创业政策、创新维权保障举措，持续开展“送技术”“送岗位”“送温暖”活动，创新开展“万名农业产业人才培训”工程，全年开展技能提升、家政服务、养殖技术等农民技能培训1.5万人次，召开农民工和大学生回乡创业座谈会3次，发送务工信息12期、1.2万余条次，开展“春风送岗”招聘活动、贫困农户专场招聘活动4场次。全区向外转移劳动力10.8万人，实现劳务收入18.3亿元。积极开发就地就业岗位，充分利用农村土坯房改造、农田水利基本建设等工程就地吸纳大量农民转移就业。全区各类农村基础建设完成投资22.9亿元，按总投资的20%的人工费测算，仅此一项农民人均可获得工资性收入2286元。同时，特色农业产业规模化发展及猕猴桃、核桃季节性管理大量用工就地转移劳动力达1.5万余人次，农民累计实现季节性务工收入8100万元以上。建立健全信息发布、组织招收、政治审查等外派劳务制度，及时准确提供劳务信息、法律咨询等服务，积极推动外派劳务发展。全区在国外务工人员493人，实现劳务收入6546万元，同比增长11.8%。

三、着力推进创新创业，培育新产业新业态

积极推进农村产权制度改革，建立了14项年内完成、17项启动推开、6项试点探索共37项农业和农村体制改革台账，启动了3个乡(镇)3个村农村集体资产股份合作制改革试点，挂牌成立了区级农村产权交易中心和28个乡(镇)、1个街道农村产权交易服务站，完成农村产权交易2宗。积极探索创新“折股联营、代种代养、反租倒包、双线协同”等模式，鼓励农民采取租赁、入股等方式流转土地、林地，新增流转土地2.8万亩，累计流转面积达18.9万亩，占耕地和可流转利用林地总面积的22.8%，同比增长17.5%。坚持“壮大户、户改场、场入社、社接企”的新型农业经营主体发展路径，新引进农业企业8家，新建专合社50家、家庭农场100个、农业社会化服务超市17个，规范农民专合社7个；新培育省级重点农业产业化龙头企业1家，累计达2家；发展产业领军人266名，带动农民4.2万余人。在明晰农村产权权属的基础上，积极探索新机制新模式，盘活农村撂荒土地、闲置农房、集体林权等资产资源，大力发展乡村旅游和休闲农业、农产品产地加工、农村电子商务等新产业新业态，拓宽农民增收渠道。2016年承接了全市农村改革现场推进会，跻身全省25个县(市、区)、全市首个省级盘活农村资产资源培育农民增收新产业新业态示范县(市、区)创建单位，新产业新业态快速发展。围绕畜禽、猕猴桃、粮油、林产业四大产业链培育中纺粮油、铁骑力士等产值过亿元企业5家，新增产值1000万元以上的企业12家，规模以上工业增加值增长10.3%，新增企业就业280人。累计发展特色旅游业态200余家，接待游客500余万人，带动核心企业及周边群众人均增收2000余元。积极推进农村电子商务发展，建成广元(昭化)电子商务创新孵化中心，入孵电商企业19家；发展农村电子商务企业13家，同比增加7家；累计实现农产品交易额1500余万元，同比增长89.5%。

四、着力“三大”建设，夯实农村基础支撑

坚持现代农业园区是“农村改革试验区、现代农业示范区、农民奔康先行区”的“三区”目标定位，大力推行政府、企业、群众“三力合一”和万亩园带千亩园、种植园套养殖园、产业示范园联农户标准园“三园同建”模式，抓基础配套和产业发展重点，健全和完善园区利益联结机制，着力推进三次产业融合。2016年，提升金石现代农业园区，新规范猕猴桃种植园1300亩、嫁接猕猴桃新品种31.5万株，种植蔬菜2300亩、产量5700余吨；新启动临港现代农业园区建设，改土建园8000余亩，规模发展猕猴桃5000亩、露地蔬菜5400亩、核桃5800亩。坚持把新村扶贫作为全区幸福美丽新村建设的首要任务，把“住上好房子”作为新村扶贫工作的重中之重，深入实施“旧村改造行动”“万户土坯房改造工程”“自力更生、美化家园”行动，设立了农房贷款和财政金融分险基金，给予非建卡贫困户2万元/户、建卡贫困户2.5万元/人的建房补助，统筹推进幸福美丽新村和扶贫新村建设。全年新建成幸福美丽新村36个、农村廉租房415户、新村聚居点76个，新建2828户、改造1746户、保护农房7户。同时，按照省、市要求，推进“四好村”创建，着力实施“旧村改造、环境整治、强村富民、文明示范、服务创新”五大行动，建成省级“四好村”11个、市级“四好村”23个、区级“四好村”73个。坚持把惠民生与促发展相结合，以水、路、土等为重点，强化农村基础设施建设，大寨水库(中型)完成导流洞建设，启动大坝及放水洞建设，梅岭关水库建设主体工程基本完工，完成水库除险加固工程8座；整治山坪塘259口、渠系27.86千米，新建水池120口，新增灌面0.24万亩，恢复灌面0.3万亩，治理小流域面积31.5平方千米；新建农村饮水安全工程5处，农村住户集中供水率达77.8%，自来水普及率达65%；新建村社公路152千米，通村公路硬化率达100%。开工土地整理项目2个、土地增减挂钩项目1个，新建高标准农田1.2万亩。

五、着力实施精准扶贫，集中力量脱贫攻坚

坚持把脱贫攻坚作为头等大事和第一民生工程，凝聚整合各方力量形成坚决打赢脱贫攻坚战的强大合力，积极构建“县级领导包乡(镇)、部门(单位)包村、各级干部包户(人)”的精准脱贫“三包”推进机制，建立健全督查考核机制，实行目标责任销号管理制度和脱贫攻坚“一岗双责”责任机制等“四大制度”，加强组织领导保障，强力整合各类涉农项目资金，加强资金使用监管，围绕脱贫攻坚重点工作和薄弱环节聚焦精准施策，打好脱贫攻坚“4+13”政策组合拳，把“五个一批”脱贫攻坚路径、“六个一”帮扶机制和20个扶贫专项2016年度计划落实到村到户到人，因时因地制宜，科学谋划制定全区精准扶贫思路举措，确保脱贫工作始终沿着正确方向有力有序推进。坚持“建、改、租、购、投、保”并举，统筹整合安排资金近10亿元实施安居工程，统筹组织各方力量，发扬灾后重建精神，责任到人、挂图作战、倒排工期、强化保障，全力帮助贫困群众如期建好住房，确保如期完成1568户贫困户安居扶贫和6000余户农村危旧房改造。统筹盘活村集体现有土地、林地、房屋、设施设备等闲置资产，坚持宜农则农、农工结合、农商结合、农旅结合，通过发展“一村一品”主导特色产业用好产业扶持周转金和集体经济发展补助资金，多元化、多渠道实现村集体经济组织有稳定收入，年底每个贫困村集体经济收入人均达到12.3元。突出产业发展和就业增收，因户施策，引导贫困户发展市场行情好、增收见效快、“长中短”相结合的产业项目，积极培育“一村一品”主导产业，采取大户带动贫困户、“专合社+贫困户”、“龙头企业+贫困户”的方式带动贫困群众增收致富。坚持按照“缺啥补啥、保障基本”的原则，通过统筹项目规划，分两年分别下达路、水、电、通信等基础设施项目和卫生、文化等公共服务保障项目建设任务，落实项目建设责任，明确项目完成时限。实现13个贫困村、5739名贫困人口成功退出。

六、着力落实增收责任，强化增收工作保障

贯彻落实助农增收工作区委书记、区长负责制，强化“三农”工作组织领导，成立以区委书记、区长任组长，区“四大班子”分管联系领导任副组长的农村工作领导小组，建立县级领导联乡联产业、部门帮村、干部帮户的“三联”工作机制和农村工作统筹协调工作机制，实行涉农部门、乡(镇、街道)主要领导“三农”工作和农民增收工作第一责任人制度。巩固加强农民增收工作联席会议制度，全年区委常委会、区政府常务会分别专题研究农民增收工作2次，召开全区助农增收工作联席会4次，出台了相关配套文件。完善农业产业化推进机制，健全"1+3"特色产业推进办公室，促进产业增收统筹督办的推动作用。持续创新性地开展"产业增收结对竞争"活动，全区24个乡（镇）结成"产业增收结对竞争"对子，充分调动了各乡（镇）发展特色产业助农增收的主动性和积极性。进一步完善助农增收目标考核体系，印发了《广元市昭化区2016年农民增收工作考核办法》，突出差异化目标设置管理，对农民增收工作实行乡（镇、街道）、涉农部门综合目标和单项目标实行"双重"考核，压实乡（镇）、部门责任。完善涉农项目整合机制，加强财政涉农项目和资金管理，出台了《广元市昭化区统筹整合使用财政涉农资金实施意见》《广元市昭化区农村小型公共基础设施村民自建管理办法（暂行）》《广元市昭化区统筹整合使用财政涉农资金报账管理办法》《广元市昭化区财政专项扶贫项目实施管理办法（试行）》等制度，建立了以预算编制为平台的财政涉农资金统筹整合使用平台，发挥财政项目及资金效益。2016年，区本级公共财政支出投入"三农"资金7121万元，增幅达8.04%；争取到位省级以上"三农"项目投入资金73298万元，增幅达21.3%。坚持把招商引资作为农业农村发展的重要抓手，加强对涉农项目的包装、推介，落实优惠政策，加大招商引资力度，多渠道增加社会资本投入农业，全年成功签约农业项目16个，签约资金13亿元，投资额在500万元以上的业主投资额比上年增长15.3%。创新金融产品和服务，持续加大涉农信贷投放。落实政策性农业保险，建立健全现代农业风险防范机制。加强惠农政策落实和涉农项目资金监管，开展涉农资金专项检查和审计工作，强化乡（镇）财务管理，加大对资金量大、与群众关系密切、涉及面广的资金使用情况的重点检查，确保资金使用效益。加强农民增收信息报送和宣传工作，实行农民增收季度分析研判制度和信息反馈制度，按时按季度上报《农民增收工作分析研判报告》4期，市委农工委《农村工作》专题刊发昭化区农民增收调研文章2篇，《"六大特点"助力昭化区助农增收一季度强势逆袭》等6篇信息被四川三农新闻网采用，《深化农村改革激发农村发展活力》《双代双加产业经营模式破解山区农业难题》等5篇经验材料被《四川农村》刊发。做实统计基础工作，将农村住户一体化调查补助提高到200元/月/户。同时，加强对各乡（镇）农民人均纯收入抽样调查的指导、督促检查，强化对农民收入的统计、监测、分析，确保真实反映各地农民增收水平。

"一主三园"全域覆盖 产业扶贫精准到户

中共旺苍县委　旺苍县人民政府

旺苍县地处四川盆地北缘、米仓山南麓，是川陕革命老区、国家扶贫开发重点县、四川省扩权强县试点县，也是秦巴片区连片扶贫开发的主战场。全县有贫困村97个，精准识别贫困户1.7万户、贫困人口5.1万名，贫困发生率高达12.51%，脱贫攻坚、同步小康任务异常艰巨。近年来，旺苍县坚持把产业扶贫作为脱贫攻坚头号工程来抓，突出产业发展助农增收、脱贫奔康主题，实践探索现代农业产业园、"一村一品"示范园、特色微庭园"三园"联动全域覆盖，初步走出了一条贫困山区产业扶贫、精准到户的特色路径。

一、创新建设，"三园联动"产业扶贫精准到户

旺苍县按照"聚力到户、受益精准"要求，产业扶贫始终以贫困户脱贫为出发点和落脚点，瞄准登记造册贫困村和建档立卡贫困户，围绕茶叶、核桃、畜牧、中药材县域特色优势支柱产业和其他"短平快"脱贫增收产业加大万亩亿元以上现代农业产业园、百亩以上"一村一品"示范园、户均1亩以上特色微庭园建设力度，形成"大产业园+小示范园+特色微庭园"大小微联动、长中短结合、产加销一体产业扶贫发展格局。

高水平建设现代农业产业园。依托区域比较优势，优化县域产业空间布局，坚持"产业园区引领、龙头企业带动、连片规模发展、集约化经营"的建设思路，按照产业化内在要求，全域全程全要素集聚打造产业链，建成茶叶、核桃、中药材等现代农业产业园16个，引领"一村一品"示范园和特色微庭园产业集聚，带动形成了一批贫困人口参与度高的特色产业基地和带动贫困户能力强的特色产品加工服务基地，真正成为县域产业扶贫、农村经济发展的强劲龙头。三合现代农业园区立足区域自然优势，按照"标准化建园、规模化发展、精细化生产、科技化支撑、品牌化营销"的思路，建成广元市首个省级万亩有机茶叶产业园，带动园区农户种植茶叶9000亩；依托四川米仓山茶业集团，在园区建成1个现代化茶叶加工厂，实现了产加销一体化。2016年，园区实现产值1.3亿元，带动农户1750户、5450人，实现人均增收7320元。

大力建设"一村一品"示范园。注重发挥"一村一品"示范园上联现代农业产业园、下联特色微庭园的纽带作用，紧紧围绕全县四大支柱产业区域布局，依托贫困村自然资源禀赋、产业发展优势，充分尊重群众产业发展意愿，确立"一村一品"示范园主导产业，确保村级主导产业与现代农业支柱产业深度对接、长中短产业融合发展。坚持村"两委"领办专业合作社，采取"三资"入股模式，通过入股、租赁、承包、流转等方式盘活贫困户"沉睡"资产，在每个贫困村建成一个300~500亩或养牛30头、养羊300只、养猪500头、养鸡1000只以上的产业示范园，形成了"'一村一品'示范园+村办专合社+贫困户"的股份合作模式，带动贫困户入园入社，实现经营主体不漏村、产业扶贫不漏户、精准脱贫不漏人。尚武镇寨梁村"两委"领办旺苍县寨梁光伏农业专业合作社，走"光伏+农业+乡村旅游"发展路子，引进四川西普企业有限责任公司建成5000平方米的光伏发电基地，利用光伏发电板下空闲土地和周边农户土地，结合县城周边地域优势，采取"专合社+农户"方式种植羊肚菌17亩、建设脆红李采摘示范园350亩，其中贫困户特色微庭园65个、80亩，农户全部入社并按照4∶3∶3的比例分配村集体经济收入。2016年，该村村集体经济总收入36.58万元，其中村集体经济积累获得分配收入14.632万元，人均33.6元；村集体经济组织成员获得分配收入10.974万元，户均338元；贫困户获得分配收入10.974万元，人均600元。

全覆盖建设特色微庭园。按照房前屋后庭园化要求，围绕"一村一品"主导产业，以户为单位建好1亩以上特色微庭园，形成可持续奔康骨干产业。同时，坚持市场导向、因户制宜、差异化发展，宜种则种、宜养则养、宜游则游、宜商则商，发展短平快脱贫增收项目，确保贫困户户户有"1+N"个创业兴业门路（"1"，即户均1亩以上的种植园或养牛3头、养羊30只、养猪10头、养鸡200只的养殖园；"N"，即发展休闲农庄、小加工园等短平快脱贫产业），无论是"1"还是"N"均分别进入村办专合社和经营主体。同时，对缺乏劳动力、技术的贫困户推行托管、半托管、寄养、代养等产业发展模式，实现互利共赢。普

济镇远景黄花山核桃专业合作社采取对贫困户核桃园实行"半托管"和"全托管"模式,有效解决了产业发展空心化问题,确保特色微庭园健康发展和贫困户持续增收。远景村六社村民侯联碧建有家庭核桃园2亩,因年老体弱缺劳动力、缺技术,专合社主动对她的核桃园实行"半托管",负责修枝、病虫害防治、品种改良、产品销售,待核桃销售后,侯联碧只需支付10元/小时的专合社技术员服务费,其他收入归其所有。远景村八社村民杨腾雍建有核桃园3亩,因全家外出务工,专合社对其核桃园采取全托管,负责核桃园管护和产品销售,并发展林下间种,核桃产品收入归杨腾雍所有,林下间种收益归专合社所有,托管人不支付任何管护费,专合社也不支付土地租金,实现双赢互利。

二、创新机制,"三园联动"产业扶贫精准施策

坚持精准施策,推进"三园联动"产业扶贫,培育新型农业经营主体、增强集体经济带动能力、强化利益链接既是关键又是难点,必须创新机制。一是创新新型农业经营主体培育机制。大力推行"户改场、场入社、社接企、企连市"的新型农业经营主体培育机制,确保现代农业产业园有1家龙头企业、"一村一品"示范园村有1个专业合作社带动,所有贫困户全部进入专业合作社或新型农业经营主体,实现全覆盖。加快构建以家庭农场为主+产业领军人(龙头企业)、专业合作社、社会化服务超市"1+3"的新型农业经营体系,提高产业发展、产业扶贫组织化程度。全县共培育市级以上龙头企业24家、专业合作社30家、家庭农场12家、社会化服务超市60家、专业大户1500余户,带动5.86万户农户进入产业化经营,其中贫困户实现全覆盖,增强产业化价值链收益。旺苍县七里香茶庄家庭农场在木门镇茶元村流转土地300亩,结合三合现代农业产业园区建设,县财政对其种苗、改土进行补助,扶持建设黄茶基地300亩,养殖跑山鸡2000只、鱼5万尾,建成"种+养+休闲观光"一体化家庭农场,年收入近100万元。2015年,七里香茶庄家庭农场加入龙山村茶叶专业合作社,通过专合社再与省级农业重点龙头企业米仓山茶业集团连接,采取"五统一"运行模式带动入社农户220户,其中专业大户41户,吸纳全村贫困户入股入社,形成了"家庭农场+专合社+龙头企业+贫困户"发展模式。2016年专合社实现利润735万元,带动入社农户人均增收5140元。二是创新集体经济带动机制。坚持以村级产业发展基金为"种子",充分撬动产业项目资金、扶贫再贷款、贫困村贫困户资产折资入股资金、农村产权抵押、畜禽活体质押等资金投入,分不同来源投入资金特质有针对性地入股到农业企业、专业合作社、家庭农场、农业社会化服务超市等新型农业经营主体,将入股分红的30%收益再滚动入股,不断壮大村级集体经济发展实力。同时,将入股分红的50%按照贫困户、农户7∶3的比例进行二次利益分配,有效放大了贫困村、贫困户产业发展扶持周转金的利用效益,确保所有贫困村均有集体经济,2016年计划退出的22个贫困村人均收入可超20元。农建乡农建村依托产业扶贫周转金,撬动财政投入该村产业发展项目资金632万元,按照村集体经济与贫困户3∶7的比例股权量化给龙头企业米仓山茶业集团集中经营管理,村级集体按股年分红3.81万元,贫困户人均年分红164.72元,村集体经济组织把3.81万元的30%再次入股到黑松垭茶叶专合社获得分红1.17万元,并把分红所得的50%按7∶3的比例再次分配给贫困户和农户,贫困户人均获得二次返利34.8元。该村有机绿茶、黄茶面积由原来的3200亩扩大到现在的4800亩,贫困户户均种植茶叶面积由原来1.5亩增加到现在的2.8亩,2016年该村村集体经济收入4.73万元,贫困户人均收入5535元,实现了户脱贫村"摘帽"。三是创新多元利益联结机制。鼓励引导龙头企业入股村"两委"领办的专业合作社,通过"龙头企业+集体经济组织(合作社)+贫困户"股份合作模式,按照合作协议约定的利益分配方式依规章制度进行利益分配。村"两委"领办专合社取所得的利润按照4∶3∶3的利益分配方式分配,即40%分配给村内贫困户作为财产性收入;30%作为全体村社成员收入;30%作为村集体经济积累,用于扩大再生产和公益性建设,贫困户脱贫后,巩固两年再不享受村集体经济分红收益扶持。高阳镇双午村走"村两委+村级集体经济组织(专合社)+贫困户"的产业扶贫路子,顺利通过县产业扶贫领导小组集中评审并获得产业发展周转金45万元,组建了由"第一书记"为组长,帮扶队员、村"两委"负责人、贫困群众代表、驻村农技员为成员的村级产业项目建管小组,新建标准化养殖场1500平方米,规范养羊3000头、土鸡10000只,2016年实现村级集体经济分红3万元、贫困户仅养殖项目户均增收2200元的"双赢"效果。

三、创新保障,"三园联动"产业扶贫精准发力

精准发力是推进"三园联动"产业扶贫的有效保障,为加大保障力度,旺苍县强化组织力量、技术支撑、资金扶持三位一体保障。一是强化组织力量保障。县、乡、村三级成立了党政一把手为双组长的领导小组,压实县级评审督导、乡(镇)抓实建管、贫困村抓好实施三级责任,健全以县产业办为主、审计和监察等相关部门全程参与的产业绩效管控机制,强化"第一书记"牵头、驻村工作队员帮带、驻村农技员指导职责,细化和明确了"谁来管""管什么"和"怎么管"。将"三园"建设情况纳入目标绩效考评,由县目督办实行定期督查通报,逗硬奖惩,确保"三园联动"产业扶贫快速、有序、深入推进。二是强化技术保障。与中国茶研所、省农科院、四川农业大学等科研院所合作,推进农业科技人员创新创业改革,组建茶叶、核桃、中药材等科技创新技术服务团队,破解产业发展技术难题。整合县域技术力量,集合农业、畜牧、林业等专业技术力量,深入开展"万名农业科技人员进万村"活动,推动农技人员投身产业扶贫主战场。大力开展农业实用技术培训,在每个贫困村培育20名职业农民、10户科技示范户,做到县有科技创新团队、乡(镇)有科技特派员、贫困村有驻村农技员、贫困户有产业扶贫指导员,切实保障了产业扶贫的技术力量支撑。三是强化资金保障。创新投入导向,将惠农补贴政策向带动脱贫经营主体倾斜,全年为经营主体提供200万元的耕地地力保护补贴资金作担保资金,贷款3000万元;整合现代农业生产发展、现代林业生产发展、小农水等涉农项目资金5400余万元,统筹用于"三园"建设;利用财政资金撬动更多金融资本、社会资本投入,按照"一村一品"示范园补助标准,确保每个贫困村有200万元以上的产业扶贫资金;充分利用村级产业发展基金、到户产业发展扶持资金引导每户贫困户累计投入1万元以上的特色微庭园发展资金。

创新资产扶贫模式
助推脱贫奔康进程

中共苍溪县委　苍溪县人民政府

近年来,苍溪县深入贯彻落实中央、省委深化农村改革的总体部署,主动适应经济发展新常态,坚持"创新、协调、绿色、开放、共享"的发展理念,创新资产扶贫模式,重点念好投、贷、股、债"四字经",促进农民增收,助推精准扶贫,加快全面建成小康社会步伐。

一、破解一个"投"字,让财政支农资金惠及贫困户

苍溪县以破解财政资金投入农业农村难以直接惠及普通群众为突破口,在永宁镇兰池村创新开展财政支农资金股权量化改革试点。一是股权三级量化。将财政投入兰池村特色产业发展和生产性基础设施配套建设的支农资金1109万元(除贫困户优惠配股部分)先按每股1000元量化,再按照村、社、村民1∶2∶7的比例折算成股权,由受益的产业经营主体按不低于本年度银行同期一年定期存款利息分配财政支农资金股权收益,除因猕猴桃3年才能挂果投产,从第4年开始分配股权收益外,其余均当年分配股权收益。二是双重配股倾斜。在精准识别的基础上,将股权量化分配重点向贫困户倾斜,将扶贫投入产业发展资金的20%折股优先分配给127户贫困户,每名贫困群众不仅可享受到普通村民分配的股份,还可以额外享受扶贫股份。三是农村集体资产股份合作制改造。2015年以来,苍溪县先后在陵江镇凤凰村、五龙镇印合村和白桥镇白桥村等6个村开展首批农村集体资产股份合作制改造试点,建立起了"归属清晰、权责明确、保护严格、流转顺畅"的现代农村集体产权制度,在白桥村成立白桥村集体资产股份合作社,将村集体和村民小组所有的3口山坪塘、50亩集体土地、360平方米集体经营性用房等作价210万元入股股份合作社,按照入股农户户籍人口数进行股份分配。

二、突出一个"贷"字,促农村产权变现助力脱贫

苍溪县紧抓被列为省级农村改革综合试验区、省级农村产权抵押融资和国家农村承包土地经营权抵押贷款试点县机遇,大力开展土地经营权、集体林权、土地流转收益保证贷款等农村产权抵押融资试点,全县共发放农村产权抵押贷款32笔、3062万元,流转、租赁贫困户土地3万余亩,雇用贫困户劳动力18000余人次,带动3400余户农户年均增收5000余元。一是建立农村产权流转交易综合管理服务平台。依托县公共资源交易服务中心建成县农村产权流转交易平台,乡(镇)建立农村产权流转交易服务站,村设流转信息员;制定出台农村产权流转交易管理办法,实现与广元市农村产权交易中心和成都市农村产权交易所联网运行;建立由县农业、金融、中介等行业90名专业技术人才组成的经营权评估专家库,制定评估细则。二是建立抵押物处置机制。通过转让、变更、变现等方式实现债权、贷款损失部分由担保公司履行代偿义务后按照约定比例与贷款风险补偿基金进行风险分担。三是建立风险防控机制。与银行签订了《农村产权抵押融资试点协议》和《农村产权抵押融资风险补偿金管理协议》,按照3∶7的比例设立银行机构和县财政共同承担风险的涉农贷款风险基金5223万元,确定苍溪县普惠农业融资担保公司作为试点担保机构并与省农业担保公司签订了战略合作协议。

三、创新一个"股"字,引龙头企业参与带动脱贫

一是探索开展生产力要素折算股份入股。针对自主创收能力受限制的农村贫困人口(例如因丧失劳动力而无法劳作的农民),根据其自身情况将土地、林地、农机具、劳动力等生产力要素折价入股到企业、合作社、家庭农场等经营主体。截至2016年年底,全县流转耕地26万亩、林地4.35万亩,带动全县"1+3"优势特色产业不断壮大。二是创新推行"先建后补、双股分红"。实行先建后补,引进华朴公司在青龙园区土地整理时就同步介入、自主建园,经政府验收合格后再按约定比例给予产业项目补助,并将财政支农资金股权量化给村民,待猕猴桃投产后按不低于银行同期存款利率按股分红。同时,华朴公司从第五年起在保证农民土地租金逐年递增到每年700元/亩的前提下,将产业园经营利润的10%作为农户土地入股分红。三是推动龙头企业上市。华朴公司建成红心猕猴桃基地2.3万亩,12个乡(镇)105个村3746户农户用土地入股,公司资本扩张3.8倍,融资规模达到3亿元,成功在"新三板"挂牌上市,成为国内首家猕猴桃生产加工上市公司,苍溪猕猴桃产业及华朴公司将迎来新一轮井喷式的发展。

四、借力一个"债"字,使土地资源增值推动脱贫

苍溪县易地扶贫搬迁任务为1709户、5787人,采取"统一全域规划、债贷分线运作、全程实施管理、整体连片开发"的方式整体推进易地搬迁。一是加大直接融资。依托易地扶贫搬迁项目,联合泸州市创新发行全国首支易地扶贫搬迁项目收益债,按照"3+7"的模式(建设期3年、运营期7年)分2期发行债券10亿元。二是打好组合拳。与成都市双流区、天府新区签订土地双挂钩指标跨区域流动交易协议,在新观乡等6个乡(镇)启动实施"易地搬迁+土地增减挂钩"项目,整合农业、水利、扶贫、新农村建设、农村危房改造等方面的涉农项目资金5亿元,与中央、省级专项资金打捆使用。三是加强银政合作。围绕易地扶贫搬迁项目,与省农发行沟通对接,成功申贷5.1亿元的易地扶贫搬迁项目政策性贷款,贷款1.4亿元的赵家山安置区主干道项目已启动实施。

苍溪县通过念好"四字经"切实增加了群众财产性收入,解决了集体经济"空壳村"问题,解决了特色产业发展缓慢的问题,有效解决了脱贫攻坚投入不足的难题,助推了精准扶贫,加快了全面建成小康社会的步伐。全县已累计投入财政支农项目资金近10亿元,其中支持特色农业产业发展和生产性基础设施配套建设的支农资金达3亿余元,带动发展红心猕猴桃10万亩、优质粮油27.9万亩,建成标准化畜禽养殖场180个、绿色苗木基地25万亩,带动建设乡村休闲度假酒店25个,发展星级农家乐49家。

落实"五大发展理念"
加快农村全面建成小康社会进程

中共内江市委农村工作委员会主任　林　锋

"三农"问题是全党工作的重中之重。进入新世纪,中央连续出台了13个"一号文件",真正体现了对"三农"工作的关心和重视。进入新常态后,农业农村工作内部和外部都发生了重大变化,"三农"工作面临新挑战和新机遇。站在"十三五"发展的新起点上,内江市将贯彻落实党的十八届五中全会和省委十届七次全会精神,结合内江实际,落实"五大发展理念",转变农业发展方式,发展现代农业,加快内江农村全面小康进程。

一、坚持创新发展,培育现代农业新动力

当前,内江市农业正处于新旧动力的转换期。在农业经济实现"九年快"、粮食产量和农民收入实现"九连增"后,诸如农业科技含量不高、竞争力不强等问题日益突出,支撑农业发展的资源环境已逼近极限等问题亟待破解。要打破制约瓶颈,出路在创新,内江市必须依靠创新转变农业发展方式,培育农业增长新动力,打造农民增收新引擎。一是创新生产,建设万亩产业示范片。坚持集中、集聚、集约,突出市中区的柑橘、东兴区的果叶桑、威远县的无花果、资中县的血橙、隆昌县的木本油料等优势特色产业,成片规划、连片建设、整体提升,逐步使每个县(区)建成一批万亩以上的规模化、标准化、集约化现代农业示范基地。二是创新经营,不断延伸农业产业链。坚持以工业的理念抓农业,深化农村改革,放活土地使用权,加快发展适度规模经营,依托农业企业的龙头作用,发挥农民合作社的纽带作用,推进农产品精深加工业发展,建成一批在全省有特色、有优势的全产业链产业。三是创新驱动,提升农业科技贡献率。加快推进国家农业科技园区建设,提档升级现代农业、林业、畜牧业、渔业示范园区,发挥其示范引领作用。加快农业科技成果转化应用,提升农业科技服务质量,不断提高农业经济效益。

二、坚持协调发展,构建城乡一体化新体系

实现城乡发展一体化是解决"三农"问题的根本途径。近年来,内江市城镇化步伐加快,2015年城镇化率达到45.6%。同时,农业人口仍有320余万人,其中还有奔波于城乡之间的110万名农民工,农村教育、医疗、保险等公共服务条件明显落后于城市。因此,内江市将牢固树立短板意识,以幸福美丽新村为抓手,缩小城乡发展差距,促进城乡一体化发展。一是加快建设幸福美丽新村,补齐新村之短。围绕万亩产业示范片、国家农业科技园区,坚持农旅结合、文旅结合、农商结合,"新建、改造、保护"相结合,"小规模、组团式、微田园、生态化"发展,建设一批"业兴、家富、人和、村美"的幸福美丽新农村。二是加快改善生产生活条件,补齐基础之短。延伸城市路网,打通乡(镇)、村社道路"毛细血管";延伸城乡水网,加快实施乡(镇)和中心村集中供水管网建设;延伸城市管理体制,推进城乡基础设施管理一体化。三是加快发展公共社会事业,补齐发展之短。整体提升农村教育、卫生、文化、医疗等公共服务体系,扩大公共服务覆盖面,实现新型农村社会养老保险、基本医疗保险和城乡社会救助制度全覆盖,提高农村公共服务的运作效率和服务水平。

三、坚持绿色发展,引领产业升级新方向

作为典型的丘区农业市,农产品多而杂、小而全,大路货多、高端产品少,初加工产品多、精深加工少,特色品牌多、知名品牌少是内江市农产品的发展现状。随着消费结构升级,未来以生态、绿色、健康、安全为主的消费需求将渐成主流。因此,内江市将坚持走产出高效、产品安全、环境友好、资源节约、转型升级的路子,增加绿色、有机、安全以及市场紧缺、更加契合消费者需求的农产品生产,适应消费升级的需要,提高农业供给体系质量和效率。一是建设标准化生产基地。按照"统一生产技术规程、统一设施标准、统一病虫害防治、统一投入品供应、统一种苗"的方式开展标准化生产,保障农产品品质。二是打造品牌化产品。鼓励和引导农业企业、农民合作社、家庭农场、行业协会等积极开展"三品一标"农产品认定登记和地理标志产品保护申请,争创驰(著)名商标、四川名牌,培育发展自主品牌,加快构建"市级公用品牌+县级区域品牌+企业自主品牌+特色产品品牌"的农业品牌体系。三是确保质量安全。健全农产品质量检测和追溯体系,强化投入品监管,落实最严格的产地准出制度。强化动态监控,确保各环节、各阶段都置于严格有效的监督之下。

四、坚持开放发展,拓展合作交流新空间

当前,内江市正处于加快发展的机遇期,国家启动"一带一路"和长江经济带区域发展战略,实施"互联网+"行动、西部大开发战略,成渝经济区和川南经济区融合发展,成渝高铁的开通也带来大量的人流、物流、资金流和信息流,内江市将顺应宏观经济发展新趋势,抢抓发展新机遇,坚持"走出去""引进来"双轨驱动。一方面,坚持"走出去",加强对外合作交流。加快培育创汇龙头企业,鼓励支持金四方、松林丝厂、宏和丝绸、威宝公司等农业产业化龙头企业融入"一带一路"和长江经济带建设,构建以农产品加工出口企业为载体的外向型现代农业产业体系;加强农业对外合作交流,组织龙头企业、农民合作社、家庭农场等新型农业经营主体参加四川农业博览会和川台农业合作论坛,提高内江农产品的市场份额和竞争力。另一方面,坚持"引进来",加快发展现代农业。拓宽招商引资渠道,在鼓励投资农业生产、农产品精深加工业的同时积极引导工商资本、民营资本投向电子商务、休闲观光农业等新兴领域;创新招商引资形式,通过举办无花果节、葡萄节、荷花节等节庆活动开展农产品展示展销、项目推介、商贸洽谈等活动,引进资金、技术、人才,加快产业融合,推进农业现代化。

五、坚持共享发展,增进农民群众新福祉

"小康不小康,关键看老乡"。消除贫困、改善民生、逐步实现共同富裕是内江市委市政府的重要使命。经过"十二五"的努力,全市成功减贫35.38万人。但内江市脱贫攻坚形势依然严峻,还有11万名农村贫困人口,且都是贫中之贫、困中之困,是脱贫攻坚中最难啃的硬骨头。全面建成小康社会,最艰巨、最繁重的任务在农村,最大的短板在农村贫困人口。因此,内江市将全面落实扶贫攻坚各项工作要求,以更大的决心、更明确的思路、更精准的举措、超常规的力度确保让贫困群众共享改革成果。一是落实"六个精准"。聚焦要退出的贫困村、要脱贫的贫困户,重点在扶贫对象识别精准、项目安排精准、资金使用精准、措施到户精准、因村派人精准、脱贫成效精准"六个精准"上下功夫。二是落实"四个一批"。落实扶持生产和就业发展一批、移民搬迁安置一批、低保政策兜底一批、医疗救助扶持一批,做到"一把钥匙开一把锁"。三是构建"脱贫攻坚组合拳"。完善"3+10+N"组合拳分战线、分层级负责制度,实行"四到县",逐级签订责任书,严格考核、严密督查、严厉问责。

精准党建领航 精准脱贫"摘帽"

中共蓬安县委书记 蒲 国

蓬安县属川陕革命老区和秦巴山区,是集丘区、库区于一体的传统农业大县。2014年,全县精准识别建档立卡贫困村171个,贫困人口17454户、52377人,贫困发生率为10.6%,2016年被省政府确定为首批5个脱贫"摘帽"县之一。近年来,全县全面贯彻精准扶贫、精准脱贫方略,坚持精准党建引领精准脱贫思路,撸起袖子抓党建、弯下腰来拔穷根,做到组织设置精准、力量配备精准、产业发展精准、教育引领精准。2014—2016年,全县累计减贫12357户、37294人,贫困发生率降至2.64%,经省级验收考核和第三方评估验收,蓬溪县已达到脱贫"摘帽"各项指标要求。

一、坚持组织建设,把支部建在产业链上

打赢脱贫攻坚战,基层组织是核心。全县探索"把支部建在产业链上"基层组织设置新模式,延伸党建工作触角,努力做到"建立一个组织、带活一批产业、富裕一方群众"。

(一)聚焦全域覆盖,优化组织设置

紧扣贫困村农业产业发展布局,坚持"产业发展到哪里,基层党组织就覆盖到哪里",打破以行政区域为依托设置党组织的传统模式,以专业合作社、龙头企业、行业协会等为依托设置党组织,注重在各种协会、合作社的优秀"土专家""田秀才"中发展党员，把党组织建在产业链上，把党员聚在产业链上，在引进的麦伦农业等10家龙头企业单独建立党组织，对新成立的专合社按照"区域相邻、行业相近、就村挂靠"的原则联合组建党支部。全县建立产业型党支部35个，涉及蔬菜柑橘、优质粮油、草食牲畜、经济林果四大主导产业，实现了基层党建与产业发展无缝对接。

（二）聚焦能力提升，建强基本班子

采取县级部门抓业务指导、乡（镇）党委抓组织领导的方式，推动产业协会、专合社党组织规范管理、发挥作用。对新成立的产业型党组织，注重选配具有一定经营头脑、具有开拓创新精神、致富带富能力强的党员担任"一把手"，注重把致富带头人、专业合作组织负责人充实到班子；对村企共建的党组织坚持选贤用能、交叉任职。采取县级领导牵头抓、下派干部蹲点抓，着力整顿53个软弱涣散基层党组织，落实"四议两公开一监督"制度，全面推行事务代办、村干部坐班等制度，打通服务群众"最后一公里"。

（三）聚焦作用发挥，创新致富载体

充分发挥党组织政策引导、组织协调优势，通过以强带弱、以富带贫，将分散经营的农户组织起来，将分散作业的产业链接起来，整合产业发展的"散点碎片"，变"一枝独秀"为"满园芬芳"。采取"党支部+合作社（协会）+产业园区+群众"等模式积极发展适度规模经营，大力发展农业龙头企业，既提高了市场竞争力，增强了抵御市场风险和自然灾害的能力，又提升了农业产业化和组织化程度，加快了农民增收步伐。巨龙镇在关家坪村、双龙村建立区域联合党组织，带动贫困户种植核桃3万余株、建成1200余亩的小微企业创业园，形成涵盖集生产、种植、管理、营销于一体的现代农业发展链条，取得了1+1>2的良好效果。

二、坚持队伍联建，帮扶力量下沉一线

打赢脱贫攻坚战，干部是关键。全县坚持把选好帮扶干部、压实帮扶责任作为打赢脱贫攻坚战的坚强保障，全县党员干部把脱贫职责牢牢扛在肩上，把脱贫任务紧紧抓在手中，坚定信心、勇于担当、攻坚克难。

（一）聚强帮扶力量

坚持"挂帅+定点"，建立分级落实责任机制，健全县级领导指导到乡、单位帮扶到村、干部结对到户的精准帮扶机制，每个建档立卡贫困村均由1名县级领导联系、2~3个县直部门帮扶，形成了"脱贫攻坚推进到哪里，帮扶力量就跟进到哪里"的工作格局，引导资金、项目、技术、人才等要素向贫困村聚集。统筹干部资源，将干部力量向贫困乡村聚集，激发聚合效应，选派171名党员干部担任"第一书记"，抽派县、乡667名干部组建171个驻村工作组，抽调185名农技员进村入户，6523名机关干部被确定为帮扶责任人，不脱贫、不"摘帽"不换人。

（二）压实帮扶责任

"好钢用在刀刃上，人才用在紧要处"。干部政策向脱贫一线倾斜，注重在脱贫攻坚一线检验识别干部，把最优秀的干部人才汇集到贫困村、用在脱贫一线，为脱贫攻坚储备"后备梯队"。2016年，全县提拔任用17名"第一书记"、25名乡（镇）副职，杨家镇伏岭村"第一书记"范景胜被评为第二届"四川十大扶贫好人"。对工作推动不力的乡镇和部门实行"一票否决"制，直至就地免职，2年内严肃问责18名干部。同时，出台涉及力量充实、责任清单等7个方面的文件，成立5个督查组和3个暗访组，每月分析点评、季度现场观摩、半年工作小结、年终考核评价，在全县形成了"千钧重担人人挑、人人头上有指标"的攻坚格局。

（三）做活服务方式

帮扶力量围绕脱贫攻坚、产业发展等中心工作，确定服务主题，积极开展服务活动。针对"富亲戚"多的贫困村，既"找薪升火"，又"找米下锅"，利用回乡创业座谈会、"一村一品"推介会等，引导近千名民营企业家、协会带头人、产业富裕户、党员致富带头人与1000余名贫困户和困难党员结成帮扶对子，衔接项目100余项，落实资金数亿元，创办经济实体100余个；针对缺技术的贫困村，以乡（镇）为单位举办党员干部、农村致富带头人培训班，采取实地观摩、案例剖析、专题辅导、菜单选学等方式教授现代信息知识、农村实用技术、富民产业等新知识新技能，使每个贫困村都有一批能够示范指导和带动产业发展的实用型人才；针对"园区型"贫困村，强化产业主体与贫困群众的利益联结，由党支部牵头成立合作社，吸引贫困群众入股，让贫困户参与产业发展各个环节，实现户户有增收项目、人人有脱贫门路。

三、坚持发展联手，注重培育长效增收产业

打赢脱贫攻坚战，产业是根本。全县以产业扶贫为载体，探索"党建+产业"新路径，不断优化农业产业体系、生产体系、经营体系，让每个贫困村都有自己的特色产业或可依赖的主导产业，推动贫困群众稳定脱贫、持续增收。

（一）因地制宜，实施产业扶贫"三百工程"

全县坚持党员示范带动、引导群众认可，既有效解决了贫困党员群众徘徊、观望消极情绪，降低因涉及利益分配不均带来的不稳定风险，同时也体现出党员的带动性，增强了党组织的凝聚力。依托贫困村资源优势和产业基础，以主体功能区规划和传统优势农产品布局规划为依托，建设100平方千米的国家现代农业示范园，打造全长100千米的沿江蔬菜柑橘产业带、城郊观光农业产业带、平坝优质粮油产业带、山区草食牲畜和经济林果产业带，带动100余个村的贫困群众增收致富。全县已发展4个"玉—豆—草—畜"千亩循环示范园，建成5.3万亩商品蔬菜基地、7.8万亩经济果林，打造"蓬安锦橙""正源血橙""中坝萝卜"等特色农业品牌，形成了特色农产品标准化生产示范，推动9130名贫困人口脱贫增收。

（二）因情施策，建设脱贫奔康"农民产业园"

按照"依托大企业、建设大园区、发展大产业、实现大脱贫"的思路，采取"单村新建、联村共建、跨乡连片"的方式组建功能型党组织，引导群众采取村组内互换并地建成59个脱贫奔康农民产业园，初步实现"村村建园、户户入园"。充分发挥以村党支部培育新型农业经营主体的定向、聚焦和杠杆作用，先后招引麦伦农业、花好月圆等10家龙头企业入园发展，组建479个农民专业合作社、69家家庭农场，支持开展代耕代种、联耕联种、代销代购、农机作业等社会化服务，带动7611名贫困人口稳定增收。

（三）因势利导，落实"三大增收计划"

按照"户有当家产业、人有一技之长"的思路，由村党组织分户规划落实果蔬种植、畜禽养殖和劳务经济"三大增收计划"，有劳动能力的贫困群众全部实施"短平快"增收致富项目。对果蔬种植户，由党组织统一配送种子、农药、化肥，统一提供技术指导、病虫害防治、信息服务；对畜禽养殖户，政府补贴圈舍修建费用，部门免费防疫，企业保底收购，有效增强其抵御市场风险的能力；对劳务输出户，依托县职教中心和再就业培训中心开展畜禽养殖、果蔬栽培等实用技术培训,召开就业扶贫专场招聘会,贫困群众实现就近就地就业,在各村开发了保洁、养路等7个公益岗位,帮助贫困群众实现赚钱、顾家两不误。

四、坚持示范联动,培育“四好”新型农民

打赢脱贫攻坚战,贫困户是主体。全县把培养和扶持农村致富带头人作为决战全胜脱贫攻坚的切入点和着力点,把服务群众、根除陋习作为脱贫攻坚的重要抓手,引导村民养成好习惯、形成好风气,凝聚脱贫奔康的强大正能量。

(一)培育带富队伍

大力实施党员素质提升工程,通过换届选举、评先评优,培养一批“好支书”;通过精推优选、强化监督,培育一批“好骨干”;通过严把“入口”、规范“出口”,发展一批“好党员”。以村“两委”换届工作为契机,持续用力服务型党组织建设,将1800余名守信念、讲奉献、有本领、重品行的干部选入新一届村“两委”班子。同时,以培养一批根植于农村、创业于农业、推进农村经济发展、带动农民增收致富的“领头雁”为目标,充分挖掘农村特色产业发展潜力,培养一批有文化、懂经营、会管理、能带富的农产品经理人和农村致富带头人,全县共培养农村致富带头人300余人。

(二)强化素质提升

贫困村长期难以脱贫,人才短缺是问题要害。全县把培训“充电”作为提高贫困村创业带富能力的有效手段,采取“请进来”“走出去”相结合的方式,整合远程教育、在线学习平台、党员干部教育培训“三基地”、微信公众号等资源,分层次、分类别、有计划地对农村党员干部开展脱贫攻坚内容培训。整合资源和政策优势,每名“第一书记”牵头领办1个党员精准扶贫示范工程,培养2~3户党员养殖大户;强化党员示范带动作用,使每个贫困村都有1个具有“造血功能”、辐射带动能力强、贫困党员群众参与度高的示范项目。各乡(镇)也根据地理位置、气候条件和农民种养习惯开设了田间、地头、林下“农家课堂”。2016年,全县共举办党员干部、大学生村干部、农村致富带头人等培训班10余期,培训党员干部3000余人次。

(三)培树文明新风

开办农民夜校(技校),邀请专家、党校教师等对“第一书记”、村“三职”干部、党员群众进行全覆盖培训,既可以按需授课,又可以由村民点课,与贫困户实行一对一、点对点的教育培训,教育引导贫困群众从思想上由“要我脱贫”变为“我要脱贫”,不断增强其致富内生动力。组织开展“星级文明户”“示范户”评选,对获评为4星以上的贫困户挂星授牌,通过少数人的示范带动,引导激励多数人见贤思齐、自我提高。坚持产业发展、住房改善、村风文明建设协同推进,在规划建设脱贫奔康产业园的同时,充分考虑新村和公共服务设施建设,让群众既实现就近就业、又能享受到均等的公共服务。相如镇油房沟村、锦屏镇西拱桥村将社会主义核心价值观、“三字规”、“二十四孝”等内容嵌入农户聚居地的醒目位置,潜移默化地熏陶贫困群众和非贫困群众知党恩、知感恩、知奋进,走出了一条脱贫奔康、扶贫扶志的新路子。

蓬安县能够顺利摘掉贫困县“帽子”,最为根本的是抓住了坚持以党建工作引领脱贫攻坚,围绕脱贫攻坚抓好党建工作。加强党的建设没有休止符,服务人民永远在路上。全县有信心、有决心在首战首胜的基础上,再接再厉、再战再胜,把脱贫攻坚作为党建工作的主阵地,推进基层党建和精准扶贫工作深度融合,以党建汇集智慧、以党建凝聚人心,以党建之精神将脱贫攻坚进行到底!

精准发力拔穷根
众志成城摘“穷帽”

蓬安县人民政府县长　崔竹君

蓬安县位于四川省东北部、嘉陵江中游,系西汉大辞赋家司马相如故里,属川陕革命老区,是集丘区、库区于一体的传统农业大县。全县辖区面积1332平方千米,辖39个乡(镇)、647个村(社区),总人口73万人,其中农业人口57万人。境内贫困村基础设施落后,生产生活条件较差;贫困户面宽量大程度深,呈“插花”式分布。

2014年,全县识别出建档立卡贫困村171个、贫困人口20139户、62395人,贫困发生率10.6%。通过精准识别回头看和扶贫整村推进,截至2015年年底,全县净减贫困人口9280户、29757人,贫困发生率降至5.5%。2016年年初,省上下达蓬安县退出51个村、减贫1.11万人的脱贫任务。为达到贫困发生率低于3%的“摘帽”标准,蓬安县主动担当、自加压力,追加下达了退出4个村、减贫6200人的“保底”任务。

一年来,蓬安县始终把脱贫“摘帽”作为最大的政治任务和“一号民生工程”,紧扣“两不愁、三保障”“四个好”目标,全面贯彻精准扶贫、精准脱贫方略,严格执行中央、省委、市委关于脱贫攻坚的系列决策部署,所有县级领导挂帅出征,全体党员干部挂图作战,广大贫困群众主动参与,脱贫“摘帽”工作有力开展、纵深推进,贫困发生率降至2.6%,初步实现“县摘帽、村退出、户脱贫”目标。

一、坚持把培育增收产业作为户脱贫的第一抓手,靶向发力突出“准”

产业培育是实现脱贫“摘帽”的根本之策。近年来,蓬安县注重培育长效支柱产业与实施短期增收项目两手共抓,建设脱贫奔康产业园与引导群众就近就业双管齐下,一村一策,一户一法,推动贫困群众稳定脱贫、持续增收、致富奔康。

一是因情施策,实施“产业扶贫三百工程”。立足贫困村自然条件、资源禀赋和种养习惯,精心编制农业产业“十三五”发展规划,加快推进产业扶贫“三百工程”。启动建设覆盖6个乡(镇)、面积100平方千米的国家现代农业示范园,打造全长100千米的沿江蔬菜柑橘产业带、城郊观光农业产业带、平坝优质粮油产业带、山区草食牲畜和经济林果产业带,带动100余个村的贫困群众增收致富。出台并落实生猪、水果、蚕桑等农业特色产业补贴政策,大力推行良种良法、良壤良灌、良制良机,发展“玉—豆—草—畜”千亩循环示范园4个,建成规模养殖场35个、商品蔬菜基地5.3万亩、经济林果7.5万亩,打造“蓬安锦橙”“正源血橙”“中坝萝卜”等特色农业品牌,促进9130名贫困人口脱贫增收。

二是因地制宜,建设脱贫奔康农民产业园。按照“依托大企业、建设大园区、发展大产业、实现大脱贫”的思路,采取“单村新建、联村共建、跨乡连片”的方式,分年度、分区域建设100个脱贫奔康农民产业园。把农业企业招引作为投资促进工作的重点,蹲点招商、定向突破,麦伦农业、乐乐生态、花好月圆等10家龙头企业入园发展,组建成立兴农种养、裕康农机、红旗大寨等453个农民专业合作社。落实财政、税收、信贷支持措施,鼓励发展农业经营性服务组织,支持开展代耕代种、联耕联种、代销代购、农机作业等社会化服务。实行政府引导、农民主体、龙头带动、金融支持、合作社组织“五方联动”的市场化运作，充分吸纳贫困户入园发展，初步实现“村村建园、户户入园”。全县已建成产业园 55 个，带动贫困人口 7611 人。

三是因势利导，落实“三大增收计划”。按照“户有当家产业、人有一技之长”的思路，分户规划落实果蔬种植、畜禽养殖和劳务经济“三大增收计划”，长短结合、以短养长，有劳动能力的贫困群众全部实施了“短平快”的增收致富项目。对果蔬种植户，统一配送种子、农药、化肥，统一提供技术指导、病虫害防治、信息服务，亩均产量、产值均增长 25%以上。对畜禽养殖户，政府补贴圈舍修建费用，有关部门提供免费防疫，企业保底收购，有效增强抵御市场风险的能力。对劳务输出户，依托县职教中心和再就业培训中心开展畜禽养殖、果蔬栽培等实用技术培训 63 期、1. 27 万人次，焊工、电工等就业技能培训 56 期、3460 人次，订单式培训贫困群众 1927 人次；召开招聘会 55 次、就业扶贫专场招聘会 11 次，4361 名贫困群众实现就近就地就业。同时，建立 55 个农民技(夜)校，每村开发保洁、养路、护林等 7 个公益岗位，帮助贫困群众实现不离乡不离土，赚钱顾家两不误。

二、坚持把完善基础配套作为村“退出”的重要支撑，挂图作战务求“快”

新村建设是扶贫开发的综合载体。近年来，蓬安县整合一切可以整合的资源要素，优先安排新村扶贫项目、优先保障基础建设资金、优先落实工程推进措施，逐村细化实施方案、逐月明确形象进度、逐人下达目标任务，促进贫困村旧貌及早换新颜。

一是实施交通水利大会战。全县贫困村主要分布在深丘地带和库区后靠安置区域，山地多、平地少，很多地方望着大马路上不去车，守着大水库喝不上水，基础设施“最后一公里”问题非常突出。扎实开展通村联社道路大会战，整合省级农村公路建设指标和“一事一议”项目集中投向贫困村，同步推进通村水泥路、到户便民路和道路安保设施建设，初步形成“对外大联通、对内大循环”的道路交通网络，有效破解了贫困村“行路难”问题。扎实开展水利建设大会战，按照“先集中后分散，先重点后一般，先饮水后灌溉”的原则，统筹实施饮水安全工程、抗旱减灾工程、农田水利建设，建成集中供水站 6 个、联户饮水工程 170 个、小微水利设施 975 处，初步形成旱山村、缺水村用水保障体系，有效破解了村民因水受困、因水成疾、因水致贫问题。

二是实施农村危房大改造。按照“宜聚则聚、宜散则散、宜建则建、宜改则改”的思路，广泛听取群众意见，充分尊重群众意愿，统筹推进农村危房改造、易地扶贫搬迁、地质灾害避让搬迁和“五改三建”等安居工程建设，坚决不贪大求洋、不大拆大建、不举债负债，细化完善规划设计、土地协调、建材保障、施工组织等流程，推进安居住房建设满负荷施工。推行“一事一议、以奖代补、先建后补、民办公助”等方式，最大限度减少审批环节，最快速度调度建设资金。整合住建、国土、安监力量，建立质量安全监管机制，常态化开展巡查监管，保障住房建设质量安全。实行领导包片、部门保村、干部包户，每天一督查、每周一通报、每月一考评，全县累计完成农村 C 级、D 级危房改造 4984 户、易地扶贫搬迁 2586 户；建成新村聚居点 21 个，实施“五改三建”3150 户，贫困群众住居条件大幅改善。

三是实施“四好村”创建。在让贫困群众住上好房子、过上好日子的同时，按照“业兴、家富、人和、村美”的基本要求，以幸福美丽新村建设和文明村镇建设为抓手，努力让群众养成好习惯、形成好风气。扎实推进 “环境卫生、陈规陋习、封建迷信”三大专项整治，引导群众爱护公共卫生、遵守社会公德、维护社会秩序，文明礼貌、勤俭节约、安全生产、守时守信在贫困村蔚然成风。实施“制定村规民约、践行村风村训、传唱村赋村歌、参与村风文明”四大行动，加强以关爱农村留守儿童、留守妇女、留守老人为重点的社会服务，常态化举办送文艺进村入社群演，群众精神生活更加丰富。开展“遵纪守法、尊老爱幼、邻里互助、勤劳致富、文明风尚”五星评定活动，晒家风、晒家训、晒家规、晒典型，有效提高农村整体文明水平。

三、坚持把提升公共服务作为县“摘帽”的根本任务，便民利民彰显“优”

基本公共服务均等化是城乡均衡发展的重要标志。近年来，蓬安县大力整合教育、卫生、文化等资源，加快完善公共服务体系，保基本、补短板、兜底线、促公平，群众上学难、就医难、办事难等问题得到有效解决。

一是建好标准中心校，阻断贫困代际传递。扎实推进薄弱学校改造和信息化建设，加快实施学前教育“三年行动计划”，均等化配置师资力量，累计改(扩)建校舍 8.8 万平方米，新(改)建乡(镇)幼儿园 5 所，标准中心校实现全覆盖。在严格落实国家教育助学资助政策的基础上，设置 300 万元的县级教育扶贫专项基金，统筹学校公用经费的 5%资助非寄宿贫困学生。严格执行义务教育“控辍保学”机制，认真落实“五长负责制”，强化第一监护人职责，全县义务教育阶段无辍学现象发生。坚持每周一次学习指导、一次情感激励，每月一次心理疏导、一次帮扶督查、一次家访，每期一次物质资助，全县结成 3132 对帮扶对子，确保贫困家庭学生有学上、上好学。

二是建好达标卫生院，均等享受医疗保障。统筹推进乡(镇)卫生院业务用房建设，同步完善垃圾收集、污水处理等辅助设施，标准化配置医疗设备和医务人员，强化急救、中医、预防保健等重点科室建设，所有乡(镇)卫生院基本设施齐全、人员配备合理、服务功能完善。建立贫困人员疾病信息筛查台账，每月开展一次健康知识宣传和义诊活动，每年免费进行一次贫困人员体检，动态掌握贫困患者信息。推行重点贫困人群签约服务模式，采取进村入户、上门巡诊、电话随访等方式协助落实定点医院、定点医生，制定个性化精准治疗方案，全县共签约服务贫困户 17516 户。建立县、乡、村三级诊疗制度，畅通贫困人口就医绿色通道，有效实现分级诊疗、双向转诊、无缝对接。逗硬落实医疗扶贫“十免四补助”政策，设立县级卫生扶贫专项基金，贫困群众在县域内定点医疗机构合规门诊费用控制在 10%以内、住院实现“零支付”。

三是建好便民服务中心，群众办事不出乡(镇)。采取新建、扩建、租赁等方式全面建成标准化便民服务中心，同步设置村(社区)便民代办点，初步构建县、乡、村三级联动服务体系，规范设置咨询引导、惠农政策、社保医保、民政救灾等办事窗口，统一购置办公设备、统一建立工作制度、统一明确进驻事项、统一制作办事指南，全面实现“两集中、两到位”。大力推行首问负责制、服务承诺制、一次性告知制、限时办结制和责任追究制，简化审批程序，压缩审批时限，畅通并联审批绿色通道，行政审批平均提速 95%。

四、坚持把敢闯敢试作为脱贫奔康的不竭动力，创新机制体现“活”

作为首批“摘帽”县，蓬安县积极探索新途径、新模式，及时提炼和固化工作中的好做法、好机制，努力形成一批可借鉴、可复制、可推广的蓬安经验。

一是创新头羊引领机制。坚持“精准党建+精准扶贫”，持续加强贫困村服务型党组织建设,整顿后进村党组织29个,调整充实村“两委”干部51名,不断巩固党在基层的执政地位,增强其带领群众致富奔康的堡垒作用。推行“先进村+贫困村”“党员先锋户+贫困户”的联帮模式,通过以强带弱、以富带贫、以快带慢有效实现了资源共用、成果共享、共同致富。巨龙镇关家坪村联动临近的双龙村建立区域联合党组织,带动贫困户建成核桃种植基地1200余亩。

二是创新利益联结机制。采取“参股入社、配股到户、按股分红、脱贫转股”的方式,动员农业龙头企业、专合组织等新型农业经营主体“牵手”99个贫困村,促进农村资源变资产、财政资金变股金、贫困人口变股东,有效增加贫困群众的入股分红、返租倒包、土地租金和务工收入。实施“互联网+精准扶贫”,建立电商双向流通体系,发展壮大农村电子商务等新兴业态,使电商扶贫成为扶贫开发的新引擎。碧溪乡麦伦公司以土地、劳动力方式给予贫困户配股分红和二次返利,对返租贫困户以保底价收购农产品,增加了贫困户收入,规避了种养殖风险。

三是创新多元融合机制。坚持群众脱贫、住房改善、村风文明建设协同推进,在规划脱贫奔康农民产业园的同时,充分考虑新村建设和公共服务设施,让群众既就近就业、又享受到均等的公共服务。因地制宜将社会主义核心价值观、“三字规”、“二十四孝”等内容嵌入住居的醒目位置,潜移默化地熏陶贫困群众和非贫困群众,让他们知党恩、知感恩、知奋进,走出了一条脱贫奔康、扶贫扶志的新农村建设路子。相如镇油房沟村、锦屏镇西拱桥村用村规村训传播主流价值,增强了群众的集体荣誉感。

四是创新长效帮扶机制。实施“万千百十个”帮扶行动,安排万名机关干部、教师、医生与贫困群众结“穷亲”,动员千名义工进农家开展关爱活动,组织百家企业支持贫困村产业发展和基础建设,为每个贫困村量身定制10项以上的帮扶措施、引进1个以上业主。调整充实“五个一”帮扶责任主体力量,建立帮扶责任主体与贫困对象双向承诺制度,推行帮扶明白卡、项目进度卡和驻村考勤卡“三卡”工作法,实现全程痕迹管理,做到了帮扶工作可追溯、可检查。

五是创新扶贫投入机制。以脱贫规划为引领,采取“上级补助、本级投入、项目整合、金融扶持、社会捐助、群众自筹”等方式,筹集“摘帽”资金6.93亿元,其中上级扶贫专项资金1.8亿元、县财政安排5600万元、整合财政涉农资金2.6亿元、小额信贷6000万元、社会捐赠和群众自筹1.37亿元。严格执行扶贫资金专户专账管理制和县管乡(镇)报账制,切实加强跟踪检查,全程开展审计监督,确保扶贫资金用在刀刃上,发挥最大效益。

六是创新脱贫巩固提升管理机制。脱贫“摘帽”后3年过渡期用于贫困村、贫困户的资金保持不变,驻村工作组和“第一书记”持续驻村,常态化开展入户走访、沟通,关注已脱贫群众的新诉求、新动向,跟进解决具体困难。对已脱贫销号的贫困村、贫困人口适时开展“回头看”,重点看帮扶政策是否延续、增收措施是否可靠、脱贫成果是否巩固,做到工作要求不变、力度不减,督查考核同等对待。科学设置贫困监测点,共享扶贫、民政、人社、卫计、教育、残联等部门数据,对可能返贫对象提前预警、提前介入,对返贫对象重新纳入帮扶范围。

五、坚持把压实责任作为打赢脱贫攻坚战的坚强保障,担当担责注重“实”

越是进行脱贫攻坚战,越要加强改进组织领导。近年来,蓬安县把脱贫职责牢牢扛在肩上,把脱贫任务紧紧抓在手中,坚定信心、勇于担当、攻坚克难、乘势前进,为顺利摘掉贫困县“帽子”提供了坚强的组织保障。

一是靠实责任抓落实。注重县级层面的顶层制度设计,出台涉及力量充实、责任清单等7个方面的文件,固化各方责任,明确重点要求,落实约束机制,构建横向到边、纵向到底的责任体系、推进体系和督导体系,做到“千斤重担人人挑”。严格落实县、乡、村“一把手”负责制,层层签订责任书、立下军令状,促使全县干部把主要时间和精力用在脱贫“摘帽”上。坚持县级党政主要负责人一周一调度、乡镇主要负责人三天一调度、村支书一天一调度的“三个一”调度推进机制,促进脱贫攻坚各项工作落地落实落细。

二是严督实办抓落实。始终将问人问事问责进行到底,成立5个督查组和3个暗访组,常态性开展专项督查、成效督查和暗访督查,构建了立体式、全方位的督查体系。每月召开一次脱贫攻坚流动现场会,用“抓阄”方式随机选点、现场点评、现场考核。坚持问题导向,在每月中下旬由县“四大班子”领导、各相关部门和乡(镇)集中时间、集中力量、集中精力对55个拟退出村和“插花”式贫困户分队分组,逐村逐户深入开展自查评估,对带共性的问题及时建立台账,由县上及时统一研究解决;属乡(镇)和村上的问题,当场反馈、当场责成整改;属帮扶部门的问题,立即下发督办令,限期予以抓好落实。在全县上下形成了“水紧鱼跳、你追我赶”的浓厚氛围。

三是强化考核抓落实。坚持“年初定目标、每月查进度、年底交好账”,建立健全脱贫工作推进约束机制,认真分析研判,细化目标、倒逼进度,严格考核、逗硬问责。修订完善脱贫攻坚工作考核办法,单列考核指标,提高分值权重,乡(镇)由40分提高至80分,部门由30分提高至50分。注重在脱贫攻坚一线检验识别干部,对实绩突出、群众公认的党员干部及时提拔重用;对工作推动不力的乡(镇)和部门实行“一票否决”制,直至就地免职。杨家镇伏岭村“第一书记”范景胜被评为第二届“四川十大扶贫好人”,全县已提拔使用17名“第一书记”、25名乡(镇)副职,严肃问责18名干部。

一年来,蓬安县在省委、市委的坚强领导下,在上级主管部门的大力支持下,脱贫“摘帽”工作取得了显著成效,脱贫攻坚将转向巩固提升精准扶贫成果、加快全面小康建设的新阶段。下一步,蓬安县将全面贯彻落实中央和省市关于脱贫攻坚的总体部署,牢固树立“创新、协调、绿色、开放、共享”五大发展理念,切实强化“一号工程”意识,坚持导向不偏、政策不变、重心不移,加强贫困人口动态管理、扶贫产业培育、基础设施建设、各类资金投入等工作,加快补齐突出短板,确保2020年同步建成全面小康社会。

武胜县创新实施“五大特色扶贫”破解五大攻坚难题

武胜县脱贫攻坚领导小组办公室

近年来,武胜县深入贯彻落实习近平总书记“四个全面”战略布局,坚持把脱贫攻坚放在事关全面小康的高度来谋划推进,以脱贫攻坚统揽经济社会发展全局,按照“六个精准、五个一批”工作要求,创新实施“五大特色扶贫”,攻坚破难,不断推动脱贫攻坚工作取得新成效。

一、创新实施农村电商扶贫,破解产销难题

抢抓武胜县被纳入全省电子商务进农村示范县机遇,将电子商务同扶贫开发有机结合,采用"政府推动+电商平台+农村合作社+农户"模式实施"六个一"举措,通过政府搭建公共服务平台,电商企业市场运作,着力推动"工业品下乡,农产品进城",切实为农民群众解决农产品"买难""卖难"问题,促进农产品精准产销,打造助农增收、脱贫奔康"新引擎"。

建好一套电商扶贫工作机制。按照"政府领导、商务主管、部门配合、协会牵引、农企对接、合作共赢"的思路,出台了《关于加快电子商务产业发展的实施意见》,完善部门联席会议、政策扶持保障、电商人才培训等机制,构建电商扶贫工作体系。打造一个本土电商平台。依托电子商务产业园,建成中关村·中滩众创空间,搭建武胜农副产品"网上集市"和"特色武胜123"电商交易平台,打造展示武胜形象、推介农特产品、包装对接销售的本土电商平台。包装一批农特产品。建立农产品质量追溯体系,加强质量监督监管,支持农副产品地理标志保护、绿色、有机、无公害等资质申报认证,包装打造"飞龙"太阳面等8个品牌,注册"乐善兔"等16个商标,重点推动万隆镇飞来石村龙凤鸡、龙女镇马耳石村鸽子蛋、白坪乡高洞村甜橙等特色网销产品规模化种植、标准化生产,有效提升产品品质、价值和知名度。拓宽一条产品销售渠道。加快推进宽带乡村惠民工程,建设"智慧乡村",采取"互联网+特色农产品"模式鼓励农户利用互联网、手机终端等多种形式销售农特产品,代购生产生活资料,拓宽贫困村、贫困户农特产品销售渠道。建设一批电商物流服务站。加快完善乡村电商物流体系,建成县级电商物流服务中心1个、乡(镇)级电商物流分中心15个、村级电商物流服务站133个,电商物流服务站实现133个贫困村全覆盖。培训一批农村电商人才。整合人社、扶贫、妇联、团委、残联等部门培训资源,面向合作社负责人、大学生村干部、"第一书记"及贫困群众等群体开展电子商务应用和实际操作培训。全县发展农业电商企业32家,培训电子商务人才达2500余人次,电商助农增收达500元/人以上,武胜县被纳入全省电子商务进农村示范县。

二、创新实施商会企业扶贫,破解增收难题

紧盯产业增收和就业扶持两个关键点,按照"五个一"帮扶策略(即培养一名经济发展带头人、发展一个特色产业、培育一个村集体经济创收项目、改善一批生产生活条件、帮助一批贫困户脱贫),大力开展"百企帮百村"活动,引导异地商会和广大非公企业积极参与全县脱贫攻坚,帮助贫困村发展特色产业,带领贫困群众稳定就业。

一是商会牵线,村企结对。在县工商联的倡导下,重庆、成都、浙江等9个异地商会定点联系中心镇锡壶沟村等9个贫困村,各商会组织会员进基层、结"穷亲"、察民情、献良策,积极参与贫困村脱贫攻坚工作,会员企业与贫困村、会员与贫困户结成帮扶对子。2017年以来,各商会共募集资金9000余万元,帮助改善贫困村基础设施、资助贫困学生上学、支持贫困户发展致富产业。

二是产业带动,助农增收。充分发挥商企人员多、信息广的优势,坚持走项目带动、产业增收之路,围绕贫困村产业基础,按照"企业+村集体+专业户+贫困户种植业合作社"模式,鼓励会员企业结合自身特点和贫困村实际,带着项目和资金进村帮扶,发展特色产业,壮大村集体经济,带领贫困群众增收致富。截至2017年年底,成都商会帮助发展蚕桑产业和晚熟柑橘2000亩,重庆商会帮助发展特色生态养殖和柠檬种植800亩,云南商会帮助发展花椒种植800亩,贵州商会帮助发展柠檬和特色水果种植600亩,带动近3000名贫困群众实现增收。

三是吸纳就业,稳定脱贫。贫困村村"两委"收集贫困户劳动力就业状况、就业意向及培训愿望等信息,建立贫困家庭就业意愿台账。商会组织资源对有就业意愿的劳动力进行免费就业培训,提供就业信息,鼓励会员企业优先安置建档立卡贫困户就业,达到"就业一人,脱贫一户,带动一片"的良好示范效应。截至2017年年底,已开展建筑、汽修、纺织、加工等培训约1800人次,368名建档立卡贫困户实现就业,人均增收1200余元。

三、创新实施校地合作扶贫,破解智力难题

充分利用省教育系统定点帮扶武胜县契机,借助省教育厅联系各大科研院校优势,深化院县合作,加强校地对接,通过借势借力、借才借智,建立"校地联动、精准扶贫"新机制,打造武胜县教育行业扶贫特色品牌。

一是发挥资源优势,加快补齐短板。充分利用教育厅机关和高校联系广泛、资源丰富优势,积极争取政策、项目、资金支持,推进贫困村基础设施建设。同时,依托高校自身优势资源,重点开展建档立卡贫困大学生扶持就业,加强心理辅导,提供勤工俭学岗位,推荐就业单位,加强就业指导和服务。截至2017年年底,高校支持安装分布式太阳能发电装置1处,新建村级服务中心和文化广场2处,新修公路5千米、便民路12千米,整治山坪塘2口、水渠3.2千米。教育厅共计发放救助资金20万元,100名贫困大学生受益;通过定向推介,300余名贫困家庭本科以上毕业生通过扶持实现就业。

二是发挥教学优势,培养技能人才。聘请一批省内高校专家教授担任顾问,采取集中培训、巡回指导、订单培养等方式培养农村脱贫致富带头人。推行武胜职专、万善职中与省内高校联合办学模式,对贫困家庭初高中毕业生进行职业技能培训,实行"订单式"培养,推荐其到县内外企业就业或者自主创业,实现"一人就业,全家脱贫"的目标。邀请省内高校对全县中等职业学校专业设置、教育教学、就业服务等方面进行指导,不断提升全县中等职业学校办学水平。2017年以来,53名高校专家分6个批次到武胜县开展各类技术培训20余次,覆盖1900余名贫困人口,245名贫困户通过就业实现人均增收1000元以上。

三是发挥人才优势,创新结对帮扶。构建"高校+贫困村"结对帮扶模式,教育厅8个直属支部和省内8所高校分别结对帮扶沿口镇长凤村等8个贫困村,构建"8+8+8"帮扶机制,同时,发挥高校人才、智力和资源等方面的优势,帮助贫困村制定脱贫规划,改善基础设施,提升公共服务水平,发展特色优势产业。构建"专家+贫困户"结对帮扶模式,引导高校教师进村入户与建档立卡贫困户结对帮扶,广泛宣讲惠民政策,传递脱贫致富信息,开展感恩奋进教育,传授文明健康知识,引导广大群众增强自主脱贫信心,进一步养成好习惯、形成好风气,争当脱贫致富先进典型。

四是发挥科研优势,发展特色产业。建立高校支援武胜发展人才智库,与省内高校签订校县合作协议,邀请省内高校帮助制定康养产业、文化创意、体育休闲、众创空间等方面的发展总体规划,帮助发展"宜香优2115"优质水稻3000亩,引进养殖优质农凤鸡10000余羽。以创建"省级艺术教育整体推进试点县"为契机,依托省内高校师资力量,培训新兴产业人才,培养武胜剪纸、竹丝画帘等方面的领军人物;积极探索文化创意、体育休闲、众创空间"产学研"发展道路,逐步打造川东北集教学、培训于一体的培训基地。借助高校的网络宣传技术和先进营销手段,对健康养老、文化旅游和电子商务等进行广泛宣传,大力包装推介武胜剪纸、竹丝画帘、乡村旅游、健康养老和特色美食等产业产品,不断增强新兴特色产业的知名度和美誉度。

四、创新实施民主党派扶贫,破解谋划难题

主动对接各民主党派省委,创新开展"多党合作·同心共建·脱贫奔康"主题活动,借力各民主党派政治、智力优势,履行参政议政、民主监督职责,包村帮扶、建言献策、合力攻坚,为武胜县科学发展、脱贫奔康、跨越发展注入了新动力,为全市、全省乃至全国统一战线服务"四个全面"、多党合作同心共建、深化农村改革、推动精准扶贫探索了新模式。

一是积极建言献策。充分发挥民主党派在文化教育、经济、医疗卫生、科技、法律等各个领域的专家优势,针对贫困群众最关心的热点难点问题,通过实地走访调查、问卷调查、抽样调查、专家评估等多种形式深入基层一线多方收集富有价值的第一手资料,充分做好参政议政的调研工作。整理归纳调研情况,总结提炼,形成重点突出、特色鲜明、可行性高、实效性强的调研成果和含金量重的意见建议,信息直达党委政府,为更好地开展脱贫攻坚工作提供了有益参考。工作开展以来,形成调研报告13篇,上报提案4个、意见建议110余条。

二是加强民主监督。通过开展调查研究、参加专项评估、加强日常联系等多种方式,围绕落实脱贫攻坚责任情况、政策措施执行情况、扶贫资金管理使用情况、贫困人口精准识别和精准脱贫情况等方面找准民主监督的切入点。坚持问题导向,突出工作重点,围绕脱贫攻坚中的薄弱环节、重点难点问题和群众普遍关注的问题充分发挥民主党派智力密集优势,真正将监督的过程变成发现问题找准问题、研究问题、解决问题的过程。通过建议、批评、意见等民主监督方式,提出建设性或批评性意见建议20余条,为群众办实事、好事150余件。

三是携手脱贫攻坚。各民主党派紧紧围绕"一低十一有"工作目标("一低"即贫困发生率低于3%,"十一有"即有集体经济、有硬化路、有卫生室、有文化室、有通信网络、有电商服务站、有村史馆、有污水处理站、有同心小广场、有同心院落、有统战文化展示橱窗),通过改善基础、提升能力、升级产业等措施帮助联系贫困村实现整村脱贫,形成脱贫奔康示范效应。同时,结合贫困村帮扶工作,创新开展"普法工程""烛光行动""思源行动"等活动,组织专家和党派成员49批次、780余人次开展专技培训80余场次、社会服务40余场次,支援投入帮扶资金1460万元用于贫困村建设,帮助争取项目资金2.8亿元,实施太阳能光伏发电站、电网改造等项目23个,打造了一批突显民主党派特点的专业扶贫品牌,鸣钟乡小寨村、大石村,三溪镇箩兜岩村,猛山乡双河村,白坪乡隘口村、凤鸣村,飞龙镇五家岩村7个贫困村高标准达标退出,成为全县脱贫奔康的标杆示范。

五、创新实施志愿扶贫,破解思想难题

广泛动员社会志愿力量参与脱贫攻坚,创新开展"青春扶贫——创'四好'志愿服务行动",大力弘扬社会主义核心价值观,大兴友善互助、守望相助社会风尚,推动贫困村形成好风气、贫困群众养成好习惯,转变部分贫困户"等靠要"思想,凝聚脱贫攻坚强大合力,推动形成大扶贫工作格局。

一是抓队伍招募,凝聚青春志愿力量。聚焦志愿服务队伍落位、责任落实、活动落地,积极发出倡议,从青年、教师、医务工作者、西部计划志愿者、团(队)组织负责人等群体中招募扶贫创"四好"志愿者275名,成立志愿服务总队和55个退出贫困村志愿服务小队,同时明确志愿服务的工作重点,强化责任落实和压力传导。强化工作保障,统一配备志愿服务旗帜、志愿服务马甲等物资,引导志愿者亮出旗帜、亮明身份,在脱贫攻坚中贡献力量。

二是抓活动组织,释放青春志愿能量。出台《武胜县2017年扶贫创"四好"志愿服务工作方案》,紧扣"养成好习惯、形成好风气"发力,围绕脱贫攻坚阶段重点,按照"一季一主题,一月一活动"的工作思路,分季分月统筹开展政策宣传、关心关爱、主题宣教、环境共治、志愿传递五项主题志愿服务活动,先后组织开展"树文明新风·倡健康生活"志愿宣传活动、"青春扶贫·情暖武胜"社会公益慰问活动、村风民约主题宣传活动和"特殊群众关爱"主题活动150余场,入户宣讲4000余人次,发放各类宣传资料8000余份,覆盖2800名贫困人口,有效释放了青春志愿能量,传递了良好社会风尚和社会关爱影响。

三是抓氛围营造,展现青春志愿风采。发挥共青团系统微矩阵散发传播的独特优势,依托青年之声网站、微博、微信等团属新媒体,引导各级团组织立足各自行业特色和宣传特点,大力宣传扶贫创"四好"志愿服务工作,积极引导贫困群众、贫困青少年学习扶贫政策法规、了解致富信息、遵守村规民约等,推进线上青年阵地和线下志愿服务有机结合,传导向上向善正能量,推动形成1名贫困青年逆境拼搏、带动一家脱贫的良好氛围,充分展现青年志愿风采。全县共发表扶贫创"四好"志愿宣传文章26篇、微博11条、微信100余条。

达州市特色现代农业发展路径研究

中共达州市委农村工作委员会

达州市是典型的人口大市、农业大市和革命老区。达州市农业资源富集,享有"四乡三都两基地"的美誉,是国家商品粮生产基地和优质生猪生产供应基地。达州土壤因富含硒而闻名,为打造中国富硒农产品生产加工基地奠定了坚实基础。尽管达州市农业产业特色明显、优势突出,但达州农业特别是特色现代农业发展始终没有走出一条强市之路。

一、达州市特色现代农业发展的实践与成效

近年来,达州市以脱贫攻坚为统领、以农民增收为核心,围绕建设农建综合示范区、加快发展现代农业、深入推进"农业四区"建设、加快发展农业"4+8"特色产业进行了一系列的实践与探索,特色现代农业呈"四化"快速发展态势。

(一)特色产业基地逐步规模化

全市按照"六带三区两基地"的产业布局突出富硒、绿色、生态、有机特色,特色优势产业带和区域布局初步形成。全年粮食产量达289.31万吨,居全省第二位;油料产量达32.45万吨,居全省第一位。特色种植业已建成国家级、省级现代农业示范园区及万亩亿元示范区30个;优质富硒茶叶、渠县黄花、中药材等特色农业种植面积227.5万亩,其中"一牌三化"(品牌+专业化、标准化、规模化)基地100万亩、设施农业10万亩。特色畜禽业已建成现代畜牧业养殖小区2500个、市级以上标准化养殖场165个(其中部省级42个),全年肉类产量49.33万吨。优质生猪、蜀宣花牛、旧院黑鸡、开江鹅鸭等一批特色养殖业的养殖规模和品牌影响力快速提升。

(二)农产品加工业逐步精深化

达州市农产品加工水平、企业规模、产品质量、品牌影响力和市场竞争力不断增强,带动农户增收能力不断提升。全市现有农产品加工企业近300家,其中国家级2家、省级26家,年总产值近200亿元,其中销售收入上亿元的25家。已建成通川、大竹、渠县、开江4个农产品加工集中区,入驻重点企业70家,初步实现农产品加工企业集聚、集群发展。加工贸易企业的现代管理水平、品牌意识、质量安全、科技含量、精深加工能力快速提升,农产品加工率上升至45%,农民从农产品精深加工产业链中获利更多。

(三)农产品贸易逐步国际化

达州市农产品除满足本地居民消费之外,多数进入流通市场,商品率达60%。产品远销到成都、西安、北京、上海、重庆等地,仅重庆市场年销售额就达20亿元。电子商务发展迅速,通过"农村淘宝"、"互联网+"、电子商务平台等实现网销额达13.6亿元。农产品进出口贸易快速增长,2015年实现3.6亿美元,其中出口突破1亿美元,东柳醪糟、玉祝麻业、瑞丰木业公司产品已出口美国、俄罗斯、日本、欧盟等国家和地区。

(四)优势农产品逐步品牌化

农产品名优品牌创建卓有成效,已完成达州市农产品区域公共品牌标识征集、评审工作,农产品公共品牌"食蜀硒友"进入工商注册阶段。全市已创建中国驰名商标4个、国家地理标志保护产品51个,其中2015年创建国家生态原产地保护产品9个、2016年12个,名列全省第一位;有四川省名牌产品35个、四川省著名商标32个、绿色产品24个、有机产品15个、无公害产品146个。旧院黑鸡、巴山雀舌、灯影牛肉、大竹醪糟等一批达州农产品享誉国际。

二、达州市特色现代农业发展的困难和问题

尽管达州市特色现代农业、农产品精深加工业、农产品贸易流通业取得了明显成效,但推进达州市由农业大市向农业强市迈进尚在攻坚期,工作中还存在一些亟待解决的困难和问题。一是特色产业多、散、乱、杂,优势产业带、区域布局分散,规模优势、产业优势、品牌优势尚未真正形成。二是农产品加工贸易企业实力弱小,竞争力不强,自主创新能力差,发展后劲不足等,主要表现在农业产业化龙头企业用地、用水、用电等生产要素保障难以到位,融资困难且融资成本高,金融机构创新适合农产品加工业的产品不多。三是农产品市场营销体系建设相对滞后,特别是农产品冷链、物流、电子商务建设领域与发达地区相比差距明显,农产品"买全国、卖全国"格局难以形成。达州市特色现代农业要走出一条强市之路,必须逐步解决这些困难和问题,依托现有农业优势资源加快发展农产品精深加工和贸易是最佳选择,也是必然选择。

三、发展农产品精深加工贸易的重要性和紧迫性

农产品精深加工贸易有效地把农业一产业(种植业、养殖业)、二产业(加工业)、三产业(贸易、物流、旅游观光)有机结合起来,是实现农业现代化、增加农民收入的核心环节,对延长农业产业链、提高农业附加值、促进农业一二三产业融合发展意义重大。

(一)农产品精深加工贸易是脱贫攻坚的产业支柱和农民增收的重要渠道

"十三五"是达州市扶贫开发工作攻坚的冲刺阶段,扶贫攻坚任务艰巨、责任重大。截至2015年年底,全市仍有建档立卡贫困村828个、贫困人口49.85万人,贫困人数居全省第一位,贫困人口多、贫困面大、贫困程度深,且大多集中在农村偏远山村,全面消除贫困必须找到一条切实有效的产业支柱和路径。依托贫困地区特色优势产业发展农产品精深加工贸易业可以有效增加农产品市场需求,缓解农产品难卖问题,减缓价格波动,实现农民充分就业;可以延长农业的产业链、效益链,实现贫困农民多层次多渠道增收。达州市农产品加工贸易业从业人员70%以上是农民,为农民人均可支配收入贡献了9%,达960元,也为其他一些贫困群体在增收渠道边际效益递减的情况下开辟了新的增收空间。

(二)农产品精深加工贸易是国民经济的基础性、战略性、支柱性产业

发展农产品加工贸易能使农业经营主体按照加工需要组织生产,集成利用现代要素促进农业的标准化、专业化、规模化、集约化和品牌化生产;最大效应地集聚农业资金、设施、技术、人才、信息等生产要素,增强农业综合生产能力;最大效应地推进农业供给侧结构改革,按照市场需求和人们的消费需要生产绿色、生态、有机的安全高效农产品;最大效应地联结农业上下游相关产业、相关环节,促进种养加、农工贸一体化,提升农产品市场竞争力,实现农业增效、农民增收。

(三)发展农产品精深加工贸易是实现农业强市的重要抓手

近几年,达州市经济下行压力较大,长期积累的结构性矛盾突出,传统产业比重大、创新能力不强,优势逐步衰减,新兴产业发展壮大任务艰巨。如何立足达州市情,走出一条遵循发展规律、顺应时代要求、符合达州实际的后发崛起之路,加快发展农产品精深加工贸易不仅符合时代要求,还将是实现全市经济整体突围、推进达州市由农业大市向农业强市转变的最佳选择。同时,受国内主要农产品价格已经全面超过国际价格的"天花板"、农产品成本价格不断上涨以及国家政策补贴投入已尽极限的"地板"等双重压力影响,加快发展农产品精深加工贸易也是必然选择。

四、以农产品精深加工贸易为载体,推进达州市特色现代农业发展的重点路径

以发展特色产业和转变生产经营方式为主导,打好特色牌、走好品牌路,不断提升全市农产品精深加工能力和贸易水平,用二产引领带动一三产业发展,加快推进现代农业产业体系、生产体系和经营体系建设,着力构建现代农业发展新格局。

(一)突出发展优势特色产业

针对达州市农业特色产业多、散、乱、杂,竞争力不强的特点,加快调整优化农业产业布局,深入推进国家(省)级农业产业化示范基地建设,引导特色产业向优势产区集中。根据全市和各县(市、区)特色产业分布特点,进一步明确市上主抓的产业和县(市、区)主抓的产业。突出绿色、生态、富硒、康养特色,全市按照"3+6"发展思路加快发展粮食、油料、生猪大宗农产品以及蜀宣花牛、特色家禽(旧院黑鸡、开江鸭鹅)、茶叶、果蔬、中药材、油牡丹六大特色产业,引导特色产业向优势产区集中,推动多村一品、多乡一品、县县有主业发展,促进集聚、集约、规模发展,到2020年全市建成特色农业产业基地200万亩以上;黄花、油橄榄、苎麻、乌梅、花椒等个性特色产业主要由所在县(市、区)重点抓,逐步形成规模。依托特色产业基地,做大做强休闲观光、体验采摘等乡村旅游业。

(二)加快培育新型农业经营主体

实施新型农业经营主体和农产品加工贸易"双培育工程",积极培育龙头企业、农民专合组织、家庭农场、专业大户等新型农业经营主体,突破性发展农产品精深加工贸易,不断增强其生产、加工、创新、营销和辐射带动能力,让农民群众更多地分享二、三产业收益,力争到2020年,全市重点龙头企业达170家,其中销售收入上亿元的企业达50家,努力建成全国富硒农产品生产加工供应基地。实施区

域品牌+企业品牌"双品牌战略",依托富硒优势丰富品牌内涵,强化宣传推广,打造农产品区域公共品牌。做大做强大竹醪糟、巴山雀舌、灯影牛肉、旧院黑鸡等名优品牌,建成一批全国知名的达州农产品品牌,增强达州农业市场的竞争力。

(三)提升精深加工和产地初加工整体水平

打造农产品加工园区(基地),加快达州市农产品加工集中区和各县(区、市)农产品加工园区(基地)建设或改造升级,完善配套基础设施建设,制定和完善农产品加工园区入园优惠政策,鼓励和引导农产品加工企业入园集聚、集群发展。扶优培强,支持本地优质潜力农产品加工企业提档升级,从资金投入、信贷服务、税费优惠、用地管理等方面为企业发展和集群培育创造良好政策环境,引导企业瞄准世界500强和国内100强企业实施战略合作,促进本地优势企业做大做强。围绕"3+6"特色优势产业,招大引强,引进一批全国一流的农产品加工龙头企业落户达州市。支持鼓励农产品加工骨干企业联合省内外高校和科研院所组建加工技术研发中心、重点实验室等科学创新转化平台,以合作创新、工业技术研发等形式提升农产品精深加工整体水平。推动农产品产地初加工和精深加工副产物综合利用。围绕达州特色优势产业,推进特色水果、蔬菜等清洗、分类、包装,重点开发秸秆、稻壳、米糠、麦麸、饼粕、果蔬皮渣、畜禽骨血等副产品梯次加工和全值高值利用。

(四)全面提升农业综合生产能力

健全"三农"投入增长机制,加大涉农项目资金整合,引导涉农资金逐步重点投向农产品加工贸易领域。深入实施农建综合示范工程,加强农田水利基本建设,提高农业防灾抗灾能力,持续稳定粮食生产和特色产业发展,为农产品精深加工贸易发展提供持续有效的原料供应。加大农业科技创新和推广应用力度,完善农业社会化服务体系,加强农产品质量安全管理,提高农业机械化、信息化水平,推行专业化、标准化生产。积极发展农村金融,创新金融产品,尽快突破农产品加工贸易企业融资难和融资贵瓶颈。

(五)加大农业招商引资力度

坚持"扶优培强、招大引强"双管齐下,建立和完善农业招商引资工作机制,制定工作意见,兑现落实优惠政策和奖励办法,落实重大农业招商项目县(市、区)主要领导挂包责任制等工作机制。依托达州市作为全国粮油、生猪调出大市和土壤富硒等优势资源,进一步优化招商硬环境和软实力建设,招大引强,重点引进双汇集团、京东、阿里巴巴等国际竞争力强的大型加工贸易企业入驻达州市,助推农产品加工业发展。推动农产品商品化、市场化、贸易国际化发展,紧盯国际、国内两个市场,大力实施"互联网+农产品"工程,积极拓宽农产品贸易渠道,加快发展农产品销售贸易、冷链物流、农业服务生态圈等新业态,让达州品牌农产品"走出达州、走出四川、走出中国、走向世界",真正实现达州特色农产品"买全国、卖全国"的格局。

唤醒农村"沉睡资源" 推进农村改革发展

——巴中市巴州区探索农村改革发展新路径

中共巴中市巴州区委　巴中市巴州区人民政府

巴中市巴州区是全国第二批农村综合改革试验区,是秦巴山片区农村改革工作的样板区,是贫困县区农村改革的典型代表。近两年来,巴州区围绕农村改革试验任务,以唤醒农村"沉睡资源"为出发点,以农村集体产权制度改革为着力点,以增加农民收益为落脚点,大胆探索,先行先试,各项改革试验任务有序推进,部分关键领域取得了实质性成效。

一、以明晰权属、赋予权能、释放权利为核心,扎实推进农村土地承包经营权流转管理改革试点

一是扎实打好农民财产权实现基础。按照"三权分置"颁铁证的思路,全面完成农村土地承包经营权确权工作。深化试验实践成果,在完成花溪乡新庙村等18个村农村土地制度改革试点的基础上,在全区29个乡(镇、街道)52个村推广。对投资规模较大、生产周期较长的产业业主流转取得的土地突破第二轮农村土地承包期限,将流转时间确定为30年,探索承包权"长久不变"的实现形式;对整理后的荒坡地、未利用地在第二轮土地承包期内由集体经济组织统一经营管理,为本轮土地承包期满后承包权延包预留空间,探索破解"人地矛盾"。二是积极探索拓展农村土地承包经营权权能。出台了《农村土地经营权确权登记办法》等文件,创新颁发农村土地流转经营权证,试点开展颁发农业特色产业所有权证、农村标准化基地物权证等承包权经营权派生权证,赋予其出让、出租、抵押、担保、继承等权能,突破承包土地不能抵押等法律障碍。全年颁发土地流转经营权证97本、特色产业所有权证350本、标准化基地物权证532本。三是探索建立农村土地承包经营权流转交易平台。建立区、乡(镇)、村(社)三级农村土地流转服务体系,依托区公共资源交易中心、乡(镇)和村便民服务中心搭建农村土地产权交易平台并配套完善产权评估和风险防控平台。四是创新完善农村土地经营权流转方式。出台《农村土地经营权流转管理办法》《农村产权抵押融资办法》等制度,规范和完善村级预收、委托流转、股份合作等经营权流转形式。

二、以市场推动、业主带动、要素流动为重点,扎实推进深化集体林权制度改革试点

一是探索所有权、承包权、经营权"三权"分置。出台《林地经营权流转证登记管理暂行办法》,引导林权所有者以互换、转让、租赁、转包、入股等方式流转林权。创新确发《林地经营权流转证》《经济林(果)木权证》,允许新型农业经营主体适度发展森林康养业和林下种养业。探索建立商品林林权所有者共同申请、集中采伐、连片采伐机制,赋予林地经营权流转证申请林木采伐、办理林权抵押贷款等相关权能。二是健全林权要素市场,建立林权流转机制和制度。建立覆盖全域、品种多样、要素齐备的巴州区林权管理系统,对全区12.56万户林权所有者的29.86万宗林地林权信息建立了电子档案。探索深化集体林权流转"量价分离"机制,根据林地类型、树种、龄级等因素,结合市场行情制定7类林权流转指导价,促进林权流转规范化。制定《集体林权抵押融资实施办法》,探索林地收益保证担保。全区规范流转林地700宗、6.3万亩,实现集体林地经营权、经济林(果)木权抵押贷款6050万元。三是探索完善森林保险制度。按照"三个兼顾"和"两低一保"("三个兼顾"即兼顾林农缴费能力、兼顾财政补贴能力、兼顾保险公司风险承受能力,"两低一保"即低保额、低保费、保成本)原则,与人保财险巴中市巴州区支公司合作,对公益林、商品林进行承保,区财政对森林保险保费给予一定的补贴。

三、以连片推进、整村实施、精准到户到人为举措,扎实推进扶贫开发综合改革试点

一是试点小额信贷。按照"5221"评议法对全区所有建档贫困户进行评级授信，开发“双免直贷”“互助贷”“产权贷”“巴山致富贷”等信贷产品，发放小额贷款1254笔、5209余万元，区财政每年按照新增贷款余额7%的比例设立风险补偿金，用于补偿贫困户不良贷款损失。二是落实“雨露计划”。出台《生源地助学贴息贷款管理暂行办法》《“两后生”职业教育培训项目资金管理办法》，与信用社、国家开发银行合作，实施贫困学生生源地助学贷款，全区共发放助学贷款1240余万元，帮助1200余名贫困学生圆了上学梦。开展劳动力转移培训5万余人次，帮助1.5万人创业就业。建立区、乡、村三级职业教育补助网络申报及资格审核机制，落实职业教育补助资金30万元、补助100人。三是精准实施易地扶贫搬迁。打好项目整合牌，精准识别搬迁对象，精准实施补助政策，启动建设巴山新居聚居点78个，拟用三年时间完成易地扶贫搬迁9946户、32441人，同步搬迁5486户、19183人。

四、以权责一致、建管并重、合力治水为导向，扎实推进农田水利设施产权制度改革和创新运行管护机制试点

一是确权颁证。颁发《农村小型水利工程所有权证》3658本，占全区的95%。制定《农村小型水利工程产权流转交易管理实施细则》，颁发使用权证，确保有章可循，对签订了“两书”的受益主体颁发《农村小型水利工程使用权证》8957本。二是推行“建管用一体化”。出台《小型水利工程项目竞争立项管理办法》等制度，采取“两先两后四自主一补助”（先改后建、先建后补，自主申报、自主实施、自主监管、自主管护，民办公助）的方法鼓励园区业主、农民专业合作社、家庭农场、农民用水户协会等新型主体建设小型农田水利设施。推行贫困户优先的“3+1”管护新机制（企业、用水协会、农户3个群体+1笔管护基金），解决“重建轻管、有建无管、管无资金”的问题。制定《巴州区农田水利工程维修管护考核办法》，根据实际管护效果确定是否奖补和奖补比例，有效激发和提高基层治水管水的积极性。2016年，全区共兑现管护奖补资金350万元。

五、以保护权益、优化服务、防范风险为着力，扎实做好农村承包土地经营权抵押贷款

一是建立评估授信机制，确保产权能抵押。依托区产权评估交易服务体系，随机抽选专家库成员组成评议组，对承包土地经营权、农户住房财产权、林权等进行评估授信，促进农村产权“在当地能流转、在市场能交易、在银行能抵押”。二是设立“五大基金”银行，确保贷款放得出。与农商银行、邮储银行等金融机构合作，投入1.35亿元设立土地流转保证保险基金等“五大基金”，银行按照5~10倍的放大效应进行放贷，由财政贴息。三是建立风险防范机制，确保贷款贷得好。制定《精准扶贫专项发展基金暂行管理办法》等制度，按照决策、管理、运营“三分离”原则对基金的适用范围、使用方式、带动效应、监管机制、风险防控等进行规范。自2016年5月举行农村承包土地经营权抵押贷款首发仪式以来，截至2016年年底，全区农村产权抵押贷款突破3亿元。

六、以稳民心、维民权、护民利为目的，谨慎探索农村土地承包经营权有偿退出试点

一是精心兜织防护网。建立健全退出补偿、社会保障、收储整理等机制，做好退出承包权风险防控，有效解决了退出“三权”农户的后顾之忧。二是合理设定硬性指标。在调查摸底，充分征求群众意见的基础上，反复磋商，形成了退出土地承包的8项硬性指标，对受让承包土地限定了4个范围，不符合条件的一律不被纳入退出转让范围。三是分类补偿有保障。对自愿退出土地承包权的农户多渠道、多方式给予土地补偿、资金补助，对退出土地承包的农户按当年承包土地市场流转基准指导价格或协商议定价格给予一次性补偿，延展期增收二次获得相应补偿、青苗及附着物补偿。通过一年时间的试点试验，花溪乡新庙村完成首例承包土地有偿退出（村民王述政自愿退出承包地1.7亩，按500元/亩标准补偿13.2年，共11220元）。

七、以先行试点、取得经验，稳步推开为思路，有序启动以农村社区为基本单位的村民自治试点

一是吃透上情把准原则。坚持“以人为本、党政主导、城乡衔接、科学谋划、依法治理”等原则，系统摸排改革试验中可能遇到的制度障碍，有针对性地进行制度设计，注重运用市场手段推进改革试验。二是精准指向锁定目标。确定强化党的领导、完善管理制度、提升服务水平、探索法德共治、建立信息平台五大目标，精心编制试验实施方案，有序推进制度设计、点位筛选、平台搭建等基础性工作。三是上下联动统筹推进。成立试验区建设领导小组，建立联席会议制度，牵头统揽改革试验；区综治办、区民政局抽调专人组建专班具体负责日常工作；压实有关乡（镇）党委政府、村委主体工作责任，形成上下联动、齐抓共管的工作格局。

2016年，巴中市巴州区全面完成农村土地确权颁证工作，基本建立土地评估、产权登记、流转交易、风险防控四大平台，全区适度规模流转土地21.8万亩，在2015年的基础上新增7.3万亩，道地药乡、优质粮油、有机果蔬、生态畜禽四大主导产业已经形成，各类新型农业经营主体茁壮成长，承包土地经营权等产权抵押融资突破3亿元，直接带动1.79万名贫困群众增收。顺利通过全国农村改革试验区中期评估，总体形成了55项制度成果，其中转化为中央和地方政策文件7项，一些关键领域和重点环节的改革取得了实质突破和明显成效，推进全国农村改革试验区的做法被《农民日报》头版头条报道，优化土地流转服务推动农业经营提质增效的工作经验在《农村改革工作动态》刊发简报，“三权分置颁铁证”“整合涉农资金集中脱贫攻坚”“农田水利建管一体化”“连片推进整村实施精准到户到人扶贫”“林权流转基准指导价制度机制”“股权量化财政投入形成的经营性集体资产到贫困户”等改革实践获得国土资源部、农业部、国家扶贫办等国家部委的充分肯定；“完善农民房屋财产权实现形式”等有效探索被全国农村改革试验区办公室评价为“具有重要价值，可为修改完善《土地承包法》《土地法》《物权法》提供重要实践依据”。

专注农村改革　促进“五个转变”

中共巴中市巴州区委

2014年，巴中市巴州区获批全国第二批农村改革试验区，所承担的农村土地承包经营权流转管理改革试点、深化集体林权制度改革、扶贫开发综合改革试点、农田水利设施产权制度改革和创新运行管护机制试点、农村承包土地经营权抵押贷款试点5项改革试验任务有序推进，在关键领域取得了初步成效，实现了“五个转变”。完善农民房屋财产权实现形式等做法为修改完善有关法律法规提供了实践参考依据，得到了农业部、国土资源部领导及相关部委专题调研组的充分肯定。

财政投入方式由“大包大揽”向“多维施策”转变，促进质效并举。着眼提高财政支农资金使用的精准度、规模化和效益性，利用有限的财政投入撬动市场资本、社会资金，盘活存量、做大增量，有效破解了脱贫攻坚投入难题。一是改分散投入为集中投入。按照“党政统定项目、财政集中支付、乡(镇)主责实施、部门指导把关、专班专责监管、绩效综合评价”的思路建立“多个渠道进、一个龙头出”的三农资金整合机制,变“拼盘式”组合为“集成式”整合,集中连片推进脱贫攻坚。2015年整合资金23亿元集中投入到东部片区,2016年整合28亿元集中投入到中部片区。二是改财政补贴为基金撬动。统筹上级专项资金和本级财力1.35亿元,设立精准扶贫专项发展基金、信贷支持农业产业发展基金、小额贷款保证保险基金、贫困户住房建设(易地扶贫搬迁)贷款分险基金、农村承包土地经营权抵押贷款风险基金五大基金,通过贴息、担保、风险分担等方式支持新型农业经营主体和贫困户贷款融资1.13亿元,撬动社会资本投入3.57亿元,实现土地经营权抵押融资近5000万元;设立贫困村产业扶持周转金1700余万元,支持贫困村产业发展和贫困户经济发展短期资金拆借。三是改直接建设为政社合作。整合定向性涉农项目资金注入政府融资平台,引入社会资本12.5亿元,采取PPP模式推进交通、水利等基础设施建设,加快改善贫困群众生产生活条件。

农业经营方式由“分散经营”向“适度规模”转变,促进多方共赢。关注“谁来种”“怎么种”两个关键问题,抓住金融支持产业发展和新型农业经营主体培育两个“线头”,突破制度机制壁垒,促进现代农业适度规模化经营,实现集体、农民、新型农业经营主体共同获益。一是把划清土地权属作为前提,分置“三权”。坚持明晰所有权、稳定承包权、放活经营权,全面完成土地承包经营权确权颁证;建立和完善产权评估、交易、融资等服务体系,赋予土地经营权出让、抵押等权能,激活农村资产资源的资本属性,让农村产权在当地能流转、在市场能交易、在银行能抵押。二是把培育新型农业经营主体作为关键,助农增收。以产业布局为引领,以农业基地为载体,以回引创业为推动,积极培育龙头企业、农民合作组织、家庭农场、种养殖大户,探索“专合社+基地+农户”“龙头企业+专合社+农户”“大园区+小业主”等经营形式。三是把创新农业社会化服务体系作为支撑,提升品质。与成都中医药大学“联姻”,为道地巴药种植技术、质量标准、产品开发保驾护航;整合乡(镇)农业生产服务、农业技术推广、农产品市场流通等服务资源,探索“新型农业经营主体+”服务模式,发展代种、代养、代销等服务,推行订单式生产,一大批农产品入列有机产品、绿色食品、国家地理标志保护产品。四是把加强和完善农业风险防控作为保障,守住底线。一方面严把入口防风险。出台《巴州区工商资本参与土地流转监督管理办法》,设立土地流转风险保障金和风险处置专项基金,对参与农业产业的新型经营主体实行事前资质审查、事中常态监管、事后履约赔付等风控机制;另一方面拓宽渠道强支撑。探索农村产权抵押、农民资金互助、小额信贷入股等方式,有效解决土地流转经营权抵押融资中农民怕业主“跑路”、业主怕农民“难缠”、政府怕无限“兜底”等难题。

利益分配方式由“有权无利”向“还权释利”转变,促进利益共享。针对当前农民利益获取渠道单一、集体经济“空壳化”趋势严重等问题,通过股化“三资”、建好“三社”、推行“三化”等措施,实现集体产权所有者、承包者、经营者共同受益。一是股化“三资”。以贫困村为重点,在落实集体经济组织成员认定的基础上,把村集体塘库、经营性建设用地等经营性资产按“确股不确物”“确股不确价”的方式股权量化到户;把财政投入形成的经营性资产股权量化给集体经济组织、农户(贫困户),设置集体股、基础股、优先股,实现农民向股民的转变。二是建好“两社一中心”。以“实现所有权,完善收益权”为核心,积极培育农村集体资产运营市场主体。探索成立代表农村集体经济组织成员履行农村集体资产所有者职能的农村集体经济合作社,探索组建集中一家一户土地流转意愿、提高土地流转组织化程度的农民土地股份合作社,积极搭建承接委托流转农村土地、组合项目整体包装的区土地流转收储中心,解决走向市场中面临的机制不畅问题。三是推行“三化”。有条件的农村集体经济组织实行经营市场化,设立实业公司或作价入股引进业主对集体经营性资产进行市场化经营;向集体经济组织成员统一颁发股权证,允许在集体经济组织内部进行有限制的流转,实现收益权证券化;建立网络监管系统和股权管理系统,健全审计监督制度,实现农村集体“三资”监管制度化。

资源配置方式由“二元分割”向“服务均等”转变,促进城乡共融。面对“城市像欧洲、农村像非洲”的历史现实,着力在完善基础设施、优化公共服务、增加社会保障等方面持续发力,不断提高城乡居民的获得感和满意度。一是盘活资源强基础。坚持功能互补、效应叠加,在贫困村捆绑实施城乡建设用地增减挂钩、土地整治、地质灾害避险搬迁三大国土项目,统筹推进易地扶贫搬迁、新型农村社区建设等项目,将节余挂钩周转指标入市交易,并将所得收益集中用于贫困村幸福美丽新村建设,交通、水利、能源信息等基础设施加快完善,城乡共享的基础条件全面夯实。二是激活资产建新居。对已城镇化且自愿有偿退出的农村宅基地和拆旧建新节余的农村宅基地实行委托预收储,谨慎开展农户土地承包权自愿有偿退出试点,将存量宅基地变现的增值收益按约定比例对集体经济组织和农户予以补偿,既缓解了农户建房压力,又增加了城镇化人口的财产收入。2015年以来,全区建设巴山新居聚居点97个,改善农村危旧房11630户,配套建设农村廉租房907套。三是用活政策抓配套。以用好城乡一体化公共服务政策为切入点,持续加大城乡户籍制度改革,加强农村社区“1+N”公共服务设施建设,同步完善城乡一体的就业、社保、教育、卫生、住房等公共服务衔接配套政策,让农村居民也可享受到高效便利的基本公共服务,让进城“农民”也能享受到城市市民的待遇。

乡村治理由“政府包办”向“多元共治”转变,促进法德共治。顺应农村发展新形势和农村群众新期待,打破传统行政主导管理格局,构建以基层党组织为核心,以网格化管理为抓手,村民自治组织、新型社区管理组织、集体经济组织和新型经营主体等多元共治的乡村治理新格局。一是加强村民自治。厘清行政事务与村民自治的边界,指导修订村规民约,健全村务决策监督机制,统筹村域各类社会组织力量抓好公共事务管理和公益事业建设。探索“自建委”“自管委”建设管理模式,在新型农村社区建立物业管理委员会、红白理事会、老年人协会、联销联购互助会等,基本实现了“社区自己管,有事大家帮”。二是推进依法治村。健全区、乡、村、网格四级网格管理体系,及时掌握和处理社情民意和群众诉求。采取政府购买服务的方式深入开展“法律服务进乡村”活动,推动崇法向善、循法而行成为群众自觉。实施以聚居点和产业基地为重点的“雪亮工程”,推行农信通综治联防,深化平安乡村建设。三是深化文明建设。创新开展“新农民教育”,建立各类社会组织环境联治、困难联帮、致富联带、平安联创、新风联树的“五联创建”常态化机制,注重发挥乡贤、道德模范的带动作用,提升专业技能,倡导移风易俗,培育文明新风。

激活农村发展活力 推进全域脱贫攻坚

中共巴中市恩阳区委　巴中市恩阳区人民政府

2016年,巴中市恩阳区委区政府认真贯彻落实中央、省、市农村工作会议精神和“一号文件”精神,按照“四新恩阳”的发展定位,以绿色发展为引领,以脱贫攻坚为统揽,以农民增收致富奔康为目标,围绕产改成果转化、转变农业发展方式、建设幸福美丽新村等重点领域,不断激活农村发展活力,推进全域脱贫攻坚,实现了农业增产、农民增收、农村增效,“三农”工作得到省、市充分认可,其中贫困户增收“5+”模式和集体经济改革做法在全省大会作经验交流。全年实现农业增加值73499万元,同比增长4.4%;农民人均可支配收入10177元,同比增长9.7%。

一、强化保障措施,持续增添发展活力

一是强化组织保障。成立了以党政主要领导为双组长,区委副书记、区政府分管领导为副组长的“三农”工作领导小组,建立了区级领导包乡(镇)联片、区级部门包片联线、乡(镇)干部包村联点、村(社)干部包点联产责任机制;落实乡(镇)党政“一把手”负责制,把“三农”工作纳入乡(镇)和相关部门年度目标考核内容,形成推动农业农村发展的强大合力。先后组织召开了全区脱贫攻坚暨“三农”工作会议、脱贫攻坚现场会、农业产业化现场会、农村改革现场推进会等农业农村工作会议17次,成功举办了国土资源部土地政策支持扶贫开发易地搬迁培训班、全省国土资源助推脱贫攻坚政策业务培训会、全省易地搬迁现场会、全省“三农”和脱贫攻坚宣传工作座谈会、秦巴山区脱贫攻坚(贫困村摘帽)现场推进会等国家、省、市重要会议。二是强化政策支撑。区委常委会和区政府常务会多次专题研究农业农村工作,先后审定出台了《关于落实发展新理念全力推进脱贫攻坚和三农工作实现全面小康目标的意见》《关于2016年巴山新居建设实施意见》等17个有关“三农”工作的文件。筹集中央、省、市各类涉农整合资金4.78亿元、易地扶贫搬迁资金4.09亿元、扶贫专项资金6991万元、“七大基金”1.67亿元集中用于支持农业农村发展。三是强化调查研究。印发了《关于进一步加强管理干部驻村帮扶管理工作的通知》,落实了党委、政府主要领导和相关领导深入农村开展工作的要求,区委区政府主要领导深入农村开展专题调研时间达到85天,相关区级领导达到103天,撰写调研文章50余篇,其中《六类统筹建新居、创新机制破难题》《农机社会化服务“1234模式”助推脱贫攻坚》《“3433”机制拓宽增收渠道、壮大村集体经济助推脱贫攻坚》等30余篇调研文章在国家、省、市刊物发表。《农民日报》《四川日报》《巴中日报》等中央、省、市媒体先后报道全区农业农村先进工作经验100余次。

二、注重多元投入,改善生产生活条件

一是建立多元投入机制。在新区财力紧张的情况下,全区投入农业资金38.6亿元,增加6.6亿元;政府土地出让收入用于农村建设达3.95亿元,增加1.18亿元。全年本级财政支农投入4.2亿元,同比增加2.4亿元,增长130%,占财政总支出的9.3%;整合涉农项目资金4.78亿元,撬动业主投入3.8亿元,带动农户投入12.8亿元,引导社会投资21.3亿元,金融企业投放支农贷款4.1亿元。全年农业招商签约项目52个,总投资326亿元;履约项目41个,到位资金55.74亿元。二是强化农业基础建设。结合全域脱贫,加快农村水、电、田、林、路等基础设施建设。提升农村公路通达深度和通行能力,新(改)建县乡联网路40千米,建成通村通畅公路212.8千米。实施“五小水利”工程,新建渠道29.8千米,整治山坪塘55口,除险加固小(2)型水库17座,新增有效灌面1.1万亩;综合治理河道6.8千米、水土流失面积55.2平方千米;新建集中供水工程39处、分散供水工程630处,解决1.805万名贫困人口饮水问题;完成土地整理项目17个、11.4万亩,高标准基本农田项目9个、5182亩,新建高标准农田1.45万亩;改造农村电网752千米,完成行政村有线宽带进乡村工程273个。三是加强公共服务配套。制定出台了《恩阳区农村新型社区管理办法》,推行“村委会+社区”管理模式,运用公益性管理岗位构建“民建民管”的常态化机制。推动机构、人员和职能下移,在全区440个行政村(居委会)按照“1+6”模式建好村级组织、便民服务、农民培训、文化体育、卫生计生、综合调解、农家购物等公共服务中心,让村民享受到和城市社区一样的便捷服务。依托“1+6”公共服务中心建成440个农民夜校培训点,组织开展脱贫志气、脱贫技能、文明素质、法治常识、感恩意识等方面的培训1924批次。

三、加快产业发展,促进农民稳定增收

一是特色产业发展加快。围绕优质粮油、品质果蔬、特色养殖发展适度规模经营,优化产业结构,不断增强综合生产能力。2016年,全区粮油播种面积102.5万亩,总产量35.08万吨,实现总产值9.71亿元,农民人均收入801元(同比增加105元);蔬菜种植(复种)面积20万亩,产量3亿千克,产值9亿元,农民人均收入1800元;猕猴桃、葡萄、柑橘等特色水果种植面积3.75万亩,产量1.55万吨,产值达1.24亿元以上;实现牧业产值20.24亿元,同比增长25.2%,人均畜牧业收入达3066元。二是农业发展方式转变迅速。建成成巴高速乡村旅游示范带,启动建设花包村—黄桷村—登文村—高观山、大木山—万寿村—新河村—章怀山乡村旅游精品线路,恩阳古镇成功创建为国家4A级旅游景区,万寿养生谷国家4A级旅游景区顺利通过初评,培育万寿、罐子沟等农事体验休闲园16个,完成花包村、万寿村等7个旅游扶贫示范村项目,成功举办荷花节、葡萄采摘节等特色乡村旅游节,全区实现旅游收入增长12%以上,人均年纯收入增加300元以上。依托柳林食品工业园,开展优质粮油、芦笋、莲藕、葡萄、猕猴桃、蔬菜等特色农产品产地初加工,新建成农产品加工厂8家、200吨级以上的冻库5个。加快“三品一标”申报认证,认证产品19个。三是新型经营主体培育扩面。把在外创业成功人士、有志经营农村的工商资本业主、回乡大学生、在乡种植能手、基层干部培养成新型农业经营主体。2016年,全区引进重庆禾帮医疗器械有限公司等龙头企业2家;新增农民专业合作社192家、土地股份合作社2家、家庭农场63家、农业产业化企业14家、专业大户216户,其中4家合作社和4家家庭农场获得省级示范社(场)称号。四是农业科技创新转化成果丰硕。出台了《农业产业技术扶贫人员管理办法》,遴选119名驻村技术员为科技指导员,建立科技试验示范基地3个,培育农业示范户238户。新建成农机专业合作社13个,共有机具991台、资产768万元,机耕、机种、机收、机烘等普及率大幅提高。实施“互联网+”计划,打造裕博电商中心和“裕博到家”电商平台,建成乡(镇)电商服务站10个、村级电商服务店98个。

四、决战脱贫攻坚,新村建设加快提前

一是脱贫攻坚首战告捷。编制完成了《巴中市恩阳区“十三五”脱贫攻坚规划》《贫困村脱贫攻坚规划》等5个专项扶贫规划。按照

"1234"要求,制定了贫困户退出实施方案和贫困村"摘帽"进度监测图,积极落实"五个一+1"帮扶责任,对照"村七有""户七有",咬定39个贫困村"摘帽"、1.8万人脱贫年度目标,坚持标准、严格环节,压实责任、挂图作战。截至目前,投资8.2亿元,完成44132人的"五个一批"帮扶;投资5.03亿元,完成玉山—舞凤、群乐—茶坝2个片6个乡(镇)72个村的连片扶贫开发。全区减贫18219人,36个预"摘帽"村已得到市级"摘帽"批复,实现了首战告捷。二是新村建设全面推进。结合农村危房改造、易地扶贫搬迁、城乡建设用地增减挂钩、地质灾害避让搬迁等项目,建成明阳—柳林、观音井—下八庙统筹城乡示范片2个、中心村3个、幸福美丽新村73个、扶贫新村43个、聚居点83个、农村廉租房455套;建成易地扶贫搬迁安置点112个,搬迁3521户、12858人,完成省下达年度计划7148人的150%;改造和保护农村危旧房9381户(其中贫困户3750户),全面解决2016年预脱贫户住房问题。三是"四好村"创建效果明显。印发了《恩阳区创建省、市、区"四好村"活动工作方案》,成立了区"四好村"创建工作领导小组,落实年度创建目标,层层压实工作责任。2016年,在基础条件较好和建成的扶贫新村中率先启动51个"四好村"创建,已全部通过区级评估验收。

五、推进农村改革,增强农村发展动力

一是抓平台建设促土地流转。按照"六统一"的标准建好区、乡、村三级信息服务平台,创新"政府搭台、市场运作"模式,共流转土地15.79万亩,新增土地流转面积2.2万亩。颁发农业标准化基地用益物权证17本、农业特色产业所有权证9本。完成区集体林权流转交易平台建设,流转林权1.0082万亩。二是抓机制创新促规模经营。出台了《恩阳区农村产权价值评估管理办法》,聚焦新产业新业态培育,探索出"农户返租、产值分成""支部引领、分户经营""土地入社、按股分配""分户管理、联产分利"等经营模式,其中"152"利益联结机制得到了省委书记王东明、国土资源部常务副部长王世元的肯定。完善和推广新型主体、技能培训、资产量化、惠农政策、巴山新居+贫困户"五+"增收机制,探索实践"双保底双优先双返利"的"三双"和"一返二股三专"等利益联结机制,帮助贫困户年增收入1万元以上。三是抓金融改革促产权流转。加快发展村镇银行、农村资金互助组织等新型金融机构,由区财政组建投融资担保公司,每年筹集资金3000万元,设立产业发展基金、担保基金、中小企业发展基金及风险基金。做实"特色产业贷""扶贫小额信贷",设立贫困户产业扶持周转金,为贫困户提供"免担保、无抵押"财政贴息扶贫小额信贷1.2亿元发展种养业,共发放产业扶贫资金1205万元、党员精准扶贫示范工程资金1190万元。全区农村产权抵押融资突破3亿元。10月11日,在西南村挂牌成立资金互助社,已发放贷款7笔、22万元。

关于做好新时期农业农村工作的思考

中共南江县委书记 刘 凯

"农业兴则百业兴","三农"问题不仅是关系党和国家事业全局的根本性问题,也是关系社会民生的基础性问题,做好新时期农业农村工作对于推进"三化"联动、促进城乡统筹至关重要。

一、以统筹城乡的理念深度谋划农业农村工作

统筹城乡发展是破解"三农"问题、实现城乡一体化的根本途径。面对新形势、新要求和新变化,必须突破传统思维定式,跳出农业谋划农业,跳出农村发展农村,以统筹城乡的理念深度谋划农业农村工作。一要统筹城乡建设规划。按照统筹的要求科学规划城乡建设,打破行政壁垒、打破城乡界限、打破条块分割,形成总规、区域规划、详细规划、专业规划配套的统筹城乡发展全覆盖规划体系,切实做到"规划一张图、审批一支笔、执法一个口、建设一条龙、管理一盘棋",真正使规划变计划、计划变项目、项目变现实。二要统筹城乡公共服务。按照城乡公共服务均等化的要求建立共享型社会事业体系、普惠型社会保障体系、县乡村社四级便民型公共服务体系,引导城市要素向农村汇集、城市服务向农村延伸、城市文明向农村传播,实现城乡资源互补、产业互融、基础设施互通和社会事业发展互惠,不断促进城乡资源均衡配置、城乡服务均等发展。三要统筹城乡思想观念。要破除习惯于老牛拉破车,自以为慢慢发展就是科学发展的思想观念;破除习惯于等、靠、要,自以为有钱办事才叫实事求是的思想观念;破除习惯于传统思维定式,自以为典型突破就是政绩工程的思想观念,教育引导群众树立新观念,算好经济账、政治账、社会账、生态账、历史账,在艰苦中奋斗、在勤劳中创造、在虚心中进步。

二、以追赶跨越的速度强力推进农业农村工作

速度体现态度、效果检验执行力。面对新时期、新要求,必须以"以点示范、连点成线、以线扩面"的思路扎实推进新农村建设。一要改善基础设施破穷障。切实加强以乡村道路为重点的交通建设、以小农水项目和小流域治理为重点的农田水利建设、以电力和通讯为重点的能源信息建设,从根本上解决农村交通阻隔、水利脆弱、信息闭塞等问题。二要发展特色产业改穷业。坚持走特色化、规模化、合作化、产业化之路,重点围绕"三线三片",因地制宜发展特色农业、规模农业、加工农业、品牌农业、外向农业,打造一支生产规模化、管理标准化、营销品牌化、经营国际化的现代龙头企业集群。三要抓好新村建设挪穷窝。依托县城—乡镇—中心村—聚居点四级城镇体系,切实抓好重点镇、中心村、聚居点建设,打造一批人口集聚适度、产业支撑有力、功能设施齐备、管理科学民主的农村新型社区和新农村综合体。

三、以加快发展的举措全面强化农业农村工作

逆水行舟、不进则退。面对复杂的形势、艰巨的任务,必须以饱满的热情、务实的作风、创新的举措为农村加快发展奠定坚实的基础。一要创新支农投入机制。要不断加大财政支农投入比重,认真落实各项惠农补贴政策;要全面整合涉农项目资金,连片推进新村建设和扶贫开发,大力实施项目审批权限下放改革;要加强农业招商引资工作,积极优化环境吸引工商企业和社会力量参与农村建设。二要深化农村产权改革。按照"明确所有权、稳定承包权、搞活经营权、完善分配权"的原则,推进农村土地依法自愿有偿规范流转;探索权证担保、抵押机制,促进农村土地、房产等资源资本化,盘活农村各类资源,着力解决农业农村发展"钱从哪里来"的问题;积极探索土地增减双挂钩机制,解决农村一户多宅、空置住宅、闲置宅基地以及"空心村"问题,盘活农村建设用地存量,集中集约利用土地。三要强化兴农领导力量。继续开展"挂包帮"活动,健全领导联村、部门帮村、干部驻村工作制度,高标准打造一批示范村、示范片、示范带;加强农村基层组织建设,健全村务公开、财务公开和民主议事等制度,切实提高基层组织的创造力、凝聚力、战斗力;加强农村社会治安综合治理和法制建设,按照"属地管理、一岗双责"原则,认真抓好农村安全生产,及时化解各种矛盾纠纷,维护农村和谐稳定。

四、以苦干实干的精神决战决胜农业农村工作

看不到差距是最大的差距,看不到危机是最大的危机。面对压力与挑战，必须克服小富即安、等待观望和墨守成规的思想观念，增强责任意识、危机意识和创新意识，以超常的思维、超常的举措、超常的付出千方百计促进农业增效、农民增收、农村繁荣。一要有超常的思维。要按照“干部要有新境界、市民要有新观念、农民要有新技能”的思路，突破传统思维定式，拿出破釜沉舟的勇气、敢为人先的锐气、不胜不休的豪气，确保精力不转移、劲头不减弱、工作不松懈。二要有超常的举措。要按照“稳粮保供给、增收惠民生、改革促统筹、强基增后劲”的基本思路，坚持主要领导亲自抓、用足政策倾力抓、大胆创新灵活抓、重点突破重点抓，集中财力办大事、集中精力抓大事、集中精英干大事，确保粮食生产不滑坡、农民收入不徘徊、农村发展势头不逆转。三要有超常的付出。坚持职能下移、干部下沉、工作下延，用干部的“辛苦指数”提升群众的“幸福指数”，确保农业增效、农民增收、农村繁荣。

做实群众工作　助力脱贫攻坚

中共通江县委书记　孙　辉

坚持把群众满意作为衡量工作成效的“第一标尺”，真正让脱贫攻坚发力在干部工作、落脚在群众认可，通江县坚持把群众工作融入脱贫攻坚，用心用情用力常态化开展“万名干部下基层”活动，有效提升了干群关系，增强了党群情感，为脱贫攻坚筑牢了坚实的群众基础。

一、搭平台，面对面听取诉求

积极搭建党群、干群沟通诉求平台，努力在牢骚话中找寻“表达意境”、在质疑声中听出“画外之音”、在抨击语里发现“诉求真意”，进一步畅通社情民意渠道。一是搭建沟通建言平台，要求每村每2个月集中召开一次群众大会，强调不得以群众代表大会代替，不定期召开院坝会、社员会，听怨气牢骚、听个人诉求、听点子建议，真正让群众畅所欲言。二是积极开展接访、走访、听访、暗访、巡访活动，在全覆盖的基础上重点对贫困群众、留守老人、残疾家庭、在外务工人员、困难党员等特殊群体进行走访慰问、电话沟通，对群众反映的问题坚持“照单全收”，切实打造群众与党委政府沟通建言“快捷通道”。三是搭建举报投诉平台，健全县、乡、村三级举报投诉网络，在县政府门户网公开书记、县长信箱，设立“在线投诉举报”窗口和脱贫攻坚专项举报热线；在乡（镇）设立“纪检门诊”、印发便民联系卡，让群众积极关注当地发展、监督执行落实。四是搭建问需问政平台，帮扶干部深入田间地头、农家庭院广泛了解群众所需所盼，及时向群众解答政策疑问、通报政策执行情况。五是用好新媒体，每村由村支“两委”干部建立微信群或QQ群，及时传达政策信息，公开党务村务财务，在线解答群众疑问，回应处理各类诉求，确保群众知情明政。截至2016年年底，全县共梳理问题及建议18个大类35个小项32000余条，各类平台作用得到有效利用。

二、建台账，点对点解决问题

密切回应群众期盼诉求，逐村分门别类建立动态管理台账，努力实现解决民生问题的高效化、为民服务的常态化、捕捉民生热点的实时化、基层服务的优质化。民生诉求台账记录群众合理诉求和应当解决而没有及时解决的问题，逐条制定整改措施，明确责任单位、责任人和完成时限，实行书面督办、跟踪督查、全面回访、定向回应，做到“解决一个、好评一个、销号一个”；和谐稳定台账记录矛盾纠纷、遗留问题和信访等不稳定问题，要求全面建立联动调解和落实信访“五包”责任机制，落实“一案一策”，逐一化解，一时不能解决的搞好解释疏导；愿景规划台账记录群众对基础设施、产业发展、公共服务、民生保障等事关经济社会发展愿望的问题，按照轻重缓急能解决的尽量解决，确实因资金数量大暂无力解决的，纳入规划积极创造条件逐步解决，并做好宣传引导，争取群众的理解和认同；干部作风台账记录基层和帮扶干部在执行政策中优亲厚友、中饱私囊、吃拿卡要、雁过拔毛、暗箱操作等违规违纪问题，要求纪检监察部门对此类问题迅速核查处理，强化结果运用，不断建立健全相关管理制度；疏导教育台账记录群众心态失衡、道德失范、言行失礼、发展失勤、习惯失好等问题，要求重点通过教育引导、树立典型，引领群众奋发向上、崇德向善。通过建立台账、点对点解决问题，5300余项问题在乡（镇）以下层面得到及时“销号”，300余起矛盾纠纷得到有效化解，全县县级以上信访数量显著下降。

三、全覆盖，心贴心宣讲引导

突出“扶志、扶智”，综合运用各类媒体对脱贫攻坚政策、安全知识、工作成效及先进典型人物开展动态宣传，充分激发群众变“要我脱贫”为“我要脱贫”。培育感恩意识，组建流动宣讲队，编制惠民政策解读PPT、农村实用技术PPT，帮助算好贫困村与非贫困村“普惠账”、贫困户与非贫困户“比较账”、贫困户与临界贫困户“平衡账”，让群众消除“哭穷”“争穷”的不良心理，明白惠从何来、惠在何处、惠有多少。培育法纪意识，结合“七五”普法教育，通过上街宣传、悬挂横幅，发放法律宣传小手册、宣传资料，设立法律咨询台、出动流动宣传车等方式向群众普及、解答有关法律知识，引导群众遵纪守法、依法办事，理性合法表达利益诉求，形成学法、知法、懂法、守法、用法的法律自觉。培育良习意识，大力宣传“农村是我家，卫生靠大家”，深入推进厨卫清洁、床铺改造、人畜分离等工作，重点开展污水乱泼、垃圾乱倒、柴草乱堆等治理活动，大家动手美化村口、路口、家门口，逐渐养成讲卫生、爱护环境、遵守秩序、勤俭节约的良好习惯，同时鉴于部分群众安全知识不足的问题，有针对性地开展防煤气中毒、防地质灾害等科学知识普及。培育新风意识，结合“四好村”创建，在村规民约中强化“破陋习树新风”、农村精神文明建设等要求，积极开展比户容院貌看美德、比尊老爱幼看孝道、比致富兴业看能力、比言谈举止看文明、比律己守法看民风活动，评选“卫生示范户”“孝道之星”“成才之星”“最美家庭”“遵纪守法户”等身边典型，培育和谐向上的社会新风尚。培育自尊意识，组织开展“脱贫之星”评选表彰，以典型引路、示范带动，调动贫困群众主观能动性。加强技能培训，以知识技能增强群众脱贫奔康自信心、自尊心。落实建档立卡贫困家庭学生帮扶工作机制，教育培养贫困学生树立感恩情怀、人格自立、顽强拼搏的人生品质。

四、众评议，实打实赢得认可

坚持正向激励与反向惩戒结合，用行动取信群众、用成效惠及群众，真正让脱贫攻坚的各项举措部署落到实处，确保按期高质量完成脱贫奔康任务。一是党委政府严格“督”，力促落实。出台《通江县群众工作考核方案》，重点量化考核干部常态化走访联系服务群众情况。严格“第一书记”与原单位脱钩开展驻村工作要求，每月在村工作时间不少于20天；驻村工作组成员每月在村工作时间不少于15天，组长每周组织驻村工作组成员、农技员、村“两委”干部专题研究脱贫攻坚工作会至少1次；帮扶干部对举家外出的贫困户每月电话联系不少于2次，对没有达到要求的，就地换人、就地免职，并纳入所在单位年终绩效考核。二是专设机构细致“巡”,及时整改。由县脱贫攻坚办牵头,抽调20余名业务骨干组建5个脱贫攻坚督导小组,对全县脱贫攻坚目标分解落实、贫困对象识别、重点工作推进、23个专项方案执行、档案资料完善、干部不作为慢作为乱作为等情况开展常态化督查巡察。动态抽调纪委、组织、宣传、林业、农业、水务、住建等重要职能部门人员组成县级评估组,对易地扶贫搬迁、土地流转、村集体经济、“五园经济”建设等涉及民生的重大项目进行动态巡视检查、评估检验,确保民生项目程序、质量、成效符合脱贫攻坚工作要求。三是基层群众现场“考”,彰显民意。乡(镇)和帮扶部门定期召开村脱贫攻坚考评大会,根据村情实际,组织素质高、有威望的群众代表10~20人组成评价考核团,对“第一书记”、村(社)干部、联系帮扶人等帮扶情况分别划票打分、现场晒分,让干部做的每一件工作、完成的每一项任务、服务的每一个对象群众都可直接质询评价,乡(镇)和帮扶部门将群众对帮扶干部的晒分成绩回收掌握,作为其评优晋级、绩效考核的依据。

转变经济发展方式 推进绿色价值再造

——通江县唱歌乡发挥比较优势发展外向型经济的实践探索

通江县人民政府县长　王　军

唱歌乡位于通江县东部,距县城29千米,辖区面积39平方千米,辖6个行政村,总人口5355人,平均海拔1200米,是典型的高寒山区和贫困地区。近年来,唱歌乡立足自身特色优势,坚持市场需求导向,转变经济发展方式,大力发展具有地域特色的现代森林康养产业,推进绿色价值再造,引领经济稳定增长,助力群众脱贫奔康,探寻了一条边远贫困山区充分发挥比较优势、打造以绿色生态为核心竞争力的外向型经济发展新路子,既具有因地制宜的特殊性,又具有一定意义上的可复制、可参考、可借鉴价值。

一、勇于冲破传统禁锢,切实转变经济发展方式

2012年以前,受区位劣势和基础条件等诸多因素制约,唱歌乡群众思想封闭、观念落后、贫困深重,全乡经济总量2500万元,农民年人均纯收入4417元,分别比全县平均水平低4.5%、3.6%。近年来,唱歌乡党委政府大胆解放思想,以问题为导向,向市场要动力,大力推进外向型经济发展模式,推动区域经济增长。一是突破自身劣势向市场要动力。改变传统、封闭、落实的观念,树立市场意识、商品意识和开放意识,面对自身经济实力弱小、基础设施落后、发展条件受限的实际情况,唱歌乡党委政府坚持市场化取向,大力推进招商引资,培育新型农业经营主体,采取商业化、公司化运作方式解决发展中的资金、技术和人才短缺难题,特别注重发挥政府的主导作用和政府性资金的撬动作用。近三年来,该乡投入财政资金3000万元,引入外来社会资本投入达2.7亿元,带动民间资本投入达5000万元,吸引新居建设、旅游扶贫等各类金融资本约2亿元,实施旅游环线路、石林步游道、景区大门、水景观、商务中心和7万平方米康养小区等基础设施建设和产业建设。二是突破区域局限向市场找出路。面对自给自足的传统农业生产越来越不能带动当地群众脱贫致富的现实问题,唱歌乡党委政府审时度势,深刻认识到随着城市居民收入的提高和消费观念的转变,越来越多有钱、有时间的老年人选择生态环境优美的地方进行“候鸟式”养老、“度假式”养老的发展趋势和良好机遇,准确把握国家大力发展旅游康养产业的政策导向,瞄准国内外大中城市众多消费群体,充分依托自然环境、森林资源和人文底蕴等优势,确定了建设国家4A级旅游景区的目标。按照“一年打基础、两年上规模、三年初建成”的阶段任务,以“一心五线,四园六片”(“一心”,即石林景区核心;“五线”,即石林景区核心至芝苞、云昙、湾潭河水库、响滩坡、毛浴草帽村;“四园”,即康体养生园、核桃观光园、茶叶采摘园、药材种植园;“六片”,即六个村各具特色)为重点,打造以森林游憩、度假、疗养、保健、养老为核心功能的唱歌森林康养基地,促进生态优势转变为产业优势、区域优势和后发优势。近年来,该乡年均接待游客10万余人次,经济总量保持年均15%以上的增速,其中旅游、康养经济收入贡献率达85%以上。预计到“十三五”末,全乡可实现服务业综合收入3亿元以上,人均纯收入可达2.5万元以上。

二、充分发挥比较优势,打造现代森林康养基地

唱歌乡境内群山环抱、石笋林立、风景别致,“石林”是唱歌乡最具特色的景点。全乡森林覆盖率达86.9%,常年平均气温16.2℃,夏季平均气温20℃左右,每立方厘米空气负氧离子含量为11806个,堪称“天然氧吧”,是诺水溶洞—临江丽峡—空山天盆—唱歌石林生态旅游扶贫示范带上的重要节点,毗邻巴(中)万(源)高速公路芝苞下线口、川陕革命根据地红军烈士陵园4A级景区和湾潭河中型水库,极具发展生态康养产业的先天优势和市场前景。唱歌乡立足优势,创新机制,在发展现代森林康养产业上大做文章。一是依托企业平台打造康养基地。顺应现代都市人群的健康消费理念和休闲养生需求,引进重庆恩泽公司在唱歌乡石林周边规划实施以具有养身、养心、养性、养智、养德“五养”功效的康养地产开发,建成占地150亩,可容纳2000户、6000余人居住的多户型休闲康养小区,已有重庆、新疆、成都、西安、达州等地800余户2000余人在该地购房常年居住或“候鸟式”居住,每年消费1200万元左右。二是深化校地合作,强化科技支撑。与成都中医药大学、浙江医科大学等高校在康养规划设计、产品研发、人才培训、体系建设等方面深入开展合作,弥补贫困地区在发展现代森林康养产业中人才、技术、管理等方面的短板。已有300余名当地群众参加了康养方面的专业技能培训和管理知识培训,有效提升了康养服务质量和群众就业能力。三是创优特色服务,提升康养品牌。在石林附近修建占地50亩的疗养康复大楼,可容纳1000余人。结合当地气候等自然条件,研发推出“三七养生”疗法和调心调息、排毒养颜、舒筋活络等练身疗法,特别是结合传统中医理论与方法对常见心脑血管、高血压、支气管炎等慢性病患者制订保健调理方法,医养结合效果良好,吸引了周边2万余人次到该地疗养。

三、培育新型农业经营主体,激发农民增收内生动力

坚持“乡有龙头企业、村有专业合作社、社有种养殖大户”的发展目标,大力培育新型农业经营主体,充分激发当地农民稳定增收的内生动力。一是围绕特色农业发展农村专合组织。按照全县“4+X”特色农业产业发展方向,在后溪沟村、石板溪村组建2个专业合作社,重点培育以核桃、茶叶、巴药为代表的高寒山区特色产业,开发有机特色产品,配套康养服务功能。与科技厅签订了林下经济战略合作框架协议,邀请科技专家免费提供技术培训,指导发展农村电商,协调推动农产品网上销售。建成春茶采摘园1个、名贵药材种植园2个,栽植核桃8000亩,四川农业大学建立野核桃研发基地2个,带动当地农民年人均增收1500元以上。二是围绕乡村旅游引导农民入股分红。组建唱歌石林旅游开发公司,按照“春来观花、夏来纳凉、秋来摘果、冬来赏雪”的乡村旅游发展思路科学布局产业,建设旅游环线,开发旅游产品,打造唱歌石林国家4A级景区。采取“龙头企业+村委会+专合社+贫困户”的模式,贫困户以土地入股企业或专合社按比例分红,将县财政10万~20万元的村级产业发展资金量化到所有贫困户,以资金入股公司或专合社,提高贫困户股权占比,让贫困户分享到政府支持的实惠。已初步建成“唱歌山核桃”科普、科研、种植、采摘“一条龙”式休闲观光农业产业带,年接待游客8余万人次,入股农民年人均增收2000元。三是围绕森林康养带动农民稳定就业。随着森林康养产业的逐步兴起,重庆恩泽公司每年吸纳当地群众200余人从事房屋建筑业、10余人从事游客汽车运输业,常年提供经营管理、安保服务、卫生保洁等就业岗位50余个,实现从业人员人均收入3万元以上。同时,随着消费人群的增多,农副产品销售收入实现大幅增长。

四、建设美丽宜居新村,培育涵养农村文明新风

唱歌乡大力推进森林康养产业发展和脱贫攻坚的出发点和落脚点是增进广大农民的福祉,同时注重建立和完善乡村道德教育体系,不断规范农村治理,建立健全村规民约,引导群众做守法公民、文明村民、现代农民。一是新村建设展新貌。坚持连片开发与精准扶贫双轮驱动,突出地域特色和传统文化,大力实施易地扶贫搬迁和幸福美丽新村建设,加强文化、医疗、信息、管理等公共服务建设,增加农村公共服务供给,让居住在农村的农民拥有更多的获得感和创造美好新生活的幸福感,让外出和迁移的农民能够记得住乡愁、留得住乡情。近两年来,全乡新建(改造)巴山新居158套,实施易地扶贫搬迁191人,农民居住条件、生活环境得到有效改善。二是党建引领树新风。探索以村(居)党支部为核心,村(居)委会为基础,便民服务站为平台,监督委员会进行监督的“四位一体”服务管理新体系。培育涵养农村文明新风尚,对农民开展思想观念、文明素质、行为习惯和适用技术、经营能力、创新理念等培训,提高服务能力,让其迅速发展成为新型农民。预计到2020年,全乡70%以上的农民可实现转型。三是游客带动促进步。随着越来越多的外来退休干部、成功人士、知识分子等高素质人群长期到唱歌乡康养居住,他们与当地群众“攀穷亲”“结对子”,一起劳动,一起生活,对当地群众良好习惯的养成起到了潜移默化的影响带动作用,垃圾乱扔、污水乱倒、柴草乱堆、乱砍滥伐树木等现象明显好转,人们的思想观念、生活习惯、道德水平有了很大进步。四是文明创建再提升。倡导以生态环境保护为基础,加强森林资源保护、有害生物防治、森林火灾防控和平安林区建设,切实维护森林康养产业持续发展的根基。同时,结合“四好村”和安全文明社区创建活动,大力开展“文明信用户”“好婆婆”“好媳妇”评选以及“敬老爱老”“致富创业”“好人好事”等先进事迹宣传活动,让生态、文明、法治意识内化为行动自觉,逐步养成好习惯、形成好风气,群众的环境保护、绿色有机、诚信经营、经济理财等思想意识大幅提升,良好的森林环境得到守护,现代文明乡风得以彰显。

发展乡村旅游　助力脱贫奔康

——平昌县乡村旅游扶贫的实践与探索

中共平昌县委书记　蒲开文

平昌县是国家级贫困县,也是全国休闲农业与乡村旅游示范县。近年来,县委县政府充分发挥绿色生态优势,把发展乡村旅游作为脱贫攻坚的重要抓手,坚持政府引导、群众主体、市场运作,突出“四个带动”模式,走出了乡村旅游扶贫的新路子。全县有佛头山、巴灵台、驷马水乡、南天门、三十二梁5个4A级景区,建成驷马镇等6个省级乡村示范镇和驷马镇创举村等15个省级乡村旅游示范村。2016年,全县接待游客428.12万人次,实现旅游综合收入33.52亿元,带动农民人均增收2000元以上。

一、做法与成效

（一）全域旅游带动脱贫攻坚

坚持抓旅游就是抓扶贫,树立扶贫开发旅游优先的理念,充分发挥乡村旅游对农民脱贫致富的带动作用。一是完善旅游扶贫规划。按照统筹城乡的理念,把乡村旅游纳入“一核三线五极七区”的城乡空间和产业布局,编制了旅游产业发展总体规划、乡村旅游发展规划、特色景区专项规划,着力构建全域旅游。二是实施乡村旅游扶贫工程。制订乡村旅游扶贫专项方案,以相对集中连片的贫困村为重点,通过“旅游+道路+新村+产业+危旧房改造”打造乡村旅游综合体,以此带动贫困户脱贫、贫困村“摘帽”,力争到2020年扶持约70%以上的贫困村发展乡村旅游,乡村旅游对贫困人口增收贡献率达20%以上。三是构建全域旅游格局。围绕连片扶贫开发重点区域,以民俗文化为内核、以巴山新居为节点、以现代农业为纽带,形成“一乡两园三线”(“一乡”,即江口水乡;“两园”,即佛头山文化产业园、驷马国家湿地公园;“三线”,即驷马—五木—灵山—元山环线,双滩库区—喜神—牛角坑—云台环线,西兴—皇家山—友谊水库环线),实现了“两个覆盖”,即大景区向贫困村覆盖、小景点向贫困户覆盖,以全域景区带动全域扶贫。四是打造特色旅游品牌。突出“田园风光、水乡平昌”定位,以“生态休闲、康体养生”为主题打造绿色旅游品牌,以“革命老区、红色文化”为主题打造红色旅游品牌,以“民俗风情、巴人文化”为主题打造民俗文化旅游品牌,以“特色农业、互动参与”为主题打造体验旅游品牌,实现乡村旅游与红色旅游、康体养生旅游、度假观光旅游融合发展,丰富乡村旅游业态,提升乡村旅游吸附力。

（二）特色景区带动环境改善

坚持连线成片建设特色景区,整合资源,加大投入,围绕景区配套公共服务和基础设施网络,以此辐射带动周边区域改善环境,做到建设一个景区、促进一方发展,全县已建成驷马水乡、五木南天门、云台龙尾等12个特色景区。一是围绕景区延伸路网。把交通作为旅游扶贫的先手棋,以实施通乡通村工程为抓手,推进道路交通进景区,优先建设景区环线道路,大力推动景区与城镇、景区与干线、景区与园区道路互联互通。“十二五”以来,全面完成300千米县道油路改造,新建乡村道路2750千米,新建景区车行道和游步道220千米,建成乡村旅游环线客运招呼站147个,开通了县城到各景区景点的旅游公交,极大地改善了群众的出行条件。二是围绕景区建设新村。依托特色景区布局新村聚集点,以“巴山新居”工程为抓手,按照组团式、小规模、田园化的理念对传统院落进行保护性修缮,重点实施针对农村贫困户的危旧房改造,通过改厨、改厕、改圈、改院优化环境,中心村配套建成“1+6”村级公共服务中心,实现新村即景区、新居即景点。全县建成25个中心村、548个聚居点,改造农村危旧房8.67万户。三是围绕景区夯实基础。整合项目,加强重点景区及周边基础设施建设,景区景点建到哪里,路、水、电、通信网络等就延伸到哪里,公共服务就跟进到哪里,着力改善农民生产生活条件。灵山镇属偏远乡(镇),人居环境较差,过去老百姓过着靠天吃饭的日子,近年来围绕打造巴灵台国家4A级旅游景区,该镇建成新村4个、聚居点16个;新建道路96千米,改建道路53千米;建成人饮工程5处,解决了全镇6495人的饮水安全问题，发展环境得到了极大改善，农民真正过上了好日子。

(三)农旅融合带动产业转型

充分发挥旅游产业的聚合效应和撬动作用，促进一二三产业融合发展，推动传统农业转型升级，夯实脱贫奔康的基础。一是推动农旅融合、文旅融合。坚持园区带动、能人带动、市场带动，大力培育茶叶、花椒、莲藕、巴药、水产、核桃六大特色产业，建成20万亩茶叶基地、15万亩花椒基地、10万亩巴药基地、6万亩核桃基地。坚持以乡村旅游带动特色产业发展、以旅游的视野谋划特色产业，用文化的内涵提升特色产业，围绕特色产业开展旅游文化活动，连续三届承办全省乡村文化旅游节，举办了鹿鸣茶文化节、青凤芍药花节、灵山荷花节、驷马葡萄采摘节等地方节庆活动，实现现代农业与乡村旅游的有机融合。二是推动景区与园区融合。把产业园区当成旅游景区建设，推动旅游资源向产业园区聚集。通过引进龙头企业建成集现代设施农业、花卉苗木观赏、休闲娱乐养生于一体的驷马省级农业科技示范园，集农耕体验、生态采摘于一体的元山镇中岭村生态农业科技园，集茶叶种植、加工、营销于一体的云台镇龙尾现代茶叶科技园，园区内配套建设基础设施和旅游服务要素，一个园区就是一个景区。一到节假日，园区游客如织，不仅带动了周边创举、中岭、龙尾等贫困村发展，也给当地农民创造了增收致富的机会。云台镇龙尾村曾是典型的贫困村，农民收入长期处于贫困线以下。2013年以来，该村通过建设巴山新居和现代茶叶科技示范园发展乡村旅游，开办特色农家乐8家，从事乡村旅游及相关产业人员达385人，占总人口的40%。2016年，全村共接待游客23.5万人次，乡村旅游总收入达1000余万元，农民从乡村旅游发展中人均获得收入达3800元。

(四)以旅兴业带动增收致富

坚持把乡村旅游作为创业就业的重要载体，全方位延伸产业链条，多渠道创造就业机会。一是乡村旅游创业增收。实施“回引创业”工程，出台《平昌县在外人士回乡创业扶持办法》，从融资、税收、用地、水电等方面加大支持力度，鼓励平昌籍在外人士返乡参与乡村旅游项目建设。引导农民以“住农家屋、干农家活、赏农家景”为主题，开办特色农家乐、“茶家乐”和乡村酒店，免费开展厨师技能培训、从业人员素质培训，采取贴息贷款、小额贷款等方式解决资金难题，帮助农民在家门口就业创业。全县发展农家乐189家，从业人员户均增收1.5万元。二是特色旅游产品开发增收。充分利用生态优势和农副产品资源，采用“公司+农户”、业主带动等模式，引导农民开发经销具有地方特色的旅游产品，建立旅游产品网上销售平台，拓宽产品销路。目前已开发出杨氏风干鱼、朱老头腊肉、何大妈豆瓣、“巴山青”有机蔬菜等特色产品以及刺绣、竹编、剪纸等民间手工艺品，市场销路好，深受游客喜爱，让农民实实在在尝到了“甜头”。

二、思考与启示

实施乡村旅游扶贫必须立足于统筹城乡改善发展环境。乡村旅游是一项综合性产业，涉及农村和城市，关联一二三次产业，带动人流、物流、资金、信息流等。因此，要坚持统筹城乡的理念，把乡村旅游纳入城乡一体化布局，统筹城乡各种资源、资本和要素，推动基础设施向农村延伸、公共服务向农村覆盖。要大力发展生态农业，因地制宜建设新农村，在注重自然生态环境保护的同时改善农村发展环境和农民居住条件，同时加强农村精神文明建设，提高农民文明素质，为发展乡村旅游创造条件。

实施乡村旅游扶贫必须立足于把资源优势转化为产业优势。贫困地区由于自然、历史等方面原因，经济社会发展相对落后。但另一方面，贫困地区大多保存了原生态的自然景观和古朴的民俗风情，具有生态好、环境好、风光好的优势，发展乡村旅游大有可为。平昌县乡村旅游取得了一定的成效，关键在于打好田园风光牌，利用境内拥有镇龙山国家级森林公园、驷马湿地公园等优势，通过发展生态乡村旅游促进县域经济发展。贫困地区要充分发挥绿色生态的优势，适应城市市民返璞归真的趋势，发展以康体养生、观光体验为特色的乡村旅游，把生态资源优势转化为经济发展优势，让“绿水青山”成为“金山银山”。

实施乡村旅游扶贫必须立足于用市场机制撬动民间资本。发展乡村旅游，既要靠政府引导，又要走市场之路。平昌县通过BOT模式引进社会资本参与驷马—元山—灵山旅游环线基础设施建设，取得了一举多赢的效果。乡村旅游市场容量大，产业链条长，当期效益好，是民间资本投资的热点领域，要推行PPP模式，引导民间资本以购买、租赁、承包、联营、股份合作等多种形式参与乡村旅游项目区基础设施建设，同时带动农户以土地承包使用权、资金、技术等投入乡村旅游，帮助农民持续增收。要组建旅游投融资公司，引进社会资本参与旅游景区经营管理，形成一体化、规范化、高效化格局，实现可持续发展。

实施乡村旅游扶贫必须立足于通过利益联结带动农民增收。乡村旅游扶贫是扶贫开发的重要载体和有效途径，最终目的是要让农民受益，让他们在旅游产业中增强获得感。发展乡村旅游，要始终把农民得实惠作为出发点，把农民作为旅游开发的主体，开发乡村旅游的多种功能，通过政府引导、典型示范、政策支持等引导农民参与投资经营乡村旅游业，促进农村劳动力向二三产业转移，多渠道创造就业机会。要健全利益联结机制，引导农民利用现有条件和当地特色资源参与旅游经营，还可以引导农民参与乡村旅游项目的入股分红，拓宽增收致富的途径。

推进乡村振兴战略 建设幸福美丽新村

——芦山地震灾区推进新时代新农村发展振兴的探索与思考

中共芦山县委　芦山县人民政府

芦山县是盆周山区传统农业小县，全县辖区面积1166平方千米，总人口12.5万人，农业人口占比为65.6%。近年来，全县紧紧围绕“四个好”目标，坚持把产业重建作为最大民生工程，深入实施“农业富县”战略，大力调结构、转方式，着力建基地、创品牌，竭力惠民生、促增收，促进了灾区“造血”功能持续提升。建成高山生态茶、有机猕猴桃、道地中药材等产业化基地15.3万亩，成功创建为全国有机农业示范县、全国绿色食品原料标准化生产县和四川省农产品质量安全监管示范县；打造省级幸福美丽新村28个、“四好”新村11个，初步形成了休闲农业与乡村旅游协同发展的格局。2016年，农村居民人均可支配收入10287元，农业生产总值9.92亿元。2017年首次被评为“全省三农工作先进县”，实现了芦山农业农村工作的历史性突破。

一、困难与挑战——乡村振兴面临的突出问题

经过灾后重建产业结构大调整、涉农项目大投入、园区经济大开发，芦山县在农业产业化经营、农田水利基础建设、乡村人居环境治理等方面取得了长足进步，但是城乡之间发展的不充分、不均衡依然存在，传统农业小县、经济欠发达的县情没有彻底扭转，统筹城乡发展仍然是当前最紧迫的任务。

特色产业支撑乏力，转型发展面临挑战。县域内现有茶叶、猕猴桃、中药材等产业规模较小，专业化发展水平低，传统农业发展方式转变力度仍需加大。农业产业化生产经营水平低，龙头企业实力较弱，普遍存在产业链短、产值效益不高的问题。旅游业与农业产业融合发展仍处于初级阶段，在推进"产村相融、农旅结合、一二三产业互动"上仍需下功夫。

基础设施建设薄弱，瓶颈问题依然突出。农田水利建设管理起步较为滞后，在项目争取和打捆建设上力度不够。农村尤其是中高山地区道路、饮水、住房等建设相对滞后，产业作业道、入户路、卫生厕所等尚需打通"最后一公里"。农村公共文化服务设施建设薄弱，广播电视网、电信网、互联网"三网建设"滞后，农村现代化建设进程仍需进一步加快。

联结机制不够紧密，持续增收任务艰巨。农民持续增收机制尚不健全，利益联结机制不够紧密，农业产值效益红利释放有待加强。群众增收渠道较窄，农村集体经济发展较为滞后，龙头企业、专合组织等示范带动不强。深化农业农村改革力度仍需加大，受产业发展、项目建设、劳务开发等影响，群众收入结构中财产性收入、家庭经营收入上浮压力大。

村级管理手段单一，乡村治理亟待创新。基层党员干部队伍创新意识和能力有待进一步提升，在推进乡村治理中手段简单、办法不多，引领发展、服务群众、民主管理的意识有待提高。新村自治管理在健全配套制度、深化法治建设、推进移风易俗等方面仍需强化。农村实用人才队伍建设滞后，培养"有文化、懂技术、会经营、善管理"的新型职业农民任务仍然艰巨。

二、方向与出路——实现乡村振兴的路径探讨

党的十九大报告提出实施乡村振兴战略，阐述了"三农"工作的战略地位、目标任务和方法举措，绘就了新时代新农村发展的美好宏伟蓝图。实现芦山地震灾区发展振兴、同步奔康，必须准确把握"产业兴旺、生态宜居、乡风文明、治理有效、生活富裕"新时代新农村建设总体要求，坚定不移走生态优先、绿色发展道路，做好"产村融合、农旅结合、生态富民、城乡统筹"四篇文章，积极发展新产业、培育新业态、构建新机制、打造新景象，切实让农民富起来、农业强起来、农村美起来。

差别化方向发展产村融合新产业，让特色产业包围村庄。把特色产业发展作为乡村振兴"头号工程"来抓，持续增强乡村造血功能。突出市场需求导向，坚持错位发展、彰显特色、提升效益，以产村融合、种养循环为发展方向，按照"一乡一业一主导""一村一品一支撑""多线连片齐发展"思路，围绕新村布局产业，提质扩面发展产业，形成特色产业包围村庄整体态势，让产业有市场、产品有销路、农民能增收。

多元化思路培育富民兴农新业态，让农村经济焕发生机。按照"乡村景观化""田园成公园""园区景区化"思路，推动产业连片成景、田园景致靓丽、乡村美丽怡人。推进休闲农业与乡村旅游协同深度发展，大力培育农业观光、田园采摘、森林康养、农耕体验、乡村休闲旅游等农旅结合新业态，构建与生态文化旅游融合发展相适应的产业体系，让富民兴农新业态主导农业农村经济发展。

共享化模式构建助农增收新机制，让发展红利普惠群众。围绕农民增收核心，努力在壮大特色产业、发展园区经济、培育新型业态中，构建更加紧密利益联结机制，拓宽增收致富渠道，让农民群众共享产业化发展成果。用好"第二轮土地承包到期后再延长三十年"政策，扎实推进农村土地"三权"分置，鼓励以土地流转、股权量化、集体资产租赁等形式发展适度规模经营，让政策红利最大化释放普惠群众。

一体化格局打造美丽乡村新景象，让人居环境更加怡人。坚决摒弃"重城市轻农村、重建设轻发展、重管理轻服务"等传统思想，按照"农村社区化"发展方向，将项目规划、基础建设、产业发展、公共服务等工作重心向农村转移倾斜，加强人居环境整治，提升乡村治理整体水平，加快推动城乡居民基本权益、生产生活设施、公共服务保障、要素配置等融合发展，彻底打破城乡二元制结构，推进统筹城乡均衡发展。

三、措施与抓手——推进乡村振兴的工作思考

坚持因地制宜、先行先闯，抓住特色产业发展、壮大园区经济、深化农村改革、创优人居环境、强化乡村治理等关键，切实把乡村振兴战略具体化为实物量和形象进度，让人民群众看得到乡村变化、感受到发展温度。

突出市场需求导向，构建特色产业支撑。注重规划引领。突出经济效益和市场前景，坚持差别化发展，充分考虑地理环境、气候条件、地域资源等因素，科学编制《芦山地震灾区特色农业产业发展规划》，注重新品种引进与产业改造提升相结合，进一步完善"一园两区三带四线五业"产业发展思路，稳步扩大产业化基地规模，力争五年内特色产业面积达到20万亩。强化示范带动。按照"农业景观化、景观化生态化、生态效益化"思路，以新村聚居点、国省干道、乡村旅游环线等为节点，推进猕猴桃、茶叶、生态果蔬等产业规模化发展，着力串点成线、连线成片，建成产业大环线，有效串联新村、产业、园区、景区，让特色产业成为乡村繁荣的重要支撑。加大政策扶持。修订完善农业园区招商引资、特色产业发展、农村集体经济扶持等奖励政策，继续实行"以奖代补""先建后补"等方式，着力解决产业发展用电用地、信贷融资、技术服务等瓶颈问题。

壮大发展园区经济，整体提高供给效益。招大扶强培植龙头企业。将强化龙头企业培育作为发展园区经济的重中之重，深入实施龙头企业培育计划，强化企业用地、项目技改、融资担保等要素保障，以茶产业、猕猴桃、中药材、豆制品等为主导，打造集"产加销"于一体的农业产业集群，力争五年内新培育亿元产值龙头企业5家以上，农业园区产值达到30亿元。延伸链条提高产值效益。瞄准市场产销所需，以现有主导产业为基础，着力延伸上下产业链条，努力增加绿色有机、生态安全、优质高效农产品市场供给，提高农产品附加值，使产业链紧密联结市场和农户，实现产值效益最大化、利益共享最优化。塑造品牌增强竞争实力。强化农业品牌包装、营销和推广，集中打造以"芦山猕猴桃""马牛山茶""芦山白茶""钱记鲜蛋""臻香宜豆制品""龙门花生"为代表的特色产品，力争五年内全县绿色、有机农产品品牌超过20个，改变农产品以粗加工形态进入市场的弊端，培育发展特色农业品牌经济。

持续深化农村改革，激活农村发展活力。深层次培育新型农业经营主体。大力培育以龙头企业、专合组织、家庭农场、种养大户为代表的新型农业经营主体，力争五年内总数量超过400个，使其在农村遍地开花、形成气候，充分发挥引领示范、技术推广、增收带动等优势作用，引领乡村经济发展方向。多模式构建群众利益联结机制。把促进农民增收作为解决"三农"问题落脚点，拓展"公司+专合社+农户""公司+基地+专合社+农户"等产业化发展模式，探索"流转保底+按股分红+劳务收益"等增收实现形式，让产业化发展红利充分外溢惠及群众。全方位激发农村集体经济潜能。以推进农村产权制度改革为重点，充分整合农村闲置土地、荒山、林地、集体资产等资源，多路径探索土地流转、外包租赁、规模经营等形式，实现由散到聚、由点到面、由荒芜到利用的转变，五年内全县40个村村集体经济收入实现翻番，突破5万元。

全域打造美丽乡村，竭力创优人居环境。创新投入机制，加强基础建设。将乡村基础设施建设重点延伸到中高山地区，加强项目资金争取和整合打捆，探索"PPP""BOT"等模式，撬动社会资本一体化开发和建设，推进农村集中供水、道路运输、农村电网、"互联网+"、通信网络等工程共建共享。推进农旅融合，培育新兴业态。深入推进生态文化旅游融合发展，提升打造乡村旅游环线，以飞仙湖、汉姜古城、龙门古镇3个4A级景区为节点，以大川旅游开发为带动，大力发展农村电商、乡村休闲旅游、户外拓展、康体养生等新兴业态，丰富和延伸乡村经济发展的内涵和外延。加大环境整治，建设美丽乡村。坚持多规合一，扎实推进幸福美丽新村、"四好"新村创建，大力实施绿美乡村、旧村改造提升、农村环境整治等工程，重点抓好改路、改厨、改厕、改庭院、改沟渠等治理，力争五年内全域建成40个省级幸福美丽新村，打造"山水辉映、田林交错、产村融合、多彩靓丽"的"秀美芦山、生态强县"乡村景观。

提升乡村治理水平，筑牢基层和谐基石。建强村级领导核心。牢固树立"落实到基层、落实靠基层"理念，以党的建设为引领，持续发力健全基本组织、建强基本队伍、完善基本制度、强化基本保障，增强村级党组织的领导力、组织力、凝聚力和战斗力，为推进乡村振兴战略提供坚强组织保证。构建联动共治格局。深化拓展党组织领导下的"自建委""自管委"模式，探索建立以基层党支部为核心，群众自治、厉行法治、文明德治、民主监督的"一核三治一监督"乡村治理体系，推动形成全民积极参与、懂法守法、崇德向善的基层治理新格局。厚植乡风文明沃土。以群众感恩奋进教育为重点，全覆盖打造法治教育、人文教育、红色教育、廉政教育阵地，借力"农民夜校""道德讲堂"等载体，倡导科学文明生活方式，大力推进移风易俗，推动乡风文明融入乡村发展肌理，形成"乡风净、民风纯、思想齐、干劲足"的良好风尚。

抓住改革关键环节 增加农民财产收入

中共洪雅县委　洪雅县人民政府

2013年，省委农村工作领导小组把洪雅县列为增加农民财产性收入改革试点县后，县委县政府高度重视，切实按照中央、省、市深化农村改革的各项要求，以盘活"三大资源"、依靠"两大产业"、落实"五大保障"为总体工作构架，大力推进增加农民财产性收入改革试点并取得了明显成效。2016年，试点区农民人均财产性收入达1600余元，占试点区农民人均可支配收入的11%。

一、抓住关键环节，盘活"三大资源"

全县实现了农民土地、林地、房产三大资源的有效盘活。一是盘活土地承包经营权。完成瓦屋山镇、柳江镇、高庙镇等15个乡（镇）土地承包经营权确权登记面积33.7万亩、农村集体土地所有权颁证892宗、农村集体建设用地使用权颁证163宗。全县累计流转土地8.413万亩，农民直接获得土地租金收益8000余万元。中保、花溪、柳江、东岳、止戈5个乡（镇）开展土地承包经营权规模和规范流转试点，组建镇级农村土地流转服务有限公司，规范管理土地流转行为，发展农业适度规模经营。二是盘活林权。全县完成林权登记104万亩，发证11.7万本，确权率达98.1%；完成林权流转339宗、面积16万亩，农民林权流转收益4800余万元。三是盘活农村房屋产权。完成农村宅基地使用权颁证11万宗。通过打造花溪镇"水韵新村""归园田居"，柳江镇"光明新村""侯家山寨"，高庙镇"七里新村"和瓦屋山镇"复兴新村"等一大批景点式新村，建成乡村旅游接待点22个，实现农居变"旅居"1400余户。2016年，全县接待乡村旅游游客220余万人次，实现乡村旅游收入11.1亿元，其中，高庙镇七里村单户农房财产性收入高达100万元以上。

二、突破发展定势，做活"两大产业"

坚持大胆创新、点石成金的思维，积极依靠县域旅游"大景区"、农业"大产业"增加农民收入。一是依靠"大景区"发展乡村旅游。发挥洪雅县生态优越、环境优美、人文深厚的优势，利用柳江古镇、峨眉半山七里坪、瓦屋山等得天独厚的旅游资源，以农旅相融为引领，大力发展乡村"民宿经济"。以幸福美丽新村建设为抓手，积极推进农村房屋建设与改造，鼓励农户发展农家乐和乡村酒店，使新村变"景区"、农居变"旅居"，创新性地盘活了农村房产资源，增加了农民收入。二是依靠林竹、茶叶特色规模产业推动经济发展。洪雅县依托已有的200万亩林竹资源、27万亩茶叶基地大力发展土地规模流转，吸引50余家企业发展都市近郊现代农业，建成观光茶园3万余亩、生态蔬菜基地5万亩，发展林下种养殖17万亩。

三、落实五项保障，服务农民增收

（一）强化领导，精心组织

成立了以县委书记、县长为组长，分管副县长为副组长，县委政研室、县委农工办、县发展改革局、县统计局、县人民银行、县住房建设局、县国土资源局、试点乡（镇）等单位主要负责人为成员的增加农民财产性收入改革试点工作领导小组。出台了《关于开展增加农民财产性收入改革试点工作的意见》，分年度制订了《洪雅县增加农民财产性收入改革试点实施方案》，明确了目标任务、职责分工、推进举措。县财政每年将增加农民财产性收入改革试点纳入预算，安排专项资金用于土地确权颁证和农村产权交易市场建设。

（二）开拓创新，金融支持

采取服务个性化、担保多样化、授信差异化等方式探索创新金融服务机制。县政府出台了《关于加强金融支持新型农业经营主体服务工作的指导意见》，结合新型农业经营主体的生产经营情况、贷款偿付能力、还款来源等因素，采取"宜企则企、宜场则场、宜社则社、宜户则户"的方式合理确定新型农业经营主体的贷款主体、授信方式、最高额度和贷款期限，简化贷款审批流程，降低融资成本。开展林权抵押、土地流转收益保证、应收账款质押、农机具抵押等15种新业务，推广"贷款+保险""公司+农户""农民联保小额贷款"等新业务。截至2016年年底，县域涉农金融机构已培育新型农业经营主体99家，放贷1.3亿元；办理应收账款质押业务28笔，金额13亿元。积极探索组建洪雅县农业投资发展有限公司，以创新模式推动农村发展。

（三）扶持主体，构建体系

制定扶持政策，着力培育龙头企业、专合组织、家庭农场、现代农业业主等新型农业经营主体。2014年，县委县政府出台了《洪雅县扶持新型农业经营主体若干激励政策(暂行)》《洪雅县择优扶持新型农业经营主体评选暂行办法》,县财政每年安排500万元予以扶持并在土地征用、金融贷款、人才培养、市场拓展等方面给予帮助。2016年,全县共发展农业产业化龙头企业56家,其中省级3家、市级18家;发展农民专业合作社401个,其中省级示范合作社7个、市级示范合作社16个;注册家庭农场155家,其中市级示范家庭农场8家;培育现代农业业主688户,其中市级示范现代农业业主14户。

(四)规范管理,规模经营

试点区积极探索土地承包经营权流转新模式,在中保镇创建了"园区引领、政府引导、规范管理"的模式。一是蔬菜产业园区引领。依托眉山泡菜产业发展,在中保镇平乐村高标准规划建设蔬菜产业园区,以园区为龙头整体打造、整体招商开展规模土地流转。二是提升地力水平。整合土地整理、循环农业经济、幸福美丽新村等项目资金,高标准配置道路、水利等农业基础设施,高标准完成地力提升工程。三是建立流转服务中心。以镇农业服务中心为平台,镇、村结合对园区土地集中开展流转摸底统计,形成资料并统一对外招商流转,镇服务中心统一规范流转合同、土地价格,统一收取流转保证金、复垦保证金。四是组建农村产权交易平台,推进全县农村土地流转等产权交易。

(五)整合资源,梯次突破

2013年以来,洪雅县以深化农村改革为突破口,以增加农民财产性收入为抓手,根据改革试点区域的农村资源特点,整合涉农资金和产业发展资金,采取因地制宜、突出特色、发挥优势、突出重点的方式推进改革。集中实施项目32个,投入资金1.2亿元,梯次突破、积极探索农民产权价值实现形式,切实推进增加农民财产性收入改革试点工作。

大力推进农业供给侧改革 促进农民持续增收

中共丹棱县委 丹棱县人民政府

丹棱县充分发挥"长在农业、优在生态"的比较优势,紧紧围绕"农业增效、农民增收、农村增绿",以绿色发展理念引领农业供给侧结构性改革,全域推进以不知火为主的橘橙产业发展,全域推进乡村旅游发展。

一、突出"优"字,调整产业结构

一是明确区域定位。丹棱县地貌以浅丘、山地为主,土块细碎,地形各异,水资源贫乏,粮食种植没有比较优势。从20世纪80年代初开始,丹棱县委县政府开始调整产业结构,坚持特色农产品优势区域的定位不动摇,因地制宜发展经济作物,特色效益农业种植面积占农田面积的85%,粮经比为1.5∶8.5。

二是调优农业结构。贯彻市委发展都市近郊型现代农业的决策部署,大力发展以水果为主的"果桑茶林"四大特色产业,形成"一县四品"。推行"一业一园""小业主、大园区"模式,全域推进农业产业转型升级,以"不知火"优质橘橙为主的特色农业产业形成特色园区,优质橘橙成为主导产业,凸显聚集优势。

三是科学选育品种。丹棱县的地理位置和气候条件适宜种植橘橙,当地农民拥有30余年的栽种经验。近几年,针对传统脐橙同质化严重、价格低、竞争力差,全国产能严重过剩等实际问题,县委县政府提出了"不与两湖抢早、不与赣南争中"的思路,在开展专题调研、专家论证、选育试点的基础上,大胆调整橘橙品种,引导发展以不知火为主的晚熟橘橙,因其口感好,易剥皮,上市时间错峰,不知火优质橘橙逐步获得了农户和市场的双认可。

二、突出"绿"字,调整生产方式

一是推进绿色生产。在省农科院的指导下率先制定了全国首套《绿色食品丹棱不知火橘橙生产技术规程》生产标准和《绿色食品丹棱不知火橘橙产品标准》。建立绿色防控系统,采用生态调控技术、生物防治技术、理化诱控技术、科学用药技术等措施进行果园病虫害防治,减少农药施用量。发展生态循环农业,推进"猪—沼—果"等模式。开展测土配方施肥,完成测土配方施肥推广面积93万亩次。大力推进有机肥替代化肥,提高农产品品质和土壤有机质含量。2016年,全县有机肥推广面积达10万余亩次,年推广商品有机肥15万吨。

二是推进生态建设。加强生态文化建设,提升绿色发展水平。出台了《关于深化"三大工程"实施"五大行动"推进绿色发展建设美丽丹棱的决定》,实施"绿海明珠""八百湖堰润丹棱""十园之城"三大工程建设,营造处处是花园、果园、美丽家园的优美环境,全县森林覆盖率达57%。全域治理农村面源污染,农村垃圾收运处理"丹棱模式"在全国推广。创新推广养殖污染"321"治理模式,实施全域水环境综合治理。全县建成幸福美丽新村44个,创建省级"四好村"7个、市级"四好村"21个、县级"四好村"27个。

三是开展绿色宣传。每年坚持开展不知火标准化种植技术大轮训,连续5年举办种植技术"大比武",评选"果王"和"王中王",培养了一大批"土专家""田秀才"。全县2300余名果农获得不知火种植绿色证书;发展职业果农8万余人,占农村人口的73%。经国家专业机构检测,丹棱不知火的农残、重金属等197项指标全部合格,果汁糖度平均在13%以上,可溶性固形物含量最高可达20%,远高于国外名牌橘橙,被消费者誉为"北纬30°的味觉奇迹"、水果中的"软黄金",成为橘橙中的"奢侈品"。

三、突出"新"字,调顺产业体系

一是完善健全产业链。建立农产品产前、产中、产后全程社会化服务体系,特别是为橘橙产业提供从新品种研发、新技术推广、农资配送、有机肥喷施、产地初加工、电商物流、包装宣传全程服务,大力发展冷链、包装、物流、协会服务等多种形式的第三产业,形成了完整的产业链,同时配套发展冷藏保鲜技术,延长销售期。全县建设水果商品化处理(产地初加工)中心9个,基本实现柑橘在产地完成初加工。

二是推进全域农旅融合。借助产业发展形成的良好生态推进农旅融合,大力发展乡村旅游。在北部山区规划占地200平方千米,囊括11个旅游开发点的"核心区",总投资30亿元,打造集乡村体验、自然风光、养生度假于一体的参与式综合旅游示范区——国家乡村公园。大力开展农业观光旅游暨农产品采摘节会活动,实现一业一节、一乡一节,先后举办了葡萄节、茶叶节、脆红李节等采摘活动。2016年,全县新建特色业态乡村旅游经营点9个,实现乡村旅游收入5.34亿元。

三是推动农业"触网"。建立电商创业孵化园,累计发展涉农电商企业50余家、网店500余家、微店1000余家,培育橘橙电商企业30余家;建成乡鹰网、雅脉商城、丹棱智慧通3家本土化电商平台;连续两年举办"互联网+不知火橘橙节";与苏宁易购合作开设"丹棱特色馆",销售额名列苏宁特色馆销售额全国第一位;成功申报全省电子商务进农村综合示范县，与阿里巴巴签订实施“村淘”项目，村村建设电商服务站。2016年，全县实现农产品电商销售额3亿元以上，电商产业链直接创造就业岗位2500余个。

四、突出“高”字，加强科技支撑

一是高端合作。与中国农科院柑桔研究所、省农科院、四川农业大学等开展长期合作，建立了中柑所品种资源室区试点和中友优新柑橘母本园，成功总结出丹棱不知火集成种植技术，成功培育具有自主知识产权的优质不知火新品种和“大雅柑”橘橙。

二是高位求进。发挥享受国务院特殊津贴专家谭后根专家团队的作用，研究总结出测土配方施肥、生态有机循环、留树保鲜等一整套全国领先技术，将橘橙传统采摘期从当年的11月延长到次年的3月，填补了3—4月无新鲜水果上市的空白，变水果销售淡季为丹棱不知火销售旺季。

三是高科技应用。推进标准果园建设，建立果园现代物联网，精准施肥用药，消费者可通过二维码实现全程质量追溯。积极引进以色列先进水肥一体技术，提升循环农业技术装备水平。建设梅湾柑橘标准园、黄金源农场等水肥一体项目试点工程。截至2016年年底，全县采用水肥一体技术种植水果面积近2万亩，效益提升50%。

五、突出“活”字，深化农村改革

一是激活市场。争创地域品牌，直接对接消费市场，开展品牌营销，扩大了销路，提高了附加值。“丹棱橘橙”获得农业部地理标志产品认证，不知火获得绿色食品A级认证，丹棱县获得“中国橘橙之乡”称号。携手中国农业科学院、四川省农业科学院联合举办了“中国柑橘产业发展高峰论坛”，邀请全国柑橘领域顶尖专家、知名学者和柑橘主产区代表参加，搭建了全国橘橙产业交流平台。依托“川货全国行”，将“走出去”与“请进来”相结合，连续4年赴成都、北京、上海、南京、武汉、深圳等地举办丹棱不知火品牌推介会，连续5届举办不知火橘橙节，邀请国内外大型水果经销商到丹棱考察签约。采取“种植户+合作社+企业”模式，抱团应对市场，提高竞争力。丹棱不知火销往30余个省、市、自治区并远销俄罗斯、东南亚等国家和地区。

二是激活要素。深入推进农村综合改革，鼓励土地适度规模流转经营，放活土地经营权。做好土地承包经营权确权登记工作，县上成立了土地流转服务总公司，7个乡(镇)分别成立了土地流转服务公司，规模流转土地5.1万亩，适度规模经营面积占承包土地流转面积的73%以上。深入推进农村产权交易市场建设等17个专项改革，激发内生动力。橘橙产业采取“农户自种、工商资本下乡、能人回乡创业”相结合的办法实现连块为片、连片成园，发展标准化母本园1000亩、核心产业区4万亩，带动形成了规模面积达16万亩、产值达21亿元的大园区。

三是激活主体。成立国有四川省丹橙现代果业有限公司，全力打造引领丹棱橘橙产业发展的旗舰产业，推动绿色发展、标准化建设和品牌化培育。培育四大经营主体，出台《家庭农场鼓励扶持办法》，全县有省(市)级农业产业化龙头企业7家、农民专合组织207个、家庭农场205个、专业大户3225户。出台《丹棱县构建第一产业创业创新体系激励扶持政策》《丹棱县构建第一产业创新创业体系激励扶持政策实施办法》，鼓励全民创新创业，仅橘橙产业就吸引回乡创业1037人，每年新发展优质橘橙1万余亩，农户生产积极性高，惠农效果好。建立不知火种植人才库，以传统种植大户、种养能手和有资金、有能力、有文化的回乡创业人士为重点，分期分批开展种植技术培训。

以农业产业化助推脱贫攻坚

中共阿坝藏族羌族自治州委农村工作委员会主任　王树云

2017年，阿坝州坚持以脱贫奔康为核心任务，以农业供给侧结构性改革为主线，坚持“三态”融合、三微”联动，大力发展生态特色农牧业，积极培育壮大致富增收产业，实现了农牧业提档升级。全年一产增加值增长3.3%，完成目标任务的110%；农村居民人均可支配收入增长9.5%；实现农牧产业精准脱贫12445人，其他共同目标和业务目标也全面完成。

一、扎实推进供给侧结构性改革，生态农牧业亮点纷呈

(一)优势农牧产业受灾不减产

全州面对汛期泥石流、茂县山体垮塌、九寨沟“8·8”地震、金川冰雹等较大范围自然灾害抓好防灾减灾，实现了优势产业受灾不减产，依然保持稳定增长。全年粮食播种面积77.3万亩，产量16.7万吨，同比增长3.6%；果蔬菌等特色产业种植面积80万亩，产量162万吨，同比增长1.1%。出栏各类畜禽127.5万头(只、羽)，肉类总产量9.2万吨，同比增长4.5%；奶产量12.4万吨，同比增长2.1%。

(二)牦牛标准化养殖全面推广

全州自主探索总结的“4218”牦牛标准化养殖技术已推广到7个县，累计新建牦牛标准化养殖场150余家，出栏牦牛3万余头，新增产值1200余万元。该项工作得到了省委书记王东明的亲笔批示和充分肯定。编制形成《阿坝州牦牛标准化养殖规划(2018—2022年)》和《阿坝州牦牛标准化养殖推进方案》，积极争取专项资金，为下一步加快发展奠定了坚实基础。

(三)新品种、新技术、新模式试验示范不断推陈出新

加大农牧科研力量整合和项目资金保障力度，农牧科技试验示范和应用推广进入加速期。龙日种畜场顺利移交，种畜场、农科所、畜科所常态科研基地加快改建，牦牛冻精生产技术研究填补了川西北牧区牦牛无冻精的空白，成立了全国第二家、全省首家牦牛冻精批量生产技术单位。“甜樱桃、李和枣优质高效安全关键技术研究与应用”“牦牛(犏牛)拉箱式便携挤奶机研究”等科研项目先后获得省科技进步奖1个、农业部农牧渔业丰收奖2个、州科技进步奖3个、州成果转化与技术推广奖1个，粮果蔬等新品种、总结研究犏牛高效生产等新技术加快示范推广，在红原县举办了全省现代草原畜牧业现场会，农牧科技新成果不断推陈出新，有力支撑了产业增收增效。

(四)“净土阿坝”品牌享誉全省

从做实、做优、做响3个方向全力推进“净土阿坝”品牌体系建设。成立“净土阿坝”品牌建设领导小组、标准委员会、专家组等工作机构，印发了总体建设方案、标识管理暂行办法等，11件注册商标初审已通过，制(修)订了5个大宗产品地方生产标准，两个线上线下结合的展示展销馆投入运营，参加了30余个州外大型涉农展会活动并开展了7场次的品牌专题推介，先后制作了形象展播片、户外广告牌、广告视频并在中央电视台、四川卫视等主流媒体上持续开展品牌展播及宣传，“净土阿坝”品牌被评定为2017年全省十大优秀农产品公共区域品牌。

(五)产品质量安全监管取得重大进展

全年完成6个县的农产品质量安全监督检验检测站建设，配备13辆检测抽样车。建成州农产品质量安全追溯体系平台并与省平

台实现对接，135家生产经营主体入驻省平台、60家入驻州平台，实现了全程质量监管追溯。理县、茂县分别申报国家级、省级农产品质量安全监管示范县，全州农畜产品质量安全抽检合格率达99%。13个县整体通过无公害农产品基地认证，新增“三品一标”农产品35个，总数达116个。《阿坝州农产品质量安全监督管理办法》报州政府待审，落实农产品质量安全监管“四个最严”要求取得了重大进展。

(六)成功阻击了H7N9疫病传播

2017年5月，面对全国、全省爆发的H7N9流感疫情，阿坝州启动了应急预案，先后临时关闭活禽交易市场38个、活禽屠宰点66处，设立临时性公路动物防疫监督检查站35个，消毒过往车辆2.36万余辆次，紧急免疫禽类46万余羽，扑杀并无害化处置禽类2.4万余羽，消毒圈舍、环境、市场共543万余平方米。加大口蹄疫等其他重大动物疫病预警防控工作，成功遏制其蔓延扩散。

(七)国家政策项目争取实现倾斜

借助各种有利渠道和平台加大向上汇报、反映、诉求力度，积极争取省级和国家政策项目支持，实现了项目资金总量对全州明显倾斜。新增中央财政农业生产救灾资金、高寒特区草原畜牧业转型发展模式示范等项目资金6600余万元，全年共争取上级农牧业发展资金7.56亿余元。

二、大力实施农牧产业扶贫，农牧民收入明显增长

通过做优生态农牧优势产业促进“接二连三”加快发展，有力支撑了贫困农牧民增收脱贫。

(一)积极培育贫困村增收致富产业

把培育产业作为推动脱贫攻坚的根本出路，围绕贫困村优势资源和贫困户实际，以“一村一品”“多村一品”产业培育为目标，因村因户精准施策，安排落实项目资金向贫困村倾斜，新建和改造经作(含药材)基地面积(播面)7.38万亩，贫困村特色养殖出栏率增长13%，培育村集体经济组织、农民专合社、家庭农场、种养大户等一大批贫困村致富带头人，增强了贫困村自身“造血”功能。

(二)扎实开展贫困村技术帮扶

选调593名州、县农技人员配合省级13名农牧专家组成定点技术帮扶团队，实现606个贫困村“五个一”全覆盖，实施系统性、持续性的技术扶贫。全州共组建专家服务团50个，开展巡回服务920余次，解决技术瓶颈问题410余个，培训农牧民13.7万余人次，发放技术资料13.2万余份；培育科技示范户6346户，协助建立科技示范基地113个、面积1.25万余亩。15名驻村农技员被省委省政府表彰为优秀驻村农技员，30名驻村农技员被州委州政府表彰为优秀驻村农技员。

(三)用好用活贫困村产业扶持基金

贫困村产业扶持基金累计到位达2.83亿元，使用率达38.28%，其中农户借款使用率为8.38%、村集体经济发展使用率为18.05%、村集体投资新型经营主体使用率为11.85%，贫困村集体经济收入人均5元，超省定标准。

(四)加快推进“三产”融合发展

加强农牧生产经营横向、纵向联合，发展适度规模经营、多元化经营和线上线下融合经营，促进“三态”融合、“三微”联动，积极培育农牧新业态，为贫困村农牧户增创更多就业收入机会。2017年，新建省级现代农业产业融合示范园区2个，成功申创了“中国美丽休闲乡村”等一大批休闲农业和乡村旅游示范点，广泛开展了汶川甜樱桃采摘节等20余个农旅融合节庆活动，实现休闲农业和乡村旅游综合经营收入12亿元，带动了农产品电商、农产品物流配送等农村服务产业蓬勃发展，农产品网络销售额同比增长15%，达3亿元左右，规模以上农牧加工企业产值同比增长14%，多渠道增加了贫困地区农牧民收入。

三、创新农牧业经营体制，农业生产要素加快释放

(一)农村产权制度改革稳步推进

农村土地承包经营权确权登记颁证工作基本完成，全州共实测承包地62.74万块、108.45万亩。完善基本草原划定工作，在阿坝县和黑水县开展草原确权承包登记颁证试点。在理县开展农村集体资产股份合作制改革试点，开展了全州农村村级组织集体经济发展状况专题调研。推进落实土地“三权分置”办法，加强农村土地经营权规范流转，全州已累计流转土地8.7万余亩。

(二)新型生产经营主体持续壮大

统筹政策、项目、技术等要素，加强新型经营主体的扶持培育，积极推进特色产业基地串点成线、连线成片、集聚成块。全州农民专业合作社已发展至4045个，有效运转的提升至32.7%；新增家庭农(牧)场48家，累计达219家；发展合作社联合社2个。

(三)财政金融支持改革取得突破性进展

深入开展贫困县统筹整合使用财政涉农资金试点，各县(市)已整合财政涉农资金10亿余元。扩大推进财政支农资金形成性资产股权量化改革，2017年已实现财政支农资金形成性资产折股量化3200万元至村集体、贫困户。在全面推广落实国家政策性农牧业保险的基础上，在红原、阿坝2县试点整县实施牦牛、藏系羊价格指数保险，在茂县、阿坝等地试点推行果蔬产业灾害保险。积极推进“扶贫再贷款+扶贫小额信贷”惠农政策，建成农(牧)业产业化等金融支持示范基地64个，直接惠及农户近3万户，累计投放贷款近15亿元，财政金融支持改革取得重大进展。

(四)“互联网+农业”迈出了关键一步

按照“有场所、有人员、有设备、有宽带、有网页、有持续运营能力”的“六有”标准，顺利完成503个村的益农信息社和州(县)平台建设，完成省定目标的104%。

四、加强农牧业生态环境保护，绿色持续发展渐入人心

(一)持续推进草原生态保护建设

全面推行草原划区轮牧休牧、草畜平衡、基本草原保护制度，全年累计投入资金4.66亿元，全力实施草原补奖政策、退牧还草、草牧业试点等草原生态保护建设项目，实施草原禁牧补助2000万亩、草畜平衡奖励3765万亩、退牧还草62万亩，治理“两化三害”草原343万亩，新建人工饲草地5.2万亩，草原植被平均盖度增长至84.5%，草原理论载畜量提升至890万个羊单位，草原质量下降势头得到有效遏制。

(二)严格生态环境大检查大整改

深入开展生态环境大检查，落实“河长制”，完成畜禽养殖禁养区划定工作，关停、搬迁规模养殖场、专业养殖户37家，办理草原信访件6件，代州级河长巡河33次，纠正、查处了一批农牧环保违法违规行为。

(三)积极推进农牧绿色循环种养

落实农业“三项补贴”改革，推动补贴政策逐步向规模种植户和耕地地力保护倾斜，已发放补贴资金5300余万元，补贴面积89.7万余亩。加强种质资源保护，已建成麦洼牦牛、阿坝中蜂、茂县藏鸡等国、省级保种场6家。积极推行禁渔制度，2017年累计增殖放流珍稀鱼苗103万尾。广泛推广绿色生态种养技术和模式,积极示范推行粮改饲、秸作饲、立体种养、绿色防控等绿色循环技术和模式,病虫害绿色防控覆盖率达35%,化肥农药使用量实现"零增长",发展生态农牧业、打造生态品牌的绿色理念渐入人心。

康定市关于精准扶贫的调研报告

政协康定市委员会

康定市政协紧扣全市工作重点,组织召开"推进实施精准扶贫、精准脱贫,决胜全面小康"专题协商会议,专题协商精准扶贫、精准脱贫工作,现形成专题协商报告。

一、基本情况

中央、省、州脱贫攻坚战略启动以来,康定市委市政府紧紧围绕彻底消除绝对贫困这一核心,将脱贫攻坚战略摆在"六大战略"之首,认真开展"五个一批"扶贫攻坚行动计划,着力解决贫困群众"两个不愁",切实强化"三项保障",努力实现"四好目标",脱贫攻坚取得阶段成效。一是组织体系建立健全。建立以市委书记、市长为双组长的脱贫攻坚领导小组,建立健全脱贫攻坚"1+2+3+10"指挥体系,20余名市级领导齐抓共管,43个相关市直部门全力参与,驻村帮扶"五个一"落实到位,明确乡(镇)党政主体责任,上下联动、左右互动的工作格局已经形成。二是扶贫对象基本精准。根据省、州要求,先后开展5次"回头看"数据清理复核,精准识别贫困村59个、贫困户2978户、贫困人口11202人,确定扶持生产和就业发展一批4704人次,移民搬迁安置一批1232人次,低保兜底一批6840人次,医疗救助扶持一批2033人次,灾后重建帮扶一批324人次,基本实现扶贫对象精准。三是目标方法责任明确。市委市政府高度重视,先后20余次召开会议专题研究部署脱贫攻坚工作。制定了2019年实现脱贫"摘帽",2020年与全省全州同步实现脱贫奔康的目标,并确定了2016年12个贫困村、526户贫困户、1983人脱贫的年度任务。编制了《康定市扶贫攻坚脱贫规划(2015—2020年)》,出台了"3+10"政策文件,制订了17个专项扶贫工作计划,细化落实"六个精准""五个一批"措施要求,层层签订减贫责任书,从乡到村、到户分别制订脱贫规划、脱贫方案,各帮扶责任部门积极对接项目,做到目标、任务、资金、措施、部门、责任"六落实"。四是社会扶贫格局初步形成。省、州、市三级帮扶单位共同发力,千方百计支持参与脱贫攻坚,在省委统战部的带动下,5个省级定点帮扶单位均派出"第一书记""第一副书记"到帮扶村开展工作;省委统战部、海联会、林业厅、省职教社、省社会主义学院向康定市捐资265万元,组织全市49名贫困村"第一书记"、村支部书记赴内地考察学习;四川民族学院、电子科技大学、省军区预备役高炮师以及四川信托有限公司、国电猴子岩公司等11家公司分别通过签订扶贫框架协议、捐资捐物、派出"第一书记"、教育文化帮扶等方式助力康定市精准扶贫。2015年10月17日"扶贫日"当天,组织募集"扶贫攻坚爱心帮扶基金"469万余元。五是旅游产业扶贫形成引领。推进旅游产业发展助力脱贫攻坚,一抓景点打造,全面提升景区景点数量和品质;二抓环线建设,实现全市旅游通行无障碍;三抓全面提升,大力开展"五片四线"改造,打造旅途上赏心悦目的风景线;四抓投入力度,完善主要景区景点的旅游基础设施,提升服务水平,全面提升康定旅游形象,以产业带动发展,引进木雅泽朵旅游投资开发有限公司投资1.8亿元,在呷巴乡俄达门巴村开发打造木雅景区,通过旅游开发,带动贫困群众增收,为该村年内脱贫"摘帽"打下了坚实基础。六是种养殖产业初具规模。以项目为支撑,有序推进全市农业产业扶贫,整合涉农资金约2.4亿元,市攻坚办统筹整合资金3500万元,建设特色产业示范基地9.3万亩,实现种植业总收入2.9亿元;发展特色养殖基地40个,实现畜牧业总收入2.6亿万元;推行"园区+龙头企业+专合组织+农户"经营模式,辐射带动农牧民2万余人增收;制定完善贫困户、贫困村参与合作社、企业及园区政策,极大地激发了贫困户脱贫致富内生动力;通过大力整合2015年各类扶贫专项资金3446.1万元和基础设施、产业发展、新村建设等36个项目,实现2281名贫困人口脱贫。

二、存在的问题

(一)思想认识不到位,内生动力不足

一是部门、乡(镇)重视不到位。部分乡(镇)和部门在思想上重视性还不够,认为工作量大,帮扶时间长,贫困面广、程度深,对精准扶贫存在畏难情绪,推动工作乏力,仍然停留在召开会议多、宣传政策多、实质举措和硬性措施少的阶段。二是干部作用发挥不充分。一些乡村干部对脱贫政策宣传不详不透,工作不深不细,干部沉不下去;部分乡村组织及党员的先锋模范作用发挥不到位,基础工作不扎实,服务群众手段单一,阵地建设不能达到标准;个别驻村"第一书记"融入村"两委"不够,作用发挥不充分,住不下来、沉不下去、浮在表面,不了解政策,不清楚村况,不知道怎么帮、如何扶。三是群众内生动力不足。多数群众思想保守,安于现状,怕担风险,不愿在调整产业结构上动脑筋、想办法,思维观念停留在自给自足的自然经济时期,致使脱贫工作的参与度不高,氛围不浓。随着国家支农惠农政策的实施,社会各界的捐资送物,部分群众"等靠要"思想严重,"靠着墙根晒太阳,等着别人送小康",干部干、群众看的"上热下冷"现象普遍存在;部分群众就业择业观念落后,小钱不愿赚、大钱赚不来,择业标准与自身能力极不相符。

(二)基础设施建设落后,"瓶颈"问题突出

乡村基础设施改善项目落地滞后,"瓶颈"问题突出。康定市仍有1个乡未通电网,21个村用电困难,85个村的安全饮水工程亟待提质增效,24个村没有通村硬化路,56个村还未充分利用应急广播"村村响",大部分离乡(镇)驻地较远的村群众重大疾病就医困难,通村道路、宽带网建设等项目需加大衔接力度。

(三)缺乏资金整合平台,金融支撑有待加强

近年来,中央、省、州不断加大贫困地区项目实施和涉农资金投入,强调整合捆绑使用项目资金,但缺乏整合的政策措施和工作平台,对谁来整合、如何整合没有厘清,加之审计统得过死,造成一些项目条块分割,投入分散,难以整合打捆使用,导致政府下拨的产业发展资金因缺乏项目支撑多数未使用;有的项目因为产业发展资金有限,缺乏资金投入和后续资金扶持,持续发展能力差,产业项目建设规模"缩水"。大多数脱贫村没有集体经济,靠自身的力量难以实施项目建设,信贷资金扶贫存在贷款难和贷款规模不能满足贫困村、贫困户发展需求的情况,金融支撑扶贫有待加强。

(四)特色产业发展滞后,尚未形成带动效应

在产业结构方面,特色产业总量规模小,专业农户少,大户更少,普通农户参与的专业合作社组织规模小,引领带动能力不足,未能形成"一村一品"上规模的态势。市、乡(镇)对合作社的规范管理和指导不足,合作组织的作用发挥缺失客观上制约了产业化发展,难以形成规模效应。在农产品生产方面,基本上停留在初浅加工的层面,技

术含量和科技附加值都比较低，产品档次低，产业链条短，产品的市场竞争力还不强，基本没有跨地区跨行业的龙头企业。目前，康定市对农产品实行深加工后进入超市经营的有“康定芫根”、牦牛肉等，但是量小，市场覆盖面窄。

（五）服务体系建设不足，宏观指导不到位

政府部门服务基层、服务产业发展的力度还不够，缺少服务产业发展的平台，不能为产业发展提供招商融资、产品推广、人员培训、信息交流等服务；对农户发展产业进行合理规划和宏观指导还不到位，扶贫作用没得到充分发挥；尚未形成风险共担、利益共享机制，政府与农民的投入能力与抗风险能力都不强，在对产业扶贫上力度不够大，导致发展速度偏慢、规模偏小、效益不高；尚未形成较大规模的特色产业基地，现有的产业发展量小、质弱、产地分散，且与外地大市场对接不到位，产业效益没有充分显现。

（六）专业人才匮乏，配套政策不完善

产业、项目、发展环境等对人才的吸引力还不强，人才工程的配套政策体系还不够完善，有些引进来的人才留不住，有些留下来的人才没有用好，人才聚集效应未能充分显现，远远不能满足各项事业发展对人才的需求。在旅游产业方面，旅游行业队伍整体素质不高，专业人才和旅游管理等方面人才缺口较大，整个旅游服务体系还存在经营管理不善、服务质量不到位等问题。在农业产业发展方面，缺乏高科技农业专业技术人才和发展保障性产业的专业人才、基础人才，缺少有经验的种养殖业发展专业大户和产业致富带头人；绝大多数乡（镇）综合服务站农技推广机构形同虚设，农技员的农技水平、服务群众的水平有待提高；农牧区农民文化水平相对较低，基层干部缺乏引导群众致富的经验，技术支持、指导不到位，农业生产技术和管理水平亟待提高。

（七）动态管理不到位，精准扶贫不精准

基础数据库、动态信息管理不详实，减贫任务台账不规范、材料归档不规范。“五个一”帮扶单位统筹不力、措施不强、整体效益差、联动差。脱贫责任分区没有实行动态调整、合理优化，出现领导联系点、单位联系点、单位结对支部均不在同一个乡（镇）的情况，致使工作开展难以集中精力。项目管理、项目申报对接落地不及时。驻村领导小组管理缺乏科学手段，贫困村、“摘帽”村环境治理、纠风制度不严不实，“形成好风气”“养成好习惯”任务艰巨。“五个一”考核管理办法、互动对接机制、金融投入机制、贫困户退除机制、社会参与机制、考核机制不健全。

三、对策及建议

康定市脱贫攻坚工作应坚持问题导向，聚焦关键环节，着力破解群众增收瓶颈、基础设施短板、特色产业弱项、公共服务欠账、教育人才短缺及群众期盼解决的水电路等问题，打通脱贫“最后一公里”。

（一）统一思想认识，形成发展合力

全面认真贯彻省委书记王东明讲话精神，以严的作风、实的纪律推动扶贫攻坚，尽快补齐短板。一是加强培训，统一认识。通过开展分类别、分层次的培训和考察取经等方式提高部门、各级干部对精准扶贫的认识，打牢思想基础，提高行动能力。二是狠抓思想脱贫，从思想上“拔穷根”。群众内生动力不足、缺乏发展意识，最根本的是脑袋贫困、缺乏信心，应把精神扶贫作为基础性和长期性工程来抓，引导群众从思想上“拔穷根”，主要通过干部引领示范、典型事例宣传方式鲜明扶贫不扶懒的导向，引导贫困户转变就业观念，把群众想富、要富的内生动力充分激发出来，以提振精神区位弥补地域不足，以精神脱贫带动经济脱贫。

（二）加大整合力度，缓解发展“瓶颈”

抢抓精准扶贫的重要机遇，统筹实施精准扶贫、危房改造、新农村建设、易地搬迁、城乡统筹发展等项目建设，把扶贫专项资金和各类帮扶资金整合起来，聚集资金、集中连片、突出重点、整体推进，从根本上破解长期以来财政资金使用“碎片化”，打破“打酱油的钱不能买醋”的困局，集中财力彻底解决农村急难问题，实现“八有”目标，使农村的生产生活条件脱胎换骨，旧貌换新颜。进一步改善农村道路、水利工程以及旅游环线的公路建设，增强城市和乡村的旅游接待能力，加快基本公共服务建设。

（三）强化管理与服务，增强特色产业竞争力

一是超前谋划。制订产业发展规划，明确扶持措施，分析不同产业的优缺点并进行筛选、过滤，选择最适合康定发展的产业，因地制宜地指导产业投入和发展。二是搭建服务平台。为产业发展提供招商融资、宣传销售、人才招聘、技术咨询等服务；设立产业风险基金、补贴价格保险费等，大力发展政策性农业保险，逐步推行涵盖范围广、受益农牧户多的价格保险，依托保险机构对农牧户种养殖业收入进行兜底，防止因灾返贫现象发生；扶持打造出一批成规模，在全市、全州乃至全省特有的品牌，努力把品牌做大做强；通过全域旅游，引导和鼓励农牧民利用网络信息进行产品宣传和营销，扩大销售市场。三是加强产业技能培训。把智力扶贫作为一项重要任务，进村入户开展文化知识和农牧实用技术培训讲座，促使贫困群众转变生产生活理念，掌握2种以上实用技术；建立科技示范，以示范效应带动贫困户科学生产和管理；建立联动机制，采取跨区域、跨乡（镇）、跨村的方式分类别、分层次、免费开展就业技能培训。四是增加产业发展资金投入。增加专项资金，扶持产业发展，同时积极运用贴息、补助等经济杠杆，鼓励和推动社会资金投入到农业产业中；积极争取金融机构支持，把特色产业发展列入信贷扶持重点，进一步简化贷款审批手续，实现特色产业“扩面”“提质”“增效”，带动农牧民群众脱贫致富。

（四）强化人才培养，以科技带动经济发展

切实按照省、州委组织部《关于面向社会公开遴选优秀年轻干部和人才工作实施方案》的部署，每年按时启动全市面向全社会公开遴选优秀干部和人才工作，重点用好农牧人才；加强对农村干部业绩和服务群众的考核和监管；要注重选拔具有扶贫开发工作经历的干部，培养留得住的本地人才、乡土专家，提升科技人员的服务能力和服务水平；加大引导培训力度，通过实地考察、课堂教学、交流讨论等形式开展专题培训，让农民掌握产品技术，提高农业产业化经营的科技创新能力、市场竞争能力和带动农户能力。

（五）优化完善各项机制，科学动态管理

一是进一步完善工作机制。根据全市精准扶贫方案逐一制定落实办法、问题解决机制、考核细则、刚性约束、督查督办等机制。科学统筹安排，合理调配责任分区，坚持责任到底原则。二是合理调整工作力量。确保每名市领导能够集中精力在一个点带领本部门和各责任部门开展工作，对塔公乡和部分贫困村、贫困户分布较多的地方适当调整增加力量。三是充分发挥干部作用。充分发挥好市、乡、村三级干部，帮扶单位，驻村“第一书记”的整体作用，发挥全市脱贫攻坚指挥系统的作用，整体发力，加快推进脱贫攻坚各项工作有效开展。

建设长江上游生态屏障 促进经济社会科学发展

凉山彝族自治州林业局党组书记、局长　杨洪彬

近年来，凉山州林业局认真贯彻落实党和国家的路线、方针、政策，严格执行《中华人民共和国森林法》《中华人民共和国防沙治沙法》等法律法规，全面落实建设长江上游生态屏障相关工作总体部署。立足全州林业生态建设实际，统筹生态文明建设、经济社会发展对林业的客观需求，围绕建设长江上游生态屏障目标和凉山州经济社会发展大局，牢固树立"生态立州、绿色发展"理念，充分发挥部门(单位)的职能作用，大力实施生态林业和民生林业工程，依法加强森林资源保护，林业建设事业呈现蓬勃发展的良好态势，取得了显著成效。近年来，州林业局先后荣获国家林业局国家森林防火指挥部2010—2012年度全国森林防火工作先进单位、四川省人民政府农田水利基本建设指挥部2014年度农田水利基本建设林业项目第三名，被人力资源社会保障厅、林业厅表彰为四川省森林防火及森林病虫害防治工作先进集体、2013—2015年度全国森林防火工作先进集体、四川省森林草原防火指挥部全省森林防火工作先进集体、2015年度雅砻江中下游水电开发工作先进集体等荣誉。

一、以防护林为重点，努力建设比较完备的林业生态体系

凉山彝族自治州地处长江上游，是四川省三大重点林区之一，也是四川省生物多样性的主要区域，是长江上游生态屏障建设的重要组成部分，生态区位十分重要。近年来，在省委省政府和凉山州委州政府的领导下，凉山州林业局紧紧围绕建设长江上游生态屏障目标，充分发挥部门(单位)的职能作用，领导班子开拓创新、民主团结、求真务实，在造林绿化、资源保护、封山育林、石漠化治理、湿地保护、产业发展等方面做了艰苦卓绝的努力，为长江上游构建起了一道道坚实的生态屏障。

近五年来(2012—2016年)，全州累计完成天保工程公益林人工造林2.9万亩、封山育林13.9万亩，有效管护国有森林资源3385.07万亩、集体公益林1379.07万亩，实施新一轮退耕还林34.9万亩，巩固盘活前一轮退耕还林工程建设成果163.51万亩，完成中央财政补贴造林71.1万亩、森林抚育补贴122.92万亩。截至2016年年底，全州有林地保有面积5981万亩，占辖区总面积的66.2%；活立木总蓄积量3.19亿立方米，森林覆盖率达45.1%，林木覆盖率达61.9%。全州有森林、野生动物、湿地等自然保护区12个，保护区面积500.6万亩；有国家级、省级湿地公园3个，湿地总面积66.8万亩；有省级森林公园4个，面积达33.7万亩。通过加强自然保护区建设、开展自然遗产地保护与建设、极小物种群与极度濒危动(植)物物种拯救等重点工程建设，使3.34万公顷自然保护区得到了有效管护，为推进绿色发展、全面建成小康社会、优化人居环境、促进经济社会可持续发展提供了良好的生态支撑。通过林业生态工程的实施，全州生态环境持续改善，石漠化土地逐步得到遏制，山区水源涵养林、水土保持林得到有效保护，全州森林覆盖率逐年提高，初步构建起了比较完备的林业生态体系，为全州经济发展、社会稳定、人民安居乐业发挥了重要作用。

二、坚持兴林与富民相结合，大力发展特色林果业

凉山州坚持把生态文明建设融入经济社会发展全过程和各个方面，将全面建成长江上游生态屏障作为凉山州实现全面小康的重要指标，突出重点，集中攻坚，强力推进，不断夯实建设生态文明美丽凉山、推进绿色发展的生态基础。实践证明，林业生态建设只有与区域经济发展紧密结合才会有强大的动力和广阔的发展空间，脱贫攻坚、兴林与富民紧密结合才能有广阔的发展潜力和空间，发展林业与促进农村经济发展、增加农民收入、致富奔康紧密结合才具有重要的现实意义。在林业生态工程建设过程中，凉山州林业局注重把工程建设与区域经济发展相结合，积极引导各县(市、区)结合农村产业结构调整，把林业重点工程建设与发展特色林果业结合起来，把林业产业扶贫和生态建设放在突出位置，大力实施生态扶贫，科学编制了《全州"1+X"生态产业发展实施方案》，强力推进"1+X"生态产业发展，积极拓宽农民致富路。在林业生态产业扶贫中，着力抓好核桃、花椒、华山松、油橄榄、板栗等特色产业培育，加大特色产业开发力度，把产业覆盖到每个贫困村、每户贫困户，实现村村有致富产业、户户有致富门路，稳步提高农民收入，努力帮助群众脱贫增收致富。

积极培育龙头企业，发展家庭林场、专合组织及林业产业大户等，引进一批有实力的龙头企业投资开发林果业，带动了基地建设，开拓了产品市场，推动了林果产业化经营快速发展。近三年来，全州完成营造林694.19万亩，其中人工造林507.68万亩；核桃基地面积达810万亩，挂果面积270万亩，干果年产量12.4万吨，年产值26.5亿元，特色经济林产业已成为调整优化农业结构、繁荣农村经济、促进农民增收、兴林富民的重要途径，林果业在农村经济发展中的地位日益突出，已成为农民稳定增收的主导支柱产业，在部分主产区特色林果业已成为主导产业，实现了生态效益和经济效益的双赢。2016年，全州实现林业总产值133.4亿元，农民人均林业收入1959元。

在林业生态工程建设的推动下，各县(市、区)加快造林绿化步伐，增加了农民收入，促进了农村产业结构调整，拉动了畜牧业发展，加快了农村富余劳动力转移，为积极发展劳务经济、开辟农民增收新途径发挥了十分重要的作用，尤其是特色林果业产业链的发展吸引了一批林业产业发展公司、民营企业到凉山州投资兴办各种企业，推进了全州林业产业化体系建设和农业产业化经营。

三、坚持科学规划，切实保障林业生态发展体系建设

为进一步筑牢长江上游重要生态屏障、维护国家区域生态安全，中共凉山州委出台了《推进绿色发展建设美丽凉山的决定》，凉山州政府印发了《大规模绿化凉山行动方案》，系统部署和推进大规模"绿化凉山"行动，将生态保护与建设提升到了前所未有的新高度。全州将用5年时间统筹实施可利用宜林地造林绿化、生态脆弱区治理、水系绿化、道路绿化、城乡绿化、草原生态修复、自然生态环境及生物多样性保护七大"绿化凉山"行动，努力推动凉山国土绿化工作取得决定性突破。同时，将"1+X"林业生态产业发展作为当前和今后一个时期实施生态扶贫、脱贫奔康的重点工作来抓，摆在了更加突出的位置。全州"十三五"林业发展规划明确了全州林业发展目标、任务和保障措施，旨在通过林业生态建设和环境保护尽快使全州生态脆弱区得到有效治理，石漠化、沙化扩展的势头得到初步遏制，筑牢长江上游生态屏障。

四、切实加强领导，全力构建林业生态建设机制

在凉山州林业局的建议和推动下，凉山州委州政府和州、县相关部门站在推进生态文明建设的战略高度开展生态环境建设保护与整治工作，制订了一系列实施方案，以自然规律为准则，努力构建生态

文明产业支撑体系、生态文明环境安全体系、生态文明文化体系和生态文明保障体系。加大防护林建设、人工造林力度,推进村庄绿化、城镇绿化、国土绿化,每年结合雨季植树造林工作召开州、县造林绿化动员大会,州、县"四大班子"领导带头参加义务植树活动,党政主要领导积极发挥带头作用,影响和调动全社会关心、支持、参与生态建设。为加强全州基本农田防护林建设,每年专门召开全州基本农田防护林建设现场会,总结经验、查找问题、谋划思路,实施"山水林田湖"综合治理。全面落实党政干部保护和发展森林资源任期目标责任制,全面推进生态环境建设,林业有害生物无公害防治率达98%以上、成灾率控制在0.33‰以内,森林草原火灾损失率控制在0.5‰以内,涉林案件综合查处率达95%以上,行政区域内近5年未发生重大及以上森林火灾或林业有害生物重大灾害。通过各项措施的落实,在全社会形成了全民动员、全社会参与、关心、支持、重视林业生态建设和环境保护的良好局面。

凉山州林业局在绿化造林、森林资源保护、长江上游生态屏障建设、推进绿色发展的道路上迈出了坚实的步伐,但凉山州森林资源总量少、绿化造林战线长、生态脆性区面积大、生态环境状况较差,生态治理难度大,部分地区还没有得到有效治理,整体恶化的趋势还没有从根本上得到有效遏制,生态环境保护和建设仍然是制约区域经济发展的主要因素之一,林业生态保护和修复任务仍旧任重而道远。"乘风破浪会有时,直挂云帆济沧海"。凉山州林业局将以科学发展观为指导,认真贯彻落实习近平总书记关于长江经济带建设的重要指示,以林业重点工程为依托,全方位推进生态屏障建设,一如既往地秉持"立党为公,执政为民"的服务理念,坚持牢固树立"绿水青山就是金山银山"的发展理念,深入实施"生态立州"战略,全面加强生态建设和环境保护,围绕"生产发展、生活富裕、生态良好、环境优美"的文明发展道路,在林业绿化事业及生态文明建设中积极探索行之有效的发展路径、科学高效的管理措施,以重点工程建设为突破口,不断提高林业建设质量和效益,全力履行林业部门的社会职责,推进绿色发展,为建设美丽幸福文明和谐新凉山、全面建成小康社会做出积极的贡献。

大力弘扬"马上办"精神
奋力攻坚脱贫奔小康

中共越西县委书记　袁　洪

越西县地处凉山彝族自治州北部,全县辖区面积2256平方千米,辖5镇35乡289个村5个社区,总人口35万人。有贫困村208个,建档立卡贫困人口49670人,贫困人口多、贫困程度深、减贫成本高、脱贫难度大。作为全省、全州脱贫攻坚主战场,越西县委县政府始终坚定不移地把脱贫攻坚作为第一民生工程,坚持以"马上办"精神抢机遇、抓落实,坚决摒弃等靠要、软懒散,不折不扣地推动精准脱贫,以决战首胜奠定了脱贫奔康的坚实基础。

一是在解决识别困难、靶向不准问题上"马上办",防止错失机遇。越西县坚持执行中央、省、州关于精准扶贫工作作出的"六个精准""五个一批""两不愁三保障""乡三有、村七有、户三有""四个好""五件实事"以及18个专规安排部署,先后按照精准识别"六进八不进"要求,通过"四看八比对",对全县建档立卡贫困户开展全方位的清理比对、识别纠偏,全面摸清了208个贫困村13055户贫困户49670名贫困人口的基本情况,根据不同的致贫原因制订了差异化、个性化帮扶措施并录入国办系统、"六有"系统,实行动态监测、常态管理。在准确掌握贫困村、贫困户情况的基础上,第一时间确定了脱贫"摘帽"路线图,以208个贫困村为主战场,分三年实施脱贫"摘帽"计划:2016年70个贫困村1.31万名贫困人口率先脱贫,到2018年基本消除绝对贫困人口,实现贫困县"摘帽",2019年巩固提升,2020年实现同步全面小康,为决胜贫困、全面奔康摆正了姿势、谋划了布局、奠定了基础。

二是在解决群众增收难、住房难问题上"马上办",防止动力不足。群众住房安全是基本保障,产业发展是后续动力,在住房建设上,分类预拨补助资金8732万元,落实住房风险基金4825万元,集中推动易地移民搬迁、彝家新寨住房建设,2017年预脱贫的4231户(易地移民搬迁2351户、彝家新寨1880户)贫困群众将在年底住上"好房子"。在发展特色富民产业上,探索"资金跟贫困户、贫困户跟能人、能人跟产业项目、产业项目跟市场"的产业扶贫新路子,在208个贫困村投入产业扶持周转金2840万元,解决贫困户发展缺资金问题;大力发展"1+X"生态产业,因地制宜念好"果蔬薯草药花鱼"七字经,种植核桃26.3万亩、烤烟4.7万亩、马铃薯18.15万亩、油菜18万亩、甜樱桃1万亩、早熟苹果2.03万亩,新建蔬菜基地5000亩,助农创收10.16亿元;大力发展"借畜还畜"产业,投入资金4250万元,为2017年预脱贫的3567户贫困户建设畜圈、购买畜种;培育壮大新型农业经营主体,建成农民专业合作社29家、家庭农场151家、电商服务社(站)5个,统筹推进一二三产业融合发展,增加集体经济收入。

三是在解决群众上学难、就医难问题上"马上办",防止服务缺位。教育扶贫、医疗救助扶贫是脱贫的基本保障,越西县在完善政策、补齐"短板"上抓紧快办,全面实施15年免费教育、"三免一补"等教育惠民政策,构建建档立卡贫困家庭子女入学"3+9+3+N"(学前教育+九年义务教育+高中+大学)特别资助资金保障机制,完善"六长"责任制,织牢控辍保学网络,确保11592名建档立卡贫困户子女入学率达100%;投资2268万元,建成278个"一村一幼"教学点、292个幼教班,实现应建行政村全覆盖。不断夯实医疗救助基础,208个贫困村已建成150个标准化村卫生室,2017年70个预脱贫村已全部建成(6个处于巩固阶段);14134名贫困人口全部被纳入医疗保障范围,全面落实乡(镇)卫生院100%报销、县级医院收50元门槛费(报销比例达90%)等政策,确保贫困群众个人自费部分控制在10%,解决了贫困群众看病难问题。

四是在解决群众行路难、饮水用电难问题上"马上办",防止瓶颈制约。坚持实施山、水、田、林、路综合治理建设幸福美丽新村,统筹推进公共基础设施建设。越西县累计完成贫困村通村通畅项目56个,确保2017年70个预脱贫"摘帽"村到2016年年底硬化路全覆盖;投资556.65万元,实施农村饮水安全集中供水工程建设,解决了9709人的饮水安全问题,70个预脱贫村已解决63个村安全饮水问题,剩余的7个将在2017年年底完成;坚持国家电网延伸项目与光伏供电项目并举,着力解决群众生活用电问题,全县供电率达99%,70个预脱贫村的农网升级改造已覆盖25个;4283户贫困户广播电视"户户通"建设顺利推进,年内70个预脱贫村全覆盖。建成289个农家书屋,实现农家书屋全覆盖;有序推进56个村文化惠民扶贫项目、23个村基层公共文化服务体系建设,光纤入户和光网改造覆盖

30个行政村,户均宽带达到50M的接入能力。

五是在解决特殊群体脱贫难、破除陈规陋习问题上"马上办",防止兜底不力。贫困群众因毒返贫致贫、特殊困难群体脱贫难、陈规陋习久除不绝等问题相互交织是脱贫攻坚最难啃的"硬骨头"。越西县坚持整治打击、宣传教育、吸附稳控多轮驱动,法律、政策、经济多措并举,2017年侦破毒品刑事案件48件,缴获海洛因1983.5克,强制隔离戒毒247人,外流贩毒人员21人(同比下降78%),禁毒工作取得历史性突破。以依法治县为平台、村规民约为切入点,大力推动彝区健康文明新生活运动,提倡红白喜事从简,严厉禁止铺张浪费,有效遏制了高价婚聘、厚葬薄养等陈规陋习。将41361名特困群众纳入低保兜底范围,为414名"五保户"、1807名特殊困难儿童、529名孤儿、2103名贫困残疾人提供基本生活和就医就学等保障,坚决做到不落下一户一人;扎实开展劳务技能培训,在208个贫困村普及开展实用技术培训,2017年上半年完成劳务输出8.52万人次,实现劳务收入4.55亿元。

六是在解决群众期盼、利益诉求问题上"马上办",防止脱离群众。在住房建设、产业发展、基础设施建设等全过程充分听取群众意见建议,调动群众积极性,增强群众的认同感、归属感,对待群众反映的问题能办的立即办、马上办,不能办的创造条件逐个办。对新增的9000名贫困人口通过精准识别出临界贫困人口,并将其纳入建档立卡范畴;针对2014年、2015年已脱贫贫困户政策支持悬殊的问题,将2014年、2015年高海拔农牧民生活补助资金用于脱贫人口发展产业,巩固脱贫成效,维护农村稳定。同时,扩大扶贫政策覆盖面,将新一轮1.4万亩退耕还林任务分解到2017年计划脱贫"摘帽"的6个极度贫困村和其他"1+X"产业无法覆盖的高寒山区,助力整村推进、整体提升。

七是在解决干部落实慢、推不动问题上"马上办",防止作风不实。县委县政府坚持把脱贫攻坚和换届工作结合起来,坚持把脱贫攻坚的"战场"变成干部选任的"赛场",提拔重用159名干部和32名"四类人员";选派208名"第一书记"进驻贫困村,"五个一"驻村帮扶实现全覆盖。28名县级干部示范开展帮扶,以上率下深入联系点200余次,制订发展措施147项,发展特色产业66个,争取项目资金5147.4万元,推进重点项目建设52个,解决问题184个,落实帮扶资金、物资(折合)1510.21万元,努力打造脱贫攻坚"样板村",形成了一级带一级的示范效应。坚持把作风纪律放在脱贫攻坚最前沿,针对"落实慢、推不动"的问题,县委对乡(镇)、部门进行量身"体检",锁定存在或可能出现的不想干事、不会谋事、不敢担事、不能成事4个方面的14种作风问题抓整改、抓落实,共通报了9个单位,约谈了9名负责人,为脱贫攻坚提供了坚实的纪律保障。

一分部署、九分落实。全县各级党组织和党员干部以"马上办"的精神带领各族干部群众继续在脱贫攻坚大考中经受考验,越西脱贫奔康的美好愿景正逐步变为现实!

坚持"四轮驱动"促进农民收入持续增长

中共成都市青白江区委常委、统战部部长 吴世国

习近平总书记在农村改革座谈会上指出:增加农民收入是"三农"工作的中心任务。农民小康不小康,关键看收入。检验农村工作实效的一个重要尺度,就是看农民的"钱袋子"鼓起来没有。落实习近平总书记重要讲话精神,就是要坚持以改革为动力、以科技为支撑、以法制为保障、以适度规模经营为核心、以尊重农民主体地位为遵循,坚持"四轮驱动",着力转变农业经营方式、生产方式、资源利用方式和管理方式,加快构建现代农业经营体系、生产体系和产业体系,切实提高全区农业发展质量效益,持续增加农民收入,为高标准全面建成小康社会打下坚实基础。

一、农民收入基本情况

2015年农民收入情况。一是收入水平相对较低。全区农民人均可支配收入17812元,高于全市122元、全省7565元,其绝对数在全省高收入组41个县中排名第6位,在全市二圈层6个县(区)中排名第6位,但与二圈层平均数相差2406元。二是收入增幅相对偏低。全区农民人均可支配收入增幅9%,低于全市9.6%、全省9.6%,同时低于全省高收入组41个县9.6%的增幅,增幅在全省高收入组41个县中排名第40位。三是收入结构不尽合理。全区农民人均可支配收入结构为工资性收入10178.1元,占可支配收入的57.14%;经营性收入5039.9元,占可支配收入的28.29%;财产净收入1290.6元,占可支配收入的7.25%;转移净收入1303.4元,占可支配收入的7.32%。从收入结构看,工资性收入占主体,财产性收入占比较低。

2016年一季度农民收入情况。一是收入保持较快增长。全区农村居民人均可支配收入达5808元,增长10.5%,增幅高于全省0.2个百分点、全市0.4个百分点,在全市二圈层县(区)中排名第2位,比第1位的新都区低0.2个百分点。二是收入结构不尽合理。全区农民工资性收入3311元,占可支配收入的57.01%;经营性收入1548元,占可支配收入的21.7%;财产净收入528元,占可支配收入的9.09%;转移净收入421元,占可支配收入的7.25%。三是收入途径相对稳定。劳务收入比较稳定,所占比例与上年基本持平;农业生产形势良好,主要农产品价格涨幅较大,收入增幅较上年增长14%,所占比例与上年基本持平;农村改革不断深化,新村建设扎实推进,财产性收入增幅较上年增长3.1%,所占比例较上年增长1.84%;脱贫攻坚扎实推进,财政扶贫资金、社会扶贫资金助推农民增收,收入增幅较上年增长1.5%,所占比例与上年基本持平。

二、农民收入现状分析

工资性收入增速趋缓。全区农民工资性收入增幅从9.4%下降到5.4%,受经济下行压力影响,部分建筑业、制造业和产能过剩行业持续低迷,企业转型带来的用工减少与新增就业出现矛盾,企业新增用工缺口收窄;农民务工工资水平在经过前几年快速提高后,已处于较高水平,农民工工资水平增幅趋缓,加之全区受过专业技能培训的农民工比例总体偏低,技能水平不高在一定程度上影响了农民工实现更高质量就业和更高水平增收。此外,受人口出生率下降、老龄化的影响,可转移劳动力人数将迎来拐点,同时尚未转移的劳动力大多年龄偏大、学历偏低,转移的难度较大。

经营性收入动力不足。农产品供给侧短板日益显现,农产品价格"天花板"封顶和生产成本"地板"抬升,资源环境"硬约束"加剧,现行条件下农业增产增收的难度加大。农村劳动力短缺,在家务农的劳动力年龄偏大,对新技术、新知识的接受水平有限,影响了现代农业的推进,依靠转型升级提高效益短期效果不明显。

转移性收入已接近"天花板"。全区转移性收入结构比例从上年的7.32%调整到一季度的7.25%,省、市、区相关政策性转移支付的补贴标准比较稳定、补贴范围基本成熟,增长的空间较窄,难以持

续推动农民增收。

财产性增收需要时间。全区一季度财产性收入增长 13.8%，较上年提高 3.1%，结构比例从上年的 7.25%调整到一季度的 9.09%，虽然增幅和比例均有提高，但全区总体偏低。2015 年，全市二圈层县(区)财产性收入超过 2000 元的有 5 个，最高的为郫县 2398 元，青白江区仅为 1290 元，相差 1108 元。全省高收入组 41 个县平均增幅 22.1%，全区增幅排名第 40 位。财产性收入主要来自对农村资产资源的改革盘活，要有效实现农村土地股权化、集体资产股份化、农村资源资本化等改革红利的释放还需要一定的时间。

三、促进农民持续增收的对策

(一)加快转变农业发展方式，大力发展都市现代农业，增加农民经营性收入

一是大力发展都市现代农业。优化都市现代农业规划，调整农业产业结构。积极发展水果、菌蔬、水产等优质高效农业，围绕“三线两片”产业布局重点推进“伏季水果”“菜粮工程”等项目建设。做好农业产出文章，延长农业科技链、产业链和价值链。提高单位面积产出，合理利用和保护耕地，做好“林果+”，例如林下加药材、菌蔬、小家禽、景观等；做好“水稻+”，例如水稻加鱼虾、体验、景观等；做好“菌蔬+”，例如菌蔬加体验、科普、景观等；做好“渔业+”，例如渔业加垂钓、餐饮、观赏等。支持农作物秸秆和禽畜粪便综合利用，发展生态和有机农业。大力推进菜粮基地高标准农田建设，提升农业综合生产能力，建成集田网、路网、水网、信息网、观光网、设施网等于一体的菜粮基地高标准农田 7 万亩。支持农民土地股份合作社成为建设现代农业的骨干力量，夯实现代农业发展基础。

二是培育农村新兴产业新型业态。借力“蓉欧+”战略，发展外向型农业，引进外向型农业和农产品加工物流企业，扩大现有特色食用菌园区、清泉农产品加工物流园区规模，发展农产品加工产业。推进产业融合发展，统筹推进乡村旅游提档升级与“小组微生”幸福美丽新村建设，重点建设乡村旅游环线，提升改造现有景区和农家乐，发展现代精品农庄。建设“小组微生”幸福美丽新村，鼓励发展乡村健康养老、民宿等新兴产业，实现“无中生有”。发展农村电商，支持各类新型农业经营主体自建平台或与国内知名电商平台及本土电商平台开展合作，推进农村电子商务示范村创建，实施信息化改造，形成线上线下融合、农产品进城与农资和消费品下乡双向流通格局。发展农产品初加工，在“三线两片”特色农业产业带梯级建设集筛选分级、清理水洗、产品烘干、保鲜储存、包装储运、质量检测、品牌培育、市场营销等于一体的农产品初加工园区，完善鲜活农产品一体化冷链物流体系，推进区域性农产品批发和零售市场建设。支持发展家庭手工作坊，例如手工雕刻、编织、酿造、盐渍、腌卤、菜粮油料加工等，发展农业 DIY，弘扬传统农耕文化，提升手工产品附加值。

(二)引导农民转移就业，强化农民工劳动培训，稳定农民工资性收入

一是拓宽农民转移就业渠道。抓好用工信息发布，紧盯市场用工需求，推进农民向服务业、制造业转移就业。培育农业经营性服务组织，扩大政府购买农业公益性服务试点，支持农民合作社开展农业社会化服务，推进农民就地转移就业。加强农民工创业服务工作，制定返乡农民工创业扶持政策。

二是强化农民工劳动培训。农业主管部门抓好农业职业经理人培养和职业农民的培训，建立健全集教育培训、规范管理和政策扶持于一体的新型职业农民培训体系，加快培育一批综合素质高、生产经营能力强、主体作用明显的新型职业农民，以适应转变农业发展方式的需要。劳动就业部门突出实现就业针对性，支持和鼓励制造业、服务业等行业开展上岗培训和技能培训，培养出具有“一技之长”的新生代农民工，以开辟更多新的就业渠道。

三是强化农民工劳动保障。加大法制宣传力度，引导用人单位合理确定农民工工资水平和增长幅度，提高农民工依法维权意识和能力；强化劳动保障监察，紧盯重要领域、重点企业，部门联动开展对农民工讨薪纠纷的专项调处；畅通农民工法律援助绿色通道，简化法律援助工作程序，切实保障农民工的合法权益。

(三)深化农业农村改革，盘活农村资产资源，增加农民财产性收入

一是助推农业人口有序转移，变农民为市民。在坚持农村土地集体所有制和充分尊重农民意愿的基础上，稳妥开展农户承包地有偿退出，引导有稳定非农就业收入、长期在城镇居住生活的农户自愿退出土地承包经营权，鼓励农民进城。

二是深化农村产权制度改革，变村民为股民。以放活土地经营权为突破口，将农村土地经营权确权登记颁证到户，鼓励有条件村组的农户将土地经营权入股，建立土地股份合作社，实现土地股权化。开展农村集体资产股份化改革，实现集体资产股份化。对经济林木(果)权证、农村“新四权”(农村土地经营权、农业生产设施所有权、农村养殖水面经营权和小型水利设施所有权)等农村产权实行全面登记颁证，建立现代农村产权制度体系。

三是盘活农村资产资源，变资产为资本。支持新型农村集体经济组织通过股份合作、集体经营、租赁托管等形式盘活农村闲置房产、未开发利用或闲置的建设用地、农村撂荒耕地、可开发利用林地、宜渔水面等资产资源。探索建立新型集体经济组织、家庭农场等经营主体以农产品品牌、商标、信誉等无形资产与工商资本合作经营的新机制。将财政投入形成的资产转交农民合作社持有和管护，按入社成员人数平均量化到成员账户，提高入社农户经营收益。

四是开展农村集体建设用地整理，变资源为资金。在有条件的村组，本着农民自愿和市场化原则，按照“小组微生”模式开展集体建设用地增减挂钩，将节约的集体建设用地指标转变为农民现金收入。

五是引导农村土地有序流转，变无序为有序。开展农村土地承包经营权流转管理改革，完善农户土地承包经营权流转管理和服务，规范农村土地承包经营权流转交易，严格土地流转合同备存管理，积极稳妥推进土地适度规模经营。开展土地流转履约保证保险试点，防范土地流转履约风险。强化对长期限、大面积以租赁方式流转土地项目的动态监测，及时发现、妥善处置拖欠土地租金隐患、违规用地等突出问题，切实保障农民利益。

(四)落实强农惠农富农政策，实施脱贫攻坚工程，拓宽农民转移性收入

一是全面落实惠农补贴。落实农业支持保护补贴、农机购置补贴，退耕还林、天保工程、龙泉山脉植被恢复补助等政府各项惠农政策；落实耕地地力保护基金、粮食规模化经营补贴、农业保险补贴、森林保险、集体公益林补偿资金等惠农补贴，带动农民持续稳定增加转移性收入。

二是完善农村社会保障体系。继续做好社会保险扩面征缴工作，支持和鼓励稳定就业的农村劳动力参加城镇职工社会保险，提高

农民参保比例。加强农村低保规范化管理,健全最低生活保障标准随经济发展及时调整的自然增长机制。完善住房保障服务体系,探索建立农民工住房保障制度化体系。落实养老产业发展各项政策,促进全区养老服务业健康发展。推进新农合全域统筹,构建城乡一体化医疗保障新格局。

三是加快推进脱贫攻坚。贯彻落实市委和区委对农村扶贫开发工作的各项决策部署,坚持精准靶向、分类施策,政府主导、多元参与,城乡统筹、区域联动,整体提升、持续发展的原则,全力推进清泉镇西平村、人和乡东风村、龙王镇青光村等10个区级相对贫困村和200户精准贫困户脱贫。

培育“四大新兴产业”探寻促农增收新路径

广汉市人民政府副市长 梁筱萍

近年来,广汉市主动适应农村一二三产业融合发展新趋势,积极盘活农村集体所有和农民自有的闲置资源,通过培育发展休闲农业和乡村旅游、农村电子商务、农业服务和农村文化创意产业着力增加农民财产净收入。笔者对广汉市现代化农业产业基地、新型农业经营主体、高坪电商小镇等进行实地调研,对广汉市新产业新业态的发展情况进行了深入细致的了解和分析。总体上看,广汉市培育新产业新业态的发展整体态势良好,特色鲜明、模式多样,但是仍然面临一些问题。

一、引导培育“四大新兴产业”的经验做法

(一)因地制宜,休闲农业和乡村旅游促农增收

广汉市充分利用农业资源、旅游资源、文化资源优势和交通区位优势,加大农旅、文旅融合力度,大力发展生态乡村文化旅游。全市发展各类大型农家乐86家、星级农家乐23家,吸引了周边游客前往休闲、娱乐;引导社会资金建设农旅项目,鼓励创业项目落地农旅产业,使社会力量成为农旅事业发展的主力军;依托桃花、草莓等农业特色优势资源,借助“智慧旅游”,利用网络、微博、微信等新兴媒体策划组织好“保保节”、桃花节、油菜花节、草莓节、垂钓节、品果节等系列活动,大力发展近郊休闲游,全市乡村旅游呈现快速、健康、高效、优化发展的良好势头。

积极推动“一区三带”建设(“一区”,即三星堆生态文化休闲区;“三带”,即松林—连山沿山旅游观光带、三水渔业休闲带、西高油菜花观光带)。西外乡充分发挥三星堆的旅游生态资源和区位优势,加快发展特色乡村旅游,引进榕树花园、田园阳光、雨菡家庭农场等星级农家乐14家、咖啡屋3家。田园阳光果蔬种植专业合作社占地400余亩,有40个温室大棚(种植草莓、葡萄),园区内种植有鲁冰花、格桑花等花卉,可举行烧烤、现场采摘等活动,深受游客欢迎。园区有从业人员150人,均为附近农民,月工资2400元,带动人均增收近300元以上。首届果蔬采摘季期间,通过微信、微博等平台吸引5万余人前往休闲观光,增收约100万元。

以龙潭湾村模式为示范,多种形式推动乡村农旅融合发展。一是盘活集体用地。高坪镇龙潭湾村以每亩1600元的价格租赁闲置集体资产用作乡村旅游节点打造、设施建设,增加了村社集体收入,壮大了农村集体经济实力,盘活了农村集体闲置资产。二是创新农业经营模式。龙潭湾村通过培养当地新型农民职业经理人,开创了独具特色的“公司引领,农民众筹”的新经营理念,通过农民筹土地、房屋院落、农业生产管理,公司筹资金、营销、市场等方式筹集社会民间资金,与高坪古镇、古镇渔村、段家大院子、石鼓寺等抱团发展乡村旅游,实现农民就近就业,增加收入。三是促进农民增收。龙潭湾村在工程建设、田间管理、景区维护、旅游服务等项目所需的劳动用工大部分是就近聘用流转区内的农民,根据其职业技能、基础素质和家庭背景等特点分类培训引导就业。常年用工30人以上,季节性用工达100人。自项目区开工建设经营以来,发放工人工资近200万元,流转区人均增收3500元以上。四是带动周边乡村旅游发展。仅格桑花赏花季期间,龙潭湾村旅游服务增收就达15万元以上,流转区农民人均增收300元以上。

以三水镇友谊村模式为示范,盘活农村集体资产资源,为新产业新业态搭建平台。友谊村按照“一清、二改、三统、四发”的“四步”改革法组建并完成友谊村集体经济股份合作社工商登记,完成集体经济组织成员资格确认3594人,量化经营性资产1521万元,村集体持股29.11%、成员持股70.89%,人均持股3000股,在全省率先取得突破;通过股份合作社搭建平台,全村共流转土地(含水面)3600亩(其中水产养殖1800亩、葡萄种植500亩、蔬菜种植300亩、粮食种植1000亩),种养业年产值达6000余万元,年土地租金达400万元以上,农民人均土地流转租金1000元以上。

(二)协助指导,农村电子商务发展不拘一格

组织开展培训活动发展电商经济。一是组织龙潭湾、康达食品、农业专业合作社等参加省、市电子商务专项培训,第二届青城论道网商大会和中国(四川)互联网发展大会等学习交流活动,龙潭湾村成立了电子商务公司,下一步将通过电子商务平台不断宣传龙潭湾农产品,拓宽农产品销售渠道,带动乡村旅游发展。二是金土地农资公司“田田圈”电商项目在连山镇开展农村电商信息员培训会2次,培训信息员80余人。在连山镇建设农村电商服务点14个,基本覆盖全部村。广汉市邮政局在全市共开办“邮乐购”“邮掌柜”等便民服务站232家,其中在高坪镇建设便民服务站10家。

积极培育电子商务小镇。大力支持指导高坪镇与成都市互联网协会联合打造高坪电商小镇,由广汉地联科技有限公司统一运营管理,自2016年5月挂牌运营以来,各项工作进展顺利。一期5000平方米的办公区及创业吧已装修完毕,即将交付使用,已有20个店铺上线经营。举办了“拥抱互联网电商全川行”广汉站、“天府沙龙34期走进广汉”等活动,邀请涉农企业参加座谈交流。同时,充分利用高坪古镇、三星堆等周边景区优势,增加文化旅游元素,把高坪古镇打造成为中西部互联网文化旅游第一小镇。

(三)示范带动,农业服务工作进展顺利

培育新型农业经营主体。积极发展土地股份合作社,解决农业“谁来经营”的问题,形成“土地股份合作社+农业职业经理人+现代农业服务”三位一体的农业经营方式。全市农民合作社达295个,新增20个;家庭农场达98个,新增6个。制定了《广汉市新型职业农民培育与认定管理办法》。

实施农业全程社会化服务试点。推进农业生产的社会化分工,重点支持水稻、蔬菜产业,对水稻和蔬菜生产中科技含量高、技术难度大、对现代农业推进作用明显并能实现农机和农艺融合、推进产业化发展的关键环节进行奖补。

(四)融合创新,农村文化创意带动产业发展

松林镇东岭朝霞新村通过盘活闲置宅基地，创意设计，打造特色文化创意小镇。新增净庐民俗院落、沙田一号食堂等新型文化创意经营主体，开展了首届“九大碗”民俗活动、摄影绘画比赛、十五届桃花节、第二届柚子花养生季和第三届松林生态品果美食节活动。全镇旅游配套服务逐步完善，旅游承载水平明显提升。

二、新产业、新业态发展面临的问题

长期以来，广汉市比较重视农业的经济功能，而忽视了其他功能。人们消费水平的提高和多元化、个性化、生态化消费趋势的出现为开发农业的多种功能、推动农村一二三产融合提供了巨大空间，广汉市培育新产业新业态整体发展态势良好、特色鲜明、模式多样，但是仍然面临一些困境。

一是休闲农业与乡村旅游的形式不够丰富。广汉市受地域资源和地域环境的制约，休闲农业与乡村旅游服务项目有一定的趋同性。旅游景点推介项目千篇一律，缺乏丰富多彩的旅游项目作支撑。

二是新型农业经营主体数量增长快、发展水平参差不齐。新型农业经营主体的发展由于经营内容千差万别、经营者水平差异、资金实力不同等原因呈现两极分化趋势，发展水平失衡。

三是农村电子商务处于萌芽期，整体发育程度不高。农村网络基础设施建设还有待提高，农民运用互联网的意识不强，缺乏专业农村电子商务人才和高效能团队。

三、全面推进新产业、新业态创新发展

中央“一号文件”提出要厚植农业农村发展优势，深度挖掘农业的多种功能，培育壮大农村新产业新业态，推动产业融合发展成为农民增收的重要支撑，让农村成为可以大有作为的广阔天地。厚植农业发展优势，就要不断提升传统产业，大力发展新产业、新业态，实现农业产业链整合和价值链提升。

一是积极争取资金培育新产业新业态。省上应给予政策和项目，进一步推动休闲农业和乡村旅游发展。同时，要整合更多民间资金和金融资金用于休闲农业、乡村旅游和文化创意经济的发展，力争培育出特点鲜明、布局合理又相互映衬、相互依托的观光农业、采摘农业、农家乐产业示范园等。

二是引导农村新产业新业态更加理智和科学地发展。加强政策和业务上的指导，为新型农业经营主体提供更多的学习培训和交流平台，避免经营项目模仿追风现象。

三是营造氛围吸引电子商务专业人才服务农村。下一步广汉市将以高坪镇电商建设的经验为基础，为农村电子商务人才队伍创造更好的环境，鼓励电子商务专业人才到农村服务。

“四位一体”增活力 林业脱贫谱新篇

旺苍县人民政府副县长 谭 江

旺苍县地处秦巴山区连片扶贫核心腹地，丰富的阶梯式生态林业资源是全县最大特色、最大优势，是秦巴山区精准脱贫和开发式致富的“主战场”。近年来，旺苍县加快生态林业“两大潜力”向“两大优势”转变，拓展生态林业综合功能，探索出开发林产业强“底子”、增强生态功能修“面子”、改革创新探“路子”、提升脱贫造血“因子”“四位一体”的生态林业功能化脱贫新路径。三年来，全县实现以“林”脱贫、以“绿”富民2.58万人，占全县减贫人数的53.8%，打造了减贫人口最多、成效最明显、返贫率最低、贡献最大的生态林业新面貌。

一、主要做法

（一）突出特色林产业开发，夯实增收脱贫“底子”

注重差异化开发特色林产业，突出北部生态综合治理、南部生态经济开发、中部生态环境保护功能，“念好山字经、做活林文章”，把资源潜力、市场潜力转变为经济发展优势、群众增收脱贫优势，探索出“100株核桃+其他林种养业”以短养长配套增收模式，成为群众脱贫致富的“法宝”。一是推行“经营主体+农户”产业发展模式做强核桃产业。以天台、远景等八大现代农业园区为载体，以普（济）木（门）、嘉（川）（麻）英、正（源）英（萃）“三大区域”为示范，以“万亩林亿元钱”效益区为引领，培育核桃专业合作社34个、家庭林场36个、核桃种植大户56户，带动全县35个乡（镇）6.5万户农户发展核桃50.2万亩，农民增收达1200余元，实现了“村村有亮点、家家种核桃”的增收效果。二是推行“品牌效应+产业”经营模式做大森林蔬菜产业。充分借力“万家黑木耳”的品牌影响力，加快开发利用30余万亩青冈林、橡子林资源，发展专合组织21个、种植大户44户。三是推行“木本+草本”配套模式做大中药材产业。挖掘“杜仲之乡”内涵，以瑞丰药业为龙头，以中药材种植协会为示范，大力发展以杜仲、厚朴、黄柏等为主的木本中药材，配套发展天麻、金银花、大黄、柴胡等草本中药材。四是推行“订单+速成林”模式做深工业林产业。贫困户与周氏家具、三星木业等企业合作，企业按照5～10年的市场预测工业用林需求资源，与全县5600余户农户签订了发展速成林22.9万亩的订单，实现年产值2.3亿元，促进项目农户增收1300余元。五是推行“林业+林下”种养模式做好立体循环产业。充分利用林下闲置土地、空间、光照和养分种植中草药、菌类、野菜和养殖土鸡、黄羊、肉牛等，通过林下耕种、施肥、灌溉作业和动物活动、新陈代谢反刍林木生长提高林区资源利用率和单位产值。

（二）突出绿色“面子”功效，转变增收脱贫方式

突出开发与增绿同步发展，将功能拓展与转变增收方式同步推进，让林农不仅在林地“刨到钱”，还要在林下种出“风景”，把56.34%的森林覆盖率变成了群众增收的“真金白银”。一是“林业+互联网”转变营销增收模式。探索出“互联网+专合社+贫困户”产业发展扶贫模式，金溪、高阳等10余个乡（镇）20余个村1500余户贫困户通过“互联网+”林产业模式种植优质核桃、天然黑木耳、生态天麻、天然竹笋等特色林产品，通过互联网“专销店”把特色林产品销售到世界各地，产业增效、农民增收作用凸显。二是“林业+旅游”拓展增收空间。实施“节日游、主题游、周末游”三游共建战略，依托四川红叶生态旅游节、米仓山红叶节等重大旅游节会活动发展乡村旅游，重点建设鼓城山七里峡、檬子大峡谷、龙潭子地质公园等森林康养、天然氧吧基地，创新推出“川北农家绿色游”“幸福农家体验游”和“生态观光休闲游”，建成森林休闲观光、生态旅游、康养体验等农家乐、乡村酒店、森林氧吧450余个，接待游客1.23万人次，实现产值1.03亿元，促进项目区贫困农户增收2500元。三是“新村+小林园”模式拓宽增收途径。注重林业扶贫与新村建设相融合，在万家金星、国华古松等100余个新农村聚居点、异地安置点、扶贫集中点配套发展15万亩核桃、中药材等富民产业，配套建设“小果园”“小橘园”等“林田园”6.8万亩以及新村景观、绿化景点9.6万亩，助农增收1800余元。四是“林业基础+务工”模式配套建设促农增收。依托国家生态功能

区、长江生态屏障、林业重点县等重大项目，在重点配套林区、产业、生态旅游、新村建设“四区”路、水、电、绿化和防火一体化建设，优先吸纳贫困户就地就近务工增收。

(三)突出林业改革创新，探索增收脱贫新路子

坚持市场导向，按照贫困群众脱贫需求，加快林业供给侧改革，让贫困群众在林业发展和功能拓展中加快脱贫步伐。一是创新融投资方式，破解脱贫“缺资金”难题。积极探索“合作社+金融+产业+农户”林权流转抵押、林果和林木评估抵押模式，全年有效流转林地91.5万亩，实现农户联保、小额信贷和扶贫贴息融资6.2亿元，受益农户达3.3万户。二是创新产业“托管”方式，破解贫困户“缺技术、缺劳力”难题。通过农民合作社开发贫困户林下土地闲置资源收入抵扣合作社对贫困户产业管护、技术等服务的“托管”费用方式有效破解了贫困户发展产业“缺技术、缺劳力”难题。三是创新林业种苗供给机制，破解脱贫户“高价苗”难题。探索出了种苗定价公开化、供苗定点化、品种本地化、品种多样化、监管全程化和创新补苗主体管控的“五化一新”林产业种苗惠民新机制，走出了一条林产业种苗优中选优、就近供苗、低成本惠民的新路径，全县核桃种苗供应价格同比降低2.27元/株，实现了优质核桃品种“低成本”惠民。四是创新生态补偿机制，破解弱势群体脱贫难题。推行集体公益林管护“专职+兼职”相结合，全县统一布局、统一管护、统一配置人员，优先把贫困户中身体略带残疾、智力略有障碍、文化程度偏低等弱势人员聘为专兼职护林员，有效解决了脱贫攻坚工作中最难啃的“硬骨头”。

(四)突出技能素质提升，增强增收脱贫“造血因子”

突出贫困户技能、技术和实用林业技术推广培训，提高贫困户脱贫“造血”能力。一是构建贫困户技术脱贫链。推行“县林业科技服务中心+技术服务特派团”模式，强化县、乡(镇)、村、组四级技术培训和推广联动互促，在每个贫困村培养3~5名产业技术“明白人”和技术能手。二是构建贫困户技术支撑体系。与四川省林木种苗站、四川农业大学合作，建成核桃、杜仲、金银花等良种品比试验园1000亩；科技厅农业科技成果转化——“旺核2号”高效培育技术示范项目建设采穗圃200亩，为产业发展提供了科技支撑，延长了产业链，增加了附加值，促进了贫困户增收。

二、主要成效

(一)鼓起了贫困群众的“钱袋子”

全县核桃种植规模在全省县(区)排第一位，森林覆盖率达56.34%，核桃产业在促进贫困户增收中起到了举足轻重的作用。经测产统计，旺苍县核桃种植规模达50.2万亩，产量达1.58万吨，实现产值6.32亿元，真正让贫困山区群众捧起了“金饭碗”。

(二)实现生态与产业双赢

通过持续发展贫困山区生态林业，盐河、万家、鼓城、高阳等曾经的“不毛之地”如今成为周边县(市)群众避暑、度假、休闲必去的旅游目的地，既增加了贫困山区农民收入，又为子孙留下了“绿水青山”。全县累计建成营造林基地78个、植树1700万株，其中核桃种植占64.6%，实现了增绿与产业“双增长”，森林面积、森林蓄积、森林覆盖率分别增加15万亩、15.4万立方米、6.1%，分别达246.22万亩、1429.49万立方米、56.34%。全县人均公共绿地面积达9.49平方米，绿化覆盖率达35.02%，绿地率达33.9%。

(三)初具“全产业链”发展集群

引进天润木业、亿明生物科技、瑞丰药业等重点龙头企业建成了嘉川林产品精深加工集群，实现年产值14.2亿元。一是做大龙头企业。把华兴苗木培育成为省级重点龙头企业，年提供园林、核桃苗木130余万株，实现产值10.8亿元；把亿明生物科技、瑞丰药业培育成为市级重点龙头企业，年加工杜仲雄花200吨、杜仲饮片6000吨。二是做强农民专合组织。培育林业专业合作社34个，其中黄花山核桃合作社成功创建为国家级示范社、燕子乡兴燕核桃专合社成功创建为市级示范社，配套建设了核桃干果烘干、分级包装等初加工设施，新增加工能力4000余吨，年加工生产能力达7000余吨，就地加工转化率达75%。三是做实专业大户。投入500余万元培育家庭林场34家，培育年收入超过2万元的林业大户56户。

一颗花椒的供给侧结构性改革之路

中共岳池县委副书记　李廷远

近年来，岳池县认真贯彻落实中央和省委关于推进农业供给侧结构性改革的决策部署，紧紧围绕“一颗花椒”做文章，加快花椒产业供给侧结构性改革，推动花椒产业从种植到加工、品牌营销、生态旅游等业态演进，探索出了一条产业特色鲜明、品牌效益突出、助农增收效果强劲的现代农业发展道路。2017年，全县花椒产业实现总产值1.06亿元，助农人均增收151元。

一、建管结合强基地，保障花椒产业产量和品质

(一)高端规划引路

立足岳池北部山区实际，按照农村增绿、林业增收的理念，做出了大力发展以花椒、核桃为重点的现代林业的决定。县委县政府制定出台了《关于加快发展现代林业产业的实施意见》《岳池县干果产业发展规划》，聘请林业专业规划单位科学规划干果产业发展，合理布局核桃、花椒种植区域和品种。坚持集中连片与四旁零星种植相结合，以北部低山区为重点，大力发展核桃、花椒特色经济林基地，力争到2020年，全县建成花椒产业基地11.2万亩。

(二)培育主体强基

依托退耕还林工程、造林补贴、林业产业基地建设等项目，大力引进培育新型农业经营主体发展花椒(藤椒)规模种植，建成了一批规模连片、管理规范、收益高效的现代林业产业基地。组建岳池县干果产业协会，依托协会力量将全县花椒产业业主联合起来，互通信息、交流技术、畅通物流，提升了花椒产业的规模化、组织化程度。引进四川林典农业有限责任公司、四川绿鸿源生态农业开发有限公司等3家花椒产业龙头企业，培育岳池县大龙山花椒种植专业合作社、岳池县长田香藤椒种植专业合作社等农民专业合作社35个，带动建成花椒产业基地8.72万亩(其中藤椒基地3.89万亩)。

(三)科学管理提质

坚持科技兴林发展战略，依托现代农业科技加强花椒产业管理，促进产量增加、品质提升。主推九叶青花椒、藤椒两大品种，在全县建成北城双鄢兴隆万亩藤椒基地、粽粑白庙兴隆万亩花椒基地2个规模规范产业基地，配套完善基础设施，规范整地定植，加强以病虫害、草水肥为主的田间管护，基地实现平均亩产300千克以上。

二、凝心聚力搞加工，丰富花椒产品品种和层次

(一)普及产地初加工

实施农产品产地初加工惠民工程，引导花椒业主建设初加工设施，开展烘干、保鲜、包装、贴牌、储藏等商品化处理，推动农产品及加工副产物综合利用。全县已在投产的花椒基地建设冻库5个，容量

600 吨;烘干房 6 个,每日烘烤花椒 30 吨;晒场 15 个;建成花椒冻库 5 个,容量 600 吨;烘干房 9 个,每次烘烤花椒能力达 30 吨。

(二)加快发展精深加工

大力引进培育产业化农业龙头企业,加快发展花椒产品精深加工。依托县干果产业协会,引导产业基地业主树立全产业链发展意识,强化花椒油、花椒精油等高端产品的研发和生产,努力提升花椒产业的价值链和利益链。四川华扬农业开发有限公司在县经济开发区建设占地 10 亩的藤椒精深加工厂 1 个,建成后将年产 8000 吨藤椒油系列产品、500 吨保鲜椒、300 吨干花椒、2000 吨火锅香油。岳池县长田香藤椒专业合作社在县经济开发区建设集配中心 1 个,建成后将有效提升全县花椒产业物流水平。

(三)加强产业园区建设

在县经济开发区建设农产品加工产业园区,推进农产品加工企业集群集聚。建设花椒产业加工绿色通道,实行项目"一站式"审批。积极引导花椒产业业主在农产品加工园区投资建厂,发展花椒、藤椒精深加工及物流配送、电子商务,加快建设林业产业示范园区。

三、宣传引导创品牌,提升花椒产品利润和形象

(一)推进标准化生产

以国家农产品质量安全县创建为契机,推进花椒标准化生产,强化投入品管理,抓好配方施肥和病虫害生物防治,增强优质花椒市场供给能力。全县创建花椒无公害产品 2 个、森林食品 2 个,长田藤椒基地、粽粑花椒基地被认定为"四川省森林食品基地"。

(二)强化品牌创建申报

以干果产业协会为龙头,着力加强优质花椒产品品牌创建,扩大产品影响力和市场占有率。截至目前,全县已注册"麻广广""长田香""麻将"等花椒商标 15 个。整体创建"银香花椒"岳池区域品牌工作积极推进,走三产融合整体提升发展道路。

(三)加强品牌宣传推介

发挥县干果产业协会统筹协调作用,抓好品牌宣传、品牌营销、品牌保护等工作,全县初步形成了品牌经营的共识。采取直销、网销、代储、代销等多种方式促进产品销售,已建成直销点 25 个(县内 21 个,重庆、成都、南充、广安各 1 个)、网销点 4 个、代储代销点 5 个,产品远销川、渝两地,受到广大消费者的喜爱和好评。

四、强化保障促发展,优化花椒产业政策和环境

(一)加强组织领导

岳池县把花椒产业发展纳入全年林业工作的重中之重,成立县委副书记、县长任组长的现代林业重点县建设领导小组,专门成立干果产业发展工作组,组建现代林业园区管委会,核定编制 20 个,集中精力、专人专职抓好花椒产业发展。

(二)强化政策扶持

出台了《特色效益农业及现代农业奖励扶持办法》,对发展花椒产业采取先发展后补贴的方式给予资金扶持,县财政给予每亩花椒补贴 200 元,分年度验收后兑现。将花椒产业纳入农村产权抵押融资的重要载体,积极协调银行机构加大银企对接力度,已发放产权抵押融资贷款 2 笔、240 万元,帮助业主解决资金不足的难题。

(三)加强项目整合

将涉农资金尽力向花椒产业基地倾斜,加强产业基地基础设施配套。近三年来,全县共整合林业工程、小流域治理、病险水库整治、新农村建设等涉农项目资金 1 亿元,统筹用于花椒产业发展,其中建成花椒产业环线公路 23 千米,串联起了花园、北城、兴隆、粽粑、白庙各产业基地。

眉山市东坡区打好脱贫摘帽"组合拳"

中共眉山市东坡区委常委、统战部部长　游方全

眉山市东坡区始终将脱贫攻坚作为"第一民生工程",紧紧围绕"两不愁""三保障""四个好"目标扎实推进脱贫攻坚工作,打好脱贫摘帽"组合拳",全面完成 2016 年省定 9623 人的脱贫攻坚目标任务。

一、高度重视,责任落实

一是精心编制了脱贫攻坚"十三五"规划,印发了 2016 年 17 个扶贫专项计划。与 23 个乡(镇)及 19 个扶贫工作牵头部门签订了《2016 年扶贫攻坚工作目标责任书》。二是强化资金整合。2016 年整合投入各类脱贫攻坚项目资金 10.64 亿元,已拨付各类扶贫项目资金 10.43 亿元。三是加强督促检查。1—11 月自行开展了 7 次脱贫攻坚专项督查、蹲点督导、评估检查,同时接受了市委市政府领导带队督查 2 次、蹲点督导 1 次,市人大常委会执法检查 1 次,市政协视察 1 次,市纪委暗访 1 次,对发现的问题均进行了及时整改。四是严格退出验收工作。制订了《眉山市东坡区贫困村贫困户退出实施方案》和《眉山市东坡区贫困户退出验收方案》,组织 23 个验收组于 11 月 16 日—22 日对全区所有贫困户进行逐户打分验收,成立 8 个督查检查组于 11 月 21 日—24 日对每个乡(镇)贫困户退出工作及验收组验收工作进行了督查。市上于 12 月 6 日、7 日对东坡区脱贫攻坚工作进行了检查验收,12 月 9 日进行了第三方评估。五是强化考核奖惩。印发了《眉山市东坡区乡镇党委和政府脱贫攻坚工作年度考核办法》,将脱贫攻坚纳入年终目标考核,对未完成脱贫攻坚任务的提出"四个一律"的"一票否决"制,即一律取消单位年终目标奖,一律取消单位和个人评先选优资格(含年度考核评先),一律就地免职乡(镇、街道)、联系部门一把手,一律不再提名任村(社区)书记、主任,以铁的纪律强力推进脱贫攻坚工作。

二、周密部署,强力攻坚

(一)加强产业扶持,增强造血功能

一是发展特色种养业。区畜牧局组织实施的生态养殖扶贫项目覆盖建档立卡贫困户 335 户、870 人,其中适度规模生猪养殖项目 260 户、685 人,生态林地鸡项目 75 户、185 人;整合项目资金 249.5 万元,其中区扶贫移民局组织实施的 70%的财政专项扶贫资金补助到户,投入财政扶贫资金 883 万元,惠及 5659 户、16746 人。

二是引导新型农业经营主体带动发展。把培育发展新型农业经营主体工作与产业扶贫有机结合,鼓励支持新型农业经营主体吸纳、扶持贫困户,帮助带动贫困户发展特色优势产业,为贫困户提供产前、产中、产后扶持服务。全区 699 个专业合作社、178 家家庭农场、47 家农业企业带动作用明显,提高了贫困户的种养积极性。

三是发展农村电商促进扶贫增收。电子商务进农村成效显著,四川蜀商电商以乡(镇)为站、以村为点,以点带面、连线成片,通过线上线下将农户地里最新鲜的产品直接卖给消费者,已在广济等 14 个乡(镇)建立服务站,2017 年年底将实现乡(镇)全覆盖。在复盛中塘、万胜万利、天池等 4 个贫困村建立了服务点,培训电商 400 人,多个专业合作社利用互联网帮助 780 户贫困户销售农副产品,增加贫困户收入。

四是加大技术服务力度。针对市级贫困村,在农口系统选派了

44名农业科技人员深入贫困村对贫困户进行针对性的技术指导服务。加大培训力度,已在尚义、柳圣、万胜等15个乡(镇)开展水果、蔬菜、经济林木栽培,肉羊、生猪、林地鸡、水产养殖等精准扶贫专题培训14批次,发放技术资料2万余份。同时,邀请省农科院研究员江国良、副研究员刘晓等20余位专家培训贫困户1350人。

(二)创新政策支持,促进就业创业

一是开发公益性岗位促进就业脱贫。开展专项就业援助,在农村设立保洁、保绿、保安、森林守护、村办公室打扫等公益性岗位,帮扶209名精准贫困户就业并每月享受300元的工资标准。

二是鼓励企业吸纳贫困人员就业。出台激励政策,鼓励企业吸纳贫困人员就业,对区内企业新吸纳1名建卡贫困户的给予3000~5000元的奖励,在次年第一季度核算兑现。其中,茂华食品有限公司等企业已吸纳302名贫困户就业。

三是开展就业服务活动。针对精准贫困人员,开展了“培训送到家”培训活动,已在三苏、盘鳌、富牛、白马、复兴、万胜、崇仁等乡(镇)举办种植、养殖等农村实用技能培训15期,培训贫困人员383人。在万利村组织开展“千亩梨花节”活动,组织3个村20余名村扶贫牵头人进行电子商务培训。针对建卡贫困人员分别在永寿、柳圣、多悦、富牛、秦家、白马、松江、盘鳌举办了8场精准扶贫专场招聘会,提供岗位973余个,推荐290名贫困人员实现就业。

(三)加强助学帮扶,避免因学致贫

一是确保贫困户子女都能享受义务教育。2016年,投入131.7万元资助学前教育“三儿”(家庭经济困难儿童、孤儿、残疾儿童)2634人。春秋两季免除义务教育学生107926人学杂费共计3959万元。对义务教育阶段家庭经济困难寄宿学生7100人发放补助475.2625万元,建档立卡贫困家庭学生伙食费实现全免。

二是强化高中和中职教育惠民政策。投入111.696万元,免除家庭经济困难高中学生2700人学费;发放贫困家庭学生国际助学金4353人共计435.3万元;发放应届困难大学生交通补助4.85万元。投入210.4万元,免除中等职业教育学生1809人学费,对家庭经济困难的中等职业教育学生394人进行生活补助。发放“三残儿童少年”生活补助15.85万元。实施“雨露计划”,对符合条件的中、高职学生给予1500元/年/人的补助,69名学生受益。

三是强化大学生教育惠民政策。对贫困大学生实施“慈善助学”“金秋助学”“圆梦大学”“栋梁工程”等助学活动,2016年已资助贫困大学新生405名,发放助学金122.6万元。落实高校学生生源地贷款贴息,做到应贷尽贷、应贴尽贴,已办理高校助学贷款申请225人。

(四)加强医疗保障,减少因病返贫

一是加大医保缴费扶持。为建档立卡贫困户中的“五保、重残、三无、特扶”等对象购买城乡居民基本医疗保险,为已参保的建档立卡贫困户购买大病医疗保险,为建档立卡贫困户购买商业补充险等,享受人数累计达24326人次。

二是加大医疗救助。对200名贫困白内障患者免费实施复明手术,免费救助重性精神病人665人、晚期血吸虫病患者451人,免费为农村居民提供体检7000人次。自2016年4月1日起,将住院治疗的贫困救助对象单次救助封顶线从3000元提高到4000元,年救助封顶线从6000元提高到8000元。将原来纳入重特大疾病救助的4个病种扩面到9种,单次救助标准封顶线为1万元,年封顶线为2万元。

三是实施健康扶贫工程。落实药品零差价销售,对贫困人口住院实行先诊疗后结算。新建和改造村卫生室146个,全区卫生室标准化建设达标率达100%。建立区级医疗卫生人员支援乡(镇)卫生院制度,培训乡村医生900人次以上,派遣城区卫生人员到乡村卫生院(室)驻诊4700人次以上。

四是享受“零支付”待遇。将全区建档立卡贫困户在2016年1月1日—11月10日期间发生的入院治疗各类费用需财政兜底的476万元返给相关医院并退还给建档立卡贫困户,保证贫困户在2016年1月1日—9月11日期间入治的个人支出费用控制在总费用的10%,9月12日—11月10日期间入治的医疗费用实现个人“零支付”。全区建档立卡贫困户的医保政策系统结算(包括住院“零支付”结算、非医保政策范围内的慢病结算和医保政策范围内的慢病结算等)已于2016年11月10日投入使用,实现了全区建档立卡贫困户结算“一卡一窗一站式”服务。

(五)加强低保兜底,实现应保尽保

用好农村低保、“五保”等救助政策,已享受农村低保救助的有23612户、24914人。自2016年7月1日起,将农村低保标准从2300元/年提高到3120元/年。通过摸底调查,将符合低保条件的建档立卡贫困户179户、586人全部纳入了低保兜底。

(六)用好政策支持,确保计划脱贫户住房安全

一是实施易地搬迁工程,2016年实施177户、504人。二是区住建局争取专项资金1248.75万元,实施危房改造1665户。三是区扶贫移民局投入81万元,实施危房改造和人居环境改善155户。四是近期摸排出尚无项目覆盖的危房户138户、356人,拟实施维修加固96户、涉及255人,修建保障性住房42户、涉及101人。

(七)加快贫困区域基础设施建设

一是加快农村水利设施建设。实施农村饮水巩固提升工程,加快三苏、修文、广济管网延伸工程建设,进一步提高贫困村集中供水率、自来水普及率、供水保障率、水质合格率。对2015年脱贫户、2016年预脱贫户中存在安全饮水问题且具备集中供水条件的,尽快延伸管网,保证其安全饮水;不具备集中供水条件的,采取修建沉砂池、配备净水设备等方法解决其饮水问题。

二是加快农村电力和宽带建设。加快推进农村低压电网改造,已实施低压变压器改造729台、低压线路改造820千米。投资1.67亿元,实施“宽带乡村”工程,电信、移动、联通三大通信运营商建成4G基站379个,共享改造386个,实现全区行政村4G光纤全覆盖,宽带接入总户数达23万户。

三是加快农村道路建设。加快实施贫困村农村道路提升工程,完成通村公路建设30千米、通组道路建设50.3千米,全区所有村都通硬化路,群众出行得到了有效保障。

(八)注重教育引导,加强驻村帮扶

一是大力弘扬新风正气。组建脱贫攻坚主题宣讲团深入80个贫困村集中宣讲,广泛开展优秀典型、道德模范巡讲,召开“坝坝会”1037场,参会人员97500余人次,引导贫困群众通过自身努力改变贫困面貌。

二是强化帮扶联系。开展“六联四帮”干部驻村帮扶,确保每个贫困村有联系的区级领导、驻村工作组、区级部门、“第一书记”和农机人员。开展“干部走基层脱贫攻坚周”活动,全区3000名干部进村入户,为贫困村落实项目291个、资金5933.46万元,为贫困户落实项目5662个、资金2415.6万元。

三是加大帮扶干部培训力度。针对乡(镇)换届后的实际情况,组织开展谈心谈话35人次,举办"第一书记"、驻村干部等培训班3期,共培训干部280余人次。通过培训交流,强化担当意识,抓好工作落实。

四是充分发挥榜样的力量,引导贫困户自主脱贫。积极开展2016年度"十佳脱贫致富先进"评选工作,通过个人申请、乡(镇)推荐、部门审查、区委审定的程序从建档立卡贫困户中评选出10名模范,宣传其不等不靠不要、自力更生、艰苦奋斗的事迹,引导贫困群众学习身边先进典型,对好逸恶劳者进行批评教育,推动形成好风气,养成好习惯,从精神上和脱贫方法上引导带动贫困户自主脱贫。

(九)积极引导社会力量参与脱贫攻坚。

向全区企业家发出倡议,号召全区企业参与脱贫攻坚,力争构建专项扶贫、行业扶贫、社会扶贫"三位一体"的大扶贫格局。万景集团率先响应,结对帮扶秦家镇马桥村,计划2016—2018年帮助马桥村实施饮水提升工程、道路畅通工程等,推进产业结构调整,搭建销售网络,推广马桥村生态畜禽、果蔬产品,持续增加贫困户收入,实现稳定脱贫,首期捐资的200万元已到位,2016年帮扶工作进展顺利。益稷农业对口帮扶土地乡永光村,组织贫困户外出学习,捐赠化肥30吨,帮助永光村发展优质柑橘,助推贫困户精准脱贫。海尔集团向特别困难的建档立卡贫困户定向捐赠洗衣机52台。

(十)启动"四好村"创建

2016年9月26日,全区召开专题会议,全面启动"四好村"创建,创建工作方案和年度计划已初步拟定。力争到2020年,全区所有行政村全部建成区级"四好村",85%以上的行政村建成市级"四好村",70%以上的行政村建成省级"四好村"。

(十一)完善脱贫攻坚工作档案

一是完成"六有"信息平台建设。在全市率先完成"六有"平台信息录入工作,初步构建起覆盖区、乡、村、户、人的完整的数据库,为区、乡两级精准脱贫工作提供全面有力的数据支撑。

二是狠抓档案规范化管理。印发了《关于进一步规范完善脱贫攻坚档案和宣传公示栏的通知》,召开了档案管理工作专题培训会,强化"痕迹"管理,做到科学立卷、分类建档。全年开展档案工作专项督查3次,区、乡、村按照精准识别、精准帮扶、贫困户(村)退出、扶贫综合卷四大类将档案资料整理成册,全区脱贫攻坚档案基本做到规范、完整。

三、积极推进对口帮扶茂县工作

一是制订对口帮扶工作方案。先后召开了3次专题会议研究对口帮扶工作。通过积极对接,构建了"1234"对口帮扶工作机制,即建设1个东坡村,开展经贸、文化2项交流活动,搭建医疗、教育、产业3个帮扶平台,突出选派茂县紧缺的4类人才。

二是谋划帮扶蓝图,即在产业发展上,力争打造1~2个特色农牧产品品牌,逐步完善农业产业链条,增强当地产品初加工实力;在教育事业上,推动全面实行免费义务教育、藏区彝区"9+3"免费教育等政策;在基础设施上,全力帮助补齐短板,力争2018年全县149个村全部实现群众饮水安全、出行方便、通讯畅通、用电保障。总体上,力争到2020年稳定实现茂县贫困群众"两不愁、三保障"和"四个好",帮助64个省级贫困村如期"摘帽",2234户、7792名建档立卡贫困人口全部脱贫、提前小康。

三是派驻对口帮扶工作组。首批共遴选经济、教育、农业、医疗等23名专业干部人才组成驻地帮扶工作组。

四是加大帮扶资金力度。每年安排区级公共财政预算约1000万元作为对口帮扶专项资金,已将500万元对口帮扶资金转入茂县对口帮扶驻地工作组。同时,区财政预支20万元作为工作组工作经费。

五是探索增添脱贫举措。创新农产品销售模式,设立农产品直销店,组建村级营销服务公司,搭建"高原·云朵"网上营销平台,统一包装展示销售茂县特色农牧产品。规划布局全域旅游景点,将九鼎山等自然景观、转山会等羌族节庆、甜樱桃采摘会节有机统筹,策划一批旅游精品路线,促进农区变景区、产品变商品。

大力推进都市近郊型现代农业助农增收

中共眉山市彭山区委副书记 郭 红

2016年,眉山市彭山区锐意改革,大力推进都市近郊型现代农业,促进农业产业发展,助农增收,改革红利已经凸显,农民工资收入快速增长,彭山区农村居民可支配收入步入稳定增长阶段,农民人均可支配收入达15405元,增长9.6%。

一、财政"三农"投入持续增加

2016年,全区公共财政预算支出总额为261483万元,其中农业支出22569万元,占总支出的8.63%,其中上级农业专项资金共计18341万元,占总支出的81.26%;本级财政支出4228万元,占总支出的18.73%。在上级专项资金中,农业14254万元、水务2658万元、林业1205万元、畜牧业224万元。

二、深化农村改革,建设幸福美丽新村

(一)深化农村改革

一是"四步机制、三方受益"的土地规范流转经验入编农业部全国首批农村改革案例,并将写入全国人大常委会修改《土地承包法》意见。截至2016年年底,全区实现预流转土地5万亩以上,集中流转土地14万亩,流转率达58%。

二是"两权"抵押贷款中的"5大配套体系和1套贷款流程"经验成为全省农村"两权"抵押贷款的"彭山模式",被中国人民银行成都分行列为全省样板,在12月15日召开的全省现场会进行推广。截至2016年年底,全区7家参与试点银行已推出农村"两权"抵押14个,发放农地贷款293笔、1.63亿元,发放农房贷款9笔、65万元。

三是积极探索农村宅基地自愿有偿退出和集体经营性建设用地入市,形成了一套规范的体系,推动盘桓小筑、向阳农场、苌町轩、凤鸣花谷、小猪农场5个民宿(三产、旅游)项目建设。该做法及经验得到了国务院研究中心和中央政研室的认可,已形成专门的经验材料并上报。

四是按照"归属清晰,权责明确,保护严格,流转顺畅"的要求开展农村集体资产股份合作制改革工作。各乡(镇)已完成清产核资、成员界定、股权量化,2个村已成立了公司。

2016年12月29日,彭山区深化农村改革工作被评为"2016四川十大经济影响力事件"。

(二)幸福美丽新村建设

按照"宜聚则聚、宜散则散"原则,整体考虑、统筹谋划,同时融入文化元素,倡导休闲新村旅游,加快成片推进幸福美丽新村建设。

一是制订了《2016年全区幸福美丽新村建设实施方案》,分解落实了各项目标任务。继续实施"建、改、保",建设幸福美丽新村31

个,建成新村聚居点15个、农村廉租房92套、"百村绿色家园"3个、便民服务中心2个。

二是对传统村落和自然村庄实行保护性修复,进一步完善基础设施和公共服务设施,打造以武阳刘家大院、黄丰橘香天下为主的特色亮点村2个。刘家大院以保护传统村落、打造美丽新村为核心,以"寻根问祖"为主题线路,以刘家的整体院落建筑文化、民俗文化为依托,打造安乐祥和、风景如画的世外桃源,填补了全区新农村建设文化保护的空白。

三是加快推进"四好村"创建,结合全区实际,制定了《眉山市彭山区创建区级"四好村"活动工作方案》和《眉山市彭山区"四好村"创建考评试行办法》,成立了由区委书记、区长任组长的工作领导小组,明确了各乡(镇)联系领导牵头本乡(镇)"四好村"创建,各村联系部门领导指导本村"四好村"创建,乡(镇)党委书记、乡(镇)长为第一责任人,村支书、主任为具体责任人的创建模式,层层落实责任。申报的42个村全部被命名为区级"四好村",推荐了青龙镇狮子村等27个村申报市级"四好村"、青龙镇古佛村等14个村申报省级"四好村"。

三、发展都市近郊型现代农业,培育新型农业经营主体

一是大力推进全区都市近郊型现代农业发展。9月,完成了《眉山市彭山区现代农业发展规划(2016—2020年)》的初步编制。规划调整了"一园两翼"的农业产业结构,加快一二三产业融合发展,制定了2016—2020年的详细发展目标,力争到2020年,全区土地流转率达70%;整治高标准农田3万亩,建成标准农村道路200千米,发展特色产业5万亩,品种改良14000亩。同时,明确了各乡(镇)、各部门4个方面的工作重点,即统筹农业、交通、旅游三个规划,在"两翼"各布局1条农旅骨干环线,打造系列旅游节点,推动产业融合发展;发展规模经营,高效推进土地流转,严把项目准入关;提升品质、优化产业结构,实现种养循环农业,坚持生态同步;完善基础设施配套,对各高标准建设的农村道路、基础设施给予奖补。与"一园两翼"涉及的8个乡(镇)签订了目标责任书,制定了各乡(镇)的年度产业发展计划。"北门户"农业嘉年华高科技示范中心项目进展顺利,3月21日与中国农业大学、北京富通公司签订了《项目合作的框架协议》,计划总投资2.9亿元,其中一期工程计划投资1.5亿元,已完成现场路勘、部分项目设计、立项以及平面布局规划、报告等工作,59户拆迁户已全部完成交房。"中门户"花卉示范种植基地建设初具规模,填补了全区集中成片花卉种植产业基地的空白,其中油用牡丹示范园已完成道路硬化、花卉观光大道护坡堡坎建设,种植油用牡丹350亩,完成1000米花卉观光大道的花卉种植,100亩观赏牡丹和芍药已育苗,待季节移栽;明都花卉示范种植中心已完成1450米道路硬化、1000米沟渠衬砌和1座山坪塘、1口蓄水池建设,建成300亩钢架大棚、1500平方米花仙子科技展示中心,一期建设已基本完成,二期450亩建设已启动。在征地拆迁中积极推进货币化安置,既实现了农民财产性收入的快速增长,又推进了城镇化进程,全年完成货币化安置1150户,发放货币化安置资金5.5亿元。

二是大力培育新型农业经营主体。全区大力培育龙头企业、家庭农场、农民合作社、专业大户等新型农业经营主体,激发农业和农村发展活力,实现了区域农业由单一的家庭经营向多元主体经营的转变。截至2016年年底,全区累计发展农业产业化企业114家、农民专业合作社236个、家庭农场386家、现代农业业主2808个,其中省、市级示范重点龙头企业23家,新培育3家;省、市级示范专业合作社18家,新培育3家;省、市级示范家庭农场16家,新培育9家;省、市级示范现代农业业主17家,新培育9家。组建以家庭农场为基础单元的家庭农场联盟,成立了以家庭农场为单元的眉山市彭山区家庭农场联盟发展服务公司,以绿色、生态、品牌为着力点,围绕市场主体、运营模式"两创新"和标准、品牌、服务、农资、物流、金融"六统一",引领全区家庭农场抱团发展。截至2016年年底,加入家庭农场联盟会的家庭农场有155家。

三是结合"互联网+"打造彭山品牌,助农增收。开设苏宁易购中华特色馆·彭山馆。启用"彭祖""寿乡""寿祖"等商标,重点打造农产品区域品牌"彭山田野·礼",唱响"东坡味道"主旋律,着力提升彭山农业品牌,提升农产品品牌价值,助农增收。

四是贯彻落实习近平总书记提出的"治贫先治愚,扶贫先扶智"的思想,真正使农民增收致富,实现农业强、农民富,在全区88个行政村开办农民夜校。35个市级、区级贫困村农民夜校在11月30日前全部启动建设,12月30日前全面开班授课;53个非贫困村农民夜校在2017年1月20日前挂牌并全面开班授课。

五是进一步加强对第四批科技特派员创业服务团队的管理,确保科技特派员创业服务团队对全区粮油、优质水果(葡萄、猕猴桃)、中药材、特种水产以及优质肉兔、肉鸭、肉羊等八大特色农业优势产业的持续引领作用,促进彭山区农业经济大发展。启动了第五批科技特派员创业服务团队,主要针对全区精准扶贫开展工作,在农民增收致富及服务全区农业特色优势产业等方面具有积极的推进作用。申报并通过市级科技示范园区1个(义和乡猕猴桃技术集约化种植示范基地),申报并通过市级科技专家大院1个(眉山市彭山区优质猕猴桃种植专家大院)。

四、发展现代种植业,推进农村承包地确权颁证

完成2015年现代农业建设重点县以奖代补资金建设项目,组织实施2016年现代农业葡萄示范园区奖补资金项目和2016年现代农业示范县项目,完成近郊型现代农业建设年度目标任务。完成柑橘品种结构调整166393株、葡萄产业设施改造291亩、高接换种方式更换葡萄品种90亩;建立农业电商平台1个,涉及业主(农户)2186户,补助项目资金200万元;建成现代特色效益农业标准化基地1.34万亩,推广果实套袋及树冠覆膜新技术4.92万亩,新发展和改造提升果、菜等特色产业2.1万亩,新发展蔬菜、葡萄1650亩。

五、促进农民增收

(一)经营性收入

一是高产创建稳定粮油生产。2016年,全区油菜总产目标任务为0.92万吨,实际完成0.95万吨。完成油菜高产创建3万亩,经农业厅验收,亩产达203.7千克,增加53.7千克,增收870万元,拉动全区农民人均增收44.5元。新增规模化经营面积0.85万亩。

二是特色产业产量增速明显。全年新投产特色农业产业2万亩,其中新挂果投产柑橘面积7000亩,比传统农业每亩增加收入6000元以上;增加柚子投产面积5000亩,每亩增加收入达10000元以上;新增葡萄、核桃、猕猴桃等小水果种植面积8000亩,平均亩增加收入5000元以上,共计增收9200万元,拉动全区农民人均增收470.6元。

三是农产品价格稳中有升。春见在2月底收购价达4元/千克,比上年增长1.75元/千克;一季度生猪价格由上年同期的2.9元/千克上涨到5.15元/千克;泽泻、川芎等中药材价格同比每吨上涨3000元,亩均增收600元,与上年同期相比增收2160万元。全区农产品价格大幅增长,拉动全区农民人均增收609元。

（二）工资性收入

一是事业单位工资上调。全区教师月工资人均为4000元/月，自从规范行政事业单位上调津补贴标准以后，教师工资也随之调整，上调幅度在800元/人/月，涉及在农村居住的教师128人，拉动全区农民人均增收6.3元。

二是技工工资高位运行。全区技工和管理人员工资平均为200～220元/天，大工平均为180～220元/天，小工为120～140元/天，与上年相比平均增加25元，年平均增加收入5000元，涉及人数5000余人，拉动全区农民人均增收127.9元。

三是农田务工人数增加。农民就近在家门口农田务工人数增加4000余人，其中大多数为土地流转出去的农村留守妇女和中老年人，人均年收入6000余元，有效利用了农村富余劳动力，拉动全区农民人均增收123元。

四是企业带动农民务工。全区新增苏宁电器、森之磊家具等劳动密集型企业8家，有效促进了农民向产业工人转变。在外出就业形势趋稳的条件下，全区就地转化为产业工人3000人，新增农村产业工人1400人，收入平均达3万元/年，拉动全区农民人均增收214.8元。

（三）财产性收入

一是耕地流转平稳推进。全区集中流转土地12.8万亩，流转率达58%。新增土地流转1.6万亩，亩均增加收入500元，拉动人均增收40.9元。

二是房屋出租促农增收。因大力发展都市近郊型现代农业，全区新增800户农户通过房屋出租给三产业主或新型农业经营主体，促进了一三产业融合发展，房屋平均租金为3000元，人均增收12.28元。

三是股份制改革进程加快。一是全面开展农村集体资产股份制合作改革，努力增加农民财产净收入。二是组建集体资产经营管理公司，通过盘活"存量"和扩大"增量"，努力增加农民集体经济收益。全区14个集体资产股份合作制改革试点村累计收入达2700万元，拉动全区农民人均增收102.3元。

（四）转移性收入

一是务工转款寄回。截至2016年年底，全区外出务工人数达9.4万人，实现收入6.69亿元，其中寄回3.99亿元，比上年同期增加1.08亿元，拉动人均增收552.4元。

二是各类保险。新农合、新农保受益范围进一步扩大，基本实现全覆盖。特色农业保险范围继续扩大，新增猕猴桃和蜜柚2项特色农业保险。农村低保标准保持在2300元/人/年。全区参加城乡居民社会养老保险13.38万人，年满60周岁符合待遇领取人数达3.9万人，基本实现了养老保险全覆盖，切实做到了"应保尽保"。

突出关键环节　促进农民增收

洪雅县人民政府副县长　张　锐

2016年，洪雅县认真贯彻落实省委、市委农村工作会议精神，牢牢抓住农民增收这个核心，突出重点，创新举措，狠抓落实，农民增收工作取得明显成效，全县农民人均可支配收入实现14501元，增长8.9%。

一、"七抓一突破"，全面促增收

"七大抓手"保增收。一抓主导产业。在茶业方面，实施"3+3"示范点改革、中山乡前锋村茶叶基地建设、止戈青杠坪茶叶公园建设、东岳镇团结村茶叶走廊建设；在奶业方面，推行规模化养殖、散养奶牛集中进小区，扩大循环利用；在林竹业方面，创建4个市级现代林业产业提质增效示范区，发展林下种养殖、采集和森林景观利用42.1万亩；在蔬菜业方面，新发展中保镇、花溪镇、瓦屋山镇标准化蔬菜示范基地5000亩，瓦屋山镇龙圣村建成有机蔬菜基地1000亩。二抓农业园区。着力推进青衣江现代农业观光循环园区、中保循环农业园区、峨眉半山高山生态有机农业园区和东北片区高效现代农业种植园区建设，以农业园区为引领深入推进农业产业发展。编制完成青衣江现代农业循环园区和东北片区规划，中保循环农业园区建成蔬菜基地3000亩、芽菜基地1000亩、养生菌基地1000亩。三抓转移增收。全年农民转变为城镇居民13500人、转变为产业工人1680人、转变为三产经营和从业者5620人、转变为现代农业业主160户。全县外出务工人员达11.7万人。四抓农民创业。积极整合失业人员创业、妇女创业等资源，加强劳动密集型小微企业认定和贷款贴息，为农村创业者提供有针对性的政策咨询、创业指导、跟踪扶持等服务，共培育创新创业200余人，为创客和企业提供担保贷款305万元，带动就业近500人。五抓深化改革。省级增加农民财产性收入改革试点不断深入，试点区农民人均财产性收入占试点区农民人均可支配收入的比重达11%以上。组建县农交中心、乡（镇）农交站，设置村级农交信息员等工作顺利推进，县、乡、村三级联动的农村产权流转交易市场体系初步形成。农村土地承包经营权、集体建设用地、宅基地使用权、林权的确权登记工作基本完成，农村房屋所有权、小型水利设施确权登记工作按计划稳步推进。整合涉农资金8000余万元，有力推进中保循环农业园区建设和东北片区扶贫开发。深化新型农业经营主体主办行制度，培育新型农业经营主体30家，发放贷款5047万元，创建市级支农再贷款惠农示范基地2个。全面启动国家级电子商务进农村综合示范县建设，建成乡、村级电商服务站点78个。六抓政策兑现与支持。落实粮食直补、农作物良种补贴、农资综合补贴、农机购置补贴、退耕还林等补贴政策，增加农民转移性收入。七抓脱贫攻坚。以"六有"信息为依据，按照"六个精准"的要求，对2016年需要脱贫的1996户、5640人细化"五个一批"措施，做到帮扶措施户户过关，项项清楚。强力推进易地扶贫搬迁，全面完成77户、232人的搬迁安置任务。扎实推进东北片区产业扶贫示范工作，成功引进业主19个，完成土地流转4000余亩。采用"公司（企业）+新型农业主体+贫困户"的模式，按照"五个优先"原则，积极解决贫困人口土地流转、产业发展和就业务工问题，探索利用现代农业促进脱贫致富的路子。2016年，全县1996户、5640人全部脱贫，33个市级贫困村"摘帽"。

创新提出"民宿经济"发展思路，把"农旅相融"作为推进农村发展的"金钥匙"，积极推进新村变景区，农房变旅居，农民变业主，初步展现了"农旅相融，越走越红"的景象。全县建成规范性农家乐484家，有从事餐饮、旅游产品销售等其他旅游服务的农户约1000户，有床位14146张、会议室46个，娱乐场所可容纳9969人。全县农旅相融从业人数达16835人，占全县劳动力总人数的5.68%；农民从事农旅相融收入约4.6亿元，可支配收入约1.8亿元。

二、夯实六保障，畅通增收路

一是夯实组织领导保障。切实贯彻落实农民增收书记县长负责制。二是夯实投入机制保障。制订《洪雅县涉农项目资金整合使用实施方案》，整合农业、林业、水利、畜牧、环保、农机、扶贫移民、土地整理、农村公路、农业基础设施建设等涉农项目资金1.5亿元,配套地方财政资金和工商资本下乡投入3亿元,着力打造青衣江现代农业循环园区、农旅相融示范区、乡村旅游示范区和茶叶、牧草观光带(走廊)。三是夯实动态评价保障。施行农民增收工作动态评价机制,每季度开展一次农民增收指标测评,对相关单位、人员及乡(镇)工作情况、指标完成情况开展测评,及时查找问题、调整政策、完善工作。四是夯实信息和网络服务保障。创新服务模式,以现代商业信息激活农产品交易。组织若水、雅雨露、屏羌、正容白茶等茶叶企业参加第五届中国·四川国际茶业博览会,现场展销红茶、绿茶100余种,多个产品获得金奖。组织企业参加川货全国行广州站、北京站等展览展销,组织相关企业参加第八届中国泡菜博览会和第四届四川农业博览会,让洪雅农产品"走出去",增加农民收入。成立洪雅电子商务协会,启动洪雅农副特产品"互联网+业务"。五是夯实培训服务保障。服务全县农旅相融发展,开展客房服务、家政服务和中式烹调等乡村旅游专业技术培训,把培训学校、培训器材、培训教师、培训课堂送到景区沿线的乡(镇)、村(社)农户的家门口。全年完成农民工职业技能培训2200人、农村劳务品牌培训340人。六是夯实严格管理保障。建立农民增收目标管理责任制,县级各相关单位、部门逐级对上向下签订工作目标责任书,明确推进工作中的具体职能职责和目标任务。

三、增添六举措,确保达目标

针对全县农民增收工作尚存的传统种养业提升空间有限、农旅相融发展基础还比较薄弱、农民增收指标统计工作尚需加强等问题,积极增添六举措,确保达目标。一是重增量。加强立体农业发展,提高复种指数,有效增加农产品产量。二是增效益。在养殖业上推进标准化、小区化,在种植业上推进公园化、景区化,提升档次和品质。三是抓投入。落实向上争取项目和对外招商引资,全年实现农业投入5亿~6亿元。四是拓市场。突破农产品品牌瓶颈,建设东坡味道洪雅板块,运用"互联网+"开辟电商市场。五是强创新。深入推进"民宿经济""循环农业"农业产业新模式,深入推进农村改革。六是治环境。加强农村生态经济发展环境治理,农业投资环境、农民进城就业环境改善,深化农村改革环境建设,为农民增收工作做足充分保障。

着力"造血"抓产业
念好"山经"促脱贫

中共广元市朝天区委农村工作委员会

近年来,广元市朝天区始终把特色产业助农增收作为脱贫攻坚的重中之重,依托山区资源,发挥生态优势,大力发展核桃、蔬菜、畜牧、食用菌、蚕桑及藤椒、小水果、魔芋、道地药材、冷水鱼等"5+N"特色产业,增强贫困群众"造血功能",走出了一条靠山脱贫、靠山致富的产业扶贫之路。

截至目前,全区核桃种植面积达41.5万亩,产量达3.7万吨,连续8年位居四川省县(区)首位,"朝天核桃"成功创建为中国驰名商标;高山露地蔬菜复种面积30万亩,稳定蔬菜播种面积25万亩,年产量70万吨,辣椒、甘蓝、萝卜等7个品种获得国家绿色食品A级认证;以香菇、木耳为主的食用菌种植规模达8270万袋(椴),成功创建为全国绿色农业示范区。曾家山土鸡通过国家地理标志认证,年出栏220万只;年养蚕3万张,产茧2万担,养蚕量、产茧量连续多年居广元市首位。"十二五"期间,全区农民人均可支配收入年均增长14.7%,增速连续三年位居广元市第一位,特色产业收入占贫困户人均可支配收入的30%以上。朝天区两次获得全省"三农"工作先进县(区)称号,连续两年被评为全省农民增收工作先进县(区)。

一、发展规划:"整体化+个性化"

区、乡(镇)、村通盘谋划产业发展规划,在《精准扶贫精准脱贫总体规划(2015—2018年)》指导下,层层编制产业扶贫专项方案,分年度制订农业、林业、旅游、电商等产业扶贫实施计划,做到规划横向到边、纵向到底。在规划过程中,根据贫困村和贫困户的实际,充分尊重贫困户意愿,因地制宜、因村施策、因户施策,体现个性化、差异化发展,为贫困村和贫困户量身定做产业发展规划,避免了产业规划"千户一面",为贫困户实行个性化扶持奠定了良好基础。

二、产业格局:"一村一品+一户一园"

坚持以市场需求为导向,立足贫困村气候条件和资源禀赋,发挥山区生态优势,大力发展绿色生态农业,实施"一村一品"富民工程。全区64个贫困村建成了50个核桃专业村,贫困户人均拥有核桃达2亩,专业村贫困户核桃收入占人均纯收入的53%。素有"广元小西藏"之称的曾家山通过发展高山露地绿色蔬菜让贫困户走上了脱贫致富之路,基地乡(镇)人均蔬菜收入3000余元。花石乡梧桐村贫困户充分利用青杠林资源,在房前屋后种植香菇,年收入近2万元。充分利用贫困户房前屋后土地、林山等资源,因地制宜建设菜园、果园、养殖园、休闲农业园,发展绿色蔬菜、特色小水果、生态畜禽养殖、休闲农业和乡村旅游,全区70%的贫困户形成了"一户一园"的产业格局。

三、经营模式:"业主带动+市场拉动"

一方面,支持和鼓励贫困户领办农民专合组织,发展家庭农场,成为专业大户,提高规模经营效益;另一方面,大力促进农业企业和农民专合组织与贫困户建立利益兜底、收入分成、入股分红、二次返利等紧密利益联结机制,带动贫困户增收。全区龙头企业和农民专合组织带动50%以上的贫困户发展产业,带动贫困户人均增收近600元。同时,打通农产品进城通道,通过线上线下相结合的方式促进农特产品销售,拉动贫困户增收。在10余个省20余个大中型城市建立了朝天农特产品销售摊位、摊点和窗口40余个,发展农村电商服务站和电商企业48家。朝天核桃远销10余个省40余个大中城市及日本、韩国、东南亚部分国家,曾家山蔬菜畅销省内外50余个大中型城市并直供澳门。创新开展经济林木(果)权抵押贷款,与天府商品交易所合作,积极筹建股份制朝天核桃交易中心,通过核桃树作价入股、产业扶持资金入股的方式构建起"互联网+"产销新模式,让贫困户共享核桃产业发展收益。

四、投入渠道:"项目整合+社会多元"

坚持大整合大投入,统筹使用项目资金,提高资金综合使用效率。2016年整合项目资金1.35亿元以上投入精准扶贫、新村和现代农业园区建设,大力改善农业生产条件,提高农业综合生产能力,特别是对2015年、2016年脱贫的贫困村和贫困户实行同等投入,为当年计划脱贫的每个贫困村安排了20万元的产业发展周转金,为当年计划脱贫的每户贫困户安排了3000~4000元的产业发展补助资金和5万元以内的贴息扶贫小额信贷支持。制定完善了支持产业发展、新村建设等政策体系,安排财政资金1000万元以上用于扶持和培育新型农业经营主体,吸引各类民间资本参与农村产业发展。全年新引进和培育各类投资农业的主体90余个,投资总额达15.34亿元,比上年增长 10.9%,带动了近 20%的贫困户增收。

以现代农业园区建设带动区域整体脱贫

中共苍溪县委农村工作委员会

2016 年,苍溪县以全域园区建设为抓手,统筹推进"一园三区"融合发展,加快传统农业向现代农业转变,推动区域整体脱贫与全面奔康"两轮"驱动齐步走。

一、以山水林田路综合治理为抓手,建设现代农业综合园

全县把现代农业园区作为发展优势特色产业的综合载体,围绕山水林田路综合治理,推动区域内基础设施整体提档升级,彻底改变贫困村基础设施落后现状。按照苍溪红心猕猴桃为主导,苍溪雪梨、畜禽养殖、乡村旅游为骨干的"1+3"特色产业定位,打破乡(镇)、村(组)地域,推行万亩园"带"千亩园、种植园"套"养殖园、产业示范园"联"农户标准园的群园联动模式,"因山就势、长藤结瓜"组团式发展现代农业,建成万亩现代农业园区 17 个、千亩现代农业园区 61 个、百亩产业示范园 120 个,全县特色产业基地面积达 50 万亩。

二、以贫困户脱贫攻坚为先导,建设脱贫奔康示范区

全县着力"一片一园区、一村一产业、一户一庭院、一人一万元"的建设思路目标,在地理条件适合、辐射带动明显的地方集中连片建设万亩现代农业园区 17 个,覆盖贫困村 130 个、贫困人口 2.3 万人,通过园区建设实现覆盖村基础设施整体提升、支柱产业整体提升、公共服务整体提升、园区社会治理整体提升,集中打造脱贫奔康示范园,辐射带动贫困村整体脱贫"摘帽"。结合脱贫攻坚"一村一策、一村一品"产业精准发展路径,全县发展猕猴桃 39.2 万亩、苍溪梨 15 万亩、优质粮油 50 万亩,建成规模化畜禽养殖小区 437 个。加快农村 C、D 级危房改造和易地扶贫搬迁项目建设,推进农居改造和新村建设。

三、以培育新型农业经营主体为抓手,建设产业融合发展示范区

依托园区产业资源集中优势,大力培育专合社、职业农民、农村经理人,带动农民就业、农业转型、农村致富。全县累计流转土地 23 万亩,培育龙头企业 118 家、家庭农场 138 家、专业合作社 523 个。积极推广网上营销、直供营销和连锁营销等模式,"订单果业"覆盖全县 90%以上。推行"接二连三"产加销一体化,建成国家级猕猴桃综合示范园,开发 20 余种精深加工农产品。大力实施"品牌带动"战略,苍溪红心猕猴获得中国驰名商标和国际农博会、西博会等多个金奖。

四、以激发动力为目标,建设农村改革实验区

着力选择现代农业园区范围划定村组先行先试农村改革,推进农村土地承包经营权、集体土地所有权、房屋所有权、小型水利工程所有权、集体资产所有权、集体建设用地使用权、集体林权"七权"同确,联动推进农村综合改革,最大限度激发农村资源活力,实现倍增效应。创新农民利益联结机制,推进财政支农资金股权量化改革,完善推行"两保一分红"利益连接利益模式。创新农业社会化服务机制,厘清政府与市场的定位,坚持多予、少取、放活的方针,在园区建设以公益性为主导的多元化农业科技服务体系、分层次管理的农业基础设施服务体系、政府扶持的经营性农业生产服务体系、政事分设的农村经营管理服务体系、市场化为主的农村商品流通服务体系、金融机构为主体信用合作为补充的农村金融服务体系,社会化农村信息服务体系、政府主导的农产品质量安全服务体系。

五、实行四个统筹,强力推进现代农业发展

一是统筹规划。坚持规划引领,实现城镇与乡村、一二三产业的相融互动。42 个村处于现代农业园区核心覆盖或辐射带动脱贫村范围,分别占当年脱贫村和脱贫人口的 75%、80.9%。二是统筹资金。推行以一个重大项目为依托,配套其他项目的"1+N"涉农项目整合机制,建立"财政项目+农户投入、社会投入、金融支持"相配套的"1+3"农业投入体系,近 3 年整合涉农项目 6 亿元,带动农民投劳筹资和社会投入 10 余亿元。三是统筹力量。建立"一项产业、一位县级领导、一个推进办、一套专业技术队伍、一套考核办法和一张责任清单"的"六个一"工作机制,用好用活村民"一事一议"政策,引导群众参与产业规划、建设、管理,成为产业发展的主体。四是统筹管理。推行"1+5"园区党建模式,强化脱贫攻坚引领示范;深化返乡农民工"四项培养计划"和党员"三向培养计划",组织开展"第一书记"、基层党员干部、乡土人才精准扶贫技能培训,提升基层党组织活力,增强基层党组织脱贫攻坚能力和服务水平。46 个村实现整体脱贫,3.4 万人实现脱贫"摘帽",其中依托现代农业园区辐射带动近 2.3 万人脱贫增收。

以改革促实效 让土地"活起来"

中共资中县委农村工作委员会

2016 年,资中县抓住全省产权抵押融资试点工作契机,紧盯破解农村因无资产抵押而造成的"贷款难"瓶颈,反复调研、大胆探索,积极稳妥地开展农村产权抵押融资试点,激发农民生产经营的积极性和创造性,用"抵押限制"的减法换取"土地活力"的乘法。

一、夯实基础,推进农村产权确权流转

一是明晰权属活跃市场。加快推进农村产权确权登记颁证,为顺利推进农村产权抵押融资夯实基础。自 2012 年开展农村产权制度改革试点工作以来,积极探索推进以"三自一引"和"五步工作法"为基础的农村产权制度改革,结合工作实际,总结出"六权台账+确权底图"工作法,在多权同确的基础上建立"六权合一"数据库和农村"一张图"交易管理平台,实现了对农村资源的空间数据、产权动态、使用属性的统一管理。目前,已完成全县 21 个乡(镇)的确权登记工作。

二是合理设计交易体系。在确权颁证的基础上推进农民有序流转土地,推动适度规模经营。全县搭建县有交易所、镇有流转站、村有信息员的农村产权交易三级平台,将农村土地、房屋、农业类知识产权、集体经济组织股权、增减挂钩项目指标等 9 类产权纳入县级交易范围,各乡(镇)农村产权流转交易服务站负责流转信息的收集报送、政策业务咨询和纠纷调处工作;各村设立专(兼)职农村产权流转交易信息员,动态掌握本辖区土地流转最新信息。同时,成立了农村产权交易监督管理委员会,负责农村产权交易的协调、指导和监督管理。

二、改革创新,力促操作流程规范高效

坚持以政府为主导、以改革为突破,积极探索既规范严谨、又简便易行的具体操作办法,制定贷款管理办法和开发新产品,合力盘活农村资源,实现资源价值明确、可抵押、能融资,使农村资源变成了资产、资产变为了资本。

一是规范农村产权抵押登记工作。县农林局负责对农户用于抵押贷款的土地承包经营权和新型农业经营主体用于抵押贷款的土地经营权、林权进行抵押登记；县房管局负责在获得借款人抵押房屋依法偿债后有适当居住场所的保证书，且征得贷款人所在集体经济组织同意后对农村房屋所有权进行抵押登记；县国土资源局负责对集体建设用地使用权进行抵押备案。

二是创新农村产权价值评估工作。对市场价值明确的抵押物，由邮储银行、借款主体协商确定价值；对市场价值不明确的抵押物，由县农林局和县房管局分别负责制定农村土地经营权、林权以及农村房屋所有权的参考指导价，供邮储银行参考。

三是完善风险分担机制。建立由借款主体、金融机构和政府共同承担损失的风险分担体系。县政府设立农村产权抵押融资风险补偿金，用于补偿农村产权直接抵押贷款经逾期清收无法收回损失的70%，邮储银行承担损失的30%。

四是明确优先支持对象。邮储银行资中县支行将在全县范围内安排信贷规模用于农村产权融资贷款投放，在同等条件下优先投放在现代农业科技园区，优先使用于以家庭农场为代表的新型农业经营主体，优先支持种养大户、家庭农牧场、农民合作社、产业化龙头企业等新型农业经营主体发展。

三、强化保障，确保改革工作扎实有效

一是加强组织领导。成立县委书记、县长任组长的农村产权抵押融资试点工作领导小组，建立相关单位组成的联席会议制度，协调解决工作中的具体问题，扎实稳妥推进抵押融资试点。

二是明确工作职责。强化县级部门分工协作，县统筹委负责试点工作领导小组日常事务；县财政局负责风险补偿基金的缴存和管理、试点工作经费的拨付；人行资中支行负责在业务上进行指导和支持；邮储银行负责贷款产品介绍、推广、发放、管理。为确保试点工作顺利进行，县财政设立风险保障基金300万元，对试点中农村产权价值评估、抵押登记工作予以经费保障，不再向贷款申请主体收取费用。

三是强化信息采集共享。积极推进农村信用体系建设，将农户和规模经营业主的信用信息录入信用信息系统，准确把握贷款借款人的基本情况，采用现行公认的评价手段和评估办法，通过特定的分析，对农户和规模业主做出公正评价并形成信用排名，为农村产权抵押融资提供信息支撑。

资中县狠下“绣花”功夫推动脱贫攻坚

资中县扶贫移民服务中心主任　陶　睿

资中县地处四川省中部，辖区面积1734平方千米，辖33个镇，总人口132万人，是全省70个丘陵大县、20个百万人口大县、首批27个扩权强县之一，是全省“四大片区”之外贫困村数量超过100个的4个县之一，贫困村、贫困户数量超过全市1/3，脱贫攻坚任务十分艰巨。资中县贫困状况主要呈现面宽量大、劳动力少、文化程度低、病患残疾多、基础条件差等特点，属典型的“插花”式贫困。近年来，资中县贯彻落实上级脱贫攻坚决策部署，突出抓好基础性工作、政策兜底、医疗救助、住房条件改善等重点，大力实施精准扶贫、精准脱贫，努力探索走出一条解决丘陵地区“插花”式贫困的新路子。

一、“三级联动”，全面压实工作责任

一是建立县级“指挥部”。县上成立由县委书记、县长任组长的脱贫攻坚领导小组，定期研究解决脱贫攻坚工作中的重大问题，在“四大片区”之外率先将扶贫移民局局长提拔为县政府领导；召开县委常委会8次，研究审议脱贫攻坚议题10余个；主持召开脱贫攻坚工作专题会18次，制发《资中县脱贫攻坚实施意见》等文件20余个。二是建强镇村“前哨站”。坚持乡（镇）党委书记例会制度，建立脱贫攻坚周例会、月报告和季督导、不定期督查等制度，采取县级领导蹲点督导、督查组定期不间断督导、扶贫移民局经常性指导等方式推动脱贫攻坚工作有效落实。严格驻村帮扶干部、“第一书记”日常管理考核，将考核结果作为其评先评优、晋升职级、提拔使用的重要依据。2016年乡（镇）换届提拔“第一书记”17人，占全县派出“第一书记”总人数的20%。三是建设社会“突击队”。扎实开展就业援助、金秋助学、“栋梁工程”、“博爱家园”、“万企帮万村”等扶贫活动，着力打造具有地方特色的社会扶贫公益品牌。“栋梁工程”筹集资金306万元，资助优秀贫困学生1128人次；16家企业对口帮助16户贫困户建房。

二、“三大创新”，全面推行“痕迹”管理

一是创新制作作战图。制作了县、镇、村脱贫攻坚5张作战图，一体化展示致贫原因、精准帮扶措施、产业发展规划、住房条件改善、联系帮扶责任等内容。二是创新制作“明白卡”“明白条”。在上级规定内容的基础上，为每户精准脱贫户制作了内容较为详尽的“明白卡”和政策兑现“明白条”，使脱贫户有了获得感。三是创新建立贫困户精准脱贫档案。为每户脱贫户制作了精准脱贫档案，内容包括贫困户基本情况信息、减贫情况、帮扶措施及成效、家庭及家庭成员收支明细、市县等联系帮扶部门帮扶备忘录等，对精准脱贫实施全程留痕管理，建立了精准脱贫户多方确认、规范科学的收入账、脱贫账。

三、“三措并举”，全面落实扶贫政策

一是落实医疗扶贫政策。针对全县贫困户中因病、因残致贫占比偏大的现状，县委县政府每年安排2000万元新农合沉淀资金，对贫困户就医实行定向补偿。9月，率先在全市实现“零支付”，提前达到了省委书记王东明提出的贫困人口自付费不超过10%的目标。二是落实住房保障政策。对拟脱贫的577户属于危房户、无房户的，全面推动农村D级危房改造帮助其建新房。9月，县财政先期拨付577万元作为启动资金，截至12月，已兑付1000余万元，2017年拟脱贫的贫困户已实现安全住房有保障。三是落实特困救助政策。设立特困求助、医疗救助、教育扶贫、金融扶贫四项基金，积极引导社会捐助，加大财政投入力度，基金池金额达1500万元。

四、“三点发力”，全面破解攻坚瓶颈

一是抓产业发展扶持。针对全县产业发展不均衡的问题，县委县政府通过发展“庭院经济”、打造“一村一品”、建立“产业+企业+就业+创业”利益联结机制等方式构建起“长中短”相结合的脱贫模式，为28个贫困村每村安排10万~20万元作为贫困户产业股本，集中打造“一村一品”；8733名贫困人口每人按照500元的标准进行产业扶持，确保贫困户持续增收。2016年共向贫困户发放鸡、鸭、鹅等小家禽13.5万只，“川中黑山羊”等大家禽9180头，帮助贫困户新植经济作物12614亩，贫困户户均增收500余元。二是抓集体经济发展。为每个贫困村建立村集体资产统计、财政补助收入统计、经营收入统计“三本台账”,其中村集体资产统计台账详细记录集体资产情况;财政补助收入统计台账全面展现贫困村退出投入情况,与精准档案互为补充;经营收入统计台账展示盘活“资产型、资源型、资金型”村集体资源情况以及发展壮大集体经济的一些有益探索。创新集体资产商品化、投工投劳资本化、基础设施股权化、家政服务专业化集体经济发展“四化模式”,在集体资产商品化方面,平安寨综合体超市租金达10260元/年;在投工投劳资本化方面,银山镇金紫铺村集中供水项目村民投工投劳折算资本30万元;在基础设施股权化方面,高楼镇雨台村依托不知火产业优势修建果蔬配送中心,预计年收入180余万元,村集体收入10.2万元,直接作用于贫困户资金可达8.16万元,贫困户人均增收近600元;在家政服务专业化方面,明心寺镇唐明渡村等3个村成立资中县弘兴家政服务有限责任公司,除6%的收益用作特困党员帮扶外,其余全部作为集体经济收入。三是抓电子商务扶贫。依托全县农村电子商务发展的良好基础,积极探索帮助有条件的贫困户开设微商微店销售农特产品。同时,在贫困户明白卡上设计二维码,扫码后就能直观了解到脱贫政策、贫困户基本情况以及贫困户生产的农副土特产品。截至目前,全县二维码助推电商扶贫的相关信息已被省脱贫办工作简报采用。

五、“三位一体”,全面精准督导验收

一是督导检查“全覆盖”。制发《资中县脱贫攻坚督导验收工作方案》以及指导意见;抽调行业部门精兵强将组建10个督导组开展督导、验收工作人员专题培训,督导组针对拟退出贫困村和贫困户开展了多次逐村、逐户全方位督导。二是问题整改“发点球”。召开脱贫攻坚领导小组会议,根据督导组梳理出的问题清单,采取督查组指出问题,县委县政府分管领导、主要领导点评,各镇党委书记作整改承诺的方式,对有脱贫任务的镇进行逐镇梳理、逐项分析,进一步查缺补漏、整改问题,县脱贫办将问题清单以发点球的形式发至各镇,责令其限期整改并加强跟踪问效。三是退出验收“不遗漏”。精心设计《贫困村退出情况表》《贫困户脱贫情况表》《脱贫攻坚项目实施表》,以清单方式量化到村、到户、到人,力求贫困村退出和贫困户脱贫指标精准。组建10个验收工作组,采取“村村到位、户户见面、人人过关”的方式,与贫困户面对面算清收入账,经贫困户认同后当面签字,确认脱贫。2016年,全县18个贫困村退出,8733名贫困人口脱贫高质量通过省、市验收考核,在全省72个非贫困县中位列第六,受到省委省政府的表扬。

中国共产党对“三农”理论的探索与创新

乐山市市中区人大代联工委主任　唐成凡

农业、农村和农民问题是中国社会经济发展过程中一个十分突出的问题。“三农”问题被提高到“全党工作的重中之重”,“三农”工作被强调为“经济工作的重中之重”。在中国共产党建党95周年之际,让我们来共同回顾中国共产党在革命和建设中对“三农”理论的探索和创新。

一、马克思主义为“三农”理论发展创新奠定了基础

马克思主义是人类社会发展到一定阶段的产物,它必然随社会实践的发展而不断丰富和完善。对于资本主义生产方式下农民的贫困、小农经济的发展难题、工业化与农业、农业与资本积累以及城市化与农民等一系列基本问题,马克思都给予了长期关注和研究。他评价重农学派观点:“超过劳动者个人需要的农业劳动生产率,是一切社会的基础,农业的一定发展阶段,不管是本国的还是外国的,是资本发展的基础。”这就为认识农业在国民经济中的作用指明了方向,也为理解农业的基础地位提供了理论依据。马克思关于农业特征的认识独到而深刻,他指出:“农业的经济的再生产过程,不管它的特殊的社会性质如何,在这个部门(农业)内,总是同一个自然的再生产过程交织在一起。”这为我们认识农业的多重风险、加大对农业的支持保护指明了方向。马克思重视农民的自主产权,认为只有当农民获得自由支配属于自己所有的劳动力和劳动条件才能得到充分发展,才能显示出他的全部力量,这为解决“三农”问题、构建城乡和谐发展提供了重要的指导思想。在论述宏观经济社会再生产时,马克思强调两大部类生产比例的协调和均衡,这对我们进一步认识工农业关系,推进以工补农、以城带乡,保持合理的经济结构具有重要的指导意义。此外,马克思对于农业工人的转变以及农村劳动力向城市的转化也进行了系统的分析和论述,这对认识当前农村劳动力转移和“农民工”问题同样具有重要价值。

二、毛泽东从理论走向实践,开创“三农”发展的中国模式

中国是个农业大国,农业、农村、农民问题始终是中国革命和建设的根本性问题。毛泽东等老一辈无产阶级革命家始终把“三农”问题的研究与探索同中国民主革命与建设的步伐紧密联系在一起,创造性地提出有关中国“三农”发展的理论。

在民主革命时期,毛泽东针对全国农民占劳动力总数的79%且生产力十分落后的实际,提出了关于“农村包围城市,建立工农联盟”的思想,实现了对马克思主义理论的重大创新和实践突破。中华人民共和国成立以后,毛泽东在《论十大关系》中提出了农、轻、重的发展脉络,强调将农业放在重要位置,他还试图用合作社的办法解决小农户与大生产的矛盾,不仅进行了理论研究,而且在全国范围进行了实践探索,尽管其中有成功、有教训,却始终没有放弃过努力。

三、邓小平在创新中实现跨越,使中国农村市场化改革率先启动并取得成功

针对社会主义建设中的成功与难点,邓小平同志强调走中国特色社会主义道路,领导中国走向了改革开放的新征程。提出建设社会主义市场经济体制是对马克思主义的重大理论创新和实践创造,不仅在我国社会主义建设历程中是开创性的,而且在世界社会主义发展史上也是前无古人。这一市场经济体制的改革实践在农业农村领域取得了长足发展。

邓小平同志反复强调农业是根本,指导我国改革从农村率先开始。农村改革与发展的伟大实践印证了邓小平同志对“三农”问题规律性认识的深化。一是改革土地承包关系。实行统分结合的双层经营体制,极大地调动了农民积极性,解放了生产力。二是发展农村市场经济,极大地发挥出市场机制配置资源的作用,有力地促进了农业生产发展。三是解放农村劳动力。农民成为市场主体,面对两个市场,逐步提高组织化、规模化程度,发展农村二、三产业,相当一部分农民转移到城市地区,成为城市建设的主要力量,为发展城乡互动的市场经济、改变二元经济结构奠定了基础,这些基础性的改革创新成为我国农业和农村经济持续发展的重要支撑点。

四、在“三个代表”重要思想和科学发展观指导下，“三农”理论日渐形成

“三个代表”重要思想和科学发展观是当代中国的马克思主义，为“三农”问题的研究解决提供了思想基础，具有中国特色的当代“三农”理论体系已逐步形成。

从深化对农业基础地位的认识到“重中之重”的战略选择，当代“三农”理论阐明了根本认识问题。我国的基本国情决定了“三农”问题的首要地位，尽管农业和农村经济在国民经济中的份额会有所下降，但农业的基础地位和重要作用始终突出。江泽民同志多次强调，农业是国民经济的基础，农村稳定是整个社会稳定的基础，农民问题始终是我国革命、建设改革的根本问题，这是我们党从长期实践中确立的处理农业、农村、农民问题的重要指导思想。胡锦涛同志高度重视“三农”问题，在准确把握“三农”工作历史方位的基础上，强调“三农”问题是全部工作的重中之重，创造性地提出了“两个趋向”的基本判断，成为我们判断农业农村形势、明确工作方向最根本的出发点。

从坚定不移地推进农业市场化改革到不断加强宏观调控，当代“三农”理论阐明了体制机制问题。坚持市场取向、不断深化改革对于加快农业农村现代化具有决定性的意义。在农村发展社会主义市场经济，必须解决好农产品价格政策问题，必须加强宏观调控。党的十六大以来，中央多次强调在推进社会主义市场经济中必须同时发挥好市场机制和宏观调控的作用。在农业农村市场化改革过程中一方面完善农业市场体系，充分发挥市场机制对资源配置的基础性作用；一方面不断加强和改善宏观调控，强化对农业的公共服务和监督管理，体现了我们党对发挥“两只手”作用的清醒认识和正确运用。

从重视对农业和农民的支持保护到逐步形成“多予、少取、放活”的基本方针和贯彻“两个趋向”的重要论断，当代“三农”理论阐明了政策选择问题。在社会主义市场经济条件下，“三农”发展光靠市场调节是不行的，必须通过财政、金融、社会保障等多方面的手段加以扶持和保护，这也是世界上许多国家的通行做法。胡锦涛同志多次强调，全面建设小康社会，最艰巨、最繁重的任务在农村，加快推进现代化，必须妥善处理工农城乡关系。中央提出贯彻“两个趋向”重要论断，实施“多予、少取、放活”的基本方针，出台一系列支农扶农政策使得我国“三农”政策措施取得了新突破。

从改善农村面貌的初步构想到新农村建设宏伟蓝图的绘就，当代“三农”理论阐明了总体目标问题。从最初提出“楼上楼下，电灯电话”的朴素理想以来，我党在农村建设的发展目标上日渐清晰。党的十六届五中全会实现了农村建设的理论创新，提出了建设社会主义新农村的总体构想和发展战略，明确了五句话20个字的总体目标，绘就了新农村建设的宏伟蓝图，从经济、政治、文化、社会和党的建设相结合的高度指明了新世纪农村发展的根本方向，这是对马克思主义“三农”思想的新发展，对于从根本上统筹解决“三农”问题将会产生深远而积极的影响。自党的十六届五中全会提出建设社会主义新农村以来，从中央到地方，紧紧围绕党中央提出的“生产发展、生活宽裕、乡风文明、村容整洁、管理民主”的目标要求，扎实稳步推进社会主义新农村建设；各级党委政府进一步重视，方向更加明确，思路更加清晰，目标更加具体，措施更加有力；广大农民群众热情很高，主体作用进一步发挥，投资投劳建设的自觉性增强；财政投入大幅增加，对产业开发、基础设施建设的支持扶植力度空前加大；农村经济稳步发展，产业结构进一步优化，粮食稳定增长，农村市场进一步活跃，农民收入保持增加；农村教育、医疗、养老、保险等社会公益事业明显改善；支农惠农政策得到认真落实，示范村建设有序推进。

从巩固传统农业到全面建设高产、优质、高效、生态、安全的现代农业，当代“三农”理论阐明了发展道路问题。建设新农村，产业是基础。以科学发展观为指导，人类社会对于农业的认识在不断深化，党的十六届五中全会明确提出要建设高产、优质、高效、生态、安全的现代农业，赋予了农业新的内涵，现代农业是数量、质量和效益的集中体现，也是先进生产力、先进技术、先进文化的集中体现，中央对于现代农业的新技术、新理念非常重视，不断推动农业向数量质量并重、生产生态并举转变。全面建设现代农业，核心是继承和发挥传统农业的优势，汲取人类社会在农业领域的一切先进成果，使农业长期焕发生机和活力。

党的十七大指出，“解决好农业、农村、农民问题，事关全面建设小康社会大局，必须始终作为全党工作的重中之重”，把解决“三农”问题与“全面建设小康社会大局”紧密结合，强调要“始终”作为全党工作的重中之重，这是对全面建设小康社会、建设中国特色社会主义发展规律的深刻把握，是对发展实践和历史经验的科学总结，是对全党工作的重要要求。“坚持把发展现代农业、繁荣农村经济作为首要任务”，发展现代农业，繁荣农村经济是提高农业综合生产能力、保障农产品供给、增加农民收入的根本途径，是改善农村生产生活条件、建设社会主义新农村的物质基础，是统筹城乡发展、促进社会和谐的重要保障。

五、党的十八大科学定位“三农”，发展了我党关于“三农”工作的指导思想与政策理念

党的十八大报告对“三农”问题做了许多重要阐述，并专题部署了“推动城乡发展一体化”工作，明确提出加快发展现代农业、增加农民收入、建设新农村、推进“四化同步”等重大任务，提出了一系列新思想、新观念、新举措。

党的十八大报告强调，解决好农业、农村、农民问题是全党工作的重中之重，这一科学定位，充分体现了党对国情、农情的深刻认识和准确把握。党的十八大描绘了全面建成小康社会的宏伟蓝图，无论从保障供给看，还是从扩大内需看，无论从经济总量增长看，还是从人均收入增加看，无论从经济发展看，还是从五位一体全局看，对农业农村发展的要求都会越来越高。全面建成小康社会，基础在农业，难点在农村，关键在农民，小康不小康，关键在“老乡”。

要坚持走中国特色新型工业化、信息化、城镇化、农业现代化道路，促进工业化、信息化、城镇化、农业现代化同步发展；城乡发展一体化是解决“三农”问题的根本途径，这是我党对现代化发展规律与历史经验的科学总结，是对新形势下工农、城乡关系的深刻认识，也是推动“三农”问题解决的总体思路和路径设计。习近平在吉林省调研时强调，“任何时候都不能忽视农业、忘记农民、淡漠农村。必须始终坚持强农惠农富农政策不减弱、推进农村全面小康不松劲，在认识的高度、重视的程度、投入的力度上保持好势头。”他指出，“农业是人类社会赖以生存发展的基础产业，把发展农业、造福农村、富裕农民、稳定地解决13亿人口的吃饭问题作为治国安邦重中之重的大事。”

把发展农业农村经济放在“三农”工作的首位，无论什么时候都不能动摇，无论什么条件下都不能放松，必须紧紧围绕这一首要任务，坚持不懈地解放和发展农村生产力，促进农业农村经济又好又快发展。

岳池县扎实推进大米产业发展

中共岳池县委农村工作委员会

近年来,岳池县以绿色发展理念不断引领农业供给侧结构性改革,抓住大米产业,做好米粉文章,推动建基地、搞加工、创品牌,全面加快岳池米粉做成大产业发展步伐。2016年,全县水稻总产量32万吨,其中优质稻产量12万吨,实现连续十年增产,第五次获得省政府粮食生产丰收杯奖。

一、推广良种良法,建设优质稻米基地

一是统一规划布局。坚持规划先导、产业跟进,全覆盖、高起点编制优质稻米产业发展规划。聘请省农科院专家专题调研,科学划定岳池县优质稻米生产种植区。2016年,全县发展优质稻20万亩,订单收购12万吨、品牌销售"银岳池"稻米6万吨。2017年,全县发展优质稻22万亩,计划订单收购18万吨、品牌销售"银岳池"大米16万吨;计划新成立优质稻种植专业组织25个,发展种粮大户39户。

二是统一标准生产。在土壤改良、品种选择、灌溉、施肥、病虫害防治、收获、加工、包装、运输、销售等水稻生产全过程按照绿色、有机的要求实施全程标准化操作,推广配方施肥、绿色生物防控,确保优质稻生产全程安全、环保。深入推进农产品质量安全县创建,建立健全检验、检测和可追溯制度,积极创建省级无公害水稻生产示范基地和全国绿色食品水稻标准化生产基地,打造"银岳池"无公害、绿色稻米品牌。积极探索"龙头企业+基地+农户""龙头企业+合作社(家庭农场)+基地+农户"等生产经营模式,发展优质稻种植专业合作社61个、家庭农场16个、种粮大户118户。

三是统一机械作业。加大水稻插播机、收割机、旋耕机、大型抽水机等生产机械推广力度,提高农机购置补贴比例,引导水稻生产专合组织、种粮大户购置现代农业机械,近三年来新购置水稻生产农机设备1.1万台(套)。大力推广农业机耕、机收服务,依托岳池腾飞农机农艺专业合作社等服务主体,完成水稻机耕35万亩、机插秧12万亩、机收38万亩,水稻机耕、机收率均达67%以上。

二、推进农工融合,延伸大米产业链条

一是做强精深加工。按照"扶优、扶大、扶强"的原则,对四川银丰食品有限公司、久华大米加工有限公司等农产品加工龙头企业予以重点扶持,聘请专业机构给予技术指导和政策扶持,引导龙头企业技改升级、提升产能和品质。2016年,全县发展规模以上农产品加工企业20家(粮食类5家、油料类1家、白酒类3家、食品类4家、木材类4家、调味品类1家、肉类2家,实现总产值50亿元,同比增长5.1%,其中省级产业化龙头米粉企业1家、规模以上米粉企业2家、米粉加工作坊4家,米粉年生产能力约6000吨)。计划依托四川银丰食品有限公司建立集优质大米加工、多品种直条米粉加工、风味快餐米粉加工、大米系列制品深加工等多种米粉加工功能于一体的大米深加工体系,提升岳池大米产业附加值。

二是做优品牌包装。统一大米品牌包装,积极注册申报"银岳池稻米"地理标志商标并作为岳池大米公用品牌,拓宽市场覆盖面,创建品牌效益。倾力打造"黄龙贡米""排楼香米""粽粑油米""莲桥米粉"等"银岳池"稻米特色品牌,重点强化"黄龙贡米""排楼香米"高端设计精致包装,使其成为大中城市市民走亲访友的时尚礼品。2016年,全县共销售品牌优质大米8.5万吨,提升产值5.1亿元。深入挖掘岳池米粉文化内涵,积极开发绿色有机米粉食品,统一推广岳池米粉连锁品牌,强化品牌申报认证,岳池米粉获得国家地理标志商标。

三是做大宣传推介。积极组织大米精深加工企业组团参加川渝名优特新产品展、中国西部国际博览会、四川农业博览会等农产品展会,加大以岳池米粉为拳头产品的优势特色米制品推介展销力度,有效提升产品知晓率。准确定位瞄准市场,针对不同消费阶层制定营销策略,其中对于中上社会阶层大力销售推广"黄龙贡米""排楼香米""粽粑油米""保健药用米粉"等精品米制品;针对普通市民销售推广特色优质普通大米及其米制品。开展精品营销,开展《岳池米粉》电视专题片、纪录片、书籍和画册的制作,计划发行岳池米粉宣传指南、手册,积极引导新闻出版社、广播电台、互联网等媒体对岳池米粉进行宣传报道,以全方位、密集型宣传投放方式占有市场。

三、借力"互联网+",唱响"岳池大米"品牌

一是加强产品质量监管。建立优质稻米生产、加工、销售全过程监管体系,加强大米产业质量监管。结合物联网、互联网手段,严控生产、车间加工、物流流程,健全完善质量溯源和安全管控体系,实现大米产品从田间到餐桌的全程保障。健全县、乡、村三级农产品质量监管体系,加强大米产品检验检测,严控农药化肥施用,从源头上保障大米产业食品安全。

二是健全现代物流体系。坚持市场运作、创新驱动、协同发展,大力推进全国电子商务进农村示范县建设。建成县城电商服务中心、O2O体验馆,集聚46家电商企业入驻岳池;建成乡(镇)电商物流分中心46个、农村电商服务站点350家。同时,加强与中通、百世汇通等快递企业的合作,组建岳池县快递物流协会,推进农村电商服务站和物流配送站乡(镇)全覆盖,加速"农货入网、土货进城"步伐。加强大米销售市场建设,岳池县粮食专业物流集散市场建设顺利推进,支持龙头企业、业主和城乡居民在县城开设岳池优质米礼品专卖店58家、米粉直营店129家。

三是做好农村电商文章。实施"互联网+农产品"战略,畅通"银岳池稻米"销售渠道。探索建立大米、米粉销售"市场直通车",加速实现大米、米粉网销规模化、专业化、标准化。组织策划大米、米粉上网销售,推动电商企业下乡,培育一批能独立运用电商平台的"行家里手",扩大销售覆盖面。全县培育大米网上营销商1家,年销售额达240万元。

四、健全支撑体系,优化发展环境

一是强化组织推动。成立县长任组长的"银岳池"稻米产业发展领导小组,下设办公室于县农业局,统筹抓好全县稻米订单生产、加工包装、品牌创建等工作。成立县委副书记任组长的岳池米粉产业发展工作小组,下设办公室于县经信局,落实工作人员4人,专项推进米粉产业加快发展。各乡(镇)依托农技站具体负责优质水稻生产规划落实、质量监管,从源头上保障稻米产业品质。

二是强化政策扶持。出台《关于大力发展稻米产业的意见》,县财政给予农户优质稻推广10元/亩的良种补助,给予种植优质水稻3000亩以上的业主规模标准化种植补助1万元/户,按照省补贴标准的30%给予农机购置补贴奖励;对成片种植"黄龙贡米""粽粑油米""排楼香米"等特色品牌达到3个村全覆盖或3000亩以上的乡(镇)一次性奖励2万元。2014年以来,县财政共兑现各类稻米产业发展补助资金300余万元。开展《加快岳池米粉产业发展的指导意见》草拟工作,拟设立5000万元米粉产业发展基金,在岳池米粉企业体制创新、自主品牌创建、连锁网点建设、知识产权保护、融资信贷等方面制定特殊政策,支持米粉产业全产业链资金需求,解决融资难问题。

三是强化科技支持。加强与省农科院、四川农业大学等科研院所的校地合作,在岳池县建设稻米产业研究基地,培育特色地理品种,提升"黄龙贡米""排楼香米""粽粑油米"优质稻米品质。由四川省银丰食品有限公司发起,西华大学、四川省食品发酵研究院、四川省农科院、电子科技大学、广安市银禾米业有限公司等单位共同组建了广安市米粉产业技术研究院,设立了6个精英团队,覆盖米粉产业化研究、品种选育及高产栽培、检测管理产品质量、创建推广品牌、岳池米粉文化研究、行业技术指导和服务等,为岳池米粉产业发展提供坚强科技保障。

关于发展现代农业的思考

中共达州市通川区委农村工作委员会党委书记、主任　刘人中

通川区位于四川省东北部、达州市中部,东北与宣汉县相邻,西南与达川区毗邻,西北与平昌县接壤。全区辖19个乡(镇)、3个街道和1个旅游风景区管委会,有行政村192个、社区81个,辖区面积900平方千米,总人口60万人(其中农业人口31万人)。耕地总面积25万亩,林地面积49万亩,森林覆盖率达36%。

一、发展现代农业存在的问题及原因分析

(一)特色效益不突出

一是产品结构单一。产品结构缺乏横向和纵向延伸,同一产品多样性不够,还需在产品错季上市、新奇特培育种植上下功夫。二是产业融合不够。习惯于传统种养模式,缺乏对立体和循环农业的理解,致使产业链条不长、产品附加值不高。三是主题亮点不够鲜明。商标专利意识不强,缺乏对产品认证的创建,吸引消费者眼球的价值不高,生态环保绿色元素注入不够。

(二)品牌效应不明显

一是宣传打造力度不够。通川区虽然已打造了巴山脆李、金石高洞柚等品牌,但名气只局限于达州市内,缺乏市场核心竞争力和价格优势,需要通过媒体、农博会、网络等方式加大宣传推介力度。二是产品技术更新换代滞后。在新技术研发和新产品培育方面缺乏专业人才,政策性扶持项目资金不足,满足于对传统品种依赖,如凤凰柚过去小有名气,但因缺乏品种的持续培育而面临消亡。三是品质提升欠佳。注重规模发展,忽视产品品质提升,迎合消费者理念不够,致使市场份额较低,如磐石草莓虽在数量和规模上有一定发展,但消费者认可度并不高,还需进一步提升产品的生态绿色品质。金石高洞柚略带酸味,还需进行口感技术的改良。

(三)现代农业经营主体不强

一是只重数量不重质量。目前,全区龙头企业、农民专合社、家庭农场等经济主体虽然有一定数量,但规范化管理建设和市场引领带动作用方面还存在很大差距,缺乏经营理念先进、经济实力雄厚的经营主体参与到现代农业发展中来。二是过度依赖项目资金补助。新型农业经营主体空壳化现象严重,自身建设投入不足,满足于对政府项目扶持的渴求,缺乏内生动力支撑。三是利益联结机制不够健全。新型农业经营主体社会化功能不强,对当地经济促进作用不够明显,特别是带动贫困户致富增收方面没有实际举措,需要完善与农户之间的利益联结机制。

(四)现代农业基础配套落后

一是基础设施投入不足。通川区现代农业发展起步较晚,国家政策、项目、资金投入有限,改善农业基础设施缺乏项目支撑,加之区本级财力有限,政策投入机制建设也相对滞后。二是农田水利基础设施建设滞后。尽管实施了大量的土地、山坪塘整治、水库建设工程和人畜饮水等工程,广修水利,但仍有相当数量的田地存在靠天吃饭的现象。三是农村道路建设落后。自实施"农村公路村村通""交通三年攻坚"以来,农村交通得到较大改善,但道路交通网络还未真正形成,还存在部分村道、社道、断头路未硬化,加之部分乡村道路路基太窄,严重制约了农业生产资料运输和农副产品对外销售。

(五)现代农业产业化经营水平低下

一是企业规模数量小,优势不明显。通川区龙头企业多数是农产品加工型企业,大部分加工型企业中又是以初加工为主,精、深加工企业少,资源利用能力和示范带动作用不强。二是产业规模不够大。从产业布局、种植规模、生产标准等方面来看,在分散经营向规模化经营转化过程中,受土地流转、传统经营模式等因素制约,土地很难大规模集中,不能形成集约规模效益。三是产业市场不健全。农村专业市场建设滞后、订单农业落后、经济组织发挥作用有限。产业与市场、产业与企业缺乏有效的连接,相互依赖度不够强,不能形成共生、共存、共荣的发展局面。

(六)现代农业科技水平不高

一是农业科技推广力度不够。区乡涉农部门机构改革频繁,专业技术人员严重缺乏,混岗、脱岗、缺岗现象突出,农业科技推广力量严重不足,缺乏健全的农技推广机制体制和配套政策。二是农业机械化程度不高。近年来,虽然通过农业机械购置补贴提高了通川区农业机械生产水平,但总体机械化程度还不高,科技含量较低。三是农业信息化程度不够。群众对农业信息重视程度不够,接受能力差,无法掌握、理解和有效地运用农业信息,增加了经营主体准确把握市场信息和规避市场风险的难度。

二、关于通川区现代农业发展方向的思考

(一)切实把握现代农业发展指导思想

全区深入贯彻党的十八和十八届三、四、五中全会精神,牢固树立"创新、协调、绿色、开放、共享"发展理念,坚持农业农村改革主攻方向不动摇,大力推进农业供给侧结构性改革,优化产品结构、生产结构、产业结构和生产力布局,加强体制机制创新,加快农业现代化进程,大力促进一二三产业融合发展;加大强农惠农富农力度,全力打好脱贫攻坚战,扎实推进幸福美丽新村建设,持续改善农村生产生活条件,推动农业农村发展再上新台阶。

(二)立足区情定位全区现代农业发展方向

加快转变农业发展方式,调整优化农业产业结构、生产结构和区域布局,大力推进粮经饲统筹、农林牧渔结合、种养加一体化、产供销一条龙、农业基础设施建设、新型农业经营主体培育、一二三产业融合发展,构建现代农业产业体系、生产体系、经营体系。

推进农业供给侧改革。进行种养殖业结构调整,不断优化产业结构、品种结构、品质结构,促进通川区农业产业升级发展。一是城市周边的北外、魏兴、复兴、磐石等乡(镇)以都市体验农业为主导,打造万亩草莓基地、万亩花卉苗木基地、万亩时令水果基地,形成通川区环都市农业产业带。二是在罗江、蒲家、双龙、东岳、新村等乡(镇)大力发展特色蔬菜瓜果,满足城乡居民"菜篮子"需求。三是在碑庙、北山、江陵、金石等北部山区海拔500米以上的村社连片发展

优质万亩水稻基地,打造万亩茶叶基地、万亩中药材基地;在低海拔地区打造万亩高洞柚基地,在中低海拔地区打造万亩核桃基地;加强种养结合,推进生态循环发展,打造万只黑山羊繁殖基地、肉牛养殖基地。

培育农村新产业新业态。加强全区休闲观光农业、乡村旅游业发展,开发农村特色工艺品,促进新业态千姿百态、竞相发展,不断丰富农民增收的产业形态;鼓励引进大型电商、农业产业化龙头企业,培育参与新业态的家庭农场、农民合作社、乡村酒店等新型农业经营主体;支持新业态人才培训、认定和就业,把返乡创业青年、大学生村干部、农村致富能手培养成新业态带头人。

提升农业综合生产能力。整合国土、农业、水利、发改、财政等部门项目资金,深入推进3万亩农建综合示范区和省第三轮幸福美丽新村示范县建设项目;加强农村沟、渠、路、水等基础设施建设,强化耕地地力培肥和保护,提高主要农作物综合机械化作业水平。

全面实施扶贫解困。按照区委区政府精准扶贫解困工作要求,不仅要加强贫困村的产业扶贫工作,还要持续开展旧村改造、环境整治和文化传承行动,推动由“物的新农村”向“人的新农村”迈进,以幸福美丽新村建设带动脱贫攻坚;全面整治农村面源污染,实施农业废弃物无害化处理,开展化肥和农药使用量零增长行动。

推进农业农村经济体制改革。继续把农村改革作为全面深化改革的突破口,完成土地承包经营权确权登记颁证工作,加快推进农村产权“多权同确”,扩大集体资产股份合作制改革试点。加快林权流转立法,抓好林权抵押贷款改革试点。稳步推进土地制度改革,完善耕地和基本农田保护补偿机制。

构建新型农业经营体系。引导土地经营权规范有序流转,创新适度规模经营形式。加快培育新型农业经营主体,完善家庭农场配套政策,推进农民合作组织规范化建设。推广农业职业经理人制度,积极培育新型职业农民。创新农业社会化服务机制,优化农业公益性服务,发展多种形式的经营性服务组织。深化供销合作社综合改革。

促进一二三产业融合发展。一是以优质水稻、油菜、水果、蔬菜等产业为依托,加强生态田园景观、美丽乡村建设。二是引进加工企业,推进农产品深加工,促进农业提质增效,从而培育做强做大主体产业。三是支持和鼓励种植大户、家庭农场、合作社、龙头企业加快发展订单直销、连锁配送、电子商务,着力提高农业附加值。四是农业既可以生产食物饱口福,也可以生产景物饱眼福,将北部金石五彩梯田—北山诗歌文化—梓桐红卅军政治部旧址—碑庙千口岭森林公园—青宁“空中草原”乡村旅游环线和双河口水库、复兴泰诚十里水街和罗江柳家坝等旅游景点纳入总体规划,突出对农耕文化、民俗文化、红色文化的挖掘与景观打造,着力发展以休闲度假、创意农业、观光体验、教育养生为重点的农业功能形态拓展。

已审定多年,仍然存在的场镇雨污未分流、“两违”建筑未妥善处理、风貌破败、危旧房较多、松石洞至重达家庭农场段场镇主要路段损毁严重等问题致使场镇整体形象和对外宣传效应打折扣,严重影响了体验区的整体形象,且与四川省“十三五”特色小城镇建设宗旨相悖,建议区委区政府将磐石场镇新城建设纳入议事日程,出台针对性政策,完善污水处理、生态垃圾处理、棚户区改造等基础设施,引入优秀文艺品牌提升场镇文化氛围,确保发展成果利益共享最大化。

(三)尽快成立磐石都市农业体验区管理机构

目前,体验区建设已初见成效,但后续管理的责任主体并未落实,仅靠磐石镇党委、政府,明显管理力量不够,难以形成系统、有效的管理机制。建议区委区政府尽快成立体验区管理机构,配备专业人员,建立健全相关管理制度,加强日常管理,全力推进磐石都市农业体验区健康持续发展,巩固发展成果,实现发展成果磐石群众共建共享。

通川区发展乡村旅游助推精准扶贫模式研究

——以磐石镇为例

中共达州市通川区委农村工作委员会机关党支部书记　周锐华

随着乡村旅游的迅猛发展,以乡村旅游为抓手,整合贫困地区旅游资源,提升贫困区域竞争力的乡村旅游扶贫模式已成为贫困地区摆脱贫困的新趋势。以达州市通川区磐石镇为例,该镇将发展乡村旅游与扶贫攻坚行动结合起来,大力实施乡村旅游扶贫计划,成效初显。但还存在一些问题,需要继续摸索,同时也需要区委区政府的关注和支持。

一、磐石镇贫困现状分析

磐石镇位于达州市通川区东南部,距达州市主城区13千米,东接宣汉县柏树乡,南接达川区江阳乡,西接北外镇犀牛山景区,北接宣汉县庙安乡,辖4个社区15个行政村120个村(居)民小组,辖区面积75.14平方千米,总人口2.7万人,有省定贫困村4个,建档立卡贫困户516户、1056人。近年来,磐石镇紧盯脱贫攻坚任务,聚焦“两不愁、三保障、四个好”目标,压紧压实责任、创新工作举措,脱贫攻坚取得阶段性成效,成功创建省级“四好村”1个、市级“四好村”4个(其中贫困村3个)、区级“四好村”7个(贫困村全覆盖),2016年成功实现盐井坝、渡口、米田、谭家沟等村脱贫“摘帽”。

二、磐石镇实施乡村旅游扶贫的优势条件

磐石镇位于磐石都市农业体验区的核心区域,具有发展乡村旅游的有利条件和基础保障,具有发展旅游观光与都市农业得天独厚的优势,按照区委“双核双带六区”总体战略部署,确定在磐石镇实施乡村旅游扶贫。

(一)产业基础雄厚

磐石镇是通川区的农业大镇,素有“草莓之乡、瓜果之乡”之称。全镇以种植桃树、梨树、西瓜、草莓等经济作物为主,发展设施农业3500亩,其中钢架大棚1500余亩、玻璃大棚1万余平方米,发展特色果树种植7535亩、草莓种植5531亩、西瓜种植1969亩、花卉苗木1000余亩,从事特色种养产业农户7221户,年产值达23852万元,占农业总收入的88%。

(二)旅游资源丰富

明月江环绕磐石镇,巨大山体石岩层叠起伏,有骡子峡、猫儿洞、千年古柏、佛眼、白鹭自然保护区、溪流、山岭、森林等丰富的自然旅游资源。达州市首个大型游乐园——月湖狂欢谷(通川区首个国家3A级风景区)在体验区正式运营,苏氏草莓采摘园、帝森农业、家园生态农业观光园、花好月圆生态农业观光园等一批新生项目已入驻,乡村大舞台、农耕文化博物馆以及体验区旅游基础配套全面建成。

(三)区位优势明显

磐石镇背靠达州市中心城区,达万高速磐石出口建成并运行,高速出口至体验区连接线正式通行,体验区内环线全面建成,外环线建设加速推进,磐石连接线道路升级改造加快建设,整个体验区“二环三线”四通八达的交通格局初步形成，从城区至体验区将由原来的半小时缩短至15分钟车程，明显的区位优势为磐石镇发展乡村旅游创造了良好条件，使乡村旅游成为推动磐石农业农村经济发展的强大引擎。

三、磐石镇乡村旅游发展的现状及存在的问题

（一）磐石镇发展乡村旅游扶贫的现状

乡村旅游助推磐石经济脱贫。乡村旅游对经济的巨大推动作用显而易见，特别是达州城区的市民在磐石的周末游活动给当地贫困群众带去了不菲的收入和广泛的就业机会，为经营业主带去了巨大的收益，实现了产业效益的最大化。产业的升级使得乡村传统物产坐地升值，游客消费的刺激助推了贫困群众增收致富。近年来，磐石镇党委、政府将发展乡村旅游作为助农增收的主要抓手，收到了显著的社会经济效益。全镇共有乡村旅游景点26处、自然山水类景点15处、现代农业类景点12处、人文历史类景点6处、民俗风情类景点8处，有各类现代化休闲体验式农业旅游企业7家、市级农业产业化龙头企业（年收入500万元以上）2家、农家乐15家、农庄18家，解决就业8000余人（贫困户620人），带动农户2800户，其中贫困户300户。

乡村旅游助推磐石生态脱贫。一是生态保护意识不断增强。乡村旅游业的发展让磐石镇党委、政府和当地群众认识到生态环境的重要性，意识到生态环境越好越有利于脱贫致富，始终秉承用良好的生态环境和独特的自然风貌吸引游客。为有效保护生态环境，磐石镇实施全面深化绿满通川行动，全镇完成人工造林1000余亩、经济林2500余亩、封山育林5000余亩，绿化堤路200余千米，新增绿化面积达2万平方米；整治规模养殖大户21户，关停污染源头10个。二是环保物质基础不断夯实。乡村旅游产业的高收入产生了强大的虹吸效应，使一产、二产链条逐渐转移到旅游业和相关产业上来，乡村旅游的发展也深刻影响着一、二产业的内部构成，高产值、高附加值、低污染的生态种植业、生态养殖业和农产品精深加工业快速发展。同时，大量的劳动力也被解放出来，参与到旅游业及相关产业中。乡村旅游的快速发展不仅直接使贫困群众获得了经济上的利益，同时也为改善磐石生态环境提供了可靠的经济支撑。三是人居环境得到全面改善。近年来，磐石镇积极致力于营造良好的人居环境，采取了一系列行之有效的手段，严格控制“三废排放”对磐石都市农业体验区的影响，建立完善了农村垃圾生态处理机制，加强对企业和业主生态环境的监督检查。该镇不断深化“绿水青山就是金山银山”的发展理念，共建有垃圾池72个，设立清扫保洁公益性岗位（含贫困村专项岗位）49个，开展环境保护培训1.8万人次。

乡村旅游助推磐石文化脱贫。磐石镇要实现长效脱贫，仅仅依靠经济上脱贫是不够的，从长远来看，只有文化上脱贫才能保证经济脱贫非昙花一现。一是思想观念不断更新。磐石群众的小农意识一定程度上未彻底根除，安于贫困、死守故土的传统观念仍然存在。近年来，磐石镇乡村旅游快速发展，当地贫困群众越来越多地接触到城里游客，经济收入的增加促使安于贫困、以贫困为荣的落后观念开始发生改变。二是群众素质不断提升。随着乡村旅游业的不断发展，大量的游客涌入，大批农民就地就业的机会增加，这种转变带来的不仅仅是可观的收入，更重要的是更新了磐石群众对提升自身素质和文化的渴求。贫困户开始思考脱贫致富的新路子，开办农家乐、参加技术培训、重视子女教育逐渐成为思变新常态，落后的生产方式逐渐被现代农业生产模式所取代。三是精神面貌不断改变。当地贫困群众除了经济上的贫困，精神贫困更严重。个别贫困村“等靠要”的观念还存在，部分贫困群众还存在不劳而获等懒惰思想。随着磐石乡村旅游的大力推进，外来游客逐渐增多，旅游开发的红利充分激发了当地群众勤劳致富、自食其力的内生动力，特别是四川省第八届乡村文化旅游节分会暨达州市第六届旅发大会的成功举办对磐石群众在提升改变精神面貌方面提出了新的更高要求。

（二）磐石镇发展乡村旅游助推精准扶贫的主要问题

一是基础设施建设压力较大。贫困村乡村旅游基础和配套设施建设较为滞后，道路交通、游客中心、停车场、公共厕所等公共服务设施还不完善，雨污管网、垃圾收集处理等刚性基础设施仍然比较落后。政府扶贫资金相对投入较大，但明确规定资金只能用于让贫困户直接受益的项目，不能用于环境治理、村容村貌改善等基础设施建设，在一定程度上制约了乡村旅游基础配套建设。以米田村为例，该村在交通、食宿、环卫等基础设施方面比较落后，需配套提升的基础设施需求较大，且村集体经济收入极少，政府专项资金给予基础设施配套建设的资金严重不足。

二是社会资本投入不足。磐石乡村旅游发展目前主要是以政府投入为主，在旅游产品的开发、打造、市场运作等方面仅靠政府扶持难以完成，需要通过招商引资等手段吸引社会投资，形成旅游开发体系，增强发展后劲。但由于旅游开发一次性投资大、收益周期长，社会资本参与乡村旅游开发的积极性不高，大型企业、旅游公司投资乡村旅游的较少，现有业主整体实力不强，发展乡村旅游仅靠上级扶持资金和本地政府配套资金难以形成大规模的集聚效应。

三是乡村旅游扶贫规划欠缺。磐石镇还未真正形成乡村旅游扶贫成功模式，旅游发展存在“一刀切”“遍地开花”“同质化”现象，没有因村制订具体的乡村旅游扶贫规划，基本上依靠业主和群众自发发展。据盐井坝村干部反映，政府在推进旅游扶贫过程中，侧重点放在了资金的投入和配套的建设上，缺乏对贫困村整体旅游扶贫规划和市场性研究。同时，全镇乡村旅游产品除餐饮农家乐之外，其他乡村旅游产品不多，缺少星级农家乐、花果人家、康养基地、农业科技示范园等旅游业态，很多旅游产品无法反映农事农艺、乡村生活、乡土民风等乡村核心文化内涵，严重缺乏参与性、娱乐性、知识性的乡村旅游产品。

四是利益联结机制不够健全。群众直接经营农家乐的较少，参与乡村旅游接待服务的较少，通过资金、人力、土地等方式入股合作经营的较少，自主开发旅游项目的较少，经营农特产品的较多，土地流转给业主经营的较多，资金投资按银行利率固定分红的较多，参与旅游劳务收入的较多。一方面由于乡村旅游经营业主自身实力不强，主观上不愿意和村集体、贫困群众分享旅游开发成果。在调研过程中，个别经营业主明确表示，不愿与村集体和农户（贫困户）建立利益联结机制，充分说明了政府对业主的财政补助投入未能给当地群众带来财产性收入。另一方面，虽然体验区为当地群众提供了建筑、保洁、餐饮等就业岗位，实现群众就地就业，但绝大多数老龄、残疾、儿童等贫困群体却没有享受到旅游开发的红利。根据这一现状，磐石镇乡村旅游发展难以助推旅游业精准整体脱贫。

五是乡村旅游专业人才缺乏。首先，区磐指办、磐石镇党委政府缺乏乡村旅游方面的专业人才，从事乡村旅游管理的人员均非科班出身。业主方面，搞农业产业化经营的较多，缺乏专业经营乡村旅游的大企业、大公司。其次，贫困村老年贫困群众占主体，受教育程度普遍较低，接收新鲜事物能力较差，大部分无专业特长，发展乡村旅游缺乏创意，有盲从意识。再次，磐石乡村旅游发展和大中型旅游院

校对接欠缺，乡村旅游管理人才、运营人才培养缺失，致使体验区内优秀经营业主较少，严重缺少创新的动力和活力。

四、磐石镇发展乡村旅游助推精准扶贫的策略

（一）科学定位发展思路

严格按照区委区政府“双核双带六区”的发展定位，以坚持打造都市农业为核心，以现代农业、观光农业、休闲体验、民情风俗、历史文化的乡村旅游业态为主导，深化“政府引导，市场运作，多元投入”的发展机制，大力发展都市休闲游、农事体验游、农业观光游、民俗文化游、自然生态游五种模式。强力整合优势资源，实施精品旅游战略，扩大对外营销，努力让磐石乡村旅游成为全区新的经济增长极。积极探索“大旅游、大景区、大业主、大扶贫”的旅游扶贫模式，率先创建成为达州市首个都市农业体验区和农旅结合的国家级 4A 级景区。

（二）注重整体发展规划

旅游业关联带动产业范围广泛，国民经济中几乎所有行业都与旅游业有直接或间接联系。磐石镇的产业长期以传统的种养殖业为主体，而旅游业的发展对促进农业产业化转型、改善农村生态环境、提高农民生活水平具有极大推动作用。同时，旅游业的纵向延伸和横向拓展不容忽视，相关产业配套显得尤为重要，应坚持从规划上明确乡村旅游助推精准扶贫的科学布局。为此，磐石镇要立足创建达州市首个农旅结合的国家 4A 级景区，编制好磐石镇都市农业体验区总体发展规划、磐石镇乡村旅游扶贫总体规划、磐石镇贫困村旅游发展规划，避免盲目性、重复性建设和低层次、低附加值、低脱贫效应的产业陷阱，促进区域内产业结构优化，为磐石镇长效脱贫攻坚打下坚实基础。

（三）加强部门协调联动

推进磐石乡村旅游扶贫是一项综合性、系统性的工程，区级相关部门应充分发挥在旅游脱贫中的主导作用，整合资源、密切配合，加大对磐石乡村旅游发展相关的行业支持指导力度。强化金融扶持，引导金融机构加大对磐石乡村旅游项目融资规模，积极推进 PPP 投融资模式创新，鼓励企业、民间资本、社会资本参与磐石乡村旅游项目开发和公共基础设施建设。区磐指办、磐石镇党委政府应进一步强化旅游扶贫组织领导，全面统筹协调，分区域、分阶段落实目标任务，优化整合各种旅游资源，集中优势资源发展脱贫见效快的旅游项目，实现协同合作、优势互补、长效脱贫。

（四）做强旅游业态支撑

基于磐石乡村旅游发展现状，应着力在经营主体和经营业态上下功夫，强化旅游招商引资，鼓励支持社会工商资本投入，坚持引进大业主、大品牌旅游经营主体，鼓励当地群众因地制宜开办农家乐、乡村酒店、农业庄园、主题公园等乡村旅游业态，支持贫困村集体创办旅游专合社、旅游开发服务公司，支持贫困村群众充分利用资产、资源、资金积极参与旅游项目合作经营，支持有条件的群众发展乡村旅游物业项目，切实增强乡村旅游经营性收入，积极构建旅游扶贫长效持续稳定的增收机制。

（五）建立健全利益联结机制

加强磐石都市农业体验区的统筹管理，调整充实区磐指办职能并负责磐石乡村旅游发展和园区管理工作，及时科学制定磐石都市农业体验区园区管理办法，着力建成“园区业主+村集体+农户+贫困户”的利益共同体。鉴于区本级对磐石乡村旅游经营主体的资金投入，积极发挥业主的示范带动作用，大力推进财政资金投入形成资产收益扶贫改革，充分保证当地群众财产性收入。鼓励贫困村成立劳务、环卫、生产等服务性公司，从参与旅游业主经营中实现利润收益。积极探索乡村旅游“三金”利益联结机制，支持土地适度规模经营和民宿旅游发展，增强贫困群众土地、房屋等租金性收入；支持发展土地股份合作社和合作经营项目，增强贫困户股金性收入；鼓励当地群众就地就业，实现薪金性收入。

（六）实施精品旅游战略

随着乡村旅游的竞先发展，旅游品牌效应越来越重要，磐石乡村旅游要成为全市、全省乃至全国乡村旅游的示范典型，必须走出一条不可复制且独具特色的精品旅游道路，全面实施精品旅游战略。当前，磐石乡村旅游首先要强化精品意识，突出特色，全力打造休闲度假品牌、生态旅游品牌、农耕文化品牌、农事体验品牌四个精品。其次要强化包装设计，加强市场调研，尽快制定磐石乡村旅游 LOGO，完成工商注册，积极搭建微信公众号、磐石乡村旅游信息网等平台。同时，在国内各大门户网站、社交平台展示旅游产品，注重传统媒体和户外广告宣传相结合，聚集旅游潜在客源。做好精品配套建设，提高乡村旅游发展各要素质量尤其是整体质量水平，必须全面提升旅游产品的综合配套水平和档次，着力在提升旅游品位、丰富产品内涵、调整产业结构上下功夫，深入推进乡村旅游业供给侧结构性改革。

（七）大力培养专业型人才

做强磐石乡村旅游人才保障和智力支持，提升从业人员专业素养，定期组织当地群众参加旅游专题培训或到旅游院校专业学习。加强磐石乡村旅游经营管理、规划设计专业人才培养，选派有乡村旅游专业知识的人才到区旅游局、区磐指办、磐石镇任职，建设一批有乡村旅游专业基础的基层人才队伍，建立全区乡村旅游人才库。结合“大众创业、万众创新”相关政策和旅游扶贫政策，鼓励创业青年、返乡农民工、艺术工作者、新乡贤等回乡回村创业。加强同国内知名旅游院校合作，着力将磐石都市农业体验区建设成为青年创业基地、乡村旅游人才培训基地、大学生实习基地。

五、磐石乡村旅游发展亟待解决的问题

（一）控制解决环境污染源头

目前，磐石镇境内有塑料加工厂 3 家、造纸厂 3 家、饲料加工厂 1 家、采石场 1 家、采砂场 1 家、石材加工作坊 20 余家，严重制约了磐石镇发展乡村旅游的生态环境建设。建议区旅游局牵头，区级相关职能部门配合，建立健全污染企业“废、改、迁”专项政策，引导污染企业和业主转型、技改、搬迁，切实增强磐石乡村旅游生态环境保障。

（二）关停重点货运源头

磐石镇王家桥村砖壁沟采石场是市区货运源头重点管理单位，该企业主要从事石材开采和加工，碎石、石粉沙、片石等材料销量极好，货运车辆极多，给辖区的基础设施特别是道路造成了严重损害，也给环境治理提出了较高要求。建议区国土分局、区交运局、区城治办、区环保局、区安监局等职能部门根据体验区总体规划要求，按照相关程序和法律依据进行关停，并对已造成道路损坏（毁）的路段责令企业进行恢复、整治。

（三）提升场镇基础设施水平

体验区核心区配套基础设施相对完善，场镇基础设施却严重滞后。磐石场镇总体规划已审定多年，仍然存在场镇雨污未分流、“两违”建筑未妥善处理、风貌破败、危旧房较多、松石洞至重达家庭农场段场镇主要路段损毁严重等问题，致使场镇整体形象和对外宣传效应大打折扣，严重影响了体验区的整体形象，且与四川省"十三五"特色小城镇建设宗旨相悖。建议区委区政府将磐石场镇新城建设纳入议事日程，出台针对性政策，完善污水处理、生态垃圾处理、棚户区改造等基础设施，引入优秀文艺品牌提升场镇文化氛围，确保发展成果利益共享最大化。

（四）尽快成立磐石都市农业体验区管理机构

目前，体验区建设已初见成效，但后续管理的责任主体并未落实，仅靠磐石镇党委政府，明显管理力量不够，难以形成系统、有效的管理机制。建议区委区政府尽快成立体验区管理机构，配备专业人员，建立健全相关管理制度，加强日常管理，全力推进磐石都市农业体验区健康持续发展，巩固发展成果，实现发展成果磐石群众共建共享。

依托"点面结合"　着力"四个强化"全力推进脱贫攻坚工作

巴中市恩阳区交通运输局

2014年以来，巴中市恩阳区交通运输局按照区委区政府的统一部署，承担了全区交通行业扶贫和群乐乡新河村、青木镇方坪村、三星乡凤居村和关蓬村245户904人的脱贫攻坚工作，以驻村帮扶为点、行业扶贫为面，坚持"点面结合"，通过精心组织部署、强化工作措施，脱贫攻坚工作取得了显著成效。

一、立足行业扶贫，夯实脱贫攻坚基础

恩阳区交通运输局始终把交通运输发展作为支持脱贫攻坚的主战场，通过竞进提质、升级增效，为全区脱贫奔康打好了基础，提供了支撑。

（一）专项规划科学完善

围绕扶贫攻坚和幸福美丽新村建设，按照"公路围着产业转，产业围着公路建"原则，制订了《恩阳区交通扶贫专项方案》和农村公路三年集中攻坚计划，将巴山新居和产业园区道路、村道环线、村道断头路等建设项目全部纳入"十三五"规划盘子，共规划建设农村公路1418.9千米、渡改桥15座、独立桥梁5座，计划总投资13.22亿元。

（二）项目建设强势跨越

四年来，全区交通建设累计完成投资86.5亿元，巴中机场开工建设，巴（中）广（安）渝（重庆）高速公路即将建成通车，建成巴恩快速通道、恩阳大道等城区干环线公路27千米，升级国道244线、347线等国省干线公路172千米，建成恩阳新大桥、芦溪河大桥等大中型桥梁7座、隧道2座，完成群乐、兴隆、玉山等14个乡（镇）过境公路黑化，新（改）建恩玉路、恩野路等县（乡）联网路173.9千米，建成通村通畅公路835.1千米、巴山新居和产业园区配套道路151.8千米，100%的乡（镇）和行政村通水泥（油）路，川东北综合交通新枢纽已初步形成。

（三）农村运输助推发展

整合农村客运资源，加快农村客运公司化改造，推行"一路一公司""一片一公司""长线带短线""热线带冷线"的经营模式，严格按照"四定四统一"标准规范管理，促进了农村客运均衡发展。已组建农村客运运营公司4家，开行农村客运班线77条，大部分建制村已开通班线客车，方便了农村群众出行。同时，按照"以中心带园、以园带站、以站带点"的思路，结合全区农村经济发展需求，建立区、乡（镇）、村三级物流网络体系，已建立区级配送中心2个、乡（镇）物流场站27个、村级物流网点437个，加快了农副产品物流速度，降低了物流成本，增加了农民收入。

二、狠抓驻村帮扶，精准脱贫成效明显

四年来，恩阳区交通运输局通过对帮扶联系贫困村强化基础设施建设、发展产业等改善了当地群众的生产生活条件，增加了贫困户收入，帮助52户贫困户实现脱贫。

（一）建设施强基础

恩阳区交通运输局累计帮助新建连片扶贫开发道路293.6千米，改造62个贫困村道路196.2千米，巴山新居水泥（油）路通达率达100%，整治山坪塘11口，完成群乐镇新河村小学运动场硬化、校舍维修加固，建成标准化村卫生室1个，改善了农村发展条件。

（二）促产业提能力

帮助新河村养殖大户多渠道募集10万元帮扶资金，协助贷款5万元，流转土地60亩用于发展特色蔬菜规模种植，已初见成效。同时，帮助挂联村建成莲藕基地300亩、大棚蔬菜50亩、果蔬基地360亩、年出栏200头以上生猪养殖场2个，提供鸡苗、鱼苗等价值3万余元的扶贫物资，引导贫困户大力发展庭园经济。通过以上举措，推动了帮扶村农业产业升级，促进了土地流转，解决了贫困户就近务工难题。

（三）强组织重服务

坚持选派政治素质过硬、善于做群众工作、有奉献精神的优秀党员干部到贫困村任职，以建强基层组织、推动精准扶贫、为民办事服务等为主要任务实行脱产驻村工作。同时，为3个贫困村提供了3万元的阵地建设帮扶资金，特别针对三星乡关蓬村小学（村部设在其内）没有窗户、阵地基础差等情况，拨付10余万元对学校（含村部）进行修复整治，进一步夯实了村级阵地服务功能，提升了为民服务水平。

（四）改生态帮特困

积极协调国土部门为群乐乡新河村整治土地30亩，有效促进了该村产业发展。春节、"七一"、中秋等节假日共走访慰问贫困户、贫困党员、老党员和低保户、特困户、五保户140户，发放了慰问金和价值5万余元的大米、食用油等慰问品。

三、着力"四个强化"，推动工作落到实处

（一）强化组织领导

局党委高度重视扶贫攻坚工作，经常对全系统服务扶贫攻坚工作的人员保障、计划安排、项目支持、资金落实和检查督办等进行专题研究部署，成立了由局主要负责人担任组长、分管副局长为副组长、相关科室和局属单位负责人为成员的行业扶贫领导小组，抽派的"第一书记"为直接责任人；各局属单位又分别成立了驻村帮扶工作队，层层分解任务、落实责任。

（二）强化教育培训

每月召开一次扶贫攻坚工作汇报会，在通报工作推进情况、安排部署下阶段工作的基础上对"第一书记"和驻村工作人员的工作方法等进行指导培训，进一步提升了帮扶人员的工作能力和综合素质。

（三）强化考核管理

在多次深入乡（镇）、村社开展专题调查研究的基础上，建立了扶贫攻坚考核管理机制，扶贫领导小组不定期组织法纪科及办公室等相关科室进行督查，加强对帮扶工作的跟踪、检查和指导，把帮扶成效与责任单位和责任人年度考核和评优评优选模挂钩，进一步督促责任落实，使帮扶干部真正沉下去、贫困群众富起来。

（四）强化后勤保障

按制度落实驻村工作经费和驻村干部有关待遇，做到了“党员在一线，单位做后盾，领导总负责”，保证了扶贫攻坚工作的有序开展。

眉山市东坡区多措并举助农增收

中共眉山市东坡区委农村工作领导小组办公室主任　李明德

2016年，眉山市东坡区农村居民收入继续保持较快增长，全区农村居民年人均可支配收入为16000元，较上年同期增加1902元，增长13.5%。

一、家庭经营性收入是当前增收最大支柱

2016年，全区农村居民人均财产性收入为6780元，较上年同期增加887元，增长15.1%。

（一）优质水果提质增收

狠抓品种结构调整，大力实施柑橘换代升级“双晚”战略，以高接换种为主体大力发展“爱媛38号”、春见、不知火、沃柑等优良杂柑，减少椪柑、脐橙等面积，全力打造晚熟柑橘生产基地。2016年，累计带动广济、三苏、盘鳌等10余个乡（镇）15.09万人参与水果种植，全区水果种植面积达31.5万亩，同比增长4.3%；产量41万吨，同比增长11%；实现总产值18亿元，同比增长12.5%，带动全区农民人均增收487元。其中，“爱媛38号”投产面积达2.4万亩，较上年增加0.3万亩；总产量3.78万吨，较上年增加0.5万吨；平均单价达到3.5/千克，比上年上涨1.2元/千克，农民人均增收达134元。蜜柚投产面积达4万亩，较上年增加0.9万亩；总产量8万吨，较上年增加2.2万吨；平均单价达到1.8元/千克，比上年上涨1元/千克，农民人均增收246元。春见、不知火等水果虽然价格与上年基本持平，但投产面积分别达2.3万亩和3.7万亩，较上年分别增加0.5万亩、1.1万亩，产量较上年分别增加0.8万吨、1.8万亩，分别带动农民增收141元和314元。

（二）东坡泡菜带动蔬菜产业助农增收

“中国泡菜看四川、四川泡菜看东坡”，东坡泡菜远销欧美、日本、韩国等100余个国家和地区。2016年，全区泡菜食品企业完成泡菜原料加工量151.38万吨，实现产值143.37亿元，同比增长11.1%。建成万亩泡菜原料基地12个，成为四川省唯一的国家级绿色食品蔬菜标准化生产基地县，培育扶持蔬菜种植专业合作社187家。通过“公司+基地+农户”“公司+专业合作社+农户”等模式带动10余万户农户加入蔬菜订单生产，订单率达90%以上。通过泡菜产业发展带动，全区蔬菜播种面积达45.72万亩（其中泡菜原料30.5万亩），同比增长3.75%，涉及种植农户30万人，产量82.04万吨，同比增长4%，种植环节实现产值15.7亿元，拉动全区农村居民人均增收84元。其中，鱼腥草等部分鲜销蔬菜销售价格稳中有升，种植面积约1.5万亩，涉及种植农户1.2万人，总产量约3.75万吨，总销售收入达1.28亿元，带动全区人均收入增加22元。

（三）特色水产养殖助农增收

全区水产养殖面积达4.65万亩，黄颡鱼苗繁育数量、斑点叉鮰鱼苗种繁育数量分别居全国第一、第二位。杂交黄颡1号新品种苗种、杂交黄颡1号鱼苗繁育实现规范化运作，繁育数量同比增长150%，面积同比增加1倍以上，单产增长115%，带动养殖户1020户、3366人，人均增加纯收入1.2万元以上。斑点叉尾鮰和长吻鮠鱼苗销售价格分别同比增长100%和128%，养殖户户均纯收入达22万元以上。全区水产业实际助农人均增收98元。

（四）畜禽养殖利润大幅攀升

东坡区是生猪调出大县，年均出栏生猪近70万头。今年以来，生猪价格持续高位运行，均价19.7元/千克，而玉米、豆粕等主要饲料原料价格下降，头均获利可达800元以上，同比增加600元，可累计带动全区农民人均增收924元。以温氏畜牧公司为龙头，大力推行“公司+养户”合作养鸡模式，2016年区温氏合作养鸡户达580户，出栏肉鸡1240万只，公司与农户结算利润3.4元/只，分别较2015年新增40户、140万只、0.5元/只，养殖户增收550万元，全区农民人均增收25元。

（五）乡村旅游活力焕发

以泡菜原料基地建设为纽带，建成新村聚居点650个、新农村综合体10个、农业旅游观光点19个、休闲农家乐104家，促进了三产融合发展。大力发展近郊型旅游业，持续推进以白马橙花、悦兴樱花、三苏梨花、万胜桂花、广济桃花旅游区“五朵金花”为核心的乡村旅游发展，建成120亩猕猴桃基地、500亩蓝莓种植基地等游客接待中心。2016年，全区实现旅游总收入71亿元，其中乡村旅游收入14.82亿元，同比增长37.2%；接待乡村旅游游客296.4万人，同比增长24.6%；带动全区人均增收975元，同比增长32%。

（六）电子商务蓬勃发展

联合四川蜀商电子商务有限公司在全区建成乡（镇）、村级电商服务站点42个，同步在万胜镇万利村、复盛乡中塘村等多个贫困村建设站点。同时，365同城物流公司开通了乡村物流，逐步建立产、供、销一体的农副土特产品网上销售体系。川西南农特产品交易中心联合阿里巴巴、淘宝、和小宝等线上及圣丰国际农产品线下平台整合线上线下的产品和订单，实现线上交易、线下联动，带动全区农特产品销售。2016年，全区有农村电商销售人员502人，实现销售收入1.23亿元，比上年同期增长105%。

二、多渠道促进居民工资性收入持续增长

2016年，全区农村居民工资性收入为人均6683元，较上年同期增加583元，增长8.7%。按照《关于调整村（社区）干部基本报酬补助标准的通知》要求，从2016年1月1日起，上调村干部报酬，人均每月上涨380元，受益人群1200人；上调组干部报酬，人均每月上涨150元，受益人群2000人，2016年共增收907.2万元，拉动全区农村居民人均增加22元。

新型农业经营主体不断壮大，农民收入增加。全区新发展家庭农场129家，累计达276家；新发展农民专业合作社65个，累计达701个；新发展国家级龙头企业1家、省级5家、市级4家，累计达49家；新发展新型农业经营主体415人，累计3180人，带动全区3.7万人参与就业，带动人均增收66元，同比增长13%。

工业发展增加工资收入。出台泡菜产业转型升级扶持政策，每年设立不低于5000万元的专项发展资金，不断支持壮大龙头企业，建成国家级农业产业化龙头企业4家、省级农业产业化龙头企业7家、市级农业产业化龙头企业18家。泡菜食品产业拥有中国驰名商标6个、四川省著名商标8个、四川省名牌产品7个，绿色食品69个、有机食品17个，9家企业获得中国进出口资格，带动2.6万名农民就近务工,实现工资性收入7.5亿元。

举办精准扶贫招聘促进农民就业。在松江、白马等乡(镇)举办了8场精准扶贫专场招聘会,提供岗位400余个,提高了农民就业机会。以乡(镇)为单位,在保洁、保绿、保安、守护森林等岗位中开发公益性岗位,共帮助308名贫困人员就业。

鼓励企业吸纳务工。出台激励政策鼓励企业吸纳贫困人员就业,对区内企业新吸纳1名建卡贫困户就业的给予3000~5000元的奖励,用于支持企业为贫困户购买保险。2016年,企业已新吸纳302名贫困户劳动力。

促进居家灵活就业。2016年,全区围绕竹编产业"双百工程"(百亿产值,百万就业)发展开展竹编工艺培训5000人次。

技术工人工资继续上涨。各行各业提高农民工工资待遇,建筑业普工工资从2400元/月提高到3600元/月;种植业普工工资从1800元/月提高到2400元/月,增长33%;养殖业普工工资从2800元/月提高到3500元/月,增长25%;有技术的农民工人工资从3000元/月提高到4000元/月,增长33%。1~3季度,全区房地产从业人数达3357人,同比增长6.5%,人均月工资从3300元左右增加到3500元。

三、土地流转加快增加居民财产性收入

2016年,全区农村居民财产性收入为人均549元,较上年同期增加84元,增长18%。截至2016年11月底,全区农村土地流转存量面积达27.69万亩,同比增加2.1万亩,其中30亩以上规模流转面积21.56万亩,土地流转率为38.61%;土地流转收入26748.54万元,按每亩350千克黄谷价格计算,人均收入可达652元,拉动全区农村居民人均增收58元。

利息收入明显增加。2016年,全区金融机构1—11月存款余额总额达666.89亿元,同比增长17.76%;人均存款80000元,增加1300元。按年利率2%计算,人均增加利息收入26元,居民利息收入明显增加。

土地确权保障农村居民财产性收入。全区应确权农户确权率达100%,登记地块80598块,登记面积54039亩,调解承包经营矛盾纠纷4起。

四、社会保障及精准扶贫助力转移性收入增加

2016年,东坡区举全区之力开展精准扶贫,通过政策兜底、教育扶贫、产业扶贫、医疗救助、异地搬迁等措施提高农民转移性收入,全区农民转移性收入人均1988元,增加358元,增长22%。

提高农村居民最低生活保障标准。从2016年7月开始,农村居民最低生活标准人均每月由191元提高到人均每月260元,人均每月增加69元,增长36.1%,受益人群6.12万人,7~12月共增加844.56万元,拉动全区农村居民人均增加62元。

加强助学帮扶。在认真落实"雨露计划""慈善助学""金秋助学""圆梦大学""栋梁工程"等各类教育扶贫政策的基础上,对义务教育阶段家庭经济困难寄宿学生7100人投入资金475.2625万元,实现建档立卡贫困家庭学生伙食全免费;投入资金111.696万元,免除家庭经济困难高中学生2700人学费;投入资金210.4万元,免除中等职业学生1809人学费,对家庭经济困难的中等职业教育学生394人进行生活补助,拉动全区农民人均增收19元。

强化医疗救助。2016年,对200名贫困白内障患者免费实施复明手术,免费救助重性精神病人665人、晚期血吸虫病患者451人。区财政出资396.52万元,为全区建档立卡贫困户购买新农合、大病医疗保险和商业补充保险,拉动全区农民人均增收10元。医保政策系统结算已投入使用,实现了建档立卡贫困户"一卡一窗一站式"(即手持一张社会保障卡,不出一分钱入院治疗,不出一分钱出院结算),减免贫困户医疗费260余万元,拉动全区农民人均增收6元。

开展产业扶贫。依托项目整合,加大产业扶贫力度,在2016年项目编制、申报工作中积极向贫困村倾斜,全年共争取特色水果种植、家禽家畜渔业种养殖等21个产业扶贫项目,共落实产业扶贫资金8606.51万元,带动全区人均转移性收入增加210元。

进行异地搬迁。全区异地搬迁贫困户共177户、506人,已全部达到搬迁入住条件,全区异地搬迁各级财政补助资金总计达2080万元,拉动全区人均转移性收入增加51元。

减免丧葬费。从2016年3月4日起将减免范围扩大为具有东坡区户籍的城乡低保户、农村五保户、城市"三无人"员、城乡特殊困难户、重点优抚对象及60周岁(含60周岁)以上老人,人均减免基本丧葬费标准由600元提高到700元,减少支出16.7%。

全力推进农业供给侧结构性改革 开创"三农"工作新局面

中共眉山市彭山区委农村工作领导小组办公室

2016年,眉山市彭山区紧紧围绕中央"一号文件",认真贯彻落实党的十八届五中、六中全会,市委市政府《全面落实"五大发展理念"全面推进都市近郊型现代农业发展的意见》精神,创新农业发展模式,深化农村改革,以打造成都平原的农产品"中央厨房"为目标,全力推进农业供给侧结构性改革,形成了"一园两翼"的农旅产业融合发展新格局,不断开创"三农"工作新局面,促进农业增效、农村繁荣、农民增收。

一、领导重视,"三农"位居全区工作之首

彭山区委区政府高度重视"三农"工作,把其作为经济社会发展的重中之重。成立了以区委书记、区长为组长,区委副书记和分管区长为副组长的领导小组,制订出台了《关于锐意改革,全面推进都市近郊型现代农业发展的实施意见》《关于加快推进"一园两翼"农业产业发展的实施意见》等多个文件;召开区委常委会、区政府常务会研究部署全区农业农村工作,全年研究农业农村工作25次;区委区政府主要领导多次深入乡(镇)、村社调研指导"三农"工作。加大考核力度,把"三农"工作纳入目标考核,激发部门和乡(镇)农业农村工作的主动性和积极性。2016年,区本级财政支农投入约2.26亿元,同比增长1.3%;"三农"固定资产投入完成6.63亿元,同比增长46.4%;农业招商引资6.1亿元;第一产业增加值增速为3.94%;农民人均可支配收入达15405元,增长9.6%。

二、品质发展,打造农业全产业链

一是优化产业结构。连续三年出台激励扶持特色产业发展的政策,对成片发展高端设施农业的经营主体给予相应的补助或奖励,对产出效益低下的产业进行调整,着力培育具有市场竞争优势的精品葡萄、优质柑橘、红心猕猴桃等六大优势产业。全区共培育各类新型农业经营主体3400余个,其中家庭农场398家、农民专业合作社224家、市级以上产业化龙头企业24家、种养殖专业大户2700余户。二

是健全服务体系。累计投入补贴资金1500余万元，依托土地流转服务公司等社会化服务组织，服务农业生产10万余亩，综合机械化率达70%以上，亩均生产成本降低300~500元。三是延伸产业链。积极发展葡萄、红心柚、柑橘育苗，农产品冷链库、初加工、包装、物流等产业，深度发掘农产品附加值。全区已建成农产品冷链规模基地3个、育苗基地4个、农产品初加工企业9家。通过创建全国葡萄新品种科研基地、搭建“互联网+农业”网购平台和电子商务平台等措施从本质上提高农产品价值。四是强化农产品安全监管。以家庭农场联盟为平台，启动农产品质量安全|溯源体系建设，实现生产记录可存储、产品流向可追踪、储运信息可查询，逐步形成适合彭山的农产品质量安全追溯管理系统和操作机制以及农产品“农田到餐桌”的质量安全追溯信息网络。全区农产品获得国家地理标志认证1个、绿色食品认证5项、农产品行业金奖12项，产品品质、售价均在全国领先。

三、农旅融合，拓宽农业功能边界

一是构建“一园两翼”的农旅发展新格局。结合全区产业发展实际，逐步形成了以54平方千米的岷江园区为平台，以农业嘉年华、黄丰橘颂园、双凤湖等旅游项目为载体，包括“智慧”岷江、“乐活”西山和“康养”东山等多种新兴业态和模式的 “一园两翼”的农旅发展新格局。二是产村相融，构筑现代意义上的“乡愁”。以“四好村”创建为载体，按照省委“住上好房子、过上好日子、养成好习惯、形成好风气”的要求，打造新时期的幸福美丽新村，首批创建区级“四好村”60个。其一，重点以交通沿线、产业园区为主，新建具有现代意义“乡愁”的幸福美丽新村66个，例如武阳的刘家大院。其二，将地方产业培育成农民致富的强大支柱，体现了“绿水青山就是金山银山”的观念，成功打造了观音的果园雅筑、武阳的荷风晓月、黄丰的橘园春晓等18个文化阵地典型。其三，创新“1+3+N”新型村庄社会治理体系，通过开办农民夜校，完善村规民约，落实便民服务、物业管理、治安维护等措施推进新型村庄和社区实行自我管理，有效提升了党组织的基层治理水平，弥补了农村社会治理的空白。其四，广泛开展“道德模范”、文明家庭等创建和评选活动，树立农民“爱党爱国、尊老爱幼、互帮互助、自力更生”的新风气，注重培养农民科技文化、法治文化、传统忠孝文化等文化素养，促进农村邻里关系和睦、社会和谐安定。三是打造优质的产业生态系统。大力推进“千湖之城”和“绿海明珠”工程建设，着力提升全域农业生态以及生活基础设施品质，综合打造“水景观”“水文化”“水生态”。全年新增和恢复水域面积4.4平方千米，建成“集镇拥翠”2个、“百村绿色家园”工程3个，建设景观绿化带36千米，完成双凤水库、龚家堰水库绿化10公顷。四是培育农业新兴业态，拓宽农业功能边界。引进并打造“农业嘉年华”、中法农业科技园、黄丰橘颂园等农业主题公园和明都花卉、盘桓小筑、双凤湖等主题农庄实体10个，充分发挥农业的观光、体验、创意等多种功能，彭山区逐步形成了游园采摘、民风民宿、科普体验、养生休闲等有机融合的川西坝子最佳乡村旅游目的地之一。

四、深化改革，破解体制机制难题

借助被列为全国第二批农村改革试验区和全国农村“两权”抵押贷款试点区契机，大力推进农村土地制度、金融制度和产权制度改革，破除制约农业农村发展的体制机制障碍，释放农村活力。一是“四步流转”机制解决用地的适度规模化问题。积极探索“三级土地预推—平台公开交易—风险前置审查—出险应急处置”的土地流转四步机制，实现了“农民流转有收益，业主投资得效益，政府服务做公益”的三方受益格局。全区集中流转土地14万亩，流转率达58%。二是“两权”抵押贷款解决农业“融资难”问题。始终坚持问题导向，采取行政引导与市场运作相结合的方式，坚守农村基本土地制度不突破和金融风险整体可控“两条底线”，着力完善“五项配套”、探索“一套流程”、突出“两个引导”。完成农村“两权”抵押14宗，发放农地贷款293笔、1.63亿元，发放农房贷款9笔、65万元。三是家庭农场联盟解决农业体系的组织化问题。组建家庭农场联盟，将分散的生产、经营力量组合起来，带领全区家庭农场抱团发展、提标提质、对接市场、节支增效，有效降低了农业生产成本，提升了农业综合效益。

五、统筹城乡，助推新型城镇化进程

结合全国新型城镇化试点，在破除“资本下乡”体制机制障碍的同时，重点探索“农民进城”配套体系，结合市委“四种模式、四个转变”，全力推进统筹城乡建设。近年来，全区已实现近13万名农业人口成功转变为农业业主、产业工人、三产经营者和城市居民，占全区农业人口的56%，有力地推动了新型城镇化建设进程。一是让有意愿的农民离得开地。一方面大力推行农村集体产权制度改革，把农民在农村的资产以产权和股权的形式固定下来，进而实现农民的财产装得进口袋、带得进城市；另一方面突出“三转一不变”精准施策，引导农业转移人口转身份、转居所、转就业，保障其在原集体经济组织享有的权益不变，帮助其向城市融入、在城市居住、向市民转变。二是让想进城的人买得起房。首先，在“双挂钩”项目、新农村建设等项目实施中按照农民意愿和实际需求进行货币化安置，以方便其创业、就业。其次，针对有进城买房需求而资金不足的农户，彭山区创新“政府+银行+房地产企业+安置户”四方联动机制，即房地产企业提供房源、安置户按揭、银行出资、政府还本付息，用30%的财政资金撬动了100%的货币化安置。再次，针对农业转移人口进城购房制定专项补贴政策，在不同的阶段分别按每平方米220元、360元、400元的标准给予购房农民现金补贴。三是让进城农民安居乐业。开展户籍制度改革，扩大养老保险、医疗保险、教育资源覆盖范围，统一缴费标准、统一报销范围和标准、统一入学条件与政策资助标准，使城乡居民在教育、医疗、参保方面不受户籍限制，人人公平享有社会服务和保障待遇。支持农民自由选择和按程序转续，实现农民向城镇居民身份的顺畅切换，做到农民进城入户零门槛、社会保障和公共服务全覆盖。大力开展创业就业“万千百行动”，把符合法定劳动年龄内进城务工和落户的农民纳入技能培训范围，开展“订单式培训”“委托式培训”等各项技能培训，从技能培训、岗位介绍、政策扶持等方面支持进城农民创业就业。

六、脱贫攻坚，多点支撑农民增收

针对贫困户“有想法而没办法、有思路而无出路、有劳力而无技术”的现实难题，对症下药、精准施力，在努力培养新时期农业业主和职业农民上下功夫，有效增加了农民财产性、经营性、劳务性收入，取得了实效。2016年，全区共转移农业人口1.2万人，其中贫困户人口3121人；贫困户人口转变成为农业业主1252人，占贫困人口总数的40.1%；转变成为产业工人1557人，占贫困人口总数的49.9%。一是增加财产性收入。通过推行平台公开交易和土地流转“零风险”机制，确保农民获得长期、稳定的土地流转收益。全区4067户建档立卡贫困户有2630户的9200余亩土地进行了土地流转，占土地总面积的65%。二是增加经营性收入。培育各类新型农业经营主体，带动更多的农户转变成为新型农业业主，分享现代农业发展成果。近年来，全区通过培育新型农业经营主体先后带动发展特色农业产业 6 万余亩，实现农民转变成农业业主 2958 人，提供农业就业岗位 1.7 万余个，其中实现贫困户转变为农业业主 1252 人，占脱贫贫困户总人数的 30.7%；贫困户转变为产业工人 623 户，占脱贫贫困户总人数的 42.1%。三是增加劳务性收入。随着土地经营权的放活，越来越多的农民摆脱了传统农业的束缚，更多地融入到现代农业和其他领域，成为新时期的职业农民，创造了更多的收益。

关于今后一个时期农业发展的思考

中共资阳市雁江区委农村工作领导小组办公室

近年来，资阳市雁江区全面贯彻落实中央、省、市农业农村工作决策部署，坚持推进以农民增收为目标、以深化农村综合改革为动力、以培育发展特色优势产业为支撑、以推进“四好村”建设为载体，促进了农业农村经济持续健康发展。2016 年，全区农村居民可支配收入达 13609 元，总量在全省 57 个中高收入组中排名第 7 位。先后获得全国粮食生产先进单位、全国生猪调出大县、全省农民增收先进县（区）、全省“三农”工作先进县（区）等称号。2017 年上半年，全区实现农业总产值 34.9 亿元，增长 3.8%；农村居民人均可支配收入达 6220 元，增长 9.6%。

一、总体思路

着眼雁江区农业农村发展新形势，在确保粮食总产量在 51 万吨左右的前提下，立足发展基础和毗邻成都、靠近机场的区位优势，瞄准成渝都市、天府空港等三大市场，紧紧围绕“大力培育发展都市近郊现代农业”的目标定位，按照“一核三带七环多点”（“一核”，即 80 平方千米的花溪河生态休闲农业示范区；“三带”，即国道 321 线绿色果蔬产业带、国道 351 线农旅融合产业带、县道资资路种养结合产业带；“七环”，即板永路、乐一路、中大路、大中路、迎鲤路、清大路、谢小路产业环线；“多点”，即面上依托现代农业园区打造一批农业产业或农旅融合示范点）的总体布局，坚持“基地规模化、技术标准化、产品市场化、模式多元化”的工作思路，以产业园区、特色基地建设为抓手，大力发展绿色果蔬、特色种养、休闲观光等现代农业，逐步形成生态化、特色化、休闲化、效益化的现代农业新格局，全力建成成渝绿色果蔬供给区、空港有机农产品配送区、农产品精深加工集聚区、休闲观光农业示范区，实现现代农业转型升级和跨越发展。

二、发展原则

（一）全域规划，突出重点

按照“集中财力办大事、建一点成一片带一方”的思路，坚持“全域规划、精准布点、串点成线、连线成片”的原则，对全区 22 个乡（镇）农业产业发展进行全域规划，形成了休闲农业、粮经复合、精致水果、绿色果蔬、种养结合五大发展区和“一核三带七环多点”的重点区域，实现每个乡（镇）有重点、能示范、可持续、真带动的发展格局。

（二）政府引导，市场运作

强化政府主导规划统筹、引导扶持、指导服务，积极支持引进和培育发展农业产业化龙头企业、农民合作社、家庭农场等新型农业经营主体，帮助其完善产业链条、开拓产品市场。经营主体遵循市场规律，积极响应、主动作为，开展产业论证、前景考察，量体裁衣、自主发展，收益预判、风险自担。

（三）总体管控，逐年发展

坚持一张蓝图绘到底，按照“一核三带七环多点”的总体布局，全覆盖、保重点，力争到 2021 年总体不突破 20 万亩（其中 2017 年 6 万亩、2018 年 4 万亩、2019 年 3.2 万亩、2020 年 3.4 万亩、2021 年 3.4 万亩），年度控制、缓减投入，分区域重点、分年度时间逐步实施、整体打造。

（四）产业先行，注重提升

对规划锁定区域内且经区委农村工作领导小组审定同意新发展或扩面发展的产业区域先期进行土地整理（田型调整）和产业培育发展，配套必要的生产设施；对产业发展示范良好、一三互动的农业园区（示范点）配套相应的基础设施及公共服务设施，全面提升农业园区（示范点）的整体形象和经济效益。

三、工作重点

（一）坚定不移推进两大产业发展

紧抓航空都市城镇群和空港经济区建设契机，坚定不移地推进河西 20 万亩蜜柑、河东万亩莲藕两大产业提档升级。河西：可充分依托“雁江蜜柑”早熟、优质且风味独特，佛山橘海特有的生态文化资源和全省第三大坐佛——半月山大佛的悠久历史，突出“农旅融合”，打造集观光、采果、体验农作、度假、游乐、领略大自然情趣于一体的现代生态农业旅游景区；河东：对丹山镇万亩莲藕产业进行提档升级，抢占川渝莲藕市场，利用大规模荷叶、莲花形成的靓丽风景推动一三互动、农旅融合，建成集绿色蔬菜供给、科普教育、旅游观光、休闲娱乐、度假养生等于一体的现代生态农业观光园，塑造“川中莲藕”新形象。

（二）重点突出“一核”示范引领

以花溪河生态休闲农业示范区项目引爆乡村旅游发展。一是全面提升晏家坝片区整体形象，进一步优化功能布局，引导业主形成主攻方向，富家山区域重点围绕“如何耍水”做文章，晏家坝区域重点围绕农耕科普、自主采摘做文章，文龙寺区域重点围绕赏花、骑游做文章，增强景区的参与性和互动性。二是重点推进花溪河生态绿廊及水环境治理项目建设，重点建设观光大道、景区连接线、游客集散中心等，建成集湿地水乡休闲、生态农业休闲、户外运动康养、乡村民俗体验于一体的“中国花溪湿地”，建成资阳市乃至成渝两地都市人群认知体验、休闲观光、度假养生的重要目的地，实现城乡统筹、互动共生，走出一条丘区都市近郊现代农业发展的新路子，带动雁江区乡村旅游加快发展。

（三）统筹推进“多点”全域大发展

注重把旅游元素融入产业基地建设中，促进产业规模化、基地园区化、园区景区化。保和镇以万亩丘区现代农业示范片建设为载体，成功创建为国家级 3A 级景区；丹山镇重点对“七大洲四大洋”现代农业产业园项目加强服务工作，加快推进桥沟生态农业观光园等项目建设；中和镇依托万亩大雅柑示范园、千亩小龙虾养殖基地建设，打造以“色彩明月、味道明月”为主题的乡村旅游品牌；临江镇加快推进幸福谷二期、临空经济旅游环线等项目建设；迎接镇重点推进阳光百果园、龙洞湾生态旅游度假区等项目提档升级；其他乡（镇）和环线重点狠抓环境综合治理、基础设施配套、农房风貌整治、产业连线成片等建设和发展，注重配套环线上的公共厕所、停车场、农家乐、步行道、骑游道、导视系统等公共服务基础设施，提升接待能力和水平。

四、对策与建议

(一)严格规划引领,控制资金总量

以"一核三带七环多点"的农业产业总体规划布局为核心,按照"头年规划,二年实施"的工作思路,各乡(镇)党委政府提前谋划、提前动员,积极主动引进和培育新型农业经营主体,提前做好产业发展规划、编制实施方案,按照乡(镇)递交方案的先后顺序(当年规划控制指标),经区级职能部门现场踏勘综合评价提出专题报告,在每年年初区委农村工作领导小组会上提请审定,实现当年实施、当年见效。

(二)强化资源整合,减缓财政压力

坚持"项目跟着规划走、资金跟着项目走"。区整合办要切实发挥好项目整合牵头作用,各涉农部门要对项目编制方案认真商讨,主动沟通、相互配合,特别是对项目规划区域、实施内容等要征求区整合办、区委农办的意见建议。严格执行区委农领小组负责制,做到项目规划不重复,促使项目建设发挥最大的作用,资金真正用到实处、见到真效。

(三)加大招引力度,发挥主体作用

针对市场需求谋划、包装一批现代农业产业、农旅融合、农村康养等项目,项目规划做到科学专业、真正透彻,有效吸引有眼光、有实力、敢投入、真投入的投资人,推动农业大招商,寻求农业大发展,真正做到经营主体引得来、留得住、做得大,能够示范一团、带动一批、致富一方。

牧旅结合 村企"联姻"强力助推高原牧区精准脱贫

中共康定市委农村工作领导小组办公室

近年来,康定市坚决贯彻落实中央、省、州脱贫攻坚重大决策部署,按照"在全州率先脱贫、率先奔康"的总体要求,紧扣"两不愁、三保障、四个好"目标,强力推进脱贫攻坚。在脱贫攻坚征程中,康定市以呷巴乡俄达门巴村为改革试点,采取牧旅结合、以点带面的方式探索出一条发展集体经济、富有牧区特色的牧民脱贫致富新路子。

呷巴乡俄达门巴一、二村共有163户733人,其中建档立卡贫困户37户、144人。2014年之前,该村牧民收入主要以采挖虫草、销售牦牛附属产品为主,全村牧民人均纯收入约3700元,建档立卡贫困户人均收入约1900元,属于远近闻名的贫困村。2015年以来,该村依托木雅景区开发,创新体制机制,大力实施旅游扶贫,2016年建档立卡贫困户人均纯收入达6100元左右,是帮扶前的3倍,正朝着"乡有主导产业、村有集体收入、户有致富门路、民有社会保障"的目标大步迈进。

一、村企联合,共谋互惠双赢

一是依托景区开发促增收。依托俄达门巴村自然环境优势,引进旅游开发公司进行整村包装开发,集中打造"木雅圣地"景区,完成投资1.2亿元,建成嘉姆尊酒店特色旅游带和木雅藏族风情街,配套完善了旅游道路、游客接待中心、观景平台、骑马场等景点设施,预计建成后年接待游客25万~30万人次。2016年,全村依托景区前期开发实现人均增收2000余元。二是壮大集体经济促增收。该村与公司签订景区开发协议,将全村的土地、草地、滩涂和房屋经营权以出租等形式进行流转,建立村企之间"景区共建、发展共赢、利益共享"的社会管理新机制,公司与村集体双方议定收益按照8:2的比例进行股权分红。同时,实行保底收益分红,在景区没有任何盈利的情况下,村上每年保底分红85万元,其中贫困户每年保底分红19万元,打破了多年来村集体零收入的困局,实现了"空壳村"向实体村的转变。三是盘活闲置资源促增收。牧民以定居房入股,企业以每户5万元的价格租赁全村49套牧民定居房,整体打造建设生态度假农庄,既解决了牧民定居房还贷问题,又促进了房屋的流转和资产升值,实现了"不动产"变股份、变资本、变效益。四是搭建就业平台促增收。通过参与项目建设带动群众增收,在景区建设期间组织村民进行务工,村集体运输费及村民务工收入达111万元。在景区运营期间,优先安排贫困户在景区各个服务性岗位工作,实现稳定就业38人,让贫困户零距离就业,足不出户就能挣钱。

二、牧旅结合,培育特色产业

以"发展牧区经济、增加牧民收入"为立足点,充分挖掘牧区文化、草原风光、土特产品等旅游资源,多渠道促进牧民增收。一是依托景区带动发展生态旅游业。把独特的地域文化、民族文化和民俗文化融入乡村旅游中,主打牧民风情体验精品旅游牌,成立旅游民居接待协会,主要发展民居接待、生态观光、体验风情游,为游客提供住宿餐饮、民族服饰、歌舞表演等服务,2016年,全村接待游客达1万人次,实现旅游接待人数从"零"到"万"的巨变。二是依托企业带动发展特色畜牧业。筹资130万元,为37户贫困户每户购买10头牦牛,引进龙头企业定向收购牦牛奶,拟采取"奶站+奶吧"经营模式形成牦牛奶收购、运输、销售一体化,预计每人每年销售牛奶收入可达1300余元,促进牧民由"放牛娃"向"经营者"的转变。

三、提档升级,发展路沿经济

该村凭借毗邻国道318线的优势,结合最美景观大道打造和"五片四线"城乡提升工作,以折多山两侧加水点提档升级为抓手,加强风貌改造和功能配套,将原来单一的、不规范的加水点升级建设为集停车加水、餐饮休息、产品销售、卫生公厕于一体的多功能服务场所,提升最美景观大道综合服务功能。在实施过程中,将每处加水点与贫困建档立卡户进行捆绑,共同经营、合理分成,实现"1+N"的扶贫帮扶模式。目前,14个加水点已被改建成小型特色综合服务站,形成了覆盖餐饮、停车、住宿、加油等一条龙服务的旅游综合服务区,收入最高的加水点一年可达20余万元,预计每年每户分红2000元左右。

四、多措并举,强化社会保障

充分借助省、州部门对口帮扶的优势,整合多方力量,借势借力为村民解决后顾之忧。在就业创业方面,针对广大牧民就业无技能、务工无技术的现状,省中华职教组织俄达门巴村30名青年牧民赴成都市和泸定县参加专题职业技能培训,已有5名村民开始自主创业,通过民居接待、车辆运输、综合服务等方式迈出了创业求富之路。在医疗卫生方面,四川海联会连续5年为该村捐赠10万元用于配套卫生医疗设备,多次组织华西医院专家教授为牧民免费义诊,送去最急需的药品,较好地解决了该村包虫病、大骨节病等高原疾病多发的问题。在社会保障方面,景区开发公司每年出资40余万元为全村733名牧民全部购买医疗保险和适龄人员农村养老保险,真正做到了医保、养老、社保等一个都不能少,有效解决了牧民医疗、社保缴费负担问题。

争创“四好村” 奋力奔小康

中共西昌市委农村工作领导小组办公室主任 刘远清

西昌市地处安宁河中段,辖区面积2651平方千米,辖8个镇29个乡232个村,其中有13个彝族乡(镇)。因得天独厚的自然条件和区位优势,西昌市既是国家和四川省农业综合开发重点区,又是全国粮食大县、中国洋葱之乡、中国花木之乡。拥有无公害优质稻、石榴、水果、蔬菜四大省级挂牌生产基地以及无公害大米、洋葱、蒜头、蒜薹、石榴、葡萄六大国家级农产品品牌,这些为全市新农村建设打下了坚实基础。随着新农村建设工作的进一步深入,全省提出了开展“四好村”创建工作,但是由于“四好村”创建工作才开始全面推进,还没全面形成一条成熟经验,所以有些问题还处在探索阶段。

一、“四好村”创建工作基本情况

2016年,省委办公厅、省政府办公厅印发了《创建省级“四好村”活动工作方案》,全面启动了“四好村”创建活动,成为推动物质文明和精神文明“两手抓”、激发农村群众脱贫奔康内生动力、加强农村依法治理、整体推进农村改革发展稳定的重要载体和有效形式。2016年,西昌市创建市级“四好村”49个、州级“四好村”23个、省级“四好村”11个。2017年,州农村工作领导小组下达全市“四好村”创建任务为创建省级“四好村”9个、州级“四好村”54个。经“四好村”创建领导小组办公室广泛征求各乡(镇)意见,统计上报了56个拟创建的市级“四好村”,全市231个行政村已成功创建49个,加上拟创建的56个,尚有116个行政村不具备市级“四好村”创建标准,要在2020年内全面建成市级“四好村”,工作难度较大。

(一)“生态示范”创建工作

为了深入开展“四好村”创建工作,西昌市确定了七个“生态示范村”作为“四好村”的升级版,分别是海南乡钟楼村、安哈镇芊旷村、黄水乡双龙村、太和镇小麻柳村、开元乡开元村、民胜乡麻棚村、西乡乡凤凰村。全市有些村连基本的新农村工作都还有较大差距,要走的路还很远。

(二)“四好村”和“四个好”家庭创建之间的关系

“四好村”和“四个好”家庭是整体和个体的关系,“四个好”家庭创建是以户为单位,“四好村”创建是以行政村为单位。“四好村”创建工作重心在“好房子、好日子”,因为该项工作不仅包括住房、产业发展,还包括道路、环境等公共基础设施建设,“四个好”家庭工作重心在“好风气、好习惯”。按照相关文件要求,被评为州级“四好村”的其住户“四个好”家庭比例应不低于80%。故而,“四个好”家庭的创建是“四好村”创建的前置条件,“四个好”家庭创建未达到相关比例就无法进行“四好村”的创建。

二、“四好村”创建的重要意义和基本要求

(一)重要意义

近年来,全市以新村新寨建设为载体,着力“四好村”建设,有力推进了脱贫攻坚,取得了明显成效。但是,部分地区农村设施薄弱、发展滞后、贫困程度深,影响和制约了脱贫奔康进程。当前,全市正处于脱贫奔康的关键时期,铂金十年目标能否全面实现,关键在农村。

深入开展“四好村”和“四个好”家庭创建工作是把发展作为解决贫困地区问题的重大举措,有利于牢固树立“五位一体”(适度规模、自己的品牌、专合组织、龙头企业、电商结合)的发展新理念,紧扣发展民生稳定三件大事,凝聚干群合力,形成村持续快速发展和长治久安合力;深入开展“四好村”和“四个好”家庭创建工作是把贫困村、贫困户列为重中之重的必然选择,有利于坚持物质脱贫和精神脱贫齐头并进,改善群众生产生活条件,养成健康文明生活方式;深入开展“四好村”和“四个好”家庭创建工作是把细化差别化政策作为精准发力的重要抓手,有利于“一村一策”“一户一策”精准发力,集中力量打赢脱贫攻坚战;深入开展“四好村”和“四个好”家庭创建工作是把“四好村”创建作为民族团结进步示范市创建的有效载体,有利于广泛、深入、持久开展创建活力,争创全国民族团结进步示范市;深入开展“四好村”和“四个好”家庭创建工作是把培养和选拔民族干部作为管长远的大事来抓,有利于培养民族干部和专业技术人才,厚植西昌经济社会发展的生力军。

“四好村”创建工作不是某一个或几个部门的事,也不是一朝一夕之功,必须持续发力,久久为功。“五大行动”中,扶贫解困、产业提升、旧村改造、环境整治、文化传承等工作涉及农村工作的方方面面,一定要围绕全面建成小康社会和脱贫攻坚目标任务,把“四好村”和“四个好”家庭创建作为深化农业供给侧结构性改革的重要载体,培育脱贫攻坚新动能,坚持物质脱贫、精神脱贫、形象脱贫同步推进,以改善住房条件为基础,以增加农民收入为核心,以设施配套为支撑,以乡村治理为关键,以培育文明新风为引领,党政主导,群众主体,社会参与,着力建设“业兴、家富、村美、人和”的幸福美丽新村。

要站在政治和全局高度深刻认识深入开展“四好村”和“四个好”家庭创建工作的重大意义,切实增强责任感、紧迫感和使命感,将“四好村”和“四个好”家庭创建工作融入脱贫攻坚全过程,一抓到底,抓出成效。对前期基础条件较好的行政村可以对照“四好村”和“四个好”家庭创建标准,在完善相关软硬件的基础上先行创建,对各项基础条件相对较差的行政村要逐步完善相关建设内容,做到成熟一个,创建一个,力争到2020年,全市普遍建成“四好村”和80%以上的农村家庭建成“四个好”家庭。西昌市开展“7+1”示范村建设目的就是为“四好村”和“四个好”家庭创建探索可复制的成功经验。

(二)基本要求

“四好村”创建工作主要有四个方面的基本要求。一是住上好房子。家庭住房面积要达标、功能要完善、布局要合理,经济、适用、美观、安全。二是过上好日子。村有主导产业、新型经营主体带动、村级集体经济,户有“明白人”和增收项目,生产生活设施配套完善,教育医疗保障全覆盖。三是养成好习惯。崇尚科学,破除迷信,倡导健康文明生活方式,生活和卫生习惯良好。四是形成好风气。遵纪守法,尊老爱幼,诚信友善,勤劳节俭,自觉接受新观念,主动移风易俗。

加快新村新寨建设,让群众住上好房子。按照“产村相融、整村推进”要求,把新村新寨建设与脱贫攻坚相结合,推进幸福美丽新村建设。在规划时要科学选址、布局村落,宜聚则聚、宜散则散,严格执行“三避让”(避让地震活动断裂带、地质灾害隐患点、行洪泄洪通道)原则,确保新建农房选址安全。坚持“建改保”,注重“小组生微”,“一村一规”,统筹推进生产生活基础设施、公共服务设施、优势产业、安居房等建设。住房设计要优,突出地域风格和民族特色,新建住房要优化设计和完善功能配套,改建住房要除险加固、完善功

能，实施“三建四改”、人畜分离、厨厕分离，统一风格、风貌、装饰，提高村民生活质量和村庄整体形象。建设方式上可采用统规联建、统规自建相结合，大力推广轻钢结构建筑。改建住房要发挥群众主体作用，投工投劳自主改建。要保持“建房不停、修路不止”科学施工，加强监管，确保今年建设任务的全面完成。

着力产村相融，让群众过上好日子。把农业供给侧结构性改革作为脱贫攻坚的有效载体，产村相融，“接二连三”补设施短板，开展村庄绿化行动，强化基础设施和公共服务设施配套建设，大力实施山水田林路综合治理，建设高标准农田，加快“1+N”村级活动中心和文化活动广场建设，方便群众生产生活。巩固提升传统优势产业，大力发展“1+X”生态产业，突出核桃、青花椒以及有机蔬菜扶贫产业发展，实现“一村一品”“一乡一业”，加快建设一批特色鲜明、集中连片、规模发展的特色产业基地。培育新型农业经营主体，大力发展设施农业、农村电子商务和农产品加工业、乡村旅游业等新产业新业态。促进就业，整合培训资源，强化农村剩余劳动力务工就业技能培训，加大订单定向输出力度，确保输得出、稳得住、能挣钱。

强化教育力度，让群众养成好习惯。广泛开展科技、卫生、文体“三下乡”活动，把科技知识、卫生知识和文化知识向农村传播，把健康文明生活方式向农村覆盖。扎实推进农民夜校规范化建设，实现硬件标准化、软件规范化、师资多元化，深入开展“四好”村创建相关政策知识培训，教育引导农民群众自力更生、勤劳致富，着力把农民夜校办成政策宣传平台、党员教育阵地、群众学习基地，持续提升党员群众对脱贫攻坚的满意度。以“一村一幼”和学校教育为阵地，加强双语教育，从娃娃抓起，开展个人清洁、公共卫生、行为习惯等教育和“小手拉大手”活动，养成学生和家庭成员爱清洁、讲卫生的良好习惯。以卫生室为阵地，开展禁毒防艾、健康知识宣传教育活动，养成村民远离毒品、有病就医、不讲迷信的健康生活习惯。以文化室为阵地，开展“读一本好书”活动，养成村民健康向上的生活习惯。

深化乡村治理，让群众形成好风气。选优配强乡村领导班子队伍，深入实施“示范党员、红旗支部、星级党员”创建行动，切实发挥党员干部先锋模范作用，引领文明新风形成，召开村民代表大会，结合身边事，发扬好家风，互议共商，制定“四好”家庭创建标准和村规民约，开展“四好”家庭综合星级评定，实行动态管理，把村民心中的“标准”汇集成共同遵守的行动。成立彝俗会、红白喜事会等民间组织，引导群众树立勤俭节约、喜事新办、丧事简办的理念，革除薄养厚葬、高价婚姻、大操大办等陈规陋习。推行“支部+协会+家支”模式，打好禁毒防艾人民战争。开展城乡环境综合整治，建立“户收集、村集中、乡运转、县处理”的垃圾处理工作机制，采取分包到户、分段负责、定期清扫的方式打扫村道及周边环境卫生，定期开展家庭卫生检查，督促村民开展“五洗”，打扫家庭卫生。综合运用政策、法制、教育、经济等手段，加大生育秩序整治力度，破除“越生越穷、越穷越生”现象。确保适龄儿童应读尽读，不留死角，阻断贫困代际传递。

三、西昌市基本情况和“四好村”创建基本做法

（一）西昌市目前的农村现状

西昌市是一个农业市，总人口 64.56 万人，其中农业人口 44.31 万人，农业人口占全市人口总数的 68.6%。粮食播种面积 77.5 万亩，总产量突破 30 万吨；生猪出栏 60 万头，肉类产量 6 万吨；蔬菜产量 69 万吨，烤烟产量 7.4 万担，水果产量 7.5 万吨；环太、思奇香成为中国驰名商标。

（二）幸福美丽新村建设及脱贫攻坚相关要求

“十三五”期间，全市将把加快幸福美丽新村建设步伐作为保持经济平稳较快发展的持久动力，紧紧围绕助农增收、脱贫致富这个核心，以深化农村改革为动力，以依法治理和党的基层组织建设为保障，全面实施扶贫解困、产业提升、旧村改造、环境整治、文化传承“五大行动”，推进安宁河谷新村和彝家新寨建设，加快建设“业兴、家富、人和、村美”的幸福美丽新村，确保到 2018 年全市 90% 的行政村建成新村、90% 的村民入住新村；到 2020 年，全面完成农村危房改造任务，全面完成“百乡千村”新村建设任务，覆盖全市所有行政村，建成幸福美丽新村 220 个，占全市行政村总数的 90% 以上，基本达到“业兴、家富、人和、村美”的建设目标。

全市 2016 年脱贫攻坚任务为 47 个村，已经脱贫 46 个村，银厂乡巴折村 2017 年内必须完成脱贫任务。西昌市的脱贫还处于低水平的脱贫，特别是少数民族乡（镇）的大多数村的脱贫攻坚工作还任重道远。2017 年，西昌市安排 1.1 亿元专项脱贫攻坚资金。按照市委市政府“建房不停、修路不止、三建四改加力”的基本要求，未来 3 年内将继续巩固提升脱贫攻坚成果，每年财政安排预算专门资金用于脱贫攻坚工作。

（三）“四好村”创建相关工作及要求

1. 工作步骤

开展创建。严格按照省定标准、州指导、市组织、乡（镇）实施、村委主体的原则，对照省级、州级和市级“四好村”创建标准，全面启动创建工作。

逐级申请。由乡（镇）将符合条件的村向市“四好村”创建办提出申请，经审核合格后建成市级“四好村”，并将所有符合标准的市级“四好村”报省、州“四好村”创建办。有如下情形之一的取消“四好村”申报资格：有新增吸毒贩毒人员的；有党员干部违反党纪政纪受到处分的；有刑事案件发生的；有发生重大群体性上访事件受到通报的。

检查考评。每年年底，由市相关部门组织力量对照省级、州级和市级“四好村”创建标准对申报的村进行检查考评和验收。切实做好省、州“四好村”创建办的考评验收抽查工作。

公示授牌。将所有符合标准的“四好村”在全市范围内进行公示，公示无异议后，正式评定为市级“四好村”，每年以市委市政府的名义命名并进行授牌。符合省级、州级的“四好村”在全省或全州范围内进行公示，每年以省委省政府和州委州政府的名义命名，并在当年的相应级别的农村工作会议上进行授牌。

动态管理。建立有进有出的动态管理机制，每年由市“四好村”创建办组织开展复查，对于不符合条件的，取消其“四好村”称号并摘牌。

2. 示范引领

为扎实开展好全市“四好村”创建工作，经领导小组研究决定，以下 7 个村为全市“四好村”创建示范引领村：磨盘乡磨菇村、安哈镇铅矿村、银厂乡巴折村、民胜乡麻棚村、洛古波乡俄池格则村、黄水乡双龙村、荞地乡九道村。

3.时间安排

宣传动员及组织实施阶段（2017 年 3 月—10 月）：市级各媒体广泛刊播创建实施方案及创建标准；各乡（镇）、村（组）通过便民服务中心宣传栏、乡（镇）或村（组）文化中心宣传栏、村民大会、村组会议村、广播站等宣传阵地刊播创建实施方案及创建标准，通过全方位、多形式的宣传，使“四好村”创建活动家喻户晓、人人参与。各乡各镇、村制订相关实施方案并实施。

申报阶段(2017年10月):各乡(镇)、村(组)根据创建实施方案和创建标准,根据自身实际情况,准备相关材料报送市"四好村"创建办。

评定授牌阶段(2017年11月):各乡(镇)将确定的"四好村"报市"四好村"创建领导小组办公室,办公室组织相关责任单位按照创建标准进行审查验收,合格后报市委市政府批准予以公示表彰,并统一授牌。

4.组织保障

注重宣传引导。采取传统媒体和新兴媒体相结合的方式,大力宣传"四好村"创建活动的重要意义、目标任务和具体要求。动员农村广大党员干部带头争创,带动身边群众积极参与创建活动。适时召开全市"四好村"创建活动经验交流会,及时总结经验,树立先进典型,努力营造"四好村"创建活动的浓厚氛围。

落实工作责任。乡(镇)党委、政府主要负责同志为市"四好村"创建活动的第一责任人,亲自研究、亲自安排、亲自推动、亲自检查,对照"四好村"创建标准和考评指标层层传导压力,细化落实责任,确保创建活动长期有人抓、有人管,构建起纵向到底、横向到边、整体联动的创建工作体系。市"四好村"创建办每月月底进行督查通报,对于工作不力、进展缓慢的严肃问责。

建立激励机制。充分发挥农户主体作用,激发基层干部群众参与创建活动的积极性、主动性。市财政整合涉农资金项目对市级"四好村"给予一次性奖励补助,对于成功创建省级、州级"四好村"的,省、州财政在安排农村综合改革转移支付资金时给予一次性奖励补助。

狠抓督促检查。市委市政府把"四好村"创建工作成效纳入相关部门、乡(镇)领导班子考核的重要依据和领导干部表彰奖励、考察考核、选拔任用的重要参考内容之一。建立活动通报制度,对开展较好的通报表扬,对开展不力的曝光批评并督促限期整改。抓好开展经常性的督促指导、经验总结、自查自评等活动,推动"四好村"创建活动常态化、制度化。

由于"四好村"创建工作是全方位的,尚处于探索阶段,笔者仅就全市目前的基本做法和要求做初步探讨,在这里提的一些观点仅作抛砖引玉之用,在以后的工作中将进一步深化相关工作内容和工作方法。在省、州、市相关领导和部门的共同努力下,西昌市"四好村"创建工作将全面完成上级安排的工作任务,为西昌市在全州率先全面建成小康奠定坚实的基础。

改革创新"破空壳"
激发活力"强堡垒"

——会理县探索走出村集体经济发展新路子

中共会理县农村工作领导小组办公室

近年来,会理县以"干什么、怎么干、谁来干、干得好"为主线,在发展壮大村级集体经济方面进行了积极探索,有力推动村"两委"精准"脱壳"、村民精准脱贫,实现集体和群众"双赢共富"。

一、突出"三个理清",解决"干什么"的问题

(一)理清账目核"三资"

全县制定出台了《会理县关于加快发展村级集体经济的实施意见》,通过政府购买服务方式聘请会计师事务所对全县303个村资产实物、账户、账本、经济收入收据等"三资"进行全面核实,核定村集体资产总额10300万元、债务368.8万元,其中"空壳村"88个、负债村69个。

(二)理清关系化纠纷

县农办牵头成立审计、统计、财政等单位组成的村集体资产清理小组,按照"尊崇发展沿袭、尊重历史事实"的原则,通过查看历史资料,走访退休干部、村民,分析租用合同等多种方式理顺村集体资产产权,化解了30余起村集体产权纠纷,明确并收回16处存在争议的村集体资产产权,总金额达216.3万元。

(三)理清思路明方向

全县确定"以短养长、长短结合"的总体发展思路,具体细化为盘活闲置物业资产、开展订单劳务输出等8条措施。同时,出台项目倾斜、用地优惠、金融扶持等7条发展村集体经济的优惠政策,县财政统筹安排100万元村集体经济发展基金。充分发挥全国农村信用体系建设实验区成果,积极引导金融机构开发"石榴贷""烤烟贷"等产品,促进村集体经济发展。

二、创新"四型模式",解决"怎么干"的问题

(一)积极发展"服务创收"型集体经济

引导城市周边村发挥区位优势鼓励村"两委"领办创办各类服务实体发展劳务服务、技术服务、乡村旅游等,增加村集体收入。一是劳务创收。老街乡毛溪村以"村两委+村组干部+党员"模式组建红太阳家政服务队,有成员24人,辐射带动农户60户,实现利润20万元,并将3%的利润划归集体所有。二是技术创收。南阁乡南山村创新增收思路,组建农机服务队,贷款集资25万元购置收割机、耕地机等10余台机械设备,同时,采取"村两委+群众"模式培训技术能手10余名,为周边乡(镇)、村提供耕地、播种、采收等上门服务,每年利润15万元以上,扣除人员工资后,将利润的50%归集体所有。三是旅游创收。老街乡兰厂村利用靠近会理会议遗址优势,采用"村两委+协会+农家乐"方式组建兰厂餐饮协会,由村"两委"出面与中青国际等旅行社对接,组织游客到各入会农家乐就餐,为参观会理会议遗址和红旗水库的游客提供接待服务,已入会农家乐12家,每年增加集体收入8000元以上。

(二)积极发展"租赁托管"型集体经济

由村"两委"牵头,用好用活农业农村改革有关政策,推进土地整理、流转,实现村集体经济收益。一是"土地银行"模式。南阁村探索建立土地流转机制,发动5个村民小组成立"土地银行",整合土地1810亩,在维持土地用途不变的前提下,对存入土地进行打包、整理,增加土地面积并连片"贷"出,规模发展烤烟、果蔬等特色产业,土地存贷产生的收益除去必要管理开支后的利润按存入土地面积进行二次分红,增加农户和村集体经济收入。二是委托管理模式。回头山、鱼鲊2村积极配合政府开展招商引资,成功引进并成立金砂农业科技有限公司,流转山地1万余亩,由支部和公司协商签订合同,采用"支部+农户"模式为公司提供管理服务,公司将2万株苗木交给支部管理,支部再分给农户,每户农户管理500株,除了支付管理工资外,看管好、产量高的农户还能得到"绩效"分红,同时公司也将支持村集体每年1万元以上的发展基金。

(三)积极发展"产业发展"型集体经济

村"两委"在产业发展中发挥主导作用,加快产业发展的同时合理增加村集体收入。一是产业带动。木古乡牛筋树村采取"村两委

+专业合作社+基地+农户”发展模式成立牛筋树石榴合作社，把农民有序合理组织起来，提高生产经营组织水平，形成规模优势进入市场，将经营收入增值部分按一定比例作为村集体分红，增强村集体经济实力。二是副业拉动。鹿厂镇铜矿村在大力发展石榴产业的同时创新思维，延伸石榴相关产业，采取“村两委+公司”的形式成立万倾物流公司为广大群众提供运输服务，同时修建氮气果蔬气调库为群众提供寄存、租赁服务并收取一定费用，将其全部用作集体经济积累，每年能为集体创收 2 万元以上。三是能人驱动。鹿厂镇星火村利用核桃产业发展优势积极引导外出能人返乡创业，支持本地大户带动创业，村集体提供苗木、技术、土地等资源，采用“村两委+能人”模式积极发展核桃产业，村集体收取 30%的利润分红。目前，该村已培育大户 34 户、家庭农场 28 家，村集体经济收入达 6000 元以上。

（四）积极发展“资产增收”型集体经济

由村“两委”牵头，大力盘活集体资产，开发集体资源，实现集体经济保值增值。一是易地置业。中长乡毛菇坝村立足集体矿山资源优势，利用获得的收入在县城发展服务业，采用“村两委+企业”模式开办金霸宾馆，年营业额达 80 万元以上、利润达 20 万元以上，村集体增加的收入除去为村民购买医疗等保险外，剩余部分用于集体积累。二是资金增收。外北乡云岩村、果元乡星星村积极对接农村金融改革新政策，引导群众将闲散资金聚合，91 户农户共集资 500 余万元组建聚源农村资金互助社，开展社员资金存贷、扶持社员发展农业生产等业务，将所得利润的 30%作为集体所有，每年集体经济收入达 3 万元以上。三是资产出租。果元乡南郊村利用城市建设发展机遇在县城内修建集体房产，将房产租赁给华联超市，每年租金收入 10 余万元，将其全部作为集体经济收入。

三、抓实“四大工程”，解决“谁来干”的问题

一是抓实“领头雁”工程。把懂政策、善管理、晓技术、敢创新的农村优秀人才选进村“两委”班子，目前，全县有 165 名致富能人担任村党支部书记，412 名 35 岁以下年轻党员进入村“两委”班子。

二是抓实技能提升工程。以“农民夜校”为主阵地，成立专业师资队伍，针对村组干部致富创新开展全覆盖培训，共开展培训 426 次，培训村组干部 1.26 万人次。

三是抓实保障激励工程。建立村干部养老保障机制和村级集体经济发展奖励机制，由县财政承担村干部 50%的养老保险金，对村集体经济发展有突出贡献的党组织和村“两委”干部表彰奖励，激发村干部发展村集体经济的内生动力。

四是抓实领导联系工程。建立村集体经济发展“三个一”联系机制，即 1 片区 1 名联系常委、1 乡 1 名县领导、1 村 1 名技术指导员。积极制订符合实际的村集体经济发展规划，规范租赁、委托经营等合同模版，建立管理台账，将所有村集体“三资”纳入台账管理，防止村集体资产流失。

四、推动“三个转变”，解决“干得好”的问题

（一）推动集体经济由“被动”向“主动”转变

通过县委县政府的科学统筹、部门联动，村集体经济发展目标更加具体化，基层工作条件得到极大改善，激发了基层想发展、敢创新的积极性，实现了村集体经济由“被动”接受“主动”谋划的转变，全县已有 58 个村制定了村级集体经济发展三年规划，102 个村完成了实体经济注册。

（二）推动干部群众关系由“松散”向“凝聚”转变

村集体经济的不断发展壮大为农村基础设施维护、产业发展、公益事业等奠定了坚实的经济基础，南阁村等 23 个村建立村级便民服务站 78 个，基层组织服务能力、发展能力得到进一步提升，基层组织凝聚力、战斗力得到进一步增强，农村基层政权得到进一步巩固。

（三）推动集体经济累积由“空壳”向“实体”转变

通过一系列激励发展措施，仅 58 个建卡贫困村就完成经营性收入 34.3 万元，人均收入达 7.9 元以上，实现了精准“脱壳”，积累超过 1 万元以上的村有 95 个，积累超过 3 万元以上的村有 40 个，积累超过 5 万元以上的村有 32 个。全县村级集体经济积累总额达 961.5 万元，同比增长 9%。

紧抓乡村振兴战略机遇
打造新型农业产业化龙头企业

四川省宜宾五粮液集团有限公司董事长、党委书记　李曙光

2017 年以来，五粮液集团公司响应习近平总书记“四川建设农业强省，打造新型农业产业化龙头企业”的号召，深入贯彻落实党的十九大关于乡村振兴发展的战略精神，以省、市农业发展思想为指导，主动适应经济发展新常态，将农业供给侧结构性改革作为经济发展和经济工作主线，切实抓好建基地、创品牌、搞加工等重点任务，以领航川酒振兴为己任，开创新时代白酒产业发展新局面。

一、延伸产业链，布局酿酒特色农业，建设专用粮基地意义重大

（一）响应习近平总书记“四川建设农业强省，打造新型农业产业化龙头企业”号召，落实中央、省、市农业发展规划

习总书记在 2017 年 3 月 8 日参加十二届全国人大五次会议四川代表团审议时指示要建设农业强省，发展现代农业。随后，四川省、宜宾市陆续出台相关农业发展政策。五粮液作为粮食产品加工企业，积极响应习近平总书记号召，落实各级政府发展规划的战略举措，向上延伸产业链，布局酿酒特色农业，打造新型农业产业化龙头企业。

（二）本地粮食的优秀特质成就五粮液独特风格，建设有机酿酒专用粮基地是提升产品品质的重要抓手

川酒甲天下，精华在宜宾。川南独特的地理位置、气候条件和水质培育了优质的酿酒原粮。“粮乃酒之韵”，五粮液酒融五谷之精华酿制而成，川南粮食的优秀特质和五粮配方成就了五粮液香气悠久、味醇厚、入口甘美、入喉净爽、各味协调、恰到好处、酒味全面的独特风格。因此，建设有机酿酒专用粮基地是五粮液提升产品品质的重要抓手。

（三）建设有机酿酒专用粮基地是公司推行循环经济及环境友好型发展模式的有效示范

环境友好型发展模式功在当代、利在千秋。公司蓄力发展有机种植技术，升级酿酒用粮品质，丢糟改制为有机肥的项目已完成可行性论证，即利用有机肥改造及维护有机酿酒专用粮基地，实现经济建设与环境保护的生态闭环发展，这为公司实践循环经济发展模式提供了可能。

二、定力弥坚、规划引领，做好基地建设顶层设计

（一）战略目标

以“本地化、基地化、产新化、有机化”为标准，建立起符合五粮液品牌战略发展要求的酿酒专用粮供应链新模式。

(二)总体规划

确定以宜宾为核心、四川为主体、兼顾国内部分粮食品种优质产区,以"订单农业"为主要模式,分层分级打造核心区、标准区和辐射区,计划三年升级建设百万亩级酿酒专用粮基地,不断提升基地的生态价值、休闲价值和文化价值,促进一二三产业融合发展。

(三)聚焦"三农"重点,加大资金投入

集团公司计划未来三年至少增加15亿元投资加快推进基地建设,在品种研发、专用粮补贴、智能低温仓储升级、核心示范基地筹建、高标准农田建设等方面持续加大投入,不断升级改造基础设施,改善生产条件。

三、发力农业供给侧结构性改革,践行乡村振兴战略,蹄疾步稳建设酿酒专用粮基地

(一)成立农业公司,统筹基地建设

五粮液集团2017年成立酿酒专用粮管理平台公司——五粮液有机农业发展有限公司,统筹管理酿酒专用粮供应链,扎实推进酿酒专用粮基地建设。

2017年,宜宾市翠屏区、南溪区、江安县等县(区)近5万亩糯红高粱种植基地全面丰收,1万余吨糯红高粱基本保证了核心酿酒车间生产需求。布局川北的约6万亩小麦基地可产出2万余吨优质软质小麦供制曲车间使用。

(二)组建专业团队,构建技术支撑体系

五粮液农业公司通过内培外招,组建了一支懂农业、爱农业的新型团队。同时,通过与省、市农科院(所)及中化集团等国内顶级专业农业现代化服务企业形成战略合作关系,构建技术支撑体系。

作为订单农业需求方,五粮液农业公司积极对接农合组织,通过对其资源禀赋、企业性质、运营模式等进行全面摸底和综合分析,从而细化优化专用粮基地发展规划,明晰"核心示范""订单农业""战略合作"三种主要基地建设路径,其中以"政府鼓励+龙头企业年度订单+农科平台技术支撑+种植大户积极参与"的"订单农业"为主要模式,通过价格引导机制、绩效奖励机制、农业风险保障体系加快培育新型农业经营主体,发展适度规模经营。不断完善农业金融创新和信用服务体系,激发专用粮基地乡村振兴发展活力,引领农业现代化发展。

(三)实施基地建设,助力产业扶贫

产业扶贫是精准扶贫的重要抓手。做好基地扶贫工作,公司主导是方向,农户增收是保障,基地统筹是重点,顺势而为是担当。公司将定价收购、绩效奖励、技术指导、农业保险、配套服务各方面向贫困户倾斜,鼓励其劳动脱贫、尊严脱贫、精神脱贫。

公司重点布局的川南酿酒专用粮基地覆盖宜宾市两区八县百余镇。通过种植大户及专合社带动,为贫困户提供可持续的增产增收途径,已扶持5000余户贫困户,助力脱贫攻坚初显成效。2018年计划在宜宾升级建设酿酒专用粮基地20万亩,并向2万余户种植户免费提供近50吨、价值500余万元的优质粮种。按户均10亩地算,基地建设通过特色种植,价格保护、绩效奖励可带动2万余户基地种植户实现户均增收5000元以上。

(四)创新驱动,改革引领,探索五粮液农业发展新模式,激发酒粮基地乡村振兴发展活力

五粮液集团瞄准粮食生产重大关键科技问题,秉持大联合、大协作的精神,合力打造目标聚焦、任务明确、团队协同、资源共享的农业科技创新平台,强化引领性、系统性、整体性和制度性创新,积极发展现代农业、智慧农业、精准农业,不断探索新技术、新模式、新业态、新成果,为酿酒专用粮育、种、收、储、运、酿科技进步注入创新活力,促进基地建设信息化、科技化。公司大力推广有机肥、生物农药、测土配方施肥、绿色防控技术,完善农业科技管理,拓展科技创新领域,为五粮液酿酒专用粮基地插上了科技的翅膀。

(五)绿色发展,生态种植,打造顶级生态白酒,满足人民对美好生活的需求

公司推行绿色生产方式,实施农业标准化生产,提倡生态循环种植,促进美丽乡村建设。通过健全农产品质量安全标准体系,启动溯源管理信息平台建设,探索建立农业绿色发展监测评价体系和奖惩机制,适时引进气象指导、卫星遥感监控可视技术,探索丢糟有机肥资源利用,以清洁生产推进基地绿色发展。通过基地生态文明建设,完善生态产业链,发挥当地粮食优秀特质,升级酿酒用粮品质,释放五粮酿造传统工艺优势,打造顶级生态白酒,提升核心品系竞争力,积极适应消费升级趋势,实现内涵式和外延式发展,不断满足群众对生态性、绿色化、健康性的需求。

公司酿酒专用粮基地建设工作尚处于起步阶段,但是,在中央、省、市各级政府的正确领导下,公司有信心、有决心、有能力做好基地建设各项工作。五粮液集团作为引领宜宾市经济发展的龙头企业,坚决贯彻落实好中央、省委、市委的重大决策部署,以大格局、大视野与大担当,以新突破、新跨越与新作为谱写新时代农业供给侧结构性改革与乡村振兴战略新篇章。

附　　录

新任（变动）省级领导

尹力，男，汉族，1962年8月生，山东临邑人，1983年6月加入中国共产党，1987年9月参加工作，俄罗斯医学科学院卫生经济与卫生事业管理专业毕业，研究生学历，医学博士。1980年9月—1986年7月在山东医科大学医学系医学专业学习。1986年7月—1988年11月在山东医科大学卫生系社会医学与卫生事业管理专业学习，获得硕士学位，其间1987年9月—1988年6月在上海外国语学院出国留学预备人员培训部学习。1988年11月—1993年11月在俄罗斯医学科学院卫生经济与卫生事业管理专业攻读博士研究生。1993年11月—1994年11月为国务院研究室教科文卫司干部。1994年11月—1997年4月任国务院研究室教科文卫司副处长。1997年4月—1999年12月任国务院研究室社会发展研究司处长。1999年12月—2003年5月任国务院研究室社会发展研究司助理巡视员，其间2001年3月—2001年6月在中央党校中央国家机关分校学习，2002年8月—2003年4月为美国哈佛大学访问学者。2003年5月—2003年5月任国务院研究室社会发展研究司巡视员。2003年5月—2003年10月任卫生部办公厅副主任（正局级）。2003年10月—2006年7月任卫生部国际合作司司长，其间2005年3月—2006年1月在中央党校一年制中青年干部培训班学习。2006年7月—2008年9月任卫生部办公厅主任。2008年9月—2012年2月任卫生部副部长、党组成员，其间2009年7月—2011年8月任中央社会治安综合治理委员会委员。2012年2月—2013年4月任卫生部副部长、党组成员，国家食品药品监督管理局局长、党组书记。2013年4月—2015年3月任国家食品药品监督管理总局副局长、党组副书记，国家卫生和计划生育委员会副主任。2015年3月—2015年4月任四川省委副书记。2015年4月—2016年1月任四川省委副书记、省委宣传部部长（兼任）。2016年1月—2016年2月任四川省委副书记、代省长，省委宣传部部长（兼任）。2016年2月任四川省委副书记、省长。为第十八届中央候补委员，第十二届全国人大代表，省十二届人大代表。

李昌平，男，藏族，1961年1月生，四川金川人，1982年7月加入中国共产党，1982年7月参加工作，四川省委党校研究生学历，农学学士。1978年9月—1982年7月在西南民族学院畜牧兽医系畜牧专业学习。1982年7月—1983年12月在四川省畜牧局草原处工作。1983年12月—1984年12月在四川省草原工作总站工作。1984年12月—1988年10月任四川省草原工作总站副站长。1988年10月—1990年1月任四川省畜牧局草原处、省畜牧食品办牧区处副处长。1990年1月—1991年3月下派任重庆巫溪县副县长。1991年3月—1994年12月任四川省畜牧局草原处、省畜牧食品办牧区处副处长。1991年4月—1991年7月在四川省级机关党校处长轮训班学习。1994年12月—1995年2月任四川省畜牧食品办公室（局）牧区处处长。1995年2月—1997年2月任乡城县委副书记。1997年2月—1997年5月任四川省畜牧食品办公室（局）牧区处处长。1997年5月—1998年5月任四川省畜牧食品局生产科教处处长。1998年5月—2006年1月任四川省畜牧食品局副局长。2000年5月—2001年1月挂职任农业部畜牧兽医局副局长。2006年1月—2006年12月任四川省绵阳市人民政府副市长。2004年3月—2006年6月在四川省委党校经济管理专业研究生班学习。2006年12月—2007年1月任四川省甘孜藏族自治州州委副书记。2007年1月—2007年3月任四川省甘孜藏族自治州州委副书记，州人民政府副州长、代州长、党组书记。2007年3月—2011年9月任四川省甘孜藏族自治州州委副书记，州人民政府州长、党组书记。2011年9月—2011

年10月任四川省委常委,甘孜藏族自治州州委副书记、州人民政府州长、党组书记。2011年10月—2016年4月任四川省委常委、省委农工委主任、省委民工委副书记(兼任)。2016年4月至今任国家民族事务委员会副主任、党组成员。

曲木史哈,男,彝族,1960年1月生,四川越西人,1985年5月加入中国共产党,1976年12月参加工作,中央党校经济管理专业毕业,中央党校研究生学历。1976年12月—1981年1月为中国人民解放军89201部队战士。1981年1月—1982年9月为四川省凉山州委统战部干事。1982年9月—1986年8月在西南民族学院政治系政治专业学习,获得法学学士学位。1986年8月—1988年10月任四川省普格县普乐乡党委副书记、书记,普乐区委副书记。1988年10月—1989年5月任四川省普格县县长助理。1989年5月—1990年3月任四川省喜德县副县长。1990年3月—1996年3月任四川省喜德县委副书记、县长。1996年3月—2002年10月任四川省凉山州副州长,其间1996年9月—1997年7月在中央党校一年制中青班学习,1996年9月—1999年7月在中央党校经济管理专业研究生班学习,2000年5月—2000年11月挂职任交通部公路司副司长。2002年10月—2003年3月任四川省凉山州委常委、副州长。2003年3月—2004年12月任四川省凉山州委副书记、州长。2004年12月—2009年12月任四川省发展改革委副主任、党组成员(正厅级)。2009年12月—2011年9月任四川省发展改革委副主任、党组副书记(正厅级)。2011年9月—2011年10月任四川省政府副省长、党组成员,省发展改革委副主任、党组副书记。2011年10月—2016年5月任四川省政府副省长、党组成员,省委民工委副书记(兼任)。2016年5月—2016年6月任四川省委常委,四川省政府副省长、党组成员,省委民工委副书记(兼任)。2016年6月任四川省委常委、省委农工委主任,省委民工委副书记(兼任)。为第十届全国人大代表,十届省委委员,省十届、十一届、十二届人大代表。

王铭晖,男,汉族,1960年2月生,四川资阳人。1977年12月参加工作,1980年10月加入中国共产党,省委党校现代管理专业毕业,省委党校研究生学历。1977年12月—1981年4月为四川省资阳县明阳乡水利员。1981年4月—1981年11月为四川省资阳县人事局办事员。1981年11月—1982年6月任四川省资阳县迎接乡党委副书记。1982年6月—1983年8月任共青团四川省资阳县委副书记。1983年8月—1988年7月任四川省资阳县伍隍区委副书记、书记,其间1986年9月—1988年7月在四川省委第二党校政治经济专业大专班学习。1988年7月—1990年3月任四川省资阳县农贸办副主任(正科级)。1990年3月—1992年12月任四川省资阳县委副书记。1992年12月—1995年6月任四川省乐至县委副书记。1995年6月—1998年4月任四川省乐至县委书记。1998年4月—2000年12月任四川省资阳市地委副书记,其间1996年9月—1998年7月在中国社会科学院研究生院市场经济专业研究生课程班学习。2000年12月—2005年7月任四川省资阳市委副书记,其间2001年3月—2003年7月在四川省委党校现代管理专业研究生班学习,2002年5月—2002年11月挂职任中国工商银行个人金融业务部副总经理。2005年7月—2005年8月任四川省内江市委副书记。2005年8月—2007年6月任四川省内江市委副书记、市长。2007年6月—2013年1月任四川省委副秘书长、办公厅主任。2013年1月—2016年6月任四川省宜宾市委书记。2016年6月任四川省政府副省长、党组成员。为第十一届、十二届全国人大代表,省十二届人大代表。

表彰

第二批国家林业重点龙头企业（四川省部分）

四川五丰黎红食品有限公司
四川宜宾横竖生物科技有限公司
四川七彩林业开发有限公司
四川天源油橄榄有限公司
宜宾云辰乔木园林有限责任公司
四川广安和诚林业开发有限公司
泸州市容大竹业集团有限公司
成都富森美家居股份有限公司

第八批农业产业化省级重点龙头企业

一、第七批监测合格企业（487家）

四川省畜科饲料有限公司
仲衍种业股份有限公司
四川升达林产工业集团有限公司
四川省川粮米业股份有限公司
成都市健生堂实业有限公司
四川老厨房米业有限公司
四川菊乐食品有限公司
四川省棉麻集团有限公司
四川徽记食品股份有限公司
四川隆生集团有限公司
成都香香嘴食品有限公司
新希望集团有限公司
四川省开元集团有限公司
四川白家食品有限公司
四川聚和生态农业发展有限公司
四川三联家禽有限责任公司
四川广乐食品有限公司
成都宜家食品有限公司
成都新繁食品有限公司
成都市盈宇食品有限公司
四川国凤生物科技有限公司
成都国酿食品股份有限公司
成都北峰面粉有限公司
成都香贝儿食品有限公司
成都久森农业科技有限公司
华侨凤凰集团股份有限公司
四川万花环美生态环境建设有限公司
四川强劲奥林食品饮料有限公司
四川想真企业有限公司
四川金宫川派味业有限公司
成都柯邦药业有限公司
四川金土地中药材种植集团有限公司
四川都江堰青城茶叶有限公司
都江堰青城贡品堂茶业有限公司
四川依顿农业科技开发有限公司
彭州市弘大市场开发服务有限公司
四川协力制药有限公司
四川省彭州市宝山企业(集团)有限公司
成都日兴特种水产试验中心(都江堰日兴鲟鱼科技有限公司)
成都萱源农产品有限公司
成都百信生态农业发展有限责任公司
四川欣康绿食品有限公司
四川省花秋茶业有限公司
四川省文君茶业有限公司
成都春源食品有限公司
四川金忠食品股份有限公司
成都市新兴粮油有限公司
成都嘉禾实业集团有限公司
四川省春泉集团有限公司
四川振鹏达食品有限公司
成都新太丰农业开发有限公司
四川省高宇木业有限责任公司
四川省上庆农业开发有限公司
四川易林农业发展有限公司
成都丰丰食品有限公司
四川王一食品有限公司
四川天味食品集团股份有限公司
成都喜来登实业发展有限公司
四川国栋建设股份有限公司
成都农产品中心批发市场有限责任公司
成都东平食品有限公司
成都冯氏蜂业有限公司
四川省登悦林木种植开发有限公司
四川康源农产品有限公司
成都市棒棒娃实业有限公司
四川省丹丹调味品有限公司
成都三友药业有限公司
四川高福记食品有限公司
成都榕珍菌业有限公司
成都金大洲实业发展有限公司
成都建丰林业股份有限公司
成都市金正食品有限公司
成都市裕邑丝绸有限责任公司

四川兰田工业食品有限公司
成都佳享食品有限公司
四川嘉竹茶业有限公司
四川绿昌茗茶业有限公司
四川七环猪种改良有限公司
四川得益绿色食品集团有限公司
四川特驱投资集团有限公司
四川大北农农牧科技有限责任公司
成都伍田食品有限公司
成都市花中花农业发展有限责任公司
成都华西希望集团有限公司
成都三旺农牧股份有限公司
成都建中香料香精有限公司
通威股份有限公司
四川新荷花中药饮片股份有限公司
四川龙旺食品有限公司
成都希福生物科技有限公司
四川好好吃食品有限公司
成都市金桑缘农业开发有限公司
四川正农投资有限责任公司
吉峰农机连锁股份有限公司
四川省京韩四季实业有限公司
天伦食品(成都)有限公司
四川润兆渔业有限公司
蜡笔小新(四川)有限公司
四川省郫县豆瓣股份有限公司
四川川娇农牧科技股份有限公司
成都市环丰食品有限公司
成都新朝阳作物科学有限公司
成都巨龙生物科技有限公司
成都市四友化学工业有限责任公司
成都濛阳农副产品综合批发交易市场有限责任公司
四川省五友农牧有限公司
四川正东农牧集团有限责任公司
四川家乡薯业有限责任公司
简阳市瑞益牧业有限公司
四川省简阳市大地生态发展有限公司
四川省简阳大哥大牧业有限公司
四川省简阳市国发植物油有限公司
四川简阳新华植物油厂
四川惠远农牧科技有限公司
四川省天保果业有限公司
四川钟玉农牧有限公司
自贡市新星源食品有限公司
四川旭阳药业有限责任公司
四川绿食佳农业有限公司
四川龙都茶业(集团)有限公司
四川巴尔农牧集团有限公司
四川弘鑫农业有限公司
四川省吉泰龙食品集团有限公司
自贡市锦程农业开发有限公司
四川省富顺锦明笋竹食品有限公司
自贡市六顺养殖开发有限公司
四川省远达集团富顺县美乐食品有限公司
四川省旺林堂药业有限公司
富顺县蜀佳味业有限公司
自贡市博宏丝绸有限公司
四川金瑞克动物药业有限公司
自贡市天花井食品有限公司
自贡市旭旺畜牧养殖有限公司
自贡市新隆农牧有限公司
四川绿茗春茶业有限公司
盐边县天成丝绸有限责任公司
盐边县大笮风特色农业开发有限责任公司
攀枝花市锐华农业开发有限责任公司
攀枝花市益寿堂医药有限公司
攀枝花市行远牧业有限责任公司
攀枝花攀西阳光酒业有限公司
米易华森糖业有限责任公司
攀枝花市捷茂中药材种植有限公司
米易县绿生农业开发有限责任公司
米易县万民农牧有限责任公司
攀枝花市绿景农业开发有限公司
攀枝花立新养殖开发有限公司
盐边县松林堡特色农业有限责任公司
泸州老窖集团有限责任公司
泸州金土地种业有限公司
泸州市川穗粮油有限公司
泸州华明酒业集团有限公司
泸州市纳溪区民强生态农业科技开发有限公司
四川银鸽竹浆纸业有限公司
泸州凯乐名豪酒业有限公司
四川泸州龙城粮油购销有限公司
四川天之骄子实业有限公司
泸州陈年窖酒厂
合江丽川木业有限公司
四川省泸州市百绿食品有限公司
泸州市容大竹业集团有限公司
四川古蔺肝苏药业有限公司
四川瀚源有机茶业有限公司
泸州市邓氏土特产品有限公司
泸州羽丰酒业有限责任公司
四川省茂源食品有限公司
四川柯迪尔家私有限公司
四川省旌晶食品有限公司
四川在生源面粉有限公司
四川畜丰猪业有限公司
益海(广汉)粮油饲料有限公司
四川省广汉熊家婆食品有限责任公司
绵竹三溪香茗茶叶有限责任公司

四川省绵竹市恒丰粮油有限责任公司
四川邦禾农业科技有限公司
四川逢春制药有限公司
四川省奉献农业有限公司
四川雄健实业有限公司
四川万凤粮油有限公司
德阳民丰禽业有限责任公司
四川蓝剑饮品集团有限公司
四川德阳市年丰食品有限公司
四川铁骑力士实业有限公司
四川光友薯业有限公司
四川国豪种业股份有限公司
绵阳市全兴种业有限公司
四川雪宝乳业有限公司
四川华欧油橄榄开发有限公司
四川神龙粮油有限公司
三台县银泰丝绸有限公司
绵阳明兴农业科技开发有限公司
盐亭县汇源牧业有限责任公司
北川维斯特农业科技集团有限公司
四川省羌山农牧科技股份有限公司
绵阳建丰林产有限公司
绵阳五洲农业开发有限公司
四川江油恒源药业集团有限公司
绵阳豪茂魔芋食品有限公司
四川新绵樱农牧有限公司
绵阳仙特米业有限公司
四川金太阳畜牧饲料集团有限公司
绵阳市鲜绿果蔬有限责任公司
绵阳市游仙茧丝绸有限公司
四川省绵阳市恒力通企业有限责任公司
绵阳市高水农副产品批发有限公司
绵阳市鑫庆食品有限责任公司
绵阳天虹丝绸有限责任公司
绵阳市森泰农业开发有限公司
梓潼蜀国农业开发有限公司
四川皇嘉农业集团有限公司
北川安特天然药业有限公司
四川万亩田生态农业开发有限公司
四川西科种业股份有限公司
四川省青川县川珍实业有限公司
广元市申达实业有限公司
四川不倒翁酒业有限公司
四川省苍溪漓山粮油有限公司
四川省苍溪县面业有限责任公司
广元市海天实业有限责任公司
剑阁县剑门木业有限责任公司
广元市金田农业科技有限公司
四川米仓山茶业集团有限公司
四川广元蓉成制药有限公司
四川省锐昌牧业科技有限公司
广元市鑫茂农业科技开发有限公司
四川毅力猕猴桃产业有限公司
广元市钏琰生物科技有限公司
苍溪县猕猴桃食品有限责任公司
广元市白龙茶叶有限公司
广元天湟山核桃食品有限公司
四川天冠生态农牧有限公司
四川省汉王山生物科技开发有限公司
剑阁县东山米业有限公司
苍溪县金龙粮油有限责任公司
四川省蓬溪县建兴青花椒开发有限公司
四川香叶尖茶业股份有限公司
遂宁市中通实业集团现代农业开发有限公司
四川省汇强油脂有限公司
四川省向东方投资集团有限公司
四川五斗米食品开发有限公司
射洪县峻原农业有限责任公司
射洪县超强肉类食品有限责任公司
射洪县食品有限公司
四川蜀兴种业有限责任公司
四川美宁食品有限公司
四川省遂宁市南大食品有限公司
遂宁市松涛园林工程有限公司
四川回春堂药业连锁有限公司
遂宁市银发白芷产业有限公司
四川渴望生物科技有限公司
四川省齐全饲料有限责任公司
四川颐康实业有限公司
四川可士可果业股份有限公司
四川玉冠农业股份有限公司
四川省环亚生物科技有限公司
四川兴宇生物科技有限公司
四川普升农业发展有限公司
四川省德福隆实业有限公司
内江金鑫畜禽有限公司
内江市汉丰农业科技发展有限公司
四川佳美食品工业有限公司
内江市松林丝绸有限责任公司
内江市东马禽业有限责任公司
四川资中菜源食品有限公司
四川省福元肉类食品有限公司
资中县宏和丝绸有限公司
资中县银山鸿展工业有限责任公司
四川汇源农业产业化集团有限公司
四川康弘牧业科技有限公司
四川运达粮油工业有限公司
四川内江威宝食品有限公司
四川省复立茶业有限公司
四川省隆昌县禽苗市场开发有限责任公司

四川省隆昌都英羽绒有限公司
威远县金四方果业有限责任公司
四川兵牌农业有限公司
资中永辉生态农业有限公司
内江市飞龙米业有限公司
四川普嘉特饲料有限公司
四川华象林产工业有限公司
乐山市何郎粮油有限公司
四川省井研县世圣丝业有限公司
四川哈哥集团有限公司
四川盈丰工贸集团有限公司
四川省井研县食品有限责任公司
四川省峨眉山竹叶青茶业有限公司
峨眉山仙芝竹尖茶业有限责任公司
峨眉山金丰农产品种植营销有限公司
四川峨眉山龙马木业有限公司
峨眉山万佛绿色食品有限公司
四川峨眉仙山中药有限公司
四川峨边五旺有限责任公司
四川祥光农业科技开发有限公司
四川省犍为凤生纸业有限责任公司
四川省巨星企业集团公司
乐山市牛华芽菜食品有限公司
四川省金福纸品有限责任公司
乐山嘉益农业发展有限公司
马边嘉美木业有限公司
四川永丰纸业股份有限公司
四川罗城牛肉食品有限公司
四川锡成天然食品有限公司
乐山吉象人造林制品有限公司
四川禹伽茶业科技有限公司
沐川吉源木业有限责任公司
峨眉山市全林农业科技有限公司
四川省鹅背山茶业有限公司
四川省南充绿宝菌业科技有限公司
南充川北农产品交易有限公司
四川省绿科禽业有限公司
充大百合高科技农业发展有限公司
南充烟山味业有限责任公司
四川省汇龙食品有限公司
南充富达竹业有限公司
南充市广丰农业科技有限公司
四川元安药业股份有限公司
四川通旺农牧集团有限公司
四川润丰肉食品有限公司
四川省绿辰生态农业发展有限公司
南充佳美食品工业有限公司
四川方果食品有限公司
四川金泰纺织集团有限公司
四川仪陇县大山米业有限公司
四川龙兴农业科技有限公司
四川天盛竹业有限公司
四川保宁醋有限公司
四川鸿宇冷冻食品有限公司
四川阆中煜群农产品开发有限责任公司
四川木兰郡生物科技有限公司
四川省阆州醋业有限公司
四川张飞牛肉有限公司
四川绮香纱丝业有限责任公司
四川红鼎天辣椒产业有限公司
阆中市生之源精细食品有限公司
南充市过江龙食品有限公司
仪陇县金乐福食品有限责任公司
西充县百科有机种养殖有限公司
四川龙翔农业科技发展有限公司
南充永华食品有限公司
四川南溪徽记食品有限公司
宜宾黄桷庄粮油集团有限公司
珙县智溢茧丝绸有限公司
四川省珙县鹿鸣茶业有限公司
四川省宜宾市叙府酒业股份有限公司
四川省茶业集团股份有限公司
兴文县飞龙食品有限责任公司
四川省宜宾高洲酒业有限责任公司
高县立华蚕茧有限公司
四川省高县华盛纸业有限公司
宜宾川红茶业集团有限公司
四川早白尖茶业有限公司
四川天竹竹资源开发有限公司
四川宜宾碎米芽菜有限公司
四川省和久农业集团有限公司
四川省宜宾市华夏酒业有限公司
宜宾市娥天歌食品有限公司
四川省宜宾市汇宝食品有限责任公司
宜宾长宁盛园食品有限公司
四川省宜宾竹海酒业有限公司
宜宾市好耕农业有限公司
宜宾红楼梦酒业股份有限公司
宜宾醒世茶业有限责任公司
宜宾市双星茶业有限责任公司
四川省旭茗茶业有限公司
四川宜宾长兴畜牧产业化科技有限公司
四川广安伟业绿色园艺有限公司
四川欧阳农业集团有限公司
华蓥市德嘉农业科技有限公司
华蓥市超奇农产品有限公司
四川省银丰食品有限公司
四川安泰茧丝绸集团有限公司
广安天兆食品有限公司
邻水县柑桔产业开发有限公司

广安聚丰贸易有限公司
广安和诚林业开发有限责任公司
四川东柳醪糟有限责任公司
四川巴山雀舌名茶实业有限公司
大竹县顺鑫农业发展有限责任公司
四川玉竹麻业有限公司
达州市复兴市场开发有限责任公司
四川省宕府王食品有限责任公司
四川天予植物药业有限公司
四川天源油橄榄有限公司
达州市鑫源食品有限责任公司
四川发荣林业产业有限公司
达州市宏隆肉类制品有限公司
达州市山参葛业有限责任公司
四川麦克福瑞制药有限公司
四川省立川农业食品有限公司
万源市巴山食品有限公司
四川天王牧业有限公司
四川江口醇酒业(集团)有限公司
四川远鸿小角楼酒业有限公司
巴中市巴州区兴旺养殖场
巴中市绿颂米业有限责任公司
四川省巴中龙头食品有限公司
四川翡翠粮油集团有限公司
四川北牧南江黄羊集团有限公司
四川省通江县银耳有限责任公司
四川省天仙食品有限公司
四川省通江县德富隆实业有限公司
四川省通江山霸王野生食品有限公司
四川省通江县罗村茶业有限责任公司
巴中市红色恩阳银杏产业开发有限公司
四川塔基崧源农业科技有限公司
川七彩林业开发有限公司
雅安市名山县西藏朗赛茶厂
四川禹贡蒙顶茶业集团有限公司
四川省茗山茶业有限公司
四川省蒙顶山皇茗园茶业集团有限公司
四川省蒙顶皇茶茶业有限责任公司
四川蒙顶山跃华茶业集团有限公司
四川克鲁尼茶叶生物科技有限公司
四川吉祥茶业有限公司
四川中天地木业有限公司
四川五丰黎红食品有限公司
四川省大渡河食品有限公司
四川农兴源农业开发有限责任公司
雅安茶厂股份有限公司
雅安市友谊茶叶有限公司
四川省蒙顶山大众茶业集团有限公司
四川森楠农林科技有限公司
雅安隆生农牧有限公司
四川荥经县塔山有限责任公司
四川省吉香居食品有限公司
四川茂华食品有限公司
四川九升食品有限公司
四川李记酱菜调味品有限公司
四川省味聚特食品有限公司
四川省川南酿造有限公司
千禾味业食品股份有限公司
四川仁寿县碧海实业有限公司
四川仁寿江陵食品有限公司
四川福仁缘农业开发有限公司
四川省金兴食品有限责任公司
青神裕华纺织有限责任公司
洪雅现代牧场有限公司
中纺粮油(四川)有限公司
四川茂华养殖有限公司
四川彩虹制药有限公司
四川王家渡食品有限公司
四川仁寿金利纺织有限公司
四川蜀冠食品有限公司
四川四海食品股份有限公司
四川永鑫农牧集团股份有限公司
四川省资阳市临江寺豆瓣有限公司
四川华通柠檬有限公司
四川省盛旺农牧业有限公司
四川禾邦阳光制药股份有限公司
四川红旗丝绸有限公司
四川通世达生物科技有限公司
四川省牧旺农牧有限公司
资阳市盛美农业有限责任公司
甘孜州华康进出口有限责任公司
康定青藏谷地农牧业生物科技有限公司
甘孜州康定红葡萄酒业有限公司
泸定县桑吉桌玛青稞酒业有限责任公司
四川扎西集团有限公司
乡城县硕曲绿色食品开发有限责任公司
乡城县雪松天然绿色食品开发有限责任公司
阿坝州新希望牦牛产业有限公司
九寨沟天然葡萄酒业有限责任公司
阿坝州九寨茶业有限责任公司
四川阿坝九寨食品有限公司
红原县国中食品有限责任公司
红原牦牛乳业有限责任公司
汶川岷江甜樱桃产业有限公司
汶川大禹生物产业股份有限公司
四川红星领地酒庄有限公司
若尔盖高原之宝牦牛乳业有限责任公司
阿坝州雪松牦牛肉干有限公司
汶川农辉山鸡发展有限公司
四川豪吉食品(集团)有限责任公司

四川环太实业有限责任公司
宁南县南丝路集团公司西昌华宁农牧科技有限公司
西昌思奇香食品有限责任公司
西昌市邛海水产有限公司
德昌凤凰实业有限责任公司
德昌县蔬菜藏业开发有限公司
西昌天喜园艺有限责任公司
四川好医生攀西药业有限责任公司
四川会理果果果业有限责任公司
西昌正中食品有限公司
甘洛彝家山寨农牧科技有限公司
凉山州中泽新技术开发有限责任公司
会理县西攀阳光农业开发有限责任公司

二、第七批递补省级重点龙头企业(74 家)

成都市都江堰春盛中药饮片股份有限公司
四川民福记食品有限公司
彭州市余之康农业发展有限公司
成都市碧涛茶业有限公司
四川友联味业食品有限公司
成都市蒲议食品有限公司
成都华高生物制品有限公司
中粮(成都)粮油工业有限公司
四川谷黄金集团有限公司
成都巨星农牧科技有限公司
四川新华西乳业有限公司
九三集团成都粮油食品有限公司
四川省国中食品有限公司
成都市晋江福源食品有限公司
四川省正鑫农业科技有限公司
都江堰市岷江油脂有限责任公司
四川翔宇牧业科技有限责任公司
简阳市盛地农业发展有限公司
成都市鼎辰源农业开发有限责任公司
荣县阳光农业发展有限公司
攀枝花和谐牧业有限公司
四川益满达渔业有限公司
泸州绿阳现代农业发展有限公司
合江县宋袁食品厂
四川省绵竹市富王粮油有限公司
德阳市洪国种养殖发展有限公司
四川省什邡市绿康源生态农业有限公司
四川盛龙食品有限公司
德阳市明润农业开发有限公司
广汉市康达食品有限公司
新希望六和股份有限公司
北川羌族自治县羌山雀舌茶业有限公司
四川农大高科农业有限责任公司
广元市青川县山客山珍有限公司
青川海伶山珍商贸有限责任公司
广元市帆舟食品有限公司
遂宁辛农民粮油有限公司
大英县天骄纺织有限公司
四川任源牧业有限公司
四川省资中县唐源粮油有限责任公司
四川省博航农牧有限责任公司
乐山市继东饲料有限责任公司
四川省炒花甘露茗茶有限公司
四川蓝灵现代农业股份有限公司
四川阆中华珍风味食品有限公司
江安德康生猪养殖有限公司
四川横竖生物科技股份有限公司
华蓥市新农科技开发有限公司
四川省岳池特曲酒业有限公司
岳池特驱种猪繁育有限公司
四川天瑞仁和生态农牧开发集团股份有限公司
武胜县醉巴斯麻辣牛肉食品有限责任公司
四川缪氏现代农业开发有限公司
邻水县东鑫农业发展有限公司
宣汉巴人地窖酒厂
四川省益寿农业开发有限公司
渠县通济油脂有限责任公司
四川竹海玉叶生态农业开发有限公司
巴中市弘昌农业有限责任公司
南江县光雾山米业有限责任公司
巴中川巴林农开发股份有限公司
平昌县欣旗食品有限公司
雅安市和龙茶业有限公司
四川大自然惠川食品有限公司
四川厨之乐食品有限公司
四川省宏腾佳味食品有限公司
彭山县天鑫农业发展有限公司
四川三品农业开发有限公司
四川洪雅县幺麻子食品有限公司
眉山市金陆捌饲料有限公司
四川普洲奶牛有限公司
乐至县大自然农牧有限公司
西昌瑞星农业开发有限公司
盐源县世富农业有限责任公司

三、第七批监测合格更名省级重点龙头企业(28 家)

四川省邮政公司(分销业务分公司)更名为“中国邮政集团公司四川省分销业务分公司”

四川澳达食品有限公司更名为“四川老川东食品有限公司”

成都派立食品有限公司更名为“四川川蒲派立食品股份有限公司”

四川中新农业科技有限公司更名为“佳沃(成都)现代农业有限公司”

四川省若男食品有限公司更名为“四川省若男面业有限公司”

四川省杨森乳业有限责任公司更名为“四川杨森乳业股份有限公司”

四川新绿色药业科技发展股份有限公司更名为“四川新绿色药业科技发展有限公司”

四川自贡百味斋食品有限公司更名为“四川自贡百味斋食品股份有限公司”

自贡福星饲料有限公司更名为“自贡福星帝亿生物科技有限公司”

四川省什邡市泡菜厂更名为“四川道泉老坛酸菜股份有限公司”

德阳市来金燕食品有限公司更名为“四川来金燕食品有限公司”

四川米老头食品工业集团有限公司更名为“四川米老头食品工业集团股份有限公司”

四川鑫源茧丝绸有限公司更名为“四川鑫源种业有限公司”

四川长林肉类食品集团有限公司更名为“绵阳长林食品股份有限公司”

四川唯鸿食品有限公司更名为“四川唯鸿生物科技股份公司”

四川省苍溪县鸿宇冷冻食品有限公司更名为“四川欣鸿宇食品发展有限公司”

四川高金食品股份有限公司更名为“四川高金实业集团有限公司”

四川国友果业有限公司更名为“四川缔铂酒业有限公司”

威远县黄老五土特产食品有限公司更名为“黄老五食品股份有限公司”

马边彝族自治县彝家香食品有限责任公司更名为“四川谷咕农业发展股份有限公司”

夹江县佳美植物油有限公司更名为“四川省佳美粮油工贸有限公司”

四川省正奇农业开发有限责任公司更名为“四川省福华高科种业有限责任公司”

四川省天兆畜牧科技有限公司更名为“四川天兆猪业股份有限公司”

达州市润乾实业有限公司更名为“四川省润宇食品有限公司”

四川蒙顶山大富茶业集团有限公司更名为“四川川黄茶业集团有限公司”

四川宇妥藏药股份有限公司更名为“宇妥藏药股份有限公司”

西昌三牧乳业有限公司更名为“西昌新希望三牧乳业有限公司”

德昌元坤绿色果业有限公司更名为“四川元坤绿色果业股份有限公司”

四、第八批新增省级重点龙头企业(125家)

成都红旗油脂有限公司

成都蜀之源酒业有限公司

四川川辣妹食品有限责任公司

成都雪国高榕生物科技有限公司

成都尚作农业科技有限公司

成都德弘农业发展有限公司

四川成都建华食品有限公司

成都中冠食品有限责任公司

都江堰市凯达绿色开发有限公司

成都市贵和高科农业开发有限公司

成都康祖食品有限公司

四川省恒邦农业开发有限公司

益海嘉里(成都)粮食工业有限公司

四川川野食品有限公司

四川牧天食品股份有限公司

四川省洛源食品有限公司

四川大农和农业开发有限公司

攀枝花市龙腾四海农牧业有限公司

攀枝花干热河谷生物工程有限公司

攀枝花市俊贤农业开发有限公司

攀枝花市丽新园艺技术有限公司

叙永县鸿艺粉业有限公司

泸州市四维禽业有限公司

叙永县马岭粮油食品有限公司

四川郎多多畜牧业有限公司

泸州刘氏食品有限公司

泸州护国陈醋股份有限公司

泸州市川天食品有限公司

四川省泸州市太山生态农业有限公司

四川威腾家具有限公司

泸州纳溪竹韵贸易有限公司

银谷玫瑰科技有限公司

四川宇豪食品有限公司

四川什邡但氏食品有限责任公司

四川八品农产品开发有限公司

绵阳宝华生猪养殖有限公司

绵阳市佳昊农业开发有限公司

绵阳安福魔芋开发有限公司

四川同路农业科技有限责任公司

绵阳原香农业科技有限公司

四川台沃农业科技股份有限公司

四川清香园调味品股份有限公司

绵阳市勇辉生态农业股份有限公司

四川华朴现代农业股份有限公司

广元亿明生物科技有限公司

四川省青川县自然资源开发有限公司

广元壮牛农牧科技有限公司

广元市海鹏生物科技有限公司

广元市剑粮面业有限公司

遂宁市三丰食品有限公司

蓬溪华亨泰丰农牧发展有限公司

射洪金柠农业开发有限责任公司

遂宁市龙婷生态农业有限公司

内江市雅馨粮油有限公司

四川弘升药业有限公司

四川均益农牧业有限公司

四川百胜药业有限公司

四川省威远泉威食品有限责任公司

乐山傲农康瑞牧业有限公司

四川森态源生物科技有限公司

四川省五通桥德昌源酱园厂马边金凉山农业开发有限公司

南充莱达生态科技有限公司

四川本味农业产业有限公司

四川省通宝食品有限公司

南充大唐农业开发有限公司

四川仲帮种业有限公司

四川省航粒香米业有限公司

四川宏森有机农业食品有限责任公司

四川嘉佳茧丝绸有限公司
四川凯旺农牧业发展有限公司
四川明和农业开发有限公司
宜宾市久顺食品有限公司
屏山县五尺道生态食品有限公司
宜宾九牛农业开发股份有限公司
四川蓝伯特生物科技有限责任公司
兴文县石海竹木制品有限公司
宜宾市富康食品有限公司
四川峰顶寺茶业有限公司
宜宾市乌蒙韵茶业股份有限公司
四川嘉福乐食品有限公司
广安布衣农业有限公司
汇森林业股份有限公司
广安万千集团有限公司
万源市花萼绿色食品有限公司
达州市桃花米业有限公司
宣汉锦宏蜀宣牧业有限公司
万源市立川食品综合开发有限公司
开江县宝源白鹅开发有限责任公司
巴中精致现代农业开发有限公司
巴中市忠友农业发展有限公司
平昌县丰瑞农业科技有限公司
巴中市茂鑫农业科技发展有限公司
四川省元顶子茶场通江县康源油脂有限公司
通江县巴山生态牧业科技有限公司
四川蒙顶山茶业有限公司
芦山钱记鲜蛋养殖有限公司
雅安市凯安林食品有限公司
雅安太时生物科技股份有限公司
四川雅安周公山茶业有限公司
雅安市蔡龙茶厂
四川宝兴海鑫茶业有限公司
四川省大川茶业有限公司
天全县青竹茶叶有限责任公司
天全县西蜀雅禾生态农业开发有限公司
雅安农耕时代生态农业有限公司
四川蒙顶酒业有限公司
四川菜花香食品有限公司
四川省丹妮生态生活护理用品有限公司
眉山市恒辉粮油有限公司
四川省邓仕食品有限公司
洪雅县雅妹子生态食品有限公司
四川九曲禾川实业有限公司
安岳安德利柠檬产业科技有限公司
四川宝森农林科技有限公司
资阳市尤特薯品开发有限公司
乐至县天龙农牧科技有限公司
金川天和药业有限公司
西昌富华生态农业科技有限公司
德昌县建昌食品有限责任公司
会东县堵格牲畜市场经营有限责任公司
凉山州惠乔生物科技有限责任公司
西昌绿洲农业生态科技开发有限责任公司
会东县山松农业开发有限责任公司

2016年全国农机合作社示范社（四川省部分）

西充县勇飞农机农民专业合作社
崇州市耘丰农机专业合作社
绵阳市安州区永福农机专业合作社
眉山市德心农机专业合作社
遂宁市安居区兴耘农机专业合作社
苍溪县鑫利民农机专业合作社

四川省第八批农民合作社省级示范社

成都市（16个）：

成都一生三民蔬菜农民专业合作社
都江堰市兴农蔬菜种植农民专业合作社
崇州市文井江牛尾笋种植专业合作社
郫县紫云桥蔬菜专业合作社
成都市新都区宏亮农机作业专业合作社
成都市新都区丰收农机专业合作社
成都市金堂土桥金智任水产养殖专业合作社
蒲江县蜀西源生猪专业合作社
都江堰市顺牲畜禽养殖农民专业合作社
崇州市集贤涌泉土地股份合作社
邛崃市依丰水稻专业合作社
成都甘霖草莓种植专业合作社
成都金佛源中药材种植专业合作社
崇州市五星土地股份合作社
都江堰市神禾中药材种植农民专业合作社
成都市郫县新农生姜专业合作社

自贡市（15个）：

富顺县安溪镇马山村甜橙专业合作社
荣县春兰茶叶专业合作社
富顺县长滩镇蔬菜专业合作社
富顺县光大畜禽养殖专业合作社
荣县聚丰养蚕专业合作社
荣县和牧山羊养殖专业合作社
富顺县天翔生态养殖专业合作社
富顺县东湖镇同心村养植专业合作社
荣县佳诚农机服务专业合作社
自贡市九洪蜀江特种水产养殖专业合作社
荣县雨林油茶种植专业合作社
贡井区万鑫奶牛养殖专业合作社
自贡市牛佛养蜂专业合作社

富顺县福善镇油茶种植专业合作社
自贡市立志生猪养殖专业合作社

攀枝花市(9个):
米易县润民种植专业合作社
盐边县建新喜洋洋种养殖专业合作社
盐边县钰文种养殖专业合作社
攀枝花市彝山种养殖专业合作社
盐边县国云种养殖专业合作社
攀枝花市灰美来种养殖专业合作社
攀枝花市富园种养殖专业合作社
米易县安顺果蔬种植专业合作社
米易县仙山核桃种植专业合作社

泸州市(19个):
泸州市江阳区晶果种植专业合作社
泸州市石寨有机原粮种植专业合作社
泸州市龙马潭区长桉肉鸽养殖专业合作社
古蔺县桂花乡现代林木种植专业合作社
泸州市纳溪区天仙生猪营销专业合作社
泸州市纳溪区玉金蔬菜专业合作社
泸县太伏镇龙马祠种养殖专业合作社
泸县蜀汉天府种粮专业合作社
泸县嘉渔水产专业合作社
合江县胜牛农机专业合作社
合江县便民桤木专业合作社
泸州市纳溪区新森畜禽养殖专业合作社
古蔺县光辉村桂圆土鸡养殖专业合作社
泸州市江阳区绿景花木专业合作社
泸县秋桂园林专业合作社
合江县白米镇超越农机专业合作社
古蔺县石屏乡印合经果林种植专业合作社
合江县驰城荔枝专业合作社
叙永县罗彬茶叶种植专业合作社

德阳市(11个):
德阳市旌丰渔业专业合作社
广汉市惠民农机作业专业合作社
什邡市天桥种植专业合作社
绵竹市惠农养猪专业合作社
绵竹市龙凤养殖专业合作社
中江县永强农机服务专业合作社
罗江县新塘养鸡专业合作社
中江县润川核桃专业合作社
中江县富祥中药材专业合作社
德阳市什邡市六合家园种植专业合作社
广汉市新发果蔬专业合作社

内江市(15个):
内江市市中区蓬瑞种植专业合作社
内江市共生园山庄养殖专业合作社
内江市市中区互耀水产养殖专业合作社
内江市东兴区小觉仙种植专业合作社
内江市东兴区共富种植专业合作社
内江市东兴区和众养鸡专业合作社
威远县云峰新科种植农民专业合作社
资中县发轮镇牛儿山养羊农民专业合作社
资中县水产养殖太平镇凤凰桥水殖农民合作社
资中县兴隆镇群益养牛农民合作社
威远县龙东柠檬种植农民专业合作社
威远县建强种植农民专业合作社
隆昌县盘石蔬菜种植农民专业合作社
隆昌县花荣水产养殖农民专业合作社
内江市东兴区三兵养殖专业合作社

乐山市(22个):
犍为县鑫盛源生猪养殖专业合作社
沐川县山谷地乌骨鸡养殖专业合作社
乐山市长兴畜禽专业合作社
乐山市五通桥区马儿沟生态养羊专业合作社
峨眉山市中旺养猪专业合作社
乐山市金鸿农牧专业合作社
峨边县丽华农业科技开发专业合作社
马边彝族自治县下溪乡老王坪养牛专业合作社
乐山市金口河天池中药材专业合作社
沐川县富家坡江安李专业合作社
乐山市五通桥区勤丰生姜专业合作社
峨眉山市三禾果蔬专业合作社
峨边县金果干种植专业合作社
乐山市沙湾区龙雾茶叶专业合作社
峨边县勒乌乡薯光种植专业合作社
乐山市市中区洛都果蔬专业合作社
乐山市鱼邦养殖专业合作社
井研县俊杰惠农农机服务专业合作社
马边县绿康笋材专业合作社
夹江县熊林竹仙竹笋专业合作社
金口河区林丰猕猴桃种植专业合作社
井研县强生畜禽养殖专业合作社

绵阳市(23个):
绵阳市涪城区三木鸵鸟养殖专业合作社
绵阳市涪城区喜洋洋草莓种植农民专业合作社
绵阳市鑫祥种养殖专业合作社
绵阳新有粮油作物种植专业合作社
江油市白玉村六旺养猪专业合作社
江油市蜀乡生态种养殖农民专业合作社
三台县新秀植保专业合作社
三台县宇科核桃专业合作社
安州区长青树蔬菜种植专业合作社
安县互瑞水产养殖专业合作社
梓潼县富强核桃种植专业合作社
北川羌族自治县景家苔子茶种植专业合作社
梓潼县禾稼欢农机专业合作社
盐亭县奇骏果树种植专业合作社
江油市重兴乡良琪苗木种植专业合作社
三台县新鲁镇欧邓粮油种植专业合作社

平武县虎牙藏族乡跃青养殖专业合作社
安县沸水镇天台山中药材种植专业合作社
安县高川乡超超中药材种植专业合作社
梓潼县仁和镇兴旺生猪养殖专业合作社
绵阳市游仙区止语种养殖专业合作社
三台县五根柏藤椒种植专业合作社
江油市孝均畜禽养殖农民专业合作社

遂宁市(12个):

遂宁市齐韵养殖农民专业合作社
遂宁市安居区兴牧生猪养殖农民专业合作社
遂宁市泰鑫种植农民专业合作社
遂宁市安居区大安乡良安杂交水稻种植农民专业合作社
射洪县兴龙蔬菜种植专业合作社
射洪县裕农蔬菜种植专业合作社
蓬溪县裕丰农作物种植专业合作社
蓬溪县金果子水果种植专业合作社
大英县蜀鑫肉牛养殖专业合作社
射洪县青山绿地香桂专业合作社
大英县霖麟水产养殖专业合作社
射洪县潜源养殖专业合作社

广元市(22个):

苍溪县阳禾蔬菜专业合作社
苍溪县瑞森林木专业合作社
苍溪县金永丰农机服务专业合作社
苍溪县铭发肉兔养殖专业合作社
剑阁县武连镇武侯核桃专业合作社
剑阁县永盛生猪养殖专业合作社
剑阁县新虹农机专业合作社
旺苍县大两乡淡水鱼养殖专业合作社
旺苍县枣林乡山清茶叶专业合作社
青川县茅坝果蔬专业合作社
青川县蜀蕊蜂业专业合作社
广元市昭化区冯家岭猕猴桃专业合作社
广元市昭化区联春种植专业合作社
广元市昭化区吞口坝畜禽养殖专业合作社
旺苍县国华镇花街中药材专业合作社
广元市朝天区丰芋马铃薯种植专业合作社
广元市百吉中药材种植专业合作社
广元市声宏养殖专业合作社
广元市利州区曌农种养殖专业合作社
广元市利州区蒙家山种植专业合作社
剑阁县垂泉乡春光农业专业合作社
广元市昭化区金鑫猕猴桃种植专业合作社

南充市(16个):

顺庆区冬兴中药材种植专业合作社
蓬安县兴农种养农民专业合作社
南充市嘉陵区宏顺丰农机专业合作社
阆中市飞龙肉牛专业合作社
阆中市彭城绿色蔬菜专业合作社
南部县小兵农业机械服务农民专业合作社
南部县祥泰种养殖农民专业合作社
西充县朝阳特种水产专业合作社
西充县阳光农业农民专业合作社
西充县勇飞农机农民专业合作社
营山县多佶生猪养殖专业合作社
营山县山润农牧专业合作社
蓬安县河舒镇新明生猪养殖农民专业合作社
营山县忠海果树种植专业合作社
南部县快乐川娃种养殖农民专业合作社
南充市嘉陵区德来花椒生产专业合作社

宜宾市(24个):

宜宾市翠屏区金利枇杷专业合作社
宜宾县合什镇天祥手工面专业合作社
兴文县大河苗族乡锣峰生态李子园专业合作社
筠连县春风圣奇灵芝种植专业合作社
长宁县卓东种养殖专业合作社
屏山酒都生态茶叶农民专业合作社
江安县邵湾茶叶种植专业合作社
高县荣礼葡萄种植专业合作社
珙县旭东种植专业合作社
珙县兴晟农产品开发专业合作社
筠连县筠连镇五丰黄牛养殖专业合作社
筠连县正兴兔业专业合作社
兴文县凤瑞生态农业专业合作社
兴文县毓秀苗乡林下散养黑猪专业合作社
宜宾县金鑫养殖专业合作社
高县沙河贰柒麻鸭养殖专业合作社
长宁县永鑫禽业专业合作社
宜宾县德丰农机专业合作社
江安县蟠龙乡共同农机农民专业合作社
兴文县仙峰富康方竹专业合作社
宜宾县惠农园林农民专业合作社
高县茁越柠檬种植专业合作社
屏山县鑫星不知火果业农民专业合作社
屏山县仙峰茶业农民专业合作社

广安市(19个):

广安市广安区博泰良种肉牛繁育专业合作社
广安岳兴蔬菜产销专业合作社
华蓥市新科养殖专业合作社
华蓥市山地养鸡专业合作社
华蓥市新农民农机专业合作社
华蓥市绿源生态甲鱼养殖专业合作社
岳池县洋紫华葡萄种植专业合作社
岳池县大龙山花椒种植专业合作社
岳池县承建新农养殖专业合作社
武胜县桔园红种植专业合作社
武胜县中心镇晓燕猪业专业合作社
武胜县鸣钟乡天成畜禽养殖专业合作社
邻水县盛世种植专业合作社
邻水县恒瑞祥佛手种植专业合作社

邻水县其发葡萄种植专业合作社
邻水县大旺生猪养殖专业合作社
广安包氏养蜂专业合作社
邻水县农友农机专业合作社
广安前锋合利藤椒种植专业合作社

达州市(16个):

达县腾珑种植专业合作社
渠县老兵农业农民专业合作社
渠县佳禾果蔬农民专业合作社
万源市金银坎茶叶专业合作社
达县华生养殖专业合作社
宣汉县兴农生猪养殖专业合作社
渠县涌兴镇恒天然肉鸡养殖农民专业合作社
万源市同泰养殖专业合作社
大竹县鑫通农机服务专业合作社
开江县天成农机专业合作社
开江县宏富禽业专业合作社
开江县桃源岭银杏种植专业合作社
开江县回龙镇乐园村银杏种植专业合作社
达川区小港药材专业合作社
开江县大荒寺水果种植专业合作社
大竹县龙水果业专业合作社

眉山市(20个):

丹棱县淑乡果业专业合作社
仁寿县五龙山蔬菜专业合作社
仁寿仁农莲藕专业合作社
洪雅县槽渔滩宏益茶叶专业合作社
洪雅县新盛猪业专业合作社
青神县健康蔬菜专业合作社
仁寿鑫鑫园林专业合作社
仁寿县蝶彩花卉专业合作社
丹棱县天蚕果桑专业合作社
彭山县健康生猪养殖专业合作社
眉山市中超蔬菜专业合作社
眉山众人农业专业合作社
丹棱县总岗山养羊专业合作社
仁寿县玛瑙畜禽养殖专业合作社
丹棱县黄金峡山羊养殖专业合作社
洪雅县孔坝奶牛专业合作社
青神联合生态生猪专业合作社
青神县林河花木专业合作社
仁寿县高家镇凤凰顶核桃专业合作社
丹棱县大雅红豆杉林木专业合作社

资阳市(13个):

资阳市雁江区富鸿兴水产养殖专业合作社
简阳市万事达种植专业合作社
简阳市红发堂养殖专业合作社
安岳县金穗粮油专业合作社
安岳县姚市特种粮油专业合作社
乐至县鸿运兔业专业合作社
乐至县亿家园蔬菜专业合作社
简阳市永雄养殖专业合作社
简阳市三农种植专业合作社
安岳县大埝李水果专业合作社
乐至县亿家园蔬菜专业合作社
雁江区绿丰园林木专业合作社
资阳市齐兴生猪专业合作社

巴中市(22个):

巴中市巴州区嘉乐种养殖专业合作社
巴中市巴州区金大寨种养殖专业合作社
巴中市巴州区秦巴农机专业合作社
巴中市恩阳区美玉养殖专业合作社
巴中市恩阳区西南果蔬专业合作社
巴中市恩阳区远欣种植专业合作社
巴中市恩阳区众悦种植专业合作社
南江县和平茶叶专业合作社
南江县草坝南江黄羊光彩互助专业合作社
南江县农友家禽专业合作社
南江县远霖畜禽养殖专业合作社
南江县钱河肉牛养殖专业合作社
通江县华茂圆生态种养殖专业合作社
通江县巴山红猕猴桃专业合作社
通江县巴山圣果种植专业合作社
通江县拱桥嘴农业专业合作社
平昌县合鑫养殖专业合作社
平昌县农发茶叶专业合作社
平昌县石桥水稻种植专业合作社
通江县大印寨农林专业合作社
南江彩叶苗木专业合作社
南江县大河绿源畜禽专业合作社

雅安市(12个):

雅安市名山区盛源生猪饲养农民专业合作社
汉源县宏丰水果种植农民专业合作社
石棉黄金果业专业合作社
联合社芦山县麒阳野猪养殖专业合作社
宝兴县宝果种植专业合作社
雅安市雨城区宪勇农机专业合作社
芦山县凤凰养殖农民专业合作社
宝兴县硗碛乡阿祥生态养殖专业合作社
汉源县创兴种养殖专业合作社
荥经县龙苍沟养蜂专业合作社
雅安市名山区金地顶一苗木种植农民专业合作社
天全县朝阳农林科技合作社

阿坝藏族羌族自治州(13个):

理县富裕野鸡驯养专业合作社
九寨沟县大顺果蔬种植专业合作社
汶川县国全生态农业专业合作社
马尔康耿基种养殖专业合作社
红原县哈拉玛牦牛养殖农民专业合作社
阿坝县霜雪蔬菜种植专业合作社

松潘县岷江乡北定关中药材种植专业合作社
金川县家福种植专业合作社
茂县窄溪绿源果蔬种植专业合作社
茂县三龙吉纳养蜂专业合作社
金川县梨花香有机果蔬开发专业合作社
马尔康远地养殖专业合作社
理县农友果树种植专业合作社

甘孜藏族自治州(5个):

泸定县藏香猪养殖专业合作社
泸定安彬核桃种植专业合作社
丹巴县中纳顶村马铃薯优良薯种种植专业合作社
丹巴县沈洛村特色农产品种植专业合作社
道孚县协德青稞种植专业合作社

凉山彝族自治州(12个):

西昌市瑞玲养殖专业合作社
德昌县兹摩养蜂专业合作社
会理县贵人缘科技养殖专业合作社
会东县顺安种养农民专业合作社
普格县华康农牧业专业合作社
会东县旺兴肉羊养殖专业合作社
宁南县国云粮蔬专业合作社
冕宁县曙光种植专业合作社
盐源县华刚马铃薯专业合作社
德昌县民主烟草专业合作社
盐源县益民烤烟生产农民专业合作社
会理县东虹核桃专业合作社

四川省第二批家庭农场省级示范场

成都市(15个):

蒲江县乡维家庭农场
蒲江县石堡滩家庭农场
新都区新繁镇胜可家庭农场
新都区清流镇孝友家庭农场
金堂县广兴镇牧耕犁禾园家庭农场
金堂县赵家镇平水桥村双堰家庭农场
彭州市快乐农夫家庭农场
大邑县董场镇龙康家庭农场
都江堰市姜健康家庭农场
崇州市集贤长富家庭农场
崇州市广生家庭农场
郫县星期七家庭农场
郫县鲜氏家庭农场
成都市川王谷绿地家庭农场
邛崃市古色果香家庭农场

自贡市(11个):

自贡市必祥种养殖家庭农场
荣县过水镇森林家庭农场
荣县长山镇甜心源家庭农场
荣县留佳镇繁荣家庭农场
自流井区孝玉巾帼家庭农场
自流井区绿之源家庭农场
贡井区华凤家庭农场
富顺县桑岭种养殖家庭农场
富顺县沿江大坪养殖家庭农场
富顺县红润种植养殖家庭农场
富顺县春哥黑山羊养殖家庭农场

攀枝花市(10个):

攀枝花市仁和区啊喇乡开心香稻家庭农场
攀枝花市仁和区啊喇乡中信家庭农场
攀枝花市仁和区盛源家庭农场
盐边县惠民乡景泰家庭农场
盐边县红格镇阳光家庭农场
攀枝花市西区格里坪镇赵氏家庭农场
米易县卧马林种羊养殖家庭农场
米易县新盛芒果园家庭农场
米易县兴林芒果种植家庭农场
攀枝花市忠实种养殖家庭农场

泸州市(15个):

叙永县翠华苑种植家庭农场
叙永县统富种养家庭农场
叙永县伟塘湖种植家庭农场
泸县程鹏家庭农场
泸县得胜镇果田花乡家庭农场
泸县助农兴农家庭农场
泸县石桥镇兴盛家庭农场
泸州市纳溪区天仙镇枇杷生态家庭农场
纳溪区护国镇刘玉明家庭农场
泸州市纳溪区棉花坡镇世川家庭农场
泸州市江阳区田蜜家庭农场
泸州市江阳区梁山上家庭农场
泸州市江阳区一方水土家庭农场
合江县焦滩家庭农场
泸州市龙马潭区农家女生态家庭农场

德阳市(15个):

绵竹市富新镇强友家庭农场
绵竹市齐天镇永翔家庭农场
中江县金海粮家庭农场
旌阳区钰全家庭农场
德阳市旌阳区鑫阳种植家庭农场
什邡市佳友家庭农场
罗江县红雨家庭农场
罗江县坤和家庭农场
罗江县精英家庭农场
罗江县天蓬家庭农场
广汉市金银家庭农场
广汉市和兴金成家庭农场
广汉市上岭家庭农场
广汉市兴隆镇天好家庭农场
广汉市宏悦家庭农场

绵阳市(21个):
江油市方水乡白玉村一村一品家庭农场
江油市永胜镇凤姐家庭农场
江油市上源家庭农场
三台县景福镇绍琼家庭农场
三台县蒋柏林家庭农场
三台县越晴家庭农场
三台县健牛家庭农场
三台县新鲁镇俊坤家庭农场
绵阳市涪城区园山佳境家庭农场
绵阳市涪城区凯华家庭农场
安县黄土镇兴强家庭农场
安县秀水镇红庙沙坝家庭农场
安县黄土镇项氏家庭农场
安县花荄镇梨花山家庭农场
盐亭县琪霞家庭农场
梓潼县波涛家庭农场
绵阳市老盐井家庭农场
北川羌族自治县玉琪食用菌家庭农场
北川羌族自治县晟欣家庭农场
平武县阔达藏族乡回龙家庭农场
盐亭县萍聚家庭农场
广元市(20个):
剑阁县茂元果树种植家庭农场
剑阁县民华畜牧饲养家庭农场
剑阁县鑫隆园水果种植家庭农场
旺苍县老龙岗家庭农场
旺苍县五权镇铜钱茶叶家庭农场
旺苍县七里香茶庄家庭农场
青川县乐安寺乡森荣家庭农场
青川县瓦砾乡仕金养殖家庭农场
青川县唐氏禽业家庭农场
苍溪县鸳溪瑞农家庭农场
苍溪县永宁镇金洞村食为天家庭农场
苍溪县山清家庭农场
广元市利州区海堂家庭农场
广元市利州区两棵树家庭农场
广元市利州区得苗家庭农场
广元市昭化区权德家庭农场
广元市昭化区石板沟家庭农场
广元市昭化区兰岚家庭农场
广元市昭化区华梦生态家庭农场
朝天区朝天镇春意家庭农场
遂宁市(16个):
遂宁市安居区奉光荣种植家庭农场
遂宁市安居区老木垭村君丰家庭农场
遂宁市安居区祥林家庭农场
遂宁市安居区红房子家庭农场
安居区横山镇耀辉种植家庭农场
蓬溪莲莲有鱼种植家庭农场
蓬溪县花碑种植家庭农场
蓬溪县余何家庭农场
蓬溪县鸿源种植家庭农场
大英县平林家庭农场
大英县名辉家庭农场
射洪县杰源家庭农场
射洪县种通家庭农场
射洪县杨琳家庭农场
船山区文兵种植家庭农场
船山区珍秀种植家庭农场
内江市(15个):
威远县青云渔业养殖家庭农场
威远县华威生猪养殖家庭农场
资中县黄成生猪养殖家庭农场
资中县贤娴种植家庭农场
资中县明荣种植家庭农场
资中县仕兵养羊家庭农场
资中县罗泉镇富强养殖家庭农场
资中县郑新国种植家庭农场
内江市玉帛羊养殖家庭农场
内江市东兴区秀迪生猪养殖家庭农场
内江市东兴区怡兴生猪养殖家庭农场
隆昌县富炜家庭农场
隆昌县龙旺生猪养殖家庭农场
隆昌县李彬畜禽养殖家庭农场
内江市市中区青冈岭种植家庭农场
乐山市(15个):
乐山市五通桥区向前家庭农场
乐山市五通桥区博雅家庭农场
沐川县沐野家庭农场
马边彝族自治县思尔波湾家庭农场
井研县绿宝石家庭农场
井研县金翰乡家庭农场
井研县三道堰名木家庭农场
乐山市沙湾区谭坝乡康发生猪养殖家庭农场
乐山市金口河区寿屏山家庭农场
峨眉山市农夫之家水果种植家庭农场
峨眉山市仙林水果种植家庭农场
峨边岩悬缘森家庭农场
犍为县洪佑家庭农场
犍为县果然好家庭农场
乐山市市中区昱佳乐家庭农场
南充市(15个):
仪陇县度门镇甫华家庭农场
仪陇县新政镇兴宇家庭农场
西充县益康种养殖家庭农场
西充县宏桥雄兴种养殖家庭农场
西充县观凤乡马家湾毛先家庭农场
南部县黄金镇亮门寺华珍种养殖家庭农场
南部县升水镇天虫家庭农场

嘉陵区石楼乡希望家庭农场
南充市高坪区王氏葡萄种植家庭农场
南充市顺庆区天健生猪养殖家庭农场
南充市顺庆区兴阳肉羊养殖家庭农场
南充市高坪区家旺蔬菜家庭农场
阆中市明心家庭农场
营山县祥辉畜禽养殖家庭农场
营山县顺风肉羊养殖家庭农场

宜宾市(20个)：

长宁县黄家花园家庭农场
长宁县食为天家庭农场
宜宾县福乐源生态家庭农场
宜宾县普安镇王前树种养殖家庭农场
宜宾县孔滩镇谦维家庭农场
宜宾县李场镇世福家庭农场
高县庆岭乡良香食家庭农场
高县华耕家庭农场
兴文县余米之香家庭农场
兴文县镇鸿生态家庭农场
宜宾市翠屏区梨春苑家庭农场
宜宾市翠屏区朱家花园家庭林场
宜宾市翠屏区祖莲家庭农场
珙县益嘉家庭农场
珙县玉和苗族乡茶桂家庭农场
珙县蒋露家庭农场
江安县怡乐镇好又来葡萄家庭农场
江安县桐梓镇龙腾湖家庭农场
筠连县龙镇乡卜好村远友家庭农场
屏山县金秀家庭农场

广安市(17个)：

武胜县晓燕养殖家庭农场
武胜县洪轩家庭农场
武胜县蜀洲种植家庭农场
武胜县大平安养殖家庭农场
武胜县天健甜橙种植家庭农场
武胜县兴华养殖家庭农场
武胜县泰旺养殖家庭农场
武胜县龙女镇兴中种植家庭农场
武胜县金银养殖家庭农场
武胜县壹拾捌号种养殖家庭农场
武胜县姐妹养殖家庭农场
岳池城市之乡家庭农场
岳池县伏龙乡春晖果业家庭农场
武胜县民心养殖家庭农场
岳池县勤耕家庭农场
广安市广安区熊氏家庭农场
邻水县石坝弯家庭农场

达州市(15个)：

宣汉县唐信种植家庭农场
宣汉县中润种植家庭农场
宣汉县米岩花海种植家庭农场
宣汉县南垭家庭农场
达县鸿华家庭农场
达州市达川区红盈家庭农场
达州市达川区独鹰家庭农场
开江县刘义波家庭农场
开江县星雅家庭农场
达州市通川区红碧家庭农场
达州市通川区秋玲家庭农场
大竹县川翔养殖家庭农场
大竹县熊太菊家庭农场
万源市兴鑫家庭农场
渠县桃李满园家庭农场

眉山市(19个)：

丹棱县昊龙家庭农场
丹棱县恒源家庭农场
丹棱县雨晟生态观光家庭农场
丹棱县唯实家庭农场
青神县金华畜牧养殖家庭农场
青神县顺丰家庭农场
青神县吉祥家庭农场
东坡区崇仁家庭农场
东坡区乐春天家庭农场
洪雅县天涯家庭农场
洪雅县草人木屋家庭农场
眉山市彭山区佳维家庭农场
眉山市彭山区天山家庭农场
彭山开心家庭农场
彭山大帝汉克家庭农场
仁寿县正鑫家庭农场
仁寿县集贤家庭农场
仁寿县中农镇罗元金家庭农场
仁寿福满堂家庭农场

巴中市(18个)：

巴中市恩阳区彭喻家庭农场
巴中市恩阳区石梯坎家庭农场
巴中市恩阳区下八庙镇来福家庭农场
巴中市恩阳区安居家庭农场
通江县欣雨家庭农场
通江县美好家庭农场
通江县三溪乡桅杆坪村秀英家庭农场
通江县三溪乡家柏青花椒种植家庭农场
通江县广纳镇国华家庭农场
通江县三溪乡红元家庭农场
通江县源田家庭农场
巴中市巴州区卫香家庭农场
巴中市巴州区天羽家庭农场
巴中市巴州区久兴家庭农场
巴中市巴州区曾口镇华翠家庭农场
南江县八庙乡玖禾园家庭农场

南江县长赤郭家家庭农场
南江县东榆镇高丰家庭农场

资阳市（12个）：

乐至县中和场镇华升家庭农场
乐至县大佛镇万奎家庭农场
乐至县禾光家庭农场
安岳县红兴家庭农场
安岳县厚伟家庭农场
安岳县鑫江家庭农场
安岳县鑫三利家庭农场
安岳县跨越家庭农场
资阳市雁江区宋氏家庭农场
资阳市雁江区六石包家庭农场
简阳市吴必双家庭农场
简阳市陈亚群家庭农场

雅安市（10个）：

汉源县富夕家庭农场
汉源县东川家庭农场
汉源县萌诚家庭农场
雅安市名山区叶村家庭农场
雅安市名山区益华家庭农场
芦山县琼林家庭农场
芦山县林洪家庭农场
芦山县凤凰家庭农场
宝兴县石来家庭农场
天全县龙盛种植家庭农场

阿坝藏族羌族自治州（7个）：

理县欣忆家庭农场
茂县茅香坪顺涪果蔬家庭农场
汶川县丰禹家庭农场
小金县光辉家庭农场
汶川县育草地家庭农场
黑水县天露家庭农场
金川县兴和家庭农场

甘孜藏族自治州（3个）：

道孚县奔康家庭农场
道孚县达吉家庭农场
康定市时济乡双福家庭农场

凉山彝族自治州（11个）：

德昌县星月水果种植家庭农场
德昌县满山跑养殖家庭农场
会东县惠民家庭农场
盐源县干海乡马场村李昌林苹果种植家庭农场
宁南县邱洋种植家庭农场
宁南县卢俊养殖家庭农场
宁南县幸福乡兄弟养蚕家庭农场
宁南县农牧养殖家庭农场
会理县瑞琪家庭农场
会理县旺铜家庭农场
西昌市醉玫瑰家庭农场

2016年农业部畜禽养殖标准化示范场（四川省部分）

一、生猪（5个）

成都新益州农业发展有限责任公司
阆中市聚农生猪养殖专业合作社彭城生猪养殖场
泸州四海天兆畜牧有限公司龙潭猪场
四川顺康养殖有限公司
宜宾康诺生态养殖有限公司

二、蛋鸡（5个）

成都心连心农业有限公司
丹棱巨星禽业有限责任公司（种蛋鸡场）
绵阳万佳乐生态养殖有限公司
雅安市名山区时昌禽业有限责任公司（原名：名山区时昌养鸡场）
武胜县中太农业科技有限责任

三、肉鸡（1个）

四川腾云凤养殖有限公司

四、肉牛（2个）

乐山市山地畜牧专业合作社剑锋肉牛养殖场
攀枝花市行远牧业有限责任公司

五、肉羊（3个）

巴中市恩阳区联众养殖专业合作社（原名：恩阳区众鑫养殖有限公司）
攀枝花市中康新润农业开发有限公司肉羊标准化养殖场
四川邛杨牧业有限公司

六、绵羊（1个）

凉山半细毛羊原种场

七、兔（1个）

自贡农投生态农业科技有限公司

八、水禽（1个）

开江县宝源白鹅开发有限责任公司白鹅养殖场

九、蜜蜂（1个）

万源市太一蜂业有限公司蜂场

2016年省级畜禽养殖标准化示范场

一、蛋鸡（17个）

四川鱼凫部落生态农业发展有限公司
十陵禽业合作社金堂高板养殖场
四川省民生禽业有限公司
成都市宏升养殖有限公司鸡场
富顺县富原泰种植家庭农场
罗江县调元镇临江村翠友蛋鸡养殖场
四川济如养殖有限公司
四川圣康蛋鸡养殖专业合作社安县六合养殖小区
盐亭县麻凤凰禽业有限公司
四川省廷顺农牧发展有限公司蛋鸡养殖场
剑阁县剑州牧业有限公司
明仕农业发展有限公司

夹江县蜀佳农场
夹江县尚诚家禽养殖专业合作社
通川区红碧家庭农场(通川区大坪蛋鸡养殖场)
荥经县附城畜禽养殖专业合作社
荥经县白云东风养殖场

二、肉羊(22个)

四川省黑洋洋农业有限公司
金堂县绿云科技有限公司
成都市仁尹铜羊生态农业开发有限公司
荣县西禾黑山羊养殖家庭农场
富顺县欧卓黑山羊养殖专业合作社
盐边县安曼农业开发有限公司
四川省景盛边城生态龙农业有限责任公司红店子养殖场
泸州市朋川山羊养殖专业合作社
四川英泰瑞农业发展有限公司
德阳市万顺养殖场
旺苍县顺明养殖场
广元市利州区凯鑫养殖专业合作社
大英县会丽养羊专业合作社骑龙村养殖场
遂宁黑莽牧业有限公司
蓬溪县志勇养殖家庭农场
乐山市金鸿农业科技发展有限公司
马边下溪青山莲禽畜养殖专业合作社羊场
四川星科农业发展有限公司金泉肉羊养殖场
蓬安县兴农种养农民专业合作社杨家肉羊养殖场
蓬安县绿洋种养农民专业合作社长梁肉羊养殖场
江安县天慧养殖专业合作社养羊场
会东县玉龙黑山羊标准化养殖场

三、生猪(48个)

成都市百欧森农牧发展有限公司
崇州市穗丰养猪专业合作社
邛崃市金鑫良种猪专业合作社
大邑弟华农民养猪专业合作社
彭州市多赢生猪养殖专业合作社
大安区星大家庭农场
自贡市日月农牧科技有限公司
自贡市浩南农业开发有限公司
自贡市贡井区绿环家庭农场
泸州木鱼山生态农业有限公司
泸州市纳溪区川牧生猪养殖专业合作社渠坝天星村苗儿山养猪场
绵竹市鑫坤种植有限公司
中江县涌联养殖有限责任公司
广汉市蓉大种猪养殖专业合作社
广汉市兴隆镇兴新生猪养殖专业合作社
四川铁骑力士牧业科技有限公司
灵兴种猪场江油市新希望海波尔种猪育种公司
剑阁县诚丰生猪养殖专业合作社诚丰养殖场
广元市利州区曌农种养殖专业合作社
青川县华龙生猪养殖专业合作社
旺苍县横石牧业有限公司
四川翊凯农业开发有限公司
射洪县拓远农业有限公司仁和猪场
遂宁市安居区久达养殖家庭农场
大英县正宏家庭农场
四川天云综合农业有限责任公司乌金猪养殖场
峨边县六达养殖场
仪陇温氏双胜生猪养殖场
四川铖宇农牧有限公司东升生猪养殖场
仪陇县度门镇亿锦家庭农场
南充市高坪区骏旺养殖农民专业合作社螺溪生猪养殖场
宜宾市翠屏区绿合养殖种植专业合作社金禹养殖场
宜宾市翠屏区龙家湾种养殖专业合作社养猪场
武胜县鑫民猪业专业合作社
前锋区代市三丰农业发展有限公司
广安德康生猪养殖有限公司凤凰山种猪场
岳池县大佛川粤生态养殖场
正大广安种猪育种场
前锋区联丰生猪养殖农民专业合作社
渠县德康生猪养殖有限公司(渠南育肥场)
大竹县牌坊乡宏泰养殖基地
万源市金顺养殖专业合作社猪场
达川区鸿洋养殖场
宣汉县军扬家庭农场
巴州区兴牧养殖专业合作社
巴州区金顶养殖专业合作社
雅安科源养猪有限公司
仁寿县张光清养殖专业合作社猪场

四、肉牛(25个)

彭州市恒昇肉牛养殖专业合作社
大邑县安庆养殖专业合作社
盐边县青源牧业有限公司
古蔺县好旺达肉牛养殖专业合作社
绵阳市西部宇林农业科技有限公司
苍溪县尚绿生态种养殖合作社肉牛养殖场
青川县扬帆肉牛养殖家庭农场
遂宁市金旭生态农业有限公司肉牛养殖场
资中县群益养牛场
夹江县鑫圣牧业养殖基地
南部县犇犇养殖农民专业合作社建兴肉牛养殖场
阆中市兴牧畜牧发展有限公司洪山肉牛养殖场
阆中市众农生态肉牛养殖专业合作社天林肉牛养殖场
四川勃源生态农牧开发有限公司营山分公司黄渡肉牛养殖场
宜宾九牛农业开发股份有限公司养牛场
开江县大沙坝养殖家庭农场
大竹县周家镇余都生态养殖专业合作社养牛场
达州市华森牧业有限公司
通川区裕农肉牛养殖专合社(忠山养殖场)
宣汉县丰发养殖专业合作社

通江县欣桦种养殖专业合作社
南江县钱河肉牛养殖专业合作社
通江县鸿福农业发展有限公司
四川大坪山农牧有限公司
荥经县头道水养牛专业合作社

五、奶牛(4个)

彭州市信达农业发展有限公司
罗江县绿而康生态养殖场
道孚县康巴渠德农牧实业发展合作社
西昌攀西乳业有限责任公司

六、肉鸭(4个)

荣县华锦农业科技开发有限公司
广元市利州区华文养殖合作社
玉华养殖场开江县通源家庭农场
芦山县好农户家庭农场

七、肉鸡(8个)

富顺县恒大利农业开发有限公司
四川万物生农业科技开发有限责任公司
央石村养殖场绵阳市禾禾农业开发有限公司
射洪县敬勇白羽肉鸡养殖场
世海黑鸡原种场
岳池县神龙生态养殖专业合作社龙神庙村养殖鸡场
岳池特驱杨坝肉鸡养殖小区
什邡市凤鸣养鸡场

八、肉兔(3个)

盐亭县宏阳肉兔养殖有限公司
遂宁市翔科养兔专业合作社三元桥1社养殖场
井研县新茂农业科技有限公司

九、中蜂(4个)

青川县蜀蕊蜂业养殖专业合作社
巴州区野蕊养蜂农民专业合作社
宝兴县穆坪雪蜜源蜂业合作社
黑水兴牧阿坝中蜂养殖农民专业合作社

十、羊(1个)

隆昌县李市镇多宝山合顺黑山羊养殖基地

十一、肉鹅(1个)

蓬溪县溪草养鹅专业合作社吴刚养鹅场

十二、西蜂(2个)

广安包氏养蜂专业合作社
达州市亚平蜜蜂养殖专合社(通川区亚平蜂场)

十三、钢鹅(1个)

西昌华农禽业有限公司钢鹅养殖场

十四、绵羊(1个)

红原县茸日玛绵羊养殖农民专业合作社

十五、牦牛(1个)

阿坝县金源生态牦牛开发有限公司

十六、山羊

渠县涌先山羊养殖农民专业合作社

2016年度四川省“三农”工作先进县(市、区)

邛崃市、金堂县、崇州市、蒲江县、富顺县、米易县、泸县、罗江县、绵阳市游仙区、江油市、苍溪县、芦山县、射洪县、内江市市中区、犍为县、井研县、南充市嘉陵区、西充县、宜宾县、筠连县、广安市广安区、渠县、南江县、眉山市彭山区、资阳市雁江区、黑水县、小金县、泸定县、乡城县、会理县、盐源县

2016年度四川省农民增收工作先进县(市、区)

成都市温江区、崇州市、成都市双流区、自贡市自流井区、攀枝花市仁和区、泸州市纳溪区、泸县、什邡市、平武县、北川羌族自治县、广元市昭化区、广元市朝天区、射洪县、资中县、峨眉山市、夹江县、南部县、蓬安县、江安县、筠连县、广安市广安区、广安市前锋区、达州市达川区、大竹县、通江县、雅安市名山区、眉山市东坡区、青神县、乐至县、汶川县、黑水县、色达县、稻城县、宁南县、冕宁县

全国第二批农村改革试验区(四川省部分)

荣县、泸州市纳溪区、广汉市、三台县、苍溪县、蓬溪县、内江市东兴区、井研县、西充县、宜宾市翠屏区、宜宾县、武胜县、宣汉县、巴中市恩阳区、仁寿县、安岳县

2016年全国电子商务进农村示范县(四川省部分)

万源市、汶川县、苍溪县、通江县、平昌县、小金县、仪陇县、叙永县、广安市广安区、雷波县、江油市、荥经县、乐至县、米易县、蒲江县、峨眉山市、邻水县、筠连县、洪雅县、隆昌县

四川省现代农业林业建设示范市(县)(2016—2018年)

一、现代农业建设示范市

成都市

二、现代农业建设示范县

荣县、攀枝花市仁和区、泸州市江阳区、广汉市、江油市、苍溪县、射洪县、隆昌县、井研县、西充县、眉山市、眉山市彭山区、洪雅县、宜宾市、宜宾市南溪区、岳池县、武胜县、渠县、汉源县、平昌县、安岳县、会理县

三、现代林业建设示范县

都江堰市、泸州市纳溪区、三台县、广元市朝天区、广元市利州区、沐川县、南部县、宜宾县、南江县、青神县

四川省现代农业林业畜牧业建设重点县（2016—2018年）

一、现代农业建设重点县

富顺县、米易县、泸州市纳溪区、合江县、绵竹市、中江县、绵阳市安州区、三台县、旺苍县、青川县、大英县、峨眉山市、犍为县、马边彝族自治县、阆中市、南部县、蓬安县、眉山市东坡区、仁寿县、屏山县、高县、宜宾县、广安市广安区、邻水县、达州市达川区、大竹县、雅安市雨城区、乐至县、理县、黑水县、泸定县、乡城县、盐源县

二、现代林业建设重点县

金堂县、崇州市、米易县、盐边县、叙永县、合江县、绵竹市、盐亭县、旺苍县、射洪县、资中县、夹江县、峨眉山市、西充县、营山县、宜宾市翠屏区、筠连县、岳池县、广安市广安区、开江县、渠县、达州市通川区、巴中市恩阳区、汉源县、眉山市彭山区、简阳市、黑水县、九龙县、德昌县、宁南县

三、现代畜牧业建设重点县

自贡市大安区、盐边县、泸县、古蔺县、德阳市旌阳区、梓潼县、盐亭县、广元市昭化区、剑阁县、遂宁市船山区、蓬溪县、资中县、仪陇县、营山县、丹棱县、江安县、筠连县、宣汉县、开江县、芦山县、南江县、通江县、简阳市、小金县、理塘县、会东县、美姑县

第三批四川省农产品质量安全监管示范市（县）

一、四川省农产品质量安全监管示范市

成都市、南充市、广安市、巴中市

二、四川省农产品质量安全监管示范县

成都市龙泉驿区、都江堰市、达州市达川区、成都市青白江区、崇州市、德阳市旌阳区、南充市高坪区、汉源县、邛崃市、沐川县、巴中市巴州区、射洪县、南江县、营山县、自贡市大安区、大邑县、泸州市江阳区、简阳市、荣县、巴中市恩阳区、眉山市彭山区、北川羌族自治县、蓬安县、宜宾市南溪区、南充市顺庆区、南充市嘉陵区、合江县、芦山县、平昌县、广安市前锋区、南部县、新津县、雅安市雨城区、大英县、仪陇县、资中县、茂县、西昌市、盐边县

四川省2016年省级小型农田水利重点县

成都市：金堂县、邛崃市、崇州市

自贡市：沿滩区、荣县

攀枝花市：米易县、盐边县

泸州市：江阳区、泸县、合江县、叙永县、古蔺县

德阳市：广汉市、什邡市、绵竹市

绵阳市：涪城区、游仙区、三台县、盐亭县、梓潼县、北川羌族自治县

广元市：昭化区、朝天区、旺苍县、青川县、苍溪县

遂宁市：射洪县、大英县

内江市：市中区、隆昌县

乐山市：五通桥区、峨边彝族自治县

南充市：高坪区、南部县、西充县、阆中市

眉山市：仁寿县、彭山区

宜宾市：南溪区、江安县、高县、珙县、屏山县

广安市：广安区、武胜县、邻水县

达州市：宣汉县、大竹县、万源市

巴中市：巴州区、恩阳区、通江县、南江县、平昌县

资阳市：雁江区、安岳县、乐至县

阿坝藏族羌族自治州：汶川县、理县

甘孜藏族自治州：泸定县、丹巴县、德格县、巴塘县、稻城县

凉山彝族自治州：德昌县、布拖县、昭觉县、冕宁县、越西县、雷波县

四川省幸福美丽新村建设示范县（2016—2018年）

自贡市：大安区

泸州市：龙马潭区、古蔺县

绵阳市：北川羌族自治县、平武县、梓潼县

广元市：利州区、青川县、旺苍县

遂宁市：大英县

乐山市：金口河区、峨边彝族自治县、马边彝族自治县

南充市：高坪区、顺庆区、营山县、蓬安县、仪陇县

宜宾市：高县、珙县、兴文县、屏山县

广安市：前锋区

达州市：通川区、开江县

巴中市：巴州区、恩阳区

雅安市：芦山县、荥经县、宝兴县

阿坝藏族羌族自治州：马尔康市、茂县、松潘县、九寨沟县、小金县、黑水县、壤塘县、阿坝县、若尔盖县

甘孜藏族自治州：炉霍县、九龙县、甘孜县、雅江县、新龙县、道孚县、白玉县、理塘县、德格县、石渠县、色达县、巴塘县、得荣县

凉山彝族自治州：普格县、布拖县、昭觉县、金阳县、雷波县、美姑县、甘洛县、越西县、喜德县、盐源县、木里藏族自治县

国家全域旅游示范区首批创建名单（四川省部分）

乐山市、阿坝藏族羌族自治州、甘孜藏族自治州、都江堰市、成都市温江区、邛崃市、剑阁县、青川县、宝兴县、石棉县、北川羌族自治县

2016年四川省乡村旅游强县、特色乡镇和精品村寨

一、2016年四川省乡村旅游强县（14个）

成都市：彭州市、金堂县、龙泉驿区

攀枝花市：米易县、盐边县

绵阳市：北川羌族自治县

广元市：苍溪县

遂宁市：射洪县

乐山市：沐川县

宜宾市：兴文县

巴中市：通江县

雅安市：汉源县、雨城区

甘孜藏族自治州：丹巴县

二、2016 年四川省乡村旅游特色乡镇（39 个）

成都市：崇州市街子镇、大邑县新场镇、蒲江县光明乡、新都区清流镇、都江堰市柳街镇

自贡市：贡井区建设镇

攀枝花市：仁和区平地镇、盐边县红格镇

泸州市：古蔺县黄荆乡

德阳市：什邡市红白镇、蓥华镇

绵阳市：北川羌族自治县青片乡、安州区桑枣镇

广元市：苍溪县元坝镇、青川县青溪镇、昭化区昭化镇

遂宁市：安居区拦江镇

内江市：威远县向义镇

乐山市：峨眉山市普兴乡、沐川县沐溪镇、犍为县罗城镇

南充市：南部县升钟镇、西充县观凤乡

宜宾市：屏山县中都镇

广安市：武胜县三溪镇

达州市：大竹县朝阳乡

巴中市：南江县正直镇、通江县诺水河镇

雅安市：宝兴县蜂桶寨乡、汉源县双溪乡

眉山市：丹棱县双桥镇、洪雅县瓦屋山镇

阿坝藏族羌族自治州：小金县四姑娘山镇、红原县瓦切镇、理县古尔沟镇、九寨沟县勿角乡

甘孜藏族自治州：康定市新都桥镇、稻城县香格里拉镇

凉山彝族自治州：冕宁县复兴镇

三、2016 年四川省精品村寨（56 个）

成都市：温江区万春镇幸福村、崇州市街子镇古寺村、金堂县广兴镇宝塔村、龙泉驿区山泉镇桃源村、邛崃市天台山镇马坪村、锦江区三圣街道幸福社区、大邑县西岭镇云华村、青白江区三元村

自贡市：大安区团结镇土柱村

攀枝花市：盐边县国胜乡热水塘村、米易县丙谷镇芭蕉箐村

泸州市：龙马潭区特兴镇走马村、长安镇慈竹村，纳溪区大渡口镇民强村、天仙镇牟观村

德阳市：中江县集凤镇石垭子村、绵竹市遵道镇棚花村

绵阳市：北川羌族自治县青片乡正河村、平武县平通镇桅杆村、安州区塔水镇七里村

广元市：苍溪县陵江镇红旗桥村、旺苍县鼓城乡鼓城山社区、昭化区大朝乡牛头村

遂宁市：安居区玉丰镇金龟村、船山区河沙镇板桥村

内江市：东兴区高梁镇杨岭村

乐山市：峨眉山市普兴乡仙牙村、峨边彝族自治县黑竹沟镇底古村、马边彝族自治县烟峰彝家新寨、五通桥区杨柳镇翻身村

南充市：高坪区佛门乡白山村、南部县黑龙观村

宜宾市：高县大窝镇大屋村

广安市：武胜县三溪镇观音桥村

达州市：大竹县庙坝镇寨峰村、渠县渠南乡大山村、宣汉县龙泉土家族乡黄连村

巴中市：通江县大兴乡东郡村、平昌县驷马镇当先村

雅安市：天全县多功乡南天新村、宝兴县穆坪镇雪山村、汉源县九襄镇三强村、石棉县安顺乡安顺村

眉山市：青神县白果乡甘家沟村、仁寿县文宫镇石家社区、洪雅县瓦屋山镇复兴村

资阳市：雁江区保和镇晏家坝村、安岳县岳阳镇水观村

阿坝藏族羌族自治州：小金县抚边乡大坪村、四姑娘山镇长坪村，松潘县山巴乡上磨村、川主寺镇牧场村

甘孜藏族自治州：道孚县协德乡先锋村、稻城县桑堆镇所冲村

凉山彝族自治州：德昌县德州镇角半村、盐源县卫城镇大堰沟村

第三批美丽宜居小镇、美丽宜居村庄示范名单（四川省部分）

一、美丽宜居小镇示范

三台县芦溪镇

广元市朝天区羊木镇

二、美丽宜居村庄示范

丹巴县聂呷乡甲居一村

理县桃坪乡桃坪村

冕宁县复兴镇建设村

第四批中国传统村落名录（四川省部分）

成都市：龙泉驿区洛带镇老街社区、金堂县五凤镇五凤溪社区、大邑县安仁镇街道社区、邛崃市平落镇禹王社区

自贡市：自流井区龙凤山社区、贡井区艾叶镇竹林村、大安区三多寨镇徐家村、沿滩区永安镇鳌头铺社区、荣县墨林乡吕仙村、富顺县富世镇后街社区

攀枝花市：米易县麻陇彝族乡中心村

泸州市：泸县立石镇玉龙村、百和镇东林观村、方洞镇宋田村，合江县白沙镇芦稿村、先市镇下坝村、尧坝镇白村、九支镇柏香湾村、五通镇五通村、凤鸣镇文理村、福宝镇大亨村、福宝镇穆村、法王寺镇法王寺村，叙永县白腊苗族乡天堂村

德阳市：广汉市连山镇川江村，旌阳区孝泉镇正阳街居委会，中江县仓山镇三江村，罗江县御营镇响石村、白马关镇白马村，什邡市师古镇红豆村

绵阳市：安县桑枣镇红牌村，涪城区丰谷镇二社区，游仙区魏城镇铁炉村、刘家镇曾家垭村、玉河镇上方寺村、东宣乡鱼泉村，盐亭县林山乡青峰村，平武县虎牙藏族乡上游村、白马藏族乡亚者造祖村、木座藏族乡民族村

广元市：旺苍县东河镇东郊村、福庆乡农经村、化龙乡石川村、化龙乡亭子村，青川县观音店乡两河村，剑阁县秀钟乡青岭村

遂宁市：安居区玉丰镇高石村

内江市：威远县向义镇静宁古村，资中县罗泉镇禹王宫村，隆昌县渔箭镇渔箭社区、云顶镇云峰村

乐山市：五通桥区竹根镇兴隆里村，犍为县罗城镇菜佳村、芭沟镇芭蕉沟社区、铁炉乡铁炉社区，井研县千佛镇民建村

南充市:仪陇县马鞍镇琳琅村、阆中市河楼乡白虎村

眉山市:洪雅县高庙镇花源村、瓦屋山镇复兴村,青神县汉阳镇汉阳场社区

宜宾市:宜宾县横江镇民主社区、江安县夕佳山镇坝上村、屏山县龙华镇汇龙社区

广安市:广安区协兴镇协兴村、肖溪镇肖家溪社区、石笋镇石笋村,武胜县中心镇环江村、飞龙镇莲花坪村、三溪镇观音桥村,岳池县顾县镇顾兴社区,邻水县王家镇地选村

达州市:通川区金石乡金山村,大竹县童家乡童家村,宣汉县庙安乡龙潭河村、马渡乡百丈村,万源市秦河乡三官场村

雅安市:名山区中峰乡朱场村、荥经县新添乡新添村、汉源县九襄镇民主村、天全县小河乡红星村

巴中市:巴州区光辉镇白鹤山村,恩阳区登科街道办事处恩阳古镇,通江县洪口镇古宁寨村、龙凤场乡环山村、澌波乡苟家湾村、胜利乡大营村、胜利乡迪坪村、文胜乡白石寺村、毛浴乡迎春村,南江县朱公乡百坪村

资阳市:安岳县协和乡治山村、乐至县大佛镇红土地村

阿坝藏族羌族自治州:汶川县水磨镇老人村、龙溪乡阿尔村、龙溪乡联合村,理县薛城镇较场村、甘堡乡甘堡村、蒲溪乡休溪村、下孟乡沙吉村、桃坪乡增头村,茂县太平乡牛尾村,松潘县十里回族乡大屯村,九寨沟县漳扎镇中查村、永和乡大城村、罗依乡大寨村、马家乡苗州村、草地乡下草地村、大录乡大录村、大录乡东北村,黑水县知木林乡知木林村,马尔康县松岗镇直波村、梭磨乡色尔米村、党坝乡尕兰村、大藏乡春口村、草登乡代基村,壤塘县宗科乡加斯满村、吾依乡修卡村、茸木达乡茸木达村、中壤塘乡壤塘村

甘孜藏族自治州:丹巴县巴底乡齐鲁村、聂呷乡妖枯村、梭坡乡宋达村、中路乡克格依村、中路乡波色龙村,白玉县章都乡边坝村、热加乡麻通村、灯龙乡帮帮村、灯龙乡龚巴村、赠科乡下比沙村,理塘县高城镇车马村、高城镇德西二村、高城镇德西三村、高城镇德西一村、格木乡查卡村

凉山彝族自治州:木里藏族自治县俄亚纳西族乡大村、东朗乡亚英村、唐央乡里多村、瓦厂镇桃巴村,盐源县泸沽湖镇母支村、舍垮村

第十六批国家水利风景区(四川省部分)

西昌市邛海水利风景区

泸州市张坝水利风景区

壤塘县则曲河水利风景区

南部县红岩子湖水利风景区

广安市华蓥山天池湖水利风景区

2016 年度新增省级水利风景区

成都市:双流区白河水利风景区,彭州市湔江水利风景区、莲花湖水利风景区

泸州市:泸县玉龙湖水利风景区

绵阳市:梓潼县梓江水利风景区、东方红水利风景区

内江市:资中县龙江湖水利风景区

广安市:岳池县翠湖水利风景区、邻水县清水谷水利风景区、前锋区继光水库水利风景区、广安区石桥沟水库水利风景区

巴中市:柳津湖水利风景区

雅安市:雨城区陇西河上里古镇水利风景区

凉山彝族自治州:冕宁县安宁湖水利风景区、德昌县黑龙潭水利风景区

2016 年四川省生态旅游示范区

广安市华蓥山景区

达州市八台山景区

绵阳市药王谷景区

雅安市二郎山喇叭河景区

成都市斑竹林生态旅游区

绵阳市王朗生态旅游区

宜宾市七洞沟生态旅游区

成都市成佳茶乡景区

成都市桃花故里景区

乐山市沐川竹海景区

攀枝花市花舞人间生态旅游区

成都市云顶石城生态旅游区

第二届“四川十大扶贫好人”暨首届“四川十大扶贫爱心组织”评选表彰活动获奖名单

一、第二届“四川十大扶贫好人”名单

何远珊(成都市温江区财政局主任科员、援藏色达县工作队队员)

范景胜(四川省畜牧科学研究院助理研究员、蓬安县杨家镇伏岭村“第一书记”)

龙凤英(乐山万兴投资有限公司董事长)

尹华江(兴文县畜牧水产局高级兽医师、古宋镇范家村驻村农技员)

王 策(宣汉县圣水果蔬专业合作社总经理)

严崔秀琼(香港“福慧慈善基金会”主席)

严泽生(四川农业大学副教授、农业产业技术扶贫专家服务团成员)

易启武(长宁县古河镇兴河社区退休教师)

张彦杰(巴中兔兔爱心助学团队创建人)

钟 昊(成都兆富股权投资基金管理公司合伙人)

二、首届“四川十大扶贫爱心组织”名单

中国长江三峡集团公司

四川省慈善总会

上海悦心健康集团

四川路桥集团

泸州老窖股份有限公司

四川农业大学新农村发展研究院

冈拉梅朵藏区公益事业发展中心

四川省志愿服务基金会

凉山州扶贫开发协会

四川省农村信用社

2016 年度全国综合减灾示范社区（四川省部分）

邛崃市道佐乡皮坝村社区
成都市新都区石板滩镇集体村社区
成都市新都区马家镇北星村社区
邛崃市桑园镇黑虎村社区
金堂县三溪镇长林村社区
崇州市崇阳街道汇蜀社区
新津县安西镇月花村社区
大邑县出江镇出源社区
大邑县悦来镇王岗村社区
郫县郫筒街道晨光社区
自贡市自流井区新街富台山社区
自贡市沿滩区永安镇鳌铺社区
荣县长山镇团结社区
富顺县富世镇五府山社区
自贡市大安区牛佛镇张家坝社区
米易县攀莲镇河西社区
攀枝花市西区玉泉街道巴关河社区
攀枝花市西区河门口街道高家坪社区
攀枝花市东区枣子坪街道大地湾社区
攀枝花市东区大渡口街道大渡口街社区
叙永县叙永镇和平社区
泸州市纳溪区护国镇护国岩社区
绵竹市剑南镇滨河西路社区
德阳市旌阳区城南街道华山南路社区
广汉市雒城镇北京路社区
绵阳市涪城区城厢街道南河路社区
平武县平通镇社区
盐亭县云溪镇梓江社区
青川县三锅镇民兴村社区
剑阁县白龙镇龙洞社区
旺苍县东河镇卸甲碥社区
射洪县子昂街道何家桥社区
遂宁市安居区拦江镇东平社区
大英县回马镇花园村社区
资中县水南镇笔坛社区
内江市东兴区胜利街道三湾社区
威远县严陵镇大桥街社区
隆昌县普润镇普润场社区
井研县镇阳乡镇阳社区
峨边彝族自治县沙坪镇大坪社区
马边彝族自治县民建镇光明社区
西充县多扶镇万佰堰社区
南充市顺庆区西山街道兵马堂社区
阆中市保宁街道书院街社区
蓬安县相如镇相如山社区
高县庆符镇兴符社区
江安县红桥镇一社区
兴文县古宋镇龙神社区
屏山县中都镇新街社区
珙县上罗镇榕泉社区
华蓥市明月镇明月街道社区
岳池县罗渡镇兴盛社区
达州市通川区东城街道凉水井社区
达州市达川区翠屏街道骑龙社区
巴中市巴州区东城街道南门社区
巴中市恩阳区登科街道老场社区
平昌县白衣镇文昌社区
通江县诺江镇春长坪社区
南江县长赤镇文书苑社区
洪雅县中保镇桐升社区
洪雅县三宝镇联和村社区
眉山市彭山区黄丰镇黄丰社区
青神县汉阳镇上游村社区
眉山市东坡区三苏乡三苏村社区
仁寿县汪洋镇广石村社区
资阳市雁江区三贤祠街道爱国社区
乐至县东山镇东山社区
九寨沟县漳扎镇漳扎社区
马尔康市马尔康镇达萨社区
布拖县西城社区
越西县东城社区

四川省村民自治模范单位

一、四川省村民自治模范县（市、区）（25 个）

新津县、米易县、泸州市纳溪区、中江县、江油市、绵阳市游仙区、广元市利州区、旺苍县、资中县、隆昌县、犍为县、夹江县、阆中市、广安市前锋区、万源市、开江县、巴中市恩阳区、通江县、雅安市名山区、宝兴县、眉山市彭山区、资阳市雁江区、安岳县、九寨沟县、红原县

二、四川省村民自治模范乡（镇）（50 个）

成都市：简阳市平泉镇
攀枝花市：仁和区中坝乡、盐边县红格镇
泸州市：纳溪区新乐镇、古蔺县大寨苗族乡
德阳市：旌阳区扬嘉镇、绵竹市金花镇、什邡市师古镇
绵阳市：游仙区东林乡、盐亭县富驿镇、梓潼县定远乡
广元市：朝天区转斗乡、苍溪县元坝镇、旺苍县嘉川镇
遂宁市：船山区唐家乡、安居区三家镇、大英县蓬莱镇
内江市：市中区靖民镇、隆昌县桂花井镇、威远县严陵镇
乐山市：沙湾区龚嘴镇、踏水镇，夹江县甘霖镇
南充市：顺庆区李家镇、嘉陵区河西镇、营山县回龙镇
宜宾市：宜宾县横江镇、兴文县莲花镇、屏山县鸭池乡

广安市：前锋区代市镇、武胜县飞龙镇、邻水县黎家乡

达州市：通川区北外镇、达川区赵家镇、渠县李渡乡

巴中市：南江县正直镇、通江县空山乡

雅安市：雨城区上里镇、名山区城东乡

眉山市：东坡区白马镇、崇礼镇、三苏乡

资阳市：安岳县城北乡、乐至县龙溪乡

阿坝藏族羌族自治州：茂县叠溪镇、小金县四姑娘山镇

甘孜藏族自治州：新龙县甲拉西乡、泸定县泸桥镇

凉山彝族自治州：西昌市西乡乡、马道镇

四川省和谐社区示范单位

一、四川省和谐社区示范区（市、县）（21个）

成都市新都区、成都市温江区、简阳市、广汉市、绵阳市涪城区、广元市利州区、遂宁市安居区、射洪县、内江市市中区、南充市高坪区、珙县、兴文县、武胜县、达州市达川区、巴中市巴州区、平昌县、雅安市雨城区、资阳市雁江区、茂县、康定市、乡城县

二、四川省和谐社区示范街道（镇）（40个）

成都市：新都区新都街道、温江区柳城街道

自贡市：自流井区五星街道、汇东学苑街道

攀枝花市：东区瓜子坪街道、西区河门口街道

泸州市：江阳区南城街道、纳溪区永宁街道

德阳市：旌阳区旌阳街道、绵竹市剑南镇

绵阳市：游仙区涪江街道、北川羌族自治县永昌镇

广元市：利州区嘉陵街道、青川县建峰乡

遂宁市：射洪县子昂街道

内江市：市中区牌楼街道、资中县银山镇

乐山市：峨眉山市绥山镇、胜利镇

南充市：阆中市沙溪街道、西充县晋城镇、南部县楠木镇

宜宾市：江安县江安镇

广安市：广安区北辰街道

达州市：通川区西城街道，达川区三里坪街道、翠屏街道

巴中市：巴州区江北街道、平昌县同州街道

雅安市：雨城区西城街道、石棉县棉城街道

眉山市：东坡区大石桥街道

资阳市：雁江区狮子山街道、安岳县石桥铺镇

阿坝藏族羌族自治州：茂县凤仪镇、汶川县漩口镇

甘孜藏族自治州：丹巴县章谷镇、甘孜县甘孜镇

凉山彝族自治州：西昌市东城街道、会东县铅锌镇

三、四川省和谐社区示范社区（79个）

成都市：新都区新都街道状元街社区、温江区柳城街道南街社区、青白江区大同镇红光社区、新津县五津街道南江社区、简阳市射洪坝街道蜀阳社区

自贡市：大安区大安街道仁和社区、贡井区贡井街道老街子社区、沿滩区卫坪镇龙湖远达社区、荣县旭阳镇南街社区

攀枝花市：东区大渡口街道光明社区、瓜子坪街道兰尖社区，西区玉泉街道巴关河社区，米易县攀莲镇河西社区

泸州市：江阳区华阳街道康乐社区，纳溪区安富街道上坝社区，泸县百和镇高洞社区、玉蟾街道清溪社区

德阳市：旌阳区城北街道秦宓社区、什邡市马祖镇京什社区、罗江县万安镇金雁社区、绵竹市汉旺镇集贤社区

绵阳市：江油市太平镇涪滨社区、三台县潼川镇解放街社区、安县河清镇富乐社区、平武县水晶镇水晶社区

广元市：利州区南河街道体育场社区、苍溪县陵江镇杜里社区、旺苍县东河镇治城社区、剑阁县普安镇小玲珑社区

遂宁市：船山区介福路街道燕山社区、富源路街道南师路社区、慈音街道慈音寺社区，大英县朝阳社区

内江市：市中区玉溪街道翔龙社区、东兴区新江街道东风社区、资中县水南镇四通社区、隆昌县山川镇山川社区

乐山市：市中区泊水街街道县街社区，峨眉山市绥山镇红华苑社区、胜利镇桑园社区，犍为县玉津镇玉津社区

南充市：顺庆区新建街道镇泰路社区、高坪区清溪街道高坪社区、蓬安县相如镇磨子西街社区、仪陇县新政镇南门社区

宜宾市：翠屏区安阜街道葡萄园社区、宜宾县柏溪镇岷江社区、江安县阳春镇阳春社区、高县庆符镇新城社区

广安市：广安区北辰街道岔路社区、岳池县乔家镇太平社区、邻水县鼎屏镇南外社区、华蓥市双河街道红星路社区

达州市：通川区西城街道红旗路社区、达川区三里坪街道曹家梁社区、大竹县白塔街道幸福社区、宣汉县东乡镇津碧社区

巴中市：巴州区宕梁街道红岩社区、恩阳区观音井镇观音井社区、南江县南江镇春场坝社区、巴中市经济开发区时新街道西锦社区

雅安市：雨城区西城街道中大街社区、青江街道汉碑路社区，名山区蒙阳镇中心社区，石棉县棉城街道岩子社区

眉山市：东坡区大石桥街道高灯社区，仁寿县大化镇华兴社区、文林镇城北社区、文林镇金马路社区

资阳市：雁江区资溪街道雁南社区、安岳县岳阳镇北坝社区、乐至县天池镇西街社区

阿坝藏族羌族自治州：汶川县威州镇阳光社区、茂县凤仪镇外南社区、理县杂谷脑镇城关社区

甘孜藏族自治州：炉霍县新都镇望果社区

凉山彝族自治州：会东县鲹鱼河镇政通路社区、会理县城关镇西关社区、普格县螺髻山镇螺髻山社区

2016年省级“基层科普行动计划”奖补单位和个人名单

一、农村专业技术协会（100个）

成都市崇州市水产协会

成都市郫县团结镇蔬菜产业协会

成都市蒲江县白云银杏种植苗木协会

成都市天府新区白沙镇葡萄种植协会

成都市蒲江县嘉竹茶业协会

成都市天府新区枇杷产业协会

成都市蒲江县鹤山果品协会

成都市新都区新繁镇中药材协会

成都市崇州市牛尾笋产业协会
自贡市荣县古文养兔协会
自贡市贡井区五宝镇生猪养殖协会
自贡市富顺县万家户农村能源协会
攀枝花市米易县核桃产业协会
攀枝花市仁和区板栗协会
攀枝花市西区嘻嘻鸡养殖协会
泸州市叙永县观兴白酒协会
泸州市合江县尧坝镇鼓楼山种养协会
泸州市古蔺县蔺春牛皮茶专业技术协会
泸州市江阳区泰安镇后河辣椒种植专业技术协会
泸州市纳溪区湾拐坨生态水产协会
德阳市旌阳区双东镇鑫丰绿色蔬菜种植技术协会
德阳市广汉市优质油菜协会
德阳市什邡市马井镇水稻制种技术协会
德阳市中江县种鸭养殖协会
绵阳市盐亭县茂森红椿专业种植协会
绵阳市游仙区果蔬专业协会
绵阳市安县金花蔬菜专业技术协会
绵阳市江油市兔业协会
绵阳市涪城区五谷丰蔬菜种植专业技术协会
广元市昭化区昭化镇无公害蔬菜协会
广元市剑阁县畜禽养殖协会
广元市苍溪县禅林核桃协会
广元市朝天区众旺土鸡养殖协会
遂宁市蓬溪县花卉苗木协会
遂宁市大英县天保镇为民种植协会
遂宁市船山区唐家果蔬协会
遂宁市船山区养殖协会
内江市市中区蓬瑞果树蔬菜种植专业技术协会
内江市威远县越溪镇林木种植协会
内江市资中县鱼溪镇光辉好口碑柑桔产业协会
内江市资中县金洪青见专业技术协会
乐山市五通桥区冠英镇生姜协会
乐山市峨眉山市苦笋协会
乐山市沐川县好老乡苦竹笋协会
乐山市马边彝族自治县官斗山草莓协会
南充市阆中市五圣宫枇杷协会
南充市西充县中药材产销协会
南充市仪陇县大仪镇富勇养羊协会
南充市营山县惠民生态农业综合开发技术协会
南充市蓬安县新同顺种养技术协会
南充市蓬安县沿江蔬菜协会
宜宾市翠屏区赵场街道黄栀子协会
宜宾市长宁县金土地农业开发协会
宜宾市高县兴竹竹业协会
宜宾市筠连县沐爱镇兴隆植物生态园协会
宜宾市珙县黑花生种植协会
宜宾市兴文县香山猕猴桃专业协会
广安市广安区俊源名柚产业协会
广安市前锋区苗木种植销售协会
广安市华蓥市新科养殖专业技术协会
广安市岳池县富发养猪协会
广安市邻水县天发脐橙种植协会
达州市通川区金石水果专业协会
达州市达川区石桥镇天棚寨莲藕种植协会
达州市宣汉县猕猴桃种植协会
达州市开江县新太家禽生态养殖协会
达州市大竹县华莹山生态养殖协会
达州市渠县新市乡中药材协会
巴中市巴州区广佛果业协会
巴中市恩阳区柏梓山水果产业协会
巴中市恩阳区尹欣果蔬种植协会
巴中市南江县茶叶协会
巴中市通江县大地牧业养羊协会
雅安市雨城区草坝镇种养殖联营协会
雅安市名山区前进乡竹编协会
雅安市荥经县聚源长毛兔协会
雅安市汉源县永利彝族乡反季节蔬菜专业协会
雅安市石棉县中华蜂养殖协会
眉山市东坡区黄家养猪协会
眉山市彭山区保胜乡核桃协会
眉山市仁寿县彰加核桃协会
眉山市丹棱县老峨山茶叶协会
眉山市青神县汉阳花生协会
资阳市简阳市石板凳镇食用菌种植协会
资阳市乐至县中药材专业技术协会
资阳市安岳县城北丁家湾水产养殖协会
资阳市安岳县千洋水果科技协会
阿坝藏族羌族自治州红原县龙日乡龙日村壤夺牦牛产品加工协会
阿坝藏族羌族自治州金川县卡拉脚黑木耳种植协会
阿坝藏族羌族自治州松潘县白羊道地中药材种植协会
阿坝藏族羌族自治州小金县红毛五加药材协会
甘孜藏族自治州得荣县龙绒村生态养殖协会
甘孜藏族自治州得荣县太阳魂苦荞农民专业协会
甘孜藏族自治州炉霍县宜木乡生猪养殖协会
甘孜藏族自治州乡城县尼斯乡马色村亩冲组妇女种养协会
凉山彝族自治州美姑县三岗村山羊养殖专业技术协会
凉山彝族自治州喜德阉鸡养殖技术协会
凉山彝族自治州宁南县幸福茶叶专业技术协会
凉山彝族自治州宁南县升宏养兔专业技术协会
凉山彝族自治州冕宁县安宁生猪养殖专业技术协会

二、农村科普示范基地(40个)

成都市龙泉驿区田宓纪中蜂养殖基地
彭州市从岭藏鸡养殖科普示范基地
金堂县平桥乡冬草莓科普示范基地

自贡市四川水木阳光农业有限公司中天玫瑰自贡种植基地(沿滩区)
攀枝花市仁和区啊喇优质稻菜示范基地
泸县玄滩鸡爪山生态乌骨鸡养殖科普示范基地
泸州市龙马潭区美艺园林专业合作社
中江县远成兔业养殖基地
罗江县略坪镇农业科技示范园
平武县创意农业科普示范基地
北川羌族自治县志诚高山生态水果种植基地
青川县蒿溪回族乡草溪牲畜养殖基地
广元市利州区利民生态农业科普示范基地
遂宁市安居区优质生猪养殖科普示范基地
射洪县双溪乡青杠林品牌突击养殖科普示范基地
内江市东兴区奶牛科普示范基地
资中县归德镇月亮峡村塔罗科血橙科普示范基地
夹江县铁皮石斛种植科普示范基地
犍为县罗城镇金银湾中药材种植科普示范基地
南充市高坪区擦耳镇伏季水果种植科普示范基地
营山县胜辉青蒿种植科普示范基地
江安县兰花坪黄羊养殖科普示范基地
宜宾县喜捷现代农业科技示范园
武胜县群华种养科普示范基地
渠县亚博柠檬种植基地
万源市宏鑫肉牛养殖科普示范基地
通江县铁溪镇罗村生态养殖科普示范基地
平昌县益生秋葵基地
天全县万亩雅山药绿色种植科普示范基地
芦山县火炬猕猴桃科普示范基地
丹棱县绿之源葡萄示范基地
青神县车家冲村茶叶生产加工基地
简阳市双河生态农业示范基地
若尔盖县红星乡回民村牛羊越冬育肥科普示范基地
壤塘县吾依乡壤古村吾依乡克久香菇生态基地
泸定县德威乡黄土地山羊养殖科普示范基地
康定市姑咱镇达杠苹果栽培农村科普示范基地
冕宁县航天优质蔬菜种植基地
会东县山松农业种养殖标准示范基地
德昌县王所乡蓝莓种植示范基地

三、农村科普带头人(50人)

曹仁伟 崇州市道明镇龙黄村
邓小泉 郫县唐元镇锦宁村
王 荣 富顺县骑龙镇马儿桥村
罗文彬 自贡市贡井区龙潭乡中坝村
张杰雄 攀枝花市东区银江镇攀枝花村
严春新 攀枝花市西区格里坪镇庄上村
汪光权 泸州市纳溪区护国镇东巷口村
罗先元 广汉市西外乡楠林村
王忠富 绵竹市遵道镇棚花村
李晓川 三台县前锋镇杨五沟村
何金玲 旺苍县英萃乡雄鹰村
林俸成 剑阁县上寺乡三房村
王成富 遂宁市船山区北固东路未来城12栋1单元26-3号
方章美 大英县蓬莱镇豪子口村
余儒华 威远县铺子湾镇龙泉村
韩 娟(女) 内江市东兴区田家镇红坝村七组
王 磊 峨边彝族自治县毛坪镇乡中心村
蒋丽娟(女) 马边彝族自治县民建镇光明村
苏 明 南充市嘉陵区世阳镇过脚垭村
张树入 仪陇县日兴镇秋收村
杨 川 宜宾市翠屏区凉姜乡新光村
叶清仕 宜宾市南溪区留宾乡长冲村
陆 伟 武胜县沿口镇新建沟村
邹云亮 广安市前锋区新桥乡曹家村
赵明东 达州市通川区蒲家镇画眉村
王 荣 宣汉县漆碑乡竹园村
陈新文 巴中市巴州区平梁镇松林村
陈军平 平昌县得胜镇天宫村
李建平 宝兴县灵关镇钟灵村
姜佳奇 石棉县永和乡白马村
伍兴安 眉山市东坡区三苏乡新西村
李永伟 眉山市彭山区观音镇果园村
童志超 资阳市雁江区祥符镇小高村
付 飚 简阳市石板凳镇高丰村
求 登(藏族) 壤塘县吾依乡壤古村
李 剑(羌族) 理县下孟乡楼若村
八尔姆(女,藏族) 马尔康县党坝乡剑北村
罗 洲(藏族) 阿坝县哇尔玛乡铁穷村
雷德军 小金县沙龙乡苍坪村
赖树林(藏族) 丹巴县梭坡乡东风村
生龙扎巴(藏族) 甘孜县色西底乡色西五村
曲木吉莫子(彝族) 九龙县踏卡彝族自治乡花椒坪村
付岗云(彝族) 康定市捧塔乡捧塔村
高永洪 理塘县君坝乡冷多村
吴福寿(藏族) 炉霍县宜木乡虾拉沱村
罗前兰(女) 泸定县磨西镇龙坝尾村
张宗伟(女) 甘洛县新市坝镇则沟村
沙马克古子(彝族) 喜德县北山乡羊棚村
甫以打(藏族) 越西县西山乡大块村
张福喧 会理县老街乡沙坝村

四、科普示范社区(50个)

成都市锦江区成龙路街道办事处国槐路社区
金堂县赵镇沱源社区
郫县花园镇第二社区
成都市锦江区成龙路街道办事处皇经社区
成都市青羊区长城社区
成都市新都区大丰街道办事处方营社区
自贡市大安区大安街道办事处仁和社区

富顺县富世镇文庙社区
攀枝花市东区炳草岗街道办事处西海岸社区
盐边县桐子林镇城北社区
泸州市纳溪区合面镇沙合社区
泸州市江阳区蓝田街道特林桥社区
德阳市旌阳区城北街道办事处华联社区
什邡市马祖镇京什社区
梓潼县文昌镇紫阳社区
三台县潼川镇皂角城社区
绵阳市涪城区工区街道跃北社区
江油市德胜社区
旺苍县东河镇印月潭社区
广元市昭化区拣银岩六四零社区
射洪县平安街道办事处银华社区
射洪县平安街道办事处团结社区
威远县严陵镇西街社区
隆昌县古宇湖街道办事处文庙坝社区
乐山市市中区泊水街道县街社区
乐山市沙湾区沙湾镇绥山社区
南充市顺庆区北城街道五里店社区
阆中市石龙镇石龙社区
南部县滨江街道北街社区
宜宾市南溪区罗龙街道仙源社区
屏山县屏山镇北城社区
岳池县九龙镇公园路社区
邻水县鼎屏镇西街社区
大竹县竹阳街道大众社区
达州市达川区翠屏街道南坝社区
开江县永兴镇车家湾社区
巴中市巴州区西城办事处草坝社区
南江县南江镇春长坝社区
芦山县芦阳镇先锋社区
荥经县城中社区
眉山市彭山区凤鸣镇城中社区
洪雅县槽渔滩镇兴盛社区
简阳市十里坝街道办事处新达街社区
乐至县回澜镇回澜社区
汶川县威州镇阳光社区
九寨沟县永乐镇和平社区
白玉县建设镇河西社区
道孚县八美镇社区
西昌市春城社区
越西县越城镇西城社区

政策法规选编

四川省人民政府
关于扎实推进新一轮现代农业林业畜牧业重点县建设的意见

川府发〔2016〕23号

各市(州)、县(市、区)人民政府,省政府有关部门、有关直属机构,有关单位:

2013年以来,全省认真贯彻省委、省政府部署,深入推进现代农业、林业、畜牧业重点县建设,农业综合生产能力、市场竞争能力和可持续发展能力显著增强,保障了农产品有效供给,加快了农业现代化进程,促进了农民持续稳定增收。为深入贯彻落实中央和省委关于加快推进农业现代化、同步实现全面小康目标的要求,现就扎实推进新一轮现代农业、林业、畜牧业重点县建设提出如下意见。

一、总体要求和目标任务

(一)总体要求。牢固树立"创新、协调、绿色、开放、共享"发展理念,按照"产出高效、产品安全、资源节约、环境友好"的发展思路,坚持"政府引导、龙头带动、农民主体、产村相融"原则,大力夯实现代农业基础,厚植农业农村发展优势,更加注重体制机制创新,更加注重发展农村新产业新业态,更加注重农业科技创新,更加注重一二三产业融合发展,更加注重农业发展质量效益,更加注重产业发展与脱贫攻坚有机结合,着力转变农业经营方式、生产方式、资源利用方式和管理方式,加快推进农业现代化,推动我省由农业大省向农业强省跨越。

(二)目标任务。通过为期3年的新一轮重点县建设,示范推动全省农业、林业、畜牧业在主导产业培育、科技创新、机制创新、品牌打造、产业融合、助农增收等方面取得显著进展,培育一批现代农业、林业、畜牧业重点县,打造一批全国一流、西部领先的现代农业(含畜牧业)、林业示范市县。到2018年,示范市县和重点县主导产业产值年增长率10%以上,适度规模经营水平比2015年提高10个百分点,农业科技进步贡献率提高3个百分点,农民人均纯收入提高30个百分点,农产品质量安全合格率达到97%以上。

二、建设重点

(一)扎实推进主导产业集聚发展。大力培育优势主导产业,持续推进产业规模化发展,推动农业生产不断向优势区域集中,建成一批特色突出、优势明显、集中连片、效益显著的现代农业产业基地。配套完善基地田网、渠网、管网、路网和电网、物联网,大幅提升规范化、机械化、设施化、信息化水平,大力推进农业技术装备现代化。加快推动优势农业产业技术创新与产业化示范,开展新品种、新技术、新模式、新机制示范。

(二)扎实推进一二三产业融合发展。不断延伸产业链,提升价值链,优化供应链,提高农业发展质量和效益。着力推进农业供给侧结构性改革,调整优化产业结构、品种结构和品质结构。着力建设一批农产品加工示范园区,推进优势主导产品产地初加工和精深加工。着力推进农产品生产、集散和消费集中区域的农产品市场建设,发展冷链物流、订单直销、连锁经营、电子商务,完善农村现代流通体系。着力拓展农业多种功能,推进现代农业产业基地"景区化"建设和幸福美丽新村建设,推动农业与旅游、教育、文化、康养等产业深度融合。

(三)扎实推进适度规模经营发展。创新适度规模经营形式,积极探索农业转方式有效路径,支持有条件的市县建立土地流转风险保障金制度。大力培育新型经营主体和服务主体,发展农产品加工和流通业,支持龙头企业与农民合作社、家庭农场、农户共建联建现代农业产业基地,建立紧密型利益联结机制和共享机制,提升生产经营、市场开拓和组织带动能力。培育专业化社会化服务组织,支持开展全程社会化服务,创新政府购买公益性服务机制,探索建立新型农村科技服务综合平台。

(四)扎实推进品牌农业加快发展。深入实施双品牌战略,进一步做响做大川茶、川果、川菜、川猪、川药、川家俱、川旅游、川派盆景等"川字号"区域品牌,做强企业品牌。鼓励支持龙头企业和农民专业合作社认证登记"三品一标"。推进国家级出口食品农产品质量安全示范区建设,构建"同线同标同质"生产体系。深入推动农业"走出去",主动融入"一带一路"和长江经济带建设,充分利用国内外知名展会和强势媒体加大品牌推介和宣传力度,提高四川农业影响力和农产品市场竞争力。

(五)扎实推进农业可持续发展。以资源环境承载力为基准,加强土地、水、森林等资源保护和合理利用。科学规划种养规模,提高农业生产与资源环境匹配度。积极推动生态原产地产品保护。大力发展生态循环农业,抓好种养循环农业共性关键技术研发与综合试点示范,推广应用清洁生产、水肥一体化、测土配方施肥、青贮饲料养畜等生态友好技术,推动农林废弃物资源化利用,推广"生态养殖+沼气+绿色种植"和林下种养业等发展模式,积极构建粮经饲统筹、种养加一体、农林牧渔结合的产业发展体系。

(六)扎实推进农产品质量安全水平提升。建立完善产地环境、生产过程、收储运标准体系,加大标准推广应用力度。进一步健全农业投入品监管制度,加大监督检查和抽查力度,督促生产经营主体严格执行农药安全间隔期、兽药休药期制度。全面推行农产品质量安全追溯体系建设。加强农产品质量安全监管,加快健全网格化监管责任体系,全面抓实生产、收购、储存、运输、屠宰等各环节监管。

纳入示范县、重点县建设的贫困县要深入贯彻落实《国务院办公厅关于支持贫困县开展统筹整合使用财政涉农资金试点的意见》(国办发〔2016〕22号)精神,统筹整合使用财政涉农资金,加快推动特色产业发展,瞄准建档立卡贫困户,推进特色产业精准扶贫、精准脱贫。

三、保障措施

(一)加强组织领导。充分发挥省现代农业发展推进工作联席会议作用,协调解决重大事项,市(州)、县(市、区)也要健全相应的工作机制。市(州)人民政府要加强对示范县、重点县建设工作的督促检查,定期通报工作进度。县(市、区)人民政府要加强领导,统筹协调,做好规划,扎实推进现代农业建设。农业、林业部门要充分发挥牵头作用,切实抓好现代农业发展各项工作落实。发展改革、财政、国土资源、经济和信息化、科技、环境保护、水利、商务、旅游发展、扶贫移民、金融等相关部门(单位)要围绕现代农业发展各司其职,协作配合,共同推进。

(二)强化要素保障。加强政策支持,强化人才、资金、土地、科技、信息等要素保障。省级财政要落实现代农业投入,搭建现代农业建设资金整合平台。各市(州)、县(市、区)要围绕农业农村发展规划,加大投入力度,深层次整合涉农资金,集中投入推动现代农业发展。发挥财政资金的引导和杠杆作用,引导工商资本和社会资本投入现代农业。创新财政和金融协同支农机制,鼓励农业信贷担保机构开展现代农业信贷担保业务。示范市县和重点县要采取切实措施,进一步扩大特色农业保险范围。支持重点龙头企业实现多层次资本市场融资。用活土地政策,保障农业生产设施、配套设施、农产品加工等项目建设土地。

(三)编制实施方案。示范市县和重点县要结合本地资源优势、产业基础,高起点、高标准编制建设实施方案,突出转型升级和农民持续增收核心目标,着力提升规模化、良种化、机械化、标准化、组织化、品牌化、生态化、信息化水平,着力推进一二三产业融合发展。

(四)实行动态管理。农业厅、林业厅分别制定考核细则,会同省发展改革委、财政厅等开展督促检查,采取动态管理、优胜劣汰的方式进行年度考核,考核结果与资金安排、奖补政策等挂钩。建设期满,考核合格的由省政府认定为“四川省现代农业(林业、畜牧业)重点县”和“四川省现代农业(林业)示范市(县)”,并颁发标牌。

四川省人民政府

2016年5月13日

四川省人民政府
关于印发四川省农村承包土地的经营权和农民住房财产权抵押贷款试点实施方案的通知

川府发〔2016〕28号

各市(州)、试点县(市、区)人民政府,省农村“两权”抵押贷款试点推进小组成员单位,有关金融机构:

现将《四川省农村承包土地的经营权和农民住房财产权抵押贷款试点实施方案》(以下简称《实施方案》)印发你们,请遵照执行。

四川省人民政府

2016年5月28日

四川省农村承包土地的经营权和农民住房财产权抵押贷款试点实施方案

为进一步深化我省农村金融改革创新,加大对“三农”金融支持力度,审慎稳妥推进农村承包土地的经营权和农民住房财产权(以下简称“两权”)抵押贷款试点工作,根据《国务院关于开展农村承包土地的经营权和农民住房财产权抵押贷款试点的指导意见》(国发〔2015〕45号)、《全国人大常委会关于授权国务院在北京市大兴区等232个试点县(市、区)、天津市蓟县等59个试点县(市、区)行政区域分别暂时调整实施有关法律规定的决定》、《中国人民银行中国银行业监督管理委员会中国保险监督管理委员会财政部国土资源部住房和城乡建设部关于印发〈农民住房财产权抵押贷款试点暂行办法〉的通知》(银发〔2016〕78号)、《中国人民银行中国银行业监督管理委员会中国保险监督管理委员会财政部农业部关于印发〈农村承包土地的经营权抵押贷款试点暂行办法〉的通知》(银发〔2016〕79号)等文件精神,结合四川实际,制定本实施方案。

一、总体要求

(一)指导思想

全面贯彻党的十八大和十八届三中、四中、五中全会精神,深入贯彻落实党中央、国务院以及省委、省政府决策部署,按照集体所有权、农户承包权、土地经营权三权分置和土地经营权流转有关要求,以落实农村土地的用益物权、赋予农民更多财产权利为出发点,发挥政府主体作用,深化农村金融改革创新,稳妥有序开展“两权”抵押贷款业务,有效盘活农村资源、资金、资产,增加农业生产中长期和规模经营的资金投入,为稳步推进农村土地制度改革提供经验和模式,促进农民增收致富和农业现代化加快发展。

(二)基本原则

一是依法有序。“两权”抵押贷款试点要坚持于法有据,遵守土地管理法、农村土地承包法、城市房地产管理法等有关法律法规和政策要求,按照全国人大常委会决定,先在批准范围内开展,待试点积累经验后再稳步推广。

二是自主自愿。切实尊重农民意愿,“两权”抵押贷款由农户等农业经营主体自愿申请,确保农民群众成为真正的知情者、参与者和受益者。金融机构要在财务可持续基础上,按照有关规定自主开展“两权”抵押贷款业务。

三是权属清晰。用于抵押的土地经营权必须属抵押人所有,通过家庭承包方式享有土地承包经营权的农户依法取得政府颁发的《农村土地承包经营权证》;通过合法流转方式享有承包土地的经营权的农户及农业经营主体依法取得试点地区人民政府或农业行政主管部门颁发的《农村土地经营权证》,流入方抵押事先须征得农户书面同意,抵押经营土地不得改变农业用途。用于抵押的宅基地使用权及房屋所有权权属清晰,有相关主管部门颁发的权属证明,且未列入征地拆迁范围;除用于抵押的农民住房外,农民住房所有人拥有其他合法长期居住场所，并能够提供相关证明材料；所在的集体经济组织同意宅基地使用权随农民住房一并抵押及处置，以共有农民住房抵押的，申请贷款前还应当取得其他共有人的书面同意。

四是稳妥推进。在维护农民合法权益前提下，妥善处理好农民、农村集体经济组织、金融机构、地方政府之间的关系，稳妥有序推进农村承包土地的经营权抵押贷款试点和农民住房财产权抵押、担保、转让试点工作。

五是风险可控。坚守土地公有制性质不变、耕地红线不突破、农民利益不受损的底线。完善试点地区确权登记颁证、流转平台搭建、风险补偿和抵押物处置机制等配套政策，防范、控制和化解风险，确保试点工作顺利平稳实施。

（三）试点内容、范围及期限

试点内容。在防范风险、遵守有关法律法规和农村土地制度改革等政策基础上，稳妥有序开展“两权”抵押贷款试点。加强制度建设，把维护好、实现好、发展好农民土地权益作为改革试点的出发点和落脚点，落实“两权”抵押融资功能，明确贷款对象、贷款用途、产品设计、抵押价值评估、抵押物处置等业务要点，盘活农民土地用益物权的财产属性，加大金融对“三农”的支持力度。集体林地经营权抵押贷款和草地经营权抵押贷款业务可参照本方案执行。

试点范围。根据全国人大常委会决定，开展农村承包土地的经营权抵押贷款试点县（市、区）为成都市温江区、崇州市、眉山市彭山区、内江市市中区、遂宁市蓬溪县、南充市西充县、巴中市巴州区、广安市武胜县、乐山市井研县、广元市苍溪县；开展农民住房财产权抵押贷款试点县（区）为泸州市泸县、成都市郫县、眉山市彭山区。

试点金融机构。综合考虑金融机构业务范围和机构设置情况，暂定试点地区农业发展银行、农业银行、邮储银行、城市商业银行、农村商业银行、农村信用联社、村镇银行等作为试点金融机构，试点县（市、区）结合当地实际自行确定具体试点金融机构。

试点期限。2015 年 12 月 28 日至 2017 年 12 月 31 日。

（四）主要目标试点期间，试点县（市、区）确权登记颁证、流转平台搭建、风险补偿和抵押物处置、风险防范控制和化解等配套制度基本完善，以“两权”抵押贷款为基础的农村金融产品和服务方式不断创新，“两权”抵押贷款较快增长；完成对试点经验的总结，及时提出制定修改相关法律法规、政策的建议。

二、完善配套制度建设，提供基础支持

（五）加快农村产权确权登记颁证

试点县（市、区）人民政府要加快推进农村土地承包经营权、宅基地使用权和农民住房所有权确权登记颁证，对通过流转取得的农村承包土地的经营权进行确权登记颁证。建设完善农村产权信息管理平台，严格控制农村产权确权登记质量，夯实农村产权制度建设基础性工作。

（六）完善“两权”抵押登记制度

试点县（市、区）要建立统一完善的农村“两权”抵押登记制度，规范抵押登记流程，避免出现重复抵押，有效保护抵押权人的合法权益。流转土地的经营权抵押需经承包农户同意。在依法合规的前提下，进一步优化抵押登记流程，提高抵押登记便捷性。农村承包土地的经营权抵押期限，不应超过二轮承包剩余期限和承包土地的经营权流转剩余期限。农民住房财产权设立抵押的，应将宅基地使用权与住房所有权一并抵押。强化产权抵押登记信息管理，实现农村产权的信息公开和共享。

（七）规范农村产权交易流转市场

制定完善农村产权流转交易市场运行规范，建立“两权”抵押、流转、评估的专业化服务机制，加快发展多种形式的农村产权流转交易市场。建立完善多级联网的农村土地产权交易平台和监测体系，提供信息沟通、委托流转等服务。加强农村产权纠纷调解仲裁体系建设，健全乡村调解、县（市、区）仲裁、司法保障的纠纷调处机制，妥善化解农村产权纠纷。

（八）建立农村产权评估体系

试点县（市、区）要因地制宜，采用评估机构评估、银行自行评估、委托有关专家测算或者借贷双方协商等方式开展农村产权抵押价值评估，科学制定评估依据和标准，并根据市场变化实行动态调整，公平、公正、客观确定农村产权价值。鼓励试点县（市、区）建立农村产权联合评估机构和专家库，成立评估专家组，制定不同地区、不同农村产权的价值参考表，定期更新，对借贷双方的价格协商提供价格指导。专家库由从事农业、畜牧、水产、林业、金融、担保等相关行业具有中、高级以上职称的专家和熟悉基层业务的技术人员组成。

（九）加强农村信用体系建设

建立健全专业大户、家庭农场、农民合作社、农业产业化龙头企业等新型农业经营主体信用档案，开展信用户、信用村、信用乡（镇）和信用新型农业经营主体评定，进一步完善农村信用体系。严厉打击逃废金融债务的违法违规行为，依法保护金融资产，维护金融交易秩序，改善农村金融交易环境。在农业经营主体资格认证、评先选优、“三农”特惠政策实施等方面推广使用信用产品和服务，进一步完善农村金融守信激励和失信惩戒机制。鼓励金融机构依托信用信息基础数据库，开展内部授信评价，提升农业经营主体的诚信意识。

三、赋予农村“两权”抵押融资功能，开展金融创新

（十）开办“两权”抵押贷款业务

在防范风险、遵守有关法律法规和农村产权制度改革等政策的基础上，开办以农村承包土地的经营权和农民住房财产权作抵押的贷款业务。开展“两权”抵押贷款，重点在盘活农民土地用益物权的财产属性上下功夫。在贷款对象上，重点选择专业大户、家庭农场、农民合作社、农业产业化龙头企业等新型农业经营主体和农村土地股份合作社。在贷款产品设计上，探索发放以农村承包土地的经营权和农民住房财产权为单一抵押物的贷款产品，在风险可控前提下，适当提高抵押率，增加贷款额度，合理确定贷款利率和期限，切实满足新型农业经营主体及农户等的融资需求。

（十一）创新农村金融产品

参与试点金融机构要优化产品设计，在贷款利率、期限、额度、担保、风险控制等方面加大创新力度，适当放宽对基层行的创新授权，减少或调整对农户融资担保物的限制性规定，适当放宽对不良率的容忍度。推广以农村“两权”抵押的小额循环贷款，采取“一次授信、随借随还”等方式，满足农户种养殖、创业、消费等小额信贷需求。适当提高授信额度，满足农业产业化、规模化经营的大额资金需求。积极适应农业社会化服务组织、农业产业化龙头企业、农民合作社、农户融合发展的趋势，设计“农业产业化龙头企业+农民合作社+农户”、“农民合作社+农户”、“农业产业化龙头企业+农户”等多方合作的信贷产品。提升针对性和实效性。鼓励在现有法律法规和政策框架下，审慎稳健地推进农村产权融资创新，确保创新产生法律关系不突破现行法律法规。

四、健全风险处置和分担体系，强化风险保障

（十二）建立健全抵押物处置机制

依法保障金融机构合法债权，完善抵押物处置措施，确保借款人无法履行到期债务或发生约定的情形时，经办银行能灵活采取多种方式顺利实现抵押权。农村承包土地的经营权抵押贷款抵押物处置应当充分保障农户承包权、优先受让权和土地持续生产能力，通过再流转、第三方托管、收储机构收储等多种形式获得的收益弥补经办银行损失。根据党中央、国务院确定的宅基地制度改革试点工作部署，探索建立宅基地使用权有偿转让机制。农民住房财产权（含宅基地使用权）抵押贷款的抵押物处置应与商品住房制定差别化规定，受让人原则上应限制在相关法律法规和国务院规定范围内。鼓励试点县（市、区）探索建立农村产权资产管理公司或收储中心，用于收储、托管、经营“两权”不良抵押资产，提高不良资产处置效率。条件允许的地区可以由收储中心先对不良信贷资产进行债权回购，以降低金融机构的贷款风险。

（十三）建立完善风险分担机制

未建立农村产权抵押融资风险分担体系的试点县（市、区）应当设立农村“两权”抵押贷款风险补偿基金，用于保障农户权益，补偿分担自然灾害等不可抗力形成的风险、抵押物无法处置或处置后不足以弥补本金损失的贷款风险等。建立由贷款主体、金融机构和当地政府共同承担损失的风险分担体系。进一步健全政策性融资担保机制，为农村“两权”抵押融资提供信用增进，鼓励其他融资性担保公司为农村“两权”抵押融资提供担保服务。

（十四）加强农村“两权”抵押贷款银保合作

积极推进农村保险市场建设，创新与农村“两权”抵押融资紧密相关的保险产品，通过保险与涉农信贷协作和配合，创建多层次、多形式的农业信用保险体系，逐步扩大农房、种植业等险种的覆盖面。推广贷款保证保险为新型农业经营主体提供信用增进服务，分散信用风险。有条件的地区可为农村“两权”抵押贷款保证保险提供保费补贴或建立风险补偿基金。

五、加强政策支持和协调配合，增强试点效果

（十五）建立完善试点工作机制

成立全省农村“两权”抵押贷款试点工作推进小组（以下简称省试点工作推进小组），分管副省长担任组长，人行成都分行、省委农工委、农业厅主要负责人担任副组长，成员单位包括省发展改革委、财政厅、国土资源厅、住房城乡建设厅、农业厅、林业厅、省法制办、省国税局、省地税局、省政府金融办、四川银监局、四川保监局。省试点工作推进小组负责落实国家“两权”抵押贷款试点工作要求，指导试点县（市、区）开展试点，督查试点县（市、区）相关政策落实情况，统筹协调解决试点中存在的问题，并做好统计评估等相关工作。省试点工作推进小组办公室设在人行成都分行。试点县（市、区）要承担主体责任，成立以政府主要领导为组长，相关部门共同参与的试点工作小组，制定试点方案，出台支持政策，明确贷款对象、贷款用途、产品设计、抵押价值评估、抵押物处置等业务要点，搭建完善的工作框架和体系，探索有效的路径和方式，切实落实农村“两权”抵押贷款试点工作各项要求，统筹协调试点中存在的重点难点问题。试点方案应尽快报省试点工作推进小组，由省试点工作推进小组报经省政府审定后送农村承包土地的经营权抵押贷款试点工作指导小组和农民住房财产权抵押贷款试点工作指导小组（以下简称全国试点工作指导小组）备案。农业发展银行省分行、农业银行省分行、邮储银行省分行、四川省农村信用联社等省级金融机构制定实施细则，建立相应的信贷管理制度，统筹做好全省试点工作。

（十六）加强部门间的协调配合

试点地区人民银行、发展改革、财政、国土资源、住房城乡建设、农业、税务、林业、法制、金融监管等部门要加强协调配合，按照职责分工加大对试点工作的支持力度，调动和激发金融机构参与试点的积极性，引导更多经济金融资源投向“三农”。试点县（市、区）各乡（镇）人民政府、村民委员会应积极开展“两权”抵押贷款试点宣传推动，并协助金融机构开展信贷需求收集、日常贷后管理、不良贷款追偿等工作。人民银行相关分支机构牵头负责做好试点监测、统计、通报，对试点工作进行跟踪、督促和推动，按年组织开展好评估工作。

（十七）加大正向激励支持

试点县（市、区）要积极搭建“银政保”“银证担”等合作平台，服务“三农”发展。人民银行相关分支机构要积极运用支农再贷款、再贴现等货币政策工具，鼓励和支持金融机构开办“两权”抵押贷款业务。银监部门要在监管指标、评级等方面制定差异化监管政策，对“两权”抵押贷款发展较快的金融机构，适当提升容忍度。鼓励省级再担保公司对试点县（市、区）提供再担保服务。落实财政金融互动政策，对试点县（市、区）财政对金融机构的风险补贴按规定给予财力补助。有条件的地区可对金融机构“两权”抵押贷款给予贷款增量奖补，对符合条件的贷款给予一定比例的贴息。

（十八）做好评估总结

试点县（市、区）人民政府要密切监测试点工作开展情况，及时总结提炼成功的做法及经验，按年对试点工作进行自评估。省级金融机构要及时总结全省试点工作推动情况，按季向省试点工作推进小组办公室报送工作总结。试点工作结束后，要及时提出修订相关法律法规、政策的建议。试点县（市、区）人民政府自评估报告、省级金融机构年度工作总结应于每年 12 月 15 日前报送省试点工作推进小组，由省试点工作推进小组汇总形成全省年度试点工作总结报告，报经省政府审核后送全国试点工作指导小组。

四川省人民政府
关于进一步加强农村留守儿童关爱保护工作的实施意见

川府发〔2016〕56 号

各市（州）、县（市、区）人民政府，省政府各部门、各直属机构，有关单位：

为深入贯彻落实《国务院关于加强农村留守儿童关爱保护工作的意见》（国发〔2016〕13 号）精神，现结合我省实际，提出以下实施意见。

一、总体要求

以促进未成年人健康成长为出发点和落脚点,坚持家庭尽责、政府主导、全民关爱、标本兼治原则,强化家庭监护主体责任,落实县、乡(镇)人民政府和村(居)民委员会职责,建立健全强制报告、应急处置、评估帮扶、监护干预的救助保护机制。到2020年,努力实现全省90%的乡(镇)、80%的村(居)民委员会以及农村寄宿制学校建有农村留守儿童关爱保护活动场所和必要的关爱设施,全省农村留守儿童关爱保护工作体系全面建立,救助保护机制有效运行,全社会关爱保护儿童的意识普遍增强,儿童成长环境更为改善、安全更有保障,儿童留守现象明显减少。

二、重点任务

(一)落实家庭监护主体责任。父母要依法履行对未成年子女的监护职责和抚养义务,外出务工时须尽量携带未成年子女共同生活或父母一方留家照料,不得让不满十六周岁的儿童脱离监护单独居住生活,暂不具备条件的应当委托有监护能力的亲属或其他成年人代为监护,并采取有效措施保障其健康安全成长和受教育等基本权利。父母或受委托监护人不履行监护职责的,村(居)民委员会、公安机关和有关部门要及时予以劝诫、制止;情节严重或造成严重后果的,要依法追究其责任。〔责任单位:公安厅、省法院、省检察院、民政厅、司法厅、教育厅,各市(州)人民政府〕

(二)落实县、乡(镇)人民政府和村(居)民委员会职责。县级人民政府要结合本地实际制定切实可行的农村留守儿童关爱保护政策措施和工作方案,完善联动机制,认真组织开展覆盖本行政区域内所有农村留守儿童的关爱保护工作;乡(镇)人民政府要切实履行农村留守儿童情况排查、救助保护等职责,加强家庭监护法治宣传和监督指导,督促外出务工人员履行监护职责和抚养义务;村(居)民委员会要定期走访、全面排查,及时掌握农村留守儿童的家庭情况、监护情况、就学情况等基本信息,并向乡(镇)人民政府报告,及时协调落实有关留守儿童关爱保护的具体工作。〔责任单位:各市(州)人民政府〕

(三)落实部门联动责任。民政部门要发挥牵头组织和统筹协调作用,会同相关部门开展摸底排查、督促检查、评估考核,指导、督促乡(镇)人民政府(街道办事处)、村(居)民委员会和社会工作服务机构、救助管理机构、福利机构等服务机构及社会组织做好发现报告、定期走访、重点核查、监护监督、关爱救助、临时监护照料等工作。教育部门及学校要落实控辍保学目标责任制、联控联保机制和辍学学生登记、劝返复学、定期排查制度;指导加强留守儿童家庭教育,协助留守儿童加强与父母的情感联系和亲情交流;完善教职工值班、学生宿舍安全管理等制度,强化校园安全防范,帮助留守儿童提高防范侵害意识和自我保护能力;教育督导部门要将学校留守儿童教育关爱工作纳入责任督学日常督导范围。公安机关要配合开展摸底排查,落实救助保护机制,督促强化家庭监护主体责任,依法严厉打击、严密防范侵害农村留守儿童和随父母进城儿童的违法犯罪行为;协助加强校园安全管理,做好法治宣传和安全教育;大力推进户籍制度改革,有序推进符合落户条件的进城务工人员及家属落户。司法行政部门要宣传未成年人保护法律法规和政策措施,引导法律服务人员为合法权益受到侵害的农村留守儿童及其家庭提供法律援助和法律服务等专业服务。其他有关部门根据工作职责共同做好农村留守儿童关爱保护工作。〔责任单位:民政厅、省法院、省检察院、公安厅、司法厅、教育厅、省卫生计生委、省新闻出版广电局、省扶贫移民局、省综治办、省文明办、省政府妇儿工委办公室,各市(州)人民政府〕

(四)发挥群团组织关爱服务优势。工会、共青团、妇联、残联、关工委等群团组织要发挥自身优势,积极为农村留守儿童提供假期日间照料、课后辅导、心理疏导、结对关爱等服务。工会要广泛动员广大职工开展多种形式的农村留守儿童关爱服务和互助活动;共青团要积极组织开展关爱志愿服务工作,加强农村留守儿童法治教育、自护教育和自强教育,通过争取专项资金、实施公益项目等方式,整合引导社会资源开展关爱服务;妇联要加强对农村留守儿童父母、受委托监护人的家庭教育指导,为农村留守儿童提供关爱服务;残联要组织开展农村留守残疾儿童康复等工作;关工委要组织动员广大老干部、老战士、老专家、老教师、老模范等离退休同志,协同做好农村留守儿童关爱服务工作。(责任单位:省总工会、团省委、省妇联、省残联、省关工委)

(五)动员和支持社会力量积极参与。加快培育社会工作专业服务机构、慈善组织、志愿服务组织,通过政府购买服务等方式支持其深入社区、学校和家庭,开展农村留守儿童监护指导、心理疏导、行为矫治、社会融入和家庭关系调适等专业服务,扶持一批社会关注度高、影响力大的品牌公益项目;健全"三社联动"机制,充分发挥社区、社会组织、专业社会工作在农村留守儿童关爱保护工作中的特殊优势;充分发挥市场机制作用,支持社会组织、爱心企业依托学校、社区综合服务设施建立农村留守儿童托管服务机构,财税部门要依法落实税费减免优惠政策。〔责任单位:民政厅、财政厅、教育厅、省国资委、省国税局、省地税局、团省委、省妇联、省残联、省工商联、省老龄办、省关工委,各市(州)人民政府〕

(六)建立健全农村留守儿童救助保护机制。

1.建立强制报告机制。学校、幼儿园、医疗卫生机构、村(居)民委员会、社会工作服务机构、救助管理机构、福利机构及其工作人员负有强制报告义务,在工作中发现农村留守儿童有脱离监护、遭受不法侵害等情况时,应及时劝阻、制止或在第一时间向公安机关报告。未履行报告义务的,要严肃追责。〔责任单位:教育厅、公安厅、民政厅、省卫生计生委、团省委、省妇联、省残联、省关工委、省网信办,各市(州)人民政府〕

2.完善应急处置机制。公安机关在接到关于农村留守儿童脱离监护、遭受不法侵害等报告后,要及时受理并出警调查,有针对性地采取应急处置措施。强制报告责任人要协助公安机关做好调查和应急处置工作。〔责任单位:公安厅、民政厅、司法厅、教育厅、省卫生计生委、团省委、省妇联、省残联、省关工委,各市(州)人民政府〕

3.健全评估帮扶机制。乡(镇)人民政府要针对农村留守儿童的安全处境、监护情况、身心健康状况等组织开展调查评估,会同公安机关、民政等部门在村(居)民委员会、中小学校、医疗卫生机构以及亲属、社会工作专业服务机构的协助下,有针对性地安排专业服务。对于监护人家庭经济困难且符合有关社会救助、社会福利政策的,民政及其他社会救助机构要因人施策、精准帮扶,及时按规定将其纳入保障范围,确保农村留守儿童得到妥善照料和有效关爱。〔责任单位:民政厅、公安厅、教育厅、人力资源社会保障厅、省卫生计生委、省扶贫移民局、省总工会、团省委、省妇联、省残联、省关工委,各市(州)人民政府〕

4.强化监护干预机制。对实施家庭暴力、性侵害、出卖、虐待或遗弃农村留守儿童的父母或受委托监护人,公安机关要依法处罚,情节恶劣构成犯罪的,依法立案侦查、追究责任;对于监护人将农村留守儿童置于无人监管和照看状态导致其面临危险且经教育不改的，或者实施家庭暴力、虐待或遗弃农村留守儿童，教唆、利用留守儿童实施违法犯罪行为，以及不履行监护职责严重危害留守儿童身心健康等行为导致其身心健康严重受损的，其近亲属、村（居）民委员会、县级民政部门等有关人员或者单位要依法向人民法院申请撤销监护人资格，另行指定监护人。〔责任单位：省法院、省检察院、公安厅、民政厅、司法厅、教育厅、团省委、省妇联、省残联、省关工委，各市（州）人民政府〕

三、保障措施

（一）加强组织领导。各地要将农村留守儿童关爱保护工作纳入重要议事日程，建立健全政府领导，民政部门牵头，教育、公安、司法行政、卫生计生等部门和妇联、共青团等群团组织参加的农村留守儿童关爱保护工作领导机制，及时研究解决工作中的重大问题。建立省级农村留守儿童关爱保护工作联席会议制度，统筹协调全省农村留守儿童关爱保护工作。各市（州）和县（市、区）、乡（镇）人民政府要建立相应的领导协调机制，切实履行统筹协调、政策落实、资金投入和督促检查责任。〔责任单位：民政厅、公安厅、司法厅、教育厅、省卫生计生委，各市（州）人民政府〕

（二）加强关爱阵地建设。要将关爱保护农村留守儿童，健全社会救助体系和儿童福利服务体系纳入"十三五"国民经济和社会发展规划，并结合精准扶贫、幸福美丽新村建设等，推动未成年人保护机构、"12355"青少年服务中心（站）、儿童福利机构、社区儿童服务场所、寄宿制学校建设，着力新增普惠性幼儿园，努力完善相关设施设备，满足农村留守儿童入学需求和临时监护照料等需要。加强农村留守儿童关爱保护工作信息平台建设，整合部门信息资源，充分发挥"留守儿童之家""儿童快乐家园""妇女之家""乡村（城市）少年宫"等关爱阵地作用，完善现有公共服务设施，努力为农村留守儿童提供更多的关爱服务阵地和活动场所。（责任单位：省发展改革委、民政厅、财政厅、教育厅、住房城乡建设厅、省扶贫移民局、省政府妇儿工委办公室、省文明办、团省委、省妇联、省残联、省关工委）

（三）加强机构队伍建设。县级以上民政部门应明确承担农村留守儿童关爱保护职责的工作机构，配备工作力量；相关部门要加强农村留守儿童关爱保护工作队伍建设，配齐配强工作人员，强化专业培训，提高专业服务能力。乡（镇）、村（居）民委员会要建立相应的关爱保护工作队伍，农村留守儿童数量多的乡（镇）须明确 1~2 名工作人员专门负责，村（居）民委员会要明确 1 名专（兼）职儿童福利主任。着力推进"童伴计划""快乐学校"等关爱保护农村留守儿童项目试点，通过政府购买服务和设置公益岗位、聘用专业社工、吸纳志愿者、灵活用工等途径，充实救助管理机构、福利机构、乡（镇）和村（居）民委员会的关爱保护工作力量，确保留守儿童关爱保护工作事有人干、责有人负。（责任单位：省编办、人力资源社会保障厅、民政厅、财政厅、教育厅、团省委、省妇联、省残联、省关工委）

（四）加大资金投入。各地要多渠道筹措资金，优化和调整财政支出结构，积极引导社会资金投入，支持做好农村留守儿童关爱保护工作。财政、审计、监察等部门要加强专项资金的审计监管，提高资金使用效益。〔责任单位：财政厅、监察厅、民政厅、教育厅、审计厅、团省委、省妇联、省残联、省关工委，各市（州）人民政府〕

（五）加强舆论引导。新闻宣传部门要将农村留守儿童关爱保护工作纳入重点宣传内容，组织动员主流媒体及其他各类新媒体，积极开展形式多样、针对性强、富有成效的宣传教育活动。建立健全舆情监测预警和应对机制，理性引导社会舆论，及时回应社会关切，宣传报道先进典型，营造良好社会氛围。（责任单位：省委宣传部、公安厅、民政厅、司法厅、教育厅、省卫生计生委、省新闻出版广电局、省文明办、省网信办、团省委、省妇联、省残联、省关工委）

（六）着力综合施策。要在深入推进新型城镇化进程中加快基本公共服务均等化建设，加大对农民工家庭的帮扶支持力度，为农民工家庭监护照料未成年子女创造更好条件。推进住房、教育、医疗等重点领域改革，加快农业转移人口市民化。对不符合落户和住房保障条件的，要在生活居住、日间照料、义务教育、医疗卫生等方面提供帮助。大力推进县域内义务教育均衡发展，公办义务教育学校要普遍对农民工未成年子女开放，落实和完善农民工随迁子女在当地就学和升学考试政策，尤其是要注重落实符合条件的农民工子女在输入地参加中考、高考政策。完善城乡均等的就业创业公共服务体系，引导扶持农民工返乡就业创业，加强农村劳动力的就业技能培训和创业培训，鼓励居家灵活就业，逐步从根本上解决农村留守儿童问题。（责任单位：公安厅、民政厅、人力资源社会保障厅、教育厅、住房城乡建设厅、省卫生计生委、省扶贫移民局）

（七）强化监督检查。各地要建立和完善工作考核和责任追究机制，组织开展经常性、常态化的监督检查。对工作不力、措施不实，特别是对底数不清、风险隐患排查不到位、突发事件处置不及时造成严重后果的，要追究有关领导和相关人员责任。对认真履责、工作落实到位、成效明显、贡献突出的单位、社会组织及个人，按照国家有关规定予以表扬和奖励。〔责任单位：民政厅、人力资源社会保障厅、教育厅、公安厅，各市（州）人民政府〕

四川省人民政府

2016 年 12 月 5 日

四川省人民政府
关于深入推进新型城镇化建设的实施意见

川府发〔2016〕59 号

各市（州）、县（市、区）人民政府，省政府各部门、各直属机构：

新型城镇化是现代化的必由之路，是最大的内需潜力所在，是经济发展的重要动力，也是一项重要的民生工程。四川是农业大省，城乡发展差异明显，区域发展不平衡不协调，推进城镇化更是解决农业、农村、农民问题的重要途径，是推动城乡、区域协调发展的有力支撑，对实施我省"三大发展战略"、实现"两个跨越"、建设美丽四川具有重大现实意义。为贯彻落实《国务院关于深入推进新型城镇化建设的若干意见》（国发〔2016〕8 号），加快推进新型城镇化建设，现提出如下实施意见。

一、总体要求

全面贯彻党中央、国务院和省委推进新型城镇化的部署和要求。落实国家“三个1亿人”工作安排,以“创新、协调、绿色、开放、共享”的发展理念为引领,落实推进绿色发展建设美丽四川的各项部署,走形态适宜、产城融合、城乡一体、集约高效新型城镇化道路。遵循城镇化发展规律,坚持“五个统筹”,以人的城镇化为核心,以提高综合承载能力为支撑,以体制机制创新为保障,注重提高户籍人口城镇化水平,注重城乡基本公共服务均等化,注重环境宜居和历史文脉传承,注重提升人民群众的获得感和幸福感。围绕新型城镇化目标任务,加快配套政策改革,促进新型城镇化持续健康发展,为四川经济持续健康发展提供持久驱动力。

坚持绿色发展。坚持绿水青山就是金山银山,把绿色发展融入城镇化的各方面和全过程。以提高质量为关键,注重协调发展,推动实施空间“多规合一”,优化城镇化布局和形态,促进大中小城市和小城镇协调发展,着力构建适应绿色发展的城乡体系。贯彻“适用、经济、绿色、美观”的建筑方针,突出建筑使用功能,推广绿色建材应用,提高建筑节能标准。推广装配式建筑,推进建筑产业现代化。保护和弘扬优秀传统文化,延续城市历史文脉,发展有历史记忆、地域特色、民族特点的绿色美丽城镇。

坚持补齐短板。大力推进“百万安居工程建设行动”、“百镇建设行动”、海绵城市建设、幸福美丽新村建设,特别是污水和垃圾处理等重点工作,有序拓展城市发展空间,提升城镇综合承载能力。强化产业对城镇化的支撑作用,推动产业与城镇融合发展。精准对接脱贫攻坚,着力提升城镇公共服务水平,带动农村一二三产业融合发展。加快户籍制度改革,大力推进基本公共服务均等化,解决“半市民化”问题,着力激发城镇化最大内需潜力。加强城镇管理,提升城市文明程度。

坚持联动推进。相关部门要搞好协同配合,推动户籍、土地、财政、住房、社会保障等相关政策和改革举措形成合力。加强省直部门与地方政策联动,鼓励各地积极探索出台一批配套政策,确保改革举措和政策落地。更好发挥市场主导和政府引导作用,发挥市民的主体作用。

二、主要目标

到2020年,我省新型城镇化建设的主要目标是:

城镇化质量和水平明显提升。常住人口城镇化率达到54%左右,户籍人口城镇化率达到38%左右,基本完成城镇危旧房棚户区改造。农业转移人口随迁适龄子女义务教育需求得到满足,城镇失业人员、有培训意愿的农民工、新成长劳动力免费接受1次基本职业技能培训。城镇常住人口基本养老保险、基本医疗、保障性住房覆盖率分别达到90%、98%、23%以上。

城镇化布局和形态更加优化。城镇布局与资源环境承载能力相匹配,以四大城市群为主体形态,基本形成“一轴三带、四群一区”的城镇化发展格局。城镇等级规模结构更加完善、功能定位更加清晰,区域中心城市辐射带动作用更加突出,县城竞争力明显提升,小城镇服务功能显著增强,大中小城市和小城镇发展更加协调。

城镇可持续发展能力明显增强。城镇终极规模和开发边界管控有力。基础设施和公共服务设施不断完善,基本公共服务体系更加健全,生态环境持续优化,历史文脉得到传承,城镇综合承载能力不断增强。人均建设用地控制在100平方米以内,生活空间和生态用地明显增加,生产空间、生活空间、生态空间优化提升。城市细颗粒物(PM2.5)年均浓度比2015年下降20%以上,城镇绿色建筑占新建建筑比重30%,市区人口300万以上城市公共交通占机动化出行比例达到60%,城市绿地率达到38%,城市燃气普及率、供水普及率、污水处理率、生活垃圾无害化处理率、社区综合服务设施覆盖率分别达到90%、95%、92%、90%、90%以上。

城乡统筹发展更加协调。以法定规划为基础,推动“多规合一”,确保县(市)域空间实现全域有序利用。小城镇基础设施和公共服务有效改善,辐射带动农村发展能力明显增强。农村道路和水电通信等设施实现基本配套,幸福美丽新村建设水平大幅提高。扎实推进扶贫搬迁,扶贫开发攻坚取得突出成效,实现基本公共服务均等化、社会保障全覆盖,绝对贫困全面消除。累计完成农村危旧房改造170万户左右,公路通村率100%,农村自来水普及率75%,农村九年义务教育巩固率95%,农村学前教育三年毛入学率80%,新型农村合作医疗参合率保持在95%以上。

城镇化体制机制更加完善。加快户籍制度改革,全面落实居住证制度,保障农业转移人口及其他常住人口依法享有与城镇居民同等的基本公共服务;深化土地管理制度改革,提高土地利用效率,保障城镇化建设用地;完善社会保障制度,推动社会保障可持续发展;创新投融资体制机制,建立多元可持续的资金保障机制;优化行政区划和社区管理,构建多层次协调发展的城镇型政区体系;强化生态环境保护,推动形成城镇化绿色循环低碳发展的体制机制。

三、积极推进农业转移人口市民化

(一)加快落实户籍制度改革政策。围绕加快提高户籍人口城镇化水平,深化户籍制度改革,促进有能力在城镇稳定就业和生活的农业转移人口举家进城落户,并与城镇居民享有同等权利、履行同等义务。除成都外,全面放开大中小城市和建制镇落户限制。各地应根据政府的承受力、城镇资源承载能力和发展潜力,制定具体的落户标准和办法。用3年时间,优先解决农村学生升学和参军进入城镇的人口、在城镇就业居住5年以上和举家迁徙的农业转移人口以及新生代农民工落户问题。全面放开对高校、职业院校毕业生、留学归国人员和技术工人的落户限制,制定可操作的落户标准和落户目标。要妥善解决历史遗留问题,对历年已用地未转非人员、未转非大中型水利水电工程建设中的失地农村移民、城中村农村居民、集中供养自愿转户的农村“五保”对象加快推动户籍转移。清理仍保留农村户籍的财政供养人员,加快户籍转移。成都市实行居住证积分入户和条件准入双轨并行的落户政策,根据综合承载能力和功能定位,合理引导人口向四川天府新区成都片区等重点区域转移。加快制定实施推动农业转移人口和其他常住人口在城镇落户方案。

(二)全面落实居住证制度。推进居住证制度覆盖全部未落户城镇常住人口,保障居住证持有人在居住地享有国家规定的义务教育等六项基本权利和换领补领居民身份证等七项便利。鼓励各地不断扩大对居住证持有人的公共服务和便民服务范围并提高服务标准,缩小与户籍人口的差距。把居住证持有人纳入城镇住房保障体系。要加快制定居住证实施具体管理办法,防止居住证与基本公共服务和便民服务脱钩。

(三)推进常住人口基本公共服务全覆盖。将农业转移人口及其他常住人口随迁子女义务教育纳入公共财政保障范围,以流入地公办学校为主接受义务教育,以公办幼儿园和普惠性民办幼儿园为主接受学前教育。实施义务教育“三免一补”和生均公用经费基准定额资金随学生流动可携带政策。将农民工纳入常住地公共文化服务保障范围。统筹城乡就业创业,开展农民工职业技能提升计划。

实施新市民培训计划,每年培训60万人以上,推动农民工稳定有序融入城镇。完善农民工和被征地农民参保政策,鼓励农民工参保。建立城乡统一的基本医疗保险制度和城乡一体化经办运行机制。对居住证持有人参加城镇居民医保的,各级财政按照参保城镇居民标准给予补助。加快实现基本医疗保险参保人跨制度、跨地区转移接续。推进实施建筑业工伤保险专项扩面行动计划。

(四)加快建立农业转移人口市民化激励机制。尊重农民意愿,将户口变动与"三权"脱钩。切实维护进城落户农民土地承包权、宅基地使用权、集体收益分配权。深化农村产权制度改革,健全农村产权流转交易市场,逐步建立进城落户农民在农村的相关权益退出机制,积极引导和支持进城落户农民依法自愿有偿转让相关权益。加快制定支持农业转移人口市民化的政策措施。建立省级财政农业转移人口市民化奖励机制,调动地方政府积极性,奖励资金根据农业转移人口实际进城落户和地方提供基本公共服务水平为主要因素测算分配。建立城镇建设用地增加规模与吸纳农业转移人口落户数量挂钩政策。

四、优化城镇化布局和形态

(五)积极推进四大城市群建设。落实《成渝城市群发展规划》,围绕建设具有国际竞争力的国家级城市群,构建"一轴三带、四群一区"城镇化发展格局,以城市群为主体形态,推动大中小城市和小城镇协调发展。依托成渝发展主轴,率先发展成都平原城市群。支持成都率先发展,以建设国家中心城市为目标,加快天府新区和国家自主创新示范区建设,提升参与国际合作竞争层次。发挥成都的核心带动功能,优化成德绵乐城镇发展带,强化成遂、成资城镇发展带,共同打造带动四川、辐射西南、具有国际影响力的现代化都市圈。加快发展川南城市群,提升区域中心城市综合承载能力,加快发中小城市。着力培养川东北城市群,强化城镇职能分工,结合资源环境承载能力,引导差异化发展。积极培育攀西城市群,提高城市建设质量和水平,严格保护自然生态和民族文化。围绕生产要素自由流动、基础设施互联互通、公共服务设施共建共享、生态环境联防联控联治等关键环节,探索建立区域协同发展机制,推动城市群一体化发展。

(六)加快区域中心城市和重点县城发展。大力发展绵阳、泸州、南充、宜宾等区域中心城市,加快城市新区建设,壮大城市规模,提高综合承载能力,增强辐射带动能力。开展"宜居县城建设行动",加快重点县城发展,加强县城供水、交通、燃气、通讯、能源等市政公用设施和教育、医疗、文化等公共服务设施建设。推进城镇污水垃圾处理设施全覆盖和稳定运行,提高县城垃圾资源化、无害化处理能力。坚持产城互动,依托产业园区发展特色优势产业,壮大县域经济,带动创业,促进就业。

(七)深化"百镇建设行动"。抓好21个重点镇示范建设工作,在300个试点镇中巩固提升一批示范镇,培育创建一批特色镇,辐射带动全省小城镇建设。开展中心镇功能设置试点,以下放事权、扩大财权、改革人事权及强化用地指标保障等为重点,在法律法规允许的前提下,赋予镇区规划人口3万以上的中心镇部分县级管理权限。同步推进中心镇行政管理体制改革,减少行政管理层级、推行大部门制,降低行政成本、提高行政效率。加快特色镇发展,因地制宜、突出特色、创新机制,充分发挥市场主体作用,推动小城镇发展与疏解大城市中心城区功能相结合、与特色产业发展相结合、与服务"三农"相结合。发展具有特色优势的文化旅游、商贸物流、先进制造等魅力小镇,提高小城镇的宜居性,吸引留住返乡创业人员,实现就地城镇化。

五、加强规划建设管理,提升城镇品质

(八)坚持科学规划引领。落实科学规划理念,提高规划水平和质量。根据区域资源环境承载能力,科学确定城市终极规模、划定城市开发边界。严格保护自然生态,合理确定城市形态,让城市融入自然山水。依托山体、水系、森林与河流等自然生态资源,构建内外联通、布局合理的生态绿地系统。统筹生产、生活、生态三大布局,优化城市建设用地结构,增加生活与生态用地比例。严格保护历史文化遗存,大力开展城市设计,塑造具有地方文化底蕴的城市风貌特色。统筹规划居住区、商贸区、各类园区等功能布局,促进产城融合。强化城市总体规划和产业发展规划、土地利用总体规划、生态环境保护规划有机衔接,鼓励和支持县(市)域推进"多规合一"。严格实施《四川省城乡规划督察办法》,加强对规划强制性规定的监管,把城乡规划执行情况纳入地方政府主要领导经济责任审计范围,进一步强化城乡规划的刚性约束。

(九)深化"百万安居工程建设行动"。围绕实现约500万人居住的城镇棚户区、城中村和危旧房改造目标,采取改扩建、综合整治、拆除新建、货币化安置等多种方式,全面推进城镇危旧房棚户区改造。积极引导和鼓励居民通过选购库存商品住房等方式实施货币化安置,努力提高货币化安置比例。力争2018年启动最后一批危旧房棚户区改造。加强危旧房棚户区改造工程安全质量监管,严格实施安全质量责任终身追究制。加大农村危房改造力度,逐步将农房建设和质量安全纳入政府监管范围,对规划选址、勘察设计、建设施工、竣工验收等实施全过程监管。

(十)加快城镇道路交通网络建设。优先发展城市公共交通,完善公共交通网络体系;积极发展城市大容量地面公共交通,加快换乘枢纽、停车场、公交站点和加气站等设施建设,将充电站、充电桩等新能源汽车充电设施纳入城市旧城改造和新城建设规划同步实施。推进成都地铁建设,支持绵阳、南充、泸州、达州等有条件的城市规划建设城市轨道交通。加快进出城市通道、城市快速路、主次干道路网建设,提升道路网络密度和连通性、可达性;加强城镇背街小巷道路整治,打通城镇"断头路"。倡导绿色出行,加快推进步行和自行车等慢行交通系统建设。

(十一)加快城镇地下管网建设改造。统筹城镇地上地下设施规划建设,加强城镇地下基础设施建设和改造,合理布局电力、燃气、通信、给排水等地下管网,加快实施既有路面城市电网、通信网络架空线入地工程。加快成都、乐山、自贡、绵阳、南充等试点城市地下综合管廊建设。推动城市新区、各类园区、成片开发区的新建道路同步建设地下综合管廊,老城区要结合旧城更新、地铁建设、道路整治、河道治理、棚户区改造等逐步推进地下综合管廊建设。各城市要制定出台地下综合管廊收费运营管理办法,鼓励社会资本参与投资运营地下综合管廊。推进排水和防洪排涝设施建设与雨污分流管网改造。加强供水管网改造,降低供水管网漏损率。

(十二)积极推进海绵城市建设。将海绵城市建设理念落实到规划、建设、管理全过程。综合采取"渗、滞、蓄、净、用、排"等措施,最大限度减少城市开发建设对生态环境的影响。推进遂宁、成都、泸州、自贡、西昌开展海绵城市建设试点。在城市新区、各类园区、成片开发区全面推进海绵城市建设。在老城区结合危房改造、棚户区和老旧小区有机更新,加快城镇易涝点改造,妥善解决城市防洪安全、黑臭水体治理、雨水收集利用等问题。政府投资建设的保障性住房和危旧房棚户区改造项目要率先落实海绵城市建设相关要求。加强海绵型小区、道路广场、公园绿地、绿色蓄排与净化利用设施等建设。严格落实"蓝线"管理规定,有效保护现状河流、湖泊、湿地、坑塘、沟渠等自然水体,合理确定城市水系的保护与改造方案。

（十三）加快城镇公共服务设施建设。根据城镇常住人口增长趋势,加大财政对接收农民工随迁子女较多的城镇中小学校、幼儿园建设的投入力度,吸引社会力量和企业投资建学办学,增大中小学校和幼儿园学位供给。统筹新老城区公共服务资源均衡配置。加强医疗卫生机构、文化设施、就业和社会保障、体育健身场所设施、公园绿地等公共服务设施以及社区服务综合信息平台规划建设。优化社区生活设施布局,打造包括物流配送、银行网点、便民超市、零售药店、家庭服务中心等在内的便捷生活服务圈。建设以居家为基础、社区为依托、机构为补充的多层次养老服务体系,推动生活照料、慢病管理、康复护理、精神慰藉、紧急援助等服务全覆盖。加快推进住宅、公共建筑等的适老化改造。加强城镇公用设施使用安全管理,加快数字化城管系统建设,健全城市抗震、消防、防洪、排涝、应对地质灾害等应急指挥体系,完善城市生命通道系统,加强城市防灾避难场所建设,增强抵御自然灾害、处置突发事件和危机管理能力。

（十四）推进美丽城镇建设。加快绿色、智慧、人文等新型城市建设,全面提升城市内在品质,建设美丽城镇、生态城镇。抓紧制定并实施自然生态修复工作方案,有计划有步骤修复被破坏的山体、河流、湿地、植被。积极推行生态园林建设技术,建设海绵型绿地,鼓励推广屋顶绿地、庭园绿地、立体绿化建设。保护古树名木资源,优先使用本地苗圃培育的乡土植物。推广绿色建筑,突出建筑使用功能,防止片面追求外观形象。推进既有建筑节能改造,对大型公共建筑和政府投资的各类建筑全面执行绿色建筑标准和认证,积极推广应用绿色新型建材,推进建筑产业现代化,大力发展装配式建筑。全面开展清洁城市环境活动,彻底解决城市环境卫生"脏乱差"问题。实施新一轮城乡污水垃圾处理设施建设三年行动计划,加强污水、垃圾处理设施建设,实施生活垃圾强制分类,基本建立建筑垃圾、园林废弃物、餐厨废弃物等回收和再生利用体系。落实最严格水资源管理制度,推广节水新技术和新工艺,积极推进中水回用,全面建设节水型城市。处理好城市改造开发和历史文化遗产保护利用的关系,延续文脉,保留城市特色,彰显城市灵魂。

（十五）创新城市治理。严格执行城市规划建设管理行政决策法定程序,坚持遏制领导干部随意干预城市规划设计和工程建设现象。严厉惩处规划建设管理违法行为,强化法律责任追究,提高违法违规成本。创新城市管理和执法方式,坚持管理与服务并重、处置与疏导结合。逐步加大政府向社会购买城市管理服务力度。建立健全市、区、街道、社区管理网络,将城市管理、公共服务和社会管理纳入网格化管理。健全城市基层治理机制,实现政府治理与社会调节、居民自治良性互动。积极动员、依法规范公众参与城市治理,推进城市治理阳光运行。大力推进文明城市创建,开展社会主义核心价值观学习教育实践,促进市民形成良好的道德素养和社会风尚,提高市民文明素质。深化城乡环境综合治理"七进"活动,加大对乱吐乱扔、乱跨乱穿马路等违章行为的整治,完善市民行为规范,增强市民法治意识,提升公民素质和城市文明程度。

六、坚持城乡统筹发展,实现以城带乡

（十六）推动基础设施和公共服务设施向农村延伸。扩大公共财政覆盖农村范围,提高基础设施和公共服务保障水平。加快基础设施向农村延伸,推动水、电、路、通信等基础设施城乡联网。推进城乡配电网建设改造,尽快实现行政村通硬化路、通快递、通邮、通宽带,具备条件的建制村通客车。推动有条件地区实现"煤改气"。开展农村人居环境整治,深化城乡环境综合整治,巩固提升农村生活垃圾治理,推进农村污水治理,加强农村垃圾污水收集处理设施以及防洪排涝设施建设,强化河湖水系整治,建设环境优美示范乡村。加快农村义务教育、医疗卫生、文化体育等事业发展,推进城乡基本公共服务均等化。

（十七）推进幸福美丽新村建设。以深化农村改革为主线,坚持科学规划、产业先行,充分尊重农民意愿,围绕业兴、家富、人和、村美推进幸福美丽新村建设。坚持宜聚则聚、宜散则散,推行"小规模、组团式、微田园、生态化"的规划理念,保持田园风光和农村风貌。注重地域特色和文化传承,加强旧村落改造和传统村落保护,防止大拆大建,提倡新老建筑和谐共存。坚持幸福美丽新村与脱贫攻坚相结合,积极稳妥推进藏区新居、彝家新寨、巴山新居、乌蒙新村建设。开展绿色村庄建设,全面推进山水田林路综合治理,让农村展现美好田园风光。

（十八）带动农村一二三产业融合发展。以县级行政区为基础,以建制镇为支点,搭建现代农业、特色制造业、生产性服务业园区等多层次、宽领域、广覆盖的农村一二三产业融合发展平台。大力发展农产品产地加工、仓储物流,促进农业产业链延伸。积极发展民宿、农村养老、民俗创意等,推进农业与旅游、体验、文化、教育、康养等产业深度融合。强化农民合作社和家庭农场基础作用,支持龙头企业引领示范,鼓励社会资本投入,培育多元化农业产业融合主体,发展专业化农业服务主体。推动返乡创业集聚发展,建立有市场竞争力的协作创业模式,形成各具特色的返乡人员创业联盟。引导返乡创业人员融入特色专业市场,打造具有区域特点的创业集群和优势产业集群。

（十九）加快农村电子商务发展。加快农村快递网络和宽带网络建设,加快农村"快递下乡"和电子商务发展。支持适应乡村特点的电子商务服务平台、商品集散平台和物流中心建设,鼓励电子商务第三方交易平台渠道下沉,带动农村特色产业发展,推进农业生产资料下乡和农产品进城。完善有利于中小网商发展的政策措施,在风险可控、商业可持续的前提下支持发展面向中小网商的融资贷款业务。

（二十）推进易地扶贫搬迁。以秦巴山区、乌蒙山区、大小凉山彝区、高原藏区的88个贫困县为重点区域,坚持尊重群众意愿,因地制宜搞好规划,在县城、小城镇或产业园区附近建设安置小区,推进转移就业贫困人口在城镇落户。坚持争取中央财政支持和多渠道筹集资金相结合,妥善解决搬迁群众的就医、上学等问题,统筹谋划安置区产业发展与群众就业创业,确保搬迁群众居住有改善、生活有提高、生产有业就。

七、改革完善土地利用机制

（二十一）规范推进城乡建设用地增减挂钩。总结完善并推广成都城乡统筹改革经验模式。高标准、高质量推进村庄整治,继续优化城乡建设用地增减挂钩试点改革,优化城乡建设用地布局,增减挂钩指标向脱贫攻坚任务重的地区倾斜。增减挂钩拆旧复垦腾出的建设用地,优先满足农民新居、农村基础设施和公益设施建设,并留足农村非农产业发展建设用地。增减挂钩收益要及时全部返还农村。

（二十二）建立城镇低效用地再开发激励机制。积极争取开展城镇低效用地再开发试点,将城镇中布局散乱、利用粗放、用途不合理的存量建设用地进行改造利用。完善城镇存量土地再开发过程中的供应方式，鼓励原土地使用权人自行改造，涉及原划拨土地使用权转让需补办出让手续的，经依法批准，可采取规定方式办理并按市场价缴纳土地出让价款。出台具体办法，规范政府、改造者、土地权利人之间合理分配“三旧”（旧城镇、旧村庄、旧厂房）改造的土地收益。

（二十三）推进低丘缓坡地和地下空间开发试点。在坚持最严格的耕地保护制度、确保生态安全、切实做好地质灾害防治的前提下，积极争取在资源环境承载力适宜地区开展低丘缓坡地开发试点。通过创新规划计划管理、开展整体整治、土地分批供应等政策措施，合理确定低丘缓坡地开发用途、规模、布局和项目用地准入门槛，引导城镇向坡地发展。开展城镇地下空间有偿开发试点。在确保城市安全，做好统一规划的前提下，稳步推进城市地下空间开发。做好技术设计，探索地下空间确权登记试点，提高地下空间资源价值，提高使用效率。

（二十四）完善土地经营权和宅基地使用权流转机制。加快推进农村土地承包经营权确权登记颁证工作，2016年底基本完成确权登记。鼓励各地建立健全农村产权流转市场体系，探索农户对土地承包权、宅基地使用权的自愿有偿退出机制，支持引导其依法自愿有偿转让上述权益，防止闲置和浪费。

八、创新投融资机制

（二十五）深化政府和社会资本合作。放宽准入条件，健全政府补贴、监管机制和价格调整机制，广泛吸引社会资本参与城镇基础设施和市政公用设施建设和运营。根据经营性、准经营性和非经营性项目的不同特点，采取相对应的金融资本融合方案，加强政府对社会资本的引导，加快城镇基础设施和公共服务设施建设。

（二十六）加大政府投入力度。优化政府投资结构，统筹整合各类专项资金，重点支持农业转移人口市民化相关配套设施建设。编制公开透明的政府资产负债表，支持有条件的地方通过发行地方政府债券等多种方式拓宽城市建设融资渠道。省政府转贷的地方政府债券资金使用要向新型城镇化倾斜。改革政府投入方式，严格实施绩效评价，并将评价结果作为后续资金分配的参考依据。

（二十七）强化金融支持。积极争取国家专项建设基金的支持。鼓励国家开发银行、农业发展银行创新信贷模式和产品，针对新型城镇化项目设计差别化融资模式与偿债机制。鼓励商业银行创新面向新型城镇化的金融服务，设计开发面向新型城镇化的产品。鼓励公共基金、保险资金等参与具有稳定收益的城镇基础设施项目建设和运营。支持鼓励各地利用财政资金和社会资金设立城镇化发展基金，鼓励各地整合政府投资平台设立城镇化投资平台。支持推行基础设施和租赁房资产证券化，加大城市基础设施项目直接融资比例。

九、完善城镇住房制度

（二十八）建立购租并举的城镇住房供应制度。以满足新市民住房需求为出发点，建立购房与租房并举、市场配置与政府保障相结合的住房制度，健全以政府为主提供基本住房保障，以市场为主满足多层次需求的城镇住房供应体系。对具备购房能力的常住人口，支持其购买商品住房。对不具备购房能力或没有购房意愿的常住人口，支持其通过租赁市场租房居住。对符合条件的中低收入住房困难家庭，通过提供公共租赁住房或发放租赁补贴保障其基本住房需求。

（二十九）完善城镇住房保障体系。住房保障由实物保障逐步转向货币补贴为主。完善住房租赁补贴制度，通过政府发放补贴、市场提供房源，支持城镇中低收入住房困难家庭、新就业无房职工和在城镇稳定就业的外来务工人员通过住房租赁市场租房居住。强化政府发放补贴管理，建立申请审核档案，加强对申请家庭人员及家庭住房、收入等情况的动态监管，并及时公开、公示，接受社会监督。

（三十）积极培育发展住房租赁市场。落实住房租赁有关的增值税政策，落实职工租房提取住房公积金支付房租政策，鼓励金融机构在风险可控、商业可持续的原则下，向住房租赁企业提供金融支持。充分发挥市场作用，推进住房租赁规模化、集约化、专业化经营，大力培育住房租赁企业、房地产开发企业、中介机构等市场供应主体。推行使用住房租赁合同示范文本，明确出租人和承租人各方权利义务，建立稳定的租赁关系。鼓励新建租赁住房，将新建租赁住房纳入住房发展规划；允许将商业用房等按规定改建为租赁住房；允许将现有住房按照国家和地方住宅设计的有关规定改造后出租。

（三十一）促进房地产市场平稳健康发展。根据商品住房库存和市场供求变化情况，坚持分类调控，因城施策。科学确定住宅用地供应规模，统筹规划住房建设。进一步加大金融支持力度，落实税收优惠政策，扩大住房公积金覆盖面，支持合理住房消费。提高棚改货币化安置比例，有条件的地方要全面推行货币化安置，推行农村集体土地征收征用货币化安置。鼓励银行业金融机构在建立健全风险防控机制的前提下，创新收入认定机制、审贷流程、还款安排设计等制度，积极支持新市民住房需求。加快发展金融、教育、旅游、医疗、康养等产业，培育商业需求，促进商业地产去库存。简化建设审批环节和流程，减轻企业负担，优化市场发展环境。

十、深入推进新型城镇化综合试点

（三十二）深化试点内容。深入推进国家新型城镇化综合试点。支持试点地区围绕承担的试点任务，深化试点内容。支持探索建立农业转移人口市民化成本分担机制。创新政策性投融资机制和工具，为推进新型城镇化提供长期可持续、成本适当的资金支持。鼓励在改革完善农村宅基地制度、创新行政管理降低行政成本途径等方面进行大胆探索。鼓励试点地区探索农村资产自愿有偿退出的制度性渠道，制定农村土地所有权、承包权、经营权分置办法，加快建立进城落户农民农村土地承包权、宅基地使用权、集体收益分配权和林权“四权”依法自愿有偿退出机制。有可能突破现行法规和政策的改革探索，在履行必要程序后，赋予试点地区相应权限。

（三十三）加强工作统筹。全面加强对试点工作的统筹协调、整体推进、督促落实。要营造宽松环境，允许试错、宽容失败，严格区分先行先试产生的失误与干部失职渎职行为，支持试点地区发挥首创精神，推动国家顶层设计与基层探索有机结合。要强化对试点地区的指导和支持，推动相关改革举措在试点地区先行先试，及时总结推广试点经验。各试点地区要制定年度推进计划，明确年度任务，建立健全试点绩效考核评价机制。有关部门在组织开展城镇化相关领域的试点时，要向试点地区倾斜，以形成城镇化改革合力。

十一、健全工作推进机制

（三十四）强化政策协调。住房城乡建设厅要依托省加快推进新型城镇化工作领导小组，加强政策统筹协调，尽快出台相关政策并推动实施，强化对各地新型城镇化工作的指导。省发展改革委等省直相关部门要积极加强与国家相关部委的对接。各地要加强完善城镇化工作机制，各级住房城乡建设部门要统筹推进本地区新型城镇化工作，其他部门要密切配合。

（三十五）强化监督检查。推进新型城镇化领导小组成员单位要加强对各地区新型城镇化建设进展情况进行跟踪监测和监督检查，对相关配套政策实施效果进行跟踪分析和总结评估，确保政策举措落地生根。强化地方政府主体责任，加强对户籍人口城镇化率的考核。

（三十六）强化宣传引导。各地、各部门要广泛宣传推进新型城镇化的新理念、新政策、新举措，及时报道典型经验、做法和成效，强化示范带动，凝聚社会共识，营造良好的社会环境和舆论氛围。

四川省人民政府

2016年12月20日

四川省人民政府
关于实施支持农业转移人口市民化若干财政政策的通知

川府发〔2016〕65号

各市（州）、县（市、区）人民政府，省政府各部门、各直属机构：

为贯彻落实《国务院关于实施支持农业转移人口市民化若干财政政策的通知》（国发〔2016〕44号）精神，加快农业转移人口市民化，积极推进以人为核心的新型城镇化，结合我省实际，现就有关财政政策事项通知如下。

一、总体要求

全面贯彻落实党的十八大和十八届三中、四中、五中、六中全会精神，深入贯彻习近平总书记系列重要讲话精神，按照党中央国务院和省委省政府关于推进新型城镇化、落实“三个1亿人”、深化财税体制改革的战略部署，牢固树立五大发展理念，强化地方政府特别是人口流入地政府的主体责任，完善支持农业转移人口市民化的财政政策体系，充分发挥财政政策对促进农业转移人口市民化的激励和引导作用。加大对吸纳农业转移人口地区特别是中小城镇的支持力度，充分尊重农民意愿，维护进城落户农民土地承包权、宅基地使用权、集体收益分配权，支持引导其依法自愿有偿转让上述权益，促进有能力在城镇稳定就业和生活的常住人口有序实现市民化，并与城镇居民享有同等权利。将持有居住证人口纳入基本公共服务保障范围，创造条件加快实现基本公共服务常住人口全覆盖，推进基本公共服务均等化。

二、基本原则

一是以人为本、创新机制。将推进以人为核心的城镇化作为一条主线贯穿始终，创新公共资源配置的体制机制，在加快户籍制度改革、实施居住证制度的基础上，加快将持有居住证人口纳入基本公共服务保障范围，使其逐步与当地户籍人口享有同等的基本公共服务。

二是精准施策、均衡发展。在转移支付分配中考虑人口流入地为农业转移人口提供基本公共服务的支出需求给予相应支持。综合考虑户籍人口、持有居住证人口和常住人口等因素，完善转移支付制度，确保财政困难地区财力不因政策调整而减少，促进基本公共服务均等化。

三是明确责任、强化激励。人口流入地政府要承担农业转移人口市民化工作的主体责任，保障农业转移人口平等享受基本公共服务。省级财政建立农业转移人口市民化奖励机制，加强政策引导和资金支持，适当分担农业转移人口市民化成本，调动地方政府推动农业转移人口市民化的积极性，有序推动有能力在城镇稳定就业和生活的农业转移人口举家进城落户。

四是尊重意愿、维护权益。充分尊重农民意愿和自主定居权利，依法维护进城落户农民在农村享有的既有权益，消除农民进城落户后顾之忧。为进城落户农民在农村合法权益的流转创造条件，实现其权益的保值增值。

三、政策措施

（一）保障农业转移人口子女平等享有受教育权利。各地要将农业转移人口及其他常住人口随迁子女义务教育纳入公共财政保障范围，统一城乡义务教育经费保障机制，实现“三免一补”资金和生均公用经费基准定额资金随学生流动可携带。全面落实中等职业教育免学费和助学金政策，保障农业转移人口子女平等接受中职教育的权利。省、市级财政按在校学生人数及相关标准核定义务教育和职业教育中涉及学生政策的转移支付。进一步支持普惠性学前教育发展，保障农业转移人口子女接受普惠性学前教育。

（二）整合城乡居民基本医疗保险制度。对于居住证持有人选择参加城镇居民医保的，个人按城镇居民相同标准缴费，各级财政按照参保城镇居民相同标准给予补助，避免重复参保、重复补助。居住证持有人与用工单位签订劳动合同的，随用人单位参加职工医保；居住证持有人灵活就业的，可以灵活就业人员身份参加职工医保。落实医疗保险关系转移接续办法和异地就医结算办法，做好基本医疗保险参保人跨制度、跨地区转移接续。省内跨统筹地区的城镇职工基本医疗保险缴费年限，应与参保地的城镇职工基本医疗保险缴费年限一并累计计算。

（三）健全统筹城乡的社会保障体系。对农业转移人口，继续执行我省统筹城乡的养老、工伤保险政策。继续执行农民工与城镇职工相同的失业保险政策。符合条件的农业转移人口可以在居住地申请社会救助。

（四）加大对农业转移人口就业创业的支持力度。省、市级财政将城镇常住人口和城镇新增就业人数作为就业创业补助资金分配的重要因素，支持农业转移人口与当地户籍人口平等享受就业扶持政策。落实就业失业登记制度，及时认定就业困难人员，免费为农业转移人口中的登记失业人员提供政策咨询、职业指导、职业培训等公共就业创业服务，并按规定落实职业（创业）培训补贴、岗位补贴、社保补贴、创业担保贷款贴息等就业创业扶持政策。按规定对通过初次职业技能鉴定并取得职业技能资格证书或专项职业能力证书的人员，给予职业技能鉴定补贴。

（五）建立农业转移人口市民化奖励机制。结合中央财政农业转移人口市民化奖励情况，省级财政建立省对下农业转移人口市民化奖励机制，引导和调动市县政府加快推动农业转移人口市民化的积极性。奖励资金以农业转移人口实际进城落户和地方提供基本公共服务水平为主要因素测算分配，向农业转移人口进城落户多、提供基本公共服务水平高的地区及中小城镇倾斜。市级财政部门要统筹安排资金，建立市对下农业转移人口市民化奖励机制。县级财政部门要将奖励资金统筹用于提供基本公共服务。

（六）完善省对下均衡性转移支付制度。综合考虑地区间基本公共服务水平差异和农业转移人口市民化新增基本公共服务需求，省级财政在根据户籍人口测算分配均衡性转移支付的基础上，充分考虑各地区向持有居住证人口提供基本公共服务的支出需求，增加对吸纳农业转移人口较多、基本公共服务支出需求大的地区的均衡性转移支付。同时，根据基本公共服务水平提高和转移支付规模增长情况进行动态调整，确保对财政困难地区转移支付规模和力度不减，提高基本公共服务保障能力，促进基本公共服务均等化。

（七）完善县级基本财力保障机制。完善县级基本财力保障机制奖补资金分配办法，省级财政在测算县级基本民生支出时，适当考虑持有居住证人口因素，加强对吸纳农业转移人口较多且民生支出缺口较大的困难地区县级政府的财力保障。县级政府要统筹用好资金，将农业转移人口纳入基本公共服务保障范围，切实提高公共服务保障水平，使农业转移人口与当地户籍人口享受同等的基本公共服务。

（八）支持将农业转移人口纳入住房保障体系。按照市场配置资源和政府保障相结合的原则，鼓励农业转移人口通过市场购买或租赁住房，采取多种方式解决农业转移人口居住问题。将符合条件的农业转移人口纳入本地城镇住房保障范围，提供公共租赁住房，积极推进以城中村为重点的棚户区改造，促进城中村居民市民化。符合条件的进城落户农民可申领低收入住房保障家庭租赁补贴。省级财政在安排保障性住房专项资金时，对吸纳农业转移人口较多的地区给予适当支持。

（九）提升城镇综合承载能力。各地要将农业转移人口市民化工作纳入本地区经济社会发展规划、城乡规划和城镇基础设施建设规划。要多渠道筹集资金，综合运用地方政府债券、企业债券、股权融资、开发性金融、政策性金融等多种渠道，通过政府与社会资本合作（PPP）模式、投资基金、政府购买服务、财政贴息、先建后补等方式，拓宽城镇建设融资渠道。各地在政府债券资金安排上对农业转移人口市民化起支撑促进作用的城镇基础设施项目予以支持。加大统筹规划、综合协调力度，在基础设施建设领域大力推广运用PPP模式，各级财政要通过安排PPP项目补助资金、建立PPP投资引导基金等方式，充分发挥财政资金激励引导作用，吸引社会资金参与城镇建设运营以及提供公共服务。同时，在安排城市基础设施建设和运行维护等专项资金时，对吸纳农业转移人口较多的地区给予适当支持。

（十）切实维护进城落户农民在农村的各项权益。各地不得强行要求进城落户农民转让在农村的土地承包权、宅基地使用权、集体收益分配权，或将其作为进城落户条件。稳定农村土地承包关系并保持长久不变，放活土地经营权，引导土地经营权规范流转。加快推进农村产权"多权同确"，按时完成农村各类产权确权登记颁证。深化农村集体产权制度改革，落实集体经济组织成员的收益分配权等权能。按照国家统一安排部署，积极稳妥推进农村土地承包经营权有偿退出、农村集体经营性建设用地入市和农村宅基地制度改革试点工作。积极支持具备条件的地区开展城乡建设用地增减挂钩，增减挂钩收益要按照工业反哺农业、城市支持农村的要求，及时全部返还农村，充分保障农民的受益权。通过健全农村产权流转交易市场，逐步建立进城落户农民在农村的相关权益退出机制，积极引导和支持进城落户农民依法自愿有偿转让相关权益，促进相关权益的实现和维护，但现阶段要严格限定在本集体经济组织内部。

（十一）建立健全农业转移人口市民化成本分担机制。强化各级政府责任，合理分担公共成本，充分调动社会力量，建立健全由政府、企业、个人共同参与的农业转移人口市民化成本分担机制。优化政府投资结构，加大对支持农业转移人口市民化的相关配套基础设施建设的投入。各级政府要落实基本公共服务保障责任，切实承担农业转移人口市民化在义务教育、劳动就业、基本养老、基本医疗卫生等方面的公共成本。企业要强化社会责任，落实农民工与城镇职工同工同酬制度，加大职工技能培训投入，依法为建立劳动关系的农业转移人口缴纳职工养老、医疗、工伤、失业等社会保险费用。农业转移人口要积极参加城镇社会保险、职业教育和技能培训等，并按规定承担相关费用，提升自我发展和融入城镇的能力。

（十二）建立农业转移人口市民化财政政策动态调整机制。各级财政部门要根据不同时期农业转移人口数量规模、不同地区和城乡之间农业人口流动变化、大中小城市农业转移人口市民化成本差异等，对转移支付规模、结构以及保障标准等进行动态调整。人口流入地要切实承担农业转移人口市民化的主体责任，合理安排预算，调整支出结构，为农业转移人口提供与当地户籍人口相同的基本公共服务，省级财政根据其吸纳农业转移人口进城落户人数等因素给予适当奖励。

四、组织实施

（一）提高思想认识。建立健全支持农业转移人口市民化有关政策，是党中央国务院和省委省政府部署的重点改革任务。各级各部门要充分认识农业转移人口市民化工作的重要意义，将农业转移人口市民化工作摆在经济社会发展的重要位置，高度重视、精心组织、认真部署，扎实推进各领域重点任务落实，做好城乡政策制度统筹衔接，破除农业转移人口平等享受基本公共服务的制度障碍。

（二）明确职责分工。省直有关部门要立足自身职能，以居住证为载体，抓紧研究完善农业转移人口子女就学政策、基本医疗保险参保人员跨制度、跨地区流动连续参保等公共服务政策，加强与财政支持政策的衔接。财政厅要完善省对下转移支付制度，引导农业转移人口就近城镇化，增强市县政府落实农业转移人口市民化政策的财政保障能力。市县政府要统筹使用自有财力和上级政府转移支付资金，加强预算管理，管好用好资金，切实保障农业转移人口基本公共服务需求。

（三）加强评估督导。财政厅要会同省直有关部门加强转移支付资金绩效管理，根据市县政府向农业转移人口提供公共服务等情况，对各类转移支付与农业转移人口市民化挂钩政策效果进行评估。要强化评价结果运用，建立农业转移人口市民化财政政策动态调整机制，对成效好的政策给予支持，对成效差的政策进行调整。

市（州）财政部门要结合本地实际，制定支持农业转移人口市民化的财政政策措施，并报财政厅备案。

四川省人民政府

2016年12月30日

四川省人民政府办公厅
关于支持贫困县开展统筹整合使用财政涉农资金试点的实施意见

川办发〔2016〕44号

各市(州)、县(市、区)人民政府,省政府各部门、各直属机构,有关单位:

为深入贯彻党中央、国务院和省委、省政府脱贫攻坚决策部署,根据《国务院办公厅关于支持贫困县开展统筹整合使用财政涉农资金试点的意见》(国办发〔2016〕22号)精神,经省政府同意,现结合我省实际,就支持贫困县开展统筹整合使用财政涉农资金试点提出以下实施意见。

一、总体要求

(一)指导思想

坚持精准扶贫、精准脱贫基本方略,按照"整合项目、聚集资金、集中投放、精准扶持"的总体思路,优化财政涉农资金供给机制,改革财政涉农资金管理使用方式,赋予贫困县统筹整合使用财政涉农资金的自主权,保障贫困县集中资源打赢脱贫攻坚战。

(二)试点目标

通过试点,形成"多个渠道引水、一个龙头放水"的扶贫投入新格局,激发贫困县内生动力,支持贫困县围绕突出问题,以摘帽销号为目标,以脱贫成效为导向,以扶贫规划为引领,以重点扶贫项目为平台,统筹整合使用财政涉农资金,撬动金融资本和社会资本投入扶贫开发,提高资金使用精准度和效益,确保如期完成"两不愁、三保障"、"四个好"的脱贫攻坚任务。

(三)基本原则

——渠道不变,充分授权。对纳入统筹整合使用范围的财政涉农资金,仍按照原渠道下达,资金项目审批权限完全下放到贫困县,实行目标、任务、资金、权责"四到县"制度。

——县级主体,上下联动。省直有关部门主要负责制定政策、下达资金、完善制度和监督考核等工作。市(州)人民政府重点抓好组织协调、督促检查等工作。贫困县人民政府作为统筹整合使用财政涉农资金的实施主体,根据本地脱贫攻坚规划和年度计划,统筹整合使用财政涉农资金,并承担资金安全、规范管理、有效使用的主体责任。

——突出重点,统筹兼顾。坚决把脱贫攻坚放在重中之重位置,优先保障脱贫攻坚支出,兼顾农业农村发展的工作目标和重点任务。

——精准发力,注重实效。贫困县统筹整合使用财政涉农资金要与脱贫成效紧密挂钩,精确瞄准建档立卡贫困人口和贫困村,着力增强贫困人口自我发展能力,改善贫困人口生产生活条件,提升贫困村可持续发展水平。

二、试点范围

2016年,在我省的国家连片特困地区县、国家扶贫开发工作重点县和2016年计划摘帽的贫困县开展统筹整合使用财政涉农资金试点,总计70个县(市、区):叙永县、古蔺县、平武县、北川县、广元市昭化区、旺苍县、广元市朝天区、剑阁县、青川县、苍溪县、沐川县、马边县、南充市嘉陵区、阆中市、南部县、仪陇县、蓬安县、屏山县、广安市广安区、广安市前锋区、华蓥市、万源市、宣汉县、巴中市巴州区、巴中市恩阳区、南江县、通江县、平昌县、汶川县、理县、茂县、松潘县、九寨沟县、金川县、小金县、黑水县、马尔康市、壤塘县、阿坝县、若尔盖县、红原县、康定市、泸定县、丹巴县、九龙县、雅江县、道孚县、炉霍县、甘孜县、新龙县、德格县、白玉县、石渠县、色达县、理塘县、巴塘县、乡城县、稻城县、得荣县、木里县、盐源县、普格县、布拖县、金阳县、昭觉县、喜德县、越西县、甘洛县、美姑县、雷波县。2017年,逐步扩大试点范围。

三、资金范围

统筹整合使用资金的范围是各级财政安排用于农业生产发展和农村基础设施建设等方面的资金。

根据国办发〔2016〕22号文件规定,中央层面主要有:财政专项扶贫资金、农田水利设施建设和水土保持补助资金、现代农业生产发展资金、农业技术推广与服务补助资金、林业补助资金、农业综合开发补助资金、农村综合改革转移支付、新增建设用地土地有偿使用费安排的高标准基本农田建设补助资金、农村环境连片整治示范资金、车辆购置税收入补助地方用于一般公路建设项目资金(支持农村公路部分)、农村危房改造补助资金、中央专项彩票公益金支持扶贫资金、产粮大县奖励资金、生猪(牛羊)调出大县奖励资金(省级统筹部分)、农业资源及生态保护补助资金(对农民的直接补贴除外)、服务业发展专项资金(支持新农村现代流通服务网络工程部分)、江河湖库水系综合整治资金、全国山洪灾害防治经费、旅游发展基金,以及中央预算内投资用于"三农"建设部分(不包括重大引调水工程、重点水源工程、江河湖泊治理骨干重大工程、跨界河流开发治理工程、新建大型灌区、大中型灌区续建配套和节水改造、大中型病险水库水闸除险加固、生态建设方面的支出)。

省级层面主要有:上述中央资金的省级配套资金和与上述中央资金共同承担支出责任的省级资金;现代农业推进工程资金、粮食生产能力提升工程资金、新型农业生产经营主体培育专项资金、林业重点生态建设工程专项资金(不包括直接补贴部分)、现代林业产业发展专项资金、水资源节约和保护专项资金、农村饮水安全工程专项资金、新农村成片推进示范县建设专项资金、幸福美丽新村建设专项资金、涉农资金整合以奖代补专项资金、产粮大县(市)奖励资金、交通建设资金(支持农村公路部分)、"三州"开发资金(用于农业生产发展和农村基础设施建设部分)、小型水库移民后期扶持项目资金以及其他用于农业生产发展和农村基础设施建设的资金。

各级财政安排用于教育、医疗、卫生等社会事业方面资金,也要结合脱贫攻坚任务和贫困人口变化情况,完善资金安排使用机制,精准有效使用资金。有关市(州)要结合本地实际,明确本级财政安排的涉农资金中贫困县可统筹整合使用的资金范围。贫困县要按照统筹整合资金范围,统筹整合上级转移支付资金和本级财力,优先解决贫困村、贫困户的突出问题,全力支持脱贫攻坚。

四、工作措施

(一)增强贫困县财政保障能力

1.加大一般性转移支付补助力度。优化转移支付结构,扩大一般性转移支付规模和比例，实行贫困地区均衡性转移支付单列单算，加大对贫困地区的转移支付力度，提高贫困县财政保障能力。

2.整合归并专项转移支付项目资金。清理整合目标接近、资金投入方向类同、资金管理方式相近的专项转移支付，推进部门内部资金的统筹整合使用，将涉农资金整合为扶贫开发、农业综合发展、农业生产发展、水利发展、农村公路发展、林业改革发展、农村社会发展等七类。

3.加大专项转移支付倾斜支持力度。按照政府扶贫投入力度要与脱贫攻坚任务相适应的要求，省、市（州）财政在切实增加扶贫投入的基础上，进一步向贫困县倾斜，将脱贫攻坚作为资金分配的重要参考因素。分配相关转移支付资金时，尽可能采取因素法，便于统筹安排使用。原则上补助贫困县的资金增幅不低于该项资金的平均增幅。

4.加快转移支付预算下达进度。进一步加强预算执行管理，提高提前下达转移支付比例。在提前下达各项转移支付资金时，尽可能地将补助贫困县的该项转移支付资金予以全额下达，便于统筹编制预算，科学编制资金统筹整合使用方案。进一步加快转移支付预算下达进度，省直有关部门接到中央转移支付后，应在 30 日内正式下达到市、县级政府。省级预算安排对下级政府的一般性转移支付和专项转移支付，应分别在省人民代表大会批准预算后的 30 日和 60 日内正式下达。

（二）围绕规划统筹整合使用财政涉农资金

1.有效衔接规划。贫困县要坚持目标导向和问题导向，编制好本地脱贫攻坚规划和年度计划，做好与上级脱贫攻坚规划、各级部门专项规划的衔接，以规划和年度计划引领投入，凝聚扶贫合力。贫困县脱贫攻坚规划和年度计划经县级人民政府审定后，不得随意调整。各有关部门要按照脱贫攻坚要求，及时调整完善相关专项规划，实现脱贫攻坚规划与部门专项规划的有效衔接，保障按计划完成脱贫任务。部门专项规划与脱贫攻坚规划不一致的，应当区分具体情况研究处理，原则上以脱贫攻坚规划为准。

2.编制资金统筹整合使用方案。贫困县要围绕脱贫攻坚规划和年度计划，结合部门专项规划，在农业生产发展和农村基础设施建设范围（即统筹整合使用的财政涉农资金用途）内，提出包括主要目标任务、具体建设内容在内的年度资金统筹整合使用方案，原则上不再一个项目编制一个方案。已下达贫困县的 2016 年涉农资金，由其按照统筹整合使用资金的范围，视项目开工建设情况，统筹整合使用。纳入年度资金统筹整合使用方案的相关资金按上述办法调整用途，各相关部门应予以认可。贫困县年度资金统筹整合使用方案要明确每个项目和每笔资金的管理部门，特别是要把项目资金调整用途后的管理部门予以明确落实，并相应承担管理责任。有关部门和地方不得限定资金在贫困县的具体用途，不得干扰资金的统筹整合使用。贫困县年度资金统筹整合使用方案确定后，于每年 4 月底前报省脱贫攻坚领导小组备案（2016 年的方案，于 2016 年 7 月底前报送）。省脱贫攻坚领导小组将资金统筹整合使用情况分别通报省直有关部门；根据统筹整合使用资金的来源级次，属于省级资金的，省级各资金管理部门应予以认可；属于中央资金的，由省级有关资金管理部门向中央对口部门报告，并抄送财政部驻四川专员办。贫困县资金统筹整合使用方案将作为上级部门加强指导、考核评价、审计检查、监督问责的重要依据。

3.组织项目加快实施。贫困县要按照年度资金统筹整合使用方案，区分轻重缓急，确定好重点扶贫项目和建设任务，统筹安排相关涉农资金。在选择扶贫项目时，要充分尊重贫困群众意愿，优先安排贫困人口参与积极性高、意愿强烈的扶贫项目。加强扶贫项目储备，及时安排项目资金，项目成熟一个资金到位一个，年度计划的建设任务应在接到上级转移支付后一年内完成，确保不出现资金滞留问题。

（三）创新财政涉农资金使用机制

1.推行民办公助、村民自建方式。积极推广群众民主议事决策机制，吸收贫困村、贫困户代表参与项目评选和建设管理。在严格履行民主程序、充分尊重农民意愿的前提下，采取农民自行建设、自主招标（比选）等方式实施项目，调动农民群众积极性。

2.实行到村到户到人精准扶持。按照规划到村、帮扶到户、兑现到人的要求，强化资金安排使用与建档立卡结果相衔接，优先安排资金到贫困村、贫困户和贫困人口，做到扶持对象精准、扶贫项目精准、资金使用精准、扶贫措施精准、脱贫成效精准。

3.探索财政支农项目资产收益扶贫。积极探索以"股权量化、按股分红、收益保底"为主要内容的财政支农项目资产收益扶贫机制，拓宽贫困人口收入渠道。加大对培育带动主体的支持力度，创造条件帮助带动主体承接各类支农项目，鼓励带动主体吸收贫困户为其成员，扩大覆盖范围，规范操作程序，确保贫困户真正受益。

4.转变财政涉农资金支持方式。探索财政涉农资金使用新机制，充分发挥财政资金引导放大作用，通过政府和社会资本合作、政府购买服务、贷款贴息、农业担保、设立产业发展基金等有效方式，撬动更多金融资本、社会资本参与脱贫攻坚。

（四）加强财政涉农资金监督管理

1.完善制度体系。全省各级、各有关部门要及时修订完善各项制度，取消限制资金统筹整合使用的相关规定。贫困县要制定统筹整合使用财政涉农资金具体办法，明确部门分工、操作程序、公开办法、监管措施等。

2.规范项目资金管理。贫困县要加快构建协调配合的项目资金管理机制。贫困村第一书记、驻村工作组、村委会要深度参与涉农资金和项目的管理监督。对贫困村、贫困户、贫困人口的扶持措施和资金安排使用情况要由所在贫困村的第一书记签字确认。贫困县不得将统筹整合涉农资金用于脱贫攻坚规划以外的支出；不得用于平衡预算、修建楼堂馆所、改善办公条件、购置车辆、发放人员工作补贴、弥补单位公用经费等支出；不得用于建设农民群众不满意、没有推广价值的"示范园区"等形象工程。

3.健全公告公示。坚持和完善从省到村五级资金项目公示公告制度，提高财政涉农资金的分配、使用透明程度。省级、市（州）应将政策规定、资金安排下达等情况向社会公开。贫困县要在本地政府门户网站和主要媒体公开统筹整合使用的涉农资金来源、用途和项目建设等情况。贫困村要建立公告公示制度，公告公示内容应包括项目名称、资金来源、资金规模、实施地点、建设内容、预期目标、实施单位及责任人、举报电话等。

4.开展绩效评价。涉农资金统筹整合使用要与脱贫任务挂钩，按照脱贫效益最大化原则配置资源，将脱贫成效作为衡量资金统筹整合使用工作主要标准。各级扶贫、财政、发展改革等部门（单位）要加强对涉农资金统筹整合使用的绩效评价，并将其纳入扶贫开发工作成效考核，评价、考核结果以本级脱贫攻坚领导小组名义通报。

5.加强监督检查。全省各级政府要把纳入统筹整合范围的财政涉农资金作为监管重点。实施多元监督检查，发挥乡镇财政就近就地优势，让其充分参与财政涉农资金管理和监督检查等工作。组织和引导贫困群众主动参与财政涉农资金项目管理,建立健全举报受理、反馈机制。探索第三方监督机制。监察、审计、财政等部门要加大对贫困县的审计和监督检查力度,并对监管职责落实情况进行跟踪问效,对探索实践资金统筹整合使用、提高资金使用效益给予大力支持。

五、强化组织保障

(一)加强沟通协调

在各级脱贫攻坚领导小组的领导下,建立联席会议制度,确定部门职责分工,研究纳入统筹整合使用的具体资金范围,明确对贫困地区、贫困人口倾斜支持政策,取消限制资金统筹整合使用管理要求,定期或不定期召开会议交流情况,解决工作中遇到的实际问题。全省各级财政部门要加强对涉农资金统筹整合使用工作的协调。

(二)强化宣传引导

充分利用政府门户网站、手机信息、党务政务村务公开栏、宣传手册等途径,确保扶贫政策、资金安排宣传到村、到组、到户。注重引导,激发贫困群众干事创业热情,苦干实干,攻坚克难,艰苦奋斗,脱贫奔康。

(三)实施激励约束

强化考核评价和监督检查结果运用,对试点工作成效好、资金使用效益高的地方,在分配财政专项扶贫资金时给予奖励和倾斜;对试点工作成效不明显、违规使用资金的地方,取消试点资格;对不作为、乱作为等行为,严肃追究相关人员责任。

(四)注重总结提升

全省各级、各有关部门要深入开展调查研究,总结推广好的经验做法。贫困县要及时研究处理具体操作层面遇到的问题,注意积累可借鉴的经验,发掘可复制的典型,并及时向上级脱贫攻坚领导小组和有关部门报告。

四川省人民政府办公厅

2016 年 7 月 8 日

四川省人民政府办公厅 关于全面治理拖欠农民工工资问题的实施意见

川办发〔2016〕63 号

各市(州)、县(市、区)人民政府,省政府各部门、各直属机构:

为贯彻《国务院办公厅关于全面治理拖欠农民工工资问题的意见》(国办发〔2016〕1 号)精神,经省政府同意,现提出以下实施意见。

一、总体要求

(一)指导思想。认真贯彻落实党中央国务院、省委省政府决策部署,牢固树立并切实贯彻创新、协调、绿色、开放、共享发展理念,紧紧围绕保护农民工劳动所得,标本兼治、综合治理,坚持工程建设领域部门监管体制创新和市场决定机制创新,充分发挥地方政府属地管理作用,深入贯彻我省以责任制为核心的治理体系,维护社会公平正义,促进社会和谐稳定。

(二)目标任务。以建筑市政、交通、水利等工程建设领域和劳动密集型加工制造、餐饮服务等易发生拖欠工资问题的行业为重点,全面贯彻落实人力资源社会保障部门综合牵头、其他主管部门分别牵头的源头性问题处理责任制、企业工资支付责任制、地方政府属地监管责任制,健全源头预防、动态监管、失信惩戒相结合的制度保障体系,完善市场主体自律、政府依法监管、社会协同监督、司法联动惩处的工作体系。到 2020 年,形成制度完备、责任落实、监管有力的治理格局,使拖欠农民工工资问题得到根本遏制,努力实现基本无拖欠。

二、全面规范企业工资支付行为

(三)严格落实工资支付主体责任。全面落实企业对招用农民工的工资支付责任,督促各类企业严格依法将工资按月足额支付给农民工本人。在工程建设领域,施工总承包企业(包括直接承包建设单位发包工程的专业承包企业,下同)对所承包工程项目的农民工工资支付负总责。落实省政府《关于促进建筑业转型升级加快发展的意见》(川府发〔2014〕30 号),完善劳务分包制度,将农民工工资与工程材料款相分离,加快推行农民工工资由施工总承包企业受委托直接发放办法,即施工总承包企业受劳务企业委托直接代发农民工工资办法。各类企业不得将工资发放给不具备用工主体资格的组织和个人,不得以工程款未到位等为由克扣或拖欠农民工工资,不得将合同应收工程款等经营风险转嫁给农民工。(人力资源社会保障厅、住房城乡建设厅、交通运输厅、水利厅、国土资源厅、省国资委、成都铁路局分别负责)

(四)严格规范劳动用工管理。督促各类企业依法与招用的农民工签订劳动合同并严格履行,建立职工名册并办理劳动用工备案。在工程建设领域,坚持施工企业与农民工先签订劳动合同后进场施工,未签书面劳动合同不得进场施工,全面实行以用工备案表、考勤表、工资表为主要内容的农民工实名制管理制度,建立农民工劳动计酬手册,记录施工现场作业农民工的身份信息、劳动考勤、工资结算等信息,逐步实现信息化实名制管理。施工总承包企业要加强对分包企业劳动用工和工资计算的监督管理,在工程项目部配备劳资专管员,建立施工人员进出场登记制度和考勤计量、工资支付等管理台账,实时掌握施工现场用工及其工资支付情况,不得以包代管,切实履行对劳务分包企业用工施工的监督管理责任。施工总承包企业和分包企业应将经农民工本人签字确认的工资支付书面记录保存两年以上备查。(人力资源社会保障厅、住房城乡建设厅、交通运输厅、水利厅、国土资源厅、省国资委、成都铁路局分别负责)

(五)推行银行代发工资制度。推动各类企业委托银行代发农民工工资。在工程建设领域,围绕推行落实农民工工资由施工总承包企业直接发放办法,做好银行代发工资工作。分包企业负责为招用的农民工申办银行个人工资账户并办理实名制工资支付银行卡,按月考核农民工工作量并编制工资支付表,经农民工本人签字确认后,交施工总承包企业委托银行通过其设立的农民工工资(劳务费)专用账户直接将工资划入农民工个人工资账户。(住房城乡建设厅、交通运输厅、水利厅、国土资源厅、省国资委分别牵头,人行成都分行、人力资源社会保障厅配合)

三、健全工资支付监控和保障制度

（六）完善农民工工资支付监控机制。构建企业工资支付监控网络，依托基层劳动保障监察网格化、网络化管理平台的工作人员和基层工会组织设立的劳动法律监督员，综合运用农民工工资支付集中排查机制，对辖区内企业工资支付情况实行日常监管，对发生过工资拖欠和有重大欠薪隐患的企业实行重点监控并要求其定期申报。企业确因生产经营困难等原因需要延期支付农民工工资的，应及时向当地人力资源社会保障部门、工会组织报告。建立和完善欠薪预警系统，根据工商、税务、银行、水电供应等单位反映的企业生产经营状况相关指标变化情况，定期对重点行业企业进行综合分析研判，发现欠薪隐患要及时预警并做好防范工作。（人力资源社会保障厅、省总工会牵头，住房城乡建设厅、交通运输厅、水利厅、国土资源厅配合）

（七）完善工资保证金制度。在建筑市政、交通、水利等工程建设领域全面实行工资保证金制度，逐步将实施范围扩大到其他易发生工资拖欠的行业。建立工资保证金差异化缴存办法，对近三年及三年以上未发生工资拖欠的企业实行减免措施，发生工资拖欠的企业适当提高缴存比例。严格规范工资保证金动用和退还办法。探索推行业主担保、银行保函等第三方担保制度，积极引入商业保险机制，保障农民工工资支付。（住房城乡建设厅牵头，财政厅、人力资源社会保障厅配合）

（八）建立健全农民工工资（劳务费）专用账户管理制度。在工程建设领域，实行人工费用与其他工程款分账管理制度，实行农民工工资与工程材料款等相分离。施工总承包企业应分解工程价款中的人工费用，在工程项目所在地银行开设农民工工资（劳务费）专用账户，专项用于支付农民工工资。建设单位应按照工程承包合同约定的比例或施工总承包企业提供的人工费用数额，将应付工程款中的人工费单独拨付到施工总承包企业开设的农民工工资（劳务费）专用账户。农民工工资（劳务费）专用账户应向人力资源社会保障部门和建筑市政、交通、水利、国土等工程建设项目主管部门备案，并委托开户银行负责日常监管，确保专款专用。开户银行发现账户资金不足、被挪用等情况，应及时向人力资源社会保障部门和建筑市政、交通、水利、国土等工程建设项目主管部门报告。（住房城乡建设厅、交通运输厅、水利厅、国土资源厅分别牵头，人行成都分行、人力资源社会保障厅配合）

（九）落实清偿欠薪责任。招用农民工的企业承担直接清偿拖欠农民工工资的主体责任。在工程建设领域，合同约定委托施工总承包企业代发劳务企业农民工工资而发生劳务企业农民工工资拖欠的，由施工总承包企业承担清偿农民工工资的主体责任。建设单位未按合同约定及时划拨工程款，致使拖欠农民工工资的，由建设单位以未结清的工程款为限先行垫付农民工工资。建设单位或施工总承包企业将工程违法发包、转包或违法分包致使拖欠农民工工资的，由建设单位或施工总承包企业依法承担清偿责任。（住房城乡建设厅、交通运输厅、水利厅、国土资源厅分别牵头，人力资源社会保障厅配合）

四、推进企业工资支付诚信体系建设

（十）完善企业守法诚信管理制度。将劳动用工、工资支付情况作为企业诚信评价的重要依据，实行分类分级动态监管。建立拖欠工资企业"黑名单"制度，定期向社会公开有关信息。人力资源社会保障部门要建立企业拖欠工资等违法信息的归集、交换和更新机制，将查处的企业拖欠工资情况纳入人民银行企业征信系统和小微企业信用信息数据库、工商部门企业信用信息公示系统、住房城乡建设等行业主管部门诚信信息平台或政府公共信用信息服务平台。推进相关信用信息系统互联互通，实现对企业信用信息互认共享。（人力资源社会保障厅牵头，住房城乡建设厅、省工商局、人行成都分行配合）

（十一）建立健全企业失信联合惩戒机制。加强对企业失信行为的部门协同监管和联合惩戒。对拖欠工资的失信企业，由有关部门在政府资金支持、政府采购、招投标、生产许可、履约担保、资质审核、融资贷款、市场准入、评优评先等方面依法依规予以限制，使失信企业在全省范围内"一处违法、处处受限"，提高企业失信违法成本，推动形成联合惩戒的信用监督新机制。（人力资源社会保障厅、省发展改革委、财政厅、住房城乡建设厅、省工商局、人行成都分行分别负责）

五、依法处置拖欠工资案件

（十二）严厉查处拖欠工资行为。加强企业工资支付监察执法，扩大日常巡视检查、季度排查和书面材料审查覆盖范围，推进劳动保障监察举报投诉案件省级联动处理机制建设，按部门责任分工和协调机制加大拖欠农民工工资举报投诉受理和案件查处力度，按规定移交建设施工项目主管部门牵头协调处理源头性案件。完善多部门联合治理机制，深入开展农民工工资支付情况专项检查。健全地区执法协作制度，加强跨区域案件执法协作。完善劳动保障监察行政执法与刑事司法衔接机制，严格依法处理拒不支付劳动报酬犯罪案件，落实劳动保障监察机构、公安机关、检察机关、审判机关间信息共享、案情通报、案件移送等制度，推动完善人民检察院立案监督和人民法院及时财产保全等制度。对恶意欠薪涉嫌犯罪的，依法移送司法机关追究刑事责任，切实发挥刑法对打击拒不支付劳动报酬犯罪行为的威慑作用。（人力资源社会保障厅牵头，住房城乡建设厅、交通运输厅、水利厅、国土资源厅、省国资委、省工商局、公安厅、省检察院、省法院、省总工会配合）

（十三）及时处理欠薪争议案件。充分发挥基层劳动争议调解等组织的作用，引导农民工就地就近解决工资争议。劳动人事争议仲裁机构对农民工因拖欠工资申请仲裁的争议案件优先受理、优先开庭、及时裁决、快速结案。对集体欠薪争议或涉及金额较大的欠薪争议案件要挂牌督办。加强调裁审衔接与工作协调，提高欠薪争议案件裁审效率和执行效率，畅通人民法院支付令申请渠道和执行绿色通道，依法及时为农民工讨薪提供法律服务和法律援助。（人力资源社会保障厅牵头，省法院、司法厅、省总工会配合）

（十四）完善欠薪突发事件应急处置机制。健全应急预案，及时妥善处置因拖欠农民工工资引发的突发性、群体性事件。在市（州）、县（市、区）普遍建立完善欠薪应急周转金制度，探索建立欠薪保障金制度，对企业一时难以解决拖欠工资或企业主欠薪逃匿的，及时动用应急周转金、欠薪保障金或通过其他渠道筹措资金，先行垫付部分工资或基本生活费，帮助解决被拖欠工资农民工的临时生活困难。对采取非法手段讨薪或以讨要拖欠工资为名讨要工程款，构成违反治安管理行为的，依法予以治安处罚；涉嫌犯罪的，依法移送司法机关追究刑事责任。（各市、县级人民政府及人力资源社会保障厅、公安厅、财政厅、省检察院、省法院分别负责）

六、改进建设领域工程款支付管理和用工方式

（十五）加强建设资金监管。在工程建设领域推行工程款支付担保制度，采用经济手段约束建设单位履约行为，预防工程款拖欠。四川省行政区域内财政性资金比例低于30%的工程项目原则上应实行建设单位支付担保，担保费列入工程造价。实行建设单位支付担保的工程项目，建设单位在办理建设工程施工许可手续时应提供保函的原件和加盖建设单位、施工单位公章的保函复印件。保函复印件于施工许可证办理完毕后存入施工许可档案。加强政府投资工程项目管理，对建设资金来源不落实的政府投资工程项目不予批准。政府投资项目一律不得以施工企业带资承包的方式进行建设，并严禁将带资承包有关内容写入工程承包合同及补充条款。（住房城乡建设厅牵头，交通运输厅、水利厅、国土资源厅、省发展改革委、财政厅、省国资委配合）

（十六）规范工程款支付和结算行为。全面推行施工过程结算，建设单位应按合同约定的计量周期或工程进度结算并支付工程款。工程竣工验收后，对建设单位未完成竣工结算或未按合同支付工程款且未明确剩余工程款支付计划的，探索建立建设项目抵押偿付制度，有效解决拖欠工程款问题。对拖延工程款结算或拖欠工程款6个月以上的建设单位，有关部门不得批准其新项目开工建设。（住房城乡建设厅牵头，交通运输厅、水利厅、国土资源厅配合）

（十七）改革工程建设领域用工方式。加快培育建筑产业工人队伍，推进农民工组织化进程。鼓励施工企业加强职业技能培训，将一部分技能水平高的农民工招用为自有工人，不断扩大自有工人队伍。引导具备条件的劳务作业班组向专业企业发展。（住房城乡建设厅牵头，交通运输厅、水利厅、人力资源社会保障厅、省总工会配合）

（十八）实行施工现场维权信息公开制度。施工总承包企业负责在施工现场醒目位置设立维权信息告示牌和工资发放信息公示牌，实现所有施工场地全覆盖。维权信息告示牌要明示业主单位、施工总承包企业及所在项目部、分包企业、行业监管部门等基本信息，明示劳动用工相关法律法规、当地最低工资标准、工资支付日期等信息，明示属地行业监管部门投诉举报电话和劳动争议调解仲裁、劳动保障监察投诉举报电话等信息；工资发放信息公示牌要按月公布所在项目的农民工工资发放情况。（人力资源社会保障厅牵头，住房城乡建设厅、交通运输厅、水利厅、国土资源厅配合）

七、加强组织领导

（十九）落实属地监管责任。按照属地管理、分级负责、谁主管谁负责的原则，完善并落实解决拖欠农民工工资问题市（州）人民政府负总责、县（市、区）人民政府具体负责的工作体制，确保问题解决在当地，确保春节前农民工工资基本无拖欠，严防因欠薪引发群体性事件和极端事件，防止因属地责任履行不到位导致越级上访和矛盾上交。各级地方人民政府要承担政府工程项目工资清欠和重大案件事件处置处理的主体责任，制定并督促落实工程建设领域欠薪治理实施办法。实行属地政府分管领导包案制度，主要负责协调分管部门主管的重大疑难案件，确保问题处理定人、定责、定时、定性。完善目标责任制度，制定实施办法，将保障农民工工资支付纳入政府考核评价指标体系。建立定期督查制度，对拖欠农民工工资问题高发频发、举报投诉量大的地区及重大违法案件进行重点督查。健全问责制度，对监管责任不落实、组织工作不到位的，要严格责任追究。对政府投资工程项目拖欠工程款并引发拖欠农民工工资问题的，要追究项目负责人责任。（各市、县级人民政府负责）

（二十）完善部门协调机制。健全解决企业工资拖欠问题省级联席会议制度，建立由省政府领导牵头，人力资源社会保障厅、省发展改革委、公安厅、司法厅、财政厅、国土资源厅、住房城乡建设厅、交通运输厅、水利厅、省国资委、省工商局、省总工会、人行成都分行、成都铁路局为成员的联席会议，形成治理欠薪工作合力。地方各级人民政府要建立健全由政府负责人牵头、相关部门参与的工作协调机制。人力资源社会保障部门要加强组织协调和督促检查，加大劳动保障监察执法力度，接受涉及拖欠农民工工资问题的举报投诉，依法受理并查处职权范围内和符合立案条件的农民工工资拖欠案件。住房城乡建设、交通运输、水利、国土资源等部门要切实履行行业监管责任，从严查处违法发包、转包或违法分包等行为，规范工程建设市场秩序，督促施工总承包企业落实直接发放劳务分包企业农民工工资、劳务用工实名制管理等制度规定，负责牵头处理或协调经查实后由人力资源社会保障部门依照规定移交的涉及挂靠承包、违法发包分包、层层转包、拖欠或追加工程款、计量计价或结算争议等源头性欠薪案件，以及非工资性工程建设领域经济纠纷案件，其中用人单位无故不支付农民工工资问题由人力资源社会保障部门协同依法处理。发展改革等部门要加强对政府投资项目的审批管理，严格审查资金来源和筹措方式。财政部门要加强对政府投资项目建设全过程的资金监管，按规定及时拨付财政资金。其他相关部门要根据职责分工，积极做好保障农民工工资支付工作。已落实工程建设领域保障农民工工资支付工作由行业主管部门具体牵头负责的地区，可继续按当地现行协调机制办理。（人力资源社会保障厅、省发展改革委、公安厅、司法厅、财政厅、国土资源厅、住房城乡建设厅、交通运输厅、水利厅、省国资委、省工商局、省总工会、人行成都分行、成都铁路局分别负责）

（二十一）加大普法宣传力度。发挥新闻媒体宣传引导和舆论监督作用，大力宣传劳动保障法律法规，推进重大劳动保障违法行为社会公布制度建设，依法公布典型违法案件，引导企业经营者增强依法用工、按时足额支付工资的法律意识，引导农民工依法理性维权。对重点行业企业，定期开展送法上门宣讲、组织法律培训等活动。充分利用互联网、微博、微信等现代传媒手段，不断创新宣传方式，增强宣传效果，营造保障农民工工资支付的良好舆论氛围。（人力资源社会保障厅牵头，住房城乡建设厅、公安厅、司法厅、国土资源厅、交通运输厅、水利厅、省国资委、省工商局、省总工会配合）

（二十二）加强法治建设。健全保障农民工工资支付制度，在总结相关行业有效做法和各地经验基础上，探索推进我省工程建设领域工资支付保障地方立法，为维护农民工劳动报酬权益提供法治保障。（人力资源社会保障厅牵头，省法制办、住房城乡建设厅、国土资源厅、交通运输厅、水利厅、省总工会配合）

各市（州）、县（市、区）人民政府和省直有关部门（单位）要按照本实施意见要求，抓紧制定和完善配套措施及具体办法，确保全面治理拖欠农民工工资问题的各项政策措施落到实处。解决企业工资拖欠问题省级联席会议每年要针对保障农民工工资支付工作中的重点事项和突出问题开展专项督查。

四川省人民政府办公厅
2016年9月2日

四川省人民政府办公厅
关于加快推进广播电视村村通向户户通升级工作的通知

川办发〔2016〕72 号

各市(州)人民政府,省政府各部门、各直属机构:

我省实施广播电视村村通工程以来,基本消除全省广播电视覆盖盲区,有效解决了广大农村群众听广播难、看电视难的问题,但与全面建成小康社会、建设经济和文化强省的目标还存在一定差距,迫切需要在广播电视村村通基础上进一步提升水平、提质增效,实现由粗放式覆盖向精细化入户服务升级,由模拟信号覆盖向数字化清晰接收升级,由传统视听服务向多层次多方式多业态服务升级。为贯彻落实《国务院办公厅关于加快推进广播电视村村通向户户通升级工作的通知》(国办发〔2016〕20 号)精神,加快构建现代公共文化服务体系,创新和完善城乡广播电视公共产品和服务供给,引领现代文化传播,促进文化和信息消费,经省政府领导同志同意,现就有关事项通知如下。

一、总体要求

(一)指导思想。全面贯彻党的十八大和十八届三中、四中、五中全会精神,贯彻落实习近平总书记系列重要讲话精神,按照省委十届四次、五次、六次、七次、八次全会部署和全面建成小康社会总体要求,牢固树立和贯彻落实创新、协调、绿色、开放、共享的发展理念,坚持以人民为中心的工作导向,以改革创新为动力,以升级发展为主线,以基层为重点,立足四川省情,突出四川特色,充分发挥各地积极性创造性,充分发挥政府和市场作用,大力提升广播电视覆盖能力和服务能力,为满足人民群众广播电视基本公共服务需求提供充分保障,为满足人民群众个性化多样性文化服务需求创造良好环境,为建设"业兴家富、人和村美"的幸福美丽新村,推进"两个跨越"、谱写中国梦四川篇章提供精神动力和文化支撑。

(二)工作目标。统筹无线、有线、卫星三种技术覆盖方式,到 2020 年,省、市、县、乡、村五级广播电视设施网络全面覆盖、互联互通,基本实现数字广播电视户户通,应急广播村村响,形成覆盖城乡、便捷高效、功能完备、服务到户的新型广播电视覆盖服务体系。地面无线广播电视基本实现数字化;有线广播电视网络基本实现数字化、双向化、智能化;直播卫星公共服务基本覆盖有线网络未通达的农村地区;推动"高清四川智慧广电"普及应用;广播电视基本公共服务达到国家和我省标准,市场服务效能进一步提高,基础设施保障能力全面提升,广播电视管理、运行和保障机制更加完善,人民群众基本视听文化权益得到更好保障,公共服务标准化均等化水平稳步提高。

二、主要任务

(三)全面实现数字广播电视覆盖接收。按照"技术先进、安全可靠、经济可行、保证长效"的原则,兼顾考虑补充覆盖和安全备份的需要,各地根据省政府确定的统筹无线、有线、卫星三种技术方式的覆盖方案,因地制宜、因户制宜推进数字广播电视覆盖和入户接收。在有条件的农村鼓励采取有线光缆联网方式,在有线电视未通达的农村地区鼓励群众自愿选择直播卫星、地面数字电视或"直播卫星+地面数字电视"等方式。坚持统一规划、统一标准、统一管理、统一运行,在统筹频率、标准、网络建设的前提下,加快推进完成中央和省、市(州)、县(市、区)广播电视节目的无线数字化覆盖工程、藏区州县广播电视节目覆盖工程;全面实施有线电视网络数字化、双向化、智能化改造,加快"视听乡村""宽带乡村"工程建设,推动民族地区有线电视网络与省有线电视网络实现互联互通,促进农村群众现代视听文化消费;支持地域广阔、传统覆盖手段不足的偏远地区市(州)广播电视节目通过直播卫星传输,定向覆盖本市(州)行政区域,更好满足群众收听收看贴近性强的广播电视节目的需求。

(四)充分保障基本公共服务。按照四川省基本公共文化服务指导标准(2015—2020 年),确保通过无线(数字)提供不少于 15 套电视节目和不少于 15 套广播节目,通过无线(模拟)提供不少于 5 套电视节目和不少于 6 套广播节目;通过直播卫星提供 25 套电视节目和不少于 17 套广播节目;有线广播电视在由模拟向数字整体转换过程中,保留不少于 6 套模拟电视节目供用户选择观看。省级台和民族地区本地台已开办的民族语综合类广播电视节目,应分别纳入相应民族地区无线传输基本公共服务保障范围。积极支持广播电视播出机构开办合办科技致富、农林养殖、知识普及、法治建设、卫生防疫、运动健身、防灾减灾、水利气象、文化娱乐等贴近基层群众需要的服务性广播电视栏目节目,并逐步增加播出时间。推动民族地区广播电视播出机构推广国家通用语言文字,提高藏语和彝语节目译制、制作、播映和传播覆盖能力。

(五)加快建设全省应急广播体系。按照"统一联动、安全可靠、快速高效、平战结合"原则,统筹利用现有广播电视资源,推进全省应急广播体系建设,加快建立完善省级和地方各级应急广播制作播发、调度控制和应急指挥平台,与国家突发事件预警信息发布系统连接。升级改造传输覆盖网络,布设应急广播接收终端,健全应急信息采集发布机制,形成中央、省、市、县四级统一协调、上下贯通、可管可控、综合覆盖的应急广播体系,向城乡居民提供灾害预警应急广播和政务信息发布、政策宣讲服务。

(六)大力提升基础设施支撑保障能力。按照广播电视工程建设标准和相关技术标准,继续实施县级及以上无线发射台(转播台、监测台、卫星地球站)、广播电视台、广播站等基础设施进行新建、改(扩)建,满足广播电视安全播出和监测监管需要;加强基层特别是贫困地区广播电视播出机构基础设施和服务能力建设,提升公共服务保障能力。充分利用基层综合性文化服务中心〔含幸福美丽新村(社区)文化院坝(村综合文化服务中心)〕设施,建设农村广播室、广播电视设施设备维修维护网点。充分利用现有基础设施,加强有线电视骨干网和前端机房建设,采用超高速智能光纤传输和同轴电缆传输技术,加快下一代广播电视网建设,提高融合业务承载能力。

(七)有力支撑"高清四川智慧广电"建设。鼓励各地在基本公共服务节目基础上,通过政策引导、市场运作等多种手段增加公益节目、付费节目和其他增值服务。加强新一代信息技术研发和成果推广应用,促进制播传输终端高清化,实现村村有高清到户户看高清的提升,推动互动电视普及,推动广播电视服务、现代传媒及综合信息服务进村入户，广泛提供党报党刊进家庭、家庭数字图书馆、家庭音乐厅、家庭影院、家庭课堂、网络电商等新兴业务和服务，在确保传播安全可控前提下，促进全省媒体融合发展，满足人民群众多样化、多层次文化信息需求，促进文化信息消费，带动我省关键设备、软件、系统的产业化，催生新的经济增长点。

（八）深入推进长效机制建设。加快建立政府主导、社会化发展的广播电视公共服务长效机制，逐步形成“县级及以上有机构管理、乡镇有网点支撑、村组有专人负责、用户合理负担”的公共服务长效运行维护体系。采取政府购买、项目补贴、定向资助、贷款贴息等政策措施，支持各类社会组织和机构参与广播电视公共服务。依托基层综合性文化服务中心，整合基层广播电视公共服务资源，推进广播电视户户通，提供应急广播、广播电视器材设备维修等服务。引导群众参与广播电视公共服务项目规划、建设、管理和监督。规范有线电视企业、直播卫星接收设备专营服务企业运营服务行为，组织开展运营服务质量评价，促进服务水平不断提升。完善服务质量监测体系，研究制定公众满意度指标，探索建立广播电视公共服务第三方评价机制，增强公共服务评价的客观性和科学性。

三、政策保障

（九）加大资金投入。按照分级负责原则，地方各级人民政府分别负责本级无线发射台（站）、转播台（站）、监测台（站）、地面数字电视覆盖网、应急广播系统等广播电视公共设施和机构的建设改造和运行维护资金。中央和省级财政通过现有渠道安排转移支付资金，分别对地方按有关规定转播中央和省广播电视节目予以适当补助，支持地方统筹推进包括广播电视户户通在内的公共文化服务体系建设。省级财政对未通广播电视信号的建档立卡贫困户每户一次性补助200元；对未通广播贫困村建设村级应急广播（村村响）系统每村一次性补助3万元，对贫困县县级应急广播平台建设每个一次性补助100万元。非贫困村村级应急广播系统、非贫困县县级应急广播平台、基层广播电视公共服务网点的建设及运行维护，可结合村村通向户户通升级统筹实施，所需资金可由各地结合实际，在中央、省、市、县级安排的公共文化服务体系建设资金中统筹安排，省财政不再另行补助。

（十）保障运行经费。各级财政要按照“全覆盖、不返盲”要求，落实广播电视户户通运行维护经费。广播电视村村通向户户通升级后的运行维护按每个自然村每年0.12万元运行维护费标准予以补助。甘孜州、阿坝州和凉山州木里县（藏区）广播电视户户通工程运行维护费已明确由中央财政负担；凉山州、民族自治县由省财政负担；成都市、攀枝花市、德阳市、绵阳市自行负担；宜宾市、眉山市由省财政负担30%，市、县级负担70%；其他12个市由省财政和市、县级财政各负担50%。

（十一）完善支持政策。稳妥开展直播卫星除基本公共服务节目外其他增值服务的市场化运营试点，在满足用户基本收视需求的基础上提供更丰富的节目选择，并处理好基本公共服务与增值服务的关系。在国家广播电视机构控股51%以上的前提下，鼓励其他国有、集体、非公有资本投资参股县级以下新建有线电视分配网和有线电视接收端数字化改造。鼓励广电、电信企业参与农村宽带建设和运行维护，鼓励建设农村信息化综合服务平台，加强省市县各级各类信息平台、电子商务平台、科技在线网络平台等互联互通。城乡规划建设要为广播电视网预留所需的管廊通道及场地、机房、电力设施等，网络入廊收费标准可适当给予优惠。加大政府向社会购买服务力度，鼓励广电机构、社会组织依法参与公益性广播电视节目制作、广播电视公共服务网点建设等，为农村地区广播电视用户提供入户接收设备配备、专营销售、安装维修等服务。

四、组织领导

（十二）强化政府责任。地方各级人民政府是本地区推进广播电视村村通向户户通升级工作的责任主体，要切实加强组织领导，成立政府分管负责同志牵头、新闻出版广电部门负责组织实施、农工委（办）、发展改革和财政等有关部门参加的领导小组，形成政府统一领导、部门密切配合的工作推进机制。要切实把做好广播电视户户通相关基本公共服务纳入地方各级人民政府的工作日程，纳入地方经济社会发展总体规划和文化改革发展专项规划，纳入公共财政支出预算，纳入扶贫攻坚计划，作为干部综合考核评价的重要参考，确保各项目标任务顺利完成。各级新闻出版广电部门要强化协调服务，强化主动服务意识，增强服务责任感，规范服务行为，不断提高队伍素质，努力提升服务的层次和水平。

（十三）强化监督检查。各级新闻出版广电、发展改革、财政等部门要切实履行职能，提高服务水平，确保政策落地、项目落实。要按照职责统筹安排所需资金，加强资金管理和审计监督，提高资金使用效益，确保专款专用，不得截留和挪用；加强基层队伍和人员培训，使广播电视专兼职人员掌握必备的专业技能和服务水准；加强工程监督管理和验收检查，确保广播电视服务质量和水平。

《四川省人民政府办公厅关于进一步做好全省“十一五”广播电视“村村通”工作的实施意见》（川办函〔2007〕27号）同时废止。此前有关规定与本通知不一致的，按本通知执行。

四川省人民政府办公厅

2016年9月18日

四川省人民政府办公厅
关于推进农村一二三产业融合发展的实施意见

川办发〔2016〕85号

各市（州）人民政府，省政府各部门、各直属机构：

为贯彻落实《国务院办公厅关于推进农村一二三产业融合发展的指导意见》（国办发〔2015〕93号）精神，加快推进我省农村一二三产业（以下简称农村产业）融合发展，经省政府领导同志同意，现提出以下实施意见：

一、加快培育多元化产业融合主体

（一）强化家庭农场和新型农民的基础作用。调动广大传统农户的积极性，加快培育新型职业农民。创新开展农业职业经理人培育认证制度，鼓励聘用农业职业经理人参与土地经营和现代农业发展。积极推广“土地股份合作社+农业职业经理人+社会化服务”“大园区+小农场”等经营模式，鼓励土地经营权向种养大户和家庭农场有序流转，发展多种形式的农业适度规模经营，鼓励家庭农场和新型农民开展农产品直销。（农业厅牵头负责）

（二）充分发挥新型集体经济组织的引领作用。深化农村产权制度改革，提高农民组织化程度，鼓励农民以土地承包经营权折资入股等方式建立农民合作社、土地股份合作社等新型农业经营主体。引导大中专毕业生、新型职业农民、返乡务工人员领办农民合作社。加快集体资产清产核资和股权化改革，鼓励新型农业经营主体申报、实施和承接财政支农项目，实行财政补助形成资产转交农民合作社持有和管护。开展农民合作社创新试点，引导发展农民合作联合社，增强集体经济组织实力。（农业厅牵头负责）

（三）支持产业化龙头企业发挥示范带动作用。支持通过资金注入、品牌运作、技术输出、管理输出和兼并重组等方式，建立大型现代农业企业和集团。引导龙头企业优化经营管理方式，建立现代企业管理制度。鼓励以强化主业、培育核心竞争力为主线，采取直接投资、参股经营、签订长期合同等方式，到农村特别是贫困地区建设产业示范基地，重点发展农产品加工、流通、电子商务、乡村旅游和农业社会化服务业，吸纳农民特别是贫困农民就业，带动农户和农民合作社发展适度规模生产和经营。（省经济和信息化委、农业厅、林业厅牵头负责）

（四）发挥供销合作社的综合服务优势。推动供销合作社与新型农业经营主体有效对接，延伸农业产业链，健全经营网络。支持供销合作社流通方式和业态创新，搭建全省和区域电子商务平台和为农服务综合平台。拓展供销合作社经营领域和服务方向，由主要从事流通服务向全程农业社会化服务延伸、向全方位城乡社区服务拓展。支持供销合作社开展以代收代种代耕、大田托管、统防统治、烘干储藏等为重点的市场化服务，以土地托管服务为重点的社会化服务，以农资供应、农产品流通、农村服务等为重点的专业化服务。（省供销社牵头负责）

（五）引导各类主体投资农村产业融合发展。鼓励各类社会资本利用农村“四荒”（荒山、荒沟、荒丘、荒滩）资源发展适宜种养业，开展农业环境治理、农田水利建设和生态修复。相关扶持政策对各类社会资本投资农业农村项目同等对待。能够商业化运营的农村服务业，要面向社会资本开放。依法引导外商投资农村产业融合发展。支持新型农业经营主体牵头、联合科研院所和高校，实施一批全产业链科技示范重大项目和区域优势特色产业技术研发项目，培育农业科技创新应用企业集群。（省发展改革委、财政厅、科技厅、国土资源厅、水利厅、农业厅、商务厅、林业厅、省旅游发展委等负责）

二、积极推动全产业链融合发展

（六）优化农业内部结构。立足生态条件和市场需求，科学布局产业结构，推动粮经饲统筹、农牧渔林结合，促进产业内部重组融合，调整优化农业产业结构、品种结构和产品层次。依托粮食生产能力提升工程、现代农业（林业、畜牧业）重点县等项目实施，大力发展优质粮油，做大做强蔬菜、水果、茶叶、中药材等经作产业。巩固“川猪”优势，加快发展牛、羊等草食牲畜、特色小家禽、水产业。发展种养结合循环农业，合理布局规模化养殖场。以“万亩林、亿元钱”示范片和林业产业园区建设为载体，发展复合循环林业经营。加强农业标准体系建设，健全农业地方标准修订，完善“三品一标”认证登记保护制度，培育特色农产品品牌。（农业厅、林业厅、科技厅、商务厅、省工商局、省质监局负责）

（七）推动农产品加工企业提档升级。配套完善农产品产地初加工补助政策，扩大实施区域和品种范围，支持在产业集中区、万亩亿元示范区建设与基地规模相适应的农产品初加工商品化处理设施。建设以优势农产品集中连片发展区为依托，满足区域经济中心、城市群消费新需求的农产品深加工产业发展核心区。鼓励农产品深加工企业加大投资，自建一批布局合理、专用、优质、稳定的优势农产品原料生产基地。支持传统农产品深加工企业加快技术改造，通过产业链纵向和横向延伸，提高质量和效益。支持农产品加工技术研发与转化推广，鼓励农产品加工骨干企业与大专院校、科研院所联合组建科学创新转化平台。（省经济和信息化委、农业厅、林业厅、科技厅等负责）

（八）发展休闲农业和乡村旅游。推动乡村各类资源景观化，加强乡村生态环境保护，推进农（林）业园区、森林公园、水利风景、古镇新村等各类乡村资源创建国家A级景区和旅游度假区、生态旅游示范区、森林康养示范村镇等旅游品牌，鼓励发展民宿旅游和休闲农庄、养生山庄等特色业态经营点。全面实施乡村旅游富民工程和“千村万户”“千村万景”旅游富民计划，推动形成红色旅游、民族风情、休闲度假、康体养生、科普教育等系列主题旅游产品。突出打造“环成都乡村休闲旅游带”“环重庆乡村休闲旅游带”“秦巴山森林康养经络带”等。大力发展乡村旅游合作社和乡村旅游创客示范基地。实施“一县一品”旅游商品品牌培育计划，推进农土特产品旅游化。（省旅游发展委、农业厅、林业厅、水利厅、商务厅等负责）

（九）支持发展产业新业态。实施“互联网+现代农业”行动计划，大力发展农村电子商务，打造全省农产品电商平台，推广线上营销和线下体验一体化经营，促进电商与经营主体有效结合，实现“网货下乡”和“农产品进城”。推进互联网、物联网、云计算、大数据与现代农业结合，构建依托互联网的新型农业生产经营体系，促进智能化农业、精准农业发展。充分发挥农业的多功能性，发展多种形式的农旅产业，推进农（林）业与教育、文化、健康养老、会展等产业深度融合。（农业厅、科技厅、省经济和信息化委、林业厅、商务厅、省供销社等负责）

（十）引导产业集聚集约发展。加强农村产业融合发展与城乡规划、土地利用总体规划有效衔接，完善县域产业空间布局和功能定位，将农村产业融合发展与新型城镇化建设相结合，引导农村二三产业向县城、重点乡镇及产业园区集中。创建农（林）业产业化示范基地和现代农（林）业示范区，完善配套设施，建设农产品集散中心、物流配送中心和展销中心。扶持发展一乡（县）一业、一村一品，加快培育乡村手工艺品和农村土特产品品牌。以园区为载体，集聚创新要素，培育农业科技型企业，打造农业科技创新应用企业集群。（省发展改革委、农业厅、国土资源厅、科技厅、省经济和信息化委、林业厅、财政厅、商务厅等负责）

（十一）支持贫困地区农村产业融合发展。支持秦巴山区、乌蒙山区、大小凉山彝区、高原藏区“四大片区”立足当地资源优势，发展特色种养业、农产品加工业和乡村旅游、电子商务等农村服务业，相关扶持资金向贫困地区倾斜。对有劳动能力的贫困人口重点进行农业产业扶持。实施贫困村旅游基础设施“六小工程”，帮助具备旅游发展条件的建档立卡贫困村满足基本的旅游接待条件。支持企事业单位、社会组织和个人投资贫困地区农村产业融合项目。（农业厅、林业厅、省扶贫移民局、商务厅、省旅游发展委等负责）

三、着力建立多形式产业融合利益联结机制

（十二）建立直接受益利益联结机制。引导龙头企业在平等互利基础上，与农户、家庭农场、农民合作社签订农产品购销合同，建立

“公司+基地+农户”等模式，合理确定收购价格，实施保底收购、二次返利，形成稳定购销关系，确保农户盈利。鼓励农产品加工企业通过定向投入、定向服务、定向收购等方式，与农民建立稳定的合同关系和利益联结机制。支持龙头企业为农户、家庭农场、农民合作社提供贷款担保，资助订单农户参加农业保险。（农业厅、林业厅、商务厅、四川银监局、四川保监局等负责）

（十三）建立股份合作受益利益联结机制。积极推广股份制和股份合作制，鼓励有条件地区开展集体资产股份制改革，将农村集体建设用地、承包地和集体资产确权到户，探索以农户承包土地经营权入股的股份合作社、股份合作制企业的利润分配机制。地方人民政府可探索制订发布本行政区域内农用地基准价，为农户土地入股或流转提供参考依据。支持农户与新型农业经营主体开展股份制或股份合作制，建立“产值分成”“寄托生产”“资产入股”等企业、村集体及农民多方利益联结新模式。〔农业厅、林业厅、商务厅、各市（州）人民政府等负责〕

（十四）建立综合受益利益联结机制。鼓励从事农村产业融合的工商企业优先聘用流转出土地的农民，为其提供技能培训、就业岗位和社会保障。引导工商企业发挥自身优势，辐射带动农户扩大生产经营规模、提高管理水平。强化龙头企业联农带农激励机制，国家相关扶持政策与利益联结机制挂钩。鼓励各地建立农业共营制、“保底+回购”、“按股分红+务工收入”、“按资分红+二次返利”等多种机制。（农业厅、林业厅、商务厅等负责）

（十五）建立利益联接风险防控机制。稳定土地流转关系，推广实物计租货币结算、租金动态调整等计价方式。规范工商资本租赁农地行为，建立农户承包土地经营权流转分级备案制度。引导各地建立土地流转、订单农业等风险保障金制度，并探索与农业（森林）保险、担保相结合，提高风险防范能力。增强新型农业经营主体契约意识，鼓励各地制定适合农村特点的信用评级方法体系。制定和推行涉农合同示范文本，依法打击涉农合同欺诈违法行为。加强土地流转、订单等合同履约监督，建立健全纠纷调解仲裁体系，保护投资契约双方合法权益。（农业厅、林业厅、商务厅、省工商局、四川银监局、四川保监局等负责）

四、切实完善推进产业融合保障措施

（十六）加强组织领导。各级人民政府要强化主体责任，建立推进一二三产业融合发展部门联席会议制度，把有关工作纳入经济社会发展总体规划和年度计划，作为目标考核的重要内容，协调解决农村产业融合发展中的重点和难点问题；加强分类指导，因地制宜探索农村产业融合发展模式。各有关部门要根据本意见精神，抓紧制定和完善相关规划，细化相关支持政策。〔市（州）人民政府、省发展改革委、农业厅、林业厅、省经济和信息化委、商务厅、省旅游发展委等负责〕

（十七）搭建公共服务平台。以县（市、区）为基础，建立一二三产业融合发展电商服务平台，完善县（市、区）已有的农村综合信息化服务平台，提供电子商务、乡村旅游、价格信息、公共营销等服务。优化农村创业孵化平台，建立在线技术支持体系。建设农村产权流转交易市场，成立专门的指导交易体系，引导其健康发展。开展产地准出、市场准入制度试点，建立农产品质量安全检测和追溯体系。（农业厅、林业厅、省发展改革委、省经济和信息化委、商务厅等负责）

（十八）加大财税支持。各地要统筹安排财政涉农资金，加大对农村产业融合的投入。积极争取中央财政、预算内基本建设、国家专项建设基金等方面对我省农村产业融合发展项目的支持。省发起设立农业产业发展投资引导基金。省级投融资和担保平台要重点支持农村产业融合发展项目。地方各级人民政府要创新政府涉农资金使用和管理方式，研究通过政府和社会资本合作、设立基金、贷款贴息等方式，带动社会资本投向农村产业融合领域。支持地方扩大农产品加工企业进项税额核定扣除试点行业范围，落实农产品初加工所得税优惠政策、小微企业和新型农业经营主体税收扶持政策。（财政厅、省发展改革委、省地税局等负责）

（十九）强化土地保障。各地要切实保障农村产业融合合理用地需求，在年度建设用地指标中单列一定比例，专门用于新型农业经营主体进行农产品加工、仓储物流、产地批发市场等建设；对社会资本投资建设连片面积达到一定规模的高标准农田、生态公益林等，允许在依法办理建设用地审批手续等前提下，利用一定比例的土地开展观光和休闲度假旅游、加工流通等经营活动。（国土资源厅负责）

（二十）创新金融服务。发展农村普惠金融，优化县域金融机构网点布局，推动农村基础金融服务全覆盖。综合运用奖励、补助、税收优惠等政策，鼓励金融机构与新型农业经营主体建立紧密合作关系，推广产业链金融模式。加大特色农业保险支持力度，探索建立省、市、县联保制度。加大对农村产业融合发展的信贷支持，稳妥有序推动“两权”“两证一社”抵押贷款试点。推动新型农业经营主体对接多层次资本市场，鼓励符合条件的农业产业融合企业通过上市、股权交易、公司债等方式融资。健全担保风险防控体系，构建银行、担保、再担保、地方政府四方联动共同化解信贷风险模式。（省政府金融办、人行成都分行、财政厅、四川银监局、四川证监局、四川保监局、农业厅、林业厅、省发展改革委、省地税局等负责）

（二十一）强化人才和科技支撑。加快发展农村教育特别是职业教育，加大农村实用人才和新型职业农民培育力度。继续实施四川省鼓励农民工等人员返乡创业三年行动计划。深化农业科技体制改革，完善科技成果处置权和收益权、科技人员兼职兼薪和离岗创业、知识产权入股和参与分红等政策，激励科技人员创新创业。推行科技特派员制度，加强农业专家大院、“星创新天地”、四川科技扶贫在线等新型农村科技服务体系建设，探索“创新券”等政府购买、资助、奖励科技成果转化的形式，推动涉农科研院所和高校、新型农业经营主体以及广大农业科技人员深入生产一线开展科技服务。（教育厅、科技厅、农业厅、林业厅、人力资源社会保障厅、省旅游发展委等负责）

（二十二）推进农村产业融合发展重点项目建设。在全省发展基础较好、辐射带动作用较强、农民增收明显的优势特色产业中，每年选择一批农村产业融合重点项目，通过省市县三级政府联投、联保、联动引导，新型农业经营主体实施，金融机构通力支持，整合资金等要素，集成各方面政策，扶持大龙头、打造大品牌、做强大产业。（省发展改革委、财政厅、农业厅、林业厅、省经济和信息化委、商务厅、省旅游发展委、省政府金融办、人行成都分行、四川银监局等负责）（二十三）推动试点示范。各地要根据国家和省农村产业融合发展意见，围绕产业融合模式、主体培育、政策创新和投融资机制，每个市（州）至少选择一个县（市、区）及部分乡镇、村（社区）开展农村产业融合发展试点示范，尽快形成一批可复制、可推广的模式。要及时总结发现农村产业融合发展的先进典型，加强宣传推广，充分发挥示范带动作用。（省发展改革委、财政厅、农业厅、林业厅、省经济和信息化委、商务厅、省旅游发展委等负责）

四川省人民政府办公厅

2016 年 10 月 31 日

编　写　组

《四川农村年鉴》省级部门编写组

单位名称	编写组组长	成　　员
四川省高级人民法院	贺　林	曾凡平　刘将来
四川省人民检察院	沈　润	徐俊驰　李小涓
中共四川省委宣传部	李晓骏	孟　华　吴勇刚
中共四川省委政法委员会	余　建	吕　翔　邓一村　罗哲哲
中共四川省委台湾工作办公室	杨志学	朱文生　林　萍　曾利娟
中共四川省委农村工作委员会	杨秀彬	毛业雄　王晓勇　董进智　陈孟坤　李　林　李桂君
四川省发展和改革委员会	邓长金	田雪松　谢　安
四川省经济和信息化委员会	何开华	庄　艳
四川省教育厅	张澜涛	马　涛　陈　立　谢志道
四川省科学技术厅	景世刚	吴　彬　游晓峰　王永志　汪继红　谢世娟
四川省民族宗教事务委员会	肖晓军	周发成　马立发　刘　斌　白　亮
四川省公安厅	张　颖	方万云　何　川　徐　韬　胡小军
四川省民政厅	廖永康	崔　卫　王绪恩　何晓明　冉敬军　杨成文　龙　梅　邱　陵　陈开磊
四川省司法厅	李贵洪	严　军　贾　飞
四川省人力资源和社会保障厅	田　杰	黄学宁　李一漫　蒋维毅
四川省国土资源厅	王　平	谢安军　阮礼军
四川省环境保护厅	李岳东	王国华　陈维果　万　平　康　宁　吴　畏　赵　磊　瞿建林　王　蒙　常　青
四川省住房和城乡建设厅	何　健	王建欣　周　辉　宋若仁
四川省交通运输厅	黄　丽	王　谦
四川省水利厅	朱光荣	李　勇　张菁菁
四川省农业厅	祝春秀	杜志仁　马　晖　李幼平　郑华章　冯伯润　陈　伟　陈俊卓　付　杰　冯　洁　李　明　施　波　冷奕光　王　玲　严　华　罗怀海　陈尹亓　邓林霞　安　闻　陈玉建　冯娜娜　叶　慧　刘霍秋　孔建雄
四川省林业厅	李　剑	陈宗迁　张革成　贺　捷　杨晓华
四川省商务厅	杨春轩	龙　涛　熊金华　尹佳慧　程君佳　陈雯洁
四川省文化厅	王　琼	范远泰　刘朝禄　向仕富
四川省卫生和计划生育委员会	刘　捷	古　熙　宋　平　赵晓恒　向晓莉　孙　英　王景会
四川省审计厅	易　洪	何雪萍　陈良龙
四川省工商行政管理局	资　军	邓　兵　王　欢
四川省质量技术监督局	苟小兰	李晋川　赵　梅　蒲治成
四川省食品药品监督管理局	曹　力	向　堃
四川省新闻出版广电局(省版权局)	邹吉祥	李　铁　张　莉　杜　宏　宋文军　董家喂　文华山

续表

单位名称	编写组组长	成　　员
四川省统计局	李兴怀	余学英　马　克
四川省旅游发展委员会	吕志军	占风琪　代宗奇　袁爱丽
四川省扶贫和移民工作局	唐　义	曾　磊　白　楠
四川省信访局	邵革军	杨　实　冯广宇　李树贵　叶旭聪
四川省档案局	张辉华	刘　君　张　蔷　官　明
四川省投资促进局	王君臣	刘　军　蒲　璐
四川博览事务局	郑　莉	刘　瑛　李　辉　王自磊
四川省粮食局	张书冬	王青年　付　丹　胥　镤　柳　易　张杰刚　徐小乐　黄　勋
四川省监狱管理局	肖乾华	苏虎彪　余智明
四川省金融工作局	张　弛	刘　畅　蒲宇程
四川省供销合作社联合社	王　强	杨　韬　何玮玮
四川省气象局	马　力	上官昌贵　金　垚　李纯仪　罗瑞雪　杨义彬　秦明俊
四川省通信管理局	刑海英	贺宏亮　甘信建
四川省烟草专卖局 （中国烟草总公司四川省公司）	李恩华	肖　瑞　宋纪江　张羽翔　伍仁军　林　佳　吴　迪　步　克　成本喜 郭明全　徐忠良　杨　宇　罗柱石　何成伟　蒲　适　刘兴红
四川出入境检验检疫局	孙颖杰	邓明辉　郭　静　严玉宝　王勇涛　刘　良　刘洋洋
成都海关	张　炬	刘　强
国家统计局四川调查总队	罗学文	冯久先　李　洋
共青团四川省委	赵　龙	邹玉龙
四川省妇女联合会	吴　旭	吴咏梅　张　颖
四川省科学技术协会	刘　进	刘先让　杨小丽
四川省残疾人联合会	马小平	宋满宏
四川省关心下一代工作委员会	杜　江	杨　顺　杨　华　王文军　黄晨希　王　超
中国银行业监督管理委员会四川监管局	李国荣	何　勇　张　阳
中国保险监督管理委员会四川监管局	杨立旺	李　弘　肖　振　毛　明
中国农业发展银行四川省分行	熊　钧	王　锋　杨　波
中国农业银行股份有限公司四川省分行	陈　实	龚　建　张俊刚　李强松　范　君　陈　强
四川省农村信用社联合社	徐太平	邓一戈　肖春林
国网四川省电力公司	谭志红	熊卫东　冯　晋　李梓玮
中国邮政集团公司四川省分公司	童文君	程　伟　赵　强　钟　劲
四川省农业科学院	任光俊	向跃武　刘雅琴

编 写 组

《四川农村年鉴》市(州)编写组

城 市	编写组组长	成 员
成都市	许兴国	潘　斌　徐贵纯　郭　凯　曾　定　王雅莉
自贡市	鲜光鹏	李雍麟　李　勇　冯永志　张　序　黄　麟　周　耘　陈思禄　曾宏伟　张维纲　李吉能　温静姝　李宗跃
攀枝花市	李仁杰	陈计全　邱小平　罗启武　谢　军　张孝铭　魏渠河　魏胜利　青致刚
泸州市	张文军	熊启权　李小平　包　蓉　皱　维　张兴友　周洪华　余泽华　陈晓荣　周　毅　黄　勇　叶大友　梁中元　李长江
德阳市	杨　震	毛文华　杨方清　张国际　许安林　周　骅　罗跃奎　谭德明　邓　勃　曹继华　尹　艳　何升元　熊兵华　靳钊军　李玉波　廖立新　蔡绣鸿　王　锐　施　强　王　鸿　耿垣合　魏　宇　周　洪　周录学　周　睿　罗刚承
绵阳市	周志强	陈　伟　邹大世　王志尧　王长兵　文晓林　刘　强　王葵花　周　杨　郭康康
广元市	刘少敏	杨　浩　任守铭　王　治　李仲明
遂宁市	邓　为	朱俊华　徐建军　勾中进　罗腾亮　李　勇　吴新春　张晓梅
内江市	牟锦毅	田文平　曾红军　林　锋　熊朝平　郭　英　肖　峰　袁传敏
乐山市	伍　定	郑贵林　高　波　杨登廷　甘　麟　张　羽
南充市	向贵瑜	王玉龙　魏　毅
宜宾市	张　平	邓前卫　沈雪峰　聂泰民　谢　平　刘　艳　谢　刚　李万红　左利勇　张中孝　肖安祥　陈　景　李德勋　熊林海　杨　莉　郑兴良　赖兴隆　周川宁　黄　斌　丁建彰　华建伟　张仲均　陈　俊　陈　坤　闵　强　邓　晖　古乐蓉　高　果　吴邦玉
广安市	陈　伟	尹黎明　王建玲　李　婧　龚显军　袁　强
达州市	陈中华	王全兴　李晓波　于正万　熊明霜　王世杰　张玉华　李冰雪　张　雁　冯远国　徐中华
巴中市	克　克	杨　毅　孙　敬　冯金光　李　煜
雅安市	白　云	李文峰　陈　武　高　凯　曾　毅　吴洪江　杨茂雄　于冀川　郑尚堃　何　勇　潘素华　赵　敏　王　华　李志强
眉山市	肖忠良	杨大兴　邓　川　陈明芳　李　俊　熊　英　郭才文　严　军　杨　忠　冯志宏　蔡卫东　游方全　郭　红　杨红兵　张　锐　肖　琳　杨德志　李　俊　管　韬
资阳市	周月霞	陆明辉　唐致朋　李析芮
阿坝藏族羌族自治州	王树云	周　云　李清坤　肖兴兰　乔　凤
甘孜藏族自治州	舒大春	何康林　李德强　张建国　杨志贵　陈天康　肖　锋　曲　梅　徐　杰　邱发国　仁　青　袁　亮　颜　磊　王　强　尹天飞　罗永红　洛桑达瓦　洛绒拉珍　王　丹　李　凡　杨庆华　丁淑娟　何家鸿　吴运凌　王朝明　王新月
凉山彝族自治州	熊帷茗	马小合　杨洪斌　杨昌林　王永贵　崔亚波　魏国彬　屈　勇　王维平　吕庆昆　李世明　杨光灿

《四川农村年鉴》县(市、区)编写组

城　市	单位名称	编写组组长	成　员
成都市	锦江区	肖福明	冯治国　曾付刚
	青羊区	詹　庆	赵艳艳　张　宇　王林先　徐宝清
	金牛区	贾迎霜	王旻轩　张　蓉
	武侯区	潘　虹	杨青林　徐敬国　伍三雄　王伦平
	成华区	刘建昌	马　智　郭　伟　梁力强　刘　均　王　卉
	龙泉驿区	曾　新	曾勇达　张　鸿　王庄财　周　涛　李　悦
	青白江区	冉晓晞	邱方林　赖世久　汤仕芬
	新都区	张文豪	刘扬军
	温江区	景仁志	胡良万　刘金红
	都江堰市	陈丽娜	张文斗　陕　燕　贺泽勇
	彭州市	刘　城	胥全富　朱丽萍　徐　伟　袁贤松　陈志刚
	邛崃市	周洪斌	曾　毅
	崇州市	文国洪	李建强　华　斌　杨成伦
	简阳市	雷启锋	施　亮　付长茶　曾继元　唐远君　刘　辉　余　敏
	金堂县	易志坚	张　攀　沈传民　曹金蓉　陈华恒　王艺达　罗灵聪　王浩男　卢　琳　甯　超
	双流区	徐　刚	万　琳　刘一阳　樊明建
	郫　县	黄晓云	舒　东　陈志蓉　王成富　钟信蓉　张益凡
	大邑县	石建坤	倪若玉　杨　斌　王　恒
	蒲江县	陈　芳	黄建清　高　瑶　李　翼
	新津县	高　翔	刘仁俊　郑友治　江雪雪　韩凤云
自贡市	自流井区	杨华贵	樊树文　王　旭　周玉香　刘　盛
	贡井区	吴正刚	李　强　罗再明　曾光银　罗　平　刘永红　许增英　张　毅　王安平　陈才波　雷　进　蔡卫忠　张伟平　吴鸿莉　杨成伟　闵　建
	大安区	刘　勇	杨普化　陈　平　刘严明　王　捷　陈　平　曾　骏
	沿滩区	张力平	熊　燕　唐远亮　代　磊　朱燕萍　唐国栋
	荣　县	王茂莎	徐凤初　朱和能　张伟红　虞继凯　罗　凌　黄　珉　刘忠诚　卿安元　但立娟
	富顺县	曹友良	曾　平　文　敏　郑家玉

续表1

城　　市	单位名称	编写组组长	成　　员
攀枝花市	东　区	汪雪林	韩林霖
	西　区	龙　勇	尚滟佳　廖助龙　谭序刚　熊维刚　胡　波　聂　晶　宋　敏　杨　雄
	仁和区	唐旭光	冯　刚　起繁强　邓文波　廖国涵
	米易县	罗文跃	熊玉兰　李维华　徐绍鑫
	盐边县	朱林光	李德福　袁　野
泸州市	江阳区	朱蔺坚	李显峰　徐玉龙
	龙马潭区	许仁兵	胡兴成　王格平　熊兴建　陈　刚　姚　飞　毛启云　胥世海　胡　勇　王　平　刘　靖
	纳溪区	雍　涛	王寿海　唐廷俊　罗　毅　刘跃先
	泸　县	薛学深	张学彬　杜作文　田　伟　曾一汫　张怀华　周　宇　廖险峰　赵　军　黄晓斌　陈　琴　李祖菊
	合江县	刘本国	卢建伟　程焕超　周希平　何顺江　侯正清
	叙永县	李　化	聂洪财　郑廷聪
	古蔺县	杨玉峰	李文功　王剑双　王　鑫　安美惠　姜先强　上德洪　董维服　李加强　何永忠　张　黎　范永勤
德阳市	旌阳区	袁　敏	贾仰富　田　婷　汤守族　唐克斌　杨昌平　熊华斌　罗海先　廖乾模　李国金　廖启钧　胡凤斌　黄海燕
	广汉市	梁筱萍	曾洪波　胡　智　郭邦富　李天祥　韩道建　周继龙　李明惠　周　健　钟昌澍　罗进银
	什邡市	赖　朋	安跃斌　黄再顺　吕贤江　尚　海　邹声福　李顺良　廖模强　李乐早　马军春　严　伟
	绵竹市	张丽珂	唐绍愚　赵开君　方　涛
	中江县	唐　静	房郁胜　邓　勇　杨　勇　蒋　艳
	罗江县	胡　勇	沈旭东
绵阳市	涪城区	廖　凯	姚永红　龙佳林　秦亚辉　牟满涛
	游仙区	陈华斌	肖龙明　林　檬　张明东　陈　良　胥晓敏　钟加兵　董光明　杨秀俊　王　玲　王长路　刘　军　段海燕　刘绍彪
	江油市	马　辉	王　军　李　海　杨旭光
	安州区	李昊天	衡国钰　刘云相　姜永斌　田世荣
	梓潼县	周　琳	丁家洪
	平武县	李治平	熊仪江　李绍平
	北川羌族自治县	林　川	何浩宇　曾国和
	三台县	吴明禹	汤克斌
	盐亭县	袁　明	陈　卉　王梦阳　潘　力

续表2

城　　市	单位名称	编写组组长	成　　员
广元市	利州区	母文德	陈才清　宫清锡　李　燕
	昭化区	龙兆学	杜　非　孙　健　付　健　申华锋　张文茂　王振江　王正功
	旺苍县	余飞宇	王尔敏　谭　江　李　季　鲜　勇　罗　凡　周志林　向荣贵　朱思全　何茂华　贺红先　杨　永　刘　剑　赵　文　刘　雄　李雪华　李　伟　刘　瑾　何光贵　杨承将　唐　国
	朝天区	吴　卿	张久蓉　李义文
	剑阁县	张晓军	李云峰　董勇朝　何　峰　张　军　魏仲文　高　峰　母明新　杨小虎　敬志海　罗　浩　王再敏
	青川县	罗　云	范正勇　刘　强　王　平
	苍溪县	张寿于	杨祖斌　安宗明　谢龙飞　赵　斌
遂宁市	船山区	黄　钰	易先光　姜　木　刘　勇　唐　欣　陈洪敏　姜　黎
	安居区	舒玉明	余　雷　焦永平　曾凉雄　米光华　孙　勇　周奇武　王　龙
	射洪县	黎云凯	王　勇　何小江　蒋桂彬　张朝平　何　连　谢晓彬　李　青　王家伦　袁　阳　贺建平　税正发
	蓬溪县	唐自强	谭　峰　朱义平　何菊蓉
	大英县	杜　锐	李小龙　黄霁阳　李永顺　刘春燕　杨鹏飞　骆跃华　许六星　李兴建　刘文志
内江市	市中区	王志文	柳永胜　刘崇伟　粟学书　汪开军　陈茂均　陈　杰　曹希异　魏新征
	东兴区	李万勇	张述文　杨宗远　吴　俊　杨安抱　刘　斌　甘代学　林　波
	资中县	蒋学飞	吴小平　邱　刚　曾宗军　邹　君　王春华　谭继美　刘　君　梁毅军　李欣岡　肖慈国　何晓东　张舒怡　王　燕　胡　煜　曾　娇　张维辉
	威远县	马　炬	刘学兵　蔡虎城　蒋远辉　罗　杰　谢奎天
	隆昌县	万晓燕	罗模圣　杨　诚　黄体元　肖前宏　黄　勇　李　琳
乐山市	市中区	李　华	邓清清　赵　亮　肖　拉
	五通桥区	刘利平	李永全　蔡邦红　何旭平　黄勇建　何　琴　龚利强　宋　磊
	沙湾区	左小林	王旭东　曾智鹏
	金口河区	杨秀英	费治洪　常　杰
	峨眉山市	吴小怡	谢建平
	犍为县	陈光勇	张　凯　谢春妍
	井研县	程　宇	曹治平　李明华
	夹江县	袁　月	胡　超　车云中　余建容　吴小强
	沐川县	张　强	干代忠　陈世贵　费旭元
	峨边彝族自治县	栗那针尔	吴雁冰　谢世华
	马边彝族自治县	沙万强	饶　刚

续表3

城市	单位名称	编写组组长	成员
南充市	顺庆区	尹成平	李献丰 何平 陈斌
	高坪区	袁军	唐灏
	嘉陵区	申庆超	张应海 陶刚 唐福荣 蒲祥兴 满永德 唐永强 徐小康 罗彤 韩荣武 姚春 杜颖鉴 文海燕 袁和平 蒋川龙 曾爽 谢东晓 唐一兴 陈焱 苟会平 杜如先 任益 李果 杨丽波 严军
	阆中市	杨德宇	刘勇 杨劲松 郑长春
	南部县	邓彪	易登科 何平儒 汪国安 王洪 刘洋
	西充县	陈泽斌	孙骏 陈忠良 蒙洪庆
	仪陇县	饶又铭	侯太平
	营山县	黄金盛	罗远明 周健 何铮 段斌 肖宏民 晏良华 邓萍 李开武
	蓬安县	杜长书	黄亮 赵良伟
宜宾市	翠屏区	张艳丽	祝科 南岚 赵学峰 胡关永 屠朝华 李刚 何锐 王祖桥 辛宾 柴军 罗敏 罗涛 陈利
	南溪区	谢明春	韩仕奎 杨绍宇 许刚 刘军
	宜宾县	廖运硕	曾小东 代克忠 唐辉 刘廷松 邓成龙 罗正斌 罗朝才 陶天驰 聂学杰 郭彬 廖勇 陶开伟 蒋什来 梁晓龙 杨放 杨伟 颜朝华 向衍 幸荣高 杨健平 王德民 张碧玉 刘晓川 罗青 严文书 瞿宗强 刘玉萍 黄勇 吴俊森
	江安县	王文华	明勇
	长宁县	董茂成	周海涛 李政
	高县	杨德蓉	李锦屏 龚柏松 刘武安 蔡亨兰
	筠连县	徐劲松	彭绍华 张会权 米筠桂 夏启林 胡伟 周娟 唐甫 黄永华 李廷 金勇 王成 罗啸驰 黄万里 张惠 王芳 罗惠文 李萍 蒙文波 尹丽鸿 曾君 刘毅 冯杰 曲潇 李文刚 梁开勇 宋书均 刘祖荣 黄丽宏 郭爱筠 杨光照
	珙县	王小阳	王强 李智 袁刚 陈新钰 游成
	兴文县	张健	赵仲康 申春
	屏山县	李川	刘焰 陈善梁
广安市	广安区	吴永川	刘春燕
	前锋区	张力文	陈爱兵 赵云华 许斌 曾军 李道平 宋开明 汪毅 徐文涛 王银瓶 欧居建 杨东南 李涛
	华蓥市	彭晓军	卿堃 王军 贺大军 王东宁
	岳池县	宋军	范昭东 罗小萍 陈富威 胡秦华 郑克虎 粟四海 王太益 唐开蓉 赵毅
	武胜县	文阁	李良全 李青松 刘勇 夏杰才
	邻水县	黄永鸿	鲁崇兵 赵宏剑 钱泽云

续表4

城　市	单位名称	编写组组长	成　员
达州市	通川区	张　杰	蒋太仁　庞福佑
	达川区	庞启来	王　雄　黄啸天　杜权述　陈　默　程　鹏　任　洪　包洪波　杨胜东　陈英林　蒋金雄
	万源市	倪　欣	陈国斌　唐德义
	宣汉县	庄耘天	李兴海　吴中良　夏俊杰　鲁登洲　彭卫东　蒋　波　付光华　李廷尧　王盛辉　胡华瑜　王　军　刘春芹
	大竹县	李志超	淳伟波　刘　杰　刘高鹏　徐　成　杨安勇　唐建国　沈　莲　徐远航　熊德洪　李　轩　徐世明　何红兵　林可胜　黄　铀　于　飞　周朝明　黄远才　冷中海　陈金果　李友轩　谢　华　汤志永　何　武　刘开乾　唐继文
	渠　县	王飞虎	牟　军　杨松涛　李勇刚　代泽安　张渠伟　张思伟　申清勇　覃　杰　王　凌　陈廷辉　杜克云　赵显春　刘　忠　张　渠　张春林　楚昌鸿　毛　勇
	开江县	周建平	龙有鹏　陈天冬
巴中市	巴州区	余　斌	付玉阶　周永红　何青松　唐　忆　冯　钰　吴圣明　何大文　蒋双全　詹雯众　刘兆江　周　进　陈　垠　樊克俭　张双德　李　彬　李　祥　邓先成　蒲艳平
	恩阳区	曹光辉	张丁夫　彭钦龙　张　钰　李永果　杜映平　包晓鹰　张　宁　邓甫海　熊　亮　肖丽容
	南江县	赵燕飞	吴　刚　何其泷　赵卢桂　米　广　何开国　王善春　杨奎荣　陈彦博
	通江县	万学成	张忠建　王青松　张熙富　张　炜　张　松　吴歆勇　陈尚诗　李玲安　张　平　陈明春　赵云成　郭修才　黄　维　杨　文　向　晖　吴华智　龚继荣　屈天海　赵川江
	平昌县	袁志贤	石长平　周勇华　吴晓春　李虹扬　唐　均　周大军　李云峰　易　荣　白能国　周士吉　刘天淼　苟荣华　丁光敏
雅安市	雨城区	杨　义	白成林　李　政　凌　毅　范雅忠　伍双琳　张　茜
	名山区	韦燕伟	蒲丹会　罗　虎　李　静
	天全县	柳中国	魏太红　潘　霞
	芦山县	刘照辉	宋加平
	宝兴县	高体强	苏　磊　杨维芳
	荥经县	高福强	陈德全　张顺昌　李　蓉　周万平　姜　伟　李婷婷
	汉源县	谢　爨	李树敏　陈茂显　王　跃　李福忠　张琼英　李　刚　胡德华　董必忠　曹　翔
	石棉县	刘剑飞	王　骞　倪　虹　赵晓鸿　郭光孝　郑立松　宋晓明　牟顺锦
眉山市	东坡区	游方全	何　波　李明德　豆成杰　胡照林　王智军　王正喜　李光亮　梁利勇　谢华伟　彭德贵　王崇贵
	仁寿县	杨红兵	毛超英　钟超文　黄健康　张敏红　袁　吉
	彭山区	张鸿涛	王志平　杨　强　晏瑶珈
	洪雅县	宋良勇	张　锐　刘联欣　王学强　底　莹　张静雅　刘　威　姜佳岑
	丹棱县	李祝才	肖　琳　李　平　徐卫斌　段　炼　宋　伟　鲁　华　刘　兵　严忠池　何新文　易玉琴　罗朝俊　蹇俊超　宋诗利　谌德友　邓　棱　赵　进　叶晓梅　严章奎　叶　斌　李水泉　彭建华　代贵兵　李光兰　周　英　周洪明　兰文庆　杨义军　黄建军　周　杰
	青神县	余成昆	窦晓群

续表5

城　　市	单位名称	编写组组长	成　　员
资阳市	雁江区	周　攀	卢瑞明　邹守德
	安岳县	彭玉秀	邹武超　游　军　蒋玉林　龙林文　周勤富　黄　彦
	乐至县	李　杰	唐　勐　赵建光　管昌平　蔡丰建　陈吉军　朱派燮　宋　阳　杨秀武　唐　义　夏文义　蔡　华　岳　丹　姚书银
阿坝藏族羌族自治州	汶川县	岳洪春	苏兴珂　唐琼芳
	理　县	姚　刚	申政鹏　邱胜强
	茂　县	周　耀	钟　宇　李　宾　黄付成　刘维刚　刘光华　谭　平　邓　艳　王聪清　周顺友　周　斌　万力基　任国华　谭先伟
	松潘县	华尔白	曹林志　何　雲
	九寨沟县	龚学文	朱国成　欧　兰　何　柳
	金川县	卢永波	李祥全　覃　旭　覃　林　张红军　毛　凯
	小金县	黄　忱	马兴武　王崇安　黄　敏　罗宁勇　袁兴露　贺洪斌　罗　强　马文强
	黑水县	胥德平	任志凯　董平居　陆映旭　任青云
	马尔康市	杨成才	吴　均　杜朝云　张志伦　克尔基　李联明　谢小波
	壤塘县	贾永和	谭昌林　王志蓉　唐　琼　龙天慧
	阿坝县	更仁磋	垄　伟　范文辉　王昌建　苏帮平　李椿晨　麦朵卓玛
	若尔盖县	孙玉波	徐绍勇　朱小琴　蒋祖建
	红原县	蒋明平	杨发礼　袁友兴　陈　峰　王小川　岳春兰　彭文丽　马凤琴　马　蕾　胡廷武
甘孜藏族自治州自治州	康定市	余亚琼	杨德伟　杨国勇　姜　莉　刘　康　陈　刚　陈旭东　邓丽华
	泸定县	祝邦文	万俊蓉　周永峰
	丹巴县	杨　犀	杨聂芳　陆支涛　冉国巧
	九龙县	张　军	李建琴
	雅江县	盛向东	郑瑞源　杨　盛　王星玉　罗　利
	道孚县	杨国清	闵晓春　曾　浩　杨曙光　巴登益西　邓孜罗布　韦　红　黄莲芳　胡文炳　杨安澜　泽仁勒麦　格绒亚批　降泽多吉　陈　勇　易忠明　程　斌　施元亮　彪　青　陈丹竹
	炉霍县	阿吉曲批	杜　梅　黄　琳
	甘孜县	郑富明	刘春柳　余兰英
	新龙县	多吉格西	银　虹　杨　梅
	德格县	陈万林	其　太　毕代刚　游　科
	白玉县	兰　海	童强勇　黄丛洲

续表6

城　市	单位名称	编写组组长	成　员
甘孜藏族自治州自治州	石渠县	马传勇	孙　伟　廖华远
	色达县	殷志勇	志　玛　郑　燕　李勇强
	理塘县	郑显峰	夏进孟　高茂盛　洛绒曲吉　杨正康　梁　敏　姚廷宇　周　冰　钮海江　郭长生　高正龙　简安拉姆　覃纯德　蒋　强　雷红生　翁　登　格　绒　王建军　桑　根　李建军
	巴塘县	张家志	王朝杰　格桑梅朵
	乡城县	谢红军	周乾琼　拥　初
	稻城县	曾晓平	何明剑　李华竹
	得荣县	曾明友	阿　姆　阿　车　斯郎拉错　次仁拉错
凉山彝族自治州	西昌市	余　勇	朱　明　刘远清　丁　松　杨正平　黄春华　吴贤康　伍晨兵　罗　英　马　军
	木里藏族自治县	沐年若	普　祖　沈　达　何呷绒　张林清　马文祥　耿向飞
	盐源县	张成武	张棋明　鄢世忠
	德昌县	李悬古	杨　晓　周　洁　陈　星
	会理县	周礼云	刘丽萍　李诗明
	会东县	刘志斌	王国新　刘东平　柯贤梅
	宁南县	杨正伟	焦道未　梅显跃　王联洲　朱正英　彭子铭　邹　英
	普格县	子耳日火	王　刚　陈庆华
	布拖县	谢　勇	姚仲华　何明阳
	金阳县	李德强	毛　勇　布尔首努　陈艳芳
	昭觉县	土比阿依	吉尔史博　雷　艳　李　燕　尔古拉洛
	喜德县	翁古合加	阿别如火　苏育翠　孙　凡　阿加作姑子
	冕宁县	刘建伟	谢绚菊
	越西县	代　松	洛边彩哈　周海强　魏国忠
	甘洛县	阿西阿木	阿木以哈
	美姑县	孙学元	洁　松　廖加伟　阿比阿曲　阿苦鲁请　普　云
	雷波县	陈　昕	贾　伟

索　　引

说　　明

一、本索引按内容主题性质分类，以关键词首字按英文字母排序排列，页码后的 a、b 分别表示页面的左右栏。

二、本索引收录词条字体、字号设定和疏密安排均以方便读者查阅检索为要，欢迎读者提出宝贵意见。

A

B

C

L

M

N